自由人（八）

自由人總目錄

動盪時代的印記——《自由人》三日刊始末

陳正茂（北台灣科學技術學院通識教育中心教授）

一、前言：《自由人》三日刊創刊之背景

民國三十八年是中國歷史上驚天動地的一年，隨著戡亂戰局的逆轉，中共席捲大陸，國府敗退遷台，真是國命如絲風雨飄搖的危急存亡之秋。處此動盪時代中，除大批軍民同胞隨政府播遷來台外；尚有一部分人士選擇避難香江，南下港九一隅，這些人當中，有不少是失意政客和知識份子。基本上，當年選擇避秦來港的知識份子，其心態上有兩種，一則對國、共兩黨均感不滿；再則係看上香港為自由民主之地，較能有揮灑發展的空間。此情勢考量，誠如雷嘯岑所言：「在一九四九－五〇年之間，因大陸淪陷，香港乃成了反共非共的中國人士望門投止的逋逃之藪」。

這些投奔港九的政治難民，以高級知識份子居多；兼以香港時為英屬自由之地，所以只要不違背港府法令，一般而言從事任何活動是百無禁忌，相當自由的。不僅可以高談政治問題，甚至於從事政治活動亦不加以限制。於是，「從大陸流亡到港九的高級知識份子群，乃相率呼朋引類，常舉行座談會，交換對國事意見，而美國國務院的巡迴大使吉塞普（Philip Jessup），斯時亦在香港鼓勵中國人組織『第三勢力』運動，目的以反共為主。」在此背景下，港九地區的自由民主人士，在美國幕後撐腰下，「各種座談會風起雲湧，熱鬧非凡；而諸多以反共為職志的大小刊物，更是應運而興，琳瑯滿目了。」所以，《自由人》三日刊，就是在此大時代氛圍下孕育而生的。

二、《自由人》三日刊誕生之經過

《自由人》三日刊醞釀誕生之經過，最早鼓吹者，一般而言，說法有二，一為由王雲五號召發起。據其《岫廬八十自述》書中提及：「自民國三十九年開始以來，由於中共匪幫建立偽政權，並先後獲得蘇俄、緬甸、印度、巴基斯坦及英國的承認，於是匪幫的勢力在香港突然大振，不少反共分子漸呈動搖態度。旅港有識之士深感囂風日長，漸使全港華人隨而動搖，乃相與集議挽救之道。我因在港主辦一個小規模出版事業（按：即華國出版社），尤以一貫堅持反共方針，遂由多數參加集議人士推任領導。由臨時的集會，變為固定的座談；其地點經常利用國民黨在銅鑼灣某街所租賃之四樓房屋一層。每次參

1 馬五，〈「自由人」之產生與夭折〉，見馬五（雷嘯岑）著，《政海人物面面觀》（香港：風屋書店出版，一九八六年十二月初版），頁二一二。又此種座談會多在週末舉行，也有人稱之為「週末座談會」或「星期六座談會」。見馬五先生著，《我的生活史》（台北：自由太平洋文化事業公司出版，民國五十四年三月一日初版），頁一六一。

加座談者，多至三十餘人，少亦一二十人，皆為文化界人士，或為舊日與政治有關係者，各政黨及無黨派人士皆有之。後來我以香港政府最忌政治性的集會，凡參加人數較多，尤易引起猜疑，動輒干涉。加以如此散漫的座談，亦未必能持久，因於某次座談中提議創辦一小型之定期刊物，每週或半週出版一次，既可藉此刊物益鞏固反共人士之維繫，且刊物一經向港政府註冊，則在刊物辦公處所舉行的座談，皆可諉稱編輯會議，可免港政府之干涉。此議一出，諸人咸表贊同，遂計劃如何組織與籌款。結果決辦三日刊，定名為自由人，其資金由參加坐談人士各自量力提供。我首先代表華國出版社提供港幣一千五百元，此外各發起人分別擔任，或一千，或五百不等；並經決定撰文者一律用真姓名，以明責任。其後，又決定委託香港時報代為印刷發行。因是，籌備進行益力，發起人等每星期至少集會一次，間或二次，一切進行甚為順利。」[2]

二為眾人集議，早有志於此，雷嘯岑即主此說。雷言：「這時候，即有原在大陸上服務新聞界的報人成舍我、陶百川、程滄波，協同青年黨人左舜生、民社黨人金侯成，以及國民黨人阮毅成、無黨無派的王雲五，外加香港時報社長許孝炎、新聞天地雜誌社社長卜少夫一千人等，於每週末午後在香港高士威道某號住宅中，舉行文化座談會。大家談來談去，得到一項結論，要辦一份刊物，以闡揚民主自由思想，在文化上進行反共鬥爭。……適韓戰爆發，預料東亞局勢將有變化，刊物必須及時問世，刊物取名「自由人」，由程滄波書寫報頭兼撰〈發刊詞〉，標題是〈我們要做自由人〉。」[3]

2 王雲五，《岫盧八十自述》（台北：商務版，民國五十六年七月一日初版），頁一〇四～一〇五。

3 馬五，〈「自由人」之產生與夭折〉，同註一，頁二一二～二一三。

然由當事人之一的阮毅成事後追記，似乎《自由人》三日刊能草創成功，仍是由王雲五一手主導的。阮說：「民國三十九年十二月二十日，雲五先生在香港高士威道約大家茶敘，其中特別提及『今日我約諸位來，是想創辦一份反共的刊物，以正海外的視聽。間接幫助臺灣，說幾句公道話。我們讀書人，今日所能為國家效力的，也只有此途。』」[4]由阮之記載，合理推論，《自由人》三日刊能順利催生問世，王氏為登高呼籲之首倡者，可能性是很高的！

但就在王氏積極創辦《自由人》三日刊之際，突發一件暗殺事件，則頗值得一述；且對後來《自由人》三日刊的發展不無影響。事緣於三十九年十二月下旬，王氏在《自由人》三日刊諸人集會散會後，在香港寓所遭遇暗殺，幸子彈未命中，逃過一劫，這突如其來之舉，使王氏決定立即離港赴台定居。此事來台後，王氏曾將真相告訴繼我而來的成舍我。王氏謂：「到臺以後，除將此次提前來臺的秘密暗中告知兒女外，他人皆不使知。後來事過境遷，才漸漸透露給若干至好的朋友，首先是對於不久繼我而來的成舍我君；因為他覺得我向

又見馬之驌，《雷震與蔣介石》（台北：自立晚報社文化出版部出版，一九九三年十一月一版），頁八一。

4 阮毅成，〈王雲五先生與自由人三日刊〉，見蔣復璁等著，《王雲五先生與近代中國》（台北：商務版，民國七十六年六月初版），頁三〇～三一。有關《自由人》之發起，另有一說為萬麗鵑博士論文所言：「《自由人》為『自由中國協會』成員所辦之三日刊。」見萬麗鵑，〈一九五〇年代的中國第三勢力運動〉（台北：國立政治大學歷史研究所博士論文，民國九十年七月），頁一六四。但根據「自由人」社發起人之一的雷嘯岑回憶說：「自由中國協會」為當時在美國的胡適、蔣廷黻、曾琦等人所發起，胡、蔣、曾諸氏希望以『自由人』全體發起人為主幹，先在香港成立總會，台灣暨歐美各省都設立分會。嗣經提出座談會詳細研討，大家認為總會以設在台灣為妥，香港亦只設分會，庶合體制。結果不知如何，這個會沒有成立，終於流產了。」馬五，〈「自由人」之產生與夭折〉，同註一，頁二一四～二一六。故萬氏此說，恐不確。

來很少患病，在約定聯合宴客之日，我竟稱病缺席，舍我不免將信將疑。其後到我家探病，見我毫無病容，更不免懷疑。及我不別而赴臺，他懷疑益甚，所以在他來臺後，偶爾和我詳談及此，我也就不好意思對朋友有所隱瞞了。」[5]

上述言及之十二月下旬，實際上是民國三十九年十二月三十一日，除夕。阮氏說：是日「王雲五先生約在高士威道午餐，我應約前往，王臨時以腹瀉未到，由成舍我兄代作主人，謂『自由人』籌備事，大致已妥。」而四十年的元月三日，阮氏也說到是日，「應卜少夫、程滄波二兄之約，到高士威道二十二號四樓午膳。據滄波兄言，是日原應由王雲五先生作東，而王於當天上午，離港飛台，臨行前以電話托其代為主人。」[6]

王氏的不告而別倉促離港赴台，也使得後續有不少參與「自由人」社同仁跟進，紛紛來台，這對於原本人力吃緊資金短絀的《自由人》三日刊之發展，當然有不小的影響。至於《自由人》三日刊籌組的經過梗概，雖在王氏離港來台後，仍按部就班的進行。四十年元月十日下午，阮毅成與程滄波及左舜生又約至高士威道聚談。關於創辦刊物事，左舜生主張宜立即出版，卜少夫則以須現款收有相當數目，方能創刊。是月三十一日，雷震自台灣來，亦參加「自由人」社活動。會中大家一致決定《自由人》三日刊，於農曆年後出版。並在職務安排上初步有了規劃，即推程滄波撰〈發刊詞〉，以辦報經驗豐富的成舍我任總編輯，陶百川為副總編輯。又另推編輯委員十四人，分別是劉百閔、雷嘯岑、陶百川、彭昭賢、程滄波、陳石孚、許孝炎、張丕介、吳俊升、金侯城、成舍我、左舜生、王雲五、卜少夫。[7]

四十年二月九日，內定為總編輯的成舍我自香港致函王雲五，說到：「自由人半週刊已將登記手續辦妥，『館主』係由少夫出名，因渠後來未再提出不能兼任之困難，……編輯人經由弟以本名登記。股款雖交者仍不太多，但讀者則頗踴躍。……據弟觀察，維持六個月，在經濟上當可辦到。惟編輯方面，則危機太大，因主力軍如我兄及秋原兄均不在此，其他如滄波兄等不久亦將赴臺，（即弟本身亦恐將於三月間來臺）稿件來源，異常枯涸，然既已決定辦，弟亦只有勉力一試。」[8]尚未正式創刊，但資金人才捉襟見肘的窘境，已被成氏料中，這對好事多磨的《自由人》三日刊日後之發展，已埋下艱困之伏筆。

二月十四日，成舍我向雷震、洪蘭友等人報告，《自由人》三日刊已得港府核准登記，一俟台灣方面准予內銷，即行出版。二十八日，成舍我向「自由人」社同仁報告：台灣內銷事已辦好，《自由人》三日刊即將出版，並出示創刊號大樣。因與會者多係辦報老手，提供不少意見，而成舍我也很有風度，博採眾議，為慎重起見，同意改遲數日出版，以便從容改正，並呼籲社員踴躍撰稿以光篇幅。[9]可見在王氏離港後，《自由人》三日刊真正之台柱角色，已責無旁貸的落到成舍我肩上。

5 王壽南編，《王雲五先生年譜初稿》第二冊（台北：商務版，民國七十六年六月初版），頁七四三。

6 阮毅成，〈「自由人」參加記〉，《傳記文學》第四十三卷第六期（民國七十二年十二月），頁一四～一五。

7 見《自由人》創刊號（民國四十年三月七日）第一版的編輯委員會名單。《自由報二十年合集》（一）（香港：自由報社出版，民國六十年十月十日）。阮毅成說為十六人，疑有誤。見阮毅成，〈「自由人」參加記〉，同上註。

8 〈成舍我致王雲五函〉，同註五，頁七四六。

9 阮毅成，〈「自由人」參加記〉，同註六，頁一五。

三月七日，《自由人》三日刊正式創刊，社址位於香港德輔道中一四九號四樓。目前所知參與的發起人有王雲五、王新衡、王聿修、端木愷、程滄波、胡秋原、吳俊升、黃雪村、閻奉璋、樓桐孫、陳石孚、陳訓悆、陶百川、雷震、阮毅成、劉百閔、左舜生、雷嘯岑、徐道鄰、徐佛觀、陳克文、成舍我、金侯城、張丕界、彭昭賢、許孝炎、卜少夫、卜青茂、范爭波、陳方、張純鷗、張萬里、丁文淵等三十餘人。[10]

發刊後，一紙風行，各方咸予重視，發行之初，每期印八千份。為打開台灣銷路市場，內容安排方面，特別增加一些軟性文字，勿使論文過多，淪為說教。雷嘯岑即言：「『自由人』的作者確實很自由，各人所寫的文字題材雖相同，而見解不必一致，祇要不違背民主憲政與反共抗俄的大前提，儘可各抒己見，言人人殊，真有百家爭鳴，百花齊放的景象，……首任的『自由人』主編是成舍我兄，他包辦大陸通訊版，把大陸上的共報消息，參以陸續從國內逃到香港的難民所述情形，寫成有系統的通訊稿，可謂費苦心。」[11]

誠然如是，由於文章精彩，見解深入，內容多元，析論入理，所以出版後不久，南洋各地僑報即紛紛轉載《自由人》文章。故在香港一隅辦一刊物，無形中等於在數地辦了幾個刊物，影響所及，至為廣大。不僅如此，有關《自由人》所發揮的影響力，可以曾任該刊主編雷嘯岑之回憶為證，雷說：「自由人半週刊，頗受台灣以及海外；尤其是美國一般華僑的注意，原有的每週座談會照常舉行，參加的人亦陸續增多了，風聲所播，國際人士來到香港的，亦來參加我們的座談會，交換政治意見，如美聯社遠東特派員竇定，南韓內閣總理李範，日本工商與新聞界人士前來訪談者尤多，……唯有駐在香港鼓勵華人組織『第三勢力』的美國巡迴大使吉塞普，始終沒有接觸過，大概是他認為『自由人』半週刊這些人，多數係國民黨員，氣味不相投，我們亦以對『第三勢力』之說，不感興趣，因而絕交息游，毫無來往。」[12]

雷氏這段記載很重要，不只說明了《自由人》發刊後之影響力；也道出了《自由人》與「第三勢力」毫無瓜葛，這對坊間有不少人一直以為《自由人》是「第三勢力」刊物有澄清作用。《自由人》三日刊甫發行，負責盡職之成舍我隨即寫信給王雲五提到：「連日為自由人半週刊事，頭昏腦暈，尊函稽答，至為罪歉。現半週刊已於今日出版，附奉一份，即希鑒察。大著分兩期刊佈，並盼源源見賜。今後應如何改進之處，統希指示為荷。」[13]另針對其後外界對《自由人》諸多揣測，如與「自由中國協會」之關係等等，「自由人」社也在三月二十一日的高士威道聚會中也做出決議，大家皆一致表示，「自由人」應獨立組織，以別於其他團體，乃推定董事九人，以左舜生為董事長。監事三人，為金侯城、王雲五、雷儆寰。成舍我為社長兼總編輯，卜少夫為總經理。[14]

10 「自由人」社成員，據筆者統計為此三十餘人，且各會員加入時間先後不一，有關會員名單散見於雷嘯岑、阮毅成等人之回憶文章及《雷震日記》中。

11 馬五先生著，《我的生活史》，同註一，頁一六一。

12 馬五，〈「自由人」之產生與夭折〉，見其著，《政海人物面面觀》，同註一，頁二一三～二一四。另萬麗鵑博士論文也提到，為打擊「第三勢力」運動，「國民黨亦透過黨報如《香港時報》、新加坡《中興日報》、美國《美洲日報》，及其所資助的報刊如《自由人》報、《民主評論》等，展開對第三勢力的文宣戰，此即是《香港時報》社長許孝炎所說的以『與論對與論』的鬥爭。」萬麗鵑，〈一九五〇年代的中國第三勢力運動〉，同註四，頁一六四～一六五。又見〈許孝炎意見〉，《總裁批簽》，台（四一）央秘字第〇〇八五號（一九五二年二月二十二日），黨史會藏。

13 〈成舍我致王雲五函〉，同註五，頁七四七。

14 阮毅成，〈「自由人」參加記〉，同註六，頁一五。至於《自由人》與「自由中國協會」之關係，馬五在〈「自由人」之產生與夭折〉已言之甚

為了稿源，三月二十二日總編輯成舍我又致函王雲五拉稿，其中說到：「自由人在香港銷路尚好，一般觀感亦不錯。惟共匪刊物正以全力抨擊，弟等亦一反過去自由派刊物置之不理的辦法，強烈反攻。臺灣發行未辦好，少夫兄不日來臺，或能有所改進。同人撰稿，此間仍不太踴躍，盼公能以日撰五千字之精神，多寫數篇，並乞即賜惠寄，無任感幸。又此間稿酬，公議千字港幣十元，前稿之款，已送託香港書局轉交。此數雖微細不足道，然吾輩合力創業，知識勞動之所獲，在道德標準上說，固遠勝於以吃人為業之共匪萬萬矣。盼尊稿如望歲，望即賜寄，以慰饑渴。」[15]除簡略報告社務外，重點仍是稿源問題，而此問題也是《自由人》三日刊以後長期揮之不去的夢魘。

三、《自由人》之命名與經費及發刊宗旨

華路藍縷，創業維艱，有關《自由人》之命名，似乎是由阮毅成所起。原本成舍我欲名為《自由中國》，因與台灣雷震負責的《自由中國》半月刊同名而不獲採納。故阮毅成認為可參考台灣趙君豪所辦之《自由談》，而稍改其為《自由人》，卒獲大家一致同意，名稱問題因此而敲定。[16]其實若從五〇年代的背景去觀察，刊物取名為《自由人》並不足為奇。蓋彼時海外正刮起一陣「自由中國反共運動」浪潮，其中尤以香港地區為最。為壯大「自由中國反共運動」，於是乎，海內外的一些知識份子刻意以「自由」二字為雜誌刊物名稱，以凸顯有別於大陸的獨裁極權。職係之故，各種以「自由」為名之刊物如《自由中國》、《自由陣線》、《自由談》、《自由世界》等雜誌，如雨後春筍般紛紛出籠，《自由人》三日刊之命名，應該是在此時代背景下而正名的，且的確有其時空的特殊意義存在。[17]

至於現實的經費來源問題，早在三十九年十二月二十日的聚會中，王雲五即定調說：「我要先與諸位約定，這是一份自由的刊物，所以，一不能接受外國的幫助，二不能接受政府的支援。同仁不但要寫稿，還要負擔經費。」[18]王氏之所以要如此約法三章，是要避免外界將《自由人》視為拿美國人錢所辦的「第三勢力」之刊物的疑慮或揣測；另外，不接受政府支援，也是想以獨立身分之姿，能在言論上暢所欲言，而不受政府掣肘，更不想貼上政府刊物之標籤。揆之《自由人》草創之初，因經費來源由各會員出資，確實能夠如此。例如在籌備階段，王雲五首捐港幣三千元，各會員至少認捐港幣一千元，所以誠如雷嘯岑言：「大家分途進行，未到一個月，即籌募到港幣一萬七千元了。」[19]

創刊經費有著落，但接下來長期的經費支出，恐怕就不是由會員認捐可解決。到最後仍不得不仰賴台灣國府的金錢支助，在《雷震日記》中即披露不少箇中內幕，茲舉日記一則為證。民國四十年五月二十五日：「雪公（按：指王世杰（字雪艇），時任總統府秘書長）

詳，同註一。

15 〈成舍我致王雲五函〉，同註五，頁七四七～七四八。為稿源及素質起見，成舍我亦曾寫信向阮毅成拉稿，信上提到：「在臺同人寫稿，原約每期供給八千字。希望以兄之熱忱毅力，催請同人，公誼私交，達此標準。」又說：「自由人聲譽，雖日有增進。惟經濟及稿件，均危機太大。現此間已只賸左（舜生）、許（孝炎）、雷（嘯岑），及弟共四人，稿荒萬分。如濫用一般投稿，則水準即無法維持。」阮毅成，〈「自由人」參加記〉，同註六，頁一六。可見身為主編的成舍我，為稿源及《自由人》之內容水準，真是心力交瘁，煞費苦心。

16 同註六，頁一四。

17 馬之驌，《雷震與蔣介石》，同註三。

18 同註六，頁一四。

19 同註一二，頁二一三。

來電話，可助《自由人》三千港幣，但不可明言，因《新聞天地》一再要求援助而未允許也。……《自由人》因經費困難，而負責又無專人，致有停頓之可能，由予（雷震）約集雲五、滄波、孝炎、毅成、端木愷、少夫諸君會商，由予等籌款接濟，每月假定虧二千五百元，至年底約為一萬七千五百港元，改組組織，推定成舍我為社長，左舜生代理董事長，予負臺北催稿及催款之責，總統府之三千元，由予負責，予另外再籌五百元。」[20]由《雷震日記》可知，創刊才二月餘之《自由人》，經費已拮据如此，而不得不靠政府補貼，在此情況下，其日後之文章言論，就頗受台灣國府當局之制約影響了。

另有關《自由人》之創刊宗旨，其實早在刊物出版以前，對於未來言論與編輯方針，「自由人」社同仁即做了幾點規約：（一）、發揚民主自由主義；（二）、發起人按期撰寫頭條論文，且須署出真姓名；（三）、文責各人自負，但須不違背民主自由思想暨反共救國的大原則；同時將全體發起人的姓名亦在報頭下面，表示集體責任。[21]創刊後，首由程滄波撰發刊詞，題為〈我們要做自由人〉，擲地有聲的強調：「我們今天大膽向全世界人類提出一個問題：便是世界人類，現在與將來，要不要做人？如果想做人，從什麼地方去著手奮鬥？……今天世界人類只有兩個壁壘，一個是『人的社會』之壁壘，一個是「非人社會」之壁壘。這兩個社會的磨擦，今天已到了白熱化的程度。『人的社會』中每一個人，是有人性，有人格，根據人性與人格，發揮其個性，以增加社會之幸福與個人之生活水準，從而增進世界的和平與人類的文明。反觀『一個非人社會』中，人除了具備人的形態外，沒有思想與靈魂。『非人社會』中，人只是一群動物，既不許其有人性，亦不讓其有人格，他們是奴隸、是機器。」

程滄波言：很不幸的，今天的中國大陸，全大陸數萬萬同胞一年來，即陷入共匪的非人社會中。因此我們和全世界愛好和平民主的人們，要發動正義的呼聲，救自己，救同胞，救人類。我們要揹著自由的大纛，叫著「做人」的口號，開始「自由人」的運動。爭自由，爭人性，發動全人類自由人性的力量，去打倒與剷除共產帝國主義反人性的非人社會。不殘殺，不掠奪，在不流血革命的原則下，使人人有飯吃。本此目的，以建立新中國新世界。所以，「從今天起，根據以上主張，我們謹以此小刊物『自由人』，貢獻於全世界凡是不願做奴隸的人們，也就是我們這一群人，決心獻身於這一運動的開始。全世界和平民主的人士：我們要做人，我們要做自由人。每個人爭取了自由，世界才有民主和平，人類才有幸福與光明。」[22]我們要做人，我們要做自由人，起來，不願做奴隸的人們！程滄波這篇發刊詞，簡直是一篇慷慨激昂的宣示詞，代表全世界不願在「非人社會」生活下的自由人，向共產專制極權政權，發出堅決的怒吼。[23]

《自由人》三日刊，每星期出兩次，每次十六開一張。主編人規定由原先的「座談會」同仁輪流擔任，一年一換，為義務職，故內部人事組織極為簡單，只有一主編，一助理員和事務員，共三人而已。

---

20 《雷震日記》（民國四十年五月二十五日），見傅正主編，《雷震全集》（三三）（台北：桂冠版，一九八九年八月初版），頁一〇〇～一〇一。

21 同註一二，頁二一三。吳相湘，〈成舍我為新聞自由奮鬥〉，見其著，《民國百人傳》第四冊（台北：傳記文學出版社印行，民國六十年元月初版），頁二七五。

22 程滄波，〈「自由人」發刊詞〉，見其著，《滄波文存》（台北：傳記文學出版社印行，民國七十二年三月十五日初版），頁一五七～一六〇。

23 阮毅成也說到，這是一篇代表知識份子愛國反共心聲的大文章，義正辭嚴，擲地有聲。同註六，頁一五。

該刊內容，第一版分「專論」、「時局漫談」、「自由談」各欄；第二版刊大陸共區消息；三版則記述港、台的社會新聞；四版是「副刊」。「專論」亦由座談會同仁分別撰寫，或徵用外界志同道合人士之作品；唯「時局漫談」和「自由談」二專欄，係由左舜生與雷嘯岑二氏負責包辦。《自由人》三日刊，因撰寫團隊堅強，且作者大多具有清望，故在海隅香港頗有號召力，銷路亦不壞；又可以銷台灣，雖無廣告收入，仍可勉強維持下去，在五〇年代的香港，可謂雜誌期刊界之奇葩。[24]

四、《自由人》的艱苦經營

平情言，《自由人》三日刊從四十年三月七日發行，到四十八年九月十三日停刊，維持約八年餘。這八年多的歲月，可謂艱辛撐持，多災多難。

首先為組織渙散不健全，於是才有民國四十年下半年的重組之舉。此中最大原因為「自由人」社大多數同仁均已離港在台，分別有：王雲五、王新衡、端木愷、程滄波、胡秋原、吳俊升、黃雪村、閻奉樟、樓桐孫、陳石孚、陶百川、陳訓悆、雷震，及阮毅成，幾乎佔了一半以上；而在港的僅有左舜生、金侯城、許孝炎、成舍我、劉百閔、卜少夫、雷嘯岑等人。其後在台參加的，又增加徐道鄰，共二十二人。為連絡方便起見，在台同仁乃公推王雲五為董事長，但又因刊物在港出版，故推左舜生為在港之代理董事長，就近處理刊物，成舍我則為社長。[25]

然因「自由人」社未有組織章程，也未在台辦理社團登記，所以才有民國四十一年一月十日，在台同仁在王新衡家為此商議之事。時適值端木愷甫自香港返台，報告港方同仁最近決定取消社長制，亦推左舜生代董事長，成舍我為總經理，劉百閔為總編輯。此事，在台「自由人」社同仁有不同意見，在三月七日及十五日的兩次餐敘商討論中，均決定仍採社長制，並仍推成舍我兄任社長。只是一個三十餘人的「自由人」社，就為了區區的刊物人事組織問題，港、台同仁即不同調，其他之事就可想而知了。所幸意見儘管有異，但同仁感情尚佳，阮毅成即言：「自由人在香港創辦之初，同仁常有餐會，交換意見。在臺同仁，於民國四十年七月十二日起，舉行聚餐或茶會，由同仁輪流作東，平均每兩週一次。除談自由人社各事外，亦泛論時局，交換見聞。」[26]

民國四十一年二月九日，「自由人」社在台同仁餐敘時，有鑒於《自由人》三日刊創刊已近一年，但組織與人事及編輯立論之困擾問題仍在，因此大家有必要提出意見交換，以尋求解決之道。席間程滄波首次提出編輯態度問題，但遭雷震反對。程又謂：「劉百閔不宜任總編輯，上次，此間同仁推成舍我任社長，何以改變？此間皆未知悉。」雷震與陶百川又認為，台方不宜干涉港方人事，雙方爭論甚久。最後由阮毅成提出折衷解決方案為：（一）、自由人本係超黨派立場。只知民主、自由、反共，不知其他。此後仍須守定此項立場。（二）、港方報刊如對台灣中華民國政府，有惡意攻訐，或無理批評，自由人不可自守中立，須起而加以駁斥。（三）、人事問題，另函在港之許孝炎查詢，不作決議。

24 雷嘯岑：《憂患餘生之自述》（台北：傳記文學出版社印行，民國七十一年十月十五日初版），頁一七六。

25 同註二三，頁一六。

26 同上註，頁一七。

眾皆贊成阮毅成之方法，並請其起草一函，致在香港之左舜生、許孝炎、成舍我、劉百閔、雷嘯岑諸人。阮函送各人簽名後發出，信中報告：「弟等今午聚餐，談及自由人編輯態度。回溯創辦之初，原屬超於黨派之外。……兄等在港主持，辛勞至佩，自亦必贊同弟等態度也。邇後港方報刊如對於臺灣中華民國政府惡意攻訐，或無理批評，自由人似不便自居中立，宜即加以駁斥。如有中國之聲作者來稿，希勿予以刊登，以嚴立場。再則，此間對第三方面各事，多持私人消息。語多片斷，難窺全貌。斯後尚懇時將各方動態，擇要見示。既可為撰稿時之參考，亦為知彼知己之一道。自由人素以民主反共為宗旨。署名：王雲五、程滄波、黃雪村、王新衡、樓桐孫、吳俊升、陳石孚、陶百川、雷震、阮毅成。」[27]

民國四十一年三月十五日，《自由人》創刊已屆滿一年，留台「自由人」社舉行全體會議。會議主席推王雲五擔任，其中：

（一）報告事項：（甲）、經費小組許孝炎報告——擬募集港幣三萬元（其中成舍我、許孝炎約洪蘭友，被分配擬向各紗廠募台幣一萬元）。（乙）、編輯小組成舍我報告：1、組織擬仍採現制，並請加推一人為必要時接替編務工作之用。2、發行擬請先行籌集基金以期達到日後之自給自足。3、編輯方針方面：積極在倡導民主自由，消極在反共抗俄，至對於台灣態度應仍許有批評，但不可損及自由中國之根本。4、在台同人集體意見推定專人執筆寄港，決登載第一版，並不易一字，如係個人稿件，在編輯方面擬請仍保有斟酌之權。5、每期需要稿件二萬四千字，在港同人無多未能盡任，在台同人時惠稿件。

（二）討論事項：（甲）、《自由人》三日刊社是否仍採社長制案。決議：仍採社長制，成舍我擔任社長。（乙）、《自由人》三日刊社費應如何加募案。決議：1、經費小組在進行籌募之港幣三萬元，於兩個月內籌足，作為基金，備日後擴充發行之用。2、另由經費小組加募港幣一萬元，作為最近數月經常費不足之需，在未募起前由許孝炎、成舍我負責維持現狀。3、加推樓桐孫、程滄波參加經費小組，並以王董事長雲五兼經費小組召集人。（丙）、《自由人》立論態度應如何確定案。決議：1、除積極的主張民主自由，消極的反共抗俄外，並須維護現行憲法倡導議會政治。2、凡外界對台灣有惡意攻擊影響國本時，應予駁斥，立場務須堅定，態度務須明確。3、除專門問題研究外，宜多載通訊及趣味性文字，理論文字及新聞性宜各佔三分之一。[28]此次會議至關重要，它為已紛擾年餘的《自由人》定調，但此為台方同仁之共識，港方同仁只是被動告知，並不見得完全同意，所以日後港、台雙方仍存有歧見。

其次更嚴重的是經費短絀，入不敷出，以至於時有停刊之議。這棘手問題其實打從創刊起即已浮現，只是苦撐待變，能維持多久算多久，但情況並沒改善且持續惡化中。四十一年六月十四日，王雲五、阮毅成與程滄波等聚會，商議如何應付《自由人》三日刊之困難。王雲五謂得左舜生與成舍我二君信，信上，成舍我堅辭社長，又每月不足港幣二千元。如無法解決，則自本月十八日起停刊。劉百閔則說香

27 〈阮毅成致左舜生諸氏函〉，見王壽南編，《王雲五先生年譜初稿》第二冊，同註五，頁七六八。

28 同註五，頁七七〇～七七一。

港紙價日跌，印刷係由《香港時報》代辦，印費可以欠付。以往亦每月虧空，並不自今日始。

對此，王雲五建議是否能改為月刊，移台出版，但眾意覺得移台出版，則《自由人》功用全失，仍宜繼續在港發行。最後決定由王雲五函復，請成舍我維持至七月底止。[29]是年十二月二日，「自由人」社同仁又再行會商，由王雲五主持，會中卜少夫表示願接辦，至少可免招致停刊命運。然未幾（十二月六日），卜少夫以有人表示異議，乃謂其《新聞天地社》同仁不贊成其再兼辦另一刊物，打消原意。王雲五即席宣布仍在港出版，推成舍我兄回港主持，並改為有給職。[30]

成謙辭未果，旋即表示接受。後當場推定王雲五、程滄波、樓桐孫、胡秋原、陶百川、黃雪村為在臺撰述委員，程為召集人。另推成舍我、程滄波、胡秋原三人起草言論方針。王雲五、端木愷、王新衡為財務委員。香港方面撰稿委員，由成到港後約定人員擔任。事後，當事者之一的阮毅成，對是晚之會的結果表示很滿意，還稱為是《自由人》中興之會，同仁莫不興奮。但其後，主要的重點之一，《自由人》未來的言論方針並未草成。[31]四十二年三月十四日下午，「自由人」社同仁聚集在成舍我處，參加茶會。會中，成舍我出示香港許孝炎來信，謂自由人又不能維持。因已積欠《香港時報》印刷費港幣六千元，稿費十一期。且人力亦明顯不足，雷嘯岑將來台灣，左舜生又將赴日本旅行，主持無人，不如停刊。經同仁交換意見，仍認為不能停辦，並催成舍我兄速赴港負責。

因茲事體大，三月二十一日，「自由人」社另一要角阮毅成，也在家中約集在台同仁茶敘。會上，成舍我表示其有困難不願赴港，而港方近日來函，支持為難。眾意乾脆移台編印，仍推成舍我主持。[32]二十五日下午阮氏親訪成舍我，成表示三點立場：（一）、決不去香港。（二）、《自由人》如移台出版，願意主持。（三）、未移台前，可先在台編輯，寄港印行。同月二十八日下午，以《自由人》問

29 同註五，頁七七四。《自由人》經費之窘困，自創刊伊始至結束均如此，阮毅成即言：「我只記得在創刊第一年中，就賠去了港幣叁萬叁仟元。時歷八年半，為數甚為可觀。這尚是距今三十多年前的幣值，如以現在幣值計算，則更為巨大。」阮毅成，〈王雲五先生與自由人三日刊〉，同註四，頁三四。到《自由人》停刊止，其經費仍入不敷出，茲舉結束前致王雲五等人之二信函為證。四十八年九月十一日許孝炎自港來信王雲五，報告「自由人」結束時經費情況。「雲五先生並轉鑄秋舍我儆寰滄波新衡秋原佩蘭少夫諸兄惠鑒：關於自由人停刊事，前經兄等決定函達克文。兄弟回港後，復經再三磋商，始於前日由在港各有關友人舉行特別會議議決定停刊，並於本月十三日起實行。茲將會議紀錄抄奉敬祈鑒察。」「預計自由人可能收入之款（連登記費在內）約為乙萬四千餘元，支出除舊欠稿費約乙萬三千元；及克文兄之欠薪近九千三百元暫不計入外，此外薪工紙張印刷房租，今年稿費應退報費及空運費等，共計約為二萬乙千餘元，不敷之數約為七千餘元。倘預計可能收入之款有一部分不能收入時則虧欠之數將必更多，如何籌還以資結束頗費周章。而有把握之登記費乙萬元則尚待少夫兄回港簽字後始能提出備用。」又十二日社長陳克文亦致函王雲五。「岫公賜鑒：茲奉上『自由人』在港同人特別會議紀錄一份，請　察閱。『自由人』經濟情形截至本年九月十二日止，共欠債務三萬餘元，除登記費一萬元外，尚可能收回之款二千餘元，結束用費約五百餘元，並此奉告，統請轉知在台各位同人為禱。」見王壽南編，《王雲五先生年譜初稿》第三冊（台北：商務版，民國七十六年六月初版），頁一〇五二～一〇五三。

30 同註五，頁七七九。《自由人》主編是不支薪的，可見其艱困於一般。同為主編的雷嘯岑曾說：「首任主編人成舍我兄苦幹了一年之後，因為準備移家台灣，不能繼續盡義務了——主編人不支薪——大家公推下走承其乏，因係義務職，唯有接受而已。」馬五，〈「自由人」之產生與夭折〉，同註一，頁二一六。

31 同註五，頁七七九。

32 雷震日記當天即記載：「下午三時半至《自由人》座談會，阮毅成提議《自由人》表面在港，實際遷台，無一人反對。我內心不贊成，但不願表示，因《自由人》遷台完全失去效用。今日雲五未到，他們囑我報告。」《雷震日記》（民國四十二年三月二十一日），見傅正主編，《雷震全集》（三五）（台北：桂冠版，一九九〇年七月二十日初版），頁四八。

題緊迫，急待解決。「自由人」社同仁乃在端木愷家中餐敘。對《自由人》前途，共有四種主張：（一）、停刊。（二）、移台出版。（三）、在台編輯，寄港印行。（四）、推成舍我赴港主持。討論結果，決定用第四法，成亦首肯。然成謂：《自由人》除發行收入外，每月須虧四千元，此問題亟需解決。[33]

四月十八日，因港方同仁頻頻催促速做決定，眾議又思移台編印，王雲五亦同意移台出版，但謂須改為半月刊或月刊。三十日下午，成舍我與端木愷、阮毅成、王新衡、程滄波等人，又應王雲五約茶敘。時端木愷甫自港返，謂港方「自由人」社已無現款，勢不能繼續。因以由今日到會者商定：（一）、香港方面自五月十日起停刊。（二）、在台登記改為月刊，推王雲老為發行人，成舍我兄為總編輯。[34]然不久，港方同仁又變掛，五月十一日，阮毅成訪成舍我，成即謂卜少夫前日到台，攜有左舜生致王雲五函，主張《自由人》仍在港出版。

此事經緯，雷震在其日記亦提到：「見到雷嘯岑來函，對我們囑香港停刊，決議移臺辦月刊則大不以為然，來信措詞甚劣，決定去電並去函說明，以免誤會。」[35]雷嘯岑甚至為此來函欲辭去社長職務。

33 雷震日記載：「下午四時，在端木愷處討論《自由人》移台問題，王雲五、徐佛觀、端木愷及我均不贊成，程滄波、阮毅成、成舍我願移台，最後決定請成舍我至港辦至六月再說，因行政院之款發至六月底止，如停刊或移台亦須至六月底再說。」《雷震日記》（民國四十二年三月二十八日），見傅正主編，《雷震全集》（三五），同上註，頁五二。

34 這問題一直延伸至四十三年依舊如此。雷震日記：「《自由人》在港不易維持，決遷台辦週刊，由成舍我任社長，王雲五任發行人。」《雷震日記》（民國四十三年八月七日），見傅正主編，《雷震全集》（三五），同上註，頁三一四。

35 《雷震日記》（民國四十二年五月九日），見傅正主編，《雷震全集》（三五），同上註，頁七四。

《雷震日記》記載：「今日午間約來臺之《自由人》報有關各位來鄉午膳，除端木鑄秋、阮毅成、吳俊升、胡秋原外，到有十五人，即王新衡、樓桐孫、陶百川、張純鷗、陳訓悆、卜少夫、卜青茂、程滄波、范爭波、王雲五、成舍我、黃雪村、閻奉璋等及另約陳方。飯後討論雷嘯岑來函辭去社長職務一事，經決議慰留。」為此事，雷震感慨的說：「《自由人》發起人在臺者，不過十餘人，港方不過數人，兩方意見不合，終會扯垮。民主自由人士之不易合作，於此可見一班。」[36]

由於雷嘯岑堅決辭社長職務，八月一日，《自由人》在台同仁藉由茶敘機會，聽取甫自香港來台之劉百閔報告，劉謂：在港同仁意見為（一）、必須在港繼續出版。（二）、改推陳克文任社長。（三）、每月不足港幣八百元，在港有辦法可以籌得。王雲五說：「左舜生有信來，克文係其物色，本人絕對贊同。」眾亦皆表示贊成。但成舍我認為每月八百元之說，計算必有錯誤，至少每月亦需賠二千五百元，所以決定請王雲五再去函新社長，請重為估計。其實《自由人》經費之短絀，可由總其事的總編輯都不支薪一事更可看出，四十三年七月十日，左舜生自香港致函王雲五即說到：「弟意，自由人編輯者，原規定每月可支三百元，以舍我、百閔兩兄任編輯時，未支此款，後任編輯一年，亦即未支。」[37]如此窘境，要不是有台灣國府當局在幕後經費贊助，《自由人》三日刊能支撐八年餘，根本是不可能的。[38]

36 《雷震日記》（民國四十二年六月二日），見傅正主編，《雷震全集》（三五），同上註，頁八五。

37 〈左舜生致王雲五函〉，同註五，頁八二四。

38 雷震日記：「王雲五約『自由人』社在台同仁晚餐，以「自由人」在港經濟困難，重申移台出版，由成舍我任編輯之議。」《雷震日記》（民國

最後為文章之尺度問題，除上述言及《自由人》三日刊甫創刊即面臨稿源不濟的困難外，更麻煩的為自從接受政府補助後，基本上，《自由人》的言論立場在相當程度上已受政府箝制。以至於在很多議題上，不僅不能秉公立論、暢所欲言；且須為政府妝抹門面，極力辯解。稍一不慎，隨即惹禍，遭致抗議。如民國四十一年六月一日，「自由人」社王新衡即訪阮毅成，談話重點就說到，《自由人》最近兩期，刊載左舜生〈論中國未來的政黨〉一文，有人表示不滿。[39]為避免誤會，乃一起同訪王雲五，請其以董事長身份，致函香港總編輯成舍我，請其勿再刊出此類文字。[40]

雖係如此，但言論自由乃是知識份子的普世價值觀，用強制力約束是沒用的。果然到民國四十四年又發生更嚴重的文字賈禍事件，差一點讓《自由人》無法在台銷售。事緣於是年三月二十三日，王雲五即接到司法行政部部長谷鳳翔來函，表示《自由人》三日刊，登載雷嘯岑文章，影響政府信譽，要求王雲五代向該社方面解釋。全函內容為：「頃閱本月二十三日自由人刊載『自由談』及『半週展望』雷嘯岑先生文內謂，揚子公司貪污案牽涉本部，曷勝駭異，此種無稽之詞，殊足影響政府信譽，茲特寄上函稿二份，送請　察閱，並祈賜檢一份轉致雷君查明更正，仍乞代向該報社方面照拂解釋為幸。」[41]

由於《自由人》所刊文章得罪當道，引起了國民黨中央黨部對《自由人》言論的不滿。三月二十六日，時任《中央日報》社長，亦是「自由人」社同仁的阮毅成至中央黨部參加宣傳政策指導小組會議時，即受到中央黨部秘書長張厲生的警告：「香港《自由人》三日刊，近日言論記載，愈益離奇，須採取停止進口處分。」幸阮毅成趕快緩頰，除報告《自由人》艱難創辦經過外，並謂：「現在台北各同仁，久未與聞港事。王雲老曾去函港方，請以後勿再刊載不妥文字。又以所載台省情形，與事實相距甚遠，曾通知港方，以後遇有記載台省情形稿件，先行寄台複閱。認為可用者，方予刊布，亦未承照辦。惟自由人參加者，多為各方知名之人。如忽予停止進口，恐反而使海外人士，對政府有所批評。不如一面先採取警告程序，依照出版法，由內政部為之。一面通知在台之董事長王雲五氏，促其改組。如再有違反政府法令之事發生，則採取停止進口處分。」[42]

為此，是晚十時，阮氏尚先訪成舍我，說明會議經過；再與成同訪王雲五，報告此事。王雲五似乎對此頗為不悅，乃決定於三月三十日下午五時，在端木愷家中，約集「自由人」社在台全體同仁會商。在三月三十日的決議中，提到《自由人》的現實問題，「本刊如不能銷台，勢必停刊。為避免使政府蒙受摧殘言論之嫌，希望政府妥慎處理，使其能繼續出版。在台同仁，願意退出。惟在港同仁意見如何，亦盼政府逕與洽商。」並推阮毅成與許孝炎二人將此項決議，轉達黃少谷，另函告在港同仁。[43]

四十三年七月十一日），見傅正主編，《雷震全集》（三五），同註三二，頁三〇二。有關國民黨高層提供《自由人》之經費支援，尚可參閱〈對港澳政治活動之指示〉，見中國國民黨中央改造委員會第一六五次會議紀錄（一九五一年七月四日——附件），黨史會藏。

39 左舜生〈中國未來的政黨〉（上）、〈中國未來的政黨〉（下）二文分別發表在《自由人》第一二九期（民國四十一年五月二十八日）、《自由人》第一三〇期（民國四十一年五月三十一日）。

40 同註五，頁七七三。

41 雷嘯岑，〈半週展望〉，《自由人》第四二三期（民國四十四年三月二十三日）。雷文所寫之論揚子公司案，因涉及上海時期之揚子公司，對孔祥熙有所批評，遂奉命查辦。又〈谷鳳翔致王雲五函〉，同註五，頁八四七。

42 同註五，頁八四七～八四八。

43 同上註，頁八四九。

換言之，針對當局對《自由人》的不滿，「自由人」社在台同仁採取了委曲求全的態度，一方面願意退出，此舉可能有兩層深意，一為逼香港「自由人」社同仁，小心謹慎，莫再刊登批評政府之文章，否則與渠無關，二為多少有向政府交心之意，明哲保身，不想惹禍上身；再方面亦有請政府介入之意，希望儘量保留能讓《自由人》繼續在台銷售。[44]果然如此，四月七日，王雲五即致函總統府秘書長張群，說明「自由人」之情形，並建議將「自由人」社改組，由政府指定負責主持言論之人實行接辦。信的內容為：「惟是該刊經費本奇絀，全恃內銷而維持，一旦停止內銷，勢必停止刊行，外間不察，或不免對政府妄加揣測，弟愛護政府，耿耿此心，竊認為消極制裁，不如積極輔導，將該刊改組，由政府指定負責主持言論之人實行接辦，可變無用為有用，弟當力勸原發起各人，本擁護政府之初衷，竭誠合作。」[45]

一週後，以國民黨並無接手之意，在恐不能銷台的情況下，成舍我與王雲五、陶百川、徐道鄰、陳訓悆、程滄波、胡秋原、吳俊升、端木愷、黃雪村、阮毅成等決議：「茲因環境困難，經濟無法支持，決議停刊，由主席（王雲五）根據本決議徵求在港同人意見。」其後，在台同仁復在成舍我宅聚餐，決定在台同仁既已必須退出，而中央黨部又規定不得再與《香港時報》，發生關聯，則無地可以印刷，亦無處可再欠印刷費。外界聞知中央處分，亦必不願再行認指，環境困難如此，只可宣布停刊。並請王雲五函詢港方同仁意見，如港方同仁堅持續辦，在台同仁自不能再行參加。[46]

由於文章得罪當局，以致有禁止銷台之聲，在港負責《自由人》編輯工作之陳克文旋致函阮毅成、王雲五等人，表示「咎衍實無可辭」，「自由人停止出版，唯覺可惜，形勢如此，亦復無可如何，文與左劉兩公對此均無成見，惟此間尚有其他股東，又年來出錢出力者，頗不乏人，此事似不宜由文等三人遽作決定，即為港方同人之全體意見，擬於最近邀集會議，提出報告，徵求多數意見，再作正式答覆。」[47]但不久，事情又有變化，四月二十九日，一向敢言的左舜生，終於自香港來函，明確表示反對《自由人》停刊，並謂在港「自由人」社同人決暫予維持。信中言：

「雲老賜鑒：四月七日阮毅成兄來信，並附有留台同人退出決議一紙，十八日奉 公手書，知同人復有集議，以經濟環境關係，主張停刊；均已誦悉。此間於當地環境，已洞悉無遺；對 公等所採態度，並無不能諒解之處。惟念同本刊宗旨，一面在『堅決反共』，一面在『爭取民主』，四年以來，奉此週旋，雖不無一、二開罪他人之處，但大體上並未

44 《自由人》三日刊，國民黨中央嘗指示「扶助」之，以批判中共，擁護政府並同情國民黨為原則。故該刊早期立場為中間偏右，後來對國民黨的批評言論日益激烈，台灣當局乃禁止其輸入，並停止所有經費資助。故《自由人》能否銷台，對該刊影響至鉅。萬麗鵑，〈一九五〇年代的中國第三勢力運動〉，同註四，頁一六四。

45 〈王雲五致總統府秘書長張群函〉，同註四三。

46 同註五，頁八五〇。有關王雲五在此問題之角色，阮毅成有相當持平之看法，阮說：「雲五先生名為董事長，出錢出力，卻不便範圍各黨及無黨人士，一定均作統一的宣傳，致反而完全成為俗套，失去向海外為政府說話的影響力。於是在發刊期中，常常發生選稿欠當的問題。每次有問題發生，雲五先生首當其衝，常為他人所不諒解，致生煩惱。臺港兩地同仁，為此書信往返，謀求各種補救辦法，效果均不甚彰。」阮毅成，〈王雲五先生與自由人三日刊〉，同註四，頁三六。

47 〈陳克文致王雲五、阮毅成信〉，同註五，頁八五一～八五二。

逾越範圍。今赤焰正復高張，而民主亦勢非實現不可；大約在二、三月內或有變化，前途殊未可知！故此間同人，經過再三考慮，仍決定暫予維持，並囑舜代為奉復，即乞轉達諸友為荷。公等即不得已而必須退出，仍望不遺在遠，隨時予以指導，除宗旨不能犧牲以外，同人無不樂於接受。海天遙望，曷勝悲憤憂念之至！」[48]

從此以後，《自由人》三日刊似乎終於渡過了這段風風雨雨的歲月，儘管港、台大多數「自由人」社同仁情誼依舊，但經費、稿源、立論尺度等問題仍在。《自由人》三日刊即帶此痼疾，跌跌撞撞的支撐八年餘，在民國四十八年九月十三日宣佈停刊。[49]

五、結論——從《自由人》到《自由報》

無論如何，在五〇年代那段風雨飄搖的歲月，《自由人》能以香江一隅之地，在內外環境相當險惡的情況下，擎起「我們要做自由人」的大旗，反抗共產極權，與中共做誓不兩立的言論鬥爭，其勇氣和決心仍另人刮目相看的。另一方面，《自由人》雖義無反顧的支持台灣國府當局，但在恨鐵不成鋼的期待心理下，對台灣當局若干錯誤的舉措，仍一本忠言逆耳之立場，毫不留情的提出批判或建言，即使在經費斷炊的威脅下，亦不為所動，這份苦心孤詣之意，也令吾人感佩。

而此即所以《自由人》在發行的八年餘中，雖屢有遷台之議，但大多數同仁始終仍以在香港立足為佳之看法，因其言論立場較客觀中立，雖稍偏向國府，但非無原則的一面倒，兼以香港為基地，較少政府、政黨色彩之觀感，且因對國、共雙方均有批評，是以其在香港作用較大之故也。當然《自由人》之悲劇，除上文已詳述之經費、稿源、言論立場受到制約等外緣因素外，尚有深一層內緣因素存在，此即中國傳統知識份子屬性使然。知識份子主性強的「書生本色」，誰也不服誰之個性，長落人「秀才造反，三年不成」之譏，因渠主觀意識強，所以容易堅持己見，是其所是，不大能夠為大局著想，且因自視太高，未能屈己就人，所以較乏團隊精神。

這情況在「自由人」社這批高級知識份子間亦是如此，雷嘯岑曾舉一事證明之，在《自由人》是否遷台之際，「王雲五以董事長資格，致函於我，囑將自由人報遷赴臺北發行，且將繳存港府的押金萬元一併匯去。旋由代董事長左舜生召集在港同仁會商，決議仍在香港出版，但在臺北的同仁，亦可刊行臺灣版，然王雲五很不高興，說我不以他為對象，悻悻然嘖有煩言，殊堪詫異。未幾，許孝炎由臺北回港，主張自由人停刊，他怕我不贊成，先囑我莫持異議，我表示無所謂，而自由人三日刊，即於一九五八年九月十二日宣告停刊了。現代中國高級知識份子之沒有團隊精神，於此又得一實驗的證明，曷勝慨嘆！」[50]所以當年左舜生在《自由人》創辦之初，樂觀的夸談「自由人」社同仁可以組織聯合政府，永遠合作無間之見解，雷嘯岑說，實係幼稚幻想。文人相輕，自古而然，《自由人》三日刊的緣起緣滅，依然落得一個「殺雞聚會，打狗散場」的結局，這也是中國現代高級知識份子的悲劇，想來仍不禁令人浩歎！[51]

48 〈左舜生致王雲五函〉，同上註。

49 雷嘯岑說為四十八年九月十二日停刊，恐有誤。雷嘯岑，《憂患餘生之自述》，同註二四，頁一八二。

50 同上註。

51 馬五，〈「自由人」之產生與夭折〉，同註一，頁二二〇。其實雷嘯岑自己亦如是，當《自由人》剛成立時，「大家的情感很融洽，精神上團結

《自由人》雖然走入歷史停刊了，但未及五個月，一份延續《自由人》餘波的《自由報》在民國四十九年二月十七日，另起爐灶又在香港創刊了。《自由報》社址位於香港銅鑼灣高士威道二十號四樓，也是採取半週刊（三日刊）的形式，於每個星期三、六發行。社長為雷嘯岑，督印人黃行奮，出版第一期有由以本社同人署名撰寫的〈我們的志願和立場〉為發刊詞。該文強調「我們是一群崇尚自由主義的文化工作者。對社會生活篤信『人是生而平等的』這項義理，珍重個人的人格尊嚴；對政治生活認定『政府是為人民而存在的』，要求基本人權之確立與保障。……我們膺受著共產極權主義的荼毒，深感國破家亡之痛苦，流落海隅，於茲十載，內心上大家不期然而然地具有強烈的愛國情操和政治理想，要從文化思想方面，努力培育民主自由精神，發揚其潛能，成為救國救民的偉大力量。職是之故，本報的言論方針是國家至上，民生第一，我們的立場是超黨派的。」[52]

簡言之，民主、自由、愛國、反共乃為《自由報》創刊之四大宗旨，嚴格而言，此宗旨仍是延續《自由人》三日刊的精神而來。阮毅成曾說：「後來，雷嘯岑兄在香港出版自由報，乃係另一新刊物，與原來的自由人，完全無關。」[53]此話恐有商榷之餘地。《自由報》在《自由人》的基礎上，發行至民國六十幾年才結束，期間刊布了《香港自由報二十年合集》、《自由報》合訂本、《自由報二十週年年鑑》，影響力不在《自由人》之下。

無間，對任何事體決無爾詐我虞，或以多數箝制少數的作風。我（雷嘯岑）當時曾聲言：假使憑這種精神組織『聯合政府』，擔當國家政務，國事沒有不振興的。」馬五先生著，《我的生活史》，同註一，頁一六一。

52 本社同人，〈我們的志願和立場〉，《自由報二十年合集》（一九）（香港：自由報社出版，民國六十年十月十日）。

53 阮毅成，〈「自由人」參加記〉，同註六，頁一八。

自由人
THE FREEMAN
（第七六四期）
中華民國僑務委員會登記證僑字第一〇二號
中華郵政台字第一五〇〇號
執照登記爲第一類新聞紙類
（半週刊每星期三 六出版）
每份港幣壹毫
台北市每份售價台幣壹元伍角
督印人：陳文奇
地址：香港高士威道二十號四樓
20 CAUSEWAY RD. 3RD. FL. HONG KONG
TEL. 771726
承印者：東南印務出版社
地址：高士打道六十四號
台灣總經理處
台北市西寧南路壹叁號二樓
電話：三〇三四六
台郵撥儲金戶九二二五
海外總經銷：友聯書報發行公司
香港：德輔道中二十六號A二樓

中國的噩夢

·司馬璐·

中共之成立，爲中國的噩夢與中國大悲劇之開始。七月一日爲中共成立三十七周年，筆者此文，願着重指出中共俄製之本質與事實，爲今日之中共黨人告。

俄製的中國共產黨

中共俄製之本質，即中共今日之領導者亦不加否認。毛澤東說：「中國人找到馬克思主義，是經過俄國人介紹的。」「十月革命一聲砲響，給我們送來了馬克思主義。」（「論人民民主專政」）

我們必須指出，俄共與共產國際起初實際上是一個東西。一九一七年俄國爆發十月革命，一九一九年共產國際成立。先有了俄國革命，然後有了共產國際。所以，共產國際從一開始就是俄共的工具。

以下我們隨手舉出的一些人，他們都是最早經由俄共或者共產國際派來中國「指導」「中國革命」的。他們或則在中國傳播馬克思主義，或則是中共直接的催生者。

鮑立維（北大俄文系教授）：如所週知，俄國革命後，中國一小部份知識份子，在俄國革命的宣傳影響下，開始對社會主義的研究發生興趣。鮑立維是這一時期馬克思主義研究會、共產主義小組的組織者。

斯脫洛米斯基：一九二〇年春到中國。曾在上海協助陳獨秀策劃一切。

楊明齋：原爲山東人，海參威華僑，曾先後担任斯脫洛米斯基、維丁斯基等人翻譯，並曾在上海直接主持「外國語文學校」，爲莫斯科「東方勞動大學」訓練中國籍的預備生。

維丁斯基（Gregori Voitinsky 中文又名吳廷康）：一九二〇年五月來中國。他和馬林，是中國馬克思主義研究會到中國共產黨成立的直接催生者。

馬林（Maring）：是以共產國際遠東殖民地小組委員會秘書的身份到中國來的，原名是H.J.F.M.Sneevelt。一九二一年中共成立，從選派代表到會議進行程序，幾乎是他一手安排的。

至于後來直接組織與指揮中共暴動的俄共及共產國際份子，就更多了，這裏不能一一列舉。

破壞中國民主革命

現在我們要研究的是，俄國革命後，蘇俄對于製造中共，何以感到如此迫切？大家知道，列寧有一句著名的話說：「俄國、印度、中國及其他亞洲國家，構成了世界人口龐大的多數，鬥爭的結果最後將取決于這一事實。」列寧又認爲，東方的民族問題與民族鬥爭，應該是共產國際所領導的階級鬥爭和世界革命的一部份。

一九二〇年九月，共產國際在巴庫舉行「遠東民族代表大會」時，當時的共產國際主席季諾維埃夫在大會中說，必須「八億的亞洲人民和非洲人民，與我們並肩前進。」

共產國際心目中的民族鬥爭和爭取亞非洲的人民，與當時中國一些左翼的知識份子天眞的書生之見，全不相同。當時中國一些左翼知識份子還嚮往馬克思主義中若干抽象的概念的東西，但是，依照俄共及共產國際的看法，製造中共，僅其主要步驟之一。

我們必須指出，俄共及中共所懼怕的，是一個中國眞正的民族與民主革命的成功。所以當時俄共一面製造中共，一面則盡力尋求與中國軍閥妥協乃至合作的道路。

俄共及共產國際曾經通過李大釗的關係，與吳佩孚勾結。關于此一史實，中共最早的領導人之一鄧中夏在他所著的「中國職工運動簡史」一書中，寫出不少事實。一九二三年京漢鐵路發生「二、七大罷工」，吳佩孚下令槍斃共產黨員林祥謙，中共與吳佩孚之間的「蜜月」才告一段落。

俄共及共產國際最初又想與中國另一軍閥陳炯明合作。當陳獨秀在廣州主持廣東教育委員會期間，當時的中國左翼知識份子陳公博、譚平山、譚植棠等在廣州創辦「羣報」，一面宣傳「社會主義」，一面大捧陳炯明，共產國際幹部敏諾和波爾西也在廣州與陳獨秀聯系，指示「爭取」陳炯明的計劃。

共產國際代表馬林後來經過廣州時，又與陳炯明晤談。馬林離開廣州後，陳炯明叛變之事即告發生。我們檢討這段史實，誰能說陳炯明的叛變，沒有受到共產國際間接的鼓勵呢？

由此我們可知，俄共一面製造中共，一面與中國軍閥勾結，從一開始就是以破壞中國民族與民主革命爲目的。

不可避免的悲劇

俄共及國際既以破壞中國的民族與民主革命爲目的，所以它不惜千方百計，與中國的軍閥相勾結；但是，當民族與民主的革命成爲不可抑制的洪流時，則它又懂得僞裝爲民族與民主的革命者，用另一種方式與面目，來破壞中國的民族與民主的革命。

共產黨人通過參加民族與民主革命來破壞民族與民主革命，這在他們認爲是十分辯證的。

一九二〇年秋，共產國際關于「民族與民主的革命」的決議中說：「幫助推翻外國統治者的鬥爭，並不是贊成土著資產階級的民族主義傾向，而只是給殖民地無產階級開闢一條達到其解放的道路。」

共產黨人又常說，共產黨是從黨內的兩條路線的鬥爭中發展起來的。一切國家共產黨的內部，都必須通過這個兩條路線的鬥爭。

以上這一切又說明了，共產黨人在「革命」過程中，不可避免的一面要不斷清算同盟者、同路人；一面要不斷在黨內「洗黨」「整肅」殘害自己的同志。

中共對同盟者反面無情的事實，筆者不想在這裏論述。我們今天願意特別向中共黨人舉出，中共對待黨內自己同志的殘行。

如所週知，中共最初的創造者和領導者，像陳獨秀、瞿秋白、李立三、陳紹禹、秦邦憲等人，這樣一大批人幾乎沒有一個有好的下場。

在中共黨內的鬥爭中，像向忠發、方志敏、惲代英、何孟雄等等許多著名的領導者，他們全是被黨內自己的同志向國民黨互相告密之下被出賣犧牲的。

陝北蘇區的開拓者劉志丹，黃子文，高崗，抗戰期間領導山西決死縱隊的薄一波，新四軍改編初期的第五支隊司令高俊亭，他們全是被自己的黨公開處死或者暗殺的。

在井岡山時代，以AB團的罪名，血洗富田、黃陂，堆成了萬人坑。一九三五年，紅四方面軍退到陝北，幹部整批被活埋，這些殘忍的事，也全是中共黨內的領導者幹的。

我們再隨手舉出幾個：像潘漢年，過去一直領導中共中央的「白區」工作；像胡風，他是魯迅先生最愛的弟子和最親密的戰友，曾經在團結文化人工作中，對中共有過很大的貢獻；像丁玲女士，這是毛澤東時代一手培植出的文化高級領導幹部，他們今天竟全成了「反革命份子」，這些眞是令人不可思議的。

中共今天每一個領導者，他們能在黨內立足，就是因爲他們在黨內的鬥爭中，兩手血污，沒有兩手血污，他們就不可能在黨內建立他們領導的權威，這就是布爾雪維黨可怕的規律。

今天國際共黨修正主義風行，說明愈來愈多的共產黨人發現他們的路是走不通的。筆者祗願意在這裏提醒中共黨人一句話：問題的關鍵不是「修正」，而且根本改變這個「制度」。

一週一評

蘇俄向西方低頭

經過一波三折，有關探測核子試爆的科學技術會議終於如期在日內瓦召開了。

若專就這會議召開的過程看來，那是西方在冷戰中一場小小勝利。蘇俄要求由印度等「中立國」參加，西方拒絕了；俄人片面提出出席的羅馬尼亞代表，西方不加理會；俄人要肯定此次會議的召開就等於保證停止核子試爆的原則，西方堅持否認。到六月二十五日，俄人聲言如果西方不同意停止核子試爆，俄方決不參加此項會議，西方則表示不管蘇俄代表參加與否，會議決如期召開。到最後，蘇俄終於屈服，由費澳德洛夫率領的俄代表團，相繼抵達日內瓦，不管原則上有無協議，俄方還是要參加。

從此事經過可以看出蘇俄外交戰術的刁鑽狡詐，決不輕易放過任何一個可資勒索的機會。但倘若對方始終堅持，迄不動搖，到後來俄人也只有就範。

科技會議有何前途？

但是西方戰術上的小勝，並不就等於戰略上的成功。從根本說來，此次科技會議的召開，在性質上就有幾分曖昧。核子試爆停止與否是一政治問題，美總統把問題推到科學技術專家身上，但須知科學上的眞理並不一定符合政治上的利益。何况有關核子試爆的許多問題，在科學界還聚訟紛紜（美原子能局主席史特勞斯辭職原因之一，就是由於內部對此問題意見不一致），現在把許多科學專家送到當前冷戰核心爭端範圍中去，即使各國代表都由第一流的科學家組成，我很懷疑這會議能有何成就，其結果更未必有利於西方的立場。

英首相訪問戴高樂

英首相麥米蘭前赴巴黎與戴高樂會談。麥氏甫從美國回來不久，日內杜勒斯國務卿也將前赴巴黎會晤戴高樂，麥相此行顯然是在美法之間充當橋樑的任務。看情形，西方團結前途不致有何問題，不管戴高樂如何高傲，今日法國到底無法離開西方聯盟而特立獨行。

可注意的是日來頻傳的法國將會承認中共之說。英政府縱會承認中共，卻未必認爲此際對法作此鼓勵是有益的事，美方當更不願法方行徑背道而馳。以是縱然法政府中有人作此主張，戴高樂未見得冒此大不韙。但從此等傳說，我們應該警覺國際形勢的險惡，就連美當局所堅持的不承認政策，也並不是沒有動搖餘地。我們有把握擊退中共在台灣海峽的進犯，所怕的是不能在積極方面有大作爲，而只把精力消耗在內部一些不必要的紛擾上，以致引起國際間的輕視。

印尼與黎巴嫩

印尼革命政府完了，蘇加諾的「指導民主」立場依然不改，這雖祇是自由世界的一點小小挫敗，但在東方人士心中卻是相當沉重的。黎巴嫩內戰已進入第八週。在埃敘的支援下，叛軍愈益囂張，政府的應付漸感支絀，而西方紳士們還在講「樂觀」的風涼話，甚至反替埃敘辯護，說外力顛覆沒有明顯證據。而那百名左右的視察員，乘坐直昇飛機在邊界看看，也就算盡到聯合國的能事了。舉世滔滔，盡是些埋首沙中的鴕鳥，卻少一個爲隔離侵略而大聲疾呼的羅斯福。

·李秋生·

蘇聯倘若進攻南斯拉夫

胡養之

六月廿三日，巴黎晚報刊出該報駐南特派員德拉漢的報導，謂赫魯曉夫，已決定從政治、經濟、外交、軍事，各方面推倒狄托，並驅除南斯拉夫式的社會主義路線。這是最近一次俄共中央委員會會議所作的決定。

同時最近抵達倫敦的匈牙利難民也證實：駐匈俄軍正集中南斯拉夫邊境，圖以武力威脅狄托。俄國若眞以機械化部隊進攻南斯拉夫，則一九五六年匈牙利革命事件的歷史可能在南斯拉夫重演。

事實上，蘇俄公然嗾使匈牙利傀儡卡達爾處決納基等，便是對狄托一種直接變相警告，如一般所分析的。同時蘇俄遲遲不撤退東歐駐軍的原因，顯在防止狄托主義的再起。假如蘇俄眞以過去進攻布達佩斯的方式，進攻伯爾格萊德，無疑的將成爲國際上一個重大問題。我們分析這問題是：

一、狄托對內措施雖有若干控制力量，但當前的困難尚多。南斯拉夫共有共產黨員八十三萬四千七百人，一九四八年六月蘇俄公開譴責狄托的時候，便有大部份南國共產黨員擁護史達林的。它們不僅在軍、政和特務機關裏佔着重要地位；並且負有建立共產社會委縮政府體制的任務。例如狄托的老同志斯頓狄克和彼德哥維克兩人，便是出賣狄托的南奸。

二、赫魯曉夫仿照史達林老辦法，利用保共誘導南斯拉夫的馬其頓人少數民族起而反抗狄托。據保共機關報「工人事業報」于五月廿六日，呼籲南國境內的馬其頓人起來反抗那些「中傷社會陣營」的人。此少數民族分佈于南斯拉夫、保加利亞及希臘邊境，他們大多對狄托不滿。

不過，南斯拉夫也不是一個隨便就能被人克服的國家。史達林何嘗不用盡辦法想制裁狄托？例如共產國際情報局的企圖激起南國內亂，經濟封鎖，奸細破壞，暗殺恐怖；加以邊疆事件更是家常便飯，小而至共產情報局國家的羔羊越界，大至大隊鄰國人馬犯境等，任何一樁事都可以作爲開戰的理由。但是南斯拉夫擁有勁旅五十五個師，自信可以挫保加利亞、羅馬尼亞那些經過清黨以致士氣消沉的傀儡軍。同時南斯拉夫也相信蘇俄在朝鮮半島和中南半島所能施展得出來的手段，在巴爾幹未必可能。

現在南國軍民究竟有多少親俄南奸，是個問題。據南政府堅信一個也沒有，但不久前卻已拘捕一大批反狄托份子。不過有一些事實證明蘇俄由南國所得的情報，遠不如南國由共產情報局國家所得的情報。蘇俄的間諜沒有在南國居高位的，而南國裏頭反對政府的多數是保皇黨，他們一遇戰事，預料一定支持狄托。

據南國軍方人員推測：萬一蘇俄發動事變，首先進攻的可能是保加利亞，但主要攻勢還是來自北面的匈牙利。因爲俄軍越過多瑙河天險之後，便能長驅直入伯爾格萊德。而且可能有一路俄軍，斜趨西面的阜姆，切斷南國和西方的聯絡。

至于南國應戰的計劃，要看能否得到多少外援？歐洲全綫西方陸軍都佔劣勢。因此南國不敢希望初期有什麼戰績？只有步步爲營，可能退到山嶽地區，憑恃地利，實行長期抵抗。南國多山，適宜于游擊戰術。當蘇俄在東歐宣佈組織八國聯軍的時候，南國惶惶不安，所以狄托拚命擴充軍備，在山嶽地帶建立游擊戰根據地。軍隊編配每師團分成作戰單位，自五十人至一百人。目前南斯拉夫企圖遍身成了堡壘；尤其伯爾格萊德的所有建築物，多半都有軍事設備。

近年狄托爲應付蘇俄進攻，曾與前陸軍參謀長杜山．克維德中將訂有新游擊戰術原則：一、南國有二十七萬方公里土地，作戰部隊得以隨時集中或疏散，甚至迅速地行軍突襲；二、南國由于控制了四鄉，一九四一年僅有游擊隊八萬，一九四五年便發展到八十萬；三、今日的原子彈飛彈的化學戰細菌戰時代，平民傷亡反正不能避免，唯一對付的方法，是武裝所有的民衆；四、依照南國過去的經驗，侵略者每一個哨站至少駐軍一個營，人數過少則徒然送命。爲防止敵人殺害戰俘，最保險的方法是捕獲戰俘。

目前南斯拉夫不顧俄帝集團的攻擊，一再表示堅持其獨立路線；並對納基事件向匈牙利提出嚴厲抗議，殆不是無所恃的。

論言論自由與出版法

胡秋原

民主潮八卷十二期，載胡秋原先生一篇論「言論自由與出版法」的文章，題爲「天經地義背之不祥」，這篇文章是胡先生對立法院的忠告之言。現在此案雖已經立法院通過。惟胡先生立論各點，並未因此而成爲明日黃花，爰爲摘要轉載如左，以饗本刊讀者。——編者——

（上略）

一

民主自由之原則，並非舶來品，而實爲我民族數千年來言論自由之傳統。自黃帝立明台以後，所謂「詢于芻蕘」，所謂「用賢納諫」，所謂「防民之口，甚于防川」，成爲政治上天經地義。三代以來，我們即有遒人使者，以木鐸徇于路，採訪民意。「詩三百篇」即由此而來。

又兩漢以後，我們並有諫議之官，博士之制，八所不斷召直言極諫之人。所以中國過去雖爲專制政體，而尊重輿論，尊重清議，從善納諫，是中國傳統精神。此中國所以成爲如此大國的基本原理。除了末朝季世之外，很少有人敢於公然違背；冒天下之大不韙的。而言路之開閉，總是興亡盛衰之標誌，這是歷史班班可考的。

但我們還沒有將這一精神，定爲有效制度。到了近世，自彌爾頓，洛克諸賢之發揮，英國名譽革命，美國獨立戰爭後之建國實驗，人民權利之保障，被認爲國家的基本目標；而言論自由，又被認爲人民「不可讓與權利」中之最神聖者。至一七九一年美國憲法增加條款，規定國會不得制定限制言論自由之法律。十九世紀約翰穆勒更充分闡發言論自由之原理。如是言論自由新聞自由之義，如日中天，認爲是「人民權利之堡壘」。今日世界文明國家，無不將此大義列于憲法之中，除獨裁國家以外，沒有敢于公開破壞或違反，冒此天下之大不韙的。我國爲文明之古國，亦民主之新邦，我們在多年紛亂之後，終有一部憲法出來。不待說，這是我們建國的基本大法，亦我們播遷之中我們存在之理由與證書，決不可予以損傷的。

自由本來以不侵犯他人自由爲界限。言論自由指政治學術問題之批評，非煽動暴亂，誹謗私人之意。而國際共黨及中國共奸者，乃根本不承認自由，而又于利用自由，以破壞眞正自由的，自不能給以絲毫機會。不過，今日文明國家，大抵在一般民法刑法中，防止言論之濫用；而在保障國家安全法律中，防止赤色之宣傳。除此以外，不願用出版法本身，來限制言論出版之自由。因爲如此，即不免有損自身原則，凡流弊太大之故。

著名的民主國家中，只有法國有出版法，然法國政治，並不因此而比英美更爲安定。而其禁止之事，只限于「誹謗元首、及一般官吏、汚辱元首、特指及私生活）攻訐、挑撥軍隊」等數端；而且，也斷無封閉報館之處罰。

二

我們在四十一年通過一個出版法，這法已有問題，特別是其施行細則的特點，在于限制辦報。[illegible]閉自由之證據。而在實際上，也是弊多于利的。今日我們的情況，已大爲安定，報紙分配，也不成問題，我以爲過去出版法和辦報禁令，不妨撤銷。如果我們要修改出版法，理應向擴張言論出版自由程度方面努力，才符合自由中國爲自由而奮鬥之立場，以表示我們卓然有以異于共黨暴政，增強自由中國的光芒與力量。然而今日之修正，反而更進一步限制言論自由，其特點是（一）已辦報紙雜誌，皆可由政府之決定（實無定期）停刊或封閉；（二）罪名之決定，不經司法裁判，而經內政部和各級行政。

如憲法權威薩孟武委員所言，修正案的本身，是完全違憲，而審查過程，如法委員會及其他同仁所言，是用一抹煞的方式，不必有的秘密，違反報業公會請願切身利害關係，並一般合理合法程序，正常的，不應討論的，一硬性方式草率而只用立法院通過之。如果立法通過與憲法精神違背，觸犯自己所訂立的法規[illegible]

三

我還要請大家注視我們自己的地位，內外的情勢，整個國家的利害。我以爲我們的情況，在好壞之間，急需慎重，急需提高自由民主水準，團結人心，增加政府之向心力，號召力，並爭取世界上對我們的同情，提高我們的地位。如是，才能增進我們的精神實質的力量。而自這一出版法修正案提出以來，台灣的輿論，地方民意機關，海外的中國人，都表示反對的；即是立法院少數人，也表示反對。一個監察院也不可忽視，表示關切，即令他強通過，造成人心離德，離心離輿論嗎？也還足以造成國際上的離心與批評和非笑。前幾天國際新聞發行人會議在東京，只有日本非律賓有新聞自由。我們要勉強通過，結果是提高日本地位，同時吃損自己地位。

反之法案，乃是自己毀棄自己賴以生存之原則立場，這如何可以呢？即令立法院可以自樂，「法律」大法官可以宣告抵觸憲法者無效。人民可以訴願，可以否決，豈不是立法之光榮徒勞嗎？

你有許多朋友對我說，我們反共不必憂慮。美國就是例如我們的友邦，乃因其自己反共而援助我們，並不是爲了我們的實行民主。我以爲這話值得深深研究。美國之所以援助我們，乃爲了共同反共，而不是因爲自由民主之建設，並非爲了民主國家，有人說，吾人反共之目的在享受民主自由。建設民主國家，二、美國援助我們，由于萬不得已，並不是眞正的即使美國有一部分人，是否民主不很友好，另一方面，是否許多美國人一般不如我們那樣，反共尤其是一種國際利害的一致，而不會永遠不與我們的。三、我們雖然在此反共援助的問題上，論然要求美國民主國家的朋友，如果我們偉大的中國人，個個以爲美國人是我們的友，會詐敵人乃以「一言汚」，「無能」，「獨裁」，「不民主」等宣傳說，打擊中國最緊要的今後自由中國與敵人以藉口，是不可以做敵人的宣傳的。四、還有一點，我們可是反共，不是求有效，而不是不知，一手段，必是日標，試問不由民主自由之道，能有效的成績，共產黨是否取得成效可言；如果不是，久無成效，被人批評爲「不合格」（incompetent），這是否不受影響呢？（一天多一天近來還繼續援助）

四

然則這一損害自己原則和利益的出版法修正案，是否有何刻不容緩之必要呢？據主管當局所宣布的理由，實無一能自圓其說。

一說，這是爲了取締「黃色新聞」。其實黃色新聞所由生，有其政治社會的原因，而言論多忌諱，即原因之一。而黃色新聞之取締，又乃檢查官即能辦的事，爲了黃色新聞而訂如此出版法，不僅因噎廢食，甚至是殺雞而用機關槍。

一說，爲了取締若干政治上不良言論，如「反攻無望論」。本人曾批評反攻無望論。但這種言論，一是可用辯論方法應付，使眞理愈辯愈明的；一是政府還拿出反攻有望事實鼓舞人心的。這不是「撤消登記」可以解決的。

一說，今日新聞上有關訴訟記載言論，往往有影響司法裁判之嫌，此是各國會有限制的。但第一，我國司法機關由其自己吊死人一事，可見其積弊之深。此種司法機關，如不就這一點澈底整頓，專限制新聞對司法事件之報導或批評，祇足以鼓勵司法界中之壞人壞事。這至少是要同時設法的。第二，政府主管當局怕言論影響司法，卻要使行政當局直接干涉所稱足以煽動內亂外患，藐視法庭妨害風化等罪名之言論，而忘記這一類罪名之確定，依據憲法，是必經司法判決程序的。這豈僅不是治療，而是比言論影響訴訟，犯了更大之法了。

一說，泰國也有類乎撤銷登記的法律。泰國也是一個不錯的國家。不過，「取法乎上，僅得其中。」在這一方面，我們不好追隨一個僅有其事之泰國。況且，即使是泰國，一則祇限于緊急情勢或戰爭之時，換言之，屬于戒嚴性質，二則，祇說無定期停刊，也不說撤消登記。在這一點，我們是獨一而無偶的。我們不好在這一點，獨異于世界。全世界不做的事，我們要做。這不是表示自己之脆弱不堪嗎？

以上諸說，皆不足爲訂定通過如此出版法修正案之理由。事實上，本院還有許多同仁，對我說了許多理由，而這些理由。大抵不免感情用事。

有許多朋友說，新聞界的人要爭自由，向共黨去爭好了。但要知道，國家是大家的，並非政府或立法院的私產，家庭，商店，可以說，你不喜歡我的貨色，你到別家去好了。如果根據同一感情用事，他們可以說，要頒佈出版法，到大陸去頒佈好了。如是我們又何詞以對呢？

（下轉第三版）

關於「三藏十二部」

谷懷

最近在「自由人」七五八——九兩期，看到周祥光先生的大作「基督教的世界性問題」，這[illegible]是和顧又文先生商討的。我和周顧兩位先生[illegible]認識，也無意參加這個問題的討論，只因關[illegible]「三藏十二部」這個佛學術語，張冠李戴，覺[illegible]提出修正的必要。

周先生文中末二段有云：『佛教之大藏經，道教之三藏十二部，儒家之經史百家，至少亦要[illegible]五年十載方可閱畢，不像一部耶教聖經數日[illegible]，即可完了。』我讀到這裏，覺得行文錯誤[illegible]得奇怪，敢是作者忙中錯筆？

「三藏十二部」正是佛家與『世界人類共有[illegible]化遺產』（借用顧先生語），怎的給道家獨[illegible]去？「大藏」的內容，就是「三藏十二部」[illegible]與道，各有教義，怎可以一枝楊柳分作兩家[illegible]佛學名詞特別多，大家只知道「大藏經」是[illegible]經典，若不是學佛的人，對「三藏十二部」[illegible]免陌生。要是錯在原文，那可就眞的奇怪了[illegible]我雖未識周祥光先生，但我知道他是佛教徒，[illegible]學有甚深的研究，在印度某大學任教席，最[illegible]了一本專研究宗教問題的「眞理之光」，我[illegible]讀過。我也是三寶弟子，常在各佛刊上看到他的文章。我不相信『道教之三藏十二部』會錯在他手上，除非是忙中有失，未及修正。不過這也無所謂。我原想候周先生自己更正，但恐他未及注意，我的心情又放不下，正好我在「眞理之光」的「譯者之言」裏面，知道該書是由史澤之吳鶴梅兩先生負責在香港校印的，恰巧史吳兩先生都是我的朋友，我以朋友之友又是佛教道友的關係，搶先提出這一文字修正公案，想周居士是不會見怪的。

「大藏經」，亦名「一切經」，乃佛教聖典的總名。以其含藏一切經典，故曰大藏。簡稱藏經。藏有三：經、律、論。此三者，各含勝義，有如寶庫，故名三藏。經藏說定學，律藏說戒學，論藏說慧學，所以戒定慧又稱三學。能通三藏達三學的和尚，稱三藏法師。這一名稱，通稱是法師的美名，特稱是唐玄奘的尊號。佛學高深，古來大德善知識，窮畢生精力去研究，尚難窺其堂奧。自唐以來，通達三藏三學的雖不乏人，但很少有人用三藏法師的名號在他生前或死後去尊稱他。在習慣上，這一個最崇高的稱謂，早已成爲玄奘法師特有的尊號。因此，一提起唐三藏，大家就耳熟能詳。世俗口口相傳，往往只知三藏取經的故事，而不懂得玄奘是他原有的法號。

大藏包容三藏，三藏各有含義。一、經藏，梵名素呾纜藏，初譯曰契，取喻於聖人言說，能貫穿諸法，如綫之貫花鬘。後譯曰經，以經具訓常訓法之義，也含持緯之意，橫通八方，直貫三際，故易譯爲經，名曰經藏。二、律藏，梵名毗奈耶藏，譯曰滅。滅三業罪過之義。別名優婆羅義，譯曰律。滅之義能詮律，故別名律，是謂律藏。三、論藏，梵名阿毗達磨藏，舊譯無比法，以此藏能生起智照涅槃眞理之無比勝智故。別名優婆提舍，譯曰論。論者，論諸法勝義，能詮諸法性相，而生勝智，故別名爲論，謂之論藏。合經律論而言，名曰三藏。

「一切經」分爲十二類，故又稱「十二部經」。亦即三藏經典分作十二部屬，故亦稱「三藏十二」。茲將十二部名稱及含義略誌如次：

一曰契經，梵名修多羅，乃直說法義而契理契機之長行文之經典。二曰重頌，梵名祇夜，乃反顯前面長行文而頌揚其義的有一定字句之文體，偈頌。三曰諷頌，梵名伽陀，又譯孤起頌，乃不依長行文而直起之定句的偈頌。四曰因緣，梵名尼陀那，乃經中所說見佛聞法及佛說法教化的因緣處所，如諸經的序品是。五曰本事，梵名伊帝目多，乃佛說弟子過去世因緣的經文，如法華經的藥王菩薩本事品是。六曰本生，梵名闍多伽，乃佛說自身過去世因緣的經文。七曰未曾有，梵名阿浮達摩，乃記佛現種種神力不可思議境界的經文。八曰譬喻，梵名阿波陀那，乃經中取喻之處文。九曰論議，梵名優婆提舍，乃依法理論議的問答說的經文。十曰自說，梵名優陀那，乃佛不待問而自說的經文。十一曰方廣，梵名毗佛略，乃說方正廣大之眞理的經文。十二曰授記，梵名伽羅，乃對菩薩授成佛之記的經文。此十二部中，前三部爲經文之體裁，後九部乃從經文中所載的事別而立名。所謂部，只是指明經中某種經文是屬於某一類，並非佛經分作十二類而各自獨立成部。十二部，可作佛經分析法看。

「三藏十二部」的名稱與含義，是初機學佛人必須了解的。因周居士文中錯得離奇，所以寫出來，供有志研究佛學者參考。

僑委會來函照刊

有關僑生回國升學問題

自由人社編輯部公鑒：

頃讀　貴刊第十七期西貫通訊：「家政會議及其他」一文第三節「僑委會懸崖勒馬」，作者光明先生對僑生回國升學問題關切之殷，殊爲感佩。惟所云關于政府對越南僑生由「關門」轉而「接納下情」「懸崖勒馬」各點，間與事實未符，特予說明：

政府便利僑生回國升學，係年來一貫方針，而回國僑生由四十年之六十名，增至四十六年之六千餘名，爲舉人皆知之事。而在台升學越南僑生已達一千三百名，此項人數，除香港地區以外，比任何一地爲多，足見政府對僑生回國升學，始終採鼓勵與便利之措施，對越南僑生如此，對其他地區亦然。就以本年招生名額而論，仍保持爲二千五百名，可知絕無「關門」或「拒人于千里以外」之任何事實。

惟教育之任務在不斷充實與提高，一方面固注重量的發展，同時也兼顧質的提昇，故對僑生保送標準，採取逐步提高之措施，已爲僑生家長及政府雙方一致之要求，殆不能毫無限制而不加以嚴格之甄選。

其次，僑生，成後係以返回原居留地服務爲僑社爲主旨，故回國升學僑生儘可能須取得僑居當地之回頭許可簽證，此係一通則，無分軒輊，而年來各地區僑生，大多已獲得此種便利，故假期省親及畢業後返回僑居地，均能順利成行。比之被騙入匪區之僑生不獲重返者，迥然不同，就此充份顯示自由之可貴。至仍有若干地區情形特殊，一時間未及公辦回頭手續者，政府自可斟酌實情，委託駐外使領館辦理回頭手續，並繼續交涉辦理回頭手續，使有志深造之優秀青年均得如願回國升學。

總之，政府對僑生回國升學，既予以此種種便利，但對各僑生回國升學資格，不能不限以相當標準；對其將來畢業後返回僑居地手續，更不能不預爲照顧。各方如有更良好的建議，固可隨時採納。但在一貫方針之下，對任何地區決沒有所謂「關門」或「懸崖勒馬」的情事。誠如作者所言：「爲着減少不必要的誤會和麻煩」，特將事實說明如上，請刊諸報端，俾明眞相。敬此，並祝撰安

僑務委員會第二處啓。

中華民國四七年六月三日

新瓶裝舊酒　東京仍渴望與中共恢復貿易

（東京航稿）十九日日內閣官房長官赤城向記者稱：自由中國與中共是兩個國家，日政府從無敵視中共之意，日政府應採取新政策以促進日本與中共之友好親善關係而逐漸趨向於承認中共云云。此語在東京各界引起軒然大波；藤山外相隨即以電話詢問赤城探詢其談話內容，並告記者稱：日本政府對中共之政策並未變更，赤城之談話係其私人之見解云云。同時通產相高崎達之助也告訴記者說，他認爲對中共增進友好關係是稱意的云云。不管誰說什麼，日本之仍欲與中共恢復貿易是迫不及待的了，所以二十日閣議終了後，岸信介、藤山、高崎、赤城等約集談話十五分鐘，就此問題竟獲致一致之見解：即是中共對日本之誤解要儘量設法使之解消，對中共關係應設法打開目前之僵局；更認爲共產國家體制儘管不同，但日本對該等國家之友善關係增進，貿易、經濟、文化交流之促進認爲仍屬必要。自岸二次組閣以來，日本各報一致對日本與中共關係有所評論，某些報紙甚且認爲日政府應給予「中共」以「國旗」保護法之適用以促成日「中」之復舊言歸於好；有些報紙亦認爲日本政府應以經濟爲第一條件，所謂政治考慮應列作次一步之考慮云云。岸內閣之對中共問題之受日本各方緊迫，以及反對黨社會黨之攻擊可說有目共睹，而日本之對中共不能貿易，捕魚又復受制於中共，民間產業界無不向日政府呼籲要打開「中」日僵局，赤城之談話自可視作一種煙幕彈，目的要在試探中共意向，藉此以滿足日本民間和產業界渴望，不過，日本之誠意如何，中共之反應如何？均在未知之列。

赤城之談話雖由藤山予以否定，但引起東京各界之騷動殊值注意，也就是說赤城太大膽太隨便了。記得鳩山主持日本內閣時常常出言不遜，不料赤城竟步鳩山後塵，赤城爲了向中共表示友好，親善，其對自由中國聽以何種言詞來達到其意向是令人懷疑的，中共之全面停止對日貿易，拘捕日本漁船，取消既定的日「中」文化交流節目，拒絕在日本舉行商展還不够表明「中共」之態度嗎？最初中共果欲以貿易爲名，隱然以政治進攻日本，以達到由貿易而承認「中共」，正如赤城談話所謂漸漸趨向於承認之途徑，然而目前中共既已如此絕決，日本復又顯呈軟化的勢態，中共一定要逼着日本先表明對中共之正式復交，次一步再談貿易，討價還價的結果，可能是日本政府將與中共間作直接之談判，以促進所謂「日中」第四次貿易協定之實現。（六月廿五日）　。觀游。

論言論自由與出版法

•胡秋原•

（上接第二版）

有許多朋友說，新聞界太「囂張」了。其實，祗有違法與否問題，沒有囂張與否問題。尤其是主政的人，立法的人，要「我心如秤」，不是報復心理可行的。況且，如果新聞界言論有點激勵，那是出版法修正案危及他們權利乃至生存使然。如若行政院將來再根據同一原則，提一個「立法委員發言法」，則諸君之「囂張」，恐怕還在新聞界之上。

又有朋友說，這是政府威信問題。沒有比這種思小之言更自誤的。民之所好好之，民之所惡惡之，才有威信。不能使人心服，使人敢怒而不敢言，豈是立威立信之道？聖賢與愚不肖之別，成功與失敗之關鍵，在一能知過即改，而一則將錯就錯，而且必須錯到底。一怒而安天下之民，始爲信，始爲威。立威立信，必須寬容，以求多益；集天下之人心，以增益其所不能；然後以天下人之力，行霹靂之手段，自能強國。

人皆曰不可之事，名曰威信的。今日許多執政之人，從不細想其許多措施，尙有上智，亦多下愚。又不相信，許多人有所批評，決非希罕其標新，所只是不忍論胥，渴恝其趨於成功之正道。然執政諸公却有一種成見，必大家一致附和，其下愚，才能滿意；否則即是「別有用心」。而許多人必以千方百計出來，之後又必千方百計，激到底，以爲即是威信。

人以德之意。必以姑息爲愛，有什麼辦法呢？還有許多朋在院內宣傳，現在是「作戰」，「舉手」，「舉手」！其實，議會之所以爲議會，在經過理性討論，而後爲良心舉手，所以名曰議會，而不名曰「舉手」。今日諸先生一貫是「相對多數」的，所以老是「不停止討論」，也多數是不會停止討論的。將來諸公以少數，旁人以諸公爲要者，不付諸公平呢？諸公最重要者，諸公在爲何「作戰」？對誰「作戰」呢？諸公是在對自己的憲法作戰，對自己的國家作戰，對自己的權利作戰而已。如果出版法修正案，感情用事，那也是一種很小氣的感情用事；親者痛仇者快的感情用事；自己人對自己的感情用事；對不法的感情用事而已。

五

所以，出版法修正，毫無必要之理由。違反立國傳統，破壞憲法，內而影響國內人心之團結，外而影響國際上對我們的觀感。他一無是處。不僅此也。一個國家，總要國民自尊自愛，有智識有才能。此即必致國民知理，服理。言論思想自由之最根本義，實在于此。一個政府無論如何賢明，沒有那麼高與言論自由新聞自由的。高唱「四大自由」之羅斯福，也最討厭新聞，以法制討厭是一事，輿論被箝制後又是一事。聰明閉塞，一是歪曲，結果一更造成良心歪曲，大家苟且敷衍，一種勢利主義，一種白擬主義、大家苟且敷衍，麻木糊塗，對內而言，也許這是馴順的，忠貞的，可喜的。然今日是大敵當前，又國際競爭之世。國民成爲麻痺之後，對外就沒有用了。這不是「魚肉」，就是「有奶即娘」之「傀儡」。宋末明末之歷史，即是一個警戒。而近代中國之衰弱之民，可以亡國，禦侮也只有求自從柔順，于祗有落的。治者被治者必須「春蠶到死絲方盡」嗎？何炎黃子孫之出息，竟至于此耶？（下略）（民國四十七年六月十三日）。

從「矛盾論」到東歐　看毛澤東的理論地位

•田心•

毛澤東久已想將其「人民內部矛盾」的理論作爲共產國際的指導理論了，這一過程是這樣的：一九五六年十月，波匈事件後，毛澤東發表了「再論無產階級專政的歷史經驗」，要求用兩種矛盾的理論來處理共產國際的內部糾紛，東歐國家曾經一度表示歡迎。

隨後，于一九五七年二月，毛澤東又在「最高國務會議」上發表「關於正確處理人民內部矛盾問題」的演說，要求按照這一理論來解決國內的矛盾，鼓勵鳴放；五月裏，赫魯曉夫對此公開表示不盡贊同。

事實是鳴放確帶來了亂子，到同年六月十九日，毛又作了某些修改，加入了六項標準，「關于正確處理人民內部矛盾的問題」就有了新的姿態——對鳴放有了抑制作用，赫魯曉夫接着便在一九五七年十一月莫斯科會議前的幾次講話中，部份的承認了毛澤東的這一理論；但是，在莫斯科會議上，毛又受到了頓挫，他的兩種矛盾的理論未被共產國際通過接受。

儘管是這樣，但在南蘇再度決裂後，形勢起了變化，關於兩類矛盾的理論的傳播，在東歐，起了作用，事實的例證有二：一、保共第七次全國代表大會通過的總結報告中，正式引用了兩類矛盾的理論來解釋其國內的現況（見六月九日人民日報）。二、捷共第一書記諾沃提尼在捷共第十一次全國代表大會所作的中央委員會報告中也引用兩類矛盾的理論來解釋國內的現況（見六月十九日人民日報）。這就可以這樣說了：縱然這一理論現尙未被共產國際公開接受，但却有個別底被接受的傾向。

而這樣的趨勢似乎是基於下述諸原因促成：南蘇反目后，赫魯曉夫爲取得毛對狄托施行壓力的支持，姑且以接受毛的兩類矛盾理論爲交易手段；或者是由于南共事件之刺激，東歐各共產國家病急亂投醫，便用毛的藥方來暫時解決內部問題，自然地接受了這一理論；或者是這兩種情況結合起來的共同需要。

共產國際之是否將正式接受毛的理論，大概可以在這次蘇共中央委員會的結果中看出來的。

此事，固屬是理論性的問題，但與毛澤東在共產國際的思想領導地位有着極大的關係，不可以等閒視之。因爲，這與毛澤東久已企盼要做馬、列以後的共產國際思想導師的地位有關。

就史太林思想實踐共產主義的結果來與毛澤東的兩類矛盾比較，毛澤東者富有彈性，而其狡詐、善變，更在史太林之上；因此，在表面上其方法與態也較史爲溫和，而其僞裝民主的程度也較高。

但是，毛澤東的理論如其眞有可能成爲馬、列之後的「經典」，還必須要能經受得住實踐的考驗，並不因爲現在東歐共黨有病急亂投醫的需要，而即可肯定其牢不可破的地位。目前的情況，只能說是內史太林主義遭受到共產國際內部貶值之後，在眞空狀態下，爲應付特殊情況之需要而得以抬頭罷了。

•田心•

法蘭西這個國家

•塗克超譯•

法蘭西是永遠在和自己鬥爭中。這是我對于法國的感想。法國的偉大傳統乃是無政府之傳統。無秩序使法國繁榮。正如秩序對于其他國所不可少一樣。使我覺得好笑的是：人們怕法國正在變爲一個村落。她一向就是一個村落。在路易十五統治下，法國原是村落。一個有咖啡館，報攤，和紙烟店的村落，人人可以在那裏討論的。從那無休止的辯論中，產生了那溫軟而強烈的光。

從外界看來，這一切令人莫名其妙，而像一層濃霧似的。外國人祇看見了相反的團體，彼此矛盾的個性，互相攻訐的人。他或許也相信這全像沸水一般，其中的泡沫是滾滾不停的嗎？

在法國，人人都動腦筋，甚至傻瓜也不例外。人人是在舞台上的。沒有什麼人是坐在聽衆裏的，而且我們的公衆平常都相信：他們能夠做得比我們的領袖們所做的好得多。

我時常論到，創造精神祇是矛盾精神發展到最高的形式，一件偉大的作品會自行反對那以前的一件，而與前此的相矛盾的——此一事件並不妨礙以前的作品之生活，呼吸，生根，和開花。我們應該記取希伯來的格言：「平衡生情性。」交換是由不平衡生的。」

有一天，在鄉間，我隨便翻開一冊龔古爾兄弟的日記。我一翻開，就發現這段話：「有一位朋友從紐約來，帶來一項我們所不敢相信的消息，那大約會是真的：洗臉盆固定的接着牆壁了。」讀這一段話後，我的第一項本能反應是笑。但當進一步回想時，我就開始驚奇：究竟我們的麻煩是否正由此來的。

因爲人必須聽命於臉盆，而把身子將就臉盆，恰如牛馬向飼料槽一般。他的意志屈服了，連他最弱。從前，水、燈光、糧食是被遞送到我們的，而無需我們動手。我們原可以，一卷在手，坐在安樂椅上自由自在。侍役原是够多的，而且也得規矩，每個人都有侍役。但此項侍役已經不見了，被機械代替了。這水龍頭已經代替了原來的臉盆，工作就是麻煩所在。水龍頭在美國工作得很好，在法國却工作得很壞呢。

那麼，我們的錯誤就在于想模仿有紀律和有秩序的國家。我們的力量就會是承認我們的無紀律和無秩序，而從無紀律和無秩序中抽取隱藏着的資源來。一個人愈有天才，就愈肯努力；他愈肯使用其天才，使他的墨水用得更快，他就更力去控制及裝上墨水了。

我們的宇宙是在波浪和旋渦中發展的。有旋渦之處必有波浪。這是耐性問題，而我也是不信一個創傷（那形成爲一個創口）的能够在幾個星期內自行醫好的。說法國搖搖欲墜，那是荒謬的說法。……

狄亞基勒夫率領過多采而著名的俄國芭蕾舞團環遊世界，曾經對我說，他得有一種新表演，總得先在巴黎演出，那是因爲巴黎是世界上唯一的都市，藝術品在那裏可以激動情侶們吵架的。

我很知道，今日政治扮了一個重要角色，而爭吵太過于情侶們吵架，但吵架不是表現那同樣的精神，同樣的性情嗎？這仍然是一套美好的吵架，一場是一個豐富的景象，一堆肥沃的肥料，各種植物發芽了，把種籽散佈各處了，長起了，升高了。這方面而有關的的名字，那些詩人是法國光榮而穩定其聲譽的人們，如：拉西納、維雍、波多萊爾、藍波……

如果這一切都變換了，就會有規律、秩序、敬畏、安寧——這一切品質，我重複說，是法國所沒有的，而且是法國人很少去嘗試的，幾乎是不可想像的。只要一個人嘗試，就會遭遇失敗。……法國的特權是意外，發現和打破了直線，貢獻了那些令人驚奇之事。

【本文譯自六月號的大西洋雜誌，原著者是法國西學院院士亞堪（Jean Cocteau）】

國際動態拾零

△南斯拉夫非正式的報導，據狄托親信傳出，謂渠將有華盛頓之行。惟須美國正式邀請，但美國尙不肯發出正式請柬，故一時未能成爲事實。

△蘇聯外交家宣佈，如禁止原子爆炸案成立，中共將允許在其領土上設監視站。其唯一交換條件，爲關于監視制度，中共將與西方國家有平等發言權，蘇聯並堅稱中共決不要求美國承認，並允其進入聯合國。

△蘇聯最近將自動廢棄其大部分的潛艇，以從事國際裁軍宣傳。實則蘇聯五百隻潛艇中，有二百隻以上已過于陳舊，在二年內，非拆毀不可。

△中共除批評狄托外，並主張早日清算納基，目的是向共黨集團之修正派提出警告。這是匈牙利在東德外交官的消息。

△中共聲稱福建地區，逐步作軍事準備，以促作解放台灣之長期威脅。閩北至閩南，現已敷設鐵道，以利軍運。

△阿剌伯聯邦中，敍利亞與埃及已發生明顯衝突。埃及派駐敍利亞的訓練其軍隊之七位埃及軍官，現悉被殺。兇手則悉逃亡，並未捕獲到一個。

△最近美國與印尼的外交關係又開壞了。美國接濟印尼叛軍以少量軍火時，蘇聯曾允將共產分子，逐出內閣，美國曾提出期限早屆，蘇聯已諸方面，仍無動作，致招美國之不滿。○陶然。

自由談

自由人類的災難

馮任先生

五天之前，美國白宮發出聲明，說是艾森豪總統決定不隨便與俄酋赫魯歇夫通信，若在外交禮貌上必須予以答復的函件，將由國務院負責辦理之，以免俄共利用艾氏的威望，在國際間多所覺弄云。我以爲「和平總統」艾森豪先生迭次上當吃虧，幡然覺悟，不復受愚了。

誰知俄酋赫魯歇夫對「科技會議」表示一下杯葛搗蛋的詞色，艾森豪却竟然失措，又急忙由自己出面，寫信答覆赫酋不惜妄自菲薄了。這所謂「科技會議」的性質與作用，美俄雙方尚在各執一詞之中，即令艾氏委曲求全的心情，懇請俄帝派員參加，然對世界和平前途，究竟能有甚末裨益呢？艾氏覺得這會議是美國倡導的，萬一俄帝拒不預會，未免大煞風景，有損「和平總統」的令譽。實則俄帝如在會中堅持己見，提出一些使美國無法接受的主張，作爲冷戰宣傳的大好題材，結果「和平總統」的聲光將見更趨黯淡，恰如粵語所說的：「面係人地畀，架就自己丟」，冤哉枉也！

政治人物的行爲，最忌諱沽名釣譽，不務實際，因而遇事乃犯着「沾滯」的毛病，隨時表現「自我中心主義」。艾森豪立志要在殘餘的兩年總統任內，保持「和平總統」的榮冠。事實上，他以孱弱病夫，亦負不起繁劇的職責了。唯有竭力敷衍俄帝，延續冷戰時間，讓他和平地告老歸農，如是而已。羅斯福早已下世，邱吉爾頹然退休，舉目自由世界，看不到一個像樣的政治家，滔滔者盡是些二三流角色，居然又要領導我們，以致共禍狂猖，自由人類枉遭無妄之災，且有同稱浩劫的可能，欲不憂憤塡膺，豈可得乎？

談冰淇淋

東生

冰淇淋！這是個多麼富吸引力的名詞，不論使小孩聽到都化啼爲笑，即使成年人也心嚮往。特別是際此炎夏。雖然本港人士還不如英美國人那樣對雪糕瘋狂地愛好，每天午餐晚餐均進雪糕一杯，但是根據各公司的銷量看來，其愛好的程度，也與日俱增了。仍然有許多家庭主婦，對于孩子之要求，不免有點猶豫，原因是對於此種西洋產品，所知甚少。彼等不知道這是營養豐富，可以代替一部份牛奶的。

冰淇淋的歷史，說起來源流久遠。早在耶穌的時候，中東的人從山上挖取冰塊，置諸地窖中以備拿來把酒冰凍。紀元三百二十年，亞力山大大帝便懂得以牛奶、蜜糖、菓汁等和冰而飲。在十四世紀馬可孛羅來華前三十年，我們的祖先均好飲冰凍牛奶，馬可孛羅發覺中國人食牛奶冰條，留下極深印象，因此返威尼斯後便實行模倣。截至一六三七年前，在歐洲，雪糕仍然是義大利獨有，及嘉德蓮婚法皇亨利第二，才介紹到法國。不久，由法傳至英，查理一世深喜一種名叫彩虹雪，特給廚伕恩俸二十鎊，惟不准其再替他人製造。但不久此人却去巴黎拿破崙餐室中出售，風靡一時，其後又以拿破崙雪糕之名，流入英國。

在十八十九世紀中，雪糕之命運，處境無常。當美國馬迪遜總統的廚子，有一天在白宮晚宴中，爲了誇耀其巧製雪糕蛋糕，被總統拿去監禁，因爲他從未見過，而以爲廚子謀殺他呢！其後有些膽大的人淺嘗一下，覺其味無窮，結果廚子終獲釋放，總統爲了表示歉意，乃加薪五元。

不過在英國科學家法拉第發明冰箱之前，不僅無法大量製造，而且是非常粗糙的。一九〇〇年，美國雪糕業開始旺盛，但美國則至一九二二年，由製腸大王湯姆士威爾實行大規模製造，才普遍地爲人享受，威爾那時便以單車送貨至各地出售。當首次大戰時，雪糕已蔚爲風尚，故戰時製造廠的被封，全國人士爲之不安，戰後重開，銷路突增。不過當時的製造，不論從任何觀點而言，與今日均有天壤之別。

目前的雪糕，含有百份十四牛油，百份十四糖，百份十一奶粉，有少數香料如「雲尼喇」等。但是在英國，則用牛油，奶粉也減至百份之四，已沒有以前那末豐富的營養。

冰淇淋所含的「卡來力」，比蛋更多，比馬鈴薯更多蛋白質，比牛奶更多脂肪。根據英國法例，必須消毒，還是說，要在一百五十度熱中停留三十分鐘。現時雪糕的製造，完全不必用手，自始至終都是機器，同時經過冰凍下八十四度的冷藏，所以能運到遠處還不會溶化。

冰淇淋的形式，眞是好像女人服裝那麼多，目前本港所售的各式各樣的雪糕，皆有牌照。我個人以爲安樂氏的雪糕較可口。

山中遠眺

金一鴻

羣山收眼底，一棹放江湖；
寂寂南來雁，北去期有無？

夜寒不寐

夜深寒不寐，天地轉側間；
野曠鳴犬籟，皓月自往還。

一撮泥土的奮鬥史

鮑家琳 譯

不久，這撮泥土便被放進一個大水槽裏，同別的泥塊混雜在一起，憑憑別人打擊、攪動、踐踏，使他簡直無法忍受；正在他想反抗的時候，突然有一種奇異的思想入了他的腦際，彷彿在勸慰他說：「朋友，請你不要痛苦，也不要悲傷；俗話說得好：『吃得苦中苦，方爲人上人。』你不是想做一些偉大的事情嗎？那麼請你暫時忍受一下吧，因爲一些偉人所做出的偉大事業，都是從苦難中獲得寶貴的經驗的。」

「是的，人生是希望和等待。」這撮泥土流着淚，忍受着苦痛的磨鍊說：「如果我不能忍受這種劇烈的磨難和考驗，我又怎能出人頭地而獲得美妙的報酬呢？」

然後，這塊泥土又被放在一個急速的旋轉輪上，一剎那他的身體就被一種巨大的力量分成許多碎塊，使他痛苦得直叫；之後，又有一個奇大的力量重重的壓在他的身上，使他差一點要喘不過氣來；同時，他發現他經過這次既痛苦又令人昏眩的旋轉之後，他已不像以前的那種土裏土氣的土包子了，而被改造成一種圓形的模樣，倒使他的心裏感到一絲快慰。過了一會兒，他又被一個不知名的手把他放進一個燃燒着熊熊烈火的火爐裏去狂燒，那猛烈的火燄，比盛夏的大伏天的太陽還不知要厲害多少倍！儘管這撮泥土被烈火燒得焦頭爛額，汗流浹背，但是他却沒有一句怨言，因爲他已經經過了很多次的苦難的考驗，使他那顆稚弱的心靈已從暴風雨中磨鍊得格外的堅強，自信自己有一個偉大的將來，所以就不怕目前的暫時受罪了。

於是，在他的腦海裏，便浮現了一片綺麗的遠景：他發覺自己經過這麼多次的考驗之後，一定會被造型成一個神聖的廟宇的裝飾品，或者是一隻精細漂亮的貴重小花盆，放在國王的桌上來供賞玩。「啊！那多好！」他叫了起來。

最後，他被烘乾了，從火爐裏被人拿了出來，放在一塊板上，讓那監天下的冷空氣來驅除他身上的火熱；而他經過了冷風一吹，理智也清醒了，他覺悟到苦難已成過去了，他的心裏又感到一陣說不出的高興。

不過，當他從那靠近他板子附近的一池清水中看出他的新像貌時，他不覺驚大了口，瞪大了眼睛；心想：「這就是我用許許多多的痛苦和耐心的忍受所換來的代價麼？啊！這是一副多麼難看的像呀！」他幾乎要哭泣！讀者先生，你們可知道他爲甚麼要說這沮喪的話呢？原來在水池裏所反映出來的像，是一個和普通的花盆沒有甚麼兩樣的，他既窄小，挺硬，而且又被火燒得通紅，簡直是個醜八怪啦！這樣既不是藝術上的贗品，又不是甚麼有價值的寶貝，那麼又怎能進到皇宮大廈，去做國王桌上的飾品呢？當然，名譽、地位、光榮……這一切都完了！因此，他便憤怒得低聲咒駡着那創造者的無情了！說實在話，他自己也不曉得，創造者爲甚麼會把他造成這種的鬼樣子？（中）

人類的演化

陳永昌

中心地在中亞細亞

古生物學家根據許多理由，認爲人類演化的中心地是中亞細亞。在中新世（MIOCENE）以前這裏氣候溫濕，樹木茂盛，適於高級靈長類生活的。在中新世裏地面上的地形發生了變化，中亞細亞南邊的喜馬拉亞山脈昇高起來，將中亞細亞和印度隔斷了。這個很高的隔斷阻止了由印度洋吹到中亞細亞的溫濕的海風。因爲這個緣故中亞細亞的雨量減少，氣候漸漸變成乾燥，樹木漸漸不能繁盛了。樹林面積的逐漸收縮強迫一部份的靈長類沿着殘留的樹林遷移到非洲演化成了近代的黑猩猩和大猩猩，一部份的猿類遷移到亞洲東南部成了近代的猩猩和長臂猿。這時候人類的祖先仍然遺留在中亞細亞的殘餘的樹林中生活。

由樹上被逼到了地面來

後來氣候更乾燥了，樹林的面積更縮小了，通連非洲和東南亞的樹林路線切斷了，人類的祖先就被迫由樹枝下來到地面上生活。

身體又發生很大的改變

靈長類在樹林中生活是很活潑的，到地面上生活就很不自然，往往不得已而用四足行走。長期下地變成能適應地面生活的猿類有狒狒和大猩猩。這兩種靈長類在地面行走時都是用四足橫行的。人類的祖先因爲在樹林中懸空直立生活的時期很久遠，下地後不能改變成橫行，所以仍舊維持他的直立姿勢，用兩足在地面上行走。這種生活方式使他的身體上又發生了很大的改變：他的腿部漸漸加長，肌肉發達，足部的大足趾變成不與其他足趾相對，適於用足底在地面上行走。更重要的變化是他的被解放了。在樹上生活的時候的主要機能是把握樹枝，懸掛和移動身體。下地後，兩足代替了兩手來支持和移動身體，兩手不被樹枝束縛，於是人類的祖先就自由運用兩手來把握任何可以把握的物體。後來漸漸的能運用兩手把握石塊作工具，再後來能用兩手來製造他所需要的工具，於是兩手的構造因運用，而變成更加靈活，指導兩手運動的腦部也隨着手的機能上的進步而逐漸發達起來，結果是人類的祖先由猿類演化成了古代的人類，時期大約是在次新世（PLIOCENE）的初期。

生存競爭漸成社會

地面生活是艱苦的，必須要到各地尋覓和獵取食物。在獵取食物的時候要遇到許多比古代人類更兇猛的獸類。猛獸有銳利爪牙而古代人類沒有，於是我們的祖先就因爲生存競爭上的逼迫而發明了許多獵取食物和防衛猛獸的器具。不但如此，他們又因爲抵禦强敵的需要，集合成羣，分工合作，漸漸的有了社會生活，有了語言，後來又有了文字。工具的發明和生活的社會化增加了人類征服自然的能力，人類的演化現在仍然沿着這個方向前進。

「爪哇人」與「北京人」

許多古生物學家在地面上各處找尋古代化類的化石骨骼。這類工作已經有了很多的成績，現在舉幾個重要的發現：最古的人類骨骼是在爪哇發現的，名叫「爪哇人」（JAVA MAN），生活的時期是次新世（PLIOCENE），距今約有五十萬年。比「爪哇人」稍晚的是「北京人」（PEKINGMAN）骨骼是在北京西南的周口店發現的，生活時期大約是在四五十萬年前的上新世（PLEISTOCEAE）初期。以後有「畢爾當人」（PILTDOWN MAN），骨骼是在英國發現的，生活在上新世裏，大約三十萬年以前。「海德堡人」（HEIDELBERGMAN），是在德國發現的，生活時代，大約是三四十萬年以前。「尼昂德托人」（NEANDERTAL MAN），骨骼分佈在歐洲許多地方，生活時期，大約在三萬年以前。「克羅馬弄人」（CRO-MAGNON MAN），與現代人類的相同，骨骼分佈在歐洲許多地方，繁盛的時期，大約是在二萬五千年以前，現在還不會完全滅亡。（下）

鞋

張健

鞋子的身價在庸俗的眼光中是微賤的，因爲它們的「門第」，是無比的低下。可是當一個人眞正地使用了一雙鞋子以後，他就可以瞭解：鞋子甚至比某些號稱「萬物之靈」的人們還要有用些。——它似乎懂得服務的眞實意義。

不怕吃苦、忍受委屈，鞋子在崎嶇的世路上有着墾荒者的精神。它承受着主人的一切重負，步向遠方。只要人們認爲它的利用價值尚未耗盡，它可以千瘡百孔，創傷累累的繼續効勞下去。

一個不懂呻吟的苦力是罕見的，而鞋子的確可以居之無愧。

它渴望着奔向光明；但在黑暗的途程中，它也從不畏縮，反而更竭盡其力，以免主人不致跌仆，或陷落。當然有人慣於赤足，然而他們是忽略了：鞋子之對於可貴的雙足，不啻是最忠貞的護衛者！

駱駝雖然辛勤，但却榮享着「沙漠之舟」的美譽；而鞋子則一昧沉默，甘於爲人忽視，如無名英雄，踏實地踊躍於世界上永遠走不完的道路。

我們歌頌行路者足底堅實沉毅的鞋子，即使那是多餘的；但却不敢恭維「高級人士」脚上的飾物。

談長袍馬褂

杜多

前月伊朗國王來台訪問，政府款以國賓之禮，有些高級官員，穿上了長袍馬褂參加迎接，在羣衆之中特別引起了人們注意。據說長袍馬褂是中國文官的「禮服」，但總統、副總統、外交部長，以及多數官員，皆未穿着這種「禮服」。我並非要批評人家穿衣服的自由，但對於這件事，認爲似乎值得提出一談。

國家文武官員的禮服，應該有統一的規定較好；否則在莊嚴偉大的場合，偶然發現幾位異衆不同的服裝，未免有點刺目。長袍馬褂，本是前清的遺制由「袍套」蛻變而來，清廷爲便於行跪拜禮，還在袍衣前面綴上兩只「馬蹄」；顧名思義，這「褂」字上要加一個「馬」字，必然另有一番意思。民國肇造以後，何以通文官禮服都不能制定？一些人何以還依戀這撈什子呢？如果說爲了是「觀瞻」，那麼，「頂戴」、「朝珠」、「補」豈不更爲「壯觀」嗎？現在反攻復國時期，似乎不應再重視長袍馬褂，這撈什子了。

稿酬：

本報五月份全月稿費通知單已分別付郵，請惠稿文友，憑單領取爲荷。

編輯部啓

自由人

THE FREEMAN

（第七六五期）

中華民國僑務委員會登記證僑新字第一二號
中華郵政台字第五〇〇〇號執照登記爲第一類新聞紙類
（半週刊每星期三、六出版）

每份港幣壹毫
台北市售價台幣壹元伍角

督印人：陳文韜
地址：香港高士威道二十號四樓
20, CAUSEWAY RD. 3RD. FL. HONG KONG.
TEL. 771726

承印者：東南印務出版社
地址：高士打道六十四號
台灣總經理處：台北市西寧南路壹零壹號二樓
電話：三〇四三六
台郵撥儲金戶二九二五
海外總經銷：友聯書報發行公司
香港德輔道中二十六號A二樓

從海外看「內閣」更迭

林伯雅

此次行政院首長的突然更迭，不在俞氏受立法院糾舉抨擊之時，却在總統慰留一個時期之後，原因無論是由于俞氏的苦衷，抑或有內在的困難，至少，表面上顯示這是政府自動的安排——自然是基於國內外客觀環境的需要。陳副總統重作馮婦，在現實政治制度及環境看來，實爲目前唯一比較可能組成眞正責任內閣的人選，如果中樞有所決策，儘可運用政治地位實際權力的統一，來振起「反攻內閣」的聲威。

因此，一向在反攻高調轉向低調窒悶中的海外中國人，對此自然又有一個新的期待。

一、

一個內閣的更迭，是民主國家政治上的重大事件，表示政策上總該有了改變，至于好變壞，或壞變好，是另一回事，而其影響所及，不止于國內，而且及于國外。近如法國戴高樂的上台，儘管如說是法國人的狂熱，就是希望從變中求出路。其對人民心理的影響，可以概見。友邦所就注視政局的所趨，則是其政策動向所趨，其對于世界的影響也不言而喻。較諸如日本開始便有東南亞及美國之行，在國際政海中激起波瀾，其政策成敗，毋寧並不止于東京。

我國現象則異是，爲什麼呢？

我國之病，對內言，不病在國事紛紜，年來政治之不滿人意，言論總于情緒激昂，鬧得滿城風雨，發時者有以不能團結爲憂，其實可要的，却是人民對政治漠不關心，國不出人民的力量。在自由中國名下，實際不過一千餘萬人，海外的其大半。國內民衆關心于國事而敢于直言不諱的，只限于少數智識份子；至于海外千餘萬華僑大都在居留問題及生活問題顛沛中，也絕不如一般觀察大員所報導的那麼樂觀。他們雖說愛國，但一年復一年的面對不生不死的僵局，若無一個新的做法，其熱誠不被一個僵局所凍結，有不少組率的觀察家，頗感到他們對國事的態度，已由熱烈漸趨冷淡，這不遠當年辛亥革命及抗日時代，至少目前有此傾向。海外中國人這種心理狀態，自台灣政治國實的人看，也許還未能深切體會。

就對外言，國際上儘管情勢于我有利，各國對我的重視却不如前。對我內閣更迭之不能引起若何反應者，原因也許以爲自由中國的政治，無論人事上怎麼變也，總不會有質的變動。無一項足以引起國際重視的行動。不管怎樣，都是一個值得我們反省的現象。

二、

無論我們怎樣看法，維繫國內人心的無疑是，祇有反攻。反攻固然是個複雜的問題，不過台灣決非永遠的自由中國，也不能把全部希望放在一個安定的台灣，從以台灣安定爲號召。因爲一個人民，所以對國家有力者，以人民與國家的切膚之關係。自由中國若久困台灣，而且割地自保，擬如金湯，則海外千餘萬僑胞亦必由希望變爲失望，也許大陸久待解放的同胞心理上感到無所寄託。因爲台灣一隅所能容納，及僑生及僑資者究竟有限，越南撤僑所體驗的困難，即其一例。假無反攻希望提振，總須「兩個中國」不致實現，而自由中國實將祇成台灣的別名而已。

不論事實困難如何，反攻希望實乃自由中國海內外團結的主要力量，可以說沒有反攻，便沒有自由中國。所謂「兩個中國」，在我們固然認爲是一個幻想，就在我們也絕不能作此想，但在一些人「兩個中國」好聽者，卻是自由中國前途最可怕的陰影。

三、

這些也許屬于海外人士的想法，但海外人士確有如此感覺，是事實。海外對新內閣之所以期待者，因爲大家總覺得我國一向缺乏一個強有力的責任內閣，執政者總拿不出一套辦法來，人民期之政府者，政府却期于人民所希望，而年來以台灣爲背景的自由却其地形成政府對輿論界的對立，出版法修正案，實在是起的無謂紛擾，推而論之，甚至其他所謂行政改革等問題，自海外看部分問題，海外人所關注于自由中國者，除反攻外，實沒有什麼了不起的打算與作爲，才算一個全盤性的大問題。一個內閣的更迭所以成爲問題，由不是甲去乙來的人事上的更換，而是人民寄望新人新政所能表現于反攻的更大希望而已，儘管這祇是一個希望，人民所需要的就是這個希望。一個執政者對于人民所需，如果無法把握，光談什麼建設，做什麼宣傳，祇是隔靴搔癢，抓不到癢處。前內閣也曾喊出「爲反攻而建設台灣」，推而言之，建設台灣任何一項設施，都可說是爲了反攻的目的，但目前這些調子，在海外久已聽慣，視爲老生常談了。海外經常所聽到的是：大陸人民不堪壓迫而不斷逃亡，海外流亡人士及難僑處境日趨困迫，「兩個中國」論調時起時伏，友邦日對中共禁運的放寬，日內瓦中共與美國大使級談判的藕斷絲連等，一連串的不利報導，則是目前每一個海外人士精神上所最感威脅，而政府似乎處處顯出無可爲力。一個內閣的變動儘管變得那麼平凡，却也莫不寄于希望。

四、

率直的說，如果這局面拖下去，讓國際拖住美國，美國拖住台灣。這一個局面沒有改變的可能，這個希望將變爲失望。事實上我們所依賴的美國，眼看僵局久拖下去，且漸有支持承認中共的理論出現，這不是猜想，我國駐聯合國軍事參謀團，首席代表何世禮將軍在其「闡釋美國人對中國問題的誤解」一文中（見六月廿五日香港工商日報）就提到這一點。但美國對南韓，日本，越南，德國就沒有這論調，原因爲何？思過半了！

這是海外人士一個鮮明的感覺。就基于這一感覺，希望新內閣，是個責任內閣，實際上對人民負責，不以形式上的通過立院負責爲已足；更應是一個反攻內閣，至少是一個有行動表現的準備反攻的內閣；不止于安定保守，而且更具寬宏的氣魄，基于人心的所趨，作大的打算。

半週述評

鐵托論中共

鐵托在拉賓的演說中論及中共。他說：「如果這些中共領袖們有內部困難的話——毫無疑問他們是有的——讓他們用某種其他辦法，而不要用這種對南斯拉夫的敵對態度來解決這些困難吧。」

短短數語，把今天中共的醜惡面目勾劃得一針見血，字字可圈可點。

最近伯爾格來德關于中國大陸的報導說：「慾壑難塡，無限辛酸」。寥寥八字，不是又生動地寫出了今天中國大陸的最眞要的事實嗎？

納吉的被殺

納吉的被殺是匈牙利的悲劇，是我們這一時代的悲劇，又是我們這一時代的曙光。

醜惡如共產黨人，陰險如克里姆林宮，狡猾如赫魯歇夫，他們不會不打算到，處決納吉可能引起的全世界的憤怒，全世界道義的制裁，但是，他們爲什麼終于如此冒大不韙呢？

祇有一個事實可以解釋：今天整個共產集團內部的困難，已經到達一個程度，除了恐怖與屠殺，我們的敵人，顯得手忙腳亂，一切的假面具都來不及使用了。

戈慕卡之謎

在波蘭戈慕卡終于發言了。他讚賞南斯拉夫的「修正主義」，他又說，納吉的被殺是對的。

我們知道，今天共產集團內部的鬥爭，早已不是誰是誰非的問題，這一點，我們相信目前在共產集團內鬥爭中的雙方領導者，和我們一樣心裏有數的。

那麼，像戈慕卡這樣角色，在今天的共產集團中，可能有兩條路可走：

一條是，像共產黨人所常說的一樣，爲了共黨全體的利益（實即俄共的利益），犧牲局部的利益（實即民族的利益），在最後關頭，昧着良心跟着俄共來。

另一條是，也像共產人常說的一樣，革命不是一蹴即達，必須迂迴曲折地前進，因此，在遇到強大的阻力時，暫時的低聲下氣和屈服是必要的。

戈慕卡選擇的是那一條，目前可能還是一個謎，我們也不願太早揭開，讓克里姆林宮多傷點腦筋吧。

新木馬屠城

赫魯歇夫有半句話說對了，他說：在共產集團內部將出現一個新的木馬屠城記。

赫魯歇夫另外半句話說錯了，他說：這新木馬屠城的武器是從西方國家運去的。

不，是馬克思的幽靈作祟！

●司馬璐●

冷觀美毛會談僵局

●李金曄●

中共與美國間的大使級會談，開始於一九五五年八月一日，在日內瓦舉行，該項會談在時斷時續情況下，拖到一九五七年的十二月十二日，又發生了爲時半年多的中斷。從開始到這次中斷，共舉行了七十三次會議。

最近的這次中斷原因，是由於美方代表詹遜調職赴曼谷，改派了非大使級的官員馬丁，而不爲中共所接受。照中共宣傳所述，美國之不派出大使級官員瓜代詹遜，「是企圖降低會談級別，使會談根本失去作用。」但再就本年六月卅日北平發出的聲明看，中共顯然在使用一種影響壓力，促使美國務院必須在十五天內派出大使級代表，繼續該項會談，否則即認爲係美方「決心破裂」。就這一點來說，大使級會談的作用，其重要性關乎中共者大，是顯而易見的，中共必須要美國派出像樣的大使級官員，也爲的是要迫使美國在外交事務的現實活動上，含有「承認」中共之意，如果該項會議長期中斷下去，對中共來說，顯然是一種損失，失去了一項與美國糾纏的機會。

華府方面對於中共聲明的反應，在態度上雖是強硬的（表示無意於接受中共所提出的十五日限期），但代表國務院發言的新聞官懷特却說「正積極考慮派一新大使級代表繼續該項談判」，並提出變更會談地點——由日內瓦移往華沙的試探。可見美國還是有意繼續與中共打交道的。

該項大使級會談之主要議程有二：第一項爲「雙方平民回國的問題」；第二項爲「雙方有所爭執的其它實際問題」。就此二項議題看，美國的重心是在第一項，但也不拒絕商談第二項，作爲試探中共的眞正意圖；至於中共，則其重心着眼在第二項是毫無疑問題的，第一項議題，不過是魚餌。

在上述第二項的議題中，根據中共的資料，實際的內容僭言之有二：

一、歪曲台灣是由美國所侵佔，台灣海峽之緊張局勢亦由美國所造成；

二、爲了「緩和」前述之緊張局勢，願與美國就談判的途徑，作「和平解決」。

中共的提議當然是謊謬的，也明知是華府方面所不能接受的，蓋一旦接受就無疑使美國自認確有侵佔台灣的事實行爲了。（事實也應該說，美國又焉能代表台北方面來談這樣的問題），中共之所以提出者，亦無非在試探美國對中共政權的意向，並且以之作爲其它各項更現實問題的餌，以圖誘引美國不自覺地跌入陷阱。

根據中共六月卅日的聲明來分析，對於「台灣地區」問題始終未獲得美方的任何讓步，反而引起了美方要求中共「承認……台灣的現狀」，因此這一關鍵性問題的商談，在一九五六年下半年起，就陷入了停頓狀態中。此后，中共就轉移重心，就實際問題與美國作在事實上傾向承認中共政權的談判，其主要內容有：「關於消除兩國之間貿易障礙」；「關於消除兩國人民來往和文化交流障礙」；「關於兩國記者在平等互惠基礎上相互進行新聞採訪」；和「關於兩國進行司法協助」等比較容易解決的問題。

在上述各項實際問題中，可注意者，是後兩項的提出，據中共所稱，其主動在美方，係由「美國有關方面首先向中國有關方面提出的」。雖然，這一系列的實際問題，對於會談的需要却是具有共同性的，但可見雙方並未獲致任何協議，那末也就難怪，當卅日中共提出限十五天恢復談判之「最後通諜」後，華府就迅速地表示在原則上可以繼續的了。雖然七月三日的消息，中共拒絕了美方的提議，將會談場所由日內瓦移至華沙，但看來，基於雙方的需要，會談是有可能在經過雙方討價還價後展續的。

在上月卅日中共向美國提出恢復大使級會談前，中共曾配合宣傳需要又在台峽作小規模之騷動，這是我們從台方海軍一再被擁的報導上反映出來的；之后，中共又宣佈了進入原子能時代，爲第一座原子反應堆的活動作擴大宣傳，期在新的形勢上迫使美國接受恢復大使級會談。再從中共與美國七十三次會談中的實況研究，儘管中共口口聲聲在高喊絕不接受「兩個中國」，但其片面要求與美國解決的諸項實際問題，却有在現實觀點上接受事實性的「兩個中國」的傾向，則中共之居心如何就昭然若揭了。

由於大使級會談前后持續了近三年，而無顯著的結果，遂使大家不再加以重視，甚且在反應上陷入麻木狀態。爲此，我願意提醒台灣當局，對這問題實在還不宜淡然處之呢！（七月三日）

行政弊端與行政改革

關攸

【台北通訊】公文旅行本是「常事」，從前政府在大陸有卅二行省，「公文旅行」經年累月，倒是「情有可原」；但是今天在台灣僅有卅二分之一的土地，而「公文旅行」仍舊貫，可見積習之深了。據各報刊載四十五年度考績一直「旅行」到四十七年才呈遞到總統府，即此一例，可見一斑。儘管如此，但主管部還要爲自己澄清「公文旅行」係受了別的機關稽延影響，那麼也就可見問題之嚴重了。

現在正值行政改革委員會在各市縣奔走，尋求「公文旅行」病源，以期促進「行政效率」，却是一件値得稱贊的事。不過爲免行政改革委員會諸公去摸大象起見，願以十載科員一得之見，提供諸公參考。

其實走遍大小機關，所謂「公文旅行」的最大病根在於動筆辦公事的人太少，雖然機關裏用人很多。而且辦公事的人往往又是些兜礙的芝蔴綠豆官，層層上是，一件公事從首長批交各級主官而到科員，然後再由科員草擬呈核，確實是很費時費手脚的。再加改來改去，也傷透了官兒們的腦筋。假如能辦事的人多，甚至所謂科長、處長、司長之流肯動手的話，本只要親自動動筆，那麼就不必每件事都批交下屬辦理了。

科員是最低層的了，但却是「萬能的」，一個人要同時作幾樁事，大官們却一般是閑得發慌，有時反會感到沒有公事呈上來畫行而沒勁，但畫了行的公事，一旦出了毛病，承辦科員却責無旁貸而各級主管倒可置身事外。那末，各級主管官又是負的什麼責任呢？

問題還是不僅止於此，有時某一級的主管官，也會向承辦科員面授一些「機宜」；公事辦好由他畫行，而這中間弊端之大，常常是出乎想像之外的；不出事油水是主管的，出了事，責任是下屬的。當然，有時也有彼此以心照不宣之心情和手法來處理公事的，於是乎，形成層層簽字，而層層不負責；於是乎貪汚就形成爲「集體化」。

如果說「公文旅行」是由於各級審核需時所造成，旣然化了許多時間審核，則公事就應該極嚴密才對，其所以仍弊端叢生，就不言可知了。

要增進行政效率端在剷除「公文旅行」「官腔官調」，更必須無情地清除「辦公事」三個字背後的那見不得陽光的一些手法，不然，即使是制訂了成文法規以爲辦事之依據，亦不過徒有其名而已。

如果就「考績」來說，若也是在「筆桿搖搖」下產生的，那麼「考績」顯然亦是有疑問的。「行政效率」又怎能會好呢！願行政改革委員會諸公對于「考績」辦法也下一番功夫研究！此外還有退休制度，似乎也應該有具體的決定了，否則公務員旣雖有新陳代謝的刺激作用，也勢必影響行政效率的。

淡風吹遍馬來亞

容汝樓

（吉隆坡特約航訊）如所週知，馬來亞的最大經濟命脈是錫和樹膠。這兩種物資在國際市場需求孔殷的時候，馬來亞的人民差不多就像生活在黃金國度裏，可是在東西集團冷戰延續的當中，樹膠落價，錫產限額，外滙來源便不能不打了折扣，加上馬共的暴亂，軍費開銷繁劇，人民生活的日漸困苦，已成爲必然的趨勢。這一切，可謂完全拜受共黨之賜。

失業工人整千整萬

月來，不景氣已籠罩了整個馬來亞，受打擊最重者，首推彭亨與霹靂兩州，錫，鐵礦場停採，整千整萬工人失業，影響所及，百業蕭條就以霹靂首府怡保一地而言，某著名的華籍鑛場主人以不勝高利貸之重壓而服食安眠藥自殺，幸獲救不死，其他之經營業不如某君者，若況自不堪設想。又據街市上的賣飯者言：生意冷淡了固不必說，但吃了飯不付帳的事情却越來越多。他們爲了防止吃「霸王飯」的人，往往要先付錢後交貨。這些遭受他們白眼的人們，百分之百是失業鑛工。又如彭亨東海岸地帶，原是魚產所在，但受不了失業浪潮的衝擊，鮮魚落價了也鮮人過問，連帶漁民都愁眉若臉起來。就筆者所知，已有好幾家人家耐不住失業的痛若，舉家遷回大陸去了。也許他們對中共的實情還不大明瞭吧，但這樣的事情，我們該一直任令它蔓延下去嗎？

地皮跌價　商店倒閉

這個新興國家的首都吉隆坡，正在大力誇展她的工業衛星市——八打靈，雖然若干家新型的現代化工廠已陸續建設起來了，但還掩飾不了市況凋零的景象。各行業的掌櫃先生們唉聲嘆氣已不在話下，號稱一枝獨秀的電影院業也無復往時盛況，縱使名片當前，亦不見高懸客滿牌子。去年一度因建都關係而高漲了的地皮價格，現在已回落了百分之三十至四十。週來最動人心弦的，是五家有名的百貨店先後倒閉了，逃攏帳項逾馬幣百餘萬元。倒閉的原因，無疑是生意冷淡，放出各地的帳項收不攏，資金週轉不靈，牽一髮而形成集體崩潰。據一位熟識商場內幕的老人家說：假如彼此不諒解時艱的話，一旦訴諸法律，可能有五十家以上的商店要關門呢。他的估計或未盡可靠，然亦不至全無根據吧。

其他各州市況，大都是淡風吹遍，所不同者，不過是百步與五十步之差而已。概括言之，人民倚賴鑛場謀生活的地方，經濟的危機最嚴重，倚賴樹膠者次之。因爲樹膠園尚未至全部停割的境地，而膠價仍迴旋於每磅馬幣七角之間。筆者旬來以私事繞行馬來聯邦一匝，所到各地，走馬看花，表面上尚能維持以往繁榮的地方，僅得檳城與馬六甲二州。

開荒地爲救急之方

最近政府當局已注意到經濟危機的嚴重了。但是，退出錫協當然有所不能，結束剿共軍事尚未到達時機，挽救之方，除了借債而外，根本就只有兩條路可走：一是建立工業，歡迎外國投資及技術協助；二是開放荒地，容納大量失業工人。前者固然是建國要圖，但遠水不救近火，而後者較爲輕而易舉，不必倚賴外力。何況馬來亞未開發的荒地儘多，只要民族界綫再爲放寬一點，則比現時再多一倍的人口也不愁無地可耕。同時，馬來亞的糧食大部份還仰賴外國供應，假如能夠讓那些失業工人開荒耕耘，除了自給自足外，相信還能夠有餘糧供應市場，對於外滙節省也不無小補吧。

聞政府已擬有開放荒地的計劃，希望它能夠簡化一點，提早付諸實施。（六月廿九日寄自吉隆坡）

台灣的廣播事業

台灣通訊

林嘯嵩

台灣廣播事業的迅速發展，從先後增設的電台數字中，以及全省約有十五萬架的收音機，平均每六十五人便可共用一只的情形之下，可以明瞭其梗概。例如中央、中廣、中華、台灣、國聲、空軍、警察、民本、民聲、中聲、正聲、正義、正言、益世、台聲、鳳鳴、勝利、農民以及自由中國之聲、軍中之聲、中美軍人之聲等電台，每個電台在各縣市鎮均分別設有分台，平均約有三個以上。在台灣費鳥彈丸之地，有如此多的電台，實在不同凡響，中國大陸各省尤屬望塵莫及。也許有些人會因此感到欣慰，感到這是我們的社教與科學文化水準提高了的好現象，可是究竟是否提高了呢，却很難肯定的說。

上述這許多電台中，一部份是由政府出資經營，一部份是受政府徵用的津貼，只有一小部分是純屬民營，屬於營利性的偏重於商業化的經營方式；在這種情勢之下，形成了這些電台特有的作風，其所負的使命與基本經營方針，亦各有不同，除注重一般性的節目之外，另外還須根據其特具的性質，而編排特別的節目。各台在組織方面均大同小異，而業務的劃分方面則分編輯、業務、採訪、播音與機務五個部門，這裏不擬分別介紹，僅對各台略述一點改進的意見：一、民營電台，僅靠廣告維持開支，業務頗是不景氣象。二：政府徵用之電台，對節目編排，頗有受政府影響之病。三、各台所編排之節目內容，普遍偏於形式化，尤其宣傳技術不夠生動，未能把握時代之中心主題。四、節目內容應兼顧聽衆興趣，多爲聽衆服務，有效發揮導播，錄音，監聽的優點，寓教育與宣傳於正當的娛樂之中。五、各種外語廣播中，特別是各級英語講座所佔時間太多，隨時都可收到，令人有心疾賦生之感，足徵各台節目準備相當貧乏。六、新聞稿由政府有關單位統一發佈，因此各台每日所報導的，不僅內容相同，而且還預先提示的要點也一字不易，這不但流於刻板，且是一種人力物力的浪費。七、尤其重要的是各台的電力發射強力不夠，較遠地區不易收聽。諸如發音室，錄音室，發電機，冷氣機以及傳音電纜等均應合於現代化的要求，同時尤須加強中波機及短波機的電力，以增強對海外廣播的效能。

總之，一個廣播電台是否能得到廣大聽衆的稱道，第一是電台的工程技術設施，應達到相當的標準，目前在台灣的各軍公民營電台的發射效率不如理想。應積極改進。第二是工程技術固然重要。而節目內容更爲重要，無論就教育宣傳康樂各方面，都應注意技巧，密切配合聽衆興趣，掌握聽衆心理，使其反應良好，並且樂於收聽。

理工與文法不可偏廢

一得之見

孫德廣

近年我國之談高等教育者，每倡理工而抑文法，似乎以爲欲圖富強，單賴理工即可。影響所及，國家公費留學不取文法，私人甚金留學亦單取理工。於是讀理工者，自以爲高人一籌；讀文法，自覺得差人一等、甚者，衆人皆視學理工者爲人才，學文法者爲廢物，貴理工而輕文法之風可謂盛矣。

倡理工而抑文法者之理由，不外下列三端：一曰：中國科學落後，工業不振，山林礦藏亟待開發，交通水利急需建設，凡此文法均無能爲力，非理工人才不可。二曰：目前中國大專畢業生，文法科謀職困難，而理工科則出路較廣。爲顧及就業情形，故須多辦理工，少設文法。三曰：世界富強諸國如英美，其大專學校，莫不特重科學（自然科學），廣設理工，而輕于人文，少開文法，欲登中國於富強，非學步英美不可。

然筆者審思之，有以爲不然者。其一爲：國家建設，非僅工、物質建設，尚有心理、政治、社會諸建設，則必賴文法。其二爲：辦高等教育固須注意學生畢業後之就業出路，然就業出路非高等教育之主要目的，高等教育自應有其更高之目的，而不僅在職業訓練，在精神與文化理想之培養。其三爲：美前芝加哥大學校長赫欽斯會著「自由教育」一文，對美國只重科學而輕人文之教育，盡極悲歎，以爲此乃美國之危機，急圖補救不可。蓋科學所能訓練者，身手也，所能給予者，物質享受也；而人文所能訓練者，頭腦也，所能給予者，目的理想也。苟一國之人皆無正當之頭腦，缺乏正當之理想，則必喪敗傾危，無疑，富強自更不可企及矣。（四七、六、廿五，於新莊）

毋忘在莒

讀一報・一雜一感

孟戈

「自由人」七五七期有尹震先生「時勢造英雄」漫畫一幅，上題「毋忘在莒」，下繪「紗帽」與「金錢」，寓意深遠。或曰「紗帽」象徵貴也，「金錢」者富也。値茲國運艱屯，英豪崛起，以出奔在於莒，苟全「富貴」於亂世者，不乏其人。思之慼然良久，感慨系之。

自大陸沉淪，國府播遷，朝野上下無不以「毋忘在莒」相勗勉，據說金門前綫，豎有巨型紀念牌，總統題書「毋忘在莒」四大字，以爲枕戈警惕。但今日台灣，上至貴人，下至販夫走卒，對此史實眞相，知其然而不知其所以然者，似乎大有人在。

據呂氏春秋直諫篇：齊桓公管仲鮑叔甯戚相與飲。酒酣，桓公謂鮑叔：「何不起爲壽。」鮑叔奉盃而進曰：「願君毋忘出奔在於莒也，使管仲毋忘束縛而在於魯也，使甯戚毋忘在飯牛而居於車下。」桓公避席而拜曰：「寡人與大夫能皆毋忘夫子之言，則國之社稷，幸於不殆矣。」

原來這位九合諸侯一匡天下的齊小白，挾天子而令諸侯，得意忘形之餘，强迫臣下捧觴上壽。鮑叔直揚其不得志時事，史家美其「直諫」。但今年總統生辰，以下依統詩告誡：「勿再爲我祝壽」。今日偏處台灣，遽然張燈結彩，高呼萬歲。嵩不知「毋忘在莒」典故嗎？

讀者論壇

讀「中學教員受行政處分」有感

頃閱「自由人」七六一期孫德廣先生的「中學教員不應該受「行政處分」」一文，頗有所感。

最近有在××省中教國文的朋友來告訴我，一天他接受到教務處對全體高中國文教員的通知單，說是奉校長諭，下次高中作文概用「×××××」爲題，說：我那個朋友當場拒絕，說：「作文題目是國文老師的事，不是校長應該管的。」這是一次。另一次是這幾天臨高初中畢業考試，教務處通知同科一年級以統一試題爲原則。在商擬試題時，有位老師竟說：「索性請校長來出題罷。」

幾件事情拼湊起來，我發現了台灣各級學校中有一種很嚴重的畸形現象和錯誤觀念。第一是官僚氣玷污了神聖的學府。像「校長諭」一類通告，在大陸時代的學校裏是絕對不會有的，假如有這樣事，教員會認定是很嚴重的侮辱，也許羣起鳴鼓而攻之，釀成很大的風潮。但在台灣則司空見慣，不當一回事。不僅此也，教員給校長甚至教務主任上簽呈而恬不爲恥。我且曾親耳聽見一位警察局長出身的訓導主任必恭必敬的稱校長爲「校座」。這畸形現象一日不去，令人肉麻得汗毛聳立。這畸形不能扶持，師道的尊嚴一日不能確立，台灣的教育也永遠淪於黑暗之中了。

畸形的現象由錯誤的觀念而來。現在的校長已經背棄了自己是教育從業員的身份而以一校的主管官吏自居，忘記了那些敎聘而來的教員與自己之間的賓主關係而爲吏是 [illegible]

[illegible] 這種錯誤的觀念一天不除，畸形的現象就永遠 [illegible]

錯誤觀念的形成，首先是校長的人選不當。[illegible]

在這樣的情形之下，不受行政處分，師道的尊嚴早已蕩然無存了 [illegible] 處分，孫德廣先生的話固然不錯，其奈積重難返乎？我覺得台灣的教育問題太嚴重了，應該從根本著手，來一個澄清運動，或有一線之望。現在教育廳長是教育界的行家，未知以爲然否？（[illegible] 中壢）（[illegible]。蕭平。）

鐵幕真相

撒謊的藝術

•衣華•

「大躍進」的法螺吹響以來，大陸萬千善良的中國同胞才進一步覺察到赤色惡勢力的迫害手段，是要靠撒謊來愚弄人民的。

謊言竟也有人信

受壓迫的人民縱然看穿了外表漂亮內藏禍心的謊言——加緊進行重工業軍需備戰的建設——卻沒法子不跟着叫囂，其實何嘗信；而自由世界在共黨心理戰威赫下，反而對之認眞起來，令人「氣脹」。就法蘭西的表現來說，在中共假以大宗土產如豬鬃等的貿易，以換取法國電動火車頭的協議之際，巴黎處傳戴高樂政府即將承認中共！連鼎鼎大名的英哲學家也會說出：「與其人類全體毀滅，倒不若投降的好，因爲共黨不一定永遠那麼不好的！」一類的話。但我們不明白：「一、在乾淨氫彈」新型戰爭下，自由世界一定會敗倒下來？二、會什麼理由硬要假定共黨毀滅人類同歸於盡的言詞就成爲自由人俯首降服的託詞呢？

就談話哲理吧。我們看中共斥南斯拉夫的修正主義，怕的就是殊途同歸社會主義的論據，如果引伸下去，即是對黨性哲學的根基，予以否定。毛朝指責南共，表面看來，是兒皇帝忠於他所稱的「老大哥」的一種表示，實則中共暗示中共將要變得比蘇俄更兇殘。它在宣傳戰綫上近年喊的口號，比它濫發鄉票種類的宣傳式樣更多，自然也比莫斯科叫喊出騙人民的名堂更多。

北平之詐詬狄托

就在北平詐詬狄托政府綱領爲修正主義者的產物的同時，馮友蘭這班人被宣布爲修正主義者，還不是因爲中共死也要堅持哲學黨性原則作祟！中共黨性理論指言修正主義是右派進攻的主要武器！——企圖以辯證法和形而上學的對立，以代替唯物主義與唯心主義的基本對立。中共教條主義咬定；馮氏之支持名哲學家賀麟的見解，即唯物主義中，有辯證唯物主義，也有形而上學唯物主義，而且在唯心主義中，復有辯證唯心主義和形而上學唯心主義。又因另一哲學家朱啓賢認爲哲學眞理，超越階級，共黨便把這三個人列爲修正主義者，指言他們背棄馬列主義的黨性原則。

赤色謊言的「造詣」

高度維持黨性原則，事實上，也不會使赤色謊言的傳播技藝會有什麼了不起的「造詣」的。除了上述的一個主因——即共黨國家易受其欺弄污辱的客觀條件外，倘有共黨沒有人性的成因在。凡是殘民以逞的組織，不管它的稱謂是什麼，它不可能存有人性，是必然的，沒有例外的。試看希特拉當年直覺地認爲政治手段，儘足以改變許多「客觀規律性」；今天的共黨也犯了客觀的必然性大可以循主觀努力而加以改變的大忌，雖然它的認識路線說客觀必然性與主觀能動性統一起來的。希特拉要用極刑來對付經濟化，於是就認爲通貨膨脹及屯積居奇，絕不可能成爲隱憂。魯舒章（Herman Rauschning）在「希特拉說」一書中，就此事描敘希特拉狂妄，猶不及目前中共倒行逆施，任何措置絕對不可能把老百姓的禍福計算在內的那樣嚴重。它從莫斯科「先進經驗」學過來的所得，是更兇的作法，爲了增加一點東西，便把人當作動物中最下賤的，極盡壓迫欺侮愚弄的能事！

美經濟教授之言

美國耶魯大學經濟學教授葉列茲最近在紐約特報溯刊撰文，題爲「經濟學是一種科學嗎？」光看題目，便使人對經濟學的處理世人的生活，感覺它每多吃力不討好的可悲。馬列主義既成爲處理經濟生活的一套理論，如果修正不得，那才是不通的撈什子兒哩！自然科學純理論至今依然在修正中，而且不斷修正。資專家現在還沒有法子確斷當前金元王國的經濟衰退，將延若干月日。莫斯科的經濟理論專家也不敢亂開「診斷書」。中共卻言十五年趕上英國，說到最近這些日子，又改變了口氣，說也許用不着十五年了！莫斯科好久以前說過，大約十五年，在經濟上追上美國，它也沒有像天文台預告暴風雨來臨那樣確實的。

中共說十五年內趕上英國

其實，不可能在這方面作準確的逆臆。如果美國也「大躍進」起來，莫斯科十五年的壯語該怎樣「修正」才好呢？中共的人口和英國的人口，數與質都有很大的不同。假定每年每日個人祗有一對鞋子穿，它的產鞋量，在十五年內趕上了英國，光在穿鞋的水準上，還是落後好幾倍！共黨永遠不敢說眞話，因爲它的謊言源出非眞理。今天中共不敢叫喊自由平等，多叫和平與帝國主義這些口號；到了它的帝國主義幽現得更兇暴更明確時，這帝國主義這名字也不敢讓出來的！

中共對內吹得比蘇起勁

莫斯科對外喊的謊言，比在國內叫囂的多。中共情況大異於此，對內撒謊得很起勁是知道英國使用原子反應器的驚人成就的，祇要多聽北平廣播，總以爲英國不出三幾月，便給中共拋落在老遠的後頭了！路透社記者積克·基在北平每次拍發關於共黨中國用不着十五年追過英國的電訊時，似乎心跳的利害，也似乎忘卻了那句話是向中共區的老百姓說的，又似乎昧於共黨的謊言係出自暴行支持而成爲它的「眞理」。

（一九五八、六、二七）

大陸苦旱！

△「目前旱災嚴重地威脅着黃河流域中下游，淮河流域；長江流域中下游和東北一部分地區。」（六月廿九日「人民日報」）

△請試閉起眼來想，干旱災區幅員該有多麼廣大！

△在旱象較重的天津、保定、石家莊等專區，有二百多萬人在不分晝夜的開發水源。

△山東省有一千五百萬人，在抗旱搶種。

△河南省則每天出動了一千五百萬勞力。

△安徽省每天有九百萬農民在抗旱；並在旱地搶種。

△此外，在黑龍江、內蒙、湖北和江蘇，也同樣陷入了干旱困境。

△徐淮平原，已變成是赤地千里！　（資）

國際動態拾零

△白宮助理亞當士受賄案，內容爲其朋友代付旅館帳二千美元，並送他一件名貴大衣，値七百餘美元，一張東方式地毯，値二千四百美元。艾總統最爲他躭心的，是隨後繼續報案的渲張地毯。行賄者爲紡織商人古特芬，曾以完全尼龍織品，冒充純羊毛，爲工商處干涉，亞當士卻爲之設法銷案。

△陸軍計劃克服運輸重武器之困難，乃在海外重要基地，增設軍械庫。俾其空運各師，得以繼續作戰至三十天以上。

△美國防部長麥克萊私下告人，謂美國力量，無論對付局部戰爭，甚至大戰，都已足夠。但其區域太廣，稍一大意，即失去若干重要據點。黎巴嫩爲一據點，印尼亦一重要據點，而美國對此，皆無能爲力。

△廿一磅半之前鋒型人造衛星雖失敗，但已昇至二千英里，其第三級火箭，則在南非洲降落。這不是證明其距離已達六千英里超出越洲火星五千英里之標準嗎？

△八月間空軍將放射火箭至月球，政府雖否認，而空軍研究機關則直言無隱。惟到底有無傳眞機之設備，將月球情形報導至地面，則未明言。

• 陶然 •

竹幕幽秘

殺掉三億，還有三億

「殺掉三億，還有三億」，這是中共的人海戰術新論；此一新論是六月十五日狄托在拉賓的演說中所透露。原文是這樣的：「戰爭解決不了社會主義建設中的各種困難，即使是一個國家擁有六億人口也罷，他們之中有些人常常喜歡強調六億人口這一點，他們說，在一次可能發生的戰爭中，仍舊會留下約三億中國人。」狄托這些話，當然有其極可靠的來源，因此，他指中共「同西方最反動的戰爭販子處于同樣地位」。

首先，讓那些慣于駡人家爲戰爭販子的人，也嘗嘗被駡爲戰爭販子的滋味。

其次，毛澤東要想以一半的中國人爲他而死，說的倒簡單，做起來恐怕不是那樣容易，可能那三億人尙未死掉，共產黨人已先被中國人民殺光了。

「內部困難」刺痛中共

狄托說中共有內部困難，指的是建設社會主義的資金問題，雖然他忽視了去年右派子的思想與狄托的修正主義思想有雷同之處的內部困難，但畢竟已經點着了毛澤東的痛處。

狄托一方面說毛澤東是戰爭販子，另一方面又點着了他的內部困難，這樣又那得不引起毛澤東的火爆呢？

反狄托的急先鋒

上述兩項狄托對毛澤東的指責是六月十五日發表的，而中共兇狠的攻擊狄托是六月五日開始的，固然三月所發表的綱領草案對共產集團有着一般性的指責，終究它並未單獨指責中共，那麼上述狄托對中共的兩項指責，不能認爲是使毛澤東要如此兇狠的來攻擊狄托的理由，根據過往的歷史來論，中共確實不該成爲反狄托的急先鋒的。那末，其故安在？

中俄共暗中交易

三月裏，南共綱領草案分發給各國共產黨，四月初，蘇聯「共產黨人」領頭攻擊該草案，接着所有其他各國共產黨均跟着猛烈抨擊南共，形成了一個高潮；但中共在此時節一語不發，這當然是不平常的沉默，這種沉默假使像我們估計的那般，那麼是中共與蘇聯在暗中折衷談判，結果如何呢？一、五月五日人民日報發表比其他共產國家抨擊南共惡毒得多的社論；照南共的言論來看，中共這樣做，是出乎南共意外的。二、上期本欄所指出的毛澤東的矛盾論到了東歐。這似乎是說明某些共產國家或者共產國際有用矛盾論來抗擊南共的修正主義、這兩樁事各把它連結起來，則又是毛澤東在對南共問題上撒了一個月的賴，赫魯曉夫爲形勢所迫，答應以他的矛盾論抗拒南共的修正主義作爲中共抨擊南共的條件。這也就是說，赫魯曉夫把批判南共的思想方面責任，置之于矛盾論之上了。毛澤東對于這種作爲矛盾論的試金石的對南共的批判，怎能不小心翼翼的去應付呢？毛澤東早已有使其矛盾論作爲共產國際的指導思想的野心，現今，這一目的初步達到了，毛澤東那得不起勁呢？這大概是毛澤東所以成爲批判南共急先鋒的主要原因之一。

至于中共與蘇共在批判南共方面有着歧見，照「兩類矛盾」的理論來解釋，那是人民內部矛盾；而共產集團與狄托間的矛盾，則是敵我矛盾；「對敵要狠，對己要和」，這是毛澤東的一貫作風；因此，中共與蘇共縱然在批判南共方面有着歧見，但它並不妨害它們對于南共作狠狠的批判的。

田心•

愛登諾

△邢紀章編著

新著簡介

這是復興德意志的偉大人物愛登諾的傳記。本書的特殊價値在於本書可以視作愛登諾的自傳。愛氏早有寫自傳的計劃，最近兩年，他把所有的資料交給名作家包爾維瑪爾及羅士耕維達夫人，加以整理編寫，並參考搜集其他資料。他自己也不時參加討論。所以本書是一本極可靠的書，不但足以窺見愛氏個人的生平，亦足以反映德意志戰後復興的眞相。邢先生此書便是根據這樣的著作，編譯而成。全書自一九一七年愛氏青年時代寫至一九五五年，共三章，凡十餘萬言。自由出版社印行，每冊售價港幣三元二角。（文摘）

政治的低調

馮玉先生

自由中國的行政院院長換了人，繼任者係在職的副總統。這是中國政治史上的一種異彩，此時此事，殊堪興奮！然對於新任的陳院長亦不必過於奢望，而大唱其政治高調，期待他在節約大計上即有驚人的措施，主觀條件與客觀環境尚未能切實配合以前，如勵精反攻之類的事，似乎言之尚早。我們習以吟低調，希望陳先生注意幾點政治上的急務。

由於各種錯綜複雜的內外因素，目前海內外的人心相當渙散，如何安撫而振作之，非從政治上著手不可。亂世人心是容易收拾的，只要當局運用政治策略和技術，做出一兩樁與民更始的事情，便有振衰起敝的成效，而其要點即在針對現實，利用機會，消弭或減少人們不平與不滿的情緒。先求得到人和，朝野意志溝通，國事自然大有可為了。陳先生在現時的政治大員中，是比較眾望所歸的人物，應該表現一些不同凡響的新猷才好！

政治的興革庶務，人的條件固然重要，制度的關係尤其鉅大。目前政治界流行著一種頹廢風氣，不負責，不分層，毛病就出在制度上。沒事時爭權攬權，個個都張眼偵側，推拖問題，即互相諉卸，一旦遇到困難，便把責任推在「老先生」身上，所謂「五、二四」事件，即係很好的說明。此風若不糾正，政治即永無進步之望。奠立制度權威，嚴明職責功過，綜覈名實，信賞必罰，這種氣魄，我相信陳先生是有的，就請試試看罷！

考試「哲學」談

・洋秀才・

這是個競爭劇烈的時代，甚麼都少不了考試，連到雜貨店裏當店員，也要經老板考一考。二元七角一斤的魷魚，買一元應該秤多少給顧客呢？秤多了自然是老板的損失，秤少了，客人會不滿意，以後休想再「幫襯」了。在學壇上角逐的學生，所經的考試更多而且繁，身經百戰的我，對考試自然有我的一套，姑名之曰考試「哲學」，雖尚未獲PH.D.，想來也不致荒唐與胡鬧，實有其中真實哲理，雖不能廁身拍拉圖的行列，想亦不致招譏諷。

考試的成功與失敗，真非常人所想像的那麼簡單，以爲不讀書自然「肥佬」，讀書自然合格升班，也許這樣看法是相當適宜於小學與中學，一經大學，考試的成敗，真是另有一套，其中有「哲學」存焉。

真的，考試的成敗，有很多的因素，有很多聰明絕頂，勤學異常的學生，滿以爲必定年年升級，那知在某一試竟然名落孫山，那究竟得了甚麼？啊！有了，原來考試是要講究下列數點的：一命、二運、三風水、四心情、五讀書。

何謂命也？命者，與生俱來之數也，一個命不該絕，每事便會有驚無險，逢凶化吉，考試也是一樣，命不好，就算你整天整夜都不睡，讀來讀去都是得個「吉」——「肥佬」也。

何謂運也？運者，自然好的運情也。人運亨通，甚麼事都可以解決，就算內褲帶打了結，正在便急尷尬不堪的時候，糊裏糊塗地掙掙，竟然結自動開了，內襪也可以一舒了！你道這不是運情，這又是甚麼呢？考試也是如此，在緊張關頭時，卻遇到困難，百思不得其解，運氣好的便不同，在最後一分鐘，給想到了解決方法，完成了偉業。倒霉的傢伙可不同，在成敗的關頭卻偏急，要監考員陪去廁所，一呵便是半個鐘頭，回到試場時，又要重新想過剛才的問題，再廢去十五分鐘，正想答問題時，監考員卻大呼「夠鐘停筆」。最可怒的莫如答得很好的試卷，卻給失魂的同學一碰之下，磁面的墨水瓶傾倒了，把試卷染得一片藍色，這不是運劣，又有甚麼前因後果嗎？

何謂風水？風水者，家山福蔭也。祖先葬得甚麼「坐龍面海」之類的福地，自然丁財兩旺。談到風水，也要牽涉到考試，風水好即表示祖先有「眼」，譬如說有一兒孫要作工程師，風水不好的話，念來念去都念不成，年年考試都入「肥佬」的隊伍，不是命，不是運，總該歸咎于風水！

何謂心情？心情是一個人的內心處境，心情好的人做甚麼事情都有興緻，常收事半功倍之效，心情不好的話，就算面前有脫衣舞看，也懶得抬頭一看呢！論到考試，甚麼難題，心情好，終究不難解決；反之，考試便不能成功了。有心機去仔細的想，是甚麼容易的題目，也會無心戀戰。青年人最不是像小中學時代的受父母責罵了，情人關了糾紛，明明今晚在戲院等，那知受的王命的，老子打算今晚在夜總會玩完了蓬拆之後一個狂吻，那知都碰了釘子；約會成了空心，滿想晤訂終身的，那知伴侶若即若離，買好鮮花，登門造訪女友，那知屋裏另有「君子」在！所以，在考試將來臨時，還是找女友罷，否則後悔莫及！

何謂讀書？讀書者，把書本的知識記入腦中。心情，對考試也沒有用的，正所謂要寫寫不出，要想想不起，一切問題都全無印象，那就算行運好到頂點，也無法救你啊！所以讀書，也還是考試成功的重要因素。讀書不能少的，否則，失敗仍然是難免的。專攻考試讀書的那般人，要儘量「捉題目」，不然，人的腦子並非機器，數十巨冊的材料那能全部記入腦袋呢？忖摸錯了，捉錯了題目，那就要看你的命、運、與風水了。

我經年累月所得的考試經驗，教授們聽了，也點頭稱是。世間奧秘之一，這是「哲理」，信不信由你，但不由你不信，君不記得古代神話嗎？多少書生，肯讀書，心情好，疏忽了，中漏了「一點」，命運救了「狀元」的故事嗎？他風水之神，也會遊遊，完成他的偉業。

修密法有得

・本際上人・

心證水月非空有，幻境天虹沒短長，覷到圓融亡內外，山人欲問此何鄉。

老悔

行年老矣起深悲，檢點衰霜幾許詩。往事迷離多自誤，深中覺勝學無爲。

「編者按」作者本際上人，民初任教平大，中英文學皆甚精湛；比已七十四歲，承寄近作，中含佛理，茲又摘刊二首于此。

好人與壞人

・張健・

小弟弟每次聽講故事的時候，照例會問：「誰是好人？」「誰是壞人？」間或又裝出一副懂事相說：「那他準是壞人！」

這和我們在看西部片時（大概西部片特別把好人壞人分得清楚罷。）所聽到的小觀眾的叫嚷是同出一轍的。在一個自以爲「老成」的大人聽來，這種問話簡直是無意識的，是幼稚到極點的。其實不然：單純之中也有真理的棲身之技。好人與壞人不是生而定論的，而是看後天所走的方向來公平裁奪的。好人、壞人，定義難下。我只想爲後者試下一個解說：就是毫無爲善之心或者略有善念而南轅北轍的人。這種人自正面看來，固然是人人所厭惡的；但是否人人都像孩子那樣打破沙鍋追究到底，可就大有問題。

聯帶想起了一句俗話：「三個臭皮匠，抵得過一個諸葛亮。」是說明眾人並非不可救藥，智慧可以積少成多。可是三個壞人和一個好人的關係是否一樣呢？答案是：恰成反比。推其結果，不是由「三缺一」而變成一桌麻將，就是三吃一，壞人得勢。——由於四分之一的小數而感化了其他三位，簡直是例外的例外。

我深深覺得：今天社會上的人，恰做眾人更甚於恥作壞人。這正是社會風氣敗壞的最大癥結啊！唉，奈何三個壞人不能變成一個好人呢！

最愛好政治的民族

・章垚・

世界上最愛好政治的民族，要算希臘人。

希臘京城雅典大學裏有學生六千人，選讀法律的竟有三千多，佔百分之五十强。一般人喜愛談政治，搞政治，先當議席，再當部長，然後當內閣總理，人人都想一過官癮。

希臘人在咖啡館裏，三五人在一起擺龍門陣——聊天，討論的無非是政治問題，到僻偏鄉村旅行，寄宿人家，如果以金錢酬謝，他們會認爲是侮辱；如給以從雅典帶去的報紙，最受歡迎，因爲他們可以有了討論政治的資料了。

一九四七年，希臘政府一度由人民黨執政。該黨在議會中佔有一百六十個議員，這些議員都想當部長，可是政府裏只有二十五個部長位置，爲了避免爭執，他們採用輪流担任。就是部長得三個月更換一次，在三年內差不多一百六十個議員，都可輪任部長一次，這眞是一個異想天開的辦法。

一九五三年以後，希臘人因爲感覺政治不穩定，易啓共產帝國主義的覬覦和滲透，始一改過去聯合政府方式，成爲一黨執政，直到今天，希臘的政局始終是很穩定的。可見希臘人不但愛政治，而且也是懂得政治的。

一撮泥土的奮鬥史（下）

・鮑家琳譯・

這幾天，由於他心裏的不高興，所以他的生活也就在毫無樂趣的煩惱中渡打發過去了，而他那棕色的醜陋身體，也被創造者用鐵皮盤上，唯恐他會被人嘲笑似的。但在他的內心裏，卻對這新的奇恥大辱感到深惡痛絕，因爲這件事使他不能忍受，而且也無法忍受，所以他要加以反抗，便開始咆哮起來了：「這個醜陋的花盆對我的本身來說簡直是一件再壞也沒有的事情了！人們一定不會喜愛它的！人們一定會討厭它而將垃圾及廢物來放進這個花盆裏，因爲這花盆看來眞像一個要飯花子的帶飯鉢啊！哦！我失敗了，我的美麗的希望也幻滅了！」

正在他痛哭流涕，感傷自己的命運不幸的時候，一件奇蹟突然的發生了：那是他立刻被創造者的手拿起來放進一間精緻的花房裏去，在那間精緻的花房裏，有溫暖的陽光普照着他的身體，有清涼的冷水灑在他的身上，使他一天比一天變得漂亮，再不像以前那樣的醜陋了！雖然有一個新希望展露在他的眼前，但是他不知道這個新希望倒底是甚麼，更何況他的理智已被苦痛、危難、激刺打擊得麻木不仁了哩！

又過了一天，他的地位終於被提高了，他的夢想也被實現了！因爲他被那不知名的創造者帶進了一座莊嚴的教堂裏去，担當着世界上的重要角色！聽！那輝煌的音樂飄浮在上面，而周圍都是一些美麗的花朵！但他仍然是感到莫明其妙，便低低的問那站在他旁邊的那一件器皿道：「我爲甚麼會被送到這兒來呢？而人們爲甚麼老是盯着我看呢？」。那個器皿回答他說：「你不是正在企待着名譽、地位、光榮的來臨麼？而你的花盆裏正插有一枝代表着英國帝王威儀的百合花，而百合花裏的黃金色的小蕊正象徵着皇宮的壯麗！人們之所以要像敬你，就由於百合花的花心是生長在你的心目中，所以你在世界上便扮演了一個重要的角色！難道你會不爲此而高興麼？」

這塊泥土經過他的同伴如此的解說後，才如噩夢初醒，而感到心滿意足了！他不僅是感激他的創造者對他的一番苦心孤詣，同時還深深的領悟到一個真理：就是他雖是一個用泥土所造成的花盆，但他畢竟還能容納得下一個偉大的寶物——百合花！（完）

枌榆碎事跋

・袁五松・

余自少時，聞長老言，吾邑先達，能以學術文章，爲世法者，莫如胡曉岑先生曦也。心儀其人，必欲得其遺書，讀以廣益。顧以僑居海島，鮮嘗返鄉，又寡交遊，久無所獲。歲月易逝，忽忽逾五十年。每念賢徽，徒縈夢寐。歲在丁酉，會同邑國立中山大學羅香林教授，移席香港大學，數相過從，具悉其早歲弘願，所蒐集鄉先生文籍，並世無以加之。雖遭時多艱，而得不無復佚，而其所及擕出者，仍可二十餘種。余大喜過望，急假恭閱，果見胡先生所著，無不深醇大雅，探賾鉤微。而其中如宋鄉賢考略，與明鄉賢王御史遺事考略，及枌榆碎事等三書，尤與興甯故實，民風氣質相關。羽翊治化，護鄉愛國，胥繫之焉，余亟乞香林，即以鑒比，編爲興甯先賢叢書首集。今按枌榆碎事，凡錄卷一耳目隨錄卷二竹枝雜詠，卷三西河龍戶錄，與卷四感靈已未禦寇紀略等四種。其卷一卷二與卷四，同治十一年，胡先生曾自毀印，惟板已湮沒。今所見惟香林家守先閣鈔本。其卷三，則胡先生歸道山後，原稿爲梅縣黃氏衡書劍廬所蒐，亦賴香林假以傳鈔。今併合之，以復其舊。抑嘉慶間，山陰俞蛟，嘗遊粵東，著夢盦隨筆。其潮嘉風月記一卷，所載與胡先生龍戶錄多相涉者，惜其書粵中舊本罕見，胡先生不及采錄。此則時地限之，無可置論。而胡先生辭意高潔，則又迥非俞氏所可及矣。今付影印，爰爲識其緣由如此。

民國四十七年五月廿五日，興甯袁五松跋於九龍東光公司。

芹香燕喜圖槐村詩老屬題

・周學濬・

綵鷁昔接泥金報，喜傲重闈開口笑，青衫已覆白髮新，駒典猶常聚名教。六十年光迅擊星，流傳故事有丹青，購民畢竟須儒學，要聽先生講素經。

敬題槐村先生芹香燕喜圖即祝八秩華誕重游泮水諸慶

・袁守謙・

南平玉柱峙南天，遙憶泉台仰乳年，奕世芸香珍硯在，重闈桃熟侑芹鮮；一夔已兆籤斯慶，二豪還溫思樂篇，省識餘閒嬉坦寢，披圖吟罷夕陽邊。

槐村老人以新製芹香燕喜圖命題恭賦一闋

・江絜生・

採芹南世承歡家風不共都靡改。百年過羽，泥金餞冷，蠹松成蓋。換朔光陰，報劉心事，渾不覺衣香壞。頭白追思，最苦了餘生豈圖頹拜。重闈報晚，價高詩品，那如人在。一例看花雖再。伴蠻荒杵唱，秋衾聲夢，渾不呼天，失慈孤露，騃楽殘海。祝龕燈明淨，消除煩懊，現清涼界。

稿酬：

本報五月份全月稿費通知單已分別付郵，請惠稿文友，憑單領取爲荷。

編輯部啓

自由人
THE FREEMAN
（第七六六期）
中華郵政登記認為第二類新聞紙類
每份港幣壹毫
督印人：陳文華
地址：香港高士威道二十號四樓
20 CAUSEWAY RD. 3rd. FL. HONG KONG
TEL. 771726
承印者：南南印務出版社
電話：二三〇三四六

論波共反對修正主義

王厚生

雖然各國共產黨費了很大的力氣企圖壓倒南斯拉夫的修正主義運動，但是情勢已很明顯，修正主義運動正以洪流澎湃之勢發展着，世界各地，特別是共產集團的內部，正深刻地受到這個運動的影響。各國共產黨聲嘶力竭，以辱罵，歪曲去破壞修正主義的眞正涵義，正可證明修正主義對於共產黨統治的危險性：一種建立在「放之四海而皆準」的基礎上的共產政權，竟這樣經不起誕生不久的「現代修正主義」，這又可證明共產主義的虛偽，和修正主義的抬頭。

一、

我們必須指出，各國共產黨對待修正主義的態度是不一致的，有的態度溫和，有的模稜兩可，有的態度激烈，[illegible]。假定修正主義並不包含任何眞理，[illegible]出於自願，各國共產黨的態度不致於這樣分歧。除開[illegible]以外，蘇共本身的卑劣也很有關係。譬如說，蘇共斥責南共是接受美援，它自己也正在爭取美援；[illegible]忽然冷淡，忽然熱烈，[illegible]而相悅，要求重開經濟[illegible]合作問題（七月一日[illegible]），各國共產黨[illegible]。就過去十年來的蘇南關係看，追隨蘇共的往往會因蘇共政策的變化而[illegible]，處境非常困難，在這次反對南共的運動中，好些國家的共產黨都因考慮到這一層而取慎重態度。

二、

在已經握到政權的共產黨之中，波蘭統一工人黨對南共的修正主義，可說是最後表示意見的。今年五月，戈慕卡在訪問匈牙利時，曾[illegible]修正主義，但因南共曾指蘇共為修正主義者，所以，戈慕卡所指的修正主義係指南共抑是蘇共，十分含糊。直到六月廿八日，戈慕卡在革坦斯克造船廠慶祝造船工人節的大會上發表演說，才算正式對南共提出批評，[illegible]戈慕卡這一舉動的意義，實際上並不大，[illegible]政治路線也未必沒有損害。[illegible]南共暫時算是陷於孤立[illegible]。南國「鬥爭報」在七月二日說，波共是被迫而[illegible]。波共為什麼要反對南共的修正主義？這是一個值得[illegible]的問題。是否如此，我們不能在現時作武斷的肯定或否定，最後的答案最好還是讓給時間和將來的事實說明一切。不過，在出現最後的答案之前，我們可以根據已經蒐集的材料作有限度的判斷。我以為波共被迫批評南共的可能性是很大的，茲從三方面來看。

三、

第一，南共的新綱領草案發表後，各國共產黨紛紛表示了意見，蘇共中共等曾勸告南共刪去綱領中關於國際形勢的分析部分，其餘都可默許。南共認為這是[illegible]干涉內政，不肯接受。[illegible]的意見是善意的，這次所提出的意見怎是批評的呢？第二，戈慕卡發表演說的前[illegible]，世界的報紙就[illegible]壓迫波共的消息。六月三十日，西德的[illegible]狄托，否則[illegible]並完全佔領波蘭[illegible]將大軍[illegible]德波交界地帶。七月一日，[illegible]

[illegible]人幫助），西方世界未必肯為戈慕卡出頭或撐腰。匈牙利革命和納基、馬勒特被謀殺是最近的殷鑑。所以，戈慕卡之反對南共，自有其苦衷，這與一九五六年波蘭大選，戈慕卡籲請波蘭人民在被外國佔領和波共之間作一抉擇之情形相同。

四、

從外表上看，波共是反對南共的修正主義，實際上，讀過戈慕卡的演說之後，我們看不到波共對於南共的新綱領和修正主義有思想上理論上的爭辯，戈慕卡所着重提出的，還是一個「削弱和破壞社會主義國家陣營的團結」問題，這與蘇共中共等提不出理論上思想上的理由，只是以破壞團結為理由來反對南共的情形相同。蘇共中共等都拿不出眞貨色來壓倒南共，遑論波共，故我以為南共已站穩共黨世界中的思想領導地位，蘇共中共已居下風。如衆所周知，沒有思想上的一致，團結是辦不到的，蘇共中共雖有意挽此既倒之狂瀾，也不可能。

半週述評

中共的反南

中共在最近一次蘇南交惡中，採取了附蘇反南態度，並不像在赫魯曉夫鞭屍時那麼含糊保留。

中共的反南，自本質上言，何嘗眞是反南斯拉夫之「非集團外交」或修正主義本身；而是為了對內要反右派，此刻不能不反修正主義；對外要向國際政治舞台「大躍進」，目前仍不能不依附蘇俄。換言之，無非依據本身利害，表明政治立場，談什麼主義路線，都是表面文章。

北平的警告

中共另一項行動，是北平電台播出「美國政府不論以任何藉口及名義干涉黎國內政，是絕不容許的」。這至少令人發生下面的感覺，就是：中共是在重複着蘇俄代表在聯合國的語言；以及中共已習慣地公開出面干涉西歐的事了。這個警告，自由中國人士聽來，主要是中共一天一天在「強出頭」了。

大陸限制外人行動

中共又一項行動，是拘捕在英使館及其他各國外交機構服務的華籍人員十餘人，並限制各國尤其英國駐平外交人員的旅行範圍不得逾越北平四郊十二華哩以外。一般推測，這是中共不願外界獲悉民間困苦現象及對政治的不滿近況，其實鐵幕常態。有以為此舉可能引起英國之報復，印尼輿論認為印尼駐平大使館官員也受此「無異打蘇加諾一嘴巴」或「踏了朱安達一腳」，而主張報復。其實報復的極致，就是絕交。挨不了嘴吧，受不了腳踢的，根本就不能與中共訂交。

杜、戴之會

戴高樂告杜爾斯，說法國要決心發展原子武器成為一原子國家，同時傳將在薩哈拉沙漠爆炸原子彈。這令人想起前此英國爆炸氫氣彈以爭取與美國同列為擁有氫彈的國家。西方國家都要拿出看家本錢，似是為了恥于受美國領導，而今除一個英國外，又加上一個法國，自由世界從此可能多了一些歧見。是禍是福，不言而喻。

戴高樂一上台，就傳有承認中共之說，雖經報導不確，亦非空穴來風。觀于法國在大陸貿易的活動，戴高樂如果瞄着大陸金蘋果而動了承認之念，則將不啻在美國領導政策上加上一層障礙。杜爾斯巴黎之行，能否澈底勸服戴高樂勿使法國重蹈英國的錯誤，那倒是一個重要問題。

日本的伸縮外交

日本國會似乎抵不住社會黨的壓力，要採行伸縮性外交。日藏相在國會中稱，「日本對中共貿易，政府決不出面，必須繼續由私人進行」。「由私人進行」，雖可視為日政府對社會黨的擋箭牌，也何嘗不是日本騎牆外交本質的表現。日駐華大使堀內謙介對記者稱「日本不會承認中共，但日方願與大陸發展貿易」，又是舊調重彈。在七七前後的今天，中國人又聽到了這調子，眞是感慨萬千！

美國援外問題

在美國下一財政年度經濟預算中，艾森豪總統提列三十九億四千二百萬美元援外經濟，被衆院撥款委員會削減了八億七千二百萬元。杜爾斯告記者說「如果此次削減措施通過，將使自由世界感到威脅。參院共和黨領袖諾蘭則表示反對以軍事及經濟援助共黨的統治國家，對南國也不例外。

美國援外政策由此可見尚有若干應予考慮的問題，但國會撥款法案內之聲明反對中共政權進入聯合國，卻足證美國的援外政策，基本立場是非常堅定的。

經濟代表團的訪越

中越邦交踏入了新的階段。最近政府又派經濟代表團訪越，是可喜的現象。惟據越南通訊稱那裏的僑胞自國籍問題發生後尚有許多困難待決。我們希望使者們在杯酒聯歡高談經濟合作之餘，勿忘僑胞的問題。因為中越邦交基礎，如非是建立在華僑身上，是不能臻于永固的。

○林伯雅。

救救菲律賓華僑

諸葛明

菲律賓華僑處境，迄無改善的現象，這一次菲總統加西亞向美爭取經援成功，對菲島本身經濟困窘，顯然將獲鬆弛；能否挽救菲華厄運，卻是一件至堪注意的事。

在表面上看，菲華當前亟待解決的問題，祇是遊客和水牢禁僑。殊不知內容並不那麼簡單，影響不止于少數人。這問題與菲律賓的政治情勢有不可分的關係。今天，只要關切菲島政情的人，沒有人不承認：菲律賓的政治實在太混亂了。癥結所在，厥為不良官吏貪污成習，誠如加西亞總統在美公開直認：「貪污是老問題」。當然，老問題，要剔除，顯然並不簡單易行。然而，解決菲華問題，除非肅整官箴，澄清政治情勢不為功。舉例說來，所謂「菲化」，並非意在有助菲商繁榮發展，而是經常藉故訛詐華商，新穎名目，沒有一個不是在打華僑主意，「勞工菲化」原係限制菲營商業華工，最近竟然發生於華僑商業，主管當局是否授權屬員不得而知，但執行人員卻聲勢洶洶必須解僱華工，並指這些華工係非法入境遊客，解僱之後，且須遣配出境，估計這批約達四萬的華工，即令能夠提出充分證件，亦須金錢賄路，不然，將被列入「有問題人物」，不能安居樂業。因為「遊客」是一頂大帽子，根據規定，凡是遊客，只許自國外拿錢來化用，不准出賣勞力維持生計。這種自私法例，對於眞正逾期留菲遊客說來，早已被迫潦倒窮途，而他們的親友僅就代繳各項居留費用，既感力有不逮，何況長期供養與應付勒索，早已不勝負担。而他們自己又覺得：不論遣赴台灣、香港，均感生活無法解決；要求以難民身分留菲，原亦並無不當之處。可是，國會議員對此，迄今仍無一致意向，特別是移民局長堅持反對意見。

最近的情況，繼百餘僑商被迫清理停業之後，幾乎越來越嚴重，起因是為了大陸貨走私入境。事實上這個問題，也不是現在開始，將近半年來，由於菲律賓市上物資缺乏，國營公司壟斷市場，領導漲價，另一方面，利用無知商人赴香港搜購中共貨品，走私運入菲島，至於中共特務是否包庇入境，誰也不敢斷言。

這一事實，顯然跟守法的華商絕不相干。同時，他們即令維持營業，批進貨物，既無顯著標幟，自然不知道是共貨。可是，菲暗探的搜查，是不分皂白的。這種令人震驚的搜查，簡直形同盜匪洗劫一般，把所有華商店中貨物，不管是否共貨，全部裝車運走，有兩家古玩商店，被抄去價值百萬菲幣的古玩不算，並將經理人逮捕；而其他商人被捕與損失，在一周來，尚難作確實的統計。

菲律賓政府決策，基本上是反共的，華僑反共活動的積極性，數東南亞各國，沒有比菲島更顯著。無論如何，這一次菲律賓搜查共貨，對華商說來是一種迫害，主其事者有違憲法，即使引用反菲活動（反共）條例，也不能自圓其說。然而，橫蠻無理與歧視華僑的菲國「特權階級」，他們非特藐視政府法令、忽略國家元首權力，更進一步要求把所有華僑遊客全部遣配出境。假如說，這種洶洶氣勢，是由於華僑「販賣共貨」激起的情緒。那正是中了共黨的詭計，共黨的一石兩鳥陰謀，明顯地反映出：一方面要離間中菲兩國邦交，使中國駐菲大使跟菲政府外交更加棘手；另一方面，目的在強使二千六百十五名遊客，其中包括了二百十五名自港赴菲的華人，全部追遣，因為，這些遊客身分的華僑，二千四百名之中，多數係一九四八及四九年入境者。

他們滯留菲島原因，不外故鄉遭共黨蹂躪，淪為海外難民，當然，他們的濃厚反共意識，被安置於菲島，對共黨活動是一大障礙。故此，赤化菲島，共黨處心積慮，必欲遂行以上兩大陰謀。更不合理的莫過於最近一度絕食的水牢禁僑案，十四名禁僑除了兩名赴港，十二名一再申請要求遣配台灣，移民局一直推說案情未明，不准遣配；但是，拘禁水牢卻從未理會，迨六月廿六日實行絕食抗議，與中國大使館進一步交涉後，移民局纔調集禁僑全部紀錄考慮。他們何時恢復自由，只有移民局長有權決定。總而言之，菲律賓政情一日不加澄清，菲僑的艱困只會加重；美援縱然挽救了菲國經濟，也救不了菲華的厄運。（七月一日寄自馬尼剌）

胡適台灣行追記

·慶光·

（台北通訊）胡適之先生于四月八日返國就任中央研究院院長。在台留居兩個月零八天之後，又於六月十六日赴美，傳是預定本年秋間，攜眷返台長住。胡氏此次出任新職，曾引起海內外人士重視。胡氏以其學術地位國際聲譽，主持此全國最高學術工作，亦自然是人事相宜。

胡氏返台之初，曾言年紀老了，對政治沒有興趣，事前在致其長公子家書中，亦表示因健康關係，將儘量減少應酬，不準備作公開講演。因此許多敬仰胡氏的人士，曾為之表示失望。認為胡氏不應該緘默。事實上，胡氏畢竟沒有使人失望，在他留台的短短兩個月內，曾經多次若口婆心，發表他對於各項問題的見解。

綜觀胡氏此次回台的各項言論，以關係學術方面問題為最多，例如：就任中研院長新職時，他強調「為研究學術而學術」，在學術上的成就，即是對於國家的貢獻」。對光復大陸設計委員會他呼籲以全國力量建立獨立的學術研究環境，培養科學人才，並充實大學和大學研究所，以挽救人才「出超」的危機。他在清華原子能研究所物理館落成及原子爐奠基典禮席上，又表示「要提高研究學術風氣，應從改善教授待遇着手」。對台中東海大學演講，他勉勵該校員生，要發揮私人辦學的自由獨立精神，不受到任何影響。後來在五四文協年會致詞，他倡導自由創作，提倡人的文學和自由的文學。在台大講「大學生活」，則認為青年學生選擇學系，應以自己興趣與個性為主，不可祇顧社會上的需要。在師範大學講「對於中國文學史的看法」則指出中國文學史，自古至今，一為上層的，一為下層的平民文學，二者的發展路線，有時平行，有時則並行彼此互相影響。最後在政治大學講「從中國思想史上談反共運動」，則駁斥少數自命為中國通的外國人，誤認共黨竊據大陸係受中國固有文化思想的影響，他指出中國傳統文化是順乎人性的，而共黨卻是背逆人性的。胡氏認為凡有正據的知識才是真正的知識，此點他講得特別多。

關于政治方面：胡氏對於爭論最烈的出版法修正案，認為不但無此需要，而且很是危險，他說，新聞言論自由，不是天賦人權，是需要大家去爭取的。胡氏對于反攻大陸問題表示頗具信心。他對國大代表聯誼會呼籲國人，加緊努力，充實本身力量，把握隨時可能來到的有利時機，打回大陸去。其後他還在「自由中國」雜誌社歡宴席上，鄭重表示，他不贊成該社對反攻大陸所持的悲觀論調——即所謂「反攻無望論」。胡氏指出反攻大陸是一個招牌，也是一個最重要的希望和象徵。這樣一個海內外無數人希望的象徵，決不可以輕易去碰它。時人談論最多的反對黨問題，胡氏認為最好稱為「在野黨」，以免不明箇理的人認為有搗亂和顛覆政府的意味。他說：「今天大家覺得一黨當政的時間太久了，沒有一個制衡的力量，流弊甚多……現在可否讓教育界，青年，知識份子來組織一個不希望取得政權的在野黨的書生，一般手無寸鐵的書生或書獃子出來組黨，大家總可相信不會有什麼危險，政府也不必害怕」了。這些都是胡氏此次對政治問題的重要意見。

總觀胡氏此次回台，留居時間雖短，但他為人性自由，學術思想自由，所作在今天高談反攻復國的大聲疾呼的氣氛裏，不免令人有「空谷足音」之感。尤其對於組織在野黨的號召，已引起朝野的重視。目前雖然反應不一。但在現時的政治環境下，能否順利組成一個書生論政而不希望取得政權的在野黨，乃是一個問題。

今天自由中國的處境，毫無疑問的，亟需網羅人才，號召海內外大團結，以期集中力量，加強反共陣容。然而無可諱言，在民主自由的運動之下，同時又有一種加強思想教育，限制人民自由的暗流存在，「胡適與國運」一書的出現，即是此種暗流的表現。這是可憂的情勢。（六月廿九日台北）

西貢航訊

否極泰來的中越外交關係

·光明·

中越兩國外交關係，經過一場暴風雨之後，現已漸漸地露出了一線曙微陽光。兩國駐西貢和台北公使館，亦已定今日（七月一日）升格大使館。這是值得中越兩民族額手稱慶的事。不過我們回顧過去兩國間的關係，不免有點「滄桑」之感。

邦交中斷已近百年

中越兩大民族，過去有着深長的歷史淵源。但自十九世紀法國勢力東來，統治越南，中越關係，中斷了將近百年的時間。不過由於中國僑民旅居越南達百萬之衆，早在二十年前，就在西貢設有領事館，後來河內，海防領館亦相繼設立。迨至一九五五年十月下旬，全越舉行公民投票，廢棄帝制，建立共和政體，中華民國為着珍惜那一份「骨肉情」，及顧全僑民利益，率先承認越南共和國。駐西貢總領事館，亦於同年十二月升格公使館。但是越南駐台北公使館，遲遲未見成立，宗寶海雖奉派為駐華首任公館，一直沒有赴任，迄今年三月，阮功勛繼任公使，走馬上任，中越外交關係，才由崎嶇小徑步入正軌。其中的經過，有着很多原因。

抗日勝利以後

對日抗戰勝利結束，中國軍隊入越受降，這時越共頭子胡志明為「聯合政府」，亦在河內正式宣告成立。依於越人一般的看法，中國政府如果有意扶助越南民族獨立解放的話，這是個千載一時的機會。同時，中國政府如能協助越南愛國份子，瓦解越共政權，亦有若反掌之易。但是中國政府不此之圖，反而派了一個親共的人物為第一方面軍盧漢部主管越南事務的「外僑處長」，胡志明遂如魚得水，使越共偽政權在南告成立之時僅有數十名武裝便衣的極少本錢，因利乘便，不斷擴充，不半年間，為數竟達數萬之多。這一方面固由於一般越人渴望獨立解放，在越共標榜民族主義運動的偽裝之下，熱烈參加革命隊伍，壯大了越共力量，有以致之，而當時盧漢部受胡曾的蒙蔽愚弄，以及錯誤政策的影響，國軍的剩餘軍事物資，大量售與越共。助桀為虐，也未始沒有關係。所以越共勢力一天天加強，國軍撤退，法越（共）戰爭始焉爆發。其後中共在大陸武裝叛亂，日益猖獗，中越共為帝俄之附庸，沆瀣一氣，越共獲得中共直接援助，更加囂張，中共囊括大陸，越共在奠邊府也打了一場大仗，所以決定了今日越南被分割的悲慘命運，所以要論越局因果問題，中國政府對此不能說完全不負一點責任。這是遠因。

近年以來

近因則為一部份有地位的越南人士，以及政府高級官員，對自由中國的認識，實在太過膚淺。他們受了「托管」謠言的影響，認為今日台灣的命運，仍在風雨飄搖之中，屬秦屬楚，尚難逆料，跟中華民國打交道，對越南本身並不見得怎樣有利。不建立外交關係，也不見得會有害。這一種看法可以代表一部份越南「權威人士」的意見。所以越化案之實施，一經提出，便大力執行，未始不是「乘人之危」，打算踢出「通環腳」，把越南華僑「收歸國有」。基於上述原因，越南政府高級官員，以致一般輿論，對與中華民國建交問題，不免有無可無不可態度。遷延不決，紙前年六月，中國巡迴大使，新聞局長沈錡，前來西貢，偽葉公超外長訪問泰國之後，來越訪問作「清道夫」，給越南當局婉言謝絕，原因亦在於此。

改變始于一九五六

越南對自由中國印象之變，始於一九五六年底，宗寶海以「特使」名義，代表吳廷琰總統，前赴台北，向蔣總統祝壽時，目睹中華民國陸海空三軍的強大力量，以及社會經濟各方面，進步建設情形，回來向越府報告，才算「耳目一新」。去年秋間，越南總會代表阮芳怡、陳心，赴台開會獲得良好深刻的印象。更進一步證實了宗寶海所言不謬。阮功勛的任務，就在這時起作幕後的決定。

回頭談談自由中國對越南共和國的態度，雖不能說「一往情深」，實在也「神弛已久」。在越南共和國成立之前，就已有了個「腹案」，不過由於形格勢禁，不能如願以償。吳廷琰領導建立共和後，洽逢其承在手上的一張牌，順便打了出去、當然，在反共抗俄第一的大前提下，自由中國是要尋求與越南的合作，在日內瓦協定之後，自由越南，和自由中國同樣處着分裂的局面，也和自由中國一樣，須要打倒共同的敵人，光復河山，處境相同，目標一致，如果能從正式邦交建立起點，進而締結一項包括有大韓民國在內的三角反共同盟，同樣不動，也未嘗不可扭轉局勢，殺出一條生路。不幸前年越府頒佈國籍法，商業法，教育法一連串命令，雷厲風行，一意無反顧，遂使中國吃了越南這位小弟弟的幾下「無影腳」和「鐵沙掌」，啼笑皆非。外交態勢，由主動變為被動，更可謂「一蹶不振」。遑論什麼團結反共的問題了。所以這裏一般僑胞的心目中，對自由祖國的對越外交政策，就有「鼻祖思」的感覺。自然，中越邦交之不能迅速建立起來，除了主觀條件之外，客觀形勢也有很大關係。中越兩國的共同敵人，北平河內偽政權，是不願見中越兩兄弟之邦攜手言歡，有機會也必加以破壞，沒有機會也須製造機會。越共既有機會，又那肯輕易放過？越化案給中越共帶來可乘之機。他們一方面製造不利於越南當局的言論，在僑社散播；另一方面又挑撥華僑對當地及自由祖國的怨恨，及離間中越兩國的合作，務使中越關係，日趨惡化。這一石投數鳥的陰謀，倒是再狼狽也沒有了。

杯酒言歡僑胞應有份

然而，中越邦交，在兩國最高當局互相忍讓，互相諒解的基礎上，以及一部份有識見的僑領的奔走斡旋之下，總算在荊棘滿途的道路上建立起點來了。不能不說是中越兩大民族之福。但是今日兩國的友好氣氛，只是籠罩在兩國政海的上空，如何將其普遍地傳播到僑社每一個角落去，使每個僑民都能有「沾承恩澤」，不致有「白華」之痛」，似是未來新大使的實務。加倍努力，更進一步。僅僅是高階層的合作，「杯酒言歡」，而沒有廣大僑胞的積極支持，對兩國反共力量之團結與加強，是無補於事的。（四七，一。于西貢）

台南點滴

呂增勳

△全省聞名的台南新町風化區，去年曾有海軍職士與流氓爭風吃醋殺害人命事。台灣某大報曾為文介紹這一紅燈酒綠以外，並介紹撫尾悲一名「阿香」妓女。這一特寫刊出後，又有一家晚報轉載。不幸，這些義務廣告宣染後，昨晚又有一家妓女戶老闆娘死於手槍下。這是黃色新聞呀！

△台南市公共汽車收歸市營案，議會已通過達數年。迨兩三個月來，收歸市營又入高潮，議會組專案小組，並已議定出售市有財產，撥出四百五十餘萬元作經費。四月間有議員得悉台南汽車客運公司，奉准購買新車十輛消息，議會曾九次派出專人，前往台北，台中向外貿會、物資局、公路局、交通處、財政廳等爭購新車。最後市長、議長、副議長，及另一省議員等一行十人，浩浩蕩蕩，再到台中晉謁周主席，並曾在交通處而具籌足七百萬元經費的保證書。周主席在兩難之下，聞已採兩全對策；飭令物資局先行代購此批新車，凍結至九月，待市營經費籌足時，新車交市營購買。鬧得烏烟瘴氣的購車爭端，始暫一段落。（六月廿九日）

越南僑胞轉籍情況

·林雨林·

【西貢通訊】去年越南政府施行國籍法，一度引起旅越華僑的不安。我政府當局當時接納了不願入越籍土生華僑的回國要求。在四萬餘志願回台的僑胞中，接運了五百餘名的青年學生，後來以「技術問題」為「理由」，停頓了撤運工作。（四萬餘名華僑回台的希望是幻滅了）。我政府當局的外交政策，是大事化小，小事化無，忍辱負重。自然有其不得已的原因，可是僑胞的心情焦若，卻不言而喻了。

目前百分之九十以上越生華僑，及領有不論任何類商業牌照的華僑，甚至街邊小販（非越生者），都已大多數轉了越籍（並不限於十一行業越化）。現在越政府的政策，是實施全面越化政策。（但當地政府並無法令公開宣佈，華文報亦無此登載）。凡已繳納一九五八年及一九五九年兩年身份證稅，及領有外僑登記證的非越生華僑，均須一律加入越籍。已由西堤七個警察局切實執行。在檢查戶口時，凡未轉籍者，依次傳到警局，繳收了身份證及外僑證。並在卡片上捺上指模，然後發給轉籍為越南人的身份證。（非越生的人，在出生地一欄內，也改填上西貢出生等字。一個道地的中國人，就這樣變為越南人了。）在這種情形下，有些非越生華僑，前往我公使館請示。所得的答復是：「當地政府要你們轉籍，你們就轉籍吧！即使入了越籍，還是中國人啊！公使館是沒有辦法的。」這自然使到許多華僑感到彷徨。許多華僑懷疑公使館設立的意義。目前似除了為華僑辦理幾張護照與華僑登記證外，再不能為僑胞辦些甚麼事了。如果數十萬華僑，全都轉了籍，公使館豈不便無事可辦了。僑胞所寄望於自由祖國的，決不是對僑胞這樣漠不關心的。在這情形下，僑胞也只好逆來順受了，還能作出甚麼來呢。不過，無論如何，祖國總算遺忘了我們的海外僑胞，海外僑胞決不會遺忘正在苦難中的祖國的。（六月廿八日——西貢）

美法意見會一致嗎？

·裕仁·

戴高樂與杜爾斯會談後，給人們帶來了「定心丸」，那就是由巴黎傳來的消息謂，戴、杜同意對中共維持目前的不承認政策；今後法方非經事先與美商量，不作承認行動。

但是這一則消息，事實上所指出的二點，並非戴、杜會談公報的原文，而祗是根據雙方發言人所說的關於遠東問題「美法意見完全一致」所演繹而來。

從另一角度看，法國雖可以在「不作承認行動」一點上與美國一致，但在屬於政治性的「承認行動」以外的任何行動，法國仍將採取獨立性的活動。果如此，則所謂「不作承認」者，不過是為了「維持目前……政策」．實不容作過分的樂觀呢！

戴高樂的個性，與法國一般政客，顯有不同，他也根本不是一個唯美國意見是從的人，華府對巴黎究能起多大的影響作用，是個問題。戴高樂既上了台，他也就不能不多少顧及到法國國內久已存在的「反美」氣氛，這種氣氛之產生，即導源於過去的法國內閣之過分順從了華府的意見。

再就以美國一再勸阻戴高樂政府暫緩進行核子武器之試驗，而法國卻反而宣佈將在三個月內試驗氫彈和建立原子潛艇，亦足以窺見戴高樂之對美國的態度了。

由軍事轉向經濟的蘇俄威脅

◦文鑑◦

鐵幕真相

一般人討論對付蘇俄的侵略問題，大都着眼于軍事防衛；各自由國家所致力的，也是如此。但美國經濟專家波洛格最近在「民族週刊」上發表一篇文章，就指出蘇俄對自由世界的眞正威脅，絕對不是軍事而是經濟。

從史達林到赫魯曉夫

史達林生前，就急欲將蘇聯由一個農業國改變爲工業國。事實上，蘇俄工業規模，僅次于美國，爲了要維持這些龐大的工業，于是便委出了三十名以上的部長，分頭負起特殊的經濟任務，聽命于莫斯科的。赫魯曉夫登台後，俄共黨部決定有所謂改除中央化之舉。依據赫魯曉夫的新經濟計劃，全國將分設九十二個地方委員會，以督導生產，而將以往的經濟部長們。撤除了半數，餘下八名部長，是主要與重工業有關的。他並要求這計劃在半年以內完成，西方專家們認此舉可能成功。最近在莫斯科舉行俄共中央委員會，赫魯曉夫獲得更大的權力。例如集體農場產品的國家搜購制度，亦將改變，其中包括取銷強迫配送制度等。此舉係赫魯曉夫改組俄國農業計劃的進一步發展。

從軍事威脅到經濟威脅

蘇聯這經濟改革迫令西方重新考慮一個問題——單從軍事方面而集中精力防俄，是不夠的。蘇聯未必眞的會發動戰爭。當林林處開始冷戰時，西方國家軍力異常薄弱，蘇俄並沒有發動戰爭。當一九四八年狄托背叛蘇俄時，南國尚未與西方國家取得聯繫，而西方國家在軍事上也有愛莫能助之感，但蘇俄也沒有向南國進攻。現在西方國家在軍事上已有準備，蘇俄自更不敢輕舉妄動。尤其從韓戰所得的教訓，蘇俄是不會忘記的。

事實上蘇俄從一九五四年起，除輕氣彈外，軍費並未增加，經濟上卻有新的發展。這是西方國家逐漸感到威脅的。

赫魯曉夫不同于希特勒

了解蘇俄的經濟制度和潛在力量，原不是一件容易事。由于蘇俄自己喜歡誇大，而西方卻成見極深。總以爲在共產制度之下，經濟繁榮殊不可能。殊不知在第二次大戰期間，其軍火生產量則幾超過英國百分之五十，雖然當時蘇俄工業中心有一半已被德軍佔領或摧毀。從這一點，我們便可知道蘇俄的經濟發展，未可一言抹煞。西方專家開始注意了，根據多年來的究研及事實證明，已有評估蘇俄經濟發展的途徑。據評估結果，蘇俄生產每年平均增加百分之六或七，最高曾達百分之九。單以工業而言，其發展則可能達百分之十一。這就是說，最多每十二年蘇俄生產即可加倍。美國第二次大戰以來，生產增加每年約達百分之六，截至一九五五年止，英國情形也不相上下。以西方國家全體而言，就沒有增加這麼多。一九五五年以後，英法兩國且無顯著增加。

現在蘇俄每人的平均出產已高于義大利，一九五五年就已追上法國一九五一年的數字。目前蘇俄鋼鐵生產每年爲三千八百萬噸，歐洲爲五千萬噸，美國則超過一萬萬噸。相形之下，自較落後，但蘇俄仍在直追中。赫魯曉夫與希特勒不同，他知道無法用突變的方法打擊西方國家，摧毀美國優勢的生產力，所以改向經濟方面發展。

西方的經援

一個國家既能維持軍費的浩大的支生，又能發展日用品，改善生活水準的，在西方國家中，祇有美國一國能夠這樣做。其餘各國在過去二十年生活水準卻未提高，一九五〇年以後，除德國外，且普遍降低。蘇俄生產力和西方國家相差尚遠，並非立即可以追及，所以西方還有充分時間可以調整對蘇政策。除非西方認爲防衛的戰爭無可避免，否則應該設法發展西方那些較窮困國家的經濟，尤其重要的是較公平地分配共同防衛的負担，同時使較窮國家不必降低消費，對較窮地區貸予低利資金，及給予技術援助，使經濟活動穩定于合理的水準，以消除蘇經濟的威脅。（七月四日）

竹幕秘

誰在製造「兩個中國」

自從一九五七年九月七日周恩來在答覆訪問大陸的美國青年的講話發表以後，中共在對外關係方面一直就在「兩個中國」問題上做文章，最先，是在去年十一月裏藉「兩個中國」退出新德里的世界紅十字會會議；今年四月裏，又藉「兩個中國」問題，撕毀漁業協定，進而說要中止對日貿易，影響文化交往；最近，又藉同樣理由，退出國際足球協會與國際火電力系統會議。據中共揚言，這是「美帝」在製造「兩個中國」，以便于它「永久侵佔台灣」；事情眞的是這樣的嗎？

在日本

我們且以中共指責日本製造「兩個中國」一事爲例，先是，中共在與日簽訂第四次貿易協定以前，要求在協定中列入准許中共派駐日本的「商務代表」所在處所，懸掛中共「國旗」，日本方面不肯，僅能作爲普通民間團體旗幟對待，在這一條件之下，中共代表也簽了字。不久，在長崎的郵展會上，懸出了中共「國旗」，給一個日本人撕去了；於是中共藉口日本製造「兩個中國」而展開了上述的一系列行動。

問題非常簡單，何以說日本製造「兩個中國」，原因是日本政府對于懸掛中共「國旗」無保障；那末，假如日本政府保障中共「國旗」的懸掛，這才是日本政府製造「兩個中國」；而現在，日本政府並無意保障中共「國旗」的懸掛，這說明了日本政府並無意製造「兩個中國」，僅止于承認中華民國而已。相反，中共要求在日本懸旗有保障，亦即希望與青天白日旗同時在日本出現；這樣，豈不是要求日本製造「兩個中國」者，正是中共自己！

在香港

最近以來，左派報紙藉某一商展而說某些人與香港政府製造「兩個中國」；此事也非常個。單香港是英國的殖民地，香港政府的政策也就是倫敦的政策，英國在北平派有代辦，在台灣駐有領事，這種情形早已存在；既然說，中共反對英國的這種「兩個中國」的政策，那麼，何不從根本着手，像對日本的行動一樣，迫走英國駐北平代辦，斷絕與英國勢力所及的地區（當然連香港在內）的通商往來，豈不乾脆爽快，何必捨本逐末地對幾個商人加以攻計？左派報紙的主持人，我想總不致于不明白他們指責的幾個商人影響不了英國政策的，香港政府也未必能左右倫敦的對華政策，那麼，明知故犯，實有藉詞擾亂，惡意攻訐之嫌。

徒自心勞日拙

本來，凡是中國人都反對「兩個中國」，但是我們不像蓄意破壞社會秩序的人一般的藉詞煽動，不像一些好戰份子一般的製造國際緊張空氣，只有靠運動吃飯，蓄意滲透傾覆份子，出賣了良心，甘願爲虎作倀的份子才捏造與大事實，從而替主子效勞，藉以獲取三餐，其行徑之卑劣，實爲中國人民所共棄。

前已經講過中共因爲有人在紅十字會議上製造「兩個中國」而退出了新德里會議，六月二十三日「人民日報」載：中共紅十字會最近又捐出一萬瑞士法郎給國際紅十字會，可見中共對于國際紅十字會還是留戀的，亦由此可以斷言：中共對于英國的態度不致決絕的。那末，左派報紙這次的製造不安，亦徒自心勞日拙耳。

◦田心◦

國際動態拾零

△波共自羅馬尼亞回者，稱羅共對工農態度，乃遵循狄托路綫，給以較大之發言權。

△日本與以色列貿易，現極旺盛，觸怒了納塞。其外交人員勸日本勿再與以國貿易，否則將遭阿剌伯聯邦之抵制日貨。日本則以堅定而客氣的詞令答道，「請注意你們自己的貿易罷！」

△駐萊茵河沿岸英軍，以德人不肯支付軍費，擬于一九五九年，將原有之五萬五千人，再減去一萬人。大西洋公約機構向英國阻止，英國的答覆爲只要代付軍費即得。

△尼克遜自南美受辱回國，其聲望大增。國會議員競選，大家希望得尼克遜之支持，超過艾森豪。民主黨中，甚至有人預言，在一九六〇年之總統選舉，民主黨中，亦沒有人能勝過尼克遜。

△艾森豪欲與盟國分有原子秘密，其主張遭國會原子委員會之反對。其理由，即爲不願原子秘密，落入法國人手中。其條例上限制，爲必須該國之原子研究，有極大之成就，始能分有美國原子秘密，如此則只有英國有此資格了。再則艾森豪如與他國締結原子互惠協定，參議院亦有權將其否決云。

◦陶然◦

北韓已成蘇聯核武器基地

最近，根據中共的宣傳資料，表示駐在北韓的「志願軍」正在「大舉撤回」。中共撤軍，本是「信不信由你」的事，但大抵上說，以少量的撤軍而作大肆宣傳，該是不會錯的。因爲這樣，中共可以在停戰委員會上提出美軍必須撤出南韓的要求。

於不斷叫囂美軍撤出南韓的同時，在七月二日開城的第八十四次停戰委員會上，中韓共又作反對美國在南韓存儲火箭武器的譴責，並反對將在七月四日舉行的誠實約翰的火箭試驗。甚而「指控」美國把南韓變作了「原子戰爭基地」。

但在各項「譴責」、「指控」的背後，在宣傳中共「志願軍」撤出北韓的同時，事實上北韓早已成了蘇聯導彈武器的基地，不然，中共軍隊固不會從北韓撤退，（雖然其撤軍之內還包括有駐軍費用之龐力和與莫斯科的矛盾等諸原因在），而北韓也不敢大言不慚說要美方負担一切後果責任，並且還暗示了他將以核子導彈爲報復的武器。（賓）

書刊介紹

讀「燕子崖」

◦王世昭◦

著作者：雲碧琳　出版者：五月出版社

定價：港幣二元五角　叻幣一元五角　美金五角

近接雲碧琳女士一封信，另寄一本集子，書名曰「燕子崖」，其中結集了短篇小說十篇。我一口氣讀完了這二百二十二頁的小說，並及自序，以及馮燕謀女士的代序，題曰：「關於五月出版社和這本書」。

從代序中，我知道雲碧琳女士有虛心求教的精神，與五月出版社對於出版度態的認眞。又從自序中，我又知道雲碧琳女士對於創作的忠實，以及絲毫不肯苟且的勇氣，在當代作家中，實在是值得揄揚的一件事。

這十篇小說，全部以青年男女戀愛問題爲中心，寫成的結論，幾乎全部都是悲劇。但也有例外，如：「最親切的眞誠」，如「紅豆詞」，如「寂寞」，如「女護士」等。

不管怎樣，悲劇好，喜劇好，問題劇也好，雲女士是一心一意在那寫作，寫成了許多篇不同的離合悲歡，有熱帶的男女，有都市的青年，有鄉村的姑娘，有許多種形形色色不同的人物。

當然，「燕子崖」一篇是代表一位高尚品格的女性，有爲愛情而道的精神。但海生這個人似乎也非弱者。雲女士所寫的三角戀愛悲劇，故事極其動人，可惜陳永年的影子過於模糊些，然而，無傷大體。

「青春的美點」寫得很好，是一篇極其完美的短篇小說。「懸崖邊緣」極波詭雲譎的能事，雖向死亡的時代嘲笑，但其含義却是新鮮的。

此外，「紅葉」，「秘密洩漏的時候」，「諒解」等，都是三角戀愛之下的不幸者的悲鳴。這無異向青年男女警告，這個漩渦千萬要小心啊！男士們！小姐們！

因此，我覺她的作品，似乎見到她在向青年男女說教，無疑的，這是屬於一部有益於社會人心的創作，而且是一部健康的，富有教育意義的創作。

寫小說最怕平鋪直敘，沒有回甘的餘味。雲女士這一部的創作，完全沒有這種毛病。文章尤其俐落乾淨，誠當代青年男女不可多得的課外讀物。假使，以雲女士的才華，我相信未來必有更好的貢獻。依五月出版社的新書預告，她的「淡淡三月天」的長篇創作，又快要出版了，這是好消息。

自由談

愛敬畏的心理作用

馬五先生

古今中外，凡是善治軍的名將，必須使士兵對其官長經常具有「愛敬畏」的心情。「畏」的因素決不是基於「軍法從事」「階級服從」這些威脅性的教條而產生的，乃發於「愛敬」精神的自然現象，所以，「畏」在「愛敬」之後。這樣的軍隊便是節制之師，戰鬥力一定強韌，所向無敵。爲政的道理亦然，古人所謂「王道政治」是也。王道政治的中心思想，就是尚德不尚力，政府的威信與夫領導階層的威望，都是由人民的「愛敬畏」心情而建立。若專靠生殺予奪的權威，使詐的權術以爲政，縱能徼幸成功於一時，終難維持於久遠，史證孔多，不遑枚舉。

現代的極權政治如共產主義與法西斯主義政府，只是靠暴力權威來脅迫人民不許亂說亂動，充份表現「畏」的心情，形成以力服人的恐怖生活，人民對於政府及其領導階層，沒有絲毫「愛敬」意念，一旦遭遇着內亂或外患的變故，統治權稍有動搖，而土崩瓦解的態勢立刻顯現，所謂「一夫揭竿，亂者四起」，決非過甚之詞。瞻觀世界政治史，一個國家的知識份子，如其發生賣國通敵，挾外力以謀叛的漢奸行爲，不用研究，那國家的統治階級，平日一定只是教人民對官畏威而不懷德，毫無愛敬之心，誘迫使民衆不擇手段地從事叛亂破壞，無所顧惜哩！

欲求獲致人民對統治者產生「愛敬畏」的向心力，即使不擴民主政治，祇要能以天下爲公的精神來，[illegible]智勇辯力之士，知人善任，各盡所能，[illegible]相去不遠了。在中國歷史上，唯有唐代的李世民懂得這項道理，且能躬行實踐，予天下人以共見，此其所以蔚成貞觀之治也。今世政治人物，好以兵法部勒民衆然又不知養成社會大衆對統治階級的愛敬心理，只是做到一個「畏」字，本末倒置，天下焉有不大亂之理？

談詩的意境與含蓄

野火

詩是一種精鍊的文學形式，它應當以最少的字，含蓄最多的意義和情感。

新月派詩人強調詩應當注重形式，應當有節拍，音韻。因此這一派的詩人底詩是：「詩底包括音樂、繪畫、建築三種美。音樂的美是音節和聲韻；繪畫的美是色彩和配景；建築的美是形式結構。」對於這一點，我覺得這一派詩人的詩的理論，只看重詩的外形，而忽略了詩的內涵。這實在是一個缺點。因此我覺得徒有格律、形式、音韻、音節，不是爲詩。因爲它只具備了詩的軀殼，而沒有詩的內容，詩的精神。我的意思是說，詩必須具有一種意境的美與含蓄底深沉的氣魄。因爲這兩點是構成一首好詩的重要因素。只有形式、節拍、音韻而缺乏想像和意蘊血脈的詩篇，祗是具有詩之名，而沒有詩之實。

什麼是詩的意境美呢？就是現實的題材，透過詩人底豐富的想像，和詩人運用文字的技巧，表現出來的詩句，就是詩的意境美。換句話說，如果現實的題材沒有透過詩人底想像與文字技巧的運用，而是現實底直接忠實的反映與再現的詩句，就是缺乏想像底意境美的平凡句子，而不是詩句。

現在就舉宋王安石的「春風又綠江南岸」的詩句爲例，來說明詩的意境美到底是什麼。這詩句之所以爲佳句，就是佳在那個「綠」字。祗一個「綠」字，就把江南的景色點成一個屬於春天的世界了。據說那個「綠」字初作「到」字；後又改作「過」字；再後又改作「入」字；後來又覺得「入」字不好，改作「滿」字；最後又覺得「滿」字不好，才決定用「綠」字。這「綠」字就代表一種意境美。又如唐賈島的「鳥宿池邊樹，僧敲月下門」兩句詩。據說作者後來覺得「僧敲月下門」不好，改爲「僧推月下門」。但後來又覺得還是「敲」字比「推」字好。正在口中吟詠「推」「敲」不已。於是便去請教韓愈，才定用「敲」字。其實，我覺得，這句用「推」字和用「敲」字，都是一樣，就是一種意境上的不同而已。「僧敲月下門」是一種動的意境；而「僧推月下門」卻是一種靜的意境吧了。

至於含蓄，也是構成詩的主要因素之一。我覺得，詩不應該是一種暴露的文學，而應該是一種含蓄的文學。因爲我們說一句歡樂，讀者不見得就了解我們的歡樂；同樣我們說一千句悲哀，讀者也不見得和我們一樣感受到悲哀。由此可知含蓄在文學上的重要意義了。

「黑夜已逝，紅日昇於東山之巓；小鳥爭鳴，長風吹來新的生命。」

在這婉媚的詩句下，它暗示着「印度已經醒了」。這是印度詩哲泰戈爾寫的印度國歌的歌詞。用「黑夜已逝」暗示黑暗的統治已沒落；「紅日昇於東山之巓」象徵光明與正義的抬頭，正義的光芒普照大地；也含蓄印度的中興，「小鳥爭鳴」含蓄弱小民族對帝國主義者的統治表示抗議，吶喊與反抗。「長風吹來新的生命」，在這婉媚的詩句下，詩人用這三句含蓄徵印度的新生，不再是奴役，印度已甦醒，不再受壓了。像這樣含蓄的詩篇，雖然它並沒有說一句「反對什麼」，「打倒什麼」，但，你不能說它不比那些公式化的「戰鬥詩」，來得更富戰鬥意識與革命意義嗎！

人·鬼·祕密

在人類的社會裏，有一種實體的活生生的鬼存在，那就是從某些人的生活行徑中印證出來的。而這些人的生活行徑，又大都是見不得太陽的，但是做任何事情都用祕密方式來進行，時間一久，鬼鬼祟祟的行徑，在他反而變成了正常狀態，畢竟這些人，終究還是人，不能因爲其行徑的鬼祟，就說他是鬼，但他的確確是人間的鬼則又是無可懷疑的。

其實在人的社會裏，就根本無祕密可言，太陽之下何來祕密，「若要人不知，除非己莫爲」，可祕密於一時，未必能永久地祕密下去，能祕密於永久的，但在歷史上，還是留下了話柄汚點，那麼祕密畢竟不過是自欺欺人而已。（言）

現實——小說

怪事二則（上）

○符兆祥○

小陳到我家閒談，他向來是吃飽飯沒事做的，我雖對他有點討厭，但，不好拒絕他，不然，他有一張嘴，到處亂罵我，我吃不消。

「好呀，」他一屁股坐下說。

本來就很好，我皺了皺眉說。

「好，你呢？」

他當然很好，我想。

他說：

「還好，不過我今天很生氣。」

裏面有文章了，我說：

「你是一個閒人，誰都羨慕你，有什麼事使你生氣了？」

「我們都是中國人是不是？」

他忽然這樣問。

這就有點邪了，難道最近我變成外國人了不成，要是眞的，我倒要謝謝上帝，我說：

「是呀？又怎麼啦？」

「台灣人也是中國人是不是？」

我說：

「台灣人怎麼不是中國人？你不要亂說話，別人聽了會誤會你在挑撥情感。」

他看了我一眼：

「放心，我又不是共產黨，二二八事件……」

「這就對了，」我打斷他的話，我說：

「吃飽飯沒事做，可以出去玩玩，看電影也好，或是……」

「就是看電影，才使我生氣起來。」

「怎麼回事？」我不明白了。

「今天，我吃過飯，正如你所說的，吃飽飯沒什麼事可做，便想出去看場電影。」

「這不結了，看電影是娛樂，對於內容不必太認眞。」

「不是這樣，你聽我的。」

他抽起一根煙，他說。

「打開報紙，有幾家的片子都看過了，只有第一劇場的那張日本片還未看過，我聽許多人都說好，於是我便去看那張……」

「什麼片子？」

「日本明治天皇與日俄戰爭」

我明白了，我說：

「這就是了，這部片子電影檢查處不知爲什麼准他到台灣來上演，是不是許多台灣人看到日皇出現的鏡頭，拍手歡呼？」

「拍手歡呼還起來立正。」

「這也難怪，那些老頭子沒有知識。」

「是老頭子這樣做我再沒理由出，也要找個理由出來原諒他們，是幾個高中學生！」

「高中學生？不會吧？」我不大相信。

「我亂說什麼？他的校徽我都看到了，是市立的一個中學的學生，這就是我生氣的理由，我無法原諒他們，他們唸了這幾年書算是枉然，連最基本的國家觀念都沒有，民族的自尊心也喪失了，別說他們的功課怎樣好，怎樣出色，別說將來他們是國家的棟樑，如果將來眞的希望他們什麼復興民族，恢復中華，這豈不是夢話？」

這難怪小陳生氣，我也有血氣，我想有血氣的人也會生氣的，我也想起一件事，我說：

「你說起學生，我也想起一件事，也教我感到寒心。」

「什麼事呢？」（待續）

遠信齋冰梅

○姿婆生○

庵海偶錄

夏季祛暑，在通都大市，有雪糕冰淇淋，汽水等物，在四十年前，就故都而言，汽水供應極缺，以致交通不利便，上海[illegible]巨氏冷飲品，皆無法運抵北方，即有價亦奇昂，非平民可享受；民衆爲求夏日消暑解渴物，遂製有酸梅湯供市，價廉物美，賣者[illegible]粵，以迄台灣，到處均有[illegible]處，實則爲故都所創之妙品也。[illegible]平，[illegible]余初抵[illegible]枚，汽水有五堆山及雙合處兩種，皆須銅元二[illegible]吊，幾乎十倍。所以暑[illegible]惟梅湯是嘗，到處均可[illegible]

將梅樣取出，加入上等冰糖，並添桂花汁，再冰三月，方始開罐取出，上年秋末，以迄來年初夏，約有八個月方成。惟據傳言，在舊市之前，是經過特別[illegible]，[illegible]主人不允相告，此物即是發生清香的原子[illegible]妙處在顏色濃淡而清，其有清香，味道甚厚，喝過後，[illegible]甜，頓然解渴，奧妙無窮也。

但是這一家，並無分出，亦不委託代售，要嘗此味，必須往琉璃廠，該店內部，[illegible]花茲景，櫥台整潔而雅，[illegible]民國十七年，上海八仙橋[illegible]飲料，一時驚動，[illegible]如市，味雖較普通者爲佳，但始終不及信遠齋之甚，此爲異也。

不是新聞

爲死名女人打筆墨官司

○各各他○

在[illegible]國際情形之下，文壇作家也似乎不甘寂寞起來。近有葛賢甯（自由文協理事，文藝創作主編）與郭嗣汾（海軍什誌主編）兩位爲了楊貴妃的死活問題，打起筆墨官司來了。

葛賢甯在「文史月刊」第一期發表一篇「長恨歌新解」。他「假設」和「推測」！白居易在「長恨歌」中，並不是寫楊玉環的死，而是寫楊貴妃的逃亡的眞相活人間，且可能失節爲番人妾婦的。

郭嗣汾則在「文史月刊」第二期發表一篇「讀『長恨歌新解』後」，嚴辭反駁葛賢甯胡說八道，還要老葛若不服拿出楊貴妃未死的證據來。

葛賢甯乃在「文壇」季刊第二期給郭嗣汾一頓，老賢不客氣的指教郭嗣汾一頓，如嚴師之教弟子。全文數千字，對於郭嗣汾之說法駁得體無完膚。這場筆墨官司，自然還要打下去。

葛賢甯的文章是從「馬嵬坡下泥土中，不見玉顏空死處」起，開始懷疑貴妃未死而是以人替死，並且把他化裝逃出「危險區」，以致後來到海外失節爲番人妾婦。不是有道士在海外的蓬萊島尋着了她。還拿了信物鈿盒金釵，交給唐皇麼？

他的聰明處是曾先聲明，乃胡適之的治學方法「大膽的假設」與「推測」之就詩論詩之遊戲文學，而小郭則大鑽其牛角尖，提出貴妃死在馬嵬坡的「證據」，要老葛答覆，實在可笑。

老葛已經說過是假設和推測，也無「小心的求證」必要了。然而確見是[illegible]小郭，以爲這下了葛賢甯在我手下了。豈不知老人早已聲明是「就詩論詩」的假設——遊戲文章，自己硬要給別人套上「考據」帽子去質疑。耶穌在十字架上受死，現在爲死名女人而大打筆墨官司的老葛與小郭，倒好像一同是走向「各各他」去了。

罵人的藝術

○人木○

罵人有罵人的藝術，罵得不痛不癢的，那才是上品，雖然「他媽的」說出口來未免有些粗俗，但這種「平民文學」，祇要我們更加含蓄一下，便會覺得它自有意思，不單是罵人，並且把人性也表達了出來，[illegible]說：「他怎樣怎樣，他們又怎樣怎樣……」，你是[illegible]很好奇，以爲是很新鮮的玩意，[illegible]暴燥，你們又怎樣怎樣，[illegible]的陰私都抄了出來，你不能不紅耳熱，[illegible]把「你」大大打扮一下，明說是「不智的舉動」，[illegible]你怎樣怎樣，揭發攻擊他的陰私，攻擊你的陰私，然而我恰恰是在揭發，奈何我不得，祇得向我陪個笑臉：「別說啦，我有事，改日再談！」嗎，若你竟得因而動怒：「你幹啥罵我？」這與罵人可無關啦！誰在罵你！？我祇是在罵他，我可沒有指名道姓啊，而你，豈不是不打自招，自己打自己嘴巴嗎？

更要緊的是，罵「他」的時候，可別把他的名姓公佈，罵人是罵人，講閒話是講閒話；你儘可以用「某某人」，「有一個人」之類的人稱代名詞來代替，這是從沒聽見人罵：「你媽的」吧？更不會聽到有人罵：「我媽的！」朋友，罵人雖然在根本上便不是明哲的舉動，但在你要罵人之先，請先想想「他媽的」這個粗野的罵人，或許你還不屑用這句句子，但它會教你怎樣罵人。不然你只是漫天瞞罵，結果只惹來別人的笑話，多結幾個敵人，這又何苦來呢？

自由人

THE FREEMAN
（第七六七期）
中華民國郵政登記認爲第二類新聞紙類
中華郵政台字第一○○五號執照
每份港幣壹毫　台北市價每份新台幣伍角
督印人：陳文
地址：香港高士打道廿號三樓
20 CAUSEWAY RD. 3RD. FL. HONG KONG
TEL. 771726
承印者：東南印務出版社
地址：高士打道六十四號
台灣總經理處
台北市西寧南路壹零號二樓
電話：三○三四六
台郵劃撥儲金戶九二五二
海外總經銷：友聯書報發行公司
香港：德輔道中二十六號A二樓

黎巴嫩內亂與其對國際影響

毛以亨

此文寫于七月八日，十日始有沙蒙不連任總統的消息，讀本文後即知其原因所在。

黎巴嫩在中東

此四千方英里面積，一百五十萬人口之小國，其環境之複雜，超過于中東任何國家。以地理言，其西北邊境與敘利亞，同爲一國，自爲法保護國後，法人以其居民信基督敎，乃于一九四一年，使其獨立，敘利亞反對無效。以歷史言，在古代爲腓尼基人採取造船木材，與畜牧牛羊之地。其傳統文化，含有埃及文化之成分，且曾爲埃及之保護國。

以此埃及與敘利亞，咸覺其有權干涉黎巴嫩。甚至希望其併入埃及，敘利亞，也門所組織之阿刺伯聯邦。現任黎巴嫩總統雖爲基督徒，但其人民與軍隊，則基督徒回教徒各半。現在之叛軍四領袖俱爲回教徒，咸得阿刺伯聯邦之支持，故黎巴嫩人至少有一半以上，是暗通埃及與敘利亞，而反對其本國政府的。

但中東回教徒國家，並非悉反西方，與埃及，敘利亞對抗之伊拉克，約但，亦組織阿刺伯聯邦；黎巴嫩現政府勢將加入。除此兩阿刺伯聯邦之聯邦包案外，尚有與美國從事煤油合作之沙地阿剌伯，以及担任在阿刺伯境尖兵任務之以色列。故即使親西方之黎巴嫩基督總統倒下去，西方在阿刺伯之勢力，亦不會隨之倒下去。即使黎國新政權將來較親于埃及，不過變包案中阿剌伯兩聯邦勢力之消長，而其影響直接及于西方集團者較少。

中東爲煤油所在地，亦爲防蘇的軍略要點，美國人是決不放棄的。西方集團所恃以防蘇者，爲巴格達公約集團，爲英軍之戍于塞浦路斯島，爲美海軍之游弋于地中海。而此次反黎巴嫩現政權者，其叛軍之背景，爲埃及之納塞。納塞則非英美之敵人，美國尚擬予以收買，而認之爲友。大家都懷疑美國之金元外交，但在南斯拉夫，究終反蘇，且與納塞會商了。況且納塞實力當敵不過以色列，英美是不甚重視的。

至多現階段爲埃及與黎巴嫩現政權之爭，英美基本政策仍主調和，不過控制局勢，不許其有更壞之發展而已。所以英美駐黎大使，常忙至通夜，而蘇聯大使，則閒得在海濱納涼，現階段鬥爭之與蘇聯無直接關係可知。

黎國內亂的分析

黎國總統沙蒙CHAMOUN，任期將于本年九月廿三日滿期，而其憲法是不許聯任的。沙蒙想做第二任總統，乃思修改憲法，並自以爲是親西方之基督徒，必獲西方支持。於是叛變四起，叛軍現計有四股，合計自五千人至一萬人。沙蒙以爲這些叛軍，都是埃及，敘利亞製造出來，爲變相的共黨。遂要求英美出兵，代其平亂，否則共產黨佔領黎國，西方就非退出不可了。

但黎國人民，漠不關心，不改其在海邊納涼的常態。其陸軍有九千人，悉爲美國裝備，以之戡亂殊有餘，但其中一半爲回敎徒，反而同情叛軍，其與叛軍作戰，總司令哈海SHEHAL祇許軍士用手槍，而不准其用迫擊砲與機關槍。叛變已逾八星期，叛軍自稱已佔領全國四分之三區域，政府軍竟聽其坐大。尤可奇的，兩軍隔沙包對峙，放槍不過爲偶然之事。且政府軍可發通行證，以予訪問叛軍總司令沙萊SALEM，並不禁一般與沙萊通電話。而沙萊所居，離政府軍防守地帶不遠亦不自感有危險。一般人認爲沙蒙苟任滿去職，總司令哈海有當選繼任總統之望。

英美出兵至聯國行動

戰事初起時，沙蒙即請英美出兵，杜爾斯亦欲軍申艾森豪之中東主義，謂倘由黎政府邀請，即考慮出兵。駐黎美大使麥克林吐MC CLINTOK，則告沙蒙總統，謂美國關心黎國獨立，必須助其驅逐侵略者。但有兩個先決條件：一爲黎國軍隊不能勝任時；二爲聯合國不管此事時。最初美國輿論，主張出兵，即引起如韓國之局部戰爭，亦所不愉。蓋視黎巴嫩同于一九四七年之希臘，不惜儘干涉其內政之嫌，而達驅逐共產黨之目的，且艾森豪政府，是不能讓杜魯門專美于前的。後來認爲出兵反爲不利，遂從其駐黎大使之議，將此事移交聯合國辦理，其理由如下：

一、希臘出兵，是針對共黨，而此次若出兵黎巴嫩，不過是抵刺伯之民族主義。然在殖民地方與未來之民族主義，是反對不來的。

二、此次若出兵，不啻爲沙蒙所利用，藉以穩固其政權，而招致黎國全體人民的反感，這是美國應力避免的。

三、此次若出兵，殊屬違背上次禁止英法出兵蘇彝士之旨，不特影響阿刺伯集團，且影響亞非集團之觀感。而美國則以非殖民主義者而不干涉他國內政標榜。

哈馬紹大事化小

黎國自己軍隊，以之戡亂，本屬有餘，自不願求美國出兵，所以此事祇好交聯合國。哈馬紹派百人觀察團巡邏敘利亞邊境之後，立即證明埃及敘利亞煽動黎國內亂之說，有言過其實，乃將問題縮小爲黎國內部問題。但亦未低估納塞之影響，遂飛往開羅與納塞討論。大約犧牲沙蒙，使其任期滿後去職，而繼任人選，須得英美與納塞之同意，以博得黎巴嫩一時之安定。

從此英美出兵之議，已經過去，除非美僑在黎之五千人，受到危害則另當別論。惟聯合國出兵或派遣警察部隊前往則於監督九月間黎國總統選舉，亦屬有用。不過聯合國之行動，須有十天時間，手續始能就緒。雖安理會中，蘇聯可行使否決權，然召集大會，取得三分之二以上之多數通過，亦非難事。

歐洲外交家，總是調和補苴的聖手，哈馬紹必能勝任愉快，美國是非借重不可的。外交家總是不求問題之解決，拖一天算一天，而解決問題，總是訴諸戰爭，把拖得過久而過多的問題，暫時作一強制性的徹底解決。

（七月八日）

× × ×

半週述評

對新內閣的關懷

自陳辭修先生兼長政院消息發佈後，一般反應殊爲良好，於是也對未來的新內閣寄予重大的希望。由於新閣人事名單未能如預期的即早提出，姑不論其原因何在，却反映出陳氏對人選按排的審愼，也更增加了大家對新內閣的關懷。

並非「低調」論

擺在陳氏肩頭的首要任務，當然是反攻。惟就現階段國內外形勢看來，新閣能否一如大家所期望的成爲「軍事內閣」、「戰鬥內閣」，似難作定論；退一步言，如客觀因素和國際形勢，尚未發展到有利於作軍事行動時，與其大家熱望於此一高潮之來臨，倒不如寄望新內閣能切實從政治和經濟方面力求刷新開展，較比來得更實際些。這話雖未免「低調」了一些，但是如果我們肯定，今日的台灣，只有跑一百公尺的衝刺力，那末距離進步到跑長途，還是必須假以時日的。

儘管我們也相信，台灣是可以備自立之途創造條件，來扭轉客觀形勢；那末，政治上的刷新和經濟的開展，就更顯得其重要了。就這一角度看，「低調」又何嘗不是「高調」呢。

鮑恩的弦外之音

從卸職的美協防台灣副司令官鮑恩將軍的談話中，欣陳：一、國軍之力量，較諸二年前，業已大爲增強；二、在軍援之下，國軍正從事積極整編；三、今後對台灣的軍援還會增加；四、經援雖有削減，但可從其它途徑取得補償。

但是，他也以他的職位身份估計：一、北平現已自蘇聯取得較多軍援；（雖然他相信所獲得者大部份是過時的武器）二、共黨可在任何時間，發動對台灣的全面攻勢，但他也相信共黨此種企圖隨時可被擊退。

鮑恩將軍的話，說得恰到好處，既不誇張，也不懦怯，但不過予人一個總的印象，即在軍事上，國軍的實力，和他的行動極限，尚只能達到可隨時足以擊退來犯的共黨。對於反攻，他却未表露絲毫意見。

曼谷、東京此唱彼和

由於內外的事實和形勢，看來自由中國仍將暫時被釘牢在台灣，於是惱人的「兩個中國」問題，在友好國家間此起彼伏的被掀動着。

在曼谷，泰國政府拒絕了西貢越南政府在泰國東北設立領事館的請求。外電說，泰國政府的理由是，如果准許了西貢的請求，就將難以拒絕台北作同樣的援例請求。因爲「中國有兩個政府」，「越南也有兩個政府」。在該區華僑估計多數，越南人則視爲「政治上最重要的少數民族」。

在東京，岸信介政府的首要們，對「中國問題」，一直在搖擺着。外長藤山愛一郎剛對「兩個中國」問題發表了一些澄清的談話，藏相佐藤，却又在九日暗示了日本可能派特使赴平，以求解決東京與北平間的僵局，雖然他也說這樣的特使，一定不是政府的代表，只是各大經濟組織的代表，但以往的事實却是這樣的代表，有簽訂協定之權，日本政府却有履行該項協定之義務。在渥太華，美加首腦正在會談，也曾涉及到了關於加拿大對北平的貿易問題。看來還需要當局以最大的忍耐力來應付呢！

從星馬看東南亞

李金曄

東南亞的危機中心，又從印尼移到了星馬。星馬內部在經濟上的波動，本報的星馬通信，已迭有報導。橡膠和錫礦的產銷量不僅銳減，而市價也今不如昔，或被凍結，或是一落千丈，嚴重地影響了星馬的社會經濟，增加了潛伏性的不安。另一方面，中共與星馬共和日本均在爭奪東南亞市場，中共且呼籲以行動來抵制日貨。十日，星加坡的官員，又呼籲要儆防左翼發動的工潮。以最近中共的對外動態觀察，不論其強硬是出於積極抑或是一種自卑的反射作用，就其對日本，對香港，對東南亞的態度言，可能還要大做文章呢！

救救我們的國文

昭祺

最近讀了「自由人」幾篇關於「國文第一」的文章，不禁撩起心中塊壘。

在舉世之中，我不曉得還有沒有像我們國家的人民這樣輕視自己文字的情形沒有？造成社會上不重視國文的責任，應該由誰來負責？國文老師提倡「國文第一」，甚至教育當局進一步提高國文教員質素，有無扭轉頹勢的實效？我敢說，這實效微乎其微，此中原因有二：

一形勢比人強，此即「一齊人傳之，衆楚人咻之，雖日撻而求其齊也，不可得矣」。請試台北一市而論，商店招牌，洋文字有比中文字還要大的；商品小如火柴，香烟，墨水，解便草紙等，這些東西根本並無外銷資格，但總得用上洋文來標榜，本國字一個也看不到，以欺騙鄉愚。台北市找不到幾家專門補習國文的補習班；但英語補習班却不下于兩三百班，這些人都有機會與外國人接觸嗎？都負有溝通中外文化之責嗎？不，他們連中國文字都搞不通，旨在學幾個洋涇濱，自我陶醉，賣弄時髦而已。如此洋氣充盈的一個社會，有甚麼辦法去勸學生注意在國文上用功？

其次是奴才習氣。「漢人學得胡兒語，爭到城頭駡漢人」。千幾年前有這種現象，千幾年後此風更凌勵倍昔。一個不懂洋文的人，儘會受到那些懂得洋文的奚落。所以鑽門路，搞關係，以出國爲光榮的人已經是天公地道，甚焉者從小就把子女送進外僑子弟學校唸洋書，徹底根絕下一代感染本國文化思想的，也變爲成爲達官顯宦們的時髦傾向。上無道揆，下無法守，微末的中小學教員，他有能力挽回這一項頹勢嗎？

也許有人認爲我們今天科學不發達，需要吸收外國技術知識，這話是不錯的。但並不是科學就等于洋文，歌德說得好：「要使德國有科學，首先要使德國人學習德文」。沒有一個國家可以在排斥本國文化思想的基礎上談科學發展的，縱然有這樣的國家，亦不過是另一個國家的附庸而已。德國和日本都是科學後進的國家，日本人摹仿性之強，幾乎使人感到吃驚的程度，可是這兩個國家，並沒有像我們一般人那樣看不起自家文化遺產的同樣情形，而他們在科學技術的成就，却大大的比我們進步。可見拿吸收外國科學技術來作爲鄙棄本國文化遺產，並沒有充份的理由。

我個人絕不反對學習外國語文，而且認爲在實施識通的今日，每個人都應該能懂得一兩國文字，以開闢智慧的天窗，多吸收外來的新鮮空氣。但應該有個本末先後，絕不該爲賣弄時髦而屏棄本國文字于不顧，一面倒向外國語。至低限度亦應同等重視，否則即使全國之人，都學得滿口洋涇濱，對于我們落後的科學技術又有何補？目前我們不患無科學人才，而患許多科學人才不爲己用，或不能充份去用，如推翻對等性定律的李政道、楊振寧二氏是。他們所作的論文，也未能用中國文學去寫！自然有他們的苦衷，如中文用作科學表達的性能，以及用中西文表達科學技術的難易問題。但爲什麼我們中文的表達方法不及用外文，或表達不及用外文之易，此等研究改進工作，難道不應該爲每一個希望國家科學發達的學生和學者，在國文多用點功夫嗎？德日等國文字最初在科學應用上何曾被重視，但現在已踏進國際上重要地位了。因此我個人不免杞憂，我們如此忽視本國文化，豈惟數十年後無可用之文字，抑亦無可用的人了！

一個國家絕不能在民族文化真空底下存在的，道德根源于此，精神力量也奠基于此，「救救國文」，也等于救救我們的國家，我希望政府和社會有心人士，不能把「國文第一」這問題看作祗屬學校老師的事，老實說，弄成學生國文水準低落的現象，社會要負很大的責任。那些從小將子女送到外僑子弟學唸書的達官顯宦更是我們民族最大的罪人。我們不認爲我們的大中學生能夠讀通外國原本書籍就算光榮，我們必需使我們自己的文字不單只翻譯外國書，而且用它來發表最艱深的科學理論，否則我們的文字只能算是附庸的文字而已。

（六月廿八日于台北士林鎮）

美國來鴻之二

美國的社會和情味

○謝扶雅○

通常我們總自誇倫常道德是中國的優良傳統，而認西洋文化是不講倫常，不重情誼的。筆者這次來美國，深深體會到這裏的社會組織雖以個人主義為張本，但亦待人非常親切，勇於服務，這大抵是由於深受基督教「愛人如己」那條誡命底影響。換句話說，美國的社會基礎建立在希臘主義（個性擴張）和希伯來主義（天父之下的人類同胞精神）巧妙調和之上。他們雖強調個人（Self），却並不自私自利（Selfish），以視中國一般「各人打掃門前雪，莫管他人瓦上霜」底傳統觀念，尤其是今日香港住家，對門各不相識，樓上樓下，漠不相關，這裏儼然到了人間天國。照顧各合一間大廈的幾十住家，幾等於中國的一個大宗族，彼此來往照顧，完全做到孟子所說「守望相助，疾病相扶持」的地步。所有鄰家對我們都有一種親切的情誼，絲毫沒有異族被歧視之感，而當半個月前小兒患急性盲腸炎之時，相助送入鄰市的一間醫院，剛治在院期間，送花送禮，日夕不斷，他的同學和老師（他入學不過一個多月）也是紛紛寄來 Get-Well Card，有的親來醫院慰問。出院後每天一、二後隔天要去醫院檢查，鄰家輪以私車（大家知道美國現在差不多汽車多於人口）邊道送接，自自盡義務化時間精神，我們千萬不要說西方人一動都要算錢的啊。

現在美國的男女人士，高大的很高很大，矮小的甚矮甚小，參差不齊，一個國家的人種複雜程度，怕沒有甚麼比得過美國者矣。就這一點而論，美國却真有「大同」之觀，成為全世界的縮影：這又不能不說是受了基督教的暗示。雖然他們限制各國移民甚嚴（按照昇年條約，中國僅得移美名額每年一百另五人，日本更只十五人）。然若不是這樣，勢必全世界人士相率紛紛擁老扶幼而來，恐新大陸人口稠密情形立見其與香港的白鴿籠相媲美。這是美國當局所設法不憤重將來的一大問題。儘管這樣，美國人種的龐雜，實已居世界之冠。可是聚各族不同語言，不同生活方式，不同風俗習慣之人於一個美國社會，而這社會竟意料不到地顯出那麼地純一（Homogeniety），那麼地統結（Solidarity），而又那麼地粹乎其為美國社會，絕對跟別民族的社會不同。它和英國只除了語言一致（當然仍有差異）而外，最大的區別還是在社會心理方面。美國人情坦白溫暖，而英國則冷靜得多——他們要保持老成持重，儼然紳士的態度。總而言之，美國人是很易相處的。

自然，美國社會畢竟還不是天國，彼此大家畢竟還不是天使或天父懷抱中的兄弟姊妹。他們依然不無民族主義的成見，依然也要排外。大體說來，東部（紐約一帶）排猶（猶太人），南部排黑（黑人），西部排黃（日本人居首，中國次之）。可是黃黑的被排，多少屬於歷史的遺傳，已見漸來漸淡。只有東部的排猶，頗覺其怪；猶太人對美國所效的貢獻——尤其是在金融界的貢獻，不為不大。華爾街幾全為猶太的勢力所壟斷，但正因其如此，亦惹起了美國人的「另眼相看」。由於猶美文化較高，學術空氣較濃厚的緣故，所以瞧不起美國人的臭銅錢吧。大體上，似乎一些「學人」根本上終跟「賈人」的氣質有些懸殊，美國亦無例外。這樣，你便可以了解美國的社會也不是全如一般所說的功利，愛錢。它雖然是那麼高度工業化，但並沒有把人情完全壓在龐大機輪的底下。這一點，表示美國又拜了基督教「人性尊嚴」之賜。也許[illegible]基督教對猶太教很具反感，所以今日排猶底因素，未免帶有一些宗教的成見吧。然而天主教和新教在這社會裏也還算相安無事，不像今日台灣的佛教界頗與基督教有若水火冰炭之不相容。要之，美國在實際社會生活方面，殊覺統一而不亂，安定而不搖；雖高唱民主與個人主義，而向心力大於離心力甚多，所以日見繁榮興盛，而又不像走向昔年羅馬社會奢侈腐化墮落。一句話，這個民族是有它的前途的。

不過，所謂現代的社會問題，美國也不是都已完全解決了的。社會問題中最嚴重的，自莫過於失業問題，美國全國失業人數現有五百多萬。於中央政府設有就業指導局，統籌其事。一方面雇設全國性的社會保險制（Social security），對每一個工作人員（不論公家私立機關），在其薪水中每月有小小扣除（約百分之三或四），它日失業或年老退休，政府負責予以生活補助，並亦包括死亡殘廢的保險在內。就政府方面而論，這是一筆極巨大的負担。尤其是養老金，因每一工作人員雖到六十五歲例應退休，而由於一般公共衛生發達，個人健康普遍良好，往往到八十五、九十五還不死去。這樣政府對每一退休人員要白白負担二三十年的養老金；然而社會人心就因而安定得多了。我國先哲所夢談的「老有所終，壯有所用，幼有所養」的大同理想社會，在現世這一個疆域內可以說已達成了什之八九了。

（一九五八、六、二八於紐澤西州）

事後的檢討

——關於新聞自由爭論

·田家聲·

讀者論壇

修正出版法業經立法院通過，並經總統明令公佈，新聞界對這一法案，新聞界及立法院均激起很大波瀾。海內外愛國人士，莫不特別關注，紛紛發言，至今事已過去，若再加討論，似屬多餘。但此事涉及之意甚多，今後言論界究應如何持論，才算得盡言責，趁此機會，加以檢討，似非多餘。

關於修正出版法草案行政院提送與立法院秘密審議方式，以及報界請願案不予審議等決議，不僅為輿論界所不滿，連立法委員也多持異論。甚至政府當局也明白表示有疏漏之處，新聞界爭取言論自由，希望法案拘束言論自由的範圍越小越好。此種精神，任何人都不能反對的。立法院審議法案，雖有法定程序，也可以獨立判斷。但法案在未經審議或正當進行審議時，當事人因利害攸關，除請願外，也未嘗不可以文字表示意見，喚醒立法者的注意。自然文字應有分寸，有人以為，這次反對修正出版法的若干報紙，似乎不免有些過份的地方，以言論脅迫議會，雖有事例，但畢竟不是常道。

十年以來，立法院在若干事務上，容有令人不甚愜意之處，但對於軍大法案以及促進政府進步諸端，不能說毫無貢獻，近四五年來，多數委員對於處理重要問題，不且謹慎，也多能深入。不但如廣告費徵稅案，是立法院受輿論界全體指摘最厲害的一次，可是終於照案通過。或者由於這次輿論界給予立法院言論上的印象太深，立法院對於涉及新聞界的法案，不得不認真起來，同時又有所顧忌，秘密審議出版法的心理或即由此而生。

這且不談，新聞界的對立法院審議出版法的人了解，若干立法委員，本來與反對修正出版法的部份新聞界原表同情，也顯意支持請願案的。但連續了幾天反對的新聞報導，便轉向了。我不敢贊美這種態度的正確，但這次由於部份新聞界求勝心切，說話過火，以至引起若干立法委員的反感，轉而支持政府提案，則係事實。

然而我頗贊美台北市民營報業，六月廿一日所發表的聲明：「……現在該項修正案既已成為國家法律案，我們祇好以極度沉痛的心情，接受這個事實……我們的責任並不因修正案之通過而可告解除。為此我們仍將不斷的要求政府與立法院至適當時機，能對新出版法重加考慮，再事修正，俾臻於合理而完善。」

同時我更盼望立法院，以後開審查會，得公開便公開。凡合乎法定手續的人民請願案，應多予以同情考慮。法案縱有大小輕重之別，然而處理技術，都是很有關重要的。

結束以上的閒話，言歸正傳。究竟言論自由的範圍縮何在？我願先引名報人張季鸞氏二十六年論「言論自由」的一段話，他說：「全國言論界出版界不滿現狀，憧憬自由，此目前之實際現象。然吾人以為此問題之解決，除求諸政府外，兼須求諸言論界之本身。何則？自由之另一面責任。無責任觀念之言論，不能得自由。凡有關國家大事的言論，其本身皆負有戰時軍責任。吾人以為言論自由之解決，首視言論界本身要努力如何。要公、要誠、要勇……言論自由，為立憲國民必需之武器，然不知用或濫用，則不能取得之。即偶得之，亦必仍為人奪去。吾儕欲享英美式之言論自由，則必需如英美言論界處理問題之態度。尤其關於國防利害，須加慎重，弱國之言論界，在此點之責任，更艱鉅矣。」

張氏這篇文章發表在對日抗戰前夕，距今已二十餘年，我們今天雖已行憲十年，國家處境比那時候，不但未加改善，反而更加危急。張氏這篇文章，並不因時間過去而減少其價值。尤其他說到我們要想享受英美式的言論自由，則必需像英美言論界處理問題的態度，這一點似應為今日新聞界共同反省的重要課題。

平心而論，近幾年，除了少數報刊外，絕大多數（包括此次反對修改出版法的在內）都是有相當責任觀念的，即有少數的報刊言論，似乎也有過份的地方，似乎也應該加以原諒。不過如果它們的動機，是以言論為推銷的手段，純是不可以為法的。若再有其他不純正的動機，濫用言論自由的權利，當然有失其自由的立場，更亦不會為社會所同情的。

我國自清末以來，文人辦報辦刊物，大都抱「文人論政」的態度。「文人論政」的態度，簡言之，含有「獨立批評」的意義，而且始終要維持「文人」風格，不隨時攪入「政客」作風，如有人把辦刊物當作政治活動工具，當也不能說是錯誤。以文字作政爭，總比以武力作政爭好。不過辦刊物須有辦刊物的風度，文字宣傳也要止於理智。譬如國軍退除役制度，我覺得是最重要進步設施之一，在兵役史上也值得大書特書。此項制度雖須待改善之處尚多，但不宜根本加以否定。

今天自由中國的新聞界，是否似英美新聞界處理新聞的態度，見仁見智；但所享受的言論自由尺度，似乎已是比前廣泛了。自由總是不會滿足的；政府方面也總是感到權力受輿論的牽制。我希望都是訴諸理智，自加檢討，才是民主政治的軌道。

我認為因修改出版法而引起的不快爭論，現在應即告結束，大家倘因了這一場糾紛，而獲得反省的結果，豈不甚善。

悼劉非烈

·兆祥·

> 劉非烈先生是台灣廣播劇名作家，最近因貧病交逼而死；本刊曾接到好幾篇同情他的文章，特選玆篇發表于此。（編者）

劉先生：

當你的死訊傳來的時候，我禁不住感觸的哭了起來，誰都說台灣人情最溫暖，台灣人民的生活安定而富足，而你却是為了貧病而死，誰又能相信？

你死了，死的時候還那麼年青，這是不公平的，環視四週，有許多早該死的人，他們沒有死，他們還在花天酒地中快活的活着，而你，悄悄的死了。假如有上帝的話，上帝一定是不公平的。

生前，你每天掙扎着，由你的血汗寫下許多作品：廣播劇。你對這行並不偏愛，只是為了生活，於是，為了生活，消耗了你這寶貴的一生，你不知道讀者們，聽眾們，聽到你的廣播劇，讀到你的作品時，可曾想到那些歡笑的後面，隱藏着你那麼多的痛苦？

至死，你仍念念不忘調景嶺上的母親，你遺憾不能迎接她老人家來台與你相聚，她以後的日子如何，你不敢想；你不怕死，但，你恨死，母親已經老了，……你不能放心而去？

你的朋友說，在醫院時，你曾要求某文藝會幫助你一點，而因你非會員，被拒絕了。誰叫你平時不肯向勢力低頭？為什麼你不做一條應聲蟲？是因為你平時太不懂吹牛拍馬，不會交際，所以，你什麼也吃不到。

你出過幾本書，封面既無名家替你設計得五花七彩，也沒有錢，或利用職權方便，在報章電台上大事宣傳做廣告，但，你的書却有讀者喜讀它，欣賞它，它的價值決不比什麼花花草草的小說低，你應當自豪。你的名字，將會有許多人記掛在心底。

如今你已死了，我不敢在這裏為你祝福些什麼？生前你已是那麼不幸，那邊的世界將是如何我們並不知道，怎能妄想在死後的世界裏你會得到幸福與快樂呢？

不過，我却相信一件事，那邊，你已停下了你的筆，你不再為了生活而寫稿子，我願為這而替你慶幸。

最後，我想說的是，在此時此地，你選了這行，就是你的錯。如此，我想你終不會埋怨誰的。

我不想在此捧你，或罵你，你已死了，只是我仍忍不住說你是一個傻瓜，如果你選了別一行，你將會有許多機會可使你生活過得安適許多。同時，我也願在此警告許多預備做傻瓜的人，你已是他前車之鑑。

讀一報·雜一感

輿論之章

·孟戈·

三月廿日行政院會議通過提出「出版法修正草案」後，儘管輿情鼎沸，據理力爭，它在執政黨員佔百分之八十議席的立法院會上通過，早是必然趨勢。但廣大僑區，遠不若港台輿論的憤激，因海外絕大部份地域，不僅可以看到「赤色」「半赤色報刊」，也可以看到「反共」「反台」的報刊。倘「出版法修正草案」可以箝制某些自由言論，使若干報批評時的溫和民營報刊不敢暢所欲言。筆者可以預言，若干持論激烈的報紙刊物，將替代而興，風行海外。

如所周知，古時無報刊，民心的喜怒哀樂不易上達，當道關心民瘼，以蒐集街頭巷尾之歌謠，藉洞察輿情。禮記王制篇云：「歲二月東巡守，至於岱宗，柴而望祀山川。覲諸侯；問百年者就見之。命大師陳詩，以觀民風。」所謂「詩」，即民間輿論了。列子仲尼篇：「統治天下五十年，不知治與不治與？億兆之願戴不願戴已與，乃微服游於康衢，聞兒童謠……」足見當日君主重視輿論之一斑。但民謠之褒貶，有無矯造偏私呢？據左傳襄公三十年：「子產從政一年，輿人誦之曰：『取我衣冠而褚之，取我田疇而伍之，孰殺子產，吾其與之。』及三年又誦曰：『我有子弟，子產誨之；我有田疇，子產殖之，子產而死，誰其嗣之？』」可知官吏之賢不肖，「人民的眼睛是雪亮的」。又漢書五行志：「桓帝之初，京都童謠曰：「城上烏，尾畢逋，公為吏，子為徒，一徒死，百乘車。車班班，入河間，河間姹女工數錢，以錢為室金為堂，石上慊慊春黃粱。梁下有懸鼓，我欲擊之丞卿怒。」對東漢末葉，桓靈帝之政治腐敗，貪官污吏之詔諛順上，而天下忠義人士怨激之心聲，宣洩無遺。故真正代表民意的「輿論」之重要性，不言而喻了。如今是民主時代。憲法上規定人民有言論的自由，自無需手假廉衛謂歌以上達天聽了。但言論界官報的通例，慣於隱惡揚善；「報喜不報憂」。倘「出版法修正草案」旨在限制真正反映輿論的民營報刊，則當局不知將何以採尋真正民隱，革新政治？吾欲無言！（五月十五日於汝島上）

乃沙立回國後面臨考驗

·祝君健·

曼谷通訊

泰國盛傳「有人謀變」，自去年九月十六日乃沙立領導推翻鑾披汶政府之後，從未稍歇；但是，乃他儂政府不僅未邊增強權力，反而顯出更加脆弱，橫逆相乘，勢有必然。因此，以民主黨黨魁乃寬為首的財團，担心於共黨蠢惡軍人發動政變，力圖以民會監力推翻現政府，使他重獲執政權力。

乃沙立悄然返曼谷

這種表面上對現政府不利的形勢，迫得乃沙立中止赴英休養，悄然於六月廿七日返抵曼谷，使國人大為驚訝，激盪的政治暗流，剎那間風平浪靜。泰國政局可否獲暫時穩定，正予乃沙立一大考驗。

泰國的動盪局勢是否已被「強人」壓住，誰都不會相信乃沙立會有這樣的魔力。當然，事實也不那麼簡單；乃沙立的神秘歸國，僅不過在政潮中滲入了另一個漩渦，把原來湧向政府的急流捲散，錯縱複雜的暗流，尚需要視其緩急設法疏導。他對於應急的步驟，在處理上還算高明，不僅極力避免援引「有人謀變」的詞句，而且用撫創口吻去慰勉國人和袍澤，此時此境，無論在國內國外，對於泰國的水患、疫癘以及經濟上的困窘，應當逐一強調，作為一國的實際統治者，沒有理由忽視這些禍及大衆的現實，乃沙立拿它來掩蓋危殆的政治局勢。因為，泰人心目中的「變」字，意味着政府無能，只有以「謀變」手段去推翻現實政權。

乃寬重回政壇之願成空

乃寬力謀重回政壇，在乃沙立返國後已成泡影。他為什麼要在此時策劃推翻政府，明白民主黨背景的人士，不需要吾人進一步說明。不過因為民主黨的成員，都是資產階級，他們看到左翼黨派蔓浸趨勢，担心共黨利用軍人發動政變，不得不要求民會辯論政府施政，奪取政權；但是乃寬在民會中所能控制的票數不足一半，表決政府信任案，必須具有民會過半數議員聯署提出。於是拉攏獨立派議員十三位參加簽署，民會主席決定接受定期七月十三日集會辯論。誰知乃沙立適時返國，一聲「誰敢要求辯論施政？」嚇得十三位議員慌忙具呈民會，聲明撤銷聯署。乃寬這一次的深重打擊，對他本人固無所謂，予政府黨（國社黨）的領導人物，該是一大警惕。

國社黨份子複雜

國社黨分子複雜，左翼陰謀顛覆政權，處心積慮，已非短暫。他們策劃謀變，做得不像乃寬那樣明顯，乃是格於防共條例；儘管若干左翼報紙，不理「印刷管制條例」與「防共條例」，而在乃素磯被捕之後，多少抱持戒心。然而，地下活動仍屬隱憂。乃沙立不辭國社黨魁，解散該黨另組新黨，最低限度也得徹底整肅，是否他在美國已經草擬具體計劃，現時並無顯著徵象，假如他仍如已往遷就現實，國社黨內部裂痕只會加深。那就是自由黨分子將被排擠出去，使執政黨領袖喪失制衡作用；他儂政府幾個月來賴以維持現狀，幾完全係新政府中的舊官員之力。自從六月十五日開始，大批警察官員被捕以後，所有現任舊官無不怔忡危懼。

左翼堅持清算舊賬

本來，鑾披汶、乃砲下台之後，左翼黨派早就堅持清算這兩個「強人」血債。在理論上說，這是泰國政壇傳統的手段，目的是剋制失意政客復辟。在泰國推行民主政制的現階段，這種觀念，到底是不可磨滅的。在這種觀念下，三軍聯合的強調「團結」，在是否服從命令與團結中，何嘗不需要加強團結，以免顛覆分子乘隙。政府在施政上的錯誤，當非一人或少數人之過，民會亦有失言，鑾披汶、乃砲在職時期，或得或失，殆屬難免，乃沙立祗在往後誰能担保無過，既失大度徒亂人心。

人民需要堅強穩定的政府

今天泰國人民所需要，是堅強穩定的政府，是一個堅強穩定的政府，他們厭惡共產主義與社會主義的主張，泰王乃是象徵國社見的正確言論，迄今並未建立。這樣「印刷管制條例」與「防共條例」存在與否，固無礙。今乃沙立強調：權力以十月底為止（按：乃沙立最近決定於九月底十月初赴英）乃沙立能否在三個月間，清除荊棘，正受到對現實政治的考驗。（七月二日寄自曼谷）

國際動態拾零

△艾森豪欲於八月間，請小石城學童九人至華盛頓，以示共和黨人則不願再捲入小石城糾紛，以為有開罪南方民主黨。

△共和黨之公開反對總統助理亞當士者，以屬少數。但如亞當士者，以其在黨中地位，與其受之禮遇，他將繼續任職，深慮其受害時出現。

△美國消費特價指數稍降。今夏農產品將續跌價，勢將影響到四百萬人工資，故仍有本年內擬定施放廿五次。

△美國之偵察機羣，能從十萬英尺高空，攝取蘇聯地面照片，且極準確。有人問此類攝影，會否進入蘇聯境內，空軍當局則避免作答。

△美國潛艇上裝備之火箭，由深水中放射，其準確程度，究竟如何，頗為海空當局所懷疑。但從水面放射，已具絕對準確性，則為無可置疑之事。

△依蘇聯參加國際物理學中的報告，漏出蘇聯在北冰洋建立五千英里飛彈之基地，對準美國轟炸機之根據地。蘇聯人並承認當在甚地上放出高空研究火箭，本年內擬定施放廿五次。

○陶然○

中共外交趨於強硬

自從今年二月陳毅接長中共外交部以來，中共的外交政策逐趨強硬化；這種強硬化的跡象可由下列諸事見之：

一、經過中共自己逐漸建立起來的對日本關係，一一被割斷了，在七七抗戰紀念舉行僑胞慶祝會，似有發動在東南亞華僑拒絕與日本商人交往，拒用日貨的趨勢。

二、通牒要求美國表示日內瓦大使級會議的態度，要求在十五日內派出大使級代表，恢復會議。否則，就認為美國決心破裂會議。

三、捕若干在北平外國使館工作的中國籍雇員，在上海捕瑞典商人兩名，對於在北平外國使節人員的活動範圍作進一步的縮小。

四、軍中被中共監禁的四名美國人要待其服刑期滿始行釋放。——其中有兩名是無期徒刑，亦即再宣告不會釋放了。

蘇聯外交却在軟化

自今年六月中旬以來，蘇聯的外交政策却在逐漸軟化；這些軟化的事實可見之于下述事實：

一、終于參加了七月一日開始的日內瓦關於偵察氫彈的科技會議。這一會議的氣氛，據報導是相當融洽的。

二、要求與南共商談繼續經援南斯拉夫；但被南斯拉夫拒絕。

三、被射擊降落蘇境的美機員九人，未經怎樣費口舌而釋放了。

四、美國駐蘇大使，第一次被邀出現于蘇京電視。

雙方對外政策有岐見

綜如上述，中共的對外政策在強化，而蘇共的對外政策却在軟化，固然這些並不能影響他們的世界革命政策的基礎，但是，在現段雙方的對外政策的技術方面，似乎已經出現了差異。

這些差異，若從中共方面來說，可以六月二十五日人民日報社論「美國侵略軍必須從黎巴嫩撤退」中的一段話說明之；社論說：「朝鮮人民反侵略戰爭的偉大勝利，也在全世界面前證明了一條眞理：對待帝國主義任何侵略，決不能採取軟弱畏縮的態度，而必須堅決地，勇敢地予以打擊，如果軟弱畏縮，帝國主義者就會得寸進尺；如果堅決予以痛擊，帝國主義侵略者就會被迫住手。」

若以這樣的態度來說明中共對於蘇共現下的對外行動的看法，則蘇聯的態度應該認為是軟弱畏縮的。

若以來說明中共制定現階段外交政策者的心理，則是自卑心理在作祟。

中共欲在台峽動手

若以之來說明中共對于台灣海峽的態度，則似有一逞的企圖。我們說中共將不顧一切的來挑起大戰，因為它目前的這種行動是不會獲得蘇聯支持的，但是，製造緊張局勢，目的在不使局勢擴大到戰爭的邊緣；它的目的，希望恐懼大戰的人們來緩和它，可能就是一九五四年九月台灣海峽戰事的重演。中共若要上演這種製造緊張局勢，戰爭的時期，最適宜是在七月下旬。因為中共要向蘇共面前表示，對帝國主義是不可軟弱畏縮的。

·田心·

日本移民巴西五十年

【東京航稿】日本移民巴西五十年紀念，在日本轟動一時，日皇昭和特派其第弟笠親王前往巴西參加此一紀念大典，日本國內更發行了紀念郵票。的確，這是值得向讀者提出報導的一件事，因為在別的國家，絕不會有類似的慶典。

日本向巴西移民既有五十年歷史，自然不算短了，現在約有四十萬日人移往彼邦，並積了財富，截止目前為止，擁有相當於日幣一百億的財產的有五人，五十億的有十人，一十億或五億的有百數十人，一億左右的不計其數，有一位富有者，在他的農場裏竟蓋了十二座別墅，其設計裝飾完全代表十二個不同的國家，其豪華可以想見。據說日僑現在已逐漸由農場方面向工業方面及政治階層發展，而由日本繼續送往的移民仍在不斷增進中。

日本不獨向巴西一國移民，舉凡中南美之巴拉圭、秘魯、委內瑞拉、哥倫比亞等國，皆有其移民。日本推行此項移民政策，是由中央機關委託地方機關登報公告，說明移民數目，目的地，以便公開遴選。凡合格人士均應接受三個月至六個月的訓練，俾於受訓期間深切瞭解移住地之語言、風俗、習慣，以及如何開墾耕耘的方法。至于到達移住地的一切費用概由政府補助若干及借貸若干，借款大抵定期三十年或二十年分期攤還，再以自己的海船輸送前往；譬如移民到巴西的日人，到達巴西後的墾地早就由日巴雙方協議談妥了，移往的日人祇要吃苦耐勞一心一意排補就成。又聞日僑多數循規蹈短，吃苦耐勞，所以生活方面日趨繁榮，看情勢日本在中南美的移民是相當成功的。

筆者猶記得我們會有赴美特別移民，那是美國把咱們看作難民，那裏能算作移民呢！若說是難民那能出得起那一筆旅費呢！雖然如此，還有些通作難民的門徑，還摸不到呢！其實我們在中南美也有一些移民，不過他們都是早準備在那裏作寓公的。

觀游

莫斯科對異端態度在轉變中

對共產主義內部的異端，莫斯科似乎已有改變態度的傾向。根據歐洲十五個國家共黨和工人黨，在六月杪集會於柏林所發出的一項「制止西德原子武裝……」聯合聲明末段所顯示，關係有了緩和的決定，該聲明說「出席會議的共黨和工人黨表示，一切國家內的運動，不問它具有怎樣的政治傾向和世界觀，只要他具有保障和平共處，緩和國際緊張局勢和通過談判來消除當前的對立局面的誠意，都會受到歡迎和支持。」

照此項聲明觀察，也無異是，在打擊狄托之後，有安撫波蘭工人黨之意味，並且表示祗要在原則上不脫離莫斯科和尊重蘇共，那末個別國內的運動可以有其自己的「政治傾向和世界觀。」弦外之音，也似乎有向狄托再度招手之意。只怕是覆水難收呢！

（人）

書刊介紹

關于「野火」

在台灣的文藝界中，張放是一位寫實派作家，因為我們是朋友，我發覺他的作品有如他的性格，熱情的強烈有如爆裂的旱田，但其捉摸不定的脾氣又似黃梅時雨，每當創作之前，他總要大量的飲茶，我覺得這是他心靈在燃燒的現象，他竟因此得了腎病，但也產生了「野火」。

「野火」的原稿我片斷的看過，當時他問我的意見，我問他是不是在寫鄉村，他說是的，我說祭決後成功，我已嗅到泥土的氣息。後來在「文壇季刊」刊出，是該期最長的一篇文字。

最近這篇「野火」刊出了單行本，收到此書，我從頭到尾讀了一遍，之後又讀了一遍，我們見面時，他問我具體的意見，我問他自己覺得如何？他說是比較滿意的一篇，我告訴他這種感覺不是自我陶醉，一個成熟的作家，對自己作品的優劣終有衡量能力的。

我個人不甚喜讀寫實過甚的東西，因為我以為現實甚醜，必需通過藝術家的想象才可變為美麗，正如一個牛棚在畫家的筆下也許很美，但是一個實在的牛棚必有許多牛糞牛溲，腥臭難聞，毫無美感可言的。明星照片是美的，因為通過了攝影家的藝術，我想在現實上，明星們也要大便的，那麼在她如廁時照出來的像必無人掛在牆上。因此「寫實」豈能就是盲目的去沉醉於「實」字。我之能夠將「野火」讀上兩遍，就是因為作者之將粗糙的鄉村生活用藝術的手法昇華，像這些句子：「沂蒙山脈仍是靜靜地躺在這裏，早上，太陽從牠的身前爬起來；傍晚，太陽再從牠的背後落下去，這綿延起伏的沂蒙山脈，這巨浪形狀的沂蒙山脈，牠永遠傲然地統治着這塊僻靜的山區。」山脈自然是死的東西，牠什麼也不能統治，但是作家注入了他個人的靈魂，山脈活了，竟有那樣偉大的美，尊貴的力，這便是藝術。

在我國的文壇上，鄉土文學是隨着寫實派作家而抬頭的。但是這樣的作品往往很嚕囌，端木洪縈在寫一條河的時候，往往把河裏有幾種學名的沙，幾種細菌都寫上去，我想讀者在讀小說時絕不會是抱着研究礦物與生物的心理去讀的。也有的太着重方言，以為多寫句罵人的粗話便算鄉土了。更往往把我字寫成「俺」字，這樣的文章只有給他的老鄉去體味，別人讀來總是彆扭。在「野火」中陳家大嬸向范家嫂子借一酒盅鹽，便被范家嫂子拉住欣賞她繡的金魚鞋面，並且鞋面布還是直貢呢的，這種表現的方式使人無端就感受到鄉土的人情與純樸，在手法上要比前者高超許多。就因「俺」字號的作家過份的寫實了，而「野火」的文字是用藝術去安排的。

我說過有些鄉土文學很嚕囌，「野火」固然沒有這個毛病，但也有些地方，失之於過簡，該發揮的不曾發揮，范紅與巧姑在屋子中幽會，他離家的太太「黑辮子」的回家，便出現得突然。書的結尾也似乎過簡，這說是小疵亦可，個人的風格亦可，我說過作者的脾氣像黃梅天氣，但這正是他才份的淵源，他的作品也難免很似他的性格。

。步墨。

野火
著作者　張放
出版者　文壇社
定價　新臺幣五圓

新令尹與舊令尹

報載，監察院最近指出十二個國營事業單位於過去六年之內，浪費國帑台幣八百萬元，美金二千九百元。以六年長的時間，浪費數字僅僅如此，比較過去已揭發的各大貪污案，例如饋果外匯案，成都央行貸金案等。自然是小巫見大巫，不足爲奇了。

再查浪費原因，是未經呈准政府，擅自動用，這不過是手續未合耳。至於用途，則是舉行不必要的大小宴會，或以獎金及津貼名義發給職員，或聘用有名無實之類的顧問人員。這些都只可以說是陋習。若比較大陸時代的情形，又可以說是算不得甚麽一回事了。

這樣，監察院的糾舉揭發，豈非吹毛疵，鷄蛋裏找骨頭，有意挑剔？然而不然，過去四年的俞內閣不是以崇法務實爲標榜嗎？崇法務實，豈應有這樣不問手續？不講實際，濫用國帑的事情？我們並不願意在俞閣下台之後，還要落井下石，打落水狗。我們覺得，政風如此，決非俞閣單獨負其責任的？

現在陳辭修先生領導的新閣快要登台了，大家對陳氏之重作馮婦，莫不寄予極大的新希望。我們覺得，新內閣成立後，不管是反攻內閣，或甚麽內閣都好。第一件要做的事，便是大力整飭政風。重大的貪污事件固不許再行存在，即陋習或浪費也豈可置而不問？須知陋習與浪費，積非成是，即爲貪污之所由來。決不可以等閒視之的。

這一次監察院所揭發的浪費事實，我們希望新內閣必須從速加以處理，過去有關貪污的各懸案，尤應從速依法究辦，必如此才足以言整頓政風，振奮人心。

新令尹之果有以異於舊令尹乎，我們將以此瞻之。

・文華・

（馬五先生因病，自由談暫停一期）

土地老爺

・小言・

在中國的大小城市裏，大概都少不了三個破廟，一是文廟，供着孔老夫子；一是城隍廟，供着城隍老爺；一是土地廟，那是當方土地的小衙門。

這三個廟，差不多全部是那麼破落，那麼寂靜，雖然它們的規模、大小差得很遠。

人們對這三個廟的觀感和態度，也不全一樣，一般說，是土地廟較比有親切之感，土地老爺的神氣，固不似城隍老爺那麼威武；也不似孔老夫子那麼正襟危坐，他總是樂嘀嘀地望着每個來上香叩頭。因此，一年之間，香火雖不如城隍廟那麼鼎盛，也不像祭孔時那麼莊重，但却落個細水長流，每天多多少少總能有一二個人來上香點燭，叩幾個頭，問問安，道道好，衙門口倒是並不冷冰冰的。

當然，這些來問安道好的人，也不是白給土地上香點燭來的，大多數人，叩頭之餘，也都願意默禱默禱，爲自己問問前途，爲家人子女求求平安；可是，也有一些例外的，他們在上香點燭之後，作出了過份的要求，求土地老爺幫他倒忙，爲他轉爽一本……。因爲這些過份的要求，大多是不可告人的秘密，祗能私下受授，所以除了他自己心裏有數，和土地老爺知道之外，再沒旁人知道了。雖然要求不免過了份，老爺子還是樂嘀地接受了，因爲他是「親民之官」。

其實他之所以終年笑口常開，還得說是因爲他老於世故，懂得一、不可得罪小人；二、不可開罪暴發戶；三、不可讓土豪劣紳過不去，四、……；更不可得罪那些開口閉口講革命的黨老爺——因爲他知道，他雖然是諸天大神中的芝蔴綠豆官，但對方也不是弱者，好漢不鬥地頭蛇，畢竟對方是血肉之軀，自己不過是泥塑木雕的。

因此，就做官的巧門說，土地老爺，該稱是最會做官的了，他能面面俱到，誰也不得罪，樂得過那青菜豆腐的清閑安逸日子。他既不敢與城隍爭雄，更遑論在老夫子面前吹牛了！

但是，他畢竟不是純官僚主義者，更不是會鑽營之徒，既未見過他打官腔，也沒見過他爲自己蓋過私邸，他還有一種最偉大的德性，不論別人對他恭維，還是批評，他都能本有則改之無則加勉的態度去接受，他絕不會一怒之下閉塞言路，以阻塞民情上達天聽。因爲據說玉皇大帝倒是位眞正的仁君。

讀湘帆師澄宇齋集

・謝康・

數仞宮牆何處尋？高樓澄宇故園心。

樹人百世名山業，植木千章泗水陰。

會集秣陵親道履，詩成珠海仰清吟。

執經往事渾如昨，長憶程門立雪深。

（註）此係步金師集中「高師同學會復員大會」一首原韻而作，近因克文兄等發起重印澄宇齋集，率檢舊稿一律寄意。

偏見

・張健・

我們每個人都可能想：自己是比別人高明一等的；但我們却容易忽略一個更重要的事實：人人都有偏見。

惰性、幼稚，和過度的自信，正是偏見的溫床。自信而能保持客觀的態度，眞是人生莫大的瑰寶，可惜在這方面「得天獨厚」的人究竟是少。幼稚與天眞本是一體的兩面，然幼稚决不是牙牙學語的孩子們所專有；成人的幼稚，往往是悲劇的催化劑，可是那一個成人會坦率承認自己是幼稚的呢？說到惰性，我們實在難寫它裝飾得美觀一點，因爲東施終究是東施，但天生的顏面尙可求助於整容術，惰性這劣根性何嘗不可以救藥救呢！只事在人爲而已。

幾年來，我逐漸獲得了一個待人的原則：因爲我尊重自己，所以我也願尊重別人——只要是「人」！當然有時我也會厭惡別人，但那正如在某些地方我不滿於自己一樣。什麼事都應該留一個餘地；反對一個人並不表示完全的否決對方存在的尊嚴。如此，我們或可設法減免許多對於「人」的偏見。

怪事二則（下）

現實小說

・符兆祥・

「前幾個月，你知道我母親上醫院開刀，有一天我去看她，出門的時候，內人交給我幾個鷄蛋拿去，給岳老太太，就是不推辭，我也得打幾句官腔，今天可是拿給老娘的，一句話堵住了嘴，再懶也得拿，是吧。」

「當然，後來呢？」

「我就用手帕干把蛋包好，掛在脚踏車頭，推着脚踏車，向醫院駛來，誰知走了沒多久，車胎沒氣了。」

「你就找不到地方打氣，」他猜道。

「不，找到了，那家店子只有一個打氣筒，我執着它，便一高一低的打起氣來，這時，有兩個台灣學生，也是高中學生，好像是商業學校的，他們站在我旁邊，等打氣。」

「怎麼了呢？」他問。

「他們大概看到我用打氣筒太久，或是打氣的樣子不美觀，」

「打氣也講美觀不美觀？……」

「你聽我說呀，他們兩人便一半日本話，一半台灣話的罵起我來，我稍聽得懂一點，你知道，罵人的話總比較容易懂。」

「是的，」他點頭同意我的說法。

「聽他在罵人，我便趕快把打氣筒放下交給他們，大概用力大了點，車子一不小心，便向他們身邊倒過來，我因爲正彎着腰，來不及扶了，便大聲的請他們扶一把，同時我說車頭有幾個鷄蛋。」

「唔，對呀。」

「你猜他們怎麼樣？」

「扶了一把，很不樂意，又用台灣日本話罵你？」

「他們沒有扶，他倆一齊退了一步，臉上冷冷的，一點表情也沒有，好像他家爹在他們面前死了，也與他們無關似的，瞪着眼，看着我的鷄蛋掉地碎了。」

「一點扶助心也沒有，舉手之勞，」他憤憤的說。

我說：

「我並不在乎幾個鷄蛋，也不在乎車子，我在乎因爲他們是個高中學生，我不知他們到學校受到什麼教育，也許，也許因爲我是外省人，他們不願……」

「台灣人，外省人都是中國人呀。」

「這就是了，」我說：「此時此地，如果我們再分什麼外省人，台灣人，那就是可笑的事，年老的年老，小孩子太小，我們都可以原諒，可是這種事發生在年青的中學生身上呀！我聽說，有些學校的老師，還用日本話來教學生，他們仍讚美着日本帝國的皇恩浩蕩。」

「眞的？」小陳吃了一驚。

「我不希望是眞的，但，有時却不幸讓你我看到了。」

我接着說：

「國家辦教育，教出這樣的學生來，可以說是失敗了。」

準備對我發牢騷的小陳，聽了我的話，反倒默然無言不再發牢騷了！

撒尿章

・永昌・

信手拈來

光天化日之下，竟然在人前撒尿，這當然是難恥的事。小兒這樣，猶可恕，成年人亦可恕不？

嬰兒呱呱墮地，最使母親頭痛的莫如撒尿，一天撒上七八次，洗尿布也要費相當時間，滿室尿味，滿床尿漬，做父親的莫不長嘆短嘆，誰叫你娶妻養子，要妻養兒，便該受這罪了？

兒子稍長，母親便有責任，教導兒子怎樣撒尿了，如同教貓兒在固定的地方撒尿一般，通常是用「殊殊」。說也奇怪，孩子聽了這「殊殊」的聲音，居然若有領悟，或催促孩子撒尿暗號，來表示制服「殊殊」地撒起尿來。也有些母親打孩子暗號的，據說越響越好，尿撒得越響越好，但也有些「不正常」的孩子，任由你「殊殊」到天黑，也撒不了一兩滴小黃尿，却在人冷不提防之時，一大屁股，也撒濕了，孩子的撒尿睡床之勢，大有泛濫江之水滾滾來，要撒便撒，要不撒便不撒，抱持一貫宗旨，任由打罵。孩子漸漸長大了，媽媽也莫奈我何！

了解隨時隨地撒尿是不衞生的，但也有時爲了急不及待，也本性難移，就地解決，人家的嫩口虫也要當作「鴨咀盃」的。筆者親眼看見過一個自承上流社會之人，送了女朋友回家後，竟然在街角稍暗的地方撒起尿來，推其原因，乃由於忙于陪伴佳人，找不到方便機會，弄得「擒擒青」，一旦解放，管你甚麼告示，撒尿在近，官府在遠，尿急時道德遠，能一撒而使身子輕了數兩，何樂而不爲。

撒尿是有撒尿的藝術的，怎樣撒得好看不好看，全靠個人藝術的修養，修養好的人，在撒尿時可以欣賞自己的藝術，能畫成各式各樣的圖案，造成形形種種的浪紋尿水花，創出叮叮噹噹動聽的音樂。記得兒時在沙地上撒尿，用尿水追逐一隻臭甲虫，沿着它走動的方向撒尿，撒完了，竟然畫了一幅動人的圖案，次日，上美術課的時候，依樣葫蘆的畫了一幅，竟給先生讚了一頓。你道撒尿是否一種藝術？

撒尿的原因，除了生理上必需的程序外，有時也是由於外界的突然刺激所致的，長期的緊張可以使一個人變化，却催促撒尿的念頭，突然聽到一個壞消息，或驟然看見可怕的東西，都是很容易引起撒尿的念頭，這並非「開關」壞了，而是神經受了太驟然的刺激，竟然忘記了應有的「關」，反過來說，長期的緊張，神經忙得要命，那有工夫下令「開尿喉」呢！所以神經長期緊張的人有整天不撒一次尿的。

合法撒尿的所在是廁所，私人的廁所多是抽水馬桶，本廻是十分衛生的，可是有時整月都抽不出一兩滴水，水廁頓變成旱廁，爲了各人撒出的尿色素不同，便形成變化多端的混合鄉，各人吃的東西不同，因而尿的成份也不同，氣味自是各異，因此，入廁所撒尿，臭着的尿味一分一秒在變動的。各式各樣的公廁是行人撒尿的地方，其衛生情形因時因地而異，有些公廁確是清潔衛生，可是有等公廁却是臭氣充天，烏烟瘴氣。本港深水灣的公廁，雖位於高尙沙灘游泳處所，其尿廁則不敢恭維了，至於淺水灣的公廁，就男子而言，分爲「男廁」與（MEN）兩邊，「男廁」這一邊臭氣傳入鼻孔，絲絲扣人心弦，「MEN」這一邊則雅潔有如二等飯堂，其差異有如此者，使人懷疑西人才是高等動物，抑或廁所管理員有意討好洋人，以爲晉升廁所大班的踏脚石。說來說去，此時此地最雅潔的廁所莫如夜總會的了，其美潔豪華之處，連很多中上人的睡房也難望其項背呢！可是，告訴你，假如你口袋沒有零錢，切勿進去，否則自取架來丟的，爲的撒完尿，要給幾毛錢給廁所管理員的，想起抗戰時期在鄉間的「糞便」（大便或小便），眞有天壤之別。

衆罪罪惡的世界，很多人不是爲了生理上的關係，也大撒其尿的，整天在人前撒謊，指多瓜話胡謅，大千世界，不做光棍佬，雖讀又要我做太平山下的老襯，撒你的狗尿，恕我罵一句，眼見人們整天在撒尿，濺汚了我的衣裳，辱及了我的心靈，能不會令氣憤填胸嗎？

更正： 本刊六七五期「芹香燕喜圖」詩內，略有誤植。第三句「青衫」應作「青衿」；第五句「擊晁」應作「擊星」。

錢

錢，雖然不應是人生奮鬥的目標；但人於日常生活中，却不能沒有錢。如果說一個人對於錢沒有了興趣，這種人，確是不可多得的；如楊震因四知而辭金，千古傳爲美談。管子說：「人情一日不再食則飢，終歲不製衣則寒。」所以錢對於人是重要的。

古今知名之士，由於錢的威脅，因而發生慨嘆的，亦不乏其人。如戊戌六君子譚嗣同，困頓京師時，曾有七絕一首：「泥塗軒冕又一年，傷心新綠遍山川；舉頭世事無情甚，莫怪人間只認錢。」

俗語說：「有錢能買鬼推磨。」這句話把金錢魔力，形容無以復加。不少人因此以爲生活上一切問題，有錢就可以解決。其實，有許多問題，並不是有錢就行的。有錢的人，照樣有許多問題不能解決。歷史上，有些朝代，受到外族侵擾時，也曾用龐大的錢去和議，但結果無濟於事。北宋和番，就是一個例子。

而且，記得有一付對聯：「錢有兩戈，傷壞古今人品。窮只一穴，淹沒多少英雄」。對于錢說了許多壞話。

眞的，兩戈爭金謂之錢，今天的錢，就是從前的貝，那末兩戈爭貝，「不亦賤乎？」所以，專嗜金錢的，總不免于品格有關。孔子畢竟是聖之時者也，他說：「富與貴是人之所欲也，不以其道得之，不取也。」

○吳義方○

自由人

THE FREEMAN

（第七六八期）

中華民國僑務委員會
僑聲登記證台教新字第一第二號
中華郵政台字第五〇〇號
執照登記爲第一類新聞紙類
（半週刊每星期三 六出版）

每份港幣壹毫

台北市售價台幣壹元伍角

督印人：陳文華

地址：香港高士威道二十號四樓

20 CAUSEWAY RD. 3RD. FL. HONG KONG

TEL. 771726

承印者：東南印務出版社

地址：齊士打道六十四號

台灣總經理處

台北市西寧南路壹壹號二樓

電話：三〇三四六

台郵撥儲金戶九二五二

海外總經銷：友聯書報發行公司

香港：德輔道中二十六號A二樓

思想、信仰、經濟革新

陳式銳

台北炎暑迫人，用腦的人陷入低潮；但是地球時刻轉動，人間無日無事，執筆桿的人也一樣地無以停止。近選讀了美國「新聞周刊」六月廿三、卅日及七月七日三期，其中「商業」欄的三篇有關美蘇冷戰文章；在熱潮之下，看冷戰不但不覺其冷，反之實在火焰迫人！

一、

作者指出四十年來，西方的思想已爲共產主義及社會主義的宣傳所中傷，不少官吏且對自己的思想發生動搖，甚至轉變而相信共產主義或其中途站底「民主社會主義」。蘇俄揚言趕上美國，蘇俄每年人民生產已在趕及並超過美國的速度。生活水準低於資本主義底國家，狂言；而美國中央調查局局長亞倫·杜勒斯（Allen W. Dulles）四月廿八日說：「蘇俄近來經濟的急速生長「大約有美國二倍底比率」；在和平期間，我們面對着空前底最大挑戰」，却無異予以滋築。在這一情況之下，美國的官員困惑了；共產制度既那末，自由企業制度豈不是有問題嗎？

其實，這完全中了蘇俄宣傳之計。美國華盛頓·納特爾教授（Prof. G. Warren Nutter）去年夏間研究蘇俄工業，他的結論：「蘇俄工業，在生產水準上大約落後於我們（美國）三十五年，而每人平均產量水準則落後了五十五年」。他今年五月的補充研究，偏重於蘇俄經濟自一九五〇至一九五五年的短期生長率，他算出五年中的每年生產長率爲七·七％到一·六％，而美國同期每年生長率的比較，這一美國生長率的比較，無疑地乃是亞倫·杜勒斯藉以警告美國人的材料。然而其生長率可比較之處在於經濟的內容及其後果。蘇俄在長期趨勢中，生產率如以上比較，乃又忽略其質量，蘇俄經濟發展超越生存水準時，卻濟生長——在食物、衣着、住宅方面——所實際反映者質大於量。而實際上，蘇俄的每人平均生產對美國的比較，肉類爲穀類爲一半，而其住宅面積，僅及五分之一，很多家庭只有一個房間，所以說蘇俄的經濟生在全面經濟生長上可與美國的資本主義競賽，實是無稽之談。

二、

抑有進者，當美國官方宣傳蘇俄共產主義本主義時，蘇俄經濟學者反而宣佈了農業制度的重大改變，准彼解體後走向「資本國家的農產品市場」；「紐約時報」的哈利·茲華茲（Harry Schwartz）指出：「本質上，此一決定表示三年前蘇俄農業官員到美國訪問所學習之基本功課，已應用於集體農場。功課，亦即供與求，價格與成本，利潤與虧損等力量，較之蘇俄三十年來所依賴底政府告誡與命令，對農業具有更有效的力量」。另一方面，工業生產底措施，准許集體農場自有拖拉機，以及建立其所謂基於「誘因」（Incentives）底計劃制度；他轉引日證實資本主義，實際上就是自由企業制度，無論在生產，社會合作，自由市場。所以哈利·茲華茨呼籲美國朝野，乃該堅信自由的思想，滲務於社會主義或共產主義制度。他且謂這是冷戰中的利器，美國高級官員應該放棄理論國人民，西方民主國家、東方社會主義國家以及中立主義國家，尤其共產主義黨徒們。

三、

自由中國無疑是在民主國家一方面，過去在多種限制內，多年來生活於管制經濟之中；我們在思想制度上言，也無疑地是一個矛盾。且不少多年來輿論對此所批評，先看管制制度是楊繼曾部長：經濟部長楊繼曾六月二十日在立法院指出：台灣爲一海島，繁榮經濟有依賴於對外貿易，根據第二次世界大戰前台灣進出口總值，折合現在的美金價值，出口約三億美元，進口約二億三千萬美元，出超七千萬美元；現在出口外匯一億六千八百萬美元，因物價高漲，情形特殊，多數人認爲三千餘萬美元，每年約爲三億三千萬美元；如以戰前作標準，目前要增加一億美元收入才能平衡，現幸有美援近一億美元，國際收支得以勉強維持平衡。根據第一期四年經濟計劃所得的結果，近年來生產所得的是在不斷地增加，每年的生產總值已由一三〇億元提高到二一〇億元；但人民消費的增加遠超過生產的增加（美援的消費包括在內），證明我們根本沒有儲蓄，增加的生產整個吃光後，還有欠債。再根據各種統計，證明我們的資本形成與很多國家比較，本已佔了末位，還不及緬甸；而消費之多，却佔到首位，這實在是經濟上很大的病狀（六月廿一日台北各報）。台灣戰前的人口才五百餘萬人，今日已增加到近一倍；現在國際收支，亦遠落後於戰前美元，即維持二億三千萬美元水準，何況我們還有逆差一億美元端賴於援的拒注。只要人口增加因素加以計算，台灣的生產、消費，與資本形成的不足，也就可以明白了。楊部長係俞前內閣局部改組的新人，他坦率地指出事實，一反過去粉飾太平底作風，他就任後一再提倡自由經濟，且逐步有所行動，我以爲這是真正可喜底改變。國父有言：「主義是一種思想，一種信仰和一種力量。」大凡人類對於一件事，研究當中的道理，最先發生思想，思想通以後，便生了信仰，有了信仰，就生出力量」（民族主義第一講）；又言：「中國實業之開發，應分兩路進行：（一）個人企業，（二）國家經營是也。凡夫事物之可以委諸個人，或其較國家經營爲適宜者，應任個人爲之，由國家獎勵，而以法律保護之。今欲利便個人企業之發達於中國，則從來所行之自殺的稅制，應即廢止，紊亂之貨幣，立需改良，而各種官吏的障礙，必當排去，尤須輔以利便交通。至其不能委諸個人及有獨占性質者，應由國家經營之」（實業計劃第一計劃）。

四、

由此觀之，自由中國經濟的中心思想是自由企業制度，亦即市場經濟，正與亨利·哈茨李特（Henry Hazlitt）所堅持者一致；這是經濟戰爭的利器，則頑固底蘇俄，儘管口頭反對，亦不能不暗地裏行之，何況我們是反共底國家。思想爲行動之母，楊部長既有自由經濟思想，陳兼院長有爲有守，對此自能予以貫澈；回憶陳氏當年實施土地改革，乃在實行國父的主張，今進行秉政，對自由中國的整個經濟，其有全盤的改革自在意想之中。我對戰後台灣經濟作史的檢討，曾劃接收至卅八年上半年爲「紛亂時期」，卅八年六月十五日（改幣）以後爲「整飭時期」，無時不期待有一個「革新時期」；此次陳新內閣的組成，我正希望這一新時期的降臨。自由中國爲亞洲反共最堅決底國家，其經濟發展的基礎又甚優越，倘循自由經濟思想前進，與領導自由世界反共底美國彼此配合，其將影響亞洲（甚至非洲）國家，自無疑問了（七月十日）

半週述評

伊斯坦堡會議

中東四國高級會議的舉行，在巴格達公約國家紛紛改變政策之際，調西方的四國總理，伊朗、伊拉克、土耳其、巴基斯坦於本月十四日在土耳其的伊斯坦堡舉行會議，以討論黎巴嫩局勢與美國的中東政策。

這次四國高級會議的舉行，其動因主要是在中東政策，係是標榜所謂「艾森豪主義」；這個主義的內容，原是對西方國家實行經濟和軍事上的援助，以解救其受共黨國際的威脅和侵略。但美國在中東的外交政策是不堅定的，是以現實利益出發，是可以隨時改變的。當黎巴嫩事件發生之初，曾聲言全力支持夏蒙，及至戰局相持之下，又忽表示不擬直接干預，而幕後的授意，以「純係內政問題」，政策，不僅將斷送黎巴嫩，而且也引起其它回教國家的疑懼。所以伊拉克國王費沙爾、伊朗總理、巴基斯坦總理諾隆和土耳其總理目前召開討論，顯見其對此問題的重視。

他們的基本立場，認爲西方應積極支持夏蒙，否則黎巴嫩的中途變卦，有始無終。四國相信，如果夏蒙政府崩潰，或和叛黨妥協，則等于把黎巴嫩交給納塞手中，變爲埃及與敍利亞聯邦之一部，從而使中東回教民族以嚴重的威脅。因此，若西方對此問題無確切保證時，則他們四國將一致退出巴格達公約組織。在此情勢下，西方的有識之士，特別是美國，應加以檢討，貫徹對友好國家的諾言，維持自己的信譽，否則不僅中東危機，即其它各地亦將發生嚴重的影響。

台灣海峽

曾平靜一時期的台灣海峽，現有山雨欲來之勢，有一觸即發的迹象。一、據日電訊所傳，一、沿海共軍對金門和高雄增加；二、國軍艦艇與共方艦艇在發生遭遇戰；三、在西太平洋一帶活動的共產集團潛艇，近時其活動範圍延伸至台灣海峽。四、當俞大維部長至馬祖巡視時，而共軍的副總參謀長張愛萍也到閩浙海岸「瞭解情況」（見「人民日報」）。這一些說明台灣海峽將可能掀起戰爭的風浪。

共軍的準備蠢動，主要當是蘇俄的軍事援助，特別是海軍艦艇的援助加強。其次，是在北韓撤回了兩批部隊，除一部份留在東北擔任從事屯墾外，另一部份則增援到沿海方面來。第三，中共在大陸正實行左傾冒進，可能發動一次局部戰爭，以與其激進政策相配合。因此，處在第一線的台灣實應保持高度警惕，以應付共黨的挑戰。

西藏風雲

由於中共統治政策的激進，大陸上的抗暴活動，近續有增加。新疆地方民族主義問題還未澄清，而西藏又爆發了武裝反共事件。據合衆社與法新社由噶倫堡各處電訊，藏人已向共軍再發生衝突，尤以藏東一帶爲甚。而此次的衝突，係因中共佔領更多的西藏廟宇，與接管藏人的產業所引起。在其內部多事之秋，我們亦應乘此改變消極性的守勢，而進行一次積極性的登陸突擊。

○金達凱○

讀「紅旗」毛文的感想

陳伯莊

「元州生氣恃風雷，萬馬齊瘖究可哀，我勸天公重抖擻，不拘一格降人材。」這一首龔定庵的詩，毛澤東引在他的「介紹一個合作社」一篇短文裏頭，說是「大字報把萬馬齊瘖的沉悶空氣沖破了」。六月一日出版第一號「紅旗」，在它的發刊詞中說：「……隨着：民主革命轉變爲社會主義革命……就必須；展開思想鬥爭，……厚今薄古；粉碎資產階級的僞科學；毛澤東同志經常教育全黨：要敢於在新的歷史條件下，提出問題，解決問題……」「紅旗雜誌在自己工作中，將遵循毛澤東同志所指出的方向前進。」這是把毛澤東正式捧上「作之君，作之師」的座位的宣言。「紅旗」第一期第一文，自然是毛澤東的一千字的「介紹一個合作社」的短文，跟着就是河南省封縣……的合作社」的報告。毛文內的要點是：「中國六億人口的顯著特點是一窮二白。這些看來是壞事，其實是好事。窮則思變，要幹，要革命。一張白紙，沒有負担，好寫最新最美的文字，好畫最新最美的畫圖。」

現在說我的感想

（一）言爲心聲。一九五七年二月廿八日毛澤東要人鳴放，引了古老格言「知無不言，言無不盡，言者無罪，聞者足戒，有則改之，無則加勉」。這篇短文，一九五八年四月十五日在廣州寫，引了「萬馬齊瘖究可哀」。雖然以大字報爲託辭，究竟掩不了他內心的悲哀。爲什麼「萬馬齊瘖」都好好的上紙呢？

（二）「看來是壞事，其實是好事」。究竟脫胎於賈誼鵩鳥賦「禍兮福所倚，福兮禍所伏」。「窮則思變」則還是易經的「窮則變」。還不是他剽竊張志和漁父詞「和風細雨」「不須歸」嗎？他們現在要「厚今薄古」，而所引的詩都屬古人的古語口號。他們新近提了一個「文化革命」的口號，是近一個滑了「文」的高度僞造。

（三）性的確，俄式的社會革命所要建立的制度，有兩個大敵人；一，毛澤東所要消滅了不少的，二，中共叫着要打倒的自由世界。

（四）毛文要點爲「一窮二白」。「窮」的社會科學的之一；這一可能性，我承認是可能。但是世界上那有一張白紙的民族，何況有高度文化的中國人。既然是一張白紙，爲什麼又要喊文化革命？

（五）凡恃力以勝者，必迷信力。秦自商鞅變法而後，節節勝利，都可以至於亡。蘇聯共產自一九一七以來節節勝利，他們一樣的形成了暴秦的心理。史太林居然想改造人性，要 Lysenko 和 Michurin 們做御用心理學生物學的楊雄，曾經鬧過大笑話（詳細的報導請看 Stalin and the use of Psychology by Robert C. Tucker, world Politics, Vol. VIII, No. 4, July, 1956）誠然，現代「僞科學」（照共產們的觀點說法）打平了舊本能說 instinct theory，研究清楚了文化的瀰漫力，而強調人類的可塑性。共產黨集團，是最精於實踐地運用心理學的，是最迷信以統治力人性的集團，似乎還是「以己要人」，毛澤東一張白紙之論，能否之迷信。

（六）「形勢比人強」是共產黨的名言，其實也是楚霸王「天亡我，非戰之罪」之另一說法。毛澤東自從一九五五夏間決定農業合作化的運動，便造成全面的新形勢，一九五七年毛澤東鳴放運動的失敗，便是這新形勢使得毛澤東個人向反右的屈服。

（七）共產黨永遠要人，從己，「以己要人」到什麼程度，經濟的，施政的，傾向到「善」於密切聯系的手段，自然比秦始皇玩弄高明得多了。可是，一個模型，是秦始皇，過於自信。

（八）可是，歷史過程有倒退和不可倒退的兩部份（reversible and irreversible）。短期的局勢是有倒退的可能的，這就是形勢，時緊了之後操縱的那部份，又容許施政，只要根本打算自私其政權，便造成了不可倒退的部份。史太林路線之後，又例如主觀要想成了史太林夫路線，還不能放棄工業化的就是，是不可倒退的部份。這就成了自身客觀的不可倒退，造出之後。

（九）「福兮禍之所伏」，能不變成了「禍兮福之所倚」嗎？豈不因勢利導，生乎動」，

（十）共產黨沒有「一貫」，認大錯還是小錯，可以「馬」，「列」爲主，非「不可」，「悔」「不得」。除非能夠完全控制歷史過程，否則因「隨」「否」至治無可免。

（十一）毛澤東獻給文學知識份子陳毅的詩「龍虎片雲」，作王漢，祗要做得好，一成不變，一想終不旅，但是「龍虎片雲」。（七月十二日）

從陳誠組閣看台灣政情

◦杜衡之◦

台北特約通訊

近幾年來，每逢國策需有重大的決定時，蔣總統都是離開台北，到一個比較清靜的地方（如日月潭），去詳密考慮得失，然後回到台北正式發表。最近蔣總統到郊外某名勝渡假，停留多日，於是外面傳說又有重大事情要發生了。果然，陳副總統被提名任命兼任行政院長。

俞院長於本年二月中旬被公務員懲戒委員會決議由總統申誡時，當即提出辭呈，並且辭意甚堅決。經蔣總統慰留後，大家都認爲三個月之後，俞仍將去職。但是俞留任以後，即局部改組內閣（曾任蔣總統國[illegible]從幕僚多年之周宏濤出任財次），勵行所謂精簡政策，提出修正出版法[illegible]，這種種作風都不像要走的樣子。於是大家又相信俞閣的壽命不是幾個月的事。這一次蔣總統突然准俞辭職，自是令人感到意外的事。

更重大的意義

比次陳誠出任閣揆，與別的人組閣，意義上，是大不同的。台北英文報紙，已評論說是[illegible]。蔣總統在本屆任期，依照憲法第四十七條之規定，總統已連任一次，即不能再連任。如果需要[illegible]，是誰，是大家都關心的一個問題。

[illegible]三分之二之出席，及出席代表四分之三之決議，或由立法委員四分之一之提議，四分之三出席，及出席委員四分之三之決議，這「四分之三」的規定，又是目前的國民大會或立法院所辦不到的。即使把候補的國代都補上，到目前的[illegible]不足人數。雖然如此，在一般人心目中，都認爲蔣總統連任第三屆的可能性甚大。至於採取何種方法，國民黨內謀士如雲，這[illegible]。

此次陳氏出任閣揆，是否即是蔣總統拒絕連任下屆元首的表示，我認爲下屆副總統[illegible]，不過，這一任命可視[illegible]

[illegible]爲國民黨加強內部組織的一個重大措施。原來俞鴻鈞彈劾案及黨內爲新出版法而起之爭執，已可看出國民黨內部之不團結，外間指爲「高階層的分裂運動」，也不算是危言聳聽。對於這種情形，最耽心的，自是自居領袖地位的蔣總統。他曾經於黨內的集會上，一再剖析這種現象，而備加告誡。因此，黨內而傳出整肅運動之說。不久以前，此間美[illegible]

[illegible]有對黨不忠實之分子[illegible]。胡適倡議組織「在野黨」[illegible]民黨經過最近幾次的[illegible]立，要看國民黨內部[illegible]「在野黨」之能否成[illegible]其是在立監二院」，能否順利脫離出來，而走[illegible]的旗幟之下。所以[illegible]之產生，最好的辦法[illegible]執政黨防止[illegible]

國民黨的內部問題

[illegible]是約束自己的黨員。這自是國民黨內部「整肅運動」的一大目標。

欲加強國民黨內部之團結，自必須有一個鐵腕的人，一面支撐危局，一面打開新路。這個人是誰？蔣總統環顧左右，自然屬意陳副總統。他在黨內是副總裁，只須總裁授權，自可以担當這一項重整內部的重任。最近，陳手下一員大將郭驥（原中央黨部第一組副主任）除任中央黨部副秘書長，也多少可以意味出陳氏將在黨內負起一個重大的任務。

不過，國民黨執政太久，已揹上一個官僚政治的大句號，欲言改革，實非易事。上次的「改造」，即由陳誠主其事，而改造的結果，並未產生理想的成效。可見今後陳能否有一番新的手法，以及能否革新黨的面目，都是疑問。就以加強紀律一事來說，如果許多人對黨失掉信心，則繩以紀律，亦鮮效果。聽說當局本有「重新登記」之計，也因怕許多人趁此不登記，成爲「當然脫黨」，結果使此事擱置未辦。可見國民黨的內部問題，不是簡單的事。

出版法將如何？

最後談一談新閣揆與新出版法的關係。雖然此次的出版法修正案是俞鴻鈞內閣所提出的，一般人都知道這是黨內的決定，俞不過奉命而已。現在，新出版法已由總統明令公佈，今後是否認眞執行，要看陳內閣的作風了。

許多人都知道陳氏與胡適私交甚深（最近胡返美，陳夫人特往送行），所以陳氏組閣後，對胡氏所主張的新聞自由，必定特別照顧。但是，事實上，此次立法院審議新出版法時，與陳接近的立委似乎都是始終支持黨的決策的。這可以看出陳在公私不能兼顧的時候，只好犧牲私交，而嚴厲執行黨的決策。他做了行政院長之後，也一定是這種作風。所以我的觀察是：他對於新出版法的執行，將要比俞內閣爲積極而貫徹。這是台灣言論界人士必須注意的一點。

至於說陳氏組閣後，將有若干重要人事之變動，換句話說，新閣中可能增加若干新人物，我認爲沒有多大意義。因爲今日黨政一家，所謂新人，也都是舊人，人事上的變動，原就是這麼一回事。

（七月一日）（本稿郵遞延誤！遲到！——編者。）

「黃色新聞」一探奧

◦張健◦

稍爲知道一點新聞史的人，都會清楚「黃色新聞」一名詞的來源，是出自紐約日報誇大、渲染的一貫作風。（該報曾連載署名的Yellow Kid Comic一連環漫畫。）我們今日所習用的「黃色新聞」一語，實在已經變質了。

六月底台北各家報紙刊出了賈姓姊弟兩「寶」（一爲十二歲，一爲九歲）自高雄偷跑出來，直赴台北，欲遂其明星之美夢。這一則新聞被大部份報家認爲有極高的新聞「價值」。中央、新生、中華、徵信等報且大大方方的讓出寶貴的篇幅來，刊以姊弟之「玉照」。

幸而筆者已不是一位「國家未來主人翁」了。但不免有一點不敬的感想：中央、新生、中華三報是此次出版法修正案的忠誠擁護者，因爲據說此一修正案用心良苦，純爲「禁絕」黃黑色報刊及新聞而作。那麼諸位精研新聞學的先生：請靜默三分鐘，想想以上所述那則新聞是屬於那一「色」的！

一個未成年的學齡兒童（按姊弟倆皆在國民學校讀書）離家出走，闖大都會，想過明星癮，是否值得嘉許呢？固然當事者只是天眞，是無辜的，（但請想想他們此行的遠因）；而光明正大的報業先生們，倒似以促成其出風頭爲己任呢！

這件事我不想再談了，但是我担心爲了這一則帶有引人（尤其孩子們）艷羨的照片的新聞，寶島將會多產生幾位有過之無不及的小寶貝，此之謂社會教育歟？固此令人想起所謂「黃黑新聞」，也想到出版法！

越南貿易何以入超

（西貢通訊）最近越南政府經濟部出版的「振興經濟」週刊，對越南對外貿易情況，報導甚詳，且指出戰前戰後對外貿易造成出超入超之原因。而對於「爲何戰前出超，戰後入超」之原因，分析造成此現象之原因如下：

[illegible]

一九三八年輸出：三、九五五、○○○噸，值二、九○、○○○、○○○元，輸入：四九○、○○○噸，值一、九五○、○○○、○○○元（此數目包括，棉紗兩國在內，惟越南份下則佔百分之七○）。

一九五四年輸出：[illegible]

[illegible]

戰前每年貿易均出超多於入超，以一九三八年之貿易總額來計算，則該年度已出超[illegible]，惟自一九四六至一九五四年之戰後期間，越南對外貿易均是入超[illegible]

以上爲戰前及戰後，越南對外貿易輸出輸入之概況。上述之貿易字數，戰前與戰後，相差懸殊。其主要原因，有如下述：

（一）國內之因素：（甲）國內戰爭除已將資本家之資本及各種生產機構破壞後，同時一種反常之經濟情形繼之出現，之一。例如四鄉之農民湧進城市，使越南以農爲本之唯一出產減少，其次各種商業乘時作畸形之發展，（乙）越南被日內瓦條約割分爲二，無形中生產能力亦被影響，以致減少。

（二）國外之因素：（甲）越南主要之產品，市場日蹙，繼受舶來品之競爭所[illegible]

查越南戰前每年均向外輸出白米一百萬噸以上，戰後則時移勢易，今已不可能，溯第二次世界大戰期間，由於海運不通，一般經常每年需向越南採購白米之國家如日本、台灣、錫蘭、菲律賓等國，迫得另覓耕地，尋求自供自給，戰爭和平後，彼等由於國內白米之產量已足自供，故停向越南一如過去慣例每年均購買白米，這便影響越米外銷的原因之一。

其次，昔日不種稻之國家如美、法、意大利、西班牙等國家，戰後採取新式耕耘法，大種禾稻，致彼等亦爲白米出產國之一，因是越米市場，無形中又受彼等之打擊，這是第二個原因。總之近十五年來，世界白米市場已大變，越南今後縱能恢復戰前輸出之產量，如不設法事事改良，樣樣從新，恐難維持其戰前在世界白米市場上之原有地位。（乙）自越南獨立之後，越南即失去其銷米之優待市場，蓋法屬時期，所有法屬聯邦國家，均爲越米銷售之好去處，今則勢局改觀，不能重溫舊夢。（丙）在爭取市場聲中，關稅之優惠狀況，自由競爭之情形，在在均須訪查，此訪查工作往往遭遇困難，故在初期之過渡期間，越南難免碰到一時困難與失敗。

以上種種因素，爲造成越南戰後入超之主因，目下越南對外貿易數字，與戰前相較，未免相差甚遠。（七月五日、自）

台南一點滴

△佔地兩千坪，耗資千萬元的高雄市球類活動中心，在鎂光燈下，由市長陳武璋行破土禮。這是陳市長上任後實踐競選諾言的一宗「德政」。然而，高雄市納稅人的直覺，却不如報紙上所宣傳那麼具有同感。因爲當此高市尙缺教室達三百間，有者要分成三、四班輪流或露天上課的嚴重教室荒，如果以五萬元建一教室計，最少可解決萬餘國校兒童的上課問題；何況市中心區已有規模宏大的市立公共體育場。不少人作如此觀。

△無黨派台南市長葉廷珪，（第一屆市長任期內參加國民黨；第二屆市長選舉未得黨提名，違黨競選失敗；第（三）屆以無黨派身份參加獲勝；迄仍未再參加任何政黨。）本年元月爲人檢舉，協助自來水廠長李增禮（國民黨員）競選本（四）屆市議員成功，涉嫌在市長公館宴客卅人，並托人拉票賄選，由選舉事務所（葉市長兼主委）監察小組（組長地檢處檢察首席兼監委會主任）[illegible]往往，翻閱[illegible]已愈半載，[illegible]會已認定有[illegible]，刑事部份移[illegible]，已定本月十五受審，行政部份報省[illegible]。△違黨[illegible]革的第二屆[illegible]茂松，（第[illegible]參加選舉，[illegible]數甚爲接近[illegible]，爲人檢舉[illegible]程涉嫌受賄[illegible]三審終結，仍未滅罪（初判一年）。[illegible]下落。△南市議長[illegible]贊，本（[illegible]）[illegible]提名，仍[illegible]據新生報[illegible]黨行爲，上級黨部已核定開除黨籍。△高雄港務局長王[illegible]國華，因修理工廠集體舞弊案，[illegible]會已派[illegible]令[illegible]退休[illegible]位主管，至今易人。（七月十日）

呂增勳

讀者來函

教育行政當局該注意的事

自由人編輯先生：此間某商校學生，日前因游泳不慎溺斃，××日報地方版刊載謂該生自往游泳，惟據悲痛傳聞，似與事實不符。據該生是日係由學校負責人帶同前往，該員不諳游泳技術，復乏救生工具，致事發時，倉皇失措，迨返校求援之後，死者已被溺斃。教育當局不應澈查懲處（包含校長責任）嗎？又附近某校以「濫竽「見稱之一位校長，爲高中畢業生題紀念册時，竟署「鑿案齊眉」於首頁，令人啼笑皆非。其所屬之教務及訓導主持人，本非國文科出身，却不自拙，兼授高中國文。「標準案」中（臨時測驗時簽名公佈），譯「微管仲吾其被髮左衽矣」爲「微賤管仲！你雖然身微末……」。學生優良作文，引用詩大雅，「民亦勞止，汔可小康」，該員少見怪多，竟翻閱辭典，反以「汔」爲錯字，加以「×」號。其他作文錯處，[illegible]，均不能改正。譬如「[illegible]以陶冶爲急務」句，竟譯「陶冶」二字爲「陶治」。

目前整個中等學校學風，在於慎選師資，[illegible]管者之任命，是否得人？教育當局不知也，曾注意及此否？素仰貴刊關心自由中國教育，敢乞惠賜一角披露，庶資匡正爲感。並請編安。讀者王寄於台灣桃園縣謹上（四十七年七月五日）

來函照刊

香港自由人報主筆先生鈞鑒：貴報於本年六月二十五日第二版標題「[illegible]」之一楊派藻先生台灣通訊一篇內說是「[illegible]把一些在大陸上出版的文學名著譯本，改動一下譯者的名字，換換封面，便[illegible]」[illegible]內幕，[illegible]是新版（如托爾斯泰的「戰爭與和平」[illegible]界書局出版的[illegible]）翻譯正文[illegible]生照英國毛德的全譯本翻譯[illegible]王譯「戰爭與和平」[illegible]文本、日文本及大陸出版的中文譯本核對，[illegible]以立判。貴報立論公正，在判明是非後，對舞弊者所快的翻印「戰爭與和平」一書無中生有的舉例，定能予以更正。專此敬請大安

新興書局敬啓（四七年七月七日）

更正：本刊七六七期第二版右下角題目「輿論之章」一文題爲「輿論之章」。

星洲特約通訊

林有福解黨組黨

○逸儔○

新加坡是個最弱小島，逕附近的零星島嶼計算在內，土地的面積僅二千二百多平方哩，人口也不過一百三十六萬多，還不及香港的半數，但她的顛覆份子問題卻鬧得舉世爲之注目。英國一直就不放心讓她走上獨立的大道，密邇的馬來亞也不肯合併她成爲聯邦的一部份，甚至擁有游資的人士亦不敢向她的工商業投資。無他，她的位置適處在東西海道交通的要衝，爲世界有名的十字路上，在地理上確有舉足輕重的形勢。而政治的環境，由於百多年來的殖民地的黑暗統治，積下了不少民族仇恨；社會經濟的畸形發展，造成了貧富懸殊的現象；加上了太平洋戰爭三年戰火的洗禮，固有道德淪亡，於是在不知不覺間便成爲共產主義的溫床。

共黨從社會到議會

在邁向民主自治的初期，共黨更利用人民對政治的認識不够，黑社會勢力的橫行，投機政客的取巧，煽動罷工，罷課，暴亂，以圖奪取政權。迨後，經治安當局的不斷鎮壓和拘捕，才算把動盪的政局穩定下來。但是，共黨變相的所謂顛覆份子是否就此安靜了？不，他們的勢力還是暗中滋長，改變策略，知道武力的暴亂一時還不易取得大多數人的同情，轉而採取了「議會鬥爭」的合法形式，這樣，在所謂左翼政黨的掩護下，他們在市議會的競選取得初度的勝利了。這在他們看來，或許是牛刀小試，但對新加坡的整個政局言，就無異是一顆嚴重的訊號彈了。英國殖民部的堅持禁止顛覆份子參加首屆大選，議會採取強迫投票制度，和最近「勞工陣綫」主席林有福的倡組「社會主義聯合陣綫」，都是針對他們「議會鬥爭」的一連串的有力行動。

林有福從「勞工陣綫」到「聯合陣綫」

林有福以自治憲制談判代表團團長的身份，於上月十六日自倫敦歸來時，曾在機場宣佈他將於兩週後擬具明年實施自治的步驟，但他的諾言卻到時改爲比自治更迫切的民主黨派大聯合的呼籲。他於七月一日以首席部長的地位發表文告，首先說明新加坡將於明年脫離殖民地的統治而成爲自治的國家，進一步與馬來聯邦謀取合併。其次指出當地缺乏天然的資源，祇憑地理的優越條件來吸引外資，繁榮社會，強調指責顛覆份子破壞政治穩定，使外商裹足不前。最後倡議「社會主義聯合陣綫」，解散「勞工陣綫」，號召各黨黨員及市民加入新組織，保衛新加坡。並聲言新黨組成之日，勞工陣綫政府將總辭職，另組新政府。

共黨外喊「反殖民」，內謀顛覆

林氏這篇文告無疑是新加坡政壇的一件大事，但玩味他的詞句，也似乎到了非這樣決定不可的時候了。他說：「……不誠實的政客依然高喊反殖民地的口號，誤導我們的市民，使我們的注意力及精力離開我們真正和永久的敵人——顛覆份子。……左翼極端份子經爲獸迪卡蒙蔽上一層政治及經濟上恐懼和困苦的陰影，……非但嚴重威脅人民的飯碗使其空虛，而且要打破之。我身爲首席部長，經常關懷此事，要克服這些罪惡的力量，只有唯一途徑，就是一個社會主義聯合陣綫」。我們生活在這一塊地方，對於他所講的一切，有許多是身受到了，尤其是這半年來市場上冷淡得驚人。而他作爲政府的負責人，手上握有各方面的情報，所知的自然比我們多得多，如果認定顛覆份子的威脅已瀕臨危險的關頭，來一個當機立斷，號召社會主義者大團結，集中力量，打擊敵人，這一決策，自爲明智。

最大在野黨贊成林氏主張

不過，在解黨組黨，和政府總辭職的一段過程中，會不會動搖自己的陣脚，反予敵人以可乘之機？我想，林氏做事向來沉着，這兩週來諒必籌之已熟，個中內幕，雖不可知，但就各方面的反響而言，他不特沒有動搖陣脚，而且似乎已取得不敗的地位了。新加坡的政黨中，除開他的敵對黨外，最大的在野黨是自由民主黨，它的主席黃詩通於三日發稱：「……基於共同的觀點，還顧當前的局勢，默察新加坡的前途，本人對於林氏的改弦更張，認爲若能以和衷共濟的精神，爲貫澈此一主張而努力，無疑的可以獲得預期的成功。本人除極表贊成，並就力之所及予以支持外，尙望同情於此一主張的人士，給予熱烈的響應。」這項聲明，除了表明他的態度外，還暗示他的黨員可以加入「社會主義聯合陣綫」。其他的政黨如「巫統」，「馬華公會」對林氏的號召，均先後表示原則上歡迎。這樣一來，新黨便起碼擁有「勞陣」原有的全體黨員，和自社黨的大部份黨員，而成爲新加坡未來的唯一大政黨了。

新黨在立院中成最大政黨

再以立法院的議席來計算，執政黨（包括「勞陣」，巫統，馬華）共有九席民選，兩席官委，自社黨擁有七席，合計是十八席，假如全數加入新黨，則在全院三十二席當中，新黨無疑是最大政黨，在政府總辭職之後，自然是由它來組新政府，直至明年大選時爲止。這項估計，相信不會距離事實過遠，敵對份子在林氏解黨組黨的一段過程中，斷無染指政府的機會。

可注意的九月間議會選舉

但是，這個新黨是否有必勝的把握，以擊敗明年大選的顛覆份子的「議會鬥爭」？這問題雖還待事實的答覆，但在大選之前，卻有一個考驗政黨力量的機會。那是本年九月間的區議會選舉。據林有福說，他將召集一個大會，設立臨時委員會，起草黨章，徵求黨員，希望二三月內成立社會主義聯合陣綫。以其時考之，好還趕上區議會競選。假如新黨勝利的話，明年大選不消說是乘勝追擊，不然，還有整頓，補充，再事大舉的時間。我們是期望新黨能贏得區議會的選舉，以增加國際的聲望，和一般市民對自治的信心。（七月七日寄自新加坡）

竹簾幽秘

工業「抗旱」

本欄前曾指出，中共的這次所謂大躍進運動，其結果必將帶來一個原材料缺乏的災難。果然，本月九日人民日報發表社論，要求「來一個工業『抗旱』運動」，以搜挖原材料。

這個工業「抗旱」運動的指導方針是「依靠羣衆，自力更生」，換句話說，要地方機構通過羣衆運動，搜集以廢鋼鐵爲主的原材料，「不能依賴上級」，「等米下鍋」。

其所以要發動這個工業「抗旱」運動，是由于：「現在，據許多城市的工業大檢查中發現，『觀潮派』，『年底算賬派』等還想就目前工業原材料供應不足的一時現象大做文章。」以這一意氣用事的出發點來開展這個勞民傷財的運動，可說是卑鄙的宗派主義的最高表現。

鼓動華僑反日

本月六、七兩日本港左翼報紙以頭條新聞刊登若干在中共籠中的華僑領袖的講話與文章，說爲了要抵抗日本潛在的軍國主義，而號召在華橋中掀起一個抵制日貨運動。

假如把日本按上一個潛在的軍國主義的頭銜，就能導致華僑的反日；那麼英國佔有香港，已被公認有事實表現的殖民主義者，香港的中國人佔極大多數，在香港發起一個反英運動要比在東南亞發動一個反日運動要容易得多；爲什麼不在香港動手反英，而要發動東南亞的華僑反日？

當然這並不是說，中共不想利用華僑反英的。我們是以比較觀點來看其反日與反英的程度，這一種比較結果，可以看出，中共的在華僑發動反日運動是缺乏有力的現實基礎的；缺乏現實基礎的羣衆運動，是難獲良好的結果的。

在這方面，中共當局，也未嘗沒有想到，所以它對發動華僑反日的報導，人民日報上隻字未提。顯得它並不是想不顧後果的去發動這一運動。

那麼，香港的左派報紙，爲什麼要這樣做？不過是奉令威脅日本而已。這幾天來，可會看到跟着這一華僑反日的號召而來的鼓動表現？這是我們作上述斷言的事實根據。

蘇共統治力有多大？

共產黨和工人黨的理論性和報導性月刊『和平和社會主義問題』，定于八月下旬在布拉格創刊，這當然是共黨國際的最高指導刊物。但據本年三月十一日人民日報報導，籌備這一刊物的會議是今年三月七日到八日在布拉格舉行的，報導說明，參加這次會議的只有「一些共產黨和工人黨」的代表，會後並聲明：「所有未參加這次會議的兄弟黨可以在平等的基礎上參加創辦，或者通過它們認爲合適的方式參加刊物的出版工作。」可見尙有若干共產黨未曾參加創辦與出版。

在今年五月于莫斯科舉行八國經濟互助委員會成員國黨代表會議時，中共、外蒙、北韓、北越的代表「參加了會議」，當時我們以爲這些共產國家也正式參加八國經濟互助委員會爲成員國了。但在六月二十六至三十日的八國經濟互助委員會第九次會議上，中、蒙、北韓與北越的代表依舊以觀察員的資格參加會議。

由上兩事可見，似乎蘇聯之對共產集團之統治，僅得其半而已。

×　×　×

・田心・

國際動態拾零

△六月三十日，聯共中執會在莫斯科開會，重申史太林爲列寧之後最大馬克斯主義者之旨。赫魯曉夫要求中執會通過，遵循史太林方法，以強化聯共之議決案。但一九五六年，聯共第二十次大會，打倒史太林者，亦爲赫魯曉夫。

△納基被處死後，匈牙利工人怠工，以作無言的抗議。甚至低級公務員之共產黨員，有以辭職來抗議者。維蘇聯軍隊之撤出匈牙利，非納基所要求，而爲米高揚所提出。納基曾帶此錄音紙至南國使館，而此紙已運南國京城。

△納基被處死後，納塞及尼赫魯皆大驚恐。納塞與狄托晤面，蘇聯駐埃大使曾往阻止，而結果無效。

△夏威夷將改爲美國之一州，在一九六〇年總統選舉以前通過。因其條件較阿拉斯加爲勝，人口較多，經濟亦較安定。而阿拉斯加州案，國會已經通過，程序方在進行。

△美總統助理亞當士受賄嫌疑案，倒底于共和黨一九六〇年之總統選舉，有無影響，頗爲一般人所重視。照理尼、亞二人皆爲共和黨人，皆爲艾總統之助手，但他們二人，從不接近，故反與尼克遜一九六〇年之總統競選爲有利。

・陶然・

關於歷史小說

○羅楹○

也許是由於香港人的「歷史癖」太深吧，近年來香港的文壇上，歷史小說風行一時。看歷史小說，原可說是一舉兩得的事，既能達到欣賞文學的目的，又能吸收到歷史上的知識，豈不盛哉。可是這類小說也不是沒有問題的。

就一般來說吧。不要以爲歷史小說有現成的題材，就會比其他的小說易於著筆。相反地，它卻是小說中比較難寫的一種。困難就發生在那現成的題材上。當我們選擇了一段歷史來作題材的時候，問題馬上隨着來了：第一、我們怎樣才能把握和表現那段歷史的核心和精神？第二、我們怎樣從史實的範圍內發揮想像能力？第三、我們怎樣才能寫出活生生的歷史人物？第四、我們怎樣才能描繪和點染出適如當代的歷史背景來？

由這幾個問題，我們可以了解到：作者時刻面對着被歷史材料縛死的威脅。他們對於這一種縛束，通常是採取下列兩種態度：一種是順服的，一種是反動的。

持順服態度的作者，大抵是對歷史頗有認識的。他們寫作歷史小說的時候，往往有意無意間以良史自居，審愼地眞實描寫，不敢越歷史的雷池半步。在這些小說中，可能有很正確的歷史背景，但作者的才華，情感和想像都被冷藏了。寫作技巧較高的作者，還可以在結構佈局方面取勝，使讀者得到如讀正史列傳的感覺。最糟的是那些不大懂得文學而又自以爲很有史識的人，也來寫歷史小說，結果除了綴拾史事之外，更加以己意批評，作成了小說不是、歷史也不是、史論也不是的三不像怪物。這一類小說，和以前的什麼演義差不多，故胡適名之爲「演義體」；又因作者以學識標榜，故又有人稱之爲「教授小說」。

持反動態度的作者，大抵是對文學頗有修養的。他們借歷史來作幌子，實在是寫自己嚮壁虛構的故事。他們興之所至，便會大逞才華，將想像的馬放開韁勒，任讓它亂跑亂縱，不管天高地厚，不管東南西北，也不管李唐趙宋。結果，雖能引人入勝，但往往發生下列幾種弊端：一、內容與史實有出入甚至互相抵觸，二、小說背景不符實情，三、歪曲了歷史人物的性格或行爲。我們看這些小說，就等於看現代小說，雖然書中鑲嵌着許多歷史名詞，但所表現出來的感情、思想、風俗習慣都是現代化的。看這種小說最大的危險，就是吸收了一些不正確甚至荒謬的歷史觀念。由於小說動人的力量很深，如果它灌輸給讀者的是不正當的毒素，那麼，作者的寫作技巧愈高，而遺害也愈烈。

上面所說的兩種歷史小說，一是「全用歷史」，一是「違背歷史」，都犯了胡適所說的歷史小說的大忌，當然都不能說是優良的。我以爲前者有「學識」而無「才華」，簡直不能列入小說之林；後者有「才華」而無「學識」，雖是小說而不配稱歷史小說。如在文學的觀點來說，則前者不如後者；但如在社會道德的觀點來說，則後者又遠遜前者。大抵在幾十年前，人們所寫的歷史小說，多類前者；而在香港新興的歷史小說，卻是近乎後者的較多。

那麼，怎樣的歷史小說才是健康的呢？這還是要回到我開頭所說的那幾個困難的問題。作者必須把文學和歷史冶爲一爐，以文學爲本質，以歷史爲間架。文學爲主，而歷史爲賓。歷史小說家應該算是文學家，而不是歷史家；但他不能不有相當的歷史修養。由於他本身是文學家，故能順着歷史的發展來刻畫歷史的人物，穿插合理的故事，描繪當時的背景；由於他有歷史的修養，故能選擇最精彩的歷史題材，他所想像或誇張的事物，都是當時可能發生的（也就是「想當然」的事）。於是，歷史知識與文學技巧相得而益彰，這樣寫出來的作品，不會是歷史的教科書，也不會是荒唐的無稽之言，而是不折不扣的歷史小說。

書刊介紹

自由民主的經濟制度

何浩若著

名經濟學者何浩若先生，他是美國威斯康辛大學現代經濟學大師伊里教授的得意學生，思想上又深受康蒙斯教授的影響。他這本小冊子，是他一九四八年再到美國，在那裏研究了七八年現代經濟學說演變之後，去年到台灣的第一次公開學術演講的講稿。又名「從現代經濟學說的演變看當前世局與中國前途。」全書分四講，第一講「當前世界局勢的分析」，第二講「現代經濟學說的演變」，第三講「自由民主的經濟制度的發展」，第四講「自由民主的經濟制度與自由中國」。他對於各派經濟學說的異同，和現代經濟學說的趨勢，有極簡單扼要分析敍述，他說「現代的經濟學說演變，是從靜的分析到動的分析，從質的分析到量的分析，從抽象的分析到具體的分析。現代的經濟學者重視歸納的方法，統計的方法，歷史的方法，而不再用全力注重純理論的探討。」他的全書結論說：「最重要的是人類要適當時此地的需要，用民主的方法來決定他們所選擇的經濟制度」。我想這是談現代經濟學的人，應該一讀的好書。

全書約五萬字，本港經銷處「自由人」報社，每冊港幣一元五角。（文華）

無用的好勝心理

馮子先生

自從蘇俄搶先放射了兩枚人造衛星以來，美國即不斷地試放人造衛星與導向飛彈，但屢試屢敗，累敗累試，表現着不甘落後的勇氣，精神可嘉。

不過，美國當局既以避免世界大戰為職志，不惜任何犧牲以遷就俄共集團，則對於人造衛星與飛彈之類的戰爭工具，又何必定要跟俄帝爭高下呢？過去美國擁有全球第一的原子武器優勢力量，而自由世界照樣地被俄共集團侵佔蠶食，行所無事，現在即使再能趕上俄帝的人造衛星與越洲飛彈，還不是無用之長物？充其量只在國際間吹吹牛皮，車車大砲，自我陶醉一番便了，對世界和平，並無絲毫裨益。好勝本來是人類進步的潛在動力，應該有的，但須發抒得宜，纔是上乘。美國素來強調憑實力談判之說，然戰後迄未見有憑實力談判而得到的成果在那裏？有之是憑實力談判的敗績，如韓、越停戰協定即其明證。至於蘇彝士[illegible]之際，美國被俄帝一紙飛彈外交的恐嚇，即[illegible]，趕忙以大力[illegible]英法以各國退兵的情形，尤屬千古奇聞。所以，美國現時亟亟跟俄帝競放人造衛星，實在是舍本逐末，因為即得了第一，亦不過在口頭上充充殼子而已，與解決世界問題無涉。

我相信俄共如果能造一種原子能抽水馬桶，對外夸耀一下，美國必然大感驚訝，又會急起直追，不遺餘力。但俄帝向自由世界施展新的政治攻勢，美國卻始終甘願居於被動招架的劣境，絕無鋒頭趕上的意念，而且[illegible]俄帝所奏的[illegible]而跳舞。這才是自由世界的基本弱點，值得檢討警惕的。

台灣五多

南橋

壁虎

台灣因為天氣炎熱，適于爬虫類的生長，除蝴蝶與蛇多外，就是壁虎也很多，我們常常看到它在牆上爬行，有時[illegible]。我住家[illegible]突然房中[illegible]的叫聲，[illegible]。壁虎會叫，在我們大陸來台的人，自然感覺驚奇的事，清初林謙光在竹枝詞裏說：「蜥蜴無聲似壁蜥鳴」便把守宮誤做蜥蜴。郁永河亦有詩云：「夢回幾度疑吹角，更有[illegible]」也是指這種會叫的壁虎。

颱風

颱風是本省最大的天然災害，每年從五月到十月這大家都耽心着颱風的來襲，據過去統計，每年總有四五次，最多的一年是一九二九年共二十七次，最少的一年是一八九九年和一九〇〇年各有八次，今年則還沒有發生過。颱風每來必帶暴風雨，台灣受颱風侵襲時遭遇暴風雨，航行的船舶往往因巨浪翻覆沉沒，在陸上，則樹木房屋電桿及建築物被吹毀，尤其容易引起山洪暴發，河流氾濫，人畜作物死傷，每年所受損失，殊為甚鉅。

氣喘病

台灣氣候又因冷熱變化無常，有時烈陽當空，忽而傾盆大雨，下降溫度，氣候最易引起氣喘病的發生，所以大陸來台的人因為水土不服，比本地人更多患哮喘病。此病雖不至喪命，但[illegible]。據統計[illegible]人中，患氣喘病[illegible]之變動而症狀不同，要收效最宏，要勸有喘息體質的人切勿來台，同時在台患有氣喘病的人，政府應特准其離台療治。

蝸牛

我們在大陸所見的蝸牛是很小的，可是這兒的蝸牛，不但多而且大，一雨之後，園圃樹木間到處均有可見雞蛋殼大蝸牛蠕蠕爬行。蝸牛原產非洲，英國人于一八九〇年把它帶到印度繁殖，藉以補充印度糧食之不足，但印度人不喜歡蝸牛的味道，一九〇〇年印度蝸牛乃傳到錫蘭，後來從錫蘭又傳到南洋羣島。台灣輸入蝸牛係在一九三二年，由台灣大學教授日人下條博士從新嘉坡帶回二十個蝸牛，其後自下條氏研究其肉能做食糧而促進其繁殖于各地，當時有些家庭飼育于箱內。以白菜或甘藍菜葉做飼料。蝸牛的步伐雖慢，但它的繁殖力比任何動物為快，一只蝸牛每次產卵總超過三百個，據科學家估計，一只非洲蝸牛，在五年之間，能夠產生一百一十億隻蝸牛，每只約重一兩，即其所產重量為一百一十億兩，這個估計雖過于誇張，但其繁殖之速可以想起，既然台灣環境適于蝸牛生長，而東鄰日本人又喜歡吃食，際此台日交通發達，為何不輸出些換取外滙，却拿它來喂鴨，這實在頗令人費解的事。

娼妓

台灣娼妓特別多的原因，固然一方面是由于日人統治時期所遺留的陋習，另一方面則還歸咎此間生活奢靡，毫無戰時景象和養女制度的存在，但最大的原因還是因為大陸易手後流離來台的人大部份是單身漢或妻子滯留大陸，性的問題需要解決，于是那紅燈綠酒特種酒家，公共茶室，公共食堂及秘密交易場所便應運而生，隨着神女如雨後香菰一處處出現，這些淪落風塵的神女們，每月收入多的人總在數萬元，少的也有數千元，比起公教人員的待遇（農復會銀行等除外）其生活眞有天壤之別，無怪社會上不重生男重生女了。

冰凍汽水為何泡沫不多

黎朝拔

汽水就是糖水、菓汁中溶以炭酸氣的飲料。我們飲汽水便會止渴生津，感覺爽快，其次炭酸氣還有一功用，就是它能防止細菌的增加，所以汽水能保存相當長的時間。

炭酸氣是一種易於溶解於水的氣體，若加以壓力，則溶解得更多。製造汽水的時候，便是利用強壓力，將炭酸氣溶於水中，然後將瓶蓋蓋住。

我們吃汽水時，將瓶蓋打開，水面的壓力便急激減少，於是被強力所溶解在水中的氣體，便紛紛衝出水面，故此便看見有許多氣泡湧出。

不過，氣體在低溫時比高溫時易溶於水，就炭酸氣而言，零度時比二十度時，差不多可多溶二倍於水。冰凍的汽水中的炭酸水在常溫時溶解得多，自然，湧出的氣泡也就比未冰凍的較少了。

在日本獄中

中篇小說

蒙齒

一

我在獄中突然收到[illegible]，是山本軍曹給我送來的。[illegible]他那一幅平常的樣子也沒有了，但是我仍保持一貫的平靜，[illegible]要我做不相干的樣子。[illegible]凡是只要不動聲色就好了。同樣這我被送到這裏的第二天，獄方交來一張名單，他們說要我指定通知所指定的人來看我，而且說這名單上的人都是當局認可的朋友，倘若我在這上決無問題，或可以要他們規勸我多少讀會對於問題有所幫助。

我指定甚麼人來呢？的確名單上的人都和我相當熟習，至少這些人不會加害我。但他們很少有人同情我。我只想到我自己，好像就從那時候我精神上的孤立，[illegible]

日本人在東北的統治，只有我們少數不肖子弟表示反對，其他的人都和偽滿相敬如賓似的。尤其是我的舅父，幾次嚴厲地斥責我，使我憤懣到極點，這些人我寧背光榮的犧牲，也不願再讓他們來看我，我的主意打定了，結果我鑄成了大錯。我指定我的朋友——事實上是我的表哥張×熙來看我。我的手指在名單上把張×熙指給山本看的時候，他得意地冷笑了一笑，我驚慌中帶着自信，也回敬地笑了一笑。我告訴他，我再也不認識別人了。

他走去，遠離開我的窩子，我從鐵窗格子向外悵望，不知道是福還是禍。

兩天後我被帶到他們的審訊室去，記憶中就有山本那一些人的邪惡的眼睛，粗暴的吼聲，沉重的皮鞋脚，踢到我衰弱的身子上，我暈了過去。我還受到其他的酷刑，一直到我蘇轉過來，我身子是倒掛着，頭的重量有幾百斤重，身子好像軟的沒有骨頭，我好像以我的受苦的靈魂站在我殘破的肢體旁邊憑弔我自己，這是一間地下室，除了我自己的倒懸之外，連一點聲音都沒有。

他們打是說我欺弄他們，當我看見我的表哥被押着走來的時候，和我穿着同樣的「囚服」，身上也有號碼是一〇四，他長長的頭髮跌落在前額上，憔悴而消瘦的面孔，根本就不是我能認識出來的，但是我細看一下確實是我的表哥，我驚訝萬分，他是甚麼時候被捕的？他的被捕我根本認為不會有這種事。我和他雖然以親屬相處關係很近，但從來他不像我，他是天真，樂觀，十足的好學生，他本來是一個篤學頭腦，天天捧着力學之類的東西，向來他對於我的「課外活動」不感興趣，「有其父必有其子」，以我舅父的那種態度，兒子決不會搞甚麼文治，他低垂着頭看了我一眼，也裝做不認識我的樣子，我看情形不對，便也想裝着不認識他。於是我便遭受了一次殘酷的刑罰，而我的表哥他是否也和我同樣的遭遇到鞭打到現在為止我還不知道，我想他一定會的。而我反覆地想着一零四號犯人是我的表哥。但以後總沒有見到他的一番機會。

這樣一番痛苦的經歷，到今天的心靈仍在震慄動悸，懊喪萬分，窗靈空隙透過來的白色紙條，被塞懷的風吹得滿面飄打，好久我才穩定自己把紙條接過來。山本軍曹拖着大皮靴醉似地搖擺着走去了。他看見着黃色軍服的背影淹沒在黃昏的暮靄中，我的心才稍安定。

直覺到這個影子是我一年來看慣了的。有看守條之前，今天和往日不同，在我沒有甚麼預感。好像山本變了。（一）

讀書的嗜好

陳永昌

我認為嗜好是閱讀一切書籍的關鍵，這種嗜好跟對食物嗜好一樣，必然是有選擇性的。屬於個人的。吃一個人所喜歡吃的東西終究是最合衛生的吃法，因為他知道吃這些東西在消化方面一定很順利，讀書跟吃東西一樣，『在一人吃來是補品，在他人吃來也許是毒質』。教師不能以其所好強迫學生去讀，父母也不能希望子女的嗜好和他們一樣。如果讀者對他所讀的東西感不到趣味，那麼所有的時間全都浪費了。袁中郎曰：『所不好之書，可讓別人讀之。』

扇子

古月

扇子這種東西，在鄉下和山區附近的民族，是唯一的拂暑驅蚊工具。古人有專門賣扇子的地方，謂之「扇市」。據秦中歲時記：「端午前兩日，東市謂之扇市，車馬特盛。」

扇子的種類有團扇，有毛扇等，花樣不一，而且與舞有關，許多民族的土風舞，多半都以扇為襯托。據[illegible]載：「漢則巴渝舞、鞞舞、鐸舞，晉則白紵舞，唐則霓裳舞」。同時，古人對扇子運用的方式，也各有不同。所謂「文胸」、「武肚」、「僧道領」、「媒肩」、「優扇頭」等等。

「文胸」，因為文人心靜少動，除讀書寫字外，甚少操作，雖然天氣暑熱，只需微風習習亦足解暑。是故文人用扇，動作緩慢而多扇胸際。

「武肚」，由于武人身體健壯，挺胸鼓肚，整日習武藝，習習微風，不足解熱，所以武人扇扇動作較為迅速有力，其扇扇部位，多半以肚為首當其衝。

「僧道領」，僧道身着道袍，雖然有風，但袍大而不能入，故僧道扇風，往往拉開領子扇，才得涼爽快。

「媒肩」，媒婆，整日奔走說和，對客，事主扇扇，因身立于事主之側背，故扇扇多扇在事主的肩頭。

「優扇頭」，唱戲的人，因身着戲裝，天熱的時候，一無處可扇，只有扇頭了。

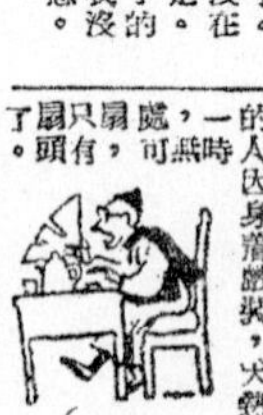

閒話金聖歎

日曰

金聖歎，明末長州人，本姓張，名采，後改姓金，名喟，一名人瑞，聖歎其字也；為人狂傲有奇氣，嘗言天下才子之書有六，一莊，二騷，三馬史，四杜律，五水滸，六西廂記，因作各書批評，其評水滸西廂兩種，頗為世俗傳誦；三國演義，也載聖歎序文。清初以抗糧哭廟案被誅，行刑時尚說：「殺頭者，快事也！」

其所作「三十三不亦快哉」，早為讀人讚賞，行文簡潔爽快，有豪放之氣，不拘束之詞，使人讀下有如行走清溪幽谷之間，身心頓暢，有說不出的快感。外國人也極為賞識。「三十三不亦快哉」大約在千年前已被譯成英文，筆者也看過，英譯文堪稱不失原意，風趣猶存，很多英國朋友均擊節叫絕。際此炎夏，僅錄出精要數則，以消悶氣。

「夏七月，赤日停天，亦無風，亦無雲；前後庭赫然如洪爐，無一鳥敢飛來；汗出遍身，縱橫成渠。呼饑欲飯不可得，蒼蠅又來，緣頸附鼻，驅之不去。正莫可如何，忽然大黑車軸，疾澍澎湃之聲，如數百萬金鼓。簷溜浩於瀑布。身汗頓收，地燥如掃，蒼蠅盡去，飯便得吃。不亦快哉！」

「空齋獨坐，正思夜來床頭鼠耗可惱，不知其戞戞者是損我何器，嗤嗤者是裂我何書，中心回惑，其理莫措，忽見一俊貓，注目搖尾，似有所覩。斂聲屏息，少復待之，則疾趨如風，欻然一聲，而此物竟去矣。不亦快哉！」

「街門見兩措大執爭一理，既皆目裂頸赤，如不戴天，而又高拱手，低曲腰，滿口仍用「者」、「也」、「之」、「乎」等字。其語刺刺，勢將連年不休。忽有壯夫掉臂行來，振威從中一喝而解。不亦快哉！」

「飯後無事，入市閒行，見有小物，戲復買之。買亦已成矣，所差者甚少，而市兒苦爭，必不相饒，便掏袖中一件，其輕重與前直相上下者，擲而與之。市兒忽改笑容，拱手連稱「不敢」。不亦快哉！」

「十年別友，抵暮忽至。開門一揖畢，不及問其船來陸來，並不及命其坐床坐榻，便自疾趨入內，卑辭叩內子：「君其有酒如東坡婦乎？」內子欣然拔金簪相付，計之可作三日供也。不亦快哉！」

「春夜與諸豪士快飲，至半醉，住本難住，進則難進。旁一解意童子，忽送大紙砲可十餘枚，便自起身出席，取火放之。硫磺之香，自鼻入腦，通身怡然。不亦快哉！」

「於書齋前，拔去垂絲海棠紫荊等樹，多種芭蕉一二十本。不亦快哉！」

「子弟背誦書爛熟，如瓶中瀉水。不亦快哉！」

如此快人快語，讀者看後，想也不亦快哉！

自由人

THE FREEMAN
（第七六九期）
中華民國僑務委員會登記證台新字第一第二號
中華郵政台字第五〇〇號
執照登記爲第一類新聞紙類
（半週刊每星期三、六出版）
每份港幣壹毫
台北市價台幣壹元伍角
督印人：陳文華
地址：香港高士威道二十號四樓
20 CAUSEWAY RD. 3RD. FL. HONG KONG
TEL. 771726
承印者：東南印務出版社
地址：高士打道六十四號
台灣總經理處
台北市西寧南路壹壹零號二樓
電話：三〇三四六
台郵撥儲金戶九二五二
海外總經銷：友聯書報發行公司
香港：彌敦道中二十六號A二樓

愈去陳來的台北政局

國民對陳內閣寄有甚多的期待

左舜生

在自由中國的地位漸趨微妙，而世界局勢又一天天趨於緊張的今天，台北突然有一個第二屆的陳誠內閣出現，其足以引起一般關心時局者的注意，這是很自然的。

閣員的去留頗出意料

據海外最早的一種看法，總以爲陳辭修以副總裁的地位奉命組閣，而且是駕輕就熟，再加人事上可能的變動也不會太多，其組成的工作應該是相當輕鬆的。可是依然遷延了兩個星期，然後這張最後的閣員名單始行公佈。就這十幾位組成的分子來說，確也有一部分超出了大家的意料之外：大家以爲決定可留的葉外長終於沒有留；以爲不一定會參加的梅貽琦，也終於被拉上了；尤其給予大家一種新鮮印象的，則爲王（世杰）薛（岳）蔣（經國）三位不管部的政務委員。在外國，一個不管部的閣員，其重要性決不在管部者之下，有時有部可管的人，所應付的常在許多具體問題或局部問題，不管部的乃有餘裕可以思考政策，運用政策，一些帶有全局性非任何一部所能單獨解決的問題，其責任便往往落在一般不管部者的頭上；甚至在一種非常的場合，他們也往往形成一部分閣員的小內閣，而不是每一個閣員都要被邀參加，完全看這一內閣首長認爲需要或不需要去決定，非法定的，似乎也不是固定的，但一般的習慣，反而是不管部的被邀者較多，而管部的被邀者較少，尤以多黨的聯立內閣或遭遇非常事變的時候爲然。在中國若干年來的習慣，剛剛與上述的這種情形相反，許多視這類不管部的政務委員爲閒曹，爲點綴品，甚至目之爲「伴食宰相」，他人看這一類的政委如此，即各政委的自待似乎也是如此，以致使得他們在政院中失去了應有的作用，我很希望這一次的陳內閣能把這一不正確的習慣改變過來。

蔣經國的良好機會

最近幾年，蔣經國因爲所任的職務較多，而在黨內的地位也有了非常的躍進，因而不免引起國內國外，許多揣測和過慮，這對於現狀下的中國是極不利的；即於蔣個人也不見得有什麼好處。假定蔣經國對於這次所任的新職，能盡他可能與最善的努力，發揮高度合作與負責的精神，我相信年來國內外這類不必要的揣測與過慮當可一掃而空，這實在是再好沒有的一件事。

陳俞的不同條件

這次的陳內閣，自陳本人開始奉命組閣，以迄組閣工作的完成，無論台灣和海外的輿論，大致都以善意迎之，同時都表示了他們許多急切的希望。不錯，以陳本人來說，他與過去的俞鴻鈞先生確有若干的不同之點（至少在程度上是可以這樣說的）：第一、他在過去的一度省主席和一度行政院長，對台灣當地的人民，已經建立了一種良好的關係；第二、他在國民黨內，不難取得一致的支持，同時他也有力量促成國民黨的加強團結；第三、他在全體的反共軍人中，有他不可動搖的歷史地位；第四，他於一切黨外人士（包括有黨與無黨），雖無任何特殊關係，但也無任何不好的關係，至少大家了解是可以對他說說話的；第五、若干年來，國際對他有較多的好評；第六、基於過去三十年的歷史，我們可相信蔣總統對他還是倚重有加。凡此種種，都是今天主持中國政局的一個首腦人物所必須具備而不可或缺的條件，而陳在今天却正是這樣一個人物。照理說，他是應該可以有爲的；他也沒有理由不儘可能去勉副一般國民對他的期待。可是時局的艱難如此，而人心與風氣，都有待於逐漸轉移，決不能責效太急。

對一般希望的一點看法

現在我想就一般輿論對陳內閣所表示的種種希望，擇要的說明我一點簡單的感想：

第一、關於反攻。我不相信過去數年的準備已經到達了一個確有把握的階段。我也不相信不到世界的大變化出現中國能採取任何單獨的行動。中國目前所需要的，依然是忍，等，很；所待加強的依然是內部的安定，與自身的充實與團結。我所期待的世界變化是漸變，漸變，而不是突變；我認爲眞有突變，對於中國爲禍爲福不可知。我所憂慮的是到了變化已臨成熟的階段，我們依然束手無策。

第二、關於反共救國會議的召集。我從來不贊成孟浪的召集這樣一種會議。我認爲應該多讓明瞭內部實況的局中人去多想辦法，而不主張邀約多數局外人來籌商獻謀。這類會議只能發生一點擁護國策或表面上加強團結的作用，而我們的國策早經確定，決不會有任何人加以反對；實質的加強團結另有其道，決不是一個這樣的會議所能必其有效。三個臭皮匠，只能等於一個較大的臭皮匠，決不會等於一個諸葛亮！以爲人多便可以解決問題，可能共產黨有這種想法，我們不應該有這種想法。

第三、所謂責任內閣。我們祇能期待將總統和國民黨的中常會對陳院長寄以高度的信任，給以大力的支持，讓他可以開手做事。陳今天的地位，只是一個國民黨的從政黨員，他的成功便是國民黨的成功，他的失敗也就是國民黨的失敗。以當前的現實來說，陳的政策，自有取得國民黨中央支持的必要，黨中央又無法不接受總裁的領導，這雖然與憲政的圓滿實行，還保有相當的距離，因此不必於府與院之間去強生分別。

第四，關於新近通過的這個出版法。全國大多數的輿論對這個出版法認爲多餘，認爲不必要，這是事實，而這種民意也不是那個可能製造得出來的。中國有不少優良的法律條文，也無法一一見諸實行，未必這樣一個爲大多數人民確實不滿意的出版法，便非急切的見諸實行不可。以國家目前的現狀來說，以陳內閣今天所處的地位來說，對於有力的贊助言論與有力的反對言論，具有同等的迫切需要，我相信他們對這一出版法的執行是會保持高度的審慎態度的。基於國家的利害，基於多數人民的要求，凡一切應說的話，我們應該保持『我行我素』的態度照常的說出來，我們所應該注意的，乃是我們的言論確有不妥，卻不必顧慮一二法律條文的威脅。因此高談廢止這一出版法的高調，我認爲目前無此必要。

更正： 七六八期「思想、信仰、經濟革新」一文內英文人名有脫誤者，計：『（一）開始第三行「商潮」欄之下，脫漏「亨利·哈茨李特 Henry Hazlitt」，（二）二、段後半「所以哈利、茲蘭茨呼籲美國朝野」，係亨利·哈茨李特之誤，亦即原作者根據事實而作呼籲。』持此更正。

半週述評

新閣組織的原則

以陳誠爲首的新閣，全部人選發表後，海外觀感，一般的說，是令人相當滿意的。

陳氏組閣歷兩星期才告成功，其間周折困難，可想而知。就新閣陣容言，不是沒有原則的組織，周折困難恐即在此。

梅貽琦，王世杰，王雲五諸氏之入閣，可以表示新閣力求迎合近年來國內外普遍要求自由民主的呼聲。蓋此類人之主張自由民主，立場超然，爲海內外所共見；此外蔣經國薛岳之入閣，陳雪屏之任秘書長，亦有其意義，即藉此以謀國民黨內各派意見之團結與一致，此點亦爲談現實政治問題的所決不可輕忽的。故新閣之特色，在以自由民主團結國內外及黨內外日見紛歧之力量。此與俞前閣之以財經爲標榜者，實大異其趣。陳氏是否以此爲其組閣之原則，不可得知，至少吾人之印象如此。

依照大家需要去做

陳氏就職之始，並未發表長篇大論的演講，惟對記者表示「爲政不能全憑主觀，一定要依照大家的需要做去」，深得爲政不在多言之旨，似亦足爲前述原則的印證。

以陳氏今日在黨政軍的地位聲望，及其過去主政之成績言，今日組成如此陣容的新閣，宜較俞氏前期，富於獨立創作之能力，與更能發揮自由民主精神。陳氏前此主政，重要成就在安定台灣，今茲再作馮婦，應能貫澈「依照大家需要做去」的諾言，此實爲海內外人士的共同期望。

中東糾紛的根源

以火藥庫見稱的中東局面，自一九五六年的運河事件，一九五七年的敘利亞事件，相繼發生後，到現在又發生黎巴嫩與伊拉克的叛亂。東西兩大勢力在中東爭奪的局面，遂日趨嚴重。

目前這一嚴重局面，很明顯的，是近兩三年來，蘇俄不斷利用阿剌伯民族感情，從中煽動，同時又不斷以軍火輸入中東，以至造成。

運河事件，以美國與英法的政策不能一致，遂使埃及納塞得以孺子成名，同時予蘇俄以覬覦中東的絕大機會。此實爲今日中東一切糾紛的根源。

再不能虎頭蛇尾

現在美國斷然出兵黎巴嫩，以保證黎國獨立，此表示美國已恢復其一九五〇年出兵韓國的杜魯門精神。英法雖以塞浦路斯及北非問題，總受困擾，然決不至陷美於孤立，自可斷言。三國如能一致，則中東亂源，自然容易壓止。

蘇俄態度又如何呢？是否決心以志願軍參預作戰呢？如果如此，則三次大戰，勢難避免。惟蘇俄內部正多不安，東歐衛星亦復離心離德，美軍登陸，今已三天，蘇俄報紙雖不斷叫囂，而政府態度尚屬未定，蘇俄似不敢於此時發動大戰。故今日中東之局，美國如果決心冒險（艾總統語），英法又能一致，則赫魯曉夫當不至輕言出兵。

當年韓戰，美國以困於「有限度戰爭」，以至功虧一簣，我們希望今日美國不宜重蹈覆轍。否則虎頭蛇尾，不僅貽天下人之笑而已也。

陳克文

美在中東又面臨考驗

是妥協于伊、黎的「既成事實」呢，抑武裝支持約旦爲伊拉克平反？

雅斯

伊拉克的政變，與過去敘里亞和約旦及最近黎巴嫩的政變如出一轍。所不同的是敘里亞已脫離西方與埃及合成阿拉伯聯合共和國；約旦則賴胡辛王堅忠國變轉危爲安，現又受了新的威脅；黎巴嫩則兩個月來變亂未已，正在求援中；親西方的伊拉克王國竟于旦夕之間變成了親敘埃的「伊拉克共和國」。

這些政變，本質上顯然不純是阿拉伯國家間的爭霸，也不純是所謂民族主義對殖民主義之爭，更不是各該國內政問題；而主要的是蘇聯集團透過納撒所謂中立集團對西方勢力在中東的殊死戰。雖然其中有若干成份是民族主義，若干成分是納撒之流個人的野心，而其主要的推動力却無疑是蘇聯集團。

此次領導伊拉克叛變而在政變後任總理兼國防部長的是親埃軍官賈森准將，被根除殺害的是親西方的費沙爾王及儲君伊拉與總理賽特。而且政變竟能閃電成功，跟着就有新政權出現，馬上就宣佈加入埃敘的阿拉伯聯合共和國，立即又有蘇聯在安理會爲之撐腰，企圖將原有伊拉克代表逐出安理會。這一連串的安排，有如一齣經過預演的戲劇演出，事變之後連英美的使館也蒙在鼓中，如非有國際背境，伊拉克的叛亂者及納撒輩似乎沒有這樣老練吧！

美國動員準備的迅速，與英法支持的一致，超過以往任何一次，是值得喝采的。這種行動是否祇是基本阻嚇政策及有限度戰爭的觀念，目前尚未能遽下定論。但觀于黎巴嫩政變，美國第六艦隊的去而復撤，支持黎巴嫩政府到底等事實表現，則令人不無疑慮。

三次大戰[illegible]而干涉嗎？[illegible]英美的[illegible]頭蛇尾的結[illegible]否則英美[illegible]神，或根據[illegible]請求，或本[illegible]出而干涉；[illegible]政策，作[illegible]，躲在聯[illegible]事化小，小[illegible]則折衷妥協[illegible]成事實」改[illegible]敘利亞往事[illegible]且，黎巴嫩[illegible]，則西方保[illegible]全破產，巴[illegible]散。西方國家退出中東的結果，將成爲整個自由世界的損失。

尚有人以爲納撒的中立主義是自成一套的，最近納撒與狄托的親近，可視爲世界的中立集團——一個中間偏左的中立主義與一個由左偏右的修正主義——未必全爲蘇俄集團利用。但狄托的修正主義與共產集團畢竟是「血濃于水」，納撒的中立路綫也畢竟偏左不偏右。自由世界言，中東據點一旦失却，唯一可用的銀彈政策，更不易成功。自蘇聯言，對付根基未固的納狄集團，總比對付英美集團的勢力容易得多。所以蘇俄已公然出面過問了。如果英美不能勇往直前，而仍又躲在「聯合國招牌下」，則蘇聯在安理會有的是否決權，一個否決，西方國家所憑藉的，除實力外，什麼也失去根據了。到頭來「既成事實」一成，今之伊拉克又將是過去敘利亞之續，這是一個可慮的可能趨勢。

目前巴格達叛軍是否已經控制全局，尚成問題。但若單靠胡辛王平亂，恐是無可爲力的。據今天電訊，黎巴嫩叛軍忽又停止進攻，似有談和企圖，此雖爲美國出兵干涉的結果，但同時却可能演成一個對「既成事實」妥協的局面。英美的出兵，是着重阻止事勢的擴大，而[illegible]

[illegible]所以還是保衛和平安全，而不是戰爭。雖然大戰之來是不可捉摸的。

美國是可靠的朋友嗎？[illegible]也都會這樣問。[illegible]考驗了——是[illegible]「既成事實」呢，抑是武力保衛黎巴嫩，並協助約旦爲伊拉克平反？（七月十七日）

司法組織亟待改革

◎法言。

司法行政部隸屬于行政院，使其所屬各級檢察署處及高地兩院，間接附屬于行政權之下。近有主張改革；改稱爲法務部，借調歸高地院于司法院，徒見治絲益棼，不如撤銷該部，所有該管的行政和所屬機關統併由司法院接管和統率，方是預籌長治久安的正確途徑。

總統府臨時行政改革委員會于三月十日成立，對于行政司法考試三院及地方政府所屬各機構，將有一番澈底改革的建議，付諸實施，茲謹就司法組織部門，略抒管見，就正于各方。

所謂司法，應包括各級法院偵查權審判權及其固有的司法行政和監督權而言，亦猶之立法監察考試除其本身工作外，均各有其行政部分工作。

我國今日的司法，將職司第三審的最高法院隸屬于司法院，職司一、二審的高地兩院及各級檢察署處隸屬于司法行政部，該部又隸屬行政院，因之有關于司法行政工作，亦隨之分別由司法院司法行政部主管，一方面是割裂司法，另一方面爲疊床架屋，不僅行政職權高臨司法權之上，顯違五權分立精神及憲法第七十七條規定，此外的流弊甚多，簡略言之：

應予改革舊理由

（一）司法行政部長爲政務委員之一，經常須參加行政院會議與政要們接觸頻繁，諸傳情囑民刑案件，勢難斷言其絕無，若眞是公私分明風骨嶙峋的部長，固可以「審判獨立」婉拒，然已處處嫌疑之地，難杜各方的誤會，年來司法不理于衆口，此亦爲其原因之一。

（二）憲法第八十條規定「法官須超出黨派以外，獨立審判，不受任何干涉」。而行政院內的部長實富有政治性的黨派人物，掌握任命調動獎懲法官的實權，何怪其難期「法官超出黨派以外」，所謂「獨立審判……」不能使人深信而無疑。

（三）立法委員有向行政院長各部長質詢之權，在院內所爲之言論，對院外不負責任，（憲法第五十七條第一款第七十三條）因可自由質詢某案偵查審判進行的遲速，結果的欠洽，間接便能影響法官的心理，質詢者或具有熱情關心司法威信的善意，但于無形中干涉司法了。

所以很多有識人士主張，應改隸司法行政部及其所屬機關于司法院，幾成爲公是一致的建議。

反對改革舊意見

但亦有少數的權貴主張維持現狀，其所持片面的理由如下：（一）民國三十五年政治協商會議修正五五憲草十二原則中第四項，後被採用于憲法草案第八十二條，旋經國民大會修正通過爲現行憲法第七十七條條文，司法行政部隸屬于行政院，實符制憲精神。殊不知政治協商會議所有決議，均係委曲求全，遷就共黨，共黨旣背信叛亂，我們實在無須再予顧慮。即就上述各條文比較研究，憲法第七十七條，「司法院爲國家最高司法機關……」與協商原則第四項，「司法院即爲國家最高法院，不兼管司法行政；……」憲草第八十二條，「司法院爲國家最高審判機關……」均有所不同。所謂「國家最高司法機關」，自然包含偵審權及行政監督權而言，中下級司法機關自應在其管轄之下，亦猶「行政院爲國家最高行政機關」（憲法第五十三條），各省縣市政府均在其統屬之下此從文理解釋應有的結論，不能還溯制憲前應變的史實，而另有所曲解。（二）有以爲歐美各國司法行政權，均以內閣統轄司法行政權，我國司法行政部也援例隸屬于行政院，好向立法院負責。其實並不盡然，英國司法審判及法官監督權已漸統一于司法院長（Lord Chancellor），美國法律授權最高法院長統轄監督聯邦的司法行政（Code of the Law of the U.S.1934 P.1258）。我國年來司法行政部隸屬行政院向立法院負責的結果，並未見其利，反多流弊，有如上述，似亦無此必要。何況司法院考試院亦均爲治權機關，依照憲政慣例，應向最高民意機關負責，而今日並不向國民大會負責，更不向立法院負責，一樣地有施政方針與工作計劃，日起有功，並未因無對之質詢機構而懈怠廢弛其職守，司法行政也何貴乎定須向立法院負責，而後能推進呢。（三）有以爲法部隸屬于國家決策總樞紐的行政院，好使司法順利配合國策。此說更屬荒謬。國策未經立法程序制定法律前，法官無援用的責任，「若僅指時代潮流大政方針不宜違反而言，必隸屬于行政院而後可，則司法院考試院亦須改隸于行政院，方無違背國策之虞，可乎不可？

折衷的意見

近有人主張改隸一二審法院于司法院，保留法部于行政院，改稱爲法務部，仍統率全國檢察署處監獄看守所。雖稍有改進，究未澈底。（一）將司法行政及其監督權仍分由司法院及法務部主管，破碎重疊依舊，法務部轄下旣無法院，仍須掌一部份司法行政，這種改進，仍屬隔靴搔痒。（二）將司法院對于法院監所的改進和擴建計劃等，均須事先商另一系統，代爲提經行政院會議通過而後，可憑空多一層肘的機關，反多不便，且失體統。（三）各級檢察機關每多附設于同級法院內，若使檢方統隸于行政院下的法務部，審方統隸司法院，勢須由司法院與行政院法務部會商解決，小題大做，多費繁軍而無聊！若各偏袒其屬員，則非鬧至總統府，無法解決。但推事與檢察官，本可互調服務，併算年資，若分隸兩院，即難能協商互調，亦增不必要的繁重手續。認爲司法部門的法院改隸司法院，仍留由行政院統率的檢察官不能仍認爲司法官，（係依據司法院釋字第十三號大法官解釋），一變而爲普通行政官了，剝奪其法定的法官待遇和保障，尤非有志服務法界者之所願就，將來舍此就彼，審方人才擁擠，檢方人才貧乏。若仍視同法官，何以不一併改隸于司法院，殊難自圓其說了。

監所保偵審權下的附屬機構，尤須中下級院檢共同監督，亦應隨同改隸。

日本戰後的法務省，流弊已多，彼邦法官深爲詬病，我國決不應重蹈他人覆轍。

改革司法組織正確途徑

最妥便的改革辦法，是將司法行政部統率所屬機關改隸于司法院。但若使整個司法行政監督權分屬于司法院行政部，仍不合理，使本與最高法院平行的檢察署，仍隸屬于與最高法院平行的法部，體製亦欠允洽。

司法院原有的司法行政工作本極簡單，撤銷司法行政部，將其所經管的工作，遴併于該院，擴大參事室秘書處組織或另設必要的司處，亦是簡政提高行政效率的一道。使檢察署升格直隸于司法院更是順便解決多年待決的問題。至于原隸法部的調查局可改隸于檢察署，好收監督指揮的實效。才是改革司法組織的正當途徑。

內閣改組經緯

◎慶光。

【台北通訊】陳辭修先生，以副總統拜命組閣，兼長政院，海內外輿論一致予以好評，實爲可預料者，及至新閣名單公佈後，更有予人耳目一新之感，本文特就陳氏組閣之經緯，扼要報導，或可有助於了解陳內閣之現在與將來。

陳氏受命組閣時，適値小病，山居台電招待所，一面刻意籌考慮人事與政策問題，一面頻頻與各有關方面接觸，並于七月七日招待中常委徵詢對政院的意見，但是對於內閣的形態，究竟是舉國一致的大團結？抑是局部的人事調動？在決策方面的意見，當時亦頗不一致。

據聞，陳氏的智囊群的最初擬議，是多用新人，行新政，以嶄新的陣容出現。嗣經與最高當局數度商談，及陳氏審愼考慮之下，認爲大調動雖有其優點，但恐發生人事與政策的不相銜接現象，乃決定在小調動的折衷原則下，作人事佈置。因爲人事受決策的影響，使新閣陣容，遲遲不決，以致引起各方面傳說紛紜，時而謂將大調動；時而謂僅小調動；時而又謂某某將入，某某將離職，而素有「海派」之稱的某長，且自稱將奉命繼任，繼又表示僅百分之四十之希望留任，政治行情，當以此一時最爲紊亂，但亦足見全國人士對新閣的熱烈期望。

事實上，陳誠此次的組閣，抱着「只許成功，不許失敗」信念，所以對于新閣人選煞費周章，如延攬梅貽琦氏入閣，即先後由陳雪屏、浦薛鳳前往邀請達數次之多。司法行政部長一職，陳氏原欲另以淸廉耿介而學有專長的人士充任，因而先後有史尚寬、查良鑑任的傳說，其他人員亦經再三斟酌，因此原定于七月九日向中常會提出的名單，無法提出，直至七月十三日深夜晉謁總統時，始對全部內閣名單作最後決定，于十四日上午提經中常會正式通過，七月十五日正式交接。

綜觀新閣陣容，除國防部長俞大維，內政部長田炯錦，經濟部長楊繼曾，財政部長嚴家淦，交通部長袁守謙，司法部長谷鳳翔，政務委員余井塘、蔡培火等留聯外，副院長王雲五，秘書長陳雪屏，外交部長黃少谷，教育部長梅貽琦，主計長陳慶瑜，僑務委員長陳淸文，蒙藏委員長李永新，政務委員蔣經國、王世杰、薛岳等均爲新任，另政委二席則由民青兩黨保留名額。這是經十天來苦心策劃所組成的堅強陣容，其中舊任如國防部長俞大維，頻年親赴前方陣地，解決軍中實際問題不少，爲三軍將士所愛戴。經濟部長楊繼曾前在台糖任內，成績優異，後任經濟部長不久，對自由經濟政策，頗獲好評。新任人物中，如社會賢達王雲五，名學者王世杰，等相繼入閣，實爲新閣生色不少，至於年來折衝樽俎，建樹頗多的前外長葉公超已內定爲駐美大使云。

新閣的組成是大家所寄望的「反攻內閣」，今天自由中國的使命也在于反攻復國，但在主觀條件與客觀環境未完全改變之前，毫無疑問，將仍以改革政治，樹立民主楷模，號召海內外大團結，以加強反攻復國的力量爲當前首要任務。以陳氏的崇高聲望與果斷作風，及其所領導的堅強內閣陣容，今後如何振奮人心？如何改革政治社會風氣？進而開拓新局，創造新機，當有愼密的全盤策劃，吾人于興奮之餘，且拭目以待。（七月十四日于台北）

人物介紹

袁樞眞教授其人其畫

大概遠在四年前吧！在某一次大規模展會中，我發現了袁樞眞教授兩張轉變作風的油畫（一張人物一張風景）在畫羣中突出。使我開始對于她在藝術方面的，錦繡前程，有了武斷的預期。

袁樞眞教授浙江天台人，女性，現年約四十餘歲自幼愛好繪畫，上海新華藝專畢業後，於民國廿三年東渡日本，入日本大學美術科，隨中村久教授研究二年，再赴法國入巴黎藝術院深造，其作品曾數度在國際沙龍入選，廿九年返國：一度隱居滬上，後歷任國立藝專教授，重慶師範美術教授，卅八年來台，即先後膺任師範學院及師範大學藝術系西畫教授，以迄於今。遷台後而對大陸淪陷的慘痛，很容易陶醉於激蕩的夢，以發揮其抑鬱之情，遂寫出今日蒼勁縱橫的筆觸，更從入自然而出自然，從寫實而超寫實，去創造她自己的藝術生命，我從她的作品（本年四月底她曾展出九十二件）獲得左列的感想：

一、她由中國藝校孕育出來的作家，多數都過崇尚古人的古典主義，進而變爲標榜情感的浪漫主義，及拔法自由的印象主義，袁氏當然曾經那些歷程，惟從其近數年的作風看，她顯然已在反抗歷史傳統的自然而描寫，而她正熱烈爲自我表現而創造，她是在沉夢中不知不覺已將其意念走向反自然主義的後期印象派的懷抱了。塞尚（Cesanne）爲現代新興繪畫的始祖，凡與其有緣者，無不開展其新奇的生命。

二、她正沉變於抽象主義。我從袁氏展會出來，不斷縈懷着幾張作品，好似和我是舊交一般，不，這竟是我最愛好的石濤上人的山水一般，尤其那幀「碧瀾鳥影送歸舟」！那抽象主義雖久發軔於中國，而世界的抽象派也正向世界藝壇突飛猛進中，其重點爲抒寫內心的情緒，及描寫感覺的表現，其理論與中國繪畫如同一轍，以「氣韻生動」爲主，絕不區區於形似而已！

基於以上兩個重點，我以爲袁樞眞教授顯已走向這個新時代的成功之路。而她又是以西洋畫的技巧而發揮出中國民族藝術的精神的！在其畫展中，我很注意輿論對其反應如何，先後曾讀林梅晉莫大光等所作二篇，又看各報的專欄特寫，我很欣賞以下兩段，如『看袁教授畫後，頗令人有淸新之感，每一尺幅之內，具見作者遼幅之胸襟，不僅風格別具，氣氛誠眞，尤以設色得宜，佈局井然，益顯出作者之天才橫溢，所作「繚烟嵐里」「海上維瓷」淡淡數筆，即能捉住海上精髓，而以抒其浩翰，遠思之意境』，其欣賞力頗具巨眼；又如『「熱海在望」「風迴浪轉引漁舟」係在日本所作，此兩幅亦與一般畫法迥異，漆山薄浪，均爲一筆蹴成，而色彩分明，濃淡得宜，有粗繪有細描，下筆處，處處富有生命力，遙遙望去，漁舟一葉，在孤海中浮沉飄，忽頗覺人生迷茫，不知何去何從』，其感覺非常正確，當然我所欣賞的，當不止此。

一個作家的品格也常常在作品中表現出來，其間最大的分野當爲淸濁之不同流吧！以上所舉輿論以爲袁氏之作有淸新之感，此即爲「書卷氣」之表現，近十年所見袁氏遠離名利之徵逐，對人豪爽而自冷靜，而其終年累月上下課堂，或拿着畫板僕僕風塵於風景區，最近某個展會場竟見她時，她不只沒有珠光寶氣，而僅穿着一件半舊的深灰色祺袍，她整個心情大概已貢獻給藝術了吧！

◎萬香堂。

讀者投書

一個青年僑生的呼籲

近年來，香港高中畢業生的人數與年俱增，專上學校教育雖也有了很大的發展，但一方面，數量上仍容納不了高中畢業生。一方面質量上又多令人失望。現在自由中國當局已注意到盡量吸收僑生回國升學，但我覺得如何扶助本港僑辦的專上學校，使能從數量的發展進而爲質量的發展，更爲重要。

現在香港幾間專上學院，大部學生衆多，設備簡陋。其中有些擁有七八百學生的專上學院，只得幾個課室，稍爲複雜的實驗設備完全缺乏。圖書館的書籍更少得可憐。此外禮堂，體育設備等更談不上。往往一些工科教授，只能用口頭講課，一點實驗設備沒有。這樣的教學效果怎樣，不言可知。其實這樣一個專上學院比之一間稍具規模的小學還不如。即使學生人數與年俱增，對於眞正的教育有用，能收甚麼效果呢？最近，聽說自由中國當局準備在台設立一間華僑大學，用意不爲不佳，但我以爲最現實的措施，還不如加強對現有專上學院的扶植，在精神上，物質上，和經費上盡量予以援助。要在香港發展僑生專上教育，是具有很優越條件的。因爲學生人數甚多，又有不少從大陸逃難來港的有名教授。祇因經費缺乏，設備簡陋，始終不能盡量發展，實在可惜。我希望自由中國教育當局，應該正視這一重大問題，定出一個切實的扶助計劃，否則浪費了許多青年的時間，也是國家的一大損失。（七月十四日——九龍。）

◎江仲銘。

中東變局與三次大戰

李金暉

伊拉克政變的翌日，美國則斷然決定出兵黎巴嫩，雖則，此舉是應黎巴嫩總統之緊急請求，實則無異是在防範中東不安局勢擴大之警察行爲。

駐在塞浦路斯的英軍，也在待命隨時準備應邀進駐約旦，雖然約旦的情勢，較伊拉克爲穩定，叛亂陰謀卻並不因受到打擊而斂跡，祇不過是更巧妙的潛入了地下。

對於伊拉克的政變，國際上現在大抵有三種看法和態度。

西方，主要是英美二國，一直到美國出兵黎巴嫩前夕，美國的態度還是極躊躇的，在基本上美國也認爲不宜於遽爾出爲干涉他國內政；英國，則因爲與伊拉克自第一次大戰後立國以來，即爲同盟國，故態度較爲積極。但兩國的共同默契是除非中東形勢之發展足以危及世界和平，否則決不介入。因此，當伊拉克政變突發後，英美即採取了一致的聯合行動。對伊、黎事件，美國已完全一反二年前對蘇彝士運河事件之態度。

共黨集團目前對於中東態勢，尚祇止於坐觀虎鬥，祇是從旁贊助阿拉伯聯邦共和國對同民族的國家的顚覆行動。當然，納薩在獲得了蘇聯集團的保證和協助之後，他是要想用顚覆陰謀來完成其回教帝國的慾望的。

中立國家——即現時採取中立態度的，如日本、南斯拉夫、印度等，則因恐懼英美的出兵將有擴大成爲三次大戰之危險，故表示西方的出兵祇有增加局勢的緊張，且認爲是妨礙民族主義思想的抬頭。

令人最關心的，當然還是指中東的緊張局勢，會不會演變成爲三次大戰的問題。

對于這個問題，大概可以蘇聯是不是會直接介入來推斷。我們知道，美國對於地中海沿岸的情勢是，幾年來即作了長期戒備的，也並不諱言在必要時會應邀出兵。但蘇聯（和中共）祇是作一種恫嚇性的叫囂，除此之外，即利用共黨份子團結阿聯野心家，作地下顚覆活動。就一般情勢看，共產集團若要眞正及時地援助中東叛亂集團，祇有蘇聯有此能力，中共是根本談不上的。但是蘇聯會爲此火中取栗嗎？看來除了作外交活動之外，是不會作軍事行動的，在韓戰場，蘇聯可以驅使中共作砲灰，但在中東，阿聯——埃及和敘利亞，是不夠作砲灰條件的，基於黎巴嫩叛軍在美軍登陸後，即下令停火的趨勢觀察，中東的局勢或不致於有再行擴大的可能。至於美英，在出兵的同時，已經向安理會表示，速組聯軍，俾美軍能盡早撤出，也足以顯示，美國無意於使事態一發不可收拾。當然，這並非說，中東可從此安謐了。混亂和紛爭，將一仍舊貫。

基本上說，中東的問題，不是可以靠戰火來解決的，這是一個複雜的民族問題，共黨滲透問題和王室與平民間的鬥爭問題。如果戰火眞可以用來解決問題的話，美國豈會被迫到最後關頭才作警察行動。

除非西方——尤其是英國，不惜一戰；否則西方仍將珍視中東這多年來投資的石油王國，如果戰火燒遍了整個中東，歐洲的工業將會因缺乏石油遭受到最大的打擊，就在整個的戰略觀點上來說，也是錯誤的戰爭，西方怎會不作愼重地考慮呢，何況這樣的戰爭，只是對蘇聯有益！

伊拉克簡介

第一次大戰前，伊拉克原是土耳其帝國的二個省，大戰中英國擊敗土耳其，佔領了伊拉克，戰後一九二〇年由國聯把她交給英國作爲委任統治地。一九二一年英在巴格達舉行公民投票，伊拉克獲得了獨立，也從此與英國成爲盟友。一九三〇年兩國簽訂了廿五年期的英伊同盟條約。一九三二年國聯取銷其委任統治地位，並接納她成爲國聯的一員。一九四八年兩國又訂新的廿年同盟條約。自始至終與英國建立並維持友好關係的，是首相努里·賽義德，他是個受土耳其軍事教育的軍人，先後做了十五任首相。現年七十歲，今次不幸死於亂槍下。

二次大戰後，伊拉克與美國的關係有了增進。一九五一年美伊簽訂了「技術援助協定」；五三年與土耳其簽訂廿五年的友好條約，五四年四月與美締軍援協定，五五年二月參加了巴格達公約集團。伊拉克的石油蘊藏量有八十七億桶，爲世界總蘊藏量的百分之九一。（資）

美共眞相

○旭軍譯○

假如你以爲加入共產黨，可以安心研究馬克斯和恩格斯的著作，購閱一點左傾文學，而不必費力，這就完全想錯了。

黨員必須不斷的勞苦。黨就是冷酷無情的主人。黨員不歇的走動，做了這樣，又做那樣，他是『沒有一點時間或精力，或金錢，可省出來，可以由他自己自由使用的』。他的整個生命，是受人操縱的。他的黨是他的學校，朋友的來源，和他的神。

不捨晝夜，黨不斷的催黨員去行動，去捐款，黨員註册，售賣刊物。正如黨的發言人所說的：『我們必須剷除一般多費辦法，而事實上幾乎一事無成的人。』共產黨人主要的特色是永恒的勤主持傾覆活動的人，是一個半受薪的職員。

他是整個機關的樞紐，管及有關全國的，州的，和縣的各級黨事務。他的工作是發施命令，誘騙，恐嚇，厲色怒斥，阿諛淺笑或誓言旦旦。

大多數黨職員是具有十至二十年黨齡。其中若干是曾在莫斯科受訓的。他們的薪水多少各異，平均週薪約五十至七十元。按通常情況黨官由地方組織支付酬勞。經費不足時，則由全國總部支付，他們的旅費則實支實報。

黨職員大部份不在家進食，而在『舒適』少受注意的餐室裏吃飯。在一個共產黨組織者看來，家庭只是一個睡眠的地方，但又因活動所需，常輒夜不返。

只有一舉行會議時，代表聚集，黨的組織者便將他的寓所暫作旅舍。

這個受薪的黨員工作，是維持黨的工作進行，要相當的智慧能力和人們相處。他必須知道如何克服恐懼，猜疑，怠惰和說服對方例如他可能向一個黨員提議：『我們需要五百元，你必須售你的車作捐款。』

黨員對於黨的一切計劃，必須盲目服從。此外，又例如改變職業，收養兒子，訴訟，也須聽從黨的指示，患病時，也由黨的組織者推薦醫生，訴訟時，便推薦一位屬黨的律師，失業時，組織者便介紹他與各黨員想法協助辦法。

一位有前途的青年，加入共產黨，到紐約受訓；突然被命令去和一位自匈牙利來，而以學生簽證入境的女子結婚。因爲黨認爲那女子可以供給很多有關的資料，舉行結婚，才可使她久留在美國。只是形式上的，三年後，辦離婚手續。旋被派去西佛吉尼亞州任職，並和另一個女子同居，因那女子也是有公民籍的問題。

至於金錢問題，黨的捐款運動，名目繁多。譬如黨的領袖被逮捕了，必須籌款營救他們，也稱爲『防衛費』。又『工人日報』需要款項支持——十萬火急！又稱爲『出版費』。又如『三十天內黨須籌十萬元』，（臨時緊急費）黨員幾乎每天應付一項籌款。

一個共產黨員，就是這樣的不斷受驅使，勒索，和受控制，到死爲止。他的主要的責任，是服從黨的訓令；正如『工人日報』在創刊時所說：黨員是生來去『增大我們陣容的生物而已』（節譯自本年六月份Catholic Digest）

竹林幽秘

請認識饑餓輸出帶來的危機！

自去年年底起，中共即有將其產品猛烈向外推銷的跡象，果然今年以來，其饑餓輸出的範圍愈來愈擴大了。遭受這一種傾銷政策禍害的首當其衝的是香港，其次是東南亞其他自由國家，最後當是自由世界的失掉整個亞洲市場。因此，我們必需向自由世界呼籲，不容忽視，必須謀求對策。

或有人以爲我們在危言聳聽，且以香港來說吧，新界的農場已遭到了這種困難，從雞鴨魚蝦，以至青菜的價格湧來，以不足香港產地成本的價格傾銷，當然這是無法對抗的，農民或養殖者們都經不起這樣長期虧蝕，那麼他們祇有放棄這種經營。

另一方面，最近已經見到香港某些輕工業發生困難的，而原因當然是多方面的，但恐怕這還是一個開端而已，因爲中共推銷輕工業產品正在擴大之中；那末，香港的輕工業將面臨的眞正困難，還是受了傾銷影響而來的。這幾個月以來，中共在香港的商品推銷機構不斷地擴展，不難想像，某些行業亦將受到嚴重的打擊。上述三項事實發展的結果，對香港來說，必將形成失業浪潮，從而當亦影響于社會秩序。

我們曾經與許多中外朋友討論過這一種問題，他們幾乎一致懷疑這樣不顧成本的饑餓輸出能夠維持多久。確實，這是一項合理的懷疑，特別是受西方經濟學說影響的人們。但是我們必須先了解中共的經濟體系中已消滅了個體經濟，一切對外經濟行爲是一個完整的整體，其所有一切的力量不能以常情的個體經濟的觀點來衡量。二、大陸人民的生活水準已經降到最低限度，吃山芋，量身買布，三月不知肉味等等，當非任何西方國家的人民所能做到；這樣，也就是大陸有廣播低賤的勞動，亦由此而可以將其產品成本降低到在自由世界中所不可能做到的程度。三、他們對于人民的控制，另有一套政治組織的辦法，在這套辦法之下的人民活動，已經不多，若我們單純祇希望于人民的反抗來改變其對外貿易政策，效果一定非常遲緩。我們可以舉例以說明之：一九五六年春，廣西春荒有一專區活活的餓死了五百多人。這一方面固然說明春荒兇惡的程度，但另一方面也證明中共政治組織的可怕，連到大家明知都要餓死了，也無力去進行反抗。試問西方任何政權能否辦這樣的事？

我們固然相信大陸政權統治下的人民，必將起來反抗；同時，我們也相信，他們這種對外饑餓輸出，是增速這種反抗的來臨；但終究從自由世界的立場來論，是不能等待依賴于其內部變亂的。很顯然，要解決這樣一個惡劣的政權，必須採取積極反擊的辦法。

●田心●

書刊介紹

鄒著「普通心理學」

晚近心理學之說法不一，有謂爲研究「心靈」之科學者，亦有謂爲研究「意識」科學者，更有所謂研究「行動」之科學者，學派繁多，中外心理學者著述亦富，筆者頗多涉獵。頃讀台灣省立師範大學教授鄒曼支（謙）氏著的「普通心理學」後，覺其比較精博！新穎。且能擷精去蕪，更有許多獨特見解。鄒氏從事教育三十年，故在教學方面注重實驗，深憾那些捨完善教本而用筆記者。鄒氏說：「教者無論先發綱要，或寫黑板，教者學者均屬時間與精力之浪費；學者所得實極有限。所以我始終主張用講義，提供學者以體系的組織的資料。因講義有極大之伸縮性，可以隨學術之進展，逐年加以增删；即令材料過多，而教學時間有限（心理學在我國大專校院僅有六學分教學時間），教者可酌予省略，而省略部份，仍爲學者有益之參考也」（見導言頁三）。

全書除師大教授趙雅博爲之「序」與作者之「導言」及「後感」外，計分四大篇，三十章，一百六十節，從心理學之定義及研究對象、方法，分野與應用，說到感覺、知覺、錯覺、意識、興趣、注意、記憶、觀念、統覺、想像、思考、感情、情緒、情操、變態感情、意志、個性與人格，及個性之分析的考察等，都四十萬言，插圖一百三十餘幅，附錄心理學者簡介二百六十餘人。英、德、法、日重要參考文獻一百七十餘種，二十四開本一號模造紙精印，三百七十餘頁，精裝本定價新台幣四十六元，平裝本卅八元，文字洗練，裝印精良，各大專校院多採作教本，初版未及一月，三千份銷售殆盡。

筆者讀後，似覺不無微瑕，如第四篇，二十五章四節「筆意及文意之美的情緒」中，關於「具有悠久歷史及偉大成就，至今猶獨步全世界之我國繪畫」（名畫家張大千語），所論未能與書法詩詞同作精警的說明；此外還有校對不夠精密，其中手民錯別字與錯頁及標點符誤之處頗多，如能切實改正，則是一本完善的好書。（四七、六、廿九寫於台北新莊妙師齋）

○楊力行○

國際動態拾零

△美國中央情報局最近估計，蘇聯製成足夠飛彈後，即發動第三次大戰。以時計之，當在一九六二年。

△共產黨預計艾森豪總統之弟密爾頓訪問南美時，將于七月十六日發動較上次反對尼克遜更大規模的示威運動。以此艾總統批准延期。

△南美共黨反尼克遜之運動，受黨中央的批評。各地宣傳局全體人員，悉被召回莫斯科，指出其錯誤，並重新予以訓練。

△美國在海底及南極開採鑛產計劃，以抵補現下大量之消耗爲其第一國策。先于月球及其他行星探險之計劃。

△在深水爆炸之原子彈，像最近太平洋試驗結果，謂可以消滅一大隊運輸船，但其原子幅射量，不至在空氣中散播。

△最近反潛艇武器，爲在深水之原子放射，使水中聲音，永遠嘈雜不清。致敵方潛艇之收聽機什麼都聽不見，並影響其他裝備，使之失靈。

△美國發明一種新化學武器，裝在原子彈頭與炸彈之上。放射以後，敵軍聞到此項氣味，即安靜下來，鬥志全消。

△國防部決定一九六〇年，洲際飛彈大量生產以後，即放棄陸軍周彼得飛彈之製造。因爲空軍之梭爾飛彈之大量生產其過程較快。

●陶然●

自由談

中東有驚無險

馬五先生

美軍三千人應黎巴嫩政府的要求，馳赴該國應援後，全球各國的執政人物，皆表示激動騷擾的情緒，而以孫府與莫斯科爲尤甚，前者宣佈全面備戰的非常措施，後者大呼「美帝公開侵略挑釁」，聲言決不漠視，保留採取必要行動之權。實則有驚無險，儘可放心。

黎巴嫩的叛軍頭目，於美軍登陸貝魯特港十二小時後，即自動宣告停火，說是等候本月廿四日新選總統，再行計議。在背後支持黎國叛亂的埃及和敘利亞，只是空口叫罵，不敢隨便惹禍的。俄帝素來就是「坐地觀鋒」，慣以言詞和文字相恫嚇，給它一個不理睬，它祇好裝傻不作聲了。美軍開赴黎境的目的，只在遏制伊拉克的變亂不蔓延到約旦，以致加重黎巴嫩的叛亂而已。俄帝既無掀起大戰的膽量與能力，無論中東問題鬧得怎樣厲害，也鬧不出大亂子來的。對美國出兵中東這回事表示最緊張之神色的，殆莫過於南共頭子狄托了。這也難怪，他正與納撒熱烈勾搭，企圖聯結印度尼赫魯，形成國際第三勢力，搔首弄姿，投機敲詐，納撒如果一旦失勢垮台，狄托自有兔死狐悲之感。最無聊是日本當局，火燒一池春水，底事干卿？竟亦對美軍馳援黎國的行動，認爲「甚不適宜」，而主張美軍應該及早撤退，不惜爲俄帝幫腔助勢，妄自矜狂，恬不知羞，可謂醜態也已！

我決不相信戰爭可以避免之說，日內瓦的科技會議儘管開，專家們高談闊論甚末防止突襲，偵查核子武器試爆情形等問題，結果還不是廢話一場！不過，像目前中東發生的事變，大戰暫時是不會發作的，因爲俄帝尚有內憂，不致於輕易發瘋，而美國本土的安全鞏榮，亦未產生戰軍的威脅。中東的形勢，可能釀成局部小戰，但主體必非美軍而是以色列，中東從此將無寧日，却可斷言。但亦有點好處，即美國安撫納撒的政治賭博行爲，今後大概要收斂了！

寄遠方的朋友

·小言·

××兄：

生活在這個時代裏，祇要你還是個人，或者你還想做個人，你就會覺得不如意的事太多了！雖然，這時代已被稱爲民主自由的幸福時代。

說話要加小心，因爲古有明訓，「禍從口出」；行路要小心，因爲馬路如虎口；吃飯要小心，因爲「病從口入」；另一個意思是不能飢不擇食，不然就變成「有奶便是娘」者之流了；穿衣服要小心，因爲這年頭，長了狗眼的人畢竟不少，穿得講究些，可免照狗之災；至於住房子，那就必須更加小心了，因爲不能忘了「禍從天降」那句老話，房頂結實點兒，總比較好些。

聰的，但是這正是犯了「禍從口出」那條天條。

除了衣食住行和說話之外，還有一些必須小心的事，實在太多了，也不勝枚舉。不過我可以告訴你一樁事，就是你以後寫信也得加小心。

按說寫信，是你我的事，不管任何人的鳥事，可是根據最近你的來信，總是不能按時到達，接到之後，信封後面總有一二個從未見過的古怪的號碼圖章，我不能不懷疑，是有人在開「善意」的玩笑了。其實你的信上也沒什麼，不過是耍筆桿的人麼，筆下少不免刻薄些，如果有人好奇當作情書先拆了偸看，一定會失，更何況是黑字落在白紙上，事關「思想問題」，我就不能不奉勸一句，還是把你那些牢騷倒到太平洋裏去吧。

當然，人總是人，除了吃飯拉屎睡覺之外，還得找些朋友說說話，還得和遠方的朋友通通信。不過，讓我設身處地而處，我還是要奉勸你，你最好還是讀讀經好些，如果你覺得讀經太陳腐了，那麼你可以改唸阿彌陀佛的佛經，佛經會教你以入地獄的精神來處世忍受；如果你又覺得讀佛經，畢竟年紀太輕了些，那麼你可以揀時髦的學，不妨讀讀聖經，憧憬那天堂世界，閉着眼。

總之，我勸你，不要把自己的心放在現實生活裏，這樣，才能使你的思想超然於現實之外，那就凡事皆可以用「管它娘」的態度來處之了。

其實，我也要說句不好聽的話，這年頭，像你這樣的人，活着本是多餘的。人家看你是異端怪物，你看人家也是怪物異端，在你覺得自己是讀書種子，挨窮沒關係，可是得要能有吐氣的自由，就是說話和寫作的自由，但是在別人看來，你是可以不必挨窮的，以你的才華，甚且還可給氣給別人受，只要你能不甘於挨窮，你盡可以不必管錢是從那個臭窩齷齪窩裏撈下來的，祇要你見到有奶汁兒的，你就管他叫聲親娘，豈不大家都落個皆大歡喜，所以我也勸你，別再那麼死心眼兒了。

話雖這麼說，其實我也知道是白說了，因爲你之所以爲你，就是因爲還堅持保有了這死心兒的骨氣。那末，就請你原諒我的唐突吧！

七月十五日

暮遠樓詩

伍俶。

團扇詩酬靜子

美人當立秋。贈我團團扇。在初學圓月。月今扇上見。照此富士山。峯雪明於練。握翫不能已。夜熱且在面。揮之無暫停。因之增深戀。涼風縱搖枝。我心誓不變。方笑班婕妤。零落傍漢殿。

晚霽觀雲

晚霽時欲昏。日邊霞色淺。夏雲初變秋。濃淡未能免。當由風勢高。在下尚猶卷。亦有細若絲。或乃圓作繭。天碧水相如。鎖薛雜苔蘚。仰觀或稱心。有懷自此遣。

飲茶的藝術

「其旨歸於色香味，其道歸於精燥潔。」

飲茶雅稱曰品茗，筆者對於此道雖然沒有研究，但常常爲了朋友交談，免不了要到茶樓去擺龍門陣，日子長了，飲茶的興緻隨之而生。

烟酒並不一定人人都能欣賞，惟有茶受普遍歡迎；香港這地方，茶館多過酒館。

人們祇有在閒暇遇到知已好朋友時，才領略飲茶的好處；如同賞月賞花一樣，要有當趣相仿的人才有味道。

飲茶必須注意到情調，曾經有人說過：「賞花須結豪友，登山須結逸友，對月須結冷友，待雪須結艷友，飲酒須結韻友，喝茶須結靜友」。

當我們心曠神怡，又有良朋知友的時候，便是飲茶最適當的時間。茶是爲恬靜伴侶而設的，正如酒是爲熱鬧社交而設的一樣。茶能帶我們到沉思與默想的境界去，如果我們懂得如何去欣賞，那末，飲茶就應該緩慢，富有詩意，切不可作牛飲。

有人說：茶像微帶隱世中的純潔。因爲眞正懂得的人，一定知道從採摘到最後冲泡飲喝，都需要注意清潔，油膩的手與杯，都會影響其中的興趣。茶錄上說：「其旨歸於色香味，其道歸於精燥潔」。飲茶須具備有安靜的心情。這就是爲什麼人們說飲茶以客少爲貴，人太多，衆喧之下，一定是雅趣全無！

茶的種類大致分爲兩種，即紅茶與綠茶，而又有出品地的不同，和優劣的區別。其次要講究的便是茶器，眞正愛喝茶的人，都以煮茶和玩弄喝茶的用具爲無上的樂趣。像蔡襄到年老時，已經不能飲茶，但是還歡喜自己去煮玩。又如周文甫每天必定支配了時間焗茶飲茶六次，甚至到他死時，竟把他平生所愛的茶壺，也作了他陪葬的禮物。

奉告茶客，請記住九點秘訣，便夠茶味了：

（一）茶很容易爲旁的氣味沾染，因此儲藏茶葉最好蓋緊在不通氣的銅盒內，使其不易沾染旁的味道。

（二）好茶飲後，必須有一種回味，是故不要匆促，要靜靜地待茶入肚半分鐘，茶氣上溢而產生一種香味。

（三）飲茶最宜約一二恬靜的知友，彼此都能幫助靜思。

（四）茶僅可焗兩次，第一次飲過以後，不妨再焗一次，有許多講究飲茶的人往往要喝第二壺，因爲它的味濃而香。

（五）茶宜即焗即飲，不能以火重溫，更不能使之浸得太久，否則便會變味。

（六）焗茶最好要有新鮮的清水，當然以山上的泉水爲佳，江水也可以，井水比較次之。有人積儲純潔的天落水煮茶，倒也不錯。自來水如果是從水池出泉，也是很好的來源。

（七）焗茶必須以剛剛煮沸的水來焗，不沸或沸後太久的水都不宜焗茶。

（八）茶葉應該保存在乾淨的地方，不宜讓它潮濕。如果發現茶葉生霉，可以放在鍋裏用火焙一下；同時又用扇子扇動，不致受黃或變焦。

（九）茶中不宜放其他雜物，眞正的茶是不放什麼花朶的。

○文鑑。

棧道

古月。

棧道又名閣道，是古人運用其智慧和勞力，往高山險阻，不能行人的地方，架成的高空公路。輿程記載：「險絕之處，傍山架木，以通道路者曰棧道」。這種棧道多半在川陝一帶，而創始建設這項產物的時期，大抵在紀元前二三世紀之間。

中國最長的棧道，恐怕以連雲棧爲第一。它在陝西褒城縣北，接鳳縣東北，統名連雲棧。據輿程記載：「陝西棧道長四百二十里，自漢中鳳縣東北草涼驛爲入棧道之始，南至褒城縣之開山驛，路漸平，爲出棧道之始。中間共有棧閣二千九百八十九間。」這一條長大的棧道，便是漢書張良傳所載：「良因說漢王燒絕棧道，示項王無東意」的這條棧道。

其次是劍閣棧，據華陽國誌載：「諸葛亮相蜀，鑿石架空，始爲飛梁閣道，以通行人。」這一條棧道，是在四川劍閣縣北大小劍山之間。

至于長空棧，也在陝西華陰縣城南十里的太華山上。近人西北遊記載：「華嶽南天門，徂絕壁西行，有木造細路，以鐵橛插山壁，下鋪木板，寬僅五六寸，行人面壁舒臂攀鍊，以足橫移。……」

此外，還有四川平武縣東南的一條棧閣（即馬閣）。這條棧道雖然不長，但峻峭崎嶇，極爲艱險。據說：鄧艾軍行至此，路不得通，乃懸車束馬，造作棧閣一十二處，以通江油。

叫我如何能愛她？

○馬太。

聖經上叫世人，尤其是叫基督徒們應該「愛你的鄰居」，我是一個基督徒，我想做一個愛鄰居且被鄰居所愛的好基督徒，然而……到最後我却不得不敬而遠之。

我曾經有過這樣一個鄰居；一個很少打理家居，終日喜歡遊樂的太太，因此她的孩子在沒人管教下，作出了色狼、偸竊，以及兇狠待人的不良習性，當我友誼的提醒她要多注意孩子時，她反倒我以一頓怒駡和白眼。

主啊！這樣的鄰居叫我如何能愛她？

在日本獄中

蒙齒

中篇小說

二

獄裏沒有一點光亮，僅有一扇小鐵格子窗，一年來這是我生命的海洋港口，廿四小時除掉睡眠之外，我每天總是從這寒窗探大的世界的，那高大的圍牆把天空，遮掩一半，銳利的鐵絲網好像把雲彩都關住一大面，小鳥有時在鐵質的鐵網上停留片刻，也好像帶與似地匆匆飛去。等待，盼望，死亡，希望，永遠凝結在一起，只是不再恐怖了。

藉着曙淡的壁上的太陽反光，我把那張白紙字條再和牆壁貼近，以便看出模糊的字跡，牆壁是我勾劃的地方，那面能夠用指甲刻劃的牆壁上面記載我入獄，受審，挨打，受刑的日子，記載着我的過多的言語，太陽的反光從遠方輾轉反映射過來，光亮所讓無幾，再加上牆壁的崎嶇不平，看着字條，我恨恐平日在牆上寫的東西了。

我在字條首上先看清楚的是一九四五年八月×日。

那是我妹妹蕙如寫給我的。這是我入獄後第一次獲得的家信，我用手背擦着滂沱的淚眼，看見了下面這些字句：

「表哥已經出獄，你的涉嫌也快到明白的日子了，望你等待着，會有很多人來保釋你的，你沒有罪，就是當局也將要諒解你，望您保重身體，爸和媽都很好……」

我猜度文字中的語意，我猜會出蕙如妹，寫這字條的信心，我的心在跳。

「甚麼人保釋我呢？很多人？爲甚麼要很多人？這是這一封信的關鍵。」我私自獨語着，用陰冷的牆壁支持我的身子，把紙條藏在鼻子上想。

最多有幾種可能，我用手指按着激動的胸口，數着次數。第一是：日本人打敗了，他們痛痛快快地把我放出來；其次是，家裏的人想出來越獄的辦法，像武俠小說上所講的。這樣做不大合理，這種事情很少；倒是最後這一條路子了，是由學校當局出面保證，向當局陳述，說我還不過是一個年輕無知，感情衝動的學生，談不上甚麼思想問題，甚麼政治意識。……最後通這個問題也要考慮了，學校當局出面保證我是我「年輕無知，談不上思想問題，沒有政治意義……」這樣汚辱我，我是不是承領呢？這損傷我的人格，我就是這樣被保釋出去，我還怎麼樣活着？

驀然地，梏桎，電刑，審訊還沒有損傷我的倨傲……最後自己也爲這幻想和希望所組成的光明景象蠱惑的笑出聲來。

三

夜裏，「交換意見」的時間到了，我們開始以手指頭敲動鐵窗欄，然後再聽一聽隔壁房間的動靜。

我以啞沙的聲音大聲喊着，手心對着嘴，怕聲音直接傳出去，還必須要手掌把聲音折回來，傳到隔面的房子去，這是一種艱難的工作，但我已經很熟練，可是我喊了幾次之後，沒有一點表示回答的聲音，通常都是以咳嗽來代表的。

我躊躇了一下，是不是隔壁的難友換了別人，如果換了另外一個，沒有一兩個月的時間不敢隨便談問題的。我很失望，手裏又把蕙如妹寫來的字條握了又握，委縮着坐了下去。

小獄室下面鋪的是一些破搨搨米，本來是我就地鋪的，我把幾張揭起來落到一起，鋪的厚一點，這樣晚間可以增加一點溫暖的感覺，不然倒在地下太低暗了，有些太空闊可怕。白天還要鋪開，他們要是看見我搬來搬去，我還得說是淸掃房間。

北方的八月，是陰冷的，尤其是這裏陰暗的獄室，根本看不見太陽的光亮，晚間就更涼，我把被子裹住全身，倒在搨搨米上想，一面用潮濕去搜索我無法想到的周遭的聲音，久了，我過度的疲憊，我彷彿睡去，我聽見有人喊一八五號，聲音很細小，我凝神細聽，我以爲是隔壁的難友喊我，我聽到淸細小而粗笨的聲音，帶着笨重的呼吸，是附在我獄室的小鐵窗子鐵格上的「你睡着嗎？一八五號，」聲音雖小，但很有力量。

我仍然屏止呼吸，黑暗裏用眼睛搜索這個人的影子，在我沒有明瞭這人是誰之前，我不肯先決定答應。

「祺光！一八五號，祺光！」這一回聲音沉落下來柔和而比較大，我驀地坐起來。（二）

自由人
THE FREEMAN
（第七七〇期）
中華民國僑務委員會登記證僑台字第一一四號
中華郵政台字第五〇〇〇號執照登記爲第一類新聞紙類
（每週三、六出版）
每份港幣壹毫　台北每份新台幣伍角
督印人：陳文
地址：香港高士打道二十號四樓
20 CAUSEWAY RD. 3RD. FL. HONG KONG
TEL. 771726
承印者：東南印務出版社　地址：高士打道六十四號
台灣總經理處　台北市西寧南路壹號二樓　電話：三〇三四六
台郵劃撥儲金戶九二五二

西方在中東已不戰而敗

・張六師・

美英冒大戰之險，不能搶救伊拉克，奠定中東的長治久安，將來終必不得不在蘇俄納薩勝利的形勢下撤兵。在巴格達公約被粉碎的教訓下，世界小國從此失去信心矣。

一、

這次中東危機，起於黎巴嫩遭受俄共與納薩的聯合侵略，久延不決，迫使巴格達公約四回教國不得不集會於土耳其國謀挽救，於是就引起共黨第五縱隊在伊拉克陸軍中滲透組織的顛覆變亂。

世人皆知，納薩的阿拉伯地下侵略技術，決無如此高度成熟而毒辣隱秘的技巧。他們能在當伊拉克國王已飛赴土耳其的中途，用電報騙誘回國，立加兇弒。（一說在赴機場途中被弒。）而一夜之間便製造出一個新政權，並派出爲蘇俄代表所支持的出席聯合國代表，三日之間便把比約旦大四倍以上的全國都控制住。……閃電行動之機密，敏捷，快速，不僅使一手創立伊拉克陸軍的英國軍方，事前毫無覺察，外交使節，毫無情報；甚至連參加巴格達公約「顧問委員會」的美國都完全茫然無所措手。更把被稱爲阿拉伯英雄的納薩，都事前一無所知地還在訪問狄托，臨時始倉皇縮短日程，甫返開羅，便被迎飛莫斯科，（一說是由南國轉敘利亞飛莫斯科，）晉謁克魯歐夫。足見幕後一切導演，另有其人？

由十五日發動變亂，十九日便獲得各個共產附庸國追隨蘇俄之後而都予以承認，並且發動了世界共黨性的呼號叫囂——要出「志願軍」了。到底是什麼利害關係？值得如此打破世界紀錄的賣力？而據中共新華社十九日北平電，這個顛覆政權的「副總司令」阿里夫上校十八日已宣佈與納薩簽訂「軍事互助協定」，成爲「同盟」了。同日俄國塔斯社報道，叛徒並且已佔領了巴格達公約國的若干處軍火庫和控制了英國在哈班雅的基地，英軍繳械，已全被監視」。

伊拉克從此赤化，（不管外衣是什麼顏色），蘇俄當然躊躇滿志。西方國家除了照樣表演一套納薩接收運河後的緊張姿態外，還會出奇嗎？

二、

按照中東的政治現勢和它在世界軍略上的地位而論，黎巴嫩內戰，納薩的製造，其目標爲擴大地中海東岸走廊以包圍以色列，席捲約旦，是屬於擴大所謂阿拉伯聯合共和國，滿足個人野心與慾望，再爭取伊拉克，沙地的倒入懷抱。而在蘇俄則是掌握住納薩，挑起阿拉伯民族反西方情緒，由下而上以掌握新起幹部影響野心份子作猫脚爪，打擊英美在中東的政治，軍事，經濟……地位，斬斷巴格達公約的防綫，把勢力直伸入波斯灣以入印度洋。從此，把伊朗陷入蘇俄，阿富汗，伊拉克，奧曼的包圍之中。沙地阿拉伯則處四面楚歌之內，遲早勢必併入納薩集團。而蘇俄則掌握住兩條出地中海通入南太平洋與印度洋的道路；一條是表面由納薩管理的蘇彝士運河，一條是通過敘利亞，伊拉克入波斯灣的捷徑。西方的「核子武器」對之已失去作用。

而伊拉克的油田，在俄國的經濟政策下，平時還需要西方如行駛運河一樣，出錢收購，繼續替它營業。到了戰時，自然另有主人。所以伊拉克的政治，軍事，經濟作用，從今以後在實質上當然對西方國家要發生極不利影響，在名義上雖稱接近納薩，而真正的實權，是由蘇俄操縱。這是莫斯科在中東繼蘇彝士運河以後的第二次大勝，也是納薩意外的收穫。不過蘇俄決不會因此勝利而就感滿足的。它今後的問題是：

一、如何鞏固伊拉克的既得權益。二、如何再蠶食沙地阿拉伯，約旦，以色列，和其他……。三、如何迫使美英軍隊退出黎，約兩國，提高蘇俄威望。

第一個問題，由赫魯歐夫建議速開明知議而不決，決而不行的五國首腦會議，可以看出俄國正在爭取時間。不管這類時間是爲了完成內部軍事準備，或是鞏固伊拉克內部統治與預防約旦進軍，都有必要。

第二個問題，便是納薩統治亞非阿剌伯民族和消滅以色列的迷夢一天存在，蘇俄便有一條替他開路打前鋒的工具可利用，但決不可使他停住不動，因爲一停便有自己內部產生矛盾的可能。（十九日巴格達電台廣播已在威脅赫辛王謂伊拉克王的命運正等着他，我們的會師是明日，明日是很近的」。（決新十九日電）

第三個問題，鑒於英美內部都有寧可聽任黎巴嫩，約旦，伊拉克在民族主義僞裝下淪入蘇俄而不可冒三次大戰危險的論調，尤英國工黨貝萬等人的意見，已使世界小國深感今後與英國締結盟約和親近西方的不可恃。美國始終不允約旦的呼籲派兵支持，世界人士都已了解伊拉克之因親西方被犧牲已成定局。蘇俄得提高阿拉伯人輕視西方的士氣，使英美再蹈一次虎頭蛇尾的下場，自必運用全力逼使英美軍隊退出現駐區域，完成決定性的勝利。

三、

雖有知識，不如乘時。美國這次在出兵中東的行動上，[illegible]……但在執行作戰之際，顧慮過近，小心過甚，遂坐失良機，不把軍隊與英國，約旦王軍，併肩延伸進駐哈班尼雅基地，爲自已履行巴格達公約的義務，爲伊約聯邦維護獨立，鎮壓叛亂份子。當時此種閃電行動，一樣的也使叛黨來一個措手不及。時過境遷，今天不也就已解決了問題嗎？

時間無情，良機不再，一周之內叛黨已成立政權，並與納薩締結盟約，獲得俄共集團外交承認，勢成坐大。而「美英還一再阻止他們的盟國——土耳其，伊朗，巴基斯坦對叛變[illegible]……使美英有此魄力，能援助約旦，伊朗，土耳其，巴基斯坦……等盟國，代伊約聯邦平定內亂，充其量再打一場韓戰式的「區域戰爭」而已，但美英連此魄力都沒有，以此類推，世界大局前途如何，不難預料。

今後形勢，不是蘇俄集團更一帆風順的到處不戰而勝，便是除非打真正的世界大戰，否則便無法能再阻囚俄的擴張了。

在此次伊拉克變亂中，蘇俄當然是未料到美國會決定如此之快，便派出武裝登陸黎巴嫩，尤其未料到美軍是全綫性的同時出動，西起格陵蘭，冰島……東迄阿拉斯加，韓國半島與日本海，尤其是在土耳其等的核子空降部隊，把打擊莫斯科的空中距離，一夜之間縮短到只有數百空哩，（在土國伊朗……邊緣的飛彈設備自在其內，）蘇俄軍事人員，對此不會不了解，如果施行先發制人的戰略，俄國已處下風，所以才不得不擺出由會議商討而孔。這是美國空前一次軍略先致的優勢機會，可是將來如再有中東類似事件發生，還會再有如此意的機會嗎？如果不能，則美國必須緊記，今後類似這次的軍事出動，其危機與困難必非今日的情形，時機既逝，是無法追回的了。

半週述評

異哉所謂五國會議

俄共頭目赫魯歐夫裝出「十萬火急」的形色，要求立即召開五國會議——美英法俄之外，加上一個印度——以消解中東戰爭的危機，可謂荒謬不經之至！

關於美英接受黎巴嫩與約但兩國政府的請求，派兵協助該國遏阻內亂，抗禦外患問題，聯合國安理會早已舉行緊急會議，商討善後辦法。蘇俄以常任理事國之一，躬預其役，恣意搗亂，否決由聯合國的組織「國際軍」前往中東維持和平秩序的建議，卻要節外生枝，另開所謂「五國會議」來討論同一問題，其意何居乎？

過去俄帝以大軍進攻匈牙利人民革命運動之際，聲言這是「社會主義國家」內部的事，且係基於「華沙公約」的義務，應匈共卡達爾政府之請求而然的，不容西方國家過問，而西方列強亦就噤若寒蟬，不敢說甚末。但同時俄帝又以飛彈外交的恐嚇言行，干涉英法進兵蘇彝士運河，西方列強——特別是美國，乃誠惶誠恐，意旨是從，趕忙脅迫英法悄悄收兵。俄帝對中東問題儼然以主宰者自命，囂張爲幻，實係西方列強愚昧自私，養癰遺患，咎由自取，於人無尤也。

西方列強愚昧如故

俄帝這次對中東問題之張脈僨興，明明是狃於過去處理匈牙利事變的故智，目的在運用恫嚇詐欺的手段，脅迫美英撤出黎約，默許巴格達叛亂政權的既成事實，使納撒的「阿剌伯」帝國又增加一大片膏腴之地，而所謂「承認它合法存在」即從此宣告解體。

美英如果是有種的話，應該立刻對中東問題有何意見，儘可到聯合國會有十一個理事國，美俄英法皆在其正路而弗由，擯多數人於事外，而要國會議呢？若說這樣或許可能使俄帝激起大戰，那是自己嚇自己的半吊子帝國主義者並不像西方列強那種苟安式作風，它在沒有制勝的把握時，表面上大言炎炎，互相恐嚇，內心上卻畏戰如虎。只要它自信可以一戰了，則隨時隨地皆有戰爭的因素與口實，豈僅中東而已哉？咬人的狗決不亂叫，就看西方列強能否揚棄其愚昧營私的觀念，給狂吠的俄共頭目，投擲一顆石子，教它夾尾而逃了。

可哂的伊拉克叛軍聲明

伊拉克叛軍政權，近日連續發表聲明，說它依然忠於巴格達公約，不擬加入納撒的「阿剌伯聯邦共和國」，又說負責保護美僑生命財產，照舊承認西方國家的石油利益。這些都是爲要投合西方列強自私心理的宣傳魔術，希望美英莫支持約但胡辛王的伊約阿剌伯聯盟關係，而對伊拉克實行戡亂行動。同時又與納撒簽訂軍事互助協定，作爲將來推翻約但胡辛政府的張本。至於西方國家的石油利益，主權操在叛軍政權之手，到時候一道「國有化」命令，再由敘利亞把境內的油管予以破壞，西方國家更感到師出無名之苦，祗好沿用埃及運河國有化的策略，以要求補償損失爲退步之計。如是乎，整個中東即不復有西方國家立足之餘地了！

・雷嘯岑・

美爲何放寬加境禁運

・文鏗・

此次美總統艾森豪，與加總理狄芬貝克一度舉行會議之後，竟「贊同地考慮」取銷對于美商在加境分公司以非戰略物資售與中共的處罰。這是一個重要的轉變。去年中共曾詢問加拿大的福特分公司能否售以一千輛汽車，結果被美總公司拒絕，那是根據禁運令；而現在美國卻準備允許福特汽車公司的加拿大分行，出售汽車與中共，這豈不等于不顧聯合國的禁運令了嗎？

美國爲甚麼會這樣做呢？由于一九五一年以來，加拿大與美國在外交政策上發生許多歧見。例如：

一、最初在聯合國辯論指中共爲侵略者議案的時候，加拿大認爲不合時宜。後來她雖然投了贊成票，可是這不是附和美國而另有兩個原因：一以阻止制裁中共或延緩譴責中共；一以掩飾西方國家的分裂。正如加外長皮爾遜所說，加拿大的新政策，是出于決心要美國明白北大西洋同盟，乃是平等國家的結合，而不是幾個小國來環拱一個大國。

二、當麥克阿瑟將軍暗示要進攻中國大陸之後而致函馬丁眾議長以前，皮爾遜公然大罵麥克阿瑟是政治性軍人。他說聯合國將領越出軍事範圍，發表引起爭執的言論，造成混亂不安的局面，實危害自由國家的團結。同時麥克阿瑟致馬丁函發表的後一天，最熱心支持美加同盟的「蒙特里爾星報」也曾這樣說：「麥克阿瑟當聯合國最高統帥的功用，已經迅速消滅」。尤其皮爾遜對加國會所提出的報告書，揭露了加拿大對朝鮮戰事進行的大不滿意。

三、不久之後，由于美國當時的特使杜勒斯，未曾跟太平洋區的盟友們商議妥當，便逕自宣佈對日和約的大綱。美國時代雜誌雖說這份和約，是美國政治家手腕的一件偉大措施，但在渥太華方面看，引起了一項「新的憤怒」。

接着皮爾遜又對聯合國發表聲明：以後加拿大在聯合國的地位，是一個自立的國家，將與志同道合的國家充分合作，而不是任何國家的附庸。

所以美國爲欲消弭兩國歧見，不能不尊重加拿大的地位。正如白宮祕書哈加第說：美加兩國固然對但雙方輸出貿易法例互有衝突之處，但雙方政府對于具體問題，當覓致圓滿解決的辦法。

美加兩國關係，就地利上和經濟上言，息息相關，假如美國不迅速增強阿拉斯加的防務，則整個北美洲尤其是加拿大，很可能受到蘇俄的突襲。就經濟上言，加拿大固須仰給美國的援助，就貿易來說，加拿大卻是美國最大的主顧。美國出口貨百分之二十二銷售加拿大；進口貨相抵的結果，美國每年由加拿大賺取五億元，可是每年平均援助加拿大祇有三億左右。一九五二年加拿大運往美國的貨品值九億元，一九五五年運入美國貨品約值十四億元至二十四億元，而運入美國的貨品增到三十億元。但加拿大運往英國的貨品，十年來，始終停滯在九億元左右；運入的英貨，也僅由二億元增至五億元而已。

第二次世界大戰結束以後，加拿大的工業空前繁榮。美國工廠紛在安得利奧、魁北克一帶設廠。福特公司在多倫度所設的工廠，幾達五千七百萬元以上。魁北克開掘了無數個新的鐵礦，加拿大北部發現鈾礦，平原地帶發現石油，在在需要美國的經濟力量去協助開採。是故，儘管當時保守黨質問政府：加拿大爲甚麼永遠以原料供給美國？爲甚麼不利用自有的資源技術和人力，自行從事生產？而自由黨政府卻裝聾作啞，置之不理。

一九五六年十二月，印度總理尼赫魯由華盛頓轉赴渥太華，與加拿大前總理羅倫交換對於國際問題的意見時，曾討論及加拿大是否承認中共政權的問題；尼赫魯並以聯邦領袖之一兼「中立主義者」姿態，勸加拿大政府承認中共。加拿大前總理羅倫說：關于承認中共，加國早已準備此舉，但必須美國亦採取同樣行動。這一來，美國非常高興，認爲這是加拿大的聰明之處。

加拿大原是英國的聯邦之一，爲何不跟着英國走而要跟美國走呢？這自然有事實上的原因，如加拿大的自由黨之所以能夠秉政二十餘年的原因，多半是由于美國的支持。一九三五年競選時，恰逢加拿大經濟不景氣之際，美國立予以援助並促其繁榮。

這個背景，可引以爲分析美國目前考慮放寬加境禁運的原因。

（七月十七日）

論提高科學水準

・衛挺生・

衛挺生教授，近致書胡適之，論提高我國科學水準之道，承將函稿郵寄本刊，持論頗有獨到處，茲特採錄如左（小題係編者所加）。——編者——

適之兄：將勻田兄來，具述兄在台就職中央研究院院長情形，非常快慰。中國在學術上落後二百年，雖經過半世紀的廢科舉，改學校，提倡科學，而國內至今科學毫無基礎。中央研究院成立三十年，除歷史語言研究所稍有成就外，餘皆可稱無分。

兄自民六以來高呼「科學救國」。今全國屬望，元首倚畀，而兄親任領導科學研究的職責。從今以後，中國科學可望有飛躍的進展。兄高瞻遠矚，本無待愚者如弟者，「代大匠斲」。然古語有之：「智者千慮必有一失，愚者千慮必有一得」。今事方造端，似不妨進愚者之一言，最少亦決無妨碍。愚意在中國科學落伍不堪之今日，提高國人科學水準，必需雙軌並進：（一）吸收他國的創造發明；（二）努力本國的創造發明。

吸收外國創造發明

關于（一）方面的努力，蘇聯科學新聞院在今世界上實屬第一。落伍不堪之我國最應做法。今年二月一日出版之「民主評論」（第九卷三期七四頁）拙文中曾詳述之。年初，弟曾向張曉峯吳士選兩兄言之。而二君以經費難籌，不敢應承。今中央研究院宜添設一「學術新聞組」，做蘇聯之科學新聞院，而先自極小規模做起。蘇院有全世界各國文字之科學刊物八千餘種，我不妨先以八百餘種爲初步目標。蘇院鑑于各國之刊物，其能以交換取得者，交換之。其不能者，購買之。蘇院有龐大之組織，眾多之人員，從事摘要及翻譯介紹之工作。我既無此財力，可用少數館員，將美蘇日英德法等國出版之摘要及索引，綜合編纂之。成爲永一年度我國科學各門新知之鑰匙。此物成，即我台灣之各門科學知識，比之世界各國，落後至多不超過一年或數月。不至如過去之動輒落伍數年乃至數十年。如此吸收新知，最易以極小費用收最大結果，使國內各科學者趕上時代，此乃不可少的一條大道。

努力創造發明

關于第（二）方面的努力，屬于各科研究所的職責。愚見以爲現在不必頒經費，進行設計一個分科研究的整個計劃。然後分別首要次要，分期籌撥經費。例如，天文學、地理學、數學、物理學、化學、生物學，爲今日生產建設主要的理論及應用科學。此數種科學之進步程度，關係國力之消長。又如已往中央研究院歷史語言研究所，集全力于內地之研究，而忽視邊疆國藏的歷史語言研究。所以民國以來，邊疆問題，多不瞭然。邊疆政策的錯誤，導致蒙古的喪失。又東南亞鄰近國家內情，我從來不研究不明瞭，故不能防患于未然。又且各民族自主，二千萬華僑變爲被排斥的對象。故訂立新基礎時，歷史語言及鄰近各國歷史民族等研究爲不可少。

經費問題

新院士大多數在美。今大駕在美，必先與在美之各科專家（不以院士爲限），作一切計劃，自不待言，其經費之籌措，當亦在計劃中。

前述第一類各科研究所屬于自然科學，關係民主陣綫全體的強弱。除向政府多請經費預算及多分美援外，還可再向美政府及羅氏基金請求特別協助。他們自會樂於協助研究事業。羅氏基金董事長納爾遜洛克菲勒在去年提出國民援策報告時，特別強調協助落後的民主陣綫內國家之重要。我與美過去歷史與現在關係，特別由于羅氏所強調之與國資格。再加以過去北京協和醫院之羅氏基金經費，十餘年未用，若以移作研究院之經常費用之補助，則研究會有了很好的開始。後述第二類各研究，屬于人文科學，實與福特基金所補助之各項研究計劃相關聯。愚意除向政府請預算及美援外，並可試向福特基金請求協助。兄前任駐美大使，外交成績斐然，必能展其超越的外交才能，從美國國務院及此兩大基金取得必要的協助，以奠定中央研究院各研究所之設備的及經常費的基礎。

又中央研究院之研究，總與工業打成一片。研究而無工業爲之後盾，則研究所得，徒托空言。工業而無理論，研究爲之指導，則工業勢將落伍而無救。今幸新經濟部長楊繼曾兄乃德國大學出身之科學工程人才。中央研究院與之調諧步驟，必能產生良好結果。

以上各點諒早在洞鑒中，愚識兄此次來美，除與美人歸台外，右之各點，亦同時在推進中，不辭「遼東白豕」之誚。然若偶有一二點，讓智者千慮一失之用時，則弟愚者之千慮亦自有其代價矣。順頌

成功

弟衛挺生拜啟

民國四十七年七月十二日

出版法修正以後

杜衡之

台北特約通訊

反對修正出版法運動，鬧了兩個月。現在，修正的新出版法，終于在立法院通過，總統命令實施了，修正的台灣的新聞界又是個什麼樣子呢？

出版法實施後，在立法院正式通過這個修正案當日，台北各民營報紙會發表一個聯合聲明，除了表示遺憾之外，將希望政府以後仍能採納民意，將這個修正的出版法再度修正，。這個聲明發表之後，爭取新聞自由的激昂運動，也就結束了。

以前有人說過，政府修正了出版法，加上「停刊」與「撤銷登記」的處分權力，當然十分利害。但在事實上未必援引法令而實行的。現在，就事實來看，可以說政府隨無實行之必要。大家以爲政府既費了大力而修正了出版法，如果不實行，豈非多此一舉。現在可知並非是多此一舉，因爲有了這一個新出版法，整個新聞界的氣息似乎都變了樣子了。實在用不着出版法了。

雖然如此，政府當局對於新聞界似乎仍然不太放心。以下幾種新聞界的新現象，即爲不放心的表現。這現象我們不敢說是出於政府的意思造成，我們認不能不說與政府有關，或者說是政府當局對新聞界不放心的一種表現。

人民團體通電

第一，各縣市的人民團體，紛紛通電擁護「新出版法」。甚至在修正案還在立法院審議時，就有一些縣市的議會，教育會，打電報給立法院，促請早日完成立法程序。人民團體而要求政府限制人民的言論自由，這種事情，在民主之國家總是不大自然的。在台灣，政府與執政黨都有許多機構，是專爲「輔導」人民團體而設的。人民團體自然必須接受輔導的，如有不接受補導傾向的，很本就不能組織成立。即縣市議會，也所難免。何況每個縣市議會都是執政黨佔絕大多數。輔導自然更加有力。從這種情形分析，難怪許多人民團體會發出這樣的通電來。你能說這些通電全與政府無關嗎？

「貼補」政策的傳說

第二，是對報紙的「貼補」政策，最近或傳許多報紙（當然以民營報紙爲主）已由政府的台灣銀行取得鉅額貸款。新聞文化事業，由國家銀行給予資金便利，本來沒有甚麼。可是在台灣，向銀行借錢，幾乎成爲一種特權。而向台灣銀行借錢，尤爲一種稀有的待遇。而這種特權之取得或取銷，完全操於政府之手。再說，銀行貸款利息甚低，而黑市利息甚高，所以拿到貸款之後，轉手之間，即賺了一筆錢。何況，此種貸款，沒有一定歸還期，本質上等於一種贈與，此種貸款政策如果確實，則政府當局不啻一手執台灣銀行的鈔票，一手執出版法，看新聞界選擇那一樣。雖有人會冒停版危險，自然多數人會願接受鈔票。這對於控制言論，不能不說沒有効果。

「拒讀運動」的作用

第三，現在台灣又有所謂「拒讀黃黑書刊運動」。這個運動是由民間發起的，其中的緣由與前述人民團體通電事情，可謂如出一轍。這個運動的流弊，是所謂黃色與黑色都沒有一定的標準。按理說，黃色是指誨淫，黑色是指誨盜。但事實上並不如此。現在各地書報攤上，誨淫誨盜的書刊，還是五顏六色，琳瑯滿目，似並未受這運動的影響。倒是有些評議政治問題的刊物（如「自由中國」半月刊）反成了這一運動的目標。各政府機關及公營事業機構紛紛停止訂閱，某官營報紙，在社論上甚至說除了黃黑色書刊應該拒讀之外，還應該加列一種灰色書刊。所謂灰色書刊，其意就是指批評政府政策的出版物。這種論調，如果爲主持拒讀運動的人所採納，則是言論界的大不幸了。

制裁部份立委

除了上述三項現象外，還有一項可注意的事，就是立法院裏有一部分執政黨籍的立委，因爲事前事後公然反對修正出版法，現在發生了應該如何加以制裁，以立黨紀的問題，這一類立委，數在百人上下。此一問題將來演變如何，那要看事實證明了。

陳閣可望修正新出版法嗎？

總之，在新出版法實施以後，目前當局雖尚持寬大，不遽行引用其中嚴峻的條款，但新聞界（指報紙）似乎已經受到無形的影響了。這決不是自由中國的好現象。現在有人主張由政府自動把這一新出版法再加修正。更有些人把這個希望寄托在新閣揆陳辭修先生身上。當然，這個希望能否實現是很有問題的。第一，這一重大的法案頒佈未久，豈能輕易又加「修改」。第二，出版法修正案是執政黨的決策，也非行政院長一人所能左右。（七月七日）

（此稿遲到——編者）

可怕的「惡性倒閉風」

・劍聲・

【台北通訊】報載台北在今年六個月中，倒閉三十二家商店，欠稅者多至千萬元以上，最少也得十萬八萬元。商店倒閉的原因，週轉不靈，資金缺乏，稅課太重，社會經濟不景氣，購買力薄弱。最近，商業界的不景氣，影響到工業，關門消息接踵而來，引起了各方面的關切。

像台北翔水軒這樣大的店，連付給公論報的二百多元支票也不能兌現。由台籍資本家經營的蓬萊旅社浴池，也倒了。就是僑資經營的國際大飯店，也不例外。而王田毛紡織廠及嘉義紡織廠也不能幸免而倒了。台中的倒風更可怕，由議員鄔某所經營的旅社和其他商店，因高利貸的負担過重，致週轉失靈，一張退票，牽連十多家商店跟着倒閉。

這種倒閉，有人謂之惡性倒閉。據一般分析，惡性倒閉是有計劃的，他們還瀝在工商界的信用與地位，以長期空頭支票向地下錢莊調換現金，出高利三分或五分的月息，大量吸收民間游資，數月後，他們很巧妙地向債權人宣告倒閉。至於平時呢，所謂某公司總經理或董事長的頭銜，都是空的，因爲他們本身沒有一文錢的股金，所有田地房產又是以老婆兒子或老子的名義管理。債權人的目的，是在要錢，誰願向法院控訴，而地下錢莊就是非法組織，也只好啞子吃黃蓮，有苦說不出，任由債務人擺佈，或分期償還貨款或折半歸還。

正當商人說正倒閉的是因高利貸的剝削，稅捐又重，開銷大，生意淡，致到期的支票因櫥窗裏的貨物未售出而週轉失靈。

據工商界人士表示；如何防止惡性倒閉，這不僅是一個辦法可以解決的問題，首應解決的是資金問題，如何使民間的資金，吸收而轉投資於工商界，既撲滅地下銀莊，而工商界週轉金可免於高利貸一途。稅課是一個重要問題。減輕稅率，及取消防衛捐，爲工商業所期望最切，尤其防衛捐早經監察院檢舉認爲是浪費的。

台灣特產

為台灣香茅油工業進言

・林嘯崧・

台灣盛產香茅草，全省山區地帶均有種植，普通海拔四公尺至一千公尺以上，坡度大於四十度，土壤經過相當風化過程，而並未充分成熟的山脊土地，均適於香茅草的栽培生長。

香茅草具有揮發性的油質，以手撚揉其葉片，則發生芳香氣味，刺激鼻覺，使人感到精神舒旺，因此產地茅農便於六七月間將香茅草大量收割，置於曠場，曝之於日光下，晒乾至相當程度後，由香茅油煉製工廠收購，或由產地茅農就地組合資金，裝置簡單蒸餾設備，將香茅草蒸煉成油，售予政府大量出口，換取外滙，其收購價格平均每台斤約值新台幣二十元，但每年收價係政府根據國際市場行情以及實際可獲之利益標準，有時價高，有時價低，頗富彈性，因此往往忽略了茅農實際生產成本，茅農吃了虧，就不免埋怨政府，不顧其種植辛苦及生活狀況，彼此常爲此互不相讓，結果還是茅農倒霉，廉價出售。

台灣產香茅草的縣份，以苗栗縣爲大宗，每年平均生產量達十二萬公噸，佔全省總產量百分之六十七以上，居全省第一位。其次爲台中縣年產二萬公噸以上，居全省第二位，再其次爲南投縣年產二萬公噸，其他縣區等而下之，以產量不高，無足稱道。本年香茅油政府規定收購價格，每台斤新台幣十六元，定價公佈之後，所有苗栗台中南投等縣茅農，無不羣情激動，認爲如此收價實不敷種植收割除草以及加工蒸煉之生產成本，紛紛向行政院外滙貿易審議委員會，痛陳種切，要求適時調整收價，尤其比較僻遠之山區地帶，因賣價尚不足抵付收割人工及蒸煉費用，一般茅農多放棄收割，任意將種植成熟之香茅草枯萎於荒山之中，情形非常嚴重。似此情形下去，茅農勢將被迫改變行業，台灣特產之香茅油，將從此陷於衰落。

平心而論，政府對香茅油收價如此低廉，未顧及茅農利益，未免苛刻一點。據茅農計算，在正常情況之下，每台斤香茅油生產成本（包括墾地種植除草割草及蒸煉加工等）應爲新台幣二十五元左右，依照產地農村習慣每台斤香茅油約合白米一斗（計十一台斤）之市價，準此折算，則收價與實際生產成本差距甚大。因此他們籲請政府增加收購價格的理由是：一、在改革外滙貿易政策之前，每台斤香茅油收價十九元，現在又而降低至十六元，何故反形跌落？有什麼依據！二、改革外滙貿易政策，旨在鼓勵出口，刺激生產，出口結滙率每一美元較過去增值新台幣十元，而此一提高出口結滙之十元新台幣，應屬生產者之利益，乃爲公允合理。三、香茅油爲完全外銷物資，因此產地價格與出口結滙率及國際市場行情息息相關，政府物資機構固然需要牟利，爲國家賺取外滙，但主要在對於重要物資之供需與調節，站在政府立場即使在國際市場上略有虧蝕，爲了利導民生，也應顧念生產者的生產成本，予以貼補，何況政府並無虧蝕，淺且獲利甚豐，何以對於茅農仍不放鬆一點。這裏筆者認爲一、今後生產香茅油應實施保證價格政策，與蔗農同等待遇，以保護茅農利益，不受國際市場影響。二、香茅油爲製造化粧品之主要原料，台灣既有此項原料，應設法建立化粧品工業，設廠製造，既可拒注泊來化粧品之濫卮，並可向國外競爭化粧品市場，一舉而二善兼備，何樂不爲？

六月廿七日

展望印尼現勢

華仁傑

（耶加達通訊）印尼人民的反共革命，無論自任何角度看，要重振聲勢，推翻親共的國民黨政府，在可以預見的將來，雖有潛在可能；相反，耶加達政府要徹底撲滅這一股革命之火，也是難望達到的目的。

六月廿五日政府軍取得萬雅老之後，朱安達自謂「掃蕩反叛軍事，業已告一段落。」他認為革命軍勢力，雖然在西里伯斯北部，以及蘇門答臘中部，尚有若干據點，已經「不足為患」。事實上確也如此，除非革命政權能夠聯合各省，採取一致行動，欲圖大舉，沒有可能。

革命失敗的原因何在？迄無定論。有謂革命者對耶加達估計錯誤；也有人認為西方民主國家不應袖手，坐視蘇聯中共勢力滲入。這種見解到底不算持平之論。任何一個獨立自主國家，對內言，要推翻原有政權，非賴民心之所趨不可；對外言，也絕不能希望藉某一外國之力，以對付侵入國內的另一外國勢力。印尼革命政權希望結集全國正義力量，事實上，並不可能，這個國家除非全部落入共黨之手，實行恐怖統治，否則要全國統一，就其根深的「緊閉固距」觀念看來，歷數印尼現代政治人物，絕無此種能力。蘇加諾訪問莫斯科與北平的基本因素，厥為崇拜共黨的統治，他希望舍共黨的恐怖，而取其統治的控制手段。因此，容許退休軍人赴北平受訓，況國軍又能用，分發各個軍區恢復軍職。

人們當會理解：在過去四個月間，各個軍區為什麼沒有異動，顯然得力於共特的控制。最顯著的效果，殊無過於三月十六日棉蘭的「兵變」不成；四月終巨港「倒戈」失敗，蘇南軍區司令巴里安被逼走。這兩件事足以使蘇加諾考驗他能否統一全國的統治權力。經過這次測驗，促其益信共黨的手段，可以用於印尼。於是，進一步假手芮蘇賢簽署全國總動員命令，徵調十八至四十歲男女入伍。這一舉措說明了蘇加諾總統及朱安達總理人望，沒有芮蘇賢高；芮蘇賢曾在三年前企圖推翻蘇加諾統治，為何竟獲最高當局寵信，雖不能遽稱懸疑。然而在明白政情者看來，不難明白芮蘇賢雖仍身為陸軍首長，個人自由早已喪失，祇是一具迫於無奈的傀儡。

各個軍區既被中央控制，被征入伍的青年男女，在共黨學生挑戰蠱惑之下，這一批軍事新血，日後將接替懷有異志軍人；現在看，同屬鞏固蘇加諾統治權的主力，將來，可以預見的，必然是艾迪（印尼共黨總書記）取代蘇加諾的主流。蘇加諾排除了軍事分裂障礙，政治上的控制正在逐步收縮。最近朱安達內閣局部改組，表面上容易使人墮入「蘇加諾政綱更張」幻覺，事實上，他親共的傾向更加堅強。但是，不論莫斯科或者北平，對蘇加諾卻並不放心，尤其是北平駐印尼「大使」黃鎮，只把蘇加諾當做「投機分子」，提防他發展到個人崇高地位，民族主義會把他的親共傾向糾正過來；故此，對印尼駐平使節態度，也不能無所懷疑，担心蘇加諾在政權遞嬗之前，一旦認清共黨而貌傍倚西方反共，則中共在印尼八年來所作的投資，勢必勞而無獲。因此，共黨在政府中爭權，在國民黨內部離、拆，對反對黨的排擠，無所不用其極。

現在的趨勢是共黨堅決阻撓印尼如期大選，以肅清「反」革命殘餘勢力為藉口，扭轉全國人民要求依照憲法定期大選觀念，然而革命勢力在國人看來，已成強弩之末。於是，又喊出另一口號：「收回西伊里安」。在這一方面，蘇加諾並非沒有興趣，他認為只有把西新畿內亞的荷人驅走，纔能重振個人已失的人望。因此，同意共黨策劃全國性的「收回西伊里安」運動，向波蘭訂購船隻，自埃及調回平靑空軍，向蘇聯購買飛機，要求更多軍火支援，延攬中共軍事技術人員。另一方面，指摘荷蘭增兵西新畿內亞。這種部署與策略，誰都相信蘇加諾這次非「收回西伊里安」，決不罷休。事實上，他拿什麼去打西新畿內亞？政府濫發通貨與強徵外僑「人頭稅」，藉口「武裝護航」，干擾商運，關卡勒索以苟延殘喘。因此，蘇加諾現打算採取兩大步驟：一、對進攻西新畿內亞一經準備完成，實行突襲登陸戰；二、發動戰爭後，由蘇聯出面，要求聯合國干涉就地停火，進行談判。當然，荷蘭不肯放鬆；印尼未必出師，既壯聲勢又可從事向新畿內亞內部滲透。只要攻上灘頭，就可達到這一目的，曠日持久的談判，共黨固樂為也。（七月十三日寄自耶加達）

竹幕秘密

美國有一戰的決心

由于中東局勢的動盪，美國終于被迫出兵黎巴嫩；英國出兵約旦，挽救中東各親西方政權的穩定。與此同時，美英各國在世界各地的部隊迅即採取戒備狀態；蘇聯軍隊則在高加索，保南邊區舉行演習；中共蘇聯政府發表反對美軍入黎的聲明，並且舉行羣衆示威以抗議美英在中東的行動；美國總統艾森豪威爾曾指出此次行動是冒大戰危險的；開羅方面不斷發表煽動言論；諸等跡象綜合，確實可以作出將爆發大戰的結論，特別是美國確有不惜大戰的決心。

但是，儘管形勢緊張，大戰的危機却並不如想像的緊迫。

蘇聯態度比較軟弱

因為，所謂大戰，主角當是美蘇兩國，美國的態度堅定已如前述；蘇聯的態度則可見之于其十六日的聲明中，聲明認為，「蘇聯不能對其國境鄰近地區造成嚴重威脅的事件置若罔聞，並且保留為維護和平安全而採取必要措施的權利」。措詞頗為軟弱，立即出兵的可能性極為微小；縱然亞非團結委員會在開羅號召組織志願軍；縱然蘇聯軍隊在高加索，保南邊境舉行威嚇性的演習；我們仍以為蘇聯並不願在此時此掀起大戰。

中共不足以言大戰

中共呢，這是不足以言大戰的角色，本欄曾經指出其有可能在最近期內在台灣海峽採取行動，但現在臨到美國眞正表露了不惜應付大戰決心時節，恐怕連這個可能性也消失了。

戰爭沒有對手是打不起來的，所以縱然大戰的危機存在，但是却不易爆發呢！

共黨必然乘火打劫

共產黨是最會利用時機的，最喜歡這種混亂形勢的，他們當然要利用這一時機撈一把——乘火打劫的！

怎麼撈法？鼓動中東的民族主義，鼓動全世界同情民族主義者來反對美英，以削弱自由世界的團結，藉機將其勢力伸入某些落後國家現已可以看出，連黎巴嫩在內的中東國家的輿論對此次美軍行動是不利的，這是一個危險的訊號。如此，則共產集團的利用這一種矛盾的可能性更擴大了。

我頗懷疑，美英的這次出兵是否又將蹈一九五六年英國出兵運河區後果的覆轍？

中立集團影響作用

中立集團的日趨強大，確是削弱了反共的自由世界；但中立集團並不等於共產集團，它固有利用共產集團的一面，但亦有不利于共產集團的一面；譬如說，共產集團正在猛烈抨擊的狄托，但中立的納薩却要去訪問；使到狄托的地位更加鞏固，從而來鼓勵東歐國家的中立。這未嘗不對自由世界有利。我不明白西方若干國家為什麼對于中立集團如此的恐懼？若不甚于殖民地利益，似無如此恐懼的必要。

同時，這些問題是政治問題，政治問題的解決，有賴于政治手段，平時不在政治上用功夫，急躁了就派軍隊去解決，似乎這並非智者之所應為。

西方國家躊躇不得

現在，形勢既已迫使非出兵不可，那麼只有在出兵的道路上勇往直前，若又中途躊躇不前，那就是作繭自縛了！

可惜，面臨着中東和中立集團的鼓噪，美英已經在躊躇了，果若如此，則吾人不願見的運河區事件的結果，難免不再重演呢！美英似乎皆「不敢」向伊拉克進軍，那就只有承認既成事實了，而伊拉克新政權，却已為共產集團和阿聯一致承認的，即使一旦中東停火，也無疑是削去了西方在中東的一根有力的支柱。

•田心•

國際動態拾零

△陸軍新發明周納（Juno）三級火箭，與周彼得為姊妹號，將用以探測月球。

△美國新的雷達防禦網，業已佈成三道，可以測出蘇聯無聲的人造衛星，並探知其軌跡，其範圍為從一千至一千五百英里。

△在匈牙利，與納基同遭死難者，有人估計共六人，但有人謂截至現在止，處死者已有十二人。

△亞爾巴尼亞已為蘇聯潛艇基地，滿佈亞得里亞海之南斯拉夫沿岸。南國宣稱，蘇聯特務，隨處可秘密登陸，而有深入南境危險。

△波蘭全部出口，有百分之十，銷售赤色中國。現已受到蘇聯壓力，將增至百分之三十，包括整個工廠，機械，及其他工業製成品。

△美國已決心全力支持戴高樂，最近或將邀請其訪美。理由是法國與東歐衛星國家，歷史上較有好感，迄今關係仍舊不壞。

△艾總統之三軍統一計劃，現已咨送國會，由國防部長麥克萊出席說明。參議院擬稍予修正，決定於七月底以前通過。

○陶然○

書刊介紹

于右任傳

易鳴

現有中外通訊社出版張雲家編著的「于右任傳」，全書十餘萬言，計分二十章，堪稱時下少見之現代名人傳記。

作者在卷頭序言裏說：「我寫這本傳記，目的並不是替他宣揚，以他的名望，即是我作錦上添花之舉，對他也不會有什麼增加。我的主要用心，在完成「一部眞實的傳記」。

于右任年青時代的生活，充滿顚沛流離，出生入死的事蹟。我們讀完他的故事覺得在這偉大動亂的時代下生活着的年青人，在心靈上的確平添一股奮鬥潛伏力量。

這位曾是收羊兒，曾是紙砲工人，家裏曾窮得連買鹽吃的錢也沒有的于右任，他生下來既不是「神童」，長成後，也不算特殊的天才，祗靠着信心、勇氣、和毅力，不但改變了自己的命運，而且創造出有關國運的事業。作者在另一段的序言中，寫出這樣一段公允的話。

傳記作品，尤其是現存的名人傳記，在中國文壇，似還不多。這並不是說我們沒有偉人的事蹟，無傳可記，可以說傳記殊不易寫，很少人敢于嘗試。「于右任傳」的作者，儘管自己說是初次嘗試，但成績是相當美滿的。故事分章敍述，作者於每一章均安排了一個動人的故事，體系完整，前後貫通，一氣讀下去，而無斷章之感。

作者寫作技巧是不錯的，文筆也通俗流利，娓娓道來，感人至深。書中第二章「偉大的九姑娘」，尤描寫得深刻細膩。像這位撫養于先生長大成人的「九姑娘」，使人讀來有一份親切感，充滿着鄉土人情味。這在我們以往的農村社會裏，是頗多像「九姑娘」其人的。再如第三章中，有一段這樣地寫着：「夏天傍晚，和表兄弟們，坐在傍邊，聽長輩聊天。「爺爺！我要問你！忽然他的一位表弟插言。「甚麼事？小孫兒？」「我們已經讀完百家姓，百家姓上怎麼找不到我們涇陽縣官的姓呢」？「縣官姓愛新覺羅，多奇怪的姓啊」！另一個孩子說。「這件事嗎」？他外祖父很感慨的說：「他們是滿州人嗎，一百多年前，滿州人打敗了我們的祖先，佔領了全國，統治我們。因此，我們的百家姓上不要他們這個姓」。「原來是這樣的」！孩子們：「我們的祖先，被滿州人打敗了」。「從此，于氏牢牢記住這話，這裏作者便利用了祖孫們一夥簡單的對話，促寫出了強烈的民族意識，和于右任的革命動機。還有第六章中，作者以紀事的方式，幾句話便將一個滿清政府，當時的腐敗情形，描寫得淋漓盡致，毫不拖泥帶水。

書中第十五章，于氏從上海經莫斯科，而蒙古沙漠歸來，其中實是歷經艱險；在沙漠裏，遇到馮玉祥的警衛旅，抓到于右任要殺之滅口，後得落荒逃走，反而會合了從莫斯科回來的馮玉祥，這段驚險緊張場面，恰正如一部美的西部電影。

作為一個讀者的看法，這本『于右任傳』是值得一讀的，若一定要說有其缺陷的話，那就是書中缺少一點羅曼蒂克的氣氛吧。它對于有寫傳記興趣的作家，是一種鼓勵。（七月三日夜於台北）

「斑馬佬」

•永昌•

香港一景

「我叫斑馬佬，我從遠處到；助你過馬路，日夜不疲勞」。這是上週香港處處可見可聞的新標語，宣傳車交替地播出中英文關於斑馬佬的來歷與工作。

他的來歷據說從遠方來，想是來自歐美國家吧！他來香港的日子可不短，大大話話總已有五六年，但人們認識他可不多，因為人們走路時候，很少去找「斑馬佬」才過馬路的。香港人既多數對之陌生，交通當局便舉行交通安全週，特別為「斑馬佬」宣傳。

凡是在上星期一早上駕車出門的，都有不很自在的感覺，因為眼前總站着一個高大的交通警指着他，直起右手，伸出食指指着人，旁邊還有兩句話：「駕車能禮讓，生命有保障」

駕駛人的不自在，也就是起於這「禮讓」二字。香港交通的標誌本已夠多了，這裏不准停車，那裏是單行，這裏祗准每小時三十里，那裏不許響號，這裏不得倒後轉彎，而且這些交通標誌又經常變動，駕車人大感頭痛，驟的看見這般一個大「招牌」，怎不頓感手足無措。

為了行人的安全，馬路上增加了很多斑馬線，車子每經一條斑馬線，就得等待行人過了馬路之後，才能開行。行人有了「斑馬佬保護」，似乎便「作威作福」了，往常是人讓車，現在是車讓人，走起來，漫條斯理，盡管駕駛人不耐煩，也只好忍受之。[illegible]

[illegible]

自由談

哀伊、約聯盟

馬五先生

約但王胡辛說：「伊拉克王費塞爾之死，使我有憲法上的責任去領導該國，並恢復本聯盟伊拉克方面的秩序、和平及法律，且保證所流的血及爲維護阿剌伯自由而作的努力，不是毫無效果的」。胡辛是伊、約合組「阿剌伯聯盟」以對抗納瑟的「阿剌伯聯邦共和國」的副元首，現在聯盟的元首費塞爾及其王儲與內閣總理，皆被叛軍殘殺了，於情於理於法，胡辛應該有此責任與計劃，否則他對約但的統治亦危在旦夕，本身將不免陷於費塞爾的同樣下場哩！

約但是擁護「艾森豪主義」的國家，伊拉克是參加「巴格達公約」的主要成員，此伊、約聯盟又爲西方列強所承認的合法邦聯，美英在國際條約義務及友邦道義上，都有支持胡辛這項安內攘外工作的職責，無可諉卸的。然而，美英現在卻聲明要制止它們的中東盟國，採取反對伊拉克革命新政權的魯莽行動，也就是對胡辛的戡亂討逆計劃予以否定了。同時，美國官方人士又表示要聯合國負責反抗那由蘇俄支持的「阿剌伯共和國」對黎巴嫩的煽惑行動，滿證明美英對伊拉克的叛變，認爲並非「阿剌伯共和國」所策劃進行的內部顛覆陰謀，祇要西方國家在伊拉克的石油利益不被掠奪，它們隨時可以承認叛軍政權的，伊王費塞爾及其王儲與內閣總理之被殺，活該也！

這就是彼一般弱小民族國家相信西方列強反共產極權主義的號召，死心塌地跟着它們走的代價。你有力量維持本國的獨立自由，讓西方商人來貿易漁利，壟斷市場，它們就誇稱你是「偉大的盟邦」。你若是遭遇了危難，要求它們履行平日信誓旦旦的諾言，給以實力援救，它們爲着「避免大戰，維持世界和平」的正大理由，對不起，愛莫能助，而且不許你採取自立圖存的軍事行動，以免連累了它們！

因此，我不能不讚美中立主義，而認爲相信西方國家所謂「集體安全」之說的，實係天眞幼稚的衆伯！

文學與革命

•人木•

用文學諂媚政治，是近十幾年來文學界最值得一哭的事！文學家不幸而走上了「革命文學」的末路，他們做着昧着良心的高歌頌讚，做着毫無意義的謾罵，使本應該走在政治前方的文學，淪爲御用的工具！

政治是絕不能指導文學的！

文學是藝術，是藝術中最高的表現（小泉八雲的見解），在以往，在現在，在將來，文學一直都走在時代的最前面，這是無可否認的事實！

革命，撤開那些政治陰謀家利用少數人爭奪政權做藉口以外，它的意義是要把舊時社會上的某一部分的（迄今任何革命都不會是整部分的）污點洗去，——用流血、破壞、戰爭種種手段以達成這一個目的；從而建造一個更進步，更合理的社會。

我很抱憾地說：政治上的革命，始終是不完全的！即使一個政府標榜得如何的燦爛堂皇，許多諾言與理想總不免會變成是謊言，用來愚騙民衆而已！即使那[illegible]主義與效忠領袖之類，也不過是高級元首用來籠絡民衆，以造成少數人的利益而已。在事實上無論某些人歌功頌德，說大人物對於社會與人羣有多大多大的影響，而實則最受影響的往往不是他們，而是些瑣碎的事與卑微的人。

我們更不能相信有十全十美的政治，也沒有十全十美的人！對於現實的一切，我們必定能在其中看出許多弊病，不過大家心裏了然，可不說出口。中國一向說的「明哲保身」，不過說得好聽一點罷了，其實是沒有人承認自己是懦夫的。說眞話的是傻子！於是這裏儘有許多人來讚揚明政，讚揚那些投票選舉（天曉得有多少是沒有內幕的！）儘量捧那些領袖們，彷彿好像從此就在人間出現了一羣超人。

眞正的文學是爲人類帶來幸福的！眞正的文學家是在眞理與虛假中沒有中間路綫可走的！你要做文學家，你就得說眞話——千百年來有不少爲了說眞話而犧牲的人——你不抹煞好的部分，可不得和那些不好的妥協！文學永遠是走在政治的極前方，只有文學能指導政治，政治是絕不能指導文學的！文學站在遠離政治與榮名的地方來向世間宣揚眞理與愛，並不是站在政治的污水裏與世俗的榮名裏來阿諛奉承的！

謾罵敵人是十分爽快的，但把那些敵人描寫得不像人，以求達到某種政治上的目的，對於盲目或接近盲目的人們是有效的，但那些稍爲有點思想的人，便會感到淺薄和無聊了！爲甚麼我們不用兄弟一般的眼光去看他們，看他們的良心部分，眞眞實實的告訴世人：——他是不一定有罪的，人不一定就不像人，咒詛的對象不應該是個人，而是那些主義與那些[illegible]行，

用文學（那不是文學，是變了質的東西）來諂媚政治，大概是近十幾年文學界最值得一哭的事了！爲了懼怕政治的暴力來滅口，爲了懼怕報紙編輯受不了眞實的言語而不刊登，爲了懼怕出版法的檢查，多少文學家走上了「革命文學」的末運！他們做着昧着良心的高歌頌讚，做着毫無意義的謾罵——最可憐的是有些還竊竊自喜，眞以爲自己是了不起的文學家哩！——於是，有一羣同樣可憐的傢伙來捧他，成名了，作品的性格也定了型，多了一個「戰鬥的、革命的文學家」，卻少了一個「眞正的文學家」！

另一部分又怎樣呢？他們過于重視現實的環境，沒有遠大的眼光與抱負，把整個文壇弄得烏烟瘴氣。黃色，灰色，黑色百無禁忌，否則又孱弱得可憐，文學眞的快要窒息了！

那一批定型了的作家們退讓他們做作家的夢去罷！而文壇的新血們！不要短視地跟他們走了！歌功頌德的太多了，骯髒之香也太多了！我眞不明白爲甚麼不把歌功頌德的東西名爲「政治的宣傳品」，把那些骯髒之香名爲「世紀末的體操」！

文學本身便是革命！革命的意義是永遠在現今政治之前的！是不應該再永遠地讓政治去扼殺文學的了！那些扼殺文學的人們自以爲是造就了文學，比那些蔑視文學的人們更爲可惡！將來的歷史會怎樣制裁這些文字呢？我不能定說，但這些東西是必遭淘汰的！

如果一個時代沒有眞正的藝術之光去照耀，那時代是死的，是黑暗的！記着：文學就是革命！火炬，給我們的黑夜，帶來一綫黎明的曙光！

景行圖跋讀後記

•張瘦碧•

韓愈謂「古之學者必有師，師者，所以傳道，受業，解惑也。」可見自古好學之士，皆有師承，對於先賢之景行嚮往，每多終身服膺，率之而弗替。清初宋牧仲，[illegible]崇拜者，[illegible]側，恭謹如侍。予曾見其影印本，工緻精巧，[illegible]非凡。按牧仲，名犖，商邱人，號漫堂，官至吏部尙書，有西陂類稿行世，又精鑒別收藏，[illegible]

[illegible]然有擬之而似者，有不擬之而似者，有擬之而不似者，有擬之以求其似而反優于所擬者。鶴不浴而白，烏不黔而黑，嬰兒生，無名師而能言，此不擬之而似者也。臧武仲自以爲聖，白圭自以爲禹，司馬長卿自以爲相如，揚雄自以爲孟子，崔浩自以爲子房，世終莫之許也，此擬之而不似者也。若夫諸葛武侯自比管樂，而澹泊寧靜之度，高于管樂，韓忠獻公晚慕樂天，以醉白名其堂，然其勳業，過于樂天，此擬之以求其似而反優於所擬者也。漫堂先生，心慕文忠，肖像于側，學而嚮往，仕而景行，其忠言嘉謀，效於朝政，而文章名于世，始終正直，不易其操，雖遭遇不同，而心跡如一，前蘇後宋，豈有歧哉？畫距今幾五十年，顏如渥丹，目光炯炯，一望而知爲偉人，洵可與文忠而貌，並光千秋。易曰：『象者，像也。』詩曰：『惟其有之，是以似之。』其是之謂夫！康熙壬午嘉平月錢塘後學馮景敬題。」

文中所提汪鈍翁，名琬，清長洲人，字苕文，號鈍翁，又號堯峯，順治進士，累官郎中，所著說鈴一書，乃記載同時名人遺事，以及里巷閒談掌故。前閱圖在民初，仍留某家，幾經兵燹，現在未識流落何所，惟讀斯跋，當知前輩之立身行道，多仿古人，牧仲先生敬慕東坡，自繪畫卷，終得黃州通守，竟有如此巧合，豈非天假奇緣！反觀當今之士，往往恥言古人，目爲頑腐，毋乃過乎！

颶風暴雨之夕夢見合肥劉文典同學

錦箭落手憶髫齡，遊戲前塵[illegible]載過。颯颯[illegible]風孤島夢，西澗東籬萬疊山，死生白日蒼天外，來去江楓紫塞間。顧影老魂罷月臨，不禁揮淚潸潸。

夢返桐城故里

龍眠鑾義是吾家，疊疊青山郭外斜。十里溪聲橋下水，桃源深處竟無華。

（戊戌夏龍眠沙門本際初稿）

稿酬：本報六月份全月稿費通知單已分別付郵，請惠稿文友憑單領取爲荷。編輯部啓

牢騷

•葉子•

牢騷，是一種心底的聲音，雖然其所含的個人主觀意見的成份很重，但畢竟是代表了這個人的心底的眞意。

如果完全把牢騷看作是一種無聊的咒詛，這是一種極大的錯誤。

因爲牢騷中還多多少少，帶有可取的和寶貴的眞誠的意見。

其實社會公衆所形成的一種輿論，又何嘗不能視作是社會公衆的牢騷呢？

又有人說，牢騷究竟不是意見，只能接納意見，而不能接納牢騷，其實意見是有系統的一種牢騷，不過是經過了文字的假裝。如果說，社會的公衆意見能被採納，那麼個人的牢騷自然就少了，反之社會愈是不平，輿論又沒有地位，不被尊重，個人的牢騷就會聚集起來；最後，而至於泛濫。整個的社會也將爲牢騷所淹沒！

在日本獄中

蒙齒

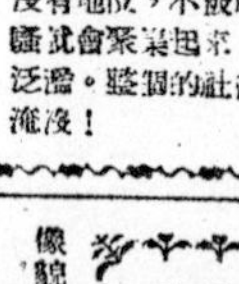

「你是誰？」我恐懼中分明是嚴厲的口氣。

「我，我！我是山本！」那聲音很低，我看出來他像鬼魅黑暗的輪廓。

「啊！山本君，你有事情嗎？」我知道又有事情了，不過他的行爲跟往常晚間敲窗子那兒狠的聲音不符合。

「我！我是跟您來談要緊事情的。」他說。

我想到手裏握着的那字條，寫妹給我的信。

「那麼請講好了！」我大膽，帶着不信任的態度。

下面就是山本軍曹和我的談話：

「蘇俄參戰了。」

「眞的？」我問

「今天下午，就是今天下午。」

「那麼！你們可以打退他了！」我揶揄他。

他沉默了一下，

「不！我告訴你，這個消息對你很好。」他很平靜。

「一個囚犯，有甚麼好的？」我反駁。

「麒光！我是以誠懇的態度來告訴你的，請您原諒我，我在你面前……」這話出乎我意料之外。

「你到底是怎麼會事……」我驚異。

「我……我告訴你吧！反正，不管怎麼樣，這幕戲要有個交代，我和你，並不是兩個民族，雖然我叫山本，我是台灣人，」他理直氣壯，我也不敢隨便猜度他的用意。

「啊！這有甚麼意思？我不明白，我想，我是在你們手裏的反正我也不怕你們！你是台灣人，那有甚麼關係？」

「不！台灣人就是中國人，你不知道。」

我不出聲，他遲疑了一下，

「我不叫山本，我的本來姓名和你一樣，我是中國人，我叫陳添丁，我原來是福建生的，」

我這一次算是敏感的叫了起來

「你……中國人，那你以前爲甚麼不講？」我問他，同時他那兒狠的影子又浮現出來。

「我怎能敢講呢？我和您一樣同是受日本人藐視的，我從台灣新竹被日本人徵兵送到這裏來，日本人也是像打你那樣打過我們的。對於你的不幸，我只能內心痛苦，不能……」

他很敏捷地關開門，走進來，手裏拿着一隻手槍。

「現在甚麼都不要談了，我祇有把消息告訴你的時間了，況且，他們怎樣，我還不淸楚，不過我看他們很慌亂，給你！這是一個有用的傢伙！」他把沉甸甸的手槍遞給我，「看你怎樣來應付了，我隨時有消息告訴你！」

說完他就匆匆地走了出去，把門又鎖上了。

我爲這意外事件吃驚，但又面臨一個不可測局面，我須要冷靜的思考，我先有了一個眉目，不管怎樣，第一着是越獄。

山本的消息證實了，在他走出去不到一小時，遠方的天空就有驚臨的聲響，和多數飛機從天空急馳而過的聲音。

我心要爆裂了！我在屋子裏跳了起來，我把手槍往高投擲然後用手接住，一次再一次，我像舞蹈。

世界上再沒有比一個在敵人獄中的囚犯，在獄裏眼睛看着敵人的混亂潰亡的景象更快樂更眞切的了。

第二天頭頂上有飛機軋軋的吼聲，遠方有大的震動。平日裏安靜而冷酷的牢獄，這時候也有緊張的跡象，最奇特的是今天早上沒有例行的放風，一直到中午才有人送來一些冷飯，我看着吃的東西根本不餓，我祇是一心一意地找尋可以逃獄的機會，手裏握緊着山本——那個中國人給我的手槍，五十二粒子彈也足夠應付了。

我用手敲打了又敲打，獄室的牆壁是磚砌的，又把槍彈拿出來，毫不發生作用，我用力量往下鑿，半天的時間打不出一個小口，一直到晚間。我發現肚子空空的，我餓了。

不久我正想迅來想辦法，山本來了，他以極其嚴肅的目光告訴我「你注意，他們要撤退，就在一兩天之內，我還不知道他們怎麼對付你們！你必須準備！」

我隱約的想我的脈搏會停止跳動的，我緊張中保持着機警

「你有甚麼東西給我嗎？陳先生？這騎樓……」我問他，他想了一下點點頭出去了。（三）

自由人
THE FREEMAN
（第七七一期）
每份港幣壹毫
20 CAUSEWAY RD. 3RD. FL. HONG KONG
TEL. 771726

伊拉克政變與中東根本問題

·宋文明·

七月十四日，是法國的國慶日，是攻破巴斯特監獄的紀念日，是絕望的狂暴羣衆向一個專制王朝實行報復的日子。就在這同一天，中東伊拉克的少壯派軍人，用一種閃電式的政變，在僅僅數小時以內，即推翻了它們的王室統治，宣布實行共和，建立了一個新政府。我不知道伊拉克這次政變的選擇這個日期是一種偶合，還是一種有意的安排，但從政變一告成功它們便立即宣布這一天爲它們的國慶日來看，這批伊拉克軍人是頗爲覬覦攻打巴斯特傳統的。

一、

我們很難忘記法國大革命時巴黎街頭的情景，這次伊拉克政變，又使這種情景重演了一次。這次政變發動後不到數小時，巴格達街頭即出現了成千成萬的狂暴羣衆，一面就像一羣復仇者的化身，爭着去踐踏橫陳在街頭的伊約聯邦總理塞德和阿布杜拉親王的屍體，一面高呼着納塞的名字。就在這個時候，遠在數千里外的一個英國貴族學校裏，一位十八歲的漂亮少女正在作着伊拉克皇后的緋色的美夢，另一位三十八歲的國王也正在地中海的高空被這一事件震驚得講不出話來。沒有一個人會比伊朗國王巴拉維更能瞭解伊拉克這次政變的意義：王室統治是沒落了，任何一個王朝若不能取得人民的擁戴，它便沒有在這個世界上繼續立足的餘地。

二、

這次伊拉克政變，正如一九五一年以來中東地區所發生的所有暴動與革命事件，其基本的歷史背景都是一樣。一九五一年莫沙德所以能取得伊朗政權，一九五二年埃及所以發生革命，接着敘利亞、約旦一連串的政局變化，直至最近黎巴嫩人民對政府的武裝叛變，不論其表現方式及程度如何，其最原始的動源，就在於這一地區廣大人民的逐漸覺醒和基於這種覺醒而產生的對現實的不滿。這種不滿情緒，初則表現於對西方殖民勢力的反對上，後又轉移到對以色列的仇恨上，最後便落到它們國內落後和腐敗的統治者身上。而今天納塞所以有此聲望，在整個中東地區會成爲神一般的人物，並非在於納塞有何特殊了不起的個人才能，亦非在於他所領導的阿剌伯聯合共和國有何強大的實力，而是在於納塞代表了中東這一廣大羣衆的不滿情緒，成了這一歷史性解放運動的一種象徵。所以不論我們如何詛咒納塞，如何解釋伊拉克這項政變，假若沒有這種深沉的不滿情緒存在的話，納塞對伊拉克政局是無能爲力的。

三、

這種不滿情緒，有時也會被壓抑和暫時潛伏一下，但永不會被消滅，一俟時機到來，又會突然發作。尤其經過一度壓抑和潛伏，若再獲得適當新發作機會，其兇猛程度則遠非昔日可比。過去數年，伊拉克政府曾鎮壓了無數次的示威暴動，也曾破獲了幾次相當大的政變陰謀，但正因此故，所以這次政變行動事先設計週詳，毫未露出半點風聲，而政變後羣衆所表現的狂暴程度，也比過去任何一次更厲害，也許有人認爲這是納塞的策動使然，但我們要問何以伊拉克人不去策動埃及的反納塞的活動？要說這些軍人受了納塞的影響，我們要問何以在費塞爾國王、阿布杜拉親王與「强人」塞德統治下的這個國度一定要受一個外國人的影響？塞德曾經說過當他獻身於阿剌伯的自由運動時，納塞尙在襁褓中。這的確是事實。但何以他的國人不接受他的領導而反而去膜拜這位年青的後來者？這種原因無他，就在一個壓抑這種不滿情緒，另一個去滿足這種情緒之故。當這些獨裁式的統治者越壓抑人民這種不滿情緒，與人民間的距離越拉大時，這批羣衆越認爲納塞能代表和領導它們。

四、

中東地區廣大羣衆的這種不滿情緒並不可怕，可怕的是西方國家對這種不滿情緒的過份忽視。英國在中東具有實際的殖民利益，爲這一不滿情緒的對象，可能對此情勢無能爲力，而美國竟亦對這種不滿情緒熟視無睹，實屬一件憾事。若說美國油商在中東有龐大油礦不能與阿剌伯民族主義實行和解。那麼荷蘭，日本等國又何以在平等基礎上仍與中東各國合作開採油礦？所以美國的忽視中東這種不滿情緒，並非由於現實得失所使然，而是由於認識不清與決策錯誤所使然。我們應該承認阿剌伯民族主義今日已成了一個不可抗拒的力量，誰要想在阿剌伯世界取得外交上的支持與同情，它就應該實行和解，建立與這一阿剌伯民族主義的協調關係；誰要想抗拒與忽視這一力量，它就無可避免的要遭遇重大失敗。我眞不瞭解何以美國不支持這種阿剌伯民族主義而去故意抗拒這一力量；何以不支持羣衆的要求而去支持少數獨裁式的統治者；何以不使它的外交政策與這一地區的新生力量結合，而偏站在失敗的一羣的一方面。可以說美國在中東的外交，是一種逆水行舟式的外交，不但吃力不討好，而且美國所支持的力量，最後都證明是趨向崩潰與毀滅的力量，等到這些力量一一崩毀，美國在這一地區的外交也隨着完全瓦解了。

五、

由這一角度來瞭解伊拉克這次政變，我們可以得到幾點重要的教訓。（一）對於應付這種事變，事先的防止遠比事後的補救更重要。假若事先不予防止，一俟政變發生，造成了既成事實再來與這一勢力作對，即等於與廣大羣衆的那種不滿情緒及民族要求作對，其結果一定很難令人滿意的。（二）要事先防止這種事變發生，必須謀諸釜底抽薪之道，設法滿足廣大羣衆的那種情緒及民族主義要求，絕不是單純防止街頭示威與加强警察力量所能濟事的。正因基本事實如此，所以這次伊拉克政變發生後，西方國家和聯合國對此究採何對策，對中東局勢的重要性絕不下於這一事件的本身。假若這一對策是歸於强硬的一種，由聯合國或強國派兵進駐約黎各國，其結果必是削弱了西方國家，特別是美國外交的道義力量，認爲若不依恃武力西方即無法維持其中東的地位。而且伊拉克是「阿里巴巴及四十大盜」的國度，在廣大羣衆的激烈反對下，少數外國武裝能否常久維持秩序和建立一種被外力所羽翼下的政府，實頗堪疑問。反之，若這一對策是屬於和解的一種，美國若從此與阿剌伯民族主義實行全面妥協，承認納塞爲這一地區的主宰力量，那亦得有極大的魄力與革命性的政策變化才行。總之，伊拉克政變已完全推翻了中東的小康局面，徹底破壞了阿剌伯集團內兩種勢力的不穩定均衡，亦使美國的中東外交正如塞德與阿布杜拉的屍體一樣，同樣被暴露在巴格達的街頭。

半週述評

現實的政策

正如美國一些專家所指出的，我們今天要挽救伊拉克，爲時已晚，因爲我們已經坐失良機了。

縱然我們大家心裏很不願意，爲了自由世界的利益，最後我們很可能被迫接受一個「現實的政策」。

因此，處在這個時機，我們需要冷靜，需要理智，需要忍耐，去面對一個革命後的伊拉克。

重要的教訓

重要的是教訓：

一個國家，一個王朝，在一夜之間傾覆，這絕不是偶然的，這可能早有長久的歷史因素——如果我們不從伊拉克事件中吸取教訓，這是非常可惜，非常不智的。

一個國家，長久的停滯在落後狀態；一個天賦稟厚的國家，不致力于內政的修明與進步，革命是隨時可能發生的——不幸的是，這一次伊拉克的革命，在時機上對于我們是很不適合的。

真正的友誼

伊拉克事件還給我們另一個教訓，西方國家過去在中東，像伊拉克這樣的國家，所找到的朋友，所建立的友誼，全是不生根的。

這次伊拉克政變中被殺的總理塞德生前說過：「作爲一個阿拉伯人和西方的朋友，我已感到厭惡透頂了，大部份負責的阿人也有同樣的感覺」。

西方在阿拉伯世界缺少眞正的友誼，正如塞德說：「災難終于來到了」。

救火的悲劇

在阿拉伯世界，根本的問題是我們必須使他們明白，我們是阿拉伯民族主義者的朋友，揭破國際共產主義者的「賊喊捉賊」的詭計。

今天在中東，共產黨人到處放火，還是誰也能看得明白的；今天在中東，野心家利用了每一場火，這也是事實；但是，根本的問題是，西方國家應如何讓阿拉伯人民認識，誰是眞正的救火者。

阿拉伯的悲劇是：放火的賊却被誤作救火的人。

凱末爾之路

我們始終同情阿拉伯的民族主義，我們相信，阿拉伯民族是應該有權利決定他們自己的命運的。我們也相信，民族主義的發展，無論在理論上與實際上，最後又必然要與共產黨人分裂的。

在中東地區，目前情勢對于自由世界來說，誠然很惡劣，但非絕望，因爲在國際共產主義的立場，這種利用，也同樣等于一場大賭博。

阿拉伯民族主義者勝利之路是，以土耳其爲借鏡，以凱末爾爲模範！

這個道路就是，對西方的挑戰有個限度，高舉起反蘇反共的旗幟！

·司馬璐·

又一個「既成事實」

雅斯

中東局勢英美顯已妥協于新的「既成事實」，而且還被迫得毫無招架之力。親西方伊拉克王朝的命運已埋葬于「既成事實」之下。華府的中東問題專家們認爲美國如于伊拉克政變後二十四小時內派四千盟軍入巴格達就可以不冒全面戰爭危險，回立一個反納塞政權；但現在要採取任何軍事行動以推翻伊拉克親納塞的趨向已經太遲了。這個分析是對的，如果事前不讓事實造成，當然可維持現狀；問題是華盛頓、倫敦的現政策是被動的，消極的，動搖不定的，安有如此可能呢？何況造成「既成事實」，原是共黨集團預設政策的拿手把戲；對「既成事實」，對于英美，猶如週期性「打擺子」服奎甯丸，在一個時間的安靜後，又必然復發。

西德，韓國，越南，以及中國的被分裂，都是受了妥協于「既成事實」作風之賜。英美是慣于這套作風作法的，英國更是這套理論的老祖宗。它當年之承認中共，說它祇是承認大陸的「既成事實」，並不等于贊成中共。這一個現實主義，由來已漸，不自今日始了。

這是一個政策上的基本問題。華府專家以爲伊拉克的既成事實，是成于美國不能于事變後廿四小時出兵樹立一個反納塞政權，其實那在根本上是不可能的。因爲一個陰謀「製造既成事實」，往往是主動而有計劃的迅速秘密行動，絕非任何一個被動的臨時應付的行動所能應付。英美在中東的敗仗，是政策上總先天就注定了的。

看來納塞的中立勢力是要在以中東爲基礎建立起來了，比他的老前輩尼赫魯更多了「泛阿拉伯」世界做地盤。它把尼赫魯的中立路線用實力支撐起來。這個「中間勢力」，在英美眼中更將是一個不可改變的「既成事實」，且它與反蘇的狄托爲友。有如當年認毛澤東爲東方狄托可以脫離蘇聯的看法一樣，美國當然不願正面與納塞硬碰。——當然在目前看，這硬碰也絕不是辦法。

因此，繼伊拉克之後，約旦，黎巴嫩，又在納塞的壓力下，將不斷有新的既成事實發生。

英國的出兵約旦，與美國的出兵黎巴嫩，顯然祇是爲了阻止會有更不利的新「既成事實」的發生，但更新的事實又顯然是不可以阻止的。納塞在打倒伊約聯邦的對台戲以後，又在以唯我獨尊的神氣向約旦咄咄逼人，公然在「阿拉伯之聲」電台廣播呼籲刺殺親西方的胡辛王。胡辛王在西方對納塞全面妥協之下，顯得處境可危；黎巴嫩已定月底舉行新總統選舉，成爲納塞及蘇聯目標的夏蒙總統，顯已不復爲英美支持，將由一個中立的人物繼任，大致已成定局。法國且研究所謂「黎巴嫩中立化」。自由世界所希望的英美的「藥師」，結果祇能面對「既成事實」妥協，不但將無法阻止，且將無法阻止更新的變局繼續發生。

胡辛王被殺的謠傳，伊拉克新政權將被美國承認的傳說，在這個背景下發生。也許英美會天眞地想：一旦被迫退出中東，還可以用中手向納塞要石油，還可以用錢彈爭取納塞。這樣，中東局勢變成：納塞全勝，蘇聯積小勝爲大勝，英美一敗塗地。

政局演變至此，有如戲劇，戰場上一輪騷亂之後，又是議場的一幕出現了。赫魯曉夫馬上建議舉行高峯會議，這是一配合的攻勢，就是逼使英美妥協于他們一手製造的「既成事實」，這是政治上的高層會議在聯合國安理會舉行，也是政治魔術，但是比較拙劣的魔術。艾森豪就在這一推一拖的壓力下，顯得變不出把戲來了。

北大西洋十五國將于月底召集特別會議，巴格達公約亦將于若干時間在倫敦舉行，當然是爲了對付中東問題，但也祇能是對「既成事實」造成後維持現狀的善後安排而已。

蘇聯共黨集團勢力的伸展，納塞中立勢力的形成，都是西方于事前既不能把握民族主義的利器，事後又慣于承認「既成事實」的政策的結果。換言之，承認「既成事實」，實乃坐視「潰瘍」「頹靡」的別名而已。

從「拒讀黃黑色書刊運動」說起

• 慶光 •

台灣通訊

近來，台灣各地正熱烈展開「拒讀黃黑色書刊運動」，報紙雜誌與街頭巷尾，都出現大量的宣傳標語漫畫。因為有人認為今天社會風氣之壞，人心士氣的靡頹，完全是受了黃黑色書刊的影響，因此要「大張撻伐」，甚至不惜任何代價修改出版法來，取締「黃色」的力量可謂大矣。政府修改出版法，是否真的志在取締黃色刊物，是一回事，而黃色新聞之必需取締，那也沒有話說的。

[illegible]大，其流毒足以腐蝕人心，麻痺社會，敗壞道德，[illegible]，誠未可厚非。但社會風氣之形成，原因甚多，其來有自，如目前台灣所流行的[illegible]，以及各地「大拜拜」的浪費，即是[illegible]所留下的惡習。而近年來，政風的[illegible]，一方面[illegible]節約，一方面又處處表示繁榮的粉飾，使老百姓無所適從，[illegible]究竟這是戰時？是平時？是非觀念不明，遂令人心苦悶，[illegible]，乃形成一種世紀末的頹廢心理，其發生層出不窮的貪污，欺詐、兇殺、淫亂事件，豈是偶然。此外，歌曲、酒家、茶室、舞廳等，對現在社會的影響，亦非關小可，其許多「西部武打」「男女關係」的影片，如前在台北上映的「上帝創造女人」與「黃昏之戀」等片，即遭受甚多的批評，其主題之欠正確，又是人所共知的。至於報紙書刊，一是輿論的代表，輿論乃為社會組織內，大家對某一事件所表現的意見或見解。在理論上，它應該有利於社會安全。但由于營業上的競爭，乃有不顧後果，利用人心苦悶，對于某些求激刺的心理，若干社會新聞，儘量誇大渲染，而造成所謂黃色新聞，失去輿論對社會應負的責任。這種情形，甚至一些大報且不能免。如幾月前，一位中學生，將兩個沖犬洞糊上紙殼，謊人去參觀，這次又有些報紙，將一位「魔術家」，一夜之間，捧成為世界三大魔術家之一，如何預測報紙「招頭」，結果，西洋鏡非拆穿不可，騙了社會人心，與誇大狂的現象，新聞界倘不能採取慎重態度，將何以維繫社會人心士氣？

總之，今天社會風氣的敗壞，原因甚多，首在政風不良，上行下效，草偃風行；其次，輿論界應以國家民族的生機着想，辨別是非曲直，發揮高度的責任心，愛國心來建立公平正直的輿論。至於如何加強法治？如何勵行戰時節約的生活？如何造成生氣蓬勃的中興氣象？都有賴于當局大刀闊斧的策劃與勵行，否則縱然「黃色新聞」銷聲匿跡，亦不等于「天下太平」。至于「黑色」何所指？倘若一切批評現實政治社會問題的作品都歸之為「黑色」，則期期以為不可。其要證明政府之修改出版法，是專為對付黃色新聞，有如當局所聲明者，那麼，戮力掃蕩黃色新聞，就是事實的說明。

台南點滴

△慶成金店老闆錢鑽金，藏置美鈔四千六百元，港幣五千於箱中，失竊後先往台北請教于服務於警界之親友，始悉持有外幣並不違法，然後前往報警。日前，警員派出所主管夫人于倒垃圾時在宿舍拾得紙一大包，與上數僅短少美鈔三一〇元，報繳李警官夫婦拾金不昧，登報招領。失主領回後，懷疑「家賊」所為，對短少之數，不願再加追究。李氏夫婦以失主額外外幣，毫無酬謝之意，乃憤而延請律師，依民法八〇五條要求三成報酬，失主延同律師，攜贈台幣二萬元出謝，而盜案則始終未破。

△台南地院檢察官巴天錦，涉嫌受賄、被押，解往嘉義地方法院偵辦。這是台北司法界大慶張鈞案後，又一映動司法界的案子。迄今時近兩月，該案尚未如何發落，外界頗感疑惑。

△今年台南市公立中學聯考招生，報載有人用題「包取」事情，考試時又有印售試題消息，據說又有人採訪考生錄取名單，商販廣告賣情事。此風不可長，盼主管當局注意。（七月廿一日）

呂增勳

緬甸局勢趨惡化

緬共態度轉硬　中共窺伺日亟

• 華永[illegible] •

緬甸政治局勢的嚴重，將近三個月來，迄未鬆弛，原因不外因宇努政府擁有政權，卻失去黨權；反之，宇巴瑞在政府中失勢，在「反法西斯自由同盟」中，卻擁有領導權。而緬局則除非黨政合一，政治危機不易消失。

現實的情勢是努、瑞兩派均在爭取黨政合一，「同盟」已割裂為二，雙方均組織中執委會，宣佈開除對方黨籍；實際上雙方祇是為了擴張個人權勢，瑞派儘管擁有多數盟員，盟址財產卻為宇努手中；故此，瑞派一面指斥宇努霸佔盟產，同時向法院訴追；努派則指對方已失官職，不允霸佔政府官舍、汽車。這些意氣之爭，在緬人看來，均屬雞鳴狗盜行為，有失政治家風度；雙方人望的低落，反予共黨以政治無能口實。由於政治領導人物爭權，緬共態度比前更見強硬。本來，緬共黨魁德欽丹敦，派有一代表團駐仰光，跟政府從事政治協商，依照宇努的「投降之後，參加民主競選」原則；最近於宇努獲得左翼「民族團結陣綫」支持，重獲政權後，緬共自認鼓動爭得主動，不僅絕無投降意向，反指執政黨殘殺人民，要追究責任，主張共軍與政府軍處於同樣合法地位；並發表了告緬甸政府三軍書，煽惑政府軍放棄保衛國家責任，勿再採取敵對行動：「濫殺人民」；對宇努與宇巴瑞兩派分裂，除表示意見，所保證以行動支持宇努。一般解釋謂「行動」，為共黨將採恐怖手段對付政府的分裂分子。

宇努於上月間眾院臨時會議中重獲政權後，他的政治生命並未就此保全，另一危機將隨下月國會辯論政府預算到來。下年度的預算，不僅瑞、迎派勢將反對，即左翼黨派也未必同意。宇努自知新預算一經否決，政府勢必垮台，現在打算先行提請聯邦總統批准，允許政府「緊急執行新財政年度預算」；第二步，他準備於國會中，不獲多數支持，提請總統宣佈解散國會，再行遵照憲法規定，於解散國會後六十天內舉行大選。這是宇努鞏固政權的重要步驟，他認為宇巴瑞對此將無法抗拒；然而，宇巴瑞早已預料宇努有此一着，他曾與宇昇迎聯署呈請緬總統，要求宇溫曼重視國運，勿為宇努總理利用，遂行批准預算、解散國會。宇溫曼並不是一位明智總統，不然，早該在上月初下令解散國會，舉行大選，由於曼氏安於現實，政治危機日趨嚴重，反予眾院議長巫旺大權獨攬機會。巫旺自莫斯科歸來，鑒於宇努已跟左翼「民族團結陣綫」合作，就進一步拉攏獨立派，力勸宇努爭取選票，且使宇努繼續苟延殘喘，確認解散國會對他有利。

瑞派無失爭取國會多數，只有憑信任表決推翻宇努政權。因為，努派在國會形勢，無法與瑞派抗衡，必須獲左翼及獨立派支持，才能戰倒對方。親共議長態度，在努瑞兩派間，向來保持中立，視誰人親共傾向明顯，就拉攏左翼及獨立派支持誰。現在宇努既獲左翼支持，宇溫曼順水推舟，不啻風助火威。

瑞派要求總統制止宇努濫用權力既告失敗，宇努正從事各項準備，一面緩和共黨囂張氣燄；一面分赴各區宣慰民衆，以圖挽救既失聲望。在目前，緬共似不致急。在要求宇努給予他們參加政府機會，排斥異己，祇在[illegible]。瑞派勢[illegible]大，[illegible]國防部長昭坤戌，將如前任[illegible]，在大逮捕中逃往泰國，求政治庇護（按：宇巴瑞派現在係宇努氏的各緬任行者）。區逮捕異己工作，並未稍歇，被捕者如何發落，沒有下文。這些手段將迫使宇努今後趨向：被迫不再標榜中立，而組織容共的聯合政府，向蘇聯一面倒。此外，又可從中共對緬的行動，[illegible]。中共已自動[illegible]，本月初將[illegible]。緬邊界封鎖，[illegible]解緬係杜絕飢民自[illegible]南越過邊境參加反共游擊隊；實際係掩飾中共突擊隊大量滲入緬境。這批突擊隊的任務，一方面供應緬共軍火，及支援中共地下活動經費物資；一方面由泰、寮、柬埔寨各地下活動中共指揮，侵入寮國、泰國森林，建立據點，設電台與緬共取得聯絡，目的為策應緬共正規軍，深入緬境，搜索反共武裝游擊隊，然則，共方顯而且欲藉此在緬困難小股，利用緬共牽制緬甸政府，利用機會紮根，努力使俄帝魔掌通過中國大陸伸入孟加拉灣。中南半島既危，印度洋區亦難苟安。（七月十五日寄自仰光）

寶島經緯線

△政府偏處台灣，照理言，欲在國際政治舞台上爭取地位，自須有正常的外交及國民外交，運用文化與社會乃至於經濟的活動，來配合外交政策。所憾者，現在官方與民間的「出國熱」，左一個代表團，右一個考察團，究竟能否配合外交活動頗感疑問。從台灣派到國外的大規模的代表團，一年之中不下四五個；兩個人或三數人被派往國外開會、考察、研究、訪問的，則幾乎一星期之中有數起之多。這些人員據說是會經各機關遴選簽保的，當然，其中有不少時下之俊傑，足可勝任，但是，也有不少是利用出國機會，賺外匯，買洋貨，借此遊歷而已。大概一年前，聞政府對此已有慎審之規定，但鮮能嚴格執行，因此一般咸望於改組後之新內閣。

△關於立委兼任律師會計師問題，向為世所詬病。執政黨中央對此，曾訂「改革社會風氣要點」一種，其第一項「嚴懲貪污，澈底改革政治風氣，以轉移社會風氣」中，規定：「立法委員不得兼任律師，會計師，先由本黨同志實施……」問題又在是否只成具文而已。

△大有大錯，小有小錯，大官認大錯，小官認小錯，上行下效，而能認錯者，當是好現象。大而言之，前次行政院送審出版法修正案時，會將公文「誤作」密件，錯蓋了一個「密」字印戳，害得立法院召開秘密會議，進行秘密審議，經人向行政院提出質問，該院負責人終能勇於認錯，卻仍是值得「欽佩」的。小而言之，前此基隆稅捐處征收信三路兩座房屋的房捐，三層樓房要收一千五百元，四層樓房只收五百元，經某議員提出詢問，稅捐處長答以人員不夠，資料不實，當有錯誤，以後當改正。勇於認錯，也是值得「欽佩」的。不過此時此地，是不願一錯再錯的。

△「台才港用」。此間報紙多有論及，其中論者，當以影劇界為最，片子少，牢騷多，這是影界之綜合語。演員是最苦悶的，沒片子拍，就得餓飯，在悶得發了慌時，一些影星到了香港，工作則勤奮，精神也愉快了。就舉「中影」的兩位「小生」來說吧，在台灣都是閒人，這次到了香港卻紅了起來，他們曾寫信給台北「中影」解釋：「一個演員以演戲作為終身的事業，有工作的機會總是應該爭取的。」言外之意，在台灣是閒怕了，又說：「在海外拍戲，足以提高我們的『票房價值』，間接地也就足以推廣『中影』的出品。」此種巧辯，正確否且不去說它，不過影人「台才港用」，推而及于一切「楚材晉用」之現象，何以發生，何以人才在台就留不住呢，不值得考慮一下嗎？（司馬芬寄自台北）

台北世界書局的糾紛

牛六

（台北通訊）八十高齡黨國元老李石曾之與年方三十五空軍遺孀田寶田的結合，雖曰白髮紅顏，或為佳偶，且識者早知其必難偕老。果然關中勃谿時起，據說是由于田女士主動使李石老受不了而要求離婚，但經幾度商討，又中經戲劇老人齊如石從中斡旋，卒由石老以美金若干了卻風流債。

不料一波甫平，一波又起，李石老最近又與他所董事長之台北世界書局總經理兼總編輯楊家駱發生意見，而免了楊氏的總經理職。因此有人把前後兩事作相關的看法，是否如此，不得而知。

七月廿日（星期日）台北中央日報第一版同時出現了兩個啟事：其一為世界書局股份有限公司啟事：「本公司總經理茲經董事會改選，由李董事長石曾暫兼，並分別通知李兼總經理石曾及楊前總經理家駱辦理交接，李兼總經理業於七月十九日就職任事，謹啟」。其二為林棟律師代表世界書局股份有限公司總經理楊家駱先生啟事：「頃據當事人世界書局股份有限公司總經理楊家駱先生委稱：『李石曾先生歷次強索巨款，本人難於悉數應允，以致昨晨忽持一小時前不足法定人數之董事會決議案，並率領多人挾造理由前來，意圖接管。查本公司董事為二十一人，依照公司法第一百九十一條規定：董事之執行業務，除章程另有規定外，以其過半數之同意行之；關於經理人之選任及解任亦同。昨晨該項會議實際僅出席董事四人，其所決議之事項，顯屬非法，自不能影響本人合法之地位。茲特委請貴律師代為啟事，並依法保障』等語前來，合代啟事如上」云云。聞雙方友好正在從中調解云。（七月廿日寄自台北）

異哉神話

讀者論壇

• 張道生 •

月前新的聯合聖公會，在英國西茲堡舉行大會，在會中有一篇報告說：美國的外交政策是一種「國際的偽善」；又說：「上帝可能利用共黨或其他無神勢力，以懲罰這種行為」。（見五月二十九日美聯社電）。我讀了這則報導後，不禁大吃一驚！等待復等待，似乎很少人對它加以批判，現在談談，也不算是黃花吧！上述的話，若出自共黨或其同路人口中，原不足怪。但不幸竟出之於莊嚴而神聖的聖公會的「報告」中，這就不能不使我們感到惶惑不安了！

這篇「報告書」的全部內容，我們沒有看到，或許並無惡意，祇是攻擊自國的外交政策而已。但就其語意而論，卻有不良影響的。一般說來，一個民主自由的國家，它的外交政策是依國家的傳統思想、與論，以及國際共同利益為其背景的。但蘇聯則不然，他們所謂「外交政策」不過是一種「陰謀策略」而已！今天美國若斥蘇聯所喊的「和平共存」，「高層會議」，其意不可信其為眞。當然，不可諱言的，今日美國對蘇外交政策，是策略性的，也就是所謂「偽善」吧。但美國對蘇政策與其說是「偽善」，無寧說是過于「天眞」！

我們且看現在正醞釀中的「高層會議」，這本是蘇聯一種冷戰策略的運用，目的在分化美國與自由國家的外交關係；美國政治人物，當然，應當看得很清楚的。倘說上帝清明的話，應該嚴懲蘇俄，表現一點上帝的感靈。

聖公會的那篇報告裏，好像有一套邏輯法則：那就是美國所行的外交政策是一種「國際的偽善」，所以上帝使共黨來懲罰美國。這樣說來，美國反變成「人類的公敵」，而共產黨倒是「人類的救星」了！如此，共黨大可以借上帝的神力，來橫行世界了！

我們神聖的「聖公會」的教友們，竟作如此言論，上帝啊，難怪這個世界要動亂未已呢？

我以前很有信心，相信共黨絕不能征服世界。如今我的信念，卻漸漸動搖了！因為上帝對美國都怒吼了啊，今天共黨仁兄大可以這樣說：「我是上帝的特派使者，你們都受懲罰吧」！世界科學家們，你們不要再勵腦筋研究發明了吧，而一切驚人的武器將要變為廢物了！因為共黨有「上帝」在撐腰。神力何敢抗！

蘇俄四十年來一貫的外交政策，幾乎無一不是「國際的偽善」，所以有人說蘇聯是一個「國際的大騙子」。其著者如二次大戰蘇聯為取得美國諒解，宣佈解散「共產國際情報局」，消除世界疑雲。以及目前「和平共存」，就是共黨「偽善」的傑作。但不幸的是有些國家竟不察其所以，昧然信其為眞。

更其不幸的，是聯合聖公會那篇報告，也如此云云。我們不禁懷疑向以基督教正統派自居的聖公會，它所賜予我們的，恐怕是撒旦的謊言吧！

金蘋果的惑力

。衣革。

艾森豪總統最近一次訪問加拿大和渥太華，談及放寬對中共禁運問題，自在意料之中；因為加拿大這幾個月來，屢次表示它願意促進對北平的貿易。聽「加拿大銀行」董事長慕爾最近訪問中共區回去後的言談，便不難看出加拿大酸溜溜的；他說：「別的西方國家正和中共做買賣，如果加拿大得不到它應享受的那份貿易，那就妄自菲薄；如果不採進取的行動，加拿大便得不到那種買賣。」

加人適於蘇維埃集團發動經濟攻勢之際，亟亟於展開中共區與加拿大貿易，可說是自找麻煩，徒添苦惱罷了！

加貿易部長垂涎欲滴

首先，加拿大貿易部長邱吉爾以為所謂擁有六億人口的大陸市場，是特別值得加拿大垂涎欲滴的，我們相信他到今秋他去赤區一趟之後，將明白中共人口多並不代表貿易有無的正常規律；祇要實地注意一下共黨控制其人民消費的居心，便易於正確判定中共高懸着目前這顆金蘋果的企圖，無非實施克里姆林宮經濟攻勢的一項任務，以達成列寧遠在一九二〇年所稱許予外國工商業者以協議的目的，在乎進行「對資本家的協定，乃是戰爭的繼續」而已。

今年加對大陸輸出驟增

其次，何以加拿大對中共的輸出，由去年所值的一百四十五萬美元，驟增為今年的五百萬元以上？這是耐人尋味的。須知加人心目中以為龐大的中共市場祇消納了區區百餘萬金元的貨物，具見中共有意吊吊渥太華的口胃。既然加拿大還不承認中共，北平乜氣了，把一九五六年所值的二百四十餘萬元的外輸減為去年的所值只得一半多些，不是給加人的一種顏色看看嗎？它卽試自能增！共黨黨徒明白有不少人見利忘義，根據他們的辯證法看來，更要認定禁運的大時代深遠含義儘管長存，資本家逐利的心越重，越有利於共黨。中共配合經濟大攻勢的五百萬美元，今年使用來購買加拿大的小麥了。

妄想要貿易不要政治

中共這樣做來，確然掀起了北美洲那一個角落的激動，便認為：（一）木材、鉛、橡膠、化學製品及其他工業產品，一旦運銷中共，那種買賣，一定為數極其可觀的；（二）因此亟圖放寬對中共的禁運，以利西方國家擴大其對共區的貿易。加拿大這樣想，一如日本及西歐，既欲與中共貿易，又想極力避免涉通政治上種種困煩，尤其加拿大要想把貿易與承認中共問題絕緣，最低限度目前作此打算。但是，中共深知在經濟與文化上與西方國家，先求能保持某種限度的接觸，則隨時都有進一步達成政治戰術的詭計之可能性。

抗議美國「干涉」

但是，加拿大現任保守黨政府還有一樁麻煩，就是美國干預它在加境的分公司，即美商在加拿大開設的分號，不准它們和中共進行禁運貨單內的各項買賣。渥太華曾因此事，向華府抗議，認為美政府不該干涉加拿大的獨立行動；其實，這個抗議弄錯了對象。原來好幾個月前，有一家美商在加境的分公司是根據美國執行聯合國的禁運命令，拒絕將一批汽車售與中共的。加拿大一如日本，先後因欲擴大其對中共貿易額，分別與美及中國，攪出不愉快的困煩來。共黨正在竊笑，笑的略施生意小技，加拿大也和美國大鬧彆扭！共黨可以推行飢餓輸出，又有什麼理由不運用對外貿易以打擊自由世界？

夢想貿易前途似錦

中共顯然有意捉弄加拿大，在這三年來，把貿易額加一點，製造一種惑力，然後減一些，藉以製造壓力，繼而再增貿易額，以惹起西方對中共區可供給西方商品尾閭的幻想。例如今年第一季，中共對澳洲便購貨五百二十萬美元，比去年同期，增加了一倍，由是掀起了澳洲人士的錯覺，認為討好中共，將來必定會有更大的甜頭，絕不會困煩似的！這種短視的看法，適中共的工根正在乘着中共貿易代表團訪問澳洲期間，大事活動，已然形成可慮的影響力！加拿大和別的國家，如果會提出另一個問題來自問一下：「為什麼中共老遠的跑到巴西買糖？而且今年大量購巴西的糖，又是什麼緣由？」那麼，不難窺見，中共正在進行迂迴路線，分頭向美洲、非洲、澳洲，猛烈展開貿易攻擊，把西歐弄得更是心神不安，六中無主！怪不得英國現在祇曉得叫囂解除禁運，夢想着它與中共貿易，「前途似錦」！

自由世界市場的困惱

美國為了本國市場的利害關係，竟然嚴禁日本與英國的紡織品和委內瑞拉的石油進口，而致類似的國家大起反感；甚而不惜因此迫令日本自行向中共區覓市場。自由世界貿易市場的困惱，正好是共黨資為反美的一種把柄。美副總統尼克遜在拉丁美洲訪問行程上的倒霉，反映出共黨利用非共黨國家的商務矛盾，挑撥的詭計，不遺餘力；那麼，西歐及其他國家急欲與中共促進貿易的即與進行的貨賣項目不在禁運之列，遲早總要到共黨詐術的控制，給製成了貿易的壓力之後，和它多一分的生意，受其禍害的危機，必然增加一分。加拿大，日本和英國已面臨中共貿易戰的詐術了。（一九五八，七月，二〇）

竹幕秘幽

生產大檢查

八大二次會議以來，各地派出了龐大的檢查團，檢查生產發展，檢查所謂「多快好省」建設社會主義各地執行情況，這些檢查團組成人員有的地方超過了萬人，其敗軍情況由此可見。為什麼要作這種檢查？不用說，當然是因為各地執行這個「秦始皇總路線」不力。

整風結尾

鬧了一年多的整風，最近似已到了結尾階段，這個階段的主要工作是鏟平大躍進的道路上的障礙，照毛澤東的看法，這一障礙的主要者是反對大躍進的「促退派」、「條件論」、「秋後算賬派」、「落後論」等等。換句話說在整風結尾階段，要把這些反對躍進的人整服，要搞透搞深，以便他任意妄為；似乎有不把這批反對大躍進的人完全整倒，絕不收兵之勢。

農民問題

七月一日人民日報發表一篇社論，題目是農民問題仍然是根本問題。社論認為要農業迅速發展來促進工業；要使工業接近農村，使農民投入資金與參加勞動；農業發展可以推動文化教育各部門。為配合這一論點，同日人民日報又發表夏糧增產三百五十億斤的消息，（這一數字說明是初步統計數字，其準確性是可懷疑的。）以表示農業問題的解決已獲得了相當成果，以這一數字對「秋後算賬派」作批判。把這些問題結合起來，上述社論與增產消息的發表，好像是夜行人自吹口哨自壯膽。

本欄前已指出，中共現正舉行「工業抗爭運動」，這似乎說，增產數字儘管加大，但對於鋼鐵為主的原材料的缺乏並無幫助。那末，農業促進工業之說當場拆穿了。

秋後算賬是時機

前面指出許多幹部執行「秦始皇總路線」並不起勁，整風結尾還要大搞特搞，要把反對大躍進的人們，徹底清除；看上去反對大躍進的促退派縱然有些在毛澤東威權之下被整掉了，但其現存勢力依然強大。再加上以鋼鐵為主的原材料缺乏之問題得不到解決，大躍進的主觀，基本內素也出了問題。這兩個問題把它加在一起，顯出中共的大躍進頭挫之勢似已形成，馬鞍形的低潮就將到來了。目前毛澤東正騎在大躍進的虎背上，難以下來，一味強嘴，不肯示弱，一旦面臨難以解決的問題至無法挽回時節，則恐怕不但整那些反對大躍進人們的整風運動不能搞透搞深，可能遭到某種反擊。

實權領導的實現，大概在于秋後算賬時節。毛澤東在政治鬥爭上具有經驗，他當然要想謀脫身之計，現在中東緊急，將國內輿論轉至國外，順勢從大躍進的虎背上下來，在我看，這到是他一個難得的機會。

○由心○

音容尚存

KHRUSHCHEV

HUNGARY MURDERS

量子論創造人麥斯・潑蘭克

。旭軍譯。

在二十世紀的中葉，人類開闢了歷史的新紀元——原子時代已開始。人類對空間及原子革命的觀念之理論基礎，在數十年前已奠下。但不是由單獨一科學家，或單獨一國家所能担當。而係由許多偉大的智慧充當此『新建築物』的磚和灰泥。

德國物理學家麥斯潑蘭克，（Max Planck）『量子論』的發明人，即為顯著的一人，今年四月二十三日是他一百週年生辰紀念日，全世界科學家熱烈舉行慶典。

潑蘭克在一八五八年，誕生於德國之基爾。九歲時，舉家遷移到慕尼黑。這位富有天才的男孩，進入中學，得到一位很能幹的教師致他研究物理學，這使他畢生對科學發生了興趣。在將進大學時，他尚未決定專研究物理，他對哲學，或音樂，有同樣嗜好。都是他所專長的。最後決定選取物理。

潑蘭克在慕尼黑與柏林，獲得著名的希姆荷賓，和克撻霍夫兩物理學家指導。他的博士論文，係在慕尼黑完成，後來在慕尼黑大學担任教授，年方廿二歲，此時他專心於熱力學的著述。到了一八八七年，他被邀請担任基爾大學的教授。潑蘭克稱此事在其一生最偉大的日子。他可以完全依照他的理論去作研究。

兩年後他任職於柏林大學，與他的老師希姆荷賓共事。其時物理法則，正有革命性的演變。最後導致成放棄牛頓與麥思威正統觀念。各偉大的物理學家，積極的舉行國際討論。潑蘭克參加辯論。他的著作最後進步到一九〇〇年十月十九日發表的『輻射公式』。同年十二月十四日，更發表他改良的新公式，在此新世紀的十二月十四日，被視為潑蘭克的『量子論』誕生日，也可以說是科學新紀元開始！

他自己知道他的發明意義深廣，但他的謙遜，令大衆以為他對他的理論還未確切相信是眞確的。在科學界開始還認為是假定之理論。但到了一九〇五年，愛恩斯坦宣佈他的相對論一般的理論後，便打破此保留態度。愛氏注意到潑蘭克之量子論，至一九〇七年愛氏便給予證實，自此以後，潑蘭克的理論被認為物理學的基礎！

潑蘭克與愛恩斯坦互相研究對方的著作，到了一九一三年，潑蘭克能推薦愛恩斯坦到柏林學院任職。此後二十年內，使柏林成為理論物理學的中心。他和愛恩斯坦皆以音樂為娛情養性之道。愛氏玩小提琴時，潑氏奏鋼琴作伴。但他倆的性格也各異，愛恩斯坦好幽居獨樂，不大與周圍環境的社會及文化組織相接觸。而潑蘭克受家庭與民族傳統影響甚深，而且虔誠篤信宗教。

一九〇九年喪偶，隨後二女相繼而亡，一九一六年一子戰死於歐戰，潑蘭克賦性愛大自然，故雖遭厄境，而仍樂天知命。年六十尚能攀登阿爾卑斯山最艱險之奧特勒峯。

一九三〇年潑蘭克成為德國最著名之科學會之會長，（當時稱為『威廉皇科學促進協會』）二次大戰後，此學會改名為『麥斯潑蘭克學會』。當一九三三年希特勒掌權時，他謀在希特勒與被驅逐之科學家之間斡旋。但終告失敗。愛恩斯坦自行辭職，以免被辭退，而使潑蘭克陷於尷尬之地。柏林已不是物理學中心，潑蘭克亦辭去會長職。

一九四六年，他參加紀念牛頓的英國皇家學會會議。潑蘭克被大衆稱頌為『物理學新時代的創業人』。榮銜與獎章紛紛落在他身上。在一九一八年他又獲得諾貝爾物理獎金。在一九四七年，正當大衆籌備六個月後他的九十壽辰慶典時，他因年邁羸弱，而突然與世長辭，其時是一九四七年十月四日。

更正：

本刊七六九期第二版「內閣改組經緯」一文內第二欄第十四行內「浦熙鳳」係「浦薛鳳」之誤，第十七行內「查良劍」係「查良鑑」之誤。

又同版「司法組織亟待改革」文內「亟予改革得理由」及「反對改革得意見」兩小標題內之「得」字均為「的」字之誤。

國際動態拾零

△赫魯曉夫環觀世界情勢以後，竟以將納基處死為第一事，其用意不特對衛星國示威，且使蘇聯之史太林派，有所警惕。赫魯曉夫登台之初，也曾被人誤解為自由主義者，現[illegible]面孔已露出來，且不下于史太林，但仍不願自稱為史太林主義者。

△僅未倒台之史太林主義者，為蘇聯特務頭子薩司洛夫與毛澤東。關于衛星國及國際政策，赫魯曉夫似在敷衍毛澤東。最近赫氏至有訪問北京之傳說。惟關于蘇聯境內農業工業政策，赫氏則另有一套，最近他已不迫農民交糧于國家了。

△有行賄嫌疑之原籍俄國而為巨富之哥特芬（Goldfine），在國會受質詢。被問何時並以何種方法取得美國國籍，則答以不知道，「我忘記了」，議員們因以大譁。

△有受賄嫌疑之艾總統第一助手亞當士，行將于九月間國會休會後辭職，以免妨害本年十一月之共和黨人選舉。繼任人選，聞已內定為現任艾總統立法助理之皮爾遜，而非艾氏得力參謀長之格蘭瑟，因為皮氏較懂行政事務之故。有謂亞當士最後決定不辭職，挺身自衛以期水落石出者。

△最新式空中對空中之火箭，射程為五十至一百英里。定名為老鷹，時速二千英里，須置于時速一千二百英里之噴射機上。

○陶然○

誰害死岳飛？

·古月·

如果有人問：「誰害死岳飛？」一通小童也會答是秦檜。其實，這個該另有說法。

讀史小記

理由很簡單，比方有一個人被暗殺了，若問誰是兇手？答曰：兇手就是子彈，那是笑話。當然，對於陷害岳飛這一件事，秦檜無疑是其中與謀者之一，但，却不是一個最高決策者。我這樣的說法，並不是爲秦檜洗脫，而是不想祇拿着一個幫兇辦了，而讓正兇逍遙法外。

岳飛之死，實死于徽欽二宗與高宗之間的矛盾。假如岳飛眞能「直搗黃龍」，那末南宋一時就出現了三個皇帝，這現象是最不利于高宗的；但對于秦檜，却沒有必然的不利。他可以安安穩穩由戰時內閣的地位一轉而爲戰後首相，豈不是比偏安小朝廷的丞相更爲威風嗎？

在南宋初期，仍襲北宋遺風，是最嚴格的元首集權制，而非責任內閣制。因此，秦檜只是高宗手中的一件工具罷了。

宋史所載：「岳飛之死，除秦檜外，武人中之張毅公（張俊，史稱名臣，實則一軍閥），亦參與其事。」在利害的衝突上，對于岳飛之死，甚至張俊本身是更有利于秦檜的。是故，我以爲害死岳飛的，正兇當是高宗，而第一幫兇該是張俊，秦檜祇能算是第二個幫兇而已。

輓歐陽惜白先生

自革命投軍以還，靡東征北伐，所在有功，百戰勛名光史乘。

當抗日興兵之際，佐省政邊防，一時爲重，千秋物望壯鄉關。

羅香林　劉百閔　再拜挽

偶感

馬五先生

從前北洋政府的法制，凡作過中樞司法行政大吏的，不問其是否明法通律，即取得當然的律師資格，迨下野時，實行掛牌營律師業，而以「清流」姿態替各界人士包攬詞訟，如章士釗，薛篤弼皆是也。

對日抗戰結束後，政府懲治漢奸甚力，汪記政權的「司法院長」梁鴻志被逮問時，延章行嚴大律師爲之辯護。章氏素非習法學者，僅擅長古文詞而已。他爲梁氏所講辯護狀，噱頭即謂「查某某雖身爲漢奸」云云，然後辯述其「心在祖國」的義理，洋洋灑灑，允稱一篇大好文章，而與法律渺不相涉，却對法庭自認曾作漢奸不諱，既然不打自招，還有甚末可說的呢？如是乎，梁鴻志祇有明正典刑之一途了！

據聞現在的立法委員，依照訓政時期的立法院所訂法規，亦當然取得律師資格，而且可以一面做立委，一面掛牌作律師，理由是自由職業，不受憲法規定立委不得兼任官吏的限制。這比北洋政府對司法行政大吏所闢方便之門，尤爲通達便利，懿歟盛哉！

假使我是立法委員，決沒有依法享受這項特惠權益的胆量，因爲平生對法律未嘗學問，妄作訟師，豈不誤盡天下蒼生，至於自己隨時鬧笑話，丟醜失格，貽譏通人如章行嚴的情形，猶其餘事也。如果眞是通曉法律的，雖不援用舊立委替自己謀出路的那種不榮譽之法例，亦照樣可以取得律師資格。因此之故，我認爲立法院至今不將舊時那般官派立委們所頒訂的惡劣法規予以廢止，給世人以一丘之貉的觀感，未免得不償失，太不划算了。我也是過了時效的民意代表之一，總希望大家能够做些克己補過，一新人民耳目的事情，庶幾於心稍安哩！

近來，人們的心情皆集中注意於中東問題，枉事緊張憂悒，爲使大家的精神輕鬆一下，擺擺這類「偶感」的龍門陣，似乎比看艾森豪的文告與談話有益衛生吧？

談擦屁紙

。陳曉風。

我先就考慮過了，寫文章什麼題目不好寫，要偏偏寫這使人感到噁心的「擦屁紙」呢！碰上衛道之士，怕還難免被斥爲「文人無行」。惟當我想到擦屁紙也是人的生活必需之一，談它自無不當。於是，我就在此百無禁忌，暢所欲言了。

話說擦屁紙，乃是句俗話；認起眞來，它應該叫做擦屎紙才對。——當然，這是更難聽的。——我們知道，放屁是用不着負什麼善後之責的；以査無實據，任其放過也就算了，自無庸多找麻煩——擦。用得着擦的，那一定是拉屎了。拉屎是無法逃形匿跡，必然會留下汚點待査辦的。査辦起來的唯一工具就是紙，唯一方法就是擦，這也就是我要叫擦屁紙爲擦屎紙的唯一理由。

俗叫擦屁紙，而不稱擦屎者，正是使人自己因拆爛汚的臭名稍斂之一種說話藝術。人可以不愛藝術，可不能不爲自己臭名作掩護的。人，確是最愛講面子的動物，現迅擦屁紙也不屑啓齒，早就改口叫衛生紙了。衛生自是人人應該講求的，無怪現代衛生人士，一紙在手，噤口不提擦屎擦屁這些臭事，概以「衛生」名之；借以爲如此「正名」既成，邇後大拆爛汚，名亦可以不臭了。——這，我是難服其說的。

我不是不講求「衛生」，但總以爲：在名份上，衛生紙是不能取代擦屁紙的。因爲：名之於擦屁紙也，絕對不像名之於人，純是一個呼號，與所服務之職稱無關；而擦屁紙之名也，則完全是職稱，名改叫衛生，顯係好名而不務實。須知它改名脫俗後，還不是操舊業——擦屁股麼？何衛生之有？

不過，當有人破格借重它來擦器擦筷……時（常於餐館見之），我也同意讓它「衛生」一下。俾免賢主嘉賓，談「屁」色變，影響味口。但我必須指出的：那是臨時兼差，不能視同本職，猶之乎我們公務員兼差，無損於本位職稱然。例如××長，兼什麼主任委員，我們還得稱他××長也一樣。

總之，兼差不是正缺，既生而爲人屁股服務，就得名叫擦屁紙也。

人的生活水準，係愈後來愈向上升的。當人對「公」生活講求衛生設備之日起，擦屁紙也變了樣，它的姿色由土裏土氣變爲多采的，精製成的既柔韌又雖美的「後起之秀」了。甚至白磁砌成牆，裝上瓷製的抽水馬桶間，且已多不容非精製品入內服務了。但「遺老」——土草紙也並未因之完全退休，以其索酬不高，即使一個患下痢的，十倍常人之需，也不會覺得所費不貲，故能仍爲講求節約的人樂爲採用。說還算盤打得精的人，省下不少臭錢呢！陳子聞之喟然嘆曰：斯人而有斯（經濟）學，不發財，豈非天意也乎！

我不反對節約，但要此也很希望發財者，硬在擦屁紙上打小算盤，陳子是不屑如此「取法乎下」的。何況要爲高士齒冷乎？是故我對「公」事，愛用「後起之秀」。一方面是其姿態輕盈，善體人意，服待得我舒服；一方面是白如敷粉，有紅若臙脂的顏色，使我不禁綺念橫生，而有助長我文思故也。至於有助「公」事收神速之效，其功尤不可沒。

這決不是大胆假設，過來人當會信余言之不謬；心理學家，當亦會能爲我圓其說也。

狠心·良心·人心

。赤子。

人心，是肉做的。

狗心，也是肉做的，即使是狼心，也是肉做的。

同樣是由血與肉做成的心，但却有良與不良。

於是，就有良心與狼心之別。

上可對天，下可對地之心，被目爲良心，這是中國幾千年來的良心標準。在今日看來顯然是不够的。因爲，這已經不是神權和君權的時代了。

在今天來說，良心的最高標準，最高價值，就是要以客觀的多數人的最高標準和最高價值來衡量。也就是說，要由民意來衡量，要以民之所好所惡來衡量，要以人民心意之趨向來衡量。

所以，從政爲官的人，如果只主觀上帶了一個「良心」去辦理衆人的事是不够的，要緊的還是他們要具有一顆赤裸裸的人心，那便是赤子之心！

南行四首

涂公遂（新加坡作）

南行裏百憂，敢曰乘桴願。但從海天長，吁噓舒積困。迷邦古所嗟，況有喪家恨。僥兆在網羅，吾生安足論。短歌發中宵，譬與秋蛩怨。

南國多奇葩，平生所未見。豔者絕世姝，怪者亦妍變。或識以無香，美中有缺欠。我曰造物恩，至德取其遜。有色而招挑，穢足令人賤。緬懷古之徒，狂者不如狷。

南風挾暴雨，瞬息退酷暑。暴雨亦良者，三徑走奔湍。瞑瞑萬山昏，滔滔四野阻。我願日色暄，負手垂楊浦。

南天多靜雲，南海無寒浪。風情似嶺嶠，花樹略殊狀。朝月照椰林，萬象撥支曠。時聞異鳥鳴，默默生惆悵。去國一何遙，太息川之上。

關於『域外小說集』

·郭雁翎·

今年五月四日胡適之先生在中國文藝協會演講，可惜我沒有去聽，第二天看到中央日報的記載，有下面幾句話：

『五四運動時，魯迅也用文言文翻譯過一本「域外小說集」，但一共只賣出廿一本，其中有一本是他自己從書店買去的。』

當時看了，疑惑很多。

第一疑與事實不盡符合，第二疑記錄有誤。據曾聽見胡先生演講的人轉述，與中央日報所記相同。記錄不實的疑惑解消。至於與事實不符，我希望找到一本「域外小說集」作證。可是兩個月來，我還未找到此書。

「域外小說集」是我在三十餘年前所讀過的，記得是上海羣益書社出版的，這是第二版，上面有周樹人（魯迅）的序言之類。胡先生所說的，便是序言裏所有的。序言裏似乎還說，周氏兄弟（樹人、作人）留學日本的時候翻譯此書，民國初年林琴南譯小說暢銷，所以周氏兄弟所譯的賣不掉，民八以後，周樹人的「狂人日記」、「吶喊」出版，聲譽陡然增高，羣益書社再版的「域外小說集」，我想銷售的情形應該還好。

胡先生演講時還說周譯的「域外小說集」比林譯的好，這句話未見報載。我也有這樣的想法。林先生所譯的小說，我都讀過幾本。民國七八年我在北平正志中學讀書，林先生是我的國文教師，我們常聽到的是林先生不懂外國文，翻譯時經別人口述。他自己說，每一小時寫三千字，經常如此。林先生在課堂替我們改國文卷子，二三分鐘就改了一本，的確神速。他所譯的小說雖然傳的是外國的人和事，但是合乎中國的人情與倫理。並非原文都是如此，許多是林先生隨手增加的，域外小說集中所選的是各國名作家的短篇小說，文字簡練，但確是外國情調，胡先生以此加以贊許。初版大約也因此銷售不掉。

「域外小說集」是一本有價值的翻譯書，值得保存流傳。以上就是以我記憶所及說的，不知是否有誤？倘有人能保存原書，盼望出而指正。

在日本獄中

蒙齒

中篇小說

我一個人在這窄小的獄室裏好像又作戰，既要防衛又要突圍，在沒有發生甚麼情况之前，最好我一聲不響的先逃開這個坐以待斃的地獄，但是，即使離開這裏，並不算甚麼安全，外面還有高大的牆，牆頭上的鐵絲網，日本哨兵照樣毫不鬆懈的巡邏，想了半天，我發現了所謂：「敵人混亂」，只不過是我個人的感覺，誠然，我由聽到的聲音判斷，獄裏的確是緊張了，相對的，他們又加强了防範，給我增加了想要越獄的困難。

然而，我手有一隻槍，牠的威力時時在鼓舞着我。

夜是黑暗的，這一種黑暗，對於我多麼寶貴，我坐不住站起來，頭頂着冰冷的牆壁，突然間有一個沉重的東西打到我的左臂上？是鐵的，我馬上了解了這是誰丟進來的，那是一支鐵鏟子。好了，東西有了。我研究怎麼開始。

我閉上眼睛禱告：

「上帝呀！這是你的孩子！」

我跪下去。幾乎是吻了鏟子。於是我開始我的神聖工作，我在把後牆打個大洞了，外面有風透過來。

從低低的洞口望去是一個個馬棚，十幾匹大馬在悠閒中打盹，馬棚後側就是高大的圍牆，夜裏看不清楚，我先又用一塊塌米把洞口擋起來。然後儘着我的力量，在一人高的牆壁上，我又打了一個小孔，我可以從這一個小孔瞭望外面的情况，這一個小洞打的很湊巧，有一棵小樹的樹枝正掩住小口的外面，使得外面的人看不到。一切都準備好了，我想在天亮之前怎麼也可以有希望逃出去的。估計從獄室到大圍牆最多是十幾尺寬的距離，而在中間的馬棚也有十尺寬，馬棚靠近獄室頂多也只有三四尺的樣子，如果能攀上馬棚的草屋頂上的話，那一邊就可以踏上圍牆了。有鏈子可以把鐵蒺藜厚厚的包裹上。

「只要能路上圍牆，」我想，那是最危險最容易被發覺的一刻，可是這也就顧不得了。我盤算着馬棚裏面的馬，嘶嘶地叫起來。

這些馬頭對住我的獄室後壁，我也想到：萬一我跳上馬棚之前這段時間被守獄的警哨發現，馬棚恐怕就是我對外抗爭的一個地方，馬棚是用厚木板圍成的到胸口高的圍牆，對槍彈毫沒有防衛的力量，而這些大馬的高大肢體，就要成爲給我預備好的肉屏障，……如不然，我想的有些奇怪，如果我能跨上一匹馬憑着我一支手槍能從這牢獄的大門直冲出去，這是可能的嗎？一個人？不！我這身囚服太可恨了，很快就成爲他們的目標。

山本沒有來，我悔恨，爲甚麼山本自從他告訴我他是中國人的那一刻，我不和他澈底商量，我想，起碼這些事都是要解決和研究清楚的。

譬如說，我這身上的囚服，多麼顯眼，在這大牢獄的院子裏，除非在獄室裏或集體放風的時間之內，一個人——一個囚犯，如果離開獄室一步，被人發現的時候，就是敵人的「衆矢之的，」這是非常危險的，可是，我的衣服呢？我被他們綁緊了眼睛押進來那一天起，我的一身學生服，大衣鞋子帽子就被他們剝光了，我爲甚麼不問山本？不！他是陳添丁，我爲甚麼不向陳添丁想辦法呢，最好是一身日本軍服。他是這一排獄房的負責人，還有，監獄的情况，比如說到底有多少日本警哨，多大的武力？我除掉由鐵格子窗孔每天看見他們例行的巡邏之外，可算是一無所知了。

關於這監獄，綜合我一年來所得的情况加以判斷，它是在由哈爾濱乘火車南下大概走三小時的地方，它是一所集中營，地方像是舒蘭，旁邊彷彿有山，森林，是在一處荒野上，也可能是一所日本軍隊駐着的營舍，外面的一切被高大的獄牆隔絕了，它的面積有一個小鄉鎮那樣大，對外隔絕，這裏面關着有我的十幾個同學，其中有四個人是我從前就認識的，此外，那些同獄者，由語言和態度判斷包括不同地方人和不同的職業，大概有四百人的樣子，日本人至少也要在五六百人以上。

自由人
THE FREEMAN
（第七七二期）
中華民國僑務委員會登記證僑台報字第一一號
每份港幣壹毫
地址：香港高士威道十二號四樓
26 CAUSEWAY RD. 3RD. FL. HONG KONG
TEL. 771726

中共的備戰與避戰

金達凱

自伊拉克發生政變，美英出兵黎巴嫩、約旦，蘇聯在保加利亞和南斯拉夫邊境舉行軍事演習以來，世界戰爭大有一觸即發之勢。然從目前情勢觀察，西方國家既無作戰決心，而蘇聯亦不外裝腔作勢，只要納薩集團不再尋端啟釁，保持現狀，則不管高峯會議如何，中東局勢在不了了之的情形下，仍可得到一個短時期的安定。

在此次中東事件中，除蘇聯表現積極挑戰態度外，以支持納薩的擴張外，而中共也擺出猫腳爪的姿勢，首先迅速承認伊拉克叛黨政權，並大肆叫囂，反對美軍的援助黎巴嫩與英軍的援助約旦。爲達到其恫嚇目的，連日以來，共區內各大城市，到處發動羣衆舉行遊行示威，其駐上海、南京、廣州、瀋陽、旅大等地區的軍隊，亦紛紛舉行集會，僞共軍總部直屬單位舉行的集會即達二十餘次。此外，並宣佈舉行擴大軍事會議。這一些說明了中共的好戰成性，正進行其精神動員與作攻防部署。但深入一層看這些做作又正表明他們的避戰其聲勢的虛張，適反映出內心的怯懦。因爲共黨的上策，是置身事外，運用其滲透力與宣傳力，製造叛亂，坐享其成，達到不戰而屈人之兵。反之，如果真正發生熱戰，兩陣對圓，即他們既無在戰場上取勝的條件，而且鐵幕內的被壓迫民衆必相繼奮起，因而戰爭的結果，垮台的是共黨政權，被消滅的自是社會主義奴役制度。這一點，他們自己是明白的，因此目前中共雖嚷叫戰爭，積極備戰，而實際上卻是避戰，害怕戰爭的來臨，這才歇斯底里的做出許多無聊的表演。

從其備戰的方面說，近一年來中共着重于三方面：第一是積極進行核子武器的研究。據僞國務院科學規劃委員會副秘書長武衡的報告：他們在蘇聯的援助下，原子反應堆和粒子加速器已建成。高氣壓靜電加速器，高壓倍加器和倍他能譜儀等研究原子物理科學的設備亦已完成。本年三月又單獨設立一個「軍事科學院」，由葉劍英負責，以從事新式武器的研究。

第二是加強軍運條件，積極修建內陸和沿海的鐵路。除「鷹廈路」已完成外，最近又準備改造華東地區鐵路綫和新建一條橫貫江南的「閩滇鐵路」。改造路綫包括滬甯、滬杭、浙贛、浦（口）蚌（埠）、淮南、甯蕪（湖）、蕭（山）甬（甯波）等七條鐵路綫，決定鋪設雙軌近四百公里，土方和石方總量超過一千萬方。預備新建的閩滇路，則經福建、江西、湖南、貴州、雲南五省，全長共約二千九百公里。該路東起福建泉州，經漳平、閩西、江西瑞金、贛州，穿過武功山脈，至湖南株州與粵漢、浙贛、湘桂綫接通，再西向湘潭，穿過雪峯山、沅水，經湘西苗族區，至貴州都勻與黔桂綫相接，到貴陽與川黔綫相接，往西經雲南榕峯、沾益到昆明，直至大理爲止。從漳平到龍岩的一段，已于六月開工，其它各段準備不久動工，預計全綫在第二個五年計劃內完成。這條綫將把整個大陸連系起來，以發揮攻守的作用。

第三是加強軍事訓練。以陸軍部隊來說，其今年計劃進行的戰術訓練題目，比一九五六年和一九五七年的訓練題目總和還多百分之十；計劃進行合訓的部隊也比去年多二倍（本年六月二十四日「人民日報」）。爲推行上項訓練，中共規定從各總部以至師、團的領導幹部每人每年至少要下部隊四至六個月，同士兵一起操作，一起練習摸、爬、滾、鐐的作戰衝鋒的動作。

第四、是舉行擴大軍事會議。據新華社本月二十五日電訊，中共黨中央軍事委員會在五月二十七日至七月二十二日召開了擴大軍事會議，由毛澤東主持，參加者有朱德、林彪、彭德懷、鄧小平、劉伯誠、賀龍、陳毅、羅榮桓、聶榮臻、葉劍英等及以下高級幹部一千餘人。據說會議上「檢查了八年來的建軍工作，確定了今後的建軍方針，同時針對目前國際局勢，對國防工作進行了討論，並作出了決定」。這些是中共目前積極進行備戰的幾項，他如派遣軍事代表訪蘇，「總軍械部」的設立，各軍種兵種學校的擴充等，均表明其加強與蘇聯的軍事勾結，以企圖維持一個龐大的侵略武裝，作爲赤化世界的資本，假如沒有台灣六十萬大軍這一支抗衡素的存在，則東南亞和其它地區當會有更多的問題與紛爭發生。

從另一方面來看，中共雖有好戰的特性，但其當前環境卻不經[illegible]是內部情勢的不穩。據僞公安部長羅瑞卿本年六月四日的報告：目前大陸上還有很多「反革命份子」沒有肅清，他們多藏在山區、邊遠區、水上、某些城市和某些少數民族地區，有一批[illegible]不服。劉少奇在八大二次會議上也說：「目前雖將右派擊退，但以後一有機會，他們仍會捲土重來」。這說明中共的統治是不鞏固的，其黨內的問題也很多，如浙江、安徽、甘肅、廣東、廣西等省省委高級幹部的反黨，即其一例。他如新疆地方民族主義問題和西藏武裝反抗事件之一再發生，也可看出大陸內部的搖動。

復次，在過去的幾次戰爭中，[illegible]有的要求反對黨的領導，有的計較軍銜、級別、待遇，不願調到邊疆和海島去。駐在北平的一個團，在四個月之內發生違反紀律的事件有九十一起，其中反抗上級的有十六起。最近裝甲兵部隊又有反對黨工人員的事件發生。此外病號特多，醫務所門診時都排長蛇陣，據說一個團一年中士兵因看病而缺操的達二萬人次（「解放軍報」及六月二十四日人民日報）。

以上是中共本身的弱點，何況在台灣還有以復國爲目標的中華民國政府，其號召力與影響力，當會發生很大作用。因此，中共是不敢輕易燃起戰火以惹火燒身的。「人民日報」本月二十五日社論，對最近國軍的取銷官兵休假，對國軍空軍連日來在福建、廣東上空巡邏，表示出極端惶恐，說是配合美國「在中東的侵略活動」；其東艦隊亦發出「台灣海休要妄動」的哀鳴。這都反映出他們是口頭硬，心裏害怕的。

總的說來，當前中共集團的策略，一方面是擺出強硬的戰爭姿勢，以觸動世人的和平願望；一方面又以和平的誘惑，以掩護其積極的備戰。因此，自由世界，特別是自由世界領導者的美國，應下定決心，堅持原則，利用和發揮本身的優厚潛力，團結運用友好國家的力量，實行以戰止戰。否則儘管妥協示弱，大戰的危機還是無法避免的。

半週述評

高層會要談些什麼？

擾攘中東的高層會議，最近已瀕於實現。特別是上星期三，赫魯曉夫對西方主張在安理會範圍內召開的答復，表示在原則上同意，其所予人的印象是俄共亟欲召開此項會議，因而對西方不惜最大的讓步。

現在關於這一會議的爭端還很多，僅二十五日艾森豪總統那項軟中帶硬的照會，在俄便是一項難以下咽的苦果。但這些並非問題中心所在，現在使人最感到興趣的，是此次高層會議究竟談些什麼？

從羅邱大西洋會議以來，這種新型的國際談判舉行過十多次，但每次大都是在兩國或兩國以上的諸國之間，具有合作或妥協的基礎，由各國首長親自解決政策或行動上的歧見，就連三年前的日內瓦巨頭會議也是如此。但在國際局勢的緊張爲大戰結束以來所僅見，新的大戰雖未必已迫在眉睫，但危機重重確是事實。在這種自由世界與共黨鐵幕的邊沿上，雙方都是嚴陣以待。甚至雙方磋商高層會議的往返照會中，也含有火藥氣味。在此情形下要各國首長聚集一室，那是鴻門宴風味，卻決不是一般人心目中的互[illegible]議。不管是談中東一般問題也好，或涉及國際其他局勢也好，用這種方式來磋商，要能有良好收穫總是怪事。

西方列強的歧見

白宮當局本不主張在此際召開這樣的會議，但不過來自英方的壓力，終於遲疑的同意了。在最近致俄方照會中，美國要妥善安排，英方則要儘速開會。至於戴高樂，則別出機杼，根本不同意在安理會範圍內召開。即使這些並不算是甚彌縫的歧見，卻已無形削弱了西方的共同陣容。以這樣的陣容與蘇俄進行生死攸關的談判，更使人非常躭心的事。據說此次麥米倫首相以迫使白宮當局接受英方立場而博得英人一致稱揚，工黨已在恐懼保守黨會利用現在物望正殷之際舉行大選。英國在中東的命綫瀕於危殆，一般反應相當冷淡，現在卻以英方讓步而沾沾自喜，這情形正與大戰中西[illegible]個崩潰，英人卻稱揚邪拍克撤退爲盛大成功一樣，也許這便正是英國國民性的表現。同時，美當局的安排也有可議之處。如法國與黎巴嫩有深遠淵源（黎國之獨立建國全出法方安排），此次出兵援黎竟不和法國就商；調往貝魯特部隊是駐德美軍，但西德政府卻被完全蒙在鼓裏。英人懷疑美國用心是要把英方勢力逐出中東，由美取而代之，也許祇是出於卑劣的猜忌心理，但美當局對於此種心理的產生也負有相當責任。英法西德是今日美國最主要的盟友，在如此吃緊關頭，不能獲得各該國的由衷支持，反而疑忌蠶生，各行其是，美國務院實有深刻檢討必要。

我們應怎樣利用這機會

假如高階層會能在安理會範圍內開成，身爲非常任理事國的中華民國自當照章出席，不是任何中傷陰謀所能阻撓。（出席高層會者是行政首長，而不是國家元首，在我國自當由行政院長出席無疑），我國處境之惡劣，本來無可諱言，但泰勒蘭能在維也納會議中以戰敗國代表而獲得偉大成功，我們如能發揮堅強而技巧的運用，也未必不能在此次會議中有良好收穫。弱國未必無外交，一切要看自己有沒有本領去爭取。

○李秋生○

論東埔寨承認中共

養之

當此中東情勢緊張之際，東南亞的小小佛教王國東埔寨，傳出承認中共政權的消息。一般認爲中共與東埔寨建交之後，將可能利用其駐東國使館，進一步對寮、越、泰三國滲透。

東埔寨與中共眉來眼去，實不自今日始。遠在一九五五年，當施漢諾還在該國總理任內的時候，就曾經訪問過北平，並受到盛大歡迎。雖然後來他也到過台灣和日本，可是他的「中立主義」之夢，卻始終沒有覺醒過來。一九五六年東埔寨曾一度向美國請援，但美國態度，並未重視。因此同年四月一日施漢諾便向美國提出一項警告，謂如果美國對東埔寨的援助撤銷，南越和泰國又繼續封鎖東國的話，那末東埔寨可能接近共產黨陣營。同時他又公佈他的政黨于同年四月廿日開全體大會，決定對美國的立場，和決定這個具有戰略地位的王國是否繼續保持中立？假使當時不是東埔寨王馬拉密採取必要措施，讓施漢諾辭職而另覓親西方的人物出組新閣，也許那時東埔寨就已承認中共了。

同時周恩來，賀龍等人亦于一九五六年親赴東埔寨作親善訪問。其目的無非拉攏東埔寨而已。照今年一月廿六日施漢諾發表的反共演說看，大家又認爲東埔寨已由搖擺而進入了穩定的階段，因此博得輿論讚揚；然則相去只有六個月，東埔寨爲甚麼對中共政權會沉默無言的承認呢？

這一問題的答案，可以從最近所發生的事件求之。例如：

一、今年五月，施漢諾突然宣佈：他爲了適應東埔寨人民的要求起見，重掌東埔寨政權。這不能說是無因的。

二、五月中旬，東埔寨與南越突起邊境糾紛。東埔寨指摘南越軍隊侵入邊境若干公里，並指出東、越兩國國界的碑石也被越軍移動幾處。東埔寨曾向南越嚴重抗議；且施漢諾也非常憤怒，將其親赴南越交涉的計劃也打消。但是，南越政府卻說東埔寨不能干涉她的內政。這一場不愉快的糾紛雖已不了了之，可是東埔寨承認中共之舉，對東越邊界問題，不能完全無關。

三、當東越邊界糾紛尚未了結之際，而東埔寨又傳泰國的軍隊壓臨東國邊境，威脅東埔寨的安全。這事態雖未擴大，但東、泰的友誼關係，卻已蒙上一層陰影。溯自一九四一年泰越停戰協定簽訂後，東埔寨曾割讓馬德望和菩薩二省給泰國，而東埔寨約失去土地在三萬公里以上。

好在後來東泰兩國的關係已逐漸改善了。一九五四年施漢諾還未讓位于其父的時候，因憤于法國的束縛而一度出奔，逃亡曼谷，聰明的前泰國總理鑾披汶，曾以國禮接待。這不僅使法國吃驚，並且使許多人吃驚。後來東王返國，在示威與鬥爭的氣氛中，畢竟使法國屈服，東埔寨始得到自主權。因此去年九月十六日泰國發生政變時，鑾披汶毫不猶豫地逃往東埔寨，立即獲得東王的優遇，自非偶然。可是站在反對鑾披汶立場的乃沙立等人，卻對東埔寨的庇護鑾披汶有所不滿，也是事實。所以前此泰軍一度壓臨東國邊境，多少帶點示威和報復的性質。

由于東越、東泰先後發生不愉快的邊境糾紛的原因，無形中促使東埔寨走上了承認中共的道路。加以東埔寨國內二十多個政黨的意見分歧，和潛伏東國的共黨特務的煽動；尤其不久之前，東埔寨當局曾下令取銷華僑團體的各項活動，足見東埔寨準備承認中共的動機，醞釀已非一日。要不然，華僑旅居東埔寨的歷史攸長，且斬荊披棘，慘淡經營，對東埔寨的貢獻甚大。二十六萬華僑中，有股商巨賈，肩挑小販，境內的經濟事業及交通事業，絕大部分操于華僑之手。文化事業亦設有小學、中學、體育場以及華文報刊等。現在這些華僑團體被取銷活動，其結果自然是打擊反共華僑和自由中國的，其背景如何，也不難想見。

東埔寨是東南亞方面一個重要的地區，一旦承認中共，則不但中南半島靴尖上將成爲共黨發展的良好溫床，使越、寮、泰三個鄰邦受着強烈的威脅；而且倘大戰一旦爆發，俄共中共的海軍很可能沿着一九四一年十二月八日，日本護航隊經過那條老路綫，進攻泰國，也必然囊括寮國和南越。

我對陳誠內閣的希望

黃少游

當此世界風雲日緊，國人共盼反攻，不容政府長久偏安台灣一隅之際，陳辭修先生以副總統之尊，不辭艱辛，拜命組閣。「只許成功，不許失敗」，固爲國內情勢所需要及海內外各方面所期許，要亦爲陳揆本人所自勉，如這次閣員選拔之慎重，以及陳揆就任時所宣佈「當秉既定國策及依據人民需要努力求其所當爲與盡其所能爲」之施政方針，便是明證。作者在台多年，對於陳揆之勇於負責及擇善固執之精神與作風，向極佩服，古人云：「狂夫之言，聖人擇之」，故就此願提出幾點芻蕘之見，以希望陳揆並備參考：

遵守憲法、服從法律

韓非說：「國無常強，無常弱，奉法者強則國強；奉法者弱，則國弱」。又說：「家有常業，雖飢不餓，國有常法，雖危不亡。」國父孫中山先生也說：「法律者，天下之本」又說：「民國若不行法治之實，則政治終無根本解決之望。」請問法律是什麼？又爲什麼有這樣大的功效呢？國父孫中山先生說：「憲法者國家之組織法人民權利之保證書」管子說：「等律政令者，吏民規矩之準繩也」；韓非說：「夫立法令者以廢私也；法令行而私道廢矣；私者所以亂法也」。我們再從歷史上看也可以找出其中的意義和功效的證明，如戰國策載：「商君治秦，法令至行，公平無私，罰不諱強大，賞不私親近，法及太子，黥劓其傅，期年之後，道不拾遺，民不妄取，兵革大強」。我們今日偏處台灣，勵精圖治，而其中最重要者，則唯在上者之「徙木爲信」以及「遵守憲法」，「服從法律」，以爲天下表率，因爲「法之不行，自上犯之」，「風俗之厚薄，在上者一二人之心」。我們國家和社會傳統的普遍的最大的毛病，就是不以守法爲榮而以守法爲恥，所謂：「刑（法）不上大夫，禮不下庶人」，法以治小人，禮以治君子」這種觀念和思想的結果，所以如國父所說：「秉政者：媄法律爲束縛之具」（見七年辭大元帥職之通電），同時「主權者的命令即法律」，所以國事常鬧到不可爲了。今日我們要反攻復國，團結海內外同胞，當局者就要以遵守憲法服從法律爲收拾人心及加強號召工具

勿以政策代法律，必以法律行政策。

政策是空泛的，原則性的法律是具體的條目的；因爲政策是空泛的原則性的，所以什麼人都可以假借與利用；因爲法律是具體的，條目的，所以任何人也不容玩弄；近幾年來，國家許多的罪惡假政策之名以實行，國家許多事於以政策代法律而被人所假借與利用而破壞國家的法治而不知，殊爲識者所痛心！須知政策不管內容如何，目標如何，目的如何，要在制成法律之後才有法律的效力，否則，任何方面無有強制推行的權利，任何方面也無絕對服從與遵守的義務，這是法治的常識，希望陳內閣改正過去政府這種以政策代法律的不良作風，而必須以法律行政策，這才是正當辦法，這也可以掃除過去以政策代法律之一切積弊。

改善公教人員生活

今日台灣公教人員生活除極少數特權階級和貪污不法分子之外，多數均在困苦與掙扎中，此種問題若當局不予正視加以解決，則國家一切大政方針，若非畫餅必爲欺人之談，因孟子說過：「有恒產者，有恒心，無恒產者無恒心，苟無恒心，放辟邪侈，無不爲也」，至「無恒產而有恒心者惟士爲能」的這種「士」恐怕是享受外國機關待遇極少數的留學生（士），我們從中國歷史上看，知識份子之品格在於國家之培養，而國家之興亡與民族之興衰又繫乎知識份子之品格，所以中國歷代有「養士」和「用士」之道，「祿必以代其耕」，「俸必足以養廉」，現在台灣「土地改革」了，「耕者有其田」，農人的生活相當滿意了；實行「勞工保險」及興辦「勞工福利」，工人的生活相當改善了，唯有負國家重任之公教人員反而被國家輕視而且竟把他們之生活與「依法律服兵役之義務」「依[illegible]」相提並論[illegible]，實在是不合理的，[illegible]時國家的政費與軍費應有分別，軍費的籌措也應有特別而合法的方法，[illegible]（簡任最高級）教授最多一月也祇有一千二百元，這還要養家活口，[illegible]工作和努力教學研究！所以又如何能不讓他們[illegible]兼營、貪污、舞弊和卑鄙齷齪，又在所[illegible]

[illegible]曹劌論戰曰：「小大之獄，雖不能察，必以情」[illegible]主外料其敵國之強弱，內度其士卒之衆寡[illegible]不待兩軍相當，而勝敗存亡之機，固已見於廟堂之上」[illegible]希望陳揆能深思熟慮而改善之！

精兵簡政

在此核子時代，精兵政策，非常重要，兵不在多而在精，現在台灣，我們的常備兵是否需要現在這樣的多，同時，軍費是否不超過我們負担的能力，是否不影響我們基本的正當必需的政費的支出，這是頗值得我們當局考慮的，同時現在國防部組織的龐大和坐辦公室人員那麼多是否不浪費，似乎也值得考慮；因爲我們國防組織是學美國而現在美國的總統艾森豪也正在亟謀改組國防部想集中權力於國防部長並減少坐辦公室的人員啊！又在今日核子時代，政治貴簡而有效率故興利必先除弊，除弊即所以興利，漢高祖入關約法三章王業底定已爲歷史的先例，今日若徒粉飾鋪張，不求實際，則實爲國家之大害，同時，民主時代，一切施政要以民意爲主，要抓住民心。管子在霸業時代對此也有極獨到的見解，如他說：「政之所興，在順民心；政之所廢，在逆民心；民惡憂勞，我佚樂之；民惡貧賤，我富貴之；民惡危墜，我存安之；民惡滅絕，我生育之；能佚樂之，則民爲之憂勞；能富貴之，則民爲之貧賤；能存安之，則民爲之危墜，能生育之，則民爲之滅絕；故刑罰不足以畏其意，殺戮不足以服其心；故刑罰繁而意不恐，則令不行矣；殺戮衆而心不服，則上位危矣，故從其四欲，則遠者自親，行其四惡，則近者叛之，故知予之爲取者，政之寶也」（見四順）

獎勵廉能、嚴懲貪鄙

范文正公說：「文官不愛財，武官不怕死，天下太平也」，居今日而言，這句話還不夠，因爲這祇從消極方面而言。在積極方面而必須加上「能」，這就是說，現在的文官除了操守必須廉潔之外，還要有辦事的能力，否則，廟上的所供奉的木偶，連飲食都不吃，又有何用呢？所以必須要「廉」而又「能」，但這所謂的「廉」，就是「祿以代其耕」，「俸以養其廉」（即相當的待遇）而不像今日一般公教人員整日爲個人衣食謀，或爲一家生活所累。至若今日一般僞裝廉能而實際貪鄙之徒，如那僞君子僞小人在俞內閣時改組下台的某大部部長曾受懲戒現又被人在監察院控告在任內違法舞弊貪污，就應該嚴懲法辦，屏諸四夷，不與同中國。再也不讓他利用派系關係鑽營活動，再有害國誤民的機會，藉以肅政風，振人心，奮士氣。

以上老生常談，卑無高論，是所望陳揆。

（四十七年七月廿三日於台北。）

投奔大陸的華僑青年覺悟了

〔本報星洲通訊〕儘管中東的政局風雲變幻，美蘇集團劍拔弩張，儘管膠錫市場上落多端，早晚價格不同，但新加坡仍有不少慈愛的家長，尤其關心他們流落在大陸的子弟。他們這份心情，本來蘊蓄已久，無由宣洩，最近因政府當局對那些被誘導青年申請回來問題有了新的考慮，才像火山般爆發起來。

我們無需諱言，在一九五零年至五六年間，星馬有數以千計的青年學生被中共誘騙到大陸去。雖然政府訂有限制的條例，拒絕發給他們回來的簽證，但他們好像抱有一去不回的決心，不理各方的勸阻，甘冒捨棄家庭的危險，聯袂結隊奔向中共的圈套。他們當時的行徑，迹近於狂熱。筆者猶憶在一九五五年時曾目睹一幕動人心弦的故事。

在一艘行將開往香港的輪船上，一對中年父母同警探來找尋失蹤的女兒，翻遍全船，結果在一條叢着帆布的救生艇裏找到了，但她的同學却手牽手的把她包圍起來，要她堅持往大陸去。父母泣涕而道，反覆勸喻，終無能挽回女兒的去志，迫不得已，要求警探強制她回家。可是女兒比父母更高明，早已準備充分文件，證明她已足夠法定年齡享有[illegible]權。警察亦無如之何。最後，父母還[illegible]女兒的衣服不足禦寒，[illegible]她趕製寒衣。父母愛[illegible]到同船的其他乘客也爲[illegible]

這些堅決要到大陸去的青年是否真個醉心共產主義？不，他們[illegible]斯，馬克斯也不知道[illegible]：一、若無適當的升學[illegible]國。三、不滿現實，擬[illegible]共的地下份子就抓緊他[illegible]言，誘引他們入彀。中[illegible]男女的自由戀愛，使他[illegible]，相率投奔，有時不[illegible]迫他們成行。中共之如[illegible]造宣傳資料，向國際誇[illegible]護而已，並非眞有所愛[illegible]憐那些青年不知就裏[illegible]莽奔投，及至深陷鐵幕[illegible]無書可讀，連起碼的生[illegible]，不特行動不能自由[illegible]忌。於是向所嚮慕的美[illegible]

[illegible]

回到這裏來了。在上週，加冷區的市議員補選，有兩名自大陸歸來的女學生站在勞工陣綫的講台上，向羣衆演說。這事，立刻使到家長們大爲興奮。他們首次公開地知道那些被誘導了的子弟們將有獲准回來的希望。

政府過去的政策，是恐怕那些自大陸回來的青年會帶來赤化的毒素，所以拒絕發給回星簽證，現在事實證明了：他們不特不會散播共產主義的種子，反而揭露了更多共產主義使人憎恨的事實。修改政策，該是時候了。所以首席部長林有福說，他準備在月底召開一個有關家長會議，聽取意見，以完成協助那些被誘導的青年回星政策。又說，只要證明他們是本地出生，而且不會威脅本邦的安全，政府是願意讓他們回來的。

這消息在報章透露後，據說已有五百多位家長準備參加這個會議了。當然，他們大都是早已接到悔悟了的子弟的要求。現在距月底還有一個星期，相信會有更多的家長不放過這個好機會。筆者在此預爲這一大羣覺悟了的青年祝福。

（七月廿三日寄自新加坡）

·逸儔·

檢討菲律賓苛索華僑

諸葛明

馬尼拉通訊

菲律賓華僑不能再就下去了！中菲間的邦交，儼令人懷疑有其存在必要。這個經濟困窘的國家，不圖以正當手段開闢財源，用紅色大帽子強扣華商，攫奪華僑幾千年來心血積聚，華顯已喪失團結與國的基本原則——保障外僑生命財產。因此，我們有理由籲請本國政府設法嚴重交涉，並籲請聯合國注意，將非境華僑負責移居。因爲，我大使館及僑團，既無力制止菲方武力強搜暴奪，華僑已無定居選籍。同時，我們要求馬尼剌市長陸遜，策勵全民向他們政府疾呼：「算了吧，放下你的皮鞭，該給他們留下一滴血汗，讓他們去北婆羅洲謀生！」

在今天，菲華已經整裝移居，僑委會副委員長黃天爵曾向僑團許諾，設法把他們移居北婆羅洲。此時此境，吾人對於菲律賓的過去、現在、和將來，所加之于我十餘萬華僑的手段，實有檢討必要。

菲律賓屬印度馬來國之前，遠在十三世紀，菲律賓早有華僑定居；十六世紀被西班牙統治以迄十八世紀末，美以二千萬元向西收買之後，我旅菲華僑不僅安居樂業，歷代統治者向與推誠合作，使菲律賓由荒蕪趨向繁榮；一九三四年三月，美國會及菲議院正式通過菲獨立法案，與一九三五年二月七日，通過了十年後許菲獨立法案期間，華僑與美國歷任菲律賓總督，才合力奠定菲島經濟基礎直至戰後獨立，已故菲前任總統季里諾任內，大多數菲人對華僑無不視爲開國元勛；季里諾對國民黨排華的「菲化」建議，始終不予理會；迨自由黨政府於大選中遞嬗，國防部長馬獅獅爲國民黨捧出，罔顧自己具有中國與西班牙血統，推翻了華僑在菲律賓歷史上的業績，進行將擱置多年，卒獲國民黨在國會多數通過的「菲化律」批准。從此華僑遭遇厄運，錯綜複雜的問題接踵而來，枉法貪污官吏，對華僑迫害，動輒扣上紅帽，關進水牢；只要動得出腦筋，立得出名目，無一不是打華僑主意，向華僑敲詐勒索，甚至殺害。老實說，五十八年前如果美國不向西班牙斥資購買菲島，菲律賓至今仍在西人手中；如果一九四六年華僑向美要求獨立，美國人未必會將行政權交與菲人。

然而，菲律賓人也該想想：他們一千萬人口之中，除了中西血統之外，都屬馬來亞種，跟中國人一樣移居來的，二千幾百年前，他們祖先光着身體移居到這太平洋的火山島嶼，要不是華僑投資開發，菲律賓那會獲得文明，在近代，不是中美兩國，扶助，菲律賓那來文化，如今倒轉來叫囂着要把克拉克基地的美人趕走；其實如果美國一旦放棄克拉克基地，他們能不能掌握這一戰略要津，將是一大疑問。

「菲化」實爲共黨摧殘經濟，威脅華僑附共毒計。「菲化」前後不過三年，現時蕭條枯竭的情況，已夠嚴酷教訓。可是，力主「菲化」者何曾戒懼，依然板起面孔，迫令千百間華店一批批關門；假如說，華店關門，菲店新張，那倒也不去管它，但他何曾有力重建華商規模，唯一象徵菲商的「國營百貨公司」，不圖裝點門面，專做黑市買賣。這次持續一個月來，「搜查華店」的慘酷浩劫，就是「國營公司」做成的圈套，他們專向香港採辦共區製品，僞裝香港製品輸入，華商根本難以區別，其中出要如藥材，香港藥材分自大陸及台灣兩地進口；菲律賓僑商進貨，顯然被人蒙蔽，那會知道摻雜大陸共貨。更冤枉的無過於古玩商人。大陸陷共之後，古玩懸爲禁例，出口顯不可能；被搜數逾百萬的古玩，當然絕非共貨，菲方居心掠取華僑財物，不患無辭。是中國人，誰都難安緘默，吾人認爲陳之邁大使有於協助華僑從置之前，使義務將華僑的損失，包括人命財物，逐一加以統計公布，送呈外交部轉請國際法庭考慮處置；祇要中華民族不被滅亡，這筆賬，總有一天要算回。

現在菲律賓共黨死灰復燃，吾人不能不爲馬獅獅當年舍身剿共所作之貢獻，惜。（七月二十三日寄自馬尼剌）

戰爭不能解決中東問題

必須以思想鬥爭令阿拉伯人覺悟

・風行・

批評今日中東的局勢，如果祇着重於事件發生後的應付策略，鮮少考慮及歷史背景和忽視蘇俄在中東悠久的滲透與傾覆工作，那將是不澈底的。最近倫敦新出刊一部指出西方在中東打敗仗的原因之書，名爲『中東之申訴』（Middle Eas Indictment）。

作者是法屬亞美尼亞籍的土耳其人，他不但詳述中東民族主義的興起，而且了解共產黨滲透該區的厲害。他曾做過紐約時報的通訊員。在二次大戰時，曾做過美國陸軍部的職員。後來他參加共產黨，獲得一個機會，查察他們的工作，和擴張共產主義勢力於該區的詳細計劃。

作者堪巴拉錫（Humbaraci），首先陳述他在土耳其海軍學校痛苦的經驗，因爲他是亞美尼亞族的後裔，而遭受歧視，憤而趨向共產主義。這就是給共產黨利用種族歧視的例證。

他描述他在這『粉紅色之年』，和蘇聯大使館的接觸，知道俄人怎樣勾引當地政黨及共產主義同情者。他發現共黨用技巧引誘老實天眞的『開明知識份子』，各職業界中的老實人。他便知道這一切的活動皆由蘇聯內政部（MVD）的特務在各國指導進行。

他也發現蘇俄運用『分而治之』的舊日殖民地主義之計謀，去離間各地政黨和社團。令他們感覺唯一可靠的是共產黨。

最後他看穿共黨的陰謀便斷定：『蘇聯共產主義是吸引病人的藥，其實這種藥，比病人的本身更壞！』

作者之意見似乎同情西方。但他不是以爲西方是合理的。反之，他認爲西方依循了錯誤的政策。他知道這是可以而且應該急速改變的。

他分析西方與蘇聯在中東的政策，而加以比較。他說：蘇聯很會適應環境與時代。在一九五四年，莫斯科命令不要觸怒回教人的宗教情緒。在三十年代蘇聯曾禁止刊行可蘭經，但現在已解除此禁令了。但反而以蘇維埃回教徒成爲回教國中最有價值之特務。

他指出西方的錯誤；是以軍事方法對付非軍事的共產威脅。蘇聯藉政治家，經濟學家，社會學家，及技巧的宣傳者，去實行滲透。這是蘇聯滲透中東的秘訣。他以爲西方政策基本錯誤，在那些所謂專家顧問，尤其是英國的專家，他們對於中東人民的願望不表同情。

西方在該區作無情的剝削，已有很悠久的歷史，自然造成憤怒。公然反對西方而獲得人民擁護，象徵了反對此種統治及剝削。作者堪巴拉錫說：『如果英國不延長其勢力停留於埃及，而且不支持腐敗的統治者，而違反人民的意志，便沒有納撒其人得志於政治舞台上。』這種說法，未免太簡單。但有一無可否認的基點，是『如要了解中東問題，必須承認該處有強烈的民族主義意識』。堪巴拉錫說：西方的中東政策基礎『巴格達公約』，是『一個愚蠢』。『巴格達公約』不但不能給予中東需要抵抗蘇俄干涉的保護，而且把中東的人民離間了。更將西方國家在該區的競爭明朗化，顯出他們瓜分世界的樣子。這樣便給蘇聯及民族主義極端份子收獲利益。

西方國家祇集中注意在石油利益，西方由此獲得巨大利益。阿拉伯人知道西方公司與阿拉伯大地主的平分利益，是基於『石油離開出產地的實價，而不是甚於最後售出的價錢。』因此，他們感到極大的不平。阿拉伯人也知道：如果沒有他們的石油，西方的生活將大受破壞。他們認爲蘇聯可不必需要中東的石油。堪巴拉錫引述各權威著作，證明蘇聯不受壓迫去找國外的石油資源。但蘇聯知道：假如鼓勵一種運動去停止或減少對西方的石油供應，最低限度可以使西方某些國家生活癱瘓。

堪巴拉錫認爲西方如要爭取得中東人民的合作，必須證明他們在道義上是勝過蘇聯。使他們相信該區的經濟利益不再是殖民地時代的分配方式了，最重要的，是讓中東人民知道一旦淪於共產帝國主義的統治，便陷入極度悲慘的生活，而且難以翻身。最後堪巴拉錫要提醒自由世界，要注意思想的鬥爭，光是靠軍事的武器，是不會得勝利的。

艾克的健康之謎

首腦會議，佳期一拖再拖，迄無眉目。英國人確修幽默，說是美國對首腦會議最感困惑的是艾克的健康問題。

艾克近年來時有病痛，確是事實，但是從最近的新聞片上，看到艾克在中東問題所發表講話的神態，確並無「神志不清」之貌，精神不濟之狀，說話還是那樣的沉着有力，當然他少不免有點激動。

其實首腦會議不一定能解決問題，艾克可能也確是不大願意與赫魯曉夫碰頭，果如此說，那最大的原因，還是美國怕那慣會使狡猾的酒徒與艾克同席，而予他以一個落艾克的機會。（言）

國際動態拾零

△英國麥美倫內閣登台之初，保守黨大有分裂之勢。一般自由黨人思重振自由黨，而工黨以爲必得下屆政權。但現在保守黨自信選舉必操勝算，若干多年屬于工黨之地方議會議席，反爲保守黨人所爭取。下屆選舉在一九五九年中，倘保守黨自信有把握的話，不提前至一九五九年初舉行。保守黨所以得人心之故，是因爲：一、爲黃金儲備空前之增加，現達三十億美金以上；二、爲美國分與原子秘密，使其省去數億研究費。

△美軍雖進佔黎巴嫩，但黎國在蒙總統九月廿三任期滿後，勢難聯任。大概勢將以現任黎軍總司令繼任，而謀各黨派之妥協。反對黨雖聲言將搗亂，使國會九月廿四日選舉總統大會開不成，然查蒙去位，他們贊成的。故預料不會搗亂過甚。一俟合法選舉完成，美軍就要退出了。

△戴高樂新任新聞部長蘇斯台（Soustelle），大戰後曾任戴氏之新聞部長。其人現方四十六歲，爲戴派中之自由改良派。他曾任阿爾及里亞總督，知道回族有殺却歐洲人的運動，故深信祇有以武力對付。戴氏對北非政策是，一、圍剿叛軍于深山中；二、使國民參加選舉。而此二者蘇斯台都能予以極大之協助。

△赫魯曉夫在東德共黨大會上，演說二小時，首先罵狄托與西方國家，旋提到共黨國家，故意漏了波蘭不提。最後以蘇聯可毀滅西德飛彈基地爲威脅。

中共之戰意如何？

近來，由于中東局勢的影響，大陸上不斷的舉行反美英的示威，座談，與宣傳；隨之，且將其口號擴至「解放台灣」方面，於是，中共是否在台灣海峽動手，成爲輿論界討論的中心了。本欄前已指出，由于美國有對大戰的決心，中共把原在台灣海峽企圖一試的進攻的戰意也消失了；現在再來討論這一問題，也依舊持同樣的看法。採取此一觀點的依據，是根據最近一旬來的中共反美英言論，與行動的綜合。

七月十六日，中共政府發表反對美國武裝干涉黎巴嫩的聲明，內容是：一、「強烈地譴責和抗議美國的侵略行爲」，二、「堅決要求美軍立即撤出黎巴嫩」，三、結論是：「美國如果不立即從黎巴嫩撤出它的侵略部隊，必將自食其果」。

同日，大陸各地開始舉行示威遊行。

十七日人民日報社論：「全世界人民行動起來制止美國侵略」。認爲：如果採取一致行動，美國就不得不撤退它的軍隊，中東各國的獨立自由可以得到保障；和平就可以挽救；反之，不但中東的人民要遭受奴役，而且新的世界戰爭也將不能幸免。

同日，中共政治局委員，北平「市長」彭眞在羣衆大會上說：「我們中國人民一定要解放台灣，並且有完全的信心，一定能夠解放台灣」。——也只是強調這種「信心」而已。

十八日，中共東海艦隊舉行演習，以迎接印度船隊訪問。

同日，示威目標擴大到英國。各地部隊亦舉行集會。其中値得一提的是：外電報導北平部隊集會主持者是「北京警備司令」袁昇平，人民日報報導則是「北京部隊」政治部主任袁昇平，外電報導要組織志願軍，人民日報報導，並無這種字眼。

同日人民日報社論，結論是：「美英侵略者既然堅持非要進這個墳墓不可，那末，就讓我們團結一致，把他們送進墳墓去！」

十九日中共向英抗議，認爲英國必須立即從約旦撤軍，若「堅不放棄其侵略計劃，必將引起極端嚴重的後果」。

二十日，北平展開「大規模宣傳活動，討論會」，目的是深入討論中東局勢，「認識帝國主義本質」，「加強國際主義教育」。

同日人民日報社論：「不能袖手旁觀」，認爲「喪失了理智的帝國主義侵略者，如果硬要較量一下，那末，一切不願作奴隸的人們就必須作好必要的準備」。——僅止于「准備」而已。

二十一日，「大陸展開大討論大宣傳中東局勢」，目的同二十日北平所舉行者。

二十二日人民日報社社論：「與世界人民爲敵者必敗」。說明中共支持蘇聯的建議，舉行首腦會議。

同日，中共外長陳毅在波蘭慶祝會上說：「如果再不停止侵略行爲，六億中國人民和全世界愛好和平的國家和人民絕不會袖手旁觀。」——「不袖手旁觀」，不等于立即武裝干涉。

二十三日人民日報社論：「美英侵略部隊必須立即撤出中東」，認爲若不撤出，「全世界人民的鬥爭決不罷休」。——其實美英部隊亦並無久居黎、約之意，華府與倫敦的態度早已表明。

二十五日人民日報社論：中心在向台灣作叫囂，警告台灣勿對大陸採取行動。——其主旨是防禦性的。

二十五日新華社報導，中共中央軍事委員會于五月二十七日起至七月二十二日舉行會議——此一會議在五月裏就開始舉行了，其當初目的顯然不是受了中東局勢的影響，也不是爲了伊拉克政變，英美出兵而召開。

由此上述諸報導綜合，可以斷言：中共的外貌固然凶狠，但並無直接採取軍事行動之意，再進一步直率地說，中共即使欲蠢動，也還得看看莫斯科的風色哩。問題是莫斯科眞有作大戰之決心與勇氣嗎？

【編者按：作者在本欄所論及關於中共對台的軍事動向，所持之論點，係就所能掌握之文字資料綜合分析研究所得，即作者本人亦並不忽視突發性的戰爭因素的危險性。同時，自美軍因中東事變後，迅即作全球性的戒備，中俄共爲不甘示弱，自亦必然同樣作磨拳擦掌之姿態，故作者之論點，並非意在影響轉移或宣傳鬆懈對中共應有之警惕性。然從非純宣傳的觀點來看當前的形勢，本文是有其價值的。】

・田心・

大躍進中的矛盾

共區勞動力不足

「勞動力不足的問題，是當前工農業生產躍進當中出現的一個具體問題。」（「人民日報」七月廿二日社論」）一方面強調迫切需要「生產大躍進」，一方面從工農業方面反映出勞動力的不足。顯然，大陸上的「多快好省」的如意算盤，打得並不很響。

勞動力本應該是夠的。突然發生不足現象，大概有兩個原因：一是眞正的不足，由於全面地推行奴役建設政策，勞動力有大量的浪費。再加上各共黨領導單位片面地勞動力，確有可能促使勞動力的普遍不足現象。另一種是虛報的不足，即勞動力本來足夠，但爲了再進一步榨取民間人力，必須作種種虛假的宣傳。根據同一資料所示，中共今後爲解決這一問題所擬定的措施是向下述各個角度去榨取勞動力。

一、從街道居民，職工眷屬中從事的婦女着手；這被認爲是「更加有效的辦法」。

二、「中等學校實行半工半讀」；

三、現有的失業居民，「入生產」；

四、精簡機關和商業部門人員」；

五、增強現有的「勞動紀律」，加強工作強度；……。

但是就另一角度觀察，大陸勞動力不足，很可能是現有的工農業勞動者，實行消極的反抗和抵制，例如暗中怠工，工作效率等等，遂使「大建設」產生勞動力不足的半癱瘓現象！（人）

自由談

談加強外交陣營

馬五先生

據說，自由中國政府爲適應國際形勢的變遷，擬加強外交使節陣營，如果眞有其事，調整人事，如果眞有計劃，那到不失爲新猷，企予望之。

俗言「事在人爲」，弱國的外交更需有非常之才，使於四方，不辱君命，纔有挽回國際頹勢的希望。否則處處敗事，俯仰由人，無論任何外交官，便談不到加強陣營的話了。

世人每謂最親美大使，實則美國當局對於自由中國的情形，比我們這般中國人更瞭解得多，毋須予外交官憑三寸不爛之舌，從事遊說了。其實美國人對我國情形隔膜，以及懷有偏見的，社會各階層人士都有，而以一般自命具有開明思想的知識份子爲尤甚。這需要有相當學識與眼界，而又擅長辭令的外交人才，始能於民間活動，庶幾有所裨益，果爾，纔算是強化外交陣營，有出使美國的可能。

之一端。目前最惡劣緊張的外交工作，是對付一些游離不定或動搖不安的友邦，如日本，南韓，越南之類是也。現時派駐這些國家的外交使節，似乎都有問題，日本方面更有急於調整強化之必要。諸如調整人事，必須以適才適地爲原則，舊有那套專講系統的官僚作風，都非排除不可，然亦不宜胡亂起用，把識字無多的武夫，或毫無外交才能的庸俗之輩，亦派出去作使節，徒然丟醜誤事而已。至於國民外交工作，特別重要，若干一般官僚人物，出國作漫無補益的活動，結果是適得其反。

雖有健全的人事，而不用于國家的權力和經費，還是無濟於事的。現時我國外交界，正急需經費，外交使節經常感受着困難，各等無米之炊的窘境，亦必無所施其技，且給國際間以輕蔑鄙視之感，與其如此，不如停止工作，撤銷回國，以免失掉人之信任。

狗爲什麼吃屎

香臭篇：靜靜地告訴你

○木人○

寫香、寫臭的文章不少，自然，香比臭要更高貴、更愉快、更可愛些。屈原便把那芳草比喻作君子，臭草比喻作小人，實在是很有道理的。人那個不想香一點呢，女孩子有了臭狐才是一件傷心的事哩！於是，在摩登太太小姐們所經過的地方，都留下一陣子奪人心魂的香，如果說有科學辦法把女人變成楊貴妃——流的汗都是香的——那就是短限年命又有甚麼所謂？香臭影響一個女人太大了！你難道沒有聽見說：西子蒙不潔，人皆掩鼻過之——逆定理也成立：東子（效顰的那一位）——人們碰着了，不眼梢裏偷瞧兩眼、猛醒兩下鼻兜頭的巴黎夜來香，男子才怪！

而今不同往日了，在這男人和女人是平等的世代，男人們也得香起來了。頭髮啦，香手絹啦都香，有時候你不曉得他坐在附近，你很可能幻想那兒的一位是如花似玉的小姐太太，絕不是一個男人。

有個十分奇怪的現象：有人說那臭豆腐啦，臭鹹蛋啦，是天下第一美味；有的人卻莫說叫他吃，便是嗅了一下，要作嘔：同是臭豆腐，喜歡吃的人說香，不喜歡吃的說臭，到底是香呢還是臭呢？我想上帝也未必知道清楚。

有機化學裏一有芳香族，結構上大抵都是以苯根爲基礎的：顧名思義，那些芳香族的化合物是香的；其實呢，又未必盡然，有的非但不香，並且還臭得緊。苯根化合物所負的責任，只是給人類的嗅覺神經一個刺激，至於產生快感或惡感，那只是人的感覺問題，在客觀的見地來說，並沒有絕對的香或臭的：那喜歡吃臭豆腐的人，因爲臭豆腐的味道刺激他的嗅神經，所得的是快感，所以說臭豆腐是天下美味；那討厭臭豆腐的人，臭豆腐給與他嗅覺神經的刺激所得到的是惡感，所以嗅了一下也得嘔——推而及於視覺、聽覺等都是：不然醜文人永嫁不了，那些翩翩之嘗也不得大行其道了。

所以，當你看見狗吃屎吃得津津有味，是不用過份驚訝的！你覺得屎臭，難保牠覺得屎香呢！牠的本性是這樣，你又何苦去罵狗，說牠不潔呢？如果狗會說話，牠告訴你屎是如何的香，如何的甘美，你何苦去跟牠辯駁證明，並且要孔子孟子都擡了出來呢？你得時刻記住：人到底是人，狗到底是狗啊！

祭

尤宗詢

此年此月此日此時，你一命嗚呼，善哉！善哉！

我早就覺得你該死了，而你不死。你終竟死了，可喜！可喜！

除了對你過去佔有時間的浪費以外，我一無悲哀。

你沉痾不起，一年一年拖了下去，你活着作什麼？

我常想用手把你勒死，下毒藥把你毒死，而你『八字太硬』，又偏偏不死。

你的病狀莫明其妙，羣醫束手。什麼病都像，什麼藥都吃，卻祇有略略起色，卻也不能斷根。

你在大黑屋子裏呼吸氧氣，而陽光不進入一絲，而你竟然是得意地嘯嘯吸氧氣。

你早死了，而你還就在大屋裏作好夢，你何不早死，省多少事。一把火也罷，一坯土也罷，你再作好夢吧！

終於你死了，謝天謝地。我和朋友們全去檢查身體，大家健康，沒受傳染，幸甚幸甚！

你死後，一把火燒成灰，再埋入十八層地獄下，免我受害。

嗚呼！你——腐朽的過去——死了。因了光明，你必須埋到永恆的黑暗中；因了奮鬥，你必須受這殘酷的毀滅。而因你的死，人有得救，這精神不也是同聖人一般麼？

嗚呼，善哉，尚饗！

「水怪」

·古月·

民三十五年日本投降不久，筆者曾在廣東佛山文昌沙住過一個時期，那裏有一家英國教會辦的醫院，市民叫它爲「西醫院」。這醫院前面臨街，後面恰是西江的支流汾江流過，對岸是一條高基和田疇村舍，就在那高基背後的一間茅寮裏，便住着一個「水怪」。這水怪不是鬼而是一個人，怪字不過是人們給它的一個渾號而已。但顧名思義，開始我們還以爲它是一個最精于水性的人了，可是奇怪得很，它竟是一個雙目不見的瞎子！而且年紀也將近六十的老頭兒。想不到他竟有這一手。

這還不算奇怪，奇怪的是，他的捕魚方法最是特別，既不用網，也不用罾，甚麼都不用，就憑他自己的一雙手來進行。他脫完了衣服之後，便撲通一聲從岸上跳下江心，並在江底游來游去，追到了的時候，便伸手去捉，每次從水中上岸，至少都有三條大魚，除了左右手各握住一條之外，口裏還咬着一條。每天二次就有六條大魚，大約有十幾二十斤不等；尤其奇怪的是在隆冬時節，連鸕鶿都沒有辦法入水捕魚，而他卻仍然一樣的工作。

港大的學袍

·陳永昌·

港大的學袍有多種，依據地位與學歷，而各有不同。校長穿的是一襲鮮艷的黑絲袍，衣領飾以灰絲，衣前與衣闊邊，全袍緄以金花邊，背後、袖口、與袖翼均鑲有金文飾。還有天鵝絨質的大學帽，懸以金絲索及金絲縷。

副校長穿的是和前者完全一樣，只是用銀代替金，即銀花邊，銀文飾，銀絲索及銀絲縷。助理副校長穿的也是一襲鮮艷黑絲袍，背後、袖口，與披肩均緄以銀花邊，天鵝絨質的大學帽，祇有銀絲縷。司庫員穿的是一襲灰絲袍，有緋紅色的前飾，大學帽也是天鵝絨質，有黑色縷。註冊員穿的是一襲鮮艷的黑袍，前面，披肩，與肩胛均有黑天鵝絨花邊，大學帽和司庫員的一樣。出納員穿的是一襲灰絲袍，有黑絲前飾，大學帽和前二者一樣。

大學生穿的是一件短袖的淡綠色的袍，衣尾高於膝蓋六英寸，戴黑色大學帽。學生會主席及職員有權穿着補綴不時由學生會製定的特殊飾物，以資識辨。當大學生參加畢業典禮、禮堂上正式宴會，和任何副校長指定的時間裏，他們要穿上學袍。

學士、碩士、博士所穿的是一襲黑色的袍，深黑底的大學頭巾，學士頭巾則有學系顏色的細邊。學系顏色爲：文系——藍色，理系——白色，醫系——黃，工程系——紅，建築系——灰。外科碩士與醫科博士穿的是一襲黑袍，紫色絲面；大學頭巾爲黑絲緄以紫色。

博士穿的是一襲緋紅色絲袍，有學系顏色的絲面，戴的是四方軟大學帽，大學頭巾也是緋紅色，一律有學系顏色細邊。法學博士穿的也是一襲緋色的袍，衣面是深藍色，大學頭巾屬緋紅色底，全部細深紅邊，戴黑天鵝絨質的大學帽。

全世界各地大學的袍、帽，與頭巾，都是各出心裁特製的，見識遠大的人，一看你掛在牆上的畢業相，假如是屬於知名大學的話，無需問你，便知道你在那間大學畢業，念的是甚麼系了。

狹邪行

·詠余·

美國富且庶，學子多令譽。竟有狹邪兒，父師難羈馭。
詩書不攻讀，跳踉恣漫倨。今日挾女郎，雲鬢追風御。
明朝聚徒黨，博奕飲金醵。所好在鎗刀，所畏惟法署。
椅壹不敢動，勸得遭反詛。或更傳其鋒，逆倫類獼狙。
報章好渲染，長老多憂懼。獨有中國城，子弟拒參預。
晨昏知定省，色養承歡豫。潛心求學問，持躬行忠恕。
服膺聖賢學，坐立不失處。問其所以然，家教職斯助。
師長均贊嘆，父老多悅念。中華流澤厚，觀茲益有據。
老者中國產，少者此邦著。習尚誠有異，成就不相如。
我歌狹邪行，此中有深慮。安得素心人，班荊相與語。

中篇小說

在日本獄中

蒙齒

這些最多說有一半可靠，我爲甚麼不問山本呢？後牆上的洞口，正像一雙嚴厲的眼睛，顯然地，它在對我議抨。我低下頭來，聽濁隔鄰，沒有一些聲音，我感到恐怖，彷彿這偌大的監獄只賸下我一個人了，一切是死一般的的寂靜。

不久，聽到輕微的鑰匙聲，接着有一張面孔，黑暗中，看不清楚，不像是山本的樣子，我只看見兩支發光的眼睛，一掃就走開了，我恐怖。

山本爲甚麼不來了呢？他是中國人，是不是日本人把他調走了他答應隨時向我來報告情況的。就是今夜了，我想。這是我生死存亡的關頭。

四

山本——陳添丁，中國人我的同胞，他終於來了，可是他帶着往日同樣的粗暴，大喊着。呼喊幾聲之後，走去了，從我的獄室往北走，一面走一面呼喊着，好像吃醉了酒。皮靴聲消失在黑暗的盡頭，並沒有說甚麼。這意思非常明白。

我有些戰慄。我想到山本，所有這有一切，都是他安排的，我發覺大概他又騙了我。

他給我傳來的字條，假造的。我突然想到。

他給我的手鎗和子彈，這是栽贓，反正我跑不掉。

他給我扔來的鑰器——鑰子，我完全明了。

最後他要我把後牆鑿開。等我入了他的圈套之後，他不是陳添丁，他又是山本了。我開始知道，所謂蘇俄參戰的不可信了。隆隆砲聲，飛機聲，平常也是有的。

這一刹那，我忿恨到極點，我首先撕碎了他交給我的字條，然後放到嘴裏用牙咬。嘿！可是槍呢？是不是不好用的破爛貨？我應該想辦法試驗一下，我想辦法防止發射的聲音，我把塌塌米掀開，上下各有三層，然後我把衣服褲子脫下來，把槍口包上，槍口緊對到牆角，我開了第一槍。呼的一聲。我聽見有人喊我。

「你要自殺嗎？祺光！」是山本在窗外喊我，聲音緊張而沉重，「我是陳添丁！我……」

他顯然是怕我對他開槍，我大聲喊：

「我不管了，我要死！你先把手舉起來！」

「把手拾的高高的！」我說：「就是不許你動！」

我把手槍往前慢慢移動，槍口對準他。這時候，我想我是把鑿假假相弄清楚了，我的胸在起伏，只聽見我鼻子的粗重的呼吸，我恨不得把這個曾經以皮靴踢過我的壞蛋，一下了結束了，「我大聲喊」：

「你又弄花樣騙我，槍是你給我的，鑰子也是你給我的，信也是你遞給我的，謊言，也是你放出來的：……你……這壞蛋，我給你說話的機會！你先告訴我，這院子裏都有些甚麼人？痛快點！多少囚犯？多少衛兵？你帶我出去，不然……」

他一聲不響地舉着手，我示意告訴他：「我眞的要送你命，你不能離開！」我要開槍了。

一秒鐘的時間，就是生和死的關鍵。

他說：「祺光！你不能這樣，你完全誤會了！」他急迫而鎮定似地。

「你胡說！你們就會弄這一套，誰信你！你趕快告訴我把我送出去！」

「你以爲我告訴你，你就可以出去嗎？我現在要來告訴你的就是冷靜！」他把冷靜兩個字說得特別有力量，顯然是惡意的懷柔我。

「你不要騙我，我已經很冷靜了，不管你怎麼說。」

「那麼你是要毀滅你自己了！」他很理直的說。

「不見得，我先要……你……」

「我？你殺了我算甚麼！我眞不瞭解，你爲甚麼被日本人抓進來的，你還差的很多！」他好像斥責我。

我不能，這是我的機會，在天亮之前你要把我送出去，否則你，我都好不了的；於是我更睜大了眼睛，

「你的手槍是那裏來的？我問你，你這樣對付我？」

我冷笑了，我必須警覺不受他的軟化。

「嘿！槍！還不是你的花樣，你弄錯了，這是一隻好槍，我剛剛試驗過；」我警告他：「你弄巧成拙！」

「那你就開槍好了！這一種事情是常有的！你記住你打死的是一個中國人，他的名字叫陳添丁，如果你，你打死我你還能活下去的話」。

「當然，你還有機會可以不死，你要說實話！把我送走。」我睜大眼睛命令他：「你先告訴我，這是甚麼地方！」

「這是第三〇二集中營，地點是是關西縣大荒屯，有日本兵三百人，政治囚犯二百九十人，有輕機槍五挺，手槍步槍一共是五百枝……」他像一個士兵向上級報告，非常熟練而清楚，「你很清楚了吧！但這些都是廢話！」

「你先把鑰匙交給我！」我命令他。

「你以爲你有了鑰匙就夠了？」

「你還要告訴我，這裏面個情形，要把我送走。」

「這都是些沒有用的話」他嚴肅的，「我得先把手放下！」

我大膽地說：「好麼！你就站在那裏，不能再動！」

他面容苦澀地的說：

「祺光！你完全弄錯了，我不是答應你我隨時來告訴你消息的嗎？你完全想到你自己，我還有很多工作，一個人，就是你一個人你有甚麼辦法逃出去？我交給你鑰匙，頂多你能打開你一個人的獄室，是的，鑰子是我交給你的，你逃出這個小房子，我問你，大門你怎麼出去？那麼多的日本人！……我有甚麼辦法能把你帶走？」

「這不就是你的圈套嗎？……」我打斷他的話。

他接着說，很平和而自然的。

「不！你會瞭解我的，」他突然嚴厲的說：「這二百九十個人的生命都掌握到我手上，你瞭解嗎？」

這是一場戰鬥。我完全是個無用的小孩子。

（五）

自由人

THE FREEMAN

（第七七三期）

每份港幣壹毫

督印人：陳文彬

社址：香港高士威道十二號四樓

20 CAUSEWAY RD. 3RD. FL. HONG KONG

TEL. 771726

承印者：東南印務出版社

地址：高士打道六十四號

台灣總經理處：台北市西寧南路壹壹零號二樓

電話：三〇三四六

台郵撥儲金戶九二五二

海外總經銷：友聯書報發行公司

香港：德輔道中二十六號A二樓

論大胆的假設

司馬璐

最近的祖國週刊，連續發表了幾篇討論胡適先生的「大胆假設，小心求證」的文章，參加討論的皆一時俊碩，當代著名學人，有何浩若先生，李璜先生，陳伯莊先生等。討論的開始是由于何浩若先生發表在祖國週刊上的一篇「從經濟學看大胆假設與小心求證」一文而起的。

何浩若先生之文對于胡適先生的「大胆假設，小心求證」之論作了嚴正的批判。當然，胡適先生提倡的「大胆假設，小心求證」，在中國的新文化運動中雖然發生過進步作用，現在還在中國知識分子中繼續發生着作用，這是我們應該承認和肯定的。但是，這不是說，胡適先生的一切立論，絕對無懈可擊的。

胡適先生的「大胆假設，小心求證」，本來是以懷疑爲出發的，是科學的態度，胡適先生所提倡的這個思想方法又應該是反教條，反偶像，反專斷的，然而不幸，當一位學人的地位被人奉承爲偶像時，他的一切立論有時也可能被人作爲另一種立論專斷的根據，這種不幸的後果，當然不是提倡科學精神與懷疑態度的胡先生所願見到的。

方法、主流、逆流

然而，由此我們是不是就可以說，胡先生的「大胆假設，小心求證」這個思想方法，根本錯了呢，我以爲是不可以的。

事實上，胡適先生的思想從一開始就是反對教條和武斷的，從他在民國八年七月「每週評論」上所發表的那篇「多研究些問題，少談些主義」文章，就足以證明了。

筆者認爲，我們又應該承認和肯定一項事實，五四以來，中國新文化運動的思想，胡適先生所代表的路向，基本上，主流是正確的。

但是，我們也要承認，一種觀念，一個運動，在發展過程中，可能要發生逆流的，譬如說，有人把一種「假設」變成教條八股，有人爲了「求證」用之不擇手段，這就是「逆流」。倘使說，由于今天的「逆流」代替了「主流」，因而我們認爲胡先生的思想方法根本錯了，我以爲是欠公允的。

何先生說，「所有的獨裁者都有一大套大胆假設的理論」。何先生又指出馬克思、列甯、史達林、赫魯曉夫、這批人的罪惡，「起先原是大胆假設，小心求證，以後便弄假成眞。弄假成眞以後，胆子便愈來愈大，不僅要移山倒海，而且要奴役犧牲的人類。」何先生所舉的這些當然全是事實。但是，這是不是一定可以說是「大胆假設」之過呢？從逆流中所產生的這些「不幸的後果」，何先生把責任全加在主流——「大胆假設」的這個思想方法上。是不是很公允呢？何先生是不是可能在「主流」與「逆流」的位置之間有些誤解呢？倘使何先生的看法成立，我們對于太多的事，豈不要因噎忘食。

馬克思等人以前，社會主義學說之提倡，有傅立葉、聖西門、歐文等人；唯物論之研究，有費爾巴哈；辨證法之運用，有黑格爾；至少他們本身並沒有直接製造罪惡，可見「大胆假設」的思想方法，本身是無罪的，後日馬克思等人之罪惡，主要是從「求證」的方法而來，如果把「求證」的方法所產生的罪惡與「假設」的方法（思想的方法）混爲一談，這也是很不公允的。

在歷史上，在同一個時代，對于同一個問題，可能有無數個「大胆假設」，在民主制度之下，凡是能夠言之成理之說，都可能受到重視的。但是有些「假設」曇花一現，有些「假設」光芒萬丈，它們自生自滅，問題不在這種「假設」是否「大胆」，而決定于它的內容是否經得起「小心求證」的考驗，決定于它所受到的考驗，不僅是人們感性的考驗，而且是理性的考驗。決定于它的歷史發展是否能與其它的歷史條件相適應。每一種「假設」積累了前人許多「假設」，或者經驗；又揚棄了與接受了前人許多種「假設」與經驗。每一種「假設」都是發展的。

「大胆假設」與迷信

何浩若先生的文章說：「大胆的假設可能搞出了不得的理論出來。這樣的理論也可能變成主義變成教條隨便殺人。至於是否已經小心求得了證據，那也沒有一定的標準」。

何先生這段文章所用的「可能」等等，可以作爲一種推論，也可以作爲「假設」。至少，基本上我們認爲何先生的「方法」還是屬于一種「假設」的。

何先生說：「許多的人既敢大胆假設就未必肯小心求證。」這是何先生的又一個「假設」。

何先生說：「何況大胆假設以後，便自以爲有了發明而傲帶自珍，即令求不着證，也不肯放棄這個假設」，這是何先生又一個「假設」。

何先生說：「說到是非曲直，原沒有一定的準繩。何況小心求證，祇要求得一部份的事物，兩方面都可以支持這大胆假設，求得一些事物來，總是可以的，這些事物也許是抽象的，祇是片面的，而不是具體的，而不是全面的。」這是何先生又一個「假設」。

何先生的文章中，類此的例子甚多，我們舉出這一些例子，旨在說明一切科學的思想方法，都離不開「假設」的，包括何先生在這篇文章中所用的方法在內。

李璜先生說：「何浩若先生將假設二字的含義似乎包含過廣，如義和團之念咒避槍，乃是一種迷信，不能稱爲假設」。何先生的文章本身似乎認爲「假設」是一種迷信，這種看法也是筆者所不敢苟同的。

「迷信」，而不需要「求證」，迷信「假設」不需要「求證」，而「假設」是需要「求證」的。「小心求證」中不能有些荒誕的神話，例如「封神榜」的幻想和童話之類，有些部份雖然同後來的歷史偶合，但也不能成爲一種「假設」，因爲文藝主要依靠藝術的雕琢，而「假設」一定是經過歸納，步步演繹而來的推論的工夫。我們認爲，任何一個「大胆假設」，都離不開「小心求證」，任何一個「小心求證」，都離不開「大胆假設」，在「大胆假設」與「小心求證」中間，或者被推翻，被否定，或者變得更豐富，更有內容。任何一個「大胆假設」，如果它經不起「小心求證」的考驗，自然要被淘汰。任何一個「大胆假設」，如果它拒絕「小心求證」，才是迷信的東西。

「大胆假說」與反共

何浩若先生這篇文章，雖然是一篇紀錄講詞，但又寫得藻飾美麗，[illegible]

試舉一例，何先生說：「大胆假設，小心求證」[illegible]

要研究的問題是，「大胆假設，小心求證」[illegible]

……何先生以爲何如？

半週述評

高層會議拖住了英美

麥美倫爲應付赫魯曉夫高層會議的建議而提出的折衷建議——在安理會召開，由於蘇聯的同意而變卦，現又回到地點問題上。這祗是問題的開始，跟着必然的又是參加的國家問題，討論的主題問題……等一連串的問題，非鬧至高層會議原形畢露（因該會議本身根本就是一個矛盾）不可；如果在安理會開，更非把聯合國進一步拖垮不可。

戴高樂似乎在搶麥美倫的鏡頭，自行其是，于對蘇週旋中，儼然以中立的姿態出現，單獨反對在紐約開會，雖則赫魯曉夫之變卦，不是由于戴氏不贊成，而可能如一般推測，是由于中共的壓力——中共是不願列強與中華民國代表在安理會碰頭而自己沒有份。

其實基本問題還是在美蘇之間。蘇聯一味指責美國出兵黎巴嫩爲「侵略」，杜爾斯已慨乎言之：「在計劃中之中東高層會議內西方國家不願在犯人籠內處于被告或刑事犯地位」（合衆社敎廿八日電），當然美國也會指控蘇聯在中東從事顚覆陰謀，而把蘇聯放在「被告」地位。

誰是被告？會議縱然開，不管是在日內瓦，還是紐約，或竟是莫斯科，終是一場無結果的是非爭論。

抱殘守缺的巴格達公約

巴格達公約于伊拉克政變後在倫敦舉行，參加者土耳其、伊朗、巴基斯坦，少了一個「技術上會員國」的伊拉克代表。美國爲了「避免予蘇聯及納撒集團過份刺激」的理由，仍以觀察員身份出席，杜爾斯向公約國三個回教國家保證「如果它們遭遇類似迫使美國出兵黎巴嫩的局勢，美國將不惜冒最大危機採取堅決行動以保持它們的自由與完整」，但不知土、伊、巴三國代表聽了作何感想。伊拉克縱然有日回來，却已是變了質；看來，伊變後的巴格達公約祗是抱殘守缺，可得而言的，祗是美國曾經分別與各會員國簽訂個別防衛協定一點而已。

開羅的攻勢

開羅的阿拉伯報紙抨擊杜爾斯關于「納撒不代表阿拉伯」的聲明，同時明指約旦王胡笙，黎巴嫩總統夏蒙，前巴基斯坦總理蘇拉瓦第及伊拉克總理賽特等親西方的領袖都是間諜國賊，並暗示「阿拉伯人民曾經長期等待後用寶劍來判斷」。

這是納撒的宣傳攻勢，對于西方的中東政策是一個極具威力的打擊。

台海峽上空的共機攻襲

昨（廿九）日台灣海峽上空發生中共噴射戰鬥機攻襲國軍正在巡邏的兩架雷霆式噴射機，一架被擊傷，一架被擊落。使台峽風雲頓時緊張起來。紛紛推測中共此舉的動機：是一種挑釁式的行動，實際祇是一種騷擾，間接予西方以顏色，因爲軍事上倘有自所策動，當不必先來這一套，根本上，此時此地，也不會替美國的行動，而逼成一個台灣反攻機會的。

林伯雅

滿天神佛話共存

衣華

傳教士並不是蠢騃怯弱的，聽萬懷仁神父從中共區回到舊金山時的話吧。本年七月二十一日他在奧克蘭論壇報發表的文章說：「……大陸面貌之改變，令人難以相信，昔日爲充滿笑聲溫暖之地，現已爲沙漠地帶，隨處可見，均爲驚惶沮喪之面孔……」但我引用他這段話，其實也沒有證實了所有傳教士並不是怯於指斥共黨暴行的。每次從大陸進入太平山下的外籍傳教士，提諸既往，坦率指導中共盡失民族特性那種殘酷，我們記憶起來，畢竟少得可憐！

儘管他們這樣緘默下去，老說有苦說不出口，例如害怕多說了，因此累及還沒有逃出來的有關人士，但其怯於強暴，則屬彰之明甚。一邊是強暴，一邊是怕強暴，竟然妙想天開，要謀求與共產黨人共存之道，這眞是令人做夢也不敢想像的事。

尤其令人震驚的，就是紐約聯合神道學院貝納特博士在國際公理教會理事會第八屆大會席上的演詞（見本月二十一日Newsweek），認爲教會方面對當今的共產主義，該揚棄天眞的看法，亦即應該不再堅持強頑的態度，老是以爲共產徒的下一代對共黨的信仰不會稍減狂熱之情，而其威脅自由世界也不會減少的。勸人別太天眞的博士不太天眞麼？

這樣說來，貝氏依然免不了踏上兩條殊途同歸的結論上去：（一）切勿把人類的毀滅視爲足以擊倒共黨的優先行動，（二）切不可以爲謀求冷戰的勝利，比與共黨共存更爲重要。這兩點自亦免不了以飛彈時代的來臨和「共黨本身自謀改進」爲其推論的張本。

此豈共黨過去和現在的暴行都被視爲無關宏旨，就是核子武器的可怖非給引用來與虎謀皮不可？如此自欺欺人，甯願將全人類的自由與正義孤注一擲，在恐怖中拱手讓與人類有史以來最兇暴的惡人，還說教會在處理人類今後圖存，應付共黨及消祛冷戰各方面，大可盡其彌縫東西方裂痕之責！

如果稍具常識的，自然覺得與共黨和平共存，無非是鬥爭的口號，也是一種姿態罷了；欲求「和平轉變」的鬥爭具體化，則共黨勢非訴諸中立戰術不可。因之，國際共黨連年倡導中立主義，尤其在民族主義狂瀾中，掀起中立勢力，使之中立化，繼而陷於孤立。英軍登陸貝魯特後，開羅的統治者不是倉惶奔往莫斯科去嗎？中立的魔術終將迫令中立派依附赤色勢力，是必然的下場。美國知識份子左傾的，在蘇俄處決前匈牙利總理後，依然不肯說眞心話。難道中共區十年來迫害教會人士的罪行還不足以指證中共絕不可能容許宗教共存的惡霸麼？

更可笑的，論者在幻想中，又引另一例子，說莫斯科去年聖誕節的教堂擠的人山人海，不就是說明了蘇俄容許俄人現有更大的信教自由？答復此問題，用不着找尋數字，先看蘇俄首都目前殘留下若干小教堂，即使信奉希臘正教的信徒越來越少了，無論如何，也擠不進全體去的，爲得不呈現滿座的「盛況」呢？或謂北平的「伊斯蘭月報」最近刊出了教徒投訴的言詞，埋怨共黨違反「憲法」的規定的宗教自由，不就是共黨容許宗教與赤色勢力共存的一項事象嗎？答復此問題，更是簡單。中共區僞憲法的規定的宗教自由，亦即人民在宗教上替共黨效忠之謂。北平沒有理由不讓教徒們在反右派鬥中大鬧訴怨的；如果不這樣做，又怎能捕捉那些右派教徒呢？中共區的教徒，不論是那一個教派的，祇要一息尚存，其堅持所信的貞潔，縱然共黨用盡種種鬥爭方式，在意識觀念上，還是沒法子在近期間污辱完了的；這樣一來，中共便有利用教徒的打算了。至於教徒的「剩餘」價值何時完蛋，那是來日之事。君不見太平山下已陸續出現身披傳教士外衣的赤色人物，分頭把持若干社團嗎？如果有人懷疑這一點，就不妨多費心機，去研究蘇俄正在大批訓練會說英語的俄人，在適當時機到來時，立即分赴海外，向英語民族，大舉進行「福音」的傳道工作。你敢相信這是莫斯科在宗教上也善盡其共存之責嗎？

談政府對高山族的政策

•沸勇•

台灣通訊

自由中國台灣雖在努力走向現代化，但是在深山裏，卻仍然有部份人民——高山族的生活居于半原始中，政府爲此曾制訂了很多異于一般人民的政策，期有所改善。但在政府十年的輔導下，究竟進步了多少？這裏是一個簡略的報告。

自台灣光復，政府對他們所採取的是一種特有的山地政策。這種政策當然是與平地不同的。平地的施政措施，完全以民主自治爲中心；而山地則除了民主自治之外，尙給予山地民族很大優遇，而且加以很多輔導工作。其有關政策的重大者約可分爲下列各項：

一、目標：使山地平地化，直至與平地民族一致爲止，使其成爲我國現代標準國民。

二、生產：教以農作技術，劃定山地保留地，指導山胞耕作，生產糧食，畜牧，植樹，並教以手工藝。

三、經濟：除了盡量開發山地資源用以充裕山地外，並每年列以大量的預算，作爲山地建設經費。

四、文化教育：普遍設立國民學校（一村一校或一村數分班）；對成人普設民衆補習班，施以各種常識新知，及我國歷史；普遍推行國語，因山胞過去語言複雜繁多，甚至有一族數種語言而各不相通者，日治時代又將日語滲入，不但國語不懂，連平地的台語亦不懂。故極力推行國語，設專人在山地主持其事；對山地青年，施以現代知識及組訓；協助治安，推行政令，代替義警等。

五、生活改進：改良各種不良風俗習慣，環境衞生；興建交通水利；獎勵生產；進行電化設備（目前很多部落已實現），提倡正當娛樂等。

六、維護風紀：爲防止歹徒利用山胞無知滲入山地剝削山胞牟利，因此禁制平地籍人民隨便遷入山地，或者滲入山地扎營圖利，所以對入山管制甚嚴，土地亦劃有保留區，物資輸出亦設有機構統理。

政府爲了扶植山胞，十年來所費人力物人不少。據說山地每年補助經費幾乎佔了全省預算百分之十五到二十（估計）。現在高山族的情形，可得而言者，大致如下：

一、普通山胞已能自給自足，尙有優于平地鄉村農民者，且已知儲蓄觀念；二、已懂知遵守法，兇悍習性已除；三、衣食起居已接近平地化，迷信奇俗。也有改進；四、已具國家民族觀念意識，逐漸樂成權利義務觀念；五、二十五歲以下的男女青年多能說國語，但與日族人相遇時仍然忘不了說山地語；六、國校及民衆補習班已普遍設立，中等學校亦正在發展中，下山求學的山地青年也日漸增加；七、山地交通、水利，及其他建設，其主要地區均已興修。

大體上言，如果現在的山地與十年或者百年前的山地來比較，實進步了許多，至少野蠻的作風已一掃而空。但還有若干隱憂在：

一、由于政府輔導政策的過分，養成了山胞的依賴心理。二、由于初染現代生活，年輕一輩的山胞已開始走向虛榮之途。三、男青年多不學長進，而女青年多向山下走，以致山地鬧女人荒，男子結婚無偶。四、在山地所設行政機關很複什，爭權時有混亂現象，使山胞有不知所從。五、平地社會壞風氣已漸吹上山，使純潔的山地將會因此而變質。

查台灣的高山族，據說是馬來亞人的一種，但迄今尙無佐證，他們在台灣生存的年代，雖有很多專家在考據，不過目前仍無確切根據。

目前山胞的分佈情況是在台灣省的行政區域，其中現共有三十個山地鄉：宜蘭縣的大同鄉，南澳鄉，台北縣的烏來鄉，桃園縣的復興鄉，新竹縣的尖石鄉，五峯鄉，苗栗縣的泰安鄉，台中縣的和平鄉，南投縣的仁愛鄉，信義鄉，嘉義縣的吳鳳鄉，高雄縣茂林鄉，桃源鄉，三民鄉，屏東縣的牡丹鄉，獅子鄉，春日鄉，來義鄉，泰武鄉，瑪家鄉，三地鄉，霧台鄉，台東縣的海瑞鄉，延平鄉，金山鄉，達仁鄉，蘭嶼鄉，花蓮縣的秀林鄉，萬里鄉，卓溪鄉。

雖然同是台灣高山族，但其中又分爲很多不同的種族來，在台灣的高山族據一般人的歸納可分爲七個種族，即是：泰耶魯，拔灣！奴茲歐，薩塞特，耶美，阿美等七個族，他們每族的分佈區域很不定，有的一個鄉有數個部落的！但一個部落中卻只有一個族的。昔時山胞自有其組織，比如昔日的部落，番社即是，而每一部落或者番社，均有其頭目或爲長老爲其統領；但現在那些組織形態業已廢棄了，在政府革新下，現在的山地仍與平地一樣以村里而區分之。

依據台灣記載，山地族風俗習慣，最早的山胞，生活十分原始，現在還有用手抓食的，居住方面，已由岩穴而居取草木蓋蓬，到現在才遍地蓋木屋。他們有很多獨特的習慣和風俗，例如男女均愛紋身，及帶佩飾物，婚姻不需媒，男子可叩其門，挑琴而歌以求愛。男人及最嗜酒，不醉不休。

港高中畢業生狀況

香港高中畢業學生逐年大量增加，如何疏導？已成當前嚴重問題。

非正式估計，逐年積累無法升入大專繼續求學青年，數字已逾五千；然大專畢業無從就業青年，也有一千多；今年應屆修業期滿高中學生，四十六間中等學校，擁有三千二百餘人，其中會考及格，僅一千四百七十七人，落第及未會參加應試的一千八百餘人之中，獲得升學、就業機會，相信不會超過半數，今年失學青年，顯將大大增加，參加聯合招生考試的一千六百二十一名，即使全部獲得台灣大專各校收容，失學者仍有千餘，加上過去累計，總數超過六千，這一問題如何解決，迄今似未會有人注意關心。

無法升學原因

如果要問這六千多人爲什麼無法升學？原因並不簡單。成績差可以設法補救，當非失學主因。誰都明白：香港除了相等大學程度的中文書院，只有一所香港大學，香港大學今年應試與入學及格考生，打破已往歷史紀錄，這一事實證明了上述六千多失學者，約有半數仍在繼續自修，希望於將來獲得就讀港大機會；然而港大學額有限，今年應試的二千四百九十六人，僅五百一十七名取得入學資格，他們雖有入學資格，今年被選擇獲准註册入學，未必會有半數，甚至四分之一都不足；至於轉投倫敦大學（按：獲得香港大學入學資格，可以免試轉投倫大），試問每年能有幾人？倫大規定香港區學額少於港大，幾乎不足十分之一。因此，大多數學生均希望赴台灣。

台灣錄取收容情勢

台灣各大專學校錄取港區學生標準，先決條件爲該生曾否參加畢業會考及格；僑校保送名額，亦以名列前茅爲限。故此，僑生，儘管學額放寬，要將香港有志回國升學僑生，全部容納顯然絕不可能。然而，已在祖國就讀僑生，由於個人志趣，學校環境不合，退學自修，或退學轉系學生，甚至中途輟學者，儘管爲數不多，對其個人學業蹉跎，毋寧是與祖國政府經濟、時間、精力的浪費，毋寧是極端重大的損害？雖然，這已經是三四年來的老問題，到今天，儘管教育當局受到指摘，如何適合學生進修要求，仍無改善徵象，對關心祖國教育前途，以及僑生家長對其子弟期望說來，不能無遺憾與抱怨，關鍵所在，歐爲學生課外活動太多，尤其對於軍事教育，與政治管敎，無不認爲過足戕害學生思惟。

台灣教育與香港僑生

再談到台灣的教育

政府播遷台灣，軍事重建，民生改善，這幾年間雖有顯著進步，政治積習既未徹底擯絕，社會風氣敗壞，雖免輿論清議；更有令人痛絕者，殊無過於「甕中教育」。所謂「甕中教育」，原係十九世紀中國山東馬戲班主人歛錢使倆，將一個無知嬰兒置於甕中，不使其長大、自由發揮其思想，終朝接受自己不願吸收的技術，無從使其身心自然發育，直到班主認爲他已學成，許其破甕而出，卻已變成只會欺騙觀衆，隨班主魔棒旋轉歛錢的侏儒；雖然博得觀衆無數笑聲和掌聲，但在觀衆們一轉念間，至少有「這是殘酷的虐待」感覺。然而，這種感覺對那伺候主人的侏儒無裨實際；即使有個好心腸的人，從班主手中把他解救出來，試問這具廢物，對人類、社會，尙有什麼用處？這不過是一個例子，誰願意看到自由中國的教育，有類似「甕中教育」呢？事實上，如某一學校除了正課之外，加插軍事和政治課程，以致學生既覺課程繁重，精神上的壓力，使正常思想發展，無形抵消，其結果，學生還就環境，迫得鬆弛本科，專向政治用功。這是一種揠苗鋤長的作法，爲了國家教育前途，是沒有理由讓其繼續存在的了。現在教育易長，且看新任能否推陳出新。

祝修衡

關於國考實施「心理測驗」問題

•善書•

頃閱「自由人」七五五期第三版刊載「考試院來函」，對於四十五年普通考試實施「心理測驗」淘汰應行及格之應考人十三名一案，未見有滿意的解釋。該案懸時已久人或健忘，茲經一月餘搜集資料，寫爲本文，著明眞相，事關國家考試問題，頗有研究以爲今後參考價値，雖舊案重提，亦未可以明日黃花視之也。

事實的經過

四十五年五月高普考試舉行前三個月，考試院依照考試法施行細則將各項應行公告事項一一公告，惟在公告中並沒有提示該年高普考試舉行的心理測驗已經變更計分方式，而在同時核定的高普考試應試科目表均列「心理測驗」，但沒有說明心理測驗成績可以否決學科及格成績，大家都以爲該心理測驗成績仍照往例，沒有決定去取因素。

考試前七天，考選部公告考試院的決議，「普通考試心理測驗成績在最劣百分之十者，雖學科成績達到錄取標準者亦不錄取，並於考試時公告」，並在試場門前通告，同時又公告高等考試暫不舉行「心理測驗」。

因此，是年國考僅有普通考試應考人參加了心理測驗，等到十月間普試成績公布時，發現應試人心理測驗成績在所謂「最劣百分之十」，而學科成績竟有高達總平均六十七分者，總計學科成績達到及格標準即學科總平均成績五十五分以上者有十八人之多，遂列表提報告典試委員會注意，考試院乃於十月廿七日決定變更辦法如下：「本年普通考試舉行心理試驗，成績在最劣百分之十者，雖學科成績達到錄取標準者亦不予錄取，但其學科成績達到六十分者，不受此限制。」在此項決議之下，有六人因學科平均成績在六十分以上免遭淘汰，另有十二人雖學科成績達到當年及格標準五十五分以上，但因心理測驗成績在最劣百分之十，而終遭淘汰。

問題之發生

上項事實經台北市出版之鈕司週刊及各大報紙揭露後，乃引起社會之重視，首先由監察委員王文光提議監察院以心理測驗成績否定學科及格成績爲不合，乃推舉監察委員王文光，陶百川、吳大宇、郭學禮、李正樂組織五人小組于十一月二十三日赴考試院調查後，提出五點意見：（一）與考試法施行細則第十七條之精神抵觸，（二）不應僅以院會決議辦理，應制定規則事先分佈施行，（三）考試方法不當，枉費應考人之心神。（四）學科成績平均分數在六十分以上者不受心理測驗成績「最劣百分之十」之淘汰，而五十五分以上（學科錄取標準）不及六十分者要受淘汰爲不合理（見聯合報）。經監察院函請考試院「查明辦理見復。」但事經兩年迄未正式公開答復，惟已於次年（四十六年）國考時，對於普通考試之心理測驗，改變計分辦法，不再以之否決學科成績，而與其它共同科目平均計算，實已無異默認四十五年普考心理測驗之計分方式。

問題之癥結

現在問題癥結所在，不在乎說明心理測驗是否爲科學或應否列爲考試科目，因爲這兩點已是不爭之論。而現在針對事實應該研究的，即在現行法令之下，有無列爲考試科目的必要，是否合法合理。這裏可以四十五年普考實施心理測驗爲例，去從法令上先來加以研究。

一、依照現行典試法及監試法的規定，試題之選定應由典試委員長核定，試題之印刷裝封應該在監試委員監試中爲之，根據四十五年九月出版之自由談雜誌所刊王雲五氏的入闈記的敍述，四十五年的心理測驗試題並沒有依照規定辦理，而以該項測驗的成績去否定合法的學科成績，這在法律上是不容易再圓其說的！

二、以心理測驗成績否定學科成績，爲考試院創舉，牽涉數以萬計應考人的權益，考試院並沒有依照考試法施行細則之規定於公告時一併公告。

三、四十五年高普考試應考須知既規定高普考試均同樣舉行心理測驗，而高考之心理測驗卻臨時以考選部公告暫停舉行，不知暫停舉行之理由何在。考試院核定之應試科目表，考選部竟能公告變更，不知何以自圓其說？另一方面普考舉行之心理測驗，卻可以否定學科及格成績，任情爲之，殊于法令不合。

四、細細研究考試法及其他施行細則之規定，學科成績既經及格，除非應考人有僞造證件，冒名冒籍等法令原因，是無法否定其及格資格的。

其次，再從學理上來檢討是年普考舉行心理測驗的結果，約有下列數點値得注意。

一、個人的學術主張在未有定論以前，可否不顧及法令規定，作爲施政的有力根據？如心理測驗應該淘汰最劣百分之十，據云係故考試委員心理學權威艾險舟氏的主張，姑不論此點是否可靠，但艾委員在生前卻不敢實行，使從相反方面應用到文官考試上，將心理測驗成績較優而學科成績較差者錄取，以選拔智慧較高的人，他並沒有用心理測驗去打擊智慧較差努力進取的人，違背了「勤能補拙」的事實，這一點無論在教育上或論理上說不通的。

二、依照心理學家的理論，經過合理的心理測驗而其成績在最劣百分之十的，其學科成績自不能達到及格標準，因此，在若干國家文官考試心理測驗不及格的，即不許其參加學科考試，此種辦法，是否合理，尙待研究，茲既已學科成績及格，而因心理測驗成績過劣加以淘汰，不是心理測驗本身有問題，就是學科成績不正確，兩者必居其一。

三、我國文官考試以文字來測量知識，因此文字運用是非常重要的因素，而四十五年普考心理測驗所使用的測驗都是「非文字測驗」，而是「圖畫測驗」，在心理學上圖畫測驗使用的場合，應該是不識字的人，或者是一羣不使用一種文字的人，其對像應該是兒童，工人或人種複雜的羣衆。否則無法自圓其說。

四、依照心理測驗的原則，其實本應該經過若干年若干人的測驗，決定其信度和效度，然後才能有較爲可靠的測驗結果。艾險舟先生數十年研究的結果且不敢深信其所編測驗之絕對可靠，四十五年普考心理測驗題係師範大學某教授之急就章，完全由外國測驗題翻印而來者。

一個事實

依照考試院會議原決定的意思，心理測驗成績在最劣百分之十者係屬低能，故雖學科成績及格也不予錄取，在正常的測驗下學科成績及格而心理測驗太劣的必寥寥無幾，（按四十四年普考心理測驗的統計，在該年三千名應考人中，具有該項情形祇有二三人即千分之一）不意四十五年實施心理測驗，經統計的結果，在到考人二、八九六名中，卻有十八名具有上項情形，約佔千分之六强。其尤可驚異者，在此十八人中其學科成績平均分數有高達六十七分者（見鈕司週刊）由此大致，可以了解四十五年心理測驗成績的可靠性何如了。而當時被否決了一部份及格人員的學科成績，按諸四十六年普考的標準卻是及格的。此尤爲足資檢討的。

餘話

四十五年普通考試實施心理測驗而以測驗成績否定學科考試成績，在法令上缺乏根據，而在核定試題的手續上又有瑕疵，且經監察院提起質詢，實爲考試院開院以來未有之記錄。時代進步，考試方法翻新，固爲可喜之現象，但基于上述法理與事實，現行之心理測驗計分方式，是否合適，實該研究改進。

（七月廿三日于台灣）

竹幕

對於七月二十二日本欄的觀點和立場，曾引起一兩位讀者的口頭上反映，爲此，覺得有將我的反共立場作一全面說明之必要，以供讀者們的公開討論。還需要聲明的，這種立場是筆者個人負責的。

反共不維護殖民主義

殖民地之所以形成，自有其歷史因素；但這種歷史因素到了今天已在局部的逐漸的消滅之中，這是歷史潮流，這種趨勢不是任何人或任何力量所可阻擋的。也就是說，殖民地之獨立，是必然之事，所差別者，祇不過是這些殖民地是否已具備其獨立之條件而已。

在二次大戰以後，蘇聯假國際主義之名，而行其新殖民主義，他們的這種做法，是完全違反歷史潮流的，一九五六年度匈牙利反蘇事件的表現，即蘇聯在這方面違反歷史潮流的後果。這些都足以說明任何一個國家，不問用何種方式與使用利用反共的口號來繼續推行殖民主義，遲早也必將失敗。

因此，筆者在這方面的立場是：反共而不維護殖民主義。當然更不能爲此任何辯護。

反共不反對中立集團

在兩大集團之間，產生了中立國家，這些中立國家之所以中立，自有其主客觀的因素存在，這裏不容詳細的討論。本欄已經指出過中立集團除了有削弱自由世界力量的一面以外，還有向共產集團進攻的一面。甚本上中立集團是反共的。我們且以現在被反共方面認爲蛇蝎似的納塞爲例，他曾經著有「革命哲學」一書（世界知識出版社有譯本），書中闡明他的希望：第一步要求埃及完全獨立；第二步統一中東的回教民族；第三統一全世界的回教民族，組成一全回教國家，書中並沒有說明所謂世界回教民族，包括中國的，蘇聯的回教民族之一。現階段的納塞，正在進行其第二個希望，難道我們能否定他的反共的一面？他的強大，一方面固然推翻了某些國家的殖民利益，另一方面也可能到某下一步就將與蘇俄發生正面衝突；只要西方國家能把在中東的利益看得淡一些，把反共的利益與納塞調和一下，中東就可能形成一個具有進攻性的堅強的回教反共堡壘。

若是瞭解，那麼只能迫使這些中立國家在一切問題上依靠蘇俄，使共產主義獲得滲透的機會。因此，筆者在這方面的立場是：反共而不反中立集團。

反共不維護封建獨裁

在現階段，民主可以解決國內的政治問題，大概誰也不能否認。而現在卻出現了這樣的情況，不管那個政權封建獨裁壓迫人民，只要這個政權是反共的，其他的反共國家就全予以支持，甚至間接幫助這個政權去鎮壓內部的人民；其結果，在這個封建獨裁政權統治下的人民，遂怨于其他反共國家，形成了反西方的趨勢，共產黨就利用這種機會來滲透活動，去除這一種滲透活動的基本辦法，就是改由封建獨裁爲民主政治。因此，筆者在這方面的立場是：反共而不維護封建獨裁。

反共三原則

目前自由世界擾攘不安的原因，仔細的去分析，甚本原因不外乎殖民主義，反中立的偏見與封建獨裁。要是自由世界在這方面能夠改變，而能夠用長遠的政治眼光，來把這些基本原因消滅，不特共產主義再無利用矛盾滲透顛覆之機會，而且其影響所及，將使共產集團，聞風自垮。

筆者把：反共不維護殖民主義；反共不反中立集團；反共不維護封建獨裁，說成是反共的三原則，也許主觀一些，希望有心的讀者們提出更好的意見。○田心。

論吉拉斯著「新階級」一書之義要

張君勱

荀子曰：「青、取之於藍，而青於藍。冰、水爲之而寒於水」。可知後起事物，定有勝於原有事物之處，憲政民主開始於英倫三島，及傳至新大陸，其首先離英而獨立，推翻帝王專制者爲美國，亞洲遠東文化，創之者爲中國，承繼之者日本，然過去數十年中，首先發見中國之弱點而暴露之者亦爲日本，吾人本同一原則，以測度共產主義之演變，蘇維埃聯邦爲第一共產國，鐵托氏拾俄之吐餘，傳之於二次大戰中之南斯拉夫，不料一九四八年鐵氏與史大林決裂，乃有所謂「反史大林主義」。此由鐵氏創之，赫魯曉夫氏大倡之於一九五六年二十次共產黨大會席上，又繼而推及於波蘭與匈牙利，而南斯拉夫吉拉斯氏所著「新階級」一書，尤爲反共運動中之一本著作，吉氏今由鐵托氏置之囹圄之中，然南國反史氏運動之源，本於吉氏，世人所共知也。

馬克思氏，恩格斯氏，與列寧氏等所想望之社會革命，曰沒收大資本家大地主財產，歸之於社會公有。由之以造成一無階級的社會，此乃彼等之理想的社會主義也。今蘇俄與大陸中國之銀行工廠沒收矣，地主財產合作化矣，試問一日無階級社會，能一日實現乎？此乃共產黨人托之以欺人之言耳。工廠與土地中既有管理之人，今資本家與地主者打倒矣，其代之者，理銀行與工廠，與夫農村經營集體農場者，其爲合作之執行人，無一往而非共產黨人，且全國之黨斷一切之政黨，政府，資本家，地主與商人各項職務，既已將於一手，而人民之衣多少？食多少？用多少錢？又一切由一黨決定之。試問國中一黨之地位，黨，對內之生殺予奪之權，操之於其手，對外和戰與友仇之策，又爲其職事所在，無疑矣。此共黨自身，即爲一國中之至高無上之特權階級之。此吉氏「新階級」一書之名，所由來也。

吾人謂共黨主義者之宣傳，每曰彼等所從事者爲理想社會之造成，其中無貧富之分，一切人各取所需，各盡所能。彼等且告人曰爲奪取政權計，不能不集中意志，遵守紀律，建理想社會造成後，暴力與軍警歸於消滅，國家自身亦化爲烏有矣。此等遠景，豈不美麗！然根據蘇俄四十年前之所經，此等理想曾有一二分實現之可能乎？

吉拉斯氏曰：「舊日革命，連法國恐怖時代在內，注意於消除現實的反對者，對於可能成爲反對者，初不加意……共產黨不然，彼等自知其與一切階級一切意識形態爲敵，不徒與眞反對者鬥爭，且亦與可能反對者鬥爭。其在波羅的海各國，一夜之間，憑其公文調查所得，殘殺數千人，與夫波蘭數千軍官之屠殺，可以證蘇俄革命終了後。而恐怖方法之使用，無終止之日。此等方法且日趨於精密，於其適用於富農身上者，可以見之，總之共產黨之排他性不容忍性，在革命之後，更加深刻化，即在體力的壓迫可以減輕之日，然彼等强化其馬列主義之遵行如故焉」。

由此言之，共產黨人藉口馬列主義之遵守，對於稍有不遵不守與夫稍有偏差者之仇視，無一日而能終止。既不知有所謂各個人之權利之保障，則各人生命且不能保障，安從而有所謂理想乎？

共產黨人初以造成理想社會之說欺人，乃高呼土地沒收與銀行工廠國有政策，彼等以爲惟有如此，乃能消除一切剝削制度。然土地既被沒收，資本既國有後，其爲地主者爲誰？其爲廠主者爲誰？其爲銀行司理者爲誰？夫亦曰共產黨員而已。彼等不獨執行管理已焉，且有惟一無二之管理權，國家所賦與之生死賞罰之大權隨於其後，如是，地主與資本家消滅後，其代之而興者，曰黨官之新階級，此新階級不獨自爲地主資本家，同時又兼爲法官，雖爲人民代表之立法者，其爲全國中至尊無上之新階級，奚待煩言而明乎？

共產主義之下，一切銀行、工廠、土地歸於國有，而實由共產黨管理。其爲管理人者對於銀行與工廠，手中不持有股票，只有辦事人，對於土地，手中無契據，亦爲辦事員，然此等管理人，爲政府所委派，自身爲官僚，既執銀行、工廠與土地業務，於此三者之管理運用，即是操於其手。雖非所有權之主人，然其地位與主人等矣。此工廠土地者既歸於公有，但憑共產黨一句宣言，名之曰國有財產，名之曰社會主義，而全國人惟有俯首聽命，雙手奉讓而已。然其政府因此而操生人死人之大權，何也，生人衣着之多少？用錢之多少？物之有無與物價之高下？一切決之於政府，決之於共產黨之權，豈非各人生死飢飽之權，盡操於共產黨之手乎？

然共產黨不以獨佔經濟之大權爲滿意，更以政治、軍隊、警察、特務與意識形態等項一切屬之於黨，而成所謂一黨獨裁。政治上只許一黨，他黨則禁示之，軍事上只許共產黨人掌握軍隊，其屬於外交、特務與檢察官，更以共產黨中親信爲必要條件，此乃「黨國」或曰黨的國家之名所由來也。然共產黨所欲專制者，尤其思想或曰意識形態，爲重要，政府解釋唯物主義爲機械主義，同黨之中不得有何異議，政府提倡集體農場，同黨中不得有何異議，政府曰植物種類，不由遺傳，可依人工改造，同黨中不得有何異議，不論爲政策爲哲學見解，政府曰白，他人不得言黑，政府曰是，他人不得言非，意識形態之統一，視爲神聖中之神聖，惟有如此，而後令出惟行，政府之尊，同於教主矣。吉拉斯曰：「權力爲共產主義之根本目的與根本工具，因而黨中爭權，成爲無可免之現象。爭權，不可抗之現象，而爭權，而視之爲超凡入聖，而務爭權，而視敗之爲奇恥大辱」。試問以爭權爲事之黨，內爭個人領導之權，外爭國際交涉勝敗之權，無民胞物與之念存於心中，如何而能爲人類造福哉！

以上就吉氏書前三章，甲革命性質，乙新階級，丙黨的國家中，摘錄要點，其餘六章，均爲要點之闡發與證明，姑且從略。吉氏「對人心之暴虐」一章中，言列寧氏自命爲馬克思主義者，然馬氏資本論一書，列氏並未讀過，又云列氏於一九〇九年著「唯物主義與批判主義」一書時，對於古代與現代各哲學家，均未有深刻研究，但知合於已之學說則採之，異於已者排之而已。吉氏更論「科學家在蘇俄之厄運」曰：「如原子之運行不合於克氏馬氏正反合鬥爭之學說，此等物理學家不知如何而後可。天體之運行於共產辯證法，此等天文學家又不知將如何而可，如植物不依李森科氏史大林環境改造之說，則生物家不知將如何而可。此等科學家既不能否認其所自信，惟有自陷於黨中所視爲邪說之一途，倘期其所發見得政府承認，惟有就其發明之合於馬列主義者爲之而已。科學家中日處於矛盾中，求其自身之發明不背於政府教條」。如此云云，可以知二三十年來蘇俄思想所受之桎梏爲何如。

我以爲外人所當問者：吉氏書何能以偷關漏稅方法攜至美國？且得在美出版？此南國共產黨人識見其理論之重要，可以與壟斷馬列主義理論爲事之蘇俄相鬥爭，且大開社會主義各走各路之門徑故也。即令鐵托不預聞其事，然鐵托氏左右如冷哥唯次氏者，對於吉氏在囹圄中著書立說，豈有不知之理。待書已成，忽而偷運出版，其非尋常偷關手段所能濟事，可以想見。據聯合國職員告我云，此書由出版家魯斯氏夫人帶至美國，魯氏非帶私貨之人，其由吉氏轉託魯氏，意中事也。況此次南國新黨綱中表明與蘇俄相反之三點方法：（一）西方國家社會改造，不必經過革命，可依進化行之。（二）東西在冷戰之對壘，蘇俄應負責任。（三）共產國家中官僚主義，惟有賴直接民主爲補救之法。此種論調爲蘇俄所痛恨，由冷哥唯次氏當場宣讀，而冷氏爲吉氏得意門生，爲其忠實信徒，吾見南國新黨綱爲吉氏書之縮寫而已。

【本文轉載自七月十六日出版「再生」總三七〇號】—編者—

國際動態拾零

△七月十五下午三時另四分，美海軍開始在黎巴嫩京城貝魯特之海濱登陸；四十分鐘後即到達飛機場，此爲美軍七千人繼續開黎之先頭部隊。奈十六日上午十一時，陸軍總司令沙海（Shehae）出動坦克十四輛及炮隊于沙灘及飛機場打算反抗，美大使急電黎總統，乃召集緊急會議于總統家中，有黎總統，美大使，黎軍總司令沙海，及美海軍陸戰隊司令。沙海辯稱他事先不知美軍之來，係總統所請求，繼謂恐軍心不服，擬請辭職，旋復撤消其主張。黎軍似有擁立其司令爲總統本意，而叛軍亦支持之，現則爲美軍所粉碎。

△七月八日，上午三時，約旦王御衛隊長雷地（Rahdi）於其私邸，因爲他與納塞勾結，謀殺哈辛王的計劃，業已敗露，——這是與在伊拉克同時佈置下來的陰謀。牽涉軍官六十人，有駐在約但之伊拉克軍隊中之軍官在內。於是二年前驅逐英軍出境，蘇彝士運河事變時頗爲納塞先驅之胡辛王，不得不向英國請求派兵保護。十六日英降落傘部隊，於美機五十架低飛掩護之下，遂在約京登陸。美國除代運汽油每日千噸外，復貸以一億二千五百萬的政費。但胡辛欲出兵伊拉克，則英美均與以制止。

△英國獲得情報，謂七月十八日，埃敍聯軍將開進約但，約但陸軍則爲其內應。

△土耳其曾得情報，謂三星期前，已將伊軍叛變之陰謀告知伊拉克總理，但不被其重視。此項情報曾得自瑞士。而伊軍軍官此談話，亦洩漏了此一秘密。

•陶然•

書刊介紹

符兆祥的「愛與幻」

賴家枋

「愛與幻」（台灣民友週刊社出版）這本書的作者符兆祥這個人，當朋友爲我介紹他的時候，我對他是頗爲有些驚訝的，因爲他竟是那麼年輕，已經寫了三本小說。

他對我說他的文章寫得很不成熟，同時承認他有極重的自卑感；但在我看來，他是應當感到自豪的。

他的作品與別的作家比起來，是並不遜色的。他是有天才的，我覺得社會應該鼓勵他，因爲有天才的人畢竟並不很多。

「愛與幻」是他的第二本小說，裏面包括了六個短篇。第一篇『水娃』，這類體裁的小說，原是很陳舊，不過由他寫來還是極生動的。在短短的幾千字中，用纏綿，悲愴的筆調描寫出那一份絕望的愛，讀後予人以不勝悵惘的感覺。

第二篇是『我的黃臉婆』，這是一篇諷刺文章，用風趣新穎的字句，描寫出目前一班崇洋的幼稚心理，這是很別緻的，誰看了都會忍不住笑起來。

「安平港的黃昏」，哲學味道很濃，很深刻，開頭與結尾，他都用一種詩的意境來襯托，很成功。

談到『愛與幻』因爲本書是用它的命名，我想它一定是比較好的，其實，並不算很好，內容有些零亂，我雖不喜歡它，但仍同意裏面所說的。「因爲生活是現實的，這就是爲什麼世界上有那麼多悲劇發生了。」

其餘兩篇是『銘謝當選』和『誠實』，前一篇是諷刺小說，他寫諷刺文是別創一格，台灣用這種筆調寫諷刺文章的人並不多；後一篇我覺得他寫得太殘忍了，我頗怪他落筆時心腸太硬。作者的小說是在進步的，因爲他還很年青而有天才。

自由談

歡迎毛共來犯

馬五先生

毛共的俄製米格式飛機，最近竄入台灣海峽南部，與我巡邏機發生遭遇戰的消息，頗聳動世人聽聞，以爲毛共或有實行進犯台澎的決心。我却認定它祗是鼠竊狗偸的行爲，企圖藉此嚇唬美國，間接替俄帝增加其對美國從事政治勒索的資本而已。

自從美英進兵中東黎巴嫩與約但，俄帝要求舉行五國高層會議以解決中東危機之時起，毛共即在大陸上一面裏脅民衆，到處表演遊行示威，反對美英出兵中東的鬧劇，一面重彈「解放台灣」的濫調，爲俄帝張目助勢，恪盡「兒皇帝」的職責；同時因爲它會以最後通牒的詞色，限令美國在半月內恢復日內瓦「美、毛談判」而碰壁撞板，大丟其臉的關係，在民衆面前再不能騙吹「美帝是紙老虎」的法螺了。積此對內對外的種種因素，乃向台灣海峽上空，幹一下「偸營式」的勾當，既可以對大陸人民作神話性的宣傳，又可以向俄帝表示忠貞氣慨，且希望美國因害怕戰爭而對毛共作進一步的妥協。毛共果有大舉進犯台澎的膽量，又何致於只向我軍兩架覆式巡邏機突擊，而不敢碰碰美國第七艦隊在台灣海峽上空協防游弋的機羣呢？

亂叫的狗即不會咬人，毛共越是絕叫「解放台灣」之聲，就越顯示其夜行吹口哨的懼怯心情。我們唯恐它不敢實行進犯台澎，使枕戈擐甲、躍躍欲試的國軍，深感英雄無用武之地的苦悶。四五年前，金門守軍即已一火擒斬過數以千計的賊軍，現在全軍每個將士都有這種能力與信心，就愁濟毛共僅是幾架飛機來騷擾一瞬間即溜走，而始終不能以大隊人馬投入我軍的掌握中，未免令人失望之至！

時局太沉悶了，我們歡迎毛共向台澎大舉蠢動，看看結果究竟是誰解放誰吧？

杜牧的浪漫詩

杜撰

聽說很多新詩人也知道有個杜牧詩人的名字，還有一位新詩人以爲杜牧是杜甫的別名或兄弟。陶倪是陶潛的弟兄或別名，甚至把蘇軾與蘇洵，認爲陶淵明是唐朝人而蘇軾是宋代人，把「長恨歌」算爲李白的大作。現在讀詩道樣差至此，可歎！

現在讀新唐書杜佑列傳內說他「牧之剛直有奇節，不爲齪齪小謹，敢論列大事，指陳病利，尤切至。」（杜牧，字牧之）其實他還是一個風流自賞，浪漫成性的詩人。

詩話總龜：「杜牧自御史分司洛陽，李司徒罷鎮閒居，聲伎爲當時第一，因會朝士，以牧之嘗任風憲，不敢邀置，牧之諷坐客達意，李遂邀之。牧之方對花獨酌，亦已酣暢，聞命遽來，問曰：『聞有紫雲者孰是？』因指示牧之，牧之作詩曰：『華堂今日綺筵開，誰使分司御史來，忽發狂言驚滿座，兩行紅粉一時回。』意氣閒逸，旁若無人。」

唐詩紀事：「牧佐宣城幕，遊湖州，刺史崔君張水戲，使州人畢觀，令牧閒行，閱奇麗，得垂髫者十餘歲。後十四年，牧刺湖州，其人已嫁生子矣。乃悵而爲詩：『自是尋春去較遲，不須惆悵怨芳時，狂風落盡深紅色，綠葉成陰子滿枝。』」

古今詩話：「杜牧之登科後，三年猶放浪。詩云：『落魄江湖載酒行，楚腰纖細掌中輕，十年一覺揚州夢，贏得青樓薄倖名。』」又：「觥船一棹百分空，十載青春不負公，今日鬢絲禪榻畔，茶烟輕颺落花中。」

雖然讀些句子不像新詩人的名句如：「我愛你，妹妹呀」之類肉麻而通俗，其爲浪漫則一也。

寫作易·讀書難

詠苞

世界上最易的事莫如寫作，我說實話並不是沒有根據的。記得寫「劫後英雄傳」的作者，寫小說之神速，甚爲驚人，一連寫一個月，茶飯不思，只見一張張白色的紙，填上了一個個黑色的字，寫了一張便順手飄在地上，越飄越多，經過一個月後，把這些有字的紙撿拾起來，排好次序，寄去報館發表，或拿去出版商出版，這樣便成一本小說，你道世上的事有比這個更易嗎？

筆者更有這麼一個經驗，除非不寫，一寫便寫來寫去都寫不完的，有人說寫作苦惱，也會想起做文章來。你道這苦惱不？因此我現在已設有了一個小冊子，名叫「靈感錄」，我是患上情感（也可說靈感）太豐富的毛病，我承認我頭腦有這個毛病，我病得我的筆不能如我的靈感那麼快，幾許寶貴的靈感就在寫的時候溜走了，永遠不回來。

這道可惜！靈感太多也是世上煩惱事之一，就我來說，就有這個靈感，我把靈感寫在一張張的紙上，多想像，多愁善感，我自小便每事都有很多感觸，甚至幻想，有些入非非之感，在行人路上給人碰了一下，便想一用「一碰」的題目，發表一下，連發打了個噴嚏，也要自己用一張紙，寫了下來，納入外衣袋中，隨時隨地把靈感登起來，回到家裏，關上門，便胡天胡帝，仿效大作家的辦法，寫起臭文章起來。

大塊假我以文章，這是古人對寫文章題材易找的佳句，我則說，「撒尿放屁皆文章，秋波臀浪亦題材。」然耶？然耶？非耶？我不欲與各位辯論矣！

我認爲世界難事雖多，讀書可說是最難了，有人說，讀書有甚難讀，叫我是懶鬼，厭惡讀書的敗家仔，其實我是我最愛讀書的，可是我最難應付就是書本了，或有人說，古人一目十行，近人也有一目十行的，可見讀書之快，且現代社會進步，印刷快，市面充斥各式各樣的書本，你喜歡言情的有言情，喜歡文藝的有文藝，選擇自己愛好的書讀，又有甚麼難呢？一定是嫌費精神去讀才眞。

這回，你們錯了，讀書確屬不難，難是難在了解作者當時的心情與處境，譬如讀到一句如「落花片片東南飄」，會聯想到作者當時失意的情形嗎？心境怎樣嗎？抱甚麼念頭嗎？這些，會都是我們的想像吧了，我們的確是很難知道他的確實情形的。

我說讀書難是指難在這地方，一隻隻的蠅頭字難道還看不通嗎？不懂的字可以找字典，看不出作者的處境，確屬讀書的一個大損失。

有很多作家，很能表達自己的意思，曲曲傳神，但有些只能表現出自己一部份情緒，甚至詞不達意者也有，所以，單讀書面上的字，不能看出作者的心情。也有些作家很會作狀，從未戀愛過的卻裝模作樣，竟然像曾經飽歷滄桑似的，大寫其戀愛經驗，作起情意綿綿的言情小說來；從未到過香港的，竟然寫起本港的風土人情，栩栩如生，連我這個地頭虫也大嘆不及呢！有些人對教育從未涉獵其間，寫起文章起來，儼然像個教育家，對一切難題，皆若胸有成竹，大有舉足輕重之勢，給人還覺內幕，原來乃集百家之大成而爲已見。

反過來看，有些作家是故作驚人之舉的，把感情隱藏得絲毫不露，雖然失戀了，心情奇劣，依然能寫出花樣文章，這不能不佩服他們啊！

我們讀歷史的時候，有時會對事實懷疑，這是否眞的呢？歷史說漢劉邦在未顯達時，見了始皇列車，說：「大丈夫當如是也！」你相信他會說這句話嗎？我寫歷史的人不多是信，但又不多信，寫歷史的人不是親眼見的他說，輾轉相傳，難免有錯，也許別人見他有志氣，故意造出他少年時的言行，也可能他從未有過這樣的念頭，是他人爲他捏造出來的，你道，我們讀書眞的不知該信否，何去何從，難矣哉！

山

尤崇洵

屬于生命片斷的補綴，悲哀的拾零，我常眼見到那幾座憶念中故鄉的山嶺，浮現在這裏的衆山間了。

幼小時，一次是八舅帶我登山。依着樹幹，我畏怯的向下望去，周圍有耀目的暮天。因撥不開樹邊的雲彩，在多色的燦爛裏，我屏息着呼吸。

『看見了沒有？那紅磚的牆，鬱綠的古木，家啊！』

我努力張望着，除了炫目的落日，斑爛的天空外，腳下只一片點點的迷茫了。紅磚的牆，灰色瓦，褐色的廟，蒼鬱的山，分布各處，（而現在又增有一個褪色的夢了。）却不知道羣山之間何處是家？而我撒着謊：

『是啊，看到了，還有大門上的環鈴。』

又一次，表哥帶着一隻骨折的手，領我們一起登上另一座山了。

那山較抖一些。雖是薄暮，蒼穹裏的白雲依稀可見。風與暮色灰暗的一致一般，柔順的流動着。登上山嶺，暮靄沉沉，我見到一塊殘廢軍人的石像，在峯頂屹立。

表哥說出了這軍人的故事，我所記得的僅是：他是一個英雄，但因爲英勇，成了殘廢。

另一次，我依偎樓上的窗欞，我發見了一個新世界：一座褐色的黃土坡上，有一座剝落的古廟，這壁上吃力的龜裂，也能清楚見到。廟裏的鐘聲像是上一個世紀的遺物，孅孅繞于衆山之間，終而無力的沉默下去。

在無數的山與山之間，我記憶着那被困在山間的園，固定的庭院，被時光腐蝕的牆宇，而又重溫了一次褪色的夢。

承友垂詢近狀賦代簡

張自銘

宣傳文化事丹鉛，一紙風行四十年，倏爾停刊緣底事？共驚霹靂起晴天。

家山悵望月明中，海角些些事業空，偏有黃楊逢閏厄，又傳强弩篡冥鴻。

勞形筆硯老張郎，浪說文章可救亡，久困南邦還自解，古來名士尚投荒。

會從虎口保餘生，衣食斯邦心太平，甚矣吾衰思屏跡，茫茫何處可歸耕？

寸心如水鬢如絲，飲蘗茹荼苦自知，家在夢中餘涕淚，身居海外老頭皮。

流言蜚語逼人來，一枕難安夢屢回，有我誰能除苦惱，聖賢受謗況庸才。（前人有「欲除煩惱須無我」之句）

蟬蜒蠅點不相侔，畢竟伊誰是善謀，銷盡雄心安素位，謬人騎鶴上揚州。

性成散懶復憂疑，遠近書來作答遲，生計蕭條腰腳健，祇憑此事報相知。

（作于耶加達）

科學小品

人造眞珠

黎朝拔

由於人造眞珠的出現，買不起天然眞珠的人，也可以購買人造珍珠。而且，一顆珠在有之下，又難於分辨到底是人造或者是天然。人造眞珠便廣得人們的歡迎。

人造眞珠係用眞珠液塗在玻璃球而成。玻璃球係用鉛玻璃，穿有一個孔，球的正中。眞珠液的主要原料爲魚鱗，最上等的魚鱗，爲鱺白魚的魚鱗。

製造人造眞珠的程序，先將玻璃球穿以鐵絲，然後浸入眞珠液內，倒吊陰乾，如是重覆做五、六次，便成爲美麗的人造眞珠了。

中篇小說

在日本獄中

蒙啬

五

陳添丁走開之後，凝呆和失望落到我的身上，我感到沉重而焦灼，我知道了我所不知道的。後牆的大洞口，陳添丁在外面給擋好了，是用喂馬用的谷草捆擋上的。

台灣人，我想，日本人統治了五十年，中國人的民族思想並沒有被他們消滅掉……一時，我想了好多關於日本戰敗後的景象，中國人怎樣重新恢復自己的一切，建設成一個現代國家……想了很多家裏的人，該和我同樣的等待我安全的出獄，現在，獄裏陰冷而黑暗，自己一個人好像飄浮在黑暗的大海上，迷迷茫茫，無限空虛，我哭了，彷彿我這是第一次。家裏的人怎麼樣了呢？父親是不是還繼續在學校教書，哥哥，妹妹他們是不是還在讀書？如果一兩天之內，我能趕到家的話，我該好好的痛哭一次，把這一年來的遭遇，心裏的鬱結一齊傾吐出來，然後我該快快活活的再開始新的生活，我睡去了，我夢見哥哥雅光和蕙如妹妹來接我，我又夢見平日那些譏諷我的人，也對我表示歡笑。

我聽到了爆炸的聲響，在夢中。

屋釐外面有日本軍的沉重腳步聲，接着就有十幾個黑影從窗子外面急速的跑過。我的心顫抖着悄悄的從塌塌米上滑到地下，這樣我就可以比較安全的俯在地下，手槍把子彈上好，我預備迎接一場嚴重的情勢，這大張破塌塌米席子正好擋住我半面身子。

外面有一閃閃的亮光，好像手電筒。我躲藏好了。這都是陳添丁告訴我的，日本人也可能下毒手在他們緊急的時候。

爆炸聲響連續的不停，震動的連地下都有些顫動，可是聽聲音並不像很近的地方，遠天像閃電似的有一閃光明明滅滅，這時候我聽到我隔室的難友在喊我了。

「我是一八七！一八七！」那聲音告訴我。

「他們要完了！」我說。

「眞的？」他笑了，好像我們慣有自嘲式的笑。

「眞的！那個騙你！可是昨天我就沒有喊到你！」

「我和一八三那位老先生，都被山本那小子給弄到別的地方去，關到地下室剛剛回來的。」

「那你們舒服了，」我說。

「當然！獄長請我們吃荷蘭水！」他自我嘲弄的說。吃荷蘭水，是灌辣椒水，這是日本人常用的逼供方法。

「那麼一八三號那位老先生呢？」

「他！唉！」他嘆了一聲說：「恐怕（回家）了！」

一八三號老先生是個在中學教國文的老師，被捕的理由是他講書時候今比古的多講一些民間的影子。他竟不堪折磨地死去。我看到他的影子。

「那麼你呢？」我問。

「我嗎？我預備和他們拚下去的！」他很強健的說。

這時有很多日本兵走來，匆匆的經過門口。遠方仍有閃光。時時傳來隆隆的聲響。

一八三號是一位工程師，他身材彷彿很高大。我把陳添丁的故事告訴他，他表示要慣重，他是很……

「有很多大的環境和小的事情銜接不起來，就要出亂子，比如說日本戰是眞的，可是，比如說日本人多數是在我們中國領土上打的，俄戰收了，也不妨害日本人的傷亡，況且我們身在獄中……」

「你何必太悲觀呢？豈不置之死地而後生！」我說。「我們也應該有一個準備，萬一有變化。」

「那自然！」

日本巡邏來了，帶來漆黑而死寂的夜，在他皮靴下面顫抖，我們下裝睡覺。還要打出鼾聲，表示睡的很甜。我也聽見一八三號的打鼾聲，一起一俯，和我的聲響交替着，是苦難心靈的共鳴。（六）

稿酬：

本報六月份全月稿費通知單已分別付郵，請惠稿文友，憑單領取爲荷。

編輯部啓

自由人

THE FREEMAN

（第七七四期）

中華民國僑務委員會登記證僑字第一第二號

中華郵政登記認爲第一類新聞紙類

（半週刊　星期三、六出版）

每份港幣壹毫

台北台省台幣壹元伍角

督印人：陳文華

地址：香港高士打道二十號四樓

20 CAUSEWAY RD. 3RD FL. HONG KONG

TEL. 771726

承印者：東南印務出版社

地址：高士打道六十四號

台灣總經理處

台北市西寧南路壹壹零號二樓

電話：三○三四六

台郵政劃撥儲金戶九二五二

海外總經銷：新友書報發行公司

香港：德輔道中二十六號A二樓

西方民主國家之前途

伍憲子

自蘇彝士運河事件之後，至最近伊拉克政變，美國登陸黎巴嫩，英傘兵降落約旦，西方國家似有振作之氣。然僅此而已，不聞有進一步計劃，而且虎頭蛇尾，不只不能救出伊拉克，反想認其新政權，乘想中立黎巴嫩。於是希望西方國家振作之人士，如冷水澆背，搖頭歎息，謂西方又打一次敗仗。西方果眞打敗仗乎，共產黨與其同路人果眞打勝仗乎，此篇之作，欲解答此問題。

一、

我非偏袒西方國家，我對西方之民主政治期望亦不高，我深知民主國家之對蘇俄，已着着失敗，而且其失敗不自今始。在二次大戰當中，早注定失敗之局。爲什麼一定要徹底打倒德日，而不識及早安撫之。既打倒之，又再扶掖之，狐埋狐搰，喫力而不討好。因此替蘇俄開關侵略東歐與侵略東亞之路，造成十餘年來東西雙方冷戰之局面。此是羅斯福邱吉爾智慧不足，短視，動感情而失理智，太狹隘而缺寬容，粗略而無計劃。羅斯福邱吉爾尚且如此，其他則又何說。所以十餘年來，東西方冷戰當中，西方常處於被動地位，只有招架，故其失敗，實在意中。我嘗作一譬喩，謂美國是鄉下人，新發財，其樸實可愛，其幼稚可哂，其愚笨可憐。英國是老紳士，擺架子，講威儀，可惜近於腐敗，無勇氣求長進。法國是破落戶，大少爺，體質脆弱，習染太深。三者各有各的作風，因此，不能沆瀣一氣，不能精誠合作。不幸又碰着蘇俄，他是一個惡霸，蠻橫不講理，老紳士與大少爺皆畏之。鄉下人的拳頭，本可與之一較，但又自珍惜其新發財之地位。粵諺所謂磁器碗不碰爛瓦兕，所以造成惡霸之幸運。此是十餘年來東西雙方冷戰中，西方國家着着失敗之情形。但我斷不因此而謂西方無前途，西方依然有把握戰勝蘇俄。

二、

或者以爲西方既着着失敗，令世界上許多國家平日倚賴西方與希望西方者，爲之恐懼，爲之動搖，漸趨向於中立，此是西方國家前途之極大打擊。誠然，此是眼前一個可憂現象。然事實上西方國家既苟且偸安，不想發動大戰，就等於鼓吹其他國家趨向於中立，因爲其不識得爭取與國。但以現勢論，中立國家之對西方，仍是利多而害少，對蘇俄則利少而害多，此義可引荀子之言以明之。荀子云：「王奪之人，霸奪之與，強奪之地，奪之人者臣諸侯，奪之與者友諸侯，奪之地者敵諸侯，臣諸侯者王，友諸侯者霸，敵諸侯者危」。此義以現勢觀之，不難解釋。奪之人者公心以爭取賢才，現世似無此雅量之王者。奪之與者各爭與國，西方與蘇俄皆各運用其手段，在彼此較量之下，西方雖近於拙劣，但蘇俄亦未見得高明。今世界上所謂中立國家，眞正傾向蘇俄者尚少，而平日傾向西方者，現或變爲中立，表面觀之，西方確失與國，但亦祇失與國而已，尚不至成爲敵人。反之，蘇俄亦未必能增加與國，甚且已認爲與國，亦漸變爲敵。

從此觀察，則西方縱弱，即使世界國家漸趨於中立，然所謂中立者之對蘇俄，仍是恐懼之心多，親蘇之心少。故我們不必爲此而危言以助長蘇俄，我們應當想法以醫治西方。

三、

西方本身之缺點很多，我上文所說鄉下人，老紳士，大少爺之譬喩，是恰當而非刻薄，故我們依賴西方之心，萬不宜過重。反之，我們要設法救治西方，須知共產主義之爲禍西方，其乘蘇俄之武力而來，其爲禍尚小，中產階級與知識分子之受搖惑，其爲禍甚大。故對付共產主義，非現代西方之民主生活方式所能爲功，亦非專靠原子武器所能威脅。釜底抽薪，根本辦法，在於改造資本主義之功利文化。可惜現代國家，現代哲人，多不明白此義，大家只希望美援，由巨量金錢至原子武器，徒恃與蘇俄鬥，非上策也。我們並非憎惡金錢，我們更需要原子武器，但我們斷不能因此之故，而一切皆依賴西方，信爲萬能，而忘記西方之醫德，資本主義之文化，而不設法爲之醫治。現階段，至智勇爲止，智者多懷疑，智者之爲計太工，智者往往顧慮到多方面，因此之故，所謂勇，往成虎頭蛇尾，其始來勢洶洶，其後烟消雲散。粵諺有一句「陰陽怕懵懂」，陰陽者，智者也。智者之陰陽，質言之，就是疑惑多，換言之，就是膽汁不够，十餘年來，西方國家之遇蘇俄，着着失敗，其原因在此。故智勇不足恃，必當進於仁勇以藥之。

四、

試舉一事證之，蘇俄外强中乾，必不敢發動大戰，此稍留心世局之人所深知。以西方政治家之聰明，加以情報之多，對蘇俄內幕偵察更透。所以杜魯門毅然決然敢於出兵韓國，艾森豪亦毅然決然敢於登陸黎巴嫩，不知者以爲冒險，其實非冒險，蓋早看透蘇俄不敢發動大戰也，此就是西方之智勇。然僅此而已，因爲其所鬥者在智，蘇俄亦以智勝之。蘇俄亦知西方苟且偸安，不想發動大戰，故象煞有介事，作大戰前夕之威脅。果然，西方智勇之自信心不堅，受其動搖，又作進一步萬一大戰爆發之想。西方之民主生活方式，有其脆弱之一面，就是久享自由，慣耽逸樂，怕遭遇毀滅之大戰。自然而然，又退一步而求苟安，不得已承認蘇俄侵略所造成之事實。此則十餘年來，乃至最近之中東事件，西方又打敗仗之値隨情形。因此之故，許多人就爲西方國家之前途担憂，以爲長此拖下去，則西方盟國，難免「漢陽諸姬楚實盡之」之慘，而蘇俄則得寸進寸，得尺進尺，由蠶食以至鯨吞，所向成功矣。是說也，有一方面理由，故我們爲西方國家前途計，當醫治之，使由智勇進於仁勇，此是世界人類之責任，而我們中國之人性文化，實開其先河，我們更當努力。

五、

然而美滿之事，有時難如人所期望。在西方民主尚未能盡符我們理想之前，姑照目前現象說，西方雖已着着失敗，我們亦相信其終得勝利。一、就經濟言，可與其信共產黨妄說，以拖跨西方，不如信經濟實情，在竭澤而漁，人民困於飢餓綫上，必先拖跨共產黨。二、就政治言，西方之民主政治方式，逸樂多於憂勤，不容易處艱難之會，但比之共產黨之違背人性，滅絕人情，其誰得人心，誰可以支持長久，人亦不難辨明。三、就軍事言，共產集團軍隊之數量相當驚人，然與其說中心誠服，受節制於主義下，無寧說勉強服從，受監制於整肅恐怖下，此種軍隊，平時利於冷戰，可以擺威風，眞正戰時，恐要各尋出路，一旦土崩瓦解。四、就文化言，世界到底是人類世界，假令人類失去性靈，則世界末日，故無論機械如何發達，都是人類利用機械，不能任機械軋死人類，然而共產黨竟欲任機械軋死人類，此是共產黨失敗之徵。以上四點，皆是眞理，我們應該深信，西方國家目前雖失敗，結果必得勝利，此信念我們不應動搖，現在許多失去人性，受機械驅使之人，我們亦信其恢復靈明，不甘被機器軋死。願以此義告民主人士，請勿灰心。

半週述評

美國後門的火警

毛、赫會談，搶盡了高峯會議前夕的鏡頭，儘管外電反映華府官方的態度是「冷淡」，「不足奇」，但畢竟這是一個富有刺激性的發展；至少是「費思量的」。杜爾斯甚至要以譏笑的口吻說，何以北平會談的公報要涉及南美洲。

爲什麼毛、赫之會談要涉及到拉丁美洲，因爲這些地區是北美洲的後門，這些後門裏多多少少也還存在着一些「殖民地主義」的氣味，有足可以供其煽動民族運動的因素在。

南美中東同樣重要

美軍在中東的登陸，算是打勝了一仗，此勝不是軍事上的勝利，而是政治上的勝利。如果美國能小心謹慎地避免刺激中南美的拉丁民族，不在鄰邦小國面前隨便放出大國氣焰，共產黨的宣傳煽惑，又何足懼哉！援助落後待開發地區的國家容易，（因爲這祇是錢和技術的問題）但要做到眞能善爲體貼落後地區的國家，適當的滿足這些地區的民族情緒的發展，似乎要難些。如果美國能善爲之謀，還是能克服的。

中東之勝在政策

中東的緊張情勢已經大大緩和了，英美能夠壓抑住焦燥的情緒，不向伊拉克進兵，該是備戰和策略的最大成功。

儘管有很多輿論對此不滿，認爲喪失了西方制勝蘇聯的良機，但是在世界政治家的意識裏，能避戰、不戰才是現實的。

筆者認爲美英現時在中東的新政策，將是扭轉中東態勢的一個良好的開端，這次的行動強烈的表示西方不是好戰的，其行動也不再是一世紀前的陳腐的炮艦政策。祇要這樣的政策能有力地以溫和方式推展下去，不難將阿拉伯民族原本所持之中間偏左路綫，拉回到中間偏右的方向來。

目前這一趨勢正有着良好的發展的趨勢。毛赫會談之所以着重於叫囂民族運動，大概也正是發覺到中東未來的情勢發展，將有不利於共黨之可能，相反的，美國和英國已經決定，一旦黎巴嫩和約旦形勢更見緩和，必然從兩國撤兵，而艾森豪對於伊拉克現政權的政策和卡遜將軍的態度也甚爲欣賞。

所以莫斯科儘可以汚蠛地詛咒畢非是特務，其實充其量他不過是美國對中東施行「統戰」的執行人，如果西方沒有新的中東政策，即使畢非眞是大特務，他也無能爲力的。

對台峽情勢的看法

正當中東情勢逐漸緩和之時，台灣海峽的情勢，被一致公認是轉爲吃緊了。對於目前台峽的情況，究應從常態的彼弛此張角度來觀察呢？抑應用非常的態度來看它呢？眞是仁者見仁，智者見智。惟筆者認爲，加強警惕，沉着應付實有必要，驚慌失措，則大可不必，過份地強調危險和宣傳中共即將來犯，祇是徒然擾亂人心。

高峯會議更值得注意

同時，在筆者看來，只要台灣確有防衛金馬的準備，有不惜一戰的決心，似乎還應該把視綫多注意高峯會議的發展。

就目前的情況看，高峯會議要則不開，若開，則在日內瓦召開的可能性較大，因爲成功湖不是適宜作幕後活動交易的場所；只有國聯所在地的日內瓦，才適宜於讓這些「政治家」作場外交易。

因此，我覺得台灣海峽的軍情固要注意，而高峯會議也不能忽視呢！

李金驊

論國際中間勢力

雅斯

「納撒是蘇俄工具」，這句話在後果言的確如此，在動機上卻又未必盡然，就是說，納撒也想利用蘇聯，不是片面的光爲蘇俄所利用，問題是：爲什麼蘇聯集團能够利用他，而西方國家則否？

蘇聯雖然是個新殖民帝國，但歷史尚新，其對于中東，非洲以至東南亞一些國家民族主義的正面衝突，自不如西方殖民主義之大。這些民族領導者的成功之路，必須朝向打破現狀，因此勢非與西方國家發生衝突不可。同時西方國家多是現實主義者，其所能同意于改變關係的，又極難到了使他們滿意的階段而不爲本國人所反對。蘇聯在這些區域則眞個是「無產階級」，樂于慷他人之慨。這說明爲什麼西方不能讓用鈔彈爭得納撒，而祇能拉攏一些幾乎與當地民族利益站在相反面而在生活思想上又極端落伍的王族，西方不是不想利用納撒之流，就對狄托也存幻想，可是缺乏積極堅決的做法，其目的祇是爲了達成苟安的「和平共存」，故幻想僅止于幻想而已。

納撒不滿西方，又不願蘇俄統治中東而走向中間；狄托不滿蘇俄，由于共產主義畢竟「血濃于水」，卻不能偏向西方，而走向中間。那是很自然的。換言之，這個中立主義乃成長于內部而發展于東西兩集團的尖銳對立間。

七月中旬納撒與狄托會談後發表布里昂島會議結束的五百字公報，譴責「外國操縱，干涉他國內政，對他國施加壓力，武力，或武力威脅」，就一破往例地把東西兩集團相提並論。納撒加上狄托，多少改變了過去尼赫魯中立主義的性質。

從性質上言，狄、納號召下的中間勢力，不比尼赫魯空有口號，光是說客式的行動。狄托有的是強大的南斯拉夫做本錢，又有的是修正主義的理論武器；納撒有的是埃及阿拉伯聯合共和國做地盤，又有的是大阿拉伯主義。雖然這兩件精神武器不是一致的，卻也不致衝突而同歸于民族利益與國家主義。他們合作而成的陣綫，在影響上，很可能使過去一些搖擺于兩大之間的國家暫時穩住。印度的尼赫魯，是中立主義口號的始倡者，他對蘇聯儘管助紂爲虐，但一向是不讓共黨在國內活動的；印尼的蘇加諾，因爲耶加達政府爲共黨滲入把持鬧至幾乎不可收拾，連自己的政權也岌岌難保，未嘗沒有戒心；緬甸的宇努政權一向就受共黨武力威脅，只能表示不與任何集團結盟，在還就共黨之作風下，行其所謂中立政策；甚至曾由美國一手扶植復原的日本，也在東西兩極搖擺，最近爲討好阿拉伯集團，反對美國出兵干涉，搶着承認伊拉克政權；就是號稱西方四強之一的法國，自戴高上台後在最近高層會議醞釀中，也許是爲了要解決北非事件的難題而示好于納撒，因而也顯出中立姿態在與蘇聯周旋。希臘爲了塞浦路島問題早已于七月初旬如荼如火的與埃、南有過外長會議，以擺脫兩大集團的勢力爲共同方針；至于伊拉克事變，完全由埃敍阿拉伯聯合共和國所策劃已彰彰明甚；黎巴嫩總統夏蒙的下台與希哈布的被選繼任，充份表示黎巴嫩中立化，終將走納撒集團懷抱中；約旦胡辛王的掙扎已陷于四面楚歌中，中立化恐也僅時間問題耳。

這些中立趨向的國家，雖然由於一時利害關係，不能馬上有個龐大的組織，但這個趨勢已遍及世界各地區，是無可置疑的。他們演變到今天，且已趨向於獨立構成的一個力量，而非倚賴兩大集團的矛盾而存在，不復老是搖擺在兩大之間，「中」而不「立」了。

對於這個勢力，蘇聯當是不願納撒與狄托眞的打成一片的，不過仍在極力利用以打擊西方。英美也已逐漸正視這個勢力的形成，而不願站在對面硬碰，觀于最近對伊拉克事變採取等待態度，且將予承認，祇盼新政府勿投在蘇聯懷抱中。

這個勢力將成爲兩大集團拉攏的對象，或將由政治戰轉向經濟戰，不過經濟攻勢仍是以政治爲目的的，至于這個新局勢的形式，對自由世界是福是禍，對堅決反共的國家是利是害，觀點儘不同，不過有一點是：無論任何國家，尤其是美國對此新形勢，應該勇敢地站在民族主義前頭，從新考慮新的政策。我國對此更是不能「以不變應萬變」的了。

十年來台灣出版業鳥瞰

郭雁翎

台灣通訊

台灣在日人統治時期，厲行和化，禁止漢姓漢語。光復後，日文書籍一掃而空，漢文書籍幾乎沒有。商務印書館及中華書局雖然有台灣分館（局），規模很小。正中書局與世界書局於三十八年倉促遷台，也無遠大計劃。作者於三十七年多到台，看到各書店冷落可憐。

十年前情況

三十八年以後，書店漸漸增多。與大陸有關係的爲開明書店與啓明書局。新創的有遠東圖書公司，大中國圖書公司，華國出版社，新中國出版社，中央文物供應社。華國出版社係王雲五所創。三十八年台灣各書店看不到反共書籍。現在回想起來，有點奇怪。華國出版社出版大批反共書籍，也出了若干普通書籍，大約因王氏太忙，不能兼顧出版業務，近年來聲色大減。中央文物供應社於三十九年十月成立，十一月即開業，關于三民主義理論，及反共抗俄的書刊多經該社出版，銷路很好。新中國出版社係爲供應軍中讀物辦的，三十九年出版了若干書籍，其後即未有所聞。

中華文化出版事業委員會於四十一年四月成立，由張其昀、程天放、陳雪屏、張道藩、崔書琴等任委員，從事古籍的整理，新著的編印。已出版了現代國民基本知識叢書五輯，每輯一百册。該會又出版集體撰述的論集，爲一特色。到現在已出版了二十餘種。隔了幾年又出現了一個類似的組織，名曰中華叢書委員會。出版了中華叢書與美術叢書。前一委員會出版書籍由中央文物供應社經售，後一委員會出版書籍則由台灣書店經銷。中華文化出版事業委員會是國民黨關係，而中華叢書委員會則是教育部方面關係。

漢籍複本影印

台灣原來保存的漢文書籍既少，大陸移民帶來書籍也很少。祇是中央圖書館及中央研究院帶來善本書籍很多。才到台灣時，運一個妥善的儲藏處所都難找到。加以台灣潮氣重，寄生虫衆多。許多國寶都有毀損之虞，後來便想到用影印複本的方法保存。因爲印刷術的進步，照像橡皮版廉價而工省，四十二年便有人來嘗試，嚴一萍創立藝文印書館，首先印行中國書譜，中國歷史參考圖譜，清明上河圖，資治通鑑，四史等。接着便有新興書局出現，也是以影印古書爲主要業務。藝文館選擇版本工料較精，印出的書籍很可靠。新興書局比較差些。藝文館後來出版十三經注疏。又擴充四史爲廿五史。該館廿五史中除四史外爲殿本。有胡偉克氏，原是軍人，四十四年靈機一動忽然要影印商務印書館百衲本二十五史，加以政府之竭力幫助，居然於四十五年底全部告成。商務印書館席豐履厚，當年張元濟氏等印廿五史，記得先後費了八年工夫，胡氏以外行，毫無基礎，居然於一年餘中，印成線裝書八百五十册，古色古香，眞是奇跡。藝文館受胡氏競爭的影響，訂戶減少，出版遲滯，預定六十八册，也增加爲八十册。到本年七月，纔出齊了。與兩種二十五史媲美的，有中華佛教文化館之影印佛教大藏經。前年已完成正編五十五巨册，現又預約續編四十五巨册，大藏經是根據日本印本影印的。

除了影印古書外，碑帖也影印了不少。蘭亭序、聖教序皆有幾種。啓明書局出版了碑帖集成三輯，多而不精，藝文印書館出了王羲之眞跡，孫過庭書譜幾種，還有世界分局新印柳公權金剛經等幾種，比較精美。

出版叢書的風氣

這幾年來，台灣出版叢書的風氣很盛。像樣的書局都有幾套叢書，列舉如下：

世界書局：諸子集成，漢學叢書，文學叢書，民族正氣叢書，通俗小說名著叢刊。

商務印書館：政法叢編，考據叢編，藝術叢編，詩詞叢編。

正中書局：正中文庫。

中央文物供應社：中國文化叢書，傳記叢書。

開明書店：開明文史叢刊，開明青年叢書，開明少年文學叢刊。

中華叢書委員會：中華叢書，藝術叢刊。

藝文印書館：國學標準典籍，藝文叢書。

新興書局：國學基本叢書叢書，名人筆記叢書。

台灣省文獻委員會：台灣叢書。

以上係重要的書店與出版社，此外還有復興書局，東方書店，三省書店，帕米爾書店，武學書局也都出版了若干書籍。中央研究院，台灣大學，台灣銀行經濟研究室也出版了若干極有價值的書籍，不能盡述。

以上所說出版機構都在台北。台中市有中央書局，瑞成書局，高雄市有大業書局也出版了一些書。

十餘年來台灣所出版的書，經國立中央圖書館編成「中華民國出版圖書目錄」三册，總計有七八千册。其中有少數係香港出版的。

缺點的檢討

綜觀十餘年來台灣的出版事業固然頗爲發達，而缺點仍多。可得而言者約如下述：

第一、台灣各書店或出版社雖有公司組織，實際有近於合夥。因此資力薄弱，各家之資本總額似屬祕密，局外人無法知道。最近世界書局總經理楊家駱自稱該局資產爲新台幣二百萬元。該局有印刷廠，大約資本已算很多的，能超過此數目的，不易多見。因爲資本不足，便難有大計劃，經營反不經濟。

第二、台灣外滙初經改革，從前滙率偏高，加以印刷成本也高，台灣書籍，除教科書外，很難以外銷的。台灣市場狹仄，很有價值的書籍，往往只能銷幾百部，自然難以收回成本。

第三、因爲書店多，銷路仄，演爲惡性競爭。台灣中等學生有二十餘萬人，小學生有一百餘萬人，教課書銷售最多。書店常有勾結職員，以推銷教課書情事。普通書籍，折扣愈過愈低，連環圖書甚至於以四折推銷。售價抑低，不得不設法減少成本，於是盜版翻印的事也多起來了。

外國的報紙雜誌常有很多書評，台灣的書評十分不發達。出版消息傳播不廣，印出的書籍賣不掉，要買的人却又找不着。供給與需要脫節。（四七，七，廿七于台北）

新內閣防止倒風

○牛六郎○

（台北短簡）近年來台灣工商界倒閉之風甚熾，據外滙貿易審議委員會調查，從去年七月一日至今年六月卅日之一年內，全省已宣告倒閉之工商行廠已有一百九十七家之多，其中一百五十二家是由於「經營不善，週轉失靈」；二十四家是「涉嫌詐欺，蓄意造成惡性倒閉」；其餘二十一家是「違法經營」，可見「惡性」倒閉的並不多。

陳閣首先便注意到這個嚴重的倒風問題，於是便飭由財經二部會同草擬「工商營運資金臨時貸款辦法」，並經由王雲五副院長及內政，司法行政，外貿會，財經二部及省財政廳長和台銀董事長田炯錦、谷鳳翔、尹仲容、嚴家淦、楊繼曾、陳漢平和張茲闓等組成之審查小組詳審後，呈奉核定公佈實行雖屬良法美意，但仍不能遏止此種已近惡性倒風之氣勢，蓋近日又有數家店商宣告倒閉也。

這給予陳內閣的考驗很大，且看如何澈底檢討改革。（七月廿八日台北）

慨談一件事

——關于胡適之先生的

陳永明

記得，前年在加拿大的溫哥華華僑鄭天華當選爲議會議員。台灣的報紙曾有記載並加以讚揚。就在那個時候胡適之在美國勸告華僑，不要限制子女專讀中國書，應該兼讀當地語文，參加社會和政治活動，以提高華僑地位。（大意如此）胡先生這種意見是沒有什麼不妥的。可是在台灣却發現有人在說話，認爲這是不愛國。

今年四月胡先生回國住了兩個月，於六月赴美後，七月初台灣有一家×××雜誌，在標題「關於言論自由的兩個故事」的文章裏面，有如此的說法：

「據最近由美返國的某君云：在四十五年的冬天，在我們的友邦美國紐約，有一位著名的學人，不知怎的，忽然心血來潮，公開勸告華僑青年子弟，不要讀中文，專門讀英文。要這樣才可以爲美國人所看重，才可以和美國人處於平等地位。此論一出，羣情譁然，普遍引起旅美僑胞的反感。各地僑報一致著論抨擊，把他批評得體無完膚，認爲這種論調，簡直是數典忘祖，痛心之至，一時傳爲談助。」

如該雜誌所記的，連西恩也說不出的話，雜誌會出諸胡適之先生的口。這是一個「謠」字，目的在中傷，不言而喻。這當然是台灣言論自由論戰中的冷箭。不過，我寫這段話的意思，是要說出我的一個感慨是：像胡適之先生這樣一個在學術界有崇高地位的人，尚且有人公然用一些不倫不類的話來中傷他，當然讀者是不會相信的；可是其他的人談話，豈不隨時都有被歪曲而招謗獲罪的危險嗎！（七月廿日）

閒話張其昀

（台北通訊）俞「內閣」，時代有一位部長，是名滿天下，謗亦隨之的。俞去陳來，據說這位部長受到「華而不實」四字的考語，因而「出閣」。社會上對他似乎也是毀譽參半的。他不是別人，就是以學者從政的張其昀。

張其昀，號曉峯，浙江鄞縣人，出身南高，爲一著名的地理學者，執教中大浙大的時間甚久，他之從事實際政治是中央政府播遷台灣以後的事。他到台灣後追隨蔣先生在陽明山，總裁辦公室任事。三十九年三月蔣總統復職，同時國民黨實行改造，張氏即于此時出任中央改造委員會祕書長，直至民國四十三年蔣氏就任二屆總統，行政院改組，由俞鴻鈞組閣，張氏纔由黨的秘書長改任政府的教育部長。

張氏純然爲一學者，他能得到最高當局的賞識和重用，決非偶然。他有理由，有抱負，有魄力，也有辦法。他憑這一套起家，但也因這一套而招致來自多方面的抨擊。

在張氏任教育部長期內，對他最普遍的批評，是說他「好大喜功」。何以見得呢？作這樣批評的人，搜集了不少證據，諸如：他出版了許多書刊，成立了許多新機構，在批評者看來，這些創設都是不切實際的。張氏最爲若干人士所詬病的，是他力主「免試升學」的辦法。甚至有人說，他這一主張，使他跌下了部長的寶座。

筆者廁身台灣新聞界，超然于現實政治恩怨之外，自信對人對事，尚能持平以觀。就筆者個人所見所聞所知的張曉峯，憑良心說，他實在是功多于過的。張氏的長處，在勇于任事，故可以說「限」則無有，「越」則不免。近年在台灣的知識份子中，有兩句流行話：「嚴靜波（即前任省主席嚴家淦）守法不做事，張曉峯做事不守法。」自然，這祇是相對的說法。張曉峯何以給人「做事不守法」的印象呢？這大概因爲他一心急着做事，忽視了許多人事上關係和若干手續問題，往往「做了再說」，因此就難免得罪了有關方面。尤其他和教育廳的關係，由于權力衝突，弄得很不好。本來，台灣這塊小地方，中央與省的機構同時並存。中央有部，省有廳，部與廳的執掌，自不免于衝突。雙方如有一方「無爲」或讓步，也還可以相安無事，如果雙方都幹勁十足，那就勢非引起衝突不可了。劉先雲幹教育廳長時，凡事以張的馬首是瞻，故在那段時期，教育部的權力最膨脹。等到劉眞接長教育廳，情形就大大不同了。原來劉眞是一位硬底子而且是喜歡做事的人物，兩個喜歡做事的碰在一起，乃不免于二賢相厄。說起來，這是一件很可惋惜的事情。

張曉峯力主小學畢業免試升入初中，這給教育廳帶來很大的困擾。這個辦法立法院和省縣市政府也多不贊同，因而反對的風浪時有所聞。某些報紙甚至對此常作嚴厲的抨擊。這種情形之下，要是一個會作官的，一定見風轉舵，可是，張曉峯不然，他仍堅持自己的主張。對「免試升學」既然如此，對其他事情亦復如此。張氏終因此而「不洽輿情」。所以，這次內閣改組，雖然最高當局仍有意叫張氏蟬聯，但張氏終以有人說他「華而不實」，另請高明了。

現在，張曉峯已離開教育部長的位子了，我們可以公平說一句，他是一位想做事，肯做的部長，他也是一位有守的書生，他同時還是一位有識有膽的突出人物。過去幾年，他把一個冷衙門般的教育部，搞得那麼有聲有色，這決不是一個無魄力無抱負的人所能作到的。俗語說不怕不識貨，只怕貨比貨，且讓我們在可見的將來把張氏和他的前任與繼任的成就，作一比較吧！（七月廿九日）

○管直●

陳誠懇辭三兼職

○牛六郎○

陳副總統就任兼行政院長之日，即曾宣佈必須辭去他所兼任的三項重要職務，茲悉陽明山革命實踐研究院的職務，已奉准由前教育部長張其昀繼任，張氏雖已到職視事，但已引起各單位主管的不滿，聯名請辭。其次是光復大陸設計研究委員會主任委員職務，陳氏已三度請辭，均未蒙准，聞陳氏已四次請辭，並推舉前行政院長閻錫山以自代，蓋該會有委員一千八百五十餘人，副主席胡適和左舜生均居海外，曾寶蓀亦不到會辦公，徐傅霖已去世，只有徐永昌經常駐會。

至於石門水庫建設委員會主任委員一職，依法係由行政院長禮聘，權在陳氏，辭去不成問題。聞陳氏首先屬意於前行政院長俞鴻鈞，但俞氏仍是中央銀行總裁，刻正積極籌備中中交農四行復業事宜，已表示婉拒。目前呼聲最高者，有現任聯合國遠東防洪局局長沈怡，中國石油公司董事長凌鴻勛，財政部長嚴家淦，前交通部次長現任國際開發銀行我國董事霍伯羽，及前廣東省政府主席羅卓英五人，看情形現任政務委員蔡岳可能性也大。

又王雲五所遺留下的考試院副院長一職，將由任考試委員已三十年之張默君（邵元冲夫人）繼任云。

周鯨文招待記者會測記

（本報訊）民主同盟的副秘書長周鯨文氏於八月一日在九龍彌敦道翠華樓招待記者，公開宣佈他於前年十二月底脫離中共政權的控制，前來香港的經過，並表示他個人今後工作的方向，詳情已見八月二日本港各報，以下尚有爲各報所未載的一二事，錄之藉供關心周氏人士參考。

據說周氏，去年九月以後，他即專心撰寫一本三十萬多字的著作，這本書現已脫稿，暫時定名爲「風暴十年」，副題目爲「我眼中的中共」，此書的內容性質可於副題見其一斑。周氏又說，這本書已有一半譯成英文，希望中英文本同時出版。

周氏於招待會中，曾分發長千餘字的書面談話，最後說到他今後的工作，他說「我決定恢復出版「時代批評半月刊」，以『一個中國人一份子的身份，同中國各方面的反共力量一起合作』。

有人問他，在香港的民主同盟人士，是否數目不少，是否常常互相見面？他說數目不多，也不常見面。

問他「時代批評半月刊」，是他個人主持，還是一個組織的刊物？他說全是他個人主持的東西，並無組織。甚麼時候可以恢復出版呢？他說籌備的手續都差不多辦好了，最遲在今年九月一日便可和世人見面了。

周氏在將近一小時的招待會中，說話彬彬有禮，態度也很謙遜，有學者風度，他不斷的說，今後大家見面的機會很多，今天說不完的，以後再詳談。（華）

毛、赫會談與高峯會議

小言。

在中東局勢最緊張的時期，赫魯曉夫會在莫斯科公開露面，當時即盛傳他已飛抵北平與毛澤東會晤；事後證實，乃是埃及納蘇被邀與赫魯曉夫在莫斯科以外的地點作了會談。

上月杪，在莫斯科的瑞士大使館的國慶宴會上，克里姆林宮的主要首腦皆未見參加，外電說，僅有外交部的較低級的官員前往祝賀，於是斷定是因爲蘇共中央正在草擬對西方的覆文，至不克分身。

現在，中共的消息說，在七月卅一日，赫魯曉夫已率領了代表團抵達北平，與毛澤東作了會談。

有人在抱怨，西方的情報工作太差了，從伊拉克政變到毛、赫會談，一些風聲都沒有，其實這種抱怨是多餘的，如果西方的政策能滿足先發制人，事事主動，能迫使莫斯科工作處處在被動的情況下，即使情報在事變前掌握了，也還能彌補此項缺憾，情報，怕也與實際補益不大。

再進一步說，根據北平發佈的會談公報分析，毛、赫的會談並無特殊驚人的地方，此會也可謂是想當然的必然的事，而當前的重要性是隱藏在會談公報後面的是些什麼內容，恐怕除了讓專家們去作各種揣測之外，也無法取得有第一手情報，可資參考的。

就這一次中俄共會談出席人員之少來看，是極其特殊的，前所未見的，事出倉促，可以想見，除了毛澤東、周恩來、赫魯曉夫，軍事方面是彭德懷和馬林諾夫斯基；外交方面是陳毅與庫茲涅佐夫，至於王稼祥（中共中央書記處書記）和波諾馬烈夫（蘇共中央委員）之參加，從他們的資格推斷，會談的內容，但從會談公報內容分析，關涉重大，可得以下幾要點：

一、雙方對高峯會議觀點之需要取得協調；

二、對共產主義「異端」南斯拉夫狄托修正主義之需要有其一致的態度表示；

三、共產集團內部潛在的分裂危機之亟待彌縫；

四、確定對目前「緊張局勢」之基本策略——是繼續地拉緊呢？還是作適當的讓步，以求暫時的緩和；

五、以會談來達到創造形勢，作出向西方施用壓力的姿態，期求直接達到宣傳上的最大效用，間接達到刺激中東、亞非、拉丁美洲各地區民族的反西方情緒，其中最大的可能性是重新擬訂一致的對泛阿拉伯民族主義新政策；

六、在軍事實力上作廣泛的深入探討，也有可能秘密的簽訂新的攻守同盟條約。

將上述各項綜合觀之，只有一點可以肯定的，就是爲了在高峯會議席上蘇方的處境，雖然中共從開始就好像很贊成蘇俄「遷就」了，未曾提名參加高峯會議，[illegible]明知不爲西方所接受，以示其具有立即促其實現的「誠意」，但經過赫魯曉夫的[illegible]，不論是對內抑對外情勢即可有新的轉變，既可平抑毛澤東的情緒，也可增強赫魯曉夫在會議席上的地位。

再就美蘇對高峯會議中的一項歧見言，即蘇美國反對蘇聯之主張，祇談中東問題，而堅持要求廣泛地談論一般問題，（勢必涉及到德國統一和東歐共黨國家問題，甚至於談到「中國問題」……）在經過此次北平之會後，赫魯曉夫也將有應付西方的策略，如果，高峯會議尚有秘密交易的話，赫魯曉夫也將根據北平之會的協議內容原則「代拆代行」了。

西方對於毛、赫的會談，作何觀感呢？截至執筆本文時，尚未見有何強烈的反映，正因爲自由世界缺乏共產集團的第一手情報，筆者以爲，我們思考問題，還是應該往最壞的方面去想，儘管中俄共此會必然會在軍事上作一些決定，但相信還沒有到即將發動的階段，事實上最可怕的倒不在於軍事行動，而是那些幕後的政治暗盤交易，而這樣的交易，才是值得吾人關心的哩！（七月四日）

小啓：田心因病「竹幕幽秘」暫停一期。

近年蘇俄窺伺中東事略

胡養之

第二次世界大戰結束，蘇俄即開始垂涎中東，處心積慮已久，今天中東局勢的形勢，可謂由來有自。在近年中東事變中，左列各項乃其犖犖大者：

一九五一年埃及政府廢除英埃條約，是准許英國在運河區駐軍一萬名，飛機四百架的，但至一九五一年埃及突然宣佈廢約，並要求英軍撤退。埃及學生和工人紛紛罷工罷課，領導反英運動，且有所謂「解放團」向英軍施放冷槍和投擲手榴彈，這事件雖有民族主義反英的成分，但也還有蘇俄背後的煽動。

一九五二年一月，埃及又在俄使館的煽動下，[illegible]伊斯梅里亞有英軍[illegible]中東英軍[illegible]埃及政府反抗[illegible]在英軍上，同月廿五日，開羅民衆與警察聯合行動，焚燒英國的商店、戲院和銀行，搶劫[illegible]英人俱樂部，搗毀一切陳設，有三個英國寒紳，慘遭殺害。且有六十餘年歷史的雪佛關旅館，爲英美德諸達官要人的居住所在，也被放火燒燬片瓦無存。

一九五三年，埃及軍人納吉培驅逐法魯克王，也大半受蘇聯的慫恿。當法魯克被迫出走那天，他曾在日記簿上這樣寫着：「在幾個月前，納吉培和納薩等人便與俄使館人員勾結，但我還不知道他們是幹什麼？這怪我沒有提高警覺而鑄成大錯……」

一九五六年七月廿六日，埃及總統納塞宣佈沒收蘇彝士運河公司財產，由於蘇彝士運河爲中東石油輸往歐洲的必經要道，據統計，該運河的交通量每年來往的船隻，以運輸中東出產石油爲最多，佔總數的三分之一，英法多少以馬西東曳的土和東出，遠輸西方國的市面，曾經滋生不少，別是法國的損失更大，當一八六九年運河開放成功的時候，工程費合七千八百三十二萬八千佛郎，分爲四十萬股，法國人佔百分之五十六，埃及四十四。第一次世界大戰後，土耳其戰敗，英國正式宣佈埃及爲其保護國，運河就完全由英國控制了。蘇俄之所以策動此事件，無非想建立「開羅中心」，把英法的勢力趕出中東。

還有伊朗也發生過類似的事件，二次大戰期間，同盟國爲了開闢一條通蘇俄接濟路綫，對伊朗王最後通牒限期，伊朗王下詔遜位，伊朗新王巴勒維繼之，一九四三年十二月英美蘇在伊朗首都德黑蘭開會，英美蘇三國保障伊朗獨立，並保證戰後撤兵。但是戰後英美撤退了，蘇俄則藉口推辭不撤退，成爲國際政治鬥爭的焦點。一九四五年十一月在伊朗北部亞塞拜然[illegible]俄由使館策動[illegible]後，蘇俄拒絕撤兵[illegible]七年十月被伊朗國會推翻，蘇俄于一九四九年二月暗派人員伊朗的左翼政黨，抗議英伊油礦公司的讓與權，發動學生的反伊遊行，並刺傷國王巴里維。

一九五三年八月十五，俄又命令它的駐伊大使，暗中勾結伊前首相莫沙德，導演一幕「逐王篡位」的悲劇。事敗後在俄使館中搜出一大批與此有關的軍要文件。

一九五六年四月十日，約但王赫辛要求其內閣辭職，也曾引起軒然大波。不僅巴勒坦人數以千計的舉行示威遊行，要求國王允答那位親蘇的總理納布爾斯繼續任職；同時約但四個有力政黨如國社黨，巴夫黨（左傾）共產黨及國民黨亦立即響應。且向約但人民保證，他們將聯合埃及、敘利亞作爲泛阿拉伯大團結的第一步驟。假如不是親西方的赫辛王能夠控制局勢，約但早已岌岌可危！

一九五七年七月十九日，奧曼發生的部落叛亂戰，也是蘇俄在幕後支持的。由于奧曼是在英國保護之下的地區，位于阿刺伯半島的東端，在英主要基地亞丁的東北。蘇俄先後慫恿也門和奧曼兩個小國跟英國爲難。奧曼叛軍報名義上是說驅逐英國所支持的統治者蘇丹，其實就是直接與英作戰。

最近的黎巴嫩內亂及伊拉克政變事件。雖然納塞的中立路綫及大阿拉伯主義抬頭，却是爲蘇俄所利用。（七月廿四日）

稿酬： 本報六月份全月稿費通知單已分別付郵，請惠稿文友，憑單領取爲荷。　編輯部啓

論滿回蒙藏歷史語言研究

——致衛挺生先生函——

趙尺子

挺生先生：七月二十三日自由人載有先生致適之先生函，道及「以往中央研究院歷史語言研究所，集全力于內地之研究，而忽視邊區蒙回藏的歷史語言研究。」這是對的。大函下接稱：「所以民國以來，邊疆問題，多不瞭然。」此間用「所以」兩字，使人誤會到中央研究院歷史語言研究所好像早在民國初年就已成立了。她在民國十七年成立，「所以」不應對「民國以來，邊疆問題，多不瞭然」負其責任的。大函建議新院長胡先生「訂立新基礎時，蒙回藏歷史語言及鄰近各國歷史民族等研究，爲不可少。」這更是百分之百的當務之亟。我們希望胡先生能夠採納。

這一希望是基於下列的理由：一、誠如先生所說「邊疆政策的錯誤，導致蒙古的喪失」。外蒙在民元「獨立」，這是清朝邊政策錯誤所導致，也是帝俄鼓盪的結果。民六，外蒙取消「獨立」，脫離俄國，段祺瑞派徐樹錚，爲西北籌邊使，率兵入蒙，強邊防俄，原來不錯。不幸直皖戰起，徐氏奉命撤兵參加內戰，因之先有俄國白黨進陷外蒙，繼之俄國赤黨策動外蒙共產黨傀儡額木爾，推翻外蒙效忠中國的政權，於是外蒙古遂喪失迄今，這便是撤兵政策的錯誤了。假定徐氏不從外蒙撤兵，並加強國防建設，安定蒙胞生活，普及教育，宣揚教化，我以爲額木爾到今天的澤登巴爾是鬧不起來的。外蒙古仍爲我國版圖，則中日戰爭可免，大陸不致淪陷，這一邊疆政策的錯誤，其影響誠然是太大了！若是往將來看，收復蒙古地方（外蒙古）乃至解放鮮卑地方（Sibaria）舊譯，「西伯利亞」，不單在鞏固邊防上有其必要，就對於世界和平說，更有其必要，因爲欲使俄羅斯人永遠不爲害世界，只有將這一「心臟地」從她們手中拿下來之一法。二、邊疆政策錯誤，固然可以導致邊疆的失；若對邊疆根本就「沒有政策」，更必導致邊疆的喪失。關於這一點，我可以舉出目覩身受的兩個例子。其一是民國二十一年三月一日到三十四年八月十五日的「滿洲國」，這一個國家的出現，意味着東北邊疆的喪失，說明了政府根本就「沒有政策」——對於近於二百萬的滿洲人及其故主溥儀之「沒有政策」。不錯，溥儀是日本的傀儡，他的僞國家是日本所製造；但我們在中華民國成立以後如對溥儀和這些滿洲人有個政策，痛心地說起來，就是當溥儀於民國十九年請求避英時，我們有個政策吧，則這個僞國家是製造不成的。其二是民國二十五年五月到三十四年八月的「蒙古聯盟政府」，這一僞政權的出現，意味着內蒙古的喪失，也說明了我們根本就「沒有政策」——對於近百萬的內蒙人及其領袖德穆楚克棟魯普之「沒有政策」。德穆楚克棟魯普是日本的傀儡，他的僞政權是日本所製造，這也是不錯的；但我們如對日俄交侵之下的內蒙古人有個政策，痛心地說起來，就是當德穆楚克棟魯普於民國二十一年入京時，我們有個政策吧，則他是不甘心當這個傀儡的。三、邊疆政策錯誤，或根本「沒有政策」，其結果是寫在近代史上了，可以不談，若對邊疆歷史和語文的認識，發生錯誤，其影響就會更壞了，當德穆楚克棟魯普還沒有決心投入日本懷抱的民國二十四年十一月十一日（國慶後一日），我們在百靈廟會有過通宵的暢談。我問他對中日的觀感。他坦白地說：「漢人說中國一次亡於蒙古，一次亡於滿清，這是以爲蒙古人，所以才說蒙古人亡了漢人的國。這話在我們蒙古人聽來，可怕極了，即漢人始終還把蒙古人看做是曾經亡過他的國，怪不得傅作義這樣欺侮我了。至於日本人，至少還講大東亞共存共榮，沒有說我們蒙古人亡過日本國。我想日本人總會以友邦待我吧；而漢人却把我當做敵邦！」他說過這番話，當時眞把我弄得約十分鐘閉口無言。——這一痛心的事例，說明「沒有政策」再要加上一條「沒有認識」，怎樣不啓滿、蒙、回、藏外向之心！

由右述三點理由（其實還有更多的理由），我們確有加强並改善中央史語所，特別注重滿、蒙、回、藏史語研究的必要。我們看到中央史語所所長李濟博士的著作，由石器和青銅器研究上做出結論：長城以北（內外蒙古）到西伯利亞（鮮卑地方）是「中華民族更老的老家」，覺得這不但將影響「邊疆政策」，而且將影響國策，自然表示欣慰；但又看到中央研究院近代史研究所叢書，對於滿洲人和蒙古人還稱之曰「異族」，也不自覺地感到恐慌。試想近二百萬的滿洲人，一百多萬的蒙古人看到中央研究院」還在把他們喊作「異族」，則他們對「中央」將有何觀感呢？「中央」如果根據這一研究來擬定「邊疆政策」，能不重蹈過去的錯誤麼？

對於挺生先生，滿、蒙、回、藏史語研究，尤有證實先生大作「徐福即神武天皇」說的可能。先生所舉的九個證據，其中八個，我以爲可以成立，只有徐福自毀中國語文一點，應爲强辯。如果有人懂滿、蒙語，而又懂得日本古語（訓讀），則將知徐福是說滿、蒙語的齊國人，他帶到日本去的是滿、蒙語即齊語，不是由滿、蒙語進化而來的漢即秦語。這一點——日本古語係齊語即今滿、蒙語——如一一列舉出來，則先生之說便完全成立了。所以中央研究院史語所如果眞能延攬滿、蒙、回藏語專家，下心研究，必可完全證實下列各點：

一、亞洲民族的原始語言是蒙古語；

二、漢語及其文字，大部分（約百分之六十）是蒙古語的錄音（語法則殷周秦漢人自創）；

三、蒙古語是夏朝的語言；

四、滿洲語即殷語，至少有百分之三十是蒙古語；

五、回語中有百分之二十或更多是蒙古語，其餘爲阿拉伯語；

六、藏語是楚語——由蒙古語進化者——加印度語；

七、日本訓讀爲齊語即今滿蒙語，音讀爲漢語（唐音）；

八、朝鮮語（諺文）是殷語即滿洲語；

九、越南、泰、緬誠是秦語加馬來語；

十、蒙古語即夏語是古蘇末語（今伊拉克薩瑪爾語）。

這是我研究蒙古語及其他語文二十年的結論，寫給先生並提請中央研究院史語所，希望大家注意滿、蒙、回、藏、苗、傜、黎、越、泰、緬、日、韓語的貫通研究。

我建議中央研究院歷史語言研究所，邀聘上列語言專家，編輯一部「亞洲語典」，以夏朝語即蒙古語爲綱，以漢、滿、蒙、回、藏、苗、傜、黎、越、泰、緬、日、朝語爲目，一一對照其古音義，及其現有文字的寫法，指明其源流演化的蹤跡，這眞是歷史的絕業，而可做爲「邊疆政策」及「國策」的指導了。

關於日本訓讀即齊語亦即今滿蒙語——可以證明「徐福即神武天皇」說者——我會寫有一文。先生如願讀，請示知通信處，自當寄上。（七月二十三日，於台灣）

自由人談

荒誕的新聞自由

在報上看到美聯社於本月一日由台北發出的電訊，大談其自由中國的內政問題，說是：「蔣總統的長子蔣經國在中華民國內佔個怎樣的地位呢？這問題，差不多是一切到台灣來而有政治頭腦的人，都會提出的」。該社記者乃以自詡客觀的見解，判斷蔣氏在政治上將有如何如何的行為，胡扯證據，莫名其妙。孔子云：「不有博奕者乎？爲之猶賢乎已」。外國記者在台灣閒得無聊，何不打打橋牌，遊遊新開發的風景區，偏要瞎來滋擾，對別國內政，播弄無謂的是非，所爲何來耶？

拍發這類「政治內幕」，而是給美國人以及歐洲人對中國政治情形的一種認識，附帶的作用，就是那位撰寫電訊稿的駐外記者，為齊討取老闆歡心，表示自己的能耐，以期維持飯碗，乃不惜自說自話，瞞造些聳動聽聞的消息，欺騙讀者。美國一般人士對中國問題之始終隔膜，以致自宮當局的對華政策毫無是處，這類駐華記者平日專作幼稚荒謬的宣傳，應負最大責任。

兩年前，俄共頭目赫魯曉夫帶着兒子訪問美國，在官式宴會中，一位工黨議員跟小赫魯曉夫談話，問他平日一切言行，是否遵照父親的指教？赫魯曉夫之即作色而言曰：「我討厭外國朋友干涉別人的家事！」而那位工黨議員亦就默不作聲了。我們依照新聞自由的原則，固然不干涉外國記者拍發電訊之自由，但像上述美聯社記者造謠生事，挑撥兩國政治人物的感情，竟說出甚末「爲了阻止陳誠就任正總統，蔣經國甚而會不惜策動軍事政變的」這類邪詞謬言來！雖然是一種假設[illegible]樣，但其內容，除了撥弄虛構，淆惑世人聽聞外，沒有絲毫新聞價值，非予以斥責不可。難道美國人之所謂新聞自由，就是有如共諜式那套挑撥離間，從事內部顛覆活動的宣傳魔術不成麼？

馬五先生

談睡衣

・陳曉風・

記不清是一本什麼雜誌上，看過一篇談睡衣問題，大意是說，有很多人對睡衣，太過物盡其用，從牀上穿到牀下，意猶未足，還要從家內穿上馬路，更要大到小菜場內，電影院內，有的還去到公園大殺風景，甚至有出遠門的人，上火車，睡衣亂出風頭到如此地步，講不當一回事，引起該作者感慨的說：這樣的穿法，穿睡衣的西洋人，笑我們中國人沒有室內室外之分的。這不僅有害自己面子，似也有碍國際觀瞻云云。

筆者讀過之後，頗有同感，亦就有愧焉。雖然我不會穿過睡衣上小菜場，但我曾穿睡衣在「府」上門前蹓蹓過的。我很慚愧，我又不是不知道睡衣是不能對「外」的人，何況明知故犯要照此「蹓躂」呢？說來話長：

我一早起來，就被小攜蛋拖着往外跑，那時他半說撒嬌喊叫着，叫爸爸抱着走不可，到了目的地——附近一叉路口，必須讓「命令他陪同席地而坐」，與他歸來，我又難免在其「跨騎」，他啲要求，要伏在地上給他當馬騎。

在前述的動盪局勢下，我要是一早就穿起那既得有面有錢的公服，試問：怎麼能經得起在地上的糟蹋和在跨下的騎爬呢？所以我在上班之前，爲了應付小攜蛋，一定得穿睡衣打粗，到馬路上去「出乖露醜」的。我畢竟是講求「觀瞻」的人，每當看到穿睡衣的行路人等，總覺有礙目力。故對我自己穿睡衣上馬路，雖能自圓其說，還是不敢自以爲是的——已不正爲能言人？我近來不禮舌做情商小攜蛋不必到外面去觀光；說自家院子够大了，一樣可以遊目騁懷。正是防止睡衣作不正當交遊之一種「求諸己」的工夫。

有時候從門窗內看到對門洋鄰居大門洞開時，更是絕對閉關自守，不敢越門庭一步，有讓睡衣出洋相。儘管有過一次不慎，出與洋蜜斯以睡衣相見，她並未說我何無「室內室外」之分，照常禮貌週到的說：Good Morning，可是我總覺得當時的睡衣身份不稱，感到慚愧！

如果嚴格的說，睡衣不但不應過市，就是在家內，如非入夜就寢，也是不作興穿的。因白天雖保沒有客人來訪，穿睡衣接待客人，至少是不大禮貌的。據說，有位小弟弟彼特，作客到姑媽家，翌晨去見表妹瑪麗請早安，到達其臥室門口說明來意時，瑪麗在內答稱：稍候，讓她準備下。稍頃，彼特被請進去，一看瑪麗，竟一絲不掛站在那裏。他不由生氣的說：「瑪麗，你怎麼這樣沒有禮貌？」瑪麗不服氣答道：「你才懂禮貌呢！媽咪說的，穿睡衣不能見客。所以我才把睡衣脫了，讓你進來的。」

這當然是個洋幽默，未可全信。我相信我們成年人，誰也不會像瑪麗那樣矯枉過正鬧笑話的。我以爲：我們能够不把睡衣穿上馬路，就够識大體了。要再白天居家也禁穿，等於是說睡衣祇限於「睡」，則未免苛求太過，強人爲難，反而辦不到了。老實說，時值炎夏，多一件不如少件，我白天穿上睡衣，還是專爲接待來賓的呢！

中篇小說

在日本獄中

蒙齒

六

第二天早晨。「放風」取消了。如果需要的話只有在屋子裏小便，我從小洞口看出去，馬棚空空的，馬，不曉甚麼時候被人牽走了。是不是日本人撤退了呢？我胡思亂想，不會有這樣便宜的事情。大概在九點鐘，有人來了，那是山本他和過去一樣，後面跟着是典獄，那個猴子臉，到每一間獄室前來查看，我患病，肚子痛呻吟不停倒在厚塌塌米上。陳添丁兒恨恨的喊我，我照樣不起來。猴子臉典獄命令山本給我找獄醫來，我報告了號數之後，他們走去了。

一切顯似的都不如理想，他們該怎樣應付呢？如果有戰爭爆發，我先假定，第一他們是撤守，第二是他們奉命去作戰丟下我們不管，第三是他們先把我們除掉了好，絕去內部隱患，照第二那種情形看是再沒有的了。而事實仍同往日一樣，獄裏面鎮定而平常。一點沒有特殊跡象顯示出來。不一會近視眼獄醫來了，我怕他打擾我，我推說病好了，但他執拗的隔着窗子看看我的舌頭，抽身就走了，我發現他穿的白外套上染有血跡。不像是紅藥水的顏色。

後來聽說有一個囚犯刺殺了一個日本兵。據說那日本兵吃醉酒，把刺刀遞進獄室窗口，囚人就把刀帶槍搶下來，隔窗子把日本兵刺死了，還是用槍打死的，這種事情不會這麼簡單，我聽來半信半疑，案情是秘密的，只有當事人知道，反正那個日本人是死了，午後我彷彿感到獄裏很嚴肅，很少瞧見有日本兵那一種哈哈喧笑的笑聲。一個疑團，我急切的想知道，但是山本不來，不會得到甚麼消息。一八七號的難友也許知道，但這要等到午夜。

大概是下午三點鐘的時候，山本帶着另一個日本軍人也是和他同樣的階級，大眼睛，粗眉毛，粗而短的身材，紅色的皮長統靴綳得像一雙大筒子。胸脯很高，他手裏拿着一個木板公文夾，一隻紅鉛筆，山本喊出我的名字，要我站起來，答了號數，這個人就在紙上翻了一下，然後看看我，好像笑了一笑。

山本告訴我，這是河西軍曹，是接替他自己的任務的。我突然受到意外的震驚。山本給河西檢出來寫有號數的鑰匙，河西笨拙的說出來一句話：

「不要怕！一樣的」狡猾的笑了一笑。他們倆人往下一個獄房去了。

山本被調開了，我感覺詫異。這是我入獄後第一次。我聯想到日本兵被刺死的消息是眞的了。

七

一連幾天河西軍曹都是按固定的時間前來巡視，每天總在四次，他和山本不同，這個人面孔和善，但顯得機智，就在這幾天之中，頭頂上總是有飛機馬達的隆隆聲響。我想這是沒有問題的了，眞是戰爭，而河西軍曹他不管隆隆的飛機聲划空而過，他總是一幅鎮定，微笑，思索，仰視的面孔，有時候問長問短，我怕他進裏面來，我裏面有些手鎗，牆上有洞……我故意做出特別疎懶的樣子，衣服不扣，每天都是在睡。我眞的成了白癡了。幾天來的感情的激動，對於這牢獄生活，不耐煩的，比當初被推進來，還見大鐵鎖卡吧一聲把我鎖上的那一天還要痛苦，絕望，我留心窗外的人影，試探着山本的消息。

晚上，一八七號先和我打招呼，這位工程師，他一個人在牆壁上運用他的數學消遣時光。關於山本他知道的並不比我爲多，他和我談論一些數學上的問題（七）

將飛曼谷謝別諸友

・易君左・

南遊心事幾蹉跎。又値中東沸大波。
末世友情珍古鼎。浮生行色本烟蘿。
佛容一士飛光采。海抱千峯唱別歌。
留得鄭昭青史在。黃衣白象看邏羅。

送君左伉儷南遊曼谷以和

・王世昭・

廿年回首幾滄桑。徼外哀鴻失網綱。
尚有雄心餘鐵血。幸存耆舊味流亡。
悲歌目送雙飛鳳。新唱期君古錦囊。
那是鄭王故遊處。高風諒共水天長。

天葬

。古月。

死屍的處理方法，與天時、地理、宗教和習慣都有密切關係。普通方法，有火葬，土葬，水葬，和天葬等，在西藏方面，多半是行天葬禮的。

「秋多死者，或以其屍捕貂，貂食其肉，多得之。又父母死，以其屍置于小樹之上，從三年，乃取其骨而焚之。」（唐書黨項傳）

「隋書契丹方法，土民于人死，裹以衣服，獻以酥油，延喇嘛唸經，燒糌粑，婦女去裝飾，示哀，不歡舞，不赴宴，卜期出殯，用馬馱至喇嘛寺附近之化屍場，割以飼鵰。」（西康誌）

「天葬之原因，因藏地多季嚴寒，地凍如石，如欲挖掘墓穴，先須用火，將地面焚燒，而同時又極缺乏火藥，故以天葬爲便。」（旅藏廿年）

「處置屍體最普通方法，即裂屍于荒野，以饗兀鷹。其原因爲土葬則地凍難掘，火葬則缺乏柴薪，水葬則污及飲料，故拉薩四周之山崖，劃出專作鳥葬（即天葬）之用。在拉薩又有一寺院，名潔石者，其鄰近有一台，爲分割僧屍之陳列所。台爲一片平地，較人身稍大，上鋪石塊，屍之首級，緊于一直立之小石板上，其身上之間，則一一劃下，以饗鳥類。其地有大雕棲集，以候其食料。上等階級可延僧于屍前禱告，以慰死者心靈。其時僧人持杖追立，留守枵腹之兀鷹，先以肉投之，尋以搗碎之骨，和以烘粉，投作鳥食……藏人與印度人，同信人類由土火水天四種原質構成，死則歸于來源，其屍體假鳥，則在空中，歸之于天也。」（柏爾西藏誌）

嶺南文物掌故

廣東人的刻書風氣

竹庵

前言

余少時肄業廣雅書院，因得在該書院之冠冕樓，遍觀羣書。此藏書樓藏廣州刻本至多。稍長，嗜書如命，又獲識徐信符先生，交往垂三十餘年。因此諳得廣東人所刻之書共七千餘冊，均屬卷帙浩繁之典籍。今者余棲遲海角，蒐藏無見面之期。但行篋中，尚存有目錄一本。因追寫此文，以見吾廣東人在前世紀中，對於古籍之傳播，不遺餘力，在中國文化上之貢獻，功不可滅也。

自五代至北宋，雕板之術漸盛，於是書籍之刊印，日多官局開雕，私人校刻，正如白葦黃茅，彌望皆是。降及清代，歷康熙，雍正，乾隆嘉慶四朝，承平日久，殿板書籍刊印之多，眞有汗牛充棟之觀，而豪門巨賈，及稍有積蓄之人，大都翻刻古書，爲最時髦之風尚。歷代雖有喪亂，朝市一經改易，西京圖譜取作帷蓋，室秘書頓成灰燼，而書林依然如海，典物仍爾燦然，則我先民愛護文物之成果。而中國文化之延綿，有賴於古籍之廣播流通。——自由翻刻古書之風尚，有增無已。致令古籍留傳遍於民間。凡山林名勝，均見古籍之保藏。村落窮鄉，都聽詩歌之研誦。故水經河水注云，河北層山，上有石室，中多積卷。又史册所載，李公擇於五老峯，藏書九千卷，名曰李氏山房。江自任於麻姑山購經史藏之，使道士典守。清代大儒顧亭林，亦於西河介山，聚書萬卷，以惠後學。又如陸子靜之講學，聚書於象山。白傅晚年，聚藏廬獄，蓋以深山大澤，烽火不驚，乃靈福地，保護典文。因此我國歷代之典章，千古哲人之學說，藉以綿延，豈非有賴於藏籍之廣播乎。三江（江蘇、浙江、江西）人士，嗜刻古書，目的不在謀利，因此佳書如林，俯拾即是。購書既易，則碩學通儒，項背相望。文風之盛，甲於全國。（一）

瀛海詞集序

・王韶生・

清代粵西有詞人焉，曰定甫、半塘、蕙風，分據一席。定甫之詞，芳意悅曉，古魂蕩愁，銖黍不忒，情旨畢包，論者謂可高揖清眞，平視聖與。半塘之詞，格近碧山，玉田，間爲蘇辛之壯語，律雖未細，而詞則眞氣洋溢。蕙風之詞，才情清麗，出入周秦姜史之間，而氣格微遜於王。斯數子者，要亦山水靈秀之所鍾毓。余生也晚，已不及見諸賢。迺避地海隅，從廖懺盦，劉伯端二丈遊，捧手受教，獲聞緒論，校正聲律，恍然於向之未始有得也。吾友永年博士茲刊其瀛海詞，而屬序於余，殆所謂以能問於不能，以多問於寡者耶。永年，桂之柳城產也。抗戰期中，余道經柳州，目覩立魚峯，馬鞍山之奇特；及進謁文惠侯祠，私竊以侯教澤遺留，必有文章法度之士，挺生於是間，代有其人，則永年其選也。是集所收，以小令居多，取徑於花間，而旁及六一小山，有詩人句法。竊意綺聲雖屬小道，然必具眞性情而後能佳。海甯王靜安稱李後主詞以血淚寫之，許其爲詞中之聖品。下至范希文之「眉間心上，無計相迴避」，司馬君實之「相見怎如不見，多情却似無情」，要亦性情語也。能如是，而後忠愛纏綿之旨出焉，非徒以綺羅香澤之態，綢繆宛轉之度，取勝於字句間耳。莊生有言：「其嗜欲深者，其天機淺。」倘或名利之念，縈於胸中，厭勝於人，於詞學偶有所窺，即沾自喜，好作大言壯語，以弋名位，不其類河伯之自以爲多耶。永年，性情中人也。其生平惓戀宗國，篤於天倫，一篇之中，嘗三致意，而本色之語，往往流露於字裏行間，非夫天機清妙，安能如是耶。抑嘗聞之，名家之詞，類多專精一體，若小令之詞，要能戞戞獨造矣。試反而求之，若中調，若慢詞；自非大家，鮮能兼善。永年先正之所爲，不矜才，不使氣，沉浸濃郁，力求堂廡之大，則彊村所謂試要臨桂角中原者，於是乎在。中華民國四十七年歲次戊戌清明節後一日同學弟王韶生謹序。

自由人
THE FREEMAN
（第七七五期）
每份港幣壹毫
督印人：陳文華
地址：20 CAUSEWAY RD. 3RD. FL. HONG KONG
TEL. 771726
承印者：東南印務出版社
台灣總經理處　台北市西寧南路壹號二樓
海外總經銷：友聯書報發行公司

再論大胆假說與小心求證

何浩若

祖國週刊第二八六期刊出我在友聯出版社講的一篇演講稿『從經濟學看大胆假說與小心求證』。從這篇文章發表以後，很引起許多學者們興趣和朋友的關心。在本年七月十四日出版的祖國週刊第二八九期便有兩篇文章討論這個問題。一篇是陳伯莊先生的『論致知無二致』。另外一篇是李璜先生的『大胆假說與小心求證之我觀』。接着『自由人』七七三期又發表了司馬璐先生的『論大胆假說』。我聽說台灣的『政論週刊』和『現代政治』兩個刊物也在最近轉載了我那篇演講稿。台灣方面有沒有人批評討論這個問題，我還不知道。但是這個思想方法的問題無疑的已經引起了自由中國學術界的注意。

『自由人』的編者要我再寫一篇短文，把我向胡適之先生質疑之點寫得更清楚一點。現在這篇短文就是應『自由人』編者之約寫的。李璜陳伯莊諸先生都是我十多年沒有見過面的老朋友。這次因爲討論一個學術問題而重行聚首是一件最快慰的事。陳伯莊司馬璐兩先生在把他們的大作發表之先，送來給我拜讀一遍，我是十分感激。可惜『自由人』的篇幅有限，我現在祇能申述我自己的觀點，暫時無法和李璜陳伯莊司馬璐三位先生所討論他們所提來的各種問題是十分抱歉的。我現在想向各位讀者說明何以我會提出來這個爭論，和我要向胡適之先生請教的是些什麼問題

一、當前人類發生了一個最嚴重的問題

當前人類發生了一個最嚴重的問題。因爲這個問題太嚴重，很值得每一個人冷靜的去考慮一下，使這個問題獲得合理的解決。人類的歷史比起自然界是很短的。在很短的過程中，人類似乎已經共同的接受了一個原則，那就是，人與人之間必須自由平等。在自由平等的原則之下，人不應當壓迫人。所謂人不壓迫人，不僅個人不能壓迫個人，也不僅任何人類的集團不應當壓迫另外一個集團。那就是說，民族也不應當壓迫民族，階級也不應當壓迫階級。過去人壓迫人有各種不同的方式，有軍事壓迫，政治壓迫，經濟壓迫等等。但是現在人壓迫人，却發生了一個新的方式，那就是思想壓迫。所謂思想壓迫，是有一部分人相信他們的思想是絕對的眞理，他們硬要強迫別人接受。假如你不接受，他便說你是『反動』，是『反革命』，而要把你殺掉。有理智的人類，怎麼可以這樣不講理呢？說起來也十分可笑。但是最特別的還是他們的方法。他們可以不擇手段，用任何殘酷的方法來強迫別人接受他們的思想。不幸人類又同時發明了殺傷力最大的原子武器。這一部分人既不擇手段，假如他們有把握的話，一定會用原子武器來殺害不肯接受他們的思想的敵人。這樣便從思想的衝突轉變到原子戰爭。

二、原子戰爭與思想戰爭

上面所講的要把自己的思想強迫別人接受的人，自然是指的共產主義者。假如他們有絕對勝利的把握的話，他們一定會用原子武器來殺害他們的敵人的。可是那些思想被壓迫的人，也就是所謂自由人，並不那樣想。他們，至少他們的一部分，以爲思想的問題是無法拿武力來解決的。你可以殺掉一個共產黨員，但是並不能改變他的思想。這正和共產黨殺掉一個自由人，並不能改變他的思想一樣。假如人類不能合理的解決思想問題，即令第三次世界大戰用原子武器殺死現在人類的一半，那個思想衝突的問題是仍然存在的。因爲如此，一部分的自由人便主張由原子戰爭回到思想戰爭，拿思想戰爭解決人類當前的嚴重問題。老實說我就是參加這個思想戰爭的一個。從一九五二年起到一九五七年止，整整的五年，我日以繼夜的參加了這個工作，寫了一百多萬字思想鬥爭的文章，和所謂思想戰和心理戰的專家開過若干次的會，也和有關的學者作多次的談論和研究。其結果我從工作與行動中體會出來，所謂思想戰也一樣的不能合理的解決人類思想的衝突。這個思想戰是不是以主義對抗主義？假如是的，我們拿什麼主義來對抗共產主義？自由民主的思想是不是一種主義？所謂民主主義的含義是什麼？民主主義的主義是不是和共產主義的主義一樣？我們和共產黨進行思想戰，共產黨強迫我們接受他們的思想，是不是我們也要強迫他們接受我們的思想？我們不接受他們的思想，他們就要殺掉我們。他們不接受我們的思想，是不是我們也要殺掉他們？假如是這樣的話，豈不是又要回到原子戰爭？有人說，思想戰爭是要爲自由民主的立場爭取中立者。共產黨也是這樣說。等到所有的人都參加了壁壘森嚴的兩大集團以後又怎樣？是不是再來一個更激烈的原子戰爭，把所有的人類一網打盡？最要緊的還是當前人類所發生的這一個最嚴重的問題如何解決？這些問題都需要我們冷靜的思考一下。人類原來是理智的。同樣是人，應當講得清楚。現在人類因爲思想的不同無法和平共同的生存下去，是不是思想方法有了錯誤？假如是思想方法有錯誤，我們應當把錯誤的地方研究出來，並且予以說明。假如這樣的說明不能說服現在的共產黨使他們回心轉意，我們至少應當使下一代不再因爲思想方法的錯誤再蹈覆轍，再入歧途。就這樣我便擺脫了思想戰爭的工作，到台灣去講演了一篇『自由民主的經濟制度』來說明現代經濟學分析經濟事實的方法，並且用這個方法來解釋當前經濟的事實。

三、科學方法與思想解放

當前人類思想的衝突，是由於一部分人把他們的思想看做絕對的眞理，而要強迫別人接受他們的所謂眞理。他們把他們所謂眞理叫做主義，其實祇是一些由假設證驗的方法所獲得的理論。把假設和證驗所獲得的理論，看做絕對的眞理，無疑的是錯誤的。一個假設獲得證驗以後，仍然是一個假設，就是自然的規律也不例外。說到社會科學，即令一個假設求得了證驗，也沒有什麼。過去的證驗，不能代表現在的證驗。此地的證驗，不能作別地的證驗。拿經濟學來講吧，任何的經濟學說，或是理論，都不能超出時間與空間的範圍。我們不能把一個從假設證驗所獲得的理論，來範圍千百萬年以後的人，或是說這個理論行之[illegible]任何地方。我並不反對假設和證驗的方法。但是我以爲假設證驗的方法祇是科學方法的一部份，而不是科學方法的全部。我們必須說明從假設證驗所獲得的理論，並不是絕對的眞理，不能強迫別人來接受，或者是千百萬年以後的人。我們現在最重要的，是歸納的方法，統計的方法，歷史的方法。先從搜集事實着手，和分析事實，解釋事實。在當時當地的事實比較正確的解釋以後，可以用理智的人類的方式，由民主的方法來解決。自由民主的方法，合於這一點。我在『自由民主的經濟制度』和『從經濟學看大胆假設與小心求證』裏面講過。因爲篇幅關係，我不在這裏重述。我要說明的祇有一點：我們希望有理智的人類用合理的方法去思想，那就是說我們這一代的人至少應當把科學方法告訴下一代，使他們不要再走入歧途。[illegible]人類當前最嚴重的問題，也許能獲得一個合理的解決。

半週述評

台灣緊張

[illegible]

聯合國的鬧劇

中共對台灣的實況相當了解，對美國的心理也充分明白，金馬附近的機場可以讓他們從容建築，[illegible]

[illegible]

左舜生

美蘇體力冷戰賽！

上月杪在蘇京舉行的美蘇田徑賽，於莫斯科放言金元王國運動員「痛嘗慘敗滋味」的時候，以一七〇對一七二的賽績結束了。運動場變成了冷戰陣地，見怪不怪？

蘇俄的廣播和報紙當然有他所認爲充份的理由，視此次競技爲「本世界最偉大的比賽」的，因爲在總分上美國以兩分之差，敗倒下來了，雖然美國男子隊在那兩天激烈競賽中，以一一九對一〇五的優勢，壓倒了蘇俄的男兒；如果美國女子隊少輸三分，蘇選手倒霉的，恐怕大有人在！

美體育聯合秘書法理斯和訪蘇美田徑隊首席教練伊士曼當時聽見了蘇俄宣布說分數，臉上鐵青的，幾乎給氣死了！原來雙方在換函約時，聲明在先，不論比賽結果如何，祇宣佈男女子隊的兩項賽績，並不是合起來計算勝敗的，而以男女子隊兩隊各自的勝敗爲勝敗。美國人又吃了俄人背信的悶棍，現在後悔也無濟於事的了；俄人在體育心理戰方面，對共黨國家及其奴役下的人民又大放厥詞，否言蘇維埃的制度確然勝過美國，否則這次「最偉大」的競技怎能夠把美國佬打的「一敗塗地」呢？

頭一天，觀衆有七萬五千多人，不滿座，並不要緊，問題却在美男選手以六一對四五，蘇女隊員以三十對二十二，分別領前之後，大抵由於美總分已然佔上風，而致第二天的看衆，減了一大半，竟然不到二萬人！雖然第二天那一把雨也該算是看衆大減的主因。然而更不容否認莫斯科在這次比賽時反應的失常，無論通訊社如何極力說成雙方如何水乳交融。

碰上了並駕齊驅的賽跑者爭持不下時，那些看衆祗知勝敗對他們的影響，完全忘記了體育精神的表現。參加今年度美十項運動賽的資格，前此楊傳廣在美以來實標選拔時，每項與勁敵爭奪首名達於高潮之際，美國看衆對奮鬥精神表現優異者，或純技術有驚人演出的，或體力的表現有獨特之處的，不分是楊氏抑美國選手，一律報以激動的歡呼或期待，那畢竟與莫斯科的情景成了一個相反的對照。美蘇田徑對抗，有如「仇人相見，分外眼紅」，列寧運動場上的蘇俄看衆喜睹俄人勝利，是理所必至的；只可惜他們見到美選手勝利時那份的哭喪臉的表情，掩不住階級鬥爭的教條作祟而已！

美十項名將強生原係世界紀錄保持者，這次在蘇突出地破了八千三百分的大關，創出了不起的新世界紀錄之後，蘇俄各報並沒有多大重視的，反而大吹大擂，把俄人拉雅哈夫斯基三級跳十六公尺五九這個世界新猷，捧上天！蘇俄各地報紙也只側重蘇選手奪標的消息。一個東道國對友誼賽的反應，小氣乃至於此，自然令人聯想到政治上的冷戰場面爲如何的了。

上月初，世界器械操錦標賽在莫斯科舉行時，蘇俄包辦了男子隊，女子隊，男子個人和女子個人的冠軍，西方國家的報紙一點也沒有漠視過。田徑運動畢竟爲體力使用與訓練最重要的項目。此次對抗蘇俄既然贏不了男子隊的，光彩畢竟有限，所以共方報紙也就不敢大放厥詞了。

中共連年拚命培植運動明星，企圖利用體育競技的表演，以宣揚它的威風，而在實力上不論那一部門的成績，也只有一小點的成就，却已大言不慚，胡亂嚇人去了！實則蘇俄與中共的選手全部職業化，半點也不符合業餘運動員的資格，這些選手一如蘇維埃的刀槍，都被用作外侵的工具。中共一看見女子跳高的鄭鳳榮越過了一公尺八〇，便狂亂起來，高唱什麼制度的優良有以致之的調子；不消說，在美蘇田徑賽績公佈時，他們會拚命提高嗓門兒，嚷着蘇俄選手的大勝利。誰教你們那班美國男女，老遠跑去莫斯科去做冷箭靶子呢！今年世界足球大賽，俄蘇名落孫山，大家放心好了，莫斯科電台不會引導俄人認爲巴西的文物典章是優於蘇維埃的；世界各自由國家選手們不斷打破的世界紀錄，共黨國家的球迷是不會從他們的報上看到這種消息的。（一九五八，八，三）

舒華章

言論自由一解

黃少游

現代國家之所謂「自由」，並非指個人性之所至，而無所不爲，也並非指僅僅不妨害他人之自由。乃係於不妨害他人自由之外，並不妨害國家所賦予個人自由之正當措施。此正當措施，即爲世人所共喻的道理。故現代的言論自由，可從以下二方面來了解：即甲消極方面：所謂「言論自由」，並非是譁衆取寵，用以破壞他人名譽或造謠生事，滑稽聽聞以達到個人險私目的之一種譁符。乙積極方面：「言論自由」是以公衆福利爲出發點，是以客觀正確事實爲根據，在一個國家法律許可的範圍之內，對於國家或社會某些現象或問題，爲公平的評判，或建設性的建議。而其方式，不管爲講壇講演，電台廣播，文字書寫，或出版印刷，要皆爲自由表達個人言論意志或思想見解爲目的之一種方法。

政者知識有限，顧慮難周，故必須博訪周諮，聽取他人意見，以爲治國之參考。如管子說：「黃帝立明堂之議者，上觀於賢也；堯有衢室之問者，下聽於人也；舜有告善之旌，而主不蔽也；禹立諫鼓於朝，而備訊矣；湯有總街之庭，以觀人誹也；武王有靈台之復，而賢者進也。」這種歷史上的寶貴資料，多至不勝枚舉。善治國者，必須深切了解，才能達到國家的長治久安，以上所說，都是言論自由的表現。

此種心理，和把持消極的惡意，否則，不免事倍而功半。反之，便是不利。例如現在有些人，口頭上說要言論自由，而作法並非如此……

（以下數段字跡模糊，[illegible]）

寶島經緯線

△香港國際電影公司拍了一部「苦兒流浪記」，台灣三大官方製片機構之一的中央電影公司，最近也在開拍一部「苦女尋親記」，主演這兩部兒童倫理片的童角，前者是甄芳芳，後者是本屆亞洲影展最佳童星張小燕，均是時下海內外影壇上已露頭角的小童星。因爲如此，再加上兩片的故事內容大同小異，使人懷疑是一齣對台戲。爲什麼要唱對台戲呢？是商場競爭？抑或是劇本荒？如果是商場的競爭，可不深論。如果是因劇本荒，那不能不令人感慨系之了。台灣並非沒有人才，文藝作家比比皆是，問題是作家們出血汗，能獲多少代價？據說女作家孟瑤的名著「窮巷」，近將板權賣給一家公司，板權費不過三千元台幣。世文章不值錢，又安得而不劇本荒呢？

△「疏散問題」現在台灣又成爲一句最熱門的口號，也是一項最不容易解決的問題。民國四十三年五月，行政院曾頒佈過一項「台灣省防空疏散辦法」，當時曾經實施，稍後，又停止下來，停止原因也很簡單，如機關疏散後的聯繫問題，員工的住宿交通問題，都無法得到解決。可是由於國際間的風雲變幻，台灣海峽形勢，亦變化不可測，疏散工作，在目前又再度展開，由俞鴻鈞、嚴家淦主持會議，接受各單位建議，研究疏散辦法，結果都變成「疏散辦法，吃力不討好」。此乃當局目前最傷腦筋的事。

△與新聞界直接發生關係的台灣省新聞處，原任處長李煥已調台電公司辦事，遺缺由王道接任。記者另悉，當局曾一度屬意記者李荊蓀，曾徵求李氏意見，台北同業聞之，曾爲李道賀。惟李氏視此爲畏途，極力推辭。記者不願爲官。（司馬芬寄自台北）

談談新舊兩外長

關攸

葉公超部長於這次改組中離開了工作九年之久的外交部，在葉氏個人說，也許是卸仔肩，而從葉氏不能不說是一項損失。……

（本段字跡模糊，[illegible]）

許財案引起兩報冷戰

昌增勛

（台灣訊）最近台灣遠東偵探公司冒充影業公司，大招影星，收取報名費，或騙取財物，造成許財案……

（本段字跡模糊，[illegible]）

台灣的社會心裏；影星的身價似已凌駕於文武百官之上，所以做影星夢的迷哥迷姐，易于上當。然而：因「大華影業公司」詐財案，卻引起報紙一場筆戰。

新生報（南版）廿八日用大篇幅刊出「大華」詐財消息說：「……公司既未申請登記，未有公司企業……已開始在中華日報刊登招考演員廣告，已報名的男女準明星們……多屬南部各縣市……」廿九日中華日報載：「……該「公司」並曾於本月（指七月）廿、廿一、廿二日在高雄新生報刊登招考演員廣告三天，昨有高雄方面報考者向有關方面探聽該公司詳情……」此後，兩報繼續在報上冷戰。該二報同樣刊了「大華公司」三天廣告，相信不會是爲爭廣告費而起了此事而引起一場冷戰，那是讀者所感到的是：像這類詐騙的廣告，似什麼祖傳秘方，僞藥等一類，報紙在道義上是不應刊載的。（八月一日）

讀者論壇

取締惡性補習的根本辦法

年來台灣教育行政機關以及社會人士，深爲國民學校惡性補習所困惑，雖經下令禁止，開會討論，乃至言論界嚴厲指責，其實都未中要害，所以補習者自補習，毫無效果可言。因其中另有根本原因在。台灣各國民學校，爲了爭取升中學，普遍實行惡性補習，既影響兒童健康，又求不到真實知識，所以遭社會攻擊不遺餘力，政府也下令禁止。可是，各校仍然照行無事，還照補不誤。家長們雖叫苦連天，還是慷慨按月付出補習費，毫無吝色。惡性補習的病根，究竟在那裏？有人說：「國民學校校舍不夠，學生分別輪流上課，趕不上進度，祇有用補習來挽救」。又有人說：「家長盼望子女升學，學校藉機增加收入」。但依我看來，國民學校實行輪流上課的是低年級，實行惡性補習的是高年級，低年級功課分量輕微，不至影響升學，而高年級既然全日上課，爲什麼還要補習？家長明知補習有害子女身心，爲什麼還肯出費補習？學校當局明知補習有違功令，爲什麼敢冒不韙？他們是有不得已的苦衷的。

台灣各中學都實行「聯合招生」制度，學生報名塡寫志願，皆選擇設備較爲完整的學校，錄取結果，優秀的都擠進了少數學校，久而久之，那少數學校，便形成「天堂」，大衆以「超升」爲榮，也不管補習惡性不惡性了。

再談到「聯合招生」的流弊：（一）照規定，初中招生命題，選以國校教材爲範圍，無非是「是非、選擇、塡充、問答」等的試題，於是就有些投機商人，勾結生，搜集各中學歷次聯考試題，仿照作成什麼「考試指南」、「複習指導」、「作業問題」之類的書，高價出售，國校教師便將兒童關進教室，強迫背誦這些書裏的習題答案。他們有了這種「法寶」，在課堂就不肯認講，課外就不願讀書，儘管將習題答案背得爛熟，也不一定懂得它的意思；祇種硬塡強記的辦法，無以名之，就名之曰「惡性補習」；（二）學生彷彿進了「天堂」，便充分表露優越感，管教成了問題；等而下之，進入「低等」中學的，就不免垂首喪氣，自卑得可憐，甚而無志上進了。這給予少年心理上的刺激不少。（三）那些以「天堂」自命的少數中學，容納不了大量擁擠的學生，就意想天開，開辦什麼「夜間部」，「分部」，「聯合分部」，（據說分部是爲疏散而辦的亦甚欠妥）使人力財力分散，也是浪費，也可以說是蹧蹋青少年，未嘗不可。

愚意以爲要取締國民學校惡性補習，不應著眼於國校本身，必須進一步從改進中學制度着手，其辦法如下：（一）中學招生，最好不採取聯合制度，萬一要採，也應同時有補救辦法。（二）中學招生，應受地區限制，才不致造成學校捨近就遠，或有學校而無處招生的怪現象。（三）如同一地區學生太多，超出原有學校容量，應設法增校，夜間部，分部之類不應存在。（四）欲求教育進步，不能僅靠少數學校畸形發展，無論省縣（市）私立中學，要一律合乎水準，齊頭並進；如成績惡劣，政府應加以整頓，或勒令停辦，以免誤人子女。爲了使各中學可以得到平衡發展，國校畢業生升學可以得到均等機會，自然再也不需要惡性補習存在了。否則光靠下令禁止，也是禁止不了的。

杜多

四、我爲什麼批評胡適之先生和我要和他商討的幾點

（上接第一版頭條）

我爲什麼批評胡適之先生？因爲我在「自由民主的經濟制度」一書裏而所講的科學方法，與胡先生所講的不同。有人問我：倒底是那一個方法？我的答覆便是那篇講演：「從經濟學看大胆假設與小心求證」。從五四運動起，胡先生就講了「大胆假設，小心求證」，一直講到現在，已經講了四十年，他一再的說「科學方法」，老實說，我既不同意他的大胆的假設，也不同意他的「小心求證」，更不同意他那個「大胆」和「小心」。舉一個粗淺的例吧。假如有人說：「人的生活不過是吃飯拉屎」，這是大胆的假設，我們並不便告訴他，大人的生活不只是吃飯拉屎。正如陳伯莊先生所說的，吃飯何必小心，拉屎何必大胆，我們反對小心的吃飯拉屎。「小心」乃是粗心的反而，「大胆和小心」原是兩個主觀的名詞，不是「折衷」！胡先生用八個字來說明科學方法，卻被一班人小心估去四個。假如胡先生不詳加說明，普通一般人是很難了解的。比較嚴重的還是那「演繹法」而不重視歸納法的。不過他又否認從培根到穆勒的歸納法是科學方法，須知道從求證的材料和統計的方法取樣的材料是科學的方法。見隨者意得來的假設求證的材料，是主觀的材料，而一選一個出來的是客觀的材料，一後者是毫無……

病的。太重視自己的假設，他說：求證也可能發現在引胡先生一段話。他說：「大胆的假設，小心的求證」……

（以下數段字跡模糊，[illegible]）

赫魯曉夫畫像（上）

距今不到三年，赫魯曉夫和他的朋友鐵托家人，共進餐於比利奧尼島的鐵托別墅中。這位俄人幾乎視南斯拉夫元首如同一家。他喝了大量的梅子白蘭地後，開玩笑的企圖和鐵托夫人接吻。當她閃避後，這位俄國老粗，爲她唱起了烏克蘭的情歌。鐵托和太太都大笑起來。

醉狂

到了午夜主人說：現在是就寢的時候了。赫魯曉夫甚激動的說：『我是從那裏來的？我們繼續飲，直至沒有酒爲止。』他們再喝幾瓶後，他轉向同僚米高揚說道：『當你和鐵托同志簽訂貿易及物物交換條約時，請勿忘記加上一特別條款。』鐵托問『什麼條款？』赫魯曉夫一本正經的說：『假如鐵托元帥不將他的太太，去換取最高蘇維埃主席團委員赫魯曉的太太，那麼這條約便作廢。』於是又來一次閧堂大笑。那時已經是上午三時了。於是他們才勸他離去。但還有一輪爭辯，說也是否還應睡在食堂的沙發椅上。

笑謔

在今天赫魯曉夫談到鐵托，——鐵托唯一的罪行，是不接納俄國爲共產世界的領袖。——只是辱罵他。大多數人對於這種的反覆無情，必然感到氣憤。但鐵托知泰然自若的，不以爲意。鐵托是位老共產黨員，他知道共產黨人之想消滅政敵，和赫魯曉夫在飲宴中的笑謔作樂，同樣是自然的。

殺手

他知道：赫魯曉夫是青年紅軍時，槍殺白俄囚犯。他知道：他是史諾林信任的助手時，曾在大整肅中槍斃或驅逐千千萬萬的共產黨黨員。他也知道：高級黨員的自殺，——在蘇俄的和在外國的，——他們與赫魯曉夫積不相容。他也知道貝里亞之死，當時赫魯曉夫是在場的。米高揚一槍擊中貝里亞的頸子。

矮子

若干在莫斯科的西方觀察家，幾乎很喜歡赫魯曉夫。他是這些人喜歡的矮子，兩腳又短又胖。他的兩顆金牙，兩隻兜風耳和臉上小疣瘤，令他樣子如此醜陋，以致他幾乎惹人同情。

弄臣

他站在一羣大使圍成的圈子中，談笑風生，該諧引起閧堂大笑。他大展其滑稽天才，曾爲史達林宮庭中的弄臣。他有極大的活力，有一個早晨，記者們在貝爾格萊德飛機場等候他在十時乘飛機前往保加利亞首都蘇非亞。他們知道他在宴會中痛飲，直至上午四時卅分。他們打賭，他們一定來遲了。雖然他祇睡眠四小時，但他到達飛機場比原定的計劃還較早。在炎熱的陽光下，他檢閱儀仗隊，和數以百計的人握手，才滿臉笑容的登機，和揮手告別。

一位記者爲着追訪他，感到疲倦而表示不快，赫魯曉夫使道：『讓我告訴你，生命是短的，盡量享受罷，當盡觀聽及遊覽之娛。』

活力

赫魯曉夫運用這樣的活力達到權力之追求。首先他眨黜馬連可夫，於是他利用朱可夫之能，指揮俄國陸軍，去剷除莫洛托夫和卡岡諾維支。他利用那自以爲超然擺脫鬥爭的布爾加甯，最後他疑朱可夫企圖使陸軍脫離政治之控制，便將朱可夫罷黜了。

玩笑

他幾乎和歷史上每一獨裁者一樣的，常時開自己的玩笑，最近他對一羣聽衆——其中包括有外國人——說一個故事，內稱：有一男子，狂奔過克姆林宮，同時大呼『赫魯曉夫是一個愚人，赫魯曉夫是一個蠢人。』那人被抓起來了，被判囚監獄廿三年。赫魯曉夫解釋道『三年是因爲他侮辱黨書記，其他的廿年是因他洩露國家的秘密。』

權力

但這種的笑話時常隱寓着顯示他自己權力的意思。當他參加款宴奧國總理拉伯的宴會時，他突然注意到馬連可夫，很鬱鬱不樂的坐在沙發上。他以手挽着拉伯的腰，引帶他到對面去，將肥手搭在馬連可夫的肩膊上，赫氏大笑道：『他們說我快將我的小喬治（馬連可夫）問絞，可說這也證明是虛妄的。』拉伯勉强作微笑如儀。但奧國外交官說：馬連可夫臉色已轉蒼白。

表演

赫魯曉夫假裝和靄得很自然。但他很聰明的利用。沒有其他的政治家，像他吻小孩子和握手那麼多。當他訪問外國大使館時，他提出飲本土的酒，在款待北韓總理金日成時，他請一羣蘇聯陸軍元帥們，逐一的各飲一杯北韓裸麥酒。大呼乾杯。

伶人

赫魯曉夫善於表演，他罷黜了馬連可夫以後，他故意陪同馬連可夫到劇場看一反貝里亞的戲劇。他曾有一次和鐵托走過莫斯科最熱鬧的高爾基街。那羣衆向去大使館的法國總理摩勒歡呼。他正和摩勒分別。他去執着摩勒的手，去和大衆相見。

去世不久的米高鐸訪問過莫斯科。他說赫魯曉夫是世界最偉大的演出者——他是伶人、導演、和製片家三位一體。』米高鐸說：『當布爾加甯演說時，他不是看布氏，而是注意羣衆對布氏演說的反應。』（風行譯自六月廿日英國John Bull）（未完）

國際動態拾零

△英國情報，謂納薩上星期訪問赫魯曉夫，會獻議利用喀族酋長，給以金錢與槍械，使其在土耳其，伊朗境內叛變。成功以後，則將其佔領地帶，組喀族聯邦。

△艾總統鄭重聲明，此次開入黎巴嫩之美軍，未攜原子武器，以澄清謠言，而免刺激蘇聯。

△據說，聯共第二號領袖，爲陸軍總司令馬林可夫斯基，因他在最近中央執行委員會開會時，支持赫魯曉夫甚力。至特務頭子沙斯洛夫，則已失勢。

△波共首領美未科，本擬在本月召開中央執行會，現則已無限的延期。因其委員中，史太林派過多，深恐結果不佳。

△七月廿六廿七兩日，美國將放射「探險者第四號」，進入太空。體重三十六磅，載有六磅重之儀器，以探測幅射綫之在六百里以上者。（按已實現，見報載。）

△周彼得中程飛彈，已在大量製造中。所有機械上困難問題，業已解決。

○陶然○

竹幕揭秘

中共蘇聯對於高峯會議的歧見

因爲要舉行高峯會議，西方國家固然發生了裂痕，中共蘇聯間却也因此而發生嚴重的歧見，目前情況雖有轉變，但中俄共間的磨擦，仍有一述之必要，事情的經過是這樣的：七月十九日蘇聯建議召開蘇、美、英、法、印五國首腦會議，來解決中東問題。地點可在日內瓦和任何其他地方。

七月二十二日人民日報以「與世界人民爲敵者必敗」爲題發表社論，社論說：「十九日蘇聯政府向美英法印建議立即在日內瓦召開有聯合國秘書長參加的這些國家的首腦會議，以便馬上採取措施，停止中近東已經開始的軍事衝突，這是蘇聯支持中東人民的正義鬥爭和制止美英海盜行爲的又一個有力的措施。」——特別應該注意在蘇聯建議中的地點是日內瓦和任何其他地方，而這一社論僅提到日內瓦。可見對會議的地點雙方已經有了差別。這一種地點上的差別的含義，並不像字面上顯現的那樣簡單，因爲艾森豪威爾會就蘇聯的這一建議，直接詢問蘇聯是否欲以印度來代替國民政府出任安理會的常任理事國。麥克米倫則建議作爲一次安理會的特別會議在紐約舉行。——假如眞如這般的舉行高峯會議的話，中共一心要想把國民政府從聯合國中踢出，取其地位而代之，也就是說，中共要想在安理會中承繼常任理事國的希望完全幻滅了。因爲蘇聯十九日的建議中隱含有這種意圖，所以它對於這一建議的反映是遲鈍隱晦的，並非特別著論表明其態度而是夾在另外問題中順便涉及的，它强調要把地點限制在日內瓦，不使這一會議與安理會發生直接的連繫。從它們對于高峯會議的歧見來說，不愉快似已在開始醞釀。這時中共可能已向蘇聯探詢其意圖，而未獲答覆，故有這種隱晦的論調。據七月二十四日路透社報導，「北京晚報」曾于該日著論猛烈抨擊在安理會中舉行高峯會議的建議。這當然可以作爲我們上述立論的註解。

七月二十三日蘇聯復信中又說明：一、同意在安理會中，于紐約舉行高峯會議，二、蘇聯認爲：「在當前情況下，吸收印度參加安全理事會的工作是有好處的，因爲印度是一個亞洲大國，是一個爲主張鞏固和平而貢獻的國家。跟一個實際上並不代表任何人的所謂的常任理事國不同，印度的參加將是眞正有益的。」——這封信一發表（其發表的時間是二十四日），中共蘇聯間對於高峯會議的歧見實際已經明朗化：一、前述「北京晚報」還在二十四日發表那種明顯而不掩飾的與蘇聯完全相反的論調，足見蘇聯在這一問題上，未會與中共取得密切的連繫。二、蘇聯坦白指出希望印度在事實上代國民政府爲安理會常任理事國，不難理解、蘇聯的願望，這是爲中共所深痛惡絕的了。

七月二十五日人民日報社論雖然說蘇聯二十三日建議「是爲爭取和平而採取的一項重大步驟」，但對印度爲安理會常任理事國一事未提隻字，可見其是十分勉强的了。大概這是爲避免公開暴露歧見的而于文章，暗中大概已向蘇聯提出異議。

七月二十八日，蘇聯復信又表示：一支持戴高樂主張在歐洲舉行這個會議的建議。蘇聯政府像以前一樣也不反對在紐約、在日內瓦、維也納，巴黎和在會議參加者可以接受的任何其他地點舉行這個會議。——假如說前述的中共蘇聯間的歧見的假定成立，中間中共也已提出過異議，但這信所反映的似乎拒絕了中共的異議，因爲它認爲願像從前一樣去紐約舉行會議，亦即還是不反對舉行安理會特別會議。

七月三十日人民日報社論說：「顯然，法國總理不贊成以安理會會議來代替政府首腦會議。這種看法無疑是明智的。」——中共此時似乎忍無可忍才直截了當的說明反對在安理會舉行高峯會議的這種立場了，一不難想見，中共至此已可能向蘇聯提出了一個極其强硬的抗議，而且可能還附有採取某種行動的要脅。於是，迫得赫魯曉夫東來移樽就教。毛赫北平會談的促成內素大概是如上所述，但其會談內容並不止于此，包括着國際問題，「加强中蘇之間友好關係，互助關係的問題」。

●田心●

屈騷是「南方文學」嗎？（上）

●王世昭●

值得商榷的幾個問題

近世學人，因受佛教分家的影響，强將藝術與文學亦裂之爲二，謂爲南宗與北宗。在文學上：新會梁任公先生尤主：詩經爲北方文學，楚辭爲南方文學。以故頗多當代文藝批評家及教書的先生們，步着梁任公的後塵，以楚辭爲南方文學，且常舉出屈著二十五篇爲其代表。

關於北方南方這個問題，應以什麼爲標準？讓我先提出幾個疑問：

第一、以地理爲標準乎？假定是的話，黃河乎？長江乎？中州乎？江南乎？應怎樣劃分；

第二、以歷史爲標準乎？斷代應自什麼時候起？周初乎？春秋乎？戰國乎？

第三、以文藝構成爲標準乎？詩經與屈著，偏無相通之點嗎？屈著是楚地的純文學嗎？楚人不是唐虞夏商周以還的宗臣及胤子嗎？

第四、屈原是南方人的血統嗎？楚與周人毫無關係嗎？楚人不是從北方來的嗎？軒轅皇帝不是我們民族的元祖嗎？楚人先世的歷史與華夏民族沒有血緣關係嗎？

第五、學術既無國界，文學又有國界嗎？屈原的靈感，是從天上掉下來的嗎？是不學而知而能的嗎？

這許多問題，都是我們值得研究的問題。如果這些問題都沒有求得解答，僭僭然以屈著爲南方文學，未有不差之毫厘失之千里的。

現在，讓我先談地理

依地理上來看，楚國初封之地爲丹陽，在今川鄂之間。後漸大，至熊渠，得江漢人心，乃興兵伐庸，至鄂，封其子三人爲王。又到了楚武王，遂併吞江漢間諸國。及成王，布德施惠，結好於諸侯，獻貢方物於周天子，天子因賜胙肉，並錫以命曰：「鎭爾南方夷越之亂，無侵中國！」楚遂闢地千里，與中國諸侯相抗衡。既而伐許，伐黃，滅英，服宋，臣鄭，助晉，敗齊，與晉戰，這一連串的事實，證明楚人與中國文化地理上已難以劃分得清楚。既而又縣陳蔡不爽，與吳越會盟，其土地北至黃河流域，東盡海，西及川滇，南服百蠻，領域之大，春秋戰國之諸侯，無一能與之比京。故從地理上看，楚國係自小而大，既大而亡於秦。在政治地理上，是獨立的，而在文化上，歷史上，學術上，文學上，沒有那樣不是與中原息息相關。假使說：以黃河流域之南北爲南方與北方的分野，這實在是不通之論。因爲黃河流域的文化是整體的，推而至於長江，而至於粵江，自北而南，源遠流長，所被者廣。政治地理固可因人而定，而文化學術思想又何能受政治地理的限制？木有本，水有源，謂楚辭爲代表戰國時代文學則可，謂爲代表南方文學則不可。此亦猶正統不居，而自居於偏安，寵婦不立，而自附於側室也。

再從歷史上求解答

依歷史發展看，詩經先於楚辭，詩經爲孔子所刪，約先於屈原三百餘年。而其內容，包括商周以至春秋時代的風雅頌，長篇與短篇，亦互相參雜，這祇是從文藝源流來分析。至於楚國，其先爲黃帝之孫，昌意之子，厥爲帝顓頊高陽氏。離騷云：「帝高陽之苗裔兮，朕皇考曰伯庸！」此與司馬遷史記亦相吻合。楚之先，至夏爲昆吾氏，至商爲彭祖氏，至周初，鬻熊事文王，三傳至熊繹，時周成王立，舉文武勤勞之後，封熊繹於楚蠻，錫以子男之田，姓芈氏，居丹陽，前面已經提到，故不據述。

屈原爲楚公族，其先，於楚武王時得姓，至原，常爲三閭大夫，主昭屈景三姓事，蓋亦如後世之宗人府宗正也。爲什麼我要略述他的歷史？就是說，屈原的先世還是中國人，是亦猶吳越二國一樣，吳之先爲太伯仲雍，越之先爲夏禹也。黃帝子孫之所以偉大，華夏民族之所以能開支發葉，就靠着這些先君先王，胼手胝足，蓽路藍褸，陸續向南方去開墾，去移民，所以能有今天的成就。他們既是中國人，當然是早沐中原文化，而後一步一步散播種子到南方，南方人也受他們薰陶的影響，一切都跟着進步起來了。屈原是公族，更又何能居於例外？所以我覺到，依民族發展歷史來看，文藝祇有演進，不能成爲對立。而況，詩經先於楚辭，屈原並不是外國人，南方與北方的定義，豈非無的放矢？連牽强附會四個字都說不上啦！

詩經楚辭之同與不同

詩經與楚辭，相通之點極多，宋玉以後不必說，現在我且舉屈原的二十五篇來作個比較研究。

若論屈原本身，史記屈原列傳說：「博聞强志，明於治亂，嫻於辭令。」博聞强志，就是讀通了三墳五典；明於治亂，即是精研中國的成敗與歷史；嫻於辭令，則並詩經也成了他的必修課程了。憶吳公子季札聘魯，請觀周樂，皆予以適當的批評。吳邇於楚，得風氣自在吳國之先，豈季札能通於詩，而屈原反而不懂嗎？此自無是理！又左傳：「楚左史倚相趨過，曰：是能讀三墳五典，八索九邱」屈原與相倚相距的時間不遠，豈倚相能讀，屈原不能讀嗎？又孔子說：「晉之乘，楚之檮杌，魯之春秋，其義一也。」

自由談

黔驢技窮

俄共頭子赫魯歇夫於倉皇走訪中國的毛共之後，忽然要求召開聯合國特別緊急大會，以討論中東問題，對於他自己再三主張，且經西方國家同意，預定本月中旬舉行的高層會議，當伊無介事了！美總統艾森豪立刻表示贊同，毫不猶豫，可謂勇決矣。

赫魯建議舉行高層會議的用心，原是以宣傳爲主的，美國上當孔多，本不願跟俄帝從事這類無聊的勾當，但大西洋彼岸的「偉大盟邦」，却視高層會議爲救苦救難的觀世音菩薩，英倫執政當局趨唯恐弗及，美國稍加考慮，即表示猴急相，主張無條件地迅速與赫魯會議，給美國以沉重的壓力，大有你若不幹，我就單獨行動的氣概。現在赫魯由於內在的矛盾無法克服，而中東形勢亦因美國不惜冒險的堅決行動，漸告穩定了，在高層會議中，已不容易施展宣傳魔術，乃以召開聯大特別會議來作下台之計。這樣正中美國的下懷，求之不得，艾森豪不假思索，即舉手贊成，良有以也。

反正是鬥嘴的玩藝，聯合國素來又是供作幾個強權國家的宣講場所，赫魯既有興趣到聯大會議中表演宣傳技倆，當然歡迎。記得一九五一年聯合國爲韓戰問題舉行大會時，中國的毛共亦被邀派遣代表列席。美國杜魯門總統在大會演說後，曾問俄共代表維辛斯基：「怎末不聞閣下冒駡美帝國主義的言論呢？」艾克在這次聯大特別緊急會議，他如其亦能對赫魯歇夫說說杜總統這類幽默語，那眞是千秋佳話，恐怕他沒有這種風格吧？

赫魯如果眞是出席這項會議，我敢肯定地判斷，他必然丟醜失格，大觸霉頭無疑。很可能他主張召開聯大會議，亦祗是口頭宣傳一下罷了，黔驢技窮，可憐也已。

馮五先生

絆脚石

·小言·

在人生的旅途上會時刻碰到絆脚石；在歷史的進程上，也一樣。

一個人的人生畢竟短暫微小，不足道，絆脚石給他的影響，不過是增加了一些煩惱困惑，痛苦也祇是小到祇有他自己一個人感受到，何况有時還可以繞道避之而過。

但是歷史上的絆脚石，却不那麼簡單，有時無形的比有形的對歷史的發展阻力尤大，更何况老一代的絆脚石風化了，后一代的還會代之而起。

對待歷史的絆脚石，不外乎是三種方式，一種是等待其自行風化。（但是有「俟河之清，人壽幾何」之嘆）。一種是愚公移山式，像和風細雨的英國民主憲政的演進那樣；一種則是羅集所有的力量爆開它踢開它像狂風暴雨式的法國大革命那樣。

等待一塊歷史的絆脚石自行風化，往往是人類最愚蠢而痛苦的事，這種近於殘酷的自我折磨，正如同狂風暴雨式的大革命，一樣是流血的苦痛的，不過一是慢慢地一片片地宰割，一滴滴地流血；一是一刀劊去，讓毒血一次流完。

一定要使每人感覺到自己脚下都有一塊絆脚石，而又同樣是那麼令人厭煩時，人們才會覺悟到要和那塊絆脚石鬥爭。有時人們會想，脚下的絆脚石碩大無比，莫可奈何，有時反感覺到自己的脚已經踢痛了，而仍動彈它不得，問題是如果眞的大家都感受到了同樣的痛苦時，絆脚石的壽命也就到了頭了，這時候大家就會自動地毫不猶疑而自然的同時舉脚了，同時一脚，狠狠地一脚，這一脚，又豈能等閒視之，即使是泰山也會被踏平的！

歷史上所有的最頑固的絆脚石，就是這樣被踢開的，許多的封建獨裁帝王的寶座，也就是這樣被踢翻了的！

弔陳納德將軍　詠余

赤焰迷天已不禁，海邦又見巨星沉。
揮戈迴日傳飛將，長揖投轄返舊林；
生子仲謀堪繼志，娶妻蘇蕙是知音。
英雄已死山河改，翹首神州淚滿襟。

臭文章

·陳永昌·

「放你的狗屁！」粵語說一句，不引致打架，那眞算是奇蹟了！當對他人的言語行爲不信任時，往往是用這句駡語駡人的，「放你的屁」已經够毒辣了，還加上個「狗」字，更覺尖酸刻薄，令聽到的人，不由自主地冒火，就算修養好的人，也少不免拍桌而起，怒目而走。

話又得說回來，說這樣粗鄙話的人，也是有心不得平則鳴的苦衷，一次兩次受了騙，還可以忍氣吞聲，再接再厲的硬要他人作太平山下的老襯，焉得不藉此以洩心中積憤，而這句屁話，對那些專事討便宜的傢伙，沒有甚麼不適當的地方，爲的屁是臭的，他們的言語行爲也是臭的，人屁尚有人味，狗屁則連一些人味也沒有了。記得中學時代念過一篇英文，文中的主角最愛用FUDGE這個字，意義和「放你的狗屁」差不多，可見中外對卑汚的人，同樣用類似的尖刻的驚人語，爲的法律不能干預這種上流騙子，除此沒有更好的辦法。

現今這個多姿多采的社會，生活並不如想像的易，要有成就更不易，成功的因素實在太多了，人事關係是主要條件，沒有人事，就算你是生張飛，也不行。那麼怎樣才能巴結達官貴人，以達登龍附鳳之途呢？便要練習怎樣「拍馬屁」，聽說馬是會放屁的，但不拍牠，牠不會放得很舒暢，也不會跑得快。懂得阿諛奉承的人，便懂得怎樣拍人的屁股，屁股拍得越響，越得主人歡心，自然，一幢洋房，一部汽車，以及一位美麗絕倫的太太，不難一拍而致。反之把主人之屁股拍痛了，觸怒了他，挨了一記掃把脚，那眞霉氣極了。

相傳有某富者，一天宴客，賓客中有極能「拍馬屁」者，見了這個財主，自然盡力討好他。忽然富翁放了一個屁，便問道：「這個屁是香的還是臭的？」那人回答道：「是香的。」「我的屁是香的？」那富翁驚慌起來，變變的說：「人說屁是香的話，壽命不會長的，那我眞担心極了！」那人忙說：「那是臭的，剛才我說的香屁是我放的吧了，」富翁聽了笑容滿面。「拍馬屁」之甚有如是者，能不令人拍案叫絕？

在民夫子及師母闊夫人象贊

·林翼中·

延州高壽，明德世興，澤流南紀，篤誕先生。弱冠秀發，蔚爲人師，激遊東觀，遠躡南司。淵淵其度，申申其容，修己以道，宏道以躬。西廣敷教，化洽民廱，興建庠序，施暢春風。東南之美，國民黌宮，陶鈞多士，若金在鎔。爲粵議長，上下順通，余雖不敏，雲龍相從。瞻！瞻後，惟師是崇，鏗鏗其直，温温其恭。大德必壽，奇福斯膺，君子偕老，八秩齊齡。如松之茂，如玉之貞，重逢花燭，輝映王庭。天之所眷，世之所榮，戲歡載笑，形圖丹青。穆穆夫人，正位居室，和如琴瑟，道叶膠漆。敬齊梁孟，名侔樊劉，聯珠合璧，慶溢千秋。

受業林翼中拜題

更正：

本刊七七四期第二版「周鯨文招待記者會側記」一題內「側記」誤植「測記」；文內「據周氏說」誤植「據說周氏」。又第四版「瀛海詞集序」文內第七行「山水靈秀」誤植「靈秀」；第十七行「倚聲」誤植「綺聲」；第廿五行「沾沾自喜」漏植「沾」字；第廿九行「天機清妙」誤植「天機」。同版「遂君左偕鐵南遊曼谷以和」詩內第四句「嶄阻」誤植「嶄嶒」。同版「廣東人的刻書風氣」文內第一行「肄業」誤植「肆業」，末第二版「黍離麗嶽」誤植「離嶽」。

廣東人的刻書風氣

廣州五大書院

嶺南文物掌故

廣東省僻處嶺嶠，文化稍後，刻書之風，在清中葉以前，遠不及江浙之盛，故宋明二代，廣東刊本，極其難求。但十九世紀初期，經古之學盛倡於廣州。及大書院開設，至嘉慶二年，（一八一七）儀徵阮元督粵，提倡經古之學，將浙江詁經精舍制度，移來廣東。道光二年（一八二四）首建學海堂於粵秀山麓，聘學長課士，獎勵士子，研求經史實學。其後菊坡精舍復成立於同治六年，（一八六七）合原有之應元，羊城，越華，共稱廣州五大書院。士子於八股制藝之外，治經史輿地及詞章之學者，有掩蹤比肩之勢。

經古學術，既盛昌於廣州，而經史子集之需求日亟，學海堂先刻經學巨籍。阮元輯清代漢學大師各家經說，彙成一書，名「皇清經解」，學海堂首先較刊。在史學方面，兩漢會要，及唐明等會要。又有樂書、禮書、及四庫全書提要等。至學海堂全集，共刻四集，此書精選山堂士子之文章，凡此期粵中優秀士人之經說，考據，詞章等，均聚於此集。其後菊坡精舍，應元書院，均刻專集，在此等文集中，足徵本世紀粵人學術思想及源流。

菊坡精舍，稍爲後起，亦將納蘭成德輯成之「通志堂經解」加以精雕。此書選輯晉人以至元明人經說，共包百數十家，爲經學大觀。精舍更翻雕殿板十三經註疏，又刻經學彙函，及小學彙函，於是經學之書完全無缺矣。至有關治道及學說之書，則菊坡精舍翻鮑氏太平御覽。應元書院較刊朱子語類，及朱子全書等，均巨帙也。

廣雅書局時代

各書院以課士爲本，刊較古書，祗其餘事。至正式官書局之設立，則始創於南皮張之洞。張於光緒十二年督粵（一八八六），同年與巡撫吳大徵，奏請設立廣雅書院於城西，及廣雅官書局於城內。自此書局成立後，刻書工人，較勘學者，均工作不停，首刻廣雅叢書，共百五十五種，釘成五百六十二冊。此一叢書以史學占其大部。大抵清代史學家重要著述，都可在此中求之。研究史學者，倘得全帙，便如入多寶之山，拾靡亦貴。如遊五都之市，觸目皆珍也。學者求書，當知別擇。又翻刻武英殿聚珍版叢書，多至一百四十八種，釘成八百[illegible]郡國利病書，讀史方輿紀要，及水經註等，無不齊備。計廣雅書局自（一八八六）至宣統三年（一九一一），其間凡經過三十五年（民國後，此局已無新刻之書），較刻之書，多至千種以上，其成績之多，可謂遙絕前人。（廣雅板片達十萬塊，分藏於局及西湖街惠濟倉，日寇侵粵時，館長徐信符先生移此板片一部份於西樵，散失者已逾萬塊）。（二）

竹庵

在日本獄中

蒙齒

中篇小說

他說宇宙的構造是數的立體總和，是多，不是一，顯然他在運用他的數理邏輯，敲開宇宙的奧秘，我說他是新卜師，算一算我們甚麼時間可以得救。我們談論過從前我國古代靈家在踏上畫一個洞門，一拍手門就開了，倘如我們也能畫一個洞口，拍拍手，就可不再渡這牢獄生活了。他告訴我他曾用手敲過試探牆的厚度，最少有二尺厚，磚造的，時間和容間可以互換，如果能有一根釘，一天挖一寸，第二天就可以挖下半塊磚來，第三天就是個大洞了。

「有個洞口又有甚麼用呢？」我故意的問。

「那你可以出去！」他說。

「恐怕不大容易，外面還有高大的牆……」我試探。

「那，總能有辦法！」他稍一遲疑。

「甚麼辦法呢？」我問。悄悄地。

「總能找到一個可以登上去的東西。」

「馬棚」，我想到了，我要說出來。

「若是被發現呢？」我問，

「當然要有好的判斷，找尋機會。」他說。

「外面夜間也是有光亮的。」我說。

「你不要管亮不亮，你要看巡邏人的眼睛看到看不到。」他說：「只要他們看不到。」

「這就很危險了，如果被他們發現的話」

「不要怕被發現，我們先要發現他們！」他堅決的說：能看到一個，先除掉他，」

我默然，不出一聲……想到好多問題，我原來那份勇氣呢？該和他商量！到現在我分明是在現實面前退却了。

夜是寂寞的，天空中仍然有閃光在顫抖。

八

那是一九四五年八月十二日的午夜。

我聽到一陣陣的槍聲。然後我更聽到沉重的脚步聲，獄室鐵鎖開的聲響，混着，這一夜，沒有一絲光亮，爲了防空院子內電燈熄滅了，槍聲冒着紅藍色的火花，在鐵窗子外面，我接着就聽見有人喊叫，我的獄門被人給開開了，這是我恢復自由的一個日子。

日本人已經撤走，所有的獄室門都打開了，有一個受傷的日本軍人倒在靠近我住的獄室不到十碼的地方，那是我知道的山本軍曹，他手裏緊握一柄刺刀，微笑着，暗淡的燈光下面，我看見他微笑的臉，他吃力的喊着我的名字：「祺光……」他說：「我已經盡力做到我要做到的，我生爲一個中國人，我要對得起我的國家，不管這個地方離我多麼遙遠，……我非常受了你們這多青年人的感動，你們的計劃沒有完全成功，可能，有幾位同胞遭了他們的毒手。」

陳添丁的受傷是在胸部，那是被河西軍曹刺傷的，在日本人的撤退中。隨即我們都集合起來，震動了整個監獄。痛哭，流淚，歡慰，那時的感情，我眞難以表達。我們受監禁的，除了陳添丁受重傷之外，有七個人被日本人槍殺在獄室，三個受輕傷的，這眞是一場惡夢。可以說只有陳添丁一個人，憑他個人的心計來和日本軍曹鬥的，就是在那一個日本兵的被刺時候，最危險的是陳添丁被調開了，他是合幾人之力保持警覺，不使日本人知道他在幹甚麼，可是，不幸的很，我和我的談話有一部份被河西軍曹聽到了，給他調開一個所謂更好的工作，就是陳添丁這時候想盡方法放出被關在獄裏的中國人，那時候日本人只有一百六十七人，如果能有武器的話，可以把日本人完全控制的，但是陳添丁並沒有得到武器，所以計劃不能順利的成功，那就是陳添丁受了重傷，他們先槍殺在監的囚犯，有的人被鎗殺了。可是山本，這個可憐又可尊敬的中國人，他死了。

九

我到台灣不久，就按照地址找到了陳添丁的家。

我永遠忘不了那幅面影，一位含着眼淚微笑着的母親，站在門口，遙望着他那永遠歸不來的兒子。夕陽映照她的家，大門上的匾額上，透露出光輝的色彩。那是送給這位模範母親的。

（八）——全文完——

自由人
THE FREEMAN
（第七七六期）
半週刊　每星期三六出版
每份港幣壹毫
督印人：
社址：香港高士威道二十四號四樓
... CAUSEWAY RD. 3RD. FL. HONG KONG.
TEL. 771726
承印者：南華印務公司
台灣總經理處：台北市西寧南路
電話：三四〇三六

如何遏阻納塞主義的狂流

宋文明

最近美國的報章雜誌，因鑒於中東地區一再發生劇變，和震驚於日趨強大的納塞勢力底影響，特對這一納塞所領導下的泛阿拉伯民族主義運動，製造了一個納塞主義（Nasserism）的新名詞，並有意無意把這一納塞主義與共產主義相提並論，認為對西方在中東的地位都是一個嚴重的威脅。這一態度反映了美國對納塞的新認識。尼赫魯執政十一年，在國際外交佔盡風頭，而美國人尚不願贈以任何「主義」的頭銜，事實作一比較，可知今日美國對納塞的重視與憂懼，則擺在尼赫魯之上。

一、

這一納塞主義運動，從一九五二年七月埃及革命算起，才不過六年時間；從一九五四年二月納塞正式就任總理算起，才不過四年多點；從一九五六年宣布收回運河算起，更不過只有兩年。但今日納塞不僅已直接統治了埃及及敘利亞，把三千萬以上的人民控制在他的手中，而且他的勢力已遍及伊拉克、沙地阿拉伯、利比亞各地。尤其伊拉克政變成功後，伊拉克、約旦、黎巴嫩、科威特、蘇丹與利比亞等國，內部已無任何政治人物與勢力足以與納塞相抗衡。因此納塞今後必將以更全面更有力的擴張，來對付國際間的阻撓。這一納塞主義狂流，如不即以適當的節制與疏導，則正如納粹主義在一九三〇年代一樣，納塞在其所謂「革命的哲學」一書中所表示過的信念，勢將繼續氾濫下去。歷史已經證明一九三八年是防止當時希特拉擴張的最後時際，一過這歷史關頭，沒有力量再能中途阻止希特拉。我認為今日對納塞的情形亦然，若要使納塞的民族主義始終保持其為一民族主義的進步的力量，而不致成為一國際關係中的破壞因素，就須在今天立刻想辦法。

二、

（一）我認為聯合國應保證約旦與黎巴嫩的獨立及其永久中立化。約、黎兩國同樣都是一個僅有一百五十萬左右人口的小國，內部亦均有落後的氏族長統治及巴勒斯坦大批難民的威脅。聯合國若不公開出面予以正式安全保證，這兩個小國的被納塞主義狂流所吞沒，只是一個時間問題。等到這兩國落入納塞掌握，則納塞即完成了對以色列的全面包圍，屆時中東一大規模衝突即所難免。因此祇有聯合國能夠保證其永久中立化，才可避免這兩國因西方與共黨的衝突，或阿盟與以色列的衝突而成為中東的導火線。尤其約旦，由於地理位置關係，比黎巴嫩更重要百倍，為了使[illegible]都不能在約旦地區合攏，事實最後若證明僅有聯合國的保證尚不足以維持其獨立時，我覺得聯合國甚至更進一步可考慮對約旦的暫時託管。這是所有問題的關鍵。

三、

（二）要保證約、黎兩國獨立及其永久中立化的同時，聯合國應設法一勞永逸的解決巴勒斯坦難民問題和以色列疆界。美英兩國已公開表示以色列的疆界是可以修正的，這種修正一面使阿猶邊界更適合當地自然與人文條件，使其具有永恆性質，一面亦希望由此滿足阿盟各國的民族自尊心，使巴勒斯坦難民問題更易獲得解決。但要把這一問題從十年來的仇怨與紛爭中獲得根本解決，以色列固必須要作某種實際的和象徵的領土退讓，另外聯合國亦需要支付一大筆金錢，資助這些近百萬的難民在阿盟各國獲得永久居留，充分解決其生活困難。否則問題就永遠無法解決。

四、

（三）要讓以色列存在下去。我同情阿拉伯各國的民族主義，亦同情以色列的復國運動；阿拉伯各國有權利求它們國家的團結自救，以色列亦有權利在此繼續存在下去。前敘利亞總統庫瓦特里曾經說過，以色列過去在巴勒斯坦只有一百多年時間，而回教徒統治西班牙南部則達四百年，所以認為以色列沒有權利。我覺得這種說法只有一半的道理。前美總統杜魯門亦曾說過，要以色列成為中東的工業國，要阿拉伯各國成為支持以國工業化的原料地，使其相得益彰。這種說法我也覺得只有一半道理。在這一問題中一個最健全的作法，便是一面要使阿拉伯人從根消除要把以色列最後趕下海去的想法，一面亦要阻止把以色列培養成為中東工業統治者的想法。要做到這點，就需要西方大國，聯合國和蘇聯之間，作妥善的安排，尤其聯合國要切實負起它本身的責任。不過有一點要特別注意，即不能使以色列在阿拉伯人眼中成為「西方帝國主義在中東的灘頭堡」。

五、

（四）滿足阿拉伯民族主義與限制阿拉伯民族主義。阿拉伯各國的民族主義以及要求從阿拉伯集團的共同聯合，已成為一個不可抗拒的力量。因此我覺得除了上述由聯合國保證黎巴嫩與約旦獨立及其永久中立化，把這兩個關鍵性小國從納塞口中搶出以外，西方國家應該正視事實，承認納塞在一般阿拉伯集團中的領導地位，允許這些國家在「阿拉伯聯合共和國」的旗幟下統一起來。現在我還不能確定的，就是埃及西鄰的利比亞王國應不應該容忍被安置在納塞的勢力範圍內。除此之外，像伊拉克、沙地阿拉伯、科威特、亞丁保護地，以及蘇丹等國，最好聽任它們去和納塞聯合，滿足它們的共同要求。不過對於納塞的容忍與退讓，亦應到此為止。在這一納塞勢力圈外，西方應該鼓勵土耳其、伊朗與巴基斯坦等國共建聯邦，堵塞納塞的北部及東部通路；在南部應鼓勵依斯俄西亞及那將獨立的索馬利蘭等共組聯邦，以阻納塞南進；在西部由突尼西亞、摩洛哥、阿爾及利亞，或再加上利比亞共同結合，以防納塞勢力西延。這種作法就是一面給納塞一個勢力範圍，讓他放手去幹，一面要緊緊關堵這一納塞的帝國，使它不能再越雷池一步。而西方更與上指這些聯邦分別簽訂同盟，為這些聯邦作後盾，一遇納塞再行挑釁，即予嚴懲不貸。

六、

（五）與新生的一代結合，全力發展中東經濟。羅斯福當年在出席德黑蘭會議時，曾感嘆的說伊朗需要樹木。實際上，今日中東各國所真正需要的，只是樹木，水，把沙漠變成碧綠的農田，和各種各樣的工廠。中東各地新生的一代，都已深感這種需要，只有那批在沙漠中建立冷氣王宮的少數統治者則否。因此今後西方對中東的外交，便要着重滿足這種需要，提供一種精神上的和物力，使年青新生的一代把目光轉向西方，與之樂與為伍。要滿足這需要，一要實行無私大規模經濟開發計劃，二要在中東各國推行新政改革，把各國政權逐漸由沒落的統治者手中轉移到新生的一代。

總之，在僅僅十五年以前，羅斯福總統啟示和激發了這一阿拉伯民族主義，在十五年後的今天，羅斯福的後繼者，實在沒有理由恐懼這一民族主義。事在人為，一切就看美國當局的頭腦如何。

半週述評

鸚鵡螺號的成功

美國原子潛艇鸚鵡螺號歷史性的潛航北極冰冠已宣告成功，這是美國在科學上的一項新的重大成就，它將改變世界戰略形勢，有效地制止蘇聯的擴張。

鸚鵡螺號是七月二十二日由檀香山啟行的，八月七日抵達冰島海岸，計自太平洋，經北冰洋直至大西洋，全程八千八百海浬，在北冰洋冰冠之下經行一千八百三十海浬。由于這次潛航的成功，不但在商業上開闢了世界兩大洋距離最短的航道，而在軍事上開闢了一條新的戰略通道，使東西戰略形勢產生巨大的變化。過去美國所建立的戰略空軍基地，是分佈在歐洲、亞洲及非洲各地，一旦有事，這些基地可能受到蘇聯飛彈的攻擊；現在有了冰冠下航行的潛艇發射飛彈，一方面縮短了飛彈的航程與炸射的距離，一方面使蘇聯的門戶洞開，蘇聯安全的北部疆域全部暴露在潛艇飛彈之下，挽回了西方的軍事優勢，而今後蘇聯亦不能不作慎重的考慮。

由於鸚鵡螺號航行的成功，堅定了美國和西方國家的信心，掃除了他們因蘇聯在人造衛星方面所佔優勢而引起的心理上與軍事上的威脅。因此在當前國際問題上，美國將可能表現出比較堅強的態度。

台灣海峽局勢

台灣海峽的局勢現正在緊張中，中共對金門馬祖的攻擊企圖已日趨積極，如米格十七的南移，馬祖海面的接觸，均可視為進犯前的前哨戰和序幕。

他們之敢于這樣做，一方面是由于近年來自由世界在各方面的示弱，助長了共產集團的侵略氣焰；一方面是蘇聯對他們裝備的加強，使其海空戰力增加，均勢而漸佔優勢。更重要的一點則是台灣之存在于大陸的威脅，台灣存在一天，大陸的民心就浮動一天，他們不能不想盡方法用盡力量來解決他們的「大患」。而問題是在他們有沒有取勝的力量而已，這一點，三十八年金門古寧頭之役，已替我們提供了很好的答覆。

然在目前情勢下，我們希望美國能向敵人學習，像蘇聯那樣的援助中共而援助自由中國，加速超軍刀機的供應。在今天，只有壯大台灣軍力，才是制止中共南侵的有效辦法。其次，希望政府當局在警惕戒備之中，能沉着一些，對于敵情，不要隨便發佈不十分可靠的消息，以免產生相反的效果。

港府的果斷處置

最近香港政府為維持社會秩序，取締非法活動，驅逐了一個藉學校為掩護而進行政治活動的人物，這是值得稱贊的果決的處置。

如果我們稍加注意，近數月來，他們如何利用印尼問題，中東問題在此間所作的瘋狂的叫囂，如何對純商業性的國際工展進行破壞，即可瞭解他們的目的。因此對于荒廢學生學業，宣揚赤色教義，影響社會秩序的份子，是沒有理由容許他在一個法治地方居留的。

○金達凱○

注視成功湖的幕後

——蘇聯為什麼主開聯合國特別大會

雅斯

今日成功湖的聯大特別會議，並不是國際舞台上的正戲，真正的戲骨恐怕還是在幕後。據聯合國紐約路透社電，可靠的聯合國人士說：在聯合國秘書長韓馬修贊助之下，美英蘇外長極可能召開幕後會議，替高層會議鋪路——這個所謂高層會議，性質上可能是一個透過聯合國演化為蘇聯集團所要着要開的「大國」會議。

成功湖不會有奇蹟出現。蘇俄也不會有誠意在那裏解決問題，它對中東問題，最初主張日內瓦高層會議，後轉而接受安理會高層會議，繼又提議「大國」會議，然後轉彎抹角地贊成召開聯大特別會議。這祇不過是一項手段，主要目的可能還是在「大國」會議。「大國」會議的提議，實際是蘇聯提攜其衛星國或拉攏其同路人的中立國跑上國際「高層」的一種戰略。

不久以前蘇聯所提出的美英法印度五國高層會議，曾為西方拒絕印度參加，其拒絕理由是它既非中東問題的關係國，又不是安理會的主要國家。今如果一旦在聯大力爭，在遷就妥協之下，便可能使印度及其他國家參加。當然對于這樣一個高層會議，美英間意見尚有不同，在蘇聯看，其參加成員自不能把印度、阿剌伯聯合國等所謂中立國家，尤其無法把非會員國的中共政權硬拉進去；但如果在聯合國特別大會授權幾個大國，情形就不同了。

從這一點看，聯合國特別大會表面上是為中東危機而召集，絕不能解決中東問題，卻可能為擴大的高層會議亦即所謂大國會議鋪路。這一結果，恐怕就是蘇聯所以贊成召開聯合國特別大會的原因，也許就是赫毛北平會談後的一項意圖。

如果英美仍然隨着蘇聯的樂曲跳舞，則在赫魯曉夫魔舞中引出毛澤東，尼赫魯，納撒靈來，並非奇事，縱不一定是混進聯合國，也很可能成為聯大外的「大國」會議的「大國」成員。對中共言，赫魯知道聯合國既說中共為侵略國，美國自不容它混進去，中華民國也絕不會放棄其否決權；如果作幕後商談，作為一項解決中東問題或國際糾紛而召集的「大國」會議，則中共等衛星集團以及中立集團而為蘇聯所要好的一些國家，却可望拐個彎參加進去。到頭來縱然大國會議不一定一如蘇聯集團的如意算盤，但蘇聯的想弄的是一步一步邁進的，明知大國會議攪不出什麼名堂來，也無妨中可以削弱聯合國的權威，不啻使越聯大的地位，即是說使聯大祇成為空頭的國際衙門，反把國際糾紛大事移到「大國」會議去解決。

這絕非過甚推想，祇要看看赫魯曉夫于同意安理會高層會議的前夕，到北平去後，突然變卦主張召開這個特別大會，顯是為了遷就中共的意向，而中共之意以為在反狄托修正主義的鬥爭上曾為蘇聯賣力，在中東糾紛中又曾為蘇聯集團張目，一旦召集所謂高層會議，蘇聯竟不替它拉進國際舞台成為「大國」一員，有失面子，且失時機，心有未甘，由此看近來台灣海峽的風雲緊張，可能祇是中共一種姿態，在聯合國外替蘇聯集團吶喊示威，以所以表示自己有料。

所以當成功湖西方政治家正忙于中東問題爭辯的時候，蘇聯必定忙于這幕後的安排。而會外的「大國」參加成員問題，將是蘇聯企圖打破聯合國內美國優勢的手法，在聯合國大會上成為爭論的主題。對這問題，在聯合國大會上，蘇聯集團加上亞非集團一些中立國家，是不可輕視的力量。如果西方國家竟讓蘇聯把它的同路國公然列于所謂「大國」之林，則中東危機將會轉變而為遠東危機，擴大而為亞洲危機……是一個不能忽視的險惡趨勢。

我們在此要提醒注意的是：目前蘇聯要爭取的勝利實不在成功湖，而在未來的「大國」會議；中共所緊張的，不一定是在台灣海峽上空，可能是在未來的「大國」會議容，它既不能在安理會把自由中國代表權排出，祇有另闢途徑以求出路，那是「大國會議」。故自由世界所希望于西方國家，尤其美國的，是在幕後商談中堅定立場，針對這一個陰謀，作有效對策。我國在台灣海峽應變中，同時不可不注視成功湖這一個幕後的幕後。

倒風與政府對策

慶光

【台灣通訊】年來台灣工商界倒閉之風甚盛，據主管機關調查，一年來倒閉店號一九七家，目前尚有繼續蔓延之勢。因此朝野人士咸感重視，工商團體亦紛紛舉行座談，研討對策。綜合各方面意見，認爲除一般惡性倒閉另當別論外，一般倒閉之發生，大多數由于盲目投資，市場狹小，產品滯銷所致。此外制度欠缺，經營不善，利息之負擔過重，私貸充斥，促成惡性競爭，以及金融業之不能配合工商業之需要，政府提高利率，抽緊銀根，又缺少長期投資市場，於是致資金短絀，週轉失靈，終無法應付，即表示無論是惡性的倒閉，抑或是暫時的，政府都應設法挽救。關於此，七月二十二日由各有關部會擬訂『工廠營運資金臨時借款辦法』，公佈實施。

新頒的臨貸辦法

根據新頒的臨貸辦法，凡申請貸款工廠必須具備（一）事業規模適合經濟條件，設備完善，產品不至滯銷的。（二）負債不超過資金實際淨值的。（三）依銀行利率，其營業收支平衡，有盈餘的。有了這三個先決條件，才予以貸款。此外如接受高利貸者，須與債權人洽商，減低利息，延長期限，在貸款期間中，工廠如有盈餘，必須優先償還銀行貸款的本息。

此項臨時貸款辦法公佈之初，曾一度引起債權人紛紛向工廠索償的現象。政府又于七月廿七日，依照總動員法第十六條規定，須依工廠在申請臨時貸款期中停止付給債權人提取本金的命令。即債權人僅能獲得利息，而本金則被凍結，並有要凍結本金的危險，政府此一措施，使負有高利債務的工廠所遭遇的困難稍爲緩和。

另兩項措施

此外，政府另又宣佈兩項措施：（一）核准首次試辦發行公司債五千萬元。票面金額爲新台幣一千元，及一萬元兩種。期限兩年，年息二成，每三月付息一次。第四期由政府銀行保證台灣工廠，計唐榮鐵工廠發行二千萬元，工礦公司、大秦紗廠，及台灣機器廠各發行一千萬元。均由台灣銀行保證代付本息，各商業銀行得舉辦優利儲蓄辦法，獎勵儲蓄。（二）舉辦優利儲蓄：分一年三年期，利息分一分七及二分一，用以誘導游資存儲，轉而購買公司債，使彼此互相配合推行。

效果如何

政府所採取一連串的新措施後，成效如何，目前尚未能遽加推測。但臨貸辦法，對於申請工廠，不但財務及資產處理，須受貸款銀行的監督指導。且在申請貸款之前，須首先獲得債權人減低利息，或轉爲公司債的承諾。此點無異自認工廠本身處于緊急狀態。即使能獲得債權人同意，但能否獲得准貸款，仍無把握。因此一般有企業精神的工商業家，均不敢貿然嘗試。

工商界意見

現在工商界人士的意見，認爲政府所頒佈的臨貸辦法，雖不失爲一項救急措施，但對於挽救今後的工商業，根本之道，政府應有成效的優良，積極予以扶助，對于生產過剩的工廠，應按其實際需要，並應改善出口政策，協助發展外銷市場，建立信用制度，誘導長期的金融投資。同時尚須改善稅捐率，廢止購買證制度，健全工商企業的組織，政府必須重新設訂金融財政工商政策，以適應今天台灣海島的經濟特別情況，始能根本解救工商業的危機。（八月六日于台北）

吃緊與緊吃

弓也長

「前方吃緊，後方緊吃。」這是一個可悲的現象。

雖然，吃緊與緊吃只是字次的顚倒，而所代表的意義卻南轅北轍。前者象徵着戰亂，驚險、忙碌，前進；後者代表着安樂、散漫，奢侈，浮華。當然，緊吃並不完是壞事，可是要看在什麽時候，什麽環境。

在緊吃的環境裏生長的人，受着特殊氣氛的薰染，會使人的思想逐漸麻木，忽視了一己的責任，未來的目標，而把自己侷限在一個小圈子裏打算盤，做白日夢。外界的刺激，誘惑，會不斷的麻醉自己，終有一天會無以自拔，陷在後悔莫及的深淵裏。

讀過歷史的人都知道：南宋末年，外寇方熾，而臨安城內，紙醉金迷，奢侈無休。「春風吹得遊人醉，直把杭州作汴京。」結果伯顏率兵浩蕩入城。這是城外吃緊，城內緊吃的最好寫照。又「漢高帝七年二月，上至長安。蕭何治未央宮，上見其壯麗，甚怒。謂何曰：天下匈匈，苦戰數歲，成敗未可知，是何治宮室過度也？」漢高祖的意思好像是說：全國都在吃緊，你何必還要想辦法緊吃呢！漢高祖畢竟是個平民創天下的皇帝。

「前方吃緊，後方緊吃」這是一個反常的現象。但希望這種現象不要長見于我們這裏！阿們！

台中市一盛會

——參觀國產商品展覽會記——

林嘯崧

【台灣通訊】從台中車站下來，一直朝中正路走去，便可看到矗立在市中心的一座高大牌樓：『台灣省工業商品展覽會』。平常這段路是靜寂的，商店的生意也很清淡，因爲這兒是屬於學校校區與住宅區，現在却換上了另一個面目——參觀者擁來擠往，車水馬龍，盛況空前。

台灣省工業商品展覽會於七月三十一日起在台中市自由路大同國民學校揭幕——這天正是台中市的大『拜拜』——說是紀念誰誕生的，大家擠滿街頭巷尾，爭觀鑼鼓交響，遊行全市的人羣。本來就是很熱鬧的，現在加上全省各地人士都遠道前來參觀展覽，尤其熱鬧失常。

此次商展是由台中市商會主辦，由全省六百餘廠商聯合展出，籌備達兩月之久，預定展出時間爲半個月，規模之大，爲台省有史以來僅見。至於展覽的內容，都是國產的工業商品，從重工業到輕工業，從衣食住行的日常必需的生活用品到娛樂及奢侈用品，無不具備，證明了自由中國的工業在量在質方面的發展與進步。

整個大同國民學校的辦公廳與所有教室，以至佔大的運動場也成了臨時商店，形式了一個小型的模範商場，佈置別具匠心，陳列成品繁多，參觀者要花去的參觀時間，共約二小時之久。要把展品都一一列舉出來，是一件相當不容易的事。

筆者首先看到的是國產重工業機械製造成品，項目繁多，包括各種機器模型以及馬達，圓心分離機等。其次是國省公營事業的展品及製造過程的機械模型，所包括部門亦頗多。再次則爲各民營工廠展品及製造過程情形，展品則以日常必需的商品，項目繁多，可說是一個大都市的小縮影。

這次商展對國人來說，却富有教育上的重大意義，同時也增進了對國產與工商實業的認識——工業的發展，必須商業的繁榮，商業的繁榮要靠一般購買力及其市場幅度的大小，自由中國僅限海島，工業商品市場有限，必須向海外發展，爭取國際市場，方有前途。因此筆者參觀後感到的是：（一）這樣的商展需要常舉辦，而國外的尤其重要，政府應設法鼓勵與資助，作有計劃的及有效的推展。（二）商展目的不在銷售成品，而在引起國內外人士的興趣，廣泛的作成品品質上的觀摩比較。這是爭取市場的最好宣傳方式，也可以促進產品品質的改良。（三）商展最好是分類分期與分區舉辦，此次展出雖然已有相當成功，究竟還嫌散亂一些，今後當能更加改進。（四）此次商展與新聞報導及廣播宣傳配合不够。（五）附帶還有一點值得提供參考，就是舉辦國際性的商展的，更要爲國家擺些場面，展覽會的設計擺置地點以及展品內容，均應注意，尤其儘量標榜特產成品，引起國際人士興趣（四七，八月七日台中市）

讀者論壇

談：台灣教育界的缺點

李俊

台灣教育界的缺點太多了，我認爲政府應該切實注意改善的，至少有下列各點：

一、台灣教育，應有一貫的方針，不可全憑教育當局一時心血來潮去決定。例如五六年前決定只辦一個台灣大學，其他大學一概不准設立；最近幾年却准許十幾間大專學校設立。又如五六年前決定不增加普通中學只增加職業學校；但是最近幾年事實上不增辦職業學校，轉而鼓勵增辦普通中學；尤其是自從所謂實行初中免試升學以後，祇要能夠找到幾間破舊房屋，就准許你招生開課。最近各縣市增辦的中學，有許多是借用幾間小學的教室或大禮堂，裏面沒有一件儀器，也沒有一本圖書，居然就成爲一間中學了。這些改變到也有的是環境使然，却也見教育當局的方針無定。

二、台灣全省的大專學校十餘間，幾年來都是實行所謂統一招生辦法，即全省各地在同一時間和同一試題，舉行新生入學考試。但是各校的教科用書並不一致，除國文、公民、歷史、地理四課外，其他完全不同。以各校的不同用書而劃一出題，顯而中太不公平之處，而此可見；而且高中畢業生每年每人只有一個投考的機會，假如落第或臨時生病不能應考，便要在家裏枯坐一年了。

三、台灣小學畢業生志願升學的人數，往往超出全省各初中招收的學生數額至少一倍以上；換句話說，每年沒有升學機會的小學畢業生爲數不少，至于初中畢業生志願升學而限于名額無法進讀高中的，牠的數字亦約佔投考高中人數的三分之一。至于高中畢業志願升學而限于名額無法進讀大學的，約佔投考大學人數一半以上，（今年投考大專人數一萬八千，僅取錄六千人。）

四、學校機關用人，尤其學校的主管係全體教職員生的領導人物，應選擇道德、學問、才幹三者俱全的人士充任，不可只在小圈子裏去挑選。但事實上不少學校的主管本身就是資歷不够，品德也不足以領導的。早已引起非議』。

五、教育當局對教育界人士似乎並不重視，譬如教職員待遇太薄，教育行政主管和校長等，對教職員傲漫無禮，對教員的任免毫無標準，對教育文化機構的增置和裁減任意爲之。而在教育行政機關內祗領薪不做事的什麽代表會、委員會、什麽參議、顧問之類，卻從未有裁撤或減薪的擬議。

不知新教育當局會注意及此而設法改善否。

「世界」和平了？

老聃

世界書局的糾紛，自李石曾與楊家駱在報上大登啓事的「宣傳戰」後，忙碌了各報採訪記者，搜集雙方新聞材料。儘量報導，某報竟標出「斯文掃地」的題目，尤其是內幕什誌，認爲這又是大好生意。又繪形繪聲，加以渲染。

殊知僅僅四五天，雙方的啓事停止了。那末，豈不是打官司麼？是又不然。劉正由董事陸京士、沈子明、李鴻球等出而調解。條件是互相讓步，李楊二人都請假一個星期。李之董事長職務由董事會代理，楊之總經理職務由副經理代理。可是這個條件，對於李楊二人俱礙難接受。所以還在洽談中，亦可謂暫時「和平」了。

有人說：此次楊家駱以「合法」資格，最初又攻甚力，繼而李石曾招待記者後，因爲有人替他講話，從此輿論，對于楊就不利了。所以他才接受調解而暫不訴諸法律。

楊家駱與李石曾有過一段如膠如漆的友誼，就是世界社五十週年紀念，用了一本小冊子，楊把李比着什麽狄岱麗，原名叫「爲李石曾先生而夢」，改名「狄岱麗與李石曾」。捧上了三十三天，如說：「李石曾先生最近四十年從事世界文化思想溝通，中國學術思想的建設，舉世皆知的思想家和文化學術教育的領導者。」

在該冊子附有李氏給楊氏一兩信，對李對楊亦推崇備至，如說：「楊先生具有偉大之思想與毅力，能與吾合作，共爲……自今日爲起點，吾能抱老當益壯之志，惟吾志無涯，雖吾生有涯，設吾仍能生存，將繼續爲爾扎的勤作的百科全書件，否則此紙亦即遺囑，由此文件予楊先生繼承世界社所有的精神物質的力量。」換句話說：從此楊先生參加我們世界社去。李楊之間，可謂關係密切。……狄岱麗與李石曾」小冊子中彼此互相捧場合作否？

代郵

北一投台稿人大鑒：來書敬悉，承示三點意見，極可寶貴，自當力求貫澈。本刊第一版文字，亦並不限於特約撰述人，謹覆。

——編者——

編輯先生：

我是貴刊長期讀者，素仰貴刊立論公正，敢請賜一角篇幅，一申愚見。頃讀七月十七日「青年戰士報」刊載關於軍校畢業生代用爲教員，有關主管單位的談話，說是「查過去各補無嚴格限制，且修業期限長短不一，有六個月」等語。實際上軍校正科期生，修業至少三年以上，第四分校十二期就受了四年的養成教育，招生資格也規定高中或同等學校畢業者才能報考，校後還要番考試陶汰不少人。故可以說，凡前軍校生由第八期至第十三期完全是受完整的養成教育的。至於戰時各處召集之行伍軍官施以短期補習教育，他們是員身份，程度不齊，又當別論。況且軍校八至十三期之南京本校，廣州第四分校，武岡第二分校等，校內有完善設備，有第一流師資，就是十三期以後各期雖受教育時間稍短，但後又補訓一二年，在此期間當中，也有不少文根底不差，又在軍事各種學校做過教官或文校教員的經驗。今天他們出任教員或工作于學校文教等部門，比起有國防部補發的文憑，況且今天全省師資缺乏，豈可因他們是軍官而拒之于學校門外，區區之意，敢請惠予披露爲感。告上敬祝

撰安！

軍校正科期生劉科敬上

（八月三日）

再談香港難民問題

祝修衡

香港中國難民救濟問題，自經十二屆聯大通過決議案後，期待救援的難胞以及熱心救濟難民人士，滿以爲有[illegible]。可是，半年多來，國際難民機構，迄尚未有所表示，救總與香港若干社團，雖曾大聲疾呼，卻並無下文。長此下去，問題祇會越拖越寬，解決希望越來越微。

癥結所在，據說由于聯合國救濟難民組織，根本就沒有充分的錢，迄今爲止，所募得的錢，只有五百萬美元。這僅有的款項，絕不足以解決這一重大問題。但何時可望募得足額，誰也沒有把握，尤其在國際局勢動盪的今天，「共存」氣氛冲淡了自由世界反共情緒，這個問題，也許又會被忽視。

因此，我們以爲先決問題，當由香港政府繼請國際難民組織確定款額，限期募集專款，有了着落，再辦難民登記，也不太遲。至于登記難民並非難事，這祇要聯合國香港難民組織，或港九難民救委會擬就表式，舉行一次「難民總登記」就行，凡一九四九年離開大陸者，原則上均可視爲難民；至於屬香[illegible]都列入救濟考慮，那是另一項應予研究的問題。就筆者所知，社會局對難民調查，製有表冊，除有固定職業，與無固定住址者外，是比較完整，自可引作參證。

聯合國的救濟，當不出下列兩途：一、協助徙置；徙置的目標，不外美洲、澳洲、及馬來亞；二、自力更生：就救濟專款中，撥出一筆基金，投注於經濟開發——墾殖或從事手工業生產。這兩項辦法，祇安置已經在港定居難民；至于對於今後繼續逃港難民，如何安置，則亦需要周詳考慮。於是，一個臨時收容難民接待所的設置，是非常需要的，有此機構，可免遭受拘囚集中營。這種收容機構，也要一筆專款，作爲緊急救助基金，並輔導從實或自力謀生。如所周知，今天香港的難民問題，並不僅僅上述的難民而已。另有一批難民，幾乎呼救無門，正在漆咸道集中營度其「黑獄」生活。這是當前更嚴重的問題。

同屬來自大陸的難胞，祇是時間與入境的方式不同，偷渡來港的，由於法令限制，使他們入境沒有法律保障；更不幸的，他們一經闖進集中營之後，便喪失了公共審訊機會。雖有違聯合國人權保障宣言，但據香港政府的解釋，也自有其理由在。港府對於偷渡入境者，送入漆咸道集中營拘禁，原係一時權宜之計，因爲他們來港志願並非在港謀生，而係投奔台灣，入營之後，隨即辦理台灣入境申請，雖然已有部分獲准入台，尚有一百多人仍未恢復自由，他們之中拘留最長的已逾一年，當非始料所及。不能獲准赴台原因，可能礙於過去發生共諜冒充難民混入，使救總接運難胞工作受阻。然無論如何，那是港台雙方有關機構，應予共同研究解決的問題。

港九難民救濟委會是香港政府註冊的合法社團，自不能對集中營難胞熟視無睹，應該負起責任向港府說話。人們如果不太健忘，當還記得六月間漆咸道集中營發生絕食情事。他們是輒刀尖下倖獲生還的逃亡者，吾人沒有理由不作將伯之呼。

赫魯曉夫畫像（下）

赫魯曉夫，是鐵匠的兒子，他以往常不修邊幅，和平民厮混，或淺嘗農民的各種生活嗜好，例如養兔、植樹、和鐵水鴨、（但他永不會說到他那枝槍值三千英磅）

甚至他在烏克蘭舉行盛讌，他還召開晚會，爲那些險爲刀下鬼的人而唱歌跳舞。有一次他還穿起了哥薩克騎兵的衣服，參加土風舞，獲得滿堂喝彩。

赫魯曉夫是眞正易與工人相處的少數領袖之一。在戰前當他任莫斯科黨委員會書記時，他經常到正在建築中的地下鐵道，他穿着工作衣褲，加入電鑽機組工作。他們很關心地道，特別是水閘，他的部屬稱他做愛好水閘的同志。

他旅行到鄉村，大談其種植長，尤其是玉蜀黍。當時莫斯科無綫電廣播電台，和一種什誌，大提倡種蜀黍，有赫魯曉夫夢想計劃之稱。當時他以農業知識經驗壓人，而指責莫斯科的建築一座摩天大廈爲浪費無意義。

失態

他原本個性是個老粗，自感很難適應高度禮節的外交社交生活，雖然他很喜歡講排場。

有一次在英國大使館宴會中，英大使的姪女，奉給他一碟櫻桃。他拒絕了。他說：『這是義大利的櫻桃。我等待我們烏克蘭的克里米亞的櫻桃。』當她再敦勸他嘗試時，他仍然拒絕又說：『這是義大利櫻桃，而義大利是北大西洋公約會員國。豈有北大西洋公約組織出產好東西的麼？』

他飲酒後，更加令人難堪。在一九五六年蘇聯慶祝空軍節宴會中，赫魯曉夫和人乾杯廿八次。他發表演說，幾乎全體的外國外交代表，都受他侮辱。他對法國的空軍參謀長說：法國太寒酸，不足稱爲强國。他對英國空軍部長畢爾徐說：英國空軍沒有良好的飛機，他對挪威大使說：挪威小國，算什麼東西！

布爾加甯不斷的拉扯他的衫袖，制止他。最後勸他到附近的湖上遊。赫魯曉夫命令布爾加甯找艇來。他還乘布爾加甯不在時，在岸上高談闊論一番。

幼稚

在他自己的國家中，他檢查一切有關他的新聞。但外國報紙常登載有關他的不慣言行。當上次法國舉行大選時，他發表意見說：無論如何結果還是一樣。當發表在法國報紙時，法國共產黨大感尷尬，遂向莫斯科正式表示不滿。但赫魯曉夫乾脆否認他這樣說過。

英國議員奧斯本問：他在蘇聯共產黨第廿屆大會，是否說過史達林使東西雙方分裂。於是要求赫魯曉夫發給他一份經核准的演詞副本。但赫魯曉夫拒絕了，他的理由是他的演說是給共產黨人聽的，而不是給資本主義者聽的。

此種態度大概表明他的知識有限。當他和英國工黨的負責人談話時，他顯出他對聯合國的工作，幾乎幼稚無知。

但他的政治頭腦之敏銳，是無疑問的。當他要求舉行高峯會議及裁軍時，他使蘇聯似乎比以前還更强大，他的欺騙手段比史達林不遜色。

他對於新策劃的熱心，好像學童一般。在一九五五年蘇聯空軍節日，美國的空軍武官，用望遠鏡看檢閱台上，當蘇聯噴射轟炸機羣飛過上空時，見赫魯曉夫跳躍，狂笑，以拳擊布爾加甯之背。

（風行譯）

赫毛談判以後

自去年十一月以來，中共國際地位，開始被壓低；至今年五月初，毛澤東藉反南斯拉夫事件，而抬高了他自己在共產國際中的理論地位；這次赫氏東來移樽就教，其談判結果，似又使中共的國際地位上升了一些。若從他們的公報去探測，給予吾人的影像只不過是一些空泛的結論。但是，吾人還可以中共蘇聯對於談判前後的事物態度轉變來觀察之。截至目前止，下面的幾項新發展，似乎是赫毛談判結果的一部分。這一部分的結果，可以作爲吾人對于赫毛談判使中共國際地位提高的論據。

一、高峯會議

赫魯曉夫回到莫斯科以後，立即改變召開高峯會議的論調，要求召開聯合國特別大會。這種改變，大概是毛澤東反對召開沒有中共參加的高峯會議所致。中共久已在强調，世界事務沒有中共參加就不能解決，在赫毛會談前，赫氏想要召開沒有中共參加的高峯會議，還要以印度來代替國民政府的安理會常任理事的席位，這些都表示蘇聯有藉以壓制中共之意，結果，還是毛氏强項，迫使赫氏改變這種態度。此事，西方論者已多述及，無需再談。

二、禁止原子武器

禁止原子武器一事，在共產國際統一指揮之下，宣傳已久。在赫毛公報發表之後，這種宣傳突然擴大了。此事看來也是他們會談的結果之一。

按照此次談判赫氏對於毛澤東遷就的跡象；以及中共的現況來說，這種禁止原子武器宣傳擴大的原動力，大概也是來自中共；因爲：

一、不久以前，中共「外長」陳毅曾對西德記者發表談話，說中共區域內現無火箭武器與原子武器，這句話大概是實在話。雖然他曾說，「將來我們會有的」，但我們覺得極其勉强。因爲要發展這種武器，技術條件固然有問題，其龐大的費用恐亦非百廢待舉的中共所能負擔。若自蘇聯輸入或借入，不特數量有限而且總要受到某些限制。

二、中國有六億人口，照毛澤東的預計，在一次未來的大戰中準備死三億，還可活三億；這一種戰爭的方法，若要以血肉之軀來對付集體毀滅的武器如氫彈，原子彈之類，則即使死其三億，也未必贏得戰爭。

那末，假如能把集體毀滅的武器像禁止毒氣一般的被國際協定禁止了，然後，毛澤東如能驅使三億中國人與作戰國家對拚，確能發揮其「人」的威力。從這樣的角度來看，突然擴大禁止原子武器的宣傳，大概是由中共所主動的。

三、中共北韓經濟協作

在赫氏離開北平的同一天，北韓政府代表團到達了北平，據新華社報導的宣佈，這個代表團是到中共來談判經濟協作的。本欄早已指出，歐洲共產國家在八國經濟互助委員會之下以蘇聯爲中心已在進行經濟協作了；但在亞洲國家中卻以這次中共北韓會議爲開端。按中共與北韓間原訂有中共無償援助北韓八億元人民幣的協定，至一九五七年底到期，未曾續訂；從今年上半年的情況來看，中共在北韓的經濟勢力似已退出了。但此次經濟協作談判，似又給予中共經濟勢力入侵而開方便之門。

假使遠東的共產國家，隨着北韓中共間的這方面的發展而亦與中共談判經濟協作，那末，中共在遠東共產國家中自然而然的成爲經濟協作的中心。此事若果眞是這樣發展的，豈不是，在經濟方面，中共在共產集團中可以與蘇聯分庭抗禮了。

此事適發生于赫毛會談之後，我們也懷疑這是他們的談判結果之一。

• 田心 •

屈騷是「南方文學」嗎？（下）

• 王世昭 •

詩也，離騷備之矣。蓋詩之流，至楚而爲離騷，至漢而爲賦；其後復變而爲詩。」

朱熹也說：

「凡其寓情草木，託意男女，以極游觀之適者，變風之流也；敍事陳情，感今懷昔，不忘君臣之義者，變雅之類也；其語祀神歌舞之盛，則幾乎頌矣；至其爲賦，如騷經首章之云；比則如香草惡物之類，興則託物興辭，初不取義，如九歌沅芷澧蘭以興思君子未敢言之屬也。」

以上所引，無論談屈著的源流，以及其本質，都是極其深入的。

所以，依屈原的身世，他讀古代詩書，及當時文獻，自是毫無疑義的。我們能說，楚辭與詩經沒有關係嗎？屈原的思想與文學不受中原文化的影響嗎？即就離騷，天問，招魂，九章九歌，橘頌，漁父諸篇來說，與孔子所删的六經，也不是沒有綫索可尋的，如離騷，如天問，均可以爲證。

有人說，屈著的特徵，爲善用「兮」字，不錯。但子書中的道德經，荀子，子華子也都常用兮字的啦。說到詩經，則用兮字的名篇計有召南之葛覃，螽斯，麟之趾，摽有梅，野有死麕五篇。邶風之綠衣，日月，擊鼓，旄丘，簡兮五篇。鄘風之君子偕老一篇。衛風之淇澳，氓，芄蘭，伯兮四篇。王風之采葛一篇。鄭風之緇衣，將仲子，羔裘，遵大路，蘀兮，狡童，丰，子衿，野有蔓草，溱洧十篇。齊風之還，東方之日，甫田，猗嗟四篇。魏風之陟岵，十畝之間，伐檀三篇。唐風之羔裘，有杕之杜，葛生三篇。秦風之黃鳥一篇。陳風之宛丘，月出二篇。檜風之素冠，匪風二篇。曹風之候人，鳲鳩二篇。豳風之九罭一篇。小雅之彤弓，巷伯，車舝，都人，白華五篇。以上共計四十九篇，時代自周初至春秋，地域括山東、山西、陝西、河南諸省。如果從文藝發展史上追溯用兮字最古的詩，我還可以舉靠得住的幾首，如塗山氏女作歌（夏），箕子的麥秀歌（殷），伯夷叔齊的采薇歌（周初）等。我們能說詩歌中用兮字是楚人發明的嗎？中國古代除了楚國以外，齊、晉、秦、衛、陳、鄭諸國，不也常於詩中用兮字的嗎？

至就文體上，屈原二十五篇也頗受詩經的影響，如橘頌如天問，如招魂，幾乎全是四言的。九歌乃擴近五言，離騷及九章則多七言，這個演進的痕跡也非常清楚。故我以屈著二十五篇爲承先啓後的大作，決然反對什麼叫作南方與北方。而況，華夏民族的發展，自西徂東，而又自北而南，文學不能自外於歷史，梁任公以還的錯誤見解，是要糾正的！

有史以來對於屈騷的看法

我國著作約分四部，即經、史、子、集是。楚辭居集部之首，且爲總集之祖，其名始於漢人劉向。蓋劉氏彙屈原、宋玉、景差、賈誼、淮南小山，東方朔、嚴忌、王褒，及向之自著，凡十六篇。至王逸，又益以己作與班固二敍，合爲十七卷，而各爲之注。因爲屈原是楚國人，故謂之楚辭。至宋玉則楚人，今屬河南；景差與宋玉同時。賈誼洛陽人。淮南小山爲漢宗室。東方朔平原厭次人屬北方。嚴忌會稽吳人，今江蘇。王褒蜀人，今四川。劉向漢宗室。王逸南陽人，或云南郡，今河南或鄂北。班固扶風人，屬陝西。所以，所謂楚辭者，未必全是楚人所作的。而且時代變易，疆理參差，古之楚國，至秦漢已分若干郡，上列諸家，自不得都謂之楚人也。

我覺得司馬遷與班固，對於屈著的看法，是極其持平的，史記說：

「屈平之作離騷，蓋自怨生也。國風好色而不淫，小雅怨誹而不亂，若離騷者，可謂兼之矣。」

漢書藝文志說：

「春秋之後，周道寖壞，學詩之士，逸在布衣，而賢人失志之賦作矣。大儒孫卿（荀卿），及楚臣屈原，離讒憂國，皆作賦以風，咸有惻隱古詩之義。」到了宋朝，晁補之分析得更透澈，晁氏說：

「詩亡，然後離騷之辭作。」

又說：

「賦者，古詩之流也，故懷沙言賦，橘頌言頌，九歌言歌，天問言問，皆

或謂屈爲南音，詩爲北音，其實，華夏民族的發展，自西徂東，自北而南，即混合當地的方言，文與言究竟是有分別的。如以吾閩而論，讀文與說話，相差得很遠，蓋文多中原音，而話頗混合地方言也。又呂氏春秋音初篇說：

「禹行功，見塗山之女，禹未之遇而巡省南土，塗山之女，乃令其妾候禹於塗山之陽，女乃作歌，歌曰：『候人兮，猗！』實始爲南音，周公及召公取風焉，以爲周南召南。」

由這樣看起來江漢與江沱之間，在召合二公時代，已入中國版圖。而史記魯世家也曾記道：

「及成王用事，人或譖周公，周公奔楚。」

可見化行南國，已見周之初年，屈原之著二十五篇，尤後於周南與召南，其互相影響，也已彰彰明甚。因此，我認爲詩經與楚辭，實無南北之分，孔子與屈原，究有先後之別。楚辭無法與詩經對立，在文學演進史上與文藝發展上，已成爲一般的事實；似乎不必今古不分，是非顚倒，淆亂觀聽了。

自由談

神經質的妥協思想

馬五先生

毛共最近對台灣海峽邊緣，不斷地嘗試騷擾性的軍事行動，美國官方人士認爲毛共這項動作的眞正用意祇是「心理戰」，其目的在利用緊張情勢，可能使美國與其主要盟邦如英、日等分裂，而刺激美國與印度及其他亞洲暨中東中立國家的間創痕。（詳見合衆社華府十日電訊）

好傢伙！毛共飛機在台灣海峽飛機騷擾一下，而美國官方即視爲牽動世界全局的嚴重問題，嘰嘰噥噥，理由甚多。我不知毛共這種鼠竊狗偷的行動，比較前年英法進軍蘇彝士運河之役，其影響於世界安危前途，孰爲重大？美國當局却不惜與其「主要盟邦」分裂反目，毅然爲俄帝的爪牙納撒張目助勢，貽禍至今猶烈！今日對於毛共在台灣海峽的騷擾行爲，却自我恐嚇，編造許多神經質的理由以爲解嘲之資。既然如此怕事，幹嗎又要派遣第七艦隊前來協防，而給俄共集團以「美帝侵略台灣」的攻訐口實呢？

我認爲毛共決不敢於騷擾金、馬島嶼的基本原因，就是美國自甘接受毛共限期恢復「美、毛談判」的最後通牒，表現姑息妥協的心情。否則所謂「美毛談判」的中心課題，即係促使毛共承認不以武力進犯台澎地區。毛共一面要求恢復談判，同時又對台澎表示用武的行動，若不是看穿了華府當局的懦怯心理，且料定美國的西方盟邦必然拖住美國走姑息路綫的話，豈非自尋苦惱乎？

敬告美國官方人士：物必先腐而後蟲生，你自己對遠東問題如果不是一貫地表現着半吊子作風，所謂「主要盟邦」又何致於採取親共態度呢？尤其是日本，內心上正以美國對毛共沒有明確的政策而痛感煩惱，他們聽到華府官方這類自作多情的議論，唯有啼笑皆非而已。

泥·菩·薩

尤崇洵

『泥菩薩過江，自身難保』是一句耐人尋味的俗語。不論泥菩薩過江是否輪渡，總是岌岌可危的；因爲如果泥菩薩泅水過去，勢必化作一團爛泥，如果乘舢板、小艇、帆船、汽輪，却也得時刻留心船身的安全。（平常有人向菩薩燒香叩頭，到了緊急時却依然有人『臨時抱佛脚』，而且這位菩薩又是泥塑的。這些人實實在在有點『表錯情』！）事實上，人人都像是一尊泥菩薩，人人都在過江，人人都是自身難保，易卜生說過：『有的時候我覺得全世界都像海上撞沉了船，最要緊的還是救出自己。』同時，他又說：『你要想有益於社會，最好的法子莫如把你自己這塊材料鑄造成器。』每一尊的泥菩薩自己先要渡江，再來施展『佛法無邊』。單單是會叫普渡衆生救苦救難又有什麼用處呢？易卜生這種的『爲我主義』——純粹的『爲我主義』——其實是最有價值最實在的利他行爲。他說過：『我所最期望於你的是一種眞實純粹的爲我主義。要使你有時覺得天下只有關於我的事實是要緊，其餘的都算不得什麼。』這話初聽起來，像是十分自私的論調，很該被孟軻駡：『是無君也，是禽獸也。』然而根據胡適的分析：

『……社會是個人組成的，多救出一個人便是多備下一個再造新社會的分子。』所以孟軻說『窮則獨善其身』，救了自己便是易卜生所說『救出自己』的意思。（見胡適文存）如此看來，孟軻說『窮則獨善其身』與易卜生主義不是一致的嗎？對社會、對國家，易卜生的社會思想的基礎還是這話：『你要想有益於社會，最妙的法子莫如把你自己這塊材料鑄造成器。』這實在是我們一個座右銘。（錄作『泥菩薩』的座右銘。）

美利堅國慶日讀古希臘史有感

·詠余·

昔有名城曰雅典，希臘衆邦之首選。人民重自由，屢敗強敵波斯顯威猛。雅典文化世景仰，學術思想稱泰斗。迄今二千有餘載，典籍尚可滿心胸。雅典亡於斯巴達，其人純以尚武好爭雄。當時暴秦相伯仲，於今蘇聯傳衣鉢。此敗彼勝理由固一端，主因厭戰雅典底定之後貪安逸。物質充裕何足道，爭權奪利意志銷致國步始艱難。斯巴達稱強國，貴族私人黷武稱霸前途固徒然。斯巴達將宴宴，雅典古衣行酒前致詞，朗誦悲劇大師尤氏（Euripides）之長詩。一曲未終席上衆淚如泉，遂行成與斯巴達，雅典不毀仍得存。吾國以保持傳統與紀念日，吾人不實踐開導直稱頌。此希臘五洲之雄長，科學民主成就古今鮮其匹。西歐諸國自由人視希臘爲師，精神團結永世不朽。徒然強鄰今共產瓜分世界，無私美國爲世棟梁。彼之爲國者不分已爲蘇聯所併亡。此非危言聳聽之論，美國豈非亦知存亡繫於內心之方寸。雅典往事可爲鑒，一失足便千古恨。昔之先烈殺身成仁爭自由，始得獨立共和樹模範。今之蘇聯兇狠遠過斯巴達，再事退讓時機一逝便不留，徒與雅典同爲後人垂弔淚縱流。嗚呼徒與雅典同爲後人垂弔淚縱流。

自殺

（小說）

符兆祥

她回來，便碰到後院的陳老太太，雖然我平時對她並不十分好感，可是，我還是跟她打了個招呼，誰叫我們是鄰居？

我說：「上街呀，」

「買報紙，」這裏幾家人，誰都知道我訂了份報，我說：「我家裏有，你要看可以來拿。」

「也好，」她說，接着便是嘆氣聲，「是小珠要看了，不是我，我早就不要看了。」她的話裏似乎有點原因，我問：「不愛看了？」

「有什麼可看的？」她說：「報紙上那些新聞，科學知識，一點都沒有，看上去的都是花柳病廣告，一些呀呀，不是說就是小說，或是電影明星，」我看了她一眼，果然招惹不得，我笑了笑，把報紙遞給她的時候：「孫先生沒出去？」「他？」她不屑的：「在隔壁李家打牌呢，這是什麼日子了，還有閑情打牌？」聽了她的話，我有點不明白。「有什麼可奇怪的，一天到晚打牌，」我說：「坐八圈，散散心，」她說：「打麻將，消遣一下嘛，那別人在前線打仗的了？你說有什麼好辦法呢？」我看了她一眼，我不知道她是什麼意思，天天要這麼打？知她女兒先生在那兒就不下來？」她說：「丁先生，不是我愛囉嗦，」我想：「你就是囉嗦，」「現在的人實在不振作，我還記得在重慶的時候，那時許多人都窮，可越窮越有勁，那時候沒有什麼大鍋幕電影，也沒有妓女戶這些摩登玩意，更沒有張昌年，黃劭先那些殘忍的謀殺案，那時，大家都過得頂快樂。」

「是的，」我沒去過重慶，我敷衍着說。

「這是事實，」她攤攤手：「我女兒要我上禮拜堂，爲今日的社會多祈禱，她說今天社會之所以這樣墮落，是因爲人們沒有信主的原故，我不是不信主，但是，我不贊成自己不努力，而空着兩隻手到教堂去求上帝賜恩典，賜福，台灣這幾年來，宗教事業等特別發達，大家都說是好現象，我反對這種說法，因爲它好得太畸型，這是很可怕的，這是代表社會人心的苦悶，頹廢，我們爲什麼會來到台灣，只要你肯想想，這就有許多工作够我們忙的了，那還有時間天天往禮拜堂去浪費時間呢。」

「是的，」我苦笑了，我指着報紙：「是小珠要看報紙？」

「她？還不是看電影新聞，這些小孩子呀，書唸不好，整天就忙着，跟電影明星通信囉，要照片囉，她還說她要去考電影明星呢，」

「哦，」我感到有興趣的。

「我不就駡了她一頓，我說什麼不好學，要去做電影，電影明星是什麼東西，是戲子，是高等妓女。」這個老太婆實在有點想法，「豈有此理，」我這樣想，正要開口，她又說了：「丁先生，你猜她怎麼跟我辯，她說我什麼都不懂，是老古董，她說李麗華來台灣，頂大的官都還接見她呢，你想，我不信，他們會，不容易接見的一個戲子麼？」

「這就很難回話了，」我想，如此，我不知說什麼好。

「這年頭越過越教人害怕，他們認爲台灣是桃花源呢，這能叫人不傷心？」

「那麼，你看應當如何挽救呢，」

她看了我一眼，哈哈的笑起來：「這是你們年青人的責任了，怎麼倒問起我來了，」我也笑了笑，臉紅了起來，我頓了頓，老太婆還是忍不住說了：「總要實在，一切都要講求實在，那就很够了，」

「怎麼一個實在法呢？」

她忍不住笑了：「我懂什麼呢？我只是這樣感覺到，實在比那些虛僞好得多，就好像多在建設上，設備上花點功夫，總比開舞廳，酒吧好得多，是吧，像你們，公餘之後，多讀點書，研究外國的科學，或做點小手藝，不也比打牌，上教堂有意義得多？」

「對的，」我點點頭。

「有好多的人，過得太消沉了，這樣的活不如自殺，」她歸根結底的說。

「自殺？」我突然一驚。

「唔，自殺，」她很堅定的說。

說着，她站了起來，慢慢的走了出去。我望着她的背影，追上一步，很恭敬的說：「老太太，你好走。」

她回過頭來，溫和的笑了笑：「很對不起，打攪了你半天，跟你儘說些廢話，」

「沒有，」我說：「這些話都是很寶貴的。」

翠萃廬

（翠萃廬散筆）

·陸夢墨·

有一次張放向我說：「我將來到你的門前，走過小橋，站在橋上便可嗅到荷葉的風雨芳香，[illegible]」他們都很羨慕。[illegible]

[illegible]林竹、瓜棚、豆架，水田中生長着稻，甘蔗，蔬菜，東一片碧綠，西一塊青翠，我們時常挽着手在田中漫步，有一天，麗麗看到插秧的農夫們便向我說：「你看農夫多麼辛苦啊！「每一粒米，都要這樣血汗去灌溉，才生長出來的，」原來我有一個壞習慣，在吃飯的時候，桌上總要落出很多飯粒，麗麗見到便要責我，並且爲我檢回到碗裏，她聽我這樣說，便也微微地笑了。

在我們右鄰有一隻耕牛，牠常常在悠閒地嚼草時吼上幾聲表示愉快，我有時學牠的吼聲學得很像，麗麗聽了便要發笑，從此她更戲稱我爲老牛。有次我們仔細地欣賞這位鄰居，我忽然發現牠有深沉的眼睛，便笑着向麗麗說：「妳別看不起老牛，牠竟有哲學家的眼睛。」她却可愛地挽着我的臂說：「你是人，也有哲學家的眼睛。」我雖然知道自己沒有那樣的眼睛，却深深地體味到這話是愛情的聲音。

我生平最喜歡的顏色是翠綠，麗麗也是，所以我們茅屋中的用具都是綠色的，我常想我倆的結合該是兩顆綠色靈魂的滙融，我曾問麗麗，我們應該怎樣喚我們的家，她想了一會便說：「何不就喚作翠萃廬。」

這名字的彩色竟令我聯想起「苔痕上階綠，草色入簾青」的句子，雖然在音韻上有欠推敲，但是與實際環境很相合的。

從前我和麗麗常常想像，如果我倆有家，將在院子裏種滿木瓜樹。現在所遺憾的就是沒有地方可種木瓜。可是這小村滿街都是桂圓樹，那一顆顆黃色果實，已經纍纍枝頭了，一兩個月後，我們就可以吃到既便宜又香甜的桂圓。翠萃廬的背後，還有一棵婆娑的桃樹，麗麗却希望明年它能開出燦爛的桃花來。但它今年所結的毛桃，早被孩子們採光了。

活潑的麗麗，似乎能爲一切注入生機，我想那桃樹明年能開出花來。

廣東人的刻書風氣

·竹庵·

嶺南文物掌故

韓江書局及其特點

張之洞復在潮州設立韓江書局，委善寫奏摺之湖南巴陵人，方功惠主其事。時方當潮州知府，後兼鹽運司、鹽餘既豐，於是精選良工，較刻精本。此書局翻雕明汲古閣十七史，（余按明汲古閣刊刻之歷代文集，詩集，詞，曲等無不精妙絕倫，獨經史兩類板本未見精審），蓋方固風雅中人，學問殊不足道，故徒知汲古閣板本之精，而未加別擇。又方除刻四書五經之外，又精刻碧琳瑯館叢書。及六朝文絜等，均力摹古本，精采有緻。余嘗得其三宋人集，四宋人集，寫工刻工，並皆佳妙，誠書林佳話也。此書局雖爲官辦，但出品務求美觀，以視廣雅局版片，四平八正，抽架單調，格局不同。蓋張頭巾氣味甚深，刻書專便學人翻讀，不供賞鑒，與方作風不同也。

私人刻書風氣

官書形式一律，呆滯而笨拙。由余觀得硃批文心雕龍，硃批史通例纂等書，頗爲精雅。首頁有刻於兩廣使節署標題。不知誰人較刻，仍待確查。至南海吳榮光爲粵中顯官，收藏金石彝器書畫極其豐富。自撰自刻筠清館金石鐘鼎款識一書，另摹石刻筠清館法帖，（中華書局有石影本），雖稱佚不多，而描摹精美，爲粵省各家法帖之翹楚。嘉慶中，順德溫汝能，選輯廣東文海，及粵東詩海二巨帙，刻於其家。歷代廣東人之文，及詩，略具於此二書矣。至於洋商巨賈刻書之多，而且能極具價值者，首推南海五崇曜伍元薇兄弟。伍爲十三行商之首，斥資巨萬，延聘通人，搜羅罕見及切用書籍，彙刻一書，名「粵雅堂叢書」。此叢書凡三十集，共二百餘種，由粵中經學兼詞章家譚瑩，（有復堂文集等）爲之釐訂，較編。張氏書目答問一書，稱其爲五百年不朽之傑作，伍氏並刻有嶺南遺書，粵十三家集，金文最，均巨籍也。又伍氏摹石亦有南雪齋法帖，清秀次於筠清館帖。潘仕成以鹺商起家，附庸風雅，不下於伍氏，較刻之「海山仙館叢書」，不及伍氏之精審，卷帙又遜於「粵雅」。此叢書多收明末清初西洋教士傳來之天文，數學等籍。又潘搜集各種奇難雜證之藥方，凡數百條，彙成一書，名驗方新編。清末粵各大善堂翻刻此書，以贈送各商行，因奇難雜證，依此書配方，往往見効。

潘氏以海山仙館叢帖最爲出名，叢帖多至五刻，都六十册，爲石刻之大觀。石刻最後有「尺素遺芬」，內有林文忠公手扎數首，及道光朝名公巨卿手扎多通。（三）

自由人

THE FREEMAN

（第七七七期）

中華民國僑務委員會登記證僑字第二號
中華郵政登記台字第一〇〇五號
香港政府登記第六組新聞紙類
（半週刊每星期三星期六出版）
每份港幣壹毫
台北售價台幣壹元伍角
督印人：陳文華
社址：香港高士打道廿四號四樓
20 CAUSEWAY RD. 3RD. FL. HONG KONG
TEL: 771726
承印者：東南印務出版社 地址：香港高士打道六十四號
台灣總經銷處：台北市南昌街零壹號之二 電話：三〇三四六
台郵劃撥儲金九二一二
海外總經銷：友聯書報發行公司

倒風與高利貸

陳式銳

台灣之夏，地處亞熱帶，其炎熱可知。但經濟方面，則在淡季之中；今年不同，淡中帶熱，濃熱卻不是市場的活躍，而是類似病人的發燒。它反映經濟的危機，表現於工商企業的倒閉，而此一倒閉，且由經濟底一般倒閉，而發展到詐欺性底所謂惡性倒閉；自北而南，由商而工，蔚成倒風。

一、新行政院甫於七月十五日成立，兼院長陳誠氏即日指示有關部門首長研究改善，嗣於七月廿一日由經濟財政兩部共同公佈「工礦營運資金臨時貸款辦法」；陳氏當日且發表談話：「目前工商業的倒閉，無論惡性倒閉也好，或非惡性倒閉也好，政府都應負責，迅謀補救辦法而不能聽任繼續擴大，致影響國計民生。……如果倒風的造成，有因金融未盡妥善者，政府決當繼續注意改善；此次所頒行的貸款辦法，尚不過是一種臨時措施而已」（七月廿一日台北各報）。

陳兼院長的話，表示政府的負責精神，而且他明白指出臨貸辦法是臨時措施；倒風倘有因金融未盡妥善者，他並肯定地說當繼續改善。倒風的形成，原因並不簡單，就整個說：有因經濟建設計劃不周全，而致經濟生長不平衡；有因稅負過重，而致侵蝕資本；有因金融結構跟不上工業化的需要，而致資金陷入極度缺乏；有因企業自身不健全，而致經營失敗；更有因乘風氣敗壞之中，而藉機欺詐斂財等等。詐欺屬刑事，由警察方面逕司其職；其他經濟因素，在在影響企業的生存，均待有關當局積極地研究改進。現在單就金融一端略陳管見，以爲當局考慮改善的參考。

二、所謂金融結構跟不上工業化的需要一節，讓我慢慢說來。當經濟在農業階段，市場狹小，限制了投資，也就沒有吸收儲蓄機構的必要，此時儲蓄就走向地產、金飾、窖藏、囤積：……；另一方面，如果有人需要資金的週轉，那便是高利貸。農業社會的生產力低，所得也低；人口一增加，生活究難以維持；所以要工業化，藉以提高生產力，從而增加所得。工業化首先需要投資，投資的基本來自儲蓄，所以要有吸收儲蓄機構的設立；其次，工業化展開之後，非原有儲蓄所能應付，爲吸取國際金融組織的援助外資的投入，及動員國內公私資金，於同一目標之下，就需要金融開發機構的創立；再者，證券爲工商業社會的產物，無論股票或債券，皆需有一融通資金的市場。而工業平衡生長，市場隨之擴大；工商互相刺激而繁榮，金融業亦隨之發展而亦步亦趨。此時，貨幣與銀行對工商業的功用增大，政府爲着經濟的順利發展，則在客觀底需要之下，制定適當底金融政策與之配合。

台灣在工業化進程中，由於金融主管當局的守舊觀念，只着眼於本位條件而未顧及整個經濟的發展；因此，不但忽略了動員社會的儲蓄，復由於銀行利息的不切實際，銀行普遍缺乏存款，自難有效地供應工商界的放款。正規金融機構既無法對工商界盡到融通的責任，工商企業在需要週轉時，不能坐視工作陷於困難或停頓，不得已惟求之於黑市金融，高利貸由此應運而生。而高利貸的形式，也有其原因，第一、由於對資金利用需求的程度；其次，含有因通貨膨脹而貶值的補償；第三、更帶有倒賬危險的補償。按銀行吸收存款，再以放款而創造存款貨幣，視準備比率的大小，在受授信用上每增加原存款一元，可以創造貸款能力自三元至五元以上不等；即貨幣因通貨膨脹而貶值，最後損失者爲存戶，而銀行採行低利且可不蒙損失。私人放款，其地位完全不同，他有現金一元僅能貸放一元，全無信用戲法可變；貶值的損失歸由自身負擔，倒賬利息不能及於貶值，自己就是虧損者。明乎此，可知銀行的功用，遠非私人所能及；但是多年來高利貸一直存在，銀行利息一再降低，但以貸放能力有限，結果形成配給放款，黑市金融並不受其打擊。

三、倒風發生了後，高利貸成爲主要指責的對象。「臨時貸款辦法」的重要條件之一，就是「高利貸借款能洽商減低利息、延長期限、或轉爲股本或公司債」；而高利貸本息的償付，亦規定在種種優先之後。總之，當局引用動員法第十六條先凍結高利貸，再止付高利貸債權人所持有底遠期支票（大多當貸款的收據）；推測其用意，在打擊高利貸而防止其支現，豈料因此而引起債權人的恐慌，競相向債務人討債，而徒增許多麻煩，迫得當局出面聲明「僅限於申請貸款工廠」，其他不在其內，風波才漸平息。惟「臨貸」公佈迄今半月有餘，申請寥寥，尚無一家貸成，其功效可見。據專家估計，台灣高利貸款，數在十至十五億元（台銀董事長則謂二、三十億元）；而以生產邊際收益計算，月息三．三分以上，僅能視爲「消費性」，準此以觀，台灣工商業的吸收高利貸，類乎飲鴆止渴，本質上注定失敗，最後歸宿是「倒閉」一途了。

四、台灣的金融結構，滯留於農業經濟的階段，未能與工業化同調並進，造成今日明暗雙軌底畸形金融；換言之，一個工業經濟，卻配上一個農業的金融，其不阻礙發展可乎？就黑市貸款納十五億元言，倘此數納入銀行充作存款，它在受授信用上最低可創造貸款能力多至四十五億元以上，如是二、三十億元，當更可觀，工商界還怕沒有週轉金嗎？即此一端，就可以明瞭工業與金融的脫節，亦爲多年來缺乏金融政策所造成的結果。年來在輿論督促之下，當局乃有保證發行公司債之議；此次爲倒風之故，促成其發行五千萬元，但僅惠及唐榮、工礦、大秦、裕隆四大公司而已（九月中可實現）。其次，吸收儲蓄才開始擬訂辦法，將分一年期，月息一分七厘；二年期，月息一分九厘；三年期，月息二分一厘，聞八月份內可以實行。至於開發公司，聞由中信局長俞國華負責研究，制成方案，卻尚待通過，乃得籌辦。至於證券市場，仍在等待派人出國研究中。

總之，黑市金融的形成，在於缺乏正規金融的組織；它的消滅，亦有待於妥善金融政策的建立與實行。此次倒風的發生，原因種種，高利貸有其應分擔的責任，惟孰令致之，正如陳兼院長有言，「政府都負責」；亦惟在政府負責之下，始能改變目下的局面。我願朝野重視此次的倒風，不可以一時表面的靜止而得過且過；進而在整個經濟急謀改變之下，望從速建立新金融組織，藉以配合工業化，而收平衡發展的功效。（八月九日）

一週述評

美再申不承認政策

美國國務院最近（八月十一日）再次鄭重申明不承認中共政權的政策，此一申明並以備忘錄的方式分發全球的美國大使館。此一申明的嚴正，冷靜，力量沉宏，實爲過去歷次聲明之所未有。因此已引起世界的普遍重視，熱烈支持。譽爲適時明智之舉。

業已承認中共多年的英國政府，也跟着表示本年度將再度反對中共進入聯合國。

美國反共政策，儘管有時令人不免有動搖不定的感覺，然而這一次備忘錄的發表，大足以顯示美國的反共決心，依然如故比起一九四九年對中國問題的白皮書發表，適成一最強烈的對照。其所以鼓舞自由世界者，將不下於投下日本廣島的那一顆原子彈。

赫毛兩酋本月初在北平的秘密會議，主要目的當爲東西兩面同時製造事端，鼓動攻勢，以困擾自由世界，美國備忘錄的發表，可謂爲針對共黨集團此一陰謀的當頭一棒。

騷擾金馬的作用

今日中共的一舉一動，必須配合蘇俄的世界政策。蘇俄正在西方利用中東問題，向自由世界作最大的冷戰進攻。中共空軍連日加緊對金馬的活動，很明顯的乃策應蘇俄之舉。蘇俄既沒有發動三次大戰的勇氣與力量，對金馬的緊張局勢，亦將限於騷擾性質而止。

不過：中共是否將乘此時機，以武力奪取沿海島嶼，仍爲不可不防。行政院長陳誠宣言，中共進攻金馬亦即進攻台灣。自由中國必須有決心勇氣，使自由世界與中共都知道，進攻金馬的戰爭，決不會是地方性的局部戰爭，如此才足以確保金馬，乃至於確保台灣。

艾總統的六項建議

艾森豪總統於昨十三日親自出席聯合國的特別大會，指摘蘇俄利用彈道飛彈，實行戰爭訛詐，並提出關於中東和平及經濟穩定的六項建議。他的建議，目的在促進「阿剌伯的眞正復興」，他強調「這個世界不能由一強國或強國集體所統治」，夢想一強國可以征服世界，乃是一椿不會實現的妄想。」

艾總統這一行動是光明正大的，他的主張也是合情合理，極具威力的，我們相信美國一定可以在特別大會中擊敗蘇俄的陰謀，博得又一次的勝利。中東問題也必須依照這樣的大方針，才可以逐漸得到和平與永久的解決。中東問題的中心在民族主義的滋長，與蘇俄的挑撥離間，滲透分化。艾氏六項建議的實行，才能够迎合阿剌伯民族的獨立自尊，與杜絕蘇俄的陰謀詭計。聯國特別大會，美國顯已在開端的時候，即佔上風，赫魯曉夫來勢雖甚兇猛獰惡，必遭失敗，以可無疑。中東問題，蘇俄既無優勢可言，則中共對金馬的騷擾亦將及時而止。

勝負之勢已成

赫魯曉夫所以引誘或壓迫中共，使在遠東策應蘇俄者，不外爲乘機奪取金馬，與拖中共進入聯合國。美國的決策亦即針對此點：一方面，再鄭重申明不承認中共的一貫政策；一方面，第七艦隊對台海的警戒有增無已。雖對台軍援，不會對外詳露，但可以相信美國的政策決不會讓中共在此時作軍事上的「偸雞」的。

總之，這一次以中東危機爲中心的聯大特別會議，是民主自由世界與極權的共產世界，第二次大戰以後一場最劇烈的大冷戰，關係世界的前途甚大。自由世界顯已佔了優勢，如果步驟不亂，團結一致，必然可以獲得勝利。

○陳克文○

抗暴中的怪聲

——從倫敦一電訊說起

衣羣

去月杪，倫敦每日電訊報在首頁大字標題下刊出西藏人英勇抗共的消息，說是：藏人最近在藏東「造反」，因而慘遭中共殺害者，爲數竟達一萬五千之衆；別以爲這數字不大，實則聚居於中共現在劃分的「昌都區」與「西藏地方」的藏人，看情形，無論如何不會超過二百八十萬人，而與事一起，則伏尸高原地帶的，竟以萬計，能說死的不算多嗎？

這眞是抗暴中的怪聲。姑勿論被殺的人數若干，問題在乎少數民族之橫遭強權殘害，該是一件可誅可伐的嚴重事態，如此反應，令人可慨！由此也可見目前全世界對暴政殺人顯然多見不怪，似乎麻木到覺得任令共產黨徒多殺幾個善良的老百姓，沒有什麼了不起！大風暴當前，人性竟給嚇的怯弱有加，連極微弱的仗義呼聲也喊不出來，怪不得獨者悖理的行動越來越甚了！相反，美英先後出兵中東，雖是按照常規，不但備受赤色宣傳，誣爲「美帝」大屠殺活動，而世人也但聞賊叫捉賊之聲，反而認爲事理所當然的。是非觀念薄弱得可咒。

這大半年，中國大陸上至千多萬少數民族中，在新疆和西藏的抗共浪潮，此起彼伏，使毛朝痛感殺不了那麼多。它想掩蓋西藏人士不折不撓的抗暴眞象，始終沒法子杜塞鐵幕的漏洞。去年底，中共爲了「掃除阻碍西藏走向社會主義的反動份子」，而派出一個五人代表團赴藏，任務在於就地擬訂作戰方案，事態嚴重，不言而喻。因爲燎原之火，北向蔓延，則進入新疆，西走則瀕印度邊境，過去數月來平均每日遭中共殺害死人三百，其慘狀確如上述倫敦每日電訊所報導。祗是該電報不說藏人抗暴的英勇，而說成「造反」爲可怪耳。目前迫而流亡的西藏抗暴領導份子陸續出現在不丹，尼泊爾和印度，而且少不免提出緊急呼籲；據說新德里方面對此，裝着不聞不見，懦怯自私一至於此，寧不可悲？

可是，縱然印度連同情的表示也不敢對英勇的藏人作明顯的露示，可是七月中旬尼泊尼首府傳出的消息，指出了西藏的堪巴族三千人，直接參加戰鬥，限期中共退出藏境，聲勢至壯！何以他們的兵力不大，竟敢向中共下哀的美頓書呢？說來倒有一段殘酷的事故在。原來該族原居藏北，智勇雙全，受不了中共的橫暴而奮起抵抗，就在去年多慘受共軍圍攻，死難三千人，而共軍喪生者亦達一千之衆。最近戰火重燃，指出了中共正在展開消滅該族的攻勢，逼上梁山有以致之。

對此，不曉得拉鐵摩爾在他那本近年才寫完的「Pivot of Asia」（亞洲之軸）裏于一再引用若干方面書報以強調新疆少數民族在中共國治下恆受「殺害」的慘情之後，而今又當如何下筆？看他這本書的人而今不開始覺得替共黨說好話的動機是如何可笑了嗎？中共竊據大陸後，許多書報都寫的得意忘形，把中國過去的社會說的如何兇毒，似乎非如此不足以襯托中共的「寬大仁慈」！拉氏該書就在同樣企圖下完成的，卻經不起這幾年中共在大陸血淋淋的實錄所反擊，變成了謊言可恥！

回來看看現實的一面。首先，這些日子印度方面壓根兒不敢正對鄰近——藏東的殘酷演變，祗知輕描淡寫，認爲「所傳不盡可信」。赤色觀念流毒所至，把時下自稱爲中立份子的言行也染上了「普遍的下流」那種毛病。

如果世間尚有正義，何以眼見人類無辜被殺，有如中共慘殺藏人這樣嚴重情形，依然聽不見有那方面出頭呼叫？甚至自由世界也私愚怯弱到這個地步呢？倫敦每日電訊報不但不爲藏人呼冤，反說藏人「造反」！豈不是說「造反」可殺呀！自由世界裏的英國輿論報導竟然如此，又何怪蘇聯集團大呼美英出兵中東，爲侵略，爲進行屠殺人民，一本「正經」的要告到聯合國去了。

共黨有的是辯證法，會把謊言變成眞理，倘自由世界竟有不少人把它辯證後的謊言也信爲事實，豈不可悲！（一九五八，八，十一）

論科學方法與思想戰爭

王厚生

最近，讀到何浩若先生的二篇大作，第一篇是「從羅素學看大膽假設與小心求證」，刊於祖國周刊第二八六期；第二篇是「再論大膽假設與小心求證」，刊於自由人第七五九期，第二篇是引伸第一篇的觀點，同時，提出思想戰問題加以討論。

一、

如果我們將何先生二篇大作的要旨加以概括的說明，似乎是下面二點：

一、何先生不同意胡適之先生的話：「科學的方法祇不過大膽的假設，小心的求證。」何先生既不同意胡先生的「大膽」和「小心」，更不同意胡先生的「祗不過」。

二、何先生認為思想戰也一樣的不能合理的解決人類思想的衝突。他希望有理智的人類用科學的合理的方法去思想，這對於人類當前最嚴重的問題也許能獲得一個合理的解決。何先生說：「我們現在遍嘗實證歸納的方法，歷史的方法，和統計的方法。先從搜集事實，和解釋事實，分析事實，在當時此地的事實着手。在獲得正確的解釋以後，有理智的人類，應當可以用自由民主的方式，和平的合法的來解決問題。」

作者同意何先生的第一點，對第二點則表示異議。茲將鄙見說出，以求教於何先生與其他關心這不問題的時賢。

二、

科學方法上的假設的確不宜大膽的立，求證也不必要有小心的態度。什麼是假設？假設的英文為 Hypothesis，杜威不用這個英文字，他改用提議 Suggestion，但不當用中學字，它是一種暫定的理論（Provisional Theory），是我們從事進一步研究的邏輯或依據。暫定的理論可能有錯，故當深入的研究或試驗不能證實其為正確時，可以將它拋棄。但在開始研究時，這種假設確是不可或缺的，否則，便有茫茫然無從下手之苦。假設有了之後，便是求證，求證是求結果的一律性（Uniformity），對此如此，彼亦然。最後是將證據一律性用定律或法則加以說明。科學方法至此已大功告成。

立假設的時候，不宜大膽，門外漢固然不宜大膽立假設，即使是專家，他在立假設之前，必先經過觀察（Observation）的階段，這階段中的主要工作是搜集資料和事實。根據觀察，再立假設，這已經不是大膽的假設了。這二位教授之推翻宇稱守恒定律（或稱對等性定律），如果是先立大膽假設，不先經觀察的階段，恐怕是很難有證實的希望的。科學方法所處理的是「如果——那末」（If—then）的思想程序，即如果暫定的理論是真實的，那末，如此如此的事情將接踵而至。醫生看病，一定是先對病情作一番細的觀察，如測量脈博和溫度等，然後他就作出假設，初步認病人所患的是傷寒，如果是傷寒，那末某些潛在的病徵將漸漸顯露出來。所以，科學上的假設根本就沒有大膽的假設。如以「大膽」二字作為鼓勵青年人敢於立假設之用，也不妥當，也不合科學的嚴肅精神。且有機壞（Spoil）青年人的害處，損害科學研究。

在求證的時候，粗心固然不可，小心也要不得，能證實的必能證實，不能證實的縱十分小心也一樣不能證實。我倒覺得在求證的時候反而應該大膽一些，不需要小心謹慎，因為小心謹慎往往會延緩求證的進度，大膽的求證反而是必要的，能證實就證實，不能證實的趕快修正假設，或重新另立假設。嚴格說來，在科學研究的全部過程中，都要小心細心，時刻不能大意粗心，不僅求證要小心細心，立假設的時候尤其應該如此。在科學界，沒有相當的把握，不作大膽的假設，既小心地立了假設，而應該大膽的去求證，反害怕自己所立的假設可能有錯，而沒有大膽求證的態度和勇氣，這會阻礙科學的進步。如果照胡適之先生的說法，假設是大膽地立下的，的的確確，求證的時候，需要小心一點，因為這種大膽的假設太不小心於前，便須小心求證於後。不過，凡是大膽立下的假設，無論怎樣小心，求證的結果十九都會落空的，是小心到了萬分，還是沒有用，還是無補於假設本身的謬誤。所以，

我同意何先生的想法，在講科學方法的時候，不提「大膽」和「小心」，如果一定要提，我要把「大膽」和「小心」的位置倒過來，說成為「小心的假設，大膽的求證」。立假設要認真，求證不怕犯錯。

我們不要以為科學方法中的假設容易做，而應該知道所做的假設不僅要有用（Useful），且立假設的人必須要相當的聰明。任何人都見過蘋果下墜的情形，但是祗有牛頓那樣的偉大頭腦才能提出引力的法則。這是一種天才嗎，靈感嗎，都可以說，實驗主義的始祖之一詹姆士（William James）稱之為聰敏（Sagacity）。但聰明不會單單從聰敏而來，如果是的話，則聰敏也必須包括經驗在內。偉大的科學家不僅是有偉大頭腦的人，也是精通全部科學知識和歷史的人。

三、

共產黨是不講科學方法的，他們講辯證法，辯證法的正反合發展實質上是迷信，未必有這回事。共產黨最怕二種科學精神，一種是懷疑，另一種是求證。對共產黨人來說：共產主義祗可迷信，不可懷疑。要求證，要「拿證據來」，更要共產黨人的命。所以，共產黨人不容許有科學的思想方法，他們清算胡適思想，一部分就是清算胡適懷疑和求證的科學精神。故科學方法仍不失是反共的有效武器。

關於思想戰問題，我與何先生的看法有點出入。我以為：基本上，我們今日是在進行思想戰，而且思想戰仍是除戰爭以外可以解決人類思想衝突的手段。正如何先生所說，人類是有理智的，有理智，就能講理，講理就是思想戰。我們對，必得說出共產主義不對的道理，這道理即是消極的道理，這道理即是積極的建設性的思想。講道理必須講到能自圓其說，否則，不易說服人，能自圓其說的，必有其系統，這個系統，我們平常叫做思想系統。共產主義算是一個思想系統，任何反共的能自圓其說的都是一個一個的思想系統。何先生有他的一套，便是有他的思想系統。何先生希望人類用「科學的合理的方法」去思想，什麼是「科學的合理的方法」？必有其內容，這內容的本身就是思想。多年來，何先生從實際經驗中得出思想戰無效的結論，我不同意這看法，我以為我們已佔上風，但我們的確費了很大氣力和金錢，我們曾在方法上思想內容上犯過錯誤。思想戰不一定是主義對主義，講道理和講道理。即以權勢而言，也得講出一套道理來，不講不會使人了解，馬克思主義就講資本主義必然崩潰的趨勢，說得頭頭是道。還有，我相信戰爭能解決思想問題，思想戰的勝負隨戰局的勝負而定。如三次原子大戰爆發，實際是[illegible]，因為[illegible]打破了，人們爲重獲自由而戰！

台一南一點一滴

△鼓勵好人好事，甄見錦上添花，不見雪中送炭。高雄市日前有十三歲國中生[illegible]議員娃邱的[illegible]遭沒頂，遺[illegible]六人，生[illegible]捐助，市[illegible]悼，但陳[illegible]因死者爲[illegible]一位科長[illegible]人，可惜[illegible]，很少[illegible]來，又主[illegible]，區區千元，也要批示不准。

△機關、團體，考察、觀摩，在近數年來的台灣已普遍盛行，沒有資格稱考察觀摩的，便是考察，再不然，就有廉式觀光。

△前時此間有兩個人民團體，考察起來，一爲台南市議員的三天考察市屬機關學校，另爲嘉南水利會全體一四五代表，通過經費台幣二十萬元之鉅，分組至全省水利會考察，衆認這是一種浪費的時髦玩藝，其實，比起拿國家外匯，出國「考察」官費們，似又小巫見大巫了。

△發展觀光事業，有助於經濟繁榮。台灣的自然條件，也很能吸引外國遊客，但出入境的繁雜，頗多使人裹足。僅以民航公司本島旅客言，由台南飛至台中澎湖等處，出入機場的下車在烈日下排隊接受一戰士的檢查，深爲使人難耐。此外，如海濱（西子灣，台南泥身游水浴場等）火車站等等的限制攝影，咸認爲這種保密防諜的辦法，是發展觀光事業之癌。•昌增勛。

台省工商危機原因何在

健生

（台灣通訊）目前本省工商界的「危機」，已引起政府和民意機關及工商團的重視，當局也不否認「危機」的嚴重性。

行政院爲挽救倒風，擬定了種種辦法。本月七日行政院會決議撤銷經濟安定委員會及其他所屬工業委員會，其業務分別由經濟部、財政部、美援會等管。而美援會亦有人主張改組爲「經濟開發會」，不過尚未最後決定。

台灣省議會當局亦於本月八日在省議會中宣佈原則上決定取銷糶買證制度，而三聯式的統一發票仍繼續推行。同時還提出幾項辦法，被認爲是根據各界意見研究後所採取的。

至於「危機」的成因，不外乎[illegible]

甚本因素的分析，從歷年國民所得與入口增加、消費與生產數字，說明經濟基礎太差。根據行政院主計處計算，本省國民所得四十一年爲一百三十億四千七百萬元，以該年爲基，比起四十二年至四十五年的國民所得雖年有增加，但不能與人口比例併進。此爲民間窮困經濟衰弱的主因。因此，影響國民儲蓄投資也就銳減，據統計，第一期四年經濟建設計劃期間，民間投資爲十五億六千萬餘元，而四十五年間民間投資僅有五億三千萬元，佔國民所得百分之二點四，足證民間儲蓄投資力量微小。同時，消費超過生產，致資本形成不及縮伺，而消費佔首位，此爲經濟之病源。

其次是金融政策失當，未能扶助工商業合理發展，一遇風浪即難維持，造成了今日的普遍倒風。復次各行庫存放款情形，在四十六年底，台銀及六行庫局存款共六十四億元，放款五十六億元，其中有廿八億是貸與公營事業，一億七千萬是貸與政府機關，合計三十億元，其餘廿五億是民間放款。全省工商業單位共有十八萬單位，獲得民間放款的工商業單位僅有六萬零八百零三戶；而三分之二的工商業者無法與行庫局來往獲得貸款，便只得依賴黑市利息借款，維持生存，這樣的負担，時間一長便被高利貸拖垮了。這是倒風原因之一。

還有是政府的浪費龐大，財政赤字增加，欲消滅赤字的財政只得取「苛徵」政策。據議員郭雨新指出，省府僅四十二年一個年度中的浪費龐大驚人，以該年防衛捐爲例；四十二年征收防衛捐及以前結存與收回支付款項一共是三億一千四百六十四萬餘元，而省政府所列當年度預算僅一億二千二百二十二萬多元，其超征數並未追加列入該年度總預算之內。此項稅收除協助中央和補助其他不必要支出外，尚餘存三千二百萬餘元，如何處理？外界不得而知。這不過是其中之一例而已。因此工商界認爲重稅也是增加倒風的原因之一。

至如何消除上述倒風的因素，乃目前的嚴重考驗。（八月八日于台北）

從台峽風雲談東北亞同盟

文鑑

中共空軍自上月廿九日進駐澄海，連城機場後，八月四日俄製米格十七型機進駐福建龍溪機場。軍事觀察家認爲：中共日益增加空軍力量，不僅對台灣是一種威脅；即對整個東南亞東北亞的安全，也是一種威脅！因此，使人聯想到九年前所提議的台灣、南韓、菲律賓、日本的四國同盟，現在正其時矣。

本來韓戰發生，中共加入韓戰，中日和約簽訂之後，由于形勢需要，應該逐漸形成，尤其在目前台灣海峽，黑雲不雨中，東北亞在威脅中。

中國和南韓目前擁有軍事實力，據西方民主國家最近的估計，佔着世界兵力的第三四位，尤其是日本有無限的潛力，一經重整軍備，當有很大的戰鬥力量。較弱的是菲律賓，潛力不小。假如這四個國家，在美國大力支持下結成反共同盟，並盡量訓練及裝備；則今日國際形勢的迫切需要下，是大大可以有爲的。

然而，問題是在這幾個國家彼此間倘有內在的矛盾。例如：

（一）菲律賓一向苛待旅菲華僑，與台灣方面弄得不大融洽，所以對于與台灣聯盟不夠熱心。

（二）菲律賓與日本因賠償問題，相持不下。

（三）台韓與日本的矛盾是由于日本已漸恢復其自尊自大感，迷惑于中立主義路綫，台韓都不放在眼裏，但台灣所以「泱泱風度」對日本，李承晚則一點不敢放鬆。這些矛盾，成了同盟的絆腳石。

看情形，想聯盟成功的，首推台灣與南韓。因就目前局勢的發展，台灣海峽風起雲湧，箭拔弩張，大戰一觸即發！如台灣海峽戰幕一經揭開，固爲國軍大顯身手的機會；但也是南韓揮軍北上的大好時機。故台韓休戚相關。倘台灣海峽真的動武或韓戰再起，美國及聯合國，自然不能不利用亞洲人打亞洲的戰略者」，協助動用亞洲的反共部隊。韓台合作既休戚相關，相需甚切。一九五三年間，中國駐日大使董顯光，就在日本東京、台灣、南韓之間，曾供奔于台韓同盟。當時因各種原因雖未成功，但現在聯盟水到渠成。

此一問題最主要的關鍵，是在美國，英國的影響力甚大，倘美國決心支持，很有可能的。在目前的情勢，倘美國能支援四國的意向，是非常可能的。

就四國同盟一事而言，台韓兩國迫切需要，事實上，菲律賓也非常歡迎，美英法泰巴，締結了東南亞聯防公約，對參加東北亞聯盟，似乎有所猶豫。至于日本，一面是存有乘機敲詐的壞心腸，一面是日韓兩國的復交問題尚未徹底解決。因此，最靠得住的，還是台灣和南韓兩個痛癢相關的國家。（八月七日）

寶島經緯線

△以聲望卓著的老教育家梅貽琦博士來擔任教育部長，各界均認爲是一時之選，深慶得人。說老實話，近十年來的教育，已不無千瘡百孔，無論如何該換換人了。現在社會上期望于梅博士者，因爲他曾有國立清華學府的風氣，從此擺脫形式作風，將重複的機構如國立藝術館，國立音樂研究所，美術委員會，電影輔導委員會等整併機構，力求務實。

△葉公超卸除外長肩仔後，曾向記者表示：九年多來的任期中，他從未下過一張條子任用過一個朋友，這一點不是過甚其詞。新任部長黃少谷，原係我們黨報的伙伴，與新聞界人士亦甚好，不過我們也相信他不致把新聞記者拉進地位特殊的官場，因爲拿筆桿的人是少不得的。

△台灣的教育負責人，在做些什麼？令人感慨。根據最可靠的證實，台灣有一些學校，甚至是大專級的學生可以從來不上課，只要費用照繳，就可以獲畢業文憑。是要不得。因此我們也提醒教育當局注意此一怪現象的存在，作有效的糾正。（司馬芬寄自台北）

變化中的日本對外政策

·養之·

　最近由于中東情勢突變，中共向東南亞大量傾銷貨物的結果，日本的對外政策受了極大的影響。

　日政府宣佈將于九月中旬召開國會特別會議，檢討日本外交尤其中東政策；該會可能在外相藤山愛一郎赴美之前舉行。而藤山外相與美國務卿杜爾斯預定的會談，却在九月十一和十二兩天。若干官方人士預料：日本對中共的新政策，三週內便見端倪。

　但外交界觀察家却認爲官方人士放出對中共改變政策的空氣，係一種外交上的把戲，意在促使中共對日軟化。實際上，日本是在打貿易算盤，對中共採觀望政策。

藤山外相之赴美

　至于是否以及如何改變靜觀政策而與北平復交，須待藤山外相下月與美國務卿杜爾斯商討自由世界與中共的關係後，才能有所決定。

　藤山愛一郎與杜爾斯會談時的討論事項，將是要求美國保證，如美國一旦對中共關係有所調整時，日本能先獲得諮詢，以便調整其外交政策。可是美國一再強調，不承認中共及不考慮改變全面禁運政策，日本一面担心向東南亞傾銷貨品，搶去日貨市場，一面又在巴黎禁運會議中，贊成放寬對中共的禁運。這在美國官方認爲一件矛盾。

　日本爲甚麼要在這個時候改變對外政策呢？有人認爲：這可能是日本的敏感作用。認爲日本人本能上素來對于對方在時間上的估計是很準確。例如他們安排瀋陽事變于一九三一年九月，由于當時中國正從事「綏靖運動」，英國正要放棄金本位，美國亦鬧經濟問題。又于一九三七年七月七日，製造盧溝橋事變，也是正當史達林內清黨後力量削弱，中國西安事變後正在設法統一當中，美國則忙于應付希特勒，無暇分心，尤其在日本本國內陸軍部大受選民指摘的時候。凡是歐洲或其他地區有重大事件發生，日本立刻就有敏感的反應，慣于火中取栗，如所週知，慕尼里會議剛于一九三八年十月告一段落，它便攻取了廣州；巴塞隆納剛陷落兩個月，它又攻取了海南島；德國剛于一九三九年三月攫奪捷克剩下的部份，它們更伸出一條長長的臂膀，取了新加坡附近的斯巴拉脫雷島。

　一九五六年七月廿六日，當納蘇宣佈蘇彝士運河爲國有，英法以龐大的海空部隊投入中東的時候，日本便突然轉變態度，立即訓令正在莫斯科談判的前外相重光葵，實行停止和談，去倫敦參加運河國際會議，看看風色再說。

　今天，日本看到中東的局勢的變化，伊拉克政變在一天之內完成。美國雖出兵而態度漸趨軟化，尤其納蘇秘密飛赴莫斯科，俄軍二十餘師在伊土邊境演習，它的政策也隨之而變，便搶先承認伊拉克新政權無非討好阿拉伯國家，企圖爭取中東市場。

　其次它看到東南亞方面，也在動盪不安，東埔寨已于七月中旬正式承認了中共政權，直接打擊東南亞公約組織，間接影響日本在東南亞的銷售市場；加上印尼革命軍的失敗；寮國會一度發生政治危機，泰國的內部分裂，早悉蘇俄商業代表曾與泰商談發展貿易問題，日本便即考慮它的對外政策。

　戰後的日本，已經喪失所有海外屬地和原料來源。其通商區之越南、泰國、緬甸、馬來亞、印度和中國大陸等地，戰後又幾乎陷於蘇聯集團，日本爲了爭取貿易，勢非買好于莫斯科不可！雖然它也對于蘇聯、中共時刻存有戒心，也沒有辦法可想，特別是在最近赫魯曉夫突然秘密訪問北平，與毛澤東會談以後？日本更感威脅，希望美國對中共政策有所調整，因爲日本目前仍走着美國路綫，故又不能不與美國的步伐一致。（八月五日）

東洋小事

·觀游·

善於宣傳

　前次國際新聞會議在日本開會，頃悉日方對籌備此項會議費時達十閱月之久，所以議程之安排，各種項目之推進都屬有條不紊，絲毫不差。單就會議閉幕後招待與會各國代表在日本名勝地觀光一節，有代表讚譽稱日方之設想週到，予人以自由愉快之感，據說各國代表私人行李均莫不於各代表抵達目的地之休息旅館前早即妥爲安排，須此地方正表現出日本人懂得如何宣傳，那末各國代表回國後亦必將盡量爲之宣揚了。

又一例

　今年奧林匹克在日本舉行時，其隆重壯嚴之會場氣氛予以各國代表極大之吸引力，當開場之初，日本昭和天皇出席之時，同時日本古裝舞蹈隨之而起，純粹東方色彩；另一面於紅色絲絨幕，徐徐拉開之後，原來幕後正排着三千人大合唱，完全西方情調，一切則又冶東西文化於一爐，確是蔚爲奇觀，無怪予人印象深刻，據說日本籌備是項會議也化上了一年半以上的時間，奧林匹克委員會委員長說他有四十餘年之經驗，沒有像在日本這次大會深受感動的，可以說日本又在宣傳上成功了。

用公家錢不容易！

　日本皇太子婚事問題正爲各方所注目，據說皇太子新居建築費一事會在議會爲質詢對象；但是有人說藤山愛一郎住宅每一坪建築費要四十萬日元，吉田茂之住宅每一坪要耗費日幣五十萬日元，而皇太子新居建築費每坪才僅三十八萬日元云云，因爲是要國庫支付，所以一般議員認爲過奢，其實比之藤山，吉田等之私人住宅仍屬遜色，足見公家錢不容易啊！

町野武馬的潛勢力

　日本有名政治家古島一雄生前在日本頗具潛勢力，當朝各派領袖無不聽命於彼，雖今已作古，其祭日，日本各界領袖無不上香行禮如儀，但今日尚有人一人在日本政治舞台幕後操有實際權力，當今在台上紅人要員亦無不唯命是聽；此人就是曾任張作霖參謀長的町野武馬；據聞在某年三十夜，町野掛了一個電話叫吉田茂到其自宅一談，吉田立即前往，並且恭謹聽命云云，傳說吉田等受過町野的恩惠，目前只是飲水思源耳。

石井光次郎訪英幕后

　前副首相石井光次郎此次拒絕以岸信介特使身份赴英爲日英友好關係開路，蓋予石井以特使身份赴英關係，岸信介與河野一郎會談後之結果，似此岸信介仍爲河野之傀儡，岸於第一度組閣時即爲河野牽着鼻子走，駐外使節亦莫不須河野之支持，此次石井赴英，實亦顯出岸、石關係惡化已表面化，岸第二次組閣，一脚踢開石井，而報界將石井，亦傳出岸雖將石井踢開，却曾向石井許以資格派往外國一行特使云云，這次石井特使赴英，固爲岸信介言而有信，要亦日本政爭一趣聞。

國際動態拾零

　△美海軍當局計劃，預定在明年放射重二千五百磅，長十八英尺，直徑三十英寸之人造衛星。此種人造衛星，作爲偵察與航海導向之用。

　△美防空火箭，可以擊燬轟炸機與越洲火箭于高空。但其形狀甚小，僅一英尺長，二英寸直徑。無論在噴射機上或火箭基地，均可放射。

　△根據蘇聯情報，蘇聯人造衛星第三號所以重至二九〇〇磅，因半噸以上爲淡氣，藉使機器不至發高熱，而美國設計，則無須此類淡氣設備。

　△土耳其希臘，曾告英國，謂在中東事變期間，牠們決不在塞浦路斯搗亂，使英國陷于困難。但後來知道英國不出兵伊拉克，塞浦路斯島土希人之示威運動又起。

　△據莫斯科消息，中共爲中東問題，主張蘇聯邀請亞非國家，開高峯會議，並請印度尼赫魯參加，將來對中東問題採何種步驟。因爲聯合國召開高峯會議，中共是當然被擯門外的。

　△納塞主張，亞非國家，召開中立國家之高峯會議。他表示本年十二月，願來新德里，與尼赫魯，狄托，參加討論，目的在討論中東問題。惟尼赫魯，與緬甸的宇努，對此殊爲冷淡。

·陶然·

黨員志願·馴服工具

　從五月十九日到七月二十九日，「北京日報」的「共產黨員」專刊組織了一次關於「共產黨員應不應該有個人志願」的討論，七月二十九日的「北京日報」爲此而發表了社論，結論是：「任何忠誠的共產黨員，都應該：鼓足干勁，力爭上游，做一個黨的馴服的工具，爲貫徹執行黨的總路綫，爲實現共產主義的偉大理想而戰鬥。」

　這也就是說：黨員的條件是「馴服的工具」。馴服的工具當無發表個人意見的機會，亦無所謂有個人志願的可能；祇是黨的工具、奴隸。

　關鍵似乎還在於對誰馴服。這一點在社論中並未具體的指出，但觀其全文大意，馴服的對象當是黨。黨是一個空洞的名詞，黨員亦無法對此一空洞名詞「馴服」；所謂黨當指的是黨的領導人而言，不難理解上述社論的結論是要共產黨員作爲黨的領導人的「馴服工具」，忠心的奴隸。從根本來說，則是要求中共黨員作爲毛澤東的奴隸。

抓好管理·荒報豐收

　八月一日，中共中央發佈了一項關于抓好秋糧田間管理的通知。要求「在這三個月內省、地、縣、區、鄉、社六級幹部會師一律深入田間，和農民在一起，搞好試驗田，豐產田，帶動農民搞好秋田管理工作，不實現全面大豐收決不離開田間。」這似乎說，祇要這六級幹部深入田間，就可以實現大豐收了。要是實現不了全面大豐收就不准離開田間。准此，六級幹部若要想離開田間，唯一的辦法就是實現大豐收。把秋收數字層層加大，大豐收當然實現了，這是實現大豐收最簡便的辦法，大概也是現在中共的大豐收內容。

　不用說，這一種命令，實際就是叫各級幹部親自謊報大豐收。爲什麼要這樣做，目的就是爲着批判那些所謂「秋後算賬派」。

「趕快補課」·草草終場

　八月七日人民日報報導：「四川省溫江地委，簡陽縣委，南充縣委最近普遍進行的生產大檢查中，幾乎普遍地發現了一個問題：就是一些對社會主義制度有嚴重抵觸情緒的分子，或有嚴重右傾情緒的幹部，仍然掌握着少數鄉和合作社的領導權。在這裏，走資本主義道路，還是走社會主義道路還沒根本的問題，並沒有徹底解決。因此，在這裏不是什麼躍進，而是根本不動，使這些鄉和社的工作停滯在非常落後的狀態之中。」因此人民日報大聲疾呼：「這一課要快補」。

　多時以來，中共已在實行其所謂社會主義教育，全民整風，批判促退派；據說，經過了前述的一系列運動，全國一天等于二十年那般的躍進了；但是，據前述報導看，這種躍進似乎並未深入普及，只不過是表面文章而已。

　本欄早已指出，整風已屆結尾階段，草草終場較之搞深搞透的可能性大；以前述情況來看整風補課，更顯得草草終場是必然的了，因爲若要把他們搞透搞深，恐怕再下一年功夫也未必能竟其全功。

·田心·

新書評介

太平天國典制通考

·陳克文·

著者——簡又文。出版兼發行者——簡氏猛進書屋。總經銷處——九龍集成圖書公司。分釘三巨冊，共一百四十餘萬言。定價——平裝每部港幣四十五元，精裝六十元。

　研究太平天國歷史的專家簡又文先生，辛勤工作了卅多年，過去曾寫過不少有關的文章和專著，是當代研究這一門專史的最有權威，最有貢獻的一個人。然而我覺得簡氏最高的成就和最大的貢獻要推最近他出版的「太平天國典制通考」這一本書。這是一本一百四十多萬字的巨著，是他半生心血的結晶。也是現在已出版的許多有關太平天國的史籍中，搜羅最富，證例最嚴，撰述論斷最精審而公允的一本，這是必然傳世之作，是無可置疑的。

　本書共廿篇：（一）天號考，（二）官職考（三）禮儀考，（四）璽印考，（五）宮室考，（六）科舉考，（七）天曆考，（八）鄉治考，（九）田政考，（十）泉幣考，（十一）食貨考，（十二）外事考上，（十三）外事考中，（十四）外事考下，（十五）女位考，（十六）軍紀考上，（十七）軍紀考下（十八）宗教考上，（十九）宗教考中，（廿）宗教考下，並附有關圖表大小凡百餘幅。卷首有香港大學東方文化研究院院長英人林仰山先生，史學家羅香林先生，國學家饒宗頤先生的序文各一篇。還有簡氏自撰的一篇緒言，長達一萬餘字。簡氏在這篇緒言中，詳述他生平治學的心得，撰寫本書的經過，本書的內容大要，有關本書在歷史的研究方法，本書史料去取及評論的標準，對左派史觀的批駁，個人撰著本書的宗旨和態度，個人對太平革命歷史的看法，太平革命的意義及其價值。我們讀了這篇緒言，可以窺見簡氏是怎樣一個態度謹嚴，撰述謹嚴，一絲一字，絲毫不苟的學者。更可以看出他撰著本書的用力辛勤，搜羅豐富，研究方法的科學化，評論的客觀深入，實爲當代學人所少見的。

　簡氏的緒言說，他的批評研究「以太平天國爲純觀客的學術對象，只以發見眞相，追求眞理，爲唯一目的……一褒一貶，或臧或否，一是根據事實，忠於史料……至於爲事實作詮釋，則設身處地，將自己投入歷史之中，爲其時代之一人。」這便是他的客觀態度和學科方法。

　他又說，「本書宗旨，目的，與性質，不是爲政治黨派或宗教門爭的武器，或宣傳工具，而僅是闡明一代專史的眞象之純學術性的作品也。」簡氏本爲虔誠的基督徒又爲國民黨黨員，但以純學術的立場從事一代專史的撰著，又豈易得耶？

　簡氏繼續說，「書中各篇對於天朝各種典制政事與人物，毫不保留地作公正的批評，其優善處固盡量表揚，但其劣點也同樣一一揭出，有時且不免予以嚴正的責備」。我覺得惟有忠於學術，忠於史實，不存偏見，態度超然的學者才能有這樣的襟抱，以從事不朽的著述。

　簡氏對於整個太平革命運動史，有他個人確切不移的見解，既不同於左派的唯物史觀，也不盡同於一般非唯物史觀論者的意見。他認爲「太平天國的革命理想，是折衷耶儒眞諦，溶合中西文化，革故鼎新，創建新國，重興民族……是宗教的，民族的，政治的，三合一的革命渾動。」因此，他反對左派人物認太平革命爲階級鬥爭的農民運動。他說，「此派立論絕無史料根據」。只是『不知歷史事實，故意埋沒史實，掩飾史實，或歪曲史實』，正是移史就觀。」於是他很堅定的作出他的結論：「……一向確定這革命大運動，根本是由基督教發源的，而其大宗旨則是爲民族之獨立自由的，與爲國民而建立新政權，厲行新政治，以創造『新天新地』的。」他的結論或者有人不能完全同意，然而，這是他「半生專門研究，根據確鑿的，充足的史乘，及眞實的可信的文獻」而得的結果。

　昔馬端臨著文獻通考，敍事論事必本於「文」與「獻」，簡氏此書可謂深得此旨，而用力之精勤，方法之愼密，與夫耗費時間之久長，則尤過於馬氏，故本書在學術上實有其莫大的貢獻，必爲傳後之作，絕無可疑。（一九五八年八月八日）

自由談

杜魯門稱讚艾克

馬五先生

美國就艾森豪在聯大特別會議演說，提出了維護中東和平的六點計劃，呼籲聯合國迅速採取行動，否則美國必應時接受該地區的弱小國家之請求，遄行派兵馳援，有如此次應援黎巴嫩一樣。他所提示的六點計劃是否可行，固待研究。但其堅定的聲明，當時可以派兵應援弱小國家的堅決語意，實係對俄帝猖獗美國「侵略」中東的明白答覆，其意若曰：「我如決定出兵，就是抱定不惜戰爭的決心；你要說我是「侵略」，我毫不在乎哩！」[illegible]「和平總統」之口，可謂難得，也是艾克[illegible]杜魯門及艾克之言，稱許爲「良好」的談話，聯合國應該這麼辦。」杜氏素來[illegible]於政黨的立場，對艾克的政治措施抨擊甚力，不留餘地，現在卻贊美艾氏應付中東事變的言行，還表現「兄弟鬩牆，外禦其侮」的政治家的風度，亦爲政黨政治的應有作風。[illegible]

[illegible]的悻悻然小丈夫氣概，那根本就不配談政治的民主生活。

希望我國一般喜歡搞政治的知識份子，仔細體察別人的政治風格，見賢思齊，力爭上游，否則再過一百年的民主口號，而民主政治終去之，還是慕與爲伍的！

捧「天才」死人

·谷音·

中國人一向有傳統的美德，就是對已死去的人總是讚揚多於貶抑，除了史家秉春秋之筆，對叱咤風雲的英雄人物，硬要蓋棺論定以外，一般人多是奉行這一美德的，原無可厚非。但如果表現得太過火，就不免要令人作嘔了。近幾年來，台灣先後有幾位不幸短命死矣的文人，生前並不被人重視，死後卻被那些追悼者捧爲「天才」、「鬼才」，大捧特捧的譽爲「天才」，說爲「絕響」。

不久以前有一位寫詩的楊喚，被火車輾斃後，才被一羣詩人們，蒐集他的作品出單行本，集資爲他出版，把他捧爲「天才詩人」，紀念他的詩篇，不絕出現於各報刊上。以後有因病死於台大醫院後，劇作家們才給他戴上「天才劇作家」的帽子，使得他那本劇本「鼎食之家」，被搶購一空，各劇團也紛紛上演，電影公司也都爭着將它改編拍攝。

最近，又有爲演播劇的劉非烈，死於骨癌絕症，死後的哀榮，尤勝於前兩位「天才」。廣播劇作家之一的封號，中國廣播公司，還早在他死前就[illegible]廣播劇本出單行本，台灣電台（中廣公司所屬電台）不但爲他做了一個追悼紀念的特別節目，同時，更還連續播放了好幾個他所寫的廣播劇，各報紙副刊雜誌也刊載了很多追悼他的文章。不過，這一回在捧死人爲「天才」以外，我們發現了一些古怪的現象，那是：有人「捧死人熱」，有人叫「出死人風頭」。

其實，眞正的「天才」，不待大家捧場，終究是「天才」，不過，倘是一個天才要等待死後才被捧爲「天才」，那不能說是一種怪現象了。

狂囈

·楊海宴·

人生眞是可笑到極點。只是爲了一些微不足道的，[illegible]利益，便不惜[illegible]，陰謀，爭奪，廝殺，而得逞者[illegible]理自居，便可以成爲十足的[illegible]人、教育人，並奴役人類的心靈，使之永遠[illegible]。[illegible]

（若牛馬豬羊有力量足以如人類統治他們那樣的來統治我們時，當然我們也就成牠們的佐餐物了），另一方面卻大講慈悲，高呼正義！[illegible]

所謂「沒有抬轎子的」那類理由。當他看到大家都在崇拜一個人時，他也悻悻然參加到崇拜的隊伍裏，卻不願想想那個被他所崇拜的完全和你一樣，他所多的僅是一件漂亮的外衣。你爲甚麼不獨往獨來呢？你爲甚麼不嘲笑呢？你爲甚麼不嗤之以鼻呢？

唯一的答案，祇因爲你個性軟弱，因爲你沒有力量，因爲你自己無可救藥的失去了動物性——眞，而卻多了一些人的氣味——僞。

我所讚美的，正是被公認爲應當鄙棄的，而我所咬着牙根恨的，正是被多數人所膜拜的。所以在我這一生所居留的天地間，我將是孤獨寂寞而死去。

讀古德集作三偈

·差幸·

[illegible]幸爾生老歐狂，自憐頭頂髮光光。文壇昔日稱鳴鳳，僧位今尸愧喔羊。孔壁二論猶可誦，禪門末戀未能詳。山河大地何有？悟徹心源始若洋。

水水山山辨水山，山無迴伏水無礙。[illegible]春何去？燕子銜泥尚未還。

黃連奚苦蔗奚甘？歷盡艱虞五味含。是幻是眞非一二，個中禪思耐人參。

[illegible]眼皮，云何芥子納須彌？[illegible]能喻？理契無爲事有爲！

（戊戌夏，龍眠沙門本際初稿）

楊志强明禮論序

·蘇文擢·

雲山楊君志强，有方之士也。丁酉秋，旣重覆其所爲明禮論，且出其稿以示予曰：「予惟鑑，言其略！」[illegible]目睽，乃若大小戴之所傳，雖以秦漢諸儒之錄，雖純駁不一，而五經之目則亦燦然大備矣。聞者思之以爲五帝異樂三王不同禮，莫不因人情以爲之節，其損益隆殺，要皆本乎[illegible]。[illegible]齊治平之義，四夫猶固非爲是嗣瀉涼冲擧，以極猖狄賊而後以爲儒術不倡，上下縱於[illegible]，詩書目爲土芥，[illegible]迂頑，後先相師踏輪，操文治之權衡者猶或非與一時之論，宜乎舉[illegible]慾睢，變詐相角，流俗之敗，至於淪胥以亡而莫之救。

昔吾先君服官禮部，其後當鼎革之際，綱紀蕩然，既已懇然憂之。晚歲授徒海上，諄諄然以檢攝威儀訓後進。楊君實以其時晉接於其間，文擢總角趨庭，其事亦久而不可復憶。椿庭棄養，忽忽十有八年，其間世運之遷流，風教之頹敗，又非先大夫當年所及料者。嗚呼！綱常不可一日亡於天下，匹夫旣無與於制作，斯文未喪，必有貞元之士起而張之，世之讀楊君是編者，其有風雨如晦鷄鳴不已之感哉。

我所謂的孤獨寂寞，並不意味着一般人所提到，孤獨寂寞時，同時亦呈現着心靈上的憔悴、蒼白、空虛、上述的難。我不如此！我孤獨寂寞，然而因爲我獨往獨來，我的心靈是快樂的，飽滿的，我是自覺的，[illegible]。（一九五八、八、立秋、寫于一運夜失眠后）

長壽瑣談

·後生仔·

長壽是人們所認爲一種最大的幸運。所以，求壽的故事，着實不少。但一般人，對於壽的觀念，祇是時間上的計算，故壽的意義，並不這麼簡單，生命的延長，其實，生命的意義，並不這麼簡單，一塊石頭，它能夠亘古長存，難道它便是長壽嗎？哥德說得好：「生命是可以用時間來計算嗎？」對的，我們對着永遠存在着的廢物，不是心理爲賊也？「老而不死，是爲賊」，孔子不討厭的人，有也？人有該死的人，不該死的人，不該死而不死的謂之夭，該死而不死的謂之賊、盜，而長壽的人世間又何貴乎有這老賊？

左思的三都賦，據說寫了三年，這眞是一篇長的文章，三都賦有名的文章，爲的是時間長，有人以爲也無所謂三年，假如三年的文章就一定是好的，豈不是極可笑之事？文章的壽與不壽，在乎它的內容，同樣生命之壽不壽，而至生命之壽，也在乎它的生活內容。沒有生活內容的壽，即使活到一百歲，八百歲，又算得什麼呢？首先我們對壽的觀念，

得個人都渴望長壽。但生命是一個謎，因爲你不會知道自己能夠活到幾多歲，人的最高壽命，現在還在科學的爭論中。有人說，人類可以活到一百五十歲以上；但有人指出這些壽翁的年齡，毫無根據，不足爲憑。他們只承認世界上活的最長壽的人最高紀錄是一百零六歲而已，洪範五福，第一福就是壽

是應該包括生命的內容啊！大多數科學家同意[illegible]

廣東人的刻書風氣

嶺南文物掌故

葉雲谷亦以洋務起家，石刻法帖，共有四種。（一）風滿樓帖，（二）耕霞溪館帖，（三）友石齋帖，（四）眞蹟閣帖。除此之外，葉氏之書余尚未之見。

南海孔廣陶亦以鹺起家，建嶽雪樓於南關，南園即其舊址。嶽雪樓收藏歷代名書，最爲豐富，刻有嶽雪樓書畫錄一書，詳載蒐藏之來源派別，眞僞鑒別等。此書爲藏畫家視爲珍秘之本。與潘氏之聽颿樓書畫錄同一價值。蓋此二書考訂精詳，鑒別透闢，刻書雖未及百年，然購求亦已不易矣。又潘氏聽颿樓法帖，精美在南雪齋之上」。嶽雪樓多珍本，但孔氏在光緒末年，以欠餉關係，其家中落，光緒卅四年，羅振玉來廣州，購得其一部。羅氏追憶錄自謂彼來粵搜得孔氏藏書，彼始有藏書云。孔氏之書，由登雲閣店主駱某將整批之孔氏「三十萬卷樓」書售與湯蟄濟，湯捆載以去。

孔氏刻書亦多，而且較刻精良別緻，所謂橋香齋十種，係巾箱小冊。四書五經而外，有淵鑒類函，春明夢餘錄，五色批蘇詩，朱子全書等，均卷帙浩繁之籍。另刻五色批詩經繹參，及初學記等，其魄力之大，不亞於伍氏，而嶽雪樓叢帖雖不及筠清館之精，但卷帙過之。

總之自十九世紀初期，至中葉，粵中鹽商巨賈，欲留名於後世，於是刻書習尙，風靡一時。而其結果，則古籍賴以普遍流通，其功，無可紀，眞所謂三代以下患不好名也。

此風尙至末期，猶不少衰，有新會陳氏，（名待考）欲突過前人。因獨力翻雕殿板廿四史，書成後，以紙張需大量採購，因印書紙三十餘套，此板片存於城西之陳家祠中，未嘗再印。民國四年乙卯，粵中遭大水，板片被浸，復爲白蟻蛀蝕，只得毀之作薪矣。順德龍鳳鑣，在光緒十八年（一八九二）刻知服齋叢書，內多漢晉典章，並包本邑邊疆地理誌多種。「翠琅玕館叢書」，首先刻於順德馮氏，其後復購得劉氏藏修堂書板合編十集，未及印書，而身亡。有清末年，其家中落，板片由三水黃任恒購得，黃沈其考據繁瑣之作，分錄史子集，彙編四部，存七十餘種，卷帙旣富，黃任恒亦自刻其著述多種，如遼代金石錄，廣東金石彙編，及黃氏譜[illegible]等。黃氏一生專搜羅廣東人著作，及廣東省刻本之書，幾集廣東文獻大成。入民國後，廣東省立圖書館長杜定友，會派人到黃氏[illegible]鈔書。一九五一年，黃氏以老病，盡將其所藏[illegible]，[illegible]民幣僅[illegible]元以上。

「知不足齋叢書」，本刻於鮑廷博，並非刻於廣州，[illegible]

私人著述，自行刊刻，其最著者[illegible]

上所列舉，不過紀其最著名者，其餘私人刻印古書，如番禺之任氏，陶氏，南海之陳氏，均以刻書出名。[illegible]（四）

·竹庵·

[illegible]

自由人
THE FREEMAN
（第七八七期）
每份港幣壹毫
社址：香港高士威道二十號四樓
20 CAUSEWAY RD. 3RD. FL. HONG KONG.
TEL: 771726

美國在中東的政治賭博

雷嘯岑

自前年英法遣兵蘇彝士運河之役以來，美國在中東一直從事於政治賭博，但由於內在與外在的各種矛盾對立因素，隨時拿錯用神，既沒有孤注一擲的豪賭氣概，又缺乏「忍」、「狠」、「等」的賭精神，逡巡徘徊，進退吞吐，結果是有輸無贏，弄得焦頭爛額，還要[illegible]受別人的駡名，寃枉極了！

納撤是否可以爭取？

美國在中東從事政治賭博的唯一目標就是爭取埃及獨裁者納撤投到西方陣營來，而以「經濟援助」作賭本，這次艾森豪總統在聯大特別會議揭示其促進中東和平的六點計劃，亦是以經援爲主要條件的。西方人士基於「貧窮爲培育共產主義溫床」的見解，主張協助產業貧乏落後國家的經濟建設，以改善一般人民的生活水準，固屬未可厚非。可是，這種百年大計的措施，必須先有安定的社會環境和政治生活，才可以發生預期的效用。美國當局認爲亞洲方面運用美援最有成效的地區，以自由中國的台灣爲首屈一指。然台灣內部如果不是秩序安定，匕鬯無驚，社會結構與文化水準皆相當健全而優良，美國的經援能否產生現有效力，那就很難說了。準此以論美國藉經濟援助來爭取納撤，企圖奠定中東和平秩序的賭博行爲，便是拿錯了用神，終歸要失望的。

納撤手中最大的政治資本，就是阿剌伯民族主義，而以反殖民地政策與反猶太宗教爲中心思想。阿剌伯民族儘管都有「貧、弱、愚、私」的本質，但一提到反西方殖民地主義與反猶太主義，即萬衆一心，義無返顧，任何犧牲，在所不辭。現在英國保護之下的庫威特酋長，最近到開羅向納撤聲明，西方國家如其庇護以色列「侵略」阿剌伯國家，就休想得到庫威特的一滴石油，即此可見阿剌伯民族思想的瘋狂性，也就是納撤發展「阿剌伯帝國」雄圖的基本潛力，決非物質之力所能搖惑的。此外，尙有被以色列驅逐出境，流落在阿剌伯地區的九十萬巴勒斯坦難民，昕夕佇望阿剌伯國家把以色列消除掉，他們實係納撤問鼎擴張的第五縱隊。所以，納撤如果不以反西方殖民地主義與反猶太主義爲政治號召，不特他的阿剌伯聯邦共和國馬上便要解體，他本身的存在亦就大有問題哩！

美國對於中東問題要徵得英法盟邦的同意合作，更不能不兼顧到以色列的生存發展。尤其是後者，由於國內的工商企業界和政界人物多屬猶太商裔之故，任何一位白宮主人，亦不敢拂逆這股雄厚的民意，而對以色列不予維護。我們可以這末說，美國決不會爲着中東阿剌伯民族的某一些利害關係，而有甘冒戰爭危險的決策，但若爲着保障以色列的生存，卻可能不惜一戰的！美國對中東政策的背景如此，納撤所恃以建立「阿剌伯帝國」的基礎又如彼，二者立於相反的兩極端。然美國乃想憑藉經濟援助的香餌，爭取納撤投入西方列強的懷抱中，這眞是孟子所謂「以若所爲，求若所欲，後必有災」的賭博行爲，失敗的公算昭然若揭。美國若在蘇彝士運河國有化的時候採取這項政策，或許有成功希望，因爲那時納撤尙未跟蘇俄勾結，對於美援頗感興趣。現在他已取得了俄援，又眼見西方列強對中立主義者那種百般遷就拉攏的言行，也即就現實利害設想，他亦不能放棄其投機漁利的中立姿態，而與西方沆瀣一氣的。可惜美國當年畏首畏尾，致[illegible]後，時而答應以經援給納撤建築阿士灣大水壩，時又聲稱不感興趣，撤消諾言。即對於爲蘇彝士運河國有化糾紛而凍結的埃及在美存款，也等到納撤第二度訪問莫斯科的前夕，才宣告解凍。這是利用糖果以弄孩提之童的作法，納撤再愚蠢，也不致懵然罔覺，輕易受騙吧？自俄帝亦東施效顰，對一般中立國家施展經濟援助的魔術以後，美援業已減少了吸引力，而白宮當局亦認爲蘇俄的政治經濟滲透陰謀，比原子戰爭更爲可怕，卻又常常以「買怕」的方式來運用經濟援外計劃，野心勃勃的納撤，怎肯輕使入彀呢？

英美在中東爲淵驅魚

這次英美毅然決然出兵中東，明明是爲着伊拉克發生叛亂，約但危在旦夕，而敍利亞對黎巴嫩的顛覆活動，即將愈趨激化。黎、約如被納撤的阿剌伯聯邦共和國席捲以去，以色列與阿剌伯國家的直接衝突立起，西方列強即非捲入戰爭漩渦不可。事實上，約旦與伊拉克之構成邦聯組織以對抗納撤，原係依循着英美的「艾森豪主義」，就其後援，而黎巴嫩之接受[illegible]爲有伊、約聯盟在彼此[illegible]的一著有力的棋子。然而，英美遣兵約、黎後，聞得伊拉克[illegible]照[illegible]西方石油[illegible]即色然以喜，[illegible]盟友且担負「巴格達公約」總部職責的[illegible]王朝的傾覆[illegible]，相反地對伊[illegible]政府表示友好[illegible]恐弗及。至其[illegible]倒向西方的約[illegible]卻不許他以伊[illegible]元首的職權[illegible]討逆，最近竟[illegible]，並且要向胡[illegible]勸救胡辛王去[illegible]施壓力，非使[illegible]坍台不可，這[illegible]意？又是甚末[illegible]這樣的領導方[illegible]使自由世界所[illegible]民族國家，望[illegible]冷，對美國發[illegible]向，不敢信賴[illegible]見之，亦必然[illegible]，週陽邊氣呷[illegible]撤乃表示不贊[illegible]位，以免妨碍[illegible]國」的發展，可[illegible]用心理戰術了[illegible]拉克費薩爾王[illegible]胡辛王朝怎樣腐敗無能[illegible]，然他們都是西方的忠[illegible]濟援助的誘惑作用，爭取納撤友好合作，[illegible]阿剌伯民族與以色列不共戴天，而美國又非維護以色列不可的這一死結，永遠沒法打開，即[illegible]美英對付伊拉克與約[illegible]這兩個盟邦不講信義是非，隨便犧牲出賣的事實，他亦有「趙孟所貴，趙孟能賤之」的戒懼心情，不屑向西方靠攏的。

俄帝對於跟它接近，供它利用的國家，不管該國政府當局是何許人，它在利用期間，決不表示愛憎的詞色，而且處處裝出精忠關照的態度。唯有美國對於一貫忠誠合作的友邦內部事項，亦以自己的尺度衡量別人，要求別人向自己看齊，不是指別人這項措施不民主，就說[illegible]別人低能腐敗，不惜將[illegible]方的感情搞壞，而又希望別人精誠團結，合作無間。還這樣的心情作風來領導自由世界與俄帝[illegible]而期待在冷戰中制勝俄帝，實非幻想！因此我斷定美國在中東的政治賭博，十九是要失本的。美國只有一條路可能得到勝利，那就是原子戰爭武力。棄長用短，吾竊爲自由世界前途，憂慮不已啊！

（完）

半週述評

台灣海峽

最近台灣海峽的海空戰相繼發生，大戰是否可能緊接着爆發，這是今天很多人關心的問題。

有一點是沒有疑問的，此即：中共目前對台灣海峽挑戰的可能性與能力皆大爲增加。此次中共之行動緊接着赫魯歇夫巡視北平，面授機宜，其最高戰略決定于莫斯科，這也是沒有疑問的。

截至目前爲止，敵人挑戰的能力雖然增加，但是，如果說，今天敵人在台灣海峽已經獲得有效的制空權，也還是言之過早的。

內部困難

截至目前爲止，我們看敵人的動向，還是「宣傳重于作戰」。中共在大陸，每抓到一個題目，就要全黨全民緊張動員，號召鬥爭，讓我們借用鐵托一句話，無疑這是由于中共本身有嚴重困難之故。

這可能被中共認爲是解決困難之一法：把黨和人民的眼光轉移對外，使他們暫時忘記當前的痛苦，至于這個辦法是否眞正有效，那就顧不得了。

但在這一緊張與口實之下，敵人至少有幾件事可做的：一、進一步奴役人民；二、加緊搜括物資；三、強化軍事建設。

待機敲詐

對內的作用之外，還有對外的作用。

中共顯然看出若干西方人士的弱點：他們在中東問題上易于團結一致；在遠東問題上，易于產生分歧。

因此，中共有一如意算盤，利用中東的緊張局勢，在台灣海峽製造緊張，加以配合，企圖發生如下的作用：一、配合蘇聯的全球的戰略；二、擴大西方國家的分歧；三、待機敲詐，使中共利用中東局勢獲得實際「果實」。

中共希望獲得什麼的實際「果實」呢？

偷雞行爲

如所週知，在軍事上是奪取金馬；在外交上是進入聯合國。這兩者又是互相爲用的。中共目前的威脅，是軍事的，同時又是外交的。這就是說，我們的保衛台灣海峽的鬥爭，是一場軍事的同時也是一場外交的鬥爭，必須不讓敵人在任何一方面有隙可乘，有「偷雞」的機會。

這同時也就是說，在軍事上，如果我們多給敵人幾次決定性的打擊，西方的姑息主義者就澀于啟口了；在外交上，如果我們堵住中共進入聯合國的每一個缺口，會大大鼓勵全國軍民的士氣。

○司馬璐○

羅素又發謬論

○張道生○

據上月初倫敦電訊，哲學家羅素表示自從匈牙利前總理納琪及前國防部長梅爾達被處死以後，他已和「世界和平會議」斷絕一切關係；他將不參加在斯德哥爾摩舉行的「人民的最高層會議」，因該項會議具有「共產主義色彩」。我們讀了這一報導後，正爲這位哲學家的政治觀點趨于正常而感到快慰之際，不料言猶在耳，時未過半月，我們又讀到他在紐約「展望」雜誌上發表的反常妙論，與其在三月杪電視訪問時所發表的大同小異，那是說，他又甯願共產黨統治世界不願發生第三次世界大戰。老調重彈，又復令人失望。

羅氏在這次談話中，指斥赫魯曉夫與杜爾斯二人均爲「互相敵視之狂人」，以爲「此二人均爲己方之偏見所囿，以致對人類之共同危機，視若無睹」；因爲「彼等均曾明白承認一切核子武器戰爭，將使參戰之雙方同敗俱傷，但迄未能因此而覺悟」。他的建議是：「雙方均須認目前之事實，覺悟任何方面之力量均無征服世界之可能；……雙方須認清兩種主義，並非不能共存者，如過去之基督教與回教經過長期間之衝突，其結果仍並存於人世上」。（以上引據七月二十一日合衆國際社電）

我們讀了以上談話，眞懷疑這膚淺的說法竟出自過去在哲學上曾有輝煌成就之人口中。當然，企愛人類和平，人同此心，但他對于眼前威脅自由人類的共黨暴力，一若熟視無睹，不但對于人類禍福利害的關鍵分辨不清，而且對于眞理是非不加判斷，屢發妄言，一再爲共黨辯護。殊令人大惑不解。

首先，羅氏謂赫魯曉夫與杜爾斯均爲「互相敵視之狂人」云云。其錯誤在于把目前世界自由與暴力兩大力量的鬥爭，不分黑白地等量齊觀，同時又歸咎於兩個個人的成見。固然今日世界的危機，若干成分是由於西方國家對共黨本質認識不夠，尤其英美政治人物之一錯再錯，而使共黨在二次大戰末有隙可乘，招致東歐及中國大陸的赤化，以及兩德、兩韓、兩越的分裂；但像杜爾斯一類人物又何嘗不像羅氏一樣，懂得核子戰爭可能毀滅人類，問題是局勢演變到今天，共黨集團已完全暴露其征服世界的企圖，以爲雙方坐下來談談，就可以解決問題，除非其如羅氏所稱「甯讓共黨統治世界」，否則才是狂人的妄想。縱然羅氏「甯願」如此，但天下自由人絕不肯作如此想。

共產制度本質上是暴力的極權制度。中國共產黨創始人陳獨秀晚年曾說：「史大林的一切罪惡，乃是無產階級獨裁制之邏輯發展」。因此「繼史大林而起的，誰也不免是一個專制魔王」，「所以把蘇聯的一切壞事，都歸罪史大林，而不推源於蘇聯獨裁制之不良，彷彿只要去掉史大林，蘇聯樣樣都是好的，這種迷信個人輕視制度的偏見，公平的政治家是不應該有的。……一個史大林倒了，會有無數史大林在俄國及別國產生出來。」陳氏當年就有見及此，不料到今天我們羅素先生對此還未有一些體驗！

其次，羅氏認爲民主集團與共黨集團可以和平共存。且舉出基督教與回教並存的事實爲例，因而他相信共產黨有一天是會變好的，這種想法，不是我得罪我們的哲學家，不禁使我們想到哥德的一句名言：「世界充滿愚人，用不着到瘋人院去尋找」。「耶」「回」之所以能並存，是因爲它們同有博大的教義與寬容的精神；尤其兩教的理論都是和平博愛，過去兩教雖曾發生過衝突，但兩教根本精神與思想，並非不能相容，豈可拿今天民主與極權的衝突相提並論，同日而語。換言之前者各本其教義精神，自然可以和平相處；而後者則由於思想觀念，生活方式與政治制度上之絕對相反，絕無共存可能。共產黨的「秘密警察」與「思想控制」，絕非「耶」「回」純靠精神號召所可比擬的。

目前的客觀形勢，絕非一個人的支持所可改變，在人類存亡已到大決鬥關頭的今天，一個普通政客爲了自身利害（例如爭取選票），一個國家爲了本國利害（例如爭取與國），不講是非，不辨邪正，猶有可說，不料一個世界著名的哲學家如羅素先生者竟一再發表謬論，誠爲羅先生所關心的「人類世界和平」悲！

台灣人事制度現狀與興革

·浩然·

一般人的觀念多認爲「人事制度」是有關公務員的法令和成例，另一些則認爲是政府機關用人的方式和政策，我以爲應該是二者兼而有之。

考試院的政策

我國憲法第八章規定公務員的考試、任用、銓敍、考績……等事項屬於考試院的職掌範圍，而人事管理條例第八條更規定銓敍部任免全國人事主管人員之權力。照法律條文看，考試院及其所屬銓敍部的權力不謂不大；有如昔時之大主考兼吏部的職權。

但考試院辦院以來，法定的職權受到環境的限制，經常的職權祇有通過考選銓敍兩部，使止於一年一度舉辦高普考試及審查任用資格兩事而已。至銓敍部最重要的任免全國各機關人事主管人員的職權，也因種種政治和人事的因素，遂使成爲名存而實亡了。所以，現在考試院所主持的人事制度，充其量祇能說是「人事管理制度」，至於政府用人，仍緊握在行政部門之手。

民國以來的官制

民國以來的官制，除政務官外，分簡、薦、委三等，是承襲日本勅、奏、判任三等而來，雖然日本現在的官制已隨時代進步，戰後不久，即廢除了實行職階制（即職位分類制）。我國於民國四十三年修改公務員任用、俸給、考績三種基本法律時，仍未放棄官等觀念，維持簡、薦、委三等，且進一步在各等之中，又加三個「階」，三等共有九「階」，必要時並可設「超階」，很有似過去「九品官」的意味。公務員如要升階或升等，條件很苛，眞是難上加難。

需要的改革

近年由於各方面的激烈反對，四十六年立法院曾採納民情，主動地議決廢除設階辦法，到現在有關法律的修正案，還未見考試院提出。其實，現行的法規很不能適應於技術的修訂，而是需要一種革命性的改革。

例如在歐美及日本行之有效且合乎現代化的職位分類制度，何以在台灣不見實現？或試辦事屬重大，不能輕率從事。但日本的公務員人數就遠比台灣多，都已實施，並經費了五年時間。我國開始籌備職位分類，遠在抗戰以前，政府遷台後，在四十一年由省政府成立職位分類計劃委員會，以至現在銓敍部成立職位分類研究小組，總之沒有確實的進展表示，實在使人非常失望。

機關組織現況

在機關組織和官制方面，除中央各院部會仍維原狀外，省政府及縣市政府組織因應地方行政的需要，較大陸時代有頗大的擴張。但也有許多是值得檢討的，例如省府社會處下有勞工科，而建設廳下又設有礦務局，似乎是「處」比「局」大，省府又有「局」比「處」大的，實在令人不解，由此可見其組織的不合理。省府所屬機關的組織規程，由省府核定，人事機構既無權過問，且以組織龐雜的機構，其組織單位與員額，往往超過實際需要，有人浮於事之嫌，而有的機關又人手不敷，機構不健全。在縣市方面，有的不管縣市大小，一律比照，使有的機關「人少事繁」，有的機關「人多事少」，造成補救不易的情形，實是隱憂可見。

任用與獎懲法規

在任用與獎懲法規方面，缺乏實施程序的條文，例如各機關用人權限，惟獨委任人員，有些規定由本機關首長逕行派用，或由其上級機關首長派任者，亦因大多數機關首長由上級機關派充，以致往往有些機關首長連委任級的辦事員之類的低級職務也無權任用。稍稍熟悉台省機關情形者，都能舉出具體的事實。此外，行政機關可否以行政命令所屬職員去職，曾一度引起行政院與監察院的爭辯，到現在仍無法律的依據，也是需要謀補救的。至於一般獎懲案件，各機關對其屬員有其主觀的感情上的看法，缺乏一定的尺度。同樣過了事，在甲機關可以記過了事，在乙機關也許遭到免職的厄運。

我以爲

因此，在法規方面我主張制定「公務員法」，將現有的公務人員任用、俸給、考績、考成、以至退休撫卹等各種法律熔於一爐，成爲綜合性的唯一的人事基本法律。在任用方面，擬訂各級機關用人的標準，在獎懲方面應規定發生何種情事就會得到何種結果，一望即知，不容假借或曲解。就人事制度言，實行職位分類已經不能再緩。今天，我們的政治、經濟、社會組織，已經到半工業化階段，將還要以工業化爲最後目標，我們的人事制度必須配合大步前進，有的幾等幾階的品級觀念，是非拋棄不可的。

寶島經緯線

△近月來，自台灣當局積極偵察共諜後，海峽風雲之日趨緊急，不僅三軍已全面備戰，即中央機關甚至民間，也多在應變中，大有「山雨欲來風滿樓」之勢。但是，一般社會方面似乎尙若無其事。記者曾走遍台北每個角落，所得到的結論是：歌舞昇平，安樂處處，令人感嘆。

△據說台灣每年增加人口三十五萬，此項增加者，並非指外來而言，是單指「土生」，由於人口的增加，當然帶來了若干問題，如住宅、糧食、學校等，在最近的省議會中，也曾有位議員提議及此，周主席的答覆是：政府有見於此，以台灣的能力來迎接這些新生的人口，惟事實上很困難。台灣在四十五年，除中國少數官僚外，可能毫無成績可言，國校的三部四部制，迄無改善可能，校舍仍偶有破損，也經不起人口增加的速度，人口問題似乎尙缺乏明朗政策。

△華裔北國菊壇的四大名伶之一的章遏雲女士，最近來到台灣，這是她第二度來台，第一次是民國四十三年。

章女士此行是應大鵬劇團之邀來台，並將隨該團十一月間赴東瀛演出。實際，此一根據一般報導與傳聞說，章女士乃係應老友杜月笙夫人姚玉蘭女士之邀至台遊歷，她一直下榻於杜公館，並沒有住進大鵬劇團。由於章女士的來台，使很多程派戲迷們大爲興奮了一陣。但章女士除了本月九日在三軍軍官俱樂部唱過一齣「春閨夢」外，別再無粉墨登場公演的消息。（司馬芬寄自台北）

越北百萬難民南撤後

（西貢通訊）越南共和國政府日前發表的聲明，內列六點之一，是要求越共履行一九五五及一九五五個區之要求，准許他們離開北越，前來南越。此項要求，係符合北部人民選擇所欲往之區域的願望。

當局，根據北部公約，根據北部人民的意願，越共當局反對這些選擇自由的人民南來，蓋因北部難民在南部過着非常幸福的生活，是以越北人民南來，在南部的生活，是包括社會各階層人民，如工人、商人、知識份子、農人、學生，以及軍人等等，假如眞如越北所建之政權宣傳一樣的「有人道」，何以人民卻寧死亦要奔向南部來？在南部的生活是否自由？南部的生活是否繁榮的問題，由南區的人民自己去找判斷吧！

我們有證據可以證明：將近百萬人民，仍然無懼各種危險及困難，也要奔離北部而奔向自由的南方，甚至拋棄一切所有。他們來到自由的南越之後，在政府安置遷移接濟之下，已過着舒適的生活而樂業安居。這情形與越共統治的北部相比，越共宣傳已經殘酷的把越共自己粉碎了。且越共最近之迫害文學界人士記者，就是越共施行於北部反民主之最明顯證據。

總而言之，北部人民之欲南撤，就是北部人民反對越共的高壓統治，越共反對他們南撤，就是越共侵犯人類基本自由之一。（志，八月一日）

台灣電影業

林嘯松

台灣通訊

都市的戲院，都有冷氣設備，建築也宏偉壯觀。但在各縣小鎮內則大都因陋就簡，且有許多戲院無力租用影片。以歌仔戲演出，便演歌仔戲，因觀眾欣賞能力不夠，歌仔戲反受歡迎，更兼歌仔戲合算，反以歌仔戲爲多。因此在台灣的鄉村市集中，歌仔戲佔相當重要地位。

全省現在的大小劇院，當在二百所以上，但眞正合乎標準的實在不多，最近據調查統計結果，全省具有規模的正式影院，計有八十餘家，其中台北、台中、台南、高雄等市的影院，規模較大，都普遍設有電影院，規模大小不一。

就量的方面來說，相當可觀，以上的數字是就台灣地方戲而言，但就質的方面說，其中有五分之二或過半，無力租用影片。

台灣的影片公司（製片廠）除中央製片廠之外，其他民間資金舉辦的大都受資金限制，人力物力不夠的片廠設備皆無足稱道，就是中央農教等公司，也還在困頓的情況之中，爲什麼自由中國的影業發展情形，始終不夠生氣蓬勃？一般人多認爲電影不過是娛樂的設施，消遣的工具，以致有關人士亦一任其自生自滅，缺乏積極提倡與有效輔導計劃。以致這一門重要的社會教育，無法利用。

筆者對于電影業，認爲第一是人才的培養，包括編劇、導演及演員，都同樣重要。第二是充實設立專門的藝術學校。第二是充實現有各電影製片廠的財力人力與技術設備。第三是採取聯合製片辦法，集中人力物力。第四是獎助電影劇本的創作，提高影片水準。第五是對進口影片，要加強審查制度，儘量減少稍差的外片流入。第六是成立放映組織，有計劃的實施巡迴放映，以深入鄉村。第七是擴展國片海外市場，爭取外滙，並事宣傳。第八是對香港國產影業，予以經濟上的補助，使在港影人爲國家效力。第九是規定全省影院放映國產影片，此點至爲重要，因爲有許多影院並不樂意放映國片。

現代各國無不重視電影及廣播事業的發展，有許多先進國家如英美日法國早已進入電視時代了，反觀我國寧不興嘆！

撲朔迷離的取締高利貸令！

·何遜·

——台灣通訊——

台灣從去年到現在，連續倒閉大小工廠商店不下三百家，平均每家倒賬都近百萬，如號爲最熱鬧的成都路，一家小豆漿店，開業時僅資本五千元，近日忽告倒閉，負債竟達一百五十餘萬元，如此險惡莫測之倒風，橫掃寶島，牽涉極廣，工商界均皇皇不可終日。

新閣的兩項措施

陳內閣登台的第五天採取了兩項緊急措施是：一、頒布工廠營業臨時借款辦法，一面制止債權人向廠商提取本金，結果總算使猖獗一時的倒風，停止在三八綫上，不敢再冒險前進。這一手原是人們所喝采的。

傳已下嚴格取締令

八月七日台灣各報登出中央社六日電訊，稱司法行政部已令各級法院檢察官，對於放高利貸者要嚴格檢舉，彭部長並指示，放高利貸圖利的犯罪行爲，非屬於告訴乃論，如檢察官檢舉，不必經過被害人提出告訴，就可直接搜集證據起訴。該部並解釋，凡是超過銀行利率的放款，都是高利貸，而現在高利貸有超過銀行利率十多倍的，照刑法第三四四條規定，乘他人急迫，輕率，或無經驗貸以金錢或其他物品而取得與其原本顯不相當之重利者，處一年以下有期徒刑，得併科三千元以下之罰金，又按刑法第三四五條規定，「以犯前條之罪爲常業者，處五年以下有期徒刑，得併科三千元以下之罰金」。自從這消息發布，人心爲之一快。因台灣近時倒風熾盛，一部份因由於工商業經營不善，而大部份之倒閉，可說都是受高利貸的影響，工廠商店平日應付營業周轉，因一向銀行貸款困難，就乘機而乞靈高利貸，一般擁有游資者，就乘機大肆勒索，百端居奇，故黑市利率高達十餘分者是常事，一旦周轉欠靈，債權兌蜂起，負債者無法應付，一倒了事，比比皆然。而出放高利貸者，不數年間利又生利，可累積成爲一方巨富。此輩乃工商界之魁星，社會之蠹賊，一旦刑之以法，自然大快人心。這一消息又係中央社發布，遍見台灣各報，大家也認爲眞實性無疑了。

法院說並未接到命令

不料據同日大華晚報載，台灣高等法院及台北地院檢察處首席檢察官均表示最近並未接獲司法行政部有關檢舉高利貸的命令，該報並在「得日談」內大做文章，爲高利貸辯護。八日台北聯合報又刊出，謂據司法部負責人表示，從未頒發此項命令。由於這一命令之發布，竟引起了一場風波。全國工商團體即於八月上午請求司法財政各機關首長舉行緊急會議，首由總商會理事長東雲章致詞，強調工商界一致認爲高利貸之所以形成，係由於金融政策之不能與工商配合，銀行放款困難，致工商界不得不借重利貸，他心裏雖極端痛恨高利貸，外表猶帶着責備政府的口吻。惟司法行政部徐次長乃忙不迭的表明該部並未頒布這項命令，並轉彎抹角發表了一大套理論，最後總括表示：高利貸與刑法上之重利罪顯然非一事，不可混爲一談。這樣一來，前司法行政部下令要嚴格檢舉高利貸，凡是超過銀行利率的都以高利貸論，都要繩之以法，繼而該部一再解釋，高利貸與刑法上之重利罪實不相干，又不啻爲放高利貸者辯護。所謂取締高利貸令，撲朔迷離，令人莫測高深。

撲朔迷離令人疑惑

「記得在大陸未淪陷前由於豪門資本作祟，奸商屯積居奇，造成通貨性澎漲之物價飛速上昇，經濟崩潰，軍事隨之。這過去的教訓，及此次撲朔迷離的高利貸令，很容易令人懷疑其中大有文章，懷疑到目前的放高利貸者，仍是那一類人物，拿過去的造孽錢夠他們發若干以自肥，且有影響政治的潛力。否則現時在台一般清正的公教人員和升斗細民，都被高利貸重壓喘不過氣來，難道他們還有錢放高利嗎？（八月九日于台北）

左舜生等創辦「聯合評論」

強調民主反共

（本報訊）香港著名民主人士左舜生黃宇人等合辦的「聯合評論」週刊，業于本月十五日創刊，以後每逢星期五出版。該刊由左舜生主編。創刊號執筆除左氏外有黃宇人劉裕略徐亮之胡越諸氏。發刊詞強調民主反共諸端，認爲我們不能把反攻復國的希望，完全寄托在外援和世界變化上面，我們必須別求，所以自力更生之道。」同時認爲國民黨的原始精神，及中華民國的民主憲法，是中共所絕對不能有的特殊武器，當局應該發揮所長，不能專以摹擬中共而自暴其所短。故該刊今後言論宗旨，將不逾越憲法的範圍，以追求民主反共的目標云。

大陸數十院校學生逃港 發表公開信呼籲講救助

（本報訊）最近有百餘名自大陸逃亡來港的學生，聯名發出一封長達三千餘字的公開信，訴說他們因為不能忍受大陸暴政的壓迫而逃亡，並指出中共暴政的種種措施，使他們不得不冒生死危險，逃出鐵幕，一字一淚。他們呼籲自由中國當局救助他們升學就業，同時希望香港新亞書院、聯合書院、崇基書院、珠海書院、浸信書院、廣大書院能夠給他們免費學額，並希望孟氏基金會、福氏基金會、中國文化協會及其他各種獎學金機構能給他們援手。在這百餘位流亡學生中包括有北京大學、中大醫學院、天津醫士學校、成都師範學院、廣西大學、人民大學、中山大學、西北醫學院、杭州師範、濟南師範學院、天津農學院、廣西農學院、復旦大學、華南工學院、廣州西聯、雲南大學、長沙師範、台山中學、南京十一中、西安交大、交通大學、西安動力學院、廣西醫學院、武漢醫學院、武漢大學、清華大學、南開大學、哈爾濱大學、石家莊農學院、廣州十一中、蘇州三中等校的學生。

不容漠視的大陸「鐵路建設」

·章垚·

中共在大陸上對交通命脈——尤其是鐵路建設，正配合着他們的「五年建設計劃」在積極的推進。他們並利用一貫的宣傳伎倆，用着「經濟的需要」，「人民的福利」「偉大的成就」這一類美麗動聽的謊言，來作誇大的渲染。自由世界的人士，對這些表面的成就，或許一時會發生迷惑、錯覺。因此，我們面對這個事實，應該作深一層探討，並且還要針對他們的宣傳，作有效的揭發。因為中共的所謂鐵路建設，實際上不僅與中國人民無關；它的成就，也適足加強中共政權對中國大陸同胞的高壓與迫害；對世界和平，祇有增加威脅和破壞而已。

我們且看他們宣傳已完成的鐵路集二綫，這是由集甯至外蒙邊境的二連，再由二連建至外蒙烏蘭巴克（這段由外蒙負責建築），並擴通蘇聯鐵路。這集二綫，大部通過人口稀少的沙漠，沒有絲毫經濟價值，更與人民的福利無關。可知他們建築的目的，純粹為的軍事運輸，便于倒向蘇聯。另外還有一條建築了多年尚未完成的蘭阿綫，這是由他們完成了隴海綫的延伸，就是由蘭州經烏魯木齊至阿拉木圖，以直接連通蘇聯的哈薩克鐵路，全長三千公里。雖然大部份通過的沙漠地帶，可是在軍事上價值超過集二綫，因為它更深藏在後方。在中共財力極度窮困的今日，仍然拚命的剝削着民脂民膏，犧牲了幾多萬大陸同胞的生命，來完成它，顯然的是為了一旦戰事發生，可以取得蘇聯軍援源源的接濟，以及進攻退守的有利局勢。

此外完成的和工程進行中的尚多：如對緬甸、北越軍事野心的有：來賓——鎮南關綫，黎湛——湛江綫，成都——昆明綫；對台灣軍事目的有：鷹潭——廈門綫；其他還有成都——寶雞，寶雞——蘭州綫，包頭——蘭州綫，以及銜接平漢、粵漢的武漢大橋的建築；都是含有濃厚軍事上政治上的目的。他們對鐵路均用「計劃運輸」的美名，實行了運輸的獨佔，老百姓不能自由運輸，你說這鐵路建設對人民的福利有關係嗎？

現在我們各級學校用的地理課本，參考用的地圖，關於鐵路建設，還是依據大陸淪陷前我們的成就而編撰的，和中共竊據大陸後的情形已很多不同，中共多年來鐵路建設的事實，不容我們再漠視無睹，作為「自欺欺人」的掩飾而不談。要知中共的鐵路建設，完全是我們大陸同胞的血汗成果，今後我們作者建議，高中以上學校的地理課本及地圖外，均應把他們已完成和未完成的鐵路，編為補充教材或參考資料，並附加分析說明，以揭發他們建築的陰謀與黑幕。是我們教育當局及地理專家該注意之事。（於台北）

共黨叫囂構煽陰影下 英專家看香港安全問題

祝修衡

首先我們要指出：在過去，共黨滲透香港的有利因素，正如本月份出版的英國「情報文摘」所說：香港市民對政治無興趣。如非是安定的政治，無非是希望繼續生存下去；殊不知共黨進行滲透並不是所孕育的細胞，大多數學生自願一階級，少數利誘……

最近香港的紅色報刊，對美英為遏制侵略而出兵黎巴嫩、約旦，以及香港政府基於社會安定需要而撤銷培僑中學及其校主註冊並將該校校長杜伯奎遞解出境，不惜深文周納，極盡煽動能事。讀後誠令人懷疑港府已將印刷管制則例擱置熟視無睹？香港號稱民主櫥窗，「陳舊落伍的政制」（見納祺語）雖然尚有待進一步革新，但是任何一個民主社會，然不需要建立健全公正與論，料正邪惡宣傳，與制止危及社會安全的政治活動。

香港滲透的有利內幕，現在香港潛在的危機，時常在香港市民所周知；香港以前所謂「培僑」事件，便是一個例子，小學校，類似培僑的工人組織「培僑」，並非沒有；當局所以撤銷一培僑，乃為該校從事政治活動，未能遵從勸令停止。

除此而外，共黨在香港經濟上的一步，最近滲透棉布、食品無限傾入，使本港工商業遭受打擊，紡織業直接造成勞資糾紛，與停工閉廠，增加失業勞工，社會有不安。

……（下文字跡模糊）……

管窺

現在各共產國家對於馬克思主義的基本原則，都認為：各共產國家的領導者中共在整風結尾時期，……目的是要把工會緊緊地控制在共黨底下，惟恐共黨專政的思想在工會中被動搖。

工會整風

中共在整風結尾階段，對於工會的整風卻很激烈起來了。……

工會中的派系鬥爭

我們不要以為中共工會整風具有反修正主義的形態以後，就沒有另外的作用了，事實上……

黨內鬥爭

前述工會的鬥爭，不但反映着中共工會的派系鬥爭，而且還反映了黨中央的鬥爭……

·田心·

國際動態拾零

△戴高樂修訂憲法之藍圖：總統任期七年，須以十萬人之選舉團體組成——包括國會議員，地方議會議員，殖民地會議員。職權須超過美總統，可以任命總理、部長。國會只對預算，福利，教育各項有投票權，其餘由以政府命令行之。

△艾森豪對在聯合國召開之高峯會議，興趣甚高，白宮發表許多公報，以表示其健康足能勝任。但而對蘇聯之現實問題，仍由杜勒斯負責。原議係由杜勒斯主動，英外長勞合，會以長途電話自美回英，徵詢麥美倫意見，麥氏表示贊成。

△美軍進至黎巴嫩後，埃及曾有示威運動。納塞會下極嚴之命令，予以禁止與消滅。美外交人員曾力證其有此事。

△傳納塞曾游說狄托，在中東出志願軍，理由是南國之回教徒，亦佔其人口總數百分之十一。狄托答以他並不贊成阿剌伯之民族主義，且無兵可派。

△倫敦消息，敘利亞之恐怖分子，滲入約但各處，已逾千人，現又繼續滲入，證據確鑿云。

△匈牙利政權傀儡，趁國際上之注意，集中遠東之時，大舉審判其反革命分子。有六百人被判徒刑，自六個月至廿五年不等，尚有一千五百家，認為不可靠，而被驅逐出境。（陶然）

新書評介

私逃

魏希文著：台灣中國文學社印行

·孫旗·

前些時在台承魏希文先生贈以「私逃」長篇小說之雅，讀後，印象極深，特略抒個人所見。

作者自香港亞洲出版社出版之「永遠存在」以迄「私逃」諸著，我均有先讀之幸，在香港之作與在台灣之作中，似乎多了一點異怪之處，大約是入境隨俗之風，似乎傳染了台灣小說的習氣。其次，文字的敘述，現在的小說較之他在港時的軍事故事那種感人的氣氛，他似乎少得多了。……

……（下文字跡模糊）……

十七年八月一日於澎湖白沙島

聯大特別會議觀感

自由談

馬五先生

這次的聯大特別會議，原係俄共頭子赫魯歇夫所玩弄的一項宣傳伎倆，旨在爭援美國，分化自由世界的陣營。所以，自由國家的外交當局皆親往預會，以示團結合作精神。法國戴高樂政府感情用事，不欲外長出席，殊爲有忝常任理事國的職責與風度。

本來，聯合國的機能早已被俄帝濫用否決權所扼制，變成國際宣講場所了，正因爲這種情形，此次爲對抗俄帝的宣傳攻勢而舉行特別會議，自由國家更應該劍及履及，表現雄厚的反擊力量纔是。日本外長所率領的代表團，竟以和事佬姿態出現，亦未免太不自量了。

中華民國是聯合國原始創立人之一，又係常任理事國。這次特別大會既是專爲對抗俄帝的宣傳攻勢，我國的外交部長何不躬預其役，在國際站壇上新發於硎，一顯身手呢？我們駐聯合國首席代表蔣廷黻氏雖有駕輕就熟的能耐，但他的言論風采已爲國際人士所熟悉，好似聽戲一樣，天天聽梅蘭芳的唱腔，也就不覺得怎樣好了。換一位新任的外交部長在大會發表一篇代表國家政策的演說，一定可以引起聽衆的特別注意，這也就是宣傳技術啊！

中國語言原係聯合國規定的四種用語中之一。但我們自暴自棄，很少使用，以致在聯合國担任中國語言翻譯職務的「士大夫」（[illegible]），尸位素餐，無事可做。別人以世界大國的身價相看待，我們自己却硬要自居於殖民地國家之列，寧非咄咄怪事！自今以後，我希望政府嚴令出席聯合國會議正式發言的代表，必須使用國語，以還體制而維國格。凡是對本國人說話亦要以講洋話爲榮的，只配做洋行的西崽買辦，萬不可濫迹於外交界，免其在國際間丟盡中國人的臉面也。

叮嚀

尤崇洵

記憶裏，幼時第一次受到的是父母的叮嚀，說是迷了路時，最好讓警察送回家，所以要我背一段話：我叫某某某，那裏人，幾歲，家住某街某巷某，某號，父親叫什麼，作什麼事……等等。我雖背得很熟，終究是沒迷過路，因此也沒有背給人聽的機會，以後，還有許多親戚和大人們，教了我許多話和許多動作，都是「千叮嚀，萬囑咐」的。

他們說不論在什麼地方，見了長輩——長輩兩字的定義，那時不甚了然，而大凡留了鬍子的必定是，還有的雖不會留鬍鬚，而令人望之生畏者多半也是的——兩手總要直直垂下，像軍人立正的姿勢，五指並攏；然後深深地鞠躬，叫一聲某伯伯或某叔叔之類的。鞠于「深深地」也有規定——彷彿是六十度到九十度之間，不過如超過九十度，或也不會見怪，因爲這是「禮多」呀！如果到了長輩家，更該規規矩矩坐着，分給糖菓時，應該用雙手接，說聲謝謝。（約摸也有的說是先要推讓一番，不得已時才收下，已記不清了。）

一回，一個小親戚告訴我，從今後他不再向他的鄰居那位伯伯鞠躬了，我初聽了十分吃驚，及後他說是大人交代的，才比較安心些；但總不免有些疑惑。那位鄰居以前是長輩，現在不是了麼？難道眞的返老還童不成？

平常生活呢？我是沒聽過「灑掃、進退、應對」等話，不過叮嚀的是：衣裳整潔，用功讀書等。還有，坐有坐相，站有站相，最忌的是一蹦一跳的亂跑，那樣就非責罵不可了。書桌是必須理的，應當明窗淨几，像個讀書人。

以後年歲大些，遇到世故很深的老前輩，常常自動傳授一些處世的「秘方」：譬如說：「在路上看到黃澄澄的手鐲之類，千萬別去揀，」平常學校裏本有這種教訓，我是知道的，而且「路不拾遺」也是很古就實現過的，但他又接着說：「那是騙子的陷阱，先讓你揀了，然後過來要求平分；於是你給他一筆錢，而最終你發現那鐲子不是金的，只是黃澄澄的顏色吧了！」又譬如說：「如果上古董攤，千萬要小心，不要靠近那些古董，賣古董的可能乘你靠近時，自己打破一隻花瓶或是其他東西，然後一口咬定是你毀的。那瓶子本不值幾文，而他說是那一朝代皇帝陪葬用的等等，那你傾家蕩產也賠不清！」當時這些話我當實都牢牢記住。但「黃澄澄的鐲子」是從沒看見過，至於古董雖偶而去參觀，却也沒有遇見或聽說過這情形。故而這些話便淡忘了。可是至今回想起來，覺得似乎仍是不無理由的。

叮嚀本都是善意的，但往往因爲世故之故，作出老謀深算模樣，所以愈說就愈偏了。

至於電影、小說中別離的剎那，父母對子女的叮嚀，什麼「添衣服，注意冷暖，立刻來信」等語；以及老父垂亡時候對浪子的叮嚀話雖平常，而畢竟是眞情實感的流露，只是用的太多，或說得不像時，令人也不感動了。

救濟財

・小言・

「人無橫財不富，馬無野草不肥」。這是句陳腐的俚語。

發橫財必有「道」，有些機會是時勢所造成的，比如抗戰期間，很多人發了「國難財」，勝利之時，也有很多人發了「接收財」，而時至今日，居然也有人靠了難民，發「救濟財」的。這些人說是靠了各色各樣的不同身份的難民，在混飯吃。

按照中國社會的傳統習俗，大善士要辦救濟，都是在濟人之所急，比如冬天辦施粥廠，夏天設消暑水，設茶亭，施藥……。但有一個原則，就是辦善事的人只在外捐錢，化錢，絕沒有再從被救濟的人頭上刮錢的。但是現在世道變了，有些人願直樂此不疲，視同職業，辦救濟而成爲職業化，這正該算是三百六十行外的買賣了！

說起來是這些老爺們在救濟別人，其實就事論事，倒是這些難民和窮知識份子救濟了這些老爺們，否則他們又從那兒找什麼外快呢！

帝汶雜詩

謝康

桂林山水憶前緣，六載南荒海外天，北望王師淸淚冷，東來明鏡月華妍，年華已逐秋風老，衰病頻添白髮先，如此良宵無可說，偶懷鄉思一悽然！（丙申七月望日）

遙數關河二百州，仲宣能賦怕登樓，吟成靑鳥愁如海，話到滄桑涕欲流，世變驚看魑魅影，畫奇難爲稻粱謀，翻江倒峽哀時淚，忍其南天夕照收！（題陳寒光詩集）

艱難運會奈君何！帝汶頻年感慨多，事業祗今勤惕厲，讖言誰與辨眞訛，国詩靖獻末由達，元日聯歡且放歌，兩袖淸風仍故我，不堪回首舊山河！（丙申元日）

鑠金銷骨總悠悠，蜚語今同歲月流。誓子鮮民姬且室，淪胥及溺杞天憂，愧無太傅安磐石，敢向苻秦斷激流，一笑贊將浮海去，烟波深處釣漁舟！（聞謗）

釣蛙

（翠苹廬散筆）・陸夢墨・

黃昏，我們從田野散步歸來，麗麗沿途用草帽捉着蜻蜓，我有趣地望着她，天上的晚霞很紅，很艷。把整個的黃昏都照紅了，大地美的像神話。

麗麗忽然止住步，拉住我的衣角說：「你看，那孩子在做什麼？」原來一個穿灰衣服的小孩，蹲在溝旁，用竹竿似乎釣什麼東西。這溝渠的水本來是用來灌溉田地的，因爲久久沒有雨水，溝渠已經乾涸了。我奇異他在這一灘泥濘裏怎能釣到魚？便走過來好奇的問他：「你是在釣魚麼？」

那孩子望了望我回答說：「不，我在釣蛙，餵鴨子用的。」

我看到那根釣絲的一端繫了一塊很大的蚯蚓，想來，孩子抖動竹竿，蚯蚓便一跳一跳的，三四隻蛙也在追着它跳。

麗麗忽然問我說：「這塊餌怎麼比青蛙的身體都大？」

「也許青蛙太貪，要大的餌才能誘牠。」

「那餌裏着的釣鉤，恐怕也不小。」

「那餌裏也許沒有鉤的。」

我們這樣說着的時候，那孩子將竹竿一提，已經有隻青蛙釣在他的餌上。我便向他討過釣竿來看，果然那塊餌是用絲緊住的，並沒暗藏利鈎。

麗麗却奇怪地說：「沒有鈎，怎麼能釣得上蛙來呢？」

「我想蛙這種動物一定很貪，牠咬住餌便不放，就是讓釣竿提到空中，也不肯鬆口，最後終要落到那孩子的鐵罐裏了。」

回到翠苹廬，我就啣着烟斗在想，姜太公用直鉤釣得丞相的職位，帝王們的野心該是他的餌吧！魔鬼釣人類的靈魂，也是用不着餌裏藏鈎的，只要把金錢或權勢繫在繩端也就够了。

麗麗忽然打斷我的沉思：「你又在出神了。」

「我在想那些青蛙眞傻，只要一鬆口，不就可以逃脫了麼？」

「你也傻。」她却笑着走過來，拿開我的烟斗說：「蠢犬只是傻想。」

她這句簡單的話裏，我竟突然悟到深邃的禪理。便也嘲她笑了笑。牆外聒噪的蛙聲很像人生的擾攘，誰又能知道我們都在吞些什麼餌呢！

廣東人的刻書風氣

・竹庵・

嶺南文物掌故

緇流羽士之刻書

廣州五大叢林翻刻之佛經，固不能追蹤江浙諸大名寺之盛，但刻經之多，珍藏古籍之豐富，則粤中之海幢寺亦稱也。清初海幢寺開山諸大德，如天然和尚，光宣台，澹歸等，均明朝遺老，遁跡緇流，以資隱蔽。光宣台遺下之書，有六臣文選，潭津文集，蘇詩；唐文粹，羣書治要等，均乾嘉前刊本也。（民國廿四年，予在該寺庫房仍見此等書）本寺藏有御賜龍藏全帙，及明人手寫血盆經，但此三巨帙，彼移置於南武學堂。日寇陷粤時，此經爲日本江南憲兵所擄走。又有元刻本華嚴經，用兩楠木箱存貯，一九五〇年，寺僧星散，此經又被拆，成爲紙袋矣。

海幢寺較刻經卷百餘種，板片多至七八千塊，道光後補修之板殊多。除佛經外，海幢更刻光宣台集，千山堂詩，羅浮山誌，及鼎湖山誌，均難得之書也。今則板片已盡作薪，經卷固蕩然無存，而諸大德畫像，亦已燬毀。佛言諸行無常，是生滅法。佛書佛像亦生滅法之一矣，不能久存，固宜。

大佛寺亦雕刻佛經多種，如華嚴經義疏，妙法蓮華經玄贊等，均卷帙繁多之籍也，其餘別寺，則未詳其有無刻經。

鼎湖山之慶雲寺，亦刻佛經，供善信之申請，（釋氏以人民購閱佛經謂之請經）。

語及粤中道觀，則城北之三元宮，應元宮，及河南漱珠崗之純陽觀等，均刻書無多。羽士傳教的精神，遠不及緇流。余遍查各道觀只刻有參同契幾種，及列仙傳，抱朴子，悟眞篇等寥寥，所有者則勸善之書而已。

書賈刊刻之書

廣東亦如其他各省，不少書賈以刻書爲謀利。憶余少時，光緒末年，廣州雙門底上下街，書店如林。而西湖街全街，均係雕刻店。最有名之大書店，有登雲閣，九經閣，儒雅堂，藏經閣等。此等書店，雖係營業，但亦多佳書，張氏書目所羅列，亦多舉坊刻本。其中之精刊者，有相台本五經，翻胡本昭明文選，五色本玉溪生集，硃批四六法海，硃批史略，與子山集等，凡百種以上。

清末西法石印傳來，如上海同文書局，及蜚英書局之類，往往將巨型冊籍，縮爲小本，紙墨俱佳。又與原書字體無異。誠有功於文化。廣州不甘落後，亦有同樣組織，故石經堂開設於西關，把多量古書，縮爲小冊，惜資本不充，不能擴大。入民國後，石經堂亦停止印書。

刻本缺少詞曲及小說

粤官書局，既趨重經史及輿地等書，而各家又競尚搜秘存精，故對於詞曲雜劇，及小說一類之書，絕少壽諸梨棗。即各書坊雖間或刊及小說，但刻工不佳，殊不能吸引人購閱興趣，此則當時風氣使然。（五）

皇帝與書法

・古月・

六藝之中，「書」居其一，中國歷代的書法家固不乏人，而歷代皇帝善書法的，也有人在。唐太宗即其一也。唐人述書賦注「高祖書師王褒，得其妙，故有梁朝風格。」太宗之特重王書，不惜以畢力收購，顯是受了乃父影響。太宗長于行書，如晉祠、溫泉二銘，都是用行書寫的。隋以前碑無行書，而以行書寫碑的，當以太宗爲第一人；其後便有李北海繼之。

按太宗嘗學于虞世南，世南又曾師智永，智永即是王羲之的第七代子孫，世藏蘭亭眞跡，他的草千字文，能用蘭亭筆法，八面鋒妙。但鋒芒並不十分外露，太宗即從此中窺破其秘旨，而出之以俊逸，隨意頓挫，點畫之間，似斷猶續，欲粗便粗，欲細即細，純乎二王神理。太宗論書有一句名言：「求其骨力則形勢自生」。唐書尚法，最重結構。褚薛的瘦勁、李北海、顏魯公的豐筋，柳公權的多骨，一代書風，似是出自唐太宗「骨力論」的號召。至于清代，也有康熙、乾隆兩帝，倡導趙孟頫、董其昌兩家的書法，就臨習兩家的字體。

雜感

。周原逵。

在日本獄中

近讀蒙幽先生大作「在日本獄中」，聯想到謝冰瑩女士的大作「在日本獄中」，謝著所談者，眞是在日本東京的監獄中，故事乃是抗戰前期，僞滿皇帝溥儀朝日，她因不願出席歡迎而被拘禁。描寫獄中之痛苦，無微不至；暴露日獄之黑暗，亦無微不至。文體屬于陽剛，具有革命思想，較之時下的女作家們多以綺麗陰柔感讀者，大不相同。眞是「女兵」的作風。

不該罵之罵

聽說某公突然蒙榮而獲特任，一日在外出席會議，忽想要叫他的司長談話，便打電話回部。據管理電話總機的小姐說：「司長不在。」某公說：「妳去找他來聽電話。」小姐說：「我是管理總機不能離開的。」這可把他惹火了，高聲罵道：「我叫妳去喊人，妳就得去喊人，這是命令。」那位小姐因爲他是新任，聽不清他的聲音，不知他是主管，便把綫路拆斷，置之不理。後經左右說明：「管理電話總機的小姐是一分鐘也不能離開的，若走開了，部中數十架電話機就停止通話，她是盡職而無罪的。」某公默然，這笑話可就傳開了。

自由人

THE FREEMAN

（第七七九期）

中華民國僑務委員會頒發登記證新字第二號
中華民國內政部登記證台誌字第五○○號
郵政掛號登記爲第一類新聞紙類
（半週刊每星期三六出版）
台北每份售價台幣壹元伍角
督印人：文華
地址：香港高士打道二十號四樓
20 CAUSEWAY RD. 3RD. FL. HONG KONG
TEL. 771726
承印者：東南印務出版社
地址：高士打道六十四號
台灣總經理處
地址：台北市南寧路壹零壹號二樓
電話：二○三四六
郵政儲金帳戶九二五二
海外總經銷：友海書報發行公司

談「間接侵略」與「有限度戰爭」

看成功湖與台灣海峽

林伯雅

「間接侵略」是二次大戰後蘇聯一向採用的戰略，今天才給「正名」的。「有限度的戰爭」是美國頭一次用在韓戰戰場上。韓戰會被認爲「在錯誤的地點，向錯誤的敵人，進行錯誤的戰爭」，以爲錯在讓眞正的敵人躲在克宮後面；其實眞正的錯誤，還不在此而祗是錯在「有限度」三個字上，故付出很大代價的結果，祗能爲韓國留下一條三八線的傷痕。最近英美出兵中東却連一個「有限度的戰爭」也未下決心，結果賊喊捉賊，反被「間接侵略」者告到聯合國去。目前成功湖聯大特別會議的悶局及台灣海峽上的風雲，顯是在赫毛北平會談後馬上展開的。雖然蘇聯仍是一個「間接侵略」者，但中共並不是一個「錯誤的敵人」。一旦有事，基于中（台）美共同防禦協定，美國自有協防的義務，不過無論如何，爲了打擊任何侵略者，一個錯誤的「有限度戰爭」觀念，卻應該首先拋棄了。

所謂「間接侵略」，是美國政治家針對蘇聯這個不在場的敵人而發的，但這個名詞似乎同時代表很微妙的含義，就是，自由世界對于間接侵略者，似乎祗能從事防衛而無法堂堂正正的加以制裁。這是費人索解的。倘若一切都是基于「和平共存」的妥協觀念及調解式的警察行爲，則侵略者也不會受到制裁，而間接侵略者更不用說了。最壞的先例是：中共已被聯合國決議認爲是侵略國，除了受到不澈底的「禁運」而外，並沒有受到其他制裁，而且在聯合國的會員國中，尚有蘇聯集團嚷着要中共加盟，自由世界的英法等大國也樂于與之談邦交做生意，甚至堅持不承認政策的美國代表也和中共代表在日內瓦竟坐談了幾年。由此看所謂侵略的觀念，除了一些被侵略國家外，印象已越來越模糊了。何況所謂間接侵略，對于一班中立主義者或懷着苟安心理與利害觀念的國家，簡直成爲一個「强」與「力」的代名詞了，己無是非善惡觀念存乎其間。

聯合國憲章上根本就沒間接侵略這名詞或足以適用這名詞的條文，對間接侵略者，雖明知事出有因，卻是「查無實據」。蘇聯遂順利地採用這戰略——滲透與顚覆，成了逃避責任的實際侵略者。像伊拉克、黎巴嫩、約旦事變，蘇聯實爲主謀，而英美的出兵，反而成爲蘇俄宣傳中的侵略者。故所謂直接間接之分，實在令人覺得難廢。

目前成功湖祗是一個宣傳戰場，台灣海峽是一場預演。中東問題解決的場地，恐怕還是在中東各國本身，聯合國大會卻可能把中東問題演擴而爲亞洲問題。這個可能縱不必見之于大會結束之前，卻隱伏着一個客觀趨勢。蘇聯此次于赫毛會談後，突然主張開聯合國特別大會，中共跟着又製造台灣海峽的緊張氣氛，動機顯不尋常。不少西方的政治家表示不相信中共有左右蘇聯的力量，但事實上，中共對亞洲的影響力，並不亞于納撤之在中東。納撤之出盡風頭自是中共的一種刺激；中東一連串「既成事實」的造成與被承認，又不啻是中共的一種鼓勵。

目前台灣海峽上的風雲，可能是中共試探一種心理轉爲行動的暴露；不論這可能是中（共）蘇間有默契，或純出于中共的自我表現，自台灣言，誠如當局所言，「不可信中共不敢進攻」。不過據美國國務院遠東專家的分析（據路透社華盛頓本月十九日電），中共結集軍力于台灣對面的大陸海岸，似有政治目標而非軍事；北京政府企圖挑起軍事緊張，是希望提出要求出席任何東西高層會議。但他們並非不信中共對金馬及台灣有進犯的可能性。這個總合成功湖及台灣海峽局勢的看法，却是比較平穩的。此次聯合國特別大會，除艾森豪一度出席致詞外，並沒有「巨頭」出席，演變至此，艾森豪的六點計劃及挪威代表的提案縱然是怎麼公正和平，却受蘇聯代表的公開反對及納撤的表示懷疑，也可見聯大對中東問題可能解決的限度是微乎其微，縱作成決議，也決沒有制裁「間接侵略」的力量。將來呢，是否還有所謂「大國」會議方案仍將自蘇聯集團的錦囊中拿出來，但此時雖尚言之過早，但可能的趨勢是：中東問題在蘇聯集團陰謀中將會成爲東西首腦談判籌碼，擴大爲亞洲及世界問題的藉口，世界危機目前事實上已由伊、黎、約旦同時轉移到台灣海峽上空。台灣海峽劍拔弩張的局勢，可從中共軍的南調及台灣疏散與備戰的情況顯出。台灣的情報認爲至目前止，中共在金門對面地區已集結軍隊達二十萬，米格十七型機百餘架，砲艦十艘，軍事當局分析，中共可以金門爲目標，也可能是馬祖也可能同時進攻。不過我們看情勢顯然是：中共是主動，主攻。台灣是被動，主守。金門距大陸最近，地區不多，可以隔海相望，不論中共如何製造緊張局勢，變化莫測，戰事當有隨時發生的可能。看地勢，台灣如非以攻爲守，從被動變爲主動，從防衛戰轉化爲反攻戰，勢難發展一個有利的新局勢。所以問題歸結到中（台）美，美國的趨勢如何，美國是否能放棄消極地觀念，實力支持台灣反攻，苟如此美國至多不過成爲「間接防衛」者而已。否則主動落在對方，打的又是「有限度的戰爭」，蘇聯仍爲「間接侵略」者，則台灣海峽可能由局勢激化演成韓戰的結果，仍無法形成全面戰爭，徹底打擊間接侵略者，美國如仍以「有限度戰爭」來防衛金馬，雖受自由中國全面支持，究還不是全中國人所希望的把防衛轉化而爲反攻的神聖戰爭，我們再外交上活動的目標，如言之，中國人就是如此希望，美國協防軍事不宜限于所謂有限度的防衛戰爭。在這緊要關頭，甚至于我們外交上業認爲比較打得出的一張王牌，葉公超氏之出任駐美大使，我們是寄以厚望的。總合月來的局勢看，自由中國有兩個戰爭，一個是在金馬前綫，一個是外交圈內，尤其是在白宮。金馬前綫的戰場，當然需要打幾場勝仗，對內以振刷民心；外以引起國際重視；但如果仍受中美協防條約的限制，而不能從外交上打破這束縛，則殊不易轉化防守爲反攻，改變這十年來的僵局。

而對目前情勢，中（台）美應該再來一度考慮了。自美國言，鑒于韓戰過去有限度戰爭的結果，所得的僅是一條自縛的三八綫，使李承晚總統埋怨今天，故應積極支持台灣轉化防衛爲反攻的形勢。而且表示我們相信，改變這一觀念的，自由中國言，中共是會知難而止，大戰反而不會起來。今天自由中國又將面臨十年的反攻戰爭，過去機會，韓戰論者所謂：我國在生死時日，今日中共已坐敲機會進門來，這不能不說是時機了。相信上下一致，起來海內外支持，全國上下一致團結，內部問題，也自然迎刃而解了。

半週述評

阿拉伯人的算盤

從電訊上看，聯合國特別大會，已晉入緊要關頭。其實爲中東問題而召開的大特別會，只能算是一個「善後會議」，緊張氣氛，實已退潮階段，蘇聯大肆吵嚷，不過是爲了用法律的程序確定彼此的目前情勢而已。阿拉伯集團國家，相信中東的時代已一去不返了，只要西方國家今後不能以蘇聯之態度來對待阿拉伯民族，相信中東回教國家是會從中間偏左的方面來的，即使他們受到無禮的汚蔑或無理的咒詛的。

西方在中東可獲全勝

之爲「分贓之會」，因爲西方國家既非爲蘇聯所益出兵，而蘇聯的叫囂也不過是爲了吃不到葡萄，至於阿拉伯集團，亦自有其算盤，試看阿拉伯集團中提出的議案，明顯地受影響的，即可證明，阿拉伯民族終究是回教民族，是不打長期的斯拉夫人的鼻子走的。

在十個阿拉伯國家中（包括伊拉克、黎巴嫩）經過短短的阿盟會議後，他們一致同意了五項原則，其要點爲：（一）中東國家應領土完整，政治獨立；（二）聲明各國軍隊撤出中東領土；（三）聯合國應在中東設立機構；（四）不指責（英美）過去行動；（五）立即研究中東發展。

金馬能確保嗎？

中東緊張局勢的高潮過後，金馬風雲驟起，使世界緊張的中心從中東轉移到台灣海峽。一般人在較早時即肯定金馬能否確保的關鍵，都在美國是否協防這一問題上，而官方和軍方權威人士也一再強調目前金馬的情勢，就如肯年中共吞大陳一樣，先取一江山，毀北犄角之勢，然後進攻大陳。問之疇是令人有點沮喪的。最近日來，消息頻傳謂美國F100軍刀機已在運台途中，則今後敵我的空中軍力，至少將可打成平手。但是官方的另一些消息又謂美國將可能正式宣佈要協防金馬，和可能介入外島空戰了。

美國是否協防金馬

從這一連串消息來看，可見要確保金馬，似乎還不僅僅是制空權的問題呢？易言之，如美國不介入，豈不是說金馬還是有問題嗎？

美國倒底協防不協防金馬呢？看來這不僅是使中共費思量的問題，即在台灣方面，也頗有難以捉摸之感呢！

不過就筆者個人的忖測，美國是有可能要介入的，問題是，看中共用什麼樣的姿態，和出動多大的軍力來襲擊金馬。是有限度的偷襲蠶食呢？還是大規模的蠢動？如屬後者，美國就必然會履行中美協約的義務。

現在，美國只是在靜靜地看着。她在看：中共的眞正意向；他在看台灣和金馬前哨受不受得住考驗！

美國的作風改變了

筆者自始即肯定美國是有準備也決心應付任何地區的突變的，祗不過是絕不輕舉妄動；而不幸美國的謹小愼微，却又被一些「熱心份子」看作是懦怯的，無政策的行爲，於是對美國不滿了。但是我們且看看，繼鸚鵡螺號潛艇悄悄地橫渡北極之後，又悄悄地將陸戰隊調到星加坡來渡假了。前者使蘇聯感到芒刺在背，後者使中共寢食不甯。看起來美國眞是學乖巧了。行動就是力量！美國現在似乎已改變了一向的作風。今後將是：多做；少說。

○李金曄○

從中共動態看泰國命運

乃沙立現已到了英倫。這並不意味着泰國政局已告穩定。泰國內憂僅屬表面鬆弛，外患却是十分嚴重。這情勢自本月四日宣布泰東邊境七府進入非常時期之後，更加明顯。泰國政府，不僅對本身國境的安全，正忙於全力應付，同時也很關切波諾寶說的台灣海峽風雲。他們預感：中共如向金門、馬祖下手，或直接跨海攻台，那麼，當全世界的視綫集中台峽之時，中共的火種將撒向東南亞。寮國變質，柬埔寨承認中共之後，標榜中立的緬甸，也已落入共黨勢力範圍。相信東南亞之火不燃則可，任何一處發生動亂，迅將遍及全面，首及于泰國。

過去十二年間，泰國的地位，不容否認是俄帝南侵的絆脚石。最近局勢發展，特別自去年九月十六日政變之後，執政黨內部歧見迄未調和，乃他隆的抱負既不能適時發揮，大部分時間，幾乎全被應付變亂控制。以致內憂、外患，交相畢集。沙立元帥去年策動陸軍取得政權，當時絕未預料泰國處境如此艱難。他所以出國，基本上並不是爲了病，而係爭取國際間的聲望，與對國內的影響力；同時，在國外剖視政情，比國內更爲眞切；這次回來，就留未及兩月，趕忙於悄然赴英，連預允參加各項集會，竟然食言；外間不免猜疑。其實，理由非常簡單。乃沙立覺得有許多紛擾事情，在國內不易處理；如果身在國外，乃他隆能夠處理，就予以解決好，不能夠處理，任其擱置；處理得不好，當然可以提高他的聲望，弄得不好，也就歸咎於他隆內閣。他自恃可以遙領陸軍，一旦國內有事，只消他所乘的航機一經在廊曼機場着陸，一聲「誰敢謀變？」即刻風平浪靜。此時此境，只要稍諳泰國政情的人，沒有人會認爲乃沙立這種偏見，對付政敵尚可，對共產黨的裏應外合顚覆，未必會有實效。

就今天大局勢看，人民對政府的信心，顯然已呈動搖，那倒並不是政府給予人民帶來災害，比過去的福利更多，而係國家民族的顚危命運，已經迫於眉睫，難怪人們對亡命國外的鑾披汶、乃炮懷念。青年黨最近發表時局宣言中，特別地強調了：「乃沙立元帥在共產黨的鼓勵下，推翻鑾披汶及乃炮上將。」事實上，這一次政府在共產黨煽動下通緝乃炮，使乃炮無法在瑞久留——將逃亡南美；更被迫變賣國內產業；他的舊部感到惶惑。於是青年黨的宣言於觸及這一事件時，直斥乃沙立「已變成共產黨走卒。」

然則，乃沙立六月間回來，對於他被聯邦黨利用，以致國內共黨飛揚跋扈，也很明白。假如他在政治上勇于面對現實，也許顚覆危機已告解除。但是他不此之圖，僅授意他隆總理將內閣局部改組，把遞補的七位閣委，讓舊自由黨員佔去五人，國社黨及貴族各得一席；聯邦黨分子的閣員被淘汰了四位；但是左傾的經濟部長乃素吉（聯邦黨領袖——跨黨的國社黨員）及經助、司助三人，仍有動搖政府的潛力，何況各部的高級官員之中，左傾的聯邦黨跨黨分子佔有半數之衆。內閣的改組，祗是治標，對共黨潛伏內部的危機，正由于人事上的傾軋，尖銳對立，更加嚴重，而民間「霸王當政」的口實，內閣改組後並未絕響。

因此，青年黨主張政府需要徹底改組。乃沙立畢竟有勇無謀，他有逆取之力，沒有順守之策，橫逆相乘，勢有必然。現時共黨在經濟上，強力爭取市場，阻撓社會正常發展；政治上憑力滲透，力圖控制各級機構，特別是地方基層組織、社會團體；軍事上，除了爭取失意政客，在野軍人，並藉執政的國社黨作掩護，滲入軍警中活動，據此作爲裏應，另一方面，中共武裝取道緬甸、北越、寮國、柬埔寨，侵入泰境叢林，並將界牌拔除，使泰國陷於三面包圍，作爲外合。與此同時，北平唆使緬甸、柬埔寨（總理施漢諾王子現在北平）跟泰國從事冗長的邊境談判，藉毫無休止談判，使泰國疏於防範。現實情勢發展，只待台峽戰起，中共首先解決泰國。如今，泰國政府除非拿出一如鑾披汶的手段，堅決執行防共條例，也許尚有可爲。

（八月十五日寄自曼谷）

○祝君健○

不要爲賢者諱過（一）

李樸生

自由人七七四期第二版載陳永明先生『懷念一件事——關于胡適之先生的』一文，說到『胡先生回國住了兩個月，於六月赴美後，七月初台灣有一份××××雜誌，在標題「關於言論自由的兩個故事」的文章裏面，有如此的說法：「據最近由美返國的某君云：在四十五年的冬天，在我們的友邦美國紐約，有一位著名的學人，不知怎的，忽然心血來潮，公開勸告我們的青年子弟，不要讀中文，專門讀英文。[illegible]」』

[illegible]

（二）中華民國四十六年一月十六日晚，胡適之先生在舊金山中華總會館演講，[illegible]

[illegible]

（三）我國政府多年來對僑教處理失當，僑務委員會不顧[illegible]研究中文，此種政策，反過去是錯，目前是錯，將來是錯，全無實益，[illegible]限礙他們在當地的發展。

[illegible]十九日及二十一日，李大明先生（不是國民黨員，是激烈攻擊國民黨的新聞記者）所主持的世界日報發表『敬告胡適之先生』及『不僑生不要忘記』[illegible]等專文，對胡先生的主張加以指責，以檢討胡先生關於言論自由，決不是論戰中的論自由論戰中的，而是在舊金山的不滿『像胡先生這樣一個在學術界有崇高地位的人，』『公然用一些不論不類的話來』[illegible]僑敎。

這些話是舊金山世界日報說的，胡先生並未否認，這是千眞萬確的事實，是不知的共事，胡先生何以完全不知道？永明先生何以竟認爲台灣謠言中傷！

[illegible]

之例。聖人如孔老二，也說學生指出他錯了話，他很坦然地說：『前言戲之耳』。

[illegible]

平。我民國七年在廣東高等師範讀書的時候，已看『新青年』，而『新青年』的文章，常常是我愛讀的胡適之先生，陳獨秀先生的文章，非常欽佩！我有[illegible]

[illegible]

海外雜感

孟戈

[illegible]

易。」誠，尤使我常常拿『……』選見解，可以使我們一般覺爲手段』的政界人物，注意和努力行政效率的實際提倡『知難行易』的我們主張『知。如果一天我信徒沒有把三民主義實，實際建設得富強康樂，把國家建設成爲一個，則他認爲『行亦不易就』的具『一價值之謬論』從有來好感，我對胡先生，也就是敬佩他的見解，立不的一見解。是獨立的，也不一定是定是對的，平心靜氣的對待不對的研究清楚，把事實對的不接受，分別受，不對的不接受。

所謂『言者無罪選擇者足戒』，胡先生關于僑敎的主張，在四十三年，我和紐約的僑報（以後沒有）曾直接談話，（即以後我也沒有只比一次）我國的僑校敎科書太陳舊，如改編一套合理于僑美太國僑校當局敎科書，我請僑校當局先生敎胡先生馬上發表的和在會金山若說會所說的一樣意見。我正要向他請論好，他的話題轉向他寫英文文章了。（聽說胡先生的英文打字的稿先送，這更是我感興趣的，承他把英文打字的稿先送一[illegible]

我即寄一份台灣，我非常高興有兩件高興的事，一件約是我沒有負于號召之託，促成僑敎及主敎國會議；一件就是得到胡適之先生致吳國楨的信，我對于僑生子弟的用，就是我深知上去，也不是沒有把科書由改編，就是沒有人不能有把錢，成效不是，是沒有我們，胡先生的主張是偏激，我們對於僑敎的錯誤，不用辯我對我們的意見，不再贅述）屢次發表，所以不再贅述來任研究院長，胡先生現在中國知他對僑敎的主張有改變沒有？

念大學的，曾『浪費其大年青時代』之光陰于研究中國文學，如美國人者，已取及華僑（華人者）之中國人也得美國籍之中國人，道都是能在科學界大出頭，而吳健雄，楊振寧，李政道，李元疆等，都土生華僑子弟之在中國研究中國文學，在台灣大學者，講學，則中國青年之罪孽，何以不中國文字所累，似不如胡先生所說之嚴重，我希望是事實的證明。我希望胡先生此主張之改變也亦人皆見之。

四十七年八月十四日

中央研究院來函

——關於滿蒙人的稱呼

編輯先生：

頃閱八月六日貴報載胡秀尺于先生函讀中央研究院近代史語言研究所一文，內有『看到中央研究院近代史研究所叢書，對於滿洲人和蒙古人還稱之曰異族，也不自覺的感到恐慌』等語。查本院近代史研究所除郭廷以先生所著外，尚未正式發行叢書，亦未刊印任何書籍，並未使用任何有關滿蒙人的稱呼之文句，甚至以滿人蒙人爲異族云云，不知見於何書，何人所寫，實與本院近代史研究所無關，特請惠予更正，並乞刊登爲感。

中央研究院　中華民國四十七年八月十二日

[illegible]

西貢航訊

印支三國的雨季

·光明·

東埔寨承認中共

東埔寨於去月廿四日，正式宣佈承認中共政權，建立外交關係，互派大使。這事件看似是偶然的突變，其實則是必然的漸變，有迹象可尋。這幾年來，東埔寨這個佛教小王國，奉行中立主義政策及和平共存五原則，不齊自認，本身既無力量又無勇氣，只好向共黨世界『從事反共鬥爭；却突然加入自由世界這一邊，以期換得「青睞」，在兩大之間苟且偷生。施亞諾王子一再向北平頻送秋波，就是要向中共投靠作舖路工作。近來又由於東越邊境糾紛事件，日趨惡化，邀請美駐金邊大使奔走斡旋沒有結果，處境日益孤立，一怒之下，索性走極端，以對付其兩個反共鄰國。這種意氣之爭，並不高明。

本月上旬，中共駐東經援團，舉行一個酒會，慶祝所謂「中柬」兩國建交成功。該團強調：「中柬」兩國互相保證，儘實在不同社會制度下，和平共存，保衞亞洲和平，兩國間過去被中斷了八十多年的友誼關係，也將從此重歡重拾。施亞諾也表示：「中柬」雙方遵守和平共存五原則及萬隆會議精神的結果，今後兩國不但恢復了過去的歷史關係，而且將開展一個友好的新局面。一唱一酬，彷彿在「做戲」！

接着這一重大決策之後，施亞諾宣佈有印、緬及北平之行。他自己承認：此行要把「東國所遭遇外來的困難，向尼赫魯求敎」。因爲這個國際揚著的「政治經驗豐富，請他指導如何去尋求解決與鄰國現存着種種困難的途徑」。他之赴平，據說是總周恩來的邀請的。但靈通人士透露未證實的消息謂：施亞諾已因泰越兩邊封鎖東國邊境而感到困擾。他可能用「釜底抽薪」的辦法，以柔制泰跟中共締結友好同盟，並和越共建交，以柔制泰越兩國作夾擊。藉冠自重。假如眞有其事的話，吃虧的首先是東國本身。

西貢方面最初對東國承認僞政權一事的反應，相當冷靜，認爲這對台灣的影響，遠過於越南。台灣當局也「表錯情」。到了施亞諾去月底在一個記者招待會中把承認中共和邊境糾紛兩事併爲一談時，越外交部才發表聲明，予以駁斥。跟着吳廷琰總統介弟吳廷瑈率領一個隨員稀少的代表團匆匆的飛往金邊作廿四小時「閃電式」的友好訪問。其目的一則觀察金邊的政治氣候，並邀東王子來貢訪問。施亞諾原則上同意訪貢，行期尚未定。一般預料，這位少不更事的王子，以及訪問北平，經過周恩來甜言蜜語，狀鼠誘惑，說不定他會改變原來的主意，「思想改造」之後，是大有可能的事。

西貢河內競與伊拉克訂交

黎巴嫩的戰亂，伊拉克的「君弒打」相繼發生後，河內越共方面，表現得非常積極。首先是「官方」的喉舌「越共電台」及「人民報」大聲疾呼，一面爲擊祝中東人民的民主革命勝利，一面則口誅筆伐「美英帝國主義」「滾出中東」，越共控制區的「越南亞非人民團結委會」，「世界和平保衞委會」，「總工會」，「統一戰線委會」以及尼巴黨派，一致異口同聲的大吹大擂，說援黎、伊兩國的反帝反封建鬥爭運動。北越各處，如火如荼在越共領導下，廣泛地掀起反美浪潮。上自「人民軍政治部」轄下各單位，下迄所謂「母親代表大會」，無不掀起反美浪潮。同時，還以支援中東阿拉伯民族的反帝反封建運動！行動，還來支援中東問題爲什麼如此其「熱心」呢？理由也很簡單。越共對中東問題爲什麼如此其「熱心」呢？

越共對伊拉克變亂之發生，已將已格達防禦條約組織，暗中攪黎，一條北平僞政權聯合東南亞公約組織的牢籠，對共黨陣營來說，都是有利的。所以自黎南國變亂發生以至今日，越共當局無時無刻不在戰，欣鼓舞。越共頭目胡志明，在伊拉克日，即致電「新領袖」卡塞姆，並宣佈承認伊拉克新政權，建立外交關係，同時表示：願與伊拉克在保衞世界和平的努力中合作，及致力加強兩國的友誼關係。胡當共黨手在西貢當局，對中東各國的爭取，也不然喜在心頭。

越共「旣然獨佔」，議越共「旣然獨佔」，對中東各國的爭取，也不願與越南共和國伊拉克王國，雖然越南共和國尚未交換外交使節，但伊王弟曾一度來貢作友好訪問。不過當伊新政權成立後，越南政府隨即承認伊拉克共和國，雖然宣佈承認，這新政權的伊拉克英法之後，宣佈便有兩國在中東「反帝陰謀」的勝利，自由越南共和國方面說來，還是共黨集團在中東「反帝」。這又是「反封建」門爭的勝利，也非承認中不可。被此都有理由。不過在那長途賽跑的門爭中，到底那一個獲得「錦標」，就要讓事實來作證了。

寮國監停會存廢之爭

駐寮國國際監停委會，正式宣佈無限期停止活動一事，使巴特寮和越共，十分不滿。經過印度代表的同意，這個決定，是由加拿大代表提出，代表赴永珍時，僞寮王國政府所屬遂行動的。去月波蘭許在此。後來經過印、加兩代表說項，給回些少「面子」，但亦可見這事件相當複雜。「面子」，但亦可見這事件相當複雜。波共政府會爲寮國監停會之停止活動一事而照會日內瓦會議主席國，英國與蘇俄，反對加印兩國家方面的決定，並提出「嚴重的抗議」。

巴特寮和越共對此事所取的態度完全一致。他們認爲在印支三國的和平未有完全恢復以前，巴特寮和「抗戰人員」的反對受到迫害為今日，印兩國不顧波蘭代表的反對終止在寮繼續執行任務的決定，實在違反日內瓦協約的規定。越共僞政府前日發表聲明，就這事件，列舉上述的理由之外，並促請英俄兩國，愼重考慮，並採取適當的措施。越共僞政府可以無視故的誹停止工作：如果寮國監委會又「相應不理」，則東埔寨和越南兩個監會員，也不難滙底履行的保證，一來，越南統一在日內瓦協約未獲得實現之前，監停會便停止活動，對印支和平之維持，實有重大影響。無論在法理上，事實上講：都是寮國監停會之存在。寮國監停會應即恢復執行職務，並繼續維持越寮，民的顧望相背。但越共表示其態度這是共和越共頭與越共到底非是「其本身利害着想，我得因爲振振有詞，會主義兄弟」呢！就這幾日情勢看，由於尼赫魯的斡旋，寮監停會恢復工作，不是沒有可能的事。（四七、八、十二。）

從台灣海峽情勢談美蘇海空實力

養之

照最近中共空軍大量調集沿海機場，和台灣海峽上空連日發生空戰的紀錄看來，金馬地區敵我攻防戰的序幕似已揭開。但事實上，中共是否敢冒大戰危機，現在仍是一個疑問。

照一般的觀察，認爲中共此舉，仍是虛張聲勢，目的在威嚇敲詐。換言之，就是乘聯合國開會，特別就是討論有關東西問題的時候，以此來威嚇西方國家，聲援蘇俄及其共黨集團，企圖闖入聯合國。可是，在聯大特別會議前夕，美國即發表對華政策，坦然拒絕承認中共政權，目的就是針對蘇俄可能提出中共入聯合國而先發制人。

太平洋美蘇海上實力比較

在太平洋的俄國海軍實力相當強大，如果蘇俄要使中共進攻台灣，那不是不能的。因爲蘇俄威脅遠東的潛艇隊，由一百艘組成，而且有熟練的兵員操縱。例如蘇俄太平洋艦隊總司令維特里耶夫，便是一個潛艇專家。蘇俄在太平洋的最重要海軍基地，是彼得羅巴夫羅夫斯基（在堪察加半島）旅順和海參威。它不僅威脅太平洋的美國基地；且對阿拉斯加及美國大陸都有很大的威脅。不過，蘇俄在太平洋還沒有航空母艦，在太平洋的潛艇，現在也沒有異常活動的跡象。

美國在太平洋的海軍實力尤其是潛艇數量，也許不及蘇聯；然而，如果大戰發生，太平洋方面可以得到大西洋艦隊的援助。據美前太平洋艦隊總司令史敦普的估計：美國在太平洋的海軍能力，是足以應付這一區域的任何海戰。

由于第二次大戰後，美國的太平洋防衛重心，已由珍珠港向西移動了。其在關島，菲律賓和沖繩島，都有重要的軍事設備。而珍珠港的地位，現在依然極其重要。美國現在太平洋已設立一個極爲完善的安全地位，同時他的實力分散，不是集中于一點，而且他又富有摧毀敵國的報復力量。不久之前，蘇俄會指摘美國

美戰略空軍壓倒蘇俄

至于空軍實力，整個共黨（包括俄國在亞洲各地）在遠東區的數量，則可能大于美國空軍的四倍。據估計：整個共黨在遠東各地飛機總數，大約爲八千架；而美國在遠東區的飛機，至多兩千至兩千五百架。不過照整個情形而言，蘇俄還是不敢與美國一決雌雄。試看蘇俄此次對中東事變在軍事上躊躇不前的原因，多半是顧慮美國戰略空軍所致。蘇俄的洲際飛彈，固可能在美國之上，但美國戰略空軍在全球所密佈的六十七處基地，已足抵銷蘇俄洲際飛彈而有餘。

由于美戰略空軍擁有戰機四十四個大隊，飛機數字共二千餘架，全部人員連勤務在內，共有二十三萬五千人，佔美國空軍總人數四分之一。同時該戰略空軍大隊的每架飛機，都能單獨出擊，現在並實軍于獨機出擊的戰術，以減少被敵人偵察，和被敵機擊落的可能性。且戰略空軍的全部出擊機隊，都有攜帶原子彈與中程原子頭飛彈的能力。在平時一天二十四小時經常有三分之一在空中飛行及地面戒備，十分鐘內可以出動；至時局緊急時，其戒備部隊的比例更高。尤其每一基地的機隊，負有不同作戰目標，戰事一且發生，各基地的機隊，可以同時出動或配合出動，其總目標無疑是蘇俄和中共。假如台灣海峽戰幕揭開，美國戰略空軍可能大部使用于遠東區。何況十三航空隊的超級軍刀機，便是中共俄製米格十七式機的尅星呢。（八月十八日）

「人民公社」

「人民公社」是一種「鄉社合一的，把工農商學兵合爲一體，統一領導和管理」的組織，這一種組織，還在試辦時期，其特點是：併合幾個農業社，吃大鍋飯，舉辦各種工業，文教事業，並將原來的信用社，供銷社併入，把原來的民兵擴大統一起來的一個以農民爲基礎的政治組織。視其發展情況，這種人民公社將爲是後中共的基層行政機構。

八月十二日人民日報報導說明，這種「人民公社」是「按照毛主席指示的道路」建立起來的；八月十三日人民日報報導，毛澤東在山東視察說：「還是辦人民公社好，它的好處是，可以把工、農、商、學、兵合在一起，便于領導」。——這就說明了毛澤東所以要辦這種人民公社的目的是爲的便于領導與統治，使于他盡情的剝削農民的勞動力。

現需注意者是：蘇聯的蘇維埃是工農兵組成，而毛所設想的「人民公社」卻多了商與學。這雖然不能就說毛澤東反對蘇維埃制度，但多少總含有一種蘇維埃制度底新發展的意義。如果眞這種「人民公社」制度在大陸普遍的建立了起來，則此後共產集團內其它國家，在採取蘇維埃或「人民公社」制度兩者間，將要有所選擇了。毛澤東好像是專以搞新花樣，來向蘇聯作競爭呢！

下鄉視察

本欄已報導過，中共中央前曾要求六級幹部下田間，以爭取豐收。在八月上旬，毛澤東亦下鄉視察了河北、河南、山東三省的農村，這當然具有帶頭下鄉的意義。假如，帶着色眼鏡找幾個典型去視察，不但不會看到眞實情況，可能帶給人民更大的災難。

一九五五年，農業社大批社員退社，中央的主管部門眼看支持不下去了，紛紛下令解散農業社。毛澤東到河北農村走了一趟，找到一個典型社，硬說這個社員的社會主義積極性；於是擴此而大肆宣佈那些主張解散農業社的人爲小脚女人，幾個月間，強迫全國農民入社，于一九五六年上半年，宣佈社會主義改造已經基本完成了。

這次毛又到鄉間觀察，於是就給農民帶來了所謂「人民公社」的新災難！

豫、魯黨爭

在八大二次會議期間，中共宣佈了河南省委員第一書記潘復生是右傾機會主義者，把他免了職；到目前爲止，潘某的罪狀，以及他的從犯都未見宣佈；儘管河南的各種運動都在擴大的宣揚，對於潘復生的鬥爭似乎還未完了。毛澤東的這次到河南，當有支持對潘復生及其集團鬥爭之意義。

正當毛澤東的「正確處理人民內部矛盾的問題」在大陸掀起學習高潮時節，山東卻出現了兩個反對這一理論的份子，他們是惠民地委第一書記李峯，泰安地委代理第一書記曹證琴，這兩個人可算是不畏權勢，敢于公開反對毛澤東理論的教條主義下的硬漢；儘管中共的報導從隱蔽事實方面着手，但其蛛絲馬跡仍舊露出了李、曹的背後具有強硬的背景，山東且爲他們的根據地。因此，雖從去年上半年已經開始對李、曹鬥爭了，但一直要到今年六月，才把他們打倒，牽涉的人已可知者有山東省級人物等，濟南、青島兩個市級黨組織，還有荷澤專員，可見山東反毛勢力的強大。毛澤東這次到山東，據八月十三日人民日報報導，特別接見了惠民、泰安兩個地委的負責人，似乎他對此至今還不安心呢。

○田心。

旅東漫筆

日本的選舉與投票

冒著酷夏，曾與一園藝老人閒談，我對于日共在日本活動一事表示對日本未來前途憂慮，但此一老人則說，日共幾乎其微，不足憂慮，我問爲什麼？他說：我們不投共產黨的票，共產黨就沒有辦法取得政權了，這權力在我們手裏，日共怎樣活動也沒有用的。誠然，政治是衆人之事，老百姓人人關心政治，神聖一票是絕不輕易亂投的，也就可見日共是無隙可乘，最多止於搗亂而已。爲此，我不想不想到我們國內選舉，從來就沒有把這一票鄭重過，要不是亂投一票，便是被動受了某一方的指定而投票，人人如此，於是大家對國事就管他娘了！

言論自由．生活電氣化

日本戰後得天獨厚，刻已步步走入復興之途，縣市之建設，道路之鋪設，工業之發達，經濟之繁榮，實是一年有一年的顯著成績；人民生活水準的提高，幾乎已普遍「電化」了；物價之穩定，公私營機構之分期付款制度因得確立，人民可於分期付款中購置所需，即是住房亦復如此，商業方面之競爭尤屬日新月異，輿論之自由，恐爲東南亞各國所弗及矣。（觀遊八月十八寄自東京）

新書評介

西遊散墨

桑簡流著　文華

「西遊散墨」是一本文質並茂的遊記體散文作品，大部份寫英國的山水人物，歷史，文學，乃至於英國的典章制度。著者自言，「留心英史，英詩，及英國事者，此稿可作『英國通鑑』讀。」又言：「片言隻字，不乏文史資料，甚至有英人未之前聞之英史祕證。」此外還有幾篇是涉及中亞史料的，如「西域地名新證」，「西藏經卷汶藏佚話」，「鮮卑史料發現記」等。是皆著者經心之作，著者自言「西域地名新證」諸篇「絕學也」。蓋著者少年時代「七渡天山」，有關西域史料搜羅甚富，積數十寒暑之研究，博始能通，自信如此，有由來也。

著者，桑簡流爲水建彤先生之筆名，水先生於前年以香港中國筆會代表資格，出席倫敦世界筆會，去年又出席東京世界筆會，此書以兩次出席筆會[illegible]。

卷首自序，述著書宗旨，頗多奇論，及其內容大要，並論中西文學，文化；[illegible]之見，例如主張中國人應[illegible]英文讀漢學，謂以牛津劍橋倫敦大學爲『翰林院』，[illegible]清儒，又言「我」史上，凡有建設，必爲異族所爲，漢人不與焉。」論我國文學至新文學史更新言「白話文學[illegible]」，凡此皆著者人之所未言，亦人之未敢言者。然而持之有故，非故爲怪論之詞也。著者自言「西遊散墨[illegible]遊心影錄之後」，其自負如此，豈東書不觀，遊談無根之士敢於發乎？

全書三十篇，十餘萬言，九龍珍珠版社出版，每册定價港幣三元五角。

國際動態拾零

△美軍一萬三千人進駐黎巴嫩，大約非一月後不會撤退。其進兵目的，是保障黎國領土之完整。此要求大約將由聯合國去代爲完成。聯合國已派二百人觀察員在黎，現擬再派八百人前往，以代美軍任務。至聯合國軍隊，則以中立國人士組成，而如美國之強國，不在其列。

△美軍在黎京的佈防情形，從黎京之北二英里起，至黎京之南七英里上之沿海岸，深入內地一二英里不等。三分之二爲戰鬥部隊，海軍佔六千人。

△黎巴嫩新總統沙海（Shehab 各報譯爲戚合，不知何據）是現任陸軍總司令，統率九千人。他是基督徒而非回教徒，現年五十六歲，其妻係法一將軍之女。他會在法國聖西陸軍學校畢業，二次世界大戰時，他正在法陸軍大學讀書。他的法文說得完全像法人，然不善阿剌伯語，而曾以黎巴嫩之最高樂自命。他無論在國內及在國際，都是中立主義者 故爲各方所擁護。

△伊拉克革命政府之總理卡遜（El-Kassen），表示反共，不願合併於阿聯，深恐納塞分潤其每年二億金元之煤油收入，且與西方保持友好態度。但實權在其副總理阿雷夫（Aref）他爲反西方而親納塞之人，他曾崇斥卡遜之不當故感認卡遜之爲阿雷夫傀儡，無寧以前納吉培之爲納塞傀儡。○陶然。

稿酬： 本報七月份全月稿費通知單已分別付郵，請惠稿文友，憑單領取爲荷。

編輯部啓

自由談

政治的技術

任何一個從事實際政治工作的當局人物，沒有不想建功立業，福國利民的，然結果多見其失敗而去，甚至留下若干劣跡醜事，給後世歷史家以殺例的資料。此無他，缺乏政治技術修養之故。

擴政治等於做戲，需要相當的技術修養，纔能夠叫座成名。政治生活實在具有高度的藝術性，神而明之，存乎其人，不能隨便掉以輕心的。

在我國政治舞台上的歷史人物中，最擅長做戲，克享令名，創造功業者，以唐代的李世民爲首選。他的政治技術最高明之處，就在假戲真做，而又能忍小忿，挂意氣，在觀衆面前表現其「我爲人人」的[illegible]，終於獲致「人人爲我」的成果。譬如降人尉遲敬德，皇上召宴文武群臣之際，爲了爭座位，竟毆打了皇室的藩王。李世民當場並未發怒，事後他告訴尉遲，說是漢時帝王常有殺戮功臣的行爲，未必都是帝王的過錯。我不欲承受殺功臣的惡名，希望你今後自愛自重，以全晚節才好。從此尉遲恭深自懺悔，折節讀書，終其生不復見有暴燥的言行。這種高度的政治技藝，能不令人敬服嗎？

禮運大同篇講述「天下爲公」的道理，就是教人不要把國家政事看作自家的私事。凡是人物，[illegible]在政治舞台上扮演要角，[illegible]雖然假戲做做，而心境[illegible]安泰，意氣平和，忍辱負責，[illegible]。所以，最近台灣主席周至柔氏，在議會中對一個無理詰詢的議員所答詞，我認爲恰到好處，[illegible]。這樣的台詞，才是表現高度民主政治戲劇的，更要有演戲的技藝修養工夫啊！

馮[illegible]先生

滿天神佛

。陳永昌。

我國流傳於社會各階層的神佛，包括如來、觀音等諸佛菩薩，太上老君、玉皇大帝等道教諸君，城隍、土地等地方守護神，魯班、神農等行業祖師，灶君等歲時祭祀神，門神、天官賜福、招財進寶、締吉祥神，以及眼光娘娘、傳花姐姐、送子娘娘、催生娘娘、七娘娘、五哥哥、牛王、猴王、蛇仙、猶仙、三太老爺、白馬少爺、狐仙等消災降福神，真可謂洋洋乎大觀。

元始天尊，是道教裏諸天尊之一，因爲他生於混沌的初期，故稱爲元始。他是諸仙之師，常以秘道教授其徒，開劫度人，是仙一實主。據郡齋讀書志載，古傳之度人經三卷，出於元始天尊，這書在唐志裏曾載有其目錄。黑社會裏亦有暗稱其「老頭子」爲元始天尊等。

玉皇大帝，簡稱玉帝，又曰玉皇，是爲天帝。按照眞靈位等圖云：玉帝居玉清的三元宮之第一中位，好像若有其事，若有其人，其實全屬子虛烏有。這個名稱，起因在宋朝，當宋太祖第三子眞宗皇帝，御駕親征，棄契丹於澶州，不幸敗潰，不得已與契丹訂了一份辱國條約，想想有些愧對國人，總得造一篇鬼話，叫丞相王欽若丁謂等宣稱，這是奉了天上玉皇大帝的命令辦的，以欺騙朝野。另一說，玉皇大帝確有其人，是佛教中的因陀羅神。玉皇大帝的稱謂，在近世紀裏，不僅用來爲神君的尊號，也一度被用作對太太的謂稱，可是到了目前二十世紀六十年代，已被太太萬歲的榮譽取代了。

灶君，官拜東廚司命，管人間衣食住行四大生活之一，[illegible]

[illegible]忘記得一乾二淨，[illegible]他不無欺騙玉皇之嫌。

門神，[illegible]新年裏貼在大門上除邪伏魔的東西。[illegible]行於周朝，不過當時的門神，並不是唐代的秦叔寶與尉遲恭，而是神荼與鬱壘。相傳滄海中有一座度朔山，山上有許多桃木，蟠屈三千里，在東北有一座鬼門，萬鬼由此出入，[illegible]後人才於歲竟，繪二神像貼於門，[illegible]分左爲門丞，右爲戶尉，這大概漢代以後之變稱。到了唐代，唐太宗多病，時聞宮門外有鬼哭，使他不能好睡，因召秦叔寶尉遲恭二人武裝把守宮門，居然生效，[illegible]傳到民間，也變了後世的門神。

各結婚喜慶的人家，大都喜歡把和合二仙掛在堂上的，[illegible]

[illegible]和合神有人，名萬回哥哥，[illegible]大士爲合聖。和合仙的[illegible]

[illegible]狐仙，名稱最多，[illegible]可見流傳之廣，供奉之盛，我國前賢小品[illegible]文學家蒲松齡還專爲狐仙曾寫過一部名著「聊齋」呢！供奉狐仙的起源，無從查考，可是供奉狐仙的事實在太多了。

至於十殿閻王，傳說爲宋朝大文學家兼大政治家蘇東坡所創，因爲他謫官黃州，看到該地民風凶悍，不是純依法律所能治得好，才根據世傳冥界有十個閻羅，分掌十殿，專管人間善惡賞罰，編成一套，以警愚頑。

更正：上一期嶺南文物掌故欄「[illegible]刻書」一段，「均乾嘉前刊」之「乾嘉」[illegible]作「嘉慶」，又本文「校刻」之「校」字，合併更正。

鳳仙小語

張瘦碧

「小小一棵花，風吹兩邊搖，開花開半朵，結子兜毛桃。」從小時候，聽來無事，[illegible]這是鳳仙花的謎語。直到現在，我還記得很清楚。

江南一帶人家，凡是一般院落裏，多半植此小花，生長易，開花多，[illegible]在清明前後灑在泥土上，經過很短天數，即可出芽長葉，初夏時節，即能開花。從前一般小兒女，在閨閣時代，[illegible]對此花頗有好感，因爲終日深居院內，[illegible]花木以鳳仙嬌小玲瓏，格外爲女兒所鍾愛！又有人稱作指甲花，昔時婦女，常取此紅色鳳仙花搗爛，[illegible]染指甲，根據各人所好，染成不同的樣子，一時成爲風尚，可見染指甲的風尚，實不自西洋始。

鳳仙的顏色種類甚多，紅、桃、粉、紫、白，五彩……堪稱各色俱全。不過大半是單瓣，[illegible]簡節上升。至於變種佳種，自然以爲重瓣鳳仙爲最，長得並不高，矮矮的，頂上雪白，大如玫瑰，色現五彩，假如能再加上香味，就是可以稱得起色香雙絕了。此鳳仙花種，從開至落，至多能保持三數天，可謂紅顏薄命了。

嶺南文物掌故

粵東詞鈔成書無期

詞爲詩餘，往昔粵人精此者殊不[illegible]

[illegible]

五○年，余荒還香江，隨聞劉氏已死，且發清算，詞稿有同廣陵散矣。五年前余曾以此事詢於桂太史，他以年邁，前所鈔錄之詞，這人名亦漫不能省記矣。

廣東叢書亟宜續刻

日軍未入粵前，廣東文化學人，咸集香港，亦有多人把其藏書移運港澳貯存者，當時名宿如徐信符、陳大[illegible]等主張校輯「廣東叢書」，但以板本之選擇，與選擇之先後爭持不決，費去相當時日後卒選出書十餘種，交商務印書館影印，戰後出書，先後共得四十冊而已，夫叢書之刊行，非一朝一夕之事，即如知不足齋叢書，刻數集，而粵雅堂叢書共三十集，亦費數年工夫，廣東叢書其始亦[illegible]本此意，擬繼續出書，時至今日粵書益多淪亡，苟無嗣音，則粵乘將有全亡之慨，吾粵文化中人曷不注意於此乎（廣東叢書出書極少，現該館已無該書存貯）

廣東人的刻書風氣

粵省書價最廉

十九世紀，廣州已爲對外貿易之總輸運站，洋商獲利極豐，志在留名之賈門鉅賈，刻書不在謀利，只收回紙墨及工價。而官局刻書，則由鹽稅收入撥出。至光緒朝，圍姓盛行，復由圍姓抽頭撥入一部份，以作刻書之用。故官書特平。即至民國十四年時，廣東圖書館將廣雅局各本翻印從新釐定書價，各省鄧購者，紛至沓來。咸認廣東書價最平。余以嗜書如命，廿二年旅行北平及滬杭各地，將書價目比較，覺廣東書價之廉宜，甲於全國。

．竹庵．

秀才的高明處

．小言．

「指着和尚罵禿子」，本是一種高明手法，在罵人的技巧上，也該算是第一等。

不過罵人畢竟要找個道理，而這個道理又要是比較站得住的，這實在是頗費心計的。

好在文人（尤其是高級知識份子）要罵人，總是比較方便的，用不着出言相唇，可有時動起肝火來，照樣張口就是「三字經」但這究竟是少數

現代的文人，似乎對罵人又高明了一些，因爲罵人實在不是一樁文雅的事，被罵的固覺得是莫大的侮辱，而罵人的人也會被第三者目爲有欠教養，（其實談教養，也不易，別看大人先生們多的是滿腹經綸，還喝過洋墨水），於是總着樣裝出了學者相，從學術的角度來開罵，比如像那類「××與××」就得算是上品，至於「從什麼到什麼」之類的大文章，也得算上。

如是乎，人也罵了，自已的身價也抬高了，並且還無傷於自已的學者地位，這畢竟是秀才的高明處。但是惟秀才始有此高明。

上校與侍者

——短篇小說——

。陳慕天。

窗外是一大塊嫩色的草地。坐在我對面辦公的美國老軍士長，燃過一支烟，指着窗外說：

「是不是妳的弟弟？密斯鄭！」側過臉，由綠得明亮的窗子望過去。草地上，那個穿藍衣服的孩子，正同一條小花狗在草地上滾來滾去，嘹亮的笑聲伴和着小狗吠聲透進窗子。辦公室另一個美國少校也笑了。我想那孩子眼角的憂鬱是否還逗留着？想走出去看看；突然：

「哈囉！喬，到這裏來。」老軍士長大聲的對窗外叫着。

那孩子站起來，拍了一下小狗，身上沾的土與碎草未拍去。走進來，大眼睛又像藏溢着憂鬱望着老軍士長。

「你是個很有意思的孩子！你是不是也姓鄭？」老軍士長問他，唇角掛着一抹美國老年人特有的溫和的笑。

他一言不發，轉身就要推門走出去。眼角由我的桌角飄過去。

「你到那去？」我問。

「去拿拖把！」

「幹什麼？」

「外國人叫我，還有別的事，不就是拖地板，或是——」

「不能有別的事嗎？」

「……」他嘴角浮上一條半月來一直變出現的，幾乎滿是諷刺與不屑的傲笑。大眼睛泛出一種異樣韻味的光采望我一眼又低下頭。

「他問你的名字呢？」

「我並不姓鄭！」轉身推開門走出去，小花狗迎着他汪汪地叫，由窗子望見他消瘦但配合匀的肩膀，兩手伸在褲子口袋裏寂寞的走去，我陷入一種模糊的情緒裏。

「密斯鄭！」老軍士長在叫我，「這孩子怎麼啦！」

「他！他去拿拖把去了！」我回頭對他笑笑。

「拿拖把了我又沒叫他拖地板。」

「他以爲，外國人叫他除了是拖地板之外就沒有別的事。」

老軍士長搖搖頭，又開始他的工作。我卻在想，這孩子不是個祇能拖地板的「辦公室侍者」的！要不然，他怎能聽懂老軍士問他的話。

半月前，那天清晨，默默伴着我來上班，介紹我見了那位軍士長同一位少校，他們親切的同我握手。我微微感到羞怯，這是第一天我來到美國機構工作，雖然我相信我的英文程度足能應付，但看見這麼多很少像人樣的洋鬼子，心裏的確別扭。默默地回去上班去了，我感到濃郁的寂寞。在老軍士長安排好我的座位，指示了我應知的工作之後。我擺正面前的打字機，取出手帕，擦擦額角的汗珠子，期待着第一件工作。

半天，老軍士長並沒給我一件工作，我開始打量這間辦公室。鐵製的大辦公桌，油得發亮的地板，每個桌子前一架電扇，一切都比中國的闊氣。除了我一個是黑眼珠，低鼻子之外，一切都是洋味的。甚至滿屋子的空氣，也含着牛奶麵包味道。我想起上班時遇見很多打扮得花不枝葉的中國女孩子，再低頭看看我這身在我已經認爲很摩登的新衣服，的確有點那個。

突然，門打開了。我以爲是洋人。但盛氣凌人的皮鞋聲卻沒有。扭過頭，一對黑濃濃地大眼睛望着我。黑頭髮，黃色的面頰，是中國人。着藍色的工作衣，腳下是中國製的黑球鞋。拿着掃把，我感得一種莫名的親切，對他笑笑，但他卻微微的撕開唇角，似笑非笑的低下頭開始他的工作，我想同他說幾句中國話。但那撕開的唇角，使我說什麼呢？

老軍士長走過來，給我一件公文稿子，簡單的指示了幾句之後，我正要開始工作。他跟着又叫我告訴那個 Boy 每天要怎樣工作，先開始作什麼等等。我望望那 Boy，他正抬起頭，唇角抹上一絲淡笑，在老軍士長說一半的時候，他站起來，轉身就要出去，我叫着他。

「喂！你等等！」他站着了，正對着我，我看清他有一棵挺直的鼻子，那一對近乎女孩子溫柔的黑眼睛，適中的個子，額上浮着一些濃濃的短髮。

他沒講話，只是望着我。

「你不懂英文？」我問。

「嗯！」

「您貴姓？」

「你有什麼事嗎？是不是外國人叫我拖地板，或是擦玻璃！」

「你聽得懂？」

「不！外國人叫我不會有別的事！」他撕開了唇角，淡淡地笑笑！

「外國人說，叫你每天早晨先把那個少校的辦公室收拾一下」

「嗯！」他轉身走了！——

由玻璃窗望着他的背影；他：

我想：他沒有告訴我他姓什麼？

（一）

自由人
THE FREEMAN
（第七八〇期）
中華民國僑務委員會登記證僑台報字第一二號
中華郵政台字第五〇〇號執照登記爲第一類新聞紙類
（半週刊每星期三　六出版）
每份港幣壹毫
台北市售價台幣壹元伍角
督印人：陳文華
地址：香港高士威道二十號四樓
20 CAUSEWAY RD. 3RD. FL.
HONG KONG
TEL. 771726
承印者：東南印務出版社
地址：高士打道六十四號
台灣總經理處
台北市西寧南路壹壹零號二樓
電話：三〇三四六
台郵撥儲金戶九二五二
海外總經銷：友聯書報發行公司
香港：彌敦道中二十六號A二樓

我看台灣海峽危機

李秋生

九年來的台灣海峽，一直是個具有潛在爆炸性的局面，到最近果然臨到爆炸關頭了。

從七月月底，發現中共作戰飛機已有半數調集閩海第一綫以後，大戰的發生已是隨時期待着的事。二十三日晚間的兇猛砲擊與次日從陸海空三方從事試探性的聯合進犯，不過是大戰的序幕而已。這局勢引起全世界震驚，但世人對於台峽危機的認識顯然還不够。美國務卿杜勒斯是比較瞭解遠東局勢的人，他在二十三日覆衆議員摩爾根的信，是對於中共一個適時的警告，但從他的語氣判斷，他的估計還嫌太低，而且，他同時並未改變前赴昂塔略湖渡假一週的計劃。他臨行時說「我希望不致過早的歸來」，顯然是基於他在該信中所說「我希望這種情事不致發生」的認識。美當局此種警告到現在纔經發出，在時機上已嫌過遲了。

一、

中共對於進侵台灣的軍事準備，是一長期的進程。差不多九年前的古寧頭一敗，使共軍不敢輕易再做登陸金門的打算，但這企圖却從未放棄。四年以前，正是日內瓦會議斷送北越半壁，遂西歐防禦計劃也瀕於崩潰之際，中共便乘機發動了對金門的「九三」砲擊。結果證明國軍防禦力量是堅強的，並且使美國又一度走近「戰爭邊沿」，終於促成中美防禦協定的締結。但因各外島並未明顯地包括在協防體系之內，加以國軍後方交通補給的困難，卒被中共攫奪了一江山大陳，使國軍在大陸近海的前衛防綫縮短到由閩江口到廈門一綫，那也就是要確保台灣海峽安全的最後防綫。從那時起，金門馬祖的防衞實力不斷強化，具備了現代式堡壘的規模，白宮當局也認識了金馬對於台灣的軍要性。一九五五年一月美國會授權總統協防台灣的範圍，已括有「現在友好方面手中的該地區有關地點和領土」在內，但其具體運用的方式却要由美總統臨時自行裁決。這種讓中共自己去猜測的策略，並非基於軍事上的理由，而是美當局另有其政治上的圖謀。

這圖謀就是要與中共從談判中達成台灣海峽的協議停火。當年從八月間開始的美、與中共日內瓦「大使級」談判，以謀求中共釋放被拘的美俘爲理由，實則白宮主要目標所在，是要解決台灣海峽的爆炸性局面，使今後大陸與台灣關係，形成像普奧戰爭到第一次世界戰爭期間的德奧關係那樣。但白宮當局却忽視了重要的兩點：第一，普奧之間雖發生過戰爭，並由戰爭使威廉第一簒奪了約瑟老皇地位而統一德意志，德奧之間到底沒有了不起的深響軍恨，與中國與共之間情形完全不同。第二，自由中國與中共的敵對，實即自由世界與共黨帝國激對的縮影，除却分裂的德國柏林而外，這裏是反共勢力對共黨鬥爭最尖銳的場所。共黨對於和平共存的主張，原是史達林人民陣線政策的複演，並不影響共黨征服整個世界的基本企圖。因此「大使級」談判從開始時就注定了失敗，但美當局明知達成妥協無望，却至今不肯把這門戶關閉。

在這期間，中共就積極經營閩海的軍事準備，星羅棋布的機場，與鷹潭廈門間的戰略鐵路建造，都可看出中共處心積慮，要早日冒險出於一戰。但我方由於「使用武力必爲共同協議之事」的約定（見中美外長關於該協定換文），四年來對於中共沿海的軍事佈置，一直視若無覩，從[illegible]發制人加以摧毀。到今天，單從軍事形勢來看，我方在金馬的據點實已陷於非常不利的地位，所恃只是台灣海峽的空權和海權仍由我方掌握，與第七艦隊和第十三航空隊的協防力量。

二、

進犯金馬必將觸發大戰，中共的戰略考慮未必不會計及，但在共方可能另有其他打算。蘇共目前的國際形勢，內部憂患頻仍，自然不利於觸發大戰，但如果是局部戰爭，使美軍捲入漩渦，像韓戰那樣利用中共消耗美國軍力，而蘇俄則隔岸觀火，也未必不是一件有利的事。關於美軍協防台灣海峽的重大意義，美國當局自然有深切理解，在遠東身受中共威脅的韓越菲日以至澳紐，也能體會其必要，但在自由世界其他部分和一般人士，則往往認爲美國不值得爲了遠東「局部爭端」冒大戰危險。一旦美軍爲了協防台灣或金馬而與中共交綏，其在國際間所遭壓力可能更甚於出兵黎巴嫩之舉。這種淺薄的世俗之見，固然未必會動搖美當局的既定政策，但却會被共方引爲一種潛在的助力，足以牽制美方行動，至少也希望能像韓戰越戰那樣，從熱戰轉變到政治談判，以達成中共所日夕嚮往的若干政治要求。因此我認爲此次中共在金馬的挑釁，決不是開幾萬發砲就算數，更不會因美方帶點含蓄的警告即知難而退。世人應該確認這是台灣海峽大戰的開始，要從事態的最惡劣發展方面去考慮應付。

三、

面對着共黨這種刁狡的敵人，過去中美雙方所做政治方面的號召和宣傳都太嫌不够，軍事準備也過分消極。中國方面固然未能在海內外同胞中做到充分的政治動員工作，形式的宣傳太多，在美國當局，實際的運用不够。過去由於對於所謂大使級談判存有幻想，絕少對整個世界揭穿其對中共明朗而堅定的立場。最近，纔經發布國務院不承認中共理由的備忘錄，與杜勒斯致摩爾根信中的警告，但時間都嫌太遲，分量還不够堅強。但台灣海峽到底是中國的問題，任何友邦所首先關切的都只是他們自身的問題，我們的問題也必須由我們自己來決定。我們能表現出力量，使世人認清只有我們纔有打擊遏阻中共的力量，則舉世立即會刮目相待，連對中共獻媚恐懼的人也會改變他們的看法。同是也會使共方從政治上挾持美國的陰謀無由獲逞。但這却決非僅恃死守金馬，抑或僅恃軍事行動所能做到。

台峽局勢誠然孕育着絕大危險性，只要我們能運用最高的機智和決心去應付，前途並不一定對我們不利。

半週述評

聯大特別會議的結果

聯大特別會議的唯一成果，是通過了十個阿剌伯國家的提案。該案所以獲得八十個會員國一致同意，無異表示了大家都樂于承認「既成事實」，同意維持現狀。這不但是納撒集團提案的動機——維持其一手造成的「既成事實」，也符合了英美各國一貫的安協心理，更無妨于蘇聯今後「間接侵略」的目的與行動。不過這至多祇可能造成中東暫時小康之局，却不能視爲問題的解決。哈馬紹之馳赴中東作所謂善後的安排，實質是安排蘇聯集團所要求的英美撤兵。勝利畢竟不屬於西方，由此不難想見。

葛羅米柯的表示

蘇外長葛羅米柯于聯大會議結束後在招待記者會中，就表示對會議結果滿意，滿意的理由是「通過了英美從中東撤退」。還不止此，他另一表示是：「中東現有局勢使高層會議「更必要」「更合時宜」」；同時哈馬紹亦會說他不打算在促進高層會議中，担任任何特殊角色。由此可知各國在聯大會議期間，幕後仍念念不忘于高層會議。蘇聯的下一着棋，更可能是高層會議，以抬出附庸國，拉緊納撒集團，以澈底打擊西方在中東以及在其他中立地區的勢力。這又是不難推敲的。

日內瓦核子科技會議

葛氏之又一表示，是說「美英宣告停止核子試驗，是附有條件的；蘇聯片面停止核子試驗是無條件的」。這樣像江湖賣藥者的口吻，是聽慣不怪的。雙方之宣稱停止試爆都是假話。這項武器尤其是美國唯一足以嚇阻蘇聯的；在政治問題不能够解決前，停止試爆，都是不可想像的事。日內瓦核子試爆科技會議雖經美英法加蘇波捷羅八國專家虛心研究成立一個一般認爲樂觀的協議，其實仍是未可樂觀的。不關乎過去一連串所謂空中觀察，監察方案等建議，不都因爲蘇聯阻撓，而無法有所成就嗎？

美印（尼）的軍火交易

在第一批美國裝備于本月十五日根據最近美印（尼）軍火交易協定而運抵雅加達之後，印尼外長蘇巴里與立即聲明印尼外交仍將保持獨立，並不因此改變。美國陸軍總部發言人在雅加達也宣稱「這純是商業交易，不附政治條件」。許多人以爲蘇加諾可能有轉變，其實轉變也許可能，但不能視此爲蘇加諾就是親西方。美參議員勃里奇直率指出「此乃浪費納稅人金錢及有限度資源于援助常常站在共黨方面的政權一項行動」。不過無論如何。此舉實不啻鼓勵各國的兩面外交，嚴重打擊反共革命勢力。

葉公超赴駐美大使任

葉公超赴駐美大使任，國人皆以厚望；美國官方及輿論也都認爲他是受歡迎的適當人選。台灣海峽的局勢表面日趨緊張，實際依然微妙莫測，可能如美國務院專家們的看法，視爲目的是政治的而非軍事的；也可能如倫敦一些輿論例如經濟學人報所分析，認爲可能是軍事行動的先聲。不論如何，中共目前是否要奪取金馬，或竟攻台，其發展與台灣的備戰情形、美國的協防程度，息息相關，不能必其有，不可必其無。不過坐着挨打是總吃虧的，如何轉守爲攻，以攻爲守，成爲必要。雖說「美國不協助，我們也有力反攻」，但事實上美國態度當決定了遠東整個局勢，而中（台）韓菲越各國的一致行動，尤其整個戰局所攸關。葉氏赴任，此正其時！

○林伯雅○

美智識份子的思想傾向

據中央社紐約記者最近在港合連載的一篇特稿報導，指出美國知識份子中，尤其是大學教授、編輯等類的人物，對民主主義有失去信心，在資本主義與共產主義之間沒有道義立場；而追尋這種傾向的原因，則是由於他們接受了獨立宣言中人類平等的觀念，反而覺得他是一個受歧視的階級，未能獲得如同歐洲知識份子所有的優越地位。這個分析如果是事實，那麼美國知識份子確已走上了歷史錯誤的道路。

美國獨立宣言中的平等觀念，何竟會成爲今日知識份子這思想傾向的論據呢？考平等觀念在初期基督教義中，是鼓吹在上帝之下所有人類悉爲平等的觀念。十九世紀自然神派與哲學和科學不斷的傾新發明，發展而爲理性主義，隨後使大部份人類相信上帝的天國可以在人世間實現。這一時間，基督教義上的人類平等觀念，與實現地上天國的宏願交流結合着，便成爲十九世紀以來社會主義運動的主流。不過當中以無神論者發展爲現在的共產黨，或稱爲布爾塞維克；而自然神派則仍站在發揚理性，攻擊專制，反對獨裁。至於知識份子之被共產黨人痛詆爲有小資產階級劣根性存在，是知識份子覺悟之後不爲共黨利用所欲加之罪。但知識份子之成爲小資產階級，却是事實。共產黨之所以虐待知識份子，原因自己並非出身知識份子，到了自己奪取政權成爲「新階級」之後，更嫉視知識份子之向他們爭取「自由」「平等」。故知識份子雖常常表示左傾，然其必受迫害，却有先天的因素存在。

知識份子處在有充足自由而無須再爭取的美國，「平等」便成爲他們對社會唯一可以批評的地方。他們既認爲上帝之國可以在人世間實現，他們更可能自己已經有了一套理想的計劃以實現這個上帝之國。他們會經讚歎代表美國社會主義傾向的羅斯福新政措施，故不認眞痛貶共產主義統制經濟的獨裁。他們對蘇俄的種種殘酷暴行雖有所認識，但不願意在良心道義上分担責任。反之，他們對資本主義固有的物質不公平，却有意加以渲染。他們抨擊奴隸制度，要求改善監獄，但對于共產黨的集中營，勞動改造之類却不去在究它的實際。他們呼籲人權，要求尊重別國家的獨立完整，但對于匈牙利人民的被屠殺，東歐國家的被奴役却懶得去堅持正義。過去他們抨擊非共的「麥加錫主義」，認爲祇是一種投機釣譽的政客。在韓戰中他們恐怕以全力奪取韓戰的努力，可以招致全面大戰，寧願相信高階層會議可以緩和當前的國際緊張局勢。他們相信共產主義的宣傳甚于相信盟邦的友誼意見。結果，使一個贏得兩次世界大戰而雄視全球的強國，在極端輝煌勝利之後，竟形成一個如此不利于己的權力眞空，這眞是人類歷史上罕見的奇蹟。

十九世紀以來流行過一句話：「現在是一個知識上混亂繼續增長的時代」，祇是令人太息的是，這種增長中的思想混亂，到了自由與奴役有如此鮮明對比的今日，仍然有人不作現實的正視，而企圖以夢想來代替理智；他們除非身歷其境，飽受迫害，是不願意去正視鐵幕的眞相的。

「頭顱被擊破時，一切夢想都完了」，這是非洲土人的一句警語。現在我們豈是夢想之時！我們不要認爲美國知識份子才有此傾向，試觀大陸「鳴放」時期一大羣把共產制度的殘暴不合理大鳴大放的，不多是大陸淪陷前左傾的智識份子嗎？我們不難想像到他們在午夜夢回之際，必有其不勝撫今思昔之感。這並非意義着智識份子生來就得像中國舊時的士大夫型，以歌功頌德爲畢生職志，不，我們絕不能勸人保持這種劣根性。但是，在今天這個思想混亂時代，知識份子無論如何要認清責任，他們不僅是文學藝術的創造者和傳播者，而尤其是歷史的靈魂；別的人都可以對歷史交白卷，知識份子却絕不能够。

•唐昭祺•

讀「中國文化與世界」以後

筆者拜讀張君勱唐君毅牟宗三徐復觀四先生之「中國文化與世界」宣言以後，覺得該宣言對吾國先賢學說及歷史加以讚揚，確足以鼓舞人心，亦足為現代西方人的借鏡。惟筆者仍覺得，此一宣言似乎只限於發揚我國文化的優長點，而未論及其缺點或短處，（例如易朝換代時之大屠殺，以及大一統時代之停滯不進步現象。茲歷代君子人究屬少數，君子對大多數人民之德澤是有限度者。）尤其有關人口問題，四先生並未加以論列，更覺美中不足。此或由於四位先生為理想學派（Idealist）的主張，不願對於自然學派（Naturalist）的主張從事實證。近代學者自愛恩斯坦，羅素及Heisenberg諸人出後，心物已為一體。筆者對馬克斯之唯物論，固深惡痛絕，但對馬爾薩斯之人口論，甚為贊成。筆者認為當前世界危機，原子戰爭只屬一端，此外人口迅速增加，引起各國的通貨膨脹；以及世界大多人的心理之未成熟；十八九世紀之過度思想及超過樂觀思想等等，均為現代人類危機之所在。此種現象足以引導世人發生我國漢唐宋明末年之心理及思想。我國古聖賢的教訓既未能防止易朝換代的屠殺，又何能防止現代的屠殺？所可討論的，僅為能否防止原子戰爭或各國內戰，使整個世界陷入我國歷史的覆轍。（前人曾說「天下未亂蜀先亂，天下已平蜀未平」，現在似可以「世界」代「天下」，「中國」代「蜀」，世界的將來將有類於過去的中國）。

再者唐君毅先生將Freud的學說與馬克斯的學說並論，但Freud晚年對Sex方面的研究，已前不若以前那樣重視，因此他創為深度心理學（Depth Psychology）。尤其是他的門徒如Jung氏等均注重天人合一，比較我國先儒論性，遠為深刻。此派理論由醫學做出發，潛心研究，逐漸注重內觀，似乎較朱晦翁王陽明諸先儒知格物之重要而不得其門徑者更為深刻。

筆者覺得張唐牟徐四位先生之工作固遠勝五四時代，但對Freud，Darwin（達爾文之孫）Huxley兄弟（赫胥黎之孫）諸人之理論，亦應加以重視。筆者認為西方文明發展二百餘年之後，舉世已無新土地可開闢，再過數百年，人類將煤與煤油，鈾，鐳等五金等開發完畢，使用淨盡之後，人口增加仍不斷上升，則雖全部海陸所產動植物昆虫亦不能數人類食用（此點科學家曾有估計，大約再過六百年，即臻絕境）。當遠在此日子出現之前，世界已有巨變。據聯合國專家意見，到了兩千年，人類將陷於不得了的境地。因此吾人對人類前途實覺甚為悲觀，不知張唐牟徐四先生以為何如也。

○顧詠余○

（編者按：本文係據顧先生來信摘刊，文中所談或有未盡顧先生本人之意。附此聲明）

「基隆市誌」行將問世

費資百萬歷時六年　刻在內政部審核中

○蕭平○

台灣通訊

歷時六年，耗資一百萬元的一部「鉅著」——基隆市誌，原定本年底全部完成問世，孰意上月間內政部突行文基隆市政府，指基隆市誌初稿完成後進行付印，未經送內政部審定，其出版不合法令規定。現在，基隆市文獻委員會已將印好的十六篇市誌送呈內政部審核中。則該項全書二十篇，每篇三百頁左右的洋洋鉅著三萬冊，能否如期與世人見面，得看內政部的審核如何，就很難說了。

開始籌劃經過

基隆市政府籌劃出版基隆市誌早在五年前便已開始。四十二年會計年度起即編列預算，到今年新會計年度為止——今年的預算尚在議會審查中，一共列了九十六萬四千六百六十九元預算。而在這筆將近一百萬元的經費中，其間有一小部份是文獻會的經常費，但以前六年之中另外追加進去的預算，尚未計算在內。至於追加預算的數字究有多少，去問市政府的財政科，財政科推給主計室，主計室又推文獻委員會。文獻委員會的一位組長卻說：凡是文獻會不能向外宣佈的事情，所以整個預算的數字——包括每年編列的預算在內，在未獲得上司的允准以前，礙難奉告。這位文獻會的主任委員由基隆市長謝貫一兼任，負實際責任的副主任委員，則是曾任基隆市政府民政科長，現任經濟部參事兼基隆市政府顧問的朱仲西所兼任。以上摘要歸納台灣聯合報記者的報導。那篇報導的文章很長，還附有一大篇流水帳，似乎為那一百萬元的民脂民膏叫屈，深怕內政部來一紙公文，認為內容欠妥而使基隆市誌胎死腹中，竟或追加預算。但筆者卻認為一百萬元算不了什麼，問題的嚴重並不在此。

問題的所在

我以為問題的嚴重，並不在耗費鉅萬一類問題，而在所編基隆市誌的本身是否健全：諸如立場之是否正確，內容之是否賅晉，史事之是否翔實？觀點之是否恰當。這是台灣光復後的第一部縣市誌，一有疏處，後患豈堪設想！

據聞基隆市誌共分社會組織，財政，農林，水產，民政，衛生，公用沿革，司法，概述，地政，保安，商業，工礦，港務，自然環境，人口，人物，文物及年鑑。凡二十篇。就中地政，衛生兩篇係現任石門水庫的浙東金某手筆。金某承攬茲事之初，曾多方物色熟諳日本語文者為其蒐羅日據時代之州廳誌，請為翻譯，拚湊譯稿合計十餘萬字。殺青之後，曾就正於筆者的朋友，請為之潤色，乃得窺其一斑。當時曾與那位朋友抵掌，嘆為「觀止」。蓋文字之粗淺，辭意之不賅，原無關乎宏旨，最可慨者，竟為立場乖謬，對於政治沿革，武備海防，治安保甲，衛生警察，[illegible]，往往貶損炎漢，而揄揚大和，有些地方，簡直是為侵略者張目，明目張胆的了。

連橫撰台灣通史，深嘆「舊志誤謬，文采不彰，其所紀載，僅隸有清一朝，荷人鄭氏之事，闕而弗錄，竟以島夷海寇視之」，再則曰「斷簡殘編，蒐羅匪易，郭公夏五，疑信相參，老成凋謝，莫可諮詢，巷議街談，事多不實」。[illegible]獻兩非易易。豈可[illegible]從事？倘[illegible]，[illegible]雅堂無仰屋之嘆，今日[illegible]亦何必多此重修縣市誌之舉。

一得之見

台灣淪於異族凡五十年，所施愚民政策及皇化運動無所不用其極，對我國之文化歷史，自學校課本以至民間讀物，莫不顛倒是非，歪曲事實，藉以泯滅我台人之民族意識國家觀念，雅堂以有清舊志且不足為信史，今政府重修地方志書，輕拾日人之牙慧，適足為倭奴印證，謂其昔日之宣傳為非誣，則流毒所及，伊何底止，且自第二次大戰以降，「中國問題」宣騰國際，凡我友邦有所舉措，輒為各國所矚目，今市誌發行，勢必引起世界學人之注意，流傳海外，以訛傳訛，則貽羞萬邦，而自損信譽，則後果更堪虞慮。故竟以如是大事隨意委人為之，此為筆者所深憾不解。市誌之編撰，實舉足輕重，以上僅就筆者所知，未知付梓之前，曾否詳作校訂？抑一經主編撰稿，則非局外人所得而知。審核諸公，就全部原稿，作審慎之校核，稍有不合，寧缺勿濫，縱毀棄全書，亦在所不惜。若論如是鉅著，動員數十人，窮六年之功而耗資百萬，不可謂多。但一旦率爾問世，則損失何止[illegible]，又何惜此區區一百萬[illegible]？

前車之覆，後車之鑑，今台灣各縣市皆有文獻會之設置，所願於當局者，今後對縣市誌之編纂人選務求慎重，以遴聘品學兼優之士充任之，近聞桃園縣誌亦將面世，併乞注意及之。（八月十日，在中壢）

台灣出版業為何不景氣

文辛

台灣通訊

讀了本刊七七四期上「警民報導」主編郭雁翎先生一篇「十年來台灣出版業處境」的報導，使我想到台灣出版事業不景氣的原因。

讀中國書的人少

第一、是讀中國書的人太少。在這裏，除了一大批流亡而來的內地人，本省籍的人還是居絕大多數，他（她）們中在二十至五十歲這一個階段的人，過去都受過日式教育，歡喜看那種偏旁易懂的又多刺激（黃色）的日文書刊，對於國文，既感閱讀困難，又提不起興趣。一班十幾歲的學生們呢，他們固然已接受過本國教育了，但大部份的時間在學校裏給那些英數理化早攪昏了頭腦，還有一部份時間，還得出來，逛電影院、彈子房、咖啡館……。他們沒有時間再來補習他們認為無多用處的國文，反而在課餘去補習英文，想打下將來向「洋」處鑽的基礎。除了這一大批人們，真正在補修國文的還是內地來的窮子弟，那也是他們的書香後代的家長逼迫的。

書價太高

第二是書價太高。書價太高並杜絕一般窮苦小子不買書的最大原因。這也不是出版業者故意要如此，而是一種循環的因素所造成。因為台灣印刷紙張的價錢都很高，像又無法從薄利多銷去減低成本。他既不能賠本，就必須成本加上利潤來訂定書價，而書價又超過一般人所想負担的數目，結果循環成為滯銷。

黃色書刊多

第三是黃黑色書刊的充斥。雖然新出版法已經在針對黃黑色書刊下了哀的美敦書，可是黃黑色書刊仍然在市面上活躍着，它唯一的大原因是它的內容有興趣，夠刺激、薄薄地一本，只賣一元半到兩三塊錢。雜誌攤老板由於有銷路，也就樂意合作代為販賣。一些正當書刊就無形中被讀者自然的打入冷宮。

印銷名人傳記等書多

第四印銷名人傳記書傳法令規章的書太多。在台灣，差不多幾乎有一個集團，他們專印當局的名人傳記、言論、宣傳……等等，他們所印的那些書都精裝得富麗堂皇，並且請有名人題簽助威，所以定價高達新台幣二三百元一本。這些書當然在市上買不出，他們有的是一雙腳和嘴巴，到得一個機關裏首長桌子邊，或是擺出油印千遍一律的大人物的介紹信來，緣延吹捧，使對方不得不勉乎其難的買一兩本。這樣就大大的妨害了正當書刊流進該機關的圖書室來了，因為該預算全被鉅額定價的傳記（集）佔光。

沒有專管機構

第五是沒有專管出版的機構。在自由中國，專管出版的機構，表面上看起來是內政部，實際在它本身高高在上，實際那靠地方政府協助。地方政府對這些出版物很不重視，甚至認為是別單位管管的事務。於是造成有職無責的現象，不正當的出版者就鑽這種空隙，大行其道大發其財。

官辦機構辦官事

第六是官辦出版機構辦官事。中華文化出版事業委員會，正中書局、台灣書局……這些機構，他們不免是：官辦的書要看「官面」，關係而其出版書籍亦高定其價的，他們的銷路可以憑關係指定學校團體機關等在預算內購買，有了比較優越條件。因而公家錢買公家出版的書，尚可覺得過得去，然而他們未想到如何使出版的書來個普及本的定價讓一般真正要讀書的人負担輕一點？銷路大一點？

省府將局部改組

省議會亦有風波

劍聲

（台灣通訊）省政府局部改組消息，已見之於官方的「新生社」了。更換的是民政、財政、建設等首長。繼任人選尚未確定。其實省府人士，早就有聽見要改組之說，不過官方未能證實，停止於傳說而已。

一月之前，行政院改組時，曾盛傳財政部政務次長周宏濤，下放財政廳長。至於民政廳長連震東之突然請辭，據說是他上任後，對民政方面的問題，諸如選舉？政治風氣等等，迄未有改善的表現，致成為省議會對民政質詢的焦點。而地方[illegible]所造成的派系，從桃園縣選舉糾紛以後，而撤免議長的風波[illegible]，[illegible]民政廳長不能安于位。老實說，民政工作[illegible]。朱江淮就職建設廳長後，即不斷地因「病」請假，雖經再四挽留，而辭意至堅，始終在半假半工中拖延到今。周宏濤就職已屆一週年，省政雖無驚人的表現，但亦無太大失誤的措施。目前，三處一局的人事剛剛安排妥當，繼之而來的三位廳長[illegible]。

又省合議員於六月二日開會迄今，議程方面在質詢府政。此次會議有一種「不滿」[illegible]「罷免議長」之聲。議長黃朝琴過份討好某些要員，將議程改變，且限制議員辯論政府質詢而有「樞密」或「罷免議長」醞釀。黃氏雖有「密」函勸告各議員，作保持「會譽」而未能生效，出席者仍然寥寥可數，議長似乎是為了自我檢討，曾以「事」或「病」請假。據公論報評論，最近有關方面指議員在大會議會上的表現，[illegible]。

（八月十四日）

更正

△周祥光先生　印度來函

昨接貴刊七六四期，載谷懽先生所作「關於三藏十二部」一文，涉及拙文「甚麼是真的世界佛教」之三藏十二部一文，其末段言「道教之三藏十二部」，殊為正確。檢閱拙文原稿係「佛教大藏經之三藏十二部，道教之三洞十二輔」一句實係「道教之三洞十二輔」之誤，谷懽先生所指出之「三藏」之誤，又拙文第四節「例如某甲，其子稱兄之名，雖然不同」一句，排印亦有錯誤，其弟稱其為兄，雖兄稱呼不同，然其人則一」，特請你更正為荷。貴刊平郵寄達印度，快則一月，遲則兩月，拙文排植錯誤處，無法及早更正，謹請谷懽先生及讀者諒之。

周祥光敬上　八月十六日

稿酬：本報七月份全月稿費通知單已分別付郵，請惠稿文友，憑單領取為荷。

編輯部啓

中共出一億兵的神話

舒華章

（一九五八年八月十八日）

台峽海空大戰序幕揭起之際，中共出兵一億之說竟然狂叫起來。彭匪在大陸掀起反美英出兵中東的叫囂聲中，大吹法螺，胡說到第三次世界大戰一旦突發時，咬定中共能夠立即武裝五千萬人，隨而擴充到一億兵。如此唬人。稍有軍事常識的人一想到現代戰鬥兵每員所需配備，恐怕少不了八噸之數，對彭匪所說的祇覺得是鬼話連篇而已。

自卑和譾陋

八噸的裝備並不是石卵，馬乾乃至手彈，而是配合立體戰規模所亟需源源補給的全套軍需品，用於各兵種協同作戰。這情形可以第二次世界大戰時美軍的裝備平均量為例。未來作戰，未因越洲飛彈或其他武器的使用而稍減八噸的條件。此為人力，資源及其軍事化的程度所決定！光動用數字嚇人，徒見其自卑和譾陋。一億兵和蔵蓋三萬五千斤之類的狂言，同其荒謬，但是前者並不完全用來欺騙老百姓，致他們壯胆的；對外依然有其離奇古怪的作用。

狂言也會嚇人

請看美參院「遠東軍事情勢」第二冊第七五三頁披露參院軍事及外交兩委員會舉行質詢的兩項重點：（一）參議員布烈治表示：「……我們不該把我們的軍隊牽涉到亞洲大陸去。」當時美聯合參謀會議主席布拉特萊將軍答道：「……我以為我們現在一個錯誤的地方，向一個錯誤的敵人，進行着一個錯誤的戰爭。」這是一九五一年五月十五日美軍方出席國會作證時，對韓戰作一個最重要判斷的結論。五角大廈這樣看韓戰，顯然純從軍事觀點看，而且在答復質詢時，曾引用日軍在華使征的效應爲輔助說明之一；我們不必去計較布烈治這種參議員在孤立主義上的見地如何，也不用在本文批判美軍事當局對韓戰的眼光，但有一事能夠顯著地確定的，那就是美國今天對中國大陸地廣人稠這個因素，看成了對付中共的六顧慮之一。也因爲這樣，北平在勵行節育之餘，毛酋倒認爲人多是好的。彭匪誇言大軍一億的實力，無非反映毛的誇大狂而已。

毛酋的人口論

中共的誇大狂直到現在，依然屬於自卑的性質。毛酋去年尾在莫斯科大學大禮堂對中共留俄學生講到「東風壓倒西風」時的理由，竟引用共黨的人口十億，在全球二十七億人當中，壓倒所謂「帝國主義」的那四億人力。他還繼說，自是掩不住心頭上的慌亂，慮他稍早慶祝十月革命時在俄京的演詞，我們但覺此徒心悸未已，借頌揚莫斯科的洲際飛彈以自壯的恇怯罷了。北平的自卑又與狂妄緊緊地連結在一塊兒。它挨了韓戰的悶棍，照舊迷信暴力。美國軍中不承認中共的那個備忘錄，在毛赫密談後，又給證實了絕對正確。大家都看清楚眼前金馬的烽火指證中共又要替蘇聯犧牲人命於局部戰爭裏去。若干觀察家說：赫酋赴平爲了勸說中共，別亂進軍南下，此怕犯金馬出大亂子。此說漠視了今天蘇俄的冒險性，與幻想毛酋會成爲狄托第二，同其天真。中共在加緊備戰中，遠在蘇彝士運河危機最嚴重時，赫酋曾聲言英法如不退兵則將以飛彈襲擊巴黎和倫敦，已然配合莫斯科的軍事活動；而在英美部隊登陸中東之際，中共對紅軍在外高加索一帶的演習行動，又何嘗不是遙相呼應？

竟忘了核子的摧毀力

由此更看得出它在現階段還是要靠人多這套本錢，竪根兒忘却了年產鋼超過五百萬公噸之數，根本上抵擋不了這次英美可能以核子武器摧毀蘇俄二十個大城市的攻勢，如果紅軍膽敢從外高加索一帶出擊的話。攻擊那二十個城市，雖說是臆測之詞，但沒人敢斷定爲絕不可能。誰也不難想像到，戰爭一旦由小變大，必然是表現在中美協力打擊共黨的威勢與政治勸索，同時消耗它的作戰潛力等意義上；誰也不重視它在未來世界大戰時如何才能夠出兵一億的作用的，因爲目前它的軍需工業對它那支二百五十萬的兵力，還沒法子加以現代化，則夢想藉一億民團兵力在隨時可能爆發的核子大戰中取勝，無異神話！

菲人認國軍應反攻

據本月十九日馬尼剌消息，菲律賓外交聯絡委員會主席森毛朗說：「若美軍在中共侵犯台灣時牽入漩渦，則根據美菲聯防協定，菲國亦必出兵援助……。」

養之。

台灣和菲律賓處境展齒相關。假如台灣被侵，菲律賓必受威脅！菲國有識之士，對于目前台灣海峽的緊張情勢，因此是很關心的。菲名律師兼世界問題專家溫孫特‧維拉敵，在兩年前曾發表幾篇有關中國問題的文章，力主美國援助自由中國反攻大陸，引起美國國會的注意。

台灣的地位重要，一九五一年四月麥克阿瑟將軍在美國會發表歷史性的演說時曾稱：「台灣在任何情形下，不能落在共黨手裏。如果台灣落入共黨的手中，那末菲律賓的自由立即遭受嚴重威脅，甚至日本也有失落的危險！結果可能迫使我們的西部疆界退回到加利福尼亞、俄勒岡和華盛頓州的海岸。」

由于共黨在越南有了優勢的基礎，又控制着海南島，聯結香港以北的東亞大陸，如果台灣再被控制，則日本、菲律賓、印尼甚至紐西蘭、澳洲、緬甸和泰國的獨立，都要遭受危險！儘管美國在沖繩、菲律賓、關島和馬紹爾羣島各地設有軍事基地，但倘共黨的陸、海、空軍控制台灣，則這基地均將失其效用。

從軍事行動的觀點來看，今日台灣彷彿昔日韓國南端的釜山橋頭堡一樣。當韓軍和聯軍被迫自北面的共軍差不多驅下海的時候，釜山守軍堅持不屈，卒由麥帥指揮仁川登陸把共軍擊敗。現在國軍是可以倣照「仁川登陸」戰術，于適當時機由台灣海峽登陸中國大陸；同時自由世界當然不能讓共黨統治鄰近亞洲和大陸附近的許多島，勢必支持台灣。

因爲台灣的屹立，對中共的威脅是很大的。假定美國目前支持台灣反攻，不僅可能以戰止戰，而且可以打破目前僵局。

理由是台灣存在一天，大陸人民還存着一種希望；加以共產主義在中國領土內，因爲不適合國情，現時還未根深蒂固。儘管共黨以清算、恐怖和飢餓的手段，從事鎮壓，可是人民反對情緒日高，尤其是西藏、新疆方面的游擊隊的活躍，使中共陷入窘境！中共軍隊的裝備是不够的，但由于民生貧乏，所以大陸工農業計劃，不能盡量注重軍備，戰鬥力頗成疑問。而且由于人民不滿中共政權，如果國軍反攻，他們勢必起而響應。據統計：中國人民祇有百分之一以下是信仰共產主義的。而蘇俄人民信仰共產主義的數字，也不過百分之三，足見中共比俄共需要加强控制人民。戰事一起，控制就不易了。

國際動態拾零

△東柏林消息，赫魯曉夫自北京回後，立即召集中央執行委員，討論其與毛澤東的協議案。經過極長久的辯論，赫氏所主張的高峯會議，予以取消，無疑爲對赫氏聲望的無形打擊。

△巴黎消息，自原子專家在日內瓦會議後，毛澤東即不滿意。中共亦欲參加此項會議，而未達目的，未免懊喪。

△中東風雲緊張以後，英美對以色列之態度，頗爲冷淡，藉免刺激回教徒。惟法國則不斷與以色列以援助，曾許以噴射機多架。

△許多擁有煤油礦之阿剌伯酋長，咸托故到維也納治病。實則鑑于共煤油礦之不能永遠擁有，咸欲投資于維也納之旅館業，以爲終老之計。

△開羅之無綫電台將與衛星國合作。下月有捷克，保加利亞，及阿剌伯各部落專家，訪問開羅。期在無綫電上聯繫，以謀打倒帝國主義云。

△八月一日，鸚鵡螺號，從白令海峽潛入海中。速率超過每小時二十里，在水底四百英尺以下航行。北冰洋深度爲一三四一〇英尺，較以前預測者多一九三一英尺，冰有八英尺厚。外面溫度，自然遠在三十二度冰點以下，但船中溫度則爲七二度。至八月三日航至冰島附近，浮出水面，船員一一六人均安全云。○陶然○

文化革命。技術革命

搞了十五個月的整風運動，大概在本月裏就要草草結束了；整風運動一結束，接踵而來的是文化革命和技術革命，這是八月十五日人民日報的報導所指出的。

目前的問題是要把整風運動與文化革命、技術革命「銜接好」。辦法是要充份運用一年多的整風經驗來開展技術革命與文化革命運動，要使總路綫深入人心，使幹部人人都懂得總路綫的精神實質，把人們的精神進一步運動起來，造成轟轟烈烈的局面，掀起躍進的高潮。這似乎說，在某些人的心目中，躍進的高潮還不够高。

如何開始這個文化革命技術革命呢？「國務院」秘書長習仲勳說：一、應認眞貫徹「不斷革命」的思想。仍然必須進行艱巨的思想鬥爭和政治鬥爭，這個鬥爭不僅包含着先進與保守的兩種思想的鬥爭，甚至也包含着兩條道路的鬥爭。二、必須要把文化革命與技術革命作爲羣衆性的運動來發動。三、必須要政治挂帥，堅持「務虛」，以虛帶實，以政治帶業務。

從前述一系列的報導看來，文化革命與技術革命的目標並不明確，辦法也不够切實，對于要求思想與政治鬥爭的口號雖然繼續呼喊，但是有點扭扭揑揑；在這樣的方針指導下的運動，大概不會像整風運動一樣的熱鬧。

從最近的情況來看，所謂文化革命和技術革命運動的高潮大概不會超過「人民公社」的建立運動；也就是說，此後，中共的羣衆運動，將是以建立「人民公社」爲中心。

蘇聯反覆

毛赫會談以後，赫魯曉夫趕回莫斯科的第一樁事；是寫信給西方各國，其內容之一是轉變召開首腦會議改而要求召開聯大特別會議；其二是要求中共入聯合國，取國民政府在安理會中的地位而代之。現在聯大特別會議已經閉幕，蘇聯代表在會議期間只是作過一種象徵式提議，並沒有特別擴大要求中共入聯合國，似乎祇做表面文章敷衍中共而已。看來蘇聯對於毛赫會談所作的結果有了反覆。

中共節節進逼

上期本欄曾經指出毛澤東所倡導的「人民公社」是對蘇維埃制度的挑戰；本期前節所述的「不斷革命」一語，在一九二六年一月史太林所發表的「論列寧主義底幾個問題」中亦曾經被批判過，認爲「不斷革命理論」（見列寧主義問題）。因此，正宗的史太林承襲者，而今，毛澤東居然又提出了這樣的口號，似乎又是對史太林所創的制度的另一項挑戰。從前述兩項事實來看，最近中共與蘇聯間的關係，似乎並不能因爲毛赫會談而穩定下來呢。●田心。

影印「老子集成」

（本報訊）閩人嚴靈峯氏爲老學研究專家，多年搜集海內外公私圖書館及藏書家珍藏善本孤本有關老子之著述，凡一百六十一種，共五百三十三卷，其中包括唐宋元明清諸朝之寫本，碑本，刻本，備極難得。現嚴氏爲保存我國固有文物，擬將搜藏所得，全部影印，彙成一集，名曰「老子集成」。惟影印全書約三萬餘頁，分裝百冊，所費不貲，非個人獨力所能勝任，經與台灣藝文印書館商定，集資籌印辦法，徵求海內外熱心人士及文化教育機關合作，暫印五百部，準一年內完成，茲錄「編印要旨」及「籌印辦法」如左：該書目錄及樣本，業已印備，函索奉寄，通訊處暫由本刊代轉。

老子集成編印要旨

一、本叢書定名爲：「老子集成」，以影印唐、宋、元、明、清歷代老子著述之現存重要版本，藉以保存原書面目，用廣流傳，並防意外散佚爲主旨。

二、本集成暫分：寫本、石本、刻本、注本四類。寫本以敦煌古本爲主，石本以唐刻碑幢爲主，刻本限於傅奕古本，河上公章句及王弼注本各種版本爲主，注本則搜集歷代各家注解之善本，孤本而成。

三、集成中同一之著述而有多種版本者，則擇善而從並采最古之版本加以影印。

四、日本著述先選其具代表性者數種，以稽彼邦學者對於老子研究之途徑與淵源。

五、近代名家老子著述，札記與各種重複版本以及外文各種代表著作；擬俟本集成全部工作完成後，續行編印。

老子集成籌印辦法

一、老子集成彙印唐宋元明清傳世僅有之孤本善本老子，舉凡碑刻卷子抄本刻本，共一六一種五三三卷，爲自有老子書以來，最完備之總集。

二、全書照相影印，完全保存原書式樣精神，平裝三十二開本一百冊。

三、茲爲完成流傳志願，擬籌印五〇〇部，以供庋藏研究，每部按成本一、〇〇〇元（台幣）收回。無論個人或機關圖書館樂意助成者，不拘部數，均所歡迎。

四、全書定一年出齊，俟籌足五百部，即通知繳款開始影印。分十二次發書，郵費不另加。

自由談

低能的領導者

美英進兵黎巴嫩與約但，原係應該國政府之請求而然者，約但王胡辛且表示不歡迎「國際警察」部隊進入該國，而願意英軍常川駐屯不去。這情形如果是俄帝處於美英的地位，不管進兵的目的是否達到，它一定不理會別人的指摘，名正言順地接受友邦要求，決不表示撤兵的意念，誰要說它不對，它即振振有詞，斥爲干卿底事？教你啞無口言。

可是，美英當局一見伊拉克叛黨政權向西方表示友好的姿態，即一心以爲鴻鵠將至，不特急忙聲明可以迅速撤兵，而且對約但政府不惜始亂終棄，宣稱約但王胡辛非去位不可，藉以見好於伊拉克叛黨賈山政權與阿剌伯聯邦共和國獨裁者納撒，充分表現賣友負義，背盟術私的會錢作風，而置其領導自由世界的信譽於不顧。

聯合國早已變成國際宣傳館，這次俄帝爲美英出兵中東問題而要求召開特別會議，用意亦在施展宣傳攻勢。但由於美英當局的近視與惰性觀點，深恐沾上「侵略」的惡名，竟不知利用黎、約兩國政府的「哭廷乞師」之大好事實，給俄帝以有力的反擊，乃願以被告自居，汲汲於安排撤兵事宜，致令俄帝坐收宣傳之利，在冷戰中自甘敗北，不亦怪哉！

平時拚命鼓吹自由國家必須講誠團結，強調集體安全不可分割的道理，一旦稍有事變發生，即以自私自利的心情，悍然出賣伙伴，潔身退縮，好少理了。自由世界瀰漫着這種失敗主義，復興民主自由思想以與共產極權主義鬥爭，已經感覺吃力，再加上低能短視的領導方法，若要這樣即可以制勝俄帝，那就是川諺所謂「你爲我不懂」，豈有此理！

馬五先生

灶老爺的刦運

·金葉·

在香港，有些人家，門口供奉土地，屋內供奉關公，與其說他們是守舊迷信，倒不如說是中國某些傳統善良的風俗習慣，在海外得以保留也。這種情況大概在南洋和美洲的華僑社會也一樣。

初來到香港時，生活上很感到不方便，比如說家家戶戶有厨房，而沒有灶，冲涼也在厨房裏，有的一層樓上住了十來伙，於是火水爐、柴爐，排列得像是儀仗隊，煮飯的時候滿屋都是油烟，厨房之髒，更是難以形容，烏黑。在長江下游一帶，不管貧富，家家都有一個不算小的厨房，普通人家至少有兩眼灶一台，比較富有人家灶台有多至五眼的，甚至還分開大厨房和小厨房，不論厨房和灶的大小如何，一般地說都是收拾得乾乾淨淨，這不祗是注重衛生，而是由於厨房爲灶君爺所在，上還供着灶君爺。

供灶君爺比較香港的廣東人家門口就地設有土地爺神位，要更普遍得多，可以說灶老爺成了每一家高高在上的守護神，好像家裏大小事情冥冥中都有灶老爺管着似的，逢年過節，初二、十六固然少不了要上香點燭，大小家裏的婚喪喜慶，也都得有灶老爺的份兒。

灶老爺不是就愛吃甜的嗎？因爲據傳說的，灶老爺在每年臘月二十三日上天去向玉皇大帝報告，玉皇大帝就根據灶老爺的「開會報」來召集凡間每年的賞罰；所以臘月廿四日後要「送灶」，尤其是臘月廿四日送灶，灶老爺的那餐就更要豐盛，這都是希望他老人家上天多說些好話，保佑來年平安。

有人說凡事誠則靈，固不論靈不靈，供灶老爺，確已成爲一種良風善俗，這種風俗使人們一日三餐說話做事都得加小心。

一個人信仰什麼，就顯得保佑，拆穿了就不過是空話，但在心靈上還是給人有信仰的力量，就能使有些人的行爲，有所收歛，則也是事實，因爲誰願受神的懲罰呢？誰願意死後入十八層地獄？誰願受自己良心受責備呢？

但是最近看報有大陸消息，說農村已經進入了「公社」制度，城市裏中共也在進行清運動，把家庭婦女趕出厨房去參加勞動力，把家庭婦女從厨房和搖籃旁趕出門，搞「大躍進」。因此，現在農村裏已經推行的大鍋飯制度，大概不久也會在城市裏出現。大家既都進了大食堂去吃伙食，家家的厨房和灶台，也就必然要廢置不用了，在人來改變，這種是破壞的灶老爺也被「大躍進」了「社會主義化」而掃出了門。

做的，這既是中國人的災難，也是中國神的災難！中國內地家家戶戶的守護神──灶老爺，無論如何說，已高高在上，安安穩穩地享福了至少有一二千年了，現在連灶台──他們飲食起居的窩，也給共產黨鏟平了，天下爲能不起大亂，如果食祿不忘報的話，灶老爺們，至少也應該上天合開個聯合緊急大會吧？

文壇軼話

詩僧八指頭陀

·南道·

詩僧八指頭陀，是晚近赫然有名的詩僧，他是湖南人，姓黃，名讀山。同治七年，他到南嶽祝聖寺，專司若行諸職，便把自己的指頭在佛前斷去兩隻，自稱爲八指頭陀，後來人家也以此稱呼他。

易實甫嘗戲呼他爲「三影和尚」。據說有一天，他正在浙江某山脚下開步，忽見兩個人騎驢入山，又有一個人操舟溯江而上，對同行一個中年人說：「看呀，前面就是育王嶺了，我們慢慢的杀罷！」（「杀」字音作土聲切，猶言走的意思。）與曾所至遠兩人便聯句做起詩來，那老者吟道：「一步一步杀」。中年人續道：「杀入育王嶺」。他聽了觸景生情，急忙接聲吟道：「夕陽在寒山，馬蹄踏人影。」這兩句詩「詩景」俱妙，不意竟驚動了兩位大詩人。一位是王湘綺，一位是易實甫。他們一談，不獨他仰遇到了鄉人，而且高山流水，彼此遇合了知音了。後來王湘綺便把這段巧緣，到處宣揚，說浙江有不多識字而會做詩的和尚，起初大家也不怎樣相信，就是揚度也疑心是易實甫代作的。實甫把這段奇緣告知長沙王益吾，益吾說：「是你們師徒在玩把戲了。」直到八指頭陀回長沙以後，益君當面試驗他，大家才相信真有其事。

八指頭陀雖爲湖南人，他的原籍爲江西修水，先此遷山谷老人裔孫，宋時由江西遷茶陵，明末由茶陵遷湘潭之石潭。數歲時，好聞仙佛事，常終日喃喃若有所吟誦。他十八歲即出家，有過幾次極其險惡的遭遇，他都會化險爲夷。據說有一次，他冒雪登天台華頂峯，一片銀色世界，清潔絕塵，他的聲音本來極其洪亮，他在得意忘形之際，乃振衣長嘯，這一聲霹靂，不意竟驚起蟄虎，咆哮而前，他毫不畏怯，以慈心視之，虎感竟能揚長而去。又一次曾於深山遇一巨蟒，長可數丈，御風而行，其聲嗚嗚，頭大如斗，舌長尺餘，他閉目念佛咒，蛇竟緩緩他去。

談桂劇

古月

我對戲劇特感興趣，每到一地，必欣賞本地戲。據我曾到過的許多地方，覺得除了平劇外，當以桂劇最優。因爲：湘劇的做工不甚考究，道白時的口齒也不請晰，往往令人難以領會，川劇似缺人情味，尤其那一唱百和的「和聲」，雜嘈生厭──「和聲」根本是原始戲劇的幼稚型。

桂劇的劇本，唱詞，道白，臉譜和音樂，都與平劇不相上下，只在唱工咬字吞句方面，沒有平劇那麼千鎚百鍊，那麼認眞罷了。大抵它是深受了京劇的影響，參雜一點湘劇和川劇，再加上地方性的情調而成的。記得有幾齣如「桃花裝瘋」一類的戲，純粹是地方性的戲劇。

桂劇的好處，在于極富戲劇性。其音絃的文靜，不像粵劇的大鼓大鑼，震耳欲聾；其唱音的清澈，不像川劇的「和聲」鬨堂。

嶺南文物掌故

私人藏書之風尚

余生也晚，自含識以後，粵中書藏已多散零。但幼年從遊於凌孟徵先生（朱彝尊），稍長入廣東高等學堂肄業，監督爲吳玉臣（道鎔）太史，吳爲粵中宿儒，藏書甚富。至各館長如湯子爵、潘瀛、徐信符、譚鑣、陳援庵、黃任恒等，亦均爲藏書家。民十二年後，余又得交江孔殷太史（霞公），李文韜、任元熙等，亦均好書，多識此等人均爲中上學校教師。而館藏廣書最富者，當推番禺之梁鼎芬。者有不自備圖書，將無從研究學術也。至於學員，倘是書香之家，莫不購書以資參考。若廣江之江孔殷（有蘭亭屆之稱）、順德之龍氏，高州之林氏，均以藏書著名。又黃晦聞先生在元前，捐贈上海國粹學社藏書四千餘冊，黃少年時購書於海幢寺，由河南大豐藏書至汗牛充棟。

上所舉列，均士人階級，至於富商巨賈，亦無不以購書爲裝點門面之具。西關洋商，多購置舊籍，百數十箱，陳列廳事中，蓋非此不足以表示其風雅，又恐人譏其目不識丁也。粵省印書既多，自有其銷售書籍之習慣，已成爲粵人風尚。

書林浩刦

昭代叢書，有人海記一書，中有書林厄刦一篇，記歷代變亂，典籍散亡之事實。余猶記中日戰爭，當局既有焦土抗戰之舉，焚毀之外，日治區域，紙張缺乏，珍本佳刊，佛書藏畫像，均被拆出以供包裹油條及雜物之用。漩渦之中，無論典籍，此誠大刦浩火，有心人爲之痛心。加之以一九五〇年後，中共土改幹部，凡見富室，家藏舊書，視爲殘餘，掃除「封建殘餘」，於是舊書惟有付之一炬。昔梁元帝亞失敗時，把府中四十萬卷圖書即夕焚燒，然後歎曰，「文武之道」今夜盡矣。此言足以形容有心人對無知幹部焚毀舊書時之心情。

廣東人的刻書風氣

徐論

自本世紀開端，（一九〇〇）我國即遭拳匪之亂，國幾於不國。於是風氣大變，昔日自尊自大之態度，一變爲自卑媚外之心情。廣東瀕海，風氣首先丕變。習洋文以求交結外人者，恐後爭先，而鄙棄國學之風，沛然莫之能禦。舊籍幾於無人過問，今更滄海橫流。一切國學幾難覓紹述之人。典籍之喪亡，又比前代酷烈百倍。但中國文化，博大精微，已爲全世界所公認。比者，中國最深奧之易經，已譯成英文法文，而公孫龍子，及抱朴子，均有英文譯本，老子莊子，更譯成英、法、德、俄、西等國文字。而佛藏之般若經多種，亦由中文譯成英文。下至小道之小說，紅樓夢有英譯本，荒誕如西遊記，淫靡如金瓶梅，莫不譯成歐洲文字。歐美學者，漸有研究中國古學趨勢。歐美大學圖書館，需求中國古籍日增，但舊籍已亡其八九，新印又無從補充。是以近日南洋大學派人來港採購大批古籍，結果不能達到目的。十九世紀中國人刻書風尚，（不限廣東人），本大有功於中國文化之流傳。倘今日有人出而提倡恢復從前優良之習尚，集合巨資，仿上海同文書局及掃葉山房之辦法，校刻大批古書，正不患其不能暢銷域外。此舉不獨可以發揚中國之光輝，亦可以圖利，有心世道之人，曷不從事於此！

香港大部是廣東人，亦不少富商。於此有一事，爲廣東人告者，則吳太史玉臣已選輯廣東人文章，彙成一書，名曰廣東文徵。卷帙浩繁，曾有人用鉛字板印成幾套，但得見者極其少數。倘有豪商鉅賈捐集資本，先行排印此書，則對於廣東文獻之傳流極具價值也。

（七）——全文完——

·竹庵·

短篇小說

上校與侍者

·陳慕天·

四點半，這個洋機關下班了。獻南的車子停在營房外面的馬路上，我望見他坐在駕駛位置上的側影，抽着烟，烟霧遮着鼻樑。我知道就是不抽烟，側面我也看不見他的鼻樑。他有個小而又低，使人想發笑的鼻子，再配上沉陷在近視眼睛裏的一小對小眼睛，在滿是皺紋的額頭下，與尖削的下巴，形成一個佳人見了不會喜歡的臉型。矮矮的個子，穿着軍衣，好像有一種特殊的風度。

但，他是個好人。

同老軍士長，還有那個小孩道別之後，剛要走到大門口。突然有一個美國人，迎面走近來。濃烈的酒氣噴過來，我急忙讓開，但，他却停下來伸出多毛的手。

「小姐，我送你回家好不好？」由粉紅色的香港衫裏，我能看見他滿是黃毛的胸脯。

我苦笑一下。突然，後面跟着來的是我辦公室的少校。他解了我的圍，那個穿粉紅色衣服的還要追過去了。我又同少校道了別，突然，向我招手的獻南走出大門。突然，子，頰上掛着一絲不屑的笑，大眼睛瞪我一眼，正要由我面前閃過去。是那孩子，我很自然的對他點點頭，笑笑說：

「回去？」

「嗯！」短促地，反射回一個撕開唇角的笑，上眼皮跟着垂下來，陰遮着很美的大眼睛。我偶然有個奇異的感覺。潛意識裏似乎曾見過同樣的笑與眼睛。

他走了，突然地。

「喂！你還沒有告訴我你貴姓？」我出乎意料的問他。他站着了，我看見一些女孩子，一個個都伴着一個美國人向我射着奇異而含有不屑的眼光。

那孩子站着了，而對着我，揚起了眉，看見眉角邊鬱的憂鬱線條，又垂下眼皮說：

「李！我叫李亦華！」

獻南走過來，站在我身邊望着這孩子。

「走吧！莉！」他想拉我的臂，但沒有。那孩子低下頭，我看見一隻球鞋在踢着一塊碎石子。

車上，獻南問那孩子是誰，我懶得回答，低下眼皮。讓心沉入一種難以解說的空虛裏。我努力在記憶裏搜索這雙曾見過的笑與眼睛，由當年的初戀的遊侶想到大學的「愛同學」，經過我初戀的顫抖情感的「愛人」。突然，我想起那軍士長問的話：「你是不是也姓李？」難道這眼睛像我？

「莉！」是獻南在說：「你想什麼？」他一面開車，一面微側着臉問我。

我沒有回答：我打開我的皮包，但我的皮包不帶鏡子，轉過：

「獻南！剛才那個孩子像不像我？你看？」

「誰？」他摸不着頭腦。

「剛才在營房門前同我講話的那個孩子，穿藍衣服的！」

「我！我沒看出來！」他訥訥無言，我想起緊到家裏坐在鏡子前。

× × ×

春天過去了，熱了一陣子，又度過了八節，上班時得披上一件薄毛衣，──李亦華，依然是那麼一套藍工作衣，黑球鞋，唇角依然照常浮起那種淡色的笑，還有那眼睛，的確有一點像我。

每天，他拖他的地板；我侍候我的打字機，風馬牛不相及。可是，不知道爲什麼，我時常停止工作，望望窗外。在那片嫩色的草地上，想再發覺他同他的小花狗打滾；是否看他有着一對似乎像我的眼睛，一月，兩月，上班，再由獻南送我回家。我知道獻南愛我，他也時常怯怯地向我表示「結婚吧！」的意圖。

（一）

自由人
THE FREEMAN
（第七八一期）
社址：香港高士威道二十四號四樓
20 CAUSEWAY RD. 3RD. FL. HONG KONG
TEL. 771726

論毛澤東的冒進路綫

鄭竹園

自去年十月中共八屆三中全會以後，毛澤東利用「反右」的新形勢，推行一高度的左傾冒進路綫。一方面展開所謂「經濟大躍進」，另一方面加速其集體化步伐，開始編組所謂「人民公社」。表面上其工農業發展似乎一日千里，實際上則是對大陸資源的大浪費，與對大陸人民作最殘酷的搾取。這一新路綫給大陸工農所帶來的災難，絕非鐵幕外人士所能想像。

揠苗助長的「大躍進」

近半年來中共的所謂「大躍進」，在本質上完全是一種揠苗助長的措施，其中心目標無非在滿足毛的虛榮心，要在十五年內追上英國。

大躍進的第一項措施，是從去冬到今春，中共動員大陸上一億農民作一百天的水利工程。在這一百天中，農民被迫日夜輪班苦幹。據中共廣東省委書記趙紫陽最近在「紅旗」上所發表的一篇調查報告，農民「幾乎天天開夜班，甚至常常開到天明」，這種勞民的程度，爲古今中外所未見。

大躍進的第二項措施，是不斷修改其工業生產指標。如本年二月原定今年鋼鐵產量只有六二四萬八千噸，五月追加至七一〇萬噸，最近已追加爲一千萬噸，比去年實際產量增加將近一倍。而其明年度指標，更高達二千萬噸，比本年預計產量再增一倍。煤炭原訂本年生產量爲一億五千萬噸，六月追加爲一億八千萬噸，最近已提高至二億噸，比去年實際產量增加約百分之五十。其它生鐵、水泥、電力、機械工業等，其情形莫不如此。這種魔術式的躍進，其速度亦確爲各國工業化史上所未見。

但農工業生產皆必須有一定條件，有一定的程序，不可能隨心所欲，點石成金。中共究竟如何實現這一大躍進呢？毛澤東的錦囊妙計是「全黨辦工業、全民辦工業、鄉鄉辦工業、社社辦工業」。一聲號令，各地農業社即大搞小高爐、小煤窰、小水泥窰。據中共官方發表的公報，今年上半年各地已建成煉鐵爐一萬一千多座，小電站二萬多座，小水泥窰一萬多個，小煤窰八千多個，加上農業合作社所辦的工業單位，總數達三百多萬個。這些所謂「工廠」，絕大多數係以土法興建。照中共官方的報導，有的投資只數百元，從開工興建到投入生產費時只六、七天，實際上只是舊式的手作坊和打鐵店。而中共的所謂「大躍進」，便建築在這三百多萬個小作坊上面。

這些小作坊建成後，其實際情形又怎樣呢？綜合中共官方報導，有的是發現當地無燃料，只好停工生產，如貴州遵義，到七月底爲止，全縣已建成一一、一八九座小高爐，但當地缺乏燃料，如用木炭來煉鐵，一年後便要將全縣木材林燒光，因此不敢投入生產。南京到八月七日止，亦建了一百二十一座土高爐，大部份不出鐵水，原因普遍患了三項毛病：（一）爐缸凍結；（二）風口燒壞；（三）爐墻燒穿。因而大部份擱在那裏，形同虛設，造成人力物力的大浪費。

新農奴制度的形成

爲了支持「大躍進」，毛澤東的另一傑作是建立所謂「人民公社」，組織「工農兵勞動大軍」。據八月十八日「人民日報」的報導，近幾個月來中共已在河南推行一大規模的併社運動，將現有農業合作社，以鄉爲單位，從新組編，稱爲「人民公社」。最大的「公社」擁有社員二萬多戶，一般達八千戶至一萬戶，比原來的高級農業社要大十倍以上。這一併社運動將推展至其它地區，形成一九五六年農業集體化以來另一次重要的變革。

這一次「人民公社」的編組，除了實行鄉社合一，使行政單元與生產單元結合爲一外，其更重要意義有下列三項：

第一、是使農民「工人化」，逐步消滅農民階級。各地「人民公社」成立後，普遍設立公共食堂及托兒所，個別農戶已不再舉炊。以河南爲例，該省到八月十八日止，已建立公共食堂三十一萬多個，參加者佔全省總人口百分之七十一，遂寧已辦農村公共食堂一萬八千多處，托兒所七萬一千多處，青海農業區二十四萬多農戶，據說已全部參加公共食堂。由於膳食及兒童撫養的集體化，將進一步剷除農民的獨立性。

第二、是實現兵工農合一，奠定全國皆兵的基礎。在山西農村，中共已組織一支由三百六十六萬人組成的工農勞動大軍。這支勞動大軍係由全省十六週歲至五十週歲的男女農民組成。平時分批參加縣級以上的工廠礦山生產，並參加民兵訓練，戰時即可應召入伍。

第三、加強對農民勞力的搾取。「人民公社」及「勞動大軍」組成後，男女農民均須全體參加勞動，聽由中共統一調配。從此，不但無個人家庭生活之可言，而且必須終年勞動，日夜勞動，爲統治階層獻力賣命。

大陸人民的新災難

毛澤東這一新路綫的推行，除了滿足其狂妄的自大心理外，對大陸人民正帶來無窮的災難。

首先，大躍進運動必須大量的投資，中共對各階層人民的搾取，已抵達敲骨吸髓程度。近幾個月來其發展地方工業所需投資，全部由地方自籌，每一省自籌資金，超過人民幣一億，估計全國共刮取二十億元以上。各地集資過程中，普遍採取「三獻」運動，發動農民「獻金、獻力、獻器材」。經過過去八年的不斷抽剝，民間早已羅掘俱窮，因而最近的獻金，大多是出賣祖宗埋在地下的黃金白銀玉器首飾，遇老年人準備身後用的壽衣壽板，也被迫拿出來折價投資。廣東潮汕一帶，更全面開掘祖墳，其搜刮情形，爲中國有史以來所未有。

獻財之外還要獻力，去冬今春苦幹三個月水利工程後，接着又要搞春耕、夏收、秋收、秋種。今年秋收過後，中共所提出的水利建設規模，將比去冬今春更大。據去年十月到今年七月底的統計，大陸上完成的水利工程，其土石方總量達五百六十億公方。而在下一年度中，僅北方地區計劃完成的土石方量，即達八百六十多億公方。南方地區計劃完成三百億公方。即比上年增加將近一倍。這一千一百億公方的土石工程，按大陸一億精壯農民分配，每人須負担一千一百公方。如每人每天做十一公方，亦要做足一百日，其負担之重已不難想見。

在中共的暴力統治下，今天大陸的人民，眞正到了活不下去的地步。「大躍進」是一條鞭，「人民公社」則是一套鎖鍊。毛澤東正利用這條鞭和這套鎖鍊，來磨折大陸上哀哀無告的人民。（八月廿四日）

半週述評

金門砲戰

金廈地區的砲戰，已歷時一週，共方所發射的砲彈已在十萬發以上，這種延續性的轟擊，確表示出中共對台灣離島的侵略野心，且是其攻擊行動的第一回合。

在此緊張情勢下，除國軍認定中共之必然進犯，已作適當準備應付外；而在國際上卻流行兩種不同的看法：一是認爲中共此次的舉動，純爲政治作用，不敢大舉進攻；一是認爲台灣海峽之戰，是中國共間的事，與自由世界無關，他們可以置身事外，避免捲入漩渦，甚至還有主張放棄離島以換取「和平」的謬論。

就前一點說，他們以爲中共的目的，僅在聯合國的席位；只要在某些方面安撫一下，即可令其鳴金收兵。而忽視了共黨的特性。我們知道，政治上的敲詐，固是中共的企圖，但軍事的征服，尤是其基本的目的。一九五〇年的參加韓戰，說明他們是敢于進行軍事冒險的戰爭，犧牲的是大陸上的老百姓，消耗的是蘇聯的械彈，他們何樂不爲。至于後一點，西方國家更忽視了自由世界之不可分。在今天，有金馬存在，才有台澎存在，台澎存在，太平洋國家與整個自由世界才有安全。因此，我們必須重視金馬，並粉碎共黨的進犯。

美國的態度

金門砲戰聲中，美國除準備與國軍在台灣南部舉行聯合演習，並抽調第六艦隊艦艇以增援第七艦隊外；其對金馬的態度，還沒有肯定的表示。杜勒斯的聲明，艾森豪的談話，祗說明中共的威脅世界和平，美不放棄協助台灣的責任；對金馬等島嶼協防與否，則仍未有明確的表示。實是不明智的辦法。軍事行動可以保守秘密，讓敵人去猜，而重大的政策方針，卻應有明確堅定的標揭，以使友好國家與敵人有考慮的。一味含糊，是不妥當的。

而目前的情況是，美國既不明切宣佈協防金馬，以阻止共黨的砲擊，又不讓國軍進行報復性的反擊，以摧毀共方的機場與砲位。這樣下去，金門守軍祗有挨打，但長期挨打，總有挨不住吃不消的一天。因此我們覺得美國在目前如不願插手金馬之戰，就應放開國軍的雙手；否則就應明白宣佈和担負起協防離島的任務，以阻擊中共的挑釁進攻。不然不獨是國軍的損失，也是美國的損失。

援助流亡學生

在中共積極向台灣海峽進犯之際，大陸內部也發生了不少的問題，如西藏地區反抗的擴大和青年學生之大量向海外逃亡，即是其問題之一。

自學生方面說，近月來逃到香港一地的有數百人，日前簽名發表公開信的即有一百二十六人。此外已逃到新加坡或由其家長申請入境的亦共有八百餘人。今後一時期內當還有不少的青年學生逃出。此一現象，一方面說明了青年學生對自身前途有明智的抉擇，一方面證明了中共的欺騙宣傳與其奴役政策的破產。這是值得我們重視和關注的，因之對流亡者應予以同情的合理的安排，從而給尚未逃出者以精神上的鼓舞。

・金達凱・

彈五萬發與一個不承認

蘇共喉舌眞理報和消息報在中共炮轟金門五萬發的前夕，猛烈抨擊美國重申決不承認中共的那個備忘錄。這顯示了赫魯曉夫在美英大軍分別登陸貝魯特和安曼之後，匆匆走訪毛澤東於北平的陰謀，是與許多觀察家的看法相違的。論者以爲赫氏担心中共用兵，未免小看了共黨的冒險狂妄性格了。

莫斯科那兩份報紙指言聯合國沒有中共的份兒，什麼國際重大問題都解決不了，正好反映出蘇俄正在發動一項外交攻勢，企圖乘着冷戰忽呈緊急的時機，把北平政權拖進世界組織去。目前金馬情狀兇險，就是赤色外交配合軍事行動的必然發展，未因美國務卿之警告而有所改變。

然則共黨在軍事冒險上會有機會打破外交困局嗎？按當前越洲飛彈所造成的「均怖」大勢看來，這多半要看美國及自由世界若干國家對中共政權的態度如何而定。軍事評論家並沒有法子確定目前列強均勢是否已告破毀，但是未來大戰仍可以戰術性原子武器進行，打的一如既往之天愁地慘，用不着一下子便使用熱核子武器，像不少新武器是瘋狂病患者，包括哲學家，科學家和僞善者所設想的，把人類全部滅絕！因之，周恩來對美國此次重申不承認政策的聲明，迫而又撒一次謊，說中共對於華府的承認與否，從來不感興趣。如果不是撒謊，蘇俄報紙用不着利用台峽告急的突變，重彈中共非闖入聯合國不可的舊調了。

我們必須注意到這回聯合國大會特別會議召開前，美政府搶前一步宣布了「美國對中國人民的政策」的那個備忘錄，在自由世界都感到振奮之下。北平那份人民日報更是掩不住自卑感的慌亂，連忙放言中共區的人民壓根兒看不起美國。然則難道誘致施漢諾承認北平，還要他老遠跑到大陸去和周恩來發表聯合公報，聲言中共闖入聯合國的重要性，那畢竟是忙個什麼所爲何來？難道柬埔寨會比美國更體面，更威勢嗎？

美國的一擧一動，影響所及，太重大了。重申不承認中共之言，不但是道義上應有的事實表現，而且是實際政治上應有的道義行爲。

美國那份備忘錄發表後，深諳心理作戰的莫斯科並不正面立即有所反駁，因爲備忘錄所剖述的理由正是人同此心，無懈可擊。而在美國一部份人幻想中共狄托化的，也迫而押後一個時間，讓那些頌揚不承認政策者的歡呼聲浪靜下來，才又高唱不承認中共如何失策的調子。前美國布朗大學校長列斯頓著文於華盛頓郵報，竟又強調不承認會迫令中共倒向莫斯科的老調。此人是聾子嗎？毛澤東直到今天還不時聲明一面倒，並不是低聲說說罷了的。太晤時報在倫敦，也在列氏謬論發表後的第二天，表示西方必須重視中共前途，卻沒膽量發抒其多行不義的邏輯。這份報紙雖有地位，那番論調竟是世紀末的反映，把十九世紀末期所流行的頹廢情調重版於太空時代而已。這種失去了正義感的現實外交觀點太危險了。

當年史汀生主義不承認任何以武力造成的局面，與美國目前迄仍堅持不承認中共油暴力在遠東所造成的現實。其精神根本相同。

猶憶美國遠在一九三三年十一月十六日與莫斯科建立外交關係的換文中這樣說過：美蘇今後將爲相互的利益與保衛普遍的和平而進行合作。那一年美總統致蘇俄外交人民委員會的照會所稱的和平，而今安在？美國遲至二十五年前，才承認了蘇俄，比英國的承認，遲了九年。那時候的赤色兇勢怎能和今天明目張膽的情勢相比呢？一九二四年莫斯科致唐寧街的照會，特別宣布：「……建立友好關係……彼此不干涉對方的內政……」又說「尋求英國重新給予蘇俄信用貸款的途徑」。那時候，克里姆林宮還用不着傾覆的詭計以對付資本主義國家，其實也沒有那份本領與實力。現在呢，情勢大不相同了。英國人迄今似乎對此還未有所體驗；美國白宮當局早已有感于斯。故中共在金門的五萬發炮彈，遂不能把美國的不承認政策壓逼回去！

・衣華・

台灣建設近貌。慶光。

【台灣通訊】台灣的建設，年來藉運用美援已有若干進步。政府一方面極力輔導民間工業發展，一方面並從事於公共福利的若干重大設施，其中或已次第完成，或正在興建之中。如目前進行中東西部交通的橫貫公路，穿越海拔一千五百至三千公尺以上的崇山峻嶺，工程用費鉅浩大。年來政府在電力，水利，與橋樑方面的建設，亦有其顯著的成就。

就電力言，年來由於工業的發展，電力需要亦大為增加。據台電公司經理向省議會報告，政府完成第一個五年計劃前，自光復至現在，發電容量增加之快，在世界可算是空前的。目前發電容量為五八八、二○○瓩，最高負載量達四六○、○○○瓩。本年發電量預計約達二十億度，已為光復時八倍以上。本年會計年度中，預計廿四億四千萬度，其中百分之八十一為工業用電。雖然如此，電力發展仍不趕上一般工業的的發展。因此，台電當局于去年開始第二期四年計劃，預計在三年內完成水力及火力發電廠各一所，今後並將積極開發水力，預計在年內能建立一所中型原子發電所，以解決動力上的問題。

就水利言，台灣有遠東第一高壩之稱的石門水庫，位于桃園縣大嵙崁溪下流的石門峽谷，是一發電，給水及其他功用的多目標工程。自四十五年七月開工後，其中在正積極進行中，其中分為水庫、灌溉、防洪大壩、溢洪道、水廠、石門大圳、桃園大圳、導水隧道，石門大橋等十項主要工程，預定于民國五十年可全部完成。屆時積水成湖長達十七公里，可灌溉田畝五萬四千公頃，每年發電二億一千七百萬度，供應附近區七十萬居民和工業用水，並具有防洪的效果，三十四萬人民生命財產賴以保障。水，公共給水每日七千萬公升。全部工程總成本達七千九百萬美元，合台幣十九億六千二百四十二萬元之多，完成在日據時代所不能實現的一項重大建設。至于主持此一偉大工程的石門水庫建設委員會主任委員一職，則由前主委陳誠出長交院後，業務由政府另派選蔣夢麟氏繼任。

就橋樑言，橫跨淡水河的中興大橋，是連台北市與三重鎮兩地交通，全長一千○五十五公尺，寬十四點五公尺，載重標準為二十噸貨車，全橋六十孔均係預力混凝土樑，深水部份用沉箱及橋墩，淺水部份用排架及空心預力混凝土樁，這是第一次的最新設計，也是遠東第一座預力混凝土大橋。自四十五年十一月間開工，至全部完成，預定九月間可正式開放通車。（寄自台北）

外交團餞別葉公超

駐美大使葉公超使美返國，業已備走馬上任，台北十五個駐在國家的外交使節，曾在台北圓山大飯店舍聯合歡宴葉氏，致詞者均讚許葉氏使美，稱其在國際上可發揮長才。葉氏私言：將可能結束其九年來的光輝生活，回家重享其家庭溫暖。葉夫人九年來一直單槍匹馬的生活，此番當得到的情溫。惟以公言，金氏駐美，頗可以促進兩國邦交，葉氏於外交上當有更多機會為國效力也。（司馬芬）

寶島經緯線

△據悉政府當局決心整頓司法風氣，關於有關方面已經擬訂一項整飭方案，將逐步實施。關於整飭司法風氣，過去有人建議基本的改革是把司法行政部劃歸司法院，以免行政干涉司法。理由是：司法部如果不隸屬行政院而隸屬司法院，無論是在形式上以及實際上，都足以顯示司法的絕對獨立。若此，司法界的風氣當必大為改觀也。

△改變學制的「免試升學」，在教育部主持下之北部之新竹而高雄地區「試辦」強力推行，據說最近在高雄「觸礁」。高雄市初中因教室及經費的限制，將復採取「入學測驗」為名考試其實的老辦法，予以淘汰，仍兒有受「職業訓練」的，成績差的學生將只門進不去。事關百年樹人的教育大計，如此變臨此變生倉猝的幸學童叫苦。免試升學之

……長教部後，對免試升學，……仍滯於原來階段。（司馬芬）

周主席談省市縣中學

（今灣通訊）台灣省議會本月二十一日的教育質詢中，議員們提出數點意見：「有的縣市立中學不足以應付升學的需要」、「學校經費不足」、「教員待遇菲薄」等。省主席周至柔答覆時說明：省縣市立中學及省市立中學，有的省立中學已劃分學區，有的希望在省府協助下發展。其中有關教員問題的處理，現在省立中學教員，有的是由教育廳遴選，有的是由校長聘任。縣市立中學教員則由縣市政府核准聘任，校長多由教育廳委派，教員多由校長聘請，所以省縣市中學教員的來源大體不外：（一）學校向各方面延攬，（二）教育廳分發。至於各校教員是否合格，省教育廳有考核，因此教員的素質並無多大差別。省縣市中學經費，省立中學由省府撥給，縣市立中學由縣市政府負擔，均不能十分充裕，有時教員待遇亦較菲薄。

又因縣市財政困難，縣市立中學的發展受到限制，一部分學校設備差，教員資格也有不夠條件的，這種情形，周主席表示希望議員們諒解，並說省府當設法逐步改善。至於縣市立中學，如無特殊情形，並無撥歸省辦的必要，否則省方負擔增加，亦有欠公允了。（杜多）

台灣的木刻界
看了「天鵞湖月色」以後

（台灣通訊）木刻藝術在中國，原來就是一種新興藝術。其實，木刻的歷史，在中國已經悠久。所以這種藝術被提倡，最多可以稱「復活」，而不能叫做「新興」。

幾年來，我們在這裏又看到木刻界出版「反攻」等集，從事木刻的人大多數是從大陸流亡台灣的，雖曾遭受一時海角的兵燹，都能在困苦中堅持工作。「西望集」、「鳴秋木刻集」、「方向木刻選」、「戰鬥木刻集」、「木刻選集」、「青春之歌」、「春之原野」、「天鵞湖月色」、「美麗寶島」等，是作品中最出色的，都代表時代呼聲。「戰鬥」、「民族」的作品，從「美麗寶島」的朝氣，作品題材，都從「戰鬥」的現法，亦有如影畢精緻的工筆畫，每本各有特色。

雜分上下二集，不過出版以前所出版的，我們看過不少，介紹和評述文章，而且是「天鵞湖月色」最近陳其茂出版「天鵞湖月色」，雖本裝幀、印刷，都比以前所出的精美，無論為內容、版面嚴謹整潔，誠為一本好的木刻集。這本集子一共選了二十幅，都是陳其茂數年來所作的。他的作品有英國木刻家的風格，很有修養，作風很細緻，蘊味特色、富有詩意，張張都有情調，不過也有缺點，就是他的作品不够堅實有力。

晚近，幾幅刻作：「天鵞湖月色」、「水鄉」等是最好的作品，當然這些作品是他生活在台灣現實中寫出來的。刻界朋友們給他的好評很多，給我看了「天鵞湖月色」以後，想起台灣木刻界的前途，作家們都在忙於生活，只好業餘作畫。在這艱苦的環境中，能有這樣的成績，實在不易。這是一個問題，也是國家應該重視的問題。不過，我希望台灣木刻界，對於抗戰時期木刻家的宣傳力量，就可知道了。我們在戰時，木刻界可以說是一支尖兵，要希望我們的國家和政府，給木刻界一塊園地。（陸華）

反共乎？反俄國傀儡乎？
致周鯨文先生函
趙尺子。

鯨文吾兄：去年從港報上讀到你〔……〕，子壽兄老遠地跑來〔……〕如何見你取聯緊。後〔……〕菲律賓了，我以爲〔……〕路上去了，十分欣幸。本〔……〕和你通候的想法。本〔……〕是在中央日報上讀到〔……〕面談話，下午再由港〔……〕港時報）看到你招待〔……〕知道你已〔……〕打〔……〕

〔……〕我倆是三十一年的老友了，你的朋友介紹我……我們「自由」、「民主」立場的中國人……

〔……〕

事，你必清楚地記得：「九一八」之後，日本「參謀本部」（土肥原出面）搞出了「共存共榮會」，提倡「王道」、「協和」……，「滿洲國」的「建國」……日本進攻熱河時，「滿洲國」所指揮的，首先就是這些漢奸……

〔……〕

「所謂『日本』……所謂『滿洲國』……」；「所謂中國共產黨，乃是蘇維埃俄國……的所謂中華蘇維埃共和國……」

〔……〕

會中的認識，你在東北的學生中已不分黨派，曾有從前的經驗……

〔……〕

你一讀。我們寫十信五處號尺子。（八月十七日於台北……）

〔……〕（八月六日寄於台灣）

印尼擴軍何爲 會轉向西方嗎

華仁傑

火速的行動

印尼纔於八月十三日，同美國簽訂軍火秘協，首批軍火即於四十八小時之內獲得。這種快速行動，美國既不施於韓國，或中東的反共國家，竟僅見於傾向親共的印尼，使人們對於美國的外交政策感到驚訝。雖然印尼獲得美國軍事上供應，此爲五年來首次，事實上耶加達政府現在並非急需，犯不着用「環球霸王」機空運。當十五日拂曉之前兩架巨型航機抵達耶城之後，軍火即乘黑夜載往倉庫貯藏。那是不是誠如美方所稱：「僅限防衛用途的小型武器」？誰也無法知道。十九日畢杜加試驗場試驗火箭投射器之後，人們相信美國週日運供軍火，必非普通武器。此外尚有海上供應的，包括三百架軍車，以及火箭砲與機槍，將由日本橫濱軍港起運。

是否附政治條件

至於這次美國武器外運，是否附有政治條款，局外人不得而知。就印尼總理朱安達態度看來，除了美國派遣徵尼道的技術人員，指導武器使用之外，印尼陸軍派遣八名軍官赴美受訓——其中五名參加特種步兵科，餘爲工程、經理學科。那顯然不能與印尼和蘇聯交換條件比並——蘇聯、中共的技術和軍事參謀及戰鬥員，至少已有三百名滲入印尼軍中，數逾五百名印尼青年，正在鐵幕後面接受各項戰術訓練；一批米格機駕駛員，已自開羅學成歸來。印尼如此加速軍備，儘管無人重視，到底不是單爲防衛設計，也看不出對美國有何合作徵象。朱安達於十七日參加兩個重要節目，一爲獨立十三周年紀念；另一爲俄援米格機八架交接典禮。在後一節目中，會經發表了一篇充滿了火氣的演辭，聽衆不難意識到印尼在年來正悉力擴充軍力，而一支俄式空軍已經建立。

爲和平建設嗎？

假如印尼眞正爲了和平建設，固毋需增加軍費（明年度預算赤字達八十億盾），與積極搜購船隻。航業部長納齊爾最近訪問日本、東歐歸來，據說此行已訂購四十四艘艦隻，除十艘購自日本，其餘估總噸位八萬九千七百五十噸係向東歐交易，大部分可望本年內交貨。如所周知，印尼沒有海軍水師，是否能夠適應中央政府，誰也不敢保證。今年三月蘇中揭櫫革命之後，蘇加諾驅上國共合組的「解放西伊里安建設師」進攻已感力不從心；如果不是俄匪及中共戰鬥與參謀人員投注，武吉丁宜根本不易動搖。

美國的態度

因此，一支印尼海軍正在中共匪區訓練和裝備。然而，印尼對於上述的軍事計劃，似乎猶感不足，正向英國接洽購買軍火。英國對印尼態度，向來比較審慎，大西洋盟國對於應否同意美國建議：「對印尼以供售軍火爭取友好」。一度引起爭執，最後終達成協議。如此，英國殆將不理荷蘭要求「除非取得印尼放棄西新幾內亞衝突保證，不以軍火售與印尼。」同時，英國對印尼立場，及其政情，理解不夠明確，前任遠東陸軍總司令非士廷將軍，曾於今年六月間訪問印尼陸軍首長，許下諾言，說英國願意派遣一組專家，助印尼訓練陸軍軍官；並邀芮蘇賢赴英，作技術上談判。非士廷雖非官式訪問，在印尼官方人士心目中，如非負有特殊使命，不會輕率許諾。然而，這位自信熟諳遠東情勢的退休將軍，對印尼政情顯然不夠了解。他所知道的芮蘇賢，是三年前的芮蘇賢。三年前，非士廷同人們一樣，知道芮蘇賢曾圖把蘇加諾打下台；殊不知三年來的演變，芮蘇賢儘管仍任陸軍參謀長，不僅權力已被蘇加諾剝奪殆盡，而他的生命都朝不保夕。現在英國寄望於芮氏赴英，從事軍事合作談判，不啻癡人說夢。

天眞的想法

印尼局勢今後如何演變，雖言之過早，但是可以斷言，除非中央政府垮台——建立獨立自由政權，決不會傾向西方；獨立紀念之日，蘇加諾發表廣播演說，重複強調他的「指導民主」以替代「自由寬大」政制。美英爭取向印尼示惠，只會助長國際共黨氣燄，增進東南亞顚覆危機。如果蘇加諾演辭出自由衷，當可斷言：共黨顚覆印尼目的已告實現，只待培養充份軍力，清除各省畔換勢力，並進一步取得西新幾內亞，一個統一獨裁的極權共產政權，即刻在耶加達出現。此時西方所謂爭取印尼「友好合作」，未免太過天眞吧！（八月廿一日寄自耶城）

寮國政變的遠因近果

‧風行譯‧

在伊拉克政變後不久，世人正注意中東局勢之際，據悉寮國醞釀了一次政變，但終被遏抑。據通常消息靈通人士稱：寮國一友邦情報人員，發現此事。據悉此係新寮政黨即以前稱巴柴（pathet）寮國抗敵運動（即係寮共）所策動，因他們獲悉未來政府改組，他們將被擯逐出政府。

寮國政權的分裂

自一九五四年七月日內瓦協定之後，寮國政權分裂。事緣與北越接壤的豐莎里省及桑怒省，係在巴柴寮統治之下。日內瓦協定第十四條簡單的說：『巴柴寮作戰部隊退入豐沙里與桑怒兩省，以待政局之變化。』由於該條款的解釋各有不同，引起寮國的內政和外交的困難，三年來極端尖銳化。根據一九四九年七月十九日的總條約，法國給予寮國獨立之程度，似乎已滿足當時寮國的國家黨（又名進步黨）的大多數黨員。當時該黨領導武裝部隊對抗法國，自此以後該黨便解散，大多數領袖人物參加政府。但其中若干黨員拒絕參加，而在蘇發那旺親王及柏薩拉親王領導之下，成爲巴柴寮抗敵運動。獲得越共即「越盟」之支持，以武裝對抗皇室政府。蘇發那旺親王成立『寮國解放委員會』，目的在，與越南及東埔寨『抗敵運動』合作，去對抗法國殖民地主義，並自製國旗及國歌。至一九五〇年八月，此『寮國解放委員會』改變爲『寮國抗敵政府』。

「寮國抗敵聯合陣線」

基於共黨的典型作風，它成立一過渡變形時期的環帶，採取民族解放陣線形式，定名爲『寮國抗敵聯合陣線』。於是開始建立寮國解放軍。該年成立第一隊，此時人數不過數千。到了一九五一年三月，與越南共產黨運動迅速發展相呼應。他們成立『越南、老撾、東埔寨人民聯會委員會』，正合其初衷成立聯合陣線。（參看麥柯姆堅尼第之『亞洲共產黨』一書）

爲了展開共產黨在東南亞的野心活動，在一九五三年越盟于進攻寮國時，廣播宣稱：越南『人民』，有解放寮國與東埔寨之使命。並將與越南聯合。此次進攻雖被擊退，但共產黨已獲得立足地。使『巴柴寮抗敵政府』成立於豐沙里與桑怒兩省。次年訂立日內瓦條約，因此而感到棘手。

越盟與「巴柴寮」

然而巴柴寮在一九五四年承認寮國皇室政府。在原則上政府統治豐沙里及桑怒兩省。然而實際上，政府官員無法在該區行使職權。此『未經解放之』寮國，繼續受軍事上的騷擾。在一九五五年十一月十一日，寮國外交部長宣稱：『越盟派遣其政工人員及軍事幹部，到巴柴寮共軍區。此等軍隊接受越南共產黨的軍火與糧食供給。他指責胡志明之北越政府違背其在一九五五年四月，在萬隆亞洲與非洲會議許下之諾言，即不干涉寮國內政。在一九五五年十二月的選擧，自然是那十省在國家黨政府的管理下，而桑怒及豐沙里兩省，繼續受巴柴寮共黨操縱。

最後，國家黨政府經過三年不斷的努力，終於在一九五七——五八年的多天，達成一協定，將桑怒與豐沙里省併歸政府管理。但條件是相當的辣：（一）巴柴寮國領袖中兩人，在政府中任部長職。（二）『解放軍』之士兵編入寮國陸軍中。（三）巴柴寮共之幹部編入國家政府機關服務。

七月間政變的種子

因此，我們可以說七月間策劃的政變，其種子是在上述歸併時早已撒下了。假如沒有友邦情報人員的警告，此次政變很快便成功。幸而在先獲得情報，寮國之陸軍提高警覺，及時將巴柴寮共之幹部人員剷除。

正當伊拉克及黎巴嫩騷亂之際，寮共的陰謀更爲凶險。世界人士幾乎完全注意到中東。

東南亞受威脅甚于中東

目前東南亞國家，無不受共產黨的威脅。在該區域國家之獨立，特別是被中共所威脅。越共成了工具。傾覆蠶食了緬甸、泰國、東埔寨、寮國、南越、馬來亞的生機。他們的統治者有覺悟者亦有不覺悟者。傾覆之爲害比公開進攻還較厲害，而腐蝕得較深。最可悲的，是共產黨不必在中東及他處發動戰爭，便能在東南亞獲滿足其野心。阿剌伯民族主義，無論如何的含混不清，但很強烈以致其心靈上的眞空，不被共產主義所塡充。但在這動盪的該區爆炸性的局勢，正好給共產黨利用。共產黨志在『解放』某些區域，這是人所熟知，不必贅論。然而共產黨的戰略是不難給人看穿的。立蓬爾赫德曾詳論他所謂迂迴進攻的戰略：：共產黨外表雖然注意中東，但其目的似乎還是在東南亞。這一區域的危機是永恒的。但日常不爲人所注意。但東南亞，很少有像這樣的抵抗因素。

看赫毛之會

既有這樣的關係，對於寮國的企圖政變，必須予以注意，最近赫魯曉夫和毛澤東的會談，更爲陰險。爲什麼二人會相會呢？可能是劃分勢力範圍和對東南亞戰略的籌劃。試看赫毛的聯合公報說：『雙方重申人民有權選擇他們自己社會與政治的制度。這是應受尊重的。各社會制度不同的國家，必須和平共處而依照國際普遍接納的著名的五項原則。』共產黨自有其一套冠冕堂皇的解說，非共產主義者不難將其眞意識穿。另一段，可以再窺察其陰謀行動，隱約在字裏行間，呼之欲出。該段原文說：『雙方對於面對兩國的一連串主要問題，在亞洲的與歐洲的，與目前國際的局勢，互相交換意見，在反侵略與保障和平的採取的辦法，達成一致的意見。』赫毛二酋的會談的——最低限度透露了一部份——還會令人懷疑麼？（譯自八月十六日新德里「思潮週刊」。）

竹幕秘

聯合起來反對「挨打戰略」！

。田心。

有關于台灣問題者，中共與蘇聯間有着如下的歧見：一、中共堅決的反對兩個中國，蘇聯在基本上也反對兩個中國，但反對中共的過火行動。二、中共要求在聯合國中取國府的地位而代之，蘇聯在這次赫毛會談節則主張以印度代國府在聯合國中的地位。三、中共認爲蘇聯某些對外行動過份軟弱，雖然認爲國際間的糾紛要以談判來解決，但必須是盡一切方法來爭取，不是祈求，因此必須有戰爭的準備，要作盡可能的有力還擊；說得明白一點，這種爭取和平政策就等于美國的戰爭邊緣政策。這些歧見，于七月底毛赫會談以前的幾天表現得最顯著；雖經中共在人民日報社論中警告，或者還有暗中的抗議，蘇聯並不理睬。

七月二十九日，中共空軍擊落國府飛機兩架，這是這次中共在台灣海峽的軍事行動的開端，此事一方面固然是對美國與國府的警告，另一方面，中共挑選這樣的日子，來開始襲擊，在我的看法，以大戰來威脅蘇聯的意義更爲重大。

七月三十一日，赫魯曉夫到北平與毛澤東舉行談判；從赫氏回莫斯科後的一連串行動看來，前述三項歧見蘇聯似已改變了態度，轉而以中共的意見爲意見，這些當可能是赫毛會談的結果。在以後的一段時間中，中共在台灣海峽的軍事行動曾經緩和過一些時間。

但是，事情竟出乎吾人意料，蘇聯對於執行赫毛會談的協議，並不戮力。最顯著的一點，當是蘇聯代表團對于中共加入聯合國的提議，雖然在形式上做了兩次，但一經西方反對，即不再提，較之吾人之預期的蘇聯對於此事的態度有一段距離。因此，我們又懷疑到蘇聯在事後的行動上是否在堅決執行赫毛協議。

聯大特別會議閉幕以後，中共對於蘇聯的毀約似已明白，於是，其在台灣海峽的軍事行動又轉趨激烈，從前述的發展來看，中共所以如此做，多半又是在威脅蘇聯。這是我對于中共在台灣海峽製造緊張局勢的看法；至于中共有不顧掀起大戰來攻擊台灣的說法，始終不信。至此我們要說到國府方面應付中共的戰略了。情報早已說明中共空軍進駐福建的某些基地，海軍亦南下，陸軍已集中，其對于距離大陸海岸甚近的沿海島嶼具有嚴重威脅性是無疑問的。最近幾次空戰海戰炮戰已經說明國府所堅守的是「挨打戰略」。

若單純從軍事方面來說，破壞基地是對敵作戰毀滅對方軍力的最基本的行動，爲什麼不從這方面着手？

據說這種「挨打戰略」的制訂者是美國，其理由是恐怕「落入中共的圈套」。這是什麼圈套？若美國政府確有這種想法，我們有要求其作進一步說明的必要。

美國官方亦已多次認定；中共是不敢于掀起大戰的；那麼讓國府還擊，當也不致于掀起大戰。美國總統艾森豪曾在出兵黎巴嫩時節，公開說明是冒着大戰危險的，那末，就算有掀起大戰的危險吧，也不該有所恐懼；難道說在中東引起的大戰與台灣海峽所引起的大戰有別？我們不竟要發生這樣的懷疑：是不是在中東有着美國的石油利益而不惜大戰，在台灣海峽沒有這種利益而躊躇不前？

美國國務卿杜勒斯多次聲明，他的對共的基本政策是戰爭邊緣政策，但在台灣海峽現在所執行的却反映不出這種政策的意味，我們只覺得他是在縱容與避讓。對於侵略者縱容與避讓，誰都均知：只有增加其氣燄更張。若美國政府認爲這樣做可以擴大中共蘇聯間的矛盾，從而可以導致中共的狄托化，這是荒謬絕倫的想法。因爲蘇聯所怕的是導致大戰，並不是怕中共對外擴張，現既無大戰的決心，蘇聯何懼之有？他們的矛盾又如何能擴大？

不管從任何角度來看，當中共陸海空軍力量已經毫無顧忌的施之于金門馬祖時節，再抱住那個過了時的「挨打戰略」不放，是最愚蠢的。

爲此，我們向具有同一反共立場的海內外文化工作者呼籲：要一致爲反對這種不合理的「挨打戰略」而抗議與鬥爭，這是已刻不容緩的了。

國際動態拾零

△艾克不願派更多軍隊及坦克與重武器運送黎巴嫩，因爲看清楚那邊並沒有戰爭。惟陸軍方面主張有備無患，須人數裝備足夠成爲單獨作戰單位纔放心。

△美國之音，得到命令，不許發佈赫魯曉夫聽從毛澤東意見，故放棄高峯會議之消息。政策主持人深恐以此促成亞洲各國跳上毛澤東列車。

△本年美國國會選擧，杜魯門將在大城市作十數次演說，以幫助民主黨的競選。惟在外交政策上，不攻擊政府，而輕輕放過，在內政上盡量批評竭力攻擊云。

下年度美國軍事預算，將從人力方面削減二十萬人：三軍合計共爲二百四十萬人。國會投票，給與較軍事當局所要求更多之款，就是希望其不再減削人力之故。

△鸚鵡螺號潛水艇，行駛北極，艾總統事先保持極端秘密。其白宮辦了人員，僅有三人預聞：即新聞官哈格第，與軍事秘書，及海軍助理秘書是。

△美國決繼續與伊拉克以經濟援助，不久即將發表。惟軍事援助，則暫時停止。

△美陸軍悉改其裝備爲現代武器一案，國防部已將批准。大概將從一九六〇年開始，期在五年完成，預算爲一百五十億元。

‧陶然‧

自由談

錯亂的語意

馬五先生

毛共賊軍最近向金門、馬祖進犯，台灣方面的中華民國政府文武官員發表談話，皆指說毛共爲「挑釁」行爲，這與今日尙說「朱毛匪幫」的語意，有異曲同工之陋！

挑釁云者，蓋具有「人不犯我，我不犯人」的涵義也。毛共對中華民國，乃係觸犯內亂，兼外患罪的叛徒，所以，政府卅年來對毛共的軍事征討工作，皆說是「戡亂」「剿匪」，而國軍今後樓船橫海，反攻大陸，亦係弔民伐罪的討賊舉動。這並非鑽牛角尖的觀念，實爲中華民國政府應有的立場，如果我們否定國際間所謂「兩個中國」之說，這種立場尤其必須堅持固執，方足以杜塞姑息主義者的口實。毛共經常宣傳它要「解放台灣」，而不用「進攻」或「佔領」的詞句，亦是基於它的政治立場而然。因此，今日中華民國政府要員以及宣傳機構，對於毛共賊軍之騷擾金、馬，祇能斥其爲騷動進犯，却不宜指爲「挑釁」。國軍一旦準備完成，時機到來，即使毛共俯首乞和，亦非討伐不可的。此係常識性的理論，爲甚末大家昧然不察，竟發出失態的言談呢？

據說，現在自由中國官方宣傳文字依舊使用「朱毛匪幫」這一名詞，就是要保持過去一貫的政治理念，以正視聽。既然對於這類小節亦不肯揚棄其固有的意識，顧何以對於關係中華民國立場的犖犖大節，又漫不經心，隨便放棄呢？見小而遺大，適該「端架子」的地方，妄自菲薄，不必計較的問題，却刻意沾滯，罔顧現實，何其不思之甚也？

美國第七艦隊若指毛共騷擾台灣海峽爲「挑釁」行爲，予以迎頭痛擊，那是對的，中華民國政府的立場既視毛共爲亂黨叛徒，即不能作同樣的說法。

這點語意學的淺明原理，希望大家留意及之罷！

七夕雜感

。楊樺。

七夕，是一個充滿了浪漫氣息的神話節日，多少年來，一直保持它的傳奇性。

尤其是婦女們，逢到這一天，在眉月一彎，星河皎皎的夜晚，於庭苑中供奉瓜菓，點燭焚香，禮拜雙星，有所謂「乞巧」的迷信玩意，更還添不少神秘氣氛。

神話的傳說大概是如此的：天河的東邊，有一個織女星，她是天帝的孫女，名叫「天孫」，生得非常美麗，聰明；她專任天宮織錦的工作，平時勤奮，天帝很愛她，就將她許配了河西的牽牛星爲妻。牽牛星又名牛郎，是管理耕種工作的。本來他倆的結合是很美滿的，誰知他們結婚後，這一對小夫婦，因爲兩情纏綿，耽於愛情生活，竟將本身的職務荒廢了；因此引起了天帝的震怒，罰他倆仍舊一個居住河東，一個居住河西，只許每年七月七日會晤一次；從此，迢迢銀漢，便隔絕了這對情愛方濃的織女和牛郎。又說：這天河上是沒有橋樑通往來的，每逢七夕，便有許多喜鵲飛來，搭成一道橋，讓織女牛郎可以渡河相會。

孩提時，偎依在大人們的身旁，聽着他們述說這荒誕而美麗的神話時，便有一種信以爲眞的想法，於是，顧不得脖子的酸累，眼睛的吃力，仰着頭顱，圓睜着眼睛，久久凝視着天上的銀河，希望能看到好心的喜鵲，來爲牛郎織女搭橋，好讓他們相會，但往往因爲沒有達到這一希望，而執拗着直至深夜還不肯去睡。

當我年青的時候，剛開始懂得了愛情，我有着狂熱，盲目崇拜愛情的觀念；那時，我對那富於浪漫的，悲劇性的神話，竟深深地受着它的感動。我同情牛郎和織女的痛苦的命運和遭遇，我厭惡天帝對牛郎織女的處罰，那是兇狠違背情理的行爲；同時，我又懷疑牛郎和織女爲什麼甘於忍受這不公平，不合理的處罰？爲什麼他們不想辦法來爭取他們的愛情生活？

如今，我已成爲幾個孩子的大人了，當孩子們圍繞着聽我述說牛郎織女的神話，向我發出一連串天眞的問題時，便不禁想起了我童年時的愚蠢的希望，和青年時的幼稚可笑的念頭。雖然，我已經領悟到這不過是一個富有農業社會傳統思想的，教育性的神話罷了，然而，我了解孩子們也跟我過去一樣，有着同樣的希望和幻想，我又何必同他們灌輸那些教條式的大道理，而剝削掉他們的美麗，天眞的希望和幻想的樂趣呢。

在台灣，似乎很少見到「乞巧」這類玩意，代替的只不過是極普通的拜拜而已，大大沖淡了對七夕節日的神奇，迷信意味。倒是人間許多因戰亂夫妻折散了的人們，逢到七夕，天上牛郎織女相會的這一天，便會更加倍的懷念沉淪在大陸上的丈夫或妻子，心頭有着說不出的沉痛、辛酸。

名家與抄襲

陸夢墨

文藝創作，固需獨具匠心，然也有增飾別人作品而爲之作者，但是「抄」亦有道，上焉者偷其勢，下焉者偷其句，某文學理論家曾說：：「我們不必唱高調輕視模倣，古今大藝術家，據我所知，沒有不經過模倣階段，第一步模倣，可得規模法度，第二步才能集合諸家的長處，加以變化，造成自家所特有的風格。」這第一步的倣模，就是偷勢，每一個作家所不能免的。但是偷人的句子，就有點太那個了，難免爲論者所譏。

近讀蘇曼殊詩集，發現其「燕巖瀑布高千尺，未及卿卿愛我情」則是脫胎李白「桃花潭水深千尺，不及汪倫送我情」的句子，又讀蘇詩：「來飲金莖露。」袁子才亦是「滿腹金莖仙露冷」之句。古詩十九首中有「思君令人老，歲月忽已晚。」在詩中也有「日日思卿令人老，孤窗無那正黃昏。」就更明顯了。

但增飾，剽竊，古所難免，王安石的「京口瓜洲一水間，鍾山只隔數重山，春風又綠江南岸，明日何時送我還。」世傳荊公作此詩時，于「春風又綠江南岸」的綠字，曾大加推敲，因此後世詩人皆認爲名句。殊不知李白亦有「春風已綠瀛洲草」的句子，與王詩意境相同。我想博學多覽如王荊公者，大概不會沒讀過李白的詩。

曹雪芹的紅樓夢，我約略記得在金陵十二釵中，襲人的本命詩有「千古艱難惟一死，傷心豈獨息夫人。」之句。但近讀清鄧漢儀的詩句：「楚宮慵掃黛眉新，只自無言對暮春，千古艱難惟一死，傷心豈獨息夫人」兩句一字不差，我想總不會是偶然雷同。鄧漢儀字孝威，是清時騷雅領袖。爲康熙時人，考據家只要與曹的時代一對，便辨眞僞。

在郁達夫的選集中，我見到于右任先生一首詩：「風虎雲龍也偶然，欺人青史話連篇，中原代有英雄出，各苦生民數十年。」寫意不凡，寥寥幾個字，道盡宦海眞僞，爲文人本色。清朝趙翼的論詩：「李杜詩篇萬口傳，至今已覺不新鮮，江山代有才人出，各領風騷數百年。」于老先生後兩句雖與趙翼句子只數字之差，但確有獨到之處，氣魄自是不凡。

詠梅詩最有名的句子，就是林和靖的「疏影橫斜水清淺，暗香浮動月黃昏。」可是五代的江爲之有過：「竹影橫斜水清淺，桂香浮動月黃昏。」而林逋只改「竹」爲「疏」「桂」爲「暗」，便成千古絕唱。可見增改套用別人句子，雖名家亦不能免。大概在開始的時候想偷其勢，但是越琢磨，越不像，乾脆就是幾個字或者是整段套上算了。文人大抵若懶，我想這也是懶的一種吧！

千古文章一大抄，豈其然乎？

謝蘊明歲寒集序

。蘇文擢。

士生而席豐履厚，曾無風霜冰雪之氣，以滌蕩其襟靈，即有所成，去凡品不遠。惟夫計窮力屈，困于心，衡于慮，而德慧術智生焉；故蘊而爲操持，發而爲吟諷，其詩文皆足自振拔，不與古今流俗苟同者，蓋其有得而然也。

余與蘊明少同閭，長同學，壯同仕，其困于旅食，困於干戈，流離顚沛，亦無不同行。年三十，足跡遍黃河大江，北逾沙漠，南涉沅湘，其後以兵禍抵羊城，隨政府東渡，予以九死投荒海外，卒卒無班荊之暇。蘊明挈妻孥，彼此窮困逾時，中年哀樂，計未有相知如吾二人者。

丙申冬，蘊明自台抵書來，則求序其詩文集。予知蘊明詩文無一字不從窮困中來者，而艱難閱歷，其行益堅，其作彌厲，而其志蓋愈著矣。士君子懷抱利器，不克彌綸宙合，或强躍駿之軀，不幸而以咕嗶蓬累於塞隔中；此其遇不遇，蓋有時而顚跌摧頓，凡以澡雪精神磨鍊見英雄者，又烏能以此而易彼也。

猶記民三十六年秋，于役膠萊，一夕，萬籟無聲，予起步田野間，蘊明亦以巡省斥堠歸來，星光照人，微霜在甲，因相與談用兵成敗，時臧否人物，蒼茫四顧，慨然有攬轡澄清之心，今幾日耳，而精悍之色，徒復流露於毫芒罅隙間，天將老其才而後用之歟？抑將勉爲騷人以終老異鄉也，予雖未及窺全豹，竊幸故人卓然有以自立，曾不以生事煎迫一犯其慮，若長松長育於塞冱之中，雞鳴於風雨如晦之夕，當不爲柔媚取容，啁啾悅耳，從可知也。

嗚呼！歲寒松柏，至老彌堅。天半雲霞，榮情易極。異時策馬中原，倚盾鼻，讀君詩，不亦人生一快事哉！蘊明其有以自豪矣。丙申冬至，蘇文擢序於香江

談趣

尤崇洵

普天之下有趣的事非常多。而事實上，有趣之事一定要有，否則人人脾胃失調，消化不良，對人類健康大有妨害。

講有趣話，作有趣事，看有趣書等皆以討趣爲目的。有趣的有力證明便是笑，或哈哈大笑，或莞爾一笑，或嘻之一笑等。然而這些有趣話，有趣事、有趣書，當在當有的場合出現，所謂「亦諧亦莊」，畢竟是「諧」於所當「諧」，「莊」於所當「莊」。

至若棺材舖子旁邊有大禮堂，專爲人們作喜慶大事；酒綠燈紅場所有和尚尼姑在……雖亦有趣，但總不合乎「趣道」。

這還無所謂，因爲見了，還是油然而生有趣之感，總還是笑。令人哭笑不得的事，倒眞是絕事，即所謂「把肉麻當有趣」者是。

髣髴古時祭祀有所謂「尸」，因爲「孝子之祭不見親之情象，心無所繫」，所以把好端端的人當作「尸」，而後尸改用畫像替代了，而今尸許是消滅了。關於尸，因爲和孝字有大關係，所以一點不覺有趣，一絲也不發笑。而且那是故事，所以我們也不必討論了。

現在呢？也有好端端的人，不知是自己封的還是別人給的，叫起「文化人」來了；初不甚解其意，及後細細揣摩，似頗有心得，歸納之可得二：

一、「有文化之人」。即有學問的人。

二、「發揚文化之人」，即文藝工作者之類的。

「文化人」似爲「文人」所獨霸，因「文化人」與「文人」大同小異，八百年前是一家之故。至若「哲學家」「科學家」等，雖爲文化門士，却作不得「人」，分不到什麼榮耀了。

但事實上，文化係點滴之累積，因此，若論功行賞，古今中外人人皆「文化人」，故「文化人」即是「人」，用不着加上「文化」二字。如要把文藝工作者等封一個號，倒不如用現成的已很醒目新鮮的「文人」「文士」「學者」等。「文化人」頗有點令人有趣之感。

上校與侍者

短篇小說

。陳暮天。

的確，他有資格趕緊成家，我也沒有理由不嫁給他。他是個好人，他幫助我同母親到了台灣，給我找了待遇優厚的工作。他有地位——上校，存錢雖不多，却足夠使我同母親生活得很好，年齡也不大，還未超過四十歲；人長得雖不漂亮，但總是個男人。母親很早默許了。過去我也滿意，而如今——

這是前天晚上的事。

是週末，獻南來家裏吃晚飯。飯後，月亮美得使人會聯想起「情人」的眼睛。獻南好似有決心在今晚要向我說些什麼似的。我懶懶地望着夜空裏的星星與那月亮。風也懶懶地，微微的清涼使人感到在這樣的夜裏，沒有愛情是殺風景的事情。他約我出去散步，當然，我沒理由反對。

出來，沿着去碧潭的馬路，在樹影下我們輕輕地走着，我無言，心裏似乎期待他的手會挽着我的腰。在這種情調裏，他要向我提出些什麼，我是無力拒絕的，但是他並沒有挽着我。

「嗯！今天晚上月亮很好是不！」他說。

「怎麼？你是不是想作詩？」我有點惱恨他這庸俗的詞句。

「我！我不會！」他想不到我會這樣回答他，訥訥地回答。

又是沉默。

沉默裏，我似乎感到這樣的夜裏，假使就這樣的消蝕下去，未免辜負這月色，身邊有疾馳的汽車飛過去，車燈照亮了平坦的路面，我望見前面有一個孤獨的人影子。

馬路旁邊，是一座座的小洋房。亮着的窗子裏，透出異國人宏亮的歌聲，我知道這附近是「外賓」的宿舍。那個老軍士長曾提起他們都在這附近住。

後面，有汽車燈照過來，我們閃在路旁，可是汽車却停在我身邊。車門打開了，藉着月光，我見跳下來的是一個異國人。

他突然地跳過來，抓着我的臂。有力的肩頭，撞了獻南一下，他不自主地讓到一邊，我聞到濃烈的酒氣，藉着月色，驚怯裏發覺是那個穿粉紅港衫的外國人。

「哈囉！密斯鄧！想不到在這裏遇見你！」

我苦笑着打了招呼，突然車子裏又跳出一個高大的影子，我希望是老軍士長，抑是那個曾解過我圍的少校，但不是！

「哈囉！讓我們去跳舞，」說着他嘴裏就哼着「曼波」身子也擺動起來，車子又跳出來的一個在大聲吼叫着拍着巴掌，百忙中，我望見車子裏有個濃艷的中國女郎。

附近已圍上一圈人，有人在罵！可能在罵我，有人在笑。我望見獻南同那兩個醉鬼指手跳脚的解說，但是，同喝酒的「野人」講理是不容易的事，況且他的英語是課本式的，今晚又沒有穿軍衣。那個外國人就要拉着我上車子。我叫，解說等於零，酒氣噴過來使我想吐。獻南急了，拉着那外國人。突然，那外國人給了他一拳。他的眼鏡丟了。

週圍的人吼叫起來了，但沒有人進來。突然一個藍色的影子衝進來，俯俯的個子是那孩子，一句話不講，手裏拿一塊石頭，對着拉我的外國人的頭上一下，我眼看着他倒了下去，血由他的頭上流下來，我覺得眼前滿是紅色，最後——

這不是夢，第三天星期一上班時候，老軍士長向我道歉，那少校也來向我解說，但，我由窗子望出去，沒有見到藍色的影子。少校告訴我他在醫院裏。

下班時，獻南來了，他抱歉禮拜日沒去看我，他去處理週末晚上那件事情。他說，是個年青人用石頭打破了那外國人的頭，另一個外國人同那孩子打了一架，那孩子吃了很大的虧，現在仍在醫院。

我奇怪，爲什麼那孩子不是獻南，國家的上校，他竟沒有勇氣，而那孩子？一個Boy。

但，他並不比上校差，他可能懂得的英文比獻南多？而且，更有一顆不自卑的心？（三）完

自由人

THE FREEMAN

（第七八二期）

中華郵政登記認為第一類新聞紙類

每份港幣壹毫

台北市售價新台幣伍角

地址：香港高士威道廿二號四樓　20 CAUSEWAY RD. 3RD. FL. HONG KONG　TEL. 771726

共產黨為社會主義之敵

一、共產黨的自由，民主，社會主義者之涵義

毛以亨

共產黨所稱之自由，民主，社會主義，其詞雖與我們所能者相同，然其涵義是絕對相反的。此種冒牌作用，祇能欺外行人，而不能欺專家。然而究竟專家少而外行人多，其所用冒牌手段，是有收獲的；至少可以製造混亂心理，甚至自眩其說之新穎，而認為我們尚不如他們的。有人認為民主集權，比舊式民主為好，而混在民主運動陣營中，這類人正復不少。

共產黨謂我們所稱的自由，雖一切皆依法律，然而法律是用以保護資產階級。所以這是資產階級的自由，正是無產階級所應反對的。無產階級在現階段須專政，以國家打倒資產階級，而消滅國家。等到這國家都消滅了，全體人民都是無產階級，而不受任何干涉，豈非絕對的自由？其說之謬：第一共產黨所需要的，是將來的自由，而現在是專政即不自由；第二共產黨最近趨勢，對國家力量，不會消滅，而祇有加強，不過統治者，不復為君主與議會，乃是共產黨人而已；第三所謂法律與自由，祇為保護資產階級而設，亦為謊話，現代之大部分立法，十九世紀有全部勞動法，二十世紀有失業保險與福利制度，皆為無產階級，而於資產階級無利益可言的。

共產黨以民主為資產階級所包辦，而祇有民主集權，始合于民主精神。但民主與自由，現在均非徒托所謂精神之空言，已經制度化了。所謂民主制度，是普選議會總統，而多數票均在無產階級中手。共產黨之民主集權，由黨來專政，是謂集權，以少數人之集團統治，是謂民主。民主集權一稱為一黨專政，而專政制度，恰恰與我們所稱的民主制度相反。甚至其所稱少數人集體統治之民主集權，亦是謊話，而終歸結于黨領袖之一人統治。

世界上混黑為白，指鹿為馬之伎倆，至共產黨已登峯造極了。其方法係濫用黑格爾之辯證法，而正負相混，但自數理邏輯發展以後，正負之值分明，即多值論亦以正負兩值為基本，辯證法已站不住。此涉及專門學問，姑置不談。共產黨所自命之為自由與民主，因為自由民主制度已建立了百餘年，所以大家都知道他們是另一套。而其冒牌手段，祇有在自由民主落後之國家，發生一部分作用。惟共產黨自稱為惟一社會主義者，其他皆是假的，則西方國家，仍有多人惑于其說者。乃不得不申述理由，以明辨之。

二、共產黨取消了社會主義者之既得成果

十九世紀社會主義者運動所得的成果，為一部勞工法。如罷工自由，八小時工作制，由工會主動，以國家為仲裁人，與資方訂立之集體契約，以及最低限度之工資等等。不料勞工法規上種種規定，現在祇有在資本主義國家尚能保存，而在共產國家則概被取消。凡社會主義者所珍視者，共產黨人概與以否定，而且強顏冒牌地來說，你們都是假的社會主義者，我們纔是真的社會主義者呢。

罷工自由沒有了，罷工被認為違反國家利益，於是變相之強迫奴工制出現，此豈社會主義者所能容忍？工會屬于國家，祇聽國家命令，不復為工人自己的機關。其視英國人以教會與工會，同為國家多元主權之所寄，而非國家所能干涉，相去何啻天淵？工人本身之自由權，與工會之自治權，皆為社會主義者所視之為基本條件。而共產國家與剝奪，則共產主義與社會主義之不能並容而陷于極端矛盾可知。共產黨為社會主義者之唯一敵人，我們今日祇有向共產黨抗議道，「還我社會主義」，纔是正着。

三、社會主義者應另訂理論體系

然共產黨為唯一社會主義者之說，仍有許多人信之不疑。此蓋兩者同源於馬克思主義之故。如說我是社會主義者，然非馬克思主義者，即不為歐洲社會主義者傳統精神之所許。提倡社會主義而不放棄民主制度之張君勱先生，亦以馬克思主義為社會主義之最完備而集大成者。英工黨創始者韋伯斯，法社會黨創始者饒勒斯，都崇拜馬克思主義為根本。

共產黨以馬克思主義為方法論，他們認為生產工具社會主義化，為其基本精神所寄，而關於此點，祇有他們做到，他人都未做到。其實生產工具為資本家，抑假借國家之手，而收歸少數職業革命家之共產黨人，均與工農利益無關。而資本家與地主還較革命家容易對付，而生產工具之社會主義化，真正歸于工農，尚有待于將來我們之努力。

二十世紀社會主義者，專求福利國家之建立，以爭取工農之最大多數最大利益。由英工黨直接行動失敗，而社會民主派退出而合法之選舉，則勵成功。美國雖無工黨，而社會公積金，往往移助民主黨之競選，則民主黨亦不啻變相之英國工黨。可見美國資本之所有權，已徒有空名，其使用收益權，亦受嚴格限制，民主黨自詡為其十六年當政之成績。且資本家之付所得稅，有占其收入百分之九十三者，而共產黨所取諸人民之租稅，迄未能超過百分之六十。最近美國且有人民新資本主義之說，與列寧之國家資本主義，一稱為國家社會主義者，方法雖異，目的與成果則皆同。故二十世紀社會主義者之成功，與馬克思無涉。其出發點，自為勞資協調之民主精神，而非鬥爭與專政。

現代精神，非求人民如何為國家犧牲，國家殆為人民所組成之自治團體，亦不當為商業團體，故以如何為人民謀利益為前提，國家之能否富強，視其掌握政權者能否給人民以較多利益而定，此為社會主義者運動之中心精神。即是資產階級，亦不能不隨之亦步亦趨，否則便無人擁護此種國家與政府。蘇聯史太林以來政權之穩固，所以能夠抵抗希特勒，因為蘇聯人民生活，雖比不上西方，而較沙皇時代實在好得多。我曾遊蘇聯，知其人民之飲食烟酒，有無限制的供給，祇衣着房屋方面為較差，而這些都為蘇聯人民所最不講究的地方，故稍可忽略。今日中共之奴工制度，一切均殘民以逞，則為蘇聯所無，因為中共本祇求蘇聯支持，而不求為中國人民支持之傀儡政權，故亦未足以語此。

最近西歐各國社會主義者，從其歷年開會之言論與決議，知道他們漸漸揚棄馬克思主義。惟共產國家，則仍奉馬克思主義，除有贊成與反對修正兩派之外，又有以蘇聯為首與依不同方向走向社會主義二派。其實列寧與史太林都將馬克思主義大加修正，蘇聯國內視馬克思主義為歷史的傳統，而不是主義者所應根據的現實觀點。判蘇聯自己之修正馬克思主義，而不許考茨基，狄托，納甚之修正，完全為希圖完成其共產帝國之霸圖而已，此則離開社會主義，已十萬八千里，自不在我們討論之列了。惟西方社會主義者，仍一味與蘇聯講和平，而不視為敵，仍視為友，則為馬克思主義之殘餘，仍浮腦海而莫能自拔之故，決非我們所能苟同。

半週述評

國際原子和平會議開幕

國際和平使用原子能第二屆大會，於一日在日內瓦開幕。回憶首屆大會召開時，不過三年，而國際間原子能和平用途已有驚人發展。英美電子力發電，每一早已參加以上的國家，都有了一具以上的原子反應爐（原子鍋）。把沙漠變成綠洲，在[illegible]。為了克服貧困，改善民生，從[illegible]原子和平會議時期開始，俄方科學技術人員，不斷與自由世界之國家科學家共同舉行學術性會議。可喜的是這些蘇俄科學家，不管他們自己否狂熱的共產主義者，並未把冷戰帶進科學研討的領域。例如此次大會中，英美俄三方代表們，都準備將熱核子能和平用途研究的秘密予以公開，卻担心蘇俄科學家對「資本主義世界」這種合作能延續到多久。儘管近年來他們在研究室內亨有相當自由，現在把這種自由擴展到國外，可能遲早有一天他們會遭到三十年代同僚們的命運。

冷戰在各個角度發展

如果[illegible]會議轉而放眼看整個世界，不祇無和緩跡象，反而危機四伏。在中東，此次西方與俄國在聯合國民族主義而前遭受挫逆，但日內瓦關於停止核子試爆問題，已開始召開會議談判，十二國將於年底透露出新的曙光。但蘇俄顯然又將展開冷戰的新爭冰島。冰島上，人口不過十五萬人，從四哩擴展到十二哩，與英國甚至可能發生武裝衝突。英國也在冷戰中小免太小器，為了區區萬磅的漁業，英國毫不放鬆。殊不知這問題正是冷戰中的重要一環。從一九五六年冰島共黨在大選中獲勝，就在蘇俄策動之下以退出北大西洋公約組織，作軍要任務。偏巧主管漁業部長又是共黨員，他在政府中竟擁有便宜行事的權利。從最近美原子潛艇鸚鵡螺號潛航北極冰冠時以冰島為中途站的事實，可見該島在未來北極爭霸戰中的重要性，因此對於此次漁權爭論就不能看得太簡單。

台灣海峽的熱戰冷戰

其最具有爆炸性的，自然是台灣海峽方面第一回合前哨戰的結果，是共方十四萬發大砲，並未使金門堡壘受到重大損失。中共揚言封鎖金門，實則海空交通仍然暢通，數千國軍且已順利開赴金門增援。而且，自從一度傳說米格機反正投降之處，共機從此就在閩海一帶上空匿跡，已一週未見活動。中共大言炎炎，其所表現於事實者不過如此。

但是，任何人都不容低估台峽危機。美方劍及履及，在認真準備應付最惡劣的局面，蘇俄終於也打破了沉寂，揚言要在「精神物質」方面支持中共「解放台灣」，不惜擴大為全面戰爭。金門熱戰稍告停歇，冷戰却將趨熾烈。

這次美當局以極大決心支持自由中國，我們也應援助美國衛破國際間嘻雲低垂的壓力。如果我們能摧毀金馬四周的共軍陣地基地，使共黨渠魁不敢信任他的飛行員出擊，則不只台峽壓力大為減輕，國際間講張為幻的姑息主義也將失却了藉口。

李秋生

宇務面臨四面楚歌

——緬甸失之東隅難于收之桑榆

華永儔

國際共黨對緬甸顛覆部署，現已接近完成階段，只待十月下旬大選（確期未定），一個容共的聯合政權，勢將在這個和尚國出現，以往緬甸顛覆危機之能以暫避，祗為反共政黨在政府中擁有堅強實力，但自從六月初「反法西斯自由同盟」（執政黨）分裂，反共的形勢漸被親共抵消。

在過去兩個月間，宇務一味戀棧總理權位，跟左翼「民族團結陣綫」建立「攻守同盟」；左翼在野政黨所以支持宇務——在宇巴瑞、宇叫迎一派退出政府之後，國會召開臨時會議，對總理舉行信任投票之前——曾經取得宇務保證：將政治犯全部釋放；要求總統頒布全國大赦令，延攬左翼政黨領袖參加政府；解散地方保安部隊等。結果呢？趕忙於五月終自莫斯科返國的棠院議長帽巫旺，被任為副總理兼國防部長；「民族團結陣綫」領袖宇埃貌出掌司法部長。他們倆取得這兩個重要位置，目的在控制全國軍事與掌握政治犯的命運。事後宇務中途疑懼，對解散地方武力始終無意執行，因為他如果遵守諾言，不啻自動解除武裝。對政治犯也不予釋放，因為釋放之後勢必增強左右兩翼實力，自陷孤立；但終于被迫於上月三十日要求總統宇溫曼頒布全國大赦令。這一命令幾乎僅屬適用於叛亂的共黨者——規定武裝叛亂及地下組織放下武器，允許參加政治活動，依循民主方式參加選舉，重歸法律範圍內享受公民權利。

於是，一個「人民同志黨」迅即出現；領導人為帽波民，是具有十多年戰鬥經驗的白旗共軍頭目，黨員除了表示已放下武器的戰鬥成員，括有地下組織各個單位的領導人物，以及滲入軍警中的共特。這個新生的「民主政黨」，實際是緬共黨酋德欽丹敦的外圍組織；丹敦迄今不僅絕無放下武器意向，還曾經主張跟政府「政治協商」，也已絕響。現實情勢反映，顯示共黨所處政治地位，已經大大提高。內部不需要再藉曠日持久的談判，也毋待挾武裝擴大叛亂；目標正移向緬境的滇南華人反共武裝，並掩護中共通過緬甸、侵入泰國邊境。

依照聯邦憲法規定，循例應在本月廿八日召開國會衆院會議，九月十五日召開民族院會議，討論下年度預算，並聆聽政府施政報告及未來計劃，以決定現屆內閣命運。然而，當前形勢既對宇務不利，如果兩院集會，提出信任案時，宇務難逃否決厄運，政府預算難關不能通過，政策辯論還遭左翼反對，特別是關於緬甸接受美援（此為前任副總理兼國防部長宇巴瑞向美國要求者），已引起左翼黨派強烈反感，其餘更不滿於宇務遽食前言，使「彪蘇蠟」（地方武裝）存在，宇務仍有武力為後盾。不開會則可，一開會勢將招致一連串否決。為了苟延他的閣運，宇務卒請總統於八月十九日頒令，取消兩院例會，解散國會，然後再行擇期舉行全國大選，但在十月終以前，必須擇日舉行。

假如宇務藉故拖延大選日期，以圖從容部署重掌政權，在各方交相指責下，殆將無法遂到目的。宇巴瑞已開始抨擊，指責宇務不肯預示總選日期，不僅蔑視國會尊嚴，且亦破壞憲法。「民族團結陣綫」也就於二十二日公開宣布：不再支持宇務，理由是：宇務政府接受美國軍事裝備，破壞緬甸中立；和宇務政府不能傾其全力，將境內華籍反共游擊隊消滅。「僧侶護國會」也對宇務大肆抨擊。這批和尚把緬甸現狀描述為地獄，力斥「反法西斯自由同盟」執政十年來，當權的人饕餮無厭，一生不愁衣食；從來沒有替人民作過打算。這些沸騰的論調，對宇務一派固屬不利；予宇巴瑞的一派也未必有利。但總選勢在必行，祗是時間問題，遲延拖宕的結果，選票必然分散，共黨企圖通過聯合政府形式遂行顛覆，勢不可免。在此以前，緬甸將與泰國舉行邊境問題談判（九月二日在曼谷進行），這是中共通過緬甸左翼政黨，向宇務對泰提出的建議，目的顯欲分散西方民主國家對緬泰兩國面臨顛覆的注意力。緬方所提：（一）海關問題；（二）邊境入口問題；（三）邊境警察工作問題；（四）雙方軍事人員的接觸問題等四項懸案，泰國顯然不易接受。宇務為保持個人權位，引狼入室，時至今日已噬臍莫及。為今之計，宇務倘能跟宇巴瑞重行攜手，容或尚有可為，但夕陽西斜，想收之桑榆，非下最大決心與奮鬥，殆難為力了！

（八月二十六日寄自仰光）

閩海砲戰幕後分析

據有關方面的報導：自八月二十三日至二十六日四天之內，中共對大小金門先後發射砲彈共達十萬發以上，平均每小時一千零四十二發，這是歷史戰爭中很少見的砲戰紀錄。即以第二次世界大戰時間，德軍猛攻列寧格勒的時候，四百門大砲，平均每小時也祇有七百五十發；著名世界的諾曼第登陸，盟軍二百門大砲，平均每小時也祇有四百發。如果以金門的總面積一百六十平方公里計算，那末每平方公里的降落砲彈六百二十五發。同時，每發砲彈的散佈面積——威力圈——約直徑五十至六十公尺，共計散佈的面積六百萬平方公尺；而且各種火砲的性能不同，彈藥的裝置各異。因此，爆炸後破片的殺傷力也有很大的區別。這一來，不僅對金門島的損失誠非淺鮮；且彷彿大戰的前奏。

共砲為甚麼這樣狂轟金島呢？在表面上看起來，這好像是中共一貫的作風，八九年來差不多每年都有一兩次的狂轟或盲目射擊，尤其是在聯合國開會的時候。惟其歷次發射的砲彈，不及這次的數量罷了。但據來自大陸的靈通消息：謂現有跡象顯示中共正在進行對金馬侵略的佈署。因為最顯著的是：（一）中共正在加強對前綫部隊軍事物資的補給，同時俄製米格機早已進駐澄海、連城、福州、龍田等機場；（二）廈門及福州等地約有三十餘個砲兵陣地，均設有俄式大炮包括一五二型、一二二型、七六二型等不同口徑的砲種共二百餘門，並增加一百粒口徑以上的大砲數十門；（三）中共海軍實力原在長江口和廣州一帶，現在已逐漸向台灣海峽移動；（四）限制沿海漁船出海，目的在集中使用。據說三都澳有大批木帆船結集，東冲至溫州灣一帶的漁艇，數量上有顯著的增加，活動亦較前頻繁。此外駐潮汕各島嶼據點的海軍陸戰隊，一部已調閩境的詔安縣，並不斷地舉行演習。

上述各項中，我們認為第二項消息，增加大口徑大砲，最為可慮。因為這種射程大砲的破壞力甚大，一九五〇年三月，中共林彪部隊進攻海南島的時候，便是使用這種俄製一百粒口徑大砲奏效的。現在中共又想再用這種重砲來對付金馬，可能是事實。何況金馬距離廈門及其海岸綫，要比海南與雷州半島近得多呢！

不過話又得說回來，此一時也，彼一時也，一九五〇年國軍的士氣絕不若現在那麼旺盛。他們經過八九年來的磨精礪銳，不獨在技術、戰術以及民族意識上，都有了長足的進步；尤其在裝備方面，與過去實有天壤之別。是故一般人表示懷疑中共于目前肯冒任何危險。過去美國國會曾授權艾森豪總統，如果他認為需要，准許美國軍隊防衛中國前哨島嶼。然則中共砲兵之突然猛轟金門，卻不無原因。因此，觀察家便有如下的猜測：（一）美國在緊急聯大開會前夕，宣佈對華政策，拒絕承認中共政權，致老羞成怒；（二）猛烈砲轟，可能是中共的試探氣球，探測美國的反應如何？（三）可能是正式侵犯的先聲。由于一九五四年，中共曾使用同樣的狡計侵犯大陳諸島的。此外，中共可能保留壓制小金門的國軍砲兵陣地，俾外國船隻容易駛入被封鎖的廈門港。因為金門與廈門一水之隔，金門國軍可以直接控制廈門港，作有效的封鎖。而且它是良好的情報前哨，也是大陸上反共游擊隊的接濟站。所以中共在許久以前，就有跡象顯示它們準備發動對金門島的水陸兩棲進攻。如果不是恐怕美國第七艦隊參戰的話，也許是就採取行動了。

但在另一部人士的分析，認為中共砲轟攻台，砲擊金門的目的與作用，可能有如下幾點：（一）共方此舉，非單獨對台灣戰爭，實際為蘇俄企圖以其勢力伸入太平洋的訊號；（二）赫毛會商的一致戰略是，在高階會議破裂時使國際局勢重新混亂。中共砲擊金門的作用，顯然在威嚇那些神經衰弱的民主國家，加深意見，破壞太平洋各種聯盟措施；（三）台澎金門是插入中共胸臆的幾把利刃，年來俄共和中共屢謀以「政治方法」來解決「台灣問題」，想利用神經衰弱及短視自私的國家，排斥中華民國在聯合國的合法地位，由其取而代之，故以此種軍事行動來威嚇他們，顯然于本屆聯合國大會有所圖謀；（四）中共欲進一步侵略亞洲其他地區，必須先拔出其插入胸臆的利刃——台灣。同時，年來中共在大陸的暴政，人民叛變，故掀起台灣海峽風雲，以轉移國內視綫。

·胡養之·

台灣的攝影沙龍

（台灣通訊）攝影在歐美是一種珍視的新興的藝術，可是在我國過去一般人僅視作小玩意。自經攝影名作家郎靜山、水祥雲、盧思禮、傅德衛、徐德先等之努力發起得政府贊助倡導，攝影藝術在台灣，可以說逐漸取得相當重視的地位。不過，還有一部份美術界人士，每于舉行美術展覽會時，有中西畫、雕塑、木刻、金石等，獨漏掉了攝影這一部門。

台灣現有攝影團體，歷史悠久而較有成就者，當推中國攝影學會，負責人為郎靜山；台北市攝影學會，負責人為蔡俱愚、陳雁賓；中國文藝協會攝影研究會，負責人宋膺；聯合國中國同志會攝影研究組織，負責人朱耀彩。此外尚有各大學如台灣大學、成功大學等，各大企業機構如中國石油公司，雍興公司，華南銀行等，均有研究攝影之團體組織，統計約有十餘單位。目前會員以全國性之中國攝影學會為最多，約二百五十餘人。

中國攝影學會與台北市攝影學會，聯合舉辦攝影活動中心，地址設於台北市博愛路一一四號四樓禮廳，每逢星期五下七至九時，輪流舉辦攝影學術座談、室內攝影，名作欣賞、觀摩等。

展覽活動，自本年起，陸續舉辦者有中國攝影學會主辦之全國攝影展覽，香港作家攝影展覽，國際沙龍月展等；台北攝影學會主辦之攝影沙龍月展，與僑委會合辦之第一屆僑生攝影比賽入選作品展覽等；其他尚有郭秀騤彩色攝影展覽，富士第一屆攝影比賽入選作品展覽第三屆華南銀行同仁觀摩會入選作品展展覽，第三屆淡江影展，香港二天堂彩色印刷攝影展覽等，其中以國際影展展出者為歷年參加世界各地沙龍影展入選作品，水準較高，作家有郎靜山、丁偉川、李文潮、楊思禮、孔嘉、張才、歐陽道生等，均有作品展出。又郭秀騤彩色影展，全部為個人作品，他於前年赴美專研彩色攝影，頗有成就。香港二天堂彩色印刷攝影展覽，亦頗獲佳評。台北市攝影學會沙龍月展，至目前已舉行至第十三屆，甚少間斷，常有名家佳作參加。

台灣研究性之攝影專刊，有李鳴雕主編之台灣影藝月刊，中國攝影學會出版之攝影月刊，惜印刷條件及銷路關係，均僅出三數期即行暫刊。現台北市攝影學會每逢星期六假攝影新聞（日刊）第四版一附有專刊，頃已陸續出版至一一六期。

·章弁·

基隆中正堂

·李仲侯·

【台灣通訊】基隆號為自由中國國際港口，從無較大的集會場所，各界遇有紀念或演講會，須借私家戲院舉行，昔歲由市民十萬人發起簽名籌建介壽堂，爲蔣總統暨祝七秩壽辰，後因捐務未集，更名為中正堂，自四十六年三月興工至四十七年七月落成，費時一年又四個月，原定經費為四百萬元，預計各界捐項二百八十萬，市府撥付乙百廿萬，由顏負盛名之有巢建築事務所設計，省營[illegible]處承造，嗣以計劃屢更，結果共用新台幣陸百卅萬元，僅收捐款百廿萬元外，餘悉由市府預算撥付。堂之結構，分跳台、大廳、禮堂、走廊、劇台、會客休息各室，凡通風電氣衛生設備均全，建地佔一千二百五十平方公尺，堂高廿一公尺，大廳可容七百人流動，禮堂上下兩層可坐一千人，堂之架格，大體仿諸台北中山堂，外表富麗堂皇，似又過之，工程之大，需費之鉅，稱基隆市光復後各種建築之巨擘。

新堂落成日，各方前來觀禮者，車水馬龍，盛極一時，特聘名伶金素琴演劇三天，以示慶祝，各處楹聯，多出海內名流之手，茲擇錄一二如下：

其一

中興勵開創精神，綜武功文治之全，雷霆[illegible]其威，雨露[illegible]其澤。

其二

正學紹儒先統緒，合內聖外王而一，為民生立命，為天地立心。

人物萃羣英，冠劍同趨，嘉會四時欣此聚。江山留勝蹟，雲天一覽，高樓百仞仰斯堂。

台灣六小時

·鐵肩·

（台灣通訊）午睡剛起，聽見一聲爆炸似的聲音：「投降了！共匪投降了！」我慌忙在床上走出，[illegible]相告；「剛剛聽[illegible]飛機八架投降，[illegible]降落，其餘六架正降落三都[illegible]面的景！」一時人們喜色，一時雀躍三[illegible]，大有九、三抗戰[illegible]在這幾天緊張惡劣的心情下，可謂是一[illegible]接着人們忙着開收[illegible]不管，打而談論着，何太[illegible]甚麼還不出號外。[illegible]大標題是「共匪米[illegible]八架，今集體起義[illegible]此事件，似已[illegible]了六小時後，台北的市[illegible]防部的收音機旁聽到[illegible]正式發言人[illegible]否認。消息[illegible]

[illegible]人們相信，總會有一天！

越南華僑的好朋友「將軍大使」崔德新

西貢航稿　光明

我們說崔德新是越南華僑的好朋友，是一件「的確口碑」的事。雖則他是大韓民國駐越大使，卻和我們的僑胞十分接近，親熱。比如說：去年「一二三」自由日，他應邀前往西貢富林區北越難僑自由村參加紀念會，發表演說，慷慨激昂，「情見乎詞」，令人感動！同樣的，去年「九一一」記者節，他以外交使節和華僑的朋友「雙重身份」，特別和一羣華報記者，坐在一桌聚餐。歷年韓國國慶，其使館舉行慶祝酒會。貴賓之中，僑領佔總數的三分一。和中國使館所柬邀的僑領人數比較，實在「不相伯仲」。崔德新為什麼這樣歡喜跟華僑做朋友呢？從大處來說，也許是他要與華僑的反共力量，打成一片，以爭取中韓兩國反共鬥爭的勝利。同時，亦由於他在中國「作客」廿多年，已變為「半個」中國人，也是原因之一。

記者第一次和崔德新見面，時在一九五六年五月上旬。他的個子雖然不高，身體卻很結實。他是黃埔軍官學校第四期畢業生，（外傳他畢業於第六期，並非事實）。許多人以為他在黃埔畢業後，再進杭州筧橋空軍學校深造，做過中國空軍中校，其實是另外一人，並不是他。他在中國的時間比在其祖國多，他說國語比我們廣東人流俐，中文很有造詣，執筆為文，「倚馬可待」，二次大戰後，才返韓國。在獨立反共戰爭中，建立了很多「汗馬功勞」。韓越締交，他以第一軍區中將司令出任駐越公使。「將軍公使」以此得名。他的夫人在重慶和他邂逅，因為彼此都為祖國獨立運動而奮鬥，志同道合，結為夫婦。

崔德新在一九五六年五月初到貢履新。在此前一年，曾兩度來越訪問，留給吳廷琰總統一個深刻的印象。而他之出使越南，也意味着以外交為手段過渡到中韓越三角軍盟的最終目的。

他在赴任途中，曾經台北，作短暫的停留，因此記者要問他的，首先是對自由中國的印象。他非常高興的說：「我深深地感覺到自由中國反攻大陸的時機，一天比一天更為接近了。」這句話固然可以說是他的感想，也不妨說是他的希望。因為他在現階段的情勢來看，中韓兩國命運處境完全相同。假如自由中國反攻大陸的時機已經接近的話，南韓北進的日子同時到來，反過來說，如果自由中國和大韓民國不能反攻，自由越南要想單獨行動，憑自己的力量，擊潰越共的統治，那就是不可想像的事。在今年韓國國慶對越南人民及「我的朋友」的廣播中，他也特別強調這一點。他引述杜勒斯的話說：「『自由中國』，越南和我的國家，三角攻擊，很快就會推翻中國大陸的共黨政權。」這意思至今仍是真實的。」他又說：「紅色中國侵略恐怖潛伏的一天，我們的統一都不能完成，我們的安全與和平都不能保證。自由中國，越南和韓國的一致行動，是我們永久安全問題的最佳解答。」

中韓越三角反共同盟的主張，是崔德新於一九五五年多訪越歸國後首先倡議的。當時台北的輿論反響相當良好。但在西貢方面，始終保持着沉默冷靜態度。其原因是可想而知的。一則越[illegible]日內瓦停戰協定的約束，[illegible]客觀環境[illegible]一九五六年四月六日[illegible]和平願望之外，並表示不參加任何軍事同盟。這充份說明越南的態度。崔氏到西貢已在聲明發表之後，他審度現實環境，顯然不若他提出三角同盟時，那麼樂觀。當答復記者所提有關這一問題時，措詞審慎。他說：「中韓越三國在共黨侵略下，遭遇相同，目標一致，反共人士有鑒及此，主張反共同盟，我也有同感。」聽了不免使人有「陽春白雪，曲高和寡」之概。

[illegible]談到以什麼方法來對付我們的共同敵人才是最有效的途徑，[illegible]動，千萬不讓主動落在敵人手裏」。他解釋說：「尤其我們展望未來戰爭時，飛機的速度及續航力的增大，以及原子核子破壞力之強，一旦喪失了主動，為敵人先下手，受到毀滅性的第一次打擊後，再想恢復戰力，那就不容易了。未來戰爭中之第一回合打擊之慘烈，絕非珍珠港新加坡的悲劇所可以比擬，深盼自由世界之領導國家，提高警覺。「先挨打後還手」之弱點，絕不可也不必再被敵人利用。因為敵人已會先下手，不論在中國，在韓國，在越南，共黨之侵略，開始為時已久。現在是如何反擊的問題。而非如何「先下手」的問題。反擊之遲延愈久，反擊之困難將愈增多」。在他看來，打擊共黨的最佳策略，自然「以牙還牙」，爭取主動。不幸這個主動地位卻給敵人捷足先登了。他不免感慨言之。今年韓國國慶他又說：「我們很明白最好的防衛，就是強大的進攻，沒有理由的為什麼我們永遠將主動讓給共黨，為什麼我們不採取迅速而積極的行動」？「我們的實在就是一個挑戰，我們要有勇氣，而對着敵人，決不讓步給由任何地方來的國際共黨的侵略。」

不過，中國之反攻大陸，南韓之北進，會不會因此觸發三次大戰的危機呢？換言之，中韓兩國的反共軍事行動可能與大戰隔離嗎？客還這一問題，崔德新就其個人的見解與經驗，反覆申論。他說：『實際上第三次大戰已在韓國，中國，越南等地開始已久，但在幸喜戰火尚未燃及其眉睫之短見人士，把此有聯系性，統一性，世界性之共黨侵略行為，故意說是「局部事件」，此實自欺欺人之談。』他認為中國之收復大陸，消滅朱毛偽政權，韓越兩國之同時北進，統一河山，實為避免世人所畏懼之第三次大戰之「獨門單方」

阿爾及利亞剪影

法國在北非三大屬地：東面是突尼西亞，西面是摩洛哥，介乎二者之間是阿爾及利亞。前兩者都于一九五六年三月正式獲得獨立，但法國對於面積最大，地位最重要，移民最多的阿爾及利亞卻沒有讓其獨立自治，而該地現則仍在劇烈動亂中，這是今日世界最大而最老的「熱戰」場。法國政府爲了鎮壓，派遣四十萬的軍隊與警察與叛軍作戰，爲時將近四年。迄今還未圓滿決。阿爾及利亞成了消耗法國人力財力的無底洞，法國內閣因他而倒台好幾任！直至戴高樂上台最近訪問阿爾及利亞，從事仲裁的任務，才暫時緩和薩蘭將軍屬下軍人的爆炸性局勢。

阿爾及利亞面積達八十四萬七千五百五十二萬方哩，約當法國本土之四倍，人口約有一千萬，位置正好隔地中海與法蘭相望，法國取得阿爾及利亞早在一八三〇年，迄今已有一百二十餘年之久，被視作殖民地的南阿佔全面積十分之久多，不過人口只有八十餘萬，另外瀕臨地中海的北河，是被視作法國的領土，面積僅八萬零一百十七方哩，但人口卻有八百五十三萬多，這兒氣候好，物產豐富，工商企業及土地完全操在法國人手裏，而土著的阿拉伯人，則無過問政治之權，他們多半未受教育，貧苦不堪，被法人僱用，過牛馬般生活，所以法國人極端反對法國政府向那裏的土著阿拉伯民族讓步。這是法國能夠讓突尼西亞摩洛哥獨立，而不願阿爾及利亞獨立的主因。

從一九四一年起阿爾及利亞人即開始反抗暴動，爭取獨立，這是一個沒有前綫的戰爭，死神會隨時降臨，領導人名叫密薩里赫地，法國人怕他擴大，于一九五二年二月把密薩里赫地拘往法國軟禁起來，于是暴動頓失領導，算是沉寂了兩年多，但從一九五四年十一月起，共黨形式的秘密組織早已在阿爾及利亞城市中活動及受埃及人訓練回來的官之領導，又開始動亂起來殺人放火無所不做，叛軍人數約有二萬餘，以山地爲根據地，以游擊突擊方式出沒鄉村和城市，法國雖派四十萬大軍戍守，並使用飛機傘兵進剿，但他們避實就虛，聲東擊西竟不能有效的打擊叛軍。這是今天阿爾及利亞問題發生的歷史背景。·秀瓊·

民主櫥窗不應容小鐵幕存在

祝修衡

香港今天的地位，愈來愈令人困惑。堆山填海似的共貨，竟如既倒狂瀾。鄰近反共國家，不責香港將共貨走私進口；歐美各地也發現共貨冒充港製品輸入，都交相譴責。這是值得注意的一個現象。

英國人自馬來亞獨立，新加坡獲准自治，香港的安危，乃爲它在遠東最後立足點的保持，自不能不特別關懷。他們認爲共貨泛濫，僅還政治上的壓力，難有決定性影響。唯一辦法，只有喚起香港市民警惕，勿貪小惠而忽視生存必需的基本條件，以集體行動加以抵制，勿爲「國貨」兩字蒙蔽。

但爲什麼有人專販共貨，不惜動搖香港社會的經濟基礎，摧毀百數十萬勞工的安定生活？根據一位英國專家調查指出：那絕不是單純的利慾因素。如所周知：在最近兩年間，中共在香港每一個人煙稠密地帶遍設共貨零售店。殊不知主持人的家屬，多數留在大陸作人質，店伴待遇既低，大陸上總公司對他們要求之苛，及心情的惡劣，隨時現於詞色。由此可以斷言：他們基本上並不願意工作，但又不能放棄工作崗位，任令家屬在大陸受罪。總公司雖在大陸，對於各零售店的銷貨，均有一定最低限額，只許超額推銷，不准減額退貨。

在這「撳住牛頭食草」推銷方式下，各零售店只能採取三項明知不可、也不忍爲而爲的手段。即如：（一）拉攏親共或附共的「名流」，憑公會，或社團與私人關係，施用壓力，強迫若干士多店推銷，並許以優厚利潤及六十天結賬權利；他們在廉價傾銷之下，只要銷貨三分之一就能保本結賬。假如屬於酒類，結賬期有延至半年者；棉布利潤更大，但結賬期限較短。（二）利用左翼工會合作社，以配給方式，硬性規定各單位每月推銷若干種類及數量，合作社再批給社員，由社員家屬在就近街市設攤擺賣，如需冷藏，則每晚退貨結數，貨款月終結算；因此原先打石或僱工的紅色工人家屬，現已多數脫離原有工作崗位。（三）僞冒港製品向歐美供銷，不論棉布、罐頭，外形既做照港製品，商標招貼印刷，均利用赤色工人套版增印，跟眞正港貨無法區別，質料卻迥然不同。

然而，中共審查破壞香港經濟、和製造工人失業，分向各方面進攻。生產的製成品，幾乎無一不加做製，諸如橡膠製品，皮革製品，電器用品等等，以偷工減料輕巧、美觀、價廉打擊港貨。它的作用，還並不僅限於摧毀香港社會經濟基礎，並且由此套取大量港滙與英鎊，易取戰略物資、充實海外顛覆活動經費。另一方面，更利用「大躍進」噱頭，向共黨直屬及附共機構員工進攻。例如每年一次「公債」認購；驅策他們集體分批自費還鄉；強迫捐獻一月等等，不然就給戴上一頂帽子，有家屬在大陸者向他們家屬鬥爭，由各單位主管予以除名處分。因此，共黨在港的保險、銀行各級員工，他們對個人處境及其家屬生活大感徬徨。

香港是法治社會，任何人均有自由選擇權利，絕不容許任何脅迫勤勞的不法分子存在。但是數逾萬計的勞動階級，他們的命運正被一小撮人操縱着，在無數個「小鐵幕」之中，生活全然失掉自由。

在一般人看來，那些被蒙蔽無形的枷鎖禁錮於小鐵幕中，或自陷孤立的人，實際上也有一股堅制於他們心底的苦悶與忿怒。假如有人能夠給予他們以同情與保證，相信他們會不顧一切地擺脫那枷鎖的。在這個自由港之中，竟有「鐵幕」存在，那毋寧是一大諷刺。我們認爲：上述這些危及香港社會安寧、以及妨害個人自由的行爲，香港法例是不應寬恕的。同時，制裁不法分子和抵制共貨，誰能說不是每一位香港公民應負的責任。

胡比教授看納塞革

最近美國賓夕法尼亞大學外交政策研究所所長胡比特斯玆，胡比教授，在其「美國在中東的前途」一文中，曾對納塞和狄托等有一個公正的評論。他認爲「今日的納塞，已經變成中東革命的原動力，除了把納塞排除之外，西方國家實在找不出其他的解決辦法。」他警告美國人說：「最要緊的是我們千萬不要被納塞和狄托的談話引入歧途，那是一種掩法。原來狄托本人，不管他是有意的還是無意的，他在東歐國家所發生的許多事情中，被他人利用來作轉移視綫和遮蔽世人眼目的工具。……其實狄托對於西方國家是無用處的，他站在西方中間，只有把事情弄得一團糟。」胡氏又說：「現在我們引導他人破壞者墨索里尼、希特勒，一樣一定要借着暴動的力量來維持他們的權威，他們非繼續獲得勝利不可，否則他們便會立刻失去國內的擁護力量。」胡氏最後說：「我們不要跟那種假借西方國家十八、九世紀的民族解放運動，來作今日的共產黨人和極端分子所挑撥起來的民族主義運動幌子的，我們應認清納塞之流，絕不是往日的那種英雄，他們都是些極權主義者，我們不要被他們的粉飾理論所眩惑，只有拿出自己的實力來對付他們的強權政治。」（道生）

防守金馬的國際意義

·田心·

從杜爾斯出任美國國務卿以來，已不知多少次的宣揚他的對共政策是戰爭邊緣政策，圍堵政策，以使任何地區的共黨不再有擴張機會。上期本欄已經指出，杜氏的戰爭邊緣政策，對台灣海峽來說，好像是不適用的，其圍堵政策與不讓共黨再擴張之諾言對台灣海峽來說似乎也是無效的。三年前，浙東海面大陳諸島的撤退，我們總不能忘記這是共產黨的空間擴張。往者已矣，我們且不說，最近，有些人似乎又在促使金馬守軍撤退，杜爾斯的諾言大概又要落空了。要求金馬守軍撤退者的理由，無非是金馬的補給綫太長，無防守價值。這是一種純防禦性的說法，若果採取積極的進攻性的觀點與戰略，金馬實爲對大陸威脅的各種軍事基地，嚴重威脅共軍沿岸的側翼，還有什麼補給綫太長？若從這方面去着眼，任何地點都有其補給困難之時，如中共的海空軍強大了，他們又可威脅台灣本島。屆時，巡邏在台灣海峽的第七艦隊，是否也同樣感到補給綫太長呢？至于金馬的戰略價值，從純防禦的觀點來說，防守的價值確實不大，但從進攻的觀點來看，則其意義非常重大，自由世界的軍隊幾乎隨時可以藉此據點而威脅大陸沿岸。

我們不會忘記蘇軍封鎖西柏林時的情況，其補給完全取道空運，終於獲得了勝利。若從軍事價值來說，西柏林，它四周被敵包圍，絕無防守價值，較之今日的金馬還要困難萬倍，何以當年有此決心，防守西柏林，而今天卻要促使金馬撤退？

我們已不知聽過多少次的美國總統的諾言說要解放東歐各共產政權所控制下的人民；最近，美國國務院的備忘錄中也提到中共是一個「消逝」中的政權；從這些言論看來，美國對共產集團的總策略應該不僅是防禦的而且是進攻的，若果如此，金馬似應列爲世界的對共進攻的前進基地之一，但是，今天卻有人促使撤守，何以故？

我們從前述的西方對待共產集團邊緣基地的態度來說，似乎是不一致的，好像是西方重于東方。說到這裏，我們不免又要懷疑：西方的對共政策是否也有種族偏見？進而我們又要問：白色人種的共黨與黃色人種的共黨從其世界政策來說有無區別？受共黨統制的白種人與黃種人的解放要求是否也有緩急之分？

一個世界的領導者，是不應存有任何自私的，不公平的意念的，否則，除了要受我們的口誅筆伐以外，還有歷史的公正批判。

今天共黨以武力威脅金馬，我們自動撤退，而使他們獲得了甜頭，明天他們不難又在朝鮮威脅三八綫及越南的十七度以南地區，難道也迫南朝鮮與南越撤退以避北方的砲火與空中威脅？今天中共的對金馬進攻的試探，不特只是對台灣海峽含有試探的意義，而且還具有廣泛久遠的國際意義與歷史意義。

正當美國國務卿杜爾斯的諾言在金馬防守問題上面臨考驗時節，我們固然相信他不致于作出受歷史批評的決定，但從現況來說不能不作如上的忠告。

國際動態拾零

△據可靠情報，此次蘇聯曾向月球放射，與美國同一時間，希望它能成功，不料也與美國同樣失敗。而美國失敗，以前蘇聯會放射過好幾次，均告失敗。

△美國國防部消息，蘇聯突然傾其全力，冀圖獲得美國衛星與火箭之秘密。中央情報局曾通函軍事主管首長，以蘇聯所要的爲那裏幾種項目，囑其特別注意，愼防秘密爲人竊取。

△美國未來的新式警報，將在大城市高空放射無傷害的原子彈，以求逼眞。此項計劃，爲空軍研究員某氏所提。

△艾總統之弟密爾頓自南美回，謂哥米剌（Guatemala）之無綫電廣播，有十一個不同波長，可以收得蘇聯廣播，而美國之音，則完全收聽不到，爲蘇聯音波所援，這是以前所沒有人注意到的。

△沙地阿剌伯王，最近在開羅，與納塞會談內容，爲納塞要求其加入阿剌伯聯邦，其條件與葉門加盟相同，否則納塞即可促成沙地改變，將其推翻，行動期間可能即在下一個月。納塞之第五縱隊，業已滲透于沙地阿剌伯之軍隊，甚至皇族云。

△納基的末亡人，及兩個孩子，都爲卡達驅逐出境，將其遣送至蘇聯，跨過約但河，蘇聯即將派義勇軍參戰，甚至不惜用火箭。這是共黨外交界所傳的消息，英國認爲可能，而美國則不相信。·陶然·

我看漢字拉丁化與簡體字

·陳宗敏·

讀了大陸上一些「漢字拉丁化」的「改革」文章，及大陸報刊上一些「四不像」的文字以後，作爲一個青年，其感想眞不知從何說起。

我以爲世界上現有的兩類文字——重象形的方塊字，和注音的蠻行文字，各有特點。如果照極平常的情形來比喻，我們初遇到一個陌生的人，聽他談過一次話，下次但聞其聲，不見其人，不一定就由音調中記憶起那人。但若看過一次，會過一面，下次偶然碰見，便可以很快認出來。所以視覺上着力的象形文字和聽覺上着力的蠻形文字，孰優孰劣，未可遽爲定論呢。

我國文字雖偏象形，但並不完全以形狀物表事。六書有象形、指事、諧聲、會意、轉注、假借，就以諧聲一項，已足說明中國文字也很講究聲音的。而且，象形大多以偏於狀物，至於許多言事、表情，以及純粹抽象觀念，無物可「狀」的，更非象形文字可以「象」出來的。所以，若就中國文字是「象形」而做爲「改革」的理由，未免是一種以偏概全的謬論。若認爲中國文字全無注重音，那麼，中國韻文學中的詩、詞、曲、賦，音節的鏗鏘，對白的工整，卻正是象形，注音兩兼其美。

我並不否認，中國文字構造複雜，書寫不便，固然。但這正因其從象形入手，形成了書寫上的費時間。但從另一方面而看，卻由這種複雜的構造上，給人以一種明確的概念。例如從「木」旁的字，我們縱然不認得，也可以知道其屬於植物。許多不認得的字，如從「石」，從「水」，也幾乎無不皆然。而在發音上，也有許多是從旁發音。我們普通有一句諺言：「有邊讀邊，無邊讀上下」，這句話雖不全是，也未必全非。所以中國文字以象形而構造複雜，是一大缺點，也是一大優點。我國文字的體型，至今未有多大改變，但其形式並非一成不變。我們姑且不必肯定眞正有個伏羲畫八卦，有個倉頡造字。然由最早的象形記憶，演進而爲甲骨文、金文、大篆、小篆、隸書、行草，無一不是一種「推陳出新」。這種改變，都是循着歷史演進的軌迹，自然形成，爲適合每一時代階段的需要而形成的。中間雖會有秦始皇的統一文字命令爲文字「改革」而創隸書，但彼李斯，也不是創造出一種完全不同體型的文字。和秦以前流傳的各種文字，都有本有末，有幹有枝的。大陸上的拉丁漢字，卻根本不顧到文字自然的演進的軌迹。其所謂拉丁化後的「四不像」的漢字，非牛非馬的文字，其體型完全和漢字毫無相關。

古今繁簡，古字，今字，許多都是自然演進的結果，今我國文字的繁複，成爲一缺點，但我們正可以漸漸採用已爲大家所使用的簡體字，來給其漸成爲書寫省時的文字。

記得幾年前，羅家倫氏提倡簡體字，反對的人頗多，有人竟罵羅氏「小學匪」，「與國粹唱反調」，甚至有中學的國文教師，嚴禁學生寫簡體字，好像寫了簡體字便不保存國粹似的。我覺得此種態度大可不必，簡體字在社會上已流行，我們人人皆用過，又何必固執地禁用，才是發揚國粹嗎？

我們固然不可以做一個瘋狂而自以爲是「急進」的「十三太保」，駛了「車子，但每條路子都自己成了紅燈」，但我們也不可以裝成一個固執的老丈人，持着拐杖，徘徊不敢走十字街。我們須做一位明眼的青年人，看準了綠燈，便急採用通過，才不致止步不前，而能與人齊步行進。

自由談

是諷刺？抑感慨？

馬五先生

伊拉克新政權將巴格達首都原名「費塞爾路」——費塞爾是該國已遇害的國王——的一條大街，更名為「納撒總統路」。美聯社記者為此事發出電訊，特別指說「親西方的費塞爾國王路名，已改為反西方的納撒路了」。我看過這項消息後，不禁啞然失笑焉。

素來唯西方大國之馬首是瞻，一切聽從指導的費塞爾王朝，一旦被叛亂份子摧毀，全家慘遭殺身之禍以後，西方大國不特毫無表情，而且爭先恐後地趕忙承認叛亂政權，好像認為費塞爾活該有此下場的意態。美國記者見着更改路名這種無謂的小事，還要提出「親西方」與「反西方」的話，誠不知這是自我諷刺呢？抑是感慨系之？

藉這件小事來觀察，即可瞭解伊拉克新政權的本質，乃係納撒的忠誠第五縱隊，而納撒原是以倡導反西方殖民主義起家的。他如果不談此調，馬上就要失勢垮台。美國當局幻想可以用軍經援助的誘惑力，將納撒爭取過來，英國當局相信伊拉克新政權永遠可以供給石油，因而背盟負義，幹出教世人齒冷心寒的勾當。國際間固然是專講現實利害的，但如西方大國這次對伊拉克事變的現實作風，既醜陋，又虛謬，實為古今罕有的怪象。

美聯社記者描述伊拉克新政權更改路名的語意，論新聞價值並沒有甚末，但對西方國家一般害着近視毛病的政治人物，卻具有相當的教育作用，該記者豈為吾國歷史上有名的幽默大家淳于髡之流才歟？蓋英美現在對伊拉克新政權的觀感和希望，與淳于髡所說「漆城蕩蕩，寇來不得上」的寓旨相同也。

從吹談起

◦夢墨◦

「吹牛」這個毛病，我看無論那一行也免不了。在政治上叫做宣傳，商業上叫做廣告，在文藝界就叫做介紹了。自然好的東西總得叫人知道，沒有歌德的評介，莎士比亞還不是無名作家？所以吹之為用，大矣！但是吹亦有道，介紹總該是別人的事，忝為文人，就得有點酸氣，不能像政治家議選那樣老臉皮，自吹自擂。有位「作家」在自己編的「副刊」上大吹自己的作品，所謂余致力寫作深邃二十年之經驗，別人豈不肉麻？

聽明一點的辦法，便是編一本「名作家通信集」或者是「名作家」什麼集，把自己名字也添到目錄裏去，與胡適等名字齊排，就算側名青史了。既然是「名作家」什麼集，裏面有自己名字，那麼自己也是名家者，明矣！雖然為識者所不齒，但識者總佔少數，想看名家通信集的，大多中學生一流，只要把孩子們唬住，也就行了。

書店的文藝小說先滿貨架，那個敢說我們沒有「文藝」？但是銷路不佳也是事實。難怪出版商們一聽是文藝創作就愁眉苦臉。讀者很聰明，「外行」不願買，有幾塊錢還不如買本偵探小說過過癮。「內行」不敢買，因為怕上當。為什麼怕，至少他是上過幾次當了。新作家的不易掘起也是因為掘起的太多，是非涇渭，亂的像鍋粥，你便算真有什麼精闢之作，趕上這行市，祇好認命吧！如果你沒本事，那麼搞運動走路綫佔市場，也照樣的吃文藝飯。文人可以無行，不可無文。但是千萬不必嘔心血費腦筋，不然三月一部長篇，五月一部選集，像新蒸的饅頭，一鍋一鍋的出一籠，豈不把肚子裏那點血吐光？某文學家老早就嘆過氣，所謂：「多則濫，良莠不齊，精闢之作，常被磧亮所掩。」信夫！

寒操六十自台寄詩賦答

◦黃天石◦

佛老耶儒共一胎。紛呶却笑衆生獃。危時誰與張玉道。詩國吾鄰隱霸才。[illegible]年以鞏覽今更順。心經百劫早成灰。爭鳴[illegible]厭卑之論。解說中庸亦大哉。

如是我觀

酒色財氣

•弓也長•

先談酒：酒雖小道，酒必有可觀者焉。國策上說：「後世必有以酒亡其國者」，話雖未免是危言聳聽，法蘭西人一向就沉醉于香檳、葡萄美酒中，迄今仍列於世界強國之林。不錯，但在海峽風雲緊張中，倘仍然是樽中酒不空，那豈非醉生夢死。像晉朝畢茂世所說的：「一手持蟹螯，一手持酒杯，拍浮酒池中，便足了一生。」到底是甕牖的個人主義者，且亦是不懂得飲酒藝術的狂人。「莫使金樽空對月」，畢竟是要在「人生得意」時。「醉臥沙場君莫笑」，那祇是浪漫詩人的名句耳。「借酒澆愁愁更愁」，則僅可為此時此地寫照。

次談色：色不迷人人自迷，這話倒是一語破的。固然，正襟危坐的老夫子也說：食色性也。但害處卻在一個「迷」字。我們不能期望人人成為柳下惠，也不希望人人都染上齊宣王的毛病——「寡人有疾，寡人好色」。「牡丹花下死，做鬼也風流」，畢竟也是頹廢的個人主義者，更可謂為天下第一號大傻瓜。酒稅增加固是財政專家的傑作，但我們的宣傳家該怎麼說話呀！

再說財：「有錢能使鬼推磨」。能夠發財，並不是件壞事，但是要發本領的。怕就怕在一個「括」字，「偷」字，「騙」字……。大伙兒搜了，你獨個兒肥了。問你于心何忍。由此想到美國政府的許多貪臣尖吏，常常請一些發了大財的商人担任，去「商而優則仕」，不無見地。有朝一日，我們這些大官兒也能從大商人羣中挑出來，貪汚之風，其庶幾戢乎。

最後說到氣。氣者，命也。命者，運也。氣運之對於人，若有若無，若即若離。你說它沒有嗎？在別人跟你是一樣條件的時候，偏偏你會流年不利，命途多舛。冥冥中確似乎受命運安排，實也是懦人自擾，或者阿Q心理作祟耳。古人論政，每於朝代興亡之際，來上一句，氣數已盡，實在是用于掩飾維護或咒罵當政者之不長進耳。

酒、色、財、氣，我作如是觀，正人君子，以為然乎否乎。

本報九龍讀者注意

九龍彌敦道樂宮大廈二〇二A室自聯出版社門市部，自本年九月一日起代售本報。九龍讀者請注意為荷。

刺激

•小言•

在農業社會裏，三家村的日子，會使人覺得平靜得發慌；在現代化的都市裏，人們生活在瞬息萬變的刺激中，反倒顯得麻木了！

在農業社會裏，村子上平時不會有新聞，狗咬了人就成了天大的新聞了；在現代化的都市裏，時刻有出爐新聞，連人咬狗也不成其為新聞了！

因此，生活在平靜中的人，他會覺得刺激的重要性，也顯得刺激對生活起了調節作用；但在被刺激慣了的都市生活中，除非有超級性的刺激新聞，人們是不會為它去多操一分閒心的。

集中四五萬發砲彈向一個目標轟擊，在第一天被認為是一種刺激，在第二天，人們會覺得金鈔股票行情上的每一分起落更重要些，就覺得隔日的新聞已經不再有刺激性了。

在流亡了十年的人來說，有一天打上了大陸，那才是真正的大新聞；但目前既無法得到這種刺激性的滿足，於是一條誤傳的新聞，就能使人們瘋狂似地投入了興奮的激流中……。

粵人藏書劫運

嶺南文物掌故

•竹庵•

余前草「廣東人的刻書風氣」一文，略述十九世紀廣東人，酷好翻刻古書，成績燦然，對文化保存及流通，貢獻極大。學海堂初集吳蘭修序有云：「廣東在乾隆前，科名鼎甲，遠不逮江浙之盛，而藏書之家，甚鮮聚書至萬卷以上者」，以余所知，近百年來，粵人搜羅珍籍，及貯藏古本，多至數十萬卷者，大不乏人。而家藏數萬卷者，則更僕難數。但粵人藏書，無能保持至三代者，以視寧波之范氏天一閣，山東楊氏之海源閣，江蘇瞿氏之鐵琴銅劍樓，歷數百年，世守其業而不墜者，眞有天淵之別。今將粵省藏書之散亡情形略述於後，希望我國人珍惜其文物，凡獲珍本或罕見之書，勿蹈前人覆轍，自秘藏於其家，而設法使之廣其流傳，或公諸社會，則我國文化庶不致滅跡在陰，而能大顯於世，此則本文之意也。

兩宋刊本之珍貴

北宋至今（一九六〇年起）未到千年，而其板本留存至今，已極稀少，代價兼金，亦不易搜求，蓋經遼、金、元，以及明末流寇之亂，中原板蕩，神州陸沉，典籍之淪亡，不可以數計，及至清初，虞山錢氏（謙益）絳雲樓一炬，以致兩宋元明善本書，盡付丙丁，其損失之重，類於梁元帝之焚書，自時厥後，宋本更鈔若鱗角鳳毛，清之季年，陸誠齋之百宋樓藏書，被日本帝國文庫用日元十二萬購去，當時學者如沈子培（增植）傅增湘葉康等莫不撫膺長歎，謂損失之重，等於割去百城，老宋本之所以珍貴者，則因宋去古未遠，校刻羣書，即有錯誤，亦未大差，又元朝漢人，苟且偷生，無甚精神以校勘古籍，而明人刻書，又任意割裂，故佞宋之風，（佞宋見述古堂書目）由來已久，但除宋板以外，清初精刻本，在書林中，亦具價值。

粵省珍本之散亡

粵人藏珍本圖書，最稱富麗者，首推豐順丁雨生及其子惠康（叔雅）。按姚梓芳丁惠康傳「雨生先生去官後，僑居揭陽，頗以圖籍自娛累，……先是金陵之役既平，故書雅記，往往散出……君先世多所搜集，益以新得，校本率人間罕見，故丁氏藏書之富甲吳省，獨山莫友芝為輯「持靜齋書目（四卷）」」，旋惠康往來津滬，幾達十餘年，鬱鬱不能達其志，卒以宣統元年病卒於都門館舍。丁身後極之蕭條，圖書亦因之星散，順德何翽皋部郎，哭丁徵君叔雅詩有句「朱竭獨魂終雨絕，絳雲舊錄半烟消」（註：君家宋元板書多散佚」）即紀丁氏藏書散失事。丁後人更鬻書以至淨盡。翽皋詩句擬丁氏藏書於絳雲樓，（絳雲樓書目，見粵雅堂叢書）。讀者以為詩人隨意比擬，殊不知「持靜齋」藏宋元名刻之多，除絳雲樓外，莫能與比肩也。余翻閱，至今未見丁氏書目。但見近人筆記，均載丁雨生以軍功起家，位至封疆大吏，在江蘇多年，乘兵火劫餘之後，大量蒐羅，物聚於所好，遂彌充棟汗牛。況復有一部份之書是得諸豪奪，郁泰峯宜稼堂藏書之一部，被彼攫來，即其一端。（一）

短篇小說

櫻都之戀

李新

颱風嘯過，海面的浪峯還豎得那麼高，這幾千噸的戰艦，在我眼裏已是夠大的了，可是在海的懷裏，就實如滄海一粟的渺小，她好像把我們當小孩子玩的皮球一樣，掀過來又推過去，一點兒也不能讓我們自在，幌得我腦子昏天黑地，但是因為我責任重大，不能絲毫疏忽，於是我只好仰望着天，打開我記憶的門扉，讓往事的溫馨，洗去這風浪戲人的煩膩情緒。……

那是遠在一九四七年的夏天，我的軍艦由美返國，從中途島路過日本。在路上一連遭到四天的狂風大浪，因此上峯特容許我們在日本多玩二天，以便洗滌十餘天來海上的疲勞。對日本懷有「怨恨」心的我，這次能得有比一般人好的機會，我要好好享受一番戰勝國的光榮，出出抗戰時在北國流浪之悶氣。不過對秀麗的風光也嚮往已久，能得機會略事遊覽，心中自然高興得很。

我們軍艦停泊在橫須賀，去東京尚須坐一小時軍用火車。上午進港，下午就約了幾個要好同事作東京之遊。那時盟軍在日本眞是趾高氣揚，日本警察一看到我們就是一個九十度鞠躬，那時我心中眞好舒服，用手摸摸尚未長鬚的下顎，和朋友們相顧而笑。不過我對日本人那種低聲下氣，謙和招待的印象，心中也很欽佩，他們一點也不悲傷，那種屈伸的勇氣也叫我敬服不止。那時由橫須賀去東京，盟總特為盟軍備有專車，一天中有二班是直達的，日本人都叫這二班為「特別專車」。這種車子是不管軍人多少，日本人一概不准搭乘，完全是盟軍的最惠優待。

到了東京走馬看花似的半天日子就完了，坐車走路，因到艦上人已精疲力倦，我覺得如此地玩太可惜了時間，於是第二天吃過午飯就一人溜了出來，乘車去橫濱，先看看大佛，再去海水浴場，欣賞一下這人與海的風光。一個廣大的浴場擠滿了男男女女，我找了一個坐位，租了浴衣就一人下水，近邊淺處的海水已被人潮弄得黃澄澄的，我就只好向外游去。這時陽光很害，鹹水浸入眼中怪難受的，我試閉起了眼睛仰游起來，仰泳的姿式比較省力，任波浪的推送，也最舒服，飄飄的在海水裏，正在我游得興味極濃的時候，忽然一種軟綿綿的東西在我頭上打了一下，我翻身一看，原來是一個黃色的汽車內胎，離胎幾尺外有一位很美的姑娘，她正以抱歉羞澀的眼光向我這邊投來，我本來要發作幾句，但一想就忍了，心中倒覺得這女孩子好俊，還好像什麼地方見過似的。

「對不起」她對我點點頭，怯怯地說。

「對不起，小姐你中國話說得挺好」。我非常驚訝在這裏居然能聽到如此純正的京片子，心中好不高興，因為去國日久，對這親切的鄉音，已早成了我的稀客。

「妳是華僑嗎」？我問她。她搖搖頭沒開口。

「妳怎麼辨別我不是日本人呢」？

「我看到妳從盟軍專車下來」她說時還帶着一點難捉摸的笑容。這時使我想起了在橫濱車站下車時，正好也有一列從東京來的班車到站。在熙熙攘攘的人叢裏，我看到白綫那邊有一位清秀的小姐正在向我們這邊看，當時我猜不透她是羨慕我們的服裝呢？還是能坐專車的榮譽。

「妳的意思是說凡是盟軍專車內下來的都是外國人嗎」？

「在今天我們是祇能看看的，因為你們都高高在上」！她說時好像內心有無限的委曲似的。我看到她這一幅天真無邪，端莊而又恬靜的容貌和這一口中國話，我的一切勝利的驕傲和怨恨日本人的心都消失了。

「我們能一道往外面游嗎」？我第一次向她請求。

「我游得不好」，她已沒有初見時的羞怯，說話也自然多了。

「有我呢？」一個海軍在海水裏是比旁人要懂得更多的了。於是我們慢慢的朝外游去，一面游一面談。我們順便也談一些有關游泳的秘訣和方法，其實她游得挺不錯，只是膽子小一點。她是一位活潑而又伶俐的大女孩子，一頭烏黑的秀髮，淺淺的酒渦，大大的眼睛，一笑時像一朵剛開而未全放的蓓蕾，在碧波映射中眞美極了。

她告訴我她是日本人，但生在北平，初中的學業也在北平完成。父親是軍人，現在賦閒在家，生活不大寬裕，所有一切的開銷，全靠在鄉下的一個小農場的維持，管理農場的人都是父親舊時的部屬，工作勤奮，所以他能維持開銷。因為家境不好，高中最後半年學業也放棄了，現在服務在一家青果會社，津貼補家用。她的名字是川子，北平時叫鳴鳳。（一）

自由人
THE FREEMAN
（第七八三期）
每份港幣壹毫
20 CAUSEWAY RD. 3RD. FL. HONG KONG
TEL. 771726

正視共黨集團的新戰略

張六師

這是有關世界和平與亞洲安危的新問題，也是今天中共決心侵犯金馬，挑起海峽戰爭的原因。西方如再愚昧，將必引火自焚。

一、

自赫毛兩人在北平經過三日三夜的秘密聚會後，西方部份愚昧政客所幻想的「高峯會議」，隨之終終；但英工黨的目萬和最近的每日鏡報，却仍愚昧不醒，繼續主張安撫，變相鼓勵侵略。甚至對中共在香港的暴亂攻擊都怯懦地默不敢言。他們無知於因有台灣自由中國的存在，[illegible]香港和遠東也安定地在繁榮，中共才步步均有顧忌。

由於新武器的日益發展，十年來已影響到克里姆林宮的戰略觀念，改變了對今後世界大戰的戰略決策，所以赫魯曉夫敢對英國人說「我們終於要埋葬你們」。在東方毛澤東自去歲朝俄歸來後，便積極整飭內部，加緊備戰。他去歲所帶到莫斯科和以後在赤塔，伯力勾留很久的「軍事代表團」，便是今天在東方從事對西方叫囂「英美滾出中東」的人，也是正在發動台灣海峽戰爭的人。

共產黨在遠東，並不是不知自由世界軍事保衛西南太平洋的這條防線，而台灣便是這條防線的核心環節。共黨也了解，美國防衛這條線不再退後的決心和軍事準備。但他們却屢次的大胆聲明要進攻這個島嶼，而且指明地誣毀美國「佔領」，「侵略」台灣。其實他們又何嘗不知道這是一種對美國的有意侮辱。但在共產主義訓練下，他們的思想意識，已把謊言當作真理，肯定的自我欺騙把美國當作「紙老虎」。

二、

爲什麼他們敢於如此瘋狂？簡單說：就是爲了維持士氣。

[illegible]共黨的所有文字中都異口同聲地厚顏宣傳說：在韓戰中他們曾「打敗了美國和其它十五個國家的聯合進攻」，而更武斷美國不但不能登上大陸，並且還要失敗於台灣海上。

第二、自俄寇有核子武器與飛彈後，他們更驕傲狂妄地宣傳，他們的軍隊也進入現代化，並不恐懼美國的核子阻嚇。

第三、在基本戰略思想上，他們同樣受了俄國新近的修正理論，即「主動的把原子戰爭帶進敵人領土內」的「先發制人」的戰略觀念。同時，揚棄了史達林以前的守勢戰略，利用空間消耗的觀念。這種軍事理論，近幾年來已深入於中共所送到蘇俄受訓的軍事幹部和高級將領的腦海，成爲他們首先進攻自由世界的最重要理論。

第四、自列寧到今日，共黨仍普遍地叫囂，「提高對內部的警覺」。他們始終認爲「堡壘是從內部攻破的」，因此，對於大陸人民的抗暴革命，極爲敏感。對於足以使大陸人民和自由中國海外人民的內外呼應，從內戰中粉碎暴政統治的恐怖，更是十百倍於美國的核子武器的。因此，他們最樂於接受蘇俄的新戰略觀[illegible]作戰，是必須在敵人境內開闢戰場——至低限度也必須「禦敵境外」，決不把自己領土作戰場，以避免人民的起義和破壞。

三、

根據上述四種新戰略觀念，我們有證據可以說明何以蘇俄以五個五年計劃所積累的重工業建設，並未完全進入地下？而中共在蘇俄指揮下的兩個五年計劃的軍需工業，仍然是暴露在空軍與飛彈的威力下。但在國家基本政策上，他們却並不放棄「世界革命」的征服主義，不懼與自由世界爲敵。[illegible]，而是因爲全部工業，交通，城市……進入地下，在技術與事實上，任何國家都是絕對不可能的。因此，在戰略決策上，和作戰計劃上，就必須在敵人境內先粉碎對方的軍事實力，才能保障自己的安全與存在。因爲只要敵人已入境，即使最後打勝，也等於先已戰敗。何況敵人已入境後，至少已把在敵境內打擊敵人的力量，不得不撤回來被動的先保護自己，備多力分，就等於自己已先損失和削弱了大部或全部的力量，這是最拙劣的失敗戰略。蘇俄鑒於二次大戰因德軍先發制人[illegible]，人民投降，民族獨立的慘痛教訓，故對原子戰爭中的在敵國內作戰觀念，更爲堅強。因之，「先下手爲強」的戰略思想，近年來已充分[illegible]。

[illegible]

四、

世界上只要有共黨政權存在一天，戰爭的鬼影即存在一天。[illegible]大戰便會突發。

[illegible]

五、

[illegible]

半週述評

看毛澤東如何下台！

劉豫、張邦昌、吳三桂的姿態以取得今天的地位，同在竊據大陸以後，更以血腥的手腕從事屠殺中國無辜的老百姓，以千萬計。最初我以爲毛周輩不過是冒牌的無產階級，實際依然是中國的知識份子；他們對於所謂馬列主義，原不過『拿雞毛當令箭』，奬出這樣一個欺騙人民的幌子，至少至少，我以爲他們對於中國人也應該懂得一些保泰，多少總也應得一些。

因此在五年以前，我便在本刊寫過一篇短文，說毛澤東的第一狠處，便是不打台灣。在常時我估量：台灣在一切政治、經濟、國際、軍事等等的條件未充份具備以前，決不會輕舉反攻；中共的所謂『解放台灣』，在吃過一次韓戰的大苦以後，尤其在中美共同安全條約訂立以後，將更不敢妄動。可是在這次毛赫會談以後

[illegible]

·左舜生·

我國面臨最艱險時期
——也面臨最有希望的時機

雅斯

[illegible]

我們應該營救亞洲反共巨人賈瑪黎

•岳騫•

今年七月十四日伊拉克一羣暴徒發動的邪惡政變，其野蠻程度竟超過現代的共產黨。

政變一何暴

試看二次大戰後，歐洲的羅馬尼亞，保加利亞，南斯拉夫都由君主政權變爲共黨專政，但三國的君主也很體貌的被送出國外，至今仍在歐洲流亡。歐洲國家常罵埃及納撒是中東狂人，但這個狂人發動埃及政變時，不但用遊艇送走法魯克，還立了法魯克的幼子作了一個過渡時期的小皇帝。他尙未瘋狂到像伊拉克這批野蠻份子的程度。

道義一何薄

有些外國通訊社居然發表伊拉克皇室所以被推翻，是因爲不得人望，伊拉克皇室如何不得人望，我們未到過巴格達，也不必强爲辯護，但是我們知道伊拉克的石油收入，完全用之於國家建設，比較起沙特阿拉伯，科威特等國的國王，酋長，把石油收入完全供個人享受，應該得人望的多，爲什麼那些國家的皇室未被推翻，單單伊拉克出了問題，可知這決不是皇室本身問題，而是外來的力量所造成的。

前些時看到一位前輩先生寫的「可怕的現實主義」，爲殉國伊拉克王和首相鳴不平，文章中痛斥英國，我覺得英國人誠然現實，但祇是在政治方面；感情上仍保有正常的溫暖，當伊拉克國王殉國消息發表後，英國皇室即在西敏寺教堂開追悼會，這是除約旦之外，唯一替伊拉克故王開過追悼會的國家。

反過來看美國朝野輿論，從未發見有一句哀悼伊拉克王室及費特首相的言論，對於一羣暴徒用機槍打死五六十歲的老婆婆，三歲的嬰兒，集體屠殺伊拉克皇室的野蠻行爲，從未說過一句，而祇是關心到伊拉克石油的前途，最後終於承認了這個暴徒政權！

我國朝野更沒有理由不作一些表示。——追悼曾來我國訪問的伊拉克國王及叔伊拉，更重要的是我們駐聯合國代表團，亞盟中國總會爲什麼不出頭營救尙在巴格達監獄中的伊拉克下院議長，亞洲的反共巨人賈瑪黎氏。

賈瑪黎其人

賈瑪黎氏是伊拉克下院議長，曾任伊拉克首相，外長，出席萬隆亞非會議的代表團團長。他是在萬隆壇坫上第一個擊敗周恩來的人，使周恩來承認了共產主義是殖民主義的一種。他是中東高級政治人物中第一個訪問在台北的中華民國，促進中伊邦交，互派大使的人。我們該不該營救他？

先說前奏，一九五五年四月在印尼萬隆召開的亞非會議，周恩來率領中共代表團出席，在一年以前，周恩來在日內瓦會議上縱橫捭闔，出盡風頭，艾登及法國當時總理法郎士屈意交驩，會議結果，越南及寮國被分割，共產國際獲得韓戰停火後又一勝利，當時周恩來的鋒鋩，在國際間令人刮目相看。時隔一年，又在萬隆開會，參加的共有二十九國，由於尼赫魯拒絕中國，韓國參加，反共陣營少了兩員主將，自由世界普遍爲亞非會議担心，當時大家都寄於厚望的是菲律賓代表團團長羅慕洛或者是黎巴嫩外長馬立克，美國也許寄幻想於日本的高崎達之助，沒有任何人會想到賈瑪黎氏這個從未在國際壇坫上出過風頭的外交家。

他一舉擊敗周恩來

在周恩來當時的如意算盤，以爲日內瓦會議西方「優秀民族」的三大強國的「第一流」外交家，都被他牽得團團轉，今天對付這些落後地區的人員，加上尼赫魯甘作爪牙，一定可以發蹤指使，好似在北平開「政協會」一樣。不料開幕第一天，首先走上講壇的就是伊拉克代表團團長賈瑪黎。當賈氏發言時，周恩來也雖在人羣中鼓掌，那知賈氏的演詞一開首就指向共產黨說：「國際共產主義爲製造殖民與民族仇恨的唯物宗教」又說：「爲自由與獨立而奮鬥數十年的亞非二洲人民，在共黨的陰謀下，甚至陷入更不幸的處境。非共世界每一國家的領袖，應正視各該國共黨危機的增長，列寧着手二次世界大戰中宣稱他們不棄取領土，然而征服與統治已證明是共黨世界的法則，他們是今日世界上新式殖民主義，比舊式殖民主義更爲厲害。共黨世界在今日亞洲與東歐所統治的人民比以前任何國家所統治的範圍更大。」

賈氏這一番話講完後，全場鼓掌，巴基斯坦總理親自趨前握手致賀，只有周恩來和他的隨兒梅農，臉色鐵青坐着不動。第二天全世界報紙登出這項消息，「新式殖民主義」名詞，成爲打擊共黨最有力的宣傳武器。

今天是巴格達囚徒

不但如此，到了亞非會議閉幕時，起草的宣言，在賈氏領導下，竟把「任何形式殖民主義」一詞加進去，周恩來、尼赫魯、納撒雖然同聲反對，但在表決時，以十五對十四票通過，列入決議案，於是本來由周恩來發起，尼赫魯促成的攻擊西方殖民主義的會議，一變成爲反共會議，會議結束後，西方國家宛如死囚逢大赦又中了馬票，那種歡欣鼓舞，難以形容，但是到了今天西方的政治家，是否還會念到巴格達監獄的一名囚徒呢？

他訪問過台灣

賈氏離開印尼後，曾到台灣訪問，出席立監兩院會議，並舉行記者招待會，會發表了許多名言，他說：「自由世界必須團結一致，堅持立場，如果再猶疑不決而爲中立主義所誘，自由世界就將遭受可悲的失敗。自由世界過去已作過多次領土退讓，這種行爲現在應該停止了。」這些話恐怕將不幸而言中了。

賈氏走後，中伊使館分別設立，不久又升格爲大使館，直到這次政變，又告中斷。

「雖千萬人我往矣」

所以不問從那個角度來看，我們應該挺身而出呼籲世界有正義感的人士，營救賈瑪黎氏早日脫險。或許有人以爲我們在聯合國自顧不暇，人微言輕，即使提出，未必有用。或許激起伊拉克這批暴徒之怒，更陷賈氏于不利。我認爲這些顧慮是多餘的，先哲名言，「雖千萬人我往矣」，世間事只問該不該，不必研究能不能，譬如我們今天高呼反攻大陸，以現有力量來說，是有困難的，但我們爲什麼耿耿不忘，無論如何非達到目的不可，因爲這是應該作的事，再如我們的力量雖然不强，但是移師侵略中南半島國家，也許可以得到勝利，爲什麼不作，也就是因爲不該。文天祥說的好：「譬之父母有疾，明知不可爲，斷無不延醫之理」。今天也可以這樣說，朋友被囚，無論能否成功，斷無不營救之理，這是義務，不容推拖的。（一九五八年八月二十四日）

台南一點滴

△因金馬劇烈砲戰，台灣已掀起了支援前綫熱潮。「九三」第四屆軍人節已屆，各地捐款，獻物或一家一信慰問征人等支援運動，在普遍發展中。台南軍友社已收到大批慰勞品。台南高雄等處記者公會，亦於「九一」記者節前，徵得各界送來禮品甚多，爲了響應支援前綫將士運動，閭將所徵來禮品，悉數轉獻勞軍。九一記者節後兩天，緊接着又是軍人節，各地記者公會，應集中精神與物質作勞軍之舉。

△高雄市免試升學，曾因經費問題有停辦之議。市府又改頭換面，來一套「入學測驗」。可是，高市國民教育的教室問題，尙缺四百七十四間，學童分四部制上課，是全省最嚴重的一處。學生到了五六年級將要升學；跟不上水準，就發生了所謂「惡性補習」，而補習也帶來了教員的額外收入——每人收費三十元，一班以五十人計，月得一千五百元。

△報載新營警察當局，曾拘捕私娼，妓女裸體誘匿。事爲省議員郭某得悉，在本屆省議會質詢中，照報消息朗讀後，指責警務當局，非但沒有維護社會風化，反而傷害社會風化。警務處長下令撤查，結果：警員受記過處分，警局則將兩個月前的消息，來一個自圓其說的否認。（八月廿九日）

○昌增勳○

蘇聯次一攻勢將在拉丁美洲

•趙風•

墨京通訊

今年七月十四日伊拉克政府因政變倒台，美英雖然出兵約旦及黎巴嫩，但對這次悲劇的主角伊拉克却一句不提，照理說，約旦和伊拉克是聯邦，英國進兵約旦之時大可請約旦王名正言順地出兵平亂。蘇聯也看透了英美的動作目的只在爭回一點面子，能夠暫時保留約旦及黎巴嫩於西方陣營便會「光榮撤退」，蘇聯既然已佔了便宜，實不必迫虎反噬，因此也主張來一個「和平談判」。但西方是否能夠保有黎巴嫩和約旦，還是誰也不下賭注的輸局。蘇聯「共產主義世界革命」的下一步地點在那裏？將要輪到美國的後門——拉丁美洲了。

七月卅一日，赫毛北平會後的「聯合公報」，除了指摘「英美和平民主之敵」，堅決要求美英立即自黎巴嫩及約旦撤兵，並立即召開各大國的高層會議」之外，就公開說要「在拉丁美洲推行一項獨立運動」。

周恩來在八月十六日接見兩名巴西籍訪大陸的記者時，很坦白說過：「萬隆會議的精神現正在拉丁美洲發生有力影響，遠東人民及亞拉伯人民既能反抗西方殖民主義的壓制，拉丁美洲人民也當然能夠起而反抗美國帝國主義。」

共產集團下一步將在中南美洲製造事件的斷定，不是全憑推斷。委內瑞拉、巴西、墨西哥、瓜地馬拉等國的共產黨猖狂活動和美副總統尼克遜訪問南美國家被辱等事件，都是事實的說明。就以和美國接壤的墨西哥來說，共產份子活動的猖獗和反美勢力的增漲，實非一般人所可意料。

墨西哥是拉丁美洲各國首先和蘇聯建立外交關係的國家，蘇聯駐墨大使館館址之大，人員之多，爲各國駐墨使館之最。墨西哥政府一向標榜中立，縱容蘇俄與波捷使館利用墨國爲中南美洲各國共產活動的指揮站。蘇聯駐墨大使館在墨西哥組織了一個九百多人的龐大間諜網，並且利用金錢在墨國朝野培植了不少的親蘇份子。

蘇使館的電台直接指揮中南美各國的共黨組織。

在墨西哥，共產黨被認爲是合法政黨，共黨控制的工會和「勞工大學」都受到政府的補助。這個國家，現在一方面依賴美國的財政經濟援助，一方面却和蘇聯眉來眼去。最近墨西哥共產黨表現了他們的力量，首先發動了全墨京教員罷教，繼之大學生罷課，後來越弄越兇，本年七月間墨共居然武裝領導暴民二千五百名在墨國西部佔領私人農地，佔住都市公園，發動電力工人和電訊工人，鐵路工人先後總罷工強迫墨政府承認共產黨控制的工會首領

蘇聯在中南美洲所培植的實力已逐漸成長。最近又火上加油地向中南美各國進行經濟及宣傳攻勢。今年六月間蘇聯運原油一千二百萬桶給烏拉圭，八月廿日又向巴西建議用廿萬噸汽油交換巴西土產，同時向阿根廷表示願意進行同樣交易。波蘭駐墨西哥大使館，最近向墨西哥建議用波蘭機器交換墨國棉花。捷克駐墨大使館八月十八日宣佈給予墨國十名工科留學生獎學金以便墨西哥學生赴捷克求學。這些陰謀的實施，都會相當收效的，如果民主國家再在「和平共存」的美夢下，沉醉苟安，有一天第二個中東局面，將會在拉丁美洲大陸重演。

馬獅獅獎金及其得主

•昭祺•

以紀念菲律賓故總統馬獅獅一生對菲律賓人民勇敢服務的理想而設立的馬獅獅獎金，已選定中華民國農村復興委員會主任委員蔣夢麟博士爲「亞洲任何國家政府部門中有優異勛績」的得獎人。其餘由菲律賓發起在越南與寮國從事衛生與醫護工作的「兄弟會」獲得「國際了解獎」。著有醫績，圍着腰布的印度巴夫氏（Vinoba Bhave）獲得「社會領導獎」。在菲律賓的一位英國出版家狄克（Robert Mcaulloch Dick），與雅加達「大印尼報」股東兼總編輯盧比斯（Lubis）獲得新聞與文學獎」。還有一位在加拿大出生，而在錫蘭從事社會服務的工作者盧特監姆（Rutnam）獲得「公衆服務獎」。

據馬獅獅基金會宣稱：「蔣夢麟博士之獲選，乃是褒揚他在中美合作計劃下，使台灣以及在中華民國治理下的其他島嶼之農村生活獲得極大改進之優異成績」，並讚揚蔣博士曾在中國一著名大學任校長達十五年之久，他所帶入於他所主持的政府機關的哲學態度，彌漫於該機構之中；使參與農復會中工作的中美人員，均遺忘其本國國籍之差異，而感覺有一種共同工作的親密團結精神。該機構有容忍性，適應性，以及高度的選擇性，使農復會內部以及在農復會主持下執行該會計劃，或負有協助責任的各種機構，能獲有效的合作。

該基金會宣佈「兄弟會」的獲獎時，因爲「兄弟會所懷抱與實行爲他人犧牲的精神，以及它所培養的國際友好精神，值得表揚」；「兄弟會所激起的國際合作，不僅限於越南、寮國，與菲律賓人之間，而且延展至遼遠地區，使東西人民普遍體認人類需求而結合在一起」。

巴夫得獎的理由，則是由于他在七年前開始旅行印度全國，說服地主們，將他們五千萬畝的土地無償贈與無土地的家庭，至目前爲止，他已徵集了七百萬畝的土地與二千五百個村落。該獎狀說，「他不會爲自己要求甚麼東西，更未要求爲他的成就獲得讚揚，但他已獲得他的國人的崇高敬仰」。

狄克與盧比斯之獲得新聞與文學獎，根據該基金會聲明，是「褒獎他們每人對促進大衆福利的新聞事業所作勇敢與建設性的貢獻」。我們都知道盧比斯崇尙自由與攻擊專制，從不遺餘力，他爲了反對蘇加諾的獨裁政權，曾在他所主持的「大印尼報」不厭口誅筆伐，蘇加諾政權把他的報館封閉，甚至把他逮捕監禁，亦毫不屈服，目前他仍在囹圄之中，但報館仍由他的夫人主持繼續發行。

此外已達八十五歲高齡的盧特監姆之獲得「公衆服務獎」，是由于她「在一個階級與信仰層次分明的社會中，使那些比較不幸的人知道可以由一些實際的途徑獲致自立，因而加強了他們的自尊；至於那些較幸運的人，她也向他們表示，要自動的努力將他們的財富用於效勞國人。並且她自己以身作則，使公衆效法她的榜樣。」

馬獅獅獎金從一九五八年起每年把五項獎金（每項美金一萬元）頒與在政府服務、公民服務、國際合作、社會服務，與文學新聞方面有顯著勛績的亞洲人。曾以五十萬元美金捐贈給該基金會的紐約洛克斐勒基金會的主持人小洛克斐勒讚揚馬獅獅之爲人，說他是一個「獲得人民讚美尊敬與熱愛的人物，因爲他是一個樸素而謙虛的人，他的目的，是改進他的同胞的命運，並且以大公無私的熱忱，進行工作」。洛克斐勒基金的捐贈鉅款以支持這一盛舉，就是要「紀念這位亞洲偉人的成就」。

中國蔣夢麟博士于獲悉他已榮獲這一項榮譽獎金時，會謙虛的謂農復會所作的任何成就，都是該會中美職員合作努力的結果，蔣博士已前往馬尼剌領獎，據他表示，領了這筆獎金之後，他將利用它來寫一本「中國思想史」，那本書尙需要很多材料，許多參考書籍，以及還要化時間到日本，美國去研究。

政治局會議

八月十七日到三十日中共政治局在北戴河舉行擴大會議。參加這次會議的有：各省、自治區、直轄市黨委第一書記和政府各有關部門黨組的負責人員。討論的問題有：一九五九年的國民經濟計劃，當前的工業生產、農業生產和農村工作問題，商業工作問題，教育方針問題，加强民兵工作問題和其他問題。

據說，一九五八年的糧食總產量可達六千——七千億斤，棉花將達七千萬擔，鋼的生產計劃由二月間的六二〇萬噸，增至五月底的八百——八百五十萬噸，現在將計劃再擴大到一〇七〇萬噸。在一九五九年，要求以更高的速度前進。

這種自說自話的數字，不特共產集團以外的人懷疑，而且，據八月二十九日人民日報載，連到捷克的記者也不信。

會議的特點

這次政治局會議的特點：一、固然新華社的報導往往是顛倒黑白的，但從這次的報導以及結合其當前的行動看來，這次會議的重點在于經濟問題。報導中會議的官冕堂皇的理由是農業的發展已告一段落，要及時的把黨的領導力量轉到工業方面去；實際上，可能是因爲毛澤東即而將臨秋後算賬，故而利用其所控制着的黨內優勢，預先作出決定以拑制秋後算賬派的口。二、這次會議正當台灣海峽局勢緊張時節召開，但其報導中沒有一句話提到這一問題，這也應該列爲這次會議的特點。這些特點表示着什麽呢？一句話，色厲內荏，作不出決定只好不作決定。

我們的看法與要求

世界輿論因爲蘇聯眞理報發表了一篇文章而發相驚擾，認爲蘇聯支持中共攻擊台灣，這種看法我們認爲不符事實的。

八月十三日，赫魯曉夫在斯摩稜斯克援助大會上說：「依我看來，現在還沒有出現打雷的烏雲」。也就是說，現在並無大戰的危機。這句話的意義：一、違背毛赫會談公報的精神；二、在中東事件上他當時已採取了妥協的態度；三、不以爲中共在台灣海峽的行動是大戰的先兆。這一消息是八月二十四日發表的，其發表時節正是中共砲轟金門最緊張時節，那末，其所以擇這一時機來發表這樣的話，似乎是爲的揭穿中共的大戰威嚇。八月二十九日人民日報出現這樣的標題：「各國輿論譴責侵略者挑釁，美國在台灣海峽製造烏雲」；不用說，這樣的標題是針對着赫氏的講話而發。

隨後，八月三十一日的眞理報發表評論台灣海峽的局勢，表面上這篇文章是很强硬，骨子裏極有問題：一、文章並不引用「中蘇友好同盟條約」；二、認爲誰也不應阻止中共攻擊台灣；三、蘇聯將予中共以必需的道義上和物質上的援助」，其條件是：敵人「進攻」中國大陸。——不但，這篇文章並無支持中共攻擊台灣的保證，而且似乎是表示了這樣的態度：你攻台灣由你，若由此而導致對方反攻到大陸，則始予以道義上與物質上的支持，但不能引用「同盟條約」要求蘇聯軍事上的援助。

長久以來，儘管中共在台灣海峽製造緊張局勢，蘇聯至今還未表示過態度，這次表示了態度，當然是表示中共與蘇聯已達到了某種協議，其協議內容可能就是上述三點；另外，大概還有在宣傳場合上支持中共的行動，因爲那篇文章以支持中共行動爲掩護的。

根據上述事實與結論，我們再次要求予打擊者以打擊，自由中國一定要利用這一時機毀棄那個「換打戰略」，闖出一條反攻大陸的大路。單只依賴美援，想逞三次大戰不勞而獲的思想應該受清算；守株待兔的不積極力行反攻大陸國策的官僚們應該去職；我們不僅要求美軍協防金馬，而且要求反攻大陸，要求創造反攻大陸的條件。

〇田心〇

香港中文中學改制問題

◎張雲◎

報載：香港中文中學將於一九五九年施行新學制，將現行之三三制改爲連貫五年之新學制，使學生節省一年之時間。據稱：新學制優點有六：（一）中學畢業生如不升學，從事謀生可省時間一年；（二）與英文中學一致，同爲五年制；（三）三三舊制學科內容不免重複，新制可以避免；（四）目前中文科所採古文，不切實際，可採近代人文章；（五）實行三四制，節省下來之時間，可增加英文鐘點，至每周十四時，使與英文中學相差不遠。（六）新制五年畢業後加讀大學預科，作升大學的準備。

據悉，各中學對新制尚在籌議中，至一九五九年秋，當可實施。但此一改制步驟，與實施之法，相信此一問題，牽涉甚廣，對本港僑教前途影響甚大，利弊得失如何，應爲留心僑教之教育人士多加研究，以期完善。張雲先生此文所論者，僅其一端；教育先進，如有其他意見，提出討論，本刊亦將於盡量發表也。（編者）

抗戰期間，本人在內地，正爲籌備大學招考新生而忙碌，接到教育部的一本小册，標題現下已記不甚清，大意强調我國專科人材之訓練，因此勸告一般學子在中學結業後，必須愼重考慮，選擇個人興趣，能力與環境，是否適合於大學中某種專門學科；否則，可選擇適當部門就業，以免落其所能，或向社會各選擇之途。歷屆大學招生考試時之錄取百分率極低，爲此所暗示而發展。實際上亦因社會各機關、各部門，或政府各機關所能容納之中學畢業生年幾，倘學生讀完中學之後，不論個人條件如何，似乎惟有大學是途，因此筋得其不良後果，無以終日。當時個人眼見教育上如此嚴重的矛盾現象，不禁發生一個疑問：辦高級中學的目的爲何？小，教育大多數學生向

特點，既可減輕港大的負擔，又可增加港大的學生來源。同時，教育上需要一個階段的完成，可以讓學生就業，亦可向上深造，有直接相連，可與港大及地方環境相配合，意至良善。

今如將中文中學亦改爲五年制，則學生畢業後，進不能升學，退不易求職，勢成半天吊，殊未以爲可也。欲一教育制度之改變，應與社會環境相配合，實施須顧及一面理由，斷章取義，則與東施效顰何異？

要注意的第一點

近年來本港中等教育擬辦一大改革問題，欲將中文中學的三三制改爲五年制，以減省青年學子之精力時間與金錢。此一原則上極好，但香港爲一個特殊區域，向港英政府一向採用國內所施行者，所收之學生亦爲港地道的中國學生，考之此類業生，其能升入香港大學或進入本地政府機構任職者，可謂鳳毛麟角，而大部份之出路爲投考國內大學，或就讀國內大陸，而後投考台灣或海外。因之，改爲五年制，其學歷能否得到國內大學承認，甚是疑問，這一點必須特別注意。

課程如何編配

至於中學改爲五年制之利益，誠如倡導者所說，可爲學子節省一年時間，亦會爲五年制的中學畢業生能入大學，須有預科。但本港英文中學之學生，再入大學預科，先生有志升大學者乃須進修。而非謂即爲大學之準備生。改爲三三制以後，將一學五年制預科，即予取錄，以一般學子之誤會，以爲中學畢業即可入大學。

與英文中學不同

本港英文中學五年制，乃訓練造就社會上中等層人員，以及政府文員，及商行之僱用。其出路多不成問題。若至升大學，須在五年制以上，尚有預科，如考取，可入英皇預科，其所就讀各大學均承認其入學資格，如念完高級中學亦可免試入學，其資格略可插入港大二年級肄業，這樣編制上的

業那與大學相銜接，本身即爲升大學之準備，幾乎全部爲預備大學，此殆爲三三制改後最嚴重之影響。

故如將中學恢復五年舊制，則必同時在大學與中學之間，加設一班或數班大學之預科，方如是現在中學之三個課程，應使用一般青年學生的心理上，從新認識與準備。現三三制之高中課程，相當繁重，如倡改制者，以爲只將六年之課程，縮爲五年授畢，則利益，似乎尚欠考慮。意見，實亦我國數十年來教育之一大癥結。能有系統的調整，此則有待我國教育當局之審慎熟慮矣。

今日香港

當中共集中彈藥砲轟金門時，在香港，中共也集中了所有的左派及其衞星報刊的紙彈，向港英政府「猛烈」射擊！但不幸，金門固然受得了十多萬發砲彈，香港政府除了會發表了一個簡單的聲明外，已經不再置理了。

作爲饞貓旁邊的金絲雀的香港，處境確頗不易的。要維持香港的表面安定，確得無數蛀蝕心！

共產黨說，資本主義和共產主義是可以並存的，但是在香港來說，共產黨的經濟侵略，看來比殖民地政策下推出的饑餓政策更厲害！這種饑餓政策，已經使老一代的香港人目瞪口呆了！這些過去的買辦階級正在感覺到窮乎其后，以致只有望其背呢！

但是，年青一代，他們似乎已預見有今日這樣的情況，從大陸逃亡出來的大陸青年，到這裏的大陸難民，無異的已經發揮了大的安定力，在無形中他們反而成爲抵抗共產洪流的砥柱。而年青一代的流亡知識份子，早站在最前哨與共黨的宣傳戰展開了！但饞貓看來金絲雀受驚嚇是免不了，要想捕捉它，怕也無從下手吧！（言）

國際動態拾零

△蘇聯在聯合國大會要求中共進入聯合國。美國自然反對，英國亦支持美國。雖美國與英國對中共政策，與英國矛盾。但英國在中東正有求於美，故不得不遷就。

△東柏林消息，赫魯曉夫之訪問北京，純爲告以蘇聯不願與美國爲遠東戰爭而引起世界大戰，一切責任，將由毛澤東自負，這是鐵幕以內外交界傳出的消息。

△中共與北韓北越之軍事組織，業已一元化。中共參謀人員，派至各處者，直至團單位止。中共軍隊，業已大量藉蘇聯之力，名爲反對黨夫主義，實則將反對黨部力量控制軍隊之老幹部去掉。這些都是中立人士傳出的消息。

△東京消息：一、美國軍援飛機，在西貢與台灣者，其在台灣者，無人能說中國話；二、空軍司令部極少聯絡；三、空軍計劃仍依三年前的計劃行事；四、並無局部戰爭行動之計劃。依據此項消息，則美空軍是否協防金馬，頗有可疑。

△莫洛托夫遠調外蒙古後，中共當局請其前來北京，每月至少一次。他最後一次前來北京，適在赫魯曉夫到北京之前。最近莫洛托夫又在莫斯科露面，顯然已得到有力之史太林派的支持。

陶然

蘇南關係惡化的情況

南國境內實行防諜措施　阿國則指南作破壞活動

蘇聯與南斯拉夫間的關係，看來愈發惡化了。在行政上已經作出了許多使蘇聯認爲不顧「兄弟友情」，難堪的措施。對於蘇聯的防諜工作，大致在今年五月開始了。對於蘇聯的輪船，旅客的檢查予以加强。

五月底，蘇輪「伊爾庫次克」號抵達南國港口，港口當局代表提出要檢查該輪的保險證，這是以往所未有的事。

對於航行在南斯拉夫境內多瑙河上的蘇聯船隻的檢查，由船員的行李一直檢查到船艙和防用水管。南斯拉夫法令規定，蘇聯輪抵達港口後，須立即向當局報告，並對船上所有蘇聯人做了專門卡片，詳細記載。

在貝爾格來德，對所有蘇聯人員，更嚴格的審查他們的政治成份及其可靠性。

爲了防止南斯拉夫人民協助蘇聯間諜工作起見，也規定了未獲南國警察當局之許可，不得隨意登上蘇聯船隻，經准許登上蘇聯船隻的人，在回到陸地後，並須向警局提出書面報告。

此外，在南斯拉夫與阿爾巴尼亞的邊境上，也有同樣類似的情況發生。

八月八日的晚間，在南斯拉夫境內的蘇聯火車站上，四個南國保安官員檢查一個可疑的蘇籍女性旅客及其七歲的女兒。在她們的行包內，不僅搜查了她們攜帶的麵包和餅乾，到內加以細審檢查。同時並由女檢查員對她們二人作了「個人檢查」。於此同時，對同一列車上的其他蘇籍旅客官員，也是同樣廣泛深入細密的檢查！

阿爾巴尼亞共黨政府的機關報最近不惜作大肆攻訐，並謂從一九四九年一月以來，南斯拉夫一直在進行干涉阿爾巴尼亞的內政和作破壞活動，暴動等，皆爲南斯拉夫國內的工團主持。依據阿爾巴尼亞機關報「人民之聲」謂，南斯拉夫在阿國境內已建立了由南國保安機關UDB人員掌握的特務網。

東歐衞星國家間的關係，似乎也正由於南蘇關係之破裂，而跟着緊張起來了！（人）

稿酬：本報七月份全月稿費通知單已分別付郵，請惠稿文友，憑單領取爲荷。

編輯部啓

自由談

兒皇帝的悲哀

馬五先生

一九五一年史達林教毛共參加韓戰，暗中許以大量的物質援助，等到毛共「志願軍」苦戰連年，死傷大半，精銳的兵力全給犧牲了，經濟生活尤其困難之際，史達林却以第三者姿態，要求和談，而英國馬上附和，且强迫美國將號召共軍投降的聯軍統帥予以撤職。毛共自傷淪落，啞然若喪，從此對俄帝更增加其求得生存的依賴性，不敢稍有怠慢了。

史魔去世後，赫魯曉夫掀起鞭屍運動，而毛共未予熱烈翕從，赫魯曉即以「我們的經濟被它（毛共）榨乾了」爲理由，停止對毛共的經援，迨毛酋澤東被迫到莫斯科公開表示兒皇帝的忠誠態度，誓言奉俄帝爲主子，還繼續給予經援，簽訂一些經濟建設協定。然毛共最近對於赫魯所倡導的國際大國高層會議問題，又不免表示怨望，頗有撒嬌不聽話的形氣。如是乎，赫魯心生一計，沿襲史達林故智，走訪北平，教毛共向台灣海峽實行軍事進犯，暗中自然許以精神和物質的積極援助。讓毛共跟美軍直接衝突，遭受沉重打擊的時候，俄帝儘可再度利用英國的姑息主義，建議罷兵言和，否則它就表示不惜起而參戰的態度，使英國人嚇得魂飛魄散，拼住美國非講和不可，而毛共於精疲力竭，頭焦額爛之餘，更不得不一面倒向俄帝懷抱中，聽受擺佈了。

俄帝控馭毛共的一貫策略，就是使毛共對俄國既不能强，對美國又不能弱，永遠成爲俄帝的貓脚爪，跟美國作對。毛共如果與西方接近，南斯拉夫的前例俱在，豈是俄帝所願見的事？明乎此，美國幻想毛共承認在遠東地區不採取武力擴張行爲，英國臆造「亞洲狄托主義」的空氣，當係幼稚膚俗的惰落心情，徒爲俄帝所竊笑而已。明乎此，美國現時對於應否協防金、馬的問題，還用得着研討嗎？

詩鐘及其奇句

尤崇洵

詩鐘一稱雕玉雙聯，本于白香山詩句：『寸截金爲句，雙雕玉作聯』；又稱詩畸，據唐景崧所撰『詩畸』序文，引『正字通』曰：『零田不可耕爲畸，茲刻七律外，皆零句片語，亦詩之畸而已矣。』或稱羊角對，百衲琴，折枝，詩唱，其名甚繁。至于詩鐘二字本意，據云係昔人錢于縷，繫香寸許，承以銅盤，香焚縷斷，錢墜盤鳴，以爲構思之限。後改刻燭敲鐘，故名詩鐘。

詩鐘格式繁雜，而字數僅有十四，是故力求對仗工整，且多佳句因之甚爲風行。清末樊樊山蔡乃煌」等雅集，拈題『射斷』，蔡得句：『射虎斬鮫三害去，房謀杜斷兩賢同』，一時傳誦。

詩鐘以閩浙爲最盛，太傅陳寶琛得句：『山海』云『海到無涯天作岸，山登絕頂我爲峯』。另有拘句『麥因水落角爭出，松到年高鬢亂垂。』極盡精巧之能事。徐樹錚與友人青樓詠詩，友以『黑馬』二字爲題請賦，徐不假思索，執筆題曰：『美人旖旎千絲髮，大將勳名十萬蹄。』因有『黑馬將軍』之雅譽，亦詩壇佳話。

茲有作者佚名之佳句數聯，錄諸篇末，以饗讀者：

（天馬）寸餘帆影來天際　里許山光落馬前

（一爭）名乎末世爭何補　飯到窮途一亦難

（聚光）身同一粟飄滄海　眼共三光照大千

（鸚鳥）問鳥啼殘春幾許　勸雲讓出月三分

彭佳嶼

李仲侯

基隆港外有好幾個小島，屹立海濤浩瀚中，每值風雨晦暝之夕，登高遙望，恍若秦漢時所傳，海上有三神山，若隱若現，其出沒虛無飄渺之表，其一有電光閃爍，時明時暗，益增神秘氣氛，即彭佳嶼焉。

彭佳島，周圍長四二九一公尺，面積爲一、一四一三公里，島中因溶岩流分布太多，海風過强，土壤乾燥，無法生長草木，除現在燈塔之圍牆內及西向道傍低窪處，有一二叢灌木，餘皆牛山濯濯，一望渺然。

據記載，清咸豐間，島上曾有卅餘戶居民，一八八四年中法戰役，法軍襲基隆，居民始內徙，至一九〇六年日人在島上建燈塔，始復現人跡，至一九四〇年，居島上者亦止六十餘人，日人曾在此島上試辦畜牧，養山羊二千隻，甚茁壯，光復時，皆被基隆市漁民掠食無存，現居留其上者僅管理燈塔員工卅人而已。

島燈塔聳立，拔地高卅一公尺，爲中國近海最大的燈塔，每隔十五秒發白光一次，燈光燭力爲八六四，〇〇〇支，其光四射遠五六十公里，凡上海日本等處船隻來台，均視爲主要航行標識。

管理燈塔人員生活，除水外，限均仰給台灣本島，海關補給船定兩月到一次，必須額外多備食物，以防颱風接濟中斷，員工平居均以釣魚爲消遣，無其他娛樂。

島之附近海中，以出產大珊瑚聞名世界，曾經日人開採，因二次大戰停辦，四十三年有基隆士紳黃樹水組織樹德珊瑚公司，雇日人恢復作業，未久亦停止，就無往探者。

在金馬風雲緊張，談談這個小島，眞是別有一番滋味在心頭。」

然而

・崇・

在一本大銘言書上讀到下面幾頁：有一頁記載：『你好好想法！找一條路吧！莫等閑，快快努力，爭一口氣才是。門楣生光，靑史留名，否則空手來去，不是件令人悲哀的事麼？努力呀！努力呀！』

這話很多人也說的，當然不錯。但註上記着：『話底主人一生潦倒，所以對後人說。』

有一頁記載：『我勸你不如渾渾噩噩。你不知過去，現在，未來。而也沒有空間觀念。那你不知什麼是生，什麼是死。你無榮、無辱。了無牽掛，有人把人生當作做夢，你連夢也沒作。你不會感到夢醒時的空虛，而只是無始無終，渾渾噩噩。』

這也是有理由，但註上記有：『話底主人做過官——雖未必一品——而且虧空公款。』

有一頁記載：『盡你自己的力量吧！爲後來者。縱只有一分一毫，而堆積起來成爲一個大力量。不要自私，爲大社會着想，犧牲小我，貢獻血汗，一切。』

這更是正氣滂薄。但是註上載有：『話底主人，做過七次逃兵。不過他常引一句話：生我者父母。知我者鮑子。』

有一頁記載：『你多行善。多積陰德。子孫叨你的德，多福多壽。還有，來生你會有好報！』

這很令人悚然。却也不無理由。但註上說：『話底主人手刃胞弟。又：「好人好事」榜上無名。』

有一頁記載：『今朝有酒今朝醉。』

這很令人嚮往。但註上說：『此人不喝酒。』

有一頁記載：『跟我走！否則是怕死的懦夫。來！』

這話理不直而氣很壯。但註上說：『話底主人有怪癖；生平怕刀槍。』

下面還有一頁一頁記下去。每一頁的話，大都是好話。看後却很噓然。

然而，然而，然而只有『然而』了……。

粵人藏書刼運

竹庵

嶺南文物掌故

江建霞紀事詩，梁致嗇懺。叔雅以鬱鬱於其室，飄蕩江湖十載。又以名士不善治生，轗軻至死。（何詩有句云：一寒遂死陳無已，自序頗同劉孝標）除自帶小部份珍本出門，賤售以償債外。揭陽縣丁氏絜園家無長者，（兄弟三人均外出爲官），因之覬覦屋裏書籍之人，悄然登樓，傾其書本，負籍而走，書被踐踏，甚至撕毁，毫無顧惜。又有人悄然探櫃取書，隨意亂取，整部之書，因此殘缺。於是家人把櫃中之書，胡亂賤賣。汕頭書賈，專伺丁家售書，亦有派人到揭城專收丁氏麗宜舊籍。如是者，歷數年，持靜樓藏書，爲之一空。聚散亦可謂太倏忽矣。

其始，丁氏甚珍其書，精本均用青絹青布製成套袱，白絹狹條橫綴套脚，標題精緻，款式古雅。其中有北宋本兩漢會要密行細字，是海內孤本。又有北宋本儀禮，有趙子昂印。固松雪齋舊物也。又有毛氏汲古閣藏過之徐本說文解字，卷頭有甲字朱文方印，是北宋刊印許氏說文之最有名者。凡此不過偶見近人記載，其餘希有珍本均同廣陵散，誠書林一大厄刼也。

其次，道光時南海伍崇曜兄弟刻書極多，並建南雪齋，伍氏爲粵十三行巨擘，揮金如土，善本必多，但以年湮代遠，考核無從。其後伍氏所藏書籤都歸王子展（秉恩）購去。

卅三萬卷樓

南海孔廣陶，以鹽務起家，建嶽雪樓於南關。斥資巨萬，搜購古書，因之善本如林。宋元佳刊，插架標箱，馨聞全國，號其書樓名三十三萬卷樓，蓋取三三不盡之意。實際孔氏藏書不止此數，可謂盛矣。孔後人，於光緒末年，因積欠國稅破產以償逋負，於是圖籍首先散亡。計孔氏藏書爲別省人購去者至多，淹博如羅振玉，當其來粵總督岑春萱聘時，大量搜購孔氏舊藏，彼始有藏書。雪堂自傳有云，『粵東書價廉，乃日至雙門底府學東街，閱覽書肆，適孔氏嶽雪樓藏書，後人不守，方出售，乃盡薪水所入，購之，予之藏書自此始。』以羅之博雅，所購必非常見之本。又書價既廉，所載去者必非小量。至宣統二年，孔氏三十三萬卷樓餘書，由粵著名書肆之九經閣店主，駱某介紹，整批售與浙人湯壽潛，（湯爲民國浙江省第一任總督）。

孔氏又藏雍正年所刊銅版圖書集成全帙，戊戌維新前，康有爲用事，酷愛此書，因遂提去。康敗後此書三易其主，最後由中華書局以重價購得。現在中華書局印行之圖書集成，係小字本，每頁三格，卷首有康氏長篇題跋，即孔氏舊物，以攝影印行者也。

孔氏曾派人鈔錄文淵閣四庫全書，共選鈔成五千册。民元時散出，每册祇售二元，至今仍有人收存此種鈔本，但索價每册二十元矣。（二）

趙州橋

趙州橋，位于河北省石家莊以東六十里，那就是趙縣，這座石橋，寬約一丈二尺，長約三丈，兩邊有高約二尺的石欄；橋身是弓背形，故鄉人又多稱之爲「拱橋」。橋的最高處，距離下河底約有兩丈多深，有大小三孔。因爲它是全部用巨石砌成，看去相當堅固，就一座民間的建築物來說，確是一件了不起的工程。趙州橋之所以出名，原來在京戲裏面有一齣「小放牛」，用吹打腔演「小兒女調情的故事，最是引人入勝。其中角色祇是一個花旦，和一個三花臉，劇情是以趙州橋作背景，這齣戲也就是以趙州橋而傳入人口的。至於「小放牛」裏那段歷史的說：小丑唱得很清楚：「趙州石橋魯班爺修，玉石的欄干聖人留，張果老騎驢橋上走，柴王爺推車壓了一道溝。」……果然，在橋的北半部東側，有幾處踏下去的深坑，據說是驢蹄的痕跡；中間有一道獨輪車的痕跡。（古月）

短篇小說

櫻都之戀

李薪

雖然我們認識不久，因爲她的大方爽直，確有北國女兒的風範，所以短短的時間我們玩得已很熟了。這海邊的半天我們玩得很愜意，直到浴場人都行將散盡，我們纔歸去。晚上我請她在俱樂部便餐，戰後的日本，食物奇缺，餐桌上的東西她已久沒有看到了，所以這晚她似乎吃得很愉快，她說：「像這樣好東西可惜我的爸媽沒法嘗到」我很受她的感動，餐後我設法給她買了一點她們買不到的食品，乘專車送她回家，她家就在俄國軍事代表團那條街堂裏，房子還不錯，臨別時我約她明天出去玩，這次她毫不猶豫就應允了，於是握握手互道再見。

歸途上我就心晚上要失眠，誰知竟成了事實，一夜輾轉反側，未能入夢，第二天起來已是九點了，趕緊修飾一下，穿上便衣，又在我艦上的合作社買些牛油，咖啡和香烟之類，就搭車去了東京，到她家門前已是十點多了，在轉角處就遠遠的看到川子獨自在徘徊，好像已是在等我的樣子，我輕輕繞過側旁的矮籬笆，從她身後轉過去，在她耳邊喊了一聲「嗨」，她猛一回頭，正撞了一個滿懷，她一看是我，樂得像一個小天使一樣，馬上伸直手給我，我順手一拉摟抱了她，川子沒有拒絕，祇是有一種難述的少女嬌怯。

「不認識了嗎」？她老打趣我。

「比穿軍衣更英俊更瀟灑了」。她說時笑得那麼甜。

「妳覺得這樣好嗎」？她總點點頭，投給我一個美妙的微笑。

我們走進客廳，照例又得脫鞋，換上拖鞋，這使我很不習慣。經介紹之後，她媽媽又給我搬來一個小椅子我坐，他們都跪膝的蹲在塌塌米上。川子父母年紀都不老，大概是五十以內的樣子，很誠懇很和氣，我想他們幾年前在中國戰場那種殺氣騰騰，糾糾武夫的兇樣子，想不到二年多的亡國日子，已洗淨了軍人的本色。他們夫婦倆都會說很道地的中國話，所以我們全不費力的東南西北聊開了，川子很少說話，祇靜靜的依靠着她母親身邊，聽我們交談。

午飯時菜很不少，我已看到這是盡了他們的力量的，日本菜我不感興趣，初吃一二餐還可勉強，多吃了就沒味。

飯後川子父親要出去，臨走時還特叫她陪我玩玩，於是我向他倆老人告辭，並謝謝他們的招待。川子父親對於我送他的一條烟，不知說了多少遍謝謝的話，送到大門邊還重新提起，此亦足證明日本人在佔領時，對於物資的缺乏。

我們叫了一輛出租汽車，到市中心只花十分鐘。我們首先欣賞的是東京市的中心區千代田區，這是東京市的心臟地帶，也是東京最繁榮的一區，可惜因戰禍酷刼，二年後尤到處都是彈痕纍纍，斷瓦殘垣，對戰爭的慘酷和黷武主義的下場，都令人驚心惕目。千代田區的高大建築却正如雨後春筍，欣欣向榮。一反過去矮屋作風，這也是戰爭帶來的進步。因爲時間不多，我們祇走馬看花的打了一轉，就驅車去參觀帝國博物館，這一座型式優美的建築物，外表是那麼糟，內部却修飾得那麼潔淨和美觀，進門第一室陳列了許多水彩畫，內面有好多幅都是元朝征日而遭遇颱風災害的情形。川子告訴我日本空軍的神風隊就是爲紀念這一次颱風而取名的。我心裏想假如沒有這一次颱風，也許日本不會有今日，早被中國王道的文化改造了，更不會鬧到今日的國破家亡，使人民橫遭到這空前的酷刼。簡略的看了一遍，我們就去明治神社玩，給了車錢打發的士走了，我們就在綠草如茵的廣場坐下聊天。

「妳今日爲什麼不上班呢」？我記起了今天是星期一。

「爲你請一天假不行嗎」？川子說這句話的神情眞嫵媚透了。

「爸爸媽媽很喜歡你，他說你很老誠」。

「還不是妳巧妙宣傳的宏效嗎？我眞不知怎麼樣感謝你纔好呢」？

「我是和妳說實話」。

「妳曉得我昨晚上失眠嗎」？

「爲什麼呢」她好像有點驚奇我轉了一個話題。

「在想妳」！

「騙人」！

「不！眞的」。

「哼！我不要聽，男人是扯謊大王」。她說完故意把背向了我，我移近一點，把她拉向我懷裏，我正要向她作一個親熱的表示的時候，那邊又來了幾個學生，驚擾了我們。（二）

自由人

THE FREEMAN

（第七八四期）

中華民國僑務委員會登記證台字第一一二號
中華郵政台字第一五〇〇五號執照登記爲第一類新聞紙類
半週刊（每星期三、六出版）
每份港幣壹毫
督印人：陳文奎
社址：香港高士威道二十二號四樓
20 CAUSEWAY RD. 3RD. FL. HONG KONG TEL. 771726
承印者：東南印務出版社　地址：高士打道六十四號
台灣總經理處：台北市西寧南路壹零壹號二樓　電話：三〇三四六
台郵劃撥儲金戶九二五二
海外總經銷：友聯書報發行公司　香港：九龍彌敦道六二六號A二樓

支持政府反攻大陸

王厚生

反攻大陸，打倒共黨傀儡政權，是大陸上廣大民衆的迫切期望，是海外一千三百萬僑胞的熱烈要求，是自由中國所在地——台灣——一千萬同胞的主張，是政府歷年來一再宣言的國策，也是政府應盡的責職。

一、

過去幾年之中，政府放過了幾次難得的反攻機會，例如韓戰時期，一九五七年大陸上各階層民衆鳴放時期。放棄了難逢的反攻良機，在人民方面感覺十分失望，在政府方面是失策和失信的。

最近，中共猛轟金門，造成台灣海峽的緊張局勢，遠東和平受到嚴重威脅，我們身在海外，所感到的緊張和威脅同於金馬和台灣軍民所感受的，對於前綫的英勇將士，我們有說不出的崇敬心理。我們對於局勢的發展，時刻都在關懷和注意之中。

就目前的情勢來說，我們顯然是處於挨打的地位，這一現存的情勢使我們更加發覺：不反攻大陸是不明智的，困守和偏安，使我們遭遇到今天的困難局面，假使政府能隨時把握機會，從事或大或小的反攻登陸戰，便不致會有今天的被動態勢。

現存的情勢既如此，我們不願再多說假想的話，不過，我們希望在現在的情勢之下，政府應掌握機會，實現反攻大陸的諾言。

二、

這次中共砲轟金門，曾用大力在大陸和國外進行宣傳，他們的言語當然是「一定要解放台灣」。我們住在香港的人，深知中共的宣傳紙彈與轟向金馬的炮彈一樣猛烈和密集，爲了「解放金門」，中共的報紙出過號外，謂「登陸金門迫在眉睫」、「金門已被封鎖」等等，企圖混淆視聽，擾亂人心。中共的海口是已經誇下了，時隔一個星期，中共仍未登陸金門，金門仍未被封鎖，至少，在香港居民的心目中，中共報紙的號外是不值一文的，不僅報館的信譽失去了，中共政權也受到居民的鄙視，即使是左傾分子，也免不了在心理上發生動搖和困惑。因此，我們支持政府，第一步應確保金馬，千萬不可失落。對於共方的封鎖企圖，應採有效的方法，加以粉碎。能夠確保金馬，即是我們的初步勝利，即是我們政府和軍民的團結力量和勇敢犧牲打敗了中共，使中共在大陸和國際間大丟面子，大失威信。這對中共在海外的宣傳，也是一種沉重的打擊，使今後不敢再造謠惑衆。

但是，怎樣才能確保金馬？這是一個戰略戰術重於政治考慮的問題，想政府的高級軍事人員早在嚴密研究之中。我們雖然沒有靈通的軍事活動情報，但我們在支持政府反攻大陸的總原則之下，覺得以下步驟也是政府應該採取的。

、立即下令陸海空三軍對敵方前進基地進行反擊，有效地摧毀敵方砲兵陣地，機場，運輸綫和其他軍事設施，在行動之前，盡可能預先警告大陸沿海的平民撤至安全地帶，總之以攻爲守，這樣一方面足以減少我方所受的損失，另一方面也可阻止敵方軍力的結集。根據報導和來人所談，金馬的防禦工事固若金湯，但在十餘萬枚炮彈的爆炸之下，總免不了有相當的損壞，在不斷的轟擊或威脅下，要從容修整或重建工事恐也不是易事，困守和挨打的結果，將是我方無力出擊，敵方得逞其窒息金馬的目的。所以，困守和挨打的局面應即主動加以打破，不可就延過久。

三、

我們再看敵方的動作，他們的熾烈炮火至少含有二個作用，第一是藉炮火的掩護，或在進攻的態勢下，調集軍力的南下，平時易於被我方察知，敵方今以炮火作掩護，攪亂我方的注意力，即可進行軍力的調配和佈署工作，故過去二周間的炮轟，其眞正的目的不在登陸，也不在削弱我方，而在便於調集敵方的軍力。調集軍力的目的，當然是企圖攻佔金馬，但金馬不易攻，敵方自然知道，所以，調集軍力之後，敵方的炮火緩和下來了，他們企圖先將金馬和台澎隔離開來，斷絕金馬的補給綫，將金馬封鎖和孤立起來，同時，運用心理戰術，給金馬的高級軍官們寫信（八月廿七日，中共的福建前綫指揮部先向胡璉氏發出警告信，再於翌日分別向沈向奎、劉明奎、馬安瀾、郭定武、胥立勳、李紹敏、曹傑、黃煜軒、伍召嘗、王振泉、杜文芳等諸氏寫信），妄圖搖動以上諸氏的反共意志，不戰而取金馬。中共明知孤立金馬、動搖我軍鬥志不能收效，但站在敵方的地位來說，這些都是可以一試的戰術，試驗而不靈時，再以人海戰術強迫登陸。

敵方炮火的第二個作用是政治的，正如若干西方國家的官方所觀察，中共在七月卅一日至八月三日毛赫北平會談之後突然炮轟金門，擺出一副窮兇極惡的樣子，實有其軍事以外的政治目的，這個政治目的的內容是想抬高中共自己的身價，混進聯合國組織，躋進可能召開的首腦會議。因爲西方某些國家的外交政策，素有重視實力地位的傳統。現在，中共就是在表現實力，想藉實力改變聯合國認中共爲侵略者的決議案。但是在現今的國際形勢之下，中共的政治目的是很難達成的，因爲加入聯合國組織不能憑藉武力，亞洲國家對於中共的實力和野心具有戒心，以及美國對於理想主義的重視，自然，美國也相當重視實力，但以中共這點實力來說，美國却不介意，換言之，毛澤東的實力還是微不足道，引不起美國的畏懼，

四、

總的說來，我們要求政府下令三軍出擊，對大陸實行報復性的襲擊，當敵人在今後任何時期向金馬進行總攻時，我們應該不受任何限制，對大陸實行空襲。我們要求政府就綿長的大陸海岸綫上選擇幾處有利於我方的地點，進行反攻登陸戰。即使我們的反攻登陸戰是暫時的小規模的，或者我們對大陸的空襲不是持續的，然而我方的這種舉動將會在大陸的民心中產生無可估計的影響，這是我們鼓舞大陸人民反共的最有效方法，也是培養政府信用的最有用方法。

這一次，我們萬萬不可輕易放過反擊中共的機會，萬一中共見美國態度強硬，忽而改唱「和平解放台灣」的陳腔濫調，豈不是便宜了中共，而我方因國際條約的牽累，不易再在平靜無事中找題目做文章，到時候，反攻大陸又變得遙遙無期了。

國際局勢變幻無常，如中共這次再軟化下來，必立刻與美方恢復大使級談判，屆時，政府又要提心吊胆了。總之，送上門的機會不可放棄，我們支持政府反攻大陸！

（九月五日）

一週述評

中共縮手了

中共從八月廿三日起，猛烈砲擊金門，一連十多日，沒有停止，再加上海上和空中的活動。聲勢洶洶，聲言要在很短的時間內，便佔領金門、馬祖，然後「解放台灣」。此事一開始，許多人便認定不會成爲大戰。果然，到了本月五日，周恩來發出中共預備與美國恢復大使級會談的聲明，美國也表示願意與中共再舉行談判，金馬地區的中共軍事活動便同時歸於沉寂。

台灣海峽的局勢是否從此和緩下去，此時尚言之過早，但中共的態度，實屬顯明。中共爲何要縮手？美國態度強硬，實力堅強，行動迅速，中共知難而退，此其一。蘇俄雖支持中共，只是報紙電台的宣傳，實際始終緘默，且蘇俄的支持程度如何？條件如何？多疑問。中共決無獨力對美作戰之自由，此其二。中共倡言「解放」台灣，本爲消除內部困難之一種宣傳手段，如果眞正對台灣作軍事行動，則適足以增加困難，自促崩潰，故必須適可而止。此其三。

欺弱畏强

上個月美軍在黎巴嫩登陸，維護黎國獨立，同時表示不惜冒戰爭危險的決心，蘇俄因此立即退縮，中東局面也就得到暫時的安定。現在美國在台峽危機，也因爲艾總統對協防金馬的堅決聲明，與第七艦隊的迅速行動，使中共的砲聲停止，飛機不敢出動。共產黨人便是這樣「軟弱畏強」的暴徒，今後自由民主國家對付共產黨的搗亂侵略，應該在這兩次的實際事例得到極大的教訓。便是說決心與實力才是輯止共黨侵略的最有效方法。

美國不會出賣盟友

美國和中共恢復談判，大概不久可以實現，台峽的緊張局勢自然也可暫告鬆弛。但周恩來曾說，和美國談判與「解放」台灣是兩件事，艾森豪總統也特別強調，「不會在會談中忽視我們盟國——中華民國的權益。」過去，美國和中共在日內瓦會談兩年多，毫無結果。則此次會談恢復最多也只能作爲中共縮手，保存面子的地步而已。

兩個……的形勢

自由中國雖不必憂慮美國將在會談中出賣盟友，以求安撫中共，但有了會談，金馬和台灣不會再有危險，這對於反攻復國的影響是怎樣，却是大大值得警惕的。

「兩個中國」的觀念，是自由中國和中共都極力反對的，但是假使這一次台峽風雲就此消散下去，則「兩個中國」的形勢，不是愈來愈明顯了嗎？英美人士也不斷有人發出這樣議論，「兩個中國」的形勢如此，「兩個韓國」「兩個越南」，甚至「兩個德意志」亦莫不如此，我以爲要打破「兩個中國」，不能不打破「兩個韓國」，兩個越國，甚至兩個德國，反之亦然。這次台峽緊張只有李承晚總統，懂得此理，大聲疾呼，要以實力爲自由中國聲援。越南的吳廷琰總統却默不一言，遠在歐洲的西德更不必說了。這是目前國際上很微妙的關係。白宮的聲明說，「放棄用武是美國堅決的主張」。這政策迫使共黨暫時止步，但如何去統一中國，越南和德意志呢？誰也作不出答案來。

· 陳克文 ·

假如大陸挨炸

· 衣華 ·

台峽外島金馬的得失，牽涉到自由世界今後的安危，不因非共黨國家有人強烈反對美國協防，亦不因蘇俄消息報繼眞理報而警告美國不得介入外島之戰，更不因英國政府基於戰略機密或政治上的某種理由，遲至九月初，尚不言明是否協防金馬，而致稍減這些島嶼在台灣海峽隨時爆發大戰時的重要性；當然也不會由於上述種種反響與關係，或其他內案，而致稍減金馬今後在冷戰或射擊戰中的重要性。因此，美軍協防金馬，勢所必至。

由于金馬的重要性，連帶的大擔二擔縱小，其得失也具有極其重大的影響，包括軍事的政治的。事實上，中共竊據大陸十年多了，到了今天才在赫毛密談之後，調動大軍企圖在台峽有所作爲，益顯自由中國部署外島防務的功用。否則現在不能堅守，「既成事實」一成，絕不會爲了彈丸之地而瞪眼？蘇維埃亟亟於迫令美國及其他西方國家勢力退出整個亞洲，偏偏自由中國屹立不動，奠定了這個基礎，成爲美國今後在亞洲站下去的憑藉。金馬攻防戰象徵這種搏鬥，其未來發展不外三端：

（一）中共軍知危知難而退；

（二）中共進攻金馬，引起國軍的攻守戰；

（三）莫斯科教唆毛朝衝進台峽，美國捲入戰渦，可能演進爲大舉轟炸大陸。

俄共運用政治鬥爭的辯證法，不消說，對克勞塞維茨所說的話：「……物質力量的使用，屬於手段，而迫使敵人服從我們的意志，才是目的……」（戰爭論第一篇第二頁），曉得在進攻一個敵人時，如何孤立這個敵人，同樣的，它也明白攻擊一個戰場之前，必須孤立這個戰場。共產黨徒也熟知列寧當年襲取「攻擊和防禦的辯證法的統一」的原則，指導其世界革命的戰略思想，從而「修正」克氏「戰爭就是政治的繼續」，而成爲「和平即戰爭的繼續」那種口號。我引伸這些話，和金馬攻防戰有關各方面的反應及表現，息息相關，而上舉的第三項復與共黨的陰謀，有其一脈相通的關係在。

首先，我們對於連日中共空軍縮而避戰，認爲不一定是赤色空軍內部不穩，有以使然，而更其可能的是中共知難而退，借以困惑美方，以稽延其對協防金馬問題所下的決心，亦能借以避免中國空軍轟炸大陸，雖然是暫時的，總有「行一步再作打算」的好處。

其次，沒有充份的情報足以摘出中共此次部署進攻外島，純屬所謂政治勒索；難道當年那些犧牲於人海戰術中的「志願軍」眞的純然爲了某些政治緣由，便得湧現朝鮮半島麼？共黨嗜戰玩火，有時非動刀槍不可。

但是北平也深知國軍必然死守金馬，不輕易言退的，故必須雙管齊下，孤立美國與孤立金馬，便有必要了。

復次，中共要進佔金馬以攻奪台灣，如果是蘇俄目前積極支持北平進行的，美國在西太平洋的安全，不待金馬棄守，已告危急了！這一點，美國五角大廈知之最稔，不會受到和平共存那種遠景的迷惑，有異於英美若干政客的胡塗。

我們有充份理由相信：美軍方一定會就軍事觀點研討台峽軍情對防守西太平洋的重要性。其實，艾氏身兼統帥，也是軍人底子，當知金馬在軍事上配合政治運用的重要性，絕不會因爲英人的自私，而再延緩宣布協防金馬的決心的。

這樣一來，遠東大戰不是快要爆發嗎？爆發又有什麼稀罕，問題在於金馬之戰逐漸擴大起來的「進度」如何而已。此役可由國軍供應綫的不斷，堅守一個長期間，仍由共軍續加炮轟，把緊張局勢保持下去，用不着一吓子便出現台峽兩岸海陸空立體大戰的。蘇俄要利用這一役的消耗作用，以削弱中共，或以爲美國不敢在孤立形勢中單獨協防金馬，而嗾使中共軍打擊中美在自由世界中抗共的威望。這兩項目的之達成，對蘇俄均有好處。

這兩項可能性注定了美國介入海峽之戰的演變。至是，堅守金馬，便具備了政治與軍事的雙重作用。海峽大戰的形成，其必備條件已如上述，美如堅守金馬的決心一下，聲明一經發表，欲避免必要時對大陸的轟炸，是不可能的。我們須知：大陸挨炸，就是中共政權覆亡的先聲。誰敢保證轟炸下的人民不會響起抗共？

（一九五八，九，四。）

美國來鴻之三

略談美國政風和社會風氣

謝扶雅

從亞當士案說起

前兩個月所發生的艾森豪總統機要秘書亞當士貪汚嫌疑一案，筆者已見在香港方面的新聞紙上略略有所報導，這裏却弄到滿城風雨，掀起美國政治史上軒然一大波瀾。這類事若發生在中國政界，大抵歸於司空見慣的尋常事件，決不會構成頭條新聞。親友間逢時逢節送點禮物，原是人情之常，難道一登仕版就眞六親斷絕，酬酢全然停止了嗎？然而美國政治，自有它那一套政治慣例和政治風氣。艾森豪當年競選總統，擊潰民主黨杜魯門，便以廉潔政風爲一最大標榜。亞當士本出身豪富之家，犧牲從事政治（美國做官無論高級低級，可以說是最辛勞最清苦的一種職業，除了相當薄的正常薪水而外，當然絲毫油水，外快，花紅都拿不到。就美國的一般生活標準而論，從政實在可以說是「犧牲」）。他不但具卓越的政治才，兼有高尚清潔的政治道德，這却是有口皆碑的。所以艾森豪一上台就力邀爲親信助手。這案發作後，據亞當士辯說：我途政治出差，經過紐約過夜時，我的友好招待我在他大廈中寓宿一宵，當然沒有理由來付賬的。然而檢舉方面有本領偵查到他那朋友確實代他付了房錢，有帳簿可查。所以連同所贈傢俱地毯首飾，都構成賄賂贓物的確鑿證據。這案今尙在司法鈎稽的正當程序中，還沒有水落石出。將來眞相大白的結果如何雖尙不可預測，但必影響到下屆共和黨的競選無疑。

談到政風的一般

從這件事可以見得兩黨制衡在民主制度中的優點（亞當士案最先當民主黨揭發的），也可以看出美國輿論左右政治的力量。在那種言論自由和民主空氣之下，政治風氣不能不清明，一般官人不能不廉潔勤謹。這的確值得我們中國無限景慕，自慚，而急應步武後塵者。美國總統下野後的私生活，一樣地跟普通人家的太太要煮飯洗衣，老爺要抹窗和推剪草地。當年麥克阿瑟元帥在遠東威風凜凜，在日本作太上天皇，但回到美國，無聲無臭，當然只是一個平民；儘管現總統還是他的部下，又有什麼可說呢？昔杜魯門總統在韓戰中突然撤麥帥職，遠東方面人盡責怪老杜竟出如此悍然的一舉，而不知那時整個的美國輿論不滿麥帥的戰略，逼得總統非這樣做不可。不管有人仍認爲「大多數」的意見，未必代表「好」的意見，總之 Majority rule 是在美國做到十足不扣的了。相形之下，我們的輿論在現實政治推動上的勢力直等於零，這眞叫人愧死！急死！

再談到社會風氣

從政治風氣轉到社會風氣，我只舉一件事。例如香港近年來婦女服裝，袒胸露臂，招致天主教導團體發起正風運動。筆者三十五年前到美國時，大腿舞只偶然在戲院中可以見到。但這次來此，看一般太太小姐們着短褲滿街走。那短褲短到露膝蓋以上三寸，上身當然一件背心了。我這所大學大神學院最發達，神學生帶家眷住校闈宿舍，「牧師娘」（因爲神學生不少已當過牧師）都是那樣輕裝便褲出入於聖宮，圖書館，辦公室而不以爲怪。女職員也多這樣。人人如此相習成風，見怪不怪，也就沒有問題了。倒是男人必着長褲，除小孩子而外，一到中學便非長褲不可。不過勞動工人在暑天時可以上身一絲不掛，下身仍是正式長褲西裝，大有禰衡擊鼓罵曹時『顯露我父母留下清白身體』，昂然岸若之概。而這就是西方正統自然主義（Naturalism）的人生觀了。他們從自然本性去看人生，從自然健康去看「美」的理想，不像中國或香港那樣的審美感以遮遮掩掩爲能事，所以反招挑逗刺激之感。這裏當然沒有公娼，絕無私娼，也沒有黑市夫人之類，反正離婚相當自由，結婚亦甚容易，坦白而大方，那就沒有什麼黑暗、醜劣、汚穢，和腐敗的現象了。自然主義的人生觀是承認人生的兩大基本欲望——食和性。第一，「水望低流人望高」，我今日打一百元的工，明日有一百二十元的工可打，直白說明，辭此而就彼，大家都覺得很應該，沒有什麼怪難爲情地，不用掩掩飾飾左右託辭。第二，情竇一開，少年談情說愛，何必抑遏矯情，自羅神經衰弱。處女膜雖不是賤，但也不爲神聖，更無神祕。在不損害別人範圍之內儘管「enjoy」，這樣，個人的生趣就益然不竭，而整個社會就活潑蓬勃起來。

本來希臘文化即植基於自然主義。希臘文中 arete（自然）一詞也就含有「目的」和「美」兩個意義。人依自然做去是合乎人生目的的，是善而合乎美的，何必扭扭捏捏呢？希伯來文義和一般東方的禁慾觀念，亦殊不相同。聖經一開頭上帝按照祂形像造男造女，便共熙熙嬉於樂園。所以上帝的性格也是快樂的。可見西方的社會和人生背景源於希臘的思想。

（七、廿四、紐澤西州）

從舞廳彈子房減稅說起

——台灣通訊——

江應龍

許多人認爲台灣近來工商業的「倒風」與捐稅的過重，有深切的關係。於是減稅之議，甚囂塵上。果然財政當局「從善如流」，「好」消息傳來了，省財政廳決定將舞廳及撞球業的娛樂稅率減低一半。舞廳原征稅百分之一百，減爲百分之五十；撞球業原征稅百分之三十，減爲百分之十五。此案業經省府第五五四次會議通過，並已令各縣市實行。

財政當局爲甚麼於各行各業各種稅目之中，獨施殊恩於這兩個天之驕子——跳舞廳、彈子房。據財政廳解釋，舞廳減稅是爲了發展觀光事業，撞球減稅是因爲撞球是民間普偏娛樂，而且說這是「根據多方建議」，似乎是言之成理。然而誰也不會一刻忘記金馬前綫，軍民正在敵匪緊密狠毒之砲彈下；而與金馬前綫，僅僅海峽一衣帶水之隔的台灣，一般人却反應遲鈍，一如平時，度着紙醉金迷的日子，政府對此痛加鞭策，猶恐不及，爲什麼反而背道而馳的提倡跳舞，提倡打撞球，豈非咄咄怪事！「觀光事業」固然是目下最時髦的名詞。然而爲了發展觀光事業，賺幾筆外滙，便可不擇手段嗎？何況「發展」「跳舞」「事業」以後，不見得觀光事業就發展了；不提倡跳舞，觀光事業不見得就不發展。至於打撞球，青年只會因他而養成種種不良的習慣，走上墮落之路，談不上甚麼運動價值，猶之於跳舞只是色情的刺激與發洩，毫無運動價值一樣。「民間的普遍娛樂」，還要看他正當不正當，如好的電影（倫理片，教育片）戲劇（有歷史價值的、有教育價值的平劇，話劇、地方劇。）、音樂會和高尚的舞蹈會（注意：這不是舞廳裏的交際舞。）爬山、划船、寫生、攝影、游泳及其他運動，可提倡的太多了！我政府當局偏只是特別欣賞跳交際舞、打撞球，眞是別具慧眼！

比方台北近來不知怎的打羽毛球的風氣突然濃厚起來，沒有經過任何政府機關提倡，却不脛而走，瀰漫於大街小巷每一角落。傍晚在公園，在隙地，在學校的球場，午夜在馬路上，到處都是打羽毛球的人，它不比跳交際舞、打撞球更值得提倡嗎？然而消息傳來，政府還欲加以取締依據違警法罰款呢！取締的理由是「有礙交通」，其實球場裏、公園裏無所謂交通，台北市的新公園、植物園、動物園，誰聽說過有甲種車輛、乙種車輛駛進去。

有稅可徵的政府竟不問其性質，不計其效果，却用減稅來獎勵它。如果跳舞廳、彈子房是應該用減稅來獎勵的，我不知道還有什麼是不應該獎勵的。如果市民打羽毛球也應該取締，我不知道還有甚麼是不應該取締的，南轅北轍，背道而馳，一至於此！

某報在其「有缺之德」的一篇短評上曾說：

所謂「各方建議」不知所指的是東方？西方？南方？北方？我們孤陋寡聞，還未聽見有人作此建議……撞球者手忙、跳舞者腳亂，金馬前綫，砲聲正酣，台灣愛跳舞、愛撞球的「手忙腳亂」者流有福了。

減稅，誠德政也。惟所減者僅爲跳舞廳、彈子房的娛樂稅，而未加惠於正當的工商業；以言「德」政，不無「缺」憾，此時此地，以減稅的措施，鼓勵跳舞打彈子；如此配合觀光事業」，殆令有心人嘆息：「觀光、觀光，天下罪惡，皆假汝名而行之」！這眞代表大多數人的心聲。

應該加重徵稅（其實也就是間接取締）的對象多的是，除了跳舞廳彈子房之外，還有如「高級」餐館、酒家、奢侈品——如電器冰箱、化妝品之類——的進口、西裝料的進口，洋酒的進口，歌舞、武打、低級文藝一類影片的進口等是。

我還記得十年前——民國三十七年，北方動亂戰士失利，火燄日張。筆者由京赴贛，經過杭州，在西湖小作勾留，面對錦繡湖山，想到亂時的家鄉，不禁悲從中來！等到我捨舟登岸，看到白堤上一幢豪華的酒樓，門口幾條（不只是「一條」）長蛇陣，排滿了最新式的流綫型小汽車，抬頭看着這所酒樓的招牌，却是使人觸心怵目的三個大字「樓外樓」。我立即想起了南宋詩人林夢屛（洪）的一首絕句來：山外青山樓外樓，西湖歌舞幾時休？煖風薰得遊人醉，直把杭州作汴州。

南宋亡了，歌舞也就休了，往事歷歷，殷鑑不遠，難道我們希望不幸的歷史重演嗎？我迷惘，我傷痛，我呆立在那裏良久。

好像就在那個時候，政府在那裏提倡節約運動，（猶之我們現在也有氣無力的喊節約一樣）。達官貴人在那裏發表演說，機關學校在那裏發表宣言，貼標語、喊口號。我當時曾說過，我對這個運動最不感興趣了。因爲那時通貨膨脹，貨幣貶值，老百姓生活艱難，公教人員待遇菲薄，吃不飽，餓不死，節約固無從節約，浪費也無法浪費，我說，這個運動大可不必提倡，只消派憲警到安樂酒家、龍門酒家、南京豪華的酒家多得很，（恕我這寒酸的土包子舉不出其他名子來了。）把那些漂亮的汽車扣下，把那些狂吃豪飲的達官貴人，富商巨賈重重的罰款，比什麼都有效。（我當時在南京，所以只說南京的情形，至於十里洋場的上海，其狂歌熱舞，紙醉金迷的程度更不必說了。）可惜政府沒有這樣作，所以那個節約運動的提倡，也就等於「浪費」了。

曾幾何時？大陸變色了！杭州的西湖也變色了！白堤上的樓外樓，讓共匪去「歌舞」。這些事實，我們記憶猶新。在今天我們決不能再糊塗下去了。我們的政府不是南宋，台灣不是臨安（杭州）。我們決不會在台灣永久的「偏安」下去。

某報「西綫有戰爭」的一篇短評有這樣的一段：

金馬兩外島，可比做昆蟲的兩隻觸角，有所感觸，昆蟲的觸角，立即知所警覺，進一步戒備。現在金馬已是十分「吃緊」，而台灣人們仍然一片天「緊吃」，酒家的花酒池，巨宅裏的鼎肉壹餐……莫不是「座上客常滿，杯中酒不空」。萬方多難，百業蕭條，唯有飲食業與菸酒公賣事業的「二枝獨秀」，所謂「前方吃緊，後方緊吃」，正是今日社會的寫照。觸角的嚴重惑觸，竟不能刺激癱瘓的神經，人之不如昆虫者遠矣！

政府以反攻復國宣告國人，厲行戰時生活，爲何僅以「觀光」「外滙」這些小題目，背道而馳，「見毛羽而不見輿薪」呢？實在令我大惑不解！吾有感於斯焉。

（四七，八，廿九，于台北滑廬）

寶島經緯線

△現任考試院院長莫德惠，在合共有九位愛孫，其中竟有五位走向軍中。八月廿日，莫老親偕親友至台北車站歡送第五孫兒從軍，在八月初，已把第四孫兒送向軍中，月底又再爲第二孫兒送行，在一個月之內，竟親送三個孫兒從軍，一時傳爲佳話。

△關于男女平等，最近有個幽默風趣的笑話。省議員梁許春菊女士在議會中曾建議中央飭令空軍官校應招收女生，她的理是，男女應該平等，航空事業不能將婦女摒諸門外，空軍應該有女權參加。周至柔主席聽了她的話，頗覺有理，允轉達軍事當局參議。不過，周氏表示了他個人意見：男女平等自屬天經地義，但由於生理上的不同，男人所能做的事，並不是女人都應該去做或能做的。美國的女權十分發達，但美國部隊中至今沒有女人參加。這並無背於男女平等的原則。周氏很幽默的說：也有些事情，祗有女人纔能做，男人却不能做，我倒並不因此而認爲男女未能平等。

△拒讀黃黑色書刊運動，又在各地如火如荼似的掀起；此類書刊，爲害社會甚大，極應清除，吾人應該舉手贊成。

又有個很風趣的笑話，說來令人難以相信，台灣省盲人協會苗栗縣分會最近開會時，且通過了一項拒讀黃黑色書刊的提案。這眞是「東方奇談」的笑話。

△監察委員在專制時代是相等於御史，對吏治有糾正彈劾權，政府遷台後，監察委員們曾好幾次勇敢的行使職權。但最近官辦的中紡公司出納股工役邱谕松，盜用了公款二十五萬台幣，監委對此也提出了糾正；依照監察法規，彈劾權是以公務員爲對象，工役還不够資格，竟蒙監委垂青。有人以爲一工友竟能盜用巨款，未悉該公司主管們所司何事，因此推論此中大有文章，定不單純，寄望大公無私的監委，「打蒼蠅」也應該勿忘「打老虎」，使其有個水落石出。

△從九月一日起，台灣的報紙擴爲兩大張，即原來的一張半增加半張，這是自出版法修正後，新聞界一件突出的消息。不過，在出版法修正公佈實施到現在，上帝庇祐，台灣的所有日（晚）報中，還沒有一家觸犯出版法的。但按出版法的規定，一家報紙如果連續三次觸法即予停刊處份，所以各報儘管還沒有出毛病，也並未使記者們放棄對出版法應加以修正的希望。

○司馬芬○

張其昀的知音

讀者來鴻

編者先生：貴刊七七四期，管直先生「閒話張其昀」一文，把張氏個人的性格，及其在政治上的成敗功過，說得十分客觀而公允。文章的結尾說，張氏「是一位想做事，肯做事的部長，也是有理想有守的書生」，又說「他把一個教育部這樣的冷衙門，攪得那麼有聲有色，決不是無魄力無抱負的人所能作到的」。管先生在張氏下台之後，作這樣的批評，可說是張氏的知音者。又在同一期的貴刊上，「陳誠懇辭三兼職」一短文裏，說到張氏不幹教育部長後，奉命担任陽明山革命實踐研究院的職務，到職後「引起各單位主管人不滿，聯名請辭」。據筆者所知，各單位主管聯名請辭，並非事實，當係訛傳，筆者對該院近事，知之甚稔，謹以所知奉告，以明事實眞相。此頌

編安

讀者楊敬仁啓（九月一日台北）

稿酬：本報八月份全月稿費通知單已分別付郵，請惠稿文友，憑單領取爲荷。編輯部啓

藤山訪美值得重視

◎此行成敗關鍵，決定於他能否說服杜勒斯。

【本報東京航訊】日外相藤山，已於本月三日飛加拿大，轉往美國，美國務院已排定十一、十二兩日與杜勒會談。

據日本官方透露，藤山此行赴加拿大是專為促進日加兩國友好關係及貿易之發展。

但赴美之目的有三：一、對世界情勢之分析研討，將廣泛的涉及遠東情勢之緊張，包括日、韓關係以及日本與中共恢復貿易之需要，當然希望獲得美國之諒解。（甚至是不惜一切的要與中共恢復貿易）二、洽商日美之間迄尚懸而未決之問題。三、日本對自由國家貿易之推展，及東南亞經濟開發計劃之實現等。亦希望美國能間接助其一臂之力。

藤山在赴美前已會三度與美駐日大使麥克阿瑟二世晤談。不用說，日本的態度早已由美國駐日大使報向國務院了。杜卿既於百忙中，安排二日時間與藤山晤談，想來杜卿必有以說服藤山的策略；甚至可以說美國仍是對日本具有影響力的。不過反之亦可見，日本對上述諸問題之決心，實已使國務院感到非慎重應付不可。當然，美國唯一的辦法也就是予日本以大量的經濟援助與按撫。藤山或許可藉此敲到相當的竹槓亦未可定。

藤山行前曾接見記者，就其此行發表談話，他很露骨的說出日本熱望於與中共恢復貿易，他說他要使杜卿明瞭，日本與美國在這一點上是完全有不同的感覺的。又說：對於美國務院發交美駐外各大使館，不承認中共的備忘錄事，他也要詳細詢問杜卿和加以研討！

說到日韓關係，藤山認為日韓兩國之關係不應以兩國本身的問題來作為觀點，應該視國際形勢變化而決定的。言下之意，顯示其認為否則日韓兩國關係勢將無法進一步獲得改善，頗有意希望美國加以疏導。

日美安全條約的修改，反對黨社會黨要求最烈，大要為不許美國在日本有核武器，以及美軍的繼續撤退。當茲中共嚷嚷鬧鬧的時候，日本社會黨會說日美有安全條約的存在，美國對中華民國的援助勢必是要利用日本為基地的。所以藤山對於台灣海峽緊張的情勢也採取了觀望的態度，如果此次達成修改日美安全條約的協議的話，日本不至再採「觀望」的態度了吧！

還有最重要一點乃是日本要求收回琉球行政權一事，換句話說就是要收回琉球于日本版圖之內而已，但是這次又增列小笠原羣島，希望能一併解決。不管是討價還價的結果如何，於此亦可見日本之欲恢復其戰敗前的島嶼領土主權的企圖是顯而易見的了。（九月五日寄）

• 觀游。

以海權對抗陸權的——中美日韓菲——

。舒華章。

美國警告北平不得攻奪金馬的言詞，和莫斯科之警告華府，勿阻中共進攻台峽各島，針鋒相對，無非表明美蘇在遠東正展開海權與陸權對峙的局勢而已。砲轟金門的俄製大砲，射程在二十八公里以上，最近又添了二一〇厘米口徑的，從一千四百公尺以上的砲位移動當中，射向象徵自由意志的金門防線上，而此事反而襯托出俄共以裝備支援中共威脅台峽以較諸美國供應自由中國以更新武器的決心，更其積極。換言之：美國似乎事到緊急關頭，還沒有把中國的空軍裝備得更强大，負担起更大的責任。但是，種種跡象顯示美國協防金馬的可能性在增加中；就中最明顯的一項跡象乃係馬尼剌對台峽局勢的極度關注，由此也可推知美國最高當局更其堅定協防金馬的意向。

原來美菲也有安全協定的締結，一旦遠東爆發海空大戰，第七艦隊既受攻擊，菲軍理應全力支持此役。台灣的得失直接影響菲島的安全。台灣距菲島北陲，不及一百哩之遙。如果金馬之戰純屬中華民國反攻復土的性質，絲毫不涉及自由世界全體或任何其他國家的安危，我們實在沒有在此提醒菲人如何正視台峽，還早也得大戰一場的必要。惟事態實涉及全世界的禍福！

不幸得很，中共軍在不到一個星期的期間，從五萬多發砲彈猝然露出的頭一天，陸續砲打下去，竟消耗了十萬發以上，却不隨即進行登陸戰，顯然還是不敢冒然登陸與國軍作一決戰。

台峽繼韓戰之警告中止而日形緊急，自係必然的演變。韓戰時日據供作美軍後勤補給的作用，和今後菲律賓方便美軍北向的力量，大致相差。這是軍略形勢使然，更是海權對陸權的現有特徵。韓國屹立不倒，有幾個因素，自由世界的海權依然佔上風即為其主要因素之一。海權與陸權的僵持，則以空權為其擊毀均勢的決定因素，此所以莫斯科亟亟於補充中共空軍，復供以米格機十七型機，但為數雖已達二千七百多架機隊，實力仍嫌不足。MIG一七之出現閩境，才促成美超級雷霆機之進駐台灣，以確保台峽制空權；鬥牛勇士的實力則另派用場，自係中共冒進台峽前所必須兼到的，更須提防第七艦隊的出擊實力。在這種態勢中，北平電台攻台之聲照常響亮，具見莫斯科與北平之間，確有極大的陰謀及「陽謀」在！當年韓戰，雙方總算打了一個平平。我們對韓國軍民的英勇，表示敬佩，更看清楚了朝鮮半島在今後海權與陸權對抗的重要性。現在共軍南移，到台峽即呈弩末之勢；倘欲飲馬南太平洋，共黨非奪取「不沉母艦」（麥克阿瑟將軍之語）台灣—自由中國堡壘不可！

韓國對我金馬前途，此刻深表關懷，這可從，劉毅與將軍之適時訪台，與我最高當局交換時局意見，看得明白的。目前日本對台峽風雲的變化，亦極關注，自亦係勢所必然。雖然與菲人的看法有異，還是不越海權與自然地理互為影響的約束。這份約束在中共企圖南進的過程上，始終有效。以台灣在軍略形勢上的險要，則東南亞公約並沒有自由中國的份兒，可說是反共與遏止侵略的一種兒戲。難道大韓民國不保，日本也守得住麼？台灣有什麼三長兩短，菲律賓亦告完蛋；這樣一來，西太平海權對抗亞洲大陸的未來搏鬥，自亦難以制勝，連南抵澳爾文軍港的整個南太平洋，也將見岌岌可危哩！

看金馬砲火連天，聰非共國家困於私愚的危言，但見中美比肩戰的盟情的有增無已，惟望日本，韓國和菲律賓勇於面對現實，準備陸權快要受到打擊的搏鬥，共同扭轉整個自由世界的危局吧。（一九五八，九，二）

• 文鑑。

中共對香港的威脅

最近，中共通過其地下組織，滲透份子接二連三地在香港滋事；繼之，且在羅湖邊境示威，向港英政府抗議，尋且宣佈其領海寬度爲十二浬；果若眞的這樣實行起來，金門馬祖倒不會完全封鎖，香港却眞的受到了窒息的威脅。因爲我們居住在香港，對於有關香港所發生的事情當特別敏感，這裏似乎有一談的必要。

首先，應該認識中共對香港的政策，是它的對外政策的一環。今年二月以來，中共先將其對外機構人事調整：周恩來辭去「外長」職，陳毅繼之；成立「對外辦公室」，擴大「對外文化聯絡局」爲「對外文化聯絡委員會」等等；接着，轉變其全面的對外政策，强烈地在反對兩個中國的口實下，退出若干國際機構，斷絕與日本的交往，繼且在台灣海峽製造緊張局勢；若從香港方面來說，則是猛烈傾銷其貨物至香港，增强其宣傳發行機構，擴大「人民日報」的發行，終且製造莫須有的事件爲藉口，擴大之而成爲今日的不安局勢。這一連串的事實說明了今日的中共對香港的政策，是其整個對外政策轉變的結果。

强化對外政策的原因

其次，有必要研究其對外政策强化的原因，可以提供參考綫索，有下述兩段話：一、七月二十七日「人民日報」社論「記住朝鮮戰爭」中說：「反抗侵略的人民，從朝鮮戰爭中却吸取了充份的經驗。其中最寶貴的一條，就是不能讓侵略者嚇住，不能對侵略者有任何畏縮，只有給他們以狠狠的打擊，才能使他們承認現實，被迫住手。」二、陳毅在廣州宴別西哈努克時說：「殖民主義在對於東方國家一貫散播種種讕言，把東方人民描繪成低等的民族。……在他們看來，中國人民這也不行，那也不行好像只有依靠他們才能够活下去。……我們認爲不正面擊破殖民主義對我們這種精神奴役，我們自己便站不起來，便無法建立戰勝殖民主義的政治信心。」這兩段話影響了中共的整個政策，特別在對外政策方面受到了這種思想的直接影響。這種思想從其正面去看，有着憤憤不平的潛意識，從反面去看則完全是反常的自卑心理。一個國家之受人冷落，自有其主觀條件；同樣，一個國家之被人尊重，亦須具有和平，民主，人民安居樂業，等等條件；決不是用武力或其他威脅手段可以强使他國承認的。這種不健康的自卑感所反映出來的對外政策顯然也是不正常的，與現實應份需遵守的對外原則有一距離。譬如說，台灣海峽的戰事，上也不上，下也不下，看來中共是要對現實低頭了。

香港前途

第三、香港是英殖民地，是遠東國際自由商港，它所能供中共利用的是：吸收僑滙，吸收若干緊急需要的戰略物資，作爲對自由世界特別是東南亞各國的宣傳站，聯絡點，從這裏出發可以實施其政治滲透，商品傾銷，……這些利益從其要遂行世界革命的目的上來說，是無限大的。因此，他們儘管製造若干運動來威脅香港政府，儘管在他們的對外宣傳的重點反殖民主義，但此時此地却未曾提出這樣的口號來，足見中共還沒有威脅英國放棄這塊殖民地的主意。雖然中共並無威脅英國放棄香港之意，但是，他們製造這些口實，還是有其目的，這個目的就是要香港政府屈服在其威脅之下，以便于他們的活動有更大的自由。

綜合前述三點，可以預見：一、中共對於香港威脅的減弱，有待于其全面外交政策的轉變；二、中共的這些威脅是否生效，則視香港政府的態度堅定與否，以及市民的合作程度。照眼前的情況來看，中共的目的是不易達到的。因爲，在西哈努克的文章裏，其對台灣政策基本上還是軟弱的，希冀於無望的通過談判來「和平解放台灣」，足見其現行的台灣海峽的軍事行動是極勉强的。這就說明其現行對外政策脫離了現實應份遵守的對外原則。以彼例此，中共對香港政策也犯上了同樣的毛病。

◎田心◎

中共會犯台嗎？

台峽情勢雖已稍見緩和，中共犯台之心未死，其動向如何，仍值得注意。

好在台灣一因具有一百餘哩闊的台灣海峽，作為天然的屏障，中共不能飛渡；二因地勢險要，雄視東南沿海大陸；日本經營五十年，過去曾擔任南進戰略總基地。後又經美國戰略家們把它劃入世界戰爭的範疇，列為太平洋最重要的一環，東北連日本，韓國，南接菲律賓和澳、紐，有進攻退守的可能。

加以台灣在生聚教訓十年以後，今日所處政略，戰略地位及其潛力，遠非九年前可比。中共想進攻不是講講那麼容易。

雖然，會經有人這樣說：「台灣在戰略上最弱，在戰術上最強。」托洛斯基也曾說：「在血腥的戰爭方程中，一切的未知數實在太多了。」中共也該熟讀列甯的教條吧：「戰爭之前，決不會曉得自己是否比敵人更強。」

不錯，中共攻台灣所發生的問題：一是渡海船艦的登陸問題；二是兵種的運用問題。這兩大問題中共迄今尚未能解決。當然，中共倘若進攻台灣，即進入現代化兩棲戰的境界，一方面，中共在東南沿海必須完成攻守兩勢的嚴密配備；另一方面又深觸太平洋上的海權與空權的大戰危機。除非莫斯科決定在現時使中共在太平洋挑起大戰，否則中共本身決不能獨勝此任。

就蘇俄方面言，此時此地同意或支持中共發動對台灣的大戰，必須假定可能引起美國參戰為前提。那麼，克宮却不能不考慮上次大戰中，俄軍戰車共有二萬四千輛，德軍只有一萬四百三十四輛，可是經過三個月的苦戰，俄方戰車損失一萬七千五百輛，德方戰車却只損失五百五十輛。何況今日中美合作使用的新兵器技術，遠非今日可比。月前國軍以軍刀式機擊落俄製米格機，以及九月二日國軍以四艘兵艦擊沉共方十二艘魚雷快艇，都是千眞萬確的事實。

從中共控制大陸以來的戰略形勢來看，莫斯科的計劃，顯然是逐步使中共變成亞洲戰略系統最重要的一部，來執行共產國際世界革命方針。在亞洲方面，一是運用各種手段以征服日本；二是滲入東南亞和進出印度、緬甸。但爲求協調蘇俄與中共的戰略計劃起見，中共把襲擊台灣列爲第一。其對台灣的三種基本戰略是：第一是「政略奇襲」——偽裝狄托，使西方對台灣防衛鬆懈，圖以不戰而屈人之兵，來解決台灣；第二是「戰略奇襲」——乘台灣國軍反攻大陸時而施行一種强襲，反擊與突擊；第三是「戰術奇襲」——以特種兵和特別兵器來攻台灣。可是第一項偽裝狄托，早已失敗。同時國軍也不會盲目輕敵。至于說特種兵器，若非蛙人，潛艇以及飛彈等等，根本無法施其技。

綜合上述各項，已充分看出中共擺出進攻台灣的姿態，其陰謀不外如下幾點：（一）以進攻台灣引起大戰來恐嚇英國，意圖使英國和印度多方設法牽制美國，而支持中共進入聯合國；（二）以進攻台灣，不惜全面大戰來威脅美國，企圖使美國促請中華民國像撤退大陳島一樣撤退金、馬，以解除其封鎖港口的威脅而打消國軍反攻大陸念頭；（三）以進攻台灣爲藉口，壓迫並要求蘇俄交付大量新裝武器，以增强其現有的軍力和戰力；（四）以「解放」台灣爲號召，轉移大陸幹部與民衆的視綫，藉以抵消內部人事鬥爭和水災旱災，糧荒及經濟困難的慘況；（五）以「解放」台灣爲宣傳，藉以打擊中華民國九年來在世界各國和海外僑胞間所建立的聲望，因而爭取各國和各地華僑的向心力；（六）以「解放」台灣爲號召，聲東擊西，藉此向世界宣傳中共不會侵略東南亞，只要得到台灣就罷手。實則中共今後動向指向東南亞以及整個亞洲的陰謀，已昭然若揭！

國際動態拾零

△據估計蘇聯空軍可作戰的飛機有二萬八千架，多爲噴射機。美國則只有一萬二千架噴射機。

△蘇聯在東德，大量僱用潛水艇專家，及有駕駛經驗者，月薪一千五百美元，食宿在外。

△突尼西之激烈派民族主義者，與伊拉克革命政府中人會晤，研究如何推翻現政府的方法，已決計滲透于現政權之特務與軍事方面，爲着手之初步。

△倫敦之蘇聯外交家，爲廣泛之社交活動，包括雞尾酒聚餐各種形式。宣傳與歐洲各國廣結互不侵犯條約，謂赫魯曉夫急求其實現云。

△敘利亞之共產黨貝特虛（Bakdash），自埃敘合併，納塞不許他黨存在後，即逃往捷克。納塞要求蘇聯，將其羈留於鐵幕以內。蘇聯允之，但以納塞須長在一條戰線上爲交換條件。

△蘇聯宣傳，謂已發明防空火箭，能擊毀敵人火箭于二千英里之外，未免過于誇大。美國研究此類防空火箭，只是初步工作的展開。

△納塞對美國表示，他決不做蘇聯爪牙。如事實上表現果然如此，美國將恢復埃及之軍援與經援。

◎陶然◎

自由談

多言多敗

毛共向台灣海峽實行軍事蠢動，卻不敢撞及在海峽協防的美第七艦隊，這表示它是虛張聲勢的成份為多。美國朋友總是喜歡未做先說，夸夸其談，既要表現不怕事的英雄氣概，又要裝成潔身自好的君子風度，因此而招致若干不必要的煩惱，殊堪惋惜。

譬如最近美方對於金門島與台灣本土之間的海運補給綫，是否將被共軍截斷封鎖的問題，紛紛擾擾，主張美國只是把軍援物資護送到距金門三浬外的公海上，再由國軍撰運到陣地，表示美方避免捲入漩渦的和平態度。然毛共立即聲明它的「領海區域」為十二浬，不特金門、馬祖一帶是它的內海，即整個台灣海峽大部分區域亦非別國的兵艦和商船所能自由航行了。這是未做先說的後果，即要來對毛共獻媚結交的英國，亦連累感到了麻煩。

假使美方甘脆聲明履行中美安全互助條約的義務，對金、馬的海上交通，必以實力維護其安全，而不說甚末三海浬限度的話，充其量不過是武裝護航而已。毛共再要聲明它的領海範圍擴張為十二浬，亦係無的放矢的廢話，沒有理睬價值了。如今美國依然要採取護航行動，但在宣傳上已處於被動的立場，何苦來哉！

最可哂更莫過於白宮當局忽然表示願與毛共恢復談判這回事。「美、毛談判」的主要課題，是要毛共承認不向台灣地區實施武力政策，它現在正以砲火狂轟金門島，海空軍不斷地進犯，還有甚末可談的呢？難道白宮當局不惜作城下之盟，自認晦氣不成？如此的和平政策，即令成功亦是可恥的，何況決無成功之望！

馬五先生

「論文人之酸」

楊海宴

林語堂先生早在廿多年前說過幾句名言，他說：「做文可，做人亦可，做文人不可。」他又鄙薄其事的繼着說：「我奉勸諸位，能做軍閥為上策，亡了國還有文人代負責。其次做官，成本輕，利息厚。再其次，入商，賣煤也好，販酒也好。若眞沒有事可做，纔來做文章。」

做文人不可，林語堂先生所說的理由分好壞兩方面。好的方面：第一，文人不大安分守己，好評是非。人生在世，應當馬馬虎虎，胡胡塗塗，才會騰達，才有福氣。文人偏偏是非辯得太明，涇渭分得最清……第二，文人多半是書生，不治生產，不通世故，尤不肯屈身事仇，賣友求榮，所以偃蹇，是文人自召的。

至於壞的方面，林先生雖說出了好幾條，歸納起來，大抵不出兩個字，一個字是「懶」，另一個字是「酸」。「懶」字對於文人似乎還不太普遍，惟有這「酸」字，似乎已是成了古今文人通病之根，故區區單論「文人之酸」。

區區已經忘記是那一羣古人曾經教訓他的兒子說：「士當以器識為先，一號文人，則無足觀矣。」文人之無足觀，即因為其「酸」。惟其酸也，故尖故刻，故相輕，故無病呻吟，故胸襟狹窄。這些都是「酸」出來的毛病。

提起酸，不免提起窮。窮酸二字總有因緣連在一起。窮而不酸的，眞是少見。酸而不窮的，那眞是豈有此理。文人之酸，概由其窮而來，文人似乎命定了不能有錢，有錢的文人，大概要到外國去找，循至近代，中國或亦有有錢文人，不過那些可能是加工的泊來品。地道國粹貨文人，可能還是沒有錢的多，提起沒有錢的文人，這窮酸相，就不禁使人悲從中來。

文人不但不能有錢，甚至連女朋友都不能有（當然是指男性文人），文人有了女朋友，他非高聲大叫不可。左一篇文章寫女朋友，右一篇文章寫女朋友，好像他在呼籲他人注意：「你們大家看呀，我有了女朋友呀，你們不可不看呀，我有了女朋友呀。」男性有女友，乃人生之常事，但一個文人有了女朋友，可就不同尋常了，好像是一件光榮無比，值得誇耀的盛事。他必像貓兒叫春的那般不停叫喧出來，至於叫的人，臉上起雞皮疙瘩，胸頭作嘔，那才不關他的事。

文人既不能有女朋友，當然不能有妻子，有了妻子，那更非連篇累牘，大書特書不可。得提筆做文，儘管風馬牛不相及，總要提及妻子一句。有大作問世時，在序中寫上妻子如何如何。甚至於妻子扭他耳朵，或者陪他散步一遭，他也要為文寫將下來，以留芳千古。文人有了妻子，比公雞下了蛋還要稀奇，這不可不向世人宣傳。

此何故也？曰：文人酸之一端也。

其次，文人好學名士派。衣衫不整，頭髮不剃，飲酒不節，亂搞女人（這是傳統的），再加上戴墨鏡，啣烟斗，拿司梯克（這是近代文明泊來的），便以為盡名士之能事，這是文人之酸，不一而足。區區做文人還不夠格，卻深感酸氣日重，故寫此聯以自嘲，……人也，幸時賢君子雅管。（一九五八、八月廿寫在吉卜賽庵）

嶺南文物掌故

粵人藏書刧運

竹庵

辛亥鼎革，粵省遺老，避跡港滬，省中故家遺族，散出古籍甚多，在當時國內正在蠶蝕，舊書少人過問。府學東街（後改文德路）堆滿圖書。新會陳援庵先生（垣，後長北京輔仁大學）以一退在穗刊行震旦日報，即以此徘徊此等書肆，搜讀舊藏，卒成有名的學者。又徐信符先生（以清諸生，任教廣州各中學，後任中大教授，兼省立圖書館長）館穀所入，以餘資在此等書肆，購求古籍，辛亥後一南州書樓，購來善本，書至數十萬卷。有時以廉值之家已紛紛出售，歸其南州書樓。順德李文田，詳於西北地理，又久主史席，在北京運回善本圖書十餘萬卷。（若懷）學富年，余得詩鈔覈其長孫，李穆君，（現在英國倫敦大學圖書館）時，已知其不再存宋板書籍。但在他西關大屋中，仍藏明清校本書籍不少。日偽時期，李氏藏書逐漸散出。偽順德糖長何某，用廉價購得李氏藏過的全唐詩，太平御覽等巨籍，數十種，用以獻送陳璧君，陳鐵軍等。李氏藏宋拓華山碑，謂是海內孤本，索價八萬港元，聞此碑李君已攜往英國。

李家不獨收舊圖書，而且李君盡手寫書簽千餘條，均售與書賈處某。余當時乏資，只由處某處購得此等書簽十餘條。書法遒勁，李氏寫北碑最得其神韻，此書簽亦甚可貴。直至最近，聞李氏家尚存有書數十箱。

五十萬卷樓

民國後，粵人收藏宋元明及清代精刻書籍，以東莞莫天一為巨擘。莫氏以經營西樵起家，購買書籍甚多，民國十五年後，華北戰爭頻仍，北省故家抱書南來，爭售與莫氏。因此莫氏有宋元本十種以上，其餘金元校本，亦刊本，三十種。書目提要，係由中華書局印行，共二十冊。莫氏收藏，據書目所載，兩宋刊本二三十種，明清刻本，人批本，則更不勝枚舉。入此樓觀書，眞有如入山陰道中，目不暇給之勢。但好景不常，日寇陷粵，莫氏將其圖書散貯各地，都一一被劫淨盡。寇退，已殘存無幾，莫氏之五十萬卷樓，徒存目錄而已。

光諸季年，廣雅書院山長丁侍讀（仁長，後轉就教忠學堂監督），藏書不算多，但丁固世家，多藏宋元佳本。鼎革後，丁氏式微，藏書亦均賤售。石光瑛教授購得丁氏遺書多種，中有揚子法言一書，謂是宋刊。石晚年轗軻殊甚，即以此本售與香港大學教授許地山，得價五百港元。許嘗自誇，謂有珍藏宋板書，即此一冊也，（許為廣東隨宦學堂學生，石曾為其師）。

三水鄧驥英，（朱九江弟子），亦好聚書，且有善本，余曾見其藏宋板公孫龍子，大字精刻。鄧晚年景況不佳，走滬往依天游化人，（康有為晚年自號），因此書卒歸康氏。其餘善本之書，則為李子雲（耀漢，曾為廣東省長）所收。鄧並藏古泉多品，余曾獲其乾隆紀念錢二枚，其一，背面有惟精惟一四字，是嘉慶年鑄就。其二，則背面有十全老人四字，蓋嘉慶二年鑄成也。（三）

『豺狼當道要問狐狸』

○金陵公子○

報壇逸話

襲德柏氏，老報人，素以敢言著稱，故又有「大炮」之稱。當年襲氏在南京創辦「救國日報」，以立論精闢，編輯新穎，銷數為南京各大小報之冠，可謂盛極一時。

猶記民三十四、四年間，該報曾以「豺狼當道要問狐狸」一文，對時政發議論批評，措詞激烈，於是一紙命令，由內政部以公函處分該報停刊三日，以示懲戒。襲氏於停刊前一日特將內政部公函以公開發表，並用著論，謂「救國日報必以言人所不敢言之決心繼續奮鬥」，即令將來因此率之言，遭惡而被迫封閉，救國日報當可易名為救國晚報，繼續發行。雖然，直至蘆溝戰起，救國日報似未曾再遭停刊處分，至於後來該報停止發行乃是由於日敵迫近京郊之故，並非觸犯出版法。

該報副刊「晨鐘」由陶愛時主編，每日一篇方塊文章，亦屬針對當時政事予以揭發，易君左曾發表長篇白門秋柳連載，而一般社會性問題以及建國性之文稿，幾無日無之，似為南京各報副刊獨有之綜合性體制，稿費亦高，超水準的稿子頗多。

該報復刊後載日本論乃襲氏所撰，以日本通之姿態，以知彼之觀點就我與日本雙方戰爭主要因素詳加分析，報導辯解，確有獨到之處，今日襲氏業已息影，或亦能憶及當時之情景。

現當「出版法」修正之始，筆者特憶及此一段佳話，以使人回憶及過去內政部是在怎樣情形下才使出「停刊」殺手鐧的法寶的，絕不是輕易拾出「違反出版法」而任意扼殺「自由與論」的，假如今天仍有類似「豺狼當道……」這種文章出現在報刊上的話，我敢說，豈止以「停刊」，恐怕還以加以「大逆」和思想有問題的大帽子，怕不判一個有期徒刑才怪呢！

紅色幽默

古月。

捷克斯洛伐克的共產黨，來了一次大清黨運動，有一個年老的吉布賽人被帶到幹部面前。

「你入黨有多久了？」

「長官，好幾年了。」

「你父親呢？」

「他也是一個黨員，我的祖父，曾祖父都是黨員。」

「聽着！」那幹部有些不耐煩了：「在那時我們還沒有什麼政黨呢！」

「還有什麼關係呢？」吉布賽人回答：「反正我們都是小竊呀。」

× × ×

在匈牙利的一個商業中心區騎樓，每到夜晚便現有反共或反史達林的標語。幾個共產黨員忿怒地把騎樓上的粉筆字擦去，正原來的地位補上一句道：「無用的膽怯者，為什麼不在白天寫這些標語呢？」

但明天早晨上面又有了答覆：「對不住，因為白天跟着你們這些像伙整天遊行，半點空暇都沒有呢。」

短篇小說

櫻都之戀

李薪

川子掠了一下頭髮，把身子往旁移了一點。原來這幾個學生和川子都很熟，他們和她點點頭，慢吞吞的過去了。留下一陣笑聲劃破了這園林的寧靜，因為他們講的是日本話，我一時沒聽懂，後來川子告訴我他們正說我，叫我別理他們。

幾分鐘後，幾個學生又轉回來了，這次是直向我們這邊走來，我不以為他們是來找她說話的，所以並不以為奇，但等我們看到他們臉部的表情好像有尋隙的企圖時，於是我站了起來，理了一理衣服，在川子身邊渡着方步，全不注意他們。我心想：就憑這幾個毛小子，我能嚇倒嗎？因為我胸有成竹，所以毫不在乎。

「你為什麼對我們笑」，三個中一個高的說。我想這純是牛哥兒的作風。

「我高興」，我大聲地用日本話答。這時川子生怕我們會發生什麼，馬上挨近在我耳邊低聲說：「你只說是中國海軍，他們一定會向你道不是而馬上走開的」。我覺得目前不需要如此做，婉辭了她的好意。

「這是我們的神園，你不能跑進來偷折花木的」，一種莫須有的枷鎖加上來了。

「園門外有看門的狗，你們管不着」。從來沒有試試拳頭，是否也如西部武打片一樣，一拳過去，那人就應聲而倒。今天倒是良機不可失，所以非用言詞迫這幾個小子上梁山不可了。眞不出我的所料，話剛完，其中一個丟了書包迎面就給我來了一下，我因為早存戒心，往旁邊一閃，順手就在他小肚子上給了一下，這小子就滾在草地上不住的捧着小腹叫，我高興透了，這二個就一擁而上，當然我只好迎敵了。這時最着急的是川子，他拉了這個，又拉那個，但結果全歸無用，她幾乎要哭了。

我存心揍日本人，這送上門的生意怎能放過呢？十分鐘後都給我打倒了，自己的手、頭，都受了傷，川子馬上走過來扶着我。雖然手上有點痛，但我在她的懷中仍然感到勝利的光彩。於是我們又回到川子家。她父親外出沒有回來，只有母親在，我想正好省得丟臉，川子為我裹扎傷處，洗血漬，塗紅藥水，她母親是問長問短，我只說跌了一下不要緊，川子口裏是不住的怪我，不應該隱瞞身份，以至打了起來，她心裏好像有無限的惋惜似的，而在我心中卻高興得很。

「在我沒有表示愛妳之前，非先擊敗情敵不可」。我以玩笑的口吻向她說。她祇用手在臉上羞我，臉上泛着可愛的紅光。她看看母親不在，偷偷的在我耳邊說：「好一雛為情的話」。我聽了之後，把她一抱，緊緊地吻上了，她首先有點輕微的掙扎，後來她反抱着我緊緊的。

「只要有妳這如花似玉的看護，我永在輕傷中」。我在她耳邊輕輕的說，一時房子腳步響，她推開我跳走了，那苗條秀麗的背影，在我的心深處，烙下了永恆的記憶。

她爸爸回來，自然有一番詢問，川子也照我的話掩飾一番，但還是責備了川子，使我心裏好難過，我本該是說明的，可是川子一面向我擠媚眼，又不斷的向我擺手，我終沒有把打架的事告訴他——為了接受川子這一份體貼的情意。

晚飯過後川子說去姑媽家，順便我們又一道，她爸媽沒有反對，姑媽家是在橫須賀山下町開一家布店。對於川子這動機我是求之不得的，於是告辭就搭上往橫須賀的車子，晚風拂面，夜景如畫。眞不巧車子走了三分之二時拋了錨，因為我們坐的是普通列車，車廂裏人擠得很，川子說離橫港不遠了，轉過一個小丘陵就是，提議散步的方式走去，既舒服又可以欣賞一下夜景。我當然是非常贊成，於是我們倆走出車廂步上大的柏油路。

「妳去姑媽家有事嗎」？

「有事不一定要晚上去吧！」她把頭鑽到我胸前「妳不願意我們多談談嗎？年青的異國人」？

「川子」！我輕輕的喚了一聲。

「當然這是求之不得的，不過我得向妳道歉」。

「為什麼」她感到突然的驚奇。

「我不該打了妳要好的同學」

她「噓」了一口氣。

「好緊，他們是什麼朋友，我們只是普通同學，還提他們做什麼呢？」我緊緊地用手抱着她的腰身，默默的在寂靜的馬路上拾着輕鬆的步子。遠處的燈光，山影。微風輕拂過，還有月亮和稀落的車子來點綴了。似尤覺有點寒意，我們走走又停停，彼自相依，默默地會意微笑……（三）

更正

本刊七八二期黃天石「寒操六十自台寄詩賦答」一律，頸聯「危時誰與張王道」一詩，「吾鄰」二字，誤植「霸鄰」，合更正。

自由人
THE FREEMAN
（第七八五期）
中華民國僑務委員會登記證僑新字第一號
中華郵政台字第五〇〇〇號執照登記爲第一類新聞紙類
（每星期三、六出版）（半週刊）
每份港幣壹毫
台北市價新台幣壹元伍角
督印人：陳文華
地址：香港高士威道二十號四樓
20 CAUSEWAY RD. 3RD FL.
HONG KONG
TEL. 771726
承印者：東南印務出版社
地址：高士打道六十四號
台灣總經理處
台北市西寧南路壹壹零號二樓
電話：三〇三四六
台郵撥儲金戶九二五二
海外總經銷：友聯書報發行公司
香港：德輔道中二十六號A二樓

金馬戰局與中國前途

李金曄

金馬的情勢——現在，主要是指以金門爲核心的軍事態勢，不容否認已經發展到令人焦心的地步！

不論是在海外或在台灣，就一個中國人的立場來看，那應該是寸土必守的，這不僅是軍事上有此需要，在政治上亦然。對於這一點，美國務卿杜爾斯也曾說：不能把金馬地區的情勢孤立起來看。

正由於金門、馬祖的得失，關係到整個西南太平洋——自日本以迄東南亞自由世界團結的形勢，並且「對美國是至屬重要」，所以杜爾斯力加表明「我們必須維持該地區各友邦及盟國政府的尊嚴，及良好關係與士氣。」

杜爾斯的這席話，當然可能顧慮到美國的決心來處理被中共拉緊了的金馬局勢的。

可是，如何處理呢？在中華民國方面來說，必須堅守金馬，甚或是乘機反攻；在美國來說，希望能與中共達成協議，使中共保證停火；但在中共，則表示必須取得金馬！

在堅守與強攻之間，金馬將來仍爲雙方所必爭，其局面是肯定的。即使美國的願望能達到，由中共「保證停火」，但金馬又將爲何方所有呢？仍保有在國府手中嗎？於是國際上就產生了國軍勢必被迫撤出金馬的傳說！而杜爾斯所作有關遠東局勢的發言，也令人增加了美國正力圖按撫中共，甚或希望由國府讓出金馬，以達成停火保證的疑慮。

華沙會談，在一般人觀感，這是不會有結果的，美、中共之間曾經有過七十二次的有關談判紀錄，但也有人以爲這次重開談判，情況或許會有新的轉變，更何況華盛頓方面已經表示了，只要中共答應停火放棄使用武力，「而談判放棄是具有意義的」，這在許多方面，都會改變現在的局勢」，「局勢就會出現一個極其有建設性的新因素，可能會產生進一步的後果。」（見杜爾斯九日答記者問。）

華沙會談，勢難避免一個「陷阱」。沒有人能證明中共不是善意談判，但也沒有人能否認中共不是企圖用談判的方式來達到其奪取金馬的野心；但也沒有人能否認，美國是正在企圖以會談來證明中共的最後意向，俾作最後的決定。

因此，在金馬前線，這是一場實力戰爭；在華沙卻是一場智謀戰爭。美國似乎是寄望於以「可能會產生進一步的後果」，來誘引會談的中共罷兵。

如果美國第七艦隊的護航不能再深入到金門的近海；如果護航的艦隻[illegible]，不准以自衛還擊大陸的海岸砲火陣地，我們不必諱言供應的困難，[illegible]這也不過是困難而已，供應不可能完全被切斷，在空運支援和海運支援，不論在技術上或數量上，[illegible]中共砲火之集中於轟擊供應船隻和灘頭，即足以表明其目前對金門的戰略，是極力避免與美艦接觸，但卻集中力量以破壞供應線和灘頭。[illegible]支援供應雖有困難，還不是不可爲的。[illegible]由中國的主權，我們除了依靠金門的守軍戰士堅撐之外，就只有依靠海軍和空軍的英勇作戰了。

根據八月廿三日以來的戰況觀察，金門是可以守得住的。[illegible]信，美國這次與中共談判，不會再似以往，能忍受當期的無結果的拖延。金門前線，固需要速戰速決；華沙會談也需要速談速決。

國府當局若能明乎此，筆者覺得不必在情緒上對華府有所抱怨，輿論也不可以洶洶之勢譴責美國。唯一條路就是要拿出寸土必守的實幹行動出來。能夠多支持一天，情況就會天天不同。如果國府不惜全力以支持金門，這是反撤退的最有力的答覆，這樣的行動可以促使白宮的態度，轉趨更積極，也可以一掃國際上對我之不利陰影，更可予前方守土將士以信心，也可給海內外三千萬同胞一新耳目。

對大陸來說，在此以前，共軍的行動，是曾經一再被中共向人民隱瞞着的，現在雖然已被「動員」起來，從另一角度看，並不一定對中共有利。過去即使共軍失利了，大陸上人民不知道，（例如金門地區被砲轟數十萬發，而死傷輕微，米格十七機連串的被擊落，中共迄今不敢公佈）。現在大陸上人民都已知曉戰局拉緊了，如果久攻不下，已被「動員」起來的民心，是會動搖的。從大陸人民被「動員」到自覺地動搖，也必須有賴台灣的前方能守得住，後方能供應得上，能化前線與後方爲一線，才能使全盤的形勢扭轉過來。而這一切，全有待國府當局有最堅定的決心，和最佳行動表現。

金馬的前途和命運，固關緊着整個自由中國的前途和命運，但今次中共既急攻不下，就全盤形勢觀察，是對我有利的，此即所謂「不勝而勝」！若能再堅撐三個月，情勢料將而變。惟最令人可怕之情況有二，即一爲國際上的姑息和綏靖心理；另一則爲不求長進的等待三次大戰的心理。前者是外在的因素，上文已闡明，只要國府有寸土必守的決心和表現，是可以改變的，後者是內在的因素，此必需各級當局眞有奮發自強的大智大慧。實則要改變外在的因素，還需要能先從自求多福做起，自求創造條件。

自由中國的前途，故與三次大戰息息相關，但究竟不能把它完全寄託等待於三次大戰上！也不能寄望於將來美軍在中國大陸戰場上協同作戰。

對於中國的未來前途（也是自由世界的前途），國際上現有的態勢，是趨向於站在實力政策上，以戰爭邊緣爲手段，壓迫共產集團，達到以談判來解決問題的目的或希望能藉此促使共黨國家內部的變亂。換言之，這是以備戰來避戰，以談判代熱戰，用政治來解決問題。當然這不是說戰爭是絕對可避免的。

自由中國當局，如果能配合這樣的趨勢，多從內政、外交、經濟上着眼、着力，配合現有的軍力，相信大局是可爲的，前途也是樂觀的。

金馬的杌隉情勢，不僅是九年來軍事上的考驗，也是政治上的考驗，堅守金馬，不僅是有賴於軍事，也有賴於政治。未來的三個月，不僅是關乎金馬前途，也決定着整個自由中國的命運！

半週述評

給敵人機會？

我們的敵人，在「偷鷄」這方面，接受過俄共「先進經驗」，我們能否成功，要看我們給不給他們機會。[illegible]

不要恐懼敵人的「摩拳擦掌」，敵人幾乎經年累月都是如此的。「狗咬人不算新聞，人咬狗才是新聞」，當敵人表示要「談」的時候，倒是最要當心的時刻了。

中共如果眞要敢于在目前動手，可能客觀上倒是對我們有利的，但是，我判斷敵人不敢蠢到如此地步，敵人目前主要還在尋找機會「偷鷄」。

願意談判了？

截至目前爲止，筆者認爲，我們還看不出敵人放棄大打的決心。敵人的策略是：以「大打」爲姿態，以小打爲手段，達到「偷鷄」的目的。一個最簡單的事實足以說明：當美國對台灣海峽的態度表現得更爲堅定，當美國第七艦隊決定參加金門護航以後，敵人表示願意「談判」了。假如說，這只是敵人一種暫時的詭計或者緩兵之計，那麼，這至少也可以說明，目前敵人「大打」的條件還沒有充份具備的。

歷史怎交代？

在美國方面，今天至少給敵人的印象是，什[illegible]在乎的。當然，美國也表現出，雖有實力在手，好牌在手，也同時不放棄「談」的機會。

在這種情形之下，就一個中國人的立場而言，我們雖然認爲美國與中共之間的「談」也是多餘的；但是，無論如何，在美國今天所具備的各種優越的條件之下，如果再給敵人以「偷鷄」的機會，[illegible]歷史，西方政治家將來就不知道怎樣交代了！

誰是紙老虎？

從上月間台灣海峽的危機爆發以來，現在最清楚不過地回答了一個事實，究竟誰是紙老虎？

大陸的期待

最近一再傳說，中共空軍投降，政府當局爲慎重起見加以否認，但是我們根據一些情況判斷，認爲可能性是很大的。

第一、從這個傳說出現後，中共空軍活動較前沉寂。

第二、最近中共報導中屢次透露，中共空軍中正在清算右派份子。

第三、自由中國參謀總長王老虎最近對大陸的招降，特別以中共空軍爲重點。

毫無疑問，大陸最近人心浮動，大家在期待，期待變！

司馬璐

中共又施展和談戰術

曾旭軍

在金門砲火一度沉寂之後，周恩來又開腔說：願與美國和談。共黨鬥爭策略如此一張一弛，令人困惑。其實共黨講的是長期不斷的鬥爭，他們有史諾林所說的長期之戰略，和短期之戰術。

如果將階段的鬥爭戰術成果分開來看，便難于了解了。這次共黨挑起金門大戰，迄今爲止，未見有何收穫。反而在海空戰爭中吃了敗仗，可見共黨最犀利之武器，還不是武力，而是「困惑敵人」的戰略與戰術。

中共在中東危機和緩後便跟着製造台海緊張局勢，無疑的這是赫魯曉夫赴北平會議後的結果。毛赫發表之公報，全篇含混，唯有幾句暗示中共奉命實施全球戰略者，就是：『就兩國面臨有關歐亞兩洲一連串之主要問題。雙方徹底的交換意見，並對於反對侵略保衞和平之策略，達成一致的協議』。這裏可注意的是：『有關歐亞一連串之主要問題』。

赫魯曉夫由中東轉向遠東的原因是：（一）在遠東美國與其他各國，尤其是英國，意見分歧。（二）埃及之納撒，究非共產黨人可絕對利用，不比中共的忠馴，和具有相當大之軍力。（三）阿拉伯人可被利用者，因其反對英法之舊殖民地主義，但其宗教思想，根本和共產主義不相容。至在遠東亞洲各地，都尚有許多區域可播共產主義思想的種籽。

自中共本身言，自亦有製造新緊張局勢的動機：

（一）毛澤東鑒因見去年鳴放後所引起反對力量如此其大，更使他們感覺中華民國的勢力的存在，是一大威脅。假如試探美國不協助防守金馬，便可以越島犯台。（二）北平政權爲要保證農業及工業『大躍進』，而要求人民猛一步出力，以爲增加緊張局勢，或在台灣海峽挑起一個反美的有限度戰爭，便以爲可以提高人民『同仇敵愾』之心，令人民忍耐中共給予他們的壓迫。它也和鐵幕內其他國家一樣，對自由世界有一錯誤的認識，以爲『東風果眞是壓倒了西風』，相信美國的軍力受制於蘇聯之核子武器與飛彈。最低限度，萬一中共與美國火拚起來，美國終因畏蘇聯核子武器報復而被阻嚇。此外之主觀上尚有一種保險，是美國根本不想打仗，和英國法國的畏懼在遠東爆發戰爭。故試探得逞，便可擴大戰果，否則再提出和談，美國也必然樂得罷手。

在戰術上，我們在金馬是挨打，在戰略上，美國在遠東何嘗不是挨打。早在韓戰不敢越鴨綠江已是挨打。至于英工黨左翼之主張奉送金馬給中共，史蒂文森之主張在聯合國下使台灣中立化，艾契遜之屬稱防衞金馬是無盟國支持下自陷於戰爭狀態，更都是受共黨戰略支配的結果。甚至艾森豪和杜爾斯之聲明中共如擯棄用武，則美國歡迎談判的一種『人不犯我，我不犯人』的態度，也依然不脫『挨打』窠臼。

共黨是邊打邊談的，希望台灣在談判時疏於防範而造成一既成事實』再談，這是共黨的老套。共黨甚至可以藉台海之爭吸引世人注意、而在東南亞甚至可能在南美洲另一區域實行傾覆另一國之陰謀。蘇聯腳爪中共不敢恣意向印度及其他各地侵略者，實因有反共之台灣在而已。但今日非共產世界，有數點極大之錯誤思想：

（一）聞緊張局勢而憂，聞和緩而喜。其實在和緩局勢下反而隱伏禍根。共黨有利之時期，往往不在緊張局勢。故自由世界言，可怕的是妥協于苟安局勢一任共產黨消化其侵略成果。

（二）第二個錯錯之思想，是西方往往把蘇聯和中共作兩個平等國家看。關於莫斯科與北平的歧異論，這個問題，年來已辯論紛紜。無論如何他們都忽視一項事實，即：如果中共和蘇聯在社會基礎和意識型態上，生出歧變，則必有生死存亡之鬥爭，但現在它們的關係，祇有主奴之關係而已。

我看紐約時報，有一篇批評中共與蘇聯的關係之文章說：蘇聯與中共的目標各異，兩國下的賭注不同。第一蘇聯比中共較輕視台灣。第二，是赫魯曉夫在全面核子戰爭之損失，遠比毛澤東的較大。第三，蘇聯人口祇及中共的三分之一佔有三倍於中共之陸地，將來兩國在經濟上，必起衝突。

其實第一第二的說法，是漠視國際共產黨的全球性擴張計劃，第三項說法太強調長期性的因素。現在中共如無蘇聯支持，經濟便立即崩潰。中共勢難與蘇聯分裂？

此次中共挑起金門大戰本已成了騎虎之勢，自我而言卻是反攻大陸良機。中共之忽又高叫和談，顯然是有所畏怯，且看透美國一說所致。至今爲止，自由世界依然受共黨『一張一弛』的魔術玩弄，吾國將何以自處？是要看謀國者在政略上有無扭轉這局勢的決心與辦法了。

台灣通訊

海峽風雲話台灣

○豐公○

自上月下旬起，中共開始砲轟金門，台灣海峽風雲頓形緊張，迄今已逾半個月，其間自由中國海空軍曾叠傳捷報。同時，美國盟邦非常關切台灣海峽局勢的發展。曾一再向中共提出警告，並在海空軍方面大事增援第七艦隊，以加强其戰鬥防禦的實力。最近杜勒斯國務卿與艾森豪總統在羅德島新港會談之後，發表「為了台灣的安全，美國準備協防金門馬祖沿海島嶼」的聲明，使各方懸揣中的美國是否協防金馬之謎，差不多已揭開了謎底。儘管中共仍在隔海叫囂，企圖進犯金馬，「解放台灣」，但面對目前這一海峽新形勢，所有一切嚇阻慣技實已到達了極限，除非中共有意與强大的中美聯軍作戰的決心，否則將仍然是一個武裝對峙下的冷戰局面。無疑的，中共在這一次冒險的賭博中，摸錯了對方的牌路，損失了不少的賭注，要想「撈本」，恐怕越賭越輸，勢非「脫底」不可哩！

在過去半個月中，海外各方也許非常關心台灣的安危，實則身處此間的人，無不鎮靜如常，雖有些感到戰時的氣氛，但無殊於平時的安謐。這裏可以舉出幾件事例來說明：

從一般眼前景象看

第一：從一般眼前景象看：上月二十九日，正是舊曆中元節，台灣民俗，在這一天例行「大拜拜」，家家祭祖，也就是家家藉此大吃大喝。單就台北市一地統計，這一天的消耗，共宰豬四、二二二頭，鮮魚二二萬公斤，蔬菜二七萬三千餘公斤，其他雞、鴨、鵝等尚不知確數。這眞是符合了「前方吃緊，後方緊吃」的說法。然而從家家戶戶邀親宴友，以及各寺宙庵堂舉行普渡齋祭的熱鬧情形來說，是絲毫看不出戰時景象的。

其次，在中元節前三天，正是中共炮轟金門最緊張的時候，台北市文教界二十六團體為某一反共鬥士舉行六十大慶及其三十年反共思想鬥爭紀念，有將近千人以上的盛大集會，這種寓祝壽於反共之中的方式，是別開生面的。因此會場上的鼓掌聲與戰場上的喊殺聲遙相呼應，似乎後方反共的濃厚氣氛，並不減於前方將士英勇反共的激烈戰鬥。那一天到會的黨政官員不少，有的恭維這位反共鬥士，是「資本主義不能淫，中立主義不能移，共產主義不能屈」；有的希望他「繼續反共奮鬥三十年，向世人揭穿馬列主義的謊言」。這些話多少有點語病，不能仔細推敲。尤其說反共奮鬥尚須繼續三十年，無怪乎一切好整以暇。

從報章上看

第二：從報紙的擴大篇幅來說：台灣各大報，過去由於戰時新聞用紙節約之故，一律不得超過對開一張半，這個辦法自四十四年五月起，業已實行三年多。上月二十八日行政院院會特議決解除此項限制，准予擴充至對開兩張。自九月一日起，除公論報外官民營各日報均依照規定增加篇幅，各晚報並由四開小張改為對開一大張。以往藉口「戰時」而節約紙張，現在眞正面臨「戰時」，卻又以需要宣傳而擴版，但實際上所擴充的是副刊，社會新聞，與娛樂消息，巨幅廣告等等，在副刊方面，無非增加了一些談鬼說怪的雜談隨錄以及章回體的劍俠小說之類。至於在社會新聞方面，最時髦的新聞人物，是久已通緝在案的前嘉義縣長李茂松，實施安全檢查之後一日，被刑警隊在台北緝獲，報接連五六天都是載李案消息，街頭巷尾，酒後亦均以此為談助，反映一班人的閑情逸致！

從民意機關看

第三：從民意機關的表現來觀察：立法院正在休會期間，到九月二十日才能復會。但台灣臨時省議會本屆大會在近一個多月來都在台中霧峰舉行，至昨天（一五日）才閉幕。這一次省議會大會，每次出席議員寥寥，為從來所未有之低潮，中間曾一度醞釀罷免議長，這與嚴格控制議員發言質詢頗有關係。而所通過的若干建議案，如請政府擬訂全盤節育辦法，設立冤獄賠償制度，合併省立大專院校另成立大學一所，以及開放大貝湖，免予扣除鐵公路局員工借支等等，有的雖事關經國大計，有的卻不嫌瑣屑，可說多半都屬於平時的措施而為長治久安之謀者。對當前的反共戰爭反而甚少涉及。其比較值得注意的，是要求政府加强執行出版法一項。實則純粹民營素以敢言著稱的公論報，現已減出一大張，而「友黨」的反共抗俄宣傳費已自七月起停發，今後若干敢言激論的，出版法不待强執行，也將趨向低潮了。議員們還耽心這個做什麼？可是，陳副總統兼院長在「九一」大會致詞：「我們已不能再退讓了，我們也無路可退讓了！」這今天自由中國方面的軍民，都以痛心的悲壯冒險犯難心情共之，此語是絲毫不放鬆的。（四七，九，六）

我為歷史作證

•周鯨文•

周鯨文氏在最近復版的「時代批評」第七卷二期，發表「我為歷史作證」一篇長文，其中有一段講及「共產黨欺騙了民主黨派」甚為詳闢，特轉載如后。（編者）

共產黨深知廣大人民是散漫的，可以用花言巧語爭取人民的同情支持。共產黨更知道，進步的民主黨派是有組織的，有政治主張和綱領，可以有行動的。這些黨派有的是代表社會上一些階層，至少可以說它們在社會上有一定的影響和作用。因之，共產黨爭取進步黨派的合作，實際上也就間接的爭取了人民。在這樣的打算下，共產黨展開了統一戰綫工作——這一高級的騙術技巧，和政治性的諾言——即新民主主義——共產黨的低級綱領，以及「政治協商」，「聯合政府」等等。

中國的民主黨派雖有它的社會地位，但在半殖民地半封建的中國社會，一切依靠武力，國民黨如此，共產黨亦如此，民主黨派恰巧在這一方面落後於國共兩黨。事實縱然如此，可是民主黨派有對國是的公正主張，這主張深得廣大人民的同情，他們代表社會上一定階層，也不能說它們一無所據。

民主黨派有了這樣的社會基礎，因此，共產黨就看准了他們和他們的本錢，而想加以爭取利用和騙劫。民主黨派對國是有主張，有理想，有代表人民的一種善良願望，因之，他們也就有權過問國是，即使與共產黨有往來，講合作解決國是等等，那也是情理之常。共產黨是狡滑能手，是欺騙專家，它知道若擺出專制帝王的面孔，民主黨派不會與它合作；就使它抬出史大林的塑像，民主黨派也不會與之合作而捧它的塲。那麼共產黨採取了什麼方法與技巧呢？

民主黨派不是有權過問國是嗎？針對此點，共產黨首先提出「新民主主義」階段，在這階段中不實行共產主義。繼之提出「政治協商國是」。協商之後如何執行呢？共產黨提出各黨派參加的「聯合政府」。這三點號召，共產黨爭取了民主黨派的合作，也就是現在可以證明的，共產黨設下陷阱而俘擄了民主黨派。

在共產黨軍事力量與國民黨對峙時，共產黨低三下四的向民主黨派求教；在共產黨軍事佔優勢時，紛紛邀請民主黨派首腦人物北上「共商　是」在一九四九年民主人士聚集到北京，在新政權成立之前，毛澤東還再三重覆他的「新民主主義」，並且向民主黨派的負責人說：「新民主主義階段是相當長的，至少要有十五年到廿年，以我們這些老年人而論，也只能完成這一階段的任務」。民主人士也信以為眞，認為現階段的民主黨派若能完成這一任務，也算盡了時代的使命。在新政權成立的前後，共產黨還大力爭取，利用，和控制民主黨派，要他們向廣大人民號召支持這個新政權。

在這三個階段中，共產黨是用盡心思爭取民主黨派的支持。沒有民主黨派的支持，共產黨的槍桿還不一定能打平天下。

從民主黨派本身來說，自以為有責任完成現階段的民主任務，一個現實性的政黨能完成一段歷史任務，也算對人民有所交代。何況從中國人民的要求，中國現時的環境和共產黨多年來的諾言看來，都是要求全國各方面的力量共求國是的解決，代表一部份人民的民主黨派，它們只有反映人民的要求，它們也得有勇氣為人民的利益尋求一切可以行得通的道路，至少在一切機會到來之前，要替中國人民這樣去作。

但是實際的結果是受了共產黨人之騙，違反了他們的初衷，而事實上是幫了共產黨的忙，造成共產黨人的天下，一統之局。從形式上講，民主黨派對這種局面的促成是有責任的；從道義和實際方面來講，民主黨派是被騙，是代人受過，自己入了陷阱，結果帶給了中國人民不少災殃。

民主黨派被騙和被控制的過程如何呢？首先，民主黨派抱著上述的心情，聽共產黨的新民主主義階段的任務，為了「協商國是」，為了成立「聯合政府」（當時這種「聯合政府」並未排除和談的國民政府人物），紛紛的到了北京。正當這時（一九四九年夏）國共和談失敗，共軍渡江，局勢的發展對共產黨可說是佔了上風。九月底，召開「政治協商會議」，就在這一階段，共產黨開始暴露了它的欺騙和控制了民主黨派。十月一日成立的「中華人民共和國」，而且政府更是愚弄了和控制了民主黨派。並以這個形式欺騙了所有的中國人民。論「協商國是」，眞的有了形式上的協商，而無內容的協商；論「聯合政府」，眞的是有各黨派人士參加政府，而只是幾個傀儡牌位。對社會來說，共產黨似乎兌現了諾言，對民主黨派來說，這種玩弄人的空形式，眞使人啼笑皆非，始於被騙，終於控制，結果成了眞正的共產黨的俘擄。

共產黨在政權成立時，對民主黨派是外示假客氣，內行眞壟斷。假客氣的地方是指它逐漸的愚弄民主黨派，在不即不離之間，似逼非逼之間使你無法抵抗術。眞壟斷的地方，是指它在民主黨派中早佈置了工作，派遣的黨員老早就秘密的參加了民主黨派，同時又在民主黨派拉攏了部分投機取巧的所謂積極份子，一味盲從的追從共產黨的指揮。（下轉第三版）

台灣通訊

戰時談精簡政策

•慶光•

政府遷台後，實際管轄的面積人口既少，而且一直處於「戰時」所謂非常時期，自當有效運用有限的人力物力，于復國工作。然而，多年來由於維持體制排塲的觀念，以及人事上的複雜關係，中央不但依然擁有龐大的機構，甚且在適應「特殊情況」之下，架床疊屋的建立許多業務職掌重複的機構。

機構架床疊屋

行政院之上有國防會議；財經兩部之外有經濟安定委員會，美援運用委員會，外滙貿易審議委員會，中央信託局之與台省物資局，業務職掌很難劃分清楚。即以教育部門而論，中小學教育既由省教育廳主管，教育部的實際業務本屬不多，但一向就成立了許多有名無實的委員會，並且耗費大量經費，在植物園內建造美侖美奐的科學館、藝術館、文物館，統名之為「南海學園」。事實上，科學館既不代表科學進步，藝術館也並未輔導藝術的發展。諸如此類，在一個海島之上，機關林立，冗員充塞，權責混亂，力量分散，其流弊所致，充分表現于去年的「五二四」事件，與財經外滙工商政策的未能協調完善。

俞前內閣時裁併的機構

今年三月間，當俞內閣一度有所作為之時，曾下令裁併十二個中央與省級業務重複的小機構，並將四個軍事機關（防衛司令部、衛戍、保安、防空）合併組成警備總司令部，以統一指揮權責。同時，總統府成立行政改革委員會，研討有關調整機構，改善制度，經過六個月的審議研究，已告結束，據聞已完成八十七件改革方案，將提請採擇實施。

陳內閣上台後裁撤的機構

陳誠內閣上任後，對於精簡政策表示重視，斷然將職權龐大的經濟安定委員會及工業委員會等附屬單位首九月一日裁撤，其業務分別歸併於財經兩部，農復會，美援會，外貿會等接管。經安會係四十年成立，初為財政經濟小組，至四十二年擴大組織及職權，成為行政院與台灣省對於財經政策及其重大措施的綜合設計審議與聯繫的機構。後來逐漸演變成為超越各部會之上的最高財經決策單位，總攬貸款，美援運用，政府預算稅收，公營事業，農林漁業開展及物價評議等重大決策事宜，其職權之大，使原來法定建制內的財經兩部，望塵莫及，因此侵越財經兩部職權達數年之久，此次被裁撤，雖不免為時過晚，尚不失為明智之舉。同時，農復會、美援會亦有九月一日改組縮編，由陳揆兼任美援會主任委員，尹仲容任副主任委員，李國鼎氏任秘書長。

至于教育方面，自梅貽琦氏接任教育部長後，為勵行精簡政策，於八月廿八日下令裁撤所屬八個委員會：即中華叢書委員會、世界名著譯述委員會，大學用書編審委員會，學術研究合作委員會、國文教育委員會、重建大陸教育計劃委員會、美育委員會及中國歌劇改良研究委員會。其中中華叢書委員會，成立一年，據聞耗資百餘萬元，僅翻印古書數種。經裁撤後連同大學用書編審委員會的業務，一併移交國立編譯館。此一措施已獲得輿論界好評。

一個具體的意見

目前海峽情勢危急，國家面臨存亡勝負之機運，今後政府，尤須重視現實，從事大刀闊斧的改革，裁減一切重複機構與冗員，統一事權，有效運用人力物力，以適應非常時期的局面。台北聯合報在最近一次社評中主張：將中央與中央或與地方業務雷同的機構一律裁併，合併成臨時機構，或部與廳合署辦公，由部長任廳長，廳長任次長。否則中央僅管政策的最後裁奪，各部會縮減為一單元，所有業務交省級辦理。至於裁減後的人員，除資遣，轉業外，一律充實鄉鎮基層幹部，以糾正目前頭重脚輕的地方行政。這確是一個值得討論的問題。（九月四日于台北）

日本教職員組織將號召停課反對限制政治活動

•觀游•

（東京航訊）日本文部省為了實行全國教員考勤評定制度，正在遭受日本教職員組織的全國反對，呼籲全國一致於九月十五日完全停課，日本勞動界的總評議會發表極力支持的聲明，以教育為政爭的工具在日本是愈來愈白熱化了。

日政府為了貫徹「考勤」確立之決心，乃於三日將日本教職組合小林委員長逮捕，以期使它屈服。但是社會黨為此乃於廿日由社會黨委員長鈴木，書記長淺沼同去訪岸信介，表示社會黨支持教職組織的「反對考勤」，要求政府停止施行考勤制，但卻為岸所拒絕，此事之演變如何，當視日教組織何以如此賣命反對考勤，據說在該組織的高級幹部，以組織為其政治活動的中心，政治的資本，更可以藉組織的力量，選出為縣議員，以至參議員，踏上政治舞台，儘可利用，出風頭，因為可說有勢有錢，愈活躍，愈出風頭，如此，日政府才有「考勤」制度的實行，用意在使教員為教育而工作，不為政爭的工具，我們有一句話：誤人子弟，男盜女娼，今日日本的教員三天一罷課，兩天一請願，其不誤人子弟者幾許，實為日本一大危機。（九月五日）

只是美國勝利了

台灣海峽局勢發展到九月六日周恩來的聲明發表以後，已進入了另一階段。這一階段的開始，是中共首先要求同美國坐下來談判；可以說，此次是中共自己拆穿了自己的紙老虎，屈服於美國軍力強硬威脅之下，還祇幾天，中共的空軍，均恢復出擊，（但空軍出擊並不得利）大陸各大城市舉行反美遊行，並且喊出了總動員的口號，蘇俄亦因中共的態度而在旁呼應，表面上裝出了使人對中共和戰意向不明之態勢，這些態勢無非是爲着需求和之行動作太過軟弱，想藉此以取得在和談時的有利地位而已。他的趨勢不是求戰而是求和，這是已經肯定了。現有的情況對美國來說，可算是與中共交手以來的第一次大勝利。

國府失敗了

雖然美國是勝利了，用實力和緩了政策，迫使中共「坐下來談」，但是對國府來說結果是相反的。一、中共已獲知了美國對於金馬協防的態度，這種態度是遲疑而且受着時局變動的限制。這種遲疑的態度，協防時會隨着局勢與時而推移而改變。二、美國既不願爲金馬而戰，則必須慎防中共以突擊或者金馬問題的惡來的談判方式取得美國讓步者有三：1.要求美國撤出台灣、金馬；2.要求美國不阻止中共攻擊金馬；3.要求美國禁阻國府不利用金馬基地作大陸沿岸游擊戰。就這三點論：第一項他們也明知在目前不易達到，必須這樣做；雖然目前的形勢來看，美國對於第二項也不會讓步，但時間與世界局勢的推移，不能說絕對沒有轉變的可能；既然美國阻止國府轟炸大陸，再進一步約束國軍在大陸沿岸游擊戰，可能性是極大的。三、國府之最大損失當是沒有利用這一機會，來創造反攻大陸的道路；目前雙方正在用戰爭邊緣政策來壓迫對方讓步，誰的迫力大，誰就獲得了有利的條件。假使說極少數的國府在大陸沿岸發動作戰，或者是派機轟炸大陸基地，造成既成事實，就是在戰爭邊緣政策的前提下推進了一步，彈性就大了。果有如此，國府始能在中共與美國會談方面取得較有利之地位，從反攻大陸來說，也可就此打下一條道路。現在一些無遠見的官僚們抱着單純的依賴於美國三次大戰的思想不放，輕輕放棄了這一機會，我們面臨這樣環境，真是感慨叢生。難道真有人想在台灣以終天年乎？

就廿年來的史實觀察

今日的執政黨內不乏傑出之士，當會知道這一點歷史先例。沒有一個國家，民族，黨團，能單純依賴於外力而復興的。目前執政黨在台灣的所作所爲，似乎已失去了進取之心，在許多人的心理上，所謂反攻大陸的口號，等待大概已經等到第三次大戰後才能實現。照目前的情況來看，沒有突發因素的刺激，大戰是起不來的，筆者只好等待大戰，那就要走上偏安的道路。現在國際上的附庸的人，隨着國際形勢的變化而浮沉的道路。現在國際上所謂「一時兩個中國」，所謂「託管台灣」，所謂「台灣獨立國」等等謬論，一不而足，固然這些謬論尚未成爲主要盟國的對台灣的政策，但是當局似乎預先沒有準備，而這一種辦法是應顯示自己的威力，這種準備唯有反攻大陸，主動的創造自己的利益。我們姑且假定大戰朝夕之間可以爆發，那時候，在我軍尚未佔領大陸更多土地，大陸上勢力混亂，敵我紛亂，中共政權與其他如何解想一般，向逝了，我們到那時能要答應接受外國召去那繁雜，去統一？還須我們付出多少犧牲，抗日戰爭外力勝利了，結果使共黨壯大以至迫退至於台灣，這是廿幾年以來的史實，能不驚懼！因此，若要復國，必須自己振作，若要統一中國大陸，就只有反攻；若要反攻，必須想盡方法來開闢新道路。

● 田心 ●

從港大看香港教育問題

僑團應自力籌辦中文大學
港府應禁止採用共黨教材

祝修衛

香港高中畢業學生，一年比一年增多；就學機會卻一年少過一年。這是已經存在的矛盾現象。四年前，雖然有人主張：香港應該籌辦一間中文大學。那是基於港大沒有充裕經費，無法開設中文部引起；可是，曾幾何時，此議卻又寂然無聞。當然，籌辦一所中文大學，問題並不簡單。新加坡的南洋大學，過去曾經無數波折。香港籌辦大學，不會比「南大」當年容易。然而，客觀需要逼人，事在人爲，如能集中人力財力，未嘗不可以爲，英倫也沒有理由反對。回憶當年「南大」所具理由，厥爲馬來亞大學無法容納衆多學生；香港大學何嘗具備充分學額？

從歷年港大考生及入學數字看

根據港大入學試與入學註冊統計數字，列出一九五一年開始，學生報名人數與考試及格人數逐年增加；可是從未如數獲准入學！一九五一年，報名應試二百六十六人，全部及格一百零八人；一九五二年，報名應試四百五十八人，全部及格二百零四人；一九五三年報名應試四百七十二人，全部及格一百七十六人；一九五四年，報名應試五百十一人，全部及格六十四人；一九五五年，報名應試一千四百零八人，全部及格一百六十六人；一九五六年，報名應試一千九百二十八人，全部及格二百二十人；去年報名二千八百七十四人，全部及格三百十人；今年報名應試二千四百九十八人，全部及格五百十七人。從上述數字，不難窺見自一九五三年以來，港大入學試及格比率逐年遞減；有人也許會覺得應試學生的成績低落。殊不知港大對新生的取錄要求一年嚴苛一年，事實上入學試及格之後，未必就可以獲准註冊入學；及格各生尚需於發榜後個別申請；有待各科系主任考慮。去年被考慮批准入學的，及格三百零一名，入學僅得二百七十五人（其中有被分配於上一年的及格者），今年及格五百十七人，入學名額只有三百零一人，當然不盡是本年赴考的及格者。

失學數字越滾越大

港大不能充分容納入學試及格學生，正在逐年增加；而部分及格預備明年再考的，尚有一千九百七十九人。這一如滾雪球般越滾越大的數字，除非開辦中文大學，絕不容易溶化的。探其原因，不外高中畢業人數，也像滾雪球似越滾越大，今年中英文中學應屆畢業的人數已逾五千，升讀大學預科不足半數；台灣容量也無五分之一學額；大陸當然不僅無人願意嘗試，反而大批乘機逃出。至於本港各間相等大學程度的書院，也難全部收容如此龐大衆多學生。說到留學英、美、日本、澳洲、加拿大，數字微不足道，馬大，南大也屬絕無僅有。長時期隨此下去，問題只會更增嚴重，舉世自由國家，任何一個現實政權，均難逃避教育公民責任，日前有些民選議員曾經公開呼籲，並建議港大設上下午班。

爲什麼不能多辦大學

筆者也曾就此事向他們提出若干問題，歸納起來，港大改設上下午班，在技術上並沒有多大困難，經費與學生宿舍尤其是後者，比較困難；而這種困難只有大小之分，而非有無之別。不過許多熟悉港府財經情況的人，卻認爲港府政費從未出現赤字，每年總有盈餘，未始不可指撥的款，用於擴建港大校舍，擴充學額。其原因也許是由于香港當局只限于所謂「祇容一間大學」的學制問題，而忽視了客觀的需要

額。同時不論擴充港大學額，或是籌辦中文大學——人們對此均少重視。

另一事實不容忽視

不過事實擺在眼前，香港的繁榮，已被來自中國大陸的赤色霉氣掩蓋，工商業正走着下坡路，自由民主不僅受到威脅，而發揚自由民主的傳統教材，共產黨徒們正在企圖加以摧毀，而代以毒化兒童心理的赤色教育。處此港市民而臨兩大強敵挑戰——大學幾陷眞空與赤色顛覆威脅；如何迎敵，香港政府不應、也不能抱持姑息。誰也知道：香港是一個法治社會，二百餘萬市民所矚望於香港政府者，祇爲能夠給予他們適存於自由安定生活。挨以最近中共武裝干擾港海，以及紅色報刊構陷、恫嚇，漸感惶恐危懼。當局再不採取有效措施，與不加懲創，何能善後。爲了重振香港繁榮，建立良好秩序，全體守法市民，均有理由督促香港政府，迅速制止共黨顛覆活動，並限令不受公衆歡迎的不良分子自新改過，或自動離境，否則也應依法嚴究。苟非如此，不足以絕亂源，教育問題，更無論矣。

國際動態拾零

△西方政治家，最近曾晤赫魯曉夫，據其自稱，現患腰病，殊妨碍其工作，唯一自療之方法，爲喝一種礦水，其書桌上，正置有此種礦水一瓶。

△最近吳廷琰有兩次險遭暗殺。先爲毒藥，繼以卡車撞吳氏座車，而吳氏本人獨無恙。

△亞比西尼亞，最近獲得五千噸壞小麥之蘇聯經援。美國將急起直追，給以更多經援。

△東德原子科學家說，蘇聯在最近兩個月內，曾以火箭放射至月球凡三次，而均失敗，現仍繼續預備施放。惟蘇聯報紙，仍堅決否認其事。

△設立觀察站，禁止原子試驗一事，美國本不甚熱心，徒以受到加拿大與英國方面之壓力，不得不勉強答應，但亦深知其無效。這是國務院高級人士私自對人表示的意見。

△下屆美民主黨總統候選人，仍爲史梯文生，而副總統候選人則爲參議員克尼弟（Kennedy）。史梯文生對此次國會議員之選舉，其助選演說極多。

△美國戰略空軍，下月將悉換成噴射機，而B36型，將換成八噴射發動機之B52型。

● 陶然 ●

東德人民的逃亡

蕎之

據九月六日柏林消息：最近共產東德不斷逃出的難民，已超過西德難民營所收容的數量百分之三十。由于目前每日湧進西柏林的難民，爲數在三百至七百人之間，而上月到達的竟超過一萬五千名。現在西柏林約有二萬五千東德難民，致使西德四十個難民營均感人滿之患。因此，盟軍已進行空運，加速把難民運至西德內地。

東德的人民爲甚麼這樣大量逃亡呢？

首先，自一九五三年艾森豪當選美國總統之後，爲了要實踐他「解放鐵幕後方」的諾言，做過一番工夫。例如：（一）在一九五三和一九五四兩年中，美國首先在西德、奧地利邊境以播音器不斷地向東歐所有鐵幕國家廣播，其在精神上的影響是很大的。（二）同時美國接着又以大量的罐頭、牛奶、麵包供應東德逃出的飢民，產生了強烈的對誘力；（三）尤其是西德自一九四八年以來欣欣向榮，全國生產實際上已增加了兩倍半。一九五四年德國人建築了五十一萬五千間新屋；自一九五〇年以來，德國的輸出增加了三倍半，其鋼鐵產品幾乎奪取了英美在拉丁美洲的市場。西柏林的精密儀器和用具的生產，較一九五三年增加了百分之四十。這個過去每天需要美國和西德給予一百萬元援助的西柏林，在經濟上現已能夠完全自立。西德工人的待遇，過去遠不及英法工人的待遇，但現在他們的生活水準卻已趕上了法國工人。這也是值得東德人民憧憬的。

據一個逃亡者對難民事務官說：大多數逃亡者，乃由于共產政權對其一千七百萬東德人民的生活，加強控制監督力所致。政府對于每個人積蓄有三百「馬克」的，便強令其說明積蓄的來源。這對于獨立農民以及仍經營私有企業的商人是一個惡意的圈套。如果他們坦白他們的全部積蓄，政府可以判他們犯投機罪嫌，予以全部沒收。假定他們隱匿不報，所有儲蓄也等于化爲烏有。因此，現在東德的鄉村裏，簡直沒有一個強壯而精神建全的成年人，會願意留下來的。他們用各種不同的方法設法跑掉，致使東德各地的農場上，大多都已癱瘓。但是去年秋季，赫魯曉夫訪問東德時，還規定需要更多生產，然而結果生產量還是不斷下降，由于生產量的下降，東德人民越發吃不飽、穿不暖，每年每一個成年人僅僅分得的一丈粗布，還有人拿出去變賣換取食物。因之，東德人民特別是老弱疾病頻仍，醫藥費無着，所以，死亡率很高了。

其次是蘇俄佔領區的共產當局早已佈置了一個組織嚴密的地下特務網，無孔不入，滲入了人民的日常生活。據全德事務部稱：這是附設于俄區正式的「國家保安局」，亦即可怖的秘密組織之下的一個組織。而此一組織的目的，在消滅所有共黨政權持異見的人。持務份子，除監視集體農場的農民而外，工廠和軍隊中，也是他們滲入的對象。當一九五三年六月十七日，俄區發生反抗共黨的暴動時，東德共黨秘密警察共有這種特務人員五萬五千人，分佈于東德全境。然而，卻沒有力量控制局面。於是又將該組織予以擴大達十萬之衆，

東德人民不僅生活問題無從解決，還要在恐怖中過活。因此他們不顧一切要大量逃亡。（九月八日）

我爲歷史作證

（上接第二版）這兩着——即外示假客氣而暗迫，內行假孤斷而分化——就使民主黨派處於組織癱瘓，軟弱無力的地位。

於是，在共產黨指示下，於民主黨派中，先被打擊的是「分庭抗禮」的人，「鬧獨立思想」的人。這就是說民主黨派不能同共產黨爭領導權，民主黨派的組織只能是共產黨的附庸；不許民主黨派有獨立的思想，民主黨派的思想就是共產黨的指示。有這種思想的人都是被打擊的對象。例如在中國民主同盟中，羅隆基和我個人以及堅持民盟原有立場的人們都曾是被打擊的對象。

於是跟蹤而來的是民主黨派被迫的取銷了自己的政綱，而以政治協商會議通過的「共同綱領」爲各黨派的綱領；並附加一句，各民主黨派「接受共產黨的領導。」毛澤東所說「新民主主義階段是很長的」，就在他說完這段話的幾個月內，就無形結束了。

時間的無情，八九年間證明共產黨與民主黨派合作，始於欺騙民主黨派，繼於控制民主黨派，終至瓦解打擊民主黨派，最後還保留民主黨派的招牌欺騙人民和世界。這就充份的暴露了共產黨這個政治騙子的陰險和無恥。

本期望和共產黨合作共謀國是的民主黨派，被共產黨欺騙了，同時還被迫被利用來欺騙人民和世界；在民主黨派和民主人士被共產黨玩弄打擊到無以復加的程度時，共產黨還保留這些民主黨派的招牌，以便欺騙不瞭解實情的自由世界和廣大的自命爲進步的人士。

共產黨對民主黨派合作的諾言，實際上是無恥的欺騙，民主黨派和其成員終竟成了共產黨的俘擄；欺騙到了如此程度，共產黨還心有未甘，毛澤東於一九五六年，甚至經過消滅民主黨派的反右派鬥爭之後，他還是談笑風生，設什麼對民主黨派的招牌要「長期共存」！

上述這些事實，是共產黨欺騙民主黨派的眞實鐵證。

自由談

從政與演戲

馮[illegible]先生

據說，梅蘭芳在戲劇界成名成功的最重要因素，即係他在舞台上表演時，總是竭盡心力而爲之，決不苟且偷惰，使觀衆感覺不滿意。這話似乎不假，因爲他在伶界中，確屬很少沾染一般伶優習氣的一個突出人物，這是世人所公認的。

不但戲劇生活如此，其他各項事業的成功要訣，亦復如此，尤其是幹政治活路的人，本質上跟做戲並無二致，要想建功立業，揚名弋譽，更非有遇事盡心力而爲之的精神不可，官僚主義之所以誤盡天下蒼生，爲世詬病，良有以也。政治人物無論他的才智怎樣出類拔萃，祇要沾上了官僚習氣，其事業必然有限，其前途決無足觀，尤其最不過是一個隨俗浮沉的政治蠅虫而已。

很奇怪，許多平日讀書有得，言行不苟的高級知識份子，一旦投身政治場中，很快地就沾染着濃厚的官僚習氣，做事敷衍，對人唯唯諾諾，決不想及有使人民感覺不滿意的情況，眞是笑罵由人笑罵，好官我自爲之。這跟一般伶人習氣尙無成就，而「戲子」一樣乎？這種惡劣習慣却已顯有[illegible]。

梅蘭芳在未成名以前，對戲劇努力求進步，不稍懈怠，既成名以後，謙抑自持，不驕不矜的詞色，他之所以能够久享盛譽，非偶然也。反觀政治人物，十九都是器小易盈之輩，稍有成就，即妄自矜伐，[illegible]態，令人望而[illegible]，他却沾沾自喜，認爲古往今來的大政治家亦不過如此而已。技藝庸俗而惡習滿身的伶人，正是這類小政客的難兄難弟，官場如戲場，從政如做戲，信而有徵，吾爲此懼！

蝸牛

‧南橋‧

蝸牛偏留于池澤草間，走起路來，規行矩步，溫文閒雅，頗有紳士風度，我們偶然在後園裏或者潮濕的牆壁上看見一兩隻，倒覺得是一種點綴。

蝸牛是軟體動物，形如螺，古名陵螺，它全身肥頭的肉充塞殼內，故比喻爲人之舍，僅堪容膝，稱爲「蝸舍」。李商隱有「自喜蝸牛舍」，戴復古亦有「兩牆蝸篆古」名句。大概寸金尺地的文明都市鴿子籠，誠然足以比擬蝸舍之居了。古語有「蠅頭微利，蝸角虛名」，置身房子與金條並論的今日繁華都市寓蝸舍的人，在芸芸衆生中虛名是渺乎其小呀！

可是蝸牛雖小，但它却有偉大的繁殖，且爲世界食譜的美味。從石器時代所遺留空殼看來，可以推想古代人類可能有一部分是靠吃蝸牛過活，而今日法國人之嗜吃蝸牛爲世界各國之冠，據說此俗係傳自羅馬，英國美國日本人也愛吃蝸牛，匈牙利人也是唾涎蝸牛的後起民族。

蝸牛原產非洲，據昆虫學家說，陸上蝸牛的種族大別之爲六十餘種，再從每類細別其外貌色澤與習慣性則有一千六百多種，其中產于羅馬爲最美味，長在法國南部之伯根地郡的一種吃葡萄葉長大的較爲貴重。中國的蝸牛則是一種很小的，不過有姆指頭那麼大，而台灣的蝸牛大得像一個襟釦。非洲所產長達九寸，殼由紅綠紫棕交織而成，爲世界最大的蝸牛。

蝸牛是具有兩性生殖器官的動物，它還兩性適融變化使得每個蝸牛都有生子的能力，所以不論任何一個地方，祗要有了一個蝸牛，用不着異體交配，就可以生殖起來，這與蚯蚓雖也兼具雌雄一身而不能得自己產生的精子和自己卵子結合，却正相反。

蝸牛的老家是在非洲大陸，牠的繁殖路綫頗爲有趣，一八四九年英國人把它帶到印度，用來補充印度的糧食，可是印度人不喜歡蝸牛的味道，一九〇〇年印度的蝸牛傳到了錫蘭，後來從錫蘭又傳到南洋羣島，繼而遍中國南部，馬拉雅山雪綫以上都有牠們的足跡，目下蝸牛產區遍及全球，損害了許多農作物。

蝸牛普通說來，不算大有害的動物，但有些大蝸牛如蛞蝓咬人，咬人的毒性竟可與蛇相比擬，關于蝸牛咬人致死的事，不乏其例，有一種具有毀壞性的蝸牛是較小的，叫做鑽蠣蝸牛，約一英寸左右，牠們棲息于牡蠣殼上，用嘴慢慢鑽孔，食蠣的軟體，一經鑽透便吸盡，這些蝸牛多半產在美國大西洋岸。

蝸牛對于食物是無所不吃的，它不僅能在田裏吃植物的嫩芽，根皮，莖至可以爬到大樹去吃葉子，牠們也最需要石灰，因此常爬到牆上去舐吸。

台灣氣候溫暖，四季樹木長青，適于蝸牛活動，所以這兒蝸牛不但多而且大，在英美蝸牛爲美食家所珍重，而台灣的蝸牛無人要吃，且用以飼鴨。如果園圃農作物遭罹蝸牛食害，可用Metaldehyde（類三聚乙醛）和米糠混合，撒布于園圃附近的草叢，就可收到驅除的效果。

談談國內報紙副刊

‧夢濤‧

讀報雖然主要的是志在關心國內外大事，然而除了社會新聞更受一般人歡迎以外，大致說來最易吸引讀者的，還在它的副刊。

看起來人們儘管以報屁股呼之，可是這塊地方之廣泛可以說是無法以估計的。因此，若是果然編得得宜，確也價值不貲哩！尤其是現社會上愛好文藝的人是多了，無論老少男女青年學生都喜歡在這塊地方目光多事停留，以期欣賞到各種新體裁之文字；它也就無形中影響了若干人精神的發展與智能的增進，然則當我們打開一張報紙來的時候，我們所能讀到的好作品總有太少的感覺，而作者的名字又總是那幾個，因此就予人有一個過份包辦性質的印象。是的，[illegible]也就不免會落無意識可言了，這就是我們常常對一篇文字會覺得不堪一讀的原因。[illegible]在匆匆編排副刊[illegible]，發現那是個熟名字就放上去，其中內容既無暇流覽甚至無須一看，認爲那都是天經地義非批露不可的文章而已，這在編者是既省事省時，且更作了人情，可是却委屈了讀者們了，讀者們買了一份報總希望能多看到一些什麼，才覺得不吃虧，中外新聞國際大事不過是大意流覽略求了解而已，除非是對政治上有興趣者是不會深加研究的，而且那究竟比較枯燥之味，所以報紙都必須盡出副刊的篇幅，其義亦即在此。若是副刊變得虛應故事，只以送朋友稿費做人情爲原則，那就太令讀者失望了，而且有很多所謂創作都是長篇累牘的，彷彿是王媽媽的裏脚條，徒然佔去大半篇幅，也費了讀者不少時間，雖勉強讀完，也是悵然若失，既不着邊際，也找不到作者的眞正宗旨。

有時副刊也變成祇是不切實際的在標榜什麼人，人們離不開社會也離不開生活，當然寫的人也多數在這其中發掘材料。讀報的人也並不厭煩這其中的描繪，一篇文章，無論其爲散文抑是小說，最低限度它的中心思想總不能少，其次我們總希望從其中多得點回味甚至是教訓或鼓勵，更希望多得到一些常識。這是讀文章的人的普遍的要求，而不想讀那些離事實太遠的杜撰，雖然其中有時也包含着些鼓勵或說教的意思，但那會使人難以信任，因爲從人們生活體驗中所得的不是那麼回事，或簡直似乎不可能有那樣的事。

我們也曾讀過不少短篇的摘譯小品，那裏面可以說一字一珠包含着多少生活中作人處世以及養生修身的教訓，誠所謂發人深省，語義深長，那固然要欽佩譯筆流利，但那究竟仍舊是外國人的作品，爲什麼我們却不能以那種筆調及心思來寫出更清新而含義無窮的文章來呢？或者我們要描寫什麼，想寫點實際的遭遇，那就是讀者們所歡迎的。我們現在的戰鬥文藝中也很有寫得的確不錯的，然而却也很少能從他們的文字裏看見一個戰爭的眞實場面的描寫。因此，也就談不到鼓舞青年的鬥志了。因此，雖然是口稱戰鬥的文藝，我們所能讀到的多數還是不外那些八股式的老生常談。

諸如上述，爲篇幅計，我也不想再一一舉例，只是就所見作者們，以提醒各報的編輯先生們，把這塊讀者所注目的園地認眞耕耘起來。（編者按：本文作者，是一位久居國外的僑胞，但經常能看到國內的報紙，因此，其反映是值得介紹刊出的。）

短篇小說

櫻都之戀

李新

但是一個猛然的感覺——我想到我明天就得走了時，這一切都將化成夢想；這夜景，這夜景的美人。我眞不知道如何的向她表達我的苦悶，怎麼樣告訴她我的行蹤。又什麼時候能重臨此地，重和這身邊的麗人細談……這時我的心已亂糟糟，不知怎麼繞好。……

「你在想什麼呀！」她抬起頭以一種驚奇的目光問我。

「沒有想什麼？」

「沒有！我看得出你好像有心事」？

「有什麼心事呢？我不過想起起了一首詩不知妳喜歡不喜歡」。

「我喜歡，你念出來我聽聽」她微笑地說。

於是我把下面徐志摩的那首詩念了出來：——

我是天邊的一朶雲，
偶然掠影在妳的湖心。
你不必驚訝，更無須歡喜。
轉瞬間消滅了蹤影。
妳我相逢在黑夜的海上。
妳有妳的方向，我有我的方向。
妳記得也好，最好妳忘掉——在這交會時互放的光亮！

「好嗎」？詩念完了，她久久不開一言，我只好打破這可怕的沉寂。

「白雲是沒有情的，投下爽影在人湖心，却又馬上飄去」。

「不！白雲是有情的，只是他沒有根，無法久留，所以他珍惜這交會時互放的光亮呀」！我向她解釋。在明月的銀光下，我已看到她晶瑩的淚珠掛在盈盈眼波下。我擁抱着她，拿出手帕爲她揩去，我們不禁又熱吻着，但她的淚珠却如斷了綫的珠粒……我說不出一句適當的話來安慰她。這長長的靜寂裏，彼此都有難言之痛。

「什麼時候走呢」？她哽咽地問。

「明天」。

「什麼地方」

「香港」

「可以重來嗎」？

「飄泊生涯，無法預料」？

「川子！別難過了，人生是短促的，在這短促的歲月裏能留下一個永遠忘不了的影子，這不是很可珍惜的嗎？我是海上無依的飄萍，妳是父母的掌珠，這個愛怎能持續呢？雖然祗是短短的二天，可是妳給我的是終生徊懷不盡」。我眞不知我些什麼字眼來安慰身邊的小情人，我總覺得此時我是言已盡意無窮。

「明天我可以來送你嗎？」

「當然可以，艦大概在十點起碇，九點我在碼頭等妳吧」！我送她到她姑媽家，我們站在人靜的走廊上，我在她額角上吻了下說：「明天再見」。她沒有點頭，也沒有回聲，祇猛地一把將我抱住，拚命地吻着，我體味到這是情人生離死別時最痛楚的一剎那。不知過了多久，她終鬆開我，推門進去了。剩下我孤零零的一人，墜入在無邊的黑夜裏，星沉月落，滿懷悽愴。……

第二天，我們要把碼頭讓出在別處的船塢，於是船在八點起航。這個忽忙的決定下，剝奪了我和川子最後一會的緣份。我連一句話也說不出，回到艙裏打開內務箱，找了一張照片，脫下手上的水手牌，又在合作社買了一對筆，匆匆包了交到我留駐日本的同事，要他在九時送去。回來早餐也沒吃，就倒頭便睡，什麼時候艦離開了什麼地方，一概不管，讓它去。……

時光多快，這十餘年前的往事，我又在狂風巨浪中溫習了一遍，此時我仍在過渡寂寞中摸索我們的目標。……（四）全文完

嶺南文物掌故

粵人藏書劫運

‧竹庵‧

順德何藻翔（翽皐）著使藏日記，輯嶺南詩存，又修順德縣誌。亦多藏善本。如北監本十七史，岳氏相台五經，胡刻文選，元詩選等均精審。十一年，劉楊在粵肆虐，何氏避港，其西關藏書被人盜賣。何電粵警察廳長魏邦平代爲偵查。何書卒得尋回。但經此變後，何盡將其書售去。

上述徐信符之南洲書樓藏書，徐在七七事變後，陸續把其精本運至澳門貯存。一九三九年徐將其貯澳之書售與澳門西藥商邵某，得港元七萬元。徐書雖多，但南洲書樓之書，倘有人出好價，即能購買。故徐之藏書有類營業。聞該書樓存書至今尙在十萬卷以上。其子現充中共人民政府文化宮顧問云。

陳協之（融）在陳濟棠時代，炙手可熱，陳愛親近文人。彼自建之[illegible]賢路大屋，滿藏古書，不下十萬卷。但缺善本。蓋陳氏購書專備瀏覽，不事珍藏。至日寇侵粵，圖書全被刦去，蕩然無存矣。

廉江，江瑔爲高等學堂前輩，著讀子卮言，（商務書館印行）。余少年時即知其爲博學之士，藏書之富，甲於南粵。但以道途修阻，音問梗通，久無音耗，但以時局變幻諸多，典籍當然弗獲保存矣。

藏書毀滅事實

上所舉列，不過略述廣東典籍，由積聚而至散亡的情形，至書籍之遭毀滅，則有下列之事實。

珍本圖書之遭厄刼，莫甚於番禺陶氏藏書。陶春海在光緒初年嘗[illegible]端溪書院山長。陶曾命良工，摹蘇軾手寫陶淵明集，刊行於世。又刊陳后山詩集，均精緻異常，更刻朱睿生（一新）駁康有爲孔子素王，及新學僞經說，（此書甚少人見過）。陶氏藏明清佳刻，多至四百大箱，其中多用桃木板裝夾成函，珍貴異常。陶氏後人入民國後，歷充警察局長，因此在一九五〇年不能不避省居澳。一九五三年，粵共厲行三反五反，陶家當然被清算。家人迫得倉惶棄去圖書。當時人人自危，誰復敢過問此「封建殘餘」遺物？於是以斤計值，每斤取價人民幣二百元，（今價二角），售給收買小販。統計陶氏家人共售書得價四百萬元（今價四百元）。由此計之，則陶氏古書共重二千斤，此事由陶氏之戚馬某（增城生員）告余者。

小販復以此批書賣與文昌路百廿二號及百廿四號紙袋店，當時文德路舊書店，曰古經閣，九經閣，越華，民生諸店，以及西關萃古堂的主人均知此事。但彼窘乏資，又無人敢盤存，故坐視佳書被節節肢解，竟不能贖回二三，煮鶴焚琴四字，何足以形容此殘酷之事。文物之厄若此，曷勝傷慟，其後聞澳門陶家派人購回唐詩紀事一種云。

余以一窮教師，性雖嗜書，但購入者均尋常圖籍，善本尙屬寥寥。廣州陷日時，得吾叔維護，羣書幸得保全。但余所搜羅之雜誌千餘册，吾叔視爲無足重，不及收藏，因被看屋人盜賣以盡。此種雜誌，計有國粹學報全帙，梁任公主辦之國風報，庸言報，及大中華雜誌全帙。以及不忍雜誌，甲寅雜誌，均全套，東方雜誌由光緒三十年起至民國十五年止，均完全無缺，此雖時流之書，然研究近代史，則爲最重要之資料矣。失却此種刊物，永不能再行羅致，心情之懊喪，與喪失珍本無異。（四）

更正：本刊七七九期第四版「滿天神佛」文內「宋太祖第三子眞宗皇帝」句，「太祖」應作「太宗」，又「禦契丹於滄州」句，「滄州」應作「澶州」。

自由人

THE FREEMAN

（第七八六期）

中華民國僑務委員會僑發登記證台教新字第一一二號
中華郵政台字第五○○○號執照登記爲第一類新聞紙類
（半週刊每星期三、六出版）
每份港幣壹毫
台北市售價台幣壹元伍角
督印人：陳文華
地址：香港高士威道二十四號四樓
20 CAUSEWAY RD. 3RD. FL. HONG KONG
TEL. 771726
承印者：東南印務出版社
地址：高士打道六十四號
台灣總經理處：台北市西寧南路壹壹號二樓
電話：三○四三六
台郵撥儲金戶九二五二
海外總經銷：友聯書報發行公司
香港：德輔道中二十六號A二樓

論金門戰局

金達凱

一、

金門之被敵砲封鎖，是當前全國上下必須深切注意的重要問題，我們絕不能讓十萬有生力量在那裏挨打消耗，絕不能讓後勤船團在灘頭遭受損失；從數日來美艦「護航」情形來看，我們也不能一心依賴美國，必須採用多種方法，進行主動反擊，消滅共方砲位，以打破封鎖。同時政府不能一味沉默，俯仰由人，必須表現出堅強態度，對外要昭告世界，宣佈中共的侵略罪行；對內要號召國人，發動民衆，動員社會力量，以應付當前艱巨的局面。

事實證明，中共對金門的延續砲擊，不僅在試觀望島，抑且企圖攫取台澎，其擴展領海寬度的聲明，已經完全說出他們所訂的原則，適用於台灣及其週圍各島、澎湖列島等一切島嶼」，並強調「將採取一切適當的方法在適當的時機」來進攻台澎地區，因此金門之戰，決不能僅視爲金門本身的一個海島的爭奪，而是台澎及整個太平洋區域安危之所關。能否堅守金門，不僅關係中華民國的存亡，也是整個自由世界是否甘心接受共產奴役制度的一個重要的考驗。

二、

目前美國之未積極協助金門防守，據說第一，是避免蘇聯或中共在即將舉行的聯大會議上的「控訴」，第二，是等待華沙會談的結果。這眞是愚蠢的思想與笨拙的辦法。就第一點說，金門是中華民國的領土，金馬海域是中華民國的海域，只要中華民國政府允許或要求美國軍事力量進入該區，則外來的所謂「控訴」，根本無法理根據，大可置之不理。就第二點來說，與共黨的一切談判都是不會有結果的，日內瓦會談之無結果，即是現實的例證。因而華沙談判之無成效，自可斷言，反陷入中共的「邊談邊打」的陷阱，使金門繼續受到砲擊的損失。

而且大陸上正不斷發出戰爭的叫囂，並積極從事戰爭的準備，其一，是在各省市發動廣泛的反美運動，其二是全面編組民兵，甚至各大中學校學生也一律納入民兵組織，如廣州中山大學已組成「民兵支隊」，華南工學院成立「民兵師」，福建師範學院成立「基幹民兵師」，這些近乎瘋狂的舉動，說明共黨將運用「人海戰術」的故技，盡量榨壓民衆，以供其投向戰爭的消耗。因而華沙的談判，乃是掩護其備戰工作的進行。同時也增加了金門局勢的嚴重性。

三、

眞正說來，目前中共是沒有力量取得金門的，因爲現代海島戰爭的，其主要條件是進攻當須掌握制空權和制海權。中共的海空軍，在蘇俄的積極援助下，雖逐漸壯大，但最近的幾次空戰，特別是澄海的空戰，幾使共機全軍盡覆，這說明海峽制空權還是操在國機手中。海軍方面，從馬祖海戰到料羅灣之戰，中共都沒有佔到便宜，也就是說他們還沒有壓倒國軍海軍的力量，因之制海權也還操在國軍手中。在海空軍沒有取得絕對優勢的情形下，若冒然渡海進犯，只有將陸軍送死。古寧頭之役，其一萬五千人無一生還，即是最好的說明。

因此，金門之防守是無甚問題，而問題則是如何打破共軍海岸砲的封鎖。解救十餘萬忠勇軍民之被困。而突破封鎖的辦法，必須改變目前這種冒敵人砲火搶灘的方式，最主要的還是主動出擊，先用空軍破壞鷹廈鐵路這一條輸送中共軍火的血管，最低要以陸海空三軍力量聯合摧毀中共海岸砲陣地。只要毀滅圍頭的敵砲陣地，即可解除料羅灣灘頭的威脅，只要摧毀大嶝敵砲陣地，即可保障金門機場的安全。假定政府下定決心，打破顧慮，消滅這兩處敵砲，當不是困難的事。至目前政府感到困難的，則是受中美聯防條約的約束，不能片面行動。但我們應該體認到，中美聯防的實質，應該是阻止敵人的進攻，保衛現在所轄的土地；而絕不是將自己的雙手讓盟友縛住，挨敵人的打而不能還手。果如此，又何貴乎「中美聯防」？戍守金門的一位青年部隊長說得好：「我們希望和平，但我們不能老是居于被動，在敵人不定期的瘋狂行動中挨打」。長此以往，如我們不能有效地打破封鎖，解決後勤供應，則不僅前線的彈藥、藥品、糧食及防禦工程材料等日趨缺乏，而對士氣尤有嚴重的影響。因此我們希望政府及軍事當局本大無畏精神，爭取主動，進行有效反擊。美國今天對印尼親共政府和政變後的伊拉克猶且給予軍援，則我們當更有爭取主動和爭取擴大援助的權利。

四、

不可否認，今天的局勢是嚴重的，共產集團已結成一個整體，赫魯曉夫可以說「打中共等于打我」，而自由世界則還是一盤散沙，甚至還有損害友邦的暗流在國際間動盪。在此艱巨局勢下，政府必須動員社會力量，來共同扭當這一艱巨的工作，光是行政力量是不夠的，香港文教影劇界四百人已簽署發表了擁護堅守金馬的宣言，而台灣的民意機構、社會團體也應該表示一下態度。金門之戰，是關係國族前途，關係子孫命運的一戰，我們是不能忽視的。

最後要附帶一說的，希望有關部門改進一下宣傳工作，應當保密的不要拿出來宣傳，例如不要公佈敵人的彈着點，不要公佈自己的傷亡數字，不要宣佈前線立功官兵的年齡籍貫，不要宣佈運輸物資的方式與起卸地點，這些情況的宣佈，都于敵人以重要的情報資料，我們應當學習敵人的保密。反之，應當宣傳的應迅速擴大宣傳，發佈戰訊時，特別是發佈有關勝利的消息時，語氣要肯定，敘述要清楚，不要自相矛盾。這對民心士氣有重要影響。今日戰爭，是整體戰爭，我們不可忽視精神戰綫上的作用。

週評　半述

不能永遠挨打

毛共雖然不斷地炮擊金門，美國雖然大言炎炎，聲稱準備在台灣海峽協防金、馬列島而作戰。但「美、毛會判」已在華沙進行中，艾森豪總統且表示華沙談判如不獲「充分討論」成功。這證明美國現時在台灣地區的一切備戰姿態，都是「紙老虎」的作用，並意在嚇阻毛共不要從事大舉進犯而已。至於毛共之所以炮擊金門，在美國看來並非戰爭行爲，所以，他不同意我軍實行轟炸沿海地區的毛共軍事設備，教我們經常處於挨打的地位。這就是美前任駐印度大使，現任參議員古柏所指述的「美國的利益」所在。

可是，除了美國的利益以外，中華民國的利益是否亦應該顧及呢？如果所謂「安全互助」的意義可以依照字面來解釋的話，那末，我們就絕對不能是此挨打，而不予以有效的反擊吧？

小戰與大戰

西方國家爲着自身的利益，曾經協同幾個友邦出兵進攻埃及，亦不然引起世界大戰，但對於把蘇俄參戰的可能性擺在第一位，認爲必將引起大戰。實則我們有充分的理由可以判斷，即使自由中國反攻大陸，光復了黃河以南的地區，俄帝亦祗是暗中以軍用物資和北韓的空軍人員幫助毛共而已，它自身是不敢起來參戰的。這話英國人自然不相信，英國人尤其聽不進去。因爲我們於自衛的權利，對福建沿海地區的共軍炮兵陣地和機場，從事毀滅性的反擊，難道亦俄帝起來參戰嗎？

美國表示不打小戰，要打就是打大戰。俄帝卻拿定主意，不打大戰，專搞小戰，利用美國的弱點，隨時藉小戰的煙幕，以攫取政治上的讓步。萬一小戰受挫了，它又以第三者姿態勸架，提倡和談，自韓戰以來，事實歷歷可稽，誰也看得很清楚的。然美國乃漠視俄帝這套魔術，自己固然不願意打小戰，還要阻止別人採取小戰的自衞行動，且其理由祇爲害怕自己若被拖累下水的危險。既然如此，根本就不必跟自由國家簽訂甚「安全互助協定」，更不必實施甚末「援外計劃」。反正俄帝非到必要時，決不會使用飛彈要擊盧歐和紐約的。這所謂「必要時」，至少亦是十年廿年以後的事，美國預計的大戰情形，或許永無實現之日，而自由世界已被俄帝衆弱攻昧的小戰手段，蠶食殆盡了！

我們有打小戰的自由

因此之故，自由中國對於毛共攻擊金、馬的行爲，即應該盡力反擊，無所顧忌。我們不能專爲別人的利益而挨打犧牲，毫無意義與代價。何況國際間正有一股割定台灣海峽「非軍事區域」的逆流漾滑，唯有訴之於破釜沉舟的戰爭行動，才可以阻遏這股逆流不致氾濫貽害。否則國際姑息主義者的陰謀，將見層出不窮，我們眞要變成別人刀俎下的魚肉了！

。雷嘯岑。

不能打打談談

第七艦隊爲執行美總統協防金馬的決定而實行護航後，共黨和談之議立即提出，這和赫魯之致函艾克警告美國退出台峽，是軟硬兼施的一套。乃民主陣營在遠東危機加深之際，自甘失威，以致台峽和議滿天飛，這顯然有利共黨集團勢力的擴張。

克里姆林利用完美的若干矛盾，雖然尚未能促成倫敦採取全面孤立美國的行動，惟共黨集團在自由世界繼續製造矛盾，已迫使美國在北平狂叫「解決」台灣聲中，接受了美毛談判再開的建議。此舉是中共企圖於心理上挫折美國，阻止華府反擊。

識者都以爲這項談判，決不可能獲致任何解決辦法，反而有利共黨加強其軍事活動，促進自由世界內部的歧見。例如美國共和黨參議員古柏就在此時發出美元首應勸自由中國棄守金門等外島的妄言。和古柏的言詞唱和的，有民主黨參議員奧馬洪尼；他強調與中共談判，在乎求和。唐寧街的現實外交政策每逢和戰重大關頭，從來都欠現實的，主因在於英人每次過份重視現實中的利害得失，忘却了道義；而今華府依然沒有牢牢地把握着正義的力量，碰到了兇暴之來，便失去挺身而起的勇氣。當年紅軍入侵匈牙利大舉鎮壓，美國祇好多收幾個匈難民赴美了事。這些史事，早已令人駭異的了。美國如此，自不能希望聯合國振作起來！我中華民國不是聯合國會員國嗎？中美復締有共同安全條約，通協防外島，也怕挨中共的罵！中共安排六千萬人在大陸大示威，算得什麼，美國忘了美海軍陸戰隊登陸黎巴嫩時，中共區不是也一樣那麼狂亂示威嗎？

從中東到遠東，美國先後未嘗不想拿出實力來以恐嚇阻止恐嚇，但結果總是迫而退步，以和談方式作退讓的表示。美國人既然預先表示可以在某種條件下，打算向中共讓步中共自然得其所哉。目前閩境共軍並沒有半點鬆弛軍事活動，部署進攻金門的行動；客觀上美軍有登陸金門，輸送補給的必要，因爲金馬之戰已然進入更微妙階段，中美如不致丟臉的話，勢非協力共策金馬的安全不可。美軍登陸金門，再說一句，是必要時的緊急行動！

共黨絕不容許台峽形勢局限於軍事的緊張，尤其這幾天蘇俄軍方報紙開始大事抨擊美國向中共區人民「動刀槍」，繼而「消息報」聲言無事不可以和談解決之說，「美蘇得中共合力，當能解決遠東問題……」這個露骨的表示，明明要把中共拖入聯合國，同時眞理報又強調中共「解放」台灣的行動，是「合法」的。質言之：美國協防金馬澎台，當然是「非法」的了。試問：美國人怎樣讓步，才能夠獲致台峽停火談判的成功呢？

猶憶越南停火談判，當年是由英人力主那半壁江山拱手讓與越盟的，事與法軍的無能，乃至美國模棱不定，都有關係，今天我守軍非死軍金馬不可，難道美國眞的害怕大戰，便設法迫我守軍撤出金門嗎？

這也是不可思議的事，如果美國在和中共恢復談判之際，就在中共軍加強魚雷及大炮對金門補給的威脅下，竟然中止護航及其他有效的補給的話。直到今天，從中共炮轟金門最猛烈的那一次起計，一連五萬發砲彈的兇勢先後來過兩次，北平還是不敢試行登陸金門，具見中共軍迭次加強其對金門的行動，始終是兼顧到政治性質。美國偏和它試行談判，已注定陷於被動，也是心理戰敗的一大危機。這一危機的解除有待美國在軍事上表現出殲敵的決心，才能夠開始消解。就美陸軍的表示，美陸軍參謀長在聯參會議決定協防金馬問題時，與其他參謀長的意見是一致的，不過這個一致性，應該是積極的，而不應該是消極的。他們總該知道，中共言和，其詭計起碼企圖進佔金馬，繼而澎台，不能說它沒有打的準備。在軍事上，金馬守軍有退不得的悲壯感觸；在政治上，美國又何能敢輕易放棄金馬？

。舒華章。

金門來去

(本報特約台北通訊)

·小芸·

我是八月二十三日以後,第一批赴金門戰地採訪的新聞記者,這一批記者共卅六人,包含不同國籍,不同語言,不同信仰的中外記者。同時我也是本月二日晨,料羅灣海戰大捷中搶灘成功登陸金門的十五個中外記者中的一個。我雖僥倖不至成仁,但已遍歷驚險。我在金門逗留的三日中,所見所聞,頗多感觸,謹擬要報告於本刊讀者。

值得驕傲的金門

這裏要先對金門的形勢作一概括的報導:金門古名浯州,原屬福建同安,它是今天台灣海峽的大門,從金門到廈門僅一條長達一百五十海里的防線上,它吸住了中共陸軍總兵力的二十萬人,也防止了中共海軍的消下活動。據有關方面詳確調查,金門島嶼的總面積爲一七八.二一平方公里,人口總數爲四萬一千一百九十九人,島嶼總數爲十四個,主要島嶼祇有兩個,(即大小金門)金門到台北是三百零五公里,到澎湖是一百四十五公里,到台南是八十一公里,到馬祖是二百三十五公里。大担的面積是〇.七九平方公里,二担是〇.二八公里,(這合計一平方多公里)的土地上,已落敵方炮彈近五萬發。)三担〇.〇二五平方公里,四担〇.〇一五平方公里。金門距共軍的廈門爲一萬二千五百公尺,小金門距廈門六千五百公尺,金門距共軍的大嶝七千公尺,距小嶝五千〇二十五公尺,距蓮河一萬〇一百廿五公尺,距圍頭一萬二千二百五十公尺。我之所以不厭其詳記下這些數字,是讓讀者了解金門距離大陸中共是那麼近。而廈門、大小嶝、蓮河、圍頭等地,又多爲俄製長程岸砲密集之處,對金門的威脅是那麼大。在我對制空、制海,發生猶疑,並未能馬上從空中,從海上主動去摧毀共軍的機場,岸炮陣地和補給線,而一味挨打的今天,金門能屹然挺立,是難能可貴的!

士氣與士風

讀者將問「今日金門的民心士氣又如何?」說到士氣:金門的士氣高漲,眞有點「令人難以相信」。簡單說,不到兩句話可以包括,不到金門,不明白國軍士氣之高,不到金門,不相信光復大陸可以很快。這裏的兵,勇敢犧牲的精神,有許多驚天地泣鬼神的表現。(如炮戰時,照規定,應待敵方炮火間歇我始能致炮還手,但他們往往一打就還手,不顧本身位置會被敵方測知的危險。另外在撤卸軍品時,雖敵軍岸砲彈如雨下,仍前仆後繼,不稍中止。)說起來,眞夠使人感動的。所以這裏的兵都是世界第一流的戰士:金門防衛司令官,平日對士氣的培養也很努力,故能上下一心,同仇敵愾。

民防與民心

金門的民防情形,這裏也值得詳細報導。民防的組織與說明,約同於台灣的現行兵役法。即分甲乙級檢定後編成部隊,十八歲到卅五歲爲軍動部隊,(担任防護、搶救、搶修、担架、防諜,作戰等任務)三十六歲到四十五歲屬於預備部隊,(担任村莊守備以及社會上的全部警戒任務,如敵傘兵降落掃蕩及反空降的執行者)晚間值夜巡邏,日間各安生業,平時爲兵於農工商學,戰時則由國防部隊補給指揮,婦女亦不例外,除了有未滿五足歲的小孩,不能參加婦女隊的活動,編成輔助隊外,個個皆是婦女隊隊員,其要求作業是:「人人納入組織,個個參加戰鬥。」以配合戰地要求,支援國軍作戰,防衛總部下鄉鎭有大隊,村里有中隊,鄰,村里長皆由民防部派外調軍職的軍人担任,對訓練與指揮調度可以得心應手,所以一旦總部召集令下,在兩小時內,可將全體民防隊員作百分之百的動員,分別向有關運用部隊報到。他們不吃糧,不拿餉,連穿的軍衣都屬價購,而工作起勁,從無怨言。這裏再以兩事說明民防的潛力與民心的歸趨:一、某日清晨三時半,山外民防隊爲了一件任務,發出集合令,於是整個地區,張三喊李四,王二喚趙大,以極爲最迅速的方法傳遞集合令,且盡量壓低聲門,生怕吵醒別人,不一會,祇聽到一陣輕微的急促腳步,沒有談話聲,天未亮,不見星火,第二天天亮,這一支民防隊已完成任務解散歸來了。二、一天,×××報,民防隊頓時握槍警戒,三步一哨,五步一崗,不但精神飽滿,而且負責認眞,有的碰到自己的孔孫也不賣情面,恰巧那天警報時間很長,交通斷絕了近五小時,不單老百姓不准通過,連担任傳達的軍人也被擋駕,因此,整個上午店舖都沒有開門,街上除民防隊員外不見一人影,靜悄悄地變成了荒野。我曾問過許多老百姓:「你們不感覺辛苦嗎?」他們皆異口同聲說:「自己的事自己幹,也不是別人迫你做不願幹的事,怎麼會談到辛苦呢?」

時局與人心

·鐵眉·

從台灣海峽戰雲密佈到中共瘋狂的砲轟金門,的確給後方的人們帶來了一針刺激,雖然遠隔着台灣海峽,由報紙與收音機中也能嗅到強烈的砲火氣息,一時街談巷議莫不以此爲中心。在此情況下,一般人總算是暫時已移其對金鈔的漲跌的注意力,到第七艦隊在台灣海峽的動靜了,不過有恃無恐的心理,還是隱約存在,歌舞昇平的氣氛還是依然如故。「厲行戰時生活」的口號在台灣似成了陳腔濫調了。難怪外國記者們訪問了金門前綫再來到台北一看會驚愕不置。

今天報載:「慶祝中興橋落成,將辦龍舟競賽,燃放烟火,飛和平鴿」並「邀請中外貴賓參觀」云,讀了這則新聞,不禁感慨萬千,前方正在砲火連天,硝烟萬丈,將士們在艱苦卓絕,浴血作戰之際,不意却是後方歡欣鼓舞,龍舟競渡,飛和平鴿之時,豈非一大諷刺,不知邀請的中外佳賓看了作何感想,也斷得主持當局好整以暇,有此般閑情逸緻,粉飾太平,九三軍人節剛過,各界爲金門砲戰已展開熱烈的勞軍運動,只捐一些香烟罐頭之類的東西送到前方去,這還不是表現了十年的流亡生活已使我們的神經痲痺了!是不是一般人心中倚賴與偏安的心理作祟。

三代革命的馮鏡如

——其人其藝

·萬香堂·

數月前去世之黨國元老馮自由,其父馮鏡如,不僅爲革命前輩,且爲詩畫傑出人材。卅五年春,筆者由渝趕程赴粵,擬於大動亂之後,搜羅一些前賢遺墨,於無意中購得馮氏所繪梅花四大長條,每幅均上題梅花詩一首。韻味淸雋,允爲詩繪雙絕,書畫亦頗有可觀,當時因對作者所知不多,即攜與高劍父氏過目,高氏展閱後,大爲讚美,認爲馮鏡如遺作甚少,將來應該珍藏於革命博物館,後彼又謂馮鏡如爲其老友,堅請以其所製中堂一件交換鏡如所作一件,余以不宜折散爲辭,乃曾幾何時,小小一件事已渝桑,劍父又已歸道山四年了!

近年來頗注意搜集馮鏡如的資料,見於史章者有『孫總理於光緒廿一年經第一次革命失敗後,偕士良少白乘廣島丸日本,十一月在橫濱集合同志僑商成立興中會日本分會(會址設於橫濱山下町一百七十五番)參加二十餘人,由馮鏡如(廣東南海人,有子名自由)主持會務』。(見張其昀著「黨史概要」)而昔年馮自由於簡又文所編的「逸經」所紀其父之事蹟更詳。鏡如之父名展揚,亦爲富於民族革命思想者,因參與太平天國義事,爲淸吏捕殺,鏡如乃間關走日本,甲午憤國事日衰,乃剪髮易服,以示其爲不可屈服之革新份子,是年冬,孫中山先生自檀香山歸國,舟次橫濱,在船上向搭客演講驅逐滿人復興大漢之主義,慷慨激昂,聽者中有陳淸者,返告鏡如,大爲傾服,立囑陳淸邀請中山先生登陸共商革命大計,惟中山先生以啓輪在即,未遑登岸,乃囑陳帶興中會章程及討滿檄文一束轉鏡如代爲派送有爲之士,藉以推廣,嗣乙未九月惠州之役失敗,中山先生逃離日本,首訪鏡如,並派其主持興中會會務。由此可知馮氏三代從事革命,可稱爲革命世家了。而鏡如,自幼即愛好文藝,及流亡異域,有家國之痛,乃寄情於詩畫,以爲發洩,從蒐羅中,僅讀其詠梅詩四首如左:

一、冠蓋群芳獨占春,東南梅放一枝新,幾生修到全無俗,十月先開別有神。秀萼淺含朝日影,涑英輕拂晚香塵,前身恰似曾相識,明月還迴作主人。

二、合是人間第一枝,瑤台昔日帶霙移;期殊道腳塲荒處,全猶同心入貢時。涑雨養成方勁秀,他鄉開遍更華滋。滿籃付與調羹手,福享盈門知未知?

三、漠漠幽香皎皎姿,閒來鋤月種階墀。誰將宋璟風流賦,寫入林逋雅澹詩。疎影半橫修竹影,芳心先到早春時。江南不少他鄉客,肯贈驛前第一枝。

四、冰雪新詩惠德音,作遙驛使寄難禁,詠來遠出風塵想!賦就翻驚鐵石心。清絕餘香宜壽酒,妙傳好韻試彈琴。嗤他詩思憑驢背,日向溪橋雪跡尋。

詩才激放,一連四首,均有新意,且不用古典而對偶甚工,尤爲特色,而其尾句尤令人激賞,如一首之「前身恰似曾相識,明月還迴作主人」,第二首之「滿籃付與調羹手,福享盈門知未知」,第三首之「江南不少他鄉客,肯贈驛前第一枝」,第四首之「嗤他詩思憑驢背,日向溪橋雪跡尋。」均爲不可多得之佳句。其所作梅花頗爲蒼秀,構圖亦極爲古拙,似曾受金冬心影響者。昨偶展閱,特爲文記之。

新聞與新聞政策

金門今日的局勢可能引發大問題,故成爲世界矚目的一個地方。繼本月初卅六位中外記者冒險赴金門採訪(結果祇十五人到達)之後,現又有卅七位來自各國的同業要求去金門了,(九日先開的另一批五個人,有一人在飛機落地時被砲彈片擊傷)他們都爭先恐後是抱着戰士出征的心情赴金門。照理我政府不分國籍,一視同仁,予以協助,並不加甚麼限制才是。可是,事實上,並不如此。且舉一例:每個赴金門戰地採訪的本國記者,對「軍機防諜法」是無人不知遵守的,而且爲了自己的責任,也不能遇事馬虎,故發電報寫通訊稿,皆字斟句酌,特別審愼,未敢掉以輕心。但外籍記者並不「如此」,例如外籍記者,却以一種嘲笑甚或侮辱的語氣,指陳金門看不到戰爭。又說担任運輸的艦船沒有決心使人員物資登陸等。然而外籍記者有時反而得到許多優先,許多寬容獲得爲本國記者所得不到的消息。這不能不說是一件憾事。這是我們主持新聞政策的機關注意的。再有一事,上月二十三日以後,金門實際在被中共軍逐步封鎖中,但海內外各報却絕口不提,間有一二有關消息亦係外電,等到國防部軍事發言人柳鶴圖承認封鎖正與日俱增時,大家纔如夢初醒,你說這是中國記者吃飯不管事的結果嗎?哪眞冤枉死人!其實,承認封鎖亦有其有利的部份,我們又何必打腫臉充胖子?又如金門的五三醫院被共軍濫施砲擊,打爛了房子大的紅十字,打死了病患並打傷了護士,結果病人移住地下室並放棄該醫院一切的設備的利用時,仍遲遲不肯將實情公之於世(後來中外記者皆去看了)。其實,這正是證明共軍的瘋狂行爲,向全世界人類提出控訴有何不妥?本來,戰爭是一種血的教育,而戰時新聞則爲其教材,「報喜不報憂」的新聞政策,只足以養成苟且偸安,投機取巧的心理,如想養成面對現實的戰鬥勇氣與堅忍沉毅的國民精神,必須在不違背國家利益的前題之下,將一切事實公諸國人,對於國際宣傳,新聞報導必須主動妥善運用,不宜令外記者獨擅其利,往往國記者觀點不同,或使讀者先入爲主,於我不利。還有一點,官報記者在公開的場合,態度也應自檢,以免引起反感,騰笑中外,例如某官報記者爲某司令官恭僅執火燃烟,即爲時代生活雜誌記者嗤之以鼻。總之,爭取新聞記者的友善與合作,在戰時尤其重要,韓戰期間,採訪的各國記者曾數達千人,而賓主融洽,合作無間,可供我主理新聞業務當局的借鏡。(九月十日晚寄)

讀者論壇

救救台中地區的女孩子吧

台中,只有一省立女中。自接收以來,辦得即不理想;所以當四年前換上現任校長時,有女孩子的家長們,心理不免鬆了一口氣。同時,凡是見到這位校長而不發生好感的恐怕也很少。但是四年過後,越來越不對了。好的老師或紛紛離開,或因校長感情不睦,於是管理,教學現象紊亂。學生們失望,但有什麼辦法呢?這位校長是某部長的學生,在校時是以活動著名的。據說,她並非不想辦好,但她只有活動的經驗,而缺少行政的經驗,以致同事不和,辦事無方,越弄越糟起來了。台中辦了不久的私立衞道中學,聽說今年三十名畢業生,考大專學校的升學率幾乎是一半,而台中今年畢業的一百八十個學生中,公私立一起算來只是十一位。

許多家長平時在一起談天,不免也常常研究到挽救之法。首先,大家希望某部長也有女公子到這位得意門生的門下來上學,或由這種直接而痛切的血緣感覺,可以使她改進。但一經打聽,某部長在兒女方面也早已功成名就,決不會有機會與老百姓們同甘共苦了。退而求其次,希望前任教育廳長有女公子來台中上學,但結果,又非適當的學齡。現任教育廳長是有女公子上學的,大家以爲此後或者有一綫希望吧;但他的女公子非繼續在台北的女中不可,所以對於台中的女中,自然也只有隔岸觀火。於是大家只有絕望了。不過,話得說回來。大家也只希望主管方面,幫助她作起碼的改善而已,並沒有想到人事的調整問題。所謂起碼的改善:

一、訓導上多注意學生的生活。對服裝等等,少作不合理的規定要求;例如天氣冷了時,在制服外面套上毛衣,並無傷大雅,這比讓學生因挨冷而感冒要好得多。

二、上課時規規矩矩的按着課本教,按着進度教,不要在課本外去亂扯。應當看的練習本還是費心看看。聽說某地理教員爲了推銷參考書而不教課本,那是要不得的事。

三、考試時認眞的,正常的出題,認眞的監考,看卷子。不要指範圍。凡考試前,指範圍的,一定是壞老師。

總之,希望校長和各位老師,對學生有起碼的共同責任心,情形自然不同了。

·王家良·

台南一點一滴

不堪與壞人同姓同名的高雄市議會副議長汪雨因與展(殺死張昌年兇手汪震同姓同名,曾申請內政部改用現名)因高雄市「免試升學」走訪市府教育科,請將青海中學容納不完學生,分發至市立一中,而免分發至楠梓市立四中遠道就讀,市經教育科說明學區劃分是議會決定,表示難以遵辦。汪副議長遂拍桌大罵該科長「打官腔」,叫我改,吳氏大叫:「這是你們議會通過的辦法,叫人怎能幹得下去」。說罷將老花眼鏡摔破,拂袖衝出市府,並請病假數日,以示抗議。次日市府主秘及議會秘書等,宴請二氏杯酒釋嫌。

△高雄市近數年內的建設,表面看來,確是有進步的,尤以火車站至市府的一條馬路,全部柏油路面,人行道與車行道均排列花樹草。然而市內中心區的繁華街道,非但沒有一條完整的柏油路,連路中的臭水溝與縫日不斷的飛灑,時常引起市民有「往權門與外賓常經之道者,得天獨厚」之感。

昌增勳

從台峽空戰的紀錄估計中共空軍實力

●養之●

照最近國機不斷地擊落共機的紀錄看來，充分顯示中共的空軍實力並不佔有優勢。

但美國專欄評論家史巴兹將軍曾發表文章認爲：中共空軍在蘇俄的裝備下，它的戰鬥力已有一躍而爲世界空軍第四位的姿態，僅次于美蘇英三國。且不論其質的優劣如何，而其量的發展却相當驚人。史氏更認爲蘇俄之所以積極建設中共空軍的原因，具有軍事和政治兩方面的意義。前者可以急速形成共產集團在東方的軍事優勢；後者可使毛澤東政權更進一步地靠近莫斯科。

遠東共機不到一萬架

據較早的消息：中共根據「中蘇空軍協定」，準備建設「人民空軍」十五個大隊，共計飛機一萬一千二百五十架，由蘇俄分五期援助，決定于一九五二年十一月一日以前，于西南、中南、華南三個基地，交付五百二十架爲第一期；在同年十二月卅日以前，交付三千架爲第二期；在一九五三年四月一日以前，再交付三千架爲第三期；在同年八月一日以前于華北、東北兩區基地，交付一千架爲第四期；又在同年十二月一日以前，于西北區及海軍部指定海軍基地，交付四百八十架爲第五期；其餘三千二百五十架飛機，于一九五四年十二月一日前交付清楚。

可是，直至現在，估計整個共黨在遠東各基地的飛機總數——包括蘇俄及韓共、越共在內——大約在八千架至一萬架之間，足見蘇俄對中共如交期付之成數並不高，至多也未超過二分之一。

廣州機場由俄人指揮

中共空軍的每一機隊，是由多種飛機組成的。比方屬于華南區的廣東方面，以第四航空隊爲基幹，機數爲二百二十五架，分三個中隊組成。機的種類是：（一）MIG十五型機佔三十架——二個分隊；（二）雅克二型機佔四十五架——三分隊；（三）雅克三型機三十架——二分隊；（四）伊里新二型機三十架——二分隊；（五）伊里新九型機四十五架——三分隊；（六）日本複式螺旋槳推進機三十五架——二分隊。駕駛員共有二百二十五人（包括俄、日籍機師），地勤人員五千六百餘人，分置通訊、指揮、修理、運輸及防空等項。至于各該機場飛機的升降，完全由俄人指揮決定。

加強防禦與攻擊配備

由于國際形勢的日趨緊張，中共爲加强防禦性和攻擊性的配備，近來增加許多新的飛機。其最重要的空軍部署，厥爲俄製米格十七型和十九型噴射機進駐福州、晉江、沙堤、惠安、新城、澄海等機場。而共機之進駐，在積極方面爲爭取海峽的制空權，消極方面亦可阻止國機的偵察行動，因此在攻防兩方面均有重大意義。隨中共空軍的南移，其浙閩的防空設備亦節節改進。中共的防空兵力，已在兩個高射炮師以上。其保護的目標爲機場機庫，以及其他因兵力集中而產生的設備。

如上所述，中共正積極建設空軍，目前的力量，也許較優于台灣，但它還未敢進入廣有百哩之遙的台灣領空，蘇俄也不願以那羽毛未豐的雛鷹作孤注一擲。這一點，美國在遠東的空軍將領說得很明白，分駐沖繩和菲律賓的第十三及二十航空隊，足能抗禦來自空中的任何襲擊。所以台灣海峽領空的安全，現在是不成問題的。

中共空軍的三大弱點

中共空軍雖在數字和基地設上佔有優勢，如從戰爭於遠處看，這種優勢原也是不可靠的。就飛機言，如果大戰爆發，蘇俄絕對無法保持長遠和充實的補給，缺乏動力原料，彈藥，和修理器材的龐大形式；就基地言，處于蘇、浙、閩、粵的沿海基地，可以受到海軍炮火和中程轟炸機的摧毀，而其第二線基地的戰鬥機，由于飛行半徑的緣故，僅可作防禦戰爭；就駕駛員和技術人員說，中共空軍就特別感到駕駛、雷達、氣象、修理人員的不够，尤以駕駛、修理兩項爲嚴重，以機數爲比例，相差甚遠；修理方面，過去以兩航人員爲基幹，但他們都是資人，却沒有修理噴射機的能力。故經派赴蘇俄留學的人數雖有三千五百名，然而航空人員的訓練，決不像訓練「土改」幹部那麼容易。

有了這三個弱點，中共機名數目雖佔優勢于一時，而其整個前途却是黯淡的。不過，我們也不能低估它，不能讓它長大而對自由世界的侵擾。史巴兹將軍倒有一個主張，是值得參考採納的。他建議如果中共眞的進攻金門、馬祖，那末，除了封鎖海岸之外，並須大舉轟炸大陸及其各項重要軍事目標。這種行動，不惟可以分散它的空軍力量，使它的建設陷于停滯；而且可以達到「以戰止戰」的目的（九月十日）

黌宮變了軍營

共產黨曾經懸賞地宣傳，到台灣去升學就是去當炮灰。但升學台灣的，還是數百人結件而行，好少理會。

相反的，在中共動員之下，大陸各大學紛紛變成了軍營。北大成立「北大師」，清華成立「清華師」，北師大成立「紅旗師」……。

共產黨的宣傳於是變成了自相矛盾，無異是賞了在香港過「資本主義生活」，吹「社會主義喇叭」的仁兄們一記反手嘴巴！奴才之不易爲於此亦可見其一斑矣！（言）

現階段的大躍進

竹幕幽秘

自今春的大躍進開展以來，到了最近，照說是應該告一段落了。因爲，這一大躍進運動是依賴于整風，把那些反對躍進的人們整倒而展開的；整風運動現已結束，強迫躍進的武器已經失掉，躍進亦應告一段落；這是從整風方面來討論躍進得出的這種結論。

假如，躍進運動一停頓，那麼反對躍進的一派就會抬頭，時間正好是秋後，算那終躍進的限非常適宜。那末，始創躍進的毛澤東的威信將會受到打擊。

毛澤東爲着維持他的威信，以及要求實現他的霸權野心，與其根據條件來使大躍進停頓，在他的想法，寧須脫離條件而在躍進的基礎上再躍進的。

於是，最近的一次政治局會議與「最高國務會議」，就在毛澤東的這種夢想指導下作出了再躍進的決定。這樣的決定，可以說是目下大陸的中心問題。

總動員與大躍進

前面說過，整風結束後，毛澤東已失去了强迫大躍進的依據了，那麼他用什麼方法再强迫躍進呢？

中共中央政治局委員彭眞在北平的反美慶祝遊行大會上說：「我們的人民爲了反美將盡一切努力，爲維護我國的主權和領土完整而鬥爭。一切在後方的城鄉人民，一定要動員起來，鼓起更大幹勁，用更大的努力來推動我們的生產大躍進，爲爭取更多的鋼鐵，機械和糧食。我們一定要廣泛地建立和發展人民公社。我們一定要加强實行全民武裝，準備隨時響應保衛偉大祖國的神聖號召。讓外强中乾的美帝國主義紙老虎發抖吧，勝利一定屬于我們的。」

從這段話裏，我們可以看到：一、這一種動員的形式並不是號召他們去加入正規軍隊作戰，而是實行全民武裝，具體的形式是目前剛在開始組織的各個單位中的民兵。二、動員的另一目的彭眞已經說明了是爲着大躍進。事實上這兩點是應該結合起來看的，把全國人民組織成軍隊的形式，便于控制，管理，强迫他們大躍進。固然我們不能說他們不準備大戰，但是並不是準備眼前的大戰。那末，從眼前來說，中共的總動員是結束整風以後要鼓勵大躍進的手段。

美國的躊躇

上期本欄說明，周恩來的求和聲明是美國的一大勝利。但是從最近這兩天的形勢發展，杜爾斯的對中共政策弱點已經暴露無遺，從艾克的電視廣播一發表，中共對美談判的形勢是反賓爲主了。美國的勝利果實似有馬上失去的可能。

一如本欄所說一般，既然將金馬比之爲西柏林，那末何以會有放棄金馬的意念？既然認爲對于侵略者的唯一辦法是予以打擊，不是慕尼黑式的贈送所能饜其慾念，那末，爲什麼不從打擊方面着手來迫使其和平而却從祈求方面着手來安排妥協？言行不符，我們覺得有公平的予以指出的必要。

我們已經指出，美國强迫國軍棄守金馬，不是沒有可能的，但是決未會想到會如此快的就會在美國領導者的口中暗示出來。前已述及，中共的總動員是爲的大躍進，而現在這方面似乎已對美國發生了危懼的影響。天天說要爲美國利益，威望而奮鬥，怨懟人們不考慮到美國利益與威望，但從上述情況看來，摧殘美國利益與威望者，不是別人，似乎正是美國的決策當局呢？

●田心●

以科學方法說明官僚主義的「柏金遜法則」

什麼叫做柏金遜法則呢？在英國和美國許多人知道它，但我以爲在其他的地方，還有許多人不知其意義。

柏金遜法則，不是人造的法律。而係好像地心吸力原理，和阿幾米特原理，屬於自然律的。不但在英美適用，而且在鐵幕國家亦然，這是放乎四海而皆準的。在有官僚主義存在的地方，這顯然是正確的。

現在用基本簡單的話來說明柏金遜法則，即『工作擴大，俾能填滿指定完成工作所需要的時間』。從一句諺語，便可認識此種事實，即『最忙的人，是能努力樽節時間出來的人』。換句話說，能拖便能敷衍。但柏金遜從廣汎研究現代的行政及官僚主義，將科學的言語表達此中奧妙。

柏金遜法則，首先在『經濟學人什誌』被提出。最近此篇文章及其他論文，在美國與英國列成一書：『柏金遜法則或謀求進步之法』。

柏金遜教授在上次大戰，於某總部服務，獲得許多經驗。因爲不能違反『官員保守秘密法案』，他便不能透露名字。他解釋道：他的總部的主管長官是甲。其下有高級助手乙。乙之下有助手丙。丙之下有助手丁，他就是丁。即是四人中唯一認眞做工作的人。他說：『事實是這樣：公文信件向我一人如潮湧至，堆滿我的桌上。我幾乎無法應付，假如我有相當的資歷，我必定要求派一更低級的官員戊、己、庚、及、辛，等來助我』。

『但命運之神另有主意。好像奇蹟來了。我遭獲解救。那最高主管官告假了，文件信函立即開始減少。其次那次級上峯去參加開會了。你也許要問開什麼會。其實如許多的會議一般，大概是屬於『無事忙』一類。但對我很有用處。啊乙一走了，我的工作更易應付。說來也奇怪，啊丙幾乎立即患病，而留下我一人，獨守崗位。此時工作少極了。也許吃了早餐，費半小時便協妥了。』

從這個經驗，柏金遜找到重要的綫索，其後他在馬來亞文官人事室服務，更進一步研究官僚主義。資料很多，使他作一結論，即人員愈多，工作愈多，他深信工作過多就是人員過多的病徵。

政治家和納稅人，大概臆斷公務人員總數增加，反映待完成的工作增加。但柏金遜表示：官員數目和工作量並無關係。他用統計資料證實，不管工作量增加或減少，甚至沒有，僱用人員總數依然一樣的增加。因此我們從柏金遜法則，得一推論，即不管工作量如何，部屬人員增加，有一定的速率。

但統計不能解釋柏金遜法則所表示的一般趨向。據他說有兩個動力潛在於此法則：（一）官員想增加其下屬人員，並不是想增加其競爭之平輩。（二）官員互相製造工作。

柏金遜法則可用數學公式表述。在任何的公共行政機關，不必一定在戰爭時，可能依照下列公式，增加人員。

$$X = \frac{2mK+L}{N}$$

K代表想藉委派下屬而獲陞官的職員人數。L代表委派與退休平均年齡之差，M代表處理部內會議紀錄所需要的『人小時』數。N有效管理單位數，X是每年需要新職員的數目。

若要表示這個新增職員的百分率，便是將X乘一百，而以去年職員總數除之，請看下面的公式：

$$\frac{100(2mK+L)}{YN}$$

據柏金遜說，此百分率總在百分之五·一七與百分之六·五六之間，而與待完成之工作無關。

柏金遜不去查問此種部門的自然增長是否需要。也許有人以爲要達到全民就業，便非此不可。反之，有人懷疑此種趨於繁冗工作組織的經濟生活，只是運用到今天的政治理論。柏金遜法則純粹科學的發現，是植物學家的任務，不是披除野草。他只告訴你野草生長怎樣快，便夠了。」

雖然柏金遜法則大概可應用到每一部門，非軍事的，或軍事的，政府的或大商業的，[illegible]在各地各部門，人類的本性及傾向，去擴大工作，可能是在任何地方都相同。但我懷疑：例如在一個寒冷氣候的國家或一個熱帶氣候的國家，或一個有五年計劃的國家和一個沒有此種計劃的國家，其增加新職員的速率，是否有差異。（譯自新聞『思潮週刊』）

●風行譯●

國際動態拾零

△法前總理法朗士訪問北京，謂中共領袖對西方國家仇恨甚深，戰鬥意志，激昂得可怕；其內心深處，而且自以爲有戰勝之把握。其實自大狂即自卑感之反映，而毛周諸人，向爲驕揉造作，無往而不虛僞之能手。

△MIG十七號飛機，與步兵團之輕重武器，大批分途自蘇聯、波蘭、捷克運抵中國大陸。北京方面，並宣佈其後備兵業已動員。

△中共自香港僱用大批主要工業工人，司機受僱者尤多，並放言英國如繼續支持美國所主張之兩個中國政策，則香港將有嚴重後果。

△蘇聯對衛星國發出訓令，謂以後在文學上中共與蘇聯並舉時，不能顛倒秩序，先中國而後蘇聯，須改稱蘇聯與中共。

△東歐衛星國與赫魯曉夫，最近在克里姆林宮開會，謂所討論者，爲如何反對狄托，及反西方之新宣傳計劃。中共則被擯，未能出席。

△東歐原子科學家謂，蘇聯與中共和平用途之原子發展，大爲落後；因中共需索甚切，蘇聯只好移此補彼。

△尼赫魯將發起遠東各國之高峯會議，參加者，必須包括毛澤東與他本人。

陶然

自由人談

可恥的安全生活

華府白宮當局常說：美國與自由世界各地區簽訂的安全互助協定，共計在六十個單位以上，都負有履行軍事應援的義務，牽一髮而動全局，所以美國對於盟邦可能引起戰爭行爲的問題，不得不審愼應付。這話表面上言之成理，特之有故，實際却是欺人之談。

美國雖然跟一些直接感受共禍侵襲的友邦如自由中國、南韓、菲律賓、越南等，簽訂互助協定，但要加上一種嚴格的限制，即這些友邦採取任何軍事行動以前，必須徵得美國同意，否則不特不予應援，而且從中阻礙，像南韓的軍用汽油庫亦不能自由啓用，尤爲「安全互助」的傑作。這不是「互助」，實係一條鐵鍊圍繞在友邦身上，使其沒法自由動顫，專爲美國的利益服務而已。

所謂「美國的利益」究竟是何內容？據我的理解所及，那就是：藉着安全互助協定的名義，便於在各個友邦境內設立軍事基地，駐屯海空軍，作爲威脅俄帝的有力工具，只要俄帝不發動大戰，襲擊美軍，則各個友邦縱然受到俄共集團蠶食侵略的禍害，亦不宜實行抵抗，以免有拖累美國捲入漩渦的危險。只好任由美國越俎代庖，跟俄共集團從事和平談判，而強迫友邦忍受犧牲，以遷就美國的利益。換言之，所謂「安全互助」也者，只是爲着美國片面的安全利益設想云爾。至於友邦的安全，乃係無關宏旨的事，美國沒有援助之必要。

我們試看白宮當局近來對毛共進攻金門這項擴張行爲的一切作風，即知吾言決無矯飾誣枉之意味存乎其間。如此這般的安全互助，我們需要它來幹嗎？俯仰由人的安全生活，可恥孰甚哉！

馮五先生

從寫說起

陸夢墨

提起筆來，擺在面前的第一個問題就是寫什麼？我本來是寫小說的，正如某文學家說：「什麼是小說，簡單的很，一種虛構事件的敘述。為什我們需要這種敘述呢？因為我們現實生活是散漫在宇宙中的。」換而言之，也就是作者去扯謊，而讀者卻需要在謊中的陶醉。高明的作者，在謊中提出問題，加點眞理，便是文學家。平庸的祇會說說故事，也算是小說家。而我既無能講眞理，又不會說故事。當初也是一股勁兒，胡謅了幾本書，至今想到它們的銷路都覺得慘然。自然這不能怨別人，只怨自己寫的不好，好的書是要雅俗共賞。但是難也難在這個雅俗共賞。能叫雅人說聲不錯的，俗人看着一定打哈欠。俗人讀來手舞足蹈的，雅人一定搖頭。讀聖賢書，不敢違先人遺訓，祗好「取法乎上」，但是有多少雅人買得起書着？於是你的大作不是被「束諸高閣」也只好「藏之名山」。有時發現自己腦汁的結晶被擺在「廉價部」。左邊潘齋一本「周易淺釋」還情有可願，但右首卻標着「風流寡婦」。心裏那股滋味可就難說了。

自然也有許多「描紅文學」能夠銷到幾千本的，自恨生成一副賤骨，就不必怨天尤人。祗好撥撥筆尖，寫寫瑣語，但是好的雜文要趣中有諷，笑中有哭。有人說馬戲班中技術最佳的就是丑角。可是得要想搏得諸君哈哈一笑，卻也很難。自已雖然抹白了鼻子，也沒練出一套什麼來。空自惆悵。對着猴馬繩蓬，受到朋友們的良言相勸，叫我何妨學學「描紅」。只要把城牆上的標語搬下幾段兒，還怕拿不到稿費？話雖如此說，但是一向寫慣了「文壓在此」的小說，「陸某在此」的胡謅，實在寫不出「姜太公在此」的文章。儘管路子越走越窄，認命了。

在「文星」上讀到一位先進的話，大意是文人不可做違心之論，覺得非常親切。總是因為與自己一向所守的原則相同。但是違心之論，既不可寫，佛陀說大的未必可寫，原來就是「不可說」三字。冷暖自知。雖然如此，他老人家還是向弟子們說了一襲子，可見得說是人的老毛病，連佛也不免。說的方式有兩種，一是直言，一是隱諷，但是殊途同歸都是爲了，說的對象好。古人對愛國的人有「文死諫，武死戰。」之說，在烽火滿天的今日，可喜的是我們既有敢諫的文人，也有敢戰的武士。所謂在下的文章多半都是雞零狗碎，一個草民，不懂得平常國事，祇好找些身邊瑣事來談談，所謂漫談，所謂散筆，不外都是胡說，自然不爲論家所重，或有明眼人咋出一點滋味來的，那該是冷暖自知了。

雙飛燕引

・王歐彬・

戊戌中元前夕，夜値閱舊書感；用賓獸老韻，兼呈譚訓老。

漫道衆人皆醉，只憐屈子偏醒。
不堪□□一聲聲。
無家小□淚，殘燭泣三更。
最是江山搖落，誰能太上忘情。
美人西顧却輕輕。
漂鄉知有日，雨過見天青。

台灣的「建國紀」

・古月・

台灣通史中明鄭一章，特稱爲「建國紀」。建國兩字，不僅作政治上創業看，尤當重視經濟上的建設。

明鄭時代實行兵農合一，及戰士授田制度。在台灣興建水利，開墾荒地，至今有許多地名曰營、曰堡，便是軍士，頓田的遺蹟。台灣的開發，由南而北，由曾文溪而虎尾溪而大甲溪，步步北進，建立新縣；並由山前而至山後，即由西岸而至東岸，以漸達于全島經濟平衡發展的地步。

米、糖、茶葉、樟腦等爲台灣的特產，這些物產發達的經過，通史中也有記載。例如從台中到日月潭路上的集集，便是因樟腦業而興盛的。許多不明瞭歷史的人，以爲台灣的建設，與日本統治有關，其實大謬不然。台北市的電燈自來水，是在日本統治以前中國人自己創辦的。淡水河上的鐵橋，也是那時我們自己建設的。從基隆到高雄的縱貫鐵道，在甲午戰爭以前，便已通到新竹了。

自光緒元年台北建府，至光緒十一年台灣建省，這一時代，前有沈葆楨、後有劉銘傳，都曾想把台灣做新政實驗省，以爲中國富強的大業。台灣現代化的規模，劉銘傳的貢獻特大。他竭盡心力，把西洋科學技術輸入台灣，獎勵生產，鼓勵出口，內修鐵道，外築港埠，計劃相當周詳，百廢俱興，成爲新政的示範區。以後日本人不過因利乘便，繼續進行罷了。

看奴才知主子

小言

幼年時坐在教室裏，常聽先生駡同學「你眞蠢，比猪還蠢！」從此知道蠢是怎麼會事。

其實有農村生活經驗的人，是會發覺猪除了長相難看一些之外，也未必眞如人們所想的那麼蠢。如果說因爲猪「好吃懶動」而長成蠢相，其實那也本非猪的本意，只是萬物之靈的人爲了要食其肉，獲其利，才養得牠那麼癡肥臃腫，懶動好吃的。否則可以看看其同類野猪，在獨立生活之下之機警勇猛，即爲例證。可見生活環境，關係很大。

學生中如果眞有比猪還蠢的，那必定是兩個原因，失教和教之不當。（與家教關係尤大）

因此我們如果看見一些大人先生們說些不三不四的話，雖是笑臉迎人却反而覺得面目可憎，一臉猪相者，那原因必得從他的主子身上去發掘，就定能找出道理來了！

粵人藏書刼運

・竹庵・

嶺南文物掌故

廣雅書院藏書之散佚

上文祗述及私人藏書之散佚情形，至公共圖書之遭散失者，尚有以下事實。

南海康有爲，數代爲士人。當康在長興里講學時，已由西樵移其圖書至省垣，後設萬木草堂，生徒既衆，聚書亦多。戊戌維新失敗，康遭籍沒。萬木草堂之書被收入省督署，其後即以此批書撥入廣雅書院，廖廷相山長爲之整理編列書目，合廣雅書院本身藏書，蔚成巨觀。此書院共列二十間齋舍（即寄舍），每齋均陳列十三經廿四史等巨籍，免諸生檢查時有奔走之勞。至其藏書總滙，則有一巨堂名冠冕樓。此樓所藏，無宋元善本，但應用古書，無或缺遺。而各大叢書中，往往存至二套，至三套，誠書林大觀也。民國三年，彭金銘主一中學校，藉口冠冕樓危險，將書籍移至濟佳堂。彭乘機盜賣本院書籍，余亦親睹由盜跖手中，購得康氏孔子改制考手稿本三冊，及康氏手批本國朝詩人略徵一書。大抵由彭任監去之書，已過萬冊，（後彭卒以此事被人攻擊去任，但未被查辦）。

民國護法之役，桂系竊位廣東，因垂涎廣雅書院圖籍，督軍莫榮新擅撥院書七百大箱於桂省，廣東人痛恨不已。民國九年粵軍返旆，旋又移師西征，卒復獲回此等圖書，轉移於高等師範。但書籍經武人遷移，遺失及損壞過半矣。

學海書院書籍之散亡

陳濟棠主持粵政時，提倡古學，乘欲吸進西方文化，因創設學海書院。禮聘張君勱主持院政，延聘學者如繆子才之流來粵講學。此書院規模宏大，經濟充裕，未及三年，購置古籍，已略有可觀。倘假以時日，則茲院藏書，不難恢復廣雅書院冠冕樓藏書之盛，且或過之。（廣雅書院只收舊書，而此書院所收典籍，中西並蓄之）獨惜中國政治，向有「人亡政熄」（傳統習慣。陳下野後，學海書院遂有「將軍一去，大樹飄零」之況。日軍侵粵，此書院經大劫掠，全院文物蕩然無存。至今學海書院只存書目兩大厚冊而已。（聞此書目已不易得見）

名刹珍籍之散亡

海幢寺爲粵省名刹，創建於南漢，清初平南王尚可喜，爲之重修，增建大雄寶殿，觀音閣，及諸佛堂，規模之大，爲各大叢林之冠，清帝爲籠絡功臣，特賜龍藏佛經全套，並賜以明人手寫佛經多帙，以爲鎭寺之寶。迨至民國十年廣州南武中學擴大校舍，再把本寺房舍拆毁，改建校舍，時粵中佛法已甚式微，寺僧久不能自整理其文物，此經卷遂全部被移置於南武圖書室，日寇陷粵，以南武校舍爲日本江南憲兵司令部，因此日本軍人攫去此經卷，運往日本，此種文物因戰爭而損失，已渺入難及矣。（五）

虎子

・戈北指・

現實小說

一個禮拜日，表哥從金門休假回來，寫信叫我到他家裏去玩玩。自從表哥全家搬到中部後，他就被派駐金門，平時很少回來，我也因事情忙，一直無暇到他家裏去，半年多來，始終沒跟他們碰過面。南天接到表哥這封信，我就打算去看看他們，尤其是我很想念虎子的；虎子是表哥唯一的孩子，今年六歲，短短的腿，結實的身子，健壯得像隻小老虎。在台北時，他差不多每天跟我在一起，是個出名的「搗蛋鬼」；半年多沒見面，不知道這個小傢伙現在是否變了樣子？

禮拜天的早上，我搭第一班南下的火車，到表哥住的那個小鎭去。走出街道，是一條寬廣的碎石子路，高大的椰子樹與棕櫚樹，把這個小鎭裝飾成一片綠色，帶股青春的氣息。

表哥的住家，離小鎭還有十五分鐘的路程，走出街道，就可以看見一片白色的房舍，這就是他們那個單位的宿舍。從小鎭到宿舍去，須過一帶淺淺的山崗，滿山的映山紅，開得殷紅似醉！山崗的後面，是一帶森林，一眼望去，一片鬱鬱蒼蒼。我一面走着，一面瀏覽着沿途的風景，當我快走到宿舍的時候，突然看見虎子跑了來。

「叔叔！叔叔！」他張着兩隻小手，大聲地喊着。

「啊，虎子！」我連忙上前捉住他，把他抱起來；他高興得吻着我的額頭，扯着我的嘴巴。

「你一個人跑到這裏幹啥？」我把他放下來，問他說。

「來接叔呀，」他仰着臉，凝視着我，「我知道叔叔今天會來的。」

「誰告訴你的？」

「媽媽。」

「爸爸呢？」

「爸爸不在家。」

「到甚麼地方去了？」

「你不知道，叔叔？」他頑皮地向我翻翻眼，「爸爸在金門？」

「你這個小鬼！」我做出要揍他的樣子，「你又想欺騙我？」

「眞的，叔叔！」他一本正經地說：「你不知道爸爸在金門？」

「我當然知道！」我拍拍荷包說：「你這回難不住我，你爸爸早就寫信給我啦！」

「嘻嘻──！」他笑起來，「我跟叔叔開玩笑的。」忽然他抓着我的手提包，問：「叔叔！你給我帶糖菓來了沒有？」

「我還能不給虎子帶糖菓嗎？」

「我要糖菓！」他跳起來，一手扯着我的手提包，一手握着拳頭，準備向我搗過來。

「怎麼？虎子要打叔叔？」

「我也跟你開玩笑的。」

我把糖菓掏出來遞給他；他接過去，跑着、跳着、叫着，那模樣倒像隻小田雞。

快到家門口的時候，表哥表嫂都聞聲走出來。

「嘉韓！」表哥向我說：「你今天要是不來，虎子可要發瘋了！今天一大早，虎子就跑出去等着迎接你！」

「可是，他用拳頭迎接我！」我笑着說。

「怎麼？」表哥看看虎子，「你又跟叔叔搗蛋啦？」

「爸爸！」虎子要出一副頑皮相，「是叔叔先要揍我嘛！」

我們都被引得笑起來。

走進屋裏，表哥說：

「我們快一年沒見面了，你看都有點改變吧？」

我抬頭看看表哥，他那副魁梧的身體，顯得比從前更健壯，臉上油光泛彩，帶着一股虎虎的生氣。我說：

「表哥！你大概快要升官了，你看你紅光滿面！」

表哥摸摸臉。

「這是在金門風吹日晒的；該不像是要升官吧？！你看她呢？」他指着表嫂說。

「表嫂嗎？」我把目光轉到表嫂身上去，「表嫂也變了；比從前胖得多，不過胖在肚子上。」

表哥笑起來；表嫂的臉一直紅到脖子根。（上）

自由人
THE FREEMAN
（第七八七期）
中華民國僑務委員會登記證　中華郵政登記認爲第一類新聞紙類
（半週刊每星期三六出版）
每份港幣壹毫
台北市每份售價台幣壹元伍角
督印人：陳文寧
地址：香港高士威道二十號四樓
20 CAUSEWAY RD. 3RD. FL. HONG KONG
TEL. 771726
承印者：東南印務出版社
地址：高士打道六十四號
台灣總經理處
台北市西寧南路壹壹零號二樓
電話：三〇三四六
台郵劃撥儲金戶九二五二
海外總經銷：友聯書報發行公司
香港：德輔道中二十六號A二樓

台灣海峽事件之分析

伍憲子

自中共砲擊金門，至今，已二十六天，各方面之觀察不同，所下評判自異，此篇聊述我的愚見。

一　中共對台灣之企圖

中共砲擊金門，是否想用武力奪取金馬，再進一步，用武力奪取台灣。現有許多人都看得是，即美國人亦不免有此疑慮。但我敢下一斷語，曰否。中共用武力奪取台灣之時間已過，從今以後，中共永無用武力奪取台灣之可能，中共亦不敢作此妄想。假令中共眞有實力，能奪取台灣，到時中共大可以越島戰爭，直向台灣登陸，無須先從事於金馬，作不必要之無謂犧牲。今砲擊金門，廿日之間，至廿餘萬發，只是虛張聲勢。中共之陰謀詭計，揚爲進取金門，以困擾扼守台峽之美軍。姑無論協防金馬，中美有無成約，有亦防守之意多，進攻之意少，故中共對於美軍，不至十分畏懼，但痛恨憎惡，則咬牙切齒。窺破美國之弱點而操縱之，愚弄之，亦似有把握。所以一面打，一面談和，是中共多年來對付美國人之手法。中共自知內部空虛，人心怨怒，萬不敢向海峽中與美軍拼命，今次只是威脅金門，爲政治談判之詭詐，並非眞有進軍台灣之企圖。

二　金門馬祖能否固守

此問題在人人心中，皆不免發生疑問，金馬距大陸近，距台灣遠，近則進攻易，遠則接濟難，中共若動大軍，奪取金馬，守軍雖強，士氣雖盛，恐難固守。我謂金馬乃是進攻大陸的跳板，不是退守台灣的前綫，若立意固守金馬，不是軍事長才。古人有言，「守江者必守江外，而江不能守江，守淮者必守淮外，而淮不能守淮」，我謂金馬之形勢亦然。假欲守金馬者必進攻大陸，劃金馬而守，必不能守金馬。然而自中共砲轟金門以後，二十餘日於茲，守軍堅忍挨打，屹然不動，其士氣之沉着，至令人可敬。但國民政府反攻大陸之行動如何，海外民主人士，盼望而督促之，聯合而擁護之，尚未見有反攻之朕兆，如此，則無異於棄金馬。夫金馬之不利於孤守，稍懂兵法者皆知之，金馬不[illegible]大陳之[illegible]撤，不戰而撤退，最近政府又再三聲明金馬不撤退之決心，而只是艦出動，護送運輸船到金門，加緊接濟。然反攻大陸，苟不能見於事實，徒孤守金門，實屬不智。或者謂此亦須取得美國同意，但美國態度，極其惝恍迷離，故令人不可捉摸。

三　不能依賴美國

此話當分別講，我所謂不能依賴美國，不是離開美國，我們要切切實實推誠與美國合作，以我們之正義，匡救美國之錯誤。若因受援之故，而遷就之，失其主動，而處處被動，則不只自累，而兼累美國。須知美國之對中華民國在聯合國之地位，是需要的，是尊重的，非到萬不得已，不願中共僭入聯合國，取消中華民國之招牌，而加多蘇俄附庸國之夥伴。然我們若希望得美國之尊重，顧名思義，當名副其實，切不可以國民黨之台灣政權，抹煞中華民國之民主政體，此是國民政府今日反攻復國之第一要義。否則倚賴美援，惟美國之馬首是瞻，則極其量第七艦隊協防台灣海峽爲止，進一步，亦不過護航運輸船，接濟金門守軍爲止，斷不會積極軍援，反攻大陸。觀於最近，自中共砲轟金門之後，杜勒斯國務卿，艾森豪總統，先後發表之談話，只強調協守台澎，仍避開金馬。雖兵艦護送運輸，仍不徹底，至金門海灘三哩外便止，似怕中共岸上之砲，如此，更何望協助反攻大陸。故我們對美國不能過存奢望，致自灰其進取之心。我們須認定，反共有四大條件，一原子武器，二充足人力，三豐富資源，四高度文化，我們必要使美國明白，大陸之失，是增加蘇俄之人力，奉送蘇俄以資源，更要使美國明白，大陸之恢復，在發揚高度文化，四條件如能配合，則蘇俄不足畏。

四　外強中乾之蘇俄

今美蘇之爭，已成不可掩之事實，然大家皆畏懼美蘇之戰，爲其皆有原子武器，即是蘇自身亦如是。尤其是美國人，民主生活之舒適，安享已慣，怕戰爭之破壞，苟安心理，積成大習，此亦是人之常情。然蘇俄則適得其反。彼輩並非不提戰，但面目夠爛，心腸夠狠，除以原子武器威脅美國外，更加以中共，奴役人口之多，中國地下礦藏資源之豐富，如虎添翼，氣燄逼人。俄共與中共合，乘民主國家苟安心理之弱點，則可以大戰脅之。雖然外強中乾，然倚所謂[illegible]上，亦可畏，此是俄共與中共聯合以恐嚇美國之王牌。最近赫魯曉夫致艾森豪函，攻擊美國，謂美國若向中共進攻，等於向蘇俄進攻，何親密至此，就是利用中國人口。故美國應該明白此點，爭取大陸人心，協助國民政府反攻大陸，以奪回蘇俄之所恃。須知大陸人心皆不甘受中共奴役，更不願做蘇俄附庸，因爲數千年來久受薰陶於高度文化。美國人苟明白此，則外強中乾之蘇俄與中共皆不足畏。可惜美國不明白此，竟爲俄共與中共所惑，希望以談判得和平，且有交聯合國調解之說，如此，則大陸永無恢復之期，台灣亦必陷入僵局。

五　聯合國屢失威信

在今日全世界正受共黨陰謀顛覆恐怖不甯時候，美國不善領導民主國家，遇事多畏首畏尾。即如最近艾森豪爲中共炮轟金門之事，九月十一日發表世界注目之演說，力言決不姑息中共，但又言準備與中共談判或在聯合國內謀和平解決。不知此種辦法，就是治絲棼夢。自韓戰以來，聯合國已判定中共爲侵略者，又與侵略者不斷談判，設令甚或請侵略者到聯合國調解，聯合國豈有權力折其侵略之心，匈牙利事件以後，聯合國曾定派調查團，被匈共拒絕入境，無可如何，聯合國何嘗有威信。最近哈馬紹在開羅又碰得一鼻灰，聯合國何嘗有威信。無論何種事件，一入聯合國，便成僵局，艾森豪既自言決不姑息中共，乃欲在聯合國內與中共謀和平解決，我恐金門馬祖，終會隨台灣而入於大陸。艾森豪是領導民主國家者，乃誓言協守台澎者，其心情矛盾若此，今後世界糾紛，安有快刀斬亂麻之日。說到此，我不禁回首而思高度文化。

六　高度文化與世界和平

世界和平不是一件容易做到之事，二十年前慕尼黑會議，其標榜亦是世界和平，爲強大國家之苟且偷安，出賣弱小民族，以獻媚於侵略者，誤以爲博得和平，實在助長侵略，結果招來大禍。眞識得世界和平者，需要有高度文化，高度文化之目的，爲人類幸福，重於本國利益。

（下轉第三版）

半週述評

美方結集強大軍力

這幾天金門所遭受的圍困封鎖稍見輕減，海空雙方的補給供應都獲成功。同時期在台灣海峽地區美軍，也結集了空前強大的打擊力量。第七艦隊的航空母艦增加到七艘，括有新從地中海調來的六萬噸攻擊性母艦愛塞克斯號；海軍陸戰隊有航空隊開來，括有戰鬥機和轟炸機；空軍在超級軍刀機之外，又調來最快速的星式戰鬥機，具有絕錄性的高速與昇空性能，配備有空對空的響尾蛇式飛彈；在飛彈範疇內，除早經駐台的陸軍鬥牛勇士式外，在美國本土用以防禦各大城市的勝利女神──偉男式也調來台灣，與空軍響尾蛇式都屬於新式飛彈武器，再加上第七艦隊所配備種種飛彈如獅子座式之類，其中有許多可以裝配原子彈頭。這眞是空前強大的軍力，配合着該地區國軍陸海空軍，無疑足夠摧毀共軍任何企圖。

然而以如此龐大的軍力，至今不能完全打破金門受困之局，至今爲止，美軍對金門，還只限於如何使守軍獲得源源接濟，始終不肯用實力打擊共軍。這樣的做法，也許符合我國止戈爲武的古訓，在軍事上却無疑是絕對吃虧的。

中美間立場的同異

對於這種情形，自由中國軍民上下，以至海外僑胞，莫不一致憤懣，表示不能再忍。這種情形是難怪的，倘若今天台峽情形是發生在美國波托瑪克河口，相信一般美人情緒之激昂，當更有過之無不及。一種爲德不卒的援助，有時會比根本不加援助的結果更壞。

要遏阻共黨擴展，中美雙方立場是一致的；若進一步涉及對中共的基本態度，則白宮當局之於中共操有大陸，只要彼等不事侵略，未嘗不能予以容忍，但在自由中國則是漢賊不兩立，其間沒有任何調和餘地。我們不希望美軍幫助國軍打回大陸，至少也不要阻礙我們緊急自衛權的使用。

美國怕在國際上孤立

但這還祇是表面的看法。無論美國政府或民間，對於中共祇有憎惡，說他們有意姑息是冤枉的。但若干年來美國對中共的嚴峻立場，在國際上非常孤獨，在國內也有人懷疑。羅斯福總統在舊金山發表隔離檢疫演說之後，一見內外反應並不熱烈，便不採取進一步行動，轉而從事迂迴的政治運用；艾森豪在決不姑息中共的演說後而拖上一條談判的尾巴，也是同樣用意。換句話說，如果他不提出談判的結論，可能他對中共的嚴峻立場會受到更少的支持。美當局決不肯從事孤軍作戰，孤立的趨勢越加強，也越對我們不利。

打破困境的責任在中國

中美雙方在防禦條約上的義務是對等的。美軍助我協防，即使其間難免雜有若干自私或近乎愚蠢的措施，例如始終不肯以轟炸機或大量登陸艇供應國軍之類，大體上可說已盡到一個盟國的義務。在今日世界中能這樣做的也只有一個美國。現在一味對美非難指責都沒有用，根本出路是如何使我國立場在國際間博取更大更多的同情，使世人認識自由中國也卓然有以自見，不是一味依賴美國拖累美國。能做到這樣，不祇我國在國際間的發言權會立見增強，無論在華沙或聯合國都不致損傷我們毫末，在美國方面也會感激我們這種能使美國減輕孤獨處境的盟友，因而不必在堅決對付共黨之際要多存顧忌。

·李秋生·

響應韓報的主張．

成立亞洲反共聯盟

文鈺

在亞洲方面遭受共禍最深，損失最大的莫過于中韓兩國，尤其最近台灣海峽的情勢日益緊張，自由中國固然首當其衝，可是大韓民國亦感受威脅。因此，韓政府經營的「韓國共和報」主張立即舉行正式或非正式的外交會議，將全體亞洲反共力量結合成一個堅強的防禦同盟。對這個主張，凡是亞洲反共國家，都應該力促其實現，尤其是自由中國。

這家通常反映政府官方意見的英文報紙指出：（一）中共對自由中國和韓國威脅之加強，並在印尼和東埔寨製造的政治事件，都有重新討論一個強大的自由亞洲同盟，或防禦組織的必要；（二）原有東南亞公約組織所能發生的作用是不夠的。因該公約組織僅包括兩個東南亞會員國──菲律賓和泰國──其他會員國全是可能的盟友，但對東南亞和東北亞却不關心。

事實上，所謂東南亞公約組織而不包括中華民國和韓國在內，是不合理的。自一九四九年中共在俄帝支持下席捲中國大陸之後，亞洲及太平洋國家所一致要求的，是一個集體的反共聯盟組織，特別是中、韓兩國始終有着強烈的要求，可是美國當時所希望的，却是扶植日本的潛力，使其在條約束縛下，作爲反共的主力軍。所以對日和約早于一九五一年九月八日在舊金山草簽字以後，與此相聯的「美日安全條約」、「美非聯防條約」與「美澳紐安全公約」，也先後簽字。美前總統杜魯門在同年四月十五日簽署對日和約及美國同日、非、澳紐四國所訂防衛協定時會發表聲明：「……完成了自由國家現正採取旨在完成太平洋地區和平與安全的步驟中另一步驟……」

當韓戰進入僵持階段，東南亞其他地區所受共黨侵略威脅日漸加深之際，人們所期望的集體反共行動，便停止在杜魯門所說的「另一步驟」上了。在談判之初，據說華府方面已答應于不久將來，把這些個別的防衛協定加以擴大，連成一氣，即可成亞洲聯盟或太平洋防衛。但直至今日，不僅「聯合行動」仍屬空談；連擴大原有條約基礎，亦未實踐。例如比較接近北大西洋公約組織的美澳紐安全公約，成立之初，英國曾再三表示願意參加，澳洲支持尤力；而一九五二年九月廿一日至廿六日舉行的美澳紐軍事會議，即斷然拒絕英國過問。爲了和緩英美間的政策衝突，美、英、法、澳、紐五國會于一九五二年十月在華府召開軍事會議，共商太平洋聯防事宜，結果除在東南亞舉行了幾次聯合大演習外，關于聯防的實際問題，始終未能達成協議。

就目前太平洋反共聯防而言，美澳紐公約自不失爲比較有力的因素。該約自一九五二年四月獲得三國批准後，即成立了一個以三國外長組成的永久性理事會；同年八月在檀香山舉行的第一次理事會，曾檢討太平洋防務，並決定設立軍事聯絡機構。然其主要決定，仍爲重整日本軍事潛力，恢復遠東對共黨集團的均勢，作爲將來擴大的太平洋聯盟之基礎。

其實，直至現在除三國外，不邀任何國家參加。所以那次檀島會議，曾引起亞洲及有關歐洲各國的激烈抨擊，一致認爲一個沒有遠東國家參加的太平洋聯盟組織──美澳紐安全公約理事會──決不會發揮多大的反共力量，而在某種意義上，只是公約三國聯合退守本土的一種準備。三國在會議結束時發表的聲明，就明白指出「美澳紐公約之目的，純在保衛其會員國抵抗侵略」，並謂理事會已獲致結論，認爲現時即企圖與其他國家或區域組織建立關係，爲時尚早。

當美國這一作法大失亞洲人心，甚至引起英國極端不滿的時候，菲律賓政要隨即高倡「太平洋聯盟」的組織，且曾有所活動，可惜「雷大雨小」，終至一無所成。而當時成爲反共運動的大之關十的日本，偏偏不聽從扶植它的人。它一面要求美國協助建軍，保證參加反共聯盟；一面却在同中共進行貿易活動，甚至在中日雙邊和約簽字後，仍聲明該約不能妨礙日本同中共締交。在美國看來，未來的太平洋聯盟非有日本參加不可；而中日、韓日乃至菲日的關係，却未能眞正改善；加以日本對中共的態度始終曖昧，這一形勢如讓其自然發展下去，則亞洲反共聯盟的前途，是未許樂觀的。現韓報適時重提呼籲，我當主動地集全力以赴！勿以關于形勢而弗爲！

陳啓天等上書艾森豪

——評論金馬局勢與美國政策——

國士

（波士頓航信）上月金馬局勢緊張後，旅居波士頓的我國青年黨領袖陳啓天，民社黨中央常務委員蔣勻田，與教授衛挺生三氏，以此時美國政府萬不能再事對中共表示軟弱，特以國民外交方式於八月廿二日聯名上書艾森豪總統及國務卿杜爾斯，詳陳利害，得失，茲將原函譯文探錄如下：

總統先生閣下，中共週來集中兵力于福建海岸，以威脅金門馬祖一事，想在睿鑑之中成爲一個問題。依我們的估計，這是冷戰，而可能迅速變成熱戰。其契機全在美國是否任其如此變化。若美國示以實力不可侵犯；則或止于冷戰或竟收束。否則彼將不以奪取沿海島嶼爲限，自由中國之最後保壘台灣，亦將不免。假如西方自由國家的陣綫上失去了台灣，則亞非與拉丁美洲的各友邦各盟國亦將惶繼動搖。因此中蘇共邦乃以沿海島嶼爲其將作更大冒險舉動前的初步嘗試。美國將否讓其嘗試成功，祗有閣下能作答案。

民主國家的共同力量以其對美的信心爲衡度。二年前不但一切民主國家對美有完全信心。即蘇聯在東歐之各衛星國家，亦皆相信其一旦起事，美國將出而援助其解放。他們確曾一度同時與起爭取自由。嚮使美國與聯合國立即以實力援助，則蘇聯之大帝國崩潰已久。美國與聯合國對於赫魯曉夫之侵入納基之匈牙利而竟按兵不動，使一切國家失去其信心。蘇聯之大帝國因而得免於崩潰。此舉亦使蘇聯得有機會恢復其實力，而同時使民主國家對美國喪失信心。頗不少美國所最信任之友邦從此掉臂而去。

今日對美最有信心的友邦猶在亞洲。美國還要他們與否，今需決定。及時宣佈美國之決心。在台灣表現實力，將不僅增強亞洲各國之信心，而且歐非拉丁美洲各國亦將同然。此時美國之示弱，將造成自由世界之大禍，中國首當之。次及他國。不久即及於美國。爲此，我們籲請閣下今日立採積極步驟，加强台灣地位，加强台灣所有沿海島嶼地位。台灣亦將因之而加強民主陣綫各國地位與美國地位。爲此我們籲請閣下立即採取積極行動。

中國青年黨主席陳啓天，中國民主社會黨中央常務委員蔣勻田，不屬黨派平民衛挺生敬上一九五八年八月二十二日，于康橋。

從中共海外統戰檢討文化輸出的癥結

仲偉庭

台灣通訊

中共年來在遠東非共國家，使用經濟文化滲透東南亞民國家，實行統戰間接侵略，爲時甚久。

中共在海外統戰一般

最近在東南亞各地區經濟統戰是以大陸人民血汗結晶的產物向海外自由市場傾銷，壟斷市場，控制自由經濟發展。至於以犧牲大陸人民血汗換取的金錢去精印教科書免費贈送海外中立及左傾僑校僑團閱讀，藉此爭取海外僑心歸向鐵幕。據說中共早在八年前於棉寮緬甸印泰等地，即拿錢鼓勵中立僑師編印中小學教科書，免費贈送僑生採用，僑師們鼓勵僑生採用該書且可獲優厚獎金，僑生看到老師們免費給他們的課本既無赤色書素，又不要錢買，不過背面只印有毛記政權的招牌，總比拿錢去買黑市外匯價昂貴的國府版教科書合算，因此，部份僑生都盲目地採用，以致民國三十九年到四十二年間造成海外中立僑校左傾現象。中共最近更重印中山版删正教科書分送中立左傾僑校使用，同時又精印錢裝經書免費分送僑胞，致使意志不堅定的僑胞誤會我們政府無能。

自由中國在海外的文化工作

中共在海外的文化收買的辦法，與共匪統戰工作，是有整套計劃與行動的。反觀我們僑務及組織嚴整的目前海外文化工作，既作戰門是很吃力無固定經費可資運用，又缺乏專業人才來推動，因此要拿力推廣。現在筆者特將非律賓大華日報總主筆邢光祖氏去年返國時對我所談海外文藝工作，作一個梗概的敍述：

出口影片不夠水準

台語片質量不夠理想，尤其是出口的台語片，都是粗製濫造，在海外很難使觀衆滿意，因爲這些片子都是向歌仔戲劇團借幾件布衣拍攝幾個風景鏡頭，再加上對白錄音就完成了一部電影，眞是滑稽，台語片的劇本既不講人物性格創造，對白研究，劇情結構，又不注意佈景畫面，化裝燈光配音等技術，編導處理更是拙劣不値一評，演員動作呆板幼稚，那能談得上水準呢？台語片雖是方言影片，不能不講求水準，現在有很多打着「以方言傳達情感，團結海外僑胞，爭取僑心歸向自由祖國」幌子，爲了賺錢，以「顯主題」是否正確，對社會發生任何影響都不管，只知有利可圖的一批投機商人，迎合一般低級觀衆心理及不懂國語的僑胞，將一些宜片的題材，也毫無顧忌的搬上銀幕，雖然能討好部份觀衆的喜悅，但却違反了社會教育的意義，損害國人的心理健康。國語片在海外推行國語運動，普及國語教育發展工作影響很大，台語片在海外推行，十年來之國語工作，一律返回原始狀態，豈不令人痛心。

一部影片出口除了爭取外匯而外，對國策毫無補益，一部影片出口簡直是替政府丟臉。一部影片出口，無論是到了人家國境，無論內容技術好抑或不好，人家都認爲這種影片是代表國家文化的一部份，現在有這種影片出口，實足以貽笑友邦，就是對寧波出口的影響也很大。主要是我們政府對出口影片應該有一套嚴密具體計劃，否則怎能反觀中共出口的國語片粵語片等，差不多都够水準，僑價免費供應中立及左傾僑團放映，使我們宣傳失去效果。

發佈消息問題

（二）海外共報戰政策最近都改變笑臉攻勢，經常將我海外使館消息刊登頭條，謂我政府如何如何進步，講最後又把自由中國與中共各項建設工程消息刊在一起，叫僑胞比較，無形中破壞僑胞對自由祖國的信念。這就是中共針對我海外使館發佈各報消息之慢，消息之缺乏，而藉機利用我們之故。同時也常引起華僑對海外使館新聞發佈不遲誤的態度表示不快。

對外言論配合問題

（三）國內有幾份專談民主自由的刊物，在海外暢銷的原因是文章立論積極，贏得讀者爭閱，而政府當局對這些宣傳又未能有適當的解釋與必要的配合。近年來國際友人常說：外間對自由中國進步的現況了解得很少，就是美國一般民衆亦然，歸咎原因是文化輸出做得太差。希望海外使館裏增設的文化專員，不是在形式上點綴點綴，而必須切實負起文化外交責任。

僑務的配合問題

中共在泰國滲透僑校及暗中施行經濟侵略，這是我們僑政局沒有專家去做這項工作的原故，今後要使僑務在海外做得好，首先應將系統複雜的僑委會整頓，多請些專家來專職其事，比較有成效，其次更要與政院各部密切配合。記得前外長葉公超曾說過這樣一段話：「僑務工作應由外交人員担任。因爲他們在海外一切情形比國內人士熟諳，一個外交官不會辦僑務就是不稱職的外交官」。現在我們辦僑務的大部份都是講理論不諳僑情的先生，怎能辦得好僑務呢？今後要積極推展海外僑務工作，最好多調海外使館工作人員回國主其事，或聘請退休的外交人員輔助，比較切合實際一點，總比請那些門外漢辦僑務好得多。

癥結所在與改進希望

從上面邢光祖氏這段談話中，可窺見我們海外僑務工作的大概及文化輸出的癥結。因此，我們也就聯想到向以文化宣傳當作統戰工作的中共，民國四十六年一年中，曾派出了一百三十八個文化藝術和科學性質的團體，總共有四千○五十人，訪問了三十七個國家。四十五年一年中，也曾派了三十五個文化藝術科學團體，總計有六百四十七人，到二十一國去訪問。僅以平劇而論，北平派出的平劇團體幾乎來在英法義日澳紐等國以及南美等地都有演出過。其對海外宣傳凡是有利可圖的事情花錢從來沒有吝惜過的。現在我們在「反攻第一」「軍事第一」的大前題下，所國家財政相當困難，以不能百廢俱興，把每件事情都辦得好，這是事實。但是我們近幾年來在海外用在宣傳費上的錢並不在少數，據邢光祖氏的看法，都用得不太合理想，當用不花，不當用的反而花了，以致很多工作效果弄成適得其反，希望有關當局今後不要漠視文化輸出，更要有一套慎密的計劃與合理的行動。

神戶國際學生討論會追記

蕭始達

（本報特約大阪航訊）

筆者最近從北海道旅行，回到大阪，經過東京。曾在那裏逗留了四天。並曾訪問在國際基督教大學裏讀書的中國留學生。人數大約是二十人，多從香港拔萃書院、華仁書院、庇理羅士書院、英皇中學，聖保羅中學等校來的。九月三日筆者從東京回來，一直忙着趕功課。今天趁空提起筆寫一點關於今夏在神戶舉行了兩週的國際學生討論研究會International Student Seminar的情形。報告本刊讀者。

參加這一次討論會的，一共有學生四十七人。日本學生占十五人，外國學生二十二人，又外國學生中，在日留學的有十三人。此外有職員十人。這個討論研究會是由American Friends Service主辦的。地點在神戶六甲山麓的加拿大教會學校。參加的學生國籍，有自由中國、美國、菲律賓、印度、巴基斯坦、南越、緬甸、錫蘭、南越、香港、日本、德國及印尼，如職員計算在內，還有瑞士。

開會日期，從今年八月五日起，直至十九日止，在這兩週中，常有各國客人到訪，或作臨時參加。所以參加人數有時候，連職員在內，多至六十多人。參加的五十一人分成四個討論組。各國的學生平均分配在這四組裏。每天大約有二小時，分別討論關於戰爭的原因，亞洲緊張局面的原因，原子時代和平的準備；國際間或各國本身與及個人對和平的責任及貢獻等。除此等討論題目以外，差不多每天都邀請對這方面有研究的專家到來演講或解答各種問題。同時因要使四組的人，有更多機會混在一起。再從各組中抽出人來組成另外四組。如活動計劃組，工作組，崇拜組，和討論計劃組等。因此這個會議的活動，便更趨於積極，完美。

我是個無宗教信仰的人，但是參加崇拜組。原來這裏集合了這麼多國的人，宗教信仰十分複雜，如果要作宗教崇拜儀式，眞不知何去何從。困難至極。故崇拜組並不拘泥任何儀式，只叫集會的人靜心聽一首短詩，有時說些使那許多風俗習慣不同的心靈，溶和在一起的，比任何一種宗教儀式都來得大。

活動計劃組，策劃電影欣賞會，土風舞會，國際歌唱晚會，球賽，參觀神戶港及造船工廠等活動。使這個討論研究會，來得更有興趣。

工作組，每天在吃飯後宣佈翌日廚房工作組員的名單。雖是輪值，但是指派到便不能不做。最有權威，也最不受歡迎。

討論計劃組，當然找出世界現在最難解決的問題，以做當日討論研究的題目。例如中國反攻大陸之可能與不可能。納薩爾中立主義是好還是壞等，都在討論之中。討論時只要有理由，便可說話。只要有理由，便可攻擊任何主義，任何政府，甚至驚得體無完膚，也不會有被關進牢裏的危險。討論會從不邀請新聞記者參加，便是這個理由，有時候，爭辯得十分劇烈，在會議完後，吃飯時間，還有些人喋喋不休。說個不停。

這些討論的目的，並不在斷定那些是好，那些是壞。主要的目標，是訓練辯論的口才，同時在不知不覺中，提高對世界大事的知識。每天早上從六時四十五分起，一直至下午五時才止。有時候直至八時，晚上，如不是遊神戶的市街，便是跳土風舞，或談天，直至深夜爲止。我們這樣過了兩星期，雖弄得睡眠不足，也覺得十分有意義。得了許多寶貴的經驗。筆者因爲要去北海道，早一天離開，會中的青年學生都走到門前和我握手告別。一種依依不捨的心情，不知是甜是酸，是哀還是樂。北海道回來後，又接到他們寄來的許多問候信。我覺得這一個會議，對我們青年學生的暑期生活，是很有價值的。（九月十一日於大阪）

馬星野慰勞前綫記者

柳鶴圖爲「挨打」流淚

小芸

（本報台北特約航訊）本月二日料羅灣我海軍大捷時，適爲第一批赴金門戰地採訪之中外記者卅六人冒生命危險在該地搶灘之日，結果有十五個記者（中國記者七人）終於達成任務。國民黨中央委員會第四組主任馬星野，十三日下午假婦女之家舉行茶會表示慰勞，除自金門訪問歸來的中國記者外，並歡迎赴歐美各國考察新聞事業十個月近始返國的國語日報社長洪秋炎，與台北市記者公會台北市編輯人協會新任理監事。

當時，有個很動人的鏡頭，即當赴前綫採訪的各記者，分別報告其在戰地目擊見聞後，新任國防部新聞局局長（原新聞室）柳鶴圖少將被邀起立講話，他將當前局勢背景略加分析，在說到國防部長俞大維對當前的局勢非常焦慮時，眼淚突奪眶而出，他說：「丈夫有淚不輕彈，祗緣未到傷心處。我是個最重情感的人，就我所知所見，眞不禁叫人悲從中來。」接着他抽抽咽咽的說：「就目前的最大問題說，是如何護航與防止共砲封鎖金門，在這一方面，中美雙方所做的工作實在不夠，我們不是沒有立竿見影的方法，美方將領也不是不知道現行的護航方式等於開玩笑，可是他們是軍人，軍人以服從爲天職，在未奉華府命令前是不敢隨便的。我們不諱言我們處在一個很惡劣的環境裏，許多國際政客，正想用偷龍換鳳的方法出賣中國，現正從多方面直接間接的去影響美總統艾森豪，在現階段情況下，我們不想多說話，只想多做事，不管任何困難危險，我護航船闖決以大無畏精神，繼續以血肉之軀，衝破共軍砲火，執行神聖工作，好在此項壯烈的事蹟，中外人士有目共睹，有正義感的新聞界人士已不斷在描繪報導，想不到美國國會裏的議員先生們，會忽略了這些報導，所以國會的影響力，一定可督促艾森豪總統走向積極，拿出大刀闊斧的辦法來。」最後柳氏鄭重地向與會者說：「對於護航與反封鎖，中美雙方已擬有好辦法，這幾天就有好消息。」（九月十四晚寄）

英國專家密切注意

中共赤化香港教育

祝修衡

中共對香港的陰險詭謀，在若干英國專家們看來，已經用到技窮力竭。次一行動為何？這些研究遠東情勢人士認為：最好的結論，無過於本星期一（九月十五日）中共的「黨」及其「政府」的機關報，在港開版所載造謠的消息。任何人一望而知：那是嫁禍於人的伏筆，藉此作為鋪平辯護道路的「有力證據」；一位專家對本港警務處長麥士維大加讚揚，他指麥氏於不待記者詢問，對這種不實的消息，所作的答覆和批評，稱為「保持英國人的大度，無需傷害情感的傳統觀念。」他們認為香港的警力足以對社會秩序維護，市民可以毋需操心，從許多事例考驗，港市民不但向來支持香港政府，同時也和警方合作，在官民協調之下，共黨顛覆活動無隙可乘。

但是他們認為制止中共對香港的顛覆活動，必須各方面兼籌並顧，政治上的滲透，尤甚於武裝的威脅。今年各間小學搭配教材，顯示香港百年來的傳統教育，已受到外力干擾，專家們對於此事，雖無意、且亦無理由可向有關方面提出詢問，覺得無論如何一個現實的政權，決不容許任何外國人干涉內政，承認中共並非單純英國，擁有屬領也非僅有英國，印度何曾允許中共干擾內政，印尼何嘗採用赤化教材，再說，新加坡過去遭過共黨威脅十百倍於香港，當局不僅不准採用共黨教材，甚至紅色書籍都不准進口，特別是香港何容許各校，本教育的小學採用共黨教材？他們除了搜集有關資料，帶返倫敦，亦無意於此時遽加評論。那些受指摘的教材，據者自彼等所獲資料看來，並非來自大陸，係由香港印行，有等雖屬翻版，文字歪曲，已非原著可比，例如「中國分省圖」，原係世界輿地學社出版，而翻印者國雖不改，文字卻已竄改，原編者屠思聰在『中華民國』總論的「概說」中所說：「我中華民國，通稱中國，已有五千年之歷史，為世界有名古國。位於：……除外蒙古不計，面積凡九百五十九萬六千六百餘方公里，占亞洲五分之一有餘，全世界十五分之一；人口在四億六千萬以上，占全球總人口四分之一。」新版的竟將上述文字，大部刪去不算，而將中華民國國號剔除，它的概說僅說：「中國，又稱中華，位於……；面積凡一千零四十二萬五千餘方公里，為世界第四大國；人口約為四億八千二百萬餘人，占全球總人口百分之二十一。」這種含混語氣，連中國歷史都抹去的輿地教材，如何可以教育兒童，對兒童心理的戕害固毋待作進一步分析。更荒謬的所謂「現代歷史課本」，在第一冊（全部分四冊）第一課關於「原始人類」的敘述，其模稜含糊姑息不論，第二課「母系氏族」，扭曲尤多，例如「……這個時代人類有了初步的組織，許多氏族聯成一個部落（部族），由男女代表選舉首長辦事，有一個著名首長叫黃帝，他領導……殺死了苗族的首長蚩尤。」這簡直是信口胡說。如所周知，我國歷史典籍，班班可考者厥為史記，根據史記所載，古時酋長乃一部落之首，具有特長，能夠服衆；民間僅具型式，並無自治結構；「由男女代表選舉首長辦事」，更不知從何說起。[illegible]至於對堯舜的敘述亦都籠統含混。第三課「父系氏族」，這一課全屬共黨的術語，例如「私有財產」、「勞動」、「男子是戰士」、「奴役」等，[illegible]今日大陸的奴役人民[illegible]。餘如「私黨攻擊」許多術語，「世族」、「生活窮困」、「土地」、「串連」、「農民戰爭」、「暴動」等煽動文字。舉一反三，其他的共產赤化教材，不言可知，其影響兒童心理，與戕斷其學業前途，問題之嚴重性，使英國專家為之色變，儘管此事與他們本身任務無關，對於研究共黨顛覆活動的他們，[illegible]而認為：學生家長不能不加研究，學校既有選擇教材的權利，教育司既有核定用書，既已通知各間註冊學校，[illegible]學校當局[illegible]反映意見。不過民主一點，學校不妨製備表格，徵詢各學生家長，是否滿意本年度的高小教材？小學為基本教育，英國人尚且如此重視華校，[illegible]

竹幕幽秘

葛羅米柯對中共的態度

七月底赫魯曉夫到北平與毛澤東會談時節，其所率的外交方面的隨員中是代理外長庫茲湼佐夫；當時我們以為蘇聯外長因病或者其他緣故不克隨行，故着庫茲湼佐夫代理前往。後來的事實說明，並非如此。可能是葛氏不受歡迎，代之以曾任駐中共大使而且對中共蘇聯間關係有過建樹的庫茲湼佐夫。本欄已經指出過，葛羅米柯在聯大特別會議上並不力行赫毛會談的結果，對於中共加入聯合國一事，輕描淡寫的提了兩次，一經反對，立即罷了。

這次蘇聯參加聯大會議的代表團長又是葛羅米柯，他是否肯為中共賣力，以前述事實發展來看，似乎還有疑問。

這樣的事實，似乎說明這個問題並不在葛羅米柯，而是在赫魯曉夫。也就是說，儘管赫魯曉夫聲色俱厲的來支持中共加入聯合國，支持中共進軍台灣海峽，卻都不過是表面文章。

亞洲團結大會的態度

從赫魯曉夫致艾森豪威爾的信中來看，蘇聯將在這次聯大進行兩項行動：一、想通過聯大的決議，像中東一般迫使美軍撤出台灣海峽；二、使中共入聯合國代替國民政府的席位。九月十一日人民日報題名「我們的朋友遍天下」的社論，以及盡量報導各國支持中共這次進軍台灣海峽的一些事實來看，中共的宣傳方向也在配合蘇聯將在聯大有關于中共的行動。果若，蘇聯在聯大要使中共達成上述兩項目的，那麼，應該盡其力量，可先鼓勵其能夠影響的亞非國家，以爭取大會中的多數。但是事實並非如此。

自一九五六年蘇彝士運河事件時節蘇聯將原在新德里的亞洲團結委員會移去開羅，改名為亞非團結大會，把原有的領導權由中共的手中奪了過去。它在中東事件時節曾經發表聲明，動員輿論促使美英軍隊從中東撤退（七月二十日人民日報）。但是對台灣海峽事件，僅在九月十二日發表聲明，雖然也支持中共，要求美軍撤出台灣，卻不像前述聲明一般的要求亞非各國採取行動（九月十二日人民日報）。這前後兩個聲明在某種角度上來說，有着顯著的差別。這種差別似乎表現着蘇聯對於中共的表裏並不一致的態度。

中共與北韓

我們已經指出過自今年以來，中共在北韓的勢力已經退出，重新完全由蘇聯控制了。在中共于台灣海峽製造緊張局勢時節，北韓對南韓表現一種與中共行動完全不同的態度，提出一個所謂救濟南朝鮮失業者，流浪孤兒和處境困難的青年學生的建議（八月二十二日人民日報）。最近，且在板門店要求美國保證為履行上述建議的代表進入南韓的安全（九月十一日人民日報）。這種態度還可以與中共的附庸國北越相比較，反映出了北韓在這方面的政策與中共北越處于完全對立的地位，這種對立又說明了中共與蘇聯的對外政策的互異。這似乎又可說，蘇聯支持中共在台灣海峽的軍事行動是虛偽的。

我們若把上述三事連繫在一起，再與本屆聯大的情況結合起來，固然西方不會允許蘇聯支持中共的兩項目的的達到，就是蘇聯本身對中共之欲進入聯合國也不是太熱情的，最多是在聯大的舞台上表現一番而矣。

・田心・

上接第一版頭條

我讀艾森豪九月十一日之演說詞，謂「美國將永不致訴諸武力以解決彼此異見，及美國為自衛，及保障其重大利益，而被迫出於一戰，換言之，美國從不會放棄談判及調解，而寧使用武力」。此種語氣，似乎將本國利益置諸人類幸福之上，以「彼此異見」四字輕輕概括之，似乎對於高度文化之內容為何，尚未了解，不要說什麼高義妙道，就說春秋霸主，如齊桓之救邢，封衛，傳所謂邢遷如歸，衛國忘亡，今之民主領袖，似未夢見之。若果推此意，以求和平，則慕尼黑之陰影必隨之。因此之故，我們不能不努力提倡高度文化，要實踐高度文化。中國之高度文化非他，就是人性文化，有此而後自由平等不生流弊，有此而後人權政治方能進步，有此而後對付失去人性之共產黨方有決心。否則所謂和平，是苟安心理，為侵略者所利用，終難免慕尼黑之續。

七　作一結束

我所想說之話尚多，但嫌占篇幅太長，只可快作結束。我敢大胆說一句，中共軍隊不會登陸台灣，留居諸公大可安枕高臥。然大陸是我們家鄉，豈能永遠捨棄。我們希望美國助我收復大陸，非不可能，惟照現在狀況，決不可能。自助人助，自助天助，最低限度，我們要明白，反共是世界性，中美必須合作。更要明白反共有四大條件，必須配合，即上文所列原子武器，充足人力，豐富資源，與高度文化。故大陸必不能放棄，中國人性文化必然發揚，此是中國人之責任，比美國人擔負尤重。假令中國當局不能負此責任，惟學共產黨之獨裁，政治違背民主，則不能配合美國，結果必遭美國擯棄。即使能高喊民主自由，然不知以人性運用人權，亦只變為資本主義國家之附庸物，個人主義功利主義之尾巴，斷不能得美國人之重視，必且為共產黨所竊笑。今台峽風雲緊急，危機四伏，我朝野上下，應及時覺悟，抱頭痛哭，從新合作之時。然千言萬語，主要不能外此，有智慧者當能了解，無俟贅言。

國際動態拾零

△美國國策撰擬人，得到通知，謂美國科學家將有劃時代的成就。他們預先對敵人轟炸機及火箭襲擊，可設一完備的防衛網，萬無一失。

△摩洛哥的美國空軍基地四處，消耗了五億美元建成。因該處之民族主義者抬頭，將於數年內放棄。

△埃及及次於納塞之第二號領袖沙勃雷（Aly Sabry）反對納塞接受聯合國對中東之決議。沙勃雷曾謂他如做總統，必比納塞做得更好。

△共黨集團各國開會于東柏林，東德以排除自由人士故，醫生教師大感缺乏。但各衛星國所能為力者，僅允給以一百五十人，不及東德原來要求十分之一。

△美國下屆共和黨總統候選人，本已固定為尼克遜。但最近代表共和黨之洛克非洛（煤油大王之孫）已出而競選紐約州長，且處優勢。如其州長競選成功，可能出而與尼克遜競爭共和黨預選之總統候選人。

△「戴高樂同伴」，擬要求國會，將其全權期限，再展六個月。戴氏不肯，因為假如此做，深恐貽人以違憲的口實。

△蘇聯已訓練好一打人，作太空旅行，先送一人由火箭昇至太空後，自已用降落傘回至地球。這是東德原子專家所傳出的消息。

・陶然・

評小說集「榴火紅」

。李林。

新書評

鍾雷著：台灣中原出版社印行

現在我們要批評小說，似乎是一件困難的事。因為大家對小說的定義，只有一個模糊的概念，有不少似小說，而非小說的作品，統統被稱之為小說。即如這部小說集「榴火紅」祇是十個故事，故事似乎並不等於小說；雖然每個小說都有故事，兩者在技巧上以及表現的重心上，都有其相異之處。我們批評小說時，也就得從俗，分為小說與非小說而下手。

「榴火紅」的推荐中指出作者是台灣的名詩人，劇作家，所有作品當然是「蜚聲文壇，膾炙人口的力作！」然而不僅此也，又是「極為出色的小說家；」如此說來，不啻文藝界的通才與天才了，但是古今中外，卻沒有過這樣的通才與天才。至於這部小說集，「由於他有豐富的生活體驗，嚴肅的寫作態度，更加上犀利的筆觸，特異的技巧，以及其獨具的氣魄和風格，乃使他的小說發揮了一種不同凡響的光輝與工力。」尤其是這部書「十個中短篇小說，篇篇精彩動人；尤以描寫有關戰鬥與愛情的幾篇，更是有光有熱，筆力萬鈞。」台灣的特殊現象，就是作者本人印推荐文章於書首，令人讀了覺其極不聰明，如果內容與推荐諛詞適得其反，便成了自我諷刺；這類的諛詞似乎不合小說的推荐。

這部小說集的十個中短篇，都是第一人稱的寫法，凡是戰鬥與愛情者，不脫英雄美人的格局，其餘也表示「我」是不同凡響的人物。作為書名的一篇「榴火紅」（原載「中央日報」）是一個報告文學式的故事，本來「中央日報」第五版徵求時是限以「真實故事」。第一節作者由花紅而聯想到有關榴花火紅的故事，共計三行，以及末段五行是作者講完故事的一點抒情文章，這便是故事的寫法。如果是小說，首尾兩段便是蛇足，三、五行成為一節也不合小說的要求。內容是寫一個英雄式的部隊長和美人的一段往事，美人死去的悲劇。

「鄉歸」，寫一個少年人勝利後榮歸故里，為一個負情人與共黨幹部的血鬥，顯示這個周恒磊的少年，英雄式的表現。雖然這篇也是一個故事，但是作者用了方言，乾淨俐落，很有些鄉土氣氛，讀來也有親切之感。

「追緝者」寫一位軍官利用一匹烈馬，為一個女人之被通共的人帶走，追趕到而與之搏鬥，勝利地帶回來，又是一個英雄美人的故事。如果說它是一篇小說，前六頁寫一匹頑烈的馬的文字應該删去，因與追緝無甚關係。

「紅塵之戀」比較長些，故事曲折，寫一個掉隊的軍官流入戲班「榮華社」與女主角葉蓮茵的戀愛經過，這位軍官處處是高人一等，女的也是美麗非凡；嗣後也歸隊，刻意尋找女的，機緣不巧，女的入山為尼。也是英雄美人的一式。這篇中間有不少細節的文字，以及末段「來到台灣……」實有删去的必要，否則當然是故事的寫法了。

「雪山行」寫兩個同學同事的軍官，為一個妖媚的共諜型的女人，以致愛恨積結；結果女的死了，受傷的軍官說言歸於好，「我」則勝利突出重圍，又是一個英雄。以上五篇均列入「戰鬥與愛情」一類，英雄美人的格局，是五個故事的重心。

「香烟與恨」寫兩個好友爭奪共諜型的女人馮美丹，結果一死於共黨之手，一死於「擋砲灰」。為了箱底翻出從前開烟廠留下的烟絲，引起這個故事，末段是交代這個故事，依小說的通例，首尾兩段應該删去。

「台北來去」寫一個前綫的軍官在台北所見，反映後方的奢靡，尚稱典型；惟末段加上一點反共教條作為主題，實有蛇足之嫌。「回春記」寫一個人勸友人夫婦破鏡重圓的故事，尚稱趣味化；惟末段九行文字，實在多餘，絮叨之至。

「金桃子的夢」寫一個車床技工與女工阿鳳，戀愛成功的趣事。「好伙伴」寫一個青年畢業在軍艦上，原來被人誤解，及至打擊有共諜之嫌的輪機長，砲中共軍而被人賞識。以上三個短篇尚稱不惡小說。

至於諸多詩的劇的用語，用在小說上有點不倫不類，未及一一指出；如果現在再翻開書首的一套推荐諛詞，不免會令讀者感到那個了。

（四十七年九月二日夜）

自由談

人才與國運

馬五先生

一個國家的盛衰興替，其所由來的因素固然很多，而以政治人才的關係最爲重要，尤其是在國運迍邅的階段中，要想振衰起弊，復興國家，更非一般「中朝大官老於事，但知感激徒婀娜」的泄泄沓沓之政治人物所能勝任的。因爲這般人從思想到行爲都是暮氣沉沉，顧慮多端，沒有摩頂放踵以利天下的傻勁和幹勁了。他們老於世故，把個人的利害得失置於第一位，國家縱然亡了，他們不妨攜其子女玉帛，遠走高飛，到異域作寓公去者，正所謂「國家事，管他娘！」

我們不須遠徵史事，就看清代太平天國之役，如果沒有曾、胡、左、彭等一般新起的書生們，奮不顧身，以維持名教爲己任，號召同志，蠅起民間，知其不可爲而爲之，而依然寄望於咸、同王朝那般老官僚的合閣公卿與顧命大臣來奏撥亂反正之功，寧有倖理乎？

國運的隆替講氣數，人才的優劣尙氣質，時代的安危在氣象，氣之爲用，大矣哉！所以，在亂世鑑別人才的唯一條件，就看他是否有非常的氣概和氣魄。唯唯諾諾，跋前躓後之輩，不特不足以濟大投艱，御繁鬬難，即欲其改變生活方式，轉移社會頹風，亦是不可能的事了。

盱衡我國現時的政治人才，具有非常的氣概和氣魄者，不能說沒有，只是殊不多覯而已。若問誰是我所欽許的非常人物？爲避免有阿其所好的嫌疑起見，姑舉兩位素昧平生的角色以對曰：如國防部長俞大維，駐美大使葉公超，其庶幾乎！目前我們所需要的政治人才，決不是以開會爲服務之本，請示爲負責之本的官僚份子，而是憑着一股幹勁，勇往直前，不惜拚命的傻漢也。

改詩趣話

容翠羽

讀過唐詩的人，一定記得杜牧那首七言絕句：

清明時節雨紛紛，路上行人欲斷魂，
借問酒家何處有，牧童遙指杏花村。

這首詩寫清明時節的景況很迫真細膩，讀起來既能琅琅上口，也很夠情韻。只是，這二十八個字中間就包藏了許多趣味。

就詩的本身所有內容來說，最末一句「牧童遙指杏花村」七個字，卻替山西省汾縣中一個小小的落村帶來了一千多年的運氣。

你讀了這首詩之後，可曾想過爲什麼牧童給人問到酒家的時候，他所「遙指」的「杏花村」到底是一個什麼樣的地方？據我們根據歷史和地理的查考，這個「杏花村」就是馳名世界的山西汾酒的出産地。它的位置是在山西省西南部汾縣東北的一個村子。這村子小得很，人口也不多，居民都是釀酒的好手，除了耕作之外，他們一直拿釀酒做副業。汾縣靠汾酒出名，汾酒靠杏花村出名，杏花村靠杜牧的詩出名，除了這一連串原因之外，還有一些其他的因素。本來，汾縣在歷史上叫做汾陽，唐代的名將郭子儀，在汾陽這個地方是很有點名聲的，像清末民初時候廣東省南海縣的康有爲人們稱他做康南海一般，唐代的人把郭子儀稱做郭汾陽，來表示對他的景仰。根據歷史文物的記載，這個小小的地方，遠在南北朝（公元五五〇年）時候，就有了釀酒的酒燒鍋，到了唐代，更是馳名遠近，自從杜牧寫了那首詩之後，大多數人卻受了詩的吸引而知道了杏花村。

過去，詩人們談論詩的好壞，都以爲好的詩是不能修改一個字的，要是能夠稍換一個字，便可以決定那首詩還未達到最好的程度。但是，有人提出了杜牧這首公認爲很好的詩是否可以刪改，竟然有人把它刪去了每句頂上的兩個字，變成了：

時節雨紛紛，行人欲斷魂，
酒家何處有？遙指杏花村。

意義並沒有太大的改變，用字可就精簡了許多了，不過，在情調上多少總有點別扭的。

也有好事的人，硬說杜牧這首並不是詩而是一首詞，因爲過去並沒有標點符號，不論寫文章或作詩，寫出來都沒有分句的標誌，作爲一個讀者，只好憑自己的思考去思索來分句了，由于這個原因，說杜牧這首是詞而不是詩的人，就有他的道理了。指它是詞的人說，應該這樣來讀：

清明時節雨，紛紛路上，行人欲斷魂。
借問酒家何處？有牧童遙指：杏花村。

這樣分句讀起來，似乎也有一點兒詞味。不過，唐代的人是喜歡寫詩而少寫詞的。這原不過是好事的人故意製造些詩人的故事來玩玩而已。

這故事和紀曉嵐爲皇帝題扇的一樣。據說：紀曉嵐當時是大學士，很有才氣，皇帝有時要風雅一番，少不免召他進宮談談詩，寫寫字。有一次，皇帝把一柄白紙扇交給紀曉嵐，要他在扇面題一首詩，紀曉嵐懶得作詩，就抄了一首寫在扇面上，這詩原是：

黃河遠上白雲間，一片孤城萬仞山，
羌笛無須怨楊柳，春風不度玉門關。

大概因爲時間匆忙，他寫好之後，也不暇細看，就匆匆的拿去交還給皇帝，豈知寫的時候，第一句最末一個間字卻漏掉了，皇帝把扇拿過來，看了一遍，見漏了一個字，非常不高興，把扇交回給紀曉嵐，說：「你寫了些什麼東西？你唸給我聽聽！」

紀曉嵐暗吃一驚，因爲對皇帝交付的事情如果做錯了，就叫做欺君，罪名大的可以殺頭，小的也要坐牢、削職，幸而，紀曉嵐急才非常了得，他接過扇一看，說：「這些字並不錯，這是我自己作的新詞，你別誤會。」說着，他搖頭擺腦的唸道：

黃河遠上，白雲一片，孤城萬仞山，
羌笛無須怨，楊柳春風，不度玉門關。

他唸完了，皇帝雖然明知他情急中捏造出來，但是想得很好，反而嘆賞紀曉嵐有才華呢！

話又得扯回來，杜牧這首詩還有一個比較滑稽的改法，這兒所改的開玩笑的成份更濃，改成的詩是：

清明時節雨濛濛，路上行人欲「出恭」，
借問屎坑何處有？牧童遙指那邊涌。

按第二句的「出恭」，是指「大便」的意思，這樣一改，成爲一首出色的打油詩，和杜牧的原作相距就太遠了。

佛堂門宋代石刻 並序

余謙

一九五五年，乙未夏，修佛堂門天后廟，曾宿是間。伐荊入茂林深處，發現南宋石刻，乃攝影之。偶與李續鋒談及，承予贈與影片，轉送羅香林教授，刊于「東方文化」，以公之于世，俾國人知此地尙有宋代石刻。戊戌，趙超、簡又文、吳灞陵諸先生，復訪碑大廟，發表報端，助予清興，因成一律。

佛堂修古廟，伐荊入林初。苔蝕前朝字，石存宋代書。掃灰留墨影，九港獨硯餘。訪古人誰賦？塵匡綠染裾。

輓勞緯孟先生

伍憲子

病中無力送君喪。國亂才荒意倍傷。尙義當年合滿鄉。（一）多聞遺錄感滄桑。（二）能持公論辰丸案。（三）得啓新思貝錦囊。（四）回首前塵成夢幻。綠陰深處瓣平香。（六）

報人瞻仰魯靈光，廿五年前已杖鄉，只恨洪流沉禹陸，不嫌香島作天堂。終身有餘稱南董。今日無冠葬帝王。欲賦大招何處去，新秋風雨暮砧霜。

附注

（一）潘蘭史，鄉賢公，皆爲五十年前香港報界人物。

（二）公晚年著「五十年入海滄桑錄」。

（三）二辰丸案爲五十年前華人抵制日貨之始，我主持最力，被港府命令出境，我據理拒之，港府將出境令取消，此事公暗中助我甚多。

（四）公善作詩鐘，能記僻典。

（五）綠陰深處指新界一別墅，嘗與公在此評論國政。

徽南文物掌故

又本寺開山諸大德均明朝遺老，於國變後，遁跡緇流以爲隱蔽，光宣合尤爲傑出，有詩僧之名（刊光宣合集）光宣合遺書多至百數十種，大部份係明嘉靖隆慶刊本，余在民國廿二年認識該寺僧人徹明上人，因得遍觀寺中殘存遺物，光宣合遺書每册均鈐有陰文「光宣合印」四字，惜乎此一批書已零星散佚，大部缺去數册，至於整套無缺者祗有象山語錄，灤律文集，六臣註文選，蘇軾詩集四種而已。但亦足珍也。

在該寺中，未被人移去者，則有元至正刊本大字華嚴經全套，共四十册，用楠木箱盛載頗爲珍貴。至一九五〇年本寺僧人僅存三人，解放軍入駐，僧人退出房舍，此元刻之華嚴經及殘存之明板書籍，均被拆爲紙袋，給小販裹物矣。至寺中板片，當然毀之作薪。

粵人藏書刼運

竹庵

粵藏書的三大厄

藏書之家，不能世守其業，將珍本轉讓於人，此猶楚弓楚得。孔子猶歎其小。即使流出外國，而此珍物仍存於天壤，是人失之人得之，對於我國文化整體而言，仍未大遭損失。但粵省藏書，歷遭下列三大厄刼，實爲無可補償之損失。所謂三大厄刼者：一民國四年乙卯穗垣大水災之厄刼。是次水災，西關區域全遭水浸，水之高度達至一丈，幾與樓底齊平。西關爲富商巨賈叢聚之處，當時洋商，多充風雅，大屋廳中，以陳列古書爲裝點門面之具。西關屋宇並非樓居，故此次水災，不知淹壞多少書籍，粵垣藏書，至少喪失二成。二、日本佔領時期之厄刼。日寇入粵時，全市居民盡數撤出。全城住宅，均被流氓燬劫掠一空。三月之後，市民返省者，祗見圖書滿棄街道，黠者拆以當薪。至汪僞時期，又因紙張缺乏，各式圖書均被肢解，用以裹物。溷廁之中遂滿棄聖賢經典，文物之遭損失，眞不可以數計。三、中共土改時期之厄劫。一九五一年中共大行土地改革，地主既被清算，無知共幹，凡見士大夫之家，留存古籍者，輒指爲封建遺物，聚集而焚燬之。祗順德一縣，舊籍被焚者，估計五十萬卷。計龍江朱大佑之半帆樓五萬卷，甘竹李是龍雨樓三萬餘卷，易教林氏，勒樓伍氏各二萬卷。其餘藏萬數千卷者，比比皆是。因爲百粵文風之盛，莫過順德（張之洞奏章語），至其他各縣，書籍被焚，如出一轍。不過，余耳目不週，不能詳爲舉出。至如東莞張豫泉（其淦）太史，一生著書，藏孤本鈔本及善本最多，同付一炬。若將全省各縣，因土改而遭焚燬之書籍，列爲數字，將駭人聽聞也。（六）

虎子

現實小說

戈北指

「你看她還像十八歲的大姑娘，連，子都羞紅了。」表哥又打趣着。

「你呀，」表嫂指着我說：「你這張貧嘴就是不學好！」

「我跟虎子一樣，」我說：「你看虎子還是那副頑皮相！」

「所以，我說」，表嫂看看正在嚼着糖菓的虎子，「你們叔姪倆可以在一齊拜拜！」

「聽見沒有，虎子？」我把虎子拉過來，「你媽媽叫你跟我一齊拜拜！」

「我才不跟你一齊拜拜哩！」虎子掙脫我的手說。

「爲甚麼？」我望着他。

「你不看看你，」虎子放下糖菓，用兩手指着兩頰上一抹，「搜得像個燒鷄！」

我們又被引得笑起來。

吃午飯的時候，表哥怕我客氣，把魚呀肉呀直往我碗裏塞。

「你嚐嚐！這是你表嫂特爲你燒的拿手菜，你嚐味道多鮮美！」

「得啦！」表嫂向表哥白一眼：「你別替我反宣傳；表弟才是位眞正識味專家哩。」

「確實好！」我讚揚着說：「比菜館裏燒得還要好。」

「那你以後要多來吃幾頓飯呀！」表哥說。

「眞的，」表嫂問我：「你下次甚麼時候再來呀？」

「大概不會太久吧，」我說：「等表哥升官表嫂添喜的時候，我一定來吃你們的雙喜酒！」

「好！」表哥舉起酒杯，「我們來乾一杯！」

「來！」我也舉起酒杯，「表嫂、虎子，我們都來乾一杯！」

這餐飯，我們都吃得很興奮！尤其是虎子，他簡直不能安靜地坐一刻，一時站在凳子上，一時又跳下去，還不時地丟掉筷子，高興地拍着小手，那種淘氣的樣，眞是看着又可笑，又可愛！

吃過飯，表嫂到廚房裏收拾去了；表哥有點醉，回到房裏休息；飯廳裏祇剩下我跟虎子倆。虎子看爸媽都不在，變得更挑皮，他不時過來捏捏我的鼻子，或者扯扯我的耳朶，跟我出洋相。

「虎子！」我望着他那短短的小腿，故意逗他說：「你看你都不長了，還這樣的挑皮，」我把他拉過來，用正經地口吻跟他說：「虎子，你爸爸說的，你要是再不長，他就叫我把你送到馬戲團去！」

「送到馬戲團裏幹啥？」他瞪着一對大眼睛。

「幹啥？去做小丑呀！」我扮個小丑鬼臉給他看。

「哼！叔叔，你壞！」他扯着我的頭髮，「我不幹！我不要做小丑！」

我把他的手拿開。

「那末，你要幹啥呢？」

「我要跟爸爸一樣！開飛氣，打共產黨！」

「好！」我拍拍他的頭，豎起大拇手，「那你得趕快長大呀，像現在這極矮可不成，你連飛機都爬不上去哩！」

「我媽媽說的，我明年就會長高的，長得老高老高的！」他踮起脚，用手比擬着。忽然他又問我說：「叔叔台北有沒有賣眼鏡的？」

「當然有賣眼鏡的！你想要副眼鏡？」

「嗯，有沒有跟爸爸戴的一樣的？」

「你又胡扯！」我說：「我從未看你爸爸戴過眼鏡？」

「是開飛機時候戴的呀。」

「噢，你說那種眼鏡？」我瞭悟地說：「有，我下次給你帶一副來；好嗎？虎子？」

虎子高興地跳起來，舉起兩手，做出開飛機的樣子，在室內繞着圈兒的跑着；嘴裏還嗚啦嗚啦地唱着那首「我是英勇的航空員」。當虎子唱完的時候，我鼓掌說：

「虎子唱得眞好！是誰教你的？」

「爸爸呀！」在虎子的心目中，爸爸總是偉大的。

這時表嫂走進來，厲聲喝叱着：

「虎子！剛才鬧甚麼？」

「我在開飛機！」

「這孩子晚上就是喜歡開飛機！」表嫂轉向我：「一天到晚開飛機！」

「上次他爸爸帶他坐了一次飛機，回來整天喊着開飛機呀，打共產黨呀，比大人還上勁！」

「那還不好？」我說：「從小就知道打共產黨，長大必定是位戰鬥英雄！」（中）

自由人
THE FREEMAN
（第七八八期）
中華民國僑務委員會登記證僑台字第一一○號
中華郵政登記認爲第一類新聞紙類
（半週刊每星期三、六出版）
每份港幣壹毫
台北市售價新台幣伍角
督印人：陳文華
地址：香港高士打道二十四號四樓
20 CAUSEWAY RD. 3RD. FL. HONG KONG
TEL. 771726
承印者：東南印務出版社
地址：香港高士打道六十六號
台灣總經銷處：台北市西寧南路
電話：三○四六二

離奇矛盾的西方防衛政策

。張六師。

英國爲了預防被蘇俄「埋葬」（赫魯雪夫語）和自己的生存，故積極支持大西洋公約，不停的改進國防，研究科學武器，也很警覺地防範共黨集團的間諜與顛覆滲透。但仍不免在遠東，中東，近東被共黨壓迫節節後退。美國爲了已被列於蘇俄「消滅」的首要敵人」，因之，才不得不每年花費龐大軍事預算，和在世界上爭取軍事基地，以防被蘇俄閃電突擊的悲慘危機。

中國自釋雅爾達秘密協定被壓迫犧牲外蒙領土，和東北鐵路海港，雖曾爲眞正的中國政府與人民所不承認，但已使蘇俄所製造的共產黨獲得援助，從內部顛覆勝利，（當時中共與史達林會議有平等互助條約嗎？）以後才有共了俄製化平政權。在英工黨承認這個俄製政權和美國聲稱要退出南韓、日本後，史達林才動了韓戰；但西方卻離奇矛盾地阻止中國入韓軍援自由，一方阻止中國援韓，一方派第七艦隊中立了台灣海峽，擁護中共調軍進攻聯合國軍。更坐視大陸全體人民含垢蒙難，和被奴役改造而轉變爲將來「消滅美英帝國主義」的「解放大軍」。

中國人在蘇俄與西方的壓力下，十四年來，從外蒙撤退到太平洋西岸，以後又被壓迫撤出大陳島，今日又被蘇俄與親共，恐共份子壓迫要撤出金馬——或「中立」金馬，乃至還有「中立台澎」的邪惡言論。以爲只要世界上的中國人都赤化或中立化，蘇俄帝國主義滿志，三次大戰便不會發生。愚昧，自私，竟挽救了毛澤東在大肆製造全面軍國主義化——「人民公社」的嚴重危機。

中國人還能再退一步麼？英國人爲了不放棄別國人的蘇彝士運河，塞普勒斯島，馬爾他島，與布羅佗海峽，而不惜流血，可是英國選出來的議員先生竟和好似中國人在大陸已經淪陷後，還要僅一海峽的台灣，也放棄這個唯一的反攻基地，未來的橋頭堡，把自由世界的防線再後退！由台灣到南韓，把日本、沖繩，南韓，把日本暴露在對中共的第一線，使香港更形孤立而失去大陸邊緣的策源地點，同時更使蘇俄的飛彈基地，更向前大膽的推進一步。西方人民居住的領土不放棄，也請責過赫魯雪夫什麼？而鬆懈西方敵國，我們提起了下列一個問題：當一個盟國的領土被共同的敵人攻擊時，這個同盟國是否應一隻手阻止住自己的盟友只可挨打，不許還手？

而另外一隻眼則伸向共同的敵人去握手坐談，不利於自己的盟友——使用暴力同意的問題——

二、以金門的主權而論，中華民國並不否認其爲中國領土的一部份，在金門沿岸周邊及其以東三哩的領海，當然是中華民國的領海。何況美國既承認中華民國，造下的中共大陸，有海岸等當然即係美國所承認，在同盟國之海岸線，亦即中華民國之海岸線。

三、不僅已無反攻自由，而且竟坐已失去自衛的自由。

四、自中共三年來……

……自由中國政府存在一日，世界並未放棄拯救的中國人民也希望。即此一點，象徵中國。馬祖兩島爲政治地位，在軍事上，爲一個屏障，一旦放棄大陸人民也希望。如今要放棄，因其不僅中國政府，失去大陸的全體人民心和海外千六百萬中國人心之力量，在大陸的中共武力之前低頭，只有絕望。今後只有甘作亡國之徒，死心踏地的離開，使台灣更無以外，別無他路，一千六百萬中國難民的可……

若干年來，中俄共不斷宣傳「美國佔據台灣」，建「把台灣」作軍事基地」，美國人亦被許多中國人在二次大戰告因爲中共黨和也是以宣傳手法，中俄共和派美軍而成功地把蘇俄大陸。今日，美國只宣佈防台澎而不及於金馬，恰好留下一個漏洞予敵可乘之機，於是金馬遂成今日國際討價還價的商品。但西方國家如以爲中國人已退到無立足之地，今天再接受雅爾達大錯的重演，即將犯極大的錯誤。西方記者在金馬所見到中國軍隊的高昂士氣，是由於替西方國家防守太平洋軍事基地的原故嗎？西方會估計到假如再默許中共將金馬，高中國人民反共的焰火，出大陸對中國海外全世界，和台灣，與招致一種長時期的中國人民何種後果？

中國已被國際共黨公開與幕後的力量逼迫退到——由西北邊界，退到西南太平洋邊緣了。未來繼續而至的，是赤色勢力，東便東北歐，向近東中東，北非赤化，與所指的日本，莫斯科正與此世界放的政策。不修正，地區的內部組織不定時炸彈——有地——第五縱隊的命運，將來的悲慘命運除非會輪到中國人的，正是莫斯科所指揮下的「成吉斯汗」的「上帝」，西方的「撫主義」者和共黨同路人有此遠見賢智慧嗎？

半週述評

從陳院長的報告看反攻

陳院長在施政報告中說對于金馬及其外圍島嶼寸土必守，敵人佔領任何一個島，就是戰爭的擴大到大陸上去。這話說明當局守土的決心，也說明當局已擬定了此時反攻大陸的積極打算。形勢既可以擴大到大陸去，爲什麼一定要等到任何一個島的被佔呢？三十餘萬發砲彈？八月廿三日以來中共落彈金門已超過四十萬發，爲什麼還不是要理由？我們需要美國的同意，否則等失一個島，恐怕也自己還是要打主意吧！

從葉公超的聲明看美國

葉大使在華府的聲明，反映美國方面有一項不健全的意向，暗示可能使金馬中立化，以換取中共的停火。這個意向是以金馬沒有戰略價值，金馬中立化可以避免觸發大戰，在忽視自由中國必堅守金馬的意義，而想以現代作主張。試想上次大戰日本偷襲珍珠港時，爲什麼國際不連袂赴援馬上參戰，而不提出珍珠……港中立化以「緩和局勢」呢！

從美蘇不同的口氣看趨勢

……如果可以討取金門中立化的代價，可能討得國際化台灣的代價嗎？美國對台灣有協防的義務，如果不重視這義務，……協助金馬之理由，更無動於衷。說台……。克姆林宮既收於言進攻中共，爲什麼白宮當局就不敢以自由世界拍胸膛，說中共進攻金馬視同……，要美國馬上停止華沙談判，聯合國立刻制裁（制裁而不是談判）；多派幾架 F104 飛彈之類到台（倘用不着什麼核子武器），才說有和平可言。

世界儘管譏笑張伯倫的雨傘，卻往往有意無意的朝向慕尼黑之路。

美國在中東節節敗退，就敗在政策缺乏正義的內涵，致喪失阿拉伯國家的信賴；金馬戰火是中共給予美國在亞洲另一考驗的開端；任何讓步，不但會根絕亞洲動搖國家底向心力，且將失去眞正盟友的信心。

艾克光火了

昨艾森豪總統斷然退回赫魯曉夫辱罵式的來函，是從未有先例的，也許出乎赫魯曉夫意料之外。但這一事件可視爲美國不受蘇聯「含有不可容忍的威脅」，而赫函的侮辱，畢究不能比作珍珠港事件，若謂美蘇關係將由此緊張以至于決裂，赫魯曉夫是有名的「伏特卡外交」老手，不會因此硬拚的。

從台峽看亞洲

世界各國政治家似乎有一種毛病，總是希望以別人犧牲的代價來換取自己不可捉摸的和平。

說到「反對聯大討論台峽問題」

聯大討論金門被侵問題原是應該的——但不是與蘇聯，更不是與中共談判，而是制裁侵略者——我們似乎沒有一開始就反對的必要。如果爲的是怕在聯大會中的姑息主義者會引起兩個中國或台灣中立化等不利問題，那不免令人感到我們祗有防禦的外交而沒有進取的外交。我們應爭取反攻機會，此次中共正給予這機會，爲什麼不能以哀兵必勝的心情，勇敢地站上國際講壇呢？聯合國儘管不是一個可解問題的機構，但畢究也不能只成了共產集團的演壇，而自由世界的被逼害者反而沒有講話的餘地。我們的外交家那裏去了。華沙談判，雖傳已瀕于破裂，但倫敦老手的秘密外交故技也傳在蠢蠢欲動。我們對外該有一項正式反對一切秘密外交談判「台灣問題」的聲明。

·林伯雅·

仍須注視華沙會談

對遠東地區的緊張局勢，美國現行的步調是：國務院不放棄任何可與中共談商的機會——但並不計較談商的成敗；五角大廈則以迅速的實際行動，支援實力政策——以應付可能爆發的突變情況。

如果美國的態度一開始就是懦的，而中共也探明了其意向是求在華沙會議能得妥協，那麼新製造第二個慕尼黑機會，則中共對於台灣海峽的局勢，必然會以增強軍事行動來表現。但是，事的實際情況是，美國並無準備判上妥協；軍事上讓步的跡象，非中共先自承諾接受停火。此一白宮的聲明很知。因此，華沙談判，雖然極度守密，還當識也到雙方必已在有關台峽的實質問題上觸礁，而美方代表的態度，也會與白宮和國務院的基本態度，至於王炳南的「要價」，也是難達北平的現行主張。是想見華沙的談判，已經陷入了僵局。會談的雙方，本寄望於試探對方的意向和可能讓步的程度；現在，雙方既無從獲的結果，華沙會談在現階段就不能再有任何進展了。

華沙的會談情況既無望「「，反映在台灣海峽的局勢，就爲緊張。金門，直到目前爲止，府已曾一再表示堅守，供應上的難，也正在逐步地克服，除非共先向美軍開火，否則其欲圖以海砲窒息金門的希望，也愈來愈弱；但開火，又必定帶來美軍的泛而強烈的報復，於是赫魯曉夫遂重施恫嚇故技，致函艾森豪。則，該函已遭禮貌的退還，白宮局且表示將作新的有關台峽局勢聲明，看來中共實已被逼在戰爭邊緣上徘徊不知所從了！

根據華府的意向觀察，白宮會容忍華沙會談曠日持久地拖延下去，已知的下一步驟，必將是提交聯合國討論，如果中共接受，必成爲被告，而且是一個在聯合國法定身份的被告，中共對此，既拒絕過一次，這次也可能仍然拒絕赴聯合國受訊。因此，來自莫斯科的消息說：赫魯曉夫現仍希冀能獲得與艾森豪作「個人接觸」，「以解決困難的國際問題」。」（卄一日路透社莫斯科電）「個人接觸」，也就是高峯會議。中共寧可拒絕赴聯合國，因爲那將成爲被告，但對於以「平等地位」，相應的高峯會議，其一方面固不忘情於高峯會議，另方面又要自保，看來似乎矛盾，實則不過是一種由於美國堅持必須中共承諾接受停火的條件，共陷入進退維谷的困境中。……決心和行動，也是主要因素之一。……

……必一如吾人所想像之神速呢！……已存在，至於再進一步，其來或未……急情直下。但是，不可能危機早……有利於我的情況發展，此處所謂「有利」……

……現，但其發展仍然值得注視的。

李金畔

我的歉疚和呼籲

●徐復觀●

頃接劉藏蕾女士九月十五日的來信說：「劉敬劉先生不幸於十四日下午因肝病去世，逝於台中醫院。人生無常，令人感悼萬分，您聞之一定也很難過吧！特此奉告。」但在我，不僅是難過，而且感到萬分的歉疚。在這無法補償的缺憾中，只有借重自由人的寶貴篇幅，爲劉先生的遺族作一點呼籲。

劉先生到現在爲止，我還不知道劉先生是什麼地方的人。更未曾會面。他只是過一面。有一次，看到劉先生寄到民主評論社的一篇論詩經的文稿，字寫得很工整，並且一行一行的修改，加上評論的一點話。一看便知道是用過苦工夫的人。看了他的內容後，覺得文章很謹嚴，很有見解，便照刊出來了。一句敷泛的話，也沒有。這不是經過一二十年治學工夫的人，決寫不出這種有法度有創見的文章的。但文章所附的通訊處，卻是「彰化市某陽里省立商業職業學校」。我又發生懷疑；在今天，中學教員中會潛藏有這樣的人才嗎？這是一件很值得注意的事。但過了不久，又寄來一篇文章，我便將刊出來的通訊，寄給他。這可能是老師宿儒的遺稿，或者是從「文抄公」找出來換點稿費，搞書的。

於是常常想能有機會看到他。並且又得悉他是在這種困苦的生活中，一年之中總有兩三篇文章寄來，都是很有份量的東西。假如能介紹到東海大學中文系教書，豈不是爲東海大學得人嗎？可惜我一時還不了解他的身世。

有一次，我到中部的一位朋友家裏，說到劉先生的事，那位朋友說：「劉先生是北師大畢業的，四十多歲了，家庭負擔很重，他有病……。」因此，我更想到，當他和那位朋友，也是一樣的愛惜他。

我的有時間，還是對他一直的關心，能作學術的研究，並且忙又能寫出這種好的文章，不是僅有毅力的人。我在「民主評論」刊出他的文章後，又得到一份請他指教的來信說，他在寫東西多年，都是很辛苦地寫出來的，他是患了肝病。……

知道他正在患病，身體很虛弱，很想去看他。所以說我做的事，但我所說的，只是一句空話。

錄甲乘乙集；這更使我感到在這茫茫人海中，尋找一個有學問的人，是多麼的難。……

慚愧。

九月二日，接到藏蕾夫人的信，知道劉先生的病已經很重了，住在台中醫院，吃飯都吃不下。一位姓劉的朋友去看過他，是很痛苦的情形。

上午去看他，他已經不能說話了，時間已經過了幾天。

三日晚上，我到台中醫院，他的心情似乎很好。

夫婦，他是自強不息的，他是多麼的想活下去，他是有希望的。

去找他朋友，在他病中，朱先生很關心，他在病床上，還寫了一點東西。

我以朱先生的關係，又問朱先生，可以幫助他一點嗎？

但是朱先生說，他有自己的學生在照顧他。

看了。看樣子劉先生的生活很艱苦，家境非常凄涼。並說，常朱先生凌亂。他非常高興，我覺得他有很多話要說。

生活很艱苦，家境非常凄涼。並說，朱先生提到劉先生時候，他非常高興。我覺得朱先生對朋友眞是有熱情，他覺得比我先了解劉先生一年，所來不了的心願。

但不到幾天，劉先生就去世了。這是一件遺憾的事。

蕾女士在信中並沒有提到劉先生的遺著，但他在死前，仍在病中掙扎，他的文章，他在生和死的邊緣中掙扎着，這是非常可惜的；他的每一個字，都是在這種掙扎中寫出來的；這一代知識分子的共同命運，也是劉先生的命運。藏蕾女士報導劉先生的來信後面，又提到劉先生的「孤兒寡婦，食無立錐」，問我有什麼方法能幫助他們，我除了由私人，和向民主評論社，各盡一點錢來，以濟孤兒寡婦的燃眉之急以外，只有呼籲更廣大的社會，希望大家也肯拿出一點力量出來；這固然是對這位艱苦而尚未成名的學人的憑弔！但同時也是對這一個艱苦時代的憑弔！也是對我們自己的憑弔！

劉先生，藏蕾女士，與這位短短十大中，肯分出寶貴的寫作時間，用到對劉先生的關切，使我更了解到她的心靈，這是人世一切悲歡苦樂的交會點；所以這幾年來她能不斷創造出「解釋人生」的作品。因此，對劉先生的生平，遺著等等的搜羅，報導，我希望由藏蕾去盡這一份責任。（九月十六日於東海大學）

台北一點一滴

△台灣出版界，有一股盜印翻版的歪風，專以成本低廉的翻相版，盜印國內外較熱門可能有廣大銷路的書籍，私下加以盜印銷售，使得正當的出版者和著作家，無不叫苦連天，當局雖經有人提出檢舉控訴，迄無有效方法制止。例如商務出版廿五史等日本通史，周祥光著印度通史，現正由此間某書店盜印發行，並且大登廣告，近又有人翻印中國國民黨黨史稿、盜印某大學教科書等，可謂無法無天。

章、信紙、信封，及某部次長介紹函，向全省各縣市鄉鎮，各中小學校，各民眾團體，硬性推銷，藉此大發其財，千萬元之鉅，其負責人黃英杰已被拘押偵究。此種不正常現象，如不迅速糾正過來，將使正當的出版業，趨於絕境。

△台北公營與民營各大報之間，自撤版後，彼此在報紙內容及營業銷售上，都在相互競爭。最近台灣銀行優予通過中央日報借款一百萬元，期限三年，還款辦法全部以中央日報所刊的廣告作抵。即是該報所刊的廣告收入，一部分要歸還台銀的債款。除了中央日報外，新生報也向台銀借款，但尚未獲准。

△台灣省議會出國考察團，已於日前由團長黃朝琴領隊出發，前往美國、日本等地考察。此行耗費公帑不少，外界頗多批評。

△另一立委鄧翔海氏，曾一度成爲新聞人物，因爲是國際觀光事業的代表人，和物資局副局長游春南，台灣汽車公司負責人溫明超，被人以涉嫌共同舞弊罪名，向法院控告。據說是藉備有大敵兼備外匯爲名，收下代購卡車定洋六十四萬元，結果逾期無車交貨，又無法退還定金，致被購車者向法院控告。近日法院已將有關人員傳訊，查明眞相後，即將起訴。

△國民大會代表聯誼會，最近在台北召開大會，到會代表甚多，對於國是，多所建言。……

△教育部對於私立學校，最近從新規定，凡不合規定標準的學校，一律停止招生。……

△監察院日前通過彈劾案……

△台北市政府，對於市區交通，最近已有新的整頓計劃，將實施單行道辦法。……

每年高初中畢業生甚多，考得取大學和高中的，還不到十分之一。最近十年來，教育界的待遇菲薄，但從另一方面看，教育界的待遇菲薄，也是一個嚴重的問題，也是一個需要解決的問題。

○豐公○

從台北到台南

△自從高玉樹、李萬居、吳三連、郭雨新、朱文伯等七十餘人發起「中國地方自治研究會」以後，此間的輿論分成兩大派，各走極端。一派是「倡組反對黨」，一派是「中國國民黨」以外，應該團結，此時組織反對黨，必須慎重。這是官方或政黨的意見。

在野人士，對於時局，頗多議論。但是，組織反對黨，是民主政治的常規，也是民主政治的基礎，一般人認爲這是好現象。

△關於立法院問題的會期，據悉已由中山北路遷入中正東路大廈，立法院長張道藩已於日前請辭，由黃國書代理院長。……

美國對台灣的軍事援助，尚未完全到達，但美國已表示，對台灣的防衛，決不退讓。……

九月九日于台北

△一片敬軍勞軍聲中，南市軍眷服務所，今有一位年逾半百某部隊副部隊長盧少將夫人，前往請援。她說：「我的住所，是警察局前的主任秘書許某，讓給他宿舍四七個楊楊米中的八個楊楊米房一間，許調走後，傳副局長一家四口屢次迫我搬家，我請求他仍能讓我一家四口人再續居住，但傳副局長，昨派警局人員來說，這間房子已另分給一個警員了……。」在目前，這是勞軍聲中的諷刺性的問題。一般說來，在台灣軍警待遇的比較，僅以住而言，軍不如警。

△近來最興奮的消息，莫過於打落米格機，只要一聽到廣播，中英雄，立即就會爭相走告。因此，這些值得慶功與人敬佩的空軍活，與國家的待遇特別關心生活，民間自動的發起勞軍捐獻打落三百架米格機的基金，儲備待負擔，……以備打落一架米格機當局，懸賞用。一架打落的米格機，當然更要飄好幾萬，……拘捕到案，勸論功行賞！（九月十日）

昌增勳

讀者投書
——關於假設與求證——

編者先生：近來讀到幾篇有關胡適先生的「大膽假設與小心求證」的論著。筆者對於時賢引經據典，心平氣和，純講理的學術精神，極有敬佩。

筆者竊得，胡適先生一貫的「大膽的假設」，可由胡適先生的懷疑態度作註腳。換言之，「大膽」即無的懷疑，懷疑態度或絕對主義所懾倒恐懼，「假設」亦即懷疑。常言說：「盡信書不如無書」，故必須能不爲權威或絕對主義所而，才有愛因斯坦的相對論，李政道楊振甯的推翻對等律，以及國父孫先生之民生主義出現。即如何浩若先生由於懷疑胡適先生「大膽假設」的方法，另外推重統計歸納等方法。如果尚非絕對的眞理，又何嘗不是一種假設呢？故知何先生不爲胡先生的權威所倒，而堅持自己的想法，也正與胡先生「大膽的假設」相吻合。但是這能否經得起小心求證的考驗，而不致流於偏差，就要看所選擇的求證方法是否合乎邏輯了，如果只求目的而不擇手段，又豈止是偏差而已。恐將貽禍不小哩！淺見如是，不敢謂對，尚祈先進指正爲幸。即祝編安

讀者葉文雅敬上八、廿、

讀者｜作者｜編者

尺子先生：

八月六日「自由人」報載，承函論悉。先生亦主張滿蒙回藏等邊疆宗族之語文，應在中央研究院研究之列。竊喜愚見不孤。先生既對于各邊疆宗族之語文研究有素，又有著作。如承賜教，極爲歡迎。茲請「自由人」社以敝址詳細奉告。高論所主張之一切，均俟拜讀大作後，再行討論。

日本語接近滿蒙語，同屬于「烏拉阿爾泰」語系。自來博言學家一致主張之。近日日本新出「日本文化史大系」（一九五六—七新著，與同書名之舊著迥異。）謂日本語與滿韓蒙語分離之時約在五千年前；日本語與滿洲語之分離時，約在七千餘年前；與蒙古系突厥語分離時更在前。其計算係根據「語言年代學」上若干公式。蒙古同亞各宗族，包括中華之漢滿蒙回藏苗猺黎各宗族，在遠古同源而流。其分離時或早或遲。先生所指年代證據如何，希請注意提出。

衛挺生拜復九月十二日於康橋

毛俄與台灣海峽風雲

唐昭祺

自中共於八月廿三號砲轟金門之後，發動了台灣海峽的風雲，其中是誰爲主動？是中共呢？抑是俄共指使？從八月三號赫毛會談的公佈去看，這問題曾經渡使人疑惑。

按中共從本年五月起即連續召開中央年委會擴大會議，「全國公安會議」，「檢察工作會議」，和「司法工作會議」。至八月十七日到卅日，又舉行了爲時十四天的「中共中央政治局擴大會議」。前三項會議，是中共強化軍事組織，似準備對外發動戰爭，對內實行鎮壓。後一會議，據新華社的電訊透露：毛澤東在這個會議上分別就兩個問題作出了重要決定：一個是確定了今後作戰略工業之主的鋼業生產躍進計劃，一個是建立共產主義最高奴役性的「人民公社」制度。是其準備組織和動員大陸上人力資源，與自由世界作攤牌性一戰的企圖。

有人謂中共在過去幾個月來，似乎盡了極大的努力，要自克姆林宮的統治下獲得解放。在經濟戰線方面，更根本不重視國際共黨的協調，拼命宣傳「大躍進」，要在最近期內，產生幾千萬噸的鋼。他們並且告訴大陸上大部份的懷疑論者，要他們相信「可以指望以蘇聯爲首的社會主義陣營中的龐大援助」。

由此看起來，中共比任何其他共黨國家對于戰爭是更採狂熱態度的。中共相信中國大陸廣土衆民，甚至在核子戰爭的危險中，也會比其他國家的損害爲小。狄托于六月間在拉賓地方發表演詞，即提到中共的好戰狂。

但在蘇俄方面，儘管赫魯曉夫口作夢囈，常常說蘇聯要埋葬美國，但他對于下面兩件事情，使它並不願在這時候冒險與美國一戰，但卻不妨嗾中共製造緊張局面，以成就蘇俄的利益。這兩件事。即：

一、蘇俄沒有確定把握在這場核子戰爭中逃過毀滅的劫運以戰勝美國。

二、蘇俄不願見中共之壯大，以成尾大不掉之勢。最近俄共內北平把中共與俄共的次序顛倒而對中附屬國家之更正指示，即其表現。

因此，假如容許我們假定赫毛會談曾就此後局勢獲致協議。則我們可以認定今中共在台灣海峽的瘋狂挑釁行能係由於：

一、中共企圖以軍事威脅的手段，達到他政治敲詐的目的。

二、蘇俄正欲用兵，以消耗其兵力，挫其氣燄，使中共永不能脫離克姆林宮的統治。

三、蘇俄藉此叫囂團結，以粉飾自南俄爾鵬後的鐵幕分裂情形。

總之，匪俄這次掀起台灣海峽的緊張局勢，都各有所圖，但如美國態度能表示堅定，他們的陰謀會逐一失敗的。

稿酬：

本報八月份全月稿費通知單已分別付郵，請惠稿文友，憑單領取爲荷。

編輯部啓

英工黨會重掌政權麼？

·風行譯·

美英兩國目前均在野黨，似乎對共黨集團的外交政策，比執政黨較趨向于安撫與妥協。英國一般人相信不久即可能舉行普選，而美國之總統改選，距今亦僅有年餘，因此英美未來的執政黨屬誰，是一件甚值得注意的事。

蓋洛普的民意測驗

蓋洛普的民意測驗，在英國人看來，是一個相當重要的政治傾向研究。既然英國很可能舉行普選，何以英國特別注意它。蓋洛普民意測驗可靠的程度如何，固然很難說，也許有程度上的不正確，但總可以反映一般的趨勢。大概是由於蓋洛普的民意測驗，才引起十月可能舉行大選之說。這次測驗表示：保守黨較工黨稍佔優勢，特別是英首相麥米倫，相信保守黨可能冒險舉行一次普選，而不再等候較好的機會了。

保守黨比工黨稍領前

現在是兩年來保守黨第一次獲得比工黨較多的支持。他們現在雖然只領先工黨百分之○·五，但從投工黨的票數分配上看，保守黨是有把握獲得大多數的。[illegible]是有許多理由的。在此特殊的時期，最主要的原因，是英國政府[illegible]派遣軍隊到約旦，[illegible]

他的旅行華盛頓，巴黎和雅典，和他的努力，求實現高峯會議，令他獲得「嘗試者」的美譽。英國大衆是喜歡「嘗試者」的。

保守黨領前的原因

[illegible]

工黨缺自信心

記者感覺工黨領袖最缺乏的是自信心。而保守黨正好相反。他們具有很大的自信心。麥米倫接任首相職時，正是保守黨聲望最低的時候。我記憶他就任後不久，被人詢問他是否將舉行普選，他答道：「我們現在不打算舉行普選，當我們舉行時就必然是獲勝利的。」甚至當保守黨屢次在舉行補選時都失敗，以及當他的政策似乎也被最擁護者所反對，但他們永不會搖擺不定。他們時常相信自己所採取的行動是對的，反之，在工黨方面，時常好像做的不是他們所信仰的。而是相信這樣做是大多數選民會贊成的而已。（原文見九月六日新德里的「思潮週刊」）

增强對金馬壓力

第三批共軍自北韓撤出

金馬局勢的緊急，是由中共駐北韓「志願軍」撤退後，投入到閩建沿海地區開始的。

現在，根據「新華社」平壤十二日的消息稱，中共駐北韓的軍隊，第三批已經啓程南下了！自從韓戰停火以來，駐在北韓的中共部隊，即進入了接受俄式裝備。爾今正在分批南下增强對金馬戰區的壓力！

這樣的情況，正好與目前的華沙會談和聯大將要討論「中國問題」的情況，成了强烈的對照。

國際上的姑息主義者，主張或不反對與中共談，甚至要用各種影響力，達成迫使國軍撤出金馬的願望，而中共則正瘋狂地將「戰鬥力」投擲到福建前沿，一方面威脅台澎，一方面加强對國際姑息主義者的神經戰。

就現目的情勢觀察，中共

再就整個台灣海峽的情勢看，已將軍兵結集在台灣海峽的邊緣，那末，即是國際姑息主義者的目的達到，國軍從金馬撤退，但又將何以保證中共不繼續進犯台澎。

目前的情況，與當年「徐蚌會戰」前後的情況，有很多相似處，當年人們皆以爲可憑藉長江天塹，以與共軍對峙，但人們忽視失去了徐蚌江淮，長江雖是天然險要，但在現代的軍事學上，天險的價值，已今非昔比了。

因此，儘管台灣海峽十百倍寬於長江，如果失去了金馬，對於前綫的敵情，難免不有撲朔迷離之感！而在政治影響上尤大，整個台灣海峽的情勢必更增險象！

自從美第七艦隊實力增强，和美空軍以各種最新式噴射機進駐台灣後，海峽的制空權與制海權，已能確保，金門的砲戰若能有充分的供應，當能長期的持續，而守軍士氣之激昂，亦爲前所未見，則金馬之確保亦屬當然事。

肯定了金馬必守，也肯定了不惜一切支援金馬，那末國際姑息主義者，固無可奈何，即中共造成緊張局勢以脅迫國軍撤退之計亦不得售。（裕）

竹幕幽秘

打？

自九月四日中共發表其領海寬度爲十二海浬以來，至九月十九日止，它已對美艦與機之闖入共「領海領空」，發出了八次警告。這種情勢，似乎還有再增加的可能。

這表明什麼呢？一、不敢打。二、我們早已說過中共的對外政策與其實際遵守的原則間有距離，從這一種距離的寬度來說，是中共色厲內在的態度的空前表現。

因爲中共的這種專以製造緊張局勢的表演在歷史舞台上是空前的，所以有許多懼怕大戰的國際政客才會感覺到大戰危機嚴重，除了自我的惶惶終日以外，還對另一些比較採取强硬政策的決策人施加壓力，企圖以讓步來止戰。這種自相紛擾的局勢，可說完全是對于中共的色厲內在的做作，無客觀的認識所造成。

事實上，中共向美軍提了八次警告還不動手，這一事實，對于中共這隻紙老虎，已有戳穿的作用；可是，從自由世界的反映來看，這一種戳穿的程度，似乎還不足以影響到使世人能夠認清它是隻紙老虎。這樣，爲要使世人認清這隻老虎是紙的，使它以後的張牙舞爪的做作不再發生對自由世界的恐嚇作用起見，看來還是以擴大戳穿的程度方面來着眼爲上策。要不如此做，即使現在可用別的方法來制止它的張牙舞爪，恐怕將來還是會故態復萌來嚇人的。

和？

現在世界目光都集中在華沙談判，照目前的情況來看，美國的立場是要以金馬的中立，我以金馬給予中共的代價易取台灣海峽的永久停火，豎立台灣海峽的「三八綫」。要是美國確有這樣的要求，中共是不會答應的；因爲：一、台灣海峽有了「三八綫」以後，它若要實現進攻台灣的目的，必須要等待整個局勢的變化，亦即等待三次大戰。照現在武器發達的程度來說，誰也沒有把握在未來的三次大戰中獲勝，那樣一來，一方面說明三次大戰遙遙無期，另一方面又眞正的形成了事實上的「兩個中國」的局勢。二、要是台灣海峽有了「三八綫」，中共就不能隨便的製造緊張局勢了；根據這幾年的事實，它藉台灣海峽的緊張局勢，獲得了不少的內外利益；那末，中共是會反對永久性的停火的。所以，周恩來在其對台灣海峽的聲明中說：「中國人民完全有權採取一切適當的方法，在適當的時候，解放自己的領土，不容任何外國干涉」所謂適當的方法，當包括戰爭在內。這樣，似乎要憑談判來獲致台灣海峽的久永停火大概是可能性極小的。

和戰之間

既然說，華沙會談是不可能達到台灣海峽眞正停火的目的的，那末，根據美國已經準備了的步驟，是訴之于聯合國，利用聯合國的力量來[illegible]；我們就事論事，這的確是獲得[illegible]辦法。因爲中共反對台灣海峽的眞正停火，它必然要阻止美國向聯合國提出這種方案。怎麼阻止呢？這主要的[illegible]步。照眼前來看，[illegible]的可能是：中共暫時解除金馬的軍事封鎖，美國承担像禁國機轟炸大陸的義務，一般的約束國軍向大陸小規模出擊，或者再撤退幾個小島上的國軍。稍遠一點來看，這種協議的結果還是打打談談，台灣海峽的緊張局勢，照我的看法，不出二十天就會緩和下來。理由是：一、美國不再忍耐要急于向聯大提出上述方案了；二、我們已指出過，其製造緊張局勢的國內目的是號召總動員，鼓勵大躍進，將全國人民置之于民兵組織之中，通過軍事組織强迫他們貢獻勞動力，照現在情勢來看，全國的民兵組織在二十天內也可完成了。

·田心·

左舜生痛斥赫魯曉夫「新黃禍」

並認：毛澤東如繼續製造「新黃禍」，美蘇的氫彈都可能落在大陸。

（本報訊）左舜生氏最近在九月十九日香港出版的「聯合評論」第六號發表「痛感與沉思」一文，對本月七日赫魯曉夫給艾森豪的一封信，引據事實，予以痛斥；最後對毛澤東炮擊金馬，認爲是製造「新黃禍」，將會害己禍民。左氏立論甚爲透闢：

「赫魯曉夫更有一語最爲常識的，乃是他一再[illegible]美國『妨礙了聯合國的[illegible]正常活動』。[illegible]

[illegible]天下之大稽？尤其可笑的，乃是赫魯曉夫先生居然記得[illegible]聯合國創始國之一的「中國」，[illegible]

[illegible]

召侮之由

自由談

美國當局被俄共頭子不斷地用書信指名辱罵詬嘲，實在難以忍受了，祗好將俄酋赫魯歇夫的原書退還，以示抗議焉。

「夫人必自侮，而後人侮之」，假使美國執政者不沾沾於「和平總統」的譽，過去對於俄共頭目那種破壞國際外交常軌，志在宣傳偏嚮的私人函件，少予理會，且給它以嚴正的教訓，表示出堂堂正正的自由世界盟主氣概，赫魯的流氓無賴行爲，又何致於層出不窮，竟敢狂悖驕矜，大鬧山門呢！只因艾森豪總統還其對付自由人類的婆婆媽媽作風，以與流氓性質十足的共產黨頭目從事口舌辯論，每信必答，却不問其內容是否有由「總統先生」出面，小心翼翼作答的必要。是他人的氣燄，滅自己的威風，召侮取辱，非偶然也。

當年史達林以謙和的姿態，要求與美總統杜魯門面談世界和平問題，而杜氏僅作以簡答復道：「我無暇出國旅行，有話請到華盛頓來談！」直截了當，毫不客氣。然史達林並未一怒而發動原子大戰，給美國以毀滅六千萬人民生命的威脅；同時，美國的「強大盟邦」亦未認爲杜氏的態度太強硬，妨碍世界和平。對白宮當局施展壓力哩！

自由世界的政治人物，誰若希望跟俄共集團用和平談判方法解決國際爭端，誰就是患着對共產主義內容莫名其妙的幼稚病，不特個人嘔氣受辱，他所領導的國家亦很危險。鬥嘴饒舌，乃是共產黨人起家與看家的唯一特長，他們自如粵語所謂「只剩一把口」，除却學頭大棒以外，甚末亦不怕的。我不知「和平總統」艾克先生受過這次刺激後，對俄帝的眞面目也有眞新的認識不？

馮子先生

漫談「文」

陸夢墨

古人讀書，「文」「字」並重，據說在科舉時代，字寫得不够工夫則不得點翰林。今日己沒這樣嚴重，很多博士的字寫得像鬼畫符，但這並不影響他學術上的地位。我認識一位在德國學醫的博士，不但字不行，就是連封中文信也寫不甚通。但其醫術有名，門前的病人依然車水馬龍，自己住的也是高樓大廈。在學識上，而見得今日之「翰林」不但「字」的好壞是無關宏旨，就是在「文」上也不甚要了。不信的話中國文學系畢業的學生那個餘底下有一套？若想用這就「換高樓大廈，就是說夢，充其量住住宿舍，已算不錯。若再還讀套嚮文爲生，那如果不凍餓而亡，就得念佛了。「君子固窮」，從前我一看到君子兩個字，就難免想到縮眉佝背的酸秀才。「君子」「文」「窮」似乎是彼此相聯，互成因果。安貧樂道，就成了文人的美德了，但是不安也不成，除非是從商從政，你如堅持非「文」下去不可，那財神也就堅持非讓你「窮」下去不可，似乎沒什麼商量。雖然紙桿兒陣營裏也有些聰明的人，殺出一條斜路，做個文界中的政客或政界中的文人。也只能求到假溫飽而已，眞正做到「學子位祭而多金」的人，數得過來的「小貓三隻四隻」。也只是依草附木，挑不起什麼主心骨兒來。跟人家要槍桿兒的比比，簡直差遠了。

話似乎越扯越遠，但也可以證明「文」與「字」在現時代也難免蹧然。至於「文」，尙還有些優瓜不忍見棄。至於「字」，却早做秋扇之捐。自從鋼筆輸入中國，就已沒有人再去研究什麼「眞」「草」「隸」「篆」。當時衞道之士們似乎喊過還是洋人文化侵略。但是鋼筆究覺比毛筆來得方便，這種保存國粹的呼聲也就由強而弱而無聲了。但是文人與「字」在中國有幾千年的緣份了，新文人們在迎「新」之餘，難免念「舊」，便把書法對之爲藝術，不知這應該列爲第幾藝術（電影已被列爲第八）？我常以爲這很像「禮教」自覺有些對不住守節的寡婦，爲之立貞節牌坊的心理。不管如何！這種藝術已日趨衰微，僅存的幾位書法家好似晨星寥落，青年學生們在英數的困禁與電影之餘，那有臨池的閒心？商店的金字招牌沒有霓虹燈來得輝煌，公文上的蠅頭小楷也不如打字機打得整齊，若干年後，很可能我們必需要到古物陳列館去欣賞毛筆字。

至於鋼筆字，也有一筆一劃，描得很整齊的，也有筆走龍蛇，難於辨認的。因爲我自己有過兩年編輯經驗，所見的鋼筆字也是五花八門，無奇不有，大抵字寫得一筆不苟的，文句上總差一點，文章寫的好，字上就潦草一些。我想這可能是爲用心在字上的人，那分神在這一勾怎麼挑，那一捺怎麼撇上了。有的人靈感一來，洋洋灑灑，筆走龍蛇先寫上再說，甚至別字連篇，却不乏精闢之作。因此編輯若是以「字」取「文」就難免上當，當然「文」「字」俱佳的也不是沒有，我總覺得那靠稿子一定經過一次別人或自己的謄清了。因此有些稿子的字雖已到了「天雨粟，鬼夜哭。」的境界，我仍是有耐心去看一遍。據說在外國有一位作家，字寫得像雞爬，以致報館裏無人可以認識他的字，但是爲了要登他的文章，特地請了一位專家來專門辨別他的文字。有次這位作家故意在雞爪上蘸了墨水，將一張白紙踐踏滿了送到報館裏去，那位專家苦苦地翻譯了甚久，作家却來問他可有不認識的字。專家說：「大部翻完了，祇有這一個字，看不出是什麼？」這個笑話可算是謔而虐矣。

稿子寫的潦草，手民會覺得苦些，也有的人說字寫的不規矩的人寫不出什麼好文章，試想花幾十分鐘謄正一篇文章都不肯，還肯花更多的時間去想透一個問題嗎？我想說這樣話的該是一位規行矩步的君子，也不會有什麼尖銳的思想和放誕的性格。我知道近有許多人雖然不肯花時間去謄寫文章，在思想上却不肯偸懶的。話雖如此說，字的好壞究竟是一種門面，與其敗絮其外金玉其中，何如表裏都是金玉。字寫的規矩，寄信給朋友對方會覺得你在虐待他，投稿也可免手民目迷鹿馬。但是你如得在筆端上細心就要影響到文句的粗心，也就不必委屈了。信手塗鴉的「字」總比不通的「文」要強些。說到這兒，也許有讀者心裏會問：「你的字是如何呢？」我想這個問題只有我和編輯先生心照了，排字工友是有數的罷。

茶·煙·酒

尤崇洵

本書的作者是石叔明先生，正如王平陵先生說的，這是一本：「文繁筆茂，考評淵博，且幽默成趣的悠閒小品。」

茶煙酒是日常生活不可缺的東西。「茶博士」，「老煙槍」，「酒鬼」固然是做不得的，然而朋友間，却又躲不了這三者。如果問人：「你抽煙麼？」

「不的。」

「喝酒麼？」

「不，頭痛！」

「然而茶呢？」

「也不，太苦。」

那麼……

但這種人畢竟不多，所以不會發生這種對話。

從本書中，知道茶、煙、酒的吸食是一種藝術。

生活像張弛的弓一樣緊張時，能因本書的文字得以鬆弛實在是一種享受。

總之，本書是茶煙酒嗜者的參考書，是獻給忙碌的人底禮物。

讀書雜感

虎子

現實小說

○戈北指○

「誰是戰門英雄？」表哥走進來，揉着惺忪的睡眼。

「還不是你那位寶貝兒子！」表嫂說。

「你們說虎子呀？」表哥向虎子掃一眼，頗爲得意地說：「我這個虎子，將來是位呱呱叫的空中英雄！」

「別誇啦！」表嫂說：「就憑你這位老子的德性；將來也好不到那裏去！」

「怎麼？」表哥不服氣地說：「我這位老子可算是戰績輝煌！你算算：從抗戰到現在，我打落過多少架飛機？」

「可是，你就沒打落過一架米格機！」

「那是因爲我們出戰的機會少；機會快要來了，我要打不下米格機，那才是怪事哩！」

「爸爸！」虎子跑上來插嘴說：「我也跟你一齊打！」

「看看！」表哥向表嫂炫耀地說：「這就是我們的「老虎」精神！」

「好，你們父子都有種！」

這時，我看看站在旁邊的虎子，那副氣昂昂的樣子，到眞像個英勇的小戰士！於是，我說：

「有虎父必有虎子！表哥！你們父子倆將來必定都是了不起的英雄！」

「叔叔！」虎子又插嘴說：「那媽媽算甚麼呢？」

「你媽媽嗎？」表哥看看表嫂，有意想開個玩笑，「虎子！我告訴你：我們是虎父虎子，你媽媽當然是母老虎囉！」

「呸！」表嫂站過來，向表哥臉上吐一口！

我們都哄然地笑起來。

吃過晚飯，表嫂把廚房裏收拾淸楚後，我們就圍坐在一張檯子上，一面吃着茶，一面談着話。表哥敍述一些他在金門的見聞，以及軍中的趣事；說得高興的時候，也像虎子一樣，揮着拳頭，發出怪叫！虎子呢，他一直纏着我，要我給他說故事。我說了幾個以前講過的甚麼「白雪公主」、「小人國遊記」，他都不感興趣，一定要我講個新鮮的；沒辦法，我祗好挖空心思，臨時編出一些適合他口胃的故事給他聽。我們這樣談着，笑着，直到深夜，才興猶未盡地回房休息。

第二天，我因爲急着要趕回台北，吃過早飯，就向表哥表嫂們辭行；他們自然希望我能多住兩天，尤其是虎子，他一直拉着我不放；我告訴他我過兩天就會再來的，這樣才把他哄得放開手。臨走的時候，表哥跟虎子送我到車站。當我走上火車的時候，表哥叫虎子跟我說「再見」。

「再見，叔叔！」他搖擺着小手。

「再見，虎子！」我也向他們揮着手

火車開動了，虎子忽然又跑上前，喊着：

「叔叔，下次來別忘記給我帶副眼鏡啊，黑色的眼鏡！」

「好，」我從車窗裏探出頭來回答着：「下次來我一定給你帶副黑色的眼鏡！」

然後我望着他們父子倆，揮手走出車站。我注視着他們雄壯的背影，腦海中彷彿出現一幅中國空軍的藍圖；也彷彿看見一幅中國未來光明的遠景！

（下）

古籍亟待翻印

嶺南文物掌故

全國書林（亦可云廣東書林）既遭上列厄刼，此後若無新印古書，以補其缺，則國人將數典忘祖，中國文化將逐漸淪亡。

近日中共，將北宋板杜工部集，照原書影印，售價昂貴，其意欲求銷流外國，吸收外滙。因爲中國古學，漸爲世界學人研究之對象，舉凡中國之四書五經，均有英、法、德，文譯本。而俄文詩經，蘇聯人亦極爲稱頌。李時珍之本草巨著，尤爲蘇聯醫界研究之對象。中共雖自棄其國學，而外人則潮湧發揚之。外人研究中國國學者既日多，則需求古籍之參考必增。但外人所重者，爲宋刻精刻，尋常之本殊不看重。此當爲中共翻印古籍之原因。

商務印書館近日翻印百衲本廿四史，亦求外銷，以博取外滙。可見古書翻印，大可謀利。昔粵人某於光緒中在滬設同文書局，用石印方法，大量翻影古書，獲利無算。其出品亦精美異常。其後誤於計算，影印圖書集成，因紙章成本不合化算，牽累倒閉，若不是因印此書，該書局固獲大利也。

香港存藏的中國古書

粵人藏書刼運

竹庵

香港公私圖書館，收藏中國古書者，以馮平山圖書館及學海書樓二處爲著。平山圖書館藏書頗多，但善本殊少。近來雖肯購入佳書，然只限於價値低廉者，以視莫氏五十萬卷樓之佳本如林，無可比擬。此則經費限之。公衆事業不比私人，遇珍貴之籍，自無大膽收購，否則無善本也。學海書樓以賴煥文太史一人之力，振臂高呼，集金數萬。究竟限於資財，開辦之時祗多購官書，（大部份由徐信符經手）及小量叢書而已。後竭其力，祗獲寶元刻策府元龜一種，但此書殘缺，缺頁已多，不算佳本。此書樓雖創建逾三十年，但捐款不繼，規模終不能擴大。

除上列二處外，聞最近開設之孟氏書樓，亦擬購中國古書，其餘華商總會，華商會所，所藏存古書多商務中華印本，木板無有也。

近香港當局，擬籌五百萬磅，建築一大圖書館，意甚善也。圖書館之設，應集萬國之圖書。香港居民既多華籍，中國文化，又極深厚，源遠流長。公家典藏，宜多搜羅中國古籍，以供中外人士之研求。經費充裕，則寶價之下，必能羅致佳本。現時中共在內地設立古籍流通所，意在收購民間古籍，出口圖利。新圖書館完成，將易得佳書，固不須效徐乾學之傲書而後書至也。

贅言

比者，典籍淪亡，大雅不作，我國固有學術，不斷如絲，誠爲可悲之事實。然近年來，在洋化氣味濃重的香港社會，竟有新亞書院之成立。此類學校以國學爲號召，此無異在沙漠中，忽現綠洲，誠爲中國文化可喜之現象。新亞書院成立以來，生徒日衆，研求國學者，日有增加。中國文化之持續盛衰在此乎？本文開端，先引吳蘭修之言，謂乾隆前廣東人甚少藏書，年來，廣東人藏書之富，較任何省份，且有過之。因此近代廣東人才超邁前古，即儒學人才如朱次琦，陳蘭甫，以至康梁，均由此世紀培養出來，論者歸功於阮元之提倡古學，不爲無見。今日學絕道喪之餘，忽有提倡絕學之士，而應之者更繁有徒，則將來成就，當有可觀。顧亭林論世風有言，觀東京以典午，則可見無不可以變之風俗，漸生又言，風俗之成，始乎微而不可禦也。吾人力量雖微，而有絕學之決心，則將來所收穫，研究國學風氣日增，則古書風起雲湧，此則老子所謂絕學無憂之說也。願負文化教育之責者，盍興乎來！

（七）

——完——

自由人

THE FREEMAN

（第七八九期）

中華民國僑務委員會頒發登記證台新字第一零二號
中華郵政台字第五〇〇號執照登記爲第一類新聞紙類
（半週刊每星期三六出版）

每份港幣壹毫
台北市售價台幣壹元伍角

督印人：陳文華
地址：香港高士威道二十二號四樓
20 CAUSEWAY RD. 3RD. FL. HONG KONG
TEL. 771726

承印者：東南印務出版社
地址：高士打道六十四號
台灣總經理處：台北市西寧南路壹零號二樓
電話：三〇三四六
台郵撥儲金戶九二五二
海外總經銷：友聯書報發行公司
香港：[illegible]道中二十六號A二樓

慕尼黑二十年

宋文明

本月三十日，是一九三八年慕尼黑協定二十週年紀念日。這是和平的日子，也是戰爭的日子，是強國的日子，也是弱小國家的日子，是張伯倫的日子，也是把戰爭與和平緊握一身的所有世界政治家們的日子。在今天，在未來許許多多的年代裏，當人們竭盡所能爲世界和平而努力時，它們會記得這個日子；當和平發生危機，世界面臨戰爭的邊緣時，它們亦會記得這一日子。可以說近代人類歷史上沒有一個日子，能再比慕尼黑這一天對我們有更多的教訓。

一、

提起慕尼黑，人們立刻就會想到當年英國首相張伯倫，就會聯想到綏靖主義和對弱小國家的犧牲。這一切自然都是眞的。假若沒有張伯倫，沒有像張伯倫那樣一種氣質，那樣一種自負爲世界和平締造者狂妄想法，也許就沒有慕尼黑；即使有了慕尼黑，這一日子也絕不會在人類歷史上具有如此戲劇化的氣氛。在當年張伯倫個人的想法及作法中，他是有意要把慕尼黑造成人類和平勝利的紀念碑，要使後世子孫記住由於他個人的這種非凡卓見與努力，親往虎穴與希特拉會晤，才使人類由一次戰爭的浩刼邊緣取得了穩固的和平。正由此故，所以在當年張伯倫的頭腦中，認爲爲了一個遠大而重要的和平目標，而對一個蓄意的侵略者作一點綏靖，犧牲弱小國家的若干權益，是值得的；同時亦正由此故，所以當他從慕尼黑返抵倫敦時，他便向歡迎他的狂熱羣衆揮動着他得自希特拉的一項協定，譽稱爲「我們這一代的和平」。他滿意的以爲他的智慧還帶來了世界和平；誰知道正由他的這種愚昧，才使世界戰爭更加速了一步。

二、

當然，歷史已經證明張伯倫是錯了。以當年大英首相之尊，連訪三次希特拉，犧牲了弱小國家的利益，背負了一個綏靖主義的罪名，而結果並未阻止希特拉侵略兇燄於萬一，這對張伯倫來說，自是一種失敗。但反過來說，假若世界歷史由張伯倫這一行動而改變方向，使希特拉停止侵略，使世界和平一直保持到現在，使大英帝國仍能維持其二次大戰前的那種興旺局況，那麼，今天世人對慕尼黑的看法，無疑又當別論。所以追根究底來說，慕尼黑的錯誤，並不完全是張伯倫的錯誤，而是希特拉的錯誤；慕尼黑的悲劇，也並不完全是犧牲弱小而圖維持大國利益的悲劇，而是犧牲弱小之後而仍不能維持大國利益的悲劇。結果張伯倫因慕尼黑這一事件而損毀了他一生的令名，而希特拉也因廢棄慕尼黑協定，不斷發動侵略，終於踏上了自我毀滅的道路。

三、

一九三八年九月二十三日的晚上，當張伯倫二次赴德與希特拉會晤時，希特拉如此告訴張伯倫：「這是他在歐洲的最後一個領土野心，他沒有要將日耳曼以外其他種族包括在德意志民族內的願望。第二點，他仍是懇切的說，他希望和英國友善，如果這蘇台德問題能和平解決，他極願恢復商談。他說此外還有一個棘手的問題，即殖民地，但這是不致引起戰爭的」。九月三十日慕尼黑協定簽字以後，張伯倫和希特拉又立即簽署一項所謂英德宣言，這一宣言說：「我們公認今日簽訂的協定和英德海軍協定，是我們兩民族希望決不再事互相作戰的象徵。我們都決心願以諮詢的方法，處理有關兩國的任何其他問題。我們決定繼續努力，消除可能引起紛爭的根源，俾能對於保證歐洲和平有所貢獻」。看了以上這兩個文件，我們便可以清楚的判斷慕尼黑的歷史責任，究竟應誰的身上。若說「和平未到絕望之時絕不放棄和平，犧牲未到最後關頭絕不輕言犧牲」的話，那麼張伯倫，對的。若說希特拉果眞歸還了德國區是他的最後領土要求，從此洗手不再侵略，決心與歐洲及世界各國和平相處下去，那希特拉也並不算大錯。而事實結果證明：希特拉是一個百分之百的說謊者，是一個毫無理性與道德意識的政治浪人，而張伯倫則是一個[illegible]想者，他對當時[illegible]人希特拉個人心理方面的缺乏瞭解，而直到了盲目的程度。

四、

直至今天，還有很多人爲當年張伯倫對希特拉採取綏靖主義而未採取強硬政策，而深致惋惜。事實上，[illegible]「和平締造者」的自大狂之外，[illegible]這些事件，也都以綏靖主義的態度最後不了了之。[illegible]

五、

我始終認爲「和平未到絕望之時絕不放棄和平」，不失爲一種國際和國內政治上的重要信條，[illegible]就必須把握三項基本原則。即（一）以犧牲來換取和平，這種犧牲絕不能出自於弱小國家，而應出之於大國本身。假若在慕尼黑當年，張伯倫不以捷克的蘇台德區拱手讓人，而以英國[illegible]殖民地和其他英國利益來作交換，那我們便沒有話說，便沒有人反對慕尼黑。（二）和平必須建立於實力之上，若不以實力作憑藉而空談和平會商，一如張伯倫所爲者，其結果自不免被欺騙。（三）對任何一個侵略者，愛好和平各國就必須堅強團結，以共同一致對抗侵略者，絕不能互存私心，自身傾軋。在希特拉時代，假若英法美蘇，乃至法蘇各國間能有共同利害的協調一致，則希特拉黔驢技窮，勢難獲得一逞。所以二十年後的今天來看慕尼黑，我們愈益覺得「團結才有力量」和綏靖主義的不足恃。（註：文中摘錄係取自邱吉爾「二次大戰回憶錄」）

半週述評

聯合國的席位問題

一個在法律上和事實上尚被多數國家承認，而同時又是聯合國的創始人之一的中華民國，他在聯大的席位問題，却一年一度的不休的被辯論着。而一個曾被聯合國多數國家決議通過譴責爲侵略者的，却也竟然有廿八個國家支持它進聯合國，謀取代中華民國的席位。這廿八個國家中，除共產集團外，還有一些中立主義國家，當中以印度最爲最忠實的共產集團最忠實之徒！而印度就成爲三年來效忠中共最不受歡迎的客人，拒絕了自由中國赴印度訪問！

世事，就是如此的矛盾和不合理。而這也就是助長共產國際敢於鯨吞蠶食的眞正原因。國際上却仍然容忍它！姑息安撫它！

今年闖過來年如何

今年，我們雖然又再度在聯合國闖過了一關，但來年如何呢？這樣「中國問題」被擱置拖延下去，「問題」還是問題！蔣廷黻氏對中央社記者說：「他對表決的結果不滿意」！他指出：「少數國家態度的轉變，是由於世局的轉變」，而大多數的聯合國會員國，也都同意蔣氏的看法！因爲大家的觀點，皆是根據看好共黨願擴張行爲來看的。

雖孤立而團結

是不能容忍的，看來只有切膚之痛的中華民國在金馬的苦撐中，我們是孤立的，但我們却是團結的！這正如二次大戰初期，英軍從挪威和法國敦克爾克撤退前的情況一樣。沒有人會相信英國人能從鄧扣克撤退卅多萬軍隊，也沒有人能了解大英國民族的堅忍力量。但是在全民族的團結下，完成了偉大的壯舉。英國人以「我們是孤立的，但我們却是團結的！」一語，來爲鄧扣克戰役寫下了光輝的一頁！今日中國民族所處的情況，和整個自由中國在國際上所處的環境，一樣是在孤立狀態中，但我們已經爲金馬而團結了。我們要求堅守金馬，寸土不棄！

寄語英國朝野

赫魯曉夫碰到了艾克的釘子之後，莫斯科又轉而威脅英國，警告英國謂：「支持美國對中國大陸的任何攻擊，將帶來蘇聯明確的同樣的核子報復！」蘇聯對英國的威嚇，也非一次。我們固了解英國在歐洲的處境，但是我們也希望英國能同情自由中國的處境。祇要大英帝國民族能回憶鄧扣克對英國的重要，也就能想見金馬對中華民國的重要了！如果麥米倫、蓋茨克爾都承認慕尼黑的一幕，是歷史上可恥的一頁，你們就會覺得對共產集團的姑息，該是何等的可怕了！寄語英國：前事不忘，後事之師。

對停火的一個看法

因爲我們不能容忍，只有狠狠地還擊！卅餘萬發砲彈，沒有使金門軟化，目前供應情況也在好轉中；空戰和海戰也在節節勝利中，這正說明我們能守、能戰，就能改變任何不利的情況。有人以葉公超說了：「祇要中共提保證，可以同意停火」，認爲是儒怯的表示。在我看則不然。停火決不會是無條件的，如果作爲一個現實問題來看停火而又不損及中華民國現有的權益，這反而對大陸不利。因爲彼中共動員迅來反美反英和「解放」台灣的民心，將立刻失去重心，轉變成爲對中共支權的不利因素！如果人們能了解在大陸上的現況正如同一個吹脹了的肥皂泡，你就會了解中共除了繼續吹之外別無它途。但繼續吹的結果和停止吹的結果是一樣的——那就是破裂！幻滅！

所以，我說，停火如不損及權益，對我們是有百利而無一害的。

李金疇

泰東邊境戰機已逼

泰人埋怨爲什麼不執行防共條例

·君健·

泰東邊界的緊張局勢，會不會爆發爲戰爭？此時此事，無人敢於遽下斷語。就泰國官方態度看來，所謂「東埔寨擴張備戰，旨在防衛」的想法，現已不復可靠，而中共武裝正在一步緊似一步滲進泰境，却是眼前事實。這局勢如果不是泰國警方隱忍應付東方武裝挑釁，泰東戰事早於本月六日爆發。東埔寨的武裝敢於對泰開槍射擊，顯係中共幕後策動和支持；中共武裝部隊二千名進迫距泰二十七公里之前，泰邊絕未呈現劍拔弩張態勢，但這二千名中共軍進駐的動機，毋待進一步解釋。

如何應付當前危局，泰國政府軍警巨頭雖曾不斷會商，事後並未有何具體公開說明，以緘默來保持國家機密的態度，只會使人心更呈困惑。今天泰國所遭受來自中國大陸的空前威脅，並不是單純的泰東邊境衝突。東埔寨承認中共以後，中共派遣一個綜合師的兵力，包括了各種兵種，担任東國擴軍訓練，並藉邊界談判激起雙方仇視，挑撥東人對泰的情緒，實際還包含着對泰內部顛覆陰謀。這種陰謀，在泰國最近揭破的一宗私藏軍火案中，已經暴露無遺。

這宗軍火巨案，反映出中共對泰的顛覆，並沒有提供大量資金，而係利用雲南的鴉片烟土大量輸入泰境，再由泰轉運出口，一方面藉此毒化自由世界，復自世界各地籍毒品價款購買軍火，這種軍火並非小型武器，就泰國警方所破獲的軍機槍，與專用於射擊坦克車的火箭砲等軍械看來，那決不僅是用於擾亂社會安寧的工具，而係大規模謀變的戰略武器。泰國政府對於內變，沒有理由再加忽視，於是，防共偵察小組重行建立。這一組織在變披汶執政期間，曾著成效，自去年九月十六日政變後被取消，以致過去防共成就，幾被完全摧毀。

通過偵察顛覆活動小組，所瞭解當前泰國的情況，可以斷言：當前危局不易迅速可獲解除。因爲潛入泰國的國際共黨顛覆分子，數字相當驚人，如何清除，已是泰國政府擬議中的最大課題。因爲，這些共黨分子在泰就留，均有合法的居留證件，據調查所得，他們都是由東埔寨滲入。泰東邊境遼闊，本來防不勝防，共黨爲取得合法居留權，事先通過政府腐敗官吏，繳付一萬泰幣的居留保證金之外，且曾付出額外賄賂費用，貪污者發了大財；政府却在這一問題處理上大感困難。因爲這種魚目混珠的手段，使移民當局現在難以辨別良莠。

同時，那些共黨分子滲入之後，喬裝守本分商人，當局根本無法對他們下手。他們想在泰國久留，執行指揮泰共顛覆活動。因此，最近被捕涉嫌非法活動者之中，多數是泰人。根據泰國青年黨所獲報告，滲入泰境的共黨分子，不完全是中共黨徒，大多數是東埔寨人；東埔寨現在已被全部赤化，根據可靠的統計，東共的成分是：政府官吏與學生佔百分之二十，勞工佔百分之八十，這種情勢，正說明了東埔寨已成爲中共侵泰的唯一據點。儘管無人相信中共此種部署。對泰國僅爲一種恫嚇，終有一天在泰東邊境會發生大規模戰爭；二萬八千名泰警，縱能阻擋來自東境的共黨，而潛伏地下的共特，將是極大的隱憂。

泰東邊界談判破裂，泰國政府認爲奇突。其實，那是必然的趨勢，第一、東方要求舉行邊界談判，原則上是不明白一九零七年法泰關於東埔寨的邊界條約，希望藉此解釋疑義；第二、兩國邊陲的考柏威限山，本來是不管地帶，但是它在戰略上有重要價值；第三、談判開始之後，東方變卦否認泰法協定並無明確界限，態度轉爲強硬，堅持必須擁有考柏威限山。當這要求一經提出，邊境情勢立即緊張，泰方隨即派警進駐山區，東方開槍射擊；曼谷空軍奉命出動鎮壓，至此（九月七日）談判終於破裂。潛伏泰國內部中共，乘機煽動學生工人示威遊行，藉反東口實從事反美，以致警民造成流血慘劇。大多數民代已擊這一嚴重局勢，紛紛埋怨政府：「爲什麼不執行防共條例？」看來，除非堅決執行此例，殆難重見往時穩定局面。（九月十七日于曼谷）

金門的戰略價值

金馬應全力堅守，已不成問題，現在且談談金門的戰略價值。由於金門與廈門隔海相望，形勢險要。同時金門又當廈門及九龍江港出口航道，可以完全控制廈門和漳州進出口航運的通船隻。這是敵我攻守必爭之地。金門的防禦工事，均以鋼骨水泥，凡有在地尺以上的厚度；以中共最大的飛式重砲——一五五口徑榴彈砲——前是絕對不能破壞的。世界著名的馬奇諾防線，也不過七英尺的厚度；德國二百厘口徑的「巴黎砲」，卻亦嘗對它發揮威力，其彈着點，只是形成一條條的「魚鱗」而了；假如當時德軍不以二千架飛機，二千輛坦克車作立體式的閃電攻略，那末地面砲火僅直無法施其技。何況金門與廈門還有一海之隔；制空權和制海權均屬於國軍呢。

由於目下台灣尚控制着海峽的制空，制海權，故海空均援助補給，尚不十分困難。而且金島均屬山岩之地，適于守防，易守難攻，如有適當的防衛兵力，相信不致陷落。但依照戰略戰術的角度看，該島三面卻爲廈門所環抱，地勢似乎凸出，易于被敵人的砲火封鎖。加以中共在金門島附近水域，約有新式魚雷艇二百艘，另於飛機一百七十架，大部係米格式十七戰機，均駐于金門對面的兩基地。此外，作戰飛機一千八百架，則分佈于距金門八百五十哩內的大陸各地。同時沿海岸已部署共軍超過二十五萬（四個軍團），以對付金門島上的防軍七個師。

筆者認爲：目前中共對金門的作戰企圖可能有二：（一）將圖一舉攻略，運施其「人海戰術」的故技；（二）進行持久的圍困，以消耗戰。其兵力投于戰場的，在台灣當局而言，即屬最少的犧牲，有限的代價，亦須避免。然若堅守金門，則又不能避免某一程度的消耗。否則，如若一旦失陷，金門距澎湖列島不過一百六十里，金門不守，則台灣將成「孤島」；對台灣的防衛作戰，勢將增加困難。特別是失卻對中共的心理作戰，影響更大。

由台中、嘉義、台南到廈門背後大陸（同安、角尾之綫）約二百八十里，利用超音刀噴射機，僅需時二十分鐘；作戰航程約二百里，需時僅十五分鐘。由馬公到中共沿海機場尚未築成時，其飛機當中梅縣起飛、長丁抵飛機，約距二百五十里；由建甌起飛的約有三百里，與台灣的距離；由吉安起飛，距台灣約四百五十里，不若台灣的飛機航程之近。如當時第七艦隊之航空母艦亦加入作戰的話，則國軍反攻大陸，不是不可以實現的事。

如當時第七艦隊反攻大陸的決心表示：「若再過兩年，將失去反攻大陸的機會」！這話裏所含的意義，無疑是老實話吧。作者的兩年後，雙方所具備的條件是：兩年後的今天，中共在福州、龍田等地的機場均已先後築成，而且它的米格十七式噴射機亦已分批進入各機場，其對金門、馬祖的防空已顯然佔有「近水樓台」的優勢。將來雙方的決戰，恐將決于彼此海空實力的消長；但此項海空實力的決戰，事實上亦須視美方的決心如何。（九月十八日）

·養之·

「學校」補習化「信用」標會化

——台灣的兩種社會現象

·淦克超·

台灣通訊

美國老牌專欄作家李普曼，在一九五五年所著的「公共哲學」一書中曾說：由於武器性能之進展迅速，和當局高度保密的理由，和戰或重大決策乃在一二人的方寸間，不是評論家所能預料的。這話或不爲若干評論家所同意，究有相當的根據。

不過一般的趨勢總逃不過評論家的觀察。中東風雲已經算是過了一陣，遠東的緊張料亦係密雲不雨：這些天下大事，說來話長，似乎亦可以暫不置論。筆者頗注意近年台灣的兩種社會現象——「學校」補習化與「信用」標會化。

補習與學店原來毫不稀奇，當年的大陸早已有之，尤其文化商業中心的上海；今日的香港又何嘗不是？小學生因功課趕不上，或升學考試失敗，而進入補習，而進入此類的學店，當係情理之常，亦爲勢所難免。

今日台灣則不然。小學之校內校外補習，所謂惡性補習，已普遍化了。一個五六年級學生如果不參加老師的課外補習，那就要受到種種歧視和侮辱，簡直近於虐待。儘管官廳三令五申，禁令惡作補習，但官樣文章無裨實際。何況今日之補習已成爲「滔滔者天下皆是也」，要說是「時勢使之然」，即不如說是生活使之然；一個月薪不過三百元左右的小學教員，實行補習，則每月收入便可達二三千元，利之所在，人爭趨之，自係事理之宜然。行政方面不能使教員們解決生活問題，他們就如此自行解決。這些亦可不必深論了。

最畸形發展的是爲中學生升大專而設的各補習班，其背景有教育行政機關內的有力人員，有地方紳耆，有立委議員，有大專要角，形形色色。參加補習的學生係因功課趕不上的固然很多，因求升學聯合考試更有把握的亦復不少。以現在水準列一級的公立學校的優良學生，還會被補習班三個並不十分高雅的字所吸引，豈非十分奇怪嗎？原來補習班自有一套，牠能使你有把握的升入著名大學。你會懷疑牠的廣告宣傳。可是牠會使你確信，因爲牠有猜中大專聯考命題的本領，至少不中亦不遠矣。你就會驚想牠班中定有劉伯溫一類的人物。不錯，你很聰明，牠班中有的是公立學校裏最優良的教師，在公立學校任教時，這學生的作業也懶得閱看，更無論評改了；可是當兼任補習班時，就居然有孔子「誨人不倦」的精神，「循循善誘」，不由你不讚歎習俗之移人了。但這些「不倦」和「善誘」的角色還不能算劉伯溫，劉伯溫別有化身，那是大專的教師，直接間接和聯考命題有關係的，因種種關係，和補習班保持半公開或不公開的關係的。如此種切，無怪乎補習班智珠在握，足以睥睨公立學校，使各校學生視補習班爲終南捷徑了。要說是學術走私化，自未免太過；但學校補習化，則係事實。

×　×　×

另一畸形現象則爲「信用」或「社會信用」「標會化」。如果今日美國經濟之特徵，照哈佛大學史立希特 Slichter 教授，在大西洋月刊中所指出的，是分期付款制；今日台灣的社會經濟之特徵則是標會——省區中稱爲「搖會」，是十個人左右輪流周轉信用的辦法，用極粗陋的方式一搖，誰的出數最多，誰就得某一次的會款，婚喪喜慶，或建築買田，更常有藉「搖會」以資周轉。但搖會是自然的信用互助，如果人人對信用上有，則會他會員不免吃虧了。在銀行信用不發達的中國，這是自助互助之需要使然。今日台灣之標會則據非當年大陸之比，其範圍和選人之程度會，人吃虧，並是統計數字無從獲得罷了。以筆者耳目所及，上自名公鉅卿的太太們，下至三輪車夫以下女，中小商人或公務員更無論矣，都是標會的參加者，其中更有若干職業性的標會者。所出利息，高者達月息百分之十左右。標會款額是無限制的，少者數千元，多者數十萬元。參加標會者大都不是限於一個兩個，參加更多的是更難得活源，而有左右逢源，以債養債之效。

報紙不時記載，某人因標會虧空百萬而自殺，而九月初台北市府標會一名奪得何某捲款潛鉅，而被扣押，近千萬元之在處，則其間問題可不限於一件兩件，而在整個的社會信用。[illegible]有少數的幾家，實際上與一般過去大陸的錢莊相無關。[illegible]是台灣所謂的「合會」，對於行或私人借款，都行號的惡性倒風頗有增長的趨勢。至於標會的條件一件破社會信用，到一般社會信用的日漸墮落，這是社會經濟的現象之一種畸形社會[illegible]土摘，中國向來以「水[illegible]」，很少人真正作到上來解決問題，像這樣的現象包括台灣的社會[illegible]是否有關心者的熟思深考呢？

韓瑪紹又將赴平？

從聯合國來的消息說，姑息主義的代理人韓瑪紹，有可能將超赴北平進行斡旋，設法挽救中共在台海攪起的緊張危機。

韓瑪紹曾於一九五五年去過北平，爲的是幹旋釋放美俘問題。可是直到現在，還沒有完全釋放，這就是美國人[illegible]放的美國人又成爲美毛會談的必要因素之一，成爲這項會談中的久久不得解決的懸案。

韓瑪紹此次如果真能成行，也無非是在替國際姑息主義者到北平去探探行情，結果是不會有的。因爲他不能爲任何一方面「當家」。

韓瑪紹好像是人間的「和平天使」，他大概也正以此自居，但是在蘇聯集團的眼中，他竟[illegible]；他在中東要求的糾紛中，也同樣不見得受熱烈的歡迎。只有當他被侵略者和姑息主義者在同樣的需要下，要他出來跑腿時，他就有機會成爲真正的「國際要人」了！（賓）

教師節談「尊師重道」

·蕭平·

年年有教師節，年年喊「尊師重道」，年年有大批所謂「優良教師」出籠。而年年只見師道頹替，師資低落，教員的地位直綫下降，降爲職工，降爲賤吏，良可慨也。

年年教師節，感慨萬千而有所欲言，但結果還是慨乎而止；今年教育部去舊迎新，來了一個「可以談談」的教育主管，如有欲言，斯其時矣。

我以爲：欲重道必先衛道，欲尊師必先自尊。這些起碼條件假如沒有做到，而欲侈談尊師重道，無異癡人說夢。

重道必先衛道

何謂衛道？教育行政自中央以至縣市，政令務求統一，推行務求貫徹，一個國家總能夠有完整的教育政策和正確的教育方針。在過去，這兩點我們都沒有做到，以致釀成教育政策的分歧破碎，造成各級學校的紛亂無力。今日台灣，非教育行政主管，有公然干預各級學校行政的；非根據教育法令的諸種措施，竟強迫學校當局和學生去負荷的；且視爲當然而恬不爲怪。這意味着自由中國有着一個以上的教育主管，從事教育工作的人員和學生，有着不止一個發號司令的主腦。

而第三三號的主子，有時還會騎誇在正牌主子的頭上去。做一個教育行政的首長，不論中央或省市，對於這種無理的干預，和無教育法令根據的措施，理應據理力爭，不容其參與教育；爲了維護教育事業的尊嚴，寧可犧牲自己的崇高，當不惜以去就生死以爭取之。[illegible]

尊師必先自尊

何謂自尊？自抗戰軍興，教員待遇入不敷出，教育從業員的自卑心理於是滋長。這種人窮志短的觀念，是最要不得的。抗戰中期以後，此種現象已漸見抬頭，及大陸淪陷偏安海隅以來，更是此風陸長，人師的尊嚴，已蕩然無存了。何至此？升斗之所入，不足以上贍俯蓄，教員生活的清苦，固然是促成自卑心理的自然結果，但政府的許多措施，更有以推波助瀾，予以精神上的迫害，實不可推卸其責任。[illegible]出處當局的教育從業員，再也不肯安於職守，稍有[illegible]

[illegible]

校長教師之間

何以言之？[illegible]

校長與教師的進身問題

[illegible]

英國專家泛論

當前遠東局勢

蘇俄幕後策動不敢挺身出戰

●祝修衡●

英美間的歧見，隨遠東緊張情勢誕展，正在逐漸消失。從表面上看，遠東危機僅布台灣海峽，實際卻是全面性的。在最近半年間，英美兩國均曾派遣專家分赴近東、中東、遠東各地，搜集有關軍事、政治、社會資料，經過分析研究之後，一致認爲莫斯科對於製造世界緊張局勢安排，與史達林死前並無若何改變。

一位剛自菲律賓經港返國的英籍專家指出：赫魯歇夫現在雅爾達召集東歐各附庸頭目個別會談，顯示赫魯對近東、中東、遠東整個計劃，部署已告完成，進一步企圖對東歐鐵幕後面加緊控制，以免於國際局勢一經變化發生叛亂。

蘇聯在製造局部戰爭

這位專家肯定地說：不論中東、遠東發生戰亂，蘇聯祇能袖手旁觀。基於此種情勢，蘇聯不得不加強埃及、中共軍備，並授予充分權力，使他們負起指揮顛覆，以及製造局部戰爭。上次赫魯赴平跟毛澤東會談，華府若干專家認爲：「那是中共領導階層存在着嚴重歧見，需要赫魯歇夫親自赴平處理。」他說只猜中了一小部分，實際決不是那麼一回事。這位研究遠東問題專家，就其所獲有力資料分析：他並不否認中共內部派系之間，存在着嚴重歧見，這種歧見對中共決策，沒有什麼影響作用，權力上的鬥爭、與私人利益衝突，不會發生內變，在對外問題上，中共絕對沒有背棄莫斯科自作主張可能，過去九年，無一不聽命於克里姆林宮者，赫魯歇夫前此悄然赴平，沒有充份證據足以說明他此行與製造台峽緊張局勢無關。就渠掌握資料反映，赫魯赴平目的有三：

赫魯赴平三個目的

一、加強中共在亞非集團權力。克宮在「世界革命」整個計劃中，在亞非部分，只有兩大憑藉——毛澤東與納瑟。授予充分權力，使其對亞非集團各國，發生極大的影響力；二、赫魯歇夫赴平之前，曾經召集各地共黨首領，如印尼之艾迪，緬甸衆院議長貌巫旺等，轉移克宮領導權與北平，使印度、印尼、緬、越、寮、柬、泰、馬、菲、以及尼泊爾、錫金、不丹各國共黨，全受中共領導，統一指揮；三、表示對中共重視，使毛澤東在共產集團中地位提高，號召力擴大，在領導階層中增進影響力。

赫魯歇夫與毛澤東會談的結果，採取三大步驟：一、和平解放印尼、緬甸、泰國、馬來亞及新加坡，必要時使用武裝部隊支援，使中共勢力深入孟加拉灣，控制爪哇海峽，藉解放西伊里安（西新幾內亞）封鎖並切斷太平印度兩洋的西方海運線；二、擴大宣傳「解放」台灣，藉武力奪取金門、馬祖，以剷除東南沿海威脅，使東南亞各國注意力移向台灣海峽，再使國際間對台灣海峽的目光移至華沙、及紐約的聯合國，以期將第一項步驟迅速完成，然後傾其全力進攻台灣，進一步解決日本、南韓、冲繩，以及東南亞其他各國。三、困擾英法、孤立美國，中立日本、印度、阿富汗；促成第二項步驟實現；那時候，蘇聯分途出兵，策過中共埃及會師中東，橫掃巴爾幹而直搗西歐。

今後十年間

專家指出上述三大目的、三項步驟，赫魯預定於今後十年間必能完成。而毛澤東本人相信：除非再過十年他無法統治中國。對於此種計劃，不論英美兩國專家，他們所獲結論都是一致的認爲：毛澤東如果不在今後兩三年間死亡，台灣如果坐失反攻大陸機會，毛澤東的企圖是會實現的。因爲，二十歲以下的人，他們僅知道中國的統治者是毛澤東，對民主的中華民國，並沒有絲毫印象，他們至多有一些感覺，那就是：「台灣在美帝踐踏之下，中國人民均有解放台灣的責任。」因此，這位曾經去過大陸的英國專家，認爲中共的統治權力，只有利用這一批人來鞏固；三十歲以下的人，他們對國民黨既無好感，對共產黨更加不滿，這一批倒是中共最大勁敵。現在，大陸上中年以上的人對他們的統治者不滿，也只能以不合作的態度去對抗，除此以外，只能爲其打算：怎樣能夠維持今天的生計？

關于大陸人民

大陸上的人民有三種不同的感覺，一位印度商人對中共統治了九年，覺得猶似過了幾十個黃梅天，過一天比一年還難；一個生活腐化的共幹，並不以爲已經過了悠長的九年。奢華生活；常年勞動的村婦，她震驚於她苦難的日子，已渡過九個寒暑。這不同的意識，據英國專家分析：這是不難理解的，中共如果不沒收私有財產、私人資本而奴役人民，人民對於統治者的好感，將有充分時間去選擇，對現實政治不滿，將驅緊衆心去反抗；共產黨驅使着每一平民接受它層層領導，領導者把每一個人民的腦袋緊緊箍住，不許他們在日常生活以外，存在着任何反抗意識。於是，這位留英人強調：「不能等候大陸人民起來推翻共產政權。」這位專家又說：他不否認大陸上有反共武裝，但是若干紅色刊物所紀載小說體裁的具體報道，那並不眞有其事，那是共黨用來警惕他們自己的，同時也是導使台灣軍方墮入錯誤的估計；眞正的反共活動情況，中共從不允許公開報道，列入機密，用來研究採取對策的方案。

經過虎評研究之後，他們不認爲遠東會發生大戰，同時對於八月三十一日倫敦「星期快報」，列出泰勒的那篇專題評論，認爲「那是過時的浮文」，英國人之中甚多不知道台灣在什麼地方，也不知道自由中國今天的地位，在世界事務中所扮當怎樣重要的角色。詢以美國如與中共正面作戰，英國是否與美採取一致行動時，他們說：「自由中國無意美國派兵助其反攻大陸。」但認爲英美間現無若何歧見存在。

竹幕幽秘

從鋼鐵生產的緊張看問題

中共在台灣海峽搞得漫天風雲之餘，在生產方面也搞得緊張異常，其中尤以鋼鐵工業爲最：

一、八月六日——十四日「冶金工業部」召開全國地方高爐會議，要求加強礦山工作，解決礦砂焦炭和白煤的供應問題。

二、江西省從六月中旬到八月上旬建大小高爐四千五百個，但到該月十七日止，據八月二十三日人民日報報導：每天出鐵不到一千噸，有百分之九十的鐵爐不能出鐵；於是由省委第一書記任總團長，書記任副總團長，全體出發到各地去檢查。

三、八月二十五日人民日報要求書記到鋼鐵前綫督戰，要求書記不出鐵水不離爐。

四、九月二日人民日報要求成立鋼鐵運輸辦公室或運輸指揮部來爲鋼鐵生產調配服務。

五、九月十四日人民日報要求凡是經過簡化證明可用的礦石，立即發動羣衆開採。同日人民日報刊有一張表，說明九月份各省生鐵的計劃產量與九月上旬實際產量的比較，我們隨便的把這表的末尾幾個省的數字列述于下，以觀測其完成計劃的可能性與緊張程度：陝西，九月計劃數六千噸，上旬實際產數一九六噸；甘肅，九月計劃數二萬噸，上旬實際產數二七三噸；青海，九月計劃數三千噸，上旬實產數五噸；新疆，九月計劃數五千噸，上旬實產數七八五噸；寧夏，九月計劃數一千噸，上旬實產數四十九噸。

六、九月十九日人民日報要求打破煉鐵必用焦煤的「迷信」，號召用無烟煤煉鐵。

從前述的煉鋼煉鐵的情況大致上已反映了中共鋼鐵工業緊張狀況。就事論事，發展鋼鐵確實是發展一切工業的基礎。毛澤東的這種想法並沒錯；問題是：何必如此的急功好利？我們早已評定了他的多、快、好、省的建設社會主義總路線是秦始皇路線，現在看來一點也不錯，把民間的金屬器皿通通搜上的小釘也搜括去了，較之秦始皇的苛斂何如？究竟還是破壞呢還是建設？還是浪費呢還是節省？

本來，根據馬克思的理論，是在資本主義高度發達時，工人階級因爲被剝削過甚而展開階級鬥爭，奪取政權；共產主義若根據這一理論而發展的，那麼其所統治的地區自有其工業基礎。而現在，中共奪取了政權，並不根據這一理論發展的；因爲中國的資本主義根本不發達，工人階級在全人口中只佔極小的比例，這一方面說明了中共在中國大陸之奪得政權，並非馬克思主義的發展，而是主觀政治權術運用，和客觀的環境所促成的。另一方面又說明了目前他們在高倡的建設社會主義，建設共產主義的說法，根本就與馬克思當時的理想違背的；因爲根據馬克思的理論，共產主義發展的地區必然是高度工業發展的地區，還要什麼去大搞建設。列寧、史太林、毛澤東輩因爲用共產主義的口號奪得了政權，千方百計的想出什麼建設社會主義，建設共產主義的理論，强迫其黨，其控制下的人民要照這種理論來實行；世界不斷地在進化着，要從落後趕過先進的資本主義國家，談何容易？要付出何種代價？這是毛澤東把中國人民搞得這樣村若的思想錯誤之基本所在。即使中國的鋼鐵工業像其預計一般的完成了，其他工業難道也像這種搞法？要是這種逼得人民吃不飽，工作十六小時的搞法能繼續兩年，而不烽烟四起。恐誰也不會相信！

●田心●

鋼鐵生產不敷消耗 中共全力回收廢鐵

由於積極備戰和從事擴大戰爭的需要，中共的鋼鐵生產量，遠遠地落在消耗量的后面。

爲此，中共不僅向地方和工業部門發出新指示，和加強生產的號召，並經由「中共中央軍事委員會」向各兵種各部隊發出指示，「支援鋼鐵生產」。其主要步驟如下：該指示說出，當前鋼鐵生產上主要問題是由於礦石開採不足，某些原料供不應求，和運輸工具缺乏，軍隊必須從各方面協助解決這些困難，一、由各部隊抽調運輸汽車四千一百廿台，迅速集中，聽候冶金工業部調配使用；二、各部隊，兵種，軍種應迅速清查所屬倉庫、工廠、港灣，將過時報廢之飛機，坦克發動機，引擎，艦艇主機的數量品種上報轉「國務院」調配使用；三、在目前礦石開採不足情況下，各部隊必須動員大力作廢金屬的回收，聽候調配使用。

於此可見，中共前綫故是緊急，而後方的鋼鐵生產亦同樣陷入缺乏的緊張狀態中。（裕）

國際動態 拾零

△遠東危機尚未解除，美國突然要求南韓，裁減十萬人。理由是，國會已將援外數字減少。

△廈門每日駛出木船，約六拾隻，可載大批軍隊，所以隨時有攻取離島的危機。

△中共已徵召其在東德之大批學生，技工，回國從軍。這是總動員之表現。

△英國支持美國之態度，爲不問這些島嶼誰屬問題，而是領土變更，不可以武力解決的原則，不能破壞。但無論如何說法，英國在遠東，一如其在中東之支持美國的，這是出乎共黨集團意料之外了。

△中共廣播，對美國飛機形態均極清楚。如海軍之P5M1型，空軍之U2偵察機，均是外間不甚知道的，而中共廣播均能道出。遂疑蘇聯專家，在中共前綫工作。

△莫洛托夫，現不在外蒙。於莫斯科及克里米兩處，常與赫魯曉夫會面。證蘇聯在外交上，將恢復史太林派强硬政策。

△赫魯曉夫主張，由美、蘇、英、印、中共，開高峯會議，其目的在解決台灣問題，且讓中共進聯合國。

△第七艦隊的力量，其六隻軍艦中，每隻所攜之核子彈，等于二千八百萬噸黃色炸藥。超過英美在第二次大戰所投炸藥之總和。

●陶然●

英文「中國文化史」出版

△周祥光博士著▽

（本報訊）我國旅印學者，周祥光博士，近著英文本「中國文化史」上册，（由上古敘述至宋代）經已在印出版由 Allahabad 之中央書庫（Central Book Depot）印行，八月份銷售即近二千册，足見印度學人之重視我國文化，而本書之價值，亦可於此見其一斑。該書現由著者委托本刊代爲在港發售，每本定價印幣六盧呸，購者請向本刊發行部接洽。

海外通訊

日本什錦

。觀游。

義務宣傳：自金門砲戰以來，日本全國報紙競以頭號標題刊登，爲從來所僅見；筆者認爲日本這次是爲我義務宣傳，因爲過去對于自由中國之報導實在少得等于沒有。

騎牆立場：金門砲戰以來，韓國首先發出支援的聲音，菲律賓繼之；可是日本竟公開表示不能採取與韓菲同一步調。我駐日沈大使曾爲此訪日外務省山田次官，山田亦以上述各語回答，其實，此是料想得到的，日本政府正在要向中共表示友好，至少是要作到「不敵視」中共。話說回來日本本身連防衛自己的力量還沒組織成功，空話一句「支持」又能有多大用處？何況又不敢對中共取「敵視」態度。

破產市長：日本有史以來第一位經法院宣佈破產的是山口市市長，這位市長負債達日幣一千八百萬元（相當于合敵一百八十萬元）。這位市長更妙，他說，負債破產是私人行爲，並不因此而喪失公民權，他說他要繼續坐在市長寶座上，可謂「破產儘管破產，市長我自爲之」；亦爲今日日本政壇一趣事也，不過山口縣是岸首相出生地，岸首相大唱除三害：一、貧窮，二、貪污，三、暴力，那麼這位山口市長應該屬於第一類「貧窮」，是不是該被「剷除」呢！萬一不去掉，就怕要因貧窮而走上第二條路；至於強佔市長寶座不讓，豈不是又成立第三類「暴力」了嗎！可謂「三絕」。

購機之爭：日本防衛廳爲了購買噴氣機，正在鬧得烏烟瘴氣，有人說F81在美國造價爲日幣50Million到60Million，但是在日售價却高至日幣150 Million元。岸信介對此訓說：他對于飛機價錢不很清楚，日本的國防秘密似乎不必要人去搜集，早已由他們自己提供得一明二白了。

精簡機構：日政府也正在計劃精簡行政機構，刻正由大野伴睦主其事，可謂與我有共同之認識與步驟，究竟何時可以精簡成功？且聽下回分解。

自由談

無聊的玩藝

連日在台北發行的中央日報上，看到當地「世界書局」董事與總經理互相駁斥的大幅廣告文字，爲的是爭奪該書局的總經理職位，當事人的一方，且係號稱爲「黨國元老」的有名人物，其中是非曲直，自然非我所能知，無從置喙，但覺得此時此事，不但無謂，而且迹近無聊，是亦不可以已乎？

據報紙紀載，這場是非已經鬧了很久，亦曾訴之於理，而法院諭令試行和解。這大概是法官爲着顧全「黨國元老」的體面，不欲執法相繩，用心良苦。然當事人竟未能仰體法院息事甯人的善意，不惜妄自菲薄，濫費財力，在報紙上從事廣告性的筆戰，這不是太無聊了嗎？台灣海峽戰雲密佈，金、馬前綫的將士辛苦迎敵，日夕在敵軍放射的砲彈中過生活，黨國要人有此爭奪私人權利的閒情逸致，何不到前綫去慰問一下戰士？有此刊登廣告訟詞的金錢，何不拿去勞軍呢？藉報紙廣告以爭辯是非，除了當事人相互鬥嘴鬭陣以外，甚麼用也沒有，看報的人誰亦不會出面來替某方打抱不平的。這種無聊舉動，只是一般凡夫俗子樂此不疲，稍有自愛自尊心理的人，決不屑爲，何況「黨國元老」？

創辦書局原係一種高尚的文化事業，與一般市儈的商務不同，縱有是非問題，太上是大家本諸理性以謀解決，其次則乞助於法律裁判，最下而且最醜的方法，就是在報紙廣告欄中，花錢吵嘴，於事毫無裨益，徒然令人齒冷而已。

爲整飭社會風氣，奠立法治權威起見，我希望台北地方法院依法訊理，秉公處斷，不必再讓他們搞這類無聊的玩藝了。

馮乎先生

作家與作品

·人木·

年青一代的作家們，身處今日的環境，是足夠埋沒某些天才的！「五四」以來，稍耀的大作家們，死的死了，不死的也祇是躲在政治權力之下，嘔不變，或乍團繭虫！在自由寫作的地區，政治影響力，一樣能達到，也同樣地看不到好作品，香港的文壇，就會被譽爲「文坑」。

時下的小說和散文，予人的感覺是：不論報紙或雜誌，映入眼簾的差不多都是些文字蕪雜的堆砌，往深一搜，便覺得索然無味，當然，有時偶爾也可看到一兩篇好的，但畢竟太少了！

這樣的情況，令人覺得年青一代的作家們，不知何處去了！大部分短視些的，只是把目光放在經營「成名」上，一心以爲成名便是成功，其實，目今的不振，爲「成名」而寫作不可以說不是一個主要的原因，也時常使人覺得某些成名作家初期的作品比他成名後寫的更好，眞乃怪事！還有某些老前輩們，早就脫離了現實，寫些甚麼考證的文章，與文學也有了距離。

有的人一談起當今文學便採取一種鄙夷不屑的態度，那是很錯誤的！白話文學之被提倡，迄今才不過四十年，祇可說是一種探索，但所得的果實雖不能算太少。要產生一個韓愈，倒需要八代古文的萎靡不振來作刺激；爲了產生中國即將出現的文藝與大詩人，這種混亂和衰弱似是無可避免的了。

無論在那一個時代裏，要成爲一個大作家，是必需要經過一番很吃力的奮鬥，年青一代的自也不能例外。

縱觀中外成功的作家們，其生涯無一不是與崇高的理想背景相結合。雖然小丫頭想做太太也是一種理想，小商三想做大亨，也是理想，但眞正地說起來，這些只是慾望。眞正的寫作理想，不圖該以私慾爲出發的。

盧騷由於對自然美的狂愛而徹悟出人類生而平等的思想，「民約論」便是他點燃的一把火，燃起了世界各個大革命的巨焰！托爾斯泰因着他對「福音書」的信仰，對人世愛與善的追求，而產生他後期極佳的宗教小說和「復活」。陶淵明對田園與自然的愛好，因而達到生活上極頂的和諧，才會有「採菊東籬下，悠然見南山」的絕唱……。

純粹有理想是不夠的！只有能付之於實踐的理想才有價值，才能使人得到耳久的信仰。盧騷就是爲了他的理想，一生潦倒，且信仰却與日彌堅。陶淵明的「不爲五斗米折腰」，做官時「冰炭滿懷抱」，回田園時是「久在樊籠裏，復得返自然」，一點也不勉強，實踐他理想，識到了生活最高的和諧。

尤其當讀「托爾斯泰傳」的時候，看到這嘯北的天才在老年時自己鋸木、耕地，拋棄了貴族的生活，祇爲了實踐他的理想的一部分，終於以至於出走；沒有人了解他，甚至連最親愛的妻子蘇菲也一樣。

我們在這裏發現托爾斯泰的偉大並不單是他的「戰爭與和平」、「安娜·卡列妮娜」、「復活」等等作品，他的人格已經超越了同時代的任何人，達到更高的境界。

唯有理想通過實踐，才能有生活，莫名其妙的活着並不是生活，祇是浪費生命。沒有生活內容的人，即使一生從事於舞文弄墨，結果還是不入文學的門檻。

有了生活，則生活中的每一件事物都有特殊的意義，這就是所謂生活的意識。作家的生活愈豐富，所感受的也就愈多。更由於作家的理想，總不多可以代表同一時代的大多數人的理想，所以他所感受的，該是大多數人所感受的！他應該爲大多數人的感受而寫作。

當生活豐富，意識明朗時，作家的內心便會有一種力量推動着他去創作，唯有這樣的創作，纔能產生不朽的作品！「我不得甚麼而寫作，因爲我要寫，我纔寫。」做到這一個境界，才能算是做成功了。當一個作家變得要用寫作來維持生活的時候，那就很難有甚麼了不起的作品了，除非他有巴爾札克一般的天才——萬中無一的——否則祇是在自己埋葬自己的文學前途。

目前，許多作家們一開始便忽略了理想與實踐，而祇在文字雕飾方面下功夫，是顚倒本末的做法，才會產生許多繡花枕頭似的作品。也唯有重新做起，才能擺脫這種不良的現象。

胡亂寫了一些拙見，倒是希望與文壇界的新血們共勉的！我們得提得起，放得下。首先去除了成名的急念頭，慢慢的按步就班做去！「主要的是成爲偉大，而非顯得偉大！」讓羅曼羅蘭在「貝多芬傳」中所說的這句話來總結我贅長的嘮叨罷！

（寫於成大）

讀顧詠余先生邪狹行有感卽以寄懷

·眉庵·

坐困飛洸幾百感，忽驚珠玉落樽前；江山信美非吾土，世教憑承有少年。先生詩稱中土城中之青年仍能奉行我國古訓品格端正甚爲彼邦人士所贊嘆

鯨鱷乃知秋柏勢，澹泉獨得語言詮；舒舒准水秋波遠，坎止流行共惘然。

榜

·尤崇洵·

這公告牌是臨時建的，專爲發榜用的，所以沒有什麼氣派，只是由許多木板拼湊而成。這牌子多長？三四丈吧！不，四五丈，也可能是五六丈，然而總差不了許多。至于高度呢？一人高？不止的，二人高？不到。

牌子的上端，等距離的裝置了磨砂燈泡。每隻約摸是四十支光到六十支光的樣子。

不遠處一座樓房下，有兩名警衛站在燈前，很多人圍過去，有的問：

「請問什麼時候……」

「十點鐘，十點鐘，在那邊……」警衛用手指着那牌子。

「啊，啊。」

于是人們走開，有的口裏說着：

「奇怪，有人說是十點半才發榜。」

走過去，大家圍住那用來發榜的牌子，上面貼有一張紙條，寫明十一點發榜。

人們望着這空空的榜，會楚地盯住，似乎要望穿它，然而終又失望地離去。

「才九點鐘哪！」一個學生看着腕錶說。旁邊一個老年人投以責備的眼光，似乎嫌他不夠沉着。

忽然有人叫：

「收音機開始廣播啦！」

于是人們統統很快池走了，那榜依然被冷落着。只幾隻不明的昏燈[illegible]。

十點，十點半，許多人又漸漸聚攏了。

「眞是一年比一年難考了。」兩個中年婦人過來，其中一個手上牽着一個八九歲的孩子說：「明雄這孩子連看榜的勇氣都沒有。」

「是啊！這年頭……」另一個回答：「萬兒也是一樣的，大學這麼難考，也難怪他們。」

「眞叫人操心……」說着，兩人擠進了人叢。

學生們三五成羣亂嘈嘈的談着。

一個學生騎車進來，碰見同學，便剎住車一隻腳着地，一隻腳架在車桿上。

「小子，你他媽的眞有一手，聽說考四百多分是吧！」一個學生從草地上站起來對着他說。

「算了吧！今年四百多分不值錢啦！」

「你就打聽自己的分數，也不幫別人忙，不夠意思吧！」另一個打岔。

「我還不是託我父親的一個朋友……」

「算了，算了，還辯什麼？我們能不能取還成問題，剛剛又沒聽收音機。」又一個面仰着天說。

「他媽的，我還不是……」

牌上的燈泡冷冷地瞧着人們、不言不語。人們也瞧着牌子。坐在草地上的人，望着前面，祇見一條條的人影密密麻麻的編織在一起，擋住了視綫，而且鬧哄哄的；然而抬頭時，還看得見那冷冷的燈泡。

忽然，人羣一角起了騷動，幾個人手上拿着漿糊、紙張、椅子從人叢中擠來：「請讓讓！請讓讓！」

「來了，來了。」

「來了，來了，來了。」

聲音漸漸的散佈到全體了。坐在草地上的人都站起來。大家的目光集中在這幾個人手上。每個人的臉都緊張得像雕塑的石像。

「我看了名字很……」一個女孩子拉着母親。

「不要慌，不要慌，會有的。」

牌子開始塗上一層漿糊，然後一張張的名單公佈出來。但立刻有

「哎呀！這怎麼看得見呀！油印的名字，燈又這麼暗！」

「用毛筆寫就好了……唉！」

人頭都被無形的手提着，脖子伸長許多。每個人的腳下都站不住，有的用腳尖支着，隨着後面的人一擠，不由自主的向前倒去，前面的人便倒在榜上了。木製的「金榜」被擠得叫了幾聲。

「別別，別，別，嘖！」

「別擠啦！再擠就垮啦！」

「眞要命的！」

然後人羣向後退，這一退又退了許多。

「小何，超過取啦！」人叢裏拋出一句特別響的話。

「看到了，你再找找有沒有老吳……」不知從誰的喉裏回答一句。

榜上的燈雖然暗淡，然而有幾隻電筒照射着它，所以有幾處變得特別光亮。但是人脖子終于覺得酸痛，有的便離開，退到人羣之後，有的索性坐在草地上歇息。

不遠地方有一個中年男子對着一個與他差不多的青年，拍着他的肩膀說：

「……趕快回家告訴他們。」

「他們一定早聽到收音機了。」青年回答。

然後便消失在黑暗中了。

在榜的背後，有一個沮喪的青年垂着頭，像怕見那一張榜示和人羣，頭也不回的向前走去。

後面趕來一個男子在他背後叫：

「三弟，三弟，……」

「……」他依然沉默着走。兩人的身影被參差的樹影遮住，終而草地上又有幾個學生圍在一起。

「今年我們學校可慘啦！」

「那個混蛋校長該死！」說話的人把拳頭一揮。

「一共取三個，成什麼話？」

「老鄭那麼死讀書考了四年還沒取，我們更別說啦！」

……

另外，有幾個學生指着大學校徽，在一張名單前數着：「……三個，四個，五個，六個……」

「這名字也可能是女的。」一個說。

「算半個。」另一個答。

「……九個半，十個半，這個……也算半個，十一個。」

「唔，今年不壞，不壞，我們系還也不乾燥了。」

幾個人都很滿意。

人終于漸漸少了，那幾盞燈泡懸得很高的，人多時冷冷的，人去了也還是冷冷的，不改顏色。帶着冷漠的意味看人們走出校門以後，祇有三三兩兩少數的人還在燈下出現。燈俯視着他們。然而沒有喜怒，依然冷冷的。

夜，已太深了。

留醫日記

·潔心·

從台灣回來（香港）後的第二個星期的星期四，我便入九龍醫院割症——慢性鼻竇炎。

割症是一個痛苦，我不想給同學們一個可怕的描述，希望他們永遠不會嚐試和知道這些痛苦。

七月廿四日　星期四

人生是一個無盡的苦痛。

從嬰兒墜地呱呱的第一次啼聲，便預告了人生是痛苦的。從搖籃到墳墓這一段時間，人有很少的快樂，卻有很多的痛苦——生活給我們痛苦，疾病給我們痛苦，愛情給我們痛苦……一連串接連着痛苦，不斷地折磨着我們。

我們來到這個世界上，活着就是爲了要克服這些痛苦，征服這些痛苦

七月廿五日　星期五

今天是我入院後的第二天，二家姐到院裏來看我，帶了一些可口的東西來給我吃。

七月廿六日　星期六

今天下午，兆基、富田等三人到院裏來看我。他告訴我，下學期他們英皇八位考到港大預科的同學都在瑪里羅士女校上課。我說：

「此後不會再感到寂寞啦。」說時我內心也爲之不感寂寞。

七月廿七日　星期日

從睡夢中給一種噪音吵醒——

「你們有罪……你們應該信耶穌，不信耶穌的人死了還有第二次死，死了之後閻羅王還要拉他……」一個像大[illegible]地瘋狂的人吵鬧地在喊叫。

夠了，夠了，仁愛的教徒，放過他們吧，病人已經夠痛苦了，不要再拿一些可怕的語言來恐嚇他們吧！上帝會祝福你和你的飯碗的。

病人需要的是一種安慰的語言。

七月廿八日　星期一

這兒的護士們眞好，他們底年紀雖然還很少，也許在家裏還需要媽媽的照顧，然而他們在照顧病人時那種溫柔體貼和呵護備至的地方，完全流露出一種偉大的母性底愛。

從少我就是敬愛護士的。我覺得凡是稱爲護士的都有一顆偉大的心靈，去溫暖一切痛苦的生命。

「假如有一天，我有一位像這兒的護士般如此地溫柔體貼我的妻子，縱然她是一個醜八怪，縱然她是一個完全沒有知識的人，我都將會感幸福。」我又在想入非非，我又在幻想

自由人
THE FREEMAN
（第七九〇期）
中華民國僑務委員會頒發登記證台新字第一零二號
中華郵政台字第五〇〇〇號執照登記爲第一類新聞紙類
（半週刊每星期三六出版）
每份港幣壹毫
台北市售價台幣壹元伍角
督印人：陳文華
地址：香港高士威道二十二號四樓
20 CAUSEWAY RD. 3RD. FL. HONG KONG
TEL. 771726
承印者：東南印務出版社
地址：高士打道六十四號
台灣總經理處
台北市西寧南路壹壹零號二樓
電話：三〇三四六
台郵政信金戶九二五二
海外總經銷：友聯書報發行公司

海峽之戰是蘇俄發動大戰之開始

胡秋原

韓戰之海峽版

自敵人在八月廿三日開始猛轟金門以來，我們的盟國對我們作了迅速而有價值之聲援。由于對敵人意圖估計之不同，這些聲援，在美國盟友及國內，引起許多批評。九月八日赫魯歇夫致函艾森豪總統。這是一封很惡劣的恐嚇信，要求美國撤退台灣地區及承認中共。一般還認爲俄帝目標，或僅作外交敲詐。如是有艾森豪總統關于海峽情勢之演說。華沙談判，亦由此開始。至十九日赫氏第二次致艾森豪的更狂妄恐嚇信，則已充份表示金馬問題的底牌了。此文完成後，得悉艾森豪已將赫某函件「擲回」。這才是大國大總統應有的尊嚴，大家都當喝采。赫某恐嚇信，充分表示俄帝已選定台灣海峽爲他開始第三次大戰的戰場，更確切的說，俄帝已決定用中共在海峽打第二韓戰，以爲俄國發動第三次大戰之序幕戰。第三次大戰是俄帝遲早要打的。問題在時間和地點。目前時間是否對美國有利，只有美國總統和國防部才能判斷。但遠東地點對美國不利，是韓戰以後大家都了解的——反之，對俄帝不利的地點，是中近東。我們應了解俄帝此一大陰謀，才能有適當政策，或者將三次大戰予以阻嚇（如果時間不利的話）；或者迫俄帝在他不利的地點作戰；並確保萬一作戰時迅速而終局的勝利。問題是嚴重的。如果以爲問題只在金馬，因而認爲美國的舉措不免小題大做者；則了解問題不僅不在金馬，而且不止于台灣以後，應該感到美國已有舉措，不免是大題小做了。

俄帝的傳統政策

目前中共之砲擊金門，並非中共之挑釁，亦非中共之使用武力征服政策，而是俄帝傳統政策的一個節目，俄帝當前大計劃的一個開始。

蘇俄帝國主義者一貫政策，是「以夷制夷」；特別是利用「落後地區」，爲他來反對其基本敵人，代他作消耗戰，使敵人先行流血。這地方，一是中東，一是近東。如可能，他同時發動；否則，他鐘擺式的輪流發動。四十年間，這是俄帝不變的策略。

蘇俄成立後，開始利用土耳其反英。土耳其不甘被利用，就轉到遠東來利用中國。此即所謂「一九二五——二七年中國大革命」。到中國人也不甘心被利用，俄帝就失敗了。二次大戰以後，俄帝基本敵人是美國。俄帝利用毛澤東取得中國大陸政權。他得到如意工具。他令其工具進攻韓國，發動反美戰爭。如是有三年韓戰。美國在當時沒有採取適當政策，在中共剛建立其政權之初，打過鴨綠江，摧毀中共。然中共亦受到絕大創傷。他會不斷向主人告饒，不能担任鷹犬之勞苦。俄帝亦不能強其鷹犬以所難；如是有韓境停戰協定。俄帝擺向近東。這時伊朗之莫沙德已經失敗。恰恰埃及出了一位冒險家納塞。納塞並非共黨，但可說是一九二七——二九年中國「國民黨左派」的埃及版。他反英法，不過反美熱度不高。俄帝則不斷鼓勵其「百尺更進」。我不以爲美國前年應付蘇彝士運河的政策不對，然沒有進一步打擊蘇俄（如沒有在匈牙利問題上採取強硬政策），安定中東（即艾森豪主義徒托空言），使納塞主義市價高漲。納塞並認爲他可以利用蘇俄，實現其「薩拉丁之夢」。納塞在埃敘合併之後，又猛烈煽動伊拉克和黎巴嫩，俄帝則同時恐嚇土耳其，以爲策應。人造衛星給俄國恫嚇的本錢。美國之躊躇，更增加中東的混亂。

所幸土耳其十分堅定，而狄托主義對俄帝困擾有增無減，使俄帝在東地中海放火的陰謀，並不順利。及伊拉克政變，黎巴嫩告急，美國毅然於七月十五日派兵在黎巴嫩登陸。納塞急到莫斯科。他和赫魯歇夫所談爲何，至今有相反說法。有人說，他是去求援。有人說，他是去求俄國不要參戰。我很相信後一說法，而這無疑是俄國放出的空氣。合理的判斷是：納塞要赫魯歇夫出兵，而赫魯歇夫則要納塞打先鋒。納塞至此，頭腦開始冷靜。而赫魯歇夫以及毛澤東之流的飛彈恐嚇，「志願軍」吶喊，也就如日本人所說，「泰山鳴動鼠區」而終。如是俄帝只能用「高層會議」要求，來掩飾其失敗。而在聯大緊急會議中，阿拉伯十國於八月廿日一致提出共同和平建議，自是美國安定中東之一大成功。而這一成功，首先由于蘇俄在中東並無一個指揮如意而有效的武力；而美國則有不辭一戰之決心，且有多數盟邦的後盾。

美國登陸黎巴嫩後，識者都已預料俄國一定退却。因爲俄國是要使別人打美國，而自己不動手或最後動手的。納塞既不願爲俄國作戰，且無力作戰，俄帝當然縮手。同樣早有人預料到俄帝在中東挑戰失敗後，一定轉向遠東；而在此處，他有指揮如意的，而且頗爲有可觀之武力——中共。

果然八月三日，赫魯歇夫飛到北平。如是金馬的情勢，也就立即緊張起來。

這便是今日金馬問題之背景。這就是說，這是俄帝在中東反美失敗以後之陣地移轉，這是俄帝繼續韓戰陰謀，利用中共脅迫中國大陸人民對美挑戰陰謀之延長。至于美國還有人相信，毛澤東要打仗，是蘇俄加以勸阻才沒有出事的。這也是蘇俄放出的空氣，與納塞勸俄國不要參戰說，同樣不足信的。赫魯歇夫兩次的函件，不僅在恐嚇美國，尤其在鼓勵毛澤東。此外，如能激美國對中共作戰，他也是上算的。只要可能，俄帝一定要驅使中共對美國作戰。即使美國退出金馬，俄帝一定驅中共進攻台澎，如中共所一再揚言者。即令美國退出台澎，俄帝還是要驅中共在韓國，在越南，在泰國，乃至渡海到日本對美國作戰求戰的。須知驅中共對美作戰，是俄帝的既定政策。而在俄帝看，只要將美國逐出台灣海峽，消滅中華民國也就不成問題了。只要將美國逐出遠東，遠東問題就解決了。

所以，金馬問題不僅是中華民國問題，而也是美國本身問題，也是自由世界問題。

金馬問題難于就地解決

過去俄帝「以夷制夷」政策，大多是就地失敗的。這過程有二種方式：一是如二十年代之土耳其和中國，以及最近之中東，都因「落後地區」不願爲俄帝火中取栗而安定下來。二是韓戰，則因中共受到直接打擊而暫時中止。

看今天金馬情形，過去的方法，都難于適用。第一，也不可適用。毛澤東既不配做狄托，也不配說是納塞。狄托納塞都有國家民族觀念，不會爲俄帝流血。狄托固然有其抗俄的勇氣，納塞也懂得懸崖勒馬。毛澤東則不然。他一定爲俄帝拼命，而且拼命到底。反正不要他的命，只要中國人民和中下共幹的命。他雖在韓戰中吃了大虧，但經五年休息，是自以爲還可再效馬犬之勞的。由中共的布置，敵人必攻，是絲毫不容懷疑的。

然第二，無論對中國對美國而言，無論在政治上軍事上，金馬又是必守的。即使放棄，達「中立化」，也不能解決問題。因爲如上所言，命中共對美國求戰，是俄帝既定政策。不止如艾森豪總統所言，西太平洋和平，業已遭受威脅而已。

可是第三，金馬在地理形勢上，使敵人就地進攻極易，而中美就地防守極難。這幾乎是無待說的。因此，我不相信目前補給的方法，是可以持久有效的。

然則第四，可不可以就地對中共作一較大戰爭來保衛金馬呢？這有兩個方式。一由中國政府反攻。今日我不願作此主張。因爲不但在中美條約的安排下，我們無此自由；而且倘無其他條件配合，倘無美國支持，今日政府無力抵抗一個有俄帝後盾之中共軍事機構，是我們要坦白承認的。即傾自由中國之力反攻，那無寧是敵人希望的事。然則由美國對中共作一有限戰爭如何呢？說到此處，我必須說自韓戰停火之後，我個人年來最不希望之事有二：一是美國姑息中共，二是美國對中共作戰。

我反對美國對中共作戰之理由有二：一，這剛剛中俄帝之計。俄帝以其中駟對下駟，讓中共與美國陷于長期戰爭。使他能有自由之手，蠶食西歐中東，然後對美國爲最後之一擊，那是自由世界之自殺。（下轉第三版）

半週述評

中共垂死的掙扎

假定中共在竊據大陸以後，以一種逆取順守的姿態出現，減輕使用暴力，側重以和平方法從事政治經濟的建設，使大陸人民能得到相當的喘息，我覺得他們對於未來的希望，一定要比一百萬發砲彈所能具有的要大得多。可是中共的黨性，中共的人才，以及中共在國際共產集團中所處的地位，都不容許他們是這樣做。

白白耗費了八九年光陰，榨盡了人民所賴以生存的一點微薄的財產，又大呼大叫以從事一種力不勝任而又與人民生活不起聯繫的建設，自屬理所當然。最近中共宣傳的重點，幾乎完全側重在農業上面，一切有關農業生產的神話，不惜在他們的報紙上連篇累牘的登了出來，在電台上廣播了出來。

這說明的是什麼？

說明中共對於人民的掠奪，本來是對都市與農村雙管齊下的，現在都市的工商界早已被榨得一乾二淨，他們當然只有農村也許還有相當的搾頭，於是他們掠奪的魔掌，乃一齊向大陸所有的農村伸出。

他們當然知道六億的人口，而農民又佔全人口的百分之八十以上，他們覺得有這樣一個龐大的勞動力，一定可以取之不盡，用之不竭。可是過度榨取人民的勞力，也不一定沒有危險，農民到了真正無法生存的時候，拿起他們的鋤頭扁担，也還是可以對付一般散佈在鄉村的共幹而有餘的。於是毛澤東的新花樣又來了。

最近大陸把所有的『農村合作社』化零爲整的改組爲所謂『人民公社』，便是毛澤東新花樣的具體實現。他們覺得：把農村的家庭公社化，不僅可以減少農民的銷費，同時還可榨取大量的婦女勞力；可是他們也不能不顧慮到農民的反抗，於是乃更有所謂公社的軍事化。公社的軍事化便是建立『民兵』，其方法乃是以大量陳舊的鎗枝，配給於鄉村中他們所認爲的積極分子，加以相當的組織訓練，即用以鎮壓農民的反抗，於是大陸的農奴制乃可澈底完成。

大陸全體的農民，在這種殘暴的農奴制之下，從事牛馬不如的勞動，是不是便可挽救大陸經濟的危機呢？據我看依然是不可能的。

一、以農村的取得去從事現代工業大規模的建設，這根本是一種最落伍的想法。

二、無論增加農業的優良條件——如水利、肥料、種籽等如何具備，地力還是有一定的限度，期待神話的事實化終於是不可能的。

三、工業產品，尤其是輕工業產品，其購買力的大部應保育於農村，農奴制的實行，農民所得的最高限度僅能果腹，希望他們還有餘力去銷費工業品乃爲事實的不可能；同時都會的購買力本極有限，且早經收縮，於是中共即令能有大量工業品產生，除開本向外傾銷以外，乃別無其他的途徑，傾銷的區域本自有限，而這種傾銷又僅能偶一用之，經常使用，更非陷工農業同時破產不止。

四、畜力過度使用可陷牲畜於倒斃，人力過度使用，更可能促成多數農民於死亡，照中共目前推行的農奴制，其勢非造成這種現象不止，這將是中共政權一個最後的悲劇。

目前中共對金馬的砲擊，以大陸一般的現象來說，我們只能解釋爲一種垂死的掙扎，儘管其勢洶洶，實際只是外強中乾的表現，確沒有什麼可怕，我們只看他們向美國提出十五次以上的警告而終於不敢還手，這還不是一個圖窮匕見的鐵證。

悼洪蘭友先生

左舜生

早起閱報，知道國民大會的秘書長洪蘭友已病逝台北，這是很可悼念的。在兩度的國民大會，充分表現了蘭友先生耐勞與幹練的天才，在今天這個人才寥落的時代，乃更可悼惜。我記得在民國十五六年之交，正是青年黨與中共在上海作生死搏鬥的時候，他曾一度自動的充當青年黨的義務律師，這一點更不能不追述以表示我們對他的敬意。

我們打的是原則

反對沒有原則的談判
反對幕後談判的外交

雅斯

在金門守軍正予侵略者以打擊之頃，國際間却有一種以談判解決僵局的慕尼黑傾向，這類談判是沒有原則可言的。而且目前這「僵局」，還是我軍健兒拚命拚來的，假如「僵局」成了被估的「既成事實」，恐怕早就以承認代談判，更沒有什麼原則可言了。

壯士們的戰績是不應因「政治家」那些沒有原則的談判而抹煞的，但必須我們的政治家敢于善爲運用，才能光大其成果。

聽了壯士打下敵機的消息，儘管是「定」得像老僧入定的「老成謀國」者叫不出「用攻」口號，然而沸騰了一股熱血的民心，海外都是以「忽傳收冀北」的心情去看的，停火談判絕不能表達這場抗暴戰爭的意義的。

我不是說自由世界不講原則，而是說行動上顯得沒有原則。譬如美國，一方面說「中共此刻正在運用武力以圖征服他們從來沒有佔據過的領土」（洛奇語），「中共是在蘇聯軍火與精神的支持與慫恿下行動的」（杜爾斯語）；一方面却又說「蘇聯如果有意的話，是可能使台灣海峽危機和平解決的」（杜語），于是華沙談判一類幕談，就是在這個「如果」與「可能」的「假定」下進行，這問題即使從華沙提到聯大，也是沒有原則的談判。

我們反對任何這類沒有原則的談判，無論在華沙，在聯大，尤其可能在英印各國醞釀下的幕後秘密外交中；但不願放棄制裁侵略者的要求；儘管實際上不講原則，但我們不能不堅持，「雖千萬人我往矣。」

我們頗有感于當局的表示有時顯得不夠積極，行政當局曾說若果再失一個島，就意義言戰事擴展到大陸上去；外交當局及駐聯合國發言人也說若果聯合國提出討論台灣局勢問題，我們必促請聯合國採取制裁侵略者的行動。我以爲這些「若果」字樣都該取消，才能顯得我勇戰金門的壯士打的是原則，不只是爲自己守金馬。

我們却又感到政府此次堅守金門，對於「多做少說」四字頗有若干進步，倘從此次輿論的良好反應而獲得啟示，改變一些作風，那是政治上一個主要關鍵。我們反而覺得輿論界對於表達民意的程度總得不夠積極，有人平時曾經強調「官方」與「民間」輿論的分野，我以爲此次倒該如此，就是說，當局對外儘管作官的外交詞令，老百姓爲什麼不可積極表示他們的意志呢？任何一種新形勢，是要靠民意民力去促成的。

美國來鴻之四

美國人看中國最近的將來

○謝扶雅○

（本報美洲特約航訊）現在台灣問題——也就是中國問題的重心，似乎移到華沙去了。這次聯合國大會揭幕之初，美國杜爾斯把全會的視綫扭轉至華沙，說是希望在那個「談判」裏得到解決中國問題底出路。不過自本月的初旬，確實瀰漫峽風雲劇變，金馬一髮千鈞，美國的報紙每天都把它當作頭條新聞，惹起一般人民的異常關切。讀者多有投稿籲請政府千萬勿像上次韓戰那樣捲入漩渦，空將丈夫和子弟們的血灑在別家的土地上。筆者屢經報導，美國的政治差不多要百分之百反映着人民的意見和心理。

美朝野對金馬事件的態度

這次對中共大舉進攻金馬事件，艾森豪和杜爾斯雖皆表示相當強硬態度，但前總統杜魯門時的國務卿艾契遜，已經明顯主張亟應放棄金馬，以謀妥協。一般人民更甚於畏戰的心理，一致督促政府務求和平解決的對策。大體上，他們的看法是認爲：中共的打入聯合國已成劍拔弩張之勢；美國的地位，在這事上顯出獨木難支；因爲在聯合國內的票數，拉丁美洲可附和美國者日見減少。今日美國可能爲力之處，只是如何設法使台灣暫時不入於中共之手；例如置於聯合國託管之下十年，以後再由聯合國監督投票決定獨立或歸還中國——這一類「非法」的合法化。當然世上那有「兩個中國」之理，至多一個中國，一個台灣國吧了。一般美國人的心目中以爲這是解決中國問題底一個妥當辦法。

美人與我看法懸殊

他們的見解跟中國人的見解眞可以說是霄壤懸殊。（一）他們並不承認有所謂「自由中國」的實質存在。從現實和唯物的觀點，台灣祇是「台灣」，大陸才是「中國」。（二）他們並不能見到所謂「自由中國」的潛在勢力。他們以爲一千二百萬的華僑除在香港的或者（？）略有不同之外，其餘都已歸化，或應該歸於各個所在地的居民或公民，而不是中國的國民了。（三）他們更不了解所謂五千年中國的歷史和文化才是代表眞正的中國。中國的文化不亡，即中國不亡。（四）他們認爲大陸中共的政權一天鞏固一天，毫無崩潰的徵象或趨勢，例如當年蘇聯十月革命以後，美國會有不少人猜測那個政權不久便會發生變化或完全垮台；不料四十年來強大至此，美國只好怕它，或竟佩服它。你跟他們說：中國民族性怎能與蘇聯相提並論？不不，任從那一方面說來，中國和蘇聯根本一無相似之處。然而他們不信又怎樣呢？（五）他們又觀察到：不但台灣現政府絕對無法反攻復國，連在台灣今日寄居的中國本土的人也將無法立足，除非同化於台灣。所以台灣有可獨立自成一國的可能。凡此，都和我們中國人絕對不同其意見和看法的。

美人能「創國」却不知「復國」

講到「復國」這一件事，我們中國人確是經驗豐富，遠非美國人所能想像。他們能「創國」，却並未親驗過復國。我們四千多年來，從夏代的少康起，直到民國的孫中山，都幾乎是赤手空拳，幹出慷慨激動的旋乾轉坤底大事業。我們民族具有忍耐，沉毅，堅韌等美德。這次大好河山雖爲共黨所佔據，然而除掉極少數是史太林的信徒而外，道地的中國人是決沒有一個不確信共產勢力是必要從大陸驅走或消滅，一如在第二次世界大戰時，決沒有人不確信日本寇軍是必要從中國被趕出去的那樣，不過是時間遲早吧了。時間長一點，也許如滿清般占據中國至兩三百年之久；然而，要不是他們後來全給漢人同化，也決不會擾政權這許多時。中共今日誠然要比滿清入關之初，比秦始皇統一六國，比歷史上任何政權要強橫兒暴得多。然而在中國土地上的任何事物，愈強硬的便愈死亡得快，愈霸道的便愈崩坍的早。所謂剛者必折，所謂善騎者墮：這都是由千萬次經驗所歸納的格言，不是迷信或幻想。我們今日的問題，毋寧是復國後方案和人才的「準備」，正如當年標榜「抗戰建國」，雖抗戰一定成功，而建國全無準備，以致復員以後，整個中國的眞空反讓共產主義填滿了。筆者屢對此間的文化界領袖遊說協助我們大規模培養青年後起（在港在星以及其他華僑中心地）爲今後建設新中國而儲才。但是他們認爲這太不切實際了。

美國「中國通」也只「知你自己」

總之，同他們談中國問題，距離的遼遠，眞好比風馬牛之不相及。西方人守着他們祖師蘇格拉底——西方的孔子——的遺訓：「知你自己」（Know Thyself）。美國人正無例外。他們很知道自己，卻眞不知道別人。他們全不明白中國，就是這裏的所謂「中國通」，對中國的眞行情着實隔膜得很哩。他們不知道日本，所以慘遭珍珠港的大禍。他們不知道蘇聯，不知道中共，要等到飛彈落在頭頂，才會急起而應戰吧？然而共黨不是希特勒，他們是在你內部滲透顛覆的工夫，飛彈放下只是做個梯子。所以第三次大戰實早已在開始及進行中——這是一場思想戰，是心理的大戰。

今日華沙的葫蘆裏賣什麼藥

今日華沙的葫蘆裏不知在賣什麼藥。第一步似乎是想把金馬「中立」起來。這眞是外交家的把戲。他們永遠不從正義着眼，所以永遠不會解決問題。不過美國的從政人物還反映着一般人民的意見。人民怕打仗，也怕共黨勢力太大，所以總是採取着妥協的方針。但我們切莫怪他們出賣朋友。我們毋需怨天尤人，一切要從自己做起，自力更生。世上也許仍有像詩人拜倫投身希臘軍中爲人作嫁。我們只要鼓勵美國去盡力於蘇聯衛星國，即東歐的解放事業，倒不必請美國人來「救濟」我們。與其怪美國不肯協防金馬，我們自己——由香港說罷——何不大量組織義勇團直赴金門馬祖，慰問那裏的同胞和將士。這樣，告訴全世界，中國人是決不肯放棄一寸一尺土地給中共的！中國人如眞爲正義即使全死，中國決不會亡！（一九五八，九一八後二日自美紐澤西州）

團結的表現

○司馬璐○

當前時局，一句話，我們的反共鬥爭在艱苦中，卻同時也在進步中。我相信，克服我們當局困難最重要的一個步驟，應該是考驗我們的團結。空言團結可能是無補實際的，在共同的鬥爭事業中，面對着共同的敵人，行動與表現是最重要的。

例如最近香港文化教育新聞影劇界人士近四百人，聯署發表共同聲明，擁護政府保衛金馬政策。這篇聲明中說：「金馬不僅是自由中國前綫，也是東南亞與整個自由世界的前綫。金馬實際上就是自由本身的前綫」。「自由本身的前綫」這一句話就可以說明，中國自由人士當前在保衛金馬的共同目標下團結的重要了。這項聲明的簽名者中，如所週知，他們平素的政見是不盡相同的，但他們在堅決的反共態度上與政府的基本國策完全一致；在面對共同的敵人的鬥爭中，我們這種不分黨派，政見，思想，團結一致的表現，不僅是我們反共鬥爭中，也是我們將來在建國過程中最好的榜樣。

在這同時，「聯合評論」的一篇文章說：「中共從事心理作戰的資本開始消失以後，中共的政治號召再也玩不靈，幾年來，它對海外自由民主人士的勸駕，除了二三無恥之徒外，再也沒有反應。這一方而說明中共佔據大陸，不但未能在國內政治號召上更加強，另一方面說明它的政治號召力反日見「減弱」。「事實上，今日世界與今日中國，自由與奴役之路已極分明，愛國者與賣國者已勢不兩立。」在這基礎上，我們相信，今天海外一切反共力量的加緊團結，是應有的和必然的趨勢。

這種現象，不僅表現在海外，也表現在台灣內部。例如台灣公論報社長李萬居氏最近的一篇談話就可以爲例。

李萬居氏不但是台灣一家獨立民營報紙的主持人，而且由于他在台灣省參議會中一向以敢言的議員著稱，在台灣人民心目中，他享有極高的聲譽。李氏在台灣海峽緊張，保衛金馬聲中，毅然奮起宣佈擁護政府保衛金馬的立場，特別令人感到興奮。

李萬居氏在聲明中說：「我們要嚴正的向全世界聲明，保衛金馬就是保衛台灣，台灣同胞堅決支持政府既定的政策，決不向國際姑息主義妥協；對于那些有損我們國家的任何建議和決定，我們概不接受」。他號召台灣人民「保衛金馬，也就是保衛台灣。我們台灣同胞參與此役，更是爲保衛自己的鄉士，保衛自己的家庭，保衛自己的自由生活而戰。」

李氏的聲音，可以代表眞正的台灣人民的聲音，不僅對于中共的挑撥離間是一個有力的打擊，也是對于國際姑息主義者和幻想兩個中國者一個有力的打擊。告訴我們的敵人，你們砲火的威脅，不但沒有嚇倒我們，反而使我們更進一步團結得像鋼鐵一樣的堅固。

政府是不是該把握這一機會，有更進一步的團結海內外反共力量的做法呢？我以爲是很必要的。而且目前這個時機的確太好了。

「自由陣綫」說：「執政當局本身實無旁貸，最低限度，它也應該號召海內外中國人，共同努力」。

「再生」雜誌說：「我們希望」「當局：……痛自反省，同時，更希望海內外民主力量更加團結」。

筆者認爲，目前我們的政府還該重視海外這些「團結」的呼聲。

有人說：目前軍事第一，一切爲了金馬前綫，這是不錯的；須知，在目前如果我們在政治攻勢上能再打一個大勝仗，其對于前方士氣的鼓勵與國際上的影響，具有同樣的價值。

我們希望政府善用目前時機，有更開明的表現，更積極的作爲，激發海內外同胞的熱情，使他們更緊密的團結在政府的週圍，爲政府的後盾。

筆者強調「善用時機」這一點，因爲，今天我們在海外所看到的，一聽說國軍的飛機打下共機多少架，無論是那一個黨派的自由人士和無黨無派的愛國者，無不拍手叫好，這種從鬥爭中培養起來的情感，太寶貴了。

今天我們在海外所看到的，今天大家都對政府取諒解與期待的態度，這正是政府團結海內外自由人士的一個最有利的時機！

但是，如前所述，問題的根本不在「空言團結」，主要的是要決定于「行動與表現」，換言之，我們應該人人有機會獻身給當前的反共鬥爭，在台灣內部，在海外自由人士中，在反共鬥爭中，不讓一人閒着，倘如此，我們的團結自然是很堅固的。

這樣的團結，我們願稱之爲戰鬥的團結。我們認爲，我們政府今天應在全民動員的基礎上擴大團結反共力量。

×　×　×

這篇文章考慮再三，本來想提出些具體意見，但是最後覺得，筆者還是暫時抽象的寫原則爲止好。倘上朝野各方，注意到這個問題——目前是號召反共團結與政治反攻最有利的時機，大家提出辦法，我想是更爲恰當的。我所要一再強調的是，香港文化教育新聞影劇界的聯明，李萬居氏的談話以及最近海外自由人士的輿論，所有的表現都是同仇敵愾的精神！下一步，就要看政府了！

我所知道的省立台中女中

——讀王家良先生文後

・趙震鵬・

頃閱九月十七日「自由人」王家良先生「救救台中女孩子」一文，指責省立台中女中之處甚多，我是台中女中的一位理科教員，閱後我很佩服王先生許多高見，自然希望學校加以採納，同時我願意在此簡單介紹省立台中女中的實況，藉供社會人仕參考。

台灣省立台中女子中學，是光復時期接收日據時期的「台中州立女子高等女學校」，這是日本在台灣的高等女子教育之一所。校舍設備運動器材齊全。此外尚有音樂美術縫紉等各種特殊教室，另有一個藏書豐富的圖書館，內部有各種日光燈及電風扇設備。

在圖書館的尾部，有三棟學生宿舍，宿舍之旁，還有一個很標準的游泳池，其餘的空地，佈滿青翠。學校現有高初中女子共一千七百餘名，計高中有十班，初中有二十二班，學校爲遵循教廳防空設施，在潭子地方（距台中約十公里），並設有分部一所，有初中學生十班。

這一羣女孩子，幾乎都是台灣中部的學生，錄取平均水準頗高，否則她就被降入其他男女合校中去了。本校老師資歷具有教書十年以上經驗的，約占一半，至於印有專科著作，課餘編撰補充教材，我知道本校老師，都具有濃厚學術氣氛。學生訓育管理方面，採用嚴格制度，不但學生日常制服鞋襪以及頭髮長短，都要整齊劃一，即學生在教室中所寫的筆記週記及作業簿（如大字小字等），都要按週交閱，經任課老師慢慢批改後發還；這些都列入學生平時成績考核，佔全部成績百分之四十。一個低能的或是愛嬉玩的女生，如果不常做平時成績，加上她幾次臨時小考不及格，她就要受到留級或退學的處分。這種處分，在本校是沒有什麼情面通融的。

本校高中畢業升入大學紀錄，在去年一百二十八名報考中，本校考上了六十八名，今年雖然有一百八十四名畢業，然報考大專的，恐還不到一百四十名，總共也取上了四十六名，王家良先生說是今年祗取上十一名，他或僅指考上台灣大學而言，其他大專未計算在內。

談到本校內考試，每當大考小考時候，教室中一排排座位，由高初中學生按序混雜而坐，一個學生想偸抄一點旁人答案，就全無法可施了。

王家良先生說本校地理老師採用課餘讀本，這不是任課老師因正課教完採用補充教材，即是王先生傳聞有誤。沒有老師會捨正課而不教

本校沈校長，是一位女性，在我看來，她是有熱情與決心要把台中女中辦好的。

談「基隆市志」

李仲侯

近讀「自由人」八月廿七日龐平先生台灣通訊，批評基隆市志各節，語重心長，不失爲有識之言，惟一問題所在，乃指是由余某主編該志地政衛生兩篇，於着手時曾多方物色諳習日語文者，爲其蒐羅日據時期州廳志，請其翻譯，摘選譯稿合十餘萬字，就正友人，見其文字粗淺，詞意不貫，尤其可慨者竟以日人立場爲立場，觀點乖謬……舉凡措施，往往貶抑炎漢，揄揚大和，有些地方，簡直爲侵略黷武者明目張膽云云。查基隆原名雞籠，在鄭成功未入台前，猶是洪荒蠻貊之域，西班牙和荷蘭人曾在此爭雄長，史載前清道光二十年基隆居民不過七百餘戶，清同治十一年因人口漸繁，乃設海防同知，割台後，日軍於光緒廿一年六月四日進佔基隆，從此亡於日者五十一年。光復後，閱各機關重要文卷，多被日人席捲以去，或竟燬燬，地方文獻既無足徵，史料圖籍散佚殆盡，基隆設官分治乃近百年事，被日人佔去一半以上時間，方志資料，首重調查統計，尤貴能有系統的經續撰述，基隆開化設治既短，自不能將日本統治五十年之歷史，全部抹煞，編誌之初，既無檔案圖籍史料可資依據，若不翻譯日人曾流傳之官書著述，以供參考，章學誠曾說：「文士撰文，惟恐不是己出，史家之文，惟恐出之於己。」詎可杜撰成篇乎，筆者近讀龐君此文，引起閱讀基隆市誌之興趣，見該志所具地政衛生兩篇，其序次，大抵分清治，日據，光復以後三個時期，平舖直寫，在日據時期，祗略敍沿革設施之概略，措詞命意，文字剪裁，尙稱嚴謹，雖地政篇內詳載日人所辦土地調查登記等則租率課賦收用等各種規則，歷述之似覺繁瑣，細繹之，猶可窺見日人當時對殖民地人民箝制剝削之痕跡，此外就找不出爲吾所謂「揄揚大和」之文字。

修志之難，昔人所歎，所謂必具「天地爲爐，陰陽爲炭，造化爲工，萬物爲銅」，而後可以言作述之妙，日據台灣五十年，文獻殘闕，鮮可徵考，今日各地，修志原本當務之急，光復後，基隆創修市志，閱自四十一年開始，閱時六載，費逾百萬，台省第一部地方志，始見問世，縱有小疵，苟無大錯，似不必多所訾議。

日韓會談一頁流水帳：

日方已允不將韓僑驅赴北韓

●觀游。

【本報東京航訊】日韓談判自四月十五日揭開序幕以後，進展很慢，若斷若續，直至八月廿五日韓國駐日柳公使向日外務省提出書面答復保證，日本對于被釋韓僑，不予遣送北韓之後，幾乎因此一問題而陷于僵局。

柳公使於訪日外務省亞洲局長板垣時稱：日本政府所謂根據被釋韓僑之要求遣歸北韓，而加以接受的話，這不僅是違背一九五七年十二月卅一日，雙方簽字的漁業協定，而且影響于四月十五日以來所舉行的一切談判，勢將引起不良後果。板垣局長告柳公使說：日政府對于接受被釋韓僑要求遣歸北韓一點並無改變。不過對柳公使之要求可以考慮；如果韓國同意舉行漁業會談，李承晚綫會談。於此不難窺見日本向韓國借題要價之眞正意向。

今年六月廿四日社會黨議員今濟會就日本返還韓國文化財一〇六件在衆院預算委員會大肆抨擊，謂日政府對韓屈膝，爲讓步，並連帶提及日本與韓國的三項秘密協定。然而柳公使立于廿五日公開反擊，柳氏說：這些文物從大韓國拿走，自然應該物歸原主，這本是極自然的事，日社會黨議員對此事提出質詢，顯有試圖破壞正在友好氣氛進行中的日韓會談，柳氏進一步表示要探知社會黨今濟議員提出此一問題之眞正目的何在。

及至七月八日，日外相藤山在內閣閣議上報告，他說日韓會談在最近期間頗難獲致圓滿的結果，又說日政府對于最近即將獲釋的韓僑廿六人循其請求予以送還北韓一事，完全是基于人道立場；他深懼此將爲日韓會談圓滑進行中的障礙，果然被拘于九州長崎大村收容所的韓僑其中三三五人集體絕食，提出（一）回家休息。（二）反對遣返北韓；（三）立即遣送南韓等口號。

八月十五日韓國派定林炳稷爲首席代表，張暻根爲漁業代表，池鐵根（商工水產局長），文哲淳（韓外務部亞洲局長）等一行於十八日抵達東京；日方亦派定外務省審議官大隈，水產廳次官西村爲代表，期對韓日之漁業及李承晚綫有關事項有所商談，其後却因日方之被受被釋韓僑遣返北韓之故，遂使會談迄在停頓中。

九月三日柳公使與板垣會晤，板垣對于柳氏要求書面保證一事予以口頭答復：「北韓系之韓國人暫時使之居留日本」；就是說目前不予送往北韓，這次日方的答復並未採取公文或備忘錄之正式，只是將問答內容簡錄由板垣手交，柳氏對此未表示明確意思，只允向其政府報告，其後韓國對日方上述建議表示不能接納。

九月九日，日外務省次長山田與柳公使會見，再度對遣送被釋韓僑赴北韓一點交換意見會後，柳氏說：事態在好轉，山田於會後將內容向岸信介報告，等待首相的指示，同時柳氏亦將此座談話內容向其本國政府報告。

九月十三日，日外務省次官山田，韓代表柳公使對韓僑釋放問題獲得一致見解，即被釋韓僑不遣送北韓，至于今後此類問題留待于日韓全面會談時，再歸納於韓僑在日本居留問題委員會討論。至此，總算暫時打開此一死結。

現在此一問題既已獲致一致見解，日韓全面會談即傳將於九月下旬有正式展開之可能。韓國代表即爲駐日柳公使，亦傳預定十五日先行返國，向其政府報告，並[illegible]決策所得訓令。李承晚綫海域附近已入旺盛漁季，正是捕漁盛期，韓國自將堅持其一貫態度，絕不會含糊處之，日本人爲了急于要在此旺盛漁季內大量捕漁換取外匯，自不得不作讓步，此可以說是此次日方承諾不將釋放之韓僑遣歸北韓之背景。

然諾信義一點，是獨具慧眼的，所以韓國駐日代表柳公使一定要求日政府予以書面保證，年來兩國雖不斷會談，日方却仍有大量漁船去李承晚綫海域捕漁，而韓國亦照樣予以逮捕，捉了的船就扣留，船員予以拘留，絕未因在談判期內而稍有鬆懈。所以這個談判才能進行不斷，而亦可以稍有收獲結果。

統計自一九四七年以來，日本漁船已有二五一艘，船員三一九四人被南韓捉去，至八月止尚有漁船一四九隻，船員一二二人未被釋歸，此則恐在日韓談判未獲全面圓滿解決前，這種「捉」「放」局面是將仍要持續相當時期的。不過，話要說回來，對付日本人也只有這樣才能使其無法使出狡猾伎倆呢。（九月廿二日）

海峽之戰是蘇俄發動大戰之開始

（接上第一版）

●胡秋原

二，美國之長處，在遠程武器，在原子武器。如美國以通常武器對中共作戰，不足解決中共，此在韓國戰場且不能發揮效能，在大陸沿海，更難有效。何況今日中共軍事實力，亦非當年韓國戰場上的情形可比。然則美國如用原子武器對中共作戰，如何呢？如果是戰術的原子武器，其軍事效果是暫時的。如果戰略的原子武器落到大陸，其政治後果，不但不利於美國，不利於中國，而恰恰是俄帝求之不得的。因爲俄帝驅中共對美作戰政策，不僅在消耗美國，而且在製造中國人民與美國的仇恨，這仇恨如果製造成功之後，對于自由中國極端不利，也是不待說的。至今爲止，俄帝製造中國人民反美情緒可說完全失敗；然萬一戰略的原子彈落到大陸，那情形就難說了。最後，我要鄭重說，今日問題不是中共，而是俄帝。即今打到南京，打到北平，不足以摧毀中共政權（想想鄭成功會到南京；洪秀全且佔領南京很久；英法聯軍，八國聯軍都曾佔領北京）；反之，只有打自倒。因此，和平或不戰爭，不決于對中共如何，而決于對中共的主人——俄帝如何。因此，根本問題不是金馬或中共，而是莫斯科的政策。最要注意的，不是金馬本身，而是俄帝利用金馬之困難形勢，命令中共施佳美國並加以攻擊之政策。是俄帝用中共開始大戰之先鋒戰的政策。而這一政策，無疑是非常毒辣的。俄帝一方面利用金馬之易攻難守，發動猛烈攻擊；一方面利用「不能爲金門打原子戰」的心理，在美國國內，推廣宣傳，乃至在勃柴嘉尼黑——而繼之而來者，又必然是進攻台灣，以及其他遠東的美國基地了。（下期續完）

原子堆移交生產

據九月二十七日「新華社」電，蘇聯助中共建設的原子堆已經建成而移交生產了。

據吾人所知，本年三月八日莫斯科的廣播中已說明這一原子反應堆建成了。既然如此，何不在三月裏移交？這裏似乎隱從下述兩個觀點來看：一、蘇聯所宣佈的建成，根本不是可以移交生產的建成。二、故意在那時不移交給中共。

一九五五年一月蘇聯宣佈助中共、波蘭、捷克、羅馬尼亞和東德建原子堆。一九五七年十二月四日「人民日報」載：蘇聯助波、捷、羅，以及東德建設的原子堆已經完成，該報且說明蘇助中共建設的原子堆亦預定在一九五七年內建成。果若如此。蘇助中共建設的原子堆何以至今始建成移交？這似乎說明蘇聯之對中共在這方面的態度，並不像它對波、捷、羅與東德那般的積極。

原子電站問題

又據一九五七年十二月四日「人民日報」說明，蘇聯正在助東德與捷克建設原子能發電站，預定均在一九六〇年以前建成。何以蘇聯助中共建原子電站的消息至今還未見到？

中共現正在大力的「鼓足幹勁、力爭上游」來搞經濟建設，在科學方面則說要大搞尖端科學，這樣，按照中共現在共產集團中的地位，似乎並不應該設想因爲中共不要建原子電站而蘇聯不幫助它建；那麼，這一問題也反應着蘇聯在這方面對待東歐共產國家與它對中共的態度有着程度上的差異。

把這樣的事與上述原子堆建設情況結合起來，大概已可以說，這個原子堆之所以遲遲建成移交的原因，基本上是因爲蘇聯有些不太願意助中共這種建設的緣故。從這裏似乎也反映出了中共與蘇聯間的團結並不像宣佈的那樣鞏固。

兩者間的新妥協

從不移交到移交，這是可以從原子堆的建設方面看出中共與蘇聯的關係有着某種變化，除此以外，還有下述跡象可以注意的。

九月十六日「人民日報」載，九月十四日莫斯科舉行了一個「蘇中友好晚會」。九月十四日「人民日報」又載，「近百位蘇聯專家熱情幫助，武鋼一號高爐提前爲祖國效勞」。在近五六個月以來關于所謂「中蘇友好」與頌揚蘇聯專家的報導根本就沒有看見過，現在開始有這種報導了，這似乎亦說明中共蘇聯間的關係有某種變化。

這種變化可能是以周恩來的要與美國坐下來談的聲明，與赫魯曉夫致函艾森豪支持中共對台灣海峽的軍事行動的行爲基礎的。

這樣，當又說明所謂團結友好，根本建築在利害關係之上的，根本不是由什麼「國際主義」的積極性所促成的。

於此，是否可以說，中共與蘇聯間關係之變化消長，在某些方面，正受着中共與西方間關係之盈虧消長的影響呢！

●田心。

美國的『政治家的學校』

——「紐約最佳的俱樂部」

●淦克超。

本文所說的「政治家的學校」(School for Statesmen)，就是不久以前美國的「哈潑斯月刊」所介紹的美國的「外交關係討論會」(Council on Foreign Relations)，那是在紐約的私人團體，是標榜超黨派的。政府的若干重要政策的原則是曾在該會討論以至于決定的，更有不少的高級官員是從該會會員補充的。該會會被稱爲「紐約最佳的俱樂部」，更被一位前任國務卿稱之爲「高尚人士會談之所」。

會員包括總統等要角

該會的會員都是美國的重要角色，人數約一千二百名，須經邀請纔能成爲會員，婦女或外國人不得爲會員。這裏面所包括的有：總統，國務卿，原子能委員會主席，中央情報局局長，三個最大的工業公司的董事長，以及最主要的保險公司的董事長，大銀行的董事長，華爾街的重要律師，重要日報及雜誌的發行人，基金會董事長，大學校長，科學家，新聞記者等。

另一平行而相類似的機構——「外交政策協會」(Foreign Policy Association)的會長納遜會說：他的團體和「外交關係討論會」之區別，就像衆議院和參議院之區別。

大致而論，「外交關係討論會」係專家交換消息和見解的地方，而「外交政策協會」則散播消息到一般人民和其他團體。

討論會並不注重本身的宣傳，照規定，該會中所發表的言論，律不付記錄。其每年的預算約爲七十五萬美元，常川辦事者有七十五人，地點則在六十八街，並具有最優良的專門圖書館。

討論會的起源遠在一九一八年間，威爾遜總統所帶的一批專家赴巴黎時，包括豪斯上校，及哥倫比亞教授邵特維爾等。他們和英國的外交專家會談，原有創設一個「英美外交關係學會」之意。後來發展結果，英國成立了「皇家國際關係學會」；美國則于一九二一年九月二十一日成立「外交關係討論會」，有會員二零九人，董事十五人，而由一位自普林斯敦大學畢業未久，會任駐伯爾格拉德使館武官的阿姆斯莊負常務之責。其主要宗旨爲「在美國人民中創造及激發國際思想。」

發行不少重要刊物

討論會成爲美國的實際事業家和知識界要角的會晤地，更把握住一項政策，發行幾項重要出版品，認爲「不出版即無異死亡」(Publish or perish)。自一九二八年以來，即每年發行「世界政治中的美國」。（現名）。又自一九二七年以來即每年發行「政治手冊」。更重要的是一九二二年以來發行的「外交季刊」。

該會經常安排重要的演講會，邀請美國和外國的要員正式演講外交政策，自休士國務卿以來，每一位國務卿（除馬歇爾將軍外）都到該會發表過講演。外賓蒞美的顯要自克里孟梭以至尼赫魯（除邱吉爾外）亦都到該會講演過。凱洛格的非戰公約是先在該會透露的。史汀生之不承認日本侵略，亦是先在該會表示的。

除會議和出版品外，有時更發展爲專題研究小組。吉星格教授的「核子武器與外交政策」之研究，參加的專家有二十五位之多，其研究報告很顯得有關當局的重視。

艾森豪也從該會學得智識

該會的一位共和黨人說：「艾森豪將軍所得關于經濟學方面的知識，他是從該會的專題研究小組學來的。」這位共和黨人係和艾森豪將軍於一九四九年共同參加歐洲復興專題研究小組的。另一位參加該小組的人回憶說：「艾森豪初到該小組時，其贊成復興歐洲係一種浮泛的偏向；當他離開該小組時，援歐已成爲他的固定信念了」。

該會也供應專才

供應人才成爲該會的另一任務。現任該會主席麥克洛（會任史汀生國務卿的人事處長）回憶說：「當我們需要那一種人才時，就把該會會員錄翻閱，然後叫紐約的電話。」

在若干時期，該會曾担任半官性的任務，非正式的受政府的委託，從事設計研究。例如一九三九年十二月（歐戰發生後），該會即曾成立四個專題研究小組，研究戰時及戰後問題。一九四一年，更增加第五個研究小組，研究流亡政府之處理。一九四二年間，各小組研究者全班人馬都被邀去國務院，担任該院戰後問題設計顧問委員會委員了。這五個小組所提供的研究報告達一百五十件之多。

自戰後政府擴增外交方面的人手以來，該會的半官性質的任務似已消失，但特殊計劃仍然繼續着。

麥卡錫的攻擊不攻自破

攻擊該會的（例如已故的麥卡錫）便認爲該會係「洛氏基金的外交部」，或（如戰前的孤立派）認爲該會係「英國殖民部的外圍機構」。這些話都不攻自破。該會還有一宗很重大的任務，就是溝通兩個政黨間關于外交政策的見解。該會的立場係綜合各方不同的意見加以研究，而不歧視任何一方面的。這似乎是值得介紹的一種組織。

國際動態拾零

△本週美國將以運輸機，載尼克飛彈至台灣。這是陸軍最有力防空武器，可打下在八萬英尺高空，於五十英里以外的飛機。

△杜爾斯對參議院外交委員會約翰孫，曾表示其基本態度。謂赫魯曉夫與其夥伴均爲聰明而謹慎的人，都知道美國是有能力毀滅蘇聯的，故不至與之作原子攤牌，因其勝利希望極微。

△空軍九月中旬向月球放射的計劃，現已取消。因其第一級火箭之放射管出毛病，一時不易修理故事。

△英國放射黑將軍火箭，實驗成功，將藉以放射其輕氣彈火箭，大約在二三個月內即可完成。該輕氣彈火箭，用固體燃料，七十英尺長，可遠達二千五百英里。本定於一九六〇年完成者，現已提前在今年竣事。

△法國憲法修正案，爲戴高樂所提出，將交人民票決。據其自己估計，可獲得百分之六十五的多數。

△波蘭外長，將于本屆聯大，重提其中歐非原子區域議案，但不見得會通過，不過爲共產集團爭取與國之一種手段而已。

●陶然。

自由談

永遠樂觀

馬五先生

蔣總統最近遺著，也指述我國文化思想的三點特質，第一就是「永遠樂觀的態度」。這所謂樂觀的意義，並非因循偷惰，自我陶醉，但求苟安享樂的宿命論，而是有如莊子所說「大旱焦金石而不熱，巨浸稽天而不溺」的信心和靜勤，認定任何災難厄運，皆能夠基於人定勝天的毅力，予以克服的。中華民族在世界上屹立五千年，經過無數次瀕於滅亡的大難，始終保持着泱泱大國的本來面目，未若希臘、羅馬古國之趨於衰敗式微撓地，唯一因素就是我們具有「永遠樂觀」的文化思想潛力。

目前我們國家民族又面臨着亘古罕見的危難環境，國內既有殘民賣國的叛亂政權，國際間更多以犧牲中國人民自由幸福，爲顧全他們安全繁榮生活的強權主義者，而這些強權主義者不特無意拯救我們數億人民於水火之中，且不讓我們有自力更生，實行弔民伐罪的自由行動，美其名曰「避免世界大戰」。我們處此逆境，如果大家懷着悲觀心情，認爲反攻復國的希望很渺茫，那就只好束手待斃了！

可是，樂觀的態度既必須有自強不息，想要打破當前危殆的志氣，卻不可專門仰仗外力來過苟安生活，以爲美國已經信誓旦旦地聲明不會讓台灣落入俄共集團之手，我們至少亦可以安居台灣，高枕無憂。這樣的樂觀態度，實爲亡國奴思想，是中國文化的罪人，是炎黃子孫的懦種。前幾年，外國人在海外華僑社會搞甚末救濟中國流亡知識份子的工作，十分熱烈，區區即避免之若浼，決不登記，更不想以「難民」身份，博取外國人的憐憫心情，遠赴異域，希冀苟活終生。但我絕不悲觀，常常想起吾友馮（桐）先生於民國十五年在太原對我說的話：「共產黨決不會成功的。你放心罷！」因而我總是以樂觀的態度，爲反共救國而竭盡其力之所能及，不負吾意毋忽古先聖垂訓云爾。

衣

（翠苹廬散筆）

穿衣服大概總有兩種用途，一是禦寒，一是遮體。禦寒是爲了怕冷，遮體是爲了怕羞。人類不茹毛飲血的時代，身圍獸皮，最原始的衣服該是爲了禦寒而用的。聖經上說亞當夏娃吃了禁園的果子，開始懂得了「人道」，就在下身圍了樹葉，免得那個「死相的」老是看，其目的又爲的是遮羞了。但是我們又知道很多非洲土人，雖然裸體，卻在臂上頸間圍了很多不關禦寒的飾物。有許多太太小姐，在驟指裂膚的天氣光腿露臂，卻披件價值連城的皮大衣（毛在外面）又爲的是什麼呢？那麼衣服又不是人類的生活必需品了。而是一種飾物或是有關體面的東西。中國究竟是文化古國，前人的一句「衣以章身」就可以解釋做好多意思。無論如何，我們在汗流浹背的炎夏而又必須衣履整齊之時，總覺得是一種苦刑。如果禁園的神話屬實，這個罪是女人給我們帶來的，但是她們比我們聰明，西洋女子已解脫了上部（露肩及胸），我國女子解脫了下部（露腿），只有男人無論中西，仍然密封的像罐頭。最近香港衫的流行，總算把我們的兩條臂救一半出來了，但是遇到什麼典禮，港衫仍不能算禮貌的服裝，必須襯衫領帶，西服革履的全副披掛才算合格。這使我懷念十餘年前的紡綢大掛，靠紗長衫。紙扇一搖，什麼場合都去得。前兩天菲律賓大使建議我們的外交官何妨採用非式的禮服，我覺得這建議，不無考慮的價值。在外交上我們既然揚棄我們國粹的禮服（長袍馬掛）於不用，與其用西式的全副披掛，何妨用非式的紗衫一襲？我想一個汗流浹背的使節必會影響他清醒的頭腦。諸葛亮辦外交的時候，只是「羽扇綸巾談笑間」就令曹兵「檣櫓灰飛烟滅」。中國人的大事往往就在看似悠閒的聚會中解決了。自古以來我們的高士，就從這種閒雅中孕育出智慧。也許如果我要奉勸我們的外交官穿着長衫搖着紙扇去聯合國去是一種狂想，但是諸葛亮如果不搖他的扇子也許就無法運用他的思想，東方的智慧鎖在西方的桎梏（西服）裏，怎麼敵得西方狡猾？二十年以前的學生認爲只有穿西服談黑格爾才算時髦，新派如今我們瞭解黑格爾的結果是什麼了？但是對於西服卻仍趨若鶩。

美國有種「天體運動」的組織，我不知是不是人類反抗衣服桎梏的一種先聲。有人承認穿衣的作用很像鳥類的羽毛，女士們尤其瞭解衣飾對於男性的誘惑力，但是她們更知脫掉那些誘惑力更大，以往電影女明星都是最會穿的，現在則是最會脫。日本影界近來得片必有「裸鏡」以致害得那些「玉女」型的明星連連叫苦。有些歐美片商在文藝片中仍加「裸鏡」。我不知道是不是取其「雅俗共賞」之意，但是我們既不能指摘羅普斯的「裸女」，當然也就不能專責第八藝術。

「人要衣裝，佛要金裝。」所以穿衣打扮，也就成了處世法寶中不可缺少的一環。「狗眼看人低」第一眼看的當然是衣服，所謂「狗咬破的」。有些人利用人類這種劣性，一套西服一張油嘴，在外招搖撞騙。所謂不怕家裏着了火，就怕在外落人薄，因爲所有財產就是那套西服。在台灣，鄉下人似乎也都有套西服逢年過節的穿穿，大半藍色居多，僵直綁硬，常使我想起二百五的那套馬掛，因此西服的好壞，就在剪裁上見高低的。談起了裁縫，使我想起明末周容的「春酒堂文集」中有裁衣者說，其文如下：

「崇禎初，帝京尚侈，也共矜體貌，有厲成衣者，以裁衣著名，非赫然右職者不能得其一日服，然指未嘗拈針引綫。每日，攜剪以出，必請衣主人而後下剪，剪如風生，剪已，指一工曰：『若完之』，出又至一家亦如是，以次畢，晚乃收衆工之值，衆工安焉，曰：『非若剪下適主人體。』若此十餘年，資以裕，乃借例參選，得司庫。冠帶將就道，衆工醵錢是餞。酒酣，合座起曰：『衣非翁剪莫當意，是必有道，今翁已就仕矣，向因不敢請也，敢以請。』翁曰：『予固未嘗治衣也，治衣乃工之事，外僚無論，必右職，右職各有體，體不止修短肥瘠間也，須審其資。』衆曰：『何資？』曰：『官資。凡人初登右職，其氣盛，其體仰，衣須前贏於後；久之漸平矣，又久之，心營遷擢，思下人，故衣前縮而後贏。在審官資之深淺即觀人之俯仰，予能一見而知也。』衆皆悅服。……」

以官資之深淺而觀人之俯仰，厲成可算裁縫中之聖矣！我以爲今日之赫然者，當不必「共矜體貌」。甘地腰間只圍一塊布，並未影響世人對他的欽敬。「衣以章身」，該有點遮醜之意，但靈魂的美醜絕非衣裝可以點飾者。我們了解這點，也就沒什麼值得挺胸的了。

・陸夢墨。

即景

・林瀚年・

彩虹萬丈映樓台。放眼江山錦繡堆。
九月蓬萊秋正爽。黃花笑傍短籬開。

秋感

羞將華髮對秋風。把酒狂吟感慨中。
寂寞小園新雨後。月明玉露滴梧桐。

月

（無病呻吟）

・尤崇洵・

記得有這麼一聯詩鐘：「意欲簪花嫌老醜，力難抱月笑長江。」可見月亮是以柔克剛，以靜制動，合于東方人思想的。

一傳說裏：嫦娥奔月。故事裏：青蓮居士在采石江邊想打撈月亮。然而都不大靠得住吧！不過，姑且懸個疑問好了！否則先與「月下把火」，太煞風景。

詠月詩最多，這是當然的。但是除了「名山」「詩苑」裏保存的絕唱外，據說有一首「未完成的傑作」十分新穎可喜，話說某日，某處雅集，不覺得是否夜晚，大家詠月。那時有一乞丐來求布施，自言善作詩，雅士們不信，便要他詠月乞丐執筆寫了兩句：「無事江頭弄碧波，分明掌上見嫦娥。」結果，雅士們大爲讚賞。致于乞丐的身份如何？何以只作二句？我們不必追究，否則，也顯得「月下把火」太煞風景。

昔者，唐明皇與葉法善遊過月亮，現在我們子孫也能有此福氣了。廣寒宮上，將來有幾位地球訪客，倒也新鮮。那時，子孫們當去拜訪嫦娥，問問是否「悔偷靈藥」，還有，幫助吳剛伐樹，「助人爲快樂之本」。不亦樂乎！

詩文之諱

史開芝

近日在詩文界中有幾件可諱而亦不必諱言的事，我在此甘冒不韙的披露出來，即使犯諱也只好犯了。

第一、詩人斷腸，斷「腸」未免沒有詩意，就隱含「詩案」同等作風批評有過去，稍有差別者，這一回是新詩人批評新詩人。

被譽或自爲「大詩人」的紀弦即將飛渡，被中華文藝函授學校的新詩學教授覃子豪，在他主編的「藍星」詩刊上，大加批判，把紀弦在中國大陸上所一直發表的詩，加以檢討，其勢非削去「大詩人」的「大詩人」二字不可。只承認他是「人」而已。但也筆下留情，又許可他有詩人的身份，准備在「浪漫派詩人」中。紀弦主編的「現代詩」刊物，加以還擊，因爲是季刊，尚未逢出版之期。這只能說是「後話」了。

第二、紀弦之遭打擊者，因爲我在國際文化訪問團來華，都是他在餘興節目中，朗誦他的詩篇而大出風頭。

第二、文壇雜形，因爲修正出版法案問題全台風雨而硬通過了，于是「報紙雜誌」政策就軟了下來。自九月一日起各報增加篇幅而爲二大張了。所增的篇幅，誰也不用在新聞上，都用來擴充「副刊」——副刊。花樣翻新，爭奇鬥艷。普遍的都添一篇連載武俠小說，其他則各本所好而行之。「小品「十字架上」」與聯合報副刊的「玻璃墊上」何凡先生一爭短長，晚報則有民族與大華都增一張與過去的自立晚報等量齊觀，都是在副刊方面費力。比較起來還是大華領先，民族居中自立依然落後。

什誌界曾有一本「人間世」問世，集「第一流」作家雜文之大成，用「底事縱橫談」「社談」從事不客氣的批評，以爭取讀者，如本期對于香港自由影人之索討「合援」——每年三十萬港幣，大加撻伐，怨政府此舉失策，即所謂「大膽」風」也。還有教育部即將頒佈的一年一度學術獎金，在文藝部門已有二位「文豪」開始活動提名與爭取審議委員的票數。不惜把出版的「大作」——小說，大量分贈，多「造」佳評。

其他尚有必須在此時此地諱言之事，我也未便再冒不韙而得罪朋友了。

童言無忌

・符兆祥・

我的外甥女今年十三歲了，雖然她還太年輕，可愛得比八十歲的女人還老，我不欣賞。

×××現一實一小一說×××

前天，我「陪」她去看了一場「沙場壯士赤子心」的電影，沙片是環球公司出品，描述一位美國空軍與一羣韓國孤兒的故事，散場出來，她的眼是紅紅的，我說：

「怎麼，哭啦？」

她不好意思的掠了掠頭髮，瞪我一眼說：

「我不是一個硬心腸的女人」

「誰說你是硬心腸的人？」我感到好笑。

她不作聲，我也不再問，擠身便拉她上附近的冰店。

第二天下午，我下班回來，在房裏躺着，忽然聽得她在窗外和人說話，我伸了伸頭看見她和隔壁的李大虎在我窗下坐着，她正在說：

「……我哭過的，你不信，可問我小舅。」

「可是你去看「戰地春夢」時並沒有哭。」十四歲的大虎說：「報上說，誰看過不哭，一定是硬心腸的人。」

她頓了一頓，顯然在思索如何反攻，她說：

「小舅說的，那些愛情電影不值得我們流眼淚，我們的眼淚是有價值的。」她一本正經的在說謊。「那昨晚你怎麼又哭了。」小虎大概沒有看過沙片。

「我並不是爲了那個女的死了而哭，而是爲了那些孤兒。」

「孤兒？孤兒有什麼好哭？」

「你真是硬心腸的人。」她反駁說：「你不知道吧，大虎，我本來有一個弟弟，後來逃難時走失了」又在說謊。

「在什麼地方？」

「好像是徐蚌會戰時，你想，他現在怎麼樣了呢？他一定會以爲我們死了，他成了孤兒了，他四處流浪，所以……」

「我討厭打仗。」大虎說。

「我也討厭，不過我聽老師說，不打仗也不成。」

「爲什麼？」

「世界上有許多壞人……」她說不下去，突然停着了。

「我爸說過，在三皇五帝時，沒有戰爭，人們活得很好。」

「是呀，但，老師說，打仗是大的破壞，大破壞以後才有大的建設。那樣，我們的子孫就會活得比較好。」

「鬼才相信。」大虎伸了伸舌頭：「我爸爸也對我爸說過這句話，可是我們的日子過得比起他們來只有更壞。」

「那到底是怎麼一回事呢？」小女孩迷惑了。

「我爸說，是因爲大家爭權奪利，都想賺錢，做大官，所以……」

「我爸爸是個好人。」她心安理得的搶着說：「我爸本來是在家耕田的。」

「……爲什麼又來這裏呢？」

「……」她頓了頓：「還不是爲了逃難，逃來逃去，總沒有一塊地方是安定的，我真膩死了。」

「不打仗不成嗎？」

「我也這樣想，假如有這麼一天，我們這些不要爭權奪利，安份守己的人能夠搬到另一個星球上面去……」

「爲什麼要到另……，另一個星球上去？」

「把地球留給那些政客，那些愛打仗的人去攪。」

「唔，那也好，」大虎很憤慨的回答。

「那時，世界上再沒有流浪，孤兒，傷心的事了。」

「但是，人還會死」

「人死是生下來就免不了的事，常識裏有說過。」

「對了。爸說：他對什麼主義，什麼公理，都失了信心了，他活了四十多年，只求自己能用自己的手換飯吃，過了一天安靜的日子，那他就滿足了。」

「我爸也是，可是，不知是幾時能……」

「……恐怕我們的子孫能盼到。」大虎老氣的說。

「誰說的？我們這一代都過得不好，以後的世界，科學越發達，人只有會更壞，那裏能會好一點。」

「你怎麼知道？」

「我還這樣想，我爺爺的那一代，大人們也這樣說，到我爸這一代，他們也這樣盼望，可是事實如何？我當然會知道。」她肯定的說，我縮回窗臉的脖子，搖了搖頭，正想如何說他們兩句，忽傳來賣冰棒的喇叭聲。

「我要買。」李大虎的聲音。

「我也要，我有錢。」她也急促的跑出去。

「到底還是小孩子。」我自己說了一句。可忍不住還是嘆了口氣。

——完——

自由人
THE FREEMAN
（第七九一期）
中華民國僑務委員會
頒發登記證台教新字第一第二號
中華郵政台字第五〇〇號
執照登記爲第一類新聞紙類
（半週刊每星期三、六出版）
每份港幣壹毫
台北市售價台幣壹元伍角
督印人：陳文華
地址：香港高士威道廿二號四樓
20 CAUSEWAY RD. 3RD. FL.
HONG KONG
TEL. 771726
承印者：東南印務出版社
地址：高士打道六十四號
台灣總經理處
台北市西寧南路壹零壹號二樓
電話：三〇三四六
台郵撥儲金戶九二五二
海外總經銷：友聯書報發行公司
香港：德輔道中二十六號A二樓

台灣的戰時經濟體制

陳式銳

八月廿三日金馬被大規模砲轟以來，台灣海峽情勢趨於緊張，頓成世界的新聞中心，迄未減除。金馬與台灣，爲自由中國反攻復土的整個基地，亦爲自由世界抵禦赤色侵略的堡壘；爲反攻，我們必需保金馬，爲制止共產的伸張，我們的盟國勢必協防金馬——在軍事上，我們知道金馬將固守，倘中共鋌而走險，事態的演變，或將促成提早反攻，那末又是另一個局面了。

一、

熱戰後，由於[illegible]……台灣的經濟，受到相當程度的刺激；[illegible]……巧在本年一季度大批豐收，[illegible]……以台灣的經濟結構言，[illegible]大部分經由軍用物資，並時不即受金馬戰事所影響。但是，戰爭可能持久，能不無擴大的可能；所以行政院陳誠院長九月十六日向立法院提出施政報告：「在作戰方面，作戰和支持作戰」。他說：「[illegible]適當的分配，以求適應戰時需要資源的培養與[illegible]……樽節預算，穩定財政基礎。同時，力求節約消費，充裕稅收，支持作戰。在金融方面，加強金融管理，穩定幣值物價，安定人民生活。」他說：「仍要努力開發資源，提高工業化的程度，增加生產，發展外銷，以穩定物資供應。同時，要努力推廣對外貿易，平衡國際收支，爭取必需物資。當此戰時，尤須在已有的良好基礎上，充實戰時經濟體系，加強資源的開發利用與物資的管理分配，務使軍需民用，均能獲得適當配合」（九月十七日台北各報）。

進一步，爲準備適應戰時軍事需要，推動工業總動員，行政院在仿照美國經濟動員局之工作，標準於九月十七日設立「工業戰備委員會」，由經濟部長楊繼曾主持，參加單位有中央之經濟部、財政部、國防部、聯勤總部、中信局、省之建設廳、農林廳、物資局及其他有關部門；其職權爲加強國防、經濟、財政、以及工業各方面之聯繫，指導台灣工業，使成爲一堅強戰鬥體系。該局成立之後，各兵工廠將與民營工廠訂定契約，從事製造零件及修理機器；兵工廠則協助民營工廠，解決技術上之問題（九月十九日台北中國郵報及嘉義商工日報）。而在這一戰鬥體系之下，勢將涉及經濟管制；這一點，據經濟主管負責人稱：「如果戰事一旦發生，政府自必加強軍需民用重要物資的控制，以及對於一切經濟行爲作適當的管制；但所謂適當管制，並非以行政手法作硬性（例如凍結物價，或令出售某些物資等），而是用經濟方法處理，以及適用指導方法使一切管制獲有效果」（八月廿四日台北徵信新聞）。

至有關物資的疏散、儲存、供應問題，經濟部長楊繼曾於九月十日邀集有關機關開會討論。據有關官員表示：台灣大部分物資掌握於政府機關、公營事業、及軍事當局手中，民營僅有一小部分，故疏散儲藏，不甚困難；且一般民生必需物資，以豐收在望，存量亦豐，目前並無實施全面配給制度之必要（九月十二日台灣新生報）。另據有關方面透露：當局今後在進口物資方面，將對一般性物資的進口[illegible]……可能予以適度的緩和或限制，[illegible]……以節省外匯，轉以進口戰略物資（九月四日徵信新聞）。

二、

看了政府對戰備的措施，及施政中的財經政策，所採底戰時經濟體制，[illegible]……「廣度」（in width）與「深度」（in depth）……所謂「廣度」，即作短期閃電戰（Blitz-krieg）之準備，亦即動員現有生產資源於軍需優先供應，以求一時期間，應付戰時需要，至於將來，就顧不及了；所謂「深度」，即作長期戰之準備，[illegible]……台灣海峽的緊張，係一時之事，[illegible]……而且要金馬地位的穩固，反攻跳板的安定，我們的目標乃在反攻復土。[illegible]……當前的分配，以求適應軍需民用，乃是精確的政策。[illegible]……我們的經濟即在[illegible]……其重點在儲存以求供應，[illegible]……財政的地位，另一方面則促進工商業的發展。

基於此，我們認爲[illegible]……

三、

（手續尚未辦妥）；倒閉風潮所以表面平息，乃是一時債權人不敢迫償，深恐因收回債權而使倒閉擴大。[illegible]……放款計劃，尚在銀行庫一往一復之間，保證發行公司債，其他只有償債四家，[illegible]而已。他如開辦存款、創辦投資，建立證券市場等，樓梯響，不見人下來；工業化須有新稅制新金融制度之配合，[illegible]徒勞無功；[illegible]近來似已覺認到，亦是[illegible]迅採取行動，[illegible]社會輿論有底情神，當局切莫游移。

國際貿易在台灣經濟中的地位，已是衆人皆識，莫待贅詞。多年來政府與輿論對外匯貿易的影響，及國際金融的關述，促進當時的外匯貿易改進的步驟，自本年四月開始，實施改革；過去主管認爲無法消滅的[illegible]牌照，而今如何？當局對此，仍在改進，據聞「政府對放寬外匯進口已擬有備外匯證市場，而對結匯證市場，亦有決心」。另訊：「政府爲達成單一化匯率，經多次商討，已有原則性的決定；俟政府於匯率單一化後，並擴大結匯證用途，設立證券市場，使進出口商利益更易調和，而導本省貿易於正常途徑」。但是，「以目前海峽情勢緊張，將暫予擱置，以待局勢穩定，再作決定」（八月廿八、卅一日台北徵信新聞）。惟同一消息續稱：「某一政府高級官員分析，海峽情形雖緊張，惟對外貿易尚無影響。……即使發生戰爭，匪海空軍不能封鎖我海口，故物資對外運輸不致中斷，物資進口仍可保無虞」。再說：「據外匯貿易當局透露：目前省內物資尚稱充裕，萬一發生戰事，短時間內物資供應尚無問題，惟政府對長期戰略性物資供應，不能不有整套計劃，政府對此已有準備」。既然對外貿易可不受戰爭影響，外貿改革不但不應擱置，而且有繼續加緊推行的必要，否則「推擴對外貿易」，將何由「努力」？

（下轉第三版）

半週述評

戴高樂的勝利

戴高樂新憲法之公民複決投票，已於日前揭曉，戴高樂獲得了空前的勝利。

這一次投票，在二千六百六十萬零六千九百八十八個合格選民中，投票者佔百分之八十五，[illegible]……反對票的僅佔百分之二十。除法國本土外，北非屬地也大部份投贊成票。[illegible]……建立第五共和的道路，這一方面表明法人對他這位「戰時英雄」的信任，另一方面又表明法國人民對於現代法國多黨政治的厭惡，因而希望建立一個強力和穩定的中央政府，一改過去[illegible]權力的擴泛，一夜之間可以[illegible]的職權，以致政局無法安定。而新憲法的主旨，則在增強總統的權力，限制國會的權利，以避免以往的那種「短命內閣」的重演。

其次，由於法國共產黨的反對新憲法企圖的失敗，又可看出法國人民對共黨的宣傳滲透活動已漸瞭解，法國社會力量已可阻止共黨的滲透活動，這對法國政局的穩定及對西歐國際關係的安定，均將產生有利的影響。

中美關係問題

中美的友好關係，目前似有一層不幸的陰影，其主要原因，則是金馬的防守問題。

美國對金馬的防守問題，雖然以各種軍用物資供應國軍，[illegible]……最近由於[illegible]……中共停火，[illegible]……假如[illegible]……

進攻金門的偏義，在外表上是攻擊中華民國的領土，在事實上則是攻擊美國在亞洲的第一道防綫，打擊自由世界在亞洲的威望。這是很確切的看法，也是很適當的答覆。

我們希望美國當局放遠眼光，不要在重要關頭，對中共安撫，以至自陷於維谷。今天中國固然需要美國的援助，但美國又豈能不顧盟友？除非美國甘心退出亞洲和退出世界舞台，更何況共黨並不容許你退讓。因此增進中美友好關係，消除不幸陰影，是中美兩國當前最重要的課題。

淒涼的「十、一」

十月一日是中共僞政權的國慶日，左派份子事前雖大力籌備，但港九居民的反應卻冷淡得很。以掛僞旗一項來說，九龍彌敦道八百多間樓宇僅有十幾面旗，而香港區亦寥寥可數。這說明中共在海外宣傳的破產，也反映出港九居民對中共有深切的認識。由此以推，如果大陸民衆能有機會選擇自由，則他們定更能表現對中共的唾棄。

·金達凱·

有感于外電的報導

台峽戰雲驚動着全世界，令人感到第三次世界大戰就要到來！其實，來日史家該不該把今天的金門攻防戰列爲大戰的開端，還是讓歷史作斷。共黨對台峽問題的報導，倒轟砲擊，一過然曰「美帝」侵略，與自由世界然雜陳的報導，大異其趣。看報的讀者對赤色宣傳的一套，倒不難理解；可是不大容易諒解新聞自由報導下的民主國家通訊社何以隨時樂意拍發有利共黨對外擴張勢力的報導，說來委實使人氣結！

用不着指出那個國家那個集團那個政客的嘴時刻替共黨助勢張目的，因爲那是不難想像的；同樣，只要稍留意四大通訊社自台峽告急以來的報導，誰也易於認明那一家的言詞有時幾乎是和共黨一鼻孔出氣！縱然是無意，那也必然有害於自由世界，而首先打擊的印象，以台灣海峽危機言，自然是中華民國。好在目前台峽兩岸，軍兵繼續集結，也還是一個僵持局面，否則又不知如何說法了。

美國務院發言人說：美政府正在調查關於中國驅逐美國家廣播公司通訊員魯賓孫一事。姑勿論魯氏對我國的偏意及態度如何，我以爲他個人是不值得太重視的，問題卻在報導上。中國此刻面臨生死戰，如果被自台北的新聞把言詞變了質，傷害了一個國家和政府，顯然不是言論自由問題了。在這裏，不引用此事以指證若干報導的不該理由是，每一家新聞報導對某項事故的立場，當然比訪員個人愛惡，重要得多。此事一度使記者還不得再入台峽外島，在那一段期間，事實上依然從側面反映出外電對我前綫的報導，往往是亂七八糟的。

共黨愚弄老百姓的新聞，特別是戰訊的報導，以無限的威脅性的新聞，帶給赤區人民嗜戰的侵略行動的壓力，自保極權國家然事象。但在民主國家表現在其內部的必需的報導，以遂行自私自利的企圖新聞的，比比皆是。這一回，北平和莫斯科對于美、英和法國的那幾家通訊社在鬼打鬼的爭報導着許多有利於共黨的消息那種事象，會禁不住放聲大笑的！

到今天，中共軍射落在金門的砲彈已然超過三十萬發，守軍的英勇較諸當年貝當元帥指揮下的凡爾登那番死守的精神，更其壯烈。誰也不必担心外電不振振大當，因爲世人總想像也會曉得那十多萬部隊[illegible]……

正遭受着什[illegible]……一家通訊社[illegible]……說中共軍的[illegible]……國在國際外[illegible]……，就是指言[illegible]……識人們看見[illegible]……共開那不得[illegible]……自由報導，[illegible]……還幾個[illegible]……硬，一打到[illegible]……之所以不敢[illegible]……門守軍「招[illegible]……沒有攻佔金[illegible]……也不便斷言[illegible]……外電胡說金[illegible]……中共區外，[illegible]……料！

英國承[illegible]……之戰，自雖[illegible]……可惜。法國[illegible]……越南吃了中[illegible]……，對法國[illegible]……的神助的，[illegible]……卻多危言聳[illegible]……台峽風雲，[illegible]……似非如此不[illegible]……羅於紙上。[illegible]……于至核子武[illegible]……那種侵略的[illegible]……仗，扶不起[illegible]……了敵友，才[illegible]……美國正[illegible]……還越來越迫[illegible]……台峽現局爲[illegible]……大敵當前，[illegible]……鋒爪，又怎[illegible]……的話，美列入[illegible]……中死？報導[illegible]……的，卻能一[illegible]……不有誤於私[illegible]……嚼報導的[illegible]……者痛的新聞。

○舒華章○

海峽之戰是蘇俄發動大戰之開始

胡秋原

【續上期第一版頭條】

美國必須對俄攤牌

然則如何才能解除這一難局呢？我想由金馬問題之背景，可以思過半矣了。這就是必須針對俄帝「以夷制夷」政策，針對俄帝用中共對美求戰政策，由根本處下手。

首先，我想說，今日中國人民都欽佩艾森豪總統不姑息的偉大決心，然同時不能不希望美國了解，這問題是不能就地解決，不能由中共取得解決的。因此，華沙談判沒有用處，對中共作戰亦無益處。現在俄帝出面了。美國應找俄帝談判，並鄭重告訴俄帝，如果戰爭爆發，原子彈不會落到北平，而將落到莫斯科。艾森豪總統似應告訴赫魯歇夫，如他不願使俄人遭受原子彈的轟擊，他最好停止用中共進攻美國的陰謀，而第一步即是停止對金馬的攻擊。艾森豪總統應特別呼籲俄國人民，注意到赫魯歇夫冒險政策之悲慘後果，俄國人民應立即設法制止赫魯歇夫挑發大戰之責任問題。今日最困難的，是美國盟邦，美國輿論，對於金馬問題有重大的歧見；甚至不免成爲政爭的題目。我們誠懇希望美國朝野面對俄帝「覆陰謀」的「新花樣」能形成一致的國策。我們並希望艾森豪總統派人到各國澄清一種誤會，說明今日問題不是金門是否值得大戰問題，而是俄帝已選擇金門發動大戰問題，因此美國不能不作最後打算。而這打算，自決非在遠東作戰。到美國認爲非作戰不可之時，在我個人看，美國對于中共，充其量，是對其沿海軍事基地和機場予以迅速毀滅（確有必要時用戰術原子武器毀滅），美國絕無須登陸作戰；反之，美國必須同時以全力，以一切可能的武器毀滅蘇俄之一切基地，並由地中海、黑海方面向蘇俄陸上推進。老實說，今天僅僅第七艦隊準備作戰，不足阻嚇俄帝的；至少需要第六艦隊在地中海方面準備作戰，才能使俄帝的耳朵有感覺的。如謂今日美國只有下最後最大決心，準備對俄帝攤牌，準備在中近東對俄帝作戰，才可望不戰而推開遠東的大戰威脅；決非危言聳聽。

我的意思，並非希望美國爲金門而與蘇俄作戰。而是一切談判，一切報復，應以俄國爲對手。萬一報復，對中共「巨大報復」是無益的。只有讓俄國了解，一旦戰爭發生，戰爭將首先到俄國頭上，才有恢復西太平洋和平之最大可能。反之，如美國的人民，美國的兩黨，美國與美盟邦不能一致爲美國政府重大決心之後盾，則俄帝三次大戰計劃，便將能順利進行了。

對大陸的政治號召

第二、我們自己對自己的處境和問題有清楚的了解和切實打算。我們的根本敵人是俄帝。俄帝不敗，共匪不會停止的。然只要俄帝不能擊敗美國，只要中國人民不會接受俄帝工具共奸統治，只要我們自信其所行所爲確合乎中國人民需要與希望，則我們反攻復國之可能性，即無可懷疑。然另一方面，我們的軍事力量，究不如共奸，時至今日，不但台灣的安全少不得美國的援助，而且在一九五五年後我們與友邦訂有一種條約，倘無美國之同意與協助，不能反攻，是舉世皆知的事實。我們應該逐日充實自己反攻復國力量。然如果蘇俄不受到美國打擊，因而大陸不能發生相當規模反共運動，即使美國協助我們反攻，也難有效果，這也是無庸諱言的事實。在這一情勢之下，我們日常正常的努力，應該是在軍事上經濟上教育文化上一切精益求精；同時在政治上提高號召的力量。所謂政治號召者，不僅是在言論觀念上不可固步自封，尤其要在事實上循自由民主之道，集中人才培養人才。我們在軍事上既不足以與敵人一決勝敗，尤必須在政治上經濟上學術上求有表現，在自由制度上無限的勝過敵人，增強團結，擴大影響。鼓舞一切中國人爲自由爲國家而忍耐而奮鬥的勇氣和信心。現在俄帝共奸的進攻既已在提前逼來，敵人要打擊的固是美國，而當第一綫之勝敗存亡的，則是我們。然這也是敵人根本消滅自由中國之必然步驟，絲毫不用驚奇的。因此，我們平日不必將反攻看得那麼容易；而事到臨頭，又必須有冷靜的考慮，嚴肅的決心。我們不可將敵人的進攻看作一種挑釁動作；也不可說，敵如進犯，我必反攻。我們祇有一面盡其在我，一面將一切利害得失，一切可能的發展與後果，向盟邦朝野懇切說明，在互信互諒中，好好配合行動。這無所謂強硬外交，也不能有任何不實際的打算和意氣。我們要使盟邦人士深切了解我們決不希望其在遠東捲入一個大戰。正因如此，如果蘇俄用中共來對美國求戰，則美國的目光，即不當限于金馬，而應當對俄帝行使壓力，決定大計。要使世界了解，不是金馬問題，而不是中國內戰程序問題，而是俄帝大戰程序問題。而我們自己，除目前極力援助金門忠勇將士以外，目光便亦不當限於金馬，而趕快對大陸有所事事。我們應了解海峽之戰既起，不論大局之順逆，都要對我們產生極嚴重的問題，無論是國際上的某種「慕尼黑」，不論是目前僵局之拖延，或者是，就是美俄發生大戰，都將對我們發生極嚴重的問題。我們應付嚴重局勢的基本前提，是要能長期的固結人心，振作士氣。這必須在政治上有大的作法，斷非節約疏散之類，所能了事的。萬一世界大戰發生（此是遲早之事），美國主力必然用到其他地方，我們的負担，一時無疑將更爲沉重，假如目前的局勢延長，或者軍事情勢更爲緊張，除了增援金馬以外，也還得另謀出路。大家說不當「挨打」，但怎不挨打，至少當打算就近的反攻，然就近反攻，除軍事技術問題外，也應考慮到對大陸政治上號召力的問題。鄭成功之事，可資借鏡。當年鄭成功在金廈被清兵進逼時，他照例如進攻舟山、晉江、漳浦、南澳、惠州，甚至提師溫州和虎門，以爲答復。其次，我們更不可忘記鄭成功每次進攻大陸，總是與大陸反清軍事行動配合，而只是爲了大陸有組織反清運動完全被清人壓下去後，鄭成功才退到台灣的。而鄭成功在金廈時和退到台灣後，無時無刻不在佈置大陸上的反清運動；如世傳「天地會」即鄭氏所組織，而這也終于變爲反清的主力。此外，鄭氏的幾位大將（如甘輝，如赫文興，如周全斌；如劉國軒），無一不是清軍將領，大陸人才。鄭成功所以能挺在金廈而且以少勝多者，即在能得到大陸人民之合作，清軍將領之歸心。凡此一切，都由他不斷注意伸大義于天下而來，亦能昭天下之大信而來。凡此一切，都值得我們參考效法。而這一切打算，亦當一面徵求友邦合作，一面盡其在我。因此，我們也不能將目光完全集中于金馬。美國要對俄求問題之解決，我們要對大陸求問題之解決。除了軍事上應準備作多處試探性攻擊與登陸外，特別要注意政治號召，以發動大陸反共運動，共軍將士起義。爲了提高我們政治號召力，我以爲今日政府的許多作法固然不夠；而我們許多說法，也是應該考慮的。例如，爲了鼓勵中共將士反正起義，則「投降」「歸誠」之說，必不可用。我們要告訴他們，中共進攻台灣是俄帝陷中共于三次大戰戰場的陰謀，是「抗美援朝」罪惡戰爭之重演，而最近中共「人民公社」正是將全中國人民變爲俄帝砲彈的組織，中國人不能用中國人打中國人，中國人更不可爲俄帝葬身海底；尤其不可將自己的父母兄弟變爲原子彈和氫彈的試驗品和犧牲品。應該大家起來爭取獨立和自由，對俄帝求獨立，對中共求自由。我們只能談「獨立」「自由」「合作」「反正」「起義」，不能談「投降」。我們歡迎中共將士過來共同奮鬥，否則，他們最好遠離沿海軍事目標，以免受到可怕武器之傷害。至于對大陸同胞，我們也應有合理希望，此可用一個共黨已經提出過的口號：「內應外合」。這不是希望他們立即發動反共行動，而是要立即暗中聯絡，準備必要時之「內應外合」。所謂內應外合者，也祇是「歸」「合作」[illegible]是「[illegible]許大陸同胞[illegible]人志士英雄豪傑弔民伐罪之日，中國民族自由自救之日。凡反共之義軍，皆救國軍，[illegible]來[illegible]皆是中國人。唯有此種天下爲公的態度，才能[illegible]胞萬衆一心[illegible]國[illegible]才可以逐漸瓦解共奸之[illegible]冒險，[illegible]能得到大陸同胞之有效合作。總之，只有使俄帝受到打擊，我們才有[illegible]同胞合作，我們是無法反攻的，[illegible]大陸同胞[illegible]政治的觀念上，[illegible]上，行動上，立刻換一個目光，大有作爲嗎？」

第三，今日海外[illegible]

[illegible]體中國人的道義和智慧之發揮。因此，我呼籲海外一切反共朋友應趕快結成一大強有力組織，[illegible]

（九月二十一日）—續上期完—

讀者論壇

關於中美「共同協議之事」

編輯先生：

八月廿七日的「自由人」登載李秋生先生一篇文章，題爲「我看台灣海峽的危機」，我細讀以後，覺得這篇文章，把金馬各外島的當前形勢分析得很詳細，對美國的當前部署的剖解也很精到，結論亦極精當，不勝欽佩！

李秋生先生在原文第一節第三段說：『……早已看出中共處心積慮，準備冒險出於一戰。』我是同意這種看法的。但李先生接着又說：『但我方則拘於中美防禦協定中「共同協議之事」的約定（見中美關於該協定之換文），……事都置一直視若無睹，從未先發制人，加以摧毀……』我對這一點却不敢苟同。

一九五四年十二月十日中美兩國外長換文中說：『中華民國對於……中美共同防禦條約第六條所述之領土及其他領土……均具有效之控制。並對其現在與將來所控制之一切領土具有固有之自衛權利。……中美雙方同意，此項使用武力，將爲共同協議之事項，但顯屬行使固有自衛權利之緊急性行動不在此限。』由此可見，中美共同防禦[illegible]（一）並不否認中華民國在其現在及將來所控制的一切領土上，具有固有之自衛權利。換言之，並未束縛或限制中華民國的自衛權；（二）中華民國在行使固有自衛權利之緊急性行動上使用武力時，無須經過兩國共同協議。因此，中華民國在緊急情勢下，爲保衛其所有領土，可單獨使用武力，抵抗侵略，而不必與美方先行成立協議。例如共匪以武力突然攻擊中華民國控制下的任何領土，我武裝部隊便可立刻予以反擊，且可窮追敵人至大陸任何一地。又例如被共匪暴[illegible]陸沿海一帶匪軍起革命，而[illegible]我政府爲弔民伐罪，[illegible]胞起見，在這種危急[illegible]機立斷，即刻揮軍馳援[illegible]急情勢之下，我反攻大陸的軍事行動，亦無須先與美方協議。至於是否應該「先發制人」，這不是純軍事問題[illegible]政治、外交、心理等各種因素在內……。

素仰「自由人」報[illegible]立場公正，故敢抒管見，[illegible]生先生，並供讀者參考。倘承貴報不吝以寶貴篇幅賜予登載，則感甚矣。敬頌

撰祺

鄒寅之（九月十九日於國立政治大學）

科學家也是人！

[illegible]科學家也是人，他們也要有生活，並且要有很不錯的生活。我們絕不能叫一般物理學家餓着肚皮，東奔西走去研究電子中子；[illegible]

胡適之教授呼籲自由中國的青年人，[illegible]計較一時的得失，要回復明初時代那種蓬勃的學術光榮，[illegible]灣青年過於現實，[illegible]補救。事實上[illegible]生活優裕，又不用求人，於是[illegible]學院[illegible]其次而下是各種工程[illegible]物等純科學的系科，總覺得有點不如意。

每一個人心底都明白，純科學之重要性遠在於醫及工程之上，但同時總得追求一個更好的生活。[illegible]便祇有一輩子當教員。

國家對於這種現象是應該負責的，[illegible]研究所研究人員的待遇也不過差強人意，還比不上一個工程師。

楊李二氏證明中國人[illegible]不比外國人差，有他倆的先例，青年人固然還該重視科學，[illegible]國家也該正視一些事實。

第一，提高科學人員的待遇。[illegible]

第二，多設立幾個科學獎金、公費留學額，多置儀器等以資鼓勵。

第三，國內多設研究院，多置儀器，盡力求達國際水準，自己造就的人材爲國家用。

人木。

大陸流亡在港學生發表第二封公開信
「十．一」是最大的國恥紀念日

（本報訊）月前自大陸流亡來港的一百二十六位學生，曾于八月十六日發出第一封公開信，痛述流亡者經過，在目前（十月一日）中共所謂「國慶」日又全體簽名發表第二封公開信，聲明「我們不能忘了這個日子」，說中共在每年是日之前，照例要大捕大殺一次以「保證節日的安全」，認爲這是一個「最大的國恥紀念日」。信中說：

「各界人士在讀了我們第一封的公開信後，都迅速而熱情地營救了我們，有關各方並通夜開會研討救助我們的辦法，救總立即籌款給我們。海外父老和自由中國當局對我們的關懷和支持，使我們感到我們並不是孤獨的，自由世界把我們當作自己的子弟，我們從心底感到興奮。

「自從一九四九年十月一日中共正式宣佈以它領導成立中華人民共和國之後，第一件使我們不能忘懷的事實是用血腥的手段進行了土地改革。我們之中，有不少同學的家庭就在那時候被徹底完蛋了，這一部份同學的父兄被鬥、被捕、被殺。那時，我們也只不過是跳跳蹦蹦的小孩子，但也親眼看到了殘酷鬥爭的命運。土改以後，我們有可利用的，就叫我們站在台上打罵自己的父兄，看到我們不能利用的，就對我們加以歧視和虐待。多少兒童從此懂得人世間的慘酷啊！繼而，中共又發動了「抗美援朝」運動，我們的兄長被送上戰場，作爲砲灰，白白爲中共統治者犧牲了。以後一連串的反動措施，如在「鎮壓反革命」運動中，我們之中有不少因而家破人亡，從此與親人生離死別！

「在中共的宣傳教育之下，我們曾經呼喊過「中國共產黨萬歲」，也曾在十月一日這一天唱歌讚揚過『毛主席』。但是，隨着年齡的增長，我們所看到的黑暗的情形是與日俱增的。農民，無休止的勞動而沒有收入；工人，在最低的工資下付出超過能力的勞動。一小撮統治者和蘇聯專家吮盡了人民的血汗，人民的生活程度低到了不可想像的程度，買布，有限制；吃飯，有限制；甚至買草紙都有限制。雖然，和全國人民的生活比較，我們學生還算是最好的，但，我們能在父母兄弟的血淚中求學嗎？何況人的生存，並不是只要吃飽穿暖，我們有理想，要自由，但是，這一切全都成了罪名。正因爲我們是青年人，有着青年人的大膽與衝動，敢於對黑暗的現實開砲，統治者在忍無可忍的情況下，終於向我們祭起了屠刀。學校中公開地審查同學的思想，組織無數次大大小小的鬥爭來鬥爭我們——想作中國人的中國學生。

「九年來，中共屠殺鎮壓的對象的範圍越來越廣，終於連一九四九年時的小孩子也不能倖免了。我們開始清醒了，因爲我們懷疑，如果說以前只是革命的對象，那麼誰是革命的對象呢？如果說年青的學生，都是國民黨的話，那麼現在既然連我們青年學生，都不能倖免了，革命的對象不是全國人民了麼？於是我們知道了，中共所稱的「革命」，實際上就是反動！

「又是十月一日了，在每年的十月一日之前，中共照例要大捕大殺一次以「保證節日的安全」，又有不知多少同胞在十月一日以前遭了殃了！像古代的祭旗一樣，中共統治者以中國人民的鮮血來祭念他們登上統治寶座的日子。

「今天，在大陸不用說，中共照例要強迫人民去遊行去喊口號，就是在香港，中共的勢力也會張燈結彩，大事鋪張地慶祝，來宣傳大陸人民的生活是如何如何地好，以欺騙沒有見過中共暴政的海外同胞。

「我們也記得這個日子，不但在今天，而且永遠紀念這個日子，我們不能忘了我們自己的苦難，不能忘了這個日子給中國帶來的危害，這是一個中國最大的國恥紀念日！」

論香港搪瓷聯營

·更生·

香港工業問題

（一）

搪瓷聯營，是現時港九搪瓷圈子裏的人，認爲是天經地義的事！爲什麼要聯營？聯營的前途如何？要先瞭解搪瓷業的歷史。

過去，搪瓷業的世界市場，操縱在日本人手裏，二次大戰以後，中國搪瓷業代替了日本。香港原有搪瓷工業，大陸陷共後，流亡海外的部份工業家才在港九開辦搪瓷工廠。最初只有：益豐、大華、新華、太平洋、遠東、九龍、德興、鼎興、香港幾家，後來南興、立基、南洋、中興、華昌、聯興、永興、九龍、永興陸續創立。到了一九五三年，由二十餘家，驟增至三十餘家，貿易額達七千[illegible]十多萬元，佔香港出口總數的第二位，是香港搪瓷業極盛時代！後來有些廠家，想做起「托辣斯」來，另出新牌，跌價傾銷，以期打倒小廠，操縱市面。結果，有少數廠家支持不住，停業關閉。但此風一開，競相跌價，甚至跌蝕成本，爲了維持營業，也得忍痛斷本來敷衍場面，於是搪瓷業一蹶不振，日趨下坡，大家受害。

香港搪瓷業經過這大風浪後，一直鬧着不景氣。雖然有個「香港搪瓷工業同業公會」的組織，規定劃一價格，可是經不起同業報價的大打折扣，由九折，八折，甚而至於七折，還要外加佣金。搪瓷工業，究有多少利潤？經得起不顧成本的跌價大競賽呢？於是乎大家便叫苦連天了！

現在加入公會的搪瓷業會員，僅剩了：香港益興搪瓷廠，香港新華瑤瓷廠，太平洋搪瓷廠，遠東搪瓷廠，鼎興搪瓷廠，大華鐵工廠，立基搪瓷廠，九龍搪瓷廠，九龍搪瓷廠，香港搪瓷廠，德興搪瓷廠，萬昌搪瓷廠，南興搪瓷廠，永興搪瓷廠，永興搪瓷廠，中興搪瓷廠，聯興搪瓷廠等十七家。非設法改進，互相合作，不足以言自保。此即「爲什麼搪瓷業需要聯營」的道理。

（二）

歷任香港搪瓷工業同業公會理事長徐季良首先提倡「聯營」。可是，因爲同業互相猜忌，利害觀點不同，聯營迄今尚無法實現。

本來去年曾出現八廠聯合，後來退出兩廠，僅有六廠。六廠聯合的結果，亦未符理想。其中且有一廠，因增加生產，發生了一次工潮。

搪瓷業的頹勢，非靠全體同業通力合作，精誠團結，不能夠挽回的。因此，搪瓷聯營的「老調」，到了今春又復「重彈」起來。

今年籌備聯營的主持人，是九龍搪瓷廠經理李興世，他担任籌備主任。可是，會議一次又一次，章程一讀又一讀，後來因爲兩家工廠發生異議，以至宣告停頓。數月的辛苦，竟付東流。

聯營既然不成，跌價競賽日趨劇烈。目前，六廠結合而外；另外又有十廠集團，表面上都以聯營爲號召，事實上，你爭我奪，用跌價作爲競爭的工具。結果，想做「托辣斯」的，因虧本挫敗。

而且因減低成本，應付跌價的關係，使得一般工人，過份增加勞動，往往在炎熱的爐灶火焰周圍中工作，不但時間要在十一，二時，生產標準，已經無限地增至三分之一以上，眞是言之痛心。

（三）

搪瓷業的前途如何？聯營失敗的癥結在那裏？我們必須平心靜氣，來檢討下列幾個問題：

第一，「托辣斯」的組織，是落伍思想，文明各國早已不許存在。我們必須先肅清這種思想，才能發揮集體的合作效能！

第二，消費者的願望不僅要「價廉」，還要「物美」。故聰明的工業家，與其跌價減低成本，無法維持，毋寧改良生產工具，減低原料損耗，出奇致勝，以促進品質的精良。「跌價大競賽」的方法，是飲鴆止渴，損人害己的！

第三，聯營的目的，只是爲了「增加生產」，「減少浪費」，與「提高品質」，「推廣營業」，以爭取國際市場的地位，而維持搪瓷的生存。並不是壟斷居奇，圖獲暴利；或者以大吃小，摧殘同業，成爲類似「托辣斯」的組織！故聯營是一種道義的結合，而不是利害的爭奪。明乎此，也不至互相猜忌，口是心非了。

時至今日，搪瓷業所應積極警惕的還有二點：

一是中共的經濟戰爭，已有波及搪瓷業的象徵。例如：最近中共在星加坡，以突變的方式，拋出搪瓷數千箱，使港貨搪瓷的銷路，忽然短少。中共用無價的勞力，掠取的物資，而製成的出品，豈是香港「跌價大競賽」的法寶所可抵禦的嗎？

一是由於科學的進步，日新月異，而香港搪瓷生產，默守舊法，始終停滯在手工業階段，漸有被排出摩登城市的傾向。英美在用搪瓷製造冰箱，香港在用手工製造面盆，萬一世界城市有全盤現代化的一天，本港搪瓷工業，豈不等於中國過去的「白銅水烟袋」，和「纏足繡花鞋」一般，無人過問乎？

所以，大家必須精誠團結，通力合作，共同努力，維持搪瓷業的生存，「聯營」只是問題的一部份而已。

在香港整個工業不景氣的今天，過去佔着出口總額第二位的搪瓷業，希望能夠首先健全和發展起來！

「和平共處」？

毛澤東的矛盾論認爲「社會的變化，主要地是由于社會內部矛盾的發展，即生產力和生產關係的矛盾，階級之間的矛盾，新舊之間的矛盾，由于這些矛盾的發展，推動了社會的前進，推動了新舊社會的代謝。唯物辯證法是否排除外部的原因呢？並不排除。唯物辯證法認爲外因是變化的條件，內因是變化的根據，外因通過內因而起作用。」從對外關係來說，這就是中共所以創出所謂既「和平共處」，又進行「世界革命」的理論根據。

這種所謂和平共處的世界革命政策的典型試驗，可從中共對于日本以往幾年的交往事實得見，周恩來曾這樣說：「先從民間的頻繁交往開始，把兩國關係大大發展，最後就剩下了在外交上宣佈結束戰爭狀態，恢復正常關係了。」這就是說，中共要通過民間的交往，擴大日本人民與政府間的矛盾，壓迫之而與中共恢復正常關係。這裏的恢復正常關係，從其發展來說，不僅是建交，而且還有進一步的與西方分離採取中立政策，以及使日本變爲共產國家的意義，幾年來中共對日政策就以此爲基礎。結果如何？今年四月裏，中共採取了與日本斷絕一切關係的政策，猛烈施行外部壓迫。

上述表現是中共的「和平共處」的對日政策並未見效，亦說明毛澤東在這方面的理論是無實踐的可能的。若以之來說明中共之恢復對台灣海峽的軍事行動，則亦具有同樣的意義。最近的跡象表示，中共似有將再度恢復「和平共處」政策的可能，這樣似乎說毛澤東還不死心呢？

國內政策！

由矛盾論發展下來的國內政策思想有兩個方面，政治方面是人民內部矛盾理論，經濟方面是打破舊平衡在新的基礎上建立新的平衡。

在一九五七年上半年，毛澤東廣泛宣傳其人民內部矛盾的理論，認爲社會主義改造已經基本完成了，敵我矛盾已微不足道，在這一思想指導之下而展開鳴放運動；結果呢？受不住鳴放出來言論的攻擊，草草收場掀起反右派；不得不承認已沒有階級鬥爭的想法的錯誤。所謂人民內部矛盾的理論經過一實踐完全破產了！

今年，毛澤東又將矛盾論發展到經濟方面，認爲要打破舊平衡，在新的基礎上建立新的平衡。八月底，大喊鐵的生產趕不上鋼的發展；這個月據九月二十五日「人民日報」報導：從九月份前二十二天來看，鐵的產量比八月份增長了百分之四十三·三，鋼則只增長百分之十四·六；於是又大喊要發展鋼的生產。這是毛澤東的矛盾論應用于經濟發展的典型。

一切經濟事物的發展，都不可能孤立起來的，因此，全世界的經濟學家都不敢忽視平衡發展的問題，而毛澤東却認爲這是陳舊的思想，代之以上述的他的新思想。實踐的結果將如何呢？爲交相出現的人爲的矛盾而疲于奔命。從鋼鐵方面來說，現已出現者是原料、銅、鋁等與鋼鐵生產，消費有直接關聯的物質的不繼，隨後這種矛盾面當更將擴大，最後必然會回頭來重視平衡發展。這裏當又說明矛盾論的經濟發展思想也是經不起實踐的考驗的。

矛盾論破產了

如前所述，毛澤東的矛盾論，在對外政策方面，人民內部矛盾理論實踐方面都已經破產，現在我們也敢于說它在應用于經濟發展方面亦將迅速破產；這樣說來，所謂矛盾論根本是一種沒有科學基礎濃空臆造出來的主觀思想，任憑獨夫的多方巧辯亦掩飾不了的。

·田心·

台灣的戰時經濟體制

四、

（上接第一版）

此外，台灣近年來的消費情形，已流於奢侈風氣；儘管工商界陷於困難之中，但酒家的興盛却是反常底現象。由統計所了解，國民眞實所得已不再增加，而消費却不斷上升，有趨於「負儲蓄」的形勢。這一形勢，對於工業化構成了一個重大底阻力；而且，奢侈之風還牽涉到政風的問題。陳兼院長對此已經採取抑制的行動，先從約束公務人員下手。他於九月十六日咨覆立法委員的質詢時指出：「節省浪費，各機關的宴會和同樂晚會之類，已漸次減少；據稅收機關的報告，近來筵席捐的收入已減少甚多，可見社會上酒食徵逐的現象已大爲減少」。我們一方面要「戰」，一方面又要建設，應加緊束緊腰帶，爲朝野所應有底行爲；我同意陳兼院長所謂「移轉社會風氣不是一紙命令所能立即奏效的事」，但論語有云：「君子之德風，小人之德草，草上之風，必偃」，希望有權責者，對此作大家之領先，以促成全面底節約風尚。

國際動態拾零

△所謂在一九六〇至一九六二年之間，蘇聯將有洲際飛彈數百個者，純爲猜測之詞。據最近情報，蘇聯試驗越洲飛彈，在十次左右，沒有一次能超越四千英里的。明年之初，美國越洲飛彈即可製造，每年可產生數百顆。

△艾森豪對杜魯門突生好感。艾氏親自嘗到杜魯門所備嘗的滋味：杜魯門以白宮人員受賄被人攻擊，艾森豪之亞當士亦受人攻擊；杜魯門出兵希臘，艾森豪今亦出兵黎巴嫩。且艾氏出兵黎巴嫩，杜魯門首先贊成。

△原子艦艇是號稱安全，然與他船互撞而原子爐破裂時，則後果不堪設想，而現在各國海港，尚無此類消防之設施。且原子輻射，在海面愈來愈多，其危害程度，亦難估計。

△原子潛艇，在戰時有一大缺點，迄今仍未能解決。一爲在深水中，尤其在北冰洋之冰層下，無綫電收聽不到消息。裝有火箭之原子潛艇，爲蘇軍急于完成的主要工作，大約在一九五九年可以竣事。

△蘇聯製成之原子彈，迄未運至北京。但蘇聯專家，正在北京，協助中共科學家，監造原子武器。中共一躍而成爲第四位原子強國，是殊不稀奇之事。聞一九五〇年逃往蘇聯之英國原子專家潘脫克伐（Pontecorvo），亦在北京，爲其中之一人云。

·陶然·

不敢領教

馮正先生

自由談

日前美國務長官杜爾斯對新聞記者發表：中國大陸上如其發生像匈牙利人民的革命運動，將是台灣方面軍事反攻的有利條件；又說：匈國革命運動進行之際，若能在外面另設一「自由匈牙利政府」，情形便大不相同。前者是守株待兔思想，後者是創實際觀心情，其爲十足的惰性觀念則一也。

中國大陸上的人民，除却腸胃與手足已被共黨暴力控制束縛以外，現時連門窗鍋鑊的鐵器飾物，如釘環搭鈕等，皆在「生產大躍進」的號召之下，一律拆卸貢獻於共黨，作爲「鑄鋼」生產原料，而「人民公社」組織成立後，民間私有的刀鋸與菜刀，亦爲共黨所不放心，最近又實行移民政策，把中原人民舉家發配到西北邊疆去，且規定以「右派分子」家屬優先。在這種情況中，沒有外來的力量打擊，而期待一般人民對共黨掀起革命運動，談何容易呢？所謂外來力量，首以自由中國的軍事反攻最有效用，美國的軍事實力亦就差一度了！這些眞情實況，美國朋友不求甚解，莫名其妙，但又不沮溶溺，帝大家的見解和主張，因而對中國問題隔靴搔癢。

談到匈牙利人民革命運動的盛事，尤其令人痛心。我清清楚楚地記得：當匈國人民與俄帝大軍浴血戰鬥時，有人請教過杜爾斯先生，美國如何不給匈人以實際的援助？竟歡然袖手旁觀呢？答以戰爭已經指出，美國若再要干涉，必引起世界大戰。當時如此愛惜羽毛，還自我表示同情，當年給它以攻擊的口實嗎？西方帝國主義者從中教唆鼓動的，美國若再要設「自由政府」，終致完全失敗，這眞不愧爲事後的諸葛亮啊！

有大好機會而竟輕失之，自反共實力而言，便喪蹈覆轍，一心盼望敵人自潰，坐享其成，這樣的領導方法，我是不敢領教的！

嗜好與我

。慕容羽軍。

在我的生活中，烟與酒距離得太遠了，所以許多初相識的朋友對我的生活習慣，常覺得太不近「人情」——所謂「人情」，一般的想法是吸烟，飲酒，喝咖啡，才算是一個寫文章的人——偏是我對于這些都沒有好感，這又難怪朋友對我驚訝了。

但說起來我倒有太多不足爲外人道的嗜好，然後回答說：不！我並不是無嗜于自高身價，相反的，我僅有的習慣是無甚高的。

……

狗

。陳宗敏。

在「人間世」雜誌的封面上，看到一幅畫，畫着一隻狗正在咬着一個衣服襤褸，手持拐杖的窮人，那幅畫上題了兩句話：「生成勢利眼，專咬破衣人」。確是一幅令人尋味的好畫！

狗在動物中，是被人稱爲「忠義」的「僕人」的。其實這種「忠義」大多爲了乞憐於主人給與的肉骨。因爲狗除了會替家守戶以外，搖于討主人歡喜。

過去法國女子一度狂唱「愛狗主義」，閨房中不准狗寫，於是哈吧、狗狗、狸尼、麥迦……人各一狗爲「侶」，也不外是看上了狗的嬌媚而已。

狗生就一個阿諛諂媚習，却不見得就是狗個性溫文爾雅，牠們慣于倚着主人之威，爲了博得主人歡心，不惜向那些走在坎坷人生旅途上的破衣人狂吠狂咬。這一切是爲了骨頭，狗有什麼可愛！

短篇小說

神秘的手錶

——二次大戰中的一個間諜故事

Howard Breslin著　鮑家琳譯

……（略）他一進店門，就看見有一個矮小的修錶匠正站在櫃台一邊同一個店員在說話，見他進來後，便沒說話，他走到櫃台邊，就把手錶從腕上脫下來，遞給那矮小的修錶匠說：「對不起，我的錶停了，請你修理一下吧。」

「好的。」那修錶匠接過錶來仔細看了一下說：「你這錶是很好的，現在只不過是裏面的機件發生了一點小故障，所以你得好好的用。」

手錶修好之後，錶匠又接着說：「我看，你這條錶帶太舊了，還是換個新的吧。」

「好。」他毫不在乎的漫應着。

五分鐘後，他付了錢，帶上那隻已修好的錶及新換的錶帶，一跛一歪地走回家去。

一進門，他立刻就把門鎖上，並且拉下窗簾，拔掉假鬚子，駝背也伸直了，腿也不跛了，拐杖也丟了；而且很快的就走到桌前，扭亮檯燈，從身上掏一把尖銳的小鋼刀，便小心翼翼的割開那條新的錶帶，就在那錶帶的夾縫裏，抽出了一張用密碼寫的小紙條，他便急急的從抽屜裏拿出放大鏡來看：（一）

（以上嗜好與我續）……（嗜酒之文）……

酒最多的時候，直到如今一百六十多磅，也是拜啤酒之賜。

早些時，我們幾位朋友請一位日本朋友飯島光雄先生吃飯，我們拿了茅台酒來招待他，飯島先生祇習慣日本的糯米酒，還以爲中國酒頂多也不過如此這般，所以也開懷暢飲起來，同時又根據了他自己的禮貌向我們獻酒致敬，倔強地要大家一齊乾杯，也這樣喝了四五杯，我也被迫喝了滿滿的一大杯，結果是他不支先倒下來；我期知機而且懂得竅門，悄悄地跑到洗手間，用手指在喉頭一按，便嘩啦嘩啦的把肚子裏的東西全部吐了出來，紙是不舒服了幾分鐘，便回復了正常了，可憐另外一位朋友，還是頭痛如刀割。後來這位日本朋友請我們吃東洋料理一度，我因爲猶有餘悸暗想：他作客時也眞厲害地追酒，到他作主人時還了得嗎？所以，我臨時逃了席——也許這是我與交際場合不大調和的地方，祇爲了我實在無法把一己的習慣去遷就一般的情況，所以我又多了一次不合時宜的紀錄。

很想風雅一番，在斗室中設置了一副咖啡壺，朋友到來，便殷勤地燒一壺咖啡來請客，自己獨個兒在家時，也老老實實的帶着古老人家玩雀兒的心情去弄一頓下午茶。有一次，心緒很壞，我便煎一頓濃咖啡來喝，一杯到肚，心頭一陣陣澎湃，胸膛跳動得很是厲害，當晚，便失眠了，第二天，心頭還是那麼不舒服的顫抖，這樣一直過了四十八小時，才漸漸的平復。這一來，便把我剛養成作爲生活藝術看待的嗜好一掃而空了，我，又回復到一個單調，缺乏情趣的生活中了。

至今，朋友都對我這樣指責，你總該養成一份嗜好，譬如烟、酒、茶、咖啡；或是看戲、運動之類。

我有什麼辦法？我還是老樣子；兩手一攤，搖頭苦笑着告訴他們：要墜入一種嗜好，那是十分痛苦的。

……在廣州當記者，才開始喝啤酒來，那時一種戒懼心理，每次只喝半杯。早三四年，在香港的報館担任晚班，由于晚上工作到十二時左右，肚子便唱「空城計」了，幾位朋友便輪流請客，每晚每人一瓶啤酒，這樣我慣了喝半瓶啤酒，這樣開始，也是喝啤……

……還以爲我是比中禁止，大家都分別回家了。我便稍稍一個人在鐵路上蹣跚步行。這時，酒氣在肚子裏發作起來，跌跌撞撞走到一條石板橋上，兩眼一陣昏花，便跌到橋下去，七八分鐘，大約在水中泡了幾口水，酒氣給冷水一冲，便清醒了三四成，漸漸的恢復了知覺，四肢乏力，想爬起來又不能……

……水底撈月去了。自從那一回酒醉爛人救了起來之後，媽媽天天告誡我，不論到什麼場合，都不要喝酒，我經歷了這一場危險，自然也開酒失敢領教了。

……到社會上來，應酬天多了，碰到朋友請客，少不免也得隨和一下。抗戰勝利那一……

台灣文壇點滴

獨立王國被推翻了

中央日報，在未擴版以前，担任副刊主編的是孫如陵。在他主編中副的漫長時間裏，對稿件之取舍，算得上嚴肅認眞，很多文藝界大亨的人情稿子，都給他打過回票，澆過冷水，所以中副「獨立王國」的封號亦隨之而至（他本人且會被目爲叛徒）。此次中央日報自九月一日擴版，孫被調動到該報資料室當主任去了。從茲，這一向都要在中副縱躍一塊地盤的豆付干體新詩，也給調動得無影無蹤了。

「名作家的書簡」

在南台灣，有位作家前時編了一本「名作家書簡」，內容不外選擇一些過去及現在思想沒有問題的作家的書信，予以彙編成編，不過有些人看了之後，認爲大致還不錯，銷路也稍不惡；可是編中也赫然列上他自己的書信，有人認爲這就未免太那個了！

物價普升．稿費未動

●耿耿●

自由中國的各種公私刊物，稿費一直未能追隨物價指數機動調整，直到今日稿費依然堅守民國卅八、九年的原額，一千字五十元台幣，這個數目較之目前一般物價，眞是可憐得很，好在台灣專門靠稿費生活的作家還不算多，否則他都要「枵腹從寫」了。

我阿婆沒有纏小足

。永昌。

看了這個題目，也許有人會說，這有甚麼值得發餘爲寫呢？你阿婆纏不纏小足，與我何干？是的，我阿婆沒有纏小足的確不干任何人的事；可是，她有勇氣反抗當時的社會風氣，不肯屈服，把一尺大脚板束成三寸金蓮，這就該替她大書特書了，而且，她是一個數百畝田的大地主娘，當時會給人恥笑與爲落，認爲生出「賤格相」，不配稱爲大家閨秀，大有被擯出「上流社會」圈子的可能，然而我阿婆居然不理會這些，我行我素，實行給現實一下強有力的反抗。

你道我做孫兒的應否替她寫篇文章歌頌一下呢？

抗戰時期，我被迫回鄉，眼看婆婆的生活，並非是「嘆世界」的其他地主婆可比，反之却有「捱世界」的精神，這一點我是非常佩服她的，不論嚴多酷熱，天天晨早便拿起鋤頭，傍晚時，去田畝間巡視，一年如一日，未嘗間斷，當其他的人都擁扇納涼或圍坐火爐取暖的時候，她便攜着竹箕去山野間拾取「豬屎狗糞」作肥田料，刻勤刻儉的苦幹。而且天生銅筋鐵骨，一年三百六十五天未嘗有病，傷風，連傷風鼻塞也沒有，假若要選甚麼「勞動英雄」，她應該被當選才是。可是，她得到好報却是相反的，胼手胝足，救不了她，連「大足」也救了她呢！變了，一切都變了，現世對「人」的判斷，不是拿人格及德性！我更有什麼話可說呢！

自由人
THE FREEMAN
（第七九二期）
中華民國僑務委員會登記證僑台字第一〇〇一號
中華郵政台字第五〇〇五號執照登記爲第一類新聞紙類
（半週刊每星期三六出版）
每份港幣壹毫
台北市價新台幣伍元
督印人：陳　文
社址：香港高士打道廿二號四樓
20 CAUSEWAY RD. 3RD. FL. HONG KONG
TEL. 771726
承印者：東南印務出版社　地址：高士打道六十四號
台灣總經理處　台北市西寧南路壹壹零號二樓　電話：三〇三四六
台郵撥儲金戶九二五二
海外總經銷：友聯書報發行公司　香港：彌敦道中二十六號A二樓

論法國新憲

。王厚生。

九月廿八日，法國本土與海外屬地的選舉人對戴高樂政府所提的新憲法進行投票，結果是新憲法受到人民的普遍支持，而告通過。法國第五共和的初基於焉奠立。

一、

到目前爲止，我們還有讀到法國新憲法的全文，但就外國通訊社所報導的新憲要點來說，法國未來的政治將是以總統爲最大的權力中心，政府的重心在總統，而不在內閣。國會在總統權力的下，權力受了很大的限制，也被削弱了。這些都是新憲法把內閣制改造了，加入了總統制的某些特點。內閣不再是國會的附庸，法國今後的政局不再由國會所左右。唯一保持內閣制的特性的，是國會仍有推翻內閣的權。至於其他內閣制的特性，如內閣總理之任命須經國會通過，國會可否決政府的法令，內閣須向國會負責等，已不復存在。因爲「根據新憲法，「國務總理可以停止國會的立法」」。在這項條文之下，內閣總理只對總統負責，而不對國會負責，這個內閣制的特性一旦歸除，就無異放棄內閣制了。因此，我認爲在第五共和下的法國將實行總統制，而非實任內閣制。

我還以爲法國第五共和的總統制另有其特色，而不是當今其他實行總統制的國家所能比擬。我們知道美國是實行總統制的國家，但是美國總統的權力也不得不受國會的牽制。譬如，美國總統只可於事後否決國會的決案，而且不可遇否決二次，更不能停止國會的立法權，也不能要求國會重新考慮立法。法國未來的總統卻有這種權力。當總統和政府發生爭執，或國會通過革新解散國會，法國未來的總統則有此權力。在今派內閣部長出席國會，總統有權拒絕簽字，法國未來的總統可以要求國會重新討論，美國總統沒有這種權力。美國參議院行使的權力，乃要求美國參議院同意，內閣部長的委任要經他批准就可以。所以，法國未來總統的權力超過美國總統。美國總統和法國總統的產生方法是不相同的。前者由民選，後者由國會議員、法國本土與海外屬地的官員（如市長）構成的選舉團選出。再則美國總統是直接選舉（至少名義上是如此），後者是間接選舉。在任期方面，美國總統是四年，連選得連任一次；法國未來的總統是七年，如須連選而可連任，實在太危險，因爲總統權力既這樣大，如任期再延長至十四年，難免不出弊病。美國有關總統之規，法國則無。

二、

在總統制之下，法國未來的政府自然可較穩定，國會不容易推倒內閣，即使有內閣總理被國會絕大多數通過革職的事件發生，也還有強有力的總統屹立不動。總統既非單純由國會選出，但總統不向國會負責，何況總統手上還有可以對付國會的權力和方法。法國今後如遇有內閣改組之事發生，在總統的指導之下，可以立即組成新內閣，決不至仍拖延一個很長時間而陷於無政府狀態之出現。總統的決定權大，小黨林立和政見分歧的作用便被沖淡了，故今後法國內閣的必然性也將隨之減少。從民主政治的立場來說，法國未來總統的權力實在太大了。但爲法國本身及其難題着想，也許非這樣不可。在舉行公民投票的前夕，即九月廿六日的晚上，戴高樂氏在電台上對法國人民作了最後的呼籲，要求他們熱心前往投票，贊成新憲法。他說法國的命運是在危險之中，在第五共和及其憲法之下，將給法國帶來一個強大和安定的政府。

三、

從投票的結果來看，好像法國人民已一反往昔的看法，不再懼怕強有力的中央政府。這或許是現實環境教育了法國人民，若干年來的痛苦經驗使他們覺得，短命內閣的軟弱政策和強力政府的堅決政策之間，仍以選擇後者爲佳。

作者多年來研究西洋政治制度，深爲法國這次的選擇擔心，我覺得法國未來總統的權力過分巨大了，這種權力政治構成一種威脅的民主政治。根據巴黎廿九日路透社的電訊所說，「法國新憲法將在周內正式宣佈，替第五共和之成立作準備」。足見在公民投票時，法國人民未能充分了解新憲法的內容及其精神，他們將來一旦發覺總統的權力過大了，或將來的事實說明總統權力過大的危險，他們必定會對今次的公民投票表示懊悔。

當代民主憲政國家，在外患、內亂或經濟危機等非常情況之下，爲了加強政府及其政策，隨有建立強有力政府之必要，且也不乏史例可之。當第一、第二世界大戰時期，美英等民主國家皆曾樹立強大的政府以應付危局。在這段時期中，內閣總理和總統的權力都加強了，甚至選舉也擱置了。但是，這一切加強政府權力的作法都是在憲法的範圍以內進行的，是符合憲法條文的規定的，是得到民意機關——國會——的認可的，而且政府在事先聲明，一俟局面平定，或危機解除，政府當即將已集中在手上的非常權力自動放棄，或由國會收回對政府的各種授權。這種在憲法範圍以內的強有力政府另有一個政治學上的術語，叫做憲政的獨裁（CONSTITUTIONAL DICTATORSHIP）。法國新憲法的內容頗有憲政獨裁的意味，雖然，這不能說是一種很好的現象，但這要比有憲法而不顧憲法、一味孤行獨裁的冒牌憲政國家要好得多了。

四、

第五共和的國民議會的選舉將定今年十一月舉行，接着將選舉總統。現任的總理戴高樂將軍大概將被選爲未來的法國總統。戴氏在法國人民的心目中是一位英雄人物，這次新憲法之受到支持，更可見出戴氏的聲望有增無已。作者也覺得戴氏是法國當代的一個了不起的人物，就在今年的五、六月間，他表現了一件了不起的愛國精神和行爲，當時，阿爾及利亞的法軍叛抗中央政府，組成阿區的公安委員會，並向巴黎施加壓力，要求戴高樂出任總理，領導法國渡過難關。這時法國內部的普遍要求，得法國各地相繼成立公安委員會，內戰已成一觸即發之勢，假使戴高樂是個只顧個人野心和權勢的傢伙，他很可以利用這一形勢，稍加煽動，即可憑藉武力取得政權。可是，戴氏計不出此，卻以冷靜的頭腦，堅主依循憲政常規取得政權，無形中爲法國避免了一次可怖的流血戰爭，表現了一些政治家的風範。法國人民對於戴高樂將軍似頗具信心，相信他不至於濫用權力，故投票贊成新憲法。但憲法爲一國的百年大計，戴高樂無法與國家同壽，即使戴高樂不會弄權，但如何防止後來的人能適度地運用總統的權力，已成爲法國人民的一項重要課題了。同時，法國不會永遠處於危機之中，阿爾及利亞問題終有解決之日，總統的大權是否適合將來的承平時期，也是值得法人考慮的。（十月五日）

半週述評

華沙談判應即停止

華沙談判，以緩和台峽危機而重開，上周末已先後舉行了六次會議。第七次會議要延至本周五再開。歷次會議的內容如何，雙方始終保持秘密。但就台峽目前的形勢看，該會議實無任何成就可言。聯大主席馬立克雖說，三日來，已有跡象表示，有關方面可能獲致諒解，亦祗是推測之詞而已。現在華沙談判已成爲中共爭取時間，以困厄金馬軍民之一種武器。昨五日，中共又加派周恩來的親信黃華爲高級顧問，出席該項談判，中共態度意見蠻橫，顯無妥協之意。蔣總統四日對英報記者表示，華沙談判應即停止，是很有理由的。

蔣總統對英國的期望

蔣總統同時又對英報記者提出，希望英國領袖敦勸或協助美國，使對台峽危機間有眞正的了解。蔣總統說，『吾人素以英人對於遠東事務較有眞知確見，故吾人希望英國領袖將敦勸或協助美國人士……』世人皆知，目前美國對金馬政策所受最大的牽制力量，英國實居其一。蔣總統此言，極關重要。蔣總統對英國寄予如此重大期望的言論，亦實爲二次大戰以來所僅見。於此吾人不僅希望英國的政治家能接納蔣總統的意見，尤其希望我們的朝野人士今後能對中英關係特加注意。爲未雨之綢繆，勿臨渴而掘井也。

艾森豪總統的信心

艾森豪總統四日答覆民主黨議員葛林的一封信，表示他對美國金馬政策的堅決和信心，不失爲泱泱大國領袖的丰度。他說，『他很有信心，如果美國被迫在台峽作戰，國外盟國以及國內的人民都將會支持美國』。又說『國會曾授權給他，叫他用武力防衛台澎，如果他認爲對防守台澎有需要和適宜時，也可以保衛金馬據點。』現在美國輿論十分龐雜，黨派意見紛歧，盟國態度又多存觀望。艾總統能有此堅決表示，不惟可以澄清國內外的視聽，亦使共產黨徒不敢輕舉妄動。

美國抑制共黨的武力擴張，並非出以虛聲恫嚇。近一月來，美國對於中華民國的軍事援助，與日俱增，對於台峽的軍事警戒，亦有增無已。響尾蛇飛彈裝配國軍飛機，迭創俄製米格機，巨人飛彈亦已運台，增強空防。凡此種種均可證明美國的實力政策，決非紙老虎可比。

中共有了新武器

在美國實力阻止政策之下，中共的反應又如何呢？本月三日蘇俄「紅星報」及「蘇維埃俄羅斯報」都說中共已有現代武器，中共要把美國壓倒地上。這便是說蘇俄已經以新武器裝備中共，使中共在台峽進行更大的冒險了，這是很有可能的。艾總統也說，『我不能把他們的話，僅僅認作吹牛』。但是，中共有了新武器是否將由此登陸金馬，以至演變成爲二次大戰呢？蔣總統告訴英報記者，抑認爲這事若延至大陸，蘇俄亦不會加入作戰，但也又說，「即使蘇俄介入，大陸上的中國人亦將認爲他們爲外國侵略者」。蔣總統的話是較爲可信的，因爲蘇俄始終是要等待美國與中共作戰，而坐收漁人之利的。蘇俄多半是不會爲中共作戰的。但中共在蘇俄慫恿指使之下，必定進犯金馬台澎，則是很顯明的。葉公超大使說金馬危機已非政治方法可以解決，其理由在此。

陳克文

法國新憲與今後問題

。旭軍。

此次法國全民通過新憲法，雖然不能視爲戴高樂個人成功，而爲法國人民決心舊更新，但戴氏實爲促成此新憲政的人物。戴高樂一向以重振法蘭西聲望爲職志，但尚有偏側重殖民地主義之嫌。殖民政策是與民主思想積不相容的。今後問題就在此，苟不注意及此，將會爲共產黨所乘。

此次法國軍人冒大不韙，擁立戴高樂。初時輿論尚以爲戴氏無法處理阿爾及利亞引起之法國危機，今日戴氏有此成就，確也令人刮目相看。誠如泰晤士報所說，「他已表示願爲忠誠的受委託以維護法蘭西自由之人」，要忠誠地維護法蘭西自由，就非從事遏抑共產黨不可。試觀戴高樂所提出之新憲法，斬釘截鐵的說：「海外地區贊成新憲法者，將給予自由、平等、友愛，爲基礎之新制度。拒絕接納新憲法者，將可立即脫離法國」。這是值得喝采的。又誠如內政部長比勒提爾所稱：「這是戴高樂偉大勝利也就是共產黨空前的慘敗」。

現在政權集中在戴高樂的手中。他是第四共和國議會推選他出來，得到國內與海外絕大多數選票通過。未來的若干星期，他將是法國唯一的主持人。他有權和責任去宣佈如何，及何時，實行普選，及對阿爾及利亞下一步驟應怎樣。今後法蘭西第五共和國的成功或失敗要看他的政治手腕，和判斷而定。

此次全民複決，乃「戴高樂法蘭西」的開始階段之結束。但此次勝利出乎意料之外者，係因有許多是感覺到捨戴高樂及其政策，別無領袖人物與其他政策，足以渡此危機。顯然的，在今後若干星期內，戴氏尚須運用其機智，與思及如何能適應及領導輿情，因法國選民並非以選舉皇帝之觀念去投票。今後，戴氏少不免會遭遇若干爲着十分矛盾的原因去支持他的人感到失望。特別是對於非洲問題，唯一的陰影，亟待掃除，此次阿爾及利亞公民投票，有百分之八十一投票人參加，其中百分之九十六贊成新憲法，相信阿爾及利亞的將來問題，可能獲得圓滿的解決。除了法屬幾內亞之外，所有西非洲及赤道非洲之法領土，均同意成爲法蘭西聯邦的一部份。雖然他們的地位問題，將來尚須商議解決。

然而幾內亞仍是一個難題。現在幾內亞既反對新憲法，則成爲獨立國。幾內亞乃西非海岸一多雨地區。該地人口二百五十萬。投票以廿五對一之比，拒絕法國領袖之新憲法。幾內亞脫離法國，將以經濟爲嚴重問題。戴高樂在上月對幾內亞人說：「別矣，祝君幸運。」蓋知其必謀獨立。當時提出警告，任何投票使本身脫離法蘭西之地區，將一若投票使本身脫離法蘭西之經濟援助。

幾內亞須以彌補此項損失者，乃其境內之鐵礬土大資源。美人對此頗感興趣。但領導此次反對法新憲之領袖，乃左翼人物，現任幾內亞總理的杜里。雖然他曾說他要和法蘭西建立新關係，基於「眞正平等與友愛」，但一個未成熟的幾內亞，即脫離法國，將爲蘇聯滲透的對象。此新國陷入混亂，將影響其他的法蘭西國體內的諸國家。據泰晤士報稱：幾內亞政治之前途甚可慮，似乎很可成爲非洲第一個「人民民主共和國」。因爲他們的領袖許多謀取自莫斯科而來的鼓勵，此則已引起對幾內亞外援來源的猜測。

阿爾及利亞仍爲難題之中心，此次鼓吹阿人踴躍投票贊成新憲法，陸軍出很大的力量，沒有公開表示反對的，但是意味着回教徒信賴戴高樂將軍，能領導他們脫離目前不能忍耐的局勢，——經濟原因多於政治原因。新憲法使他們獲得與法國本土法國人相等的權利。戴高樂必須使他們的希望不致幻滅方可。所以戴高樂今後對阿爾及利亞的問題，就是如何使法屬本部和非洲法屬，同樣感到滿足。這是長期間的工作。調回陸軍返國，亦非幾年間所能實現。同時「極端份子」重要頭上之保證政治與法國同化。回教徒人等較好的日子來臨。這是有待於法蘭西新憲法，眞能對海外地區，給予自由平等，與友愛，特別提高他們的地位與生活了。

如何反擊中共政治攻勢

裕生

萬沙的舌戰和台峽的砲戰，發展到目前，竟先後在二日內同時宣佈了休會和暫時「停火」。

萬沙會談的重開，曾被各方面估計認為是不會有結果的，但就現目的發展情況看，則應該被視為是「初步的結果」。初步的結果，當然不是大結局，不過却帶給西方的姑息主義者們以莫明的寄欣。

根據現有的跡象觀察，由於中共派出了黃華（中共外交部的西歐司長）赴華沙協助王炳南對美談判，有般認為可能會在復會時帶來美毛共同聲明，這項共同聲明對自由中國將有何種影響，目前自無從付測，但是就中共彭德懷的有關談話看，從本月六日起的一週內，台灣海峽的實際情況，仍將有決定性的作用！而這就是看國府當局在這一週內所採取的行動來決定了。

對於彭德懷的談話，台北官方的反應和輿論界一般的看法，既認為旨在挑撥破壞台北華府間的關係。這種看法，大致是根據彭的談話用語之「和緩」與及充滿了統戰宣傳的語氣而來。就統一點說，這種顧慮是應該有的，但是就中美關係檢討，雖不能諱言雙方無距離，但現有的這些不盡相同不盡一致的意見，深刻些說，並不能視作是中美間的距離，更不能被認作是「基本性質的距離」。如果台北方面能夠善為應付，中共的花言巧語，又何足以產生破壞的作用，這主要的就要看台北當局對此突然而來的政治刺激的反應如何而定了。

近二年來，反共陣營中都在顧慮台灣有一反美情緒」。特別是中共方面，對此所作的宣傳，更是弊人聽聞，以圖達到其挑撥離間的目的。因此，筆者個人覺得，固不論萬沙的情勢、如何變，或將會出現什麼結果，自由中國必須盡可能地忍耐，在情緒上避免作任何不良的刺激反應。

從另一角度來看，我們覺得美國軍方對台灣海峽形勢的估計是極具價值的，而這一類的估計，也定必會速五角大廈對白宮發生一些有利於自由中國的影響。而軍方對自由中國的關心和同情，也遠在華府一般政客之上，因為他們的觀點是從根據台灣海峽的實際情況形成的。例如像美國海軍參謀長兼聯合參謀本部參謀柏克上將，即認為：金門不僅可守，且可以堅守十年，亦可永保不失。他更主張，必須繼續援助中華民國。至於其它的美國將領，也無不是對台峽情況和國府作積極的評價。

就上述這些顯著的事例言，應該說中美之間的關係是無慮的。然則，令人困惑的顯然還是在政治和外交方面。就中共目前對台峽所取的策略言。已由軍事攻勢轉入了政治攻勢，應付中共的軍事攻勢，國府可以取得美國的協助，應付中共的政治攻勢，顯然不是美國所能協力的，要還擊中共的政治攻勢，勢必要自由中國朝野上下有一致的行動始能奏效，而這也就是海內外各方多年所主張的團結運動，和國府在政治上改進之能否實現的問題之能否解決了。

中共又提出了可以與國府談判的試探，台北也已經迅速的表示了拒絕，但在海外看來，這不僅是單純的拒絕可以了事的，必定要有可以反擊之道，才能有效，否則，台北在宣傳上，又將處於被動的地位，要有效地反擊中共的政治攻勢，看來不是單一的力量可以奏效，願台北當局三思之。

另則在對外關係方面，可以和西方集團對台峽未來發展趨勢感到迷惑，並陷我於孤立不利，外交的活動便應多方並頭齊進，重心放在華府，但其它各國之反應和態度亦應多所注重，蓋中共的政治攻勢，不僅專對台灣一地，對其他各國亦具有統戰作用的影響吧！

金門採訪記者羣犧牲前後

（台北通訊）赴金門採訪軍事新聞而遭遇難的中外記者六人，下落不明。有關方面表示仍在努力搜索，亦不過略盡人事而已，吉兇之數，殆已成定局。

噩耗傳來，此間同業莫不以無比的悲痛，提出失事的責任，新聞當局似也不能辭其咎。因為六位同業不是犧牲於敵人的砲火，而是犧牲於應該可以避免的偶然意外。那艘小艇在料羅灣途中發生機件故障，顯然是由於事前失於檢查。而且，艇上未曾搶灘登陸的外籍記者，都穿好救生衣。搶灘登陸者祇臨時找了幾件殘壞的救生衣，倉皇紊亂；同時，八位同業失事之後，官方當時連名單都不知道。新聞當局以為遇難及臨時登陸未曾事先連絡為詞，來解釋此事，顯然未能令人滿意。如果不是怒海餘生的青年戰士報記者戴重則回到台北向報界聲明，這些死者死得莫名其妙。

報界咸以艦艇疏於事先檢查，又失于通訊聯絡，搜索施救又毫無效率，因此深致疑問。事實上真正的被救者，祇有戴重則一人，但也是在三十小時之後獲救的。另一生還者係日本共同社記者澳戶忠夫，則是靠自己的游泳技術。其餘中外罹難的記者為新生報徐搏九、中華日報吳旭、攝影新聞傅資生、徵信新聞魏晉爭。（編者按 魏君為本報通訊員，其最後一篇遺稿，署名小芸，刻在本版刊出）。日本讀賣新聞記者安田延之，韓國時報記者崔秉宇。

這次是因為沉沒小艇剛好載有中外記者，才引起廣大的注意。其實記者們這種勇敢犧牲的事蹟是值得大書特書的。　劍聲

台灣香港之間的教育問題

‧祝修衡‧

九月十日台北中央日報以「大專新生缺額」為題寫評：「據說實踐家政專科學校……新生缺額尚多，……系內情形尤甚。現在一方面有大批學生，被摒於校門之外，家長們日夜為其子女的入學問題操心；而另一方面，有了學校，有了設備，而無人就讀，這是一種非常矛盾的現象。」

「大專學校舉行聯合招生，投考的人多，錄取的人少。在投考之前，每人都填了志願，照理，考試之後，依其成績高下，逐一分發各校，應該是毫無問題的。在此次聯合招生委員會曾有一項決議，至少三百分方可錄取，結果揭曉以後，又發生兩個問題：一是各私立大專所分發的學生，有若干人與所填志願不符，于是，學生與家長大譁；二是有的學校發生新生缺額太多的問題，甚至無法開課。

「由於志願有某幾個院校的考生太多，名額所限，無法盡容納，但使本學校可讀，不得不以次分發，在招生委員會固屬有其苦衷，然因分發未依其志願，某些學校之有新生缺額，其原因或即在此。

「至於聯考以三百分為錄取標準，想是按考生人數和可能錄取的總額來決定的，現既有若干學校新生有了缺額，然則成績在三百分以下未經錄取的，似可設法補救，儘量給他們升學的機會。」

「鑒於許多青年學生，還苦於無書可讀，家長日夕焦慮……。」

台灣如此，海外怎麼樣呢？上月二十日教育部發表截至去年度為止，招收海外僑生已有六千五百六十三名（其中大專佔四千二百八十一名，中等學校佔二千零九十一名），這數字在教育當局看來，也許已經不少；所以今年當局錄取新生名額，需[illegible]論指摘，不予公開發榜，[illegible]的辦法，基本上是不[illegible]度新生錄取過少，誠如中[illegible]想是按考生人數和可[illegible]決定……」因此，把過去[illegible]者，非三百分不能錄取；[illegible]責，今年應試考生，多數[illegible]諸生，幾乎對於此卷難答[illegible]滿意。此外，還有一項不[illegible]是按照大學常例，第一學[illegible]措，如不適合，該生第[illegible]校別系或他校同科。但是[illegible]僑生轉學，需要回僑居地[illegible]是，發生了兩個問題：[illegible]新辦合招生考試，台灣專[illegible]結，如果中途退學者

，無異白讀一年書，但事實上不許插班，即使錄取，也必須犧牲上一年學業；二、今年有等級學程考僑生，認為今年錄取分數跟去年一樣，以為比去年分數多，總可錄取，結果均告落空。這樣，過去一年書白讀，今年又得自修一年；明年但否錄取呢？如果分數提高，公民命題最深些，要想返國升學，根本就難之又難。這種規定，是要不得的。為了彌補此一不應有錯誤，我們有理由要求取消已往成例，凡海外僑生轉學，不應重回僑居地再考，理應就其志願，自行向別校或同校有關系科主任申請，視其學分予以考慮；至於招收海外新生，必須遠發學生僑居地教育命題，限制名額當就品學去劉抉，不能偏重學分。現在若干院校既有缺額，應由各校自行公告，接受學生入學申請。這種一時權宜的應急措施，相信海內外學生及其家長必有同感。

世界書局成拳頭世界

李石曾中了致命一拳

‧小芸‧

（台灣通訊）這個世界是個拳頭的世界，不問國家大事與個人糾紛樣樣都論拳頭。金門對岸共軍發了卅幾萬發砲彈，是表示拳頭狠，而此間世界書局的雙包案，打出手，也顯示了文化人的拳頭「並不很差」！

單是世界書局鬧雙包，打出手不算大新聞，但牽涉到「黨國元老」李石曾那就不同了。該局內部糾紛的發生迄今已兩個多月，因為李石曾楊家駱兩人互爭正統，各不相讓，十七日遂由冷戰演為熱打。當天，李率十餘人進入書局，關閉鐵門，驅職接收，雙方即發生衝突，進而互毆，若非警員馳往現場制止幾至鬧成大流血。（剛打時李已單獨離去）。十八日，又連續發生了三次衝突，開門關門，仍陷僵持。在李方接收人員中，有三人遭警方傳訊。十九日到廿四日仍保持冷戰僵局，因有警員終日在該局靜坐，故雙方尚能相安。

大概是由於情面關係吧，輿論界大部份對此事尚保持緘默，不過大華晚報的社論：「世界書局的爭奪戰」中已特別指出：「文化人竟如此好勇鬥狠，不能遵循正當的法律程序靜候解決，也就難怪一般社會風氣的敗壞，下流份子，動輒要『紅刀子進，白刀子出』了。」徵信新聞則在「今日春秋」欄中「來了一個幽默的短評：『為客說三個故事』以古諷今。第一個是左傳齊桓公伐楚盟屈完，第二個是左傳燭之武退秦師，第三個是美國費城一七八七年商討憲法草案的故事，結論六個字：「克己復禮為仁」。語中有刺，妙到毫顛。公論報社論則指出：「李先生運用中法庚子賠款，在海外創辦文化事業有年，其所設拉丁美洲烏拉圭的世界社及中國國際圖書館均可置不問，而獨爭此世界書局，且不惜運用任何方法，非達此目的不可，殊令人有「矍鑠哉此翁」之感！……門毆於鬧區，演武於通衢，倚勢橫行，自求解決，我們相信負責治安當局……決不讓其長久僵持，一諸法律途徑，謀求正當解決，否則此風一長，一切惟力是視，人人均不畏法」。

講到庚子賠款，又有了好文章，立法委員李文齋在此次院會中，對庚款須處理情形特提出詢問，並以三項書面文件指證李氏將公款化為私有之不當。據謂現留法學生尚有一二百人，或生活亟待接濟，或缺乏川資返國，而中法文化事業待款舉辦者尤多，絕無置此一二百留學生及中法文化合作事業於不顧之理。此項質詢，不準備在會中宣讀，祇以書面送交行政院，等候書面答復。

該項書面質詢中附有三種文件，作為證明李石曾將公款化為私有之用。此三種文件，一為李用「中國農工銀行董事會稿紙」所草「教育基金委員會」後「中國農工銀行函稿」，二為李親書上項函稿之附件，三為中國農工銀行董事會致其董事長李石曾函。在第一附件中，李文齋氏指出中國農工銀行董事會代表同為李石曾一人，函致「教育基金委員會主任代表」十一字為李親筆所書，函中原以中法庚款五百萬元撥交教育基金委員會，此五百萬元係左手交右手。此五百萬元經該會正式開會通過，自更未經政府之核准。第二項附件係借用「世界社」信封信紙，並蓋用「負責人」印章，致函「中法教育基金委員會」，以書面申請認購該行資本全額半數之鉅額股款，此係何等重大措施，而所用並非該會之信紙信封，亦非該會之印鑑，而為李石曾「世界社」負責人之印章，此即用李石曾私人之印鑑，誠屬駭人驚詫之處！

第三附件全文如下：「逕啟者：本行奉令完成資本總額一千萬元，業經股東會通過並已如數徵足。茲承貴會認購一百股，已荷該會同意，頃已代為認購一百股，其股款業由本行在台端軍事長帳內撥付，檢送本行一百股收據一紙及股東印鑑票一張，即希查收為荷。此致李董事長 中華民國卅五年十一月十一日」李文齋氏認為此項文件堪注意之點甚多：（一）中法教育基金委員會之五百萬元已如數收足，可證中法教育基金委員會以五百萬元付交李石曾。（二）由中法教育基金委員會讓出一部份股權給李石曾，該項股票由農工銀行交李，但該會並無收據，於是此類假魔術化公為私的手法，大功告成。

這一拳頭，正中了李石曾的致命之處，翁雖矍鑠但也受不了；不過此一事件的吵鬧，此時此地一般人看法，無論如何，都是不該的。該休了。（九月廿四日寄）

（本文即爲魏晉爭先生遇難前自台寄出之最後一篇通訊。編者附識）

台灣點滴

△國民學校「惡性補習」之風，迄未因政府三申五令之禁止而罷休。日前某報記者特別為台南市的小學生作了一次呼籲，他說：「政府禁歸禁，學校補歸補，搞得政府威信盡失，小學生面黃肌瘦，呆頭笨腦。」其實所有台灣各縣市的情形，何嘗不都是一樣。教育當局一再強調國民教育已有進步，對此現象，我不敢云然。

△美國第七艦隊所用燃料油，已自本月份起由中國石油公司供應，該項買賣合約，係由美軍顧問團直接和中國石油公司簽訂，預料在半年內可供應價值美金九十萬元的燃料油，石油公司可以賺得若干外匯，此一消息頗令工商界人士感到興奮，吾人認為美軍顧問團直接向中國石油公司簽訂合約成立買賣行為，其實在是美國人的一種良好風氣與習慣，因為美方並未因石油公司乃是官方經營事業，而向我政府接洽交易，是美國人的傳統自由精神的表現，正如美國的飛機大砲，一直是商人在製造，而政府需用都向商人去訂購是一樣的道理。

△基隆市建立了一所中正堂，年事先為了經費，名稱有過很多周折，想不到建蓋以後[illegible]帶回台北查明。[illegible]的重點有二：一該一建築會[illegible]二、中正堂與基隆一家影院[illegible]太大了？三、基隆市議員指出，興建中正堂的單位主管，新近在台北建築一棟價值八十萬元的樓房，此事市府有未調查？筆者認為基隆市建立「中正堂」[illegible]！（四七，九，廿六）。布衣客

美在太平洋戰略新部署

從最近美國不斷地調派強大海、空部隊分駐遠東各地的情形看來，似乎對太平洋的戰略有新的部署。

美軍從新佈置原因

須知道主要的理由可能是由於（一）華沙美毛談判無結果；（二）中共反對在台灣海峽停火；（三）蘇俄目前在遠東擁有強大的兵力，約計陸軍四十萬人，[illegible]海軍艦艇四十萬噸，包括潛水艇[illegible]三十五萬[illegible]，顯然蘇俄有支持中共[illegible]台灣海峽及準備對付第三次世界大戰的企圖；（四）[illegible]艾森豪[illegible]「撤退」。

不過，美國在太平洋的戰略部署，自一九五五年起就有些新的轉變，一面是放棄前此在大陸的防禦戰術退向防禦半島戰術；一面是恐怕與蘇俄氫彈競爭的落後，盡可能縮短防衛戰線，以應付未來的原子戰爭。其在太平洋的佈置是：

。養之。

兩年來在太平洋的佈置

（一）第一步將美軍騎兵第一師，已于一九五六年自北海道撤退，由日本新軍負起直接防衛的責任。撤退的美軍第一騎兵師，轉用爲太平洋的機動部隊的主力，以應付突然發生的突襲進攻，或局部戰爭的爆發。

（二）美駐日空防部隊所屬轟炸機隊，已轉隸美國戰略轟炸機隊，原有的B二九轟炸機，亦已全部改用B四七型噴射式轟炸機，移駐關島。這項佈置無疑是避免駐日美轟炸機的B二九型機，過于接近蘇俄西伯利亞的噴射式轟炸機的威脅。以免一旦發生戰事時，B二九轟炸基地暴露于蘇俄轟炸勢力範圍之內，無法制勝，如在關島佈陣，以B四七型轟炸機爲主力，則其續航力與速度勝過B二九型轟炸機；而且基地遠離蘇俄轟炸的勢力範圍，對於原子攻擊的防衛較易于防範。

（三）在夏威夷的美聯合司令部內，成立一個太平洋空軍司令部，作爲在太平洋機動作戰的指揮中心。同時該項組織與關島的戰略轟炸機隊，有呼應，統率在朝鮮半島及日本、菲律賓基地等處的美國戰術空軍，以增加機動作戰的能力。

（四）在菲律賓的蘇碧灣，建設了一個價值一億美元的海，空軍基地，以爲準備在西太平洋展開戰的中心；並置實力于此，以監視中南半島的共方軍事活動；同時支援台灣及其外島作戰。

美在台灣的佈置

此外，美國在台灣中部建築遠東最大的空軍基地，佔地二千三百英畝，現在已完成百分之六十，兩條跑道長達一萬二千呎，八架戰鬥機可以同時升降。將由該基地起飛的戰略空軍炸轟機，可以深入中共區與俄國。同時美國最近又以勝利女神式飛彈一隊駐台灣，其威力足以控制大陸沿岸及其監候神經樞紐，加以另有一〇四星式戰鬥機一中隊，和F一〇〇D超音速戰鬥機一中隊，均駐台灣。這兩種飛機的攻擊力甚強，特別是前者的時速達一千四百另四哩，可用作攔截機或攻擊地面。後者的時速約八百哩，[illegible]火箭彈及飛彈。

其次在沖繩島，也有F一〇〇D式機及F一〇一巫毒式戰鬥機各一中隊駐扎，故美國在太平洋的戰略部署，其防衛重點總離不開台，菲，沖繩等島。而美軍實力逐漸撤退日本而轉守太平洋其他島嶼的原因，亦爲已經說過，既避免部隊暴露于蘇俄原子進攻的威脅之下，同時亦增加其部隊的機動性，以保持其優勢。

假使三次大戰爆發

過去美軍訓練日本部隊，曾準備在美軍撤退北海道之後，一旦發生蘇俄的進攻，日本軍隊應能堅守北海道三個月，以待美國援兵抵達爲原則。但前此的設計，已由原子武器與飛彈的發展而有所改變。假使第三次世界大戰爆發[illegible]日本各地投下原子彈，[illegible]須負起更大的責任。[illegible]地帶，工業地帶，及油田地帶，作先發制人的攻擊。當此項機動作戰計劃實施之際，日本將[illegible]的援助。（九月卅日）

在大灶的壓逼下！

中共在「大躍進」聲中，同時又推行了「人民公社」政策，主要之目的，在使人民集中于生產，這是奴隸制度與軍事制度的合一，較之深淵挽化尤爲徹底！

中共推行「人民公社」，它在共黨理論和實踐上會產生甚麼新的影響如何，皆非此短短說明可以盡言，但「人民公社」的具體模樣，却可從此一小小畫圖中窺見其萬一。這個生義，可憑常識來推斷中共此一措施實行以後，爲害於大陸人民之深重，及其對中國傳統文化和生活方式之影響。

此圖原刊載於九月廿三日「人民日報」，出自農民手筆，從畫中之描繪，已可知農民在大灶生活方式的壓迫下，繳出了家中僅有的鐵器——鍋！

本報「竹幕幽秘」欄作者田心先生曾一再指出「人民公社」乃是秦始皇路線的翻版，[illegible]（幸）

竹幕幽秘

華沙談判

華沙談判基本癥結，依舊是從日內瓦談判延伸下來的兩個老問題，即：美國要求中共在台灣海峽永久停火，中共則要求美國軍隊從台灣地區撤出；各持一端，在眼前來說，是得不出任何結論的。

中共與美國間在台灣問題的基本方面既然得不出結論，於是，退而求其次。綜合九月三十日杜爾斯的聲明，以及九月二十八日「人民日報」社論可以看出，日內瓦談判已進展到這種程度：美國要求中共停止轟擊金馬（請勿以永久停火視之），中共即要求要金馬對面的共軍減少若干；並且要求通過美國要國軍不向大陸出擊，並且要求金馬的國軍減少若干。

將來可能得出的協議將是：中共停止轟擊金馬，國軍不向大陸襲擊，凡減少離島駐軍。本欄早已指出過了這種協議的可能性。中共目前的裝腔作勢，無非是還想再多撈一些額外的便宜而已。

懲罰辦法

我們一貫主張，自由世界與中共鬥爭方面要獲勝，就要把這隻紙老虎戳穿得使世人一望而知其是紙老虎，省得它再裝腔作勢來嚇人。美國若要求中共這樣做，的確在目下有若干難處；但除此以外，不是沒有辦法降伏這隻紙老虎的。辦法就是堅定與忍耐，以物力拚物力戰。因爲現在的情況是中共無意與美國大戰，美國亦無意在這種軍事低頭而作大戰，而金馬的補給問題已經基本上解決了，那末，即使如此情況一味延長下去，何懼之有？固然因爲改換了補給方法招致了某種損失，但共軍卅餘萬砲彈，計其價值，未必少于國軍方面的損耗。至於緊張局勢，祇否不偶然因素刺激下而偏發大戰，看來就中共提出了二十多次警告而不動手一點來論，可能性實在微乎其微，那末，大戰恐懼也是多餘的。即使似上述一般達成了協議，也祇不過是緊張程度低減一些而已，基本上並不能達到消除緊張局勢的目的。美國若從這方面去擬訂與中共談判的政策，加強努力，拖得它上不得下不得，看它上萬發一天的砲彈，能繼續維持到何時？假以時日，自能達到懲戒那些以武力爲萬能的戰爭販子。

要清醒些！

本欄已經多次要求國軍在此時節採取直接行動，這並非未顧及國府的處境，而是早已預計到拖下去的後果。而今，可能會有些人已有時不我與的悲哀，俯仰由人的悲哀，甚至有人懷疑美國對台灣政策已經改變，這種想法也是多餘的。

任何一個國家的對外政策，均以本國利益爲基礎，國府與美國之間在反共的利益上是一致的，但在行動上具有某種程度的差別，這是無須多說的；現在關于金馬問題的歧見，就是這種差別的表現；若把這一種歧見的表現說成是反共基礎上的政策改變，則是錯誤的。

前此已經老早提出：反攻要獨立自主，反攻不去賴大戰的口號；要從這種複雜緊張的局勢中找尋與創造反攻的條件，不要爲當前的迷離局勢放棄任何一個可以利用的機會，若僅僅是爲着防守，那末，必然是導致俯仰由人的後果，經過這次教訓對于這樣的問題似乎總該清醒了。

可惜，一些人的清醒程度是使人懷疑的，現在竟有人在美國這樣說：「要府的目的，並不是征服大陸。但如果大陸起義，則大陸人民將請求援助。我們知道這叛變起義是不能由外間制定的，他們必須自己絞盡心血，作這種牛死的決定。」我們要問什麼叫「征服大陸」？它與反攻大陸有何區別？是否想以反攻大陸改易爲「征服大陸」來推卸國府的責任？這樣的話只能欺騙外國人，中國人是欺騙不了的！要叫大陸人民自己絞盡心血，叛變起義，然後來請求國府援助，這樣的說法，似乎國府只不過是台灣人民的政府，對大陸人民既無責任亦無聯系；在悲憤之餘，我們不免要問：反攻大陸的基本國策是何時廢棄的？

○田心○

鐵幕去來話少年

·風行·

鐵幕眞相

友人自中國大陸返香港，說到該處一般少年，都受了共黨教育的麻醉。他是到廣州大石鄉看當地的學校情形。

他戲問學生們道：「我和你們到香港玩玩好不？」

「我現在不去，香港人雜，壞人多。我等候香港被解放了，我便去了。」這是一般學生的答語。

他們將會說美國侵略中國。

中年人知何似？

友人說：「鐵幕外的我們或以爲鐵幕內人民怨恨中共虐政的鼎沸，一有機會，便可揭竿而起，推翻共黨政權。可是據他的觀察，頭腦清醒的中年人，尚未被『反』『整』弄死的，也被折磨得頹喪而厭倦的很多。」

共黨要少年

他說：[illegible]

[illegible]不上儲蓄和自由使用勞動成果。

友人說：現在大陸上，反而鄉下的少年比城市活躍，或可說忠於共黨。或在我們看來，忠到令人可憐，可笑，又可厭。

中共特別注重鄉村，設電話，裝路播，設圖書館——自然只是灌輸共黨思想——不時派電影隊和戲劇團到鄉村表演。

「風球，風球」

一到墟上，四處都是標語，如『家家無閒人。戶戶要生產』。『躍進，躍進，又躍進』。『工作要省錢又良好』等等。

友人有一天正剛起床，忽聞鄉村擴音機廣播，聲似說：『風球，風球。』他驚奇的問鄉人道：『什麼？難道颱風來了，報什掛風球麼？』

鄉人笑起來道『它播的是說瘋狗瘋狗，你還未聽下去呢。』果然擴音機，喝道『瘋狗，瘋狗來了，打瘋狗，打美帝瘋狗。』

一天內常聽到這種咒罵的宣傳聲，令人厭惡極了。

共產黨人是重視『量』的。辯證八股是說量可變質，正如當日納粹宣傳家戈培爾說：說上百次千次謊言，也可變成眞理。有時我們覺得共黨的宣傳很幼稚可哂，但對於某些人還是生效的。不要說小孩子受騙，連西方許多政治家也被騙。共黨宣傳實不可忽視。

女學員要煮粥打雜

友人到學校看見幾個女教員正閒着呆坐。『你們好清閒？不去勞動麼？』

『不，我們有工作的，在學校煮粥，等一回分配粥桶，碗筷。要到晚上子夜，才得睡眠，因爲等候做工的回來，吃完了才能洗碗筷收拾打掃。』

中共對人力的組織很嚴密。人人皆派定工作，或縫補或烹飪。婦女們也不能以家事爲藉口而不去勞作。換句話說要嚴密的那些少年都會說：『我們要苦鬥三年，便有好日子過。好像蘇聯人民一般人人有汽車了。』

在廣州派遣少年學生任交通警察之職。指揮人們走『安全綫』——即香港的斑馬綫。香港因車輛過多而設斑馬綫，但他們的安全綫看不出有何用處。有時反成爲害人綫。有一市民得須橫過馬路到對面店舖，但安全綫在幾十步以外，才可到對門，有一百步，所以每次多跑一次他走捷徑，被小鬼抓到，派出所處罰了。

現在大陸的鐵欄干，鐵窗架鐵門欄都被拆下來改裝上木的。中共以賤價收買一切的鐵器、銅、錫器——這是鋼鐵生產大躍進之一法。酸枝木檯椅，也被搜到運出國外售賣，爭取外匯了。凡是取得外匯的東西，都經過他們絞過腦汁而搜刮出了。

國際動態拾零

·陶然·

△中共藉香港，作對外貿易競爭。水泥在香港的進口，中共佔百分之四十七，日本占百分之五十三；然今年以前日本占百分之八十六又半，中共只占百分之七又四。煤從中共輸入，占百分之七十五，日本只占百分之二弱。水菓幾全從大陸來，日本水菓在港已經絕跡。

△印尼定購中共棉織品七千萬碼，亦是從原有之日本出口搶去的，而價格在遠東市價以下。緬甸買糖的投標價，亦爲中共所得共一萬二千噸；巴西曾投標每噸美金七元，係國際市價之最低價格，而中共之標價則更低爲六元餘。所可異的，英國標準糖價爲每噸美金二十二元四角，且中共爲輸入糖口的國家。

△中共對印尼的貸款，可除帳十年，年息二厘半。中共後貸款葉門一千六百萬，不算利息。

△艾森豪退回赫魯曉夫私函的行動，係根據其聯合參謀長之估計而設。一爲蘇聯不願且未準備另一次大戰，主要理由爲蘇缺之大量噴射轟炸機。二爲美國有充足原子武器，能周而復始的毀滅蘇聯。

△加拿大明年將承認中共，該國總[illegible]曾親口對人如此說，謂如是可增加對中共貿易云。

自由談

外援與國格

馬五先生

有朋自土耳其遊歷歸來，談及此行觀感，認爲自由世界接受美援的國家，以土耳其最堪驕傲。土耳其當局覺得有美援固所歡迎，沒有也無所謂，因爲蘇俄常常向他們表示，如果願意接受俄援，其數量將比美援爲多，其條件亦很輕易。因此，土耳其對美援具有絕對的自由運用權，不受任何拘束；假使有美國朋友如國會議員之流，到土耳其旅行訪問，偶有涉及美援運用問題的批評時，即答以「這是我國家的公事，閣下如有意見，請通過貴國政府向我提出，方予考慮，私人的言談，恕不傾聽！」對方亦就無話可說。土耳其當局何以甚有此氣概？主要原因即爲該國所處的地緣環境，對世界兩大對立集團皆有莫大的利害關係，彼此必欲爭取以爲己助。會記過去我政府在大陸時期，美國民主黨政府公開指責我們「貪污低能」，就是以美援的運用情形爲口實。但我們運用美援的實況，未必比現時一般接受美援而又標榜中立政策，並且聲言不得附帶政治條件的亞洲國家更無效能吧？可是，美國的民意代表和輿論界，却不聞有所責難了。

國際間的友誼是平等的，甲國對乙國的支持援助，亦係基於互相影響的共同利害關係，權利義務決非片面性，授受取與之間，必須尊重對方國家的國格與民族的人格，才是真正的患難之交。聽到朋友所談土耳其接受外援的情節，不禁感慨系之，故不能已言如此！

明神宗與西太后

介人

路透社倫敦九月十九日的電訊，據「新華社」稱：經兩年長之努力，明代帝王之一「萬曆」的遺體，正於最近發掘出土，該屍體衣冠完備，覆以重裘，鮮煥燦爛，且於地下六十五英呎處。地點爲著名的定陵，按萬曆歿於一六二〇年，其墓則在大雲石墓後面，事事保存完整，此爲發掘出土最佳的明朝墳墓。帝后之棺之旁，斷列許多奇珍異寶，成西絲綢，經三三六年之長時間，猶得完整如新，此爲第一次可見的明代絲織品、金條，銀元寶、珍貴飾物，無[illegible]是遲延到今天才予以公佈。今年八月三十一日價之瓷器，鍍金質及寶石之器皿，琳瑯滿目，美不勝收。棺旁置大箱多具，「萬曆」的刀劍矛等均在，還有帝頌之木刻版多塊，及皇后之鳳冠等。「萬曆」帝驗身於一兩層之木柩，袍下只膠骨骼，髮以金針結之，烏紗帽，頭上戴金邊，足底花緞靴。兩后棺較小，髮仍保存未損，以金針作結，頭上緊金飾寶石各物，墓門形如十字，經長巷以達頂端之大堂，大堂之前部列雲石帝座三具，帝座前面分列香爐，燭仍在爐內，另有盛油磁質大油缸，缸內油質仍屬流質，此次掘出之帝王冠笏玉帶等物，爲有清以前古人遺物之首見。

神宗陵墓的被發掘，據新華社的報導，已經是兩年以前的事，祇北平「人民日報」副刊曾予以披露，但未說及日期和發掘經過，只說，得了許多金元寶，此外，還得了一把鑲了寶石的寶劍和黃金鑄成的一身盔甲，據說這兩件東西的價值是很可觀的。

根據以上的記載，這次發掘定陵的收獲，在目前尚無法加以估計，中共的發掘地下財貨，總算是達到了目的。因此，使筆者回憶起三十年前（一九二八年）有名的「戊辰東陵盜案」，那是孫殿英的兵士盜的東陵，被盜的是慈禧太后的陵墓，在當時也是駭人聽聞的。

西太后是葬在北平附近的清代東陵，一枝巨大的珊瑚樹，枝上有朱色的小鳥，一棵桃實和玉琢成的蓮花，一枝用寶石砌成的蓮花，一張珍珠被，而在她的屍體上還有四千顆珍珠和一千件玉石。這批殉葬珍寶，據當日的估計，至少要值五百萬英磅，現在市價，當然又不知漲若干倍了。

當日盜陵的工作也不是輕而易舉的，因爲全部皇陵都有沉重巨大的障礙物重重保護，可是盜陵人用炸藥把隧道盡頭處的大門炸毀，就容易鑽入皇殿去了。盜陵的人却走許多珍寶，又把西太后的衣服剝光，將棺材劈碎，等到皇陵重新封合時，殉葬物早已十不存一了。西太后的陵墓，當時也化費不少，光是建築費，就化了一千三百萬兩銀子。

有感二首　用李義山韻

詠余

其一

巨寇竊神器，元兇竊版圖。生民遭荼劇，正士任戮誅。信國南荒寄，夷齊東海趨，心猶存社稷，志在播萑苻。闤市千家足，饑饞萬衆俱。泥豆仇夏室，鴟鳥妬鵷雛。惋語驚天下，妖聲遍大都。竟雖張法網，遂欲變洪爐。

其二

魏使空調解，秦軍早劇爭。亡羊患未補，直突禍終萌。殺氣衝孤島，要盟索九城。璧璽等袖手，舌辯勸偷生。幸有人多士，能耕田一成。汪猜知變國，漆室恥無名。獎掃胡氛靖，電揚木鐸聲，神州光復後，凌閣繪群英。

重有感　用李義山韻

黃金散盡枉交游，事急方知來遠憂。策士空餘不爛舌，將軍但使拒降頭。樓船橫海滄溟靜，鐵翼凌空朔氣秋。我欲浩吟歸去也，神州百二望中收。

姓名與得失

從前科舉時代，名字有關得失，確是數見不鮮。例如前清某科狀元山東王壽彭——曾爲張宗昌的教育廳長，並勸其刻十三經者——即因爲他的名字，恰合西太后的要求——蓋是年正逢太后七旬萬壽也。又廣東的譚鳴鑾，在引見時，由于口音關係，西太后把他的名字聽成了「萬民窮」，認爲口采不佳，丟官大吉。後來他老先生，終于改名寶鳴知。可是到底未嘗得意。

原來皇帝早糊塗的，女皇帝更不免。當西太后被新政攪得頭昏眼花的時候，祗要一提到康梁，便失魂喪魄。故有下列笑話，梁士詒年譜光緒二十九年云：「潤五月，先生應考經濟特科……爲徐頌閣尚書戴少懷侍郎所信。其語考有：『智識明達，樸實不浮，于中西地理，水師兵學，頗能講習，寒暑不渝。』……十五日，在保和殿皇帝親臨御試，……是役共取錄一等四十八人，二等七十九人，先生爲一等第一，桂坫爲二等第一，皆粵人，亦巧合也。榜既發，未覆試，頑固宮僚讒作誹語，謂其中多革命黨人，軍機大臣某尤惡特科，于召見時，太后詢之曰：外間言，特科品流龐雜，心術不端，有所聞否？對曰：一等第一名梁士詒，係廣東人，爲梁啓超之弟，其名末字又與康祖詒相同，梁頭康尾，其人可知！太后益不悅。第二場覆試，易爲考大臣四人，草草了事，僅取一等袁嘉穀等九人，二等馮善徵等十八人，汰者皆入，用俱不復。」……

中國過去的政治，大致皆可作如是觀，其關于成敗者，固不止于姓名也。

古月。

神秘的手錶

——二次大戰中的一個間諜故事

Howard Breslin 著　鮑家琳 譯

「明天一大早，在英皇查利方場地方的五十五運輸兵團的大卡車要出動了，對我（德）軍甚爲不利，趕快設法去阻止或破壞它。」

「哦，原來如此。」他輕輕的說。

於是，他擦亮了火柴，把那張小紙條燒燬在烟灰缸裏；並且，燃起一支香烟來猛烈的吸着，從那一口一口的烟霧中，終於使他想出了一個十全十美的辦法來，就是：將炸彈的導火綫繫在汽車的引擎下，等汽車開到半路，就會由於熱力與震動而使炸彈自然而然的爆炸，這樣不但可以使運輸兵團無法達成把英國軍隊輸送到海岸去打敵人的使命，同時也可以不費吹灰之力就消滅掉英國軍隊的部份實力，豈不是一舉兩得的事情。因此，他便計劃着怎樣去動手？如果明目張膽地去做的話，是不可能的，因爲那裏警衛森嚴；根據他手頭的情報：知道在午夜十二點到二點鐘的時間內，英皇查利方場的修理匠及監督人員都要回家去吃一頓宵夜飯；所以，在那一段時間裏，除掉脊門的警衛以外，裏面眞是空空如也。如果利用這個好機會，在黑暗中從後門爬進去，那是神不知鬼不覺的事情；更何況有兩點鐘的充分時間，把特製的炸彈的導火綫繫在汽車的引擎上，想來是不會成問題的。他設想到這裏的時候，便得意的笑了一下說：「愚笨的約翰牛呵！量你也奈何我不得！」突然，他又想起了錶。他還記得：在他進錶店前，曾經把錶撥慢了六十四分鐘，如果不把它撥回來的話，那豈不要誤了大事？

好不容易的挨到了子夜十二時，他才匆匆的鑽進到黑暗的小巷，再從小巷抵達至英皇查利方場的後門；他的右手提着一個包裹，裏面裝有四十個特製的小炸彈。他先在門外觀察了一下，看看裏面的人走完了沒有？然後，就很敏捷的爬了進去。英皇查利方場的裏面，是黑魆魆的一片，只有籍很遠的兩幢高房子裏所射出的微弱燈光，才可以看出停在英皇查利方場中的一排運輸大卡車的輪廓。是故，他很小心的走向那離自己最近的一部大卡車，並且輕輕的放下那小包裹，從裏面摸出一個小巧玲瓏的炸彈來，並且蹲下身子，以背抵地，兩孔朝天躺下，就從空隙處慢慢的爬到車下，然後又很細心的摸索到引擎，好不容易，才把炸彈的導火綫緊緊的繫在那引擎上。正當他偷偷摸摸的繫好後，預備出來繫第二部的時候，却不知從那兒[illegible]，正[illegible]在他的小腿[illegible]，使他感到一陣劇痛，[illegible]連哼都不敢哼一聲，唯恐[illegible]就會[illegible]，所以他拼命的咬牙[illegible]。

[illegible]腳管上向他說話：「好了吧，老兄。」一個人的把[illegible]，便抓住了他的大腳，一[illegible]他想[illegible]，但那人的大腳却實在不客氣的[illegible]。[illegible]命的用力掙扎，終於從那陌生人的[illegible]中掙脫了出來，就飛快的向前逃跑。

（二）

唐寅墓考

張瘦碧

自號江南第一風流才子唐伯虎，名寅，字子畏，別號亦爲居士，一生風流不羈，知詩善繪，由於民間傳說中的四傑傳，所謂唐祝文周的故事，什麼點秋香，十美圖，描繪得天花亂墜，其實在正史上，都找不出這些事實的根據。

不過他一生放浪形骸，在甯王宸濠處被放還之後，格外不問外事，以詩書自娛，結室於蘇州城北之桃花塢。這個地名，至今尤存，乃是一條橫貫東西的大路，鬧中取靜，這裏有很多大宅第，伯虎所居者，名爲桃花菴，蘇州府志云：「唐解元寅宅在桃花塢，今尚存，亦爲古跡，又有桃花庵，今爲準提庵。」

吳人提到準提庵，是誰都知道的，那是一座古老的尼庵，記得在蘇時，曾往瞻覽，雖然其中有很多地方，已經年久失修，但是從迴廊曲折，亭台池沼各方面看來，是可以令人回想當年佈置得相當精緻的，唯一的遺跡，便是在牆壁上可以窺到的一首桃花庵的長詩，尚能辨認，可是走遍各處，竟沒有見到桃樹，引爲憾！

又據伯虎的降子紹宗兆民氏於嘉靖二十二年所撰的遺命記裏誌：「伯氏[illegible]

過在清代尤侗在他的重修桃花塢唐解元祠墓記裏說：「余昌衆集，存唐生將卜築桃花塢……唐先生生既與客樂飲其中，歿即穴此瘞焉。迄今不及二百年，形銷影滅，問其子孫爲有，宅第化爲邱墟，墳墓下而胥廷矣。四閭荼蘼，惟有樵夫牧豎，躑躅其上。欲求生時一杯酒，澆此坏土，尚可得乎。」

照記祝允明是亦爲的至友，記載自屬可靠，而遺命記的作者，是他的[illegible]

關於柳敬亭

尤崇洵

斜陽古柳趙家莊，負鼓盲翁正作場；身後是非誰管得，滿村聽說蔡中郎。

這首詩是陸游作的，題目是小舟遊近村，描寫南宋當時的鄉村說書情況。

提到說書，便令人記起大說書家柳敬亭來。說書家在社會上的地位幾于優伶相等。評話、彈詞除供茶餘酒後消遣外，別無用處，是以深爲士大夫所不齒。然而柳敬亭的藝術地位却不因此降低，相反的，爲他作傳的，記敘他說書的文字有許許多多的。

如周鄖山容春酒堂文集裏記載：「其技傳之，亭莫生，生之言曰：『口技雖小道，在坐忘；忘己事，忘己貌，忘坐有貴要，忘身在今日，忘己何姓名，于是我即成古，笑啼皆一、口到、手到、足到。擬八伎；即吼叫，爆頭、雞鳴、大吠、牛喊、馬嘶、狀哭、狀笑，可惜今日聽不到這樣好的說書，同時，也沒有柳敬亭之流的人物出現。』」

又如陶菴夢憶之敘述他說水滸傳的情景：「……『武松到店沽酒，店內無人，驀地一吼，店中空缸空甓，皆瓮瓮有聲。』閒中着色，細微至此。」

最成功的傳記，則是吳梅村的柳敬亭傳。然而黃宗羲以柳敬亭僅一說書的，不足爲道，便把柳敬亭傳刪改作柳說書傳。雖然如此，但對柳氏技藝，一樣佩服，說是：「每發一聲，使人聞之，或如刀劍鐵騎，颯然浮空；或如風號雨泣，鳥悲獸駭。亡國之恨頓生，檀板之聲無色。」因爲這幾句的描寫，過于空洞，所以王夢鷗教授認爲刪去最後四字，改作「亡國之恨，頓生檀板。」這樣，就顯得切實多了。據說，說書家的[illegible]

自由人

THE FREEMAN

（第七九三期）

中華民國僑務委員會登記證台新字第一二號
中華郵政台字第五〇〇〇號執照登記爲第一類新聞紙類
（半週刊每星期三、六出版）
每份港幣壹毫
台北市售價台幣壹元伍角
督印人：陳文華
地址：香港高士威道二十號四樓
20 CAUSEWAY RD. 3RD. FL. HONG KONG
TEL. 771726
承印者：東南印務出版社
地址：高士打道六十四號
台灣總經理處：台北市西寧南路壹號二樓
電話：三〇三四六
台部郵儲金戶九二五二
海外總經銷：友聯書報發行公司
香港：彌敦道中二十六號A二樓

卄

恭祝國慶

本報同人敬祝

國慶日回念孔誕

伍憲子

今年十月九日，正值夏曆八月二十七日，爲孔聖誕辰，本港孔教團體聯合舉行大慶祝。翌日，是雙十國慶，當中共砲轟金門，台峽戰雲密佈之際，世界人士對此局勢多認識不清，故此問題不能解決，且愈鬧而愈糾紛。揆厥原因，不是缺乏原子武器，而是缺乏高度文化。故當慶祝國慶時，回念孔誕，此乃解決當前問題之重要關鍵。

一　先從國慶說起

國慶之意義，不是短時間之高興熱鬧，可以了之。必先明白立國之根本大計，求出其適合於國勢民情，可以永久共守之精神。就我們中國論，有數千年來傳統之人性文化，在今日正當努力發揚之，以運用人權政治。此不只數千年中治亂興亡之歷史，已取得極豐富之經驗，即半個世紀來世界之局勢，亦有充足事實，足資取證。故不紀念國慶則已，要紀念國慶，則對於數千年來所以立國之人性文化，必不能忘。但所謂不能忘，不是每年一次之慶祝孔聖誕辰紀念會，所必須實踐其所以做人之道，所以立國之方，所以造福人類之責任。此種實踐工夫，不是臨時紀念所能攝取，必經長時間之學術修養，與政教薰陶。故皮毛剽竊之著述，虛僞粉飾之宣傳，勢利誘迫之羣衆運動，皆不足以收實效。古人說：「國於天地，必有與立」，我們今日在熱烈慶祝國慶當中，試一回想四十七年來經過之事實，爲什麼弄成今日現象，我們的立國精神何在。我們今後何所恃以復興。我們不應諱疾忌醫，作自欺欺人之壯語。我們應平心靜氣，尋求出大陸人民心坎中之所欲，西方民主國家所以失敗於共產暴力者何在，我們何以不能與西方配合，而建立起鞏固之反共陣營。我們今後是否可以專心待救於西方，是否可以永久安處於一隅，棲息於海外。人壽幾何，悠悠忽忽醉生夢死之歲月，很容易過了四十七年，每年一度自我陶醉之國慶日，亦如閃電式的一年一年過去，我們瞻前顧後，在今日熱烈慶祝國慶當中，應該冷靜一想。

二　說到金門問題的一種看法

現在對金門問題，美國人的看法，與我們完全不同。美國人只看爲國民政府與中共政權間之爭執問題，但因美國協守台澎之故，又連帶及於排美問題。故美國人所急者，在緩和中共排美之緊張情形，兼顧及協守台澎之面子。至於金門或馬祖，能保守固佳，不能保守，亦似乎不甚愛惜。此是列國並立，彼疆此界，偶爾爭執，居仲裁地位者之調停態度。故其口口聲聲只要求中共停火，雖然四十餘日來，中共之火不因美國之要求而稍停，繼續且至五十萬發。但美國要求停火之聲，仍與中共發砲之聲相倡和，連接不斷。（現在說停火一星期，等於戲弄），只管補種新武器繼續運台，爲協防台澎之故，似不憚一戰。然華沙會議又沖淡之。昔者齊魯兩君夾谷之會，孔子相禮，謂「有文事者必有武備」。今台灣備戰，面文華沙開會，似乎善學孔子，謂有武備者必有文事，而不知移步換形，適得其反。蓋現代之世界局勢，非平時列國並立，尋常邦交之札，可以概之。蘇俄以社會主義國家自命，實則借社會主義之招牌，掩護共產黨之階級鬥爭，獨裁專政。對內則以殘酷手段，奴役人民，逼其過牛馬式的非人生活。對外則以挑撥離間滲透顛覆之陰謀，消滅其無論爲友爲敵之國家，使淪爲蘇俄之附庸，以成就其所謂世界革命與征服世界之迷夢。今次金門之砲擊，發蹤指示者全在蘇俄，若視爲中共與台灣間，一個島嶼之爭，眞是差之毫厘，謬以千里。

三　爲什麼美國有此錯誤

在今日世界民主國家之中，美國居領導地位。我上文所說，蘇俄之殘暴與陰謀，美國當局豈不知之。然而雖知之，而忽明忽暗，乍軟乍硬，其原因就是智囊不足。修養不夠加以習慣民主生活之人民，畏戰苟安之心理，共黨魔術之變幻，每易誘惑。華爾街之大亨不足責，他們所羨者金錢，所圖者私利，國際道義似難輸進入其腦中。最離奇者則最高學府之一羣教授，據十月三日波士頓美聯社電，杜爾斯之改變對金馬政策，係因九月二十七日與哈佛大學三十名教授舉行秘密會議之故。一羣教授之質問，受勸從金門拔出泥足。因此九月三十日杜爾斯記者招待會之說話，就露出軟足，不是拔出泥足。說什麼金門駐軍兵是愚蠢之事，說什麼停火要雙方負責。竟將十多天來中共對金門所發之五十萬砲，要分一半責任與金門守軍，此話不知有意給予守軍以意外之光榮，抑或有心挑起守軍心內之慚愧。然無論如何，此話出諸國務卿杜爾斯之口，出於一羣大學教授之勸告，眞是匪夷所思。今正當我們熱烈慶祝國慶之時，所謂世界民主領袖，所謂盟邦，給予我們之印象乃如此。無怪招致極不良之反應，許多人慄慄危懼，深慮我們四十七年來之國慶，就會被喪失於美國人之手，但我不作此杞人之憂。我深信民主國家最後必得勝利，可惜有機會不早利用，致大刼延長，人類多受苦耳。假令西方民主國家能早受人性文化之薰陶，則世界局面，必不至此，我所以在國慶日回念到孔聖誕。

四　能提振孔子精神方不負國慶

我的結論，要提振孔子精神，孔子曰：「我欲託之空言，不如見諸行事之深切著明也」，此孔子作春秋之志。孔子嘗贊管仲，不重空言，重行事，不以兵車，九合諸侯，謂「桓公九合諸侯，不以兵車，管仲之力也」，可知戰爭非孔子之所願。然孔子愼戰，孔子絕不畏戰。左傳記「狄人伐邢，管敬仲言於齊侯曰，戎狄豺狼，不可厭也，諸夏親暱，不可棄也，晏安酖毒，不可懷也，詩曰，豈不懷歸，畏此簡書，簡書，同惡相恤之謂也，請救邢以從簡書，齊人救邢」。此是管仲不畏戰之精神，得力全在人性文化，深知宴安酖毒，故毅然出兵。亦深知敵友之情，敵是豺狼不可厭，友是親暱不可棄，斷不認敵爲友，與之談判，請其停兵。更深知簡書之可畏，同惡之當相恤，假令管仲生今日，聯合國憲章就是簡書，管仲必能見之行事，爲聯合國立威信。孔子贊管仲，就是贊此種精神，此種精神就是孔子精神。

（下轉第三版）

半週述評

不要漠視「停火」把戲

毛共對台灣海峽玩弄的停火魔術，誰也知道是不能相信的。但它在國際上却可以投合一般姑息主義者的脾胃，博得宣傳利益，同時又藉此增進美國畏戰避戰的苟安心理，企圖在美、毛談判中，獲致意外的政治勒索成果。所以，它故意向自由中國政府發出招降式的和談要求，表示它並非好戰份子，目的亦是在使西方國家的姑息主義者有所藉口，以便爲共作倀，游說美國改變對華政策，縱不能作一百八十度的大轉變，亦希望不再强烈反對毛共參預國際會議，以及默許它進入聯合國這些關係秩歌政權生存前途的妥協行爲，而這都是對我不利的。

我們對於毛共所謂「和爲上計」的惡作劇，如果祇是置之不理，視爲沒有考慮的價值，而不在政略上迎頭予以反擊，竊期期以爲不可。我出席聯大會議代表蔣廷黻告訴世人，自由中國政府的反共運動，並非與大陸上六億人民爲敵，這話很對！

怎樣反擊法？

我認爲自由中國政府不妨發佈一種嚴正的聲明，指出毛共如有悔禍的誠意，未始不可和談，但有幾項先決條件：一要恢復中華民國的國號，二要撤消奴役人民的一切暴虐政制如「人民公社」之類，三要取消最近九年來跟蘇俄簽訂的不平等條約。毛共如能接受這些先決條件，作爲談判基礎，我們自可不拒絕它的和談要求，表示我們志在救國救民，決非爲着爭奪政權而從事反共抗俄的。

毛共如不接受這些條件，和談即無從說起。但我們嚮往和平的磊落光明心情，亦已大白於天下，共黨再要掀起戰禍，我政府自然名正言順地大張撻伐，國際姑息主義者的悠悠之口，亦就失去了鼓動輿論的作用，美國所感受的國際壓力，因而相對的減少，這便是政治攻勢，是軍事行動的指導原則，是爭取國際同情的心戰力量。否則不管眞的或假的，全世界的人士——連同俄帝在內——都昌言和平，而我們却認爲非戰爭不可，這在宣傳上未免太失策了！

必須創進政治形勢

毛共的誘和魔術，今後一定要作相當時期的持續活動，而在海外華僑社會的統戰工作，更將大力展開，毫無疑問。此時我們應該設法創進有利的政治形勢，集結海外反共非共的僑胞力量，表現自由中國確保海外千餘萬華僑的精神堡壘，國際姑息主義者要想出賣中華民國，那是絕對不可能的事。

至於創進政治形勢的方法，總不外刷新政治，收拾人心，給人們以反共必勝，復國必成的堅定信念，大家樂於爲祖國之中興事業而一致奮鬥，唯力是視。毛共至今尚未將其視爲垃圾廢物的所謂「民主人士」，根本剷除掉，還要教他們苟延殘喘，爲共張目，也就是基於政治形勢的利害關係罷了。

在國運遭遇的非常階段中，政治上的氣勢作用，決不下於堅甲利兵，當國者千萬忽視不得！

•雷嘯岑•

雙十話今年

雅斯

「開元慶節，青史紀功勳，年如水，人如舊，恨如新。竟誰成？多少英雄事，似棋局，空陳跡，都付與，田橫淚，不聊生！莽莽神州，到處開歌鳳，誰識楚狂人？念長淮縱在，深恐渡胡軍，遙望征塵，可堪驚」。

偶于一篇通訊上看到了七七事變那年京滬各報雙十特刊上刊過的一篇「六州歌頭」，無限感慨。這首歌詞，很足以表現有心人當時不堪受辱的初期心理狀態。當年的雙十雖在動亂中，尙仍能在神州大陸上渡過；我們現在及過去十年來的雙十節却祇能在台灣及海外自由地區循例紀念儀式中舉行。任何人都可以感覺得一般心理是走着曲綫的——由激勵而安靜，復由安靜而趨于激昂。但假如不是看到中共逼使大陸人民不能安于生活邊緣，年年月月天天從大陸上像流水般冒險逃入香港的一批批「難民」，不斷地告訴同胞大陸不可居，北京政權必須推倒，吾恐抗日當年焦土抗戰的精神，將隨歲月而消逝，就是逃亡初期那種激盪的心情也會苟安下來。尤其大陸淪綠的香港是如此，香港在英國與中共有着邦交及深圳與羅湖間存在着精神威脅的情形下，青天白日旗一年更比一年的以突增的趨勢，以百萬面以上的旗海，把寥寥可數而每況愈下的十•一「五星旗」掃蕩了，中共雖會用千萬以上由敲搾大陸人民以飢餓縮出所修淡得來的外滙，用詭計收買，按戶逼掛的方法，也無法使「五星旗」掛得起來。這現象使十年長期間可能更每個瘓麻的苟安心理，不時激勵起來。十年的歲月自一個進取的局勢看來，是可喜的，但在一個苟安的局勢看來，却是可怕的。

在紀念雙十中，請不要忽略一點：海外同胞之「慶祝」是具有絕對「戰鬥性」的。不管你是坐在慶祝會上，抑或你是坐在家裏，一種戰鬥性的心理傾向是依然存在，這個心理，確保，其重要性當不下于確保台灣金馬。每個自由人都是戰鬥員，我們如果能確保這心理防綫，就可無愧于目前金門前綫的壯士，才不辱對開國先烈的歷史。

本着這紀念的意義，我們認爲在今年雙十節，應當體認的現實是：

一、反攻是戰鬥性的；這戰鬥性的觀念，不能一刻消沉。等待固可能取得更好的機會，但機會是時間加上人力。自然而來的祇能說是「命運」。鬥爭不能靠命運，機會不可能敲上門來。時間拖下去，足以痲痺打多數戰鬥心。就時間的觀念說，今年大陸少年在十歲以下者固均受了共產教育的麻醉，即在二十歲上下之青年，十年前是一個無所知的十歲上下的少年。如果再過十年，海外人士「旅力既愆」，而共產「教育」下的少年青年又已達壯年；那時，除非等候，而且我們相信有那麼一天，大陸人民的軍新再來一次辛亥式的革命，但這已不復是我們這一代人的「反攻」事業。「日月逾邁，若弗云來」，「我心之憂」將無以對開國先烈們戰鬥精神了。

二、如果以實際環境及國際情形爲慮，任何人固不能妥獻萬全之策；但若拿今天的環境比辛亥，則海內外反共心的傾向不比反滿的傾向更熱烈嗎？何況當年反滿革命勢力，一無憑藉；我們今日還有台灣金馬爲反攻基地，還有國際上合法的政府及聯合國的席位，可作正義的外交戰，更還有數十萬大軍配合友邦與援的新式武器，不比先烈的赤手空拳更有力嗎？台灣局面必不足慮，可慮的是一般苟安心理。如果講「公算」，則溫生才諸先烈的炸彈，永擲不出來，武昌起義的志士也不會單憑四盒子彈一封信發難起來。中國歷史上就不會有雙十之一頁了。

三、從目前金門戰局的演變，我們可以獲得一個深刻的啓示：金門停火談判，正說明國際上的助力，祇要在一個距我們反攻目標甚遠的限度內維持現狀。在這現狀下，毛澤東可以放言不妨再談三十年；在國際上甚至我友邦如美國也不妨如此希望——「兩個中國」的事實存在。在我們則絕不能有此一念。同時我們相信，單靠台灣少數人之力絕不能改變這現狀，除非在台灣的整個力量能够——目前還不够——與海外民心密切結合起來，絕不能影響國際而改變這現狀，而由這一代會將大陸失去的手，把先烈的遺產親自收復過來。

光榮屬于先烈，恥辱是在後人，尤其是當國者。熱烈紀念雙十的人心，不會是傾向自由否決北京政權的最民主最自然的投票，但這是自動自發的，不是任何人可以以「選舉經理」自居，而明天下之功爲己有。相反地，如果領導者尤其是當局不能把握人心傾向的高潮作遠大的打算，則當負其咎了。此豈高調哉？除此不足以言紀念國慶也！

廈金砲戰與美毛會談之間

廈門和金門羣島間的一個多月的砲戰，與華沙美毛大使級的會談，使自由世界陷入了撲朔迷離！

「挨打」中的中共佔地利上風

中共在金門羣島對岸週圍佈置了長達百餘里的弧形砲兵陣地，其砲位當在三百座以上。尤以圍頭和大嶝兩地砲兵陣地威脅最大。從圍頭發砲，可以打到金門的後方料羅灣，直接妨礙後方的補給。大嶝島正在金門的正面，相距極近。中共不顧民命，竟在運河和大嶝間的海峽裏，運石填海，擴成了一條馬路。從這條馬路上運來了二〇三和二五公厘口徑的大砲，直把金門打得寸步難行。復因中共的砲位是分散的，火力却是集中的；反過來說，我們的砲位是集中的，火力却是分散的。中共是在地利上佔上風的。

從中共的動機看

麥克阿瑟在七五歲壽辰宣稱：「遠東的危機是一個共產的擴展。一個總方策中的敵人處於一個中央據點，實乎要四面侵略周圍散漫的鄰邦。」如果中共能使越戰同時發動，……共首先造成越南中立化，再在越南國安排休戰，以使全力對付越南，越南成功，自然要回轉到最初的第一條陣綫，而進犯台灣」。毛澤東得寸不忘「拿台灣」。……

從蘇俄的動機看

廈金砲戰的本質，與其說是中共打金門，毋寧說是蘇俄打中東。赫魯曉夫之於八月初悄然到了北平，是正在美英出兵中東黎巴嫩，英國進軍約旦之際。赫魯曉夫回到莫斯科後不久，中共便在八月廿三日對金門發動了砲戰。從這一點蛛絲馬跡看來，是可以佐證上面這個說法的。……

從美國的立場看

美國軍事協防承諾，……祇因英國倡導了「兩個中國」以台灣為……之說，使與美國發生了無法協調的意見。中美共同防禦條約明言協防台澎，而不明言協防金馬。其實美國承認協防金馬，遠在民國四十四年……

二月六日大陳撤退時，便作了決定。當時杜勒斯特來台北勸退，對新聞記者說過一句最重要却又被誤忘的話：「協防不限於台澎」，意即「協防金馬」。……

再「坐下來談」

……於是中共祇好隨風轉舵，軍彈着「坐下來談」的老調了。美國爲着要釋放押在中共手裏的十五名美軍和四十一名平民，會於民國四十四年八月一日和中共在日內瓦舉行大使級會談。一直談到四十六年十二月十二日，斷斷續續開了七十三次會議，始終沒有結果。——直到民國四十七年六月三十日，也許由於中共要在台峽用武的緣故，要求美國「必須在十五天內繼續舉行日內瓦會談」；但亦强調「美國可以委派一新大使級代表」。後因伊拉克事變發生，美國好像忘了此。中共的大砲也就致話了。

復因美國明言「協防金馬」；中共便又轉硬爲軟，繼續要求在華沙舉行大使級會談。自九月十五日起，已開了五次會議。美國要求中共先行停火；中共則要求美軍撤離金馬。美國要求中共放棄用武；中共則要求美軍退出台峽。儘管杜勒斯聲稱「減少金馬駐軍」，「互相放棄使用武力」，中共還是得寸進尺；何況我國根本就不承認談；中共可能在金門乃至馬祖發動更大的攻勢——似此南轅北轍，永遠談不攏。唯其有此一點，以期獲致意外的政治敲詐。

艾森豪說得好：「今日在遠東再演一次慕尼黑悲劇，亦對世界和平毫無裨益。」祇是美國不要把絕對優勢的軍事，竟在會場裏敗下來！

羅稻仙

和尚國的風波

宇努坍台仍在幕後牽綫

華永雋

【仰光通訊】緬甸的政變，在緬甸人，尤其是英國人看來，那不是令人驚駭的命運。不過，這一次所謂政變，政治的本質沒有變。尼溫由宇努手上取得政權，祇是一時權宜的緊急措施。

英人和緬人

英國人很清楚：緬甸雖處中南半島一個小國，派系多，意見雜，但儘管也必須先做和尚三年，並沒有殺心理，兇殘屠殺。……

白旗共黨的德欽丹吞

……

帽巫旺其人

六月間政府黨（反法西斯人民自由同盟）……

宇努與帽尼溫

於是，宇努不得不於九月廿二日召集帽尼溫、以及陸軍高級軍官會商應變計劃。初時尼溫無意執掌政權，後以如果宇努繼續執政，政府內部的不穩分子不僅無法清除，同時努、瑞兩派的政爭，只會加劇，無由終止。經過五天協商，並在韓區部署防暴兵力，二十五日達成協議，至廿六日凌晨，陸軍包圍仰光，尼溫親率所部分別接管中央政府以及各個附屬單位。宇努政權澀嬗，顯然不能稱爲政變。

尼溫自命是一位國的護憲者，這次取得過渡時期政權，保持其決不參政原則，以待明年四月舉行大選，交與新政府接管。在此以前，根據他與宇努所簽署的八項政治協定看來，過渡時期，看守內閣，僅不過蕭規曹隨，勉強維持現狀，不會有何改變。宇努雖於國會恢復召開時，推薦新人自動辭職，並要求國會認可，今後仍將在幕後牽綫。然而，緬甸如不改弦更張，對外防使，對內團結，共黨再次謀變，殆將措手不及。

（九月廿八日寄自仰光）

台灣教育點滴

△新任教育部長梅貽琦，以國內外知名教育家入閣秉政，舉國守望，接篆以來，已裁撤前任手上所設駢枝機構多處，以節省公帑，劃一事權，人皆稱善。但這僅是好的開始，自由中國教育行政有否自此步上康莊大道，凡關心教育人士，莫不拭目以待也。

△杜除「惡性補習」以拯救學童之身心健全，台省教育當局已下最大決心，努力以赴。揣其步驟，約略有二：第一是齊一學校水準，解決升學困難。此事台省教育廳長劉眞，在其省議會施政報告中，有過詳盡之說明。第二是强制禁止國民學校的課外補習，除通令各縣市嚴厲執行外，併由教育廳經常派員暗中巡視監督，倘發現陽奉陰違情事，對擔任補習的老師下嚴重的處罰。

△國內著名私立中學紛紛在台遷動復校運動。最近上海復旦中學已由中壢擇址興建校舍，今部份落成，自本學期開始招生。據聞校舍堪稱美侖美奐，備極華麗，爲全省首屈一指的貴族化中學。

△中壢某省立中學、爲招生時分錢不勻，教務主任與教務處職員發生口角，主任指控職員妨害名譽，鬧到新竹地方法院去了。此風不可長也。

△免試升學問題，已到達嚴重的最後階段，高雄、新竹兩試辦區都在叫苦連天，勢至欲罷不能。將何以善其後？正是今日教育當局最傷腦筋的一大問題。

△前台灣省政府交通處職員某氏，靈機一動，捨公職而創辦英聯補習班，獲利甚豐，乃又繼續創美聯補習學校。近聞該校有藉端斂財，招搖撞騙等情事，經教育當局查明下令吊銷校鈐，勒令停辦。一般視此爲省教育廳爛整補習學店，整頓私校的先聲。

（四十七年九月三十日）

陳司鐸

蘇俄對阿富汗

·文鑑·

最近蘇聯準備以大量米格十七式噴射戰鬥機，一面援助反對巴基斯坦的阿富汗；一面援助仇視西方的也門。赫魯曉夫可能于下月訪問阿富汗，無疑地旨在使阿富汗人，使糾紛長期存在，以打擊這個親美的國家。

目前阿剌伯國家也正在力謀團結，企圖造成第三勢力，希望不牽涉到東西衝突漩渦。但是，由于美國經濟力的誘惑，這些所謂「中立」的中東國家，實際上自徘徊于東西方之間。

蘇俄處心積慮，力求拉攏若干小國作為在中東地區的立足點。阿富汗顯已成為主要目標。在最近接受蘇俄軍事訓練的三百名阿富汗軍官中（百分之二十四在俄國，其他則在阿富汗）有大量空軍人員。根據蘇阿經濟及軍事援助協定，在兩年內俄將援阿大量噴射戰鬥機，將使阿富汗的武力，與得到美軍事援助的巴基斯坦分庭抗禮。

阿富汗與巴基斯坦的齟齬，早在五年前，在蘇聯挑撥下，兩國為了邊境糾紛，阿人曾舉行大示威運動，搗毀巴基斯坦的領事館，甚至美國新聞處亦遭波及，致巴、阿兩國斷絕邦交。蘇俄勢力之伸入阿富汗，是一九五五年冬天開始的。俄人大量湧入阿富汗之後，便蒸譏于阿人之間，極力向民衆拉攏，並跟窮苦的阿國勞動人民一起飲食，也經常跑進回教寺廟中參加祈禱。明眼一望而知，這些人就是負有特殊任務的俄國人。

由于共產主義，是先天的反宗教。這可根據馬、列的言論及共黨一連串的迫害宗教情形去說明，尤其對回教攻擊得體無完膚，遠的姑勿論，即今年五月十二日，蘇俄一位教授克列莫維契，曾在莫斯科電台廣播，對回教有如下的指責：（一）一九一七年俄國革命時期，回教阿匐支持非共份子；且不止一次以行動反對十月革命的成就；（二）回教領袖曾一再企圖用自己的方法來駕御可蘭經，使那些狂熱的教徒相信這些謠言；（三）回教的風俗如「割禮」及「推崇聖人」，在精神上和身體上都是錯誤的。

此事發生于篤信回教的阿剌伯共和國總統納薩返開羅後不到二星期，而納薩在蘇俄的十天訪問中，曾受到盛大的歡迎。顯然蘇俄目前的政策是矛盾複雜的；同時最近正極以努力爭取阿剌伯人的友誼，也純粹是一種政治性質。正如美前駐俄大使肯楠說的：蘇俄強調文化交流，派紅色教員打入回教學校裏，把馬列主義的讀物帶進去，强迫回民學生學習，特別注重共產主義與伊斯蘭教的關係，然後自我批評，以求得兩大思想的協調統一，企圖使馬列主義的思想代替可蘭經，使莫斯科代替阿剌伯城，更使赫魯曉夫代替穆罕默德！

俄人進入阿富汗四攻寺霸中新疆的目的，是企圖分散西方國家及阿富汗人的注意力。在西方國家注意力正集中于歐洲，東南亞和遠東方面的時候，俄人却靜悄悄地溜到這一個具有戰略性的山國裏面來做功夫。它們的手法，是拿等于一千萬美元的俄式援助落後地區的「第四點」計劃，來誘惑一千二百萬阿富汗人民。俄國向阿人提供的援助，是替它們建新公路，一條六十哩長的輸油管，一些穀倉，並供給好幾百名技術人員。現在，阿富汗喀布爾區的市場裏面，俄國的電油、布疋、藥品、火柴、以至俄式的麵包，充斥于各商店和攤位了。更令人值得驚覺的，是最近俄國願意以大量噴射戰機援助阿富汗人，為糾紛已有九年的西北邊疆地域主權問題，暗示向巴基斯坦用武。阿富汗與巴基斯坦爭執的喀布爾區主權問題，猶之乎巴基斯坦與印度所爭持的喀什米爾一樣。喀布爾區有擠七百萬的普雪頭部落民族，阿富汗要求由居民舉行公民投票，確定它獨立的地位；阿人深信這個地區如能成立一個普雪頭獨立區，則將成為阿富汗密切盟友。至于巴基斯坦則聲言在地理上，該區應屬于巴國，並已宣佈將該區合併的計劃。蘇俄在五年前，乘着兩國爭持之際，經派出幹練特工人員，秘密在深山的洞中，跟當地的頭目首長接觸。現時俄國又以噴射戰鬥機援助阿國，有了這種危機的背景，即使美國對阿國有着數目可觀的援助，亦難打動阿國人。一九四六年起美國國際摩理遜公司，曾與阿國訂有合同三張，總數七千四百萬元，替阿國建築公路、橋樑、灌溉設備和水閘等工程，但這是在俄國目光尚未南向阿富汗以前的事了。（九月廿一日）

國際動態拾零

△一九五八年美國會議員選舉，共和黨似有放棄的模樣。共和黨總部工作人員，以星期，且以每日計薪，最近募捐僅約五千元，以前募捐一次，常獲百萬元以上。但在紐約州之市長與參議員競選，洛花錢甚多。在各旅館開了五十六個房間，即羅斯福旅館一處，每日帳單亦九十元，足見其在紐約州，意在必得。

△戴高樂起草第五屆共和國的憲法，已于四個月期間完成，預期人民複決可得百分之六十五至七十的多數。這是極認真的投票，萬一失敗，他即退隱，故自稱為憲法範圍內之運動與拿破崙第一第三及貝當的人民投票不同。憲法規定組織七萬五千人為選舉總統團體，包括地方議員及國會議員。國會兩院有同等權力，總理雖由總統選任，但兩院可以絕對多數罷免，故以用多數黨人為視。若國會選舉右派勝利，則將任蘇斯台為總理，如左派勝利則請社會黨之莫萊任總理。名為大權集于將來總統，但總統僅管國防，外交，殖民三重要部門。

△在保加利亞黑海沿岸一口岸，蘇聯交給中共六艘潛水艇。艇上有少數中國水手，為象徵的駕駛員，行將開至領渊水域。

△法屬撒哈拉沙漠之媒油礦，會請西德私人資本家投資，聞將有成議。

·陶然·

中共的信

十月六日，中共國防部長彭德懷發表一封信，其要點是：一、台灣領導者「命令飛機向大陸剛識」，「太猖狂」，「因此打一些砲引起你們注意」，這是屬于「戰爭性質」。二、「我們都是中國人」。「三十六計，和為上計」。「美國人總有一天肯定要拋棄你們的」。三、「從十月六日起」，停止砲轟一週，「可以充份自由地輸送供應品，但以沒有美國人護航為條件」。

這封信的對象，是「台灣、澎湖、金門、馬祖軍民同胞」，顯而易見，它的第一個目的是離間國府與台灣的人與軍民之間的情感。信以杜爾斯九月三十日的講話為例，說明「美國人總有一天肯定要拋棄你們」，挑撥中美間的情感亦無疑問的。停火一周，特別指出是要以美國不護航為條件，這當使國際第三者產生這樣的印象：認為中共砲轟金馬是因為美機美艦侵入共「領海」的緣故。從而來加強「我們都是中國人」一語，所產生的內外影響。

眞正意圖

這封信名義上既是以台灣的「軍民同胞」為對象，則又有誰可充代表，來與中共「談和」呢？中共故意如此含糊隱晦，一方面固旨在離間，另方面說明他們對于這封信的中心目的之「和」與「談」也明知是不可能的。明知其不能而為之，這除了宣傳作用外，就很明白地顯示其眞正目的不是在于與台灣和談，而是：

一、藉機下台。這種下台，比從沙會談正面對美國讓步有利。在會議桌上下台必須承諾停火條件，現在，採取這樣的方式下台——停轟，但又掌握了隨時可以恢復砲擊的藉口。

二、美國對于金馬的堅守與否，本在兩可之間，後因中共砲轟金馬，圖強逼美國退出，反而促使美國採取強硬的政策。現在，金馬已事實上停火了，美國可能要考慮稍稍遠離此是非之地，再加上若干以自己利益為前提的國家對美國的壓力，「棄守金馬」的意念也可能由此再形加強了。雖然眼前在國府的堅強反對下或者不會立刻實現。對台灣來說，總是不利的。

三、停轟以美國不護航為條件，這是希冀造成一種錯覺，一旦金馬再次吃緊時節，使美國當局作延長的考慮援助或不援助，以之削弱金馬的形勢，使之難以獨立作戰。

為今之計

在此「停轟」的七天內，看來國府是不會與中共談判的，那麼，豈不是還不能下台？就中共立場言，這最多也不過是將來恢復砲轟，餘留退步而已。

從前述各節可以見到：金馬的危機仍然存在；局勢仍可隨時拉緊！而造成態勢之主要原因，就在於國府受中美拘束，自我約束了反攻大陸獨立行動的可能性。如果要說中共四十多萬發砲彈有所獲的話，也即在此。

所以，現在已不是空言可以解決問題的時候了，必須拿出事實來反擊中共的陰謀：一、轟炸大陸，二、派機深入大陸，以前一般的投擲反共傳單，三、堅決反對美艦不護航，四、金馬砲兵對大陸還擊。若果不取上述的斷然態度，那末，金馬仍將處於挨打狀態下。反攻大陸的口號也將在事實上形同取消了。

×　×　×　·田心·

新書簡介

華國（第二期）

「華國」是崇基學院中國語文學會編輯的一本不定期刊物，現在已出到第二期，這一期共有專文廿篇，專載一篇，專載乃香港崇基學院中國文學系研究的範圍分為攝要，把研究的精神所在了。可以大略懂得該學系研究的精神所在了。

專文的第一篇是淩院長道揚的「我之中國文化觀」，其他有任叔儀、王韶生、鍾應梅、吳天任、張雲鵬、邵穀人等十位先生的國學研究文章。題目如次：（一）談五言詩，（二）經之齊魯學，（三）老子新詮，（四）論去聲，（五）孔孟荀論性淺測，（六）曾子學述，（七）詩學隨譚，（八）曾子學述，（九）清代桐城派之文學理論，（十）詩經桑字之研究，（十一）漢賦之分析，（十二）曹子建對六朝詩人的影響，（十三）漢魏六朝之民間詩歌，（十四）文學與繪畫，（十五）孟子之文學及其影響，（十六）論連珠，（十七）顏學林的文學理論，（十八）讀近代史，（十九）莊子風格漫譚。

全書二六〇頁，約十二萬言，道林紙印，每冊定價港幣三元，美金五角，本報代售。

·文華·

國慶日回念孔誕

（上接第一版）

我們今日應將此種精神灌輸入西方民主國家，使西方領導世界者要有偉大人格，而後與慧，而後可以爭取與國，克服敵人，而後可以運用人羣，得友邦之同情，齊一意志。否則斷斷然以本國利益為出發點，摒棄盟國人爭，選票為着，妄想以陰謀顛覆民主大計。在今日世界中，暴力領者所抱持之功利主義太重，則對於人性文化為數從事實踐之義務，如與滅絕，如除暴安良，必不能了解。如吊民伐罪，懷恨攻擊，極其量亦不過出最近美海軍參謀克之實政府，反而政府用盡力量逼中國放棄利主義之人物，在共產黨以五十步笑百步耳。謂只可提出勸告。此是以暴力陰謀之下，以鎮壓。彼輩只識運用智謀，而缺乏之勇，更，以故必須以人性文化浸潤之。我們不應忘記霸權精神，即孔子精神，此是我對今日國慶與昨孔誕紀念之感想。

自由談

外交怪象

馬五先生

葡萄牙是中華民國的友邦，然今年的雙十節，澳門政府卻不准當地華僑懸掛國旗，以撕毀國旗，這是亘古罕有的國際外交惡例。

據澳門總督表示，他是受到毛共的威脅，情非得已，因爲毛共隨時可用暴力佔領他的管治區域。既然如此，我們雖對葡萄牙政府不[illegible]，把澳門這塊周圍不過五里的彈丸之地，乾脆讓給毛共，既可減少麻煩，而又可得實利，豈非一舉兩得之計？稱爲大西洋公約國之列，卻不敢護自由世界國家的旗幟，站在自由世界，卻不敢護自己的國家佳節，演成甚麼？是否還有我國駐在當地的外交專員，不知是否在國慶節的前幾天，離開職守，回到台灣述職了！誠然，他不離去澳門亦不見得就能夠縱橫捭闔，折衝樽俎之力，挽救當地政府的懦弱措施。可是，臨事而懼，情然回國，這與帶兵官在前線臨陣逃脫的行爲相同，縱有十足的理由，亦難免於「外慚清議，內疚神明」的後果吧！澳門的僑胞們義憤填膺，羣情譁然，良有以也。

人亦有言，「弱國無外交」，這話並不正確，事在人爲，關鍵就看外交人才如何？否則我們現時派駐聯合國以及各個友邦的使節，皆是多餘的事了。公務人員的起碼條件，祇要無忝職守，至於成敗利鈍，又當別論。我們深深地感覺處非常時代，必須有非常的人才，率由舊章的人事配備，乃循着泄泄的舊有作風，若不改絃易轍，摧陷廓清之，要想完成討共復國的大業，憂乎其難哉！澳門小焉者耳。

朋友·敵人·友誼

○陳永昌○

世界上沒有一個絕對不要朋友的人。抱着「獨身主義」的人，可以不需配偶，但也需要朋友，即使過着「隱士生活」的人，也少不了漁父樵子爲伴侶。

現在且先看名人筆下的朋友。蘇格拉底說：「不要使他覺得你來獲得一個朋友，你須用獻你的愛，學習怎樣用正當的方法來贏得一個人的心。」伊索寓言說：「到處都能用一個朋友。」於是他便在一個孤獨的小島上，孤獨地渡其餘生。波倫說：「友誼是脆弱的東西，像其他易碎的東西一樣，要很小心的保持。」一格列說：「一個人年青時有朋友是好的，但到老年的時候，朋友像其他的東西一樣，是自然而然的。」但到晚年我們便增進快樂，減輕苦難（[illegible]）……

[illegible]誼的人也不能夠交友。[illegible]說：「最老的朋友是最可信賴的。」[illegible]說：「那個無端鬆弛小人的人，我不會列進朋友的名單裏。」愛默生說：「獲得朋友的唯一方法是自己先做成別人的朋友。」[illegible]說：「沒有人能希望有一個完全沒有過錯的朋友。」[illegible]說：「不能結交新朋友的人，是失去生活的藝術的人。」[illegible]說：「我從來沒有想到結交……

它能倍增我們的喜悅，分担煩惱。」拉洛志說：「沒有朋友，也沒有敵人的人，是凡夫俗子。」又說：「那個有三個朋友而又先後失去三個朋友，你不要做他的朋友。」[illegible]里說：「那些私下告訴你你的錯誤的人，可以放心和他做朋友的。」[illegible]說：「結交患難中的朋友，因爲他甘冒不諱。」吉爾騎于結交富貴的朋友。」愛默生又說：「朋友是我們維護健康，備著金錢，鞏固房屋，廣置衣服，但誰能速最實貴的……

財產——朋友——不致匱乏呢。」孚勤說：「不要用禮物購取朋友，當你停止給予，友愛便會消失了。」赫德說：「與惡人交友如日初之影，按時遞減；與好人交友，如黃昏之影，不斷增大，以至生命之日下落。」克勞威爾說：「友誼之光像磷光，當四週漆黑之際最爲顯露。」

廓爾茲說：「爲結束而開始的友誼，不會維持到結尾。」張潮說：「愛我們多于仰慕我們的人，更是我們的朋友。」布律耶爾說：「忙的人，而在大事情上能够幫兩個人不能長久爲友，如果他們不能互相體諒，」楊格說：「沒有朋友的人，對方些微的過失。」「世界的主人是可悲的，他獲得了一個以朋友換來的世界。」「羅瑪說：「我一個朋友死了，他的死是一個朋友，但爲他死，不是我的損失：」「損失一個朋友便損失一隻肢體，時間可以減輕痛苦的創口，但失去的永不能補償。」

「一千個朋友太少，一個敵人就够多了。」這是一句有名的土耳其格言。一個人的朋友愈多愈好。正是「相逢何必曾相識？」正是「相逢何必曾相識」，亞里士多……

……這樣，朋友一天一天地增多，「小我」便一天一天地走向「大我」了。

人是有好的，也有……

……總下了一個「友誼」的定義：「一個靈魂住在兩個身體內。」一個人的朋友多了，他底靈魂便住在許多身體裏面。

國慶感懷

·謝康·

一、

紫金陵墓壯山川，錦繡關河遍可憐！北地[illegible]山紅欲滴，南朝金粉雨如烟。烽塵滿眼傷流徙，將帥無謀致[illegible]旋，往事憶餘無可說，只憑功業恨難捐。

二、

收京復國知何日，孤島偏安恐誤功！金門守將孤忠耿，赤心興漢有關公。澎台凝淚[illegible]，[illegible]人情慨同。徒使元戎憂社稷，朝班典職愧封！

三、

降旛當日出秋桑，拒虎前門後進狼。北狄興師謀擊戰，中原逐鹿虎狼狂。澄台凝淚黍離苦，宵衣[illegible]膽宣！一旅一城渾無恙，義旗開處見[illegible]。

四、

大好神州生陸沉，海東叉濟鼓鼙音。隨人俯仰終非計，努力更生[illegible]自今。[illegible]撫雜[illegible]，風波長[illegible]寒心。反攻宗[illegible]，一賦同仇敵愾深。

節日

○小言○

這應該是個歡欣的節日；應該是個痛快的節日。

但大多數的人，却讓這個節日在沉默，黯然和痛苦中消逝！

儘管也有人在竭嘶力竭地歡呼，高歌；畢竟這聲音和情緒比不上往時的雄偉和熱烈了！

十三年前的這天：

在上海，大幅的標語，從跑馬廳前廿四層大飯店的頂樓上垂下來；當時的人們，剛從渾噩的夢境中醒來，不知道該如何歡唱，但是街頭處處爆竹聲，憑誰走在街上都是噙着眼淚，壓抑住心底的歡暢。

十三年前的這天：

在南京新街口廣場上，中山先生的銅像，比任何一天都來得光亮，人潮從四面八方滙集到這兒；又從這兒流向四面八方。

整整八年，這破舊的馬車和疲憊的老馬，在這天也顯得比往日潔淨，精神；中山路和陵園大道上，歌聲和着蹄聲，人們以輕快的步調走向陵寢，以虔敬興奮的心意留戀瞻仰。

十三年前的這天：

在全國各地，有說不完的…，唱不完的…。

十三年后的這天，在同一塊土地上，在同樣的節日裏，人們却必須忍受不能忍受的一切，人們不敢爲這個節日歌唱，也不敢爲這個節日流淚！對有回憶的人來說，他得默默地，從心版上把記憶抹去，讓現實的生活來冲淡它；對無可回憶的人來說，他只有想象中的憧憬，即使是想象中的憧憬，也是虛無的一片！

短篇小說

那人見他逃了，急忙掏出手槍來對他的背影就開了一槍：「砰！」這一槍彈並沒有打中，那人又連開兩槍，「砰！」「砰！」但他却被一個從陰暗裏閃出來的黑影的拳頭所擊倒，傑波特的身體才縮成一團，他頭也不回地跑，那人又二連三的連擊倒地後，他才繼續的向前狂奔……

這時候，警笛也漸漸地吹響了，那邊還有尖銳的聲音，直吹得傑波特的心驚肉跳，不知如何是好！所以，當他想跑到牆邊，逃到小巷裏避去的時候，却因一時的慌張而跑錯了路；等他發覺之後，欲回轉身去時，却已來不及了！說時遲，那時快，許多警衞的手電筒的光芒，都集中到他的身上，迫得他祇好盲目的向前亂奔……。

「啊！在這裏，快來捉他呀！」當警衞們發見了他的身影後，就都高興得大叫起來了。同時，所有警衞的手槍都集中向傑波特的背身射去，而傑波特也覺得呼嘯的子彈聲正瘋狂的從他的頭上、耳旁、身邊飛過，只是他並不感到恐懼，一面拚命的向前逃跑，一面拔出自衞的手槍來向身後追趕的兵士們還擊。

神秘的手錶

——二次大戰中的一個間諜故事

Howard Breslin 著
鮑家琳 譯

「哎喲！」一顆尖銳的子彈，從他的背後貫穿了他的胸部，血如泉湧，他只感到一陣說不出的劇痛，接着他便無力地倒臥在血泊中；然而，他的理智，仍然是清醒的，他低低的詭異地說：「我的計劃並沒有錯哪！」而這微弱的聲音，也祇有他自己才能聽得見；等到兵士們追到時，傑波特已氣絕身死了。

「奇怪，他幹嗎跑到這兒來？」一個大兵說。

「誰知道？」另一個大兵說。

「咦，他那手上的 Omiga 錶倒好，可惜已跌碎了！」第三個大兵感嘆的說。

「嘿，好小子，他的錶竟快了六十四分鐘哩！」第四個大兵像哥倫布發現了新大陸一樣的驚叫了起來。

第二天，那矮小的修錶匠打開早報一看，見傑波特已死的消息，不覺喟然感嘆道：「我在交還錶給他的時候，不是明明把錶上的時間撥準了嗎？怎麼又會快了六十四分鐘呢？一定是他沒有注意，而再撥快了六十四分鐘！這真是一個大疏忽呀！」（譯自 Robert J. Dixson 編著之「Modern Short Stories」）

（三）　——完——

……壞的；朋友是否要選擇呢？「毋友不如己者。」「與善人交，如入芝蘭之室；與惡人交，如入鮑魚之肆。」這都是強調擇友的說法。不過，這種說法，祇着重自我方面打算，其實朋友也該「爲他」，你如果交上一個惡朋友，也不必馬上與之割席，應用人格去感化他，那也應該列爲「交友之道」。

三國是一個醜惡的混亂時代，然而正因時代的醜惡與混亂，濃厚的友情，却把這時代塗上了美好的顏色。「亂世之奸雄」的曹阿瞞善於利用友情，便網羅許多才能之士，竟能獨霸中原。劉備關羽張飛之「桃園結義」，不是成爲千古的美談麼？徐庶「走馬薦諸葛」，劉備「三顧茅廬」，那是爲了創事業而交朋友，也不能爲了「有作用」而排斥其爲「交友之道」。三國志吳志周瑜傳注引江表傳說：「（程普）頗以年長，數陵侮瑜，瑜折節容下，終不與較，普後自敬服而親重之，乃告人曰：與周公瑾交，若飲醇醪，不覺自醉」。

我們要步向大同世界，要大家都能够伸出友誼之手來才行。

台灣　文壇　點滴

走回頭路

△各報自九月一日奉准擴版以來，篇幅驟然增加，各報編輯先生對新增版面內容處理問題，咸感大傷腦筋；最後也許是形勢使然，很多報紙不期然而然的都步上了往昔海上滬濱報紙的舊路，章回香豔、武打、劍俠、偵探小說以及遊戲、詼諧，古遺詩文等雜七雜八的文章大批出籠，以致那些蟄伏已久專寫風花雪月和牛鬼神蛇的斗方名士，洋場才子輩，一個個頓又活躍非凡了。

製造作家

△最近，自由中國文藝協會在各報大登廣告，招收對文藝有興趣的青年，予以設班教授指導，於是這個由來已非一日的老問題，對於作家是否可以經由蓄意的訓練途徑而成就一個（簡單的說就是作家是否可以製造），重又成爲各方矚目爭論的焦點，然而仁者見仁，智者見智，實在莫衷一是，更談不到爭論出一個結果，不過在爭論的當中有人却說，假如該會眞能教授指導出幾位像樣的青年作家來，倒未嘗不是一件好事。請拭目以待吧。（編者按：如將「走回頭路」和「製造作家」合併細嚼，眞是別有滋味，可見在台灣，文藝也一樣遭受排擠，新作家則又尙待「製造」。）

王藍的失得

△作家王藍的「藍與黑」一書，自出版以來，起初是因爲有些不道德的書商，擅自盜印，和買先王本人四出推銷，結果王一怒告官，不惜與不肖商人對簿公庭；雖然一場官司打下來，並未獲得理想戰果，可是總算給「藍與黑」做了一次別開生面的宣傳，「塞翁失馬，焉知非福」，加之適日此間一些書評家，一時又相繼陸續予以好評，該書的銷路着實增加了不少。

·耿耿·

也談文人的酸

珍年

大抵酸甜苦辣四味，唯酸之一味爲最難嚐。女人似乎是最愛拈酸吃醋的，此所謂嫉妒。殊不知文人有這毛病的也不少。文人可窮，但窮得能安。文人可做，但做其骨裏。不然的話，身在田園則心存「廊廟」，一肚子懷才不遇，聽說某甲新膺某長，不免一氣；又聽說某乙新任某職，又不免一氣，其道行就不够了。自然這是屬於有點子那一代的。至於小伙子們，則是見到某友戀愛的詩，回顧自己形單影隻，心中一酸；又見某人新婚的文，想到自己光桿了半世，又不免眼中冒火。或吐之言談，或見諸文字，都不免是酸的作用，正與太保在公園裏向情人們吹口哨拋石子的心理一樣，他自己身邊有一位就不會去無聊了。

嫉妒又可謂之小器，也許有人要說器量狹窄怎可稱爲文人，其實文人也是人。只要是人有的毛病，文人也有，流氓做的事！文人未嘗不做。林語堂說：「我最恨文人的一些毛病，若寒若懶，若借錢不還我都不覺成。」可算是入木三分，當然他還漏掉了酸之一項。文人也吹吹什麼品德什麼氣質諸多問題，但是你千萬別以爲他這樣吹，他便有。因爲搖搖筆桿的人都可稱爲文人，但是能搖筆桿的人未必都是聖者。如果我們知道胡適先生在上海街頭醉過酒。朱自清先生向划船的情侶拋過果殼，那麼我們對吹口哨的流氓，也就原諒他了。

「復活」上曾說：「罪惡的還要否定罪惡」。好像這世界似乎太亂，但是沒有一個人做的事全是對的，只要好的能自知，壞的也能自知就够了。對人明察秋毫而己則不見輿薪，文人的毛病，就常失之於此。

自由人

THE FREEMAN
（第七九四期）
中華民國僑務委員會登記證台新字第一第二號
中華郵政台字第五〇〇〇號
執照登記為第一類新聞紙類
半週刊每星期三六出版
每份港幣壹毫
台北市價台幣壹元伍角
督印人：陳文第
社址：香港高士威道二十號四樓
20 CAUSEWAY RD. 3RD. FL. HONG KONG
TEL. 771726
承印者：東南印務出版社
地址：高士打道六十四號
台灣總經理處
台北市西寧南路壹零號二樓
電話：三〇三四六
台郵撥儲金戶九二五二
海外總經銷：友聯書報發行公司
香港：德輔道中二十六號A二樓

領海問題之發展
——一個國際法上的當前嚴重問題

淦克超

領海問題已成為近月來國際間的主要爭執之一，一方面是英美方面仍持沿海的主權，以距岸三海浬為限，另一方面則是冰島所主張的十二海浬，而中共亦宣布十二海浬之主張。

很明顯的事實，這問題已不僅是國際法上學理的爭執，而是英美的海權重臨測驗；影響所及，則整個的海洋交通發生問題，又回到三百年前「公海自由論」對「鎖海論」之爭，而蘇俄之運用其陰謀和巧智，必將加深與擴大此項危機，或致鬆懈自由世界的團結，而致使糾紛之普遍化。這是十分值得研究國際法和關心世界現局者的注意的。

一、

海上主權之爭執，由來已久。當歐洲中世紀時，濱海的國家，像委尼斯，即會要求整個亞得里亞海之主權，鄰近諸國，如基諾亞，拔薩，波羅娜，以武力從事反抗而無效，不得不表示屈服。

當時的斯堪的那維亞半島諸國曾瓜分波羅的海之主權。丹麥更進一步宣佈：挪威和冰島之間的海面，以迄格陵蘭之間的海面，概屬丹麥。

更顯橫的是早年的西班牙和葡萄牙的控制海洋企圖。哥倫布於一四九二年發現美洲，達伽馬發見了經好望角而通印度的航路後，西葡兩國間的競爭頗烈。為防止西葡的衝突迭見，教皇曾經頒發一道諭令，劃分兩國的勢力範圍，以大西洋中的亞速爾羣島以西一百海浬為界，劃出一道理想綫，綫西所發現的地方屬西班牙（那就把整個的太平洋劃歸西班牙的範圍了），綫東所發現的屬葡萄牙。這規定後經英荷兩國於十六世紀末期之武力反抗，纔算推翻。

中世紀的英國對于英國近海一帶所實施的辦法亦是極不合理的。一二零一年，約翰王下令：海上船隻如遇英國的海軍司令而不遵命卸帆致敬時，即可捕獲沒收，當作敵船處理。英國之要求英倫海峽控制權亦歷時頗久，到了十六世紀，依利薩伯時代纔宣佈：除沿海一片狹窄的海面外，海面得自由通航和自由。可是事實上公海自由原則之確定，還是十七世紀的事，尤其是當國際法鼻祖格羅沙斯的公海自由論漸為各國當局所接受

二、

三海浬原則係荷蘭的另一國際法學家賓克紹所創，隨為若干重要國家所接受的。賓氏的理論係基于當時的海防安全方面之考慮，因為當時的海岸砲的射程不逾三海浬，賓氏就主張領土所及以武器所能到達之處為限（Terra dominium finitur ubi finitur armorum vis），此原則為英國所歡迎，美國及其他海軍國亦本此原則，而成為很有力量的主張，但並非為普遍接受的主張。當然，三海浬原則係適合海軍國的要求的，因其為最低限度之規定。

除英美等海軍國以外，許多國家，尤其是歐洲大陸的多數國家，是不贊成三海浬原則的；他們所要求的較三海浬為廣，計自四海浬至十二海浬不等。

在二十世紀初期，若干國家因為沿海漁產和礦藏之考慮，就開始反對三海浬原則了。蘇俄於一九一八年，就要求十二海浬內的主權。南韓所要求的是五十海浬。智利會對二百海浬外的美國漁民開火。

三、

國際聯盟處理領海糾紛，費時幾達三十年，迄無結果。聯合國乃着手處理此項問題。一九五六年，聯合國的國際法委員會會草成海上法條文，提出報告，並附評註意見。條文第一部第二節係關于領海之限度。在此項條文中，正式使用領海（Territorial sea）一名詞，來代替過去的領水（Territorial waters）一名詞，因為領水所包括的範圍較廣，連港灣湖泊亦包括在內，易滋誤會。但條文對于領海限度，究應為三海里，或較三海里為廣，未提出確定的解釋，僅謂應候一次國際會議規定。評註意見中的一項具體的解釋為：該委員會認為國際法不以領海超過十二海浬為正當；而認為超過十二海浬即違反公海自由之原則，而與國際法不合。該委員會亦會考慮將此問題交與國際法庭之可能性。可是因為大多數的會員認為此一爭端尚未經國際社會制訂法規，雖不顧交由國際法庭處理，以致使司法機構來行使立法的功能。該會因此主張留待國際會議解決。

四、

細閱該會全部報告，除總評註外，尚有各國代表分別表示的意見。就中冰島對於十二海里主張甚力，可見本年八月的英國與冰島間的漁業糾紛亦非突發的，而係醞釀頗久的。

蘇俄之鼓動十二海浬運動，要求十二海浬之被普遍接受，顯係圖陷英美於困難。其主要作用至少有下列三種：第一，拆散西方國家的結合，鼓動冰島，挪威等國擴展其沿海漁場之限度；第二，供備一項根據，使中共得藉以要求金門和馬祖在領海範圍之內；第三，市惠阿拉伯諸國，使其獲得根據而阻止以色列之通過阿卡巴灣。

這三海浬和十二海浬間的距離和爭執是夠複雜了，因為有的原主張四海浬，有的主張六海浬，很難達到一致的見解。目前歧異見解之距離很大，國際會議尚無召集之可能；縱召開亦不會有任何結果的。英美方面所主張的三海浬，亦並非無讓步折衷之可能，要看若干主要國家是否有誠意達成協議為斷。

目前頗令人詫異的是印尼總統蘇嘉諾的要求，認為印尼數千島嶼所綿延的海面應屬于印尼；倘令付之實施，則澳大利亞到英國或歐洲的航綫即不免中斷了。不過印尼現在的海軍實力尚未建立起來，這要求仍僅係一種宣傳。

正視現實，我們會發現許多糾紛會從領海問題方面發生，這不僅是一個國際法理上的重要問題，亦是世界政治的嚴重問題。我們應該有我們的考慮，更應該密切注視本問題之發展。

本報增設服務部啟事

本報海內外讀者，委托本報有關新舊圖書雜誌、美術品，教育用具等之代購代售或查詢事項，年來日見加多。茲為便利讀者，並貫澈本報服務宗旨起見，特於本年五月一日起，增設服務部，添用人員，釐定辦法。務期手續簡單，辦事迅速周到，收費合理廉宜為目的。有關辦法，如荷垂詢，另行寄奉，請為注意為幸！

自由人報社敬啟

半週述評

且看中共怎樣下台

七天的「停火」完了，中共又宣佈說，「停火」要再繼續兩個星期了。事實上，十月十一日「人民日報」的社論說：「且看他們怎樣動作」？已經早替中共預留藉口。「且看他們」云云，豈不是故意給自己臉上塗粉，好讓自己「下台」得體面些嗎？

當然，「停火」這幕戲還應該有下文的，那麼，我們就把「人民日報」的這個題目「且看他們怎樣動作」，改為「且看中共怎樣下台」吧？

假如信任共黨語言

然則，共產黨人的欺詐與刁猾，他們的行為，既無理可喻，也沒有一個邏輯可以「肯定」。

譬如說，中共不久前還在指斥「美帝」的「停火陰謀」的，然而，中共卻又「自己搶先」，宣佈「停火」了。

譬如說，中共不久前還在指責台灣使用飛彈，而且大聲的恫嚇說，要嚴厲的加以報復，但是，不出一個星期，他們又對台灣宣傳說「貴我兩方」「和為貴」「和為上計」了。

假如任何一個人，信任了共黨今天的語言，你知道他們明天說些什麼呢？

諾言保證的不可靠

全世界的正直人士和有遠見的人，反對姑息政策和綏靖主義，反對出現一個新的慕尼黑，正是這個道理。

當杜爾斯先生發表台灣海峽的政策時，有一位記者問：「國務卿先生，你能不能告訴我們，你既然不願接受共產黨提出的保證，那你如何能取得可靠的停火」呢？

杜爾斯先生答：「我認為共產黨的保證是不可靠的，原因祇是他們僅是諾言而已。祇有在共產黨認識，如果破壞他們保證時會遭受不愉快的後果，這樣，保證才會可靠」。

杜爾斯的半句真理

杜爾斯先生說出了一半真理，那就是，他指出了共黨的諾言和保證是不可靠的。

但是，杜爾斯先生在後半句話中，卻吞吞吐吐的認為，共產黨的諾言和保證，在某一種使他們認識到「破壞」的「後果」的情況下，似乎又是可以接受的。

今天，自由世界最大的危機是，像杜爾斯先生這樣的政治家對共產黨的認識尚且只有一半知識，其他的人就可想而知了。

華沙談判與響尾蛇

我們必須提醒這些對共產黨祇有一半知識的政治家們，共產黨人可能認識到「破壞」諾言與保證的「後果」，但是，倘使，在我們的姑息中，我們給予共產黨更多的機會，更大的慾望，更好的條件，我們曾想到我們可能的「後果」嗎？

我們的敵人為什麼一時兇惡，一時笑臉呢？因為他在等待這樣一個時間！

所以，華沙談判必須停止，金馬撤退，減兵種種妖言必須停止！

記住，使共產黨人宣佈「停火」的不是華沙談判，而是響尾蛇！更重要的，是我們在金馬保衛戰中所表現的意志與決心！

·司馬璐·

核子小僵局

·衣華·

直到彭德懷聲言中共要和中國言和時止，北平把俄製的各種炮彈轟擊金門快到五十萬發了。毛朝打不下金門，偏要說停火一個星期；從它開打的那一天，六個星期以來戰局有了空前的突變——台灣海峽出現了核子小僵局。

這個僵局必須稱它為小，理由有二：（一）共黨仍然希望在遠東危機中繼續打小戰，（二）美國在金馬一綫上的縱深部署有其中戰的準備，蘇俄卻圖謀以大戰的威脅消祛此種中戰的作用。共黨目前在任何地區，最宜於打小戰——或稱為局部戰爭。這種戰爭最合滲透顛覆的配合運用。但是，台峽小僵局核子化，共黨又得要弄以退為進的詭計了。

中共並不着重金門補給技術的改進與成功，它也不大理會馬祖方面最近是否又加強死守下去的實力，因為中共如果到了悍然不顧一切就在外島上一拚的關頭，勿論金馬補給與防務的改進如何成功，祇要共黨有決心突破海權陸權在交界區域僵持之局，那怕它是小戰的規模，其持久與激烈的程度將必加深，亦惟有雙方均能夠維持補給綫，才能夠進行這種消耗戰。

但是目前戰局不如若干觀察家之認為突破封鎖，迫令中共不得不自動停下來，再圖後計那樣發展的，而是海峽射擊力量全部核子化，再打下去，金馬對岸的核子化程度自亦必須相應提高，逐漸形成了一個相當穩定的僵局，始足以言再圖突破。這該是中共的看法，符合它一時在「戰術上守，戰略上攻」的原則。停火和談，明明是一種謀略，積極的進攻性的，與戰場上一點一綫的攻防大異。自由世界是不應為共黨此次自動停火之議所玩弄的。

共黨次一行動如何，目前用不着預言它；它亟圖進行的，是核子小僵局的打破，絕不是在七天後再亂搞一陣那麼簡單的。在未打破僵局前，自由世界自亂陣營，在政治上受到赤色分化的毒害，任由它檢到一大堆便宜，那就祇好自賣私憑，與共黨陰毒又何干呢？

看台峽十年來的對峙，終於出現了這六個星期多的突變，是海峽核子化掀起的僵持，絕對越過了封鎖與反封鎖的階段。星式噴射戰鬥機F一〇四進駐台灣，響尾蛇空對空的威力，還有陸對空飛彈的空防，較諸原有門牛勇士對大陸本來就擁有六百五十哩射程的摧毀功能，或與新近在金門裝好了的八吋大炮相比，都積極得多。這也就是說，作為純軍事基地的任何據點在全世界還沒有比今天的台灣，更其重要的更具有攻防高度威勢的了。

這一特徵指出了美國今天在西太平洋具有實行中戰的決心，否則赫魯雪用不着親自到過北平，才出現金馬之戰的，也就更用不着莫斯科迭次出以大戰的恫嚇，以反嚇阻美國。謝謝我們的英勇的守軍，使五角大廈確實領略到美國畢竟需要像我們這樣堅定有力的盟友，以屏障自由世界包括中美在內的安全。這一點掀起了遠東危機中急激的特殊的變化。

或謂蘇俄不惜與美國一拚，則台峽小僵局不是失去原義嗎？這是題外話，理由有三：

（一）如果蘇俄認定短期內要和美國一拚，它不必要中共在台峽欲前又止的；（二）假如世界大戰的危機百分之百具備了，美國光在台峽佈防，反而是不智的，它必須更迅速地調動其他軍略地區的突擊兵力。中共始終在試探美國的決心和實力，又證實台峽核子僵持對北平的威脅越來越大。因此，它在美蘇意態尚未完全明朗化之前，祇好退一步，再圖進三步。所謂共黨怕強龜縮，在台峽中又得一註腳；所謂共黨姑息不得，金馬之戰又給世人以教訓。

現在剩下的大問題，自中美攻守有決心的觀點言，是如何準備應付，中共可能突破核子小僵局，其他尚屬次要。

（一九五八，十，七）

新聞隨筆

談談中共再「停火」

中共在「停火」一星期屆滿之日，十三日上午一時又由彭德懷發出給福建境內共軍的命令，再繼續「停火」兩週。在第一次的一週「停火」命令中，彭德懷曾以慈善地姿態說，「停火」是基於「人道主義」。共產黨徒而講「人道主義」，就等於說「黃鼠狼看守鷄棚」，是一樣的可笑。

現在第二次的「停火」理由，則是說為了對台灣「做政治工作」，並且也承認了「要打就打，要停就停」的目的是為了不讓美國插手於「內戰問題上」。並且還說，「美國人有什麼資格談這個問題？」

根據我們所知道的是，開始主張願坐下來和美國談的是中共不是美國，是周恩來在萬隆會議時提出願與美國以談的方式來緩和台灣海峽緊張局勢。現在卻又反問「美國人有什麼資格談這個問題」，此其令人發笑者一。

再就我們所知道，自從徐蚌會戰後，到共軍渡江前夕，從那時開始，中共已不再運用「內戰」字樣，而稱之為是「解放戰爭」了，現在忽又改口稱為「內戰」，此其后語不對前言者二。

不僅此，自從將「內戰」改稱「解放戰爭」後，即已宣稱要「乾淨澈底地消滅×××」，而現在則又表示願與台灣「和談」，「要做政治工作」。其居心與陰謀，已昭然若揭！

至於說再繼續「停火」二週，[illegible]方動態，並使金門軍民同胞得到充份補給，包括糧食和軍事裝備在內，以利他們固守。」則更屬恬不知羞的囈言。對於美艦護航已提出了近卅次的警告，並未如彭德懷的命令所述「立即開砲」，亦足見其所謂要「埋葬」「侵略者」的「壯語」，不過是夜行人的口哨。

該項命令中還說，「這是中國內政，外人無權過問，聯合國也無權過問。」乃益發顯得中共之無常識。聯合國雖然不能對保衛世界和平起積極作用，但對於消極地阻止侵略者的擴張[illegible]權過問，何不直[illegible]美艦轟擊呢？[illegible]

[illegible]「不大高明」。杜爾[illegible]嘲杜爾斯「不大高明」[illegible]毛澤東就「大不高明」[illegible]如果中共中央[illegible]話，我覺得無過於[illegible]葬」，美國第七艦[illegible]我很慚愧，因[illegible]字，顯得我「不大高明」[illegible]德懷的二道「切切此令」比較，大概還算是高明的。（民國四十七年十月十三日下午一時）○李金暐。

從最後一分鐘關鍵說起

台灣通訊　○仲偉庭○

日前筆者在立法院議場與一位頗負聲望的觀察家談到九月三十日杜勒斯在記者招待會所說「如果獲得可靠的停火，則中國如再置重兵於外島，即為不智的話。這位觀察家認為這是半吊子作風；由此可見自存之道惟有求之在我的真理是正確的，再不能讓華沙會議出賣了我們，重蹈民國三十四年二月雅爾達協定的覆轍。這次華沙會議是中共利用砲火轟擊金門，俄帝向美施行恫嚇，發動美國人的惡戰心理，使同路人對國務院施行五千封信分化美國；再加上小丑梅農輩，在側面用壓力使美國讓步，走上與中共直接談判之路。這無疑是提高了中共的地位，增加中共同路人的活動機會，以孤立美國全球性的集體安全政策，重新引起美國內部一部份短視的幻想，這些都是對自由世界極端不利的。這次美毛會談也就是中共用砲迫打出來的，美方處於被動地位。中共藉邊打邊談的猾技，滲透民主陣營，而坐享漁利。中共企圖以砲火封鎖金門的陰謀，及武力攫取西太平洋幻想，經一個半月的時間考驗，終於被金馬精銳的國軍予以打擊粉粹，現已圖窮匕現，在五日下午向大陸人民暨自由世界宣告停火，這實際是中共在金門「丟了臉」的最後攤牌，同時也可能準備另一項陰謀詭計。因此我們不能不更積極地採取主動的對中共圍困金門列島的砲火陣地，迅予摧毀，不能再作最後一分鐘的猶豫。老是鎮靜，沉着、忍耐不是辦法，俗語說：「打人不如先下手」。中共統戰的伎倆，往往先我一著。反觀我們每遇重要事項，事先都有過詳的計劃，及慎重的研討，但一到時候總猶豫不決地不能及時果斷主動地爭取成功，等到面臨決定採取積極行動的最後一分鐘時，而敵人卻已搶先我們一着，致使很多對我有利的事項因猶豫不決而吃虧。從大陸淪陷到中共圍困金門列島，總是失敗在最後一分鐘猶豫的關鍵上。遠如五月二十四日在亞洲體育協會會議上爭取第四屆亞運東道主事，事先固曾有過密的計劃，連觀光事業收入，及發行郵票收入都無微不致地算過，但到開會討論時，總猶豫不決地不能及時提出爭取，因而四屆亞運東道主落在親共的印尼手裏。近如金馬砲戰問題，在八月二十三日中共未轟擊金門以前，我方事先知道共匪建築鷹廈鐵路，及連江、晉江、龍溪[illegible]等機場，和[illegible]蓮河、圍頭、南太武山等砲兵陣地，應該先下手轟炸毀，等到匪方部署調整妥當，砲位陣地築好，於八月二十三日向我金門各地轟擊時，還是同樣遲疑沒有行動。從上面這些事實看來，我們都是失敗在最後一分鐘的猶豫不決上。

其次要提的就是大陸絕大多數人民「思漢」力量，切勿忽視。遠如去年武漢、漢陽中學學生，起義，及新疆西藏抗暴運動。近如中共自八月二十三日起至十月六日止前後射向金門列島的四十四萬發砲彈中，有四分之一的砲彈不炸，及砲彈頭刻有「共匪」字樣，和多數砲彈殼中，沒有火藥等情形看來，這些都足證明中共軍中多數官兵厭惡偽政權，渴望國軍解救他們的心理現象。因此，當局[illegible]實使前方[illegible]「挨打」的劣勢[illegible]說到目前所[illegible]將由軍事[illegible]政治鬥爭。[illegible]促進大陸全民革命。

日美安全條約與日蘇和平條約

【本報東京航訊】當日美安全條約高唱改訂聲中，蘇聯駐日大使費得連科突於本月二日向日外務省提出「日蘇和平條約」締結的建議。據此不難看出蘇聯又在一貫的施展宣傳與分化伎倆。但往深裏看，也可以說這是蘇聯著意要藉外交途徑以影響未來修改的日美安全條約中若干部份。不過日外務省認為，日本戰後雖然放棄了千島領土權，但對國後，擇捉兩島仍是持保留態度的。齒舞、色丹兩島因與北海道接近，地理上與日本關連，應該是屬于日本的。岸信介對此亦曾指諸島如不能由蘇聯佔領下歸還日本，則所謂「日蘇和平條約」是無從締結的。顯然岸首相已是變相地予以拒絕了。因為日本明知蘇聯放棄上述諸島的可能性是極微的。

日美安全條約的改訂已成定局，此事已為日本舉國一致注目，因其關乎日本未來安全至鉅；前首相吉田於其八十誕辰前一日，曾在大磯寓所接見記者，也率直表示日本必需美國軍力的合作保護；某些人高唱日本不應存有核子武器，減少美軍在日駐屯數目，乃是最愚蠢之事，因為日本迄今尚無足以自己防禦的武力。吉田更表示日本有被赤化的危機。他說日本應該堅定反共的意志，與自由國家合作，又稱日本現已位於反共的第一綫了。

另一方面，日本第三十屆國會已於上月底揭幕，社會黨正以「安全條約」為題，毫不保留的提出質詢，內容包括美國在日軍事基地的使用；軍力的限制；核武器的禁止存放等等。岸首相的答復則是說一定要達到日美雙方以平等地位從而改訂日美安全條約，對於社會黨上述質問，避免正面答覆。日本社會黨迄今仍着眼於政爭，而不顧及其本國的安全，實則日本的前途繫於日美安全條約的改訂是無疑問的。○觀游。

美蘇鬥爭的前途（一）

賈若虛是一個現時居留美國的我國經濟學者的筆名，近幾年他在美國一方面對世界經濟問題作不斷的深刻研究，一方面，對我國固有文化與西洋文化亦作極大的努力探討。賈先生最近來書，認為世界危機日增，西方文明之需改造已為不可否認之事實。他又說：張君勱唐君毅牟宗三徐佛觀四位先生去多所發表有關中國文化問題的宣言，固足為中國學者打氣，然懼心性之學尚嫌不足。他以為朱陸王之學不能阻止人口增加，通貨膨脹，故宋末理學明末王學雖盛，仍不能不換朝代。因此，賈先生要在「稷下談龍錄」這一標題之下，討論幾個有關世界文化的問題。他準備討論的是：（一）美蘇鬥爭的前途；（二）現世紀人類的缺點；（三）現代反理智運動；（四）人口增加所引起的問題；（五）人類的將來。大致如此，是否一一討論得到，其詳略如何，還是沒有一定的。現在他先將美蘇鬥爭的前途寫好，寄交本報，特為刊出，其餘俟收到後陸續發載。——編者——

稷下談龍錄

・賈若虛・

有一天晚間，我到老友何學仁家裏，他開門出來迎接，並笑道：「若虛你來得正好，柏效圖兄今日從飛機場上將蘇志衍老師接來住在我處，現在晚餐方纔用過，你來了可以同他老人家聊天了。」我連忙走進客廳同蘇老師與效圖握手，並且開始以下的對話：

賈：蘇老師多年未見了，還記得我嗎？

蘇：當然記得，你與學仁、效圖三人從前在講堂上不是最愛和我辯論，並且你們之間也常時爭辯得很利害的嗎？

「四人哈哈大笑」

柏：我們三人當時在學校裏最主張拋棄舊傳統接受新文化，你時常澆冷水在我們頭上。你所講的兩個故事我到今天還記得。

蘇：那兩個故事，請你講一講好嗎？

柏：一個是穆萊 Gilbert Murray 的書中所述關於一位到澳洲開牧場的英國紳士。他雖住在牧場的住宅裏，但每晚晚餐必換穿禮服，經常的向英國大批定購新書來看，並且和鄰人講話用一種貴族的而微帶愛爾蘭腔口的聲音來講。你當時說這是英國人對他們傳統文化的自尊心，是一種值得培養的德性，我們很不同意，現在看起來倒是不無道理。

蘇：另外一個故事呢？

柏：那是關於柏克 Edmund Burke 的故事。他在法國大革命時候，寫一本書對全盤革新嚴重批評。他說將舊房子完全拆毀，而新房子尚未造成，勢必無法抵當暴風雨。他死時拿破侖還未抬頭，但他早經預言法國將有獨裁。這是你當時同我們所講的，我們亦不以他和你的話為然。直到共產黨佔領大陸之後，方懂得這個故事的意義。

何：我們在五四運動時大事活動，反對賣國賊，到處遊行演講和刊行雜誌。並且因為你勸我們埋頭讀書，還議決公送你一個頭銜。

蘇：什麼頭銜？

何：我們認你為新頑固派 New Die-hard。但是我們還是上你的講堂，因為你的學問豐富，並且你肯毫不生氣地聽我們反駁你的議論，所以我們對你仍然是佩服的。

柏：況且你每次上課都對我們講一個故事，或朗誦一首詩，現在回想起來好像是有深刻的用意在內，可惜我們不夠領悟而已。

賈：老師你不記得後來和我在重慶有一次的談話罷，我至今還記得。

蘇：我和你們諸位抗戰時候曾經見過幾面，這次談話內容是什麼，請你講一講。

賈：當時你住在重慶郊外。珍珠港事變那一天，我們聽見日本發動對英美戰爭，大家都高興的不得了。我去你府上報告，並認為日本至遲在一年之內必失敗投降，那知道你又澆我一頭冷水。

蘇：我怎麼樣澆你冷水？

賈：你說日本人有狂熱的信仰，不是短期間可以打敗，並且中國的災難重重，日本敗後中共會起來的，這種話在今天聽起來毫不稀奇，但在當時能領悟的人實寥寥無幾。並且你告訴我，此後數十年間須要不斷留心壞處看 Look Toward The Dark Side。我未曾忘記。現在距珍珠港事變快到十七年頭了，世界事情果然越來越壞。

蘇：老弟台，你記得我當時勸你往壞處看的理由嗎？

賈：概括的講起來，你說二十世紀是世界文化大動盪的世紀，人類雖能運用理智，對自然加強控制和利用，但對自身卻不能或不肯控制。現代自然科學同工業技術雖有極大的進步，但是社會科學跟隨不上，倫理宗教與哲學（尤其是形而上的哲學）逐漸被認為不重要。現代青年科學家痛罵玄學鬼，但是他們自己對科學崇拜有如宗教 Scientism，等於一種迷信。工業文明經濟建設帶來了大衆人 Mass Man，這大衆人可以用現代心理方法例如柏夫羅夫 Pavlov 的制約反射 Conditioned Reflex 來領導，向野心家所要走的方向去走，[illegible]狂熱的力量。[illegible]人口增加之速度[illegible]不相同，文化[illegible]的政治家用通[illegible]與經濟建設，[illegible]人類間繼續鬥爭[illegible]作的可能。

何：對了，有一次你勸我看華拉斯 Graham Wallas 的幾本書，華拉斯 Wallas 是英國費邊學會 Fabian Society 的發起人，他的最後一本書社會判斷 Social Judgment 我看過後深受感動。他說[illegible]與感情的調和，[illegible]需要理性與感情的調和，[illegible]國滅種，所以政治家的責任[illegible]政治家需有智慧，[illegible]所說的君子，沒有什麼區別。

蘇：Ortega 和 Eric Hoffer 都會經指出現代大衆人容易被野心家領導，走上狂熱的道路。

賈：老師[illegible]我們講起民主[illegible]，即不宜對人[illegible]祇注重權利和[illegible]你會將尚書[illegible]向我們解釋，[illegible]范仲淹「先天下之憂而憂，後天下之樂而樂」的襟懷[illegible]斯的意見相同嗎？

柏：方纔[illegible]

蘇：可以[illegible]我可以告訴他們二位嗎？

柏：老師可以[illegible]

[illegible]領袖可以分做三種：[illegible]設的宋人派，[illegible]一種是朝三[illegible]的話，他們把[illegible]只是一種鳳毛麟角[illegible]。

（下轉第三版）

從香港看「停火」內幕

祝修衡

中共於十月六日宣布「停火」七天，世人紛紛揣測，莫衷一是，實際究竟如何？[illegible]

[illegible]

周恩來的講話

[illegible]

轉變中的對日政策

[illegible]

被利用的日反對黨

[illegible]

中共低頭了

[illegible]

田心

國際動態拾零

[illegible]

陶然。

稷下談龍錄

美蘇鬥爭的前途（一）

○賈若虛○

（上接第二版）

聖外王的政治領袖一個都沒有嗎？何：老師難道現在內

蘇：有倒是有一位，祇是說出來你們不要罵我反動才好。

賈：不罵不罵，請說請說。

蘇：現在葡萄牙的薩拉沙 Salazar 總理，他是虔誠的天主教徒。三十二年的葡萄牙政治動蕩財政困難，當時的總統是一位老軍人，請他從里斯本大學經濟學教授的職位任財政部長，數月後[illegible]，他一掛冠而去，其後局面更糟，他們只好再請他出山，允以全力支撐。他勤勉負責，[illegible]，將幣制安定，[illegible]，後來老百姓公推了他為[illegible]總理，到現在已經二十六年了，[illegible]所主張新國家 Novo Estado [illegible]的。葡萄牙的貨幣現在與瑞士加拿大[illegible]，比現在的美金[illegible]

賈：[illegible]

蘇：[illegible]論文，都是說葡萄牙人民生活甚苦，薩氏政權是獨裁政治，他應當下台。

蘇：葡萄牙地方小，資源少，除了葡萄酒、橄欖油、沙丁魚及極少數工藝品之外，出口有限。如果像[illegible]

[illegible]

賈：老師，[illegible]

蘇：[illegible]

[illegible]

話，我們晚上照例會談，已經講了二十幾年了。

賈：我想請老師指點，蘇美鬥爭的前途，自然美國方面包括英國及其他西方文化受盟國的國家；蘇聯方面包括中共與其他受蘇聯控制的國家在內。

蘇：[illegible]

[illegible]

[illegible]Perry[illegible] Mumford[illegible]

[illegible]

[illegible]晚安。

自由談

請教上帝

馬五先生

西方人的文化思想，導源於重商主義，他們的政治行爲，亦就是以商業政策爲基準。所以，西方國家的朝野人士儘管憎惡共產主義，標榜甚末「自由運動」與「解放政策」，這類好聽的政治主張，致別人一致團結反共，但聞及俄共集團發出一聲「貿易通商」、「和平共存」的宣傳口號，即心花怒發，如醉如狂，不問是非利害，而以犧牲別人的自由生存爲代價，急謀與俄共集團從事妥協，企圖獲得共區的貿易利潤，還要美其名曰避免原子大戰，表示悲天憫人的模樣。實則既然決心不要戰爭，又何必浪費財力物力，拚命地發展製造原子武器呢？可知西方人士的反戰心理，祇是以本身能夠牟取商業利益爲原則，此外盡係廢話連篇，不值一哂的。

明乎此，對於最近美國「共和國基金委員會」秘書霍夫曼建議由美國出資購買金門、馬祖，然後轉贈給毛共的高見，就絲毫不感覺怪異了。他認爲「這樣大家（指自由中國政府與毛共）都可以有得無失，甚至我們美國由於毋需派遣第七艦隊駐在台灣海峽，也可以節省開支。」似此毫無常識的市儈性政治主張，竟出於高級知識份子之口；並且自命爲處理重大問題的創造性新辦法」，能說不是商業政治理想的高度昇華嗎？華爾街的金融財閥們一定許爲謀國妙計無疑也。平時我每次讀到白宮當局談及外交政策，即說是要符合美國利益，總覺得未免有忝自由世界盟主的身份和信譽。如今再有霍夫曼先生這種「創造性」的政治號召，將美國知識界人士的宇宙觀和人生觀，赤裸裸地顯示出來即證明執政人物強調須以「符合美國利益」爲主的外交政策，還是很含蓄的外交詞令吧！

只有文明生活而無文化思想，若說可以領導自由人類打倒共產主義，然乎？否乎？君其問諸上帝也可！

食

（翠萃廬散筆）陸夢墨

記得往日在學校讀書的時候，老師曾經出過這樣一個題目要我們辯論；吃飯是爲了活着呢？還是活着爲了吃飯。當時辯槍舌劍，各據一方，但往往老師最後把「吃飯爲了活着」的一方判勝。大概是認爲「活着爲了吃飯之說有些沒出息。後來研究歷史，發現經濟問題是導致戰爭的大原因，夫子也曾說過「民以食爲天。」那麼就算承認我們活着是爲了吃飯，也沒什麼不好意思。沒有人願意自己一生受苦，都希望能享受，而吃，也却是一種享受。就不必諱言活着是爲吃飯了。林語堂先生曾說：「我們的生命不在上帝的掌握中，而是在廚子的掌握中。」這話雖未必是「至理」，也的確是「名言」。祇要看有錢的人家談到他們的廚子都說「我家大師傅」，不敢以下人視之。就因爲廚師操縱了「食」之大權。軍隊裏也優裕他們的火頭軍，一個起碼的伙夫兵加上他的糧米菜金，以及鍋巴稍水等等的福利，比一個校官的待遇還好。可見得對於掌握了我們「食」的人，我們對他總是無可奈何的。

談到食，尤其中國人的食，我們確實需要一部龐大的食經來記載。山珍海味是物，煎炒烹炸是術。各地有各地的習慣，各人有各人的味口。所謂之偏好，有的人比喻說：「天上飛的我不吃飛機，水裏游的不吃輪船，陸上跑的不吃坦克。」來表示他沒有不食之物，但他終究也有他最愛吃的東西。曾晳嗜羊棗，他死後，他的兒子便不忍再食。孔夫子不撤薑食，他老人家可能喜好辣的。並且還「割不正不食」。就有些不近情理了。有人推斷孔太太老是因此和夫子吵嘴，因爲她切肉的時候不可能每塊都割得那麼正。尤其孔夫子一定是個最講究飲食的人，他曾說：「人莫不飲食也，鮮能知味也。」那麼他自己對於口味的品嘗一定有研究。

開門七件事，柴米油鹽醬醋茶，沒有一樣不是爲了吃。昔有王鑑章者，窮甚。曾寫過這樣的詩：「柴米油鹽醬醋茶，七般都在別人家，咨語老妻休聒噪，從閑踏雪看梅花。」這首詩可算是又窮又酸。奉勸以長期飯票爲目的小姐們，除非妳有餓着肚子賞花的雅量，千萬別嫁給窮酸。古時也有一位才女吟過這樣的一首詩：「何世修得才子婦，不辭清瘦似梅花。」她却認爲做才子的太太是前世修來的，即便餓的像梅花那樣瘦，也甘心了。

「人間惟有讀書好，世上無如吃飯難」。在我對於讀書與吃飯的一生有兩種感覺。在童年的時代，爲了背不下書挨老師的手板，就想人若是祇吃飯不讀書多麼好。到現在，爲了吃兩頓飯要挨社會的「手板」，就想人若是能一直讀書不吃飯多好。並且也深深的體味到了「人間惟有讀書好，世上無如吃飯難」的意義。事實上似乎是讀書越「好」，則吃飯越「難」。

我想「書呆子」這個名詞也正是這個意思。但是古來的「書呆子」，偏偏有很多對於「食」上有研究的，像袁子才，蘇東坡便是。東坡居士在宦海失意便研究燉肉，隨園老人著過隨園食單，內載須知者二十款，戒者十四項，分明一部食譜。我想袁蘇二位能夠有閑心與閑錢來研究吃，正是說明那時讀書人的日子好過一些。現在的人要想吃飽飯，達官巨賈做得，販夫走卒做得，唯有不上不下的白領階級做不得。上達官巨賈，天經地義的吃得飽，引車賣漿，月賺一兩千元，也可無飢矣！吃不飽餓不死者，小職員耳。前月新生報曾發表一次高雄市典當業的統計，他們最好的主顧不是小商人，不是勞動者，而是軍公教人員，確是件費人思索的事。似乎談到食上，容易致人牢騷，就把話說遠了。

世界上什麼東西最好吃，宋范公偁在他所著過庭錄上說的最妙：「王子野羅列珍品，謂水生曰：『何物可下飯？』水生曰：『惟飢可下飯耳。』」可見得世上最好吃的乃是一「飢」字。戰國時的顏斶也說過「晚食可以當肉」，但是孟子却說：「飢者甘食，渴者甘飲，是未得飲食之正也，飢渴害之也。」則又把上面的兩個例子推翻了。孟夫子究竟是仁心的人，他認爲人應該有正當的飲食。孟子又說過一句話很有意思：「舜之飯糗茹草也，若將終身焉。及其爲天子也，被袗衣，鼓琴，二女果，若固有之。」舜在做平民時，吃糙飯野菜，很是知足，好像一輩子就這樣下去了。一旦做了皇帝，穿龍袍，聽音樂，又有堯的二位公主陪着，好像原來就應該是這樣似的。這話在四書上註解是說舜「窮不怨而達不驕」。但我却以爲是既得富貴而忘貧賤的意思。現在袞袞諸公中，不少也受過飯糗茹草之苦的，但願他們不「若固有之」，回味回味他們的苦，爲小職員們想一想。

夢囈集

朱韻成

那是一座銅像，坐落在市區的中心，高高立在一方石柱之上。至於說這是甚麼市、甚麼區，我早就忘了！

銅像大概頗有些歷史了，風吹雨淋，變成微帶黑色了，有幾處還帶着斑駁的銅綠。雕塑這銅像的是一個名手，一個全身披甲的將軍跨在一匹雄赳赳威凜凜的大馬上，手中高舉着劍，作欲砍的樣子，臉上滿是些怒容。馬的蹄作奔跑狀，馬鬣披飛。如果在黑夜裏瞭看一下，一定會以爲英雄的幽靈復現。

「噢，好一個雕像！」我禁不住低叫了一聲：「他是誰？」

「一個英雄。」有誰答我。

「英雄？他做了甚麼？」

「他征服了廣大的土地，殺了千千萬萬的人！」

「征服土地，殺人，這又有甚麼好？」

「哈，你這傻瓜，征服、殺人是英雄的勾當啊！」

「然而他征服了甚麼呢？世界不是仍舊一樣嗎？並且，殺了這麼多人，應該把他殺了才對，怎樣攪的？竟替他造起像來？」

「然而，他改造了歷史。」

「但，有沒有他，歷史都會存在。是他否定了歷史，還是歷史把他否定了？」

「……。」沒有回答。

於是我看見在雕像之下，有一個墓，墓碑剝落得模糊不清了。

「這是誰的墓？」我問。

「英雄的。」

「英雄被征服了！哈哈，英雄被死亡征服了！」

「胡說，閉你的臭嘴，英雄也是人啊。」

「哈哈，英雄當然是人，你以爲英雄是甚麼呢？他是人，他有甚麼權力殺人？哈哈，英雄被死亡征服了！死亡永遠征服了他……他征服了土地，土地却把他埋了！把他的骨頭都融化了！哈哈，哈哈哈哈！……」

「……。」沒有回答。

英雄的銅像豎立着，高高地；英雄的骸骨在墓裏，骨頭都變成粉碎。人們紀念一個殺了很多人的人，替他建立銅像，叫他不朽。但有一天，風吹雨淋，銅像消滅了，被歲月咬嚙而不見了。英雄的骨頭混進了泥土，成爲養料，在其上，長了幾株喬木和數堆雜草——永恒延續的生命把短暫的英雄否定了。然而，那需要更久的時日。現在，銅像仍舊高高豎在市區的中心。舉着劍，滿臉的怒容，髣髴還要殺多幾個跑到其下來瞻仰他不可一世的風采的人們。銅像有點蒼老了……。

× × ×

狹窄的小巷，矮矮的房子，兩旁門頂都是一盞一盞的綠燈（註），那些乳綠色的光芒突破了身旁的黑暗，如一隻一隻怪獸的眼。其下的門打開，從窗裏和門口漏出片片黃澄澄的光芒，灑在門外鋪石的路上。陰溝裏的污水，散發着噁心的臭味。和臭味混雜的是強烈的廉價脂粉香。燈光下，街上擠泊着許許多多的男人，打着如炬的眼搜索着。門口和門內，倚着的、坐着的、蹲着的、站着的都是些女人，由白白慘慘的粉，紅紅的蔻丹，俗不可耐的香水堆砌而成，或笑、或罵、或嗔、或嬲，衣衫緊綳，盡量賣弄那些稍稍走樣的曲線。

「來坐嘛！」左邊是一聲低叫，充滿了性的蠱惑。

「坐嘛！」右邊又是一聲。

「坐嘛！」

「來坐嘛！」

「你叫我進去座，做甚麼呢？」我在一個門口停下來，那裏倚着一個女人，手指夾着只剩一半的香烟，頭髮有一綹遮去了左面的眉角。身段熟透了，兩個奶子裹在窄窄的上衣裏，像兩個快爛的漿果，腰身細細，臀部在短褲中隆起，成爲一條飽滿柔和的弧線。她的眼半開半閉，充滿了倦態，也充滿了挑逗。

「來坐嘛！」她又低叫一聲，吸了口烟，慢慢噴出來，分明是聽不到我的話。用眼挑我一下，扭了扭蛇身。

「你叫我進去坐，做甚麼呢？」我又問。

「做甚麼？」她髣髴微微吃了一驚：「你不知道嗎？傻子！我們做買賣啊！你有錢嗎？」

「有，但你賣的是甚麼呢？」

她又吸了口烟，慢吞吞地吐出來，笑了，笑得那麼富於蠱惑性，使我怦然心動：「賣甚麼？——我們這裏賣的，你在別處買不到，我們賣的是笑啊！」

「賣笑？」

「唔，是的，賣笑。」

「我不買了，我不買笑。」

「傻子，來嘛，你來這裏幹甚麼的？」

「你們有淚出賣嗎？」

「噢！——哈哈，你要買淚嗎？」

「淚，你肯賣嗎？」

「我們早就沒有淚了：笑不用情感，淚可不成啊！……並且，也沒有人要淚的，淚是只有借的。但是，淚的債却需要用十倍、百倍來償還的啊！」

「……。」

「買罷，買一個笑，我們的價錢很便宜……。」

「不，謝謝你。」

我離開了賣笑之屋，周圍都是綠色的燈，擠擁的男人，我聽見方才那一位婦人正在我背後吃吃的笑着。

（註）台北市的娼妓家在門前得安裝綠燈一盞，以和平常人家識別。

母雞

（動物素描）

那一回不是過節時候，一個親戚送了一隻肥母雞來。也不是兩腿捆在一起倒提着，而是裝在大籠子的雞窩裏運來。問過大人才知道這隻雞不是送來砍頭的，而是搬家——「喬遷誌喜」。後來又知道這隻雞的來由是因主人搬家的緣故。而主人不忍殺之是因爲與這雞有多年的友誼。據說以往主人回家，雞竟然得得發出咕咕之聲，以表歡迎。

牠血統雖未經考證，然而一望便知是土生的。毛羽帶着雜黃色，步行時顯得有些蹣跚。這大約是因爲過了年歲，發福起來的緣故。

牠本來是安置在屋外的，後來不知怎麼竟跑進屋來。把牠趕走，却又上屋來。沒辦法，只好算是默許，把牠留進來。

不久以後，下蛋了。這期間，大家都很熱心照顧牠，牠也不怕生。餵米時候，並不把米撒在地上，而攤在手中，牠便在掌上啄着。下的蛋自然是被吃了，然而牠也不會追究。第二個仍然在原地方下蛋。

蛋下完了，便開始抱窩。「抱窩」有點像苦行僧，日日修身養性，躲在窩中。至於米，水還是用手去餵牠。牠一天大約跳出窩幾分鐘的時間，乘機便喝了。然而窩中沒有蛋，每日算是無業游民，浪費時光，該送進拘留所的。於是我們又想出一個方法：買了十幾隻雞蛋，放在牠窩內。這同時，把窩搬出屋外。這行動很顯明，同時還含有教牠自動出境的意思。因爲牠不會認得是誰的蛋。

小雞終於出世了，毛羽未乾，都躲在母雞翅膀下，人進來，母雞便很低沉的看着，發出警告。但這隻雞畢竟與眾不同，之後，牠也准人撫摩。而且小雞們也能跑，牠便引小雞出來，一路尋覓食物，找到了咕咕的叫，便含在嘴中，小雞放下後，一陣小雞搶了去。

等到了小雞大時，母雞小雞彼此都忘却了食物，爭而悲傷了一陣。以後又恢復了。有的殺了，有的死了，牠却仍然。以我們仍以貴賓之禮相待，一年一年地重複同樣的故事，直至牠有一次意外失蹤。

尤崇洵

玩新生

沒有明文的校風　○永昌○

近日報載港大學生戲玩新生，說是「盡除女新生衣褲及弄濕女生床褥，禁止女新生用電話」等等。其實惡作劇那有之，未若報載之甚也，據她說，舊生祇是不准新生十時後用電話吧了，外傳未免加油加醋云。

港大玩新生是一種西洋風，歷史已久。戰前有一年舊生三更半夜把新生用車載到天寒地凍的淺水灣（其時淺水灣尚未甚開發）將他們留在那裏，讓其自行徒步回校。更有一年舊生中有學工程的，把車子拆卸了，在新生房裏重新裝好，要不懂工程的新生自行把車子拆卸，否則房子便沒有空位給他們睡。更有一次新生中有一位是本港有地位的人的兒子，因爲拒絕被玩弄，給舊生從窗口拋下街中，弄至遍體鱗傷。

玩新生乃是大學生活的一部，港大當局雖然用校命禁止，此風未息，不過近年來玩法遠較往年溫和了。前年因玩新生有三個同學被停學三星期。這兩年更斯文得多，只是要他們在舊生面前自我介紹，請吃西餐，或請看電影吧了，有時也會叫他們把所有舊生的姓名念熟，不能說出舊生中任何一人的姓名，便要罰抄該名字一百次之類。較之近年來歐美各大學玩新生之猖獗，有如小巫見大巫，美國大學男生更有搶女生宿舍底褲，以接吻爲獎罰的。

我看只要玩得不太過火，玩新生實在沒有什麼壞處，還可使到新生知道團體生活。有些新生入校時，自以爲是個人物，而且氣勢凌人，先給他一個下馬威，挫他一挫，也頗有意義。據筆者所知，從前護士新生入校也「曾經此苦」；洋行職員也有被舊人挑剔一點的，新人每因此丟了飯碗。又如新律師畢業後要被老前輩挑剔，也往往於老前輩之下不敢發展，深恐觸怒老前輩，一個「杯葛」，前途荊棘就多了。

玩新生之風，是無需大驚小怪的，其實它給枯燥的社會增添一些趣，不好嗎？

自由人

THE FREEMAN

（第七九五期）

[illegible]

（半週刊每星期三、六出版）

每份港幣壹毫

督印人：陳克文

20 CAUSEWAY RD. 3RD. FL. HONG KONG

TEL. 771726

析中共的和談攻勢

鄭竹章

最近中共的和談攻勢，西方觀察家或許會認爲是突然的轉變，但對大陸動態稍爲留心的人，都知道這是必然的歸趨。因爲八月下旬中共的掀起砲戰，其目的乃試探美國對協防的態度，並無孤注一擲的決心。如果美國態度軟化，中共可能攫取金馬，以增加其在國際政治上講價的籌碼；如果美國不惜一戰，中共即乘機龜縮，重走談判老路。因此，九月六日中共一宣稱準備恢復華沙談判，我們即斷定金馬戰事已成過去，中共的一切備戰姿態，只在造成和談的條件而已。

和談攻勢的背景

從中共內部的政治、經濟、軍事等因素判斷，我們都認爲中共在此時此際，決不敢輕啓戰端。

在經濟方面：中共第一個五年計劃結束後，即接着搞經濟大躍進。大躍進之發動，雖由於毛澤東爲恢復鳴放運動所失去的威望所引起，亦多少企圖補救其第一個五年計劃工農業脫節，勞動力過剩，失業危機嚴重等流弊。故特別着重發展農業及小型工業。這一運動推行以來，大陸農工業產量雖有若干增加，但由於不顧客觀條件，主觀行事，強迫命令，在九個月中竟建起七百多萬個土法工廠。這些土工廠建起來後，原料不足，技工缺乏，大部份無法生產，形同廢物。而由於各部門胡亂改變生產計劃，整個國民經濟已陷入高度混亂。目前大陸經濟情形是：工廠缺乏原材料，交通運輸擁塞不堪，有一億左右勞動力日夜被迫搞土法煉鐵，民怨沸騰達於極點。這時候如果中共冒然發動大戰，其經濟的混亂程度，將不知伊於胡底。

在政治方面，自本年四月中共在河南推行「人民公社」後，各地幹部在一窩蜂情勢下，未經醞釀宣傳，即將原來農業合作社勉強合併，強迫人民吃大鍋飯。這一個直接關係五億農民生活的重大變革，竟然在半年時間內完成，其所造成的內部矛盾，實遠超過去任何時期。從最近二個月來大陸機關報所反映的材料，大陸農民的不滿情緒正與日俱增。如果在這時發動戰爭，大規模民變可能乘時蠢起，實無異自掘墳墓。

再從軍事方面觀察：儘管中共在沿海結集九十萬以上的兵力，並集中千架以上的米格機，同時推行所謂全國皆兵運動。但其海軍既不能與第七艦隊較量。其空軍自國軍裝配空對空飛彈後，更成爲軍刀機的箭靶，已陷於挨打地位。至於其對外誇稱的一億民兵，都是烏合之衆。何況民兵的主幹是農民，隨時可能倒戈相向，「全國皆兵」可能成爲「全國皆敵」。

在這種種因素之下，中共目前的情況是既不能戰又不敢戰，發動和談攻勢，乃其唯一可走的道路。

粟裕成代罪羔羊

這次和談攻勢的發動，很顯然地是毛澤東所主張。當九月初美艦開始護航時，毛澤東已覺察美國態度並不止於恫嚇。因而九月五日召開最高國務會議後，立即授權周恩來出馬發表聲明，變相向美國求和。九月八日毛在最高國務會議的講話中，厚顏地表示「對於中（共）美兩國在華沙即將開始的大使級代表的談判寄予希望」。並聲稱「如果雙方具有解決問題的誠意，談判可能會取得某些成果」。毛的這些講話，都充分流露出不敢一戰的窘態。到十月初國軍盛傳即將轟炸大陸中共砲位後，毛更加着慌。因而在其視察長江各省返抵北平後，即做出和談的決定。十月六日以彭德懷名義發表的「告金馬澎台同胞書」，無論從句法及語氣的判斷，可以證明是毛的手筆。而十月十三日彭德懷所發出的停戰命令，其文氣與風格，更足證這次的和談攻勢，毛澤東實爲主持人。

在中共內部，仍有相當有力的主戰派。十月十二日被毛下令免職的共軍總參謀長粟裕，可能即爲主戰派的首腦。粟裕曾任華東軍區及三野副司令員，長期負責攻台部署，時時均想挑起戰事以建立戰功。一九五四年中共叫囂攻台時，粟裕曾於是年七月三十一日在「人民日報」發表專文，強調「台灣一日不解放，是人民解放軍指戰員的恥辱一日未洗刷」。今年八月以後，粟裕即未在北平露面，可能係親自主持福建前線指揮部。而八月廿九日以福建前線指揮部名義發出的四封招降信，揚言即將登陸金門，亦可能是粟裕的傑作。由於這四封信只發表於香港共方有關報紙，而未見於大陸各報，反映這一決定事前可能未獲得中共最高當局的許可。中共當局可能認爲由於這四封招降信，才引起美軍的護航，使其陷入進退維谷的困境。因此，毛澤東決定掛免戰牌的同時，並以粟裕爲代罪的羔羊，調其更嫡系的將領黃克誠代粟裕任共軍總參謀長。

無論從彭德懷的公開信與停火命令的內容，以及在軍事緊張之際，撤換其總參謀長，均顯示毛澤東的手忙腳亂，毫無章法。中共內部的危機與矛盾，已因此暴露無遺。

毛澤東再遭慘敗

這次中共由砲轟金門，全國總動員，而自動停火，乃毛澤東繼鳴放運動後的另一次慘敗，這一失敗，反映三項事實：

第一、共軍內部對戰意見並不統一，彭德懷十三日停火令中，表示「有些共產黨人可能暫時還不理解這個道理，怎樣打出這樣一個主意呢？」可見共軍內部必有不少人認爲這樣下場太不光彩。毛的本意原想向西方國家作政治敲詐，而結果却弄得一場沒趣，自墜威信。

第二、俄共對這次中共的軍事行動，係採取袖手旁觀態度。儘管赫魯曉夫一再向艾森豪施行書信恫嚇，但對中共的軍援却並未劍及履及。國軍使用響尾蛇飛彈後，中共即束手無策，可見俄援並不積極。毛澤東這一不光彩的下場，與俄共的冷淡態度有極大的關係。

第三、中共目前不但無力進攻金馬，而且深懼國軍轟炸大陸。在當前情勢下，只要國軍飛機能轟炸沿海各大城市，及重要交通幹線，對大陸政治經濟將發生極大衝擊。不但其經濟大躍進要破產，人民公社無法鞏固，而且可能激起大規模民變，眞正揭穿中共的紙老虎。

對中共這次的和談攻勢，我們認爲這是毛澤東在無可奈何下的一種下台措施。我們不相信二週期滿中共會再次變卦。目前我們應採取的方針是，繼續鞏固金馬的防務，並隨時準備給中共以更大的打擊，只要認清局勢，堅持立場，中共一切挑撥離間的手法，將無所施其技，其和談攻勢，亦將自趨破產（十月十三日）

半週述評

關於削減金馬守軍

關於金門「停火」後美國是否勸台灣削減金馬守軍一問題，曾經引起不少疑慮。茲可從十四日杜爾斯答記者問中找到了解答：

第一，減少防軍，根本是一個中華民國來決定的問題。美國不願人家說它正在逼使中華民國做一些違反其本身更佳的判斷。第二、美國防部長訪台，是在尋求一種辦法使減少在金門的守軍援額，以交換火力的加強。第三、這是一個兵力部署問題，問題在于：是否保持現有駐在金、馬的人數較爲有用，還是改在台灣配置更多的兵額，遇到緊急情勢，可有更大的彈性和更大的活動範圍？

這三點，如果眞的代表美國的態度，自美國協防戰略上看，固然成爲一個問題；但自基本原則上言，我們不明白爲什麼應付一種侵略的挑釁，一定要限于防守，如果事實上「站着挨打」不是戰略，需要以攻爲守的話，爲什麼一定要採不利的防守戰略。由此不能不懷疑沒有正確的基本原則，能有好的戰略？韓戰不是可以爲訓嗎？

韓戰就是一例

韓戰之不能懲罰侵略者，就是戰略失敗于沒有基本原則，所謂「有限度戰爭」就根本不是一個戰略，軍事天才如麥克阿瑟，也不能打出一場像樣的戰爭。

後之視今亦猶今之視昔，如果美國不能堅持一個積極制裁侵略者的基本原則，根本就無法有個取得眞正勝利的戰略。

美國光注意戰略

我們要提醒美國的政治家們，艾森豪上台前博得自由世界喝彩的大原則——「解放鐵幕後被奴役的人民」，已在共黨「和平共存」的催眠下逐漸印象模糊，以至被遺忘，以往不與侵略者坐下來談的原則，今天有華沙談判，停火談判一類行動給自我否定了。結果美國在自由世界盡了不少力量，但這些力量，似乎盡廢在七零八落沒有原則的應付中。

我們却應堅持原則

如果說原則，「撫慰侵略者」似成了目前美國的原則，但這原則基本上與我們復國的原則相去甚遠。在這個「美國原則」下，任何一種「既成事實」，不管是倒霉者活該倒霉。更不幸的這一連串的「既成事實」，犧牲都屬于自由世界，如匈牙利，如伊拉克，今天可能輪到金馬，以後說不定及于台澎。雖然杜爾斯公開聲明「不做放棄人民的事」「不會和中共拿這些島嶼當條件做一筆交易」，但他也明白說出「根據中美協防條約，不會變成從各離島發動的對中國大陸的『挑釁』或『侵略行動』」。杜爾斯似乎忘記了，以攻爲守也是一種戰略而非「挑釁」，中華民國反攻，更不能以與「侵略」並提，尤其是依「中華民國更佳的判斷」，絕不能永受美國的牽制；否則守台灣根本失其基本意義了。

高潮與低調

由此看陳院長之表示「前哨軍力不容再削減」的立場，固然值得喝彩，但台灣祗有一兩個報紙敢于說「要求：若中共恢復炮轟金門，則轟炸大陸」（據本報台灣通訊），這無形中台灣在軍事上戰意達于高潮中，政治上顯出有一種異乎尋常的低調。究其原因，美國雖說「不願給人民一種印象，以爲美國正在迫使或計劃促使中華民國做一些違反其本身更佳的判斷的事」，而事實却不容否認是如此。

中共「停火」與美大選

中共之再宣佈「金門停火兩週」後，爲期恰在美國大選趨于白熱化的階段，可能不是不謀而合。今假如在美大選期間，中共再恢復砲轟，這可能會不會爲了競選的目的而更有所顧慮。這可能的危險是：白宮爲了「美國利益」而對協防上示弱。那麼，我們該準備將如何自處。觀于美國兩黨間的競選宣傳，不是正在以台海局勢爲資料嗎？尼克遜的辯護聲明，已開始了這論戰，美國記者也在以此問杜爾斯了。在這一段期間的中共動態，是大可注意的。

。林伯雅。

從大陸革命暗潮看「停火」

俄軍調集遠東是否支援中共軍整編？而香港共幹正爲共軍將校下放起恐慌。從這角度去看金門「停火」，也許可獲得結論。

香港的中共分子現正爲大陸上一連串事態演變，感到困惑。他們懷疑：有什麼理由要讓「天津警備司令員」楊得志（上將）下放到連隊去當兵？其他「人民功臣」郭華、杜平、黃永勝、許世友等也都下了連隊？「新華社」不遲不早把這事揀在十月六日彭德懷宣佈「金門停火」後發表。他們認爲十二日「停火」期滿，十三日晚報頭條新聞必然刊出中共恢復砲轟消息，結果十三日早報即已披露彭德懷「再停轟兩星期」消息。於是，正如彭德懷所說：「不懂，不懂，不懂！」他們過了許多時後依然不懂。

中共在港幹部們對於他們上級的指示，本來就不必去懂。但他們偏偏不理會「如何打開沉悶的戰局」，反而要懂得大陸上的戲劇化演變，因而意識到大陸上可能湧現出一九五六年匈牙利的大悲劇。他們在心理上不能不爲自己的退路起了恐慌。他們會想到做了「人民功臣」的郭華、楊得志等的下場，獲得深切的教訓。於是，他們私下檢討了大陸上當前的「嚴軍局勢」，認爲：「人民日報」發表「楊得志上將出於自願到連隊去當兵」，那決不是出於自願，可能的原因有四：一、楊得志曾經在郭華出任「援朝志願軍」司令員時，以「援朝」聲勢懾服西方民主國家，中共力圖進攻金門台澎，幻想再以楊得志出馬，特別是美國第七艦隊；因而二、楊得志無意再領兵打仗，不如自動下放到連隊去，與其在任忍受鬥爭，不如捨棄；三、階層對他懷疑，但他們又一轉念，覺得第三點並不可能，而連想到四、現在中共中央大規模動員組訓民兵，顯示中共中央對「解放軍」已喪失信心，只有倚靠盲從的民兵，強迫楊得志以上將的號召力，在新編的「民兵師」中當一名上等兵，或以鼓勵士氣。其次，他們對郭華（上將階）、杜平（中將級）等二百一十八名共軍高級頭目作了檢討，從鄧華由北韓率「援朝志願軍」指揮作戰，及卸職，「視察東南沿海」至十月五日被遣赴連隊經過，而確定了三點可能：一、東北地區中共軍區可能已在十月五日之前，全部由俄軍（馬林諾夫斯基所部）接管；二、彭德懷可能調他們赴東南沿海地區部署，對金、馬發動攻勢，由於不滿俄軍（包括了二百一十八名將校）粉碎了他們獨霸東北幻夢，忿然請下放當兵，或三、中共根本不信任老弱的「解放軍」，把「解放軍」遣散，強迫這批將校當兵，向「民兵師」學習。他們由此推測中共已將東北軍權轉移俄軍。支持這一點的唯一理由，係八月二十三日共砲轟金門之後，東歐鐵幕附庸國俄軍分批向遠東調集，而目的不在支援中共，係支援中共整編部隊，緊張局勢，以免國軍一旦展開反攻，「解放軍」不戰而降，故利用民兵打先鋒，比較可靠；於是，他們想到非「停火」措施不可。對於十月七日突然公佈的將校（包括了東南沿海各地共軍頭目）第一批報了名，南京地區（包括廣州地區）部隊黃永勝（上將）等的五百七十多個別申請，經過了長江流域各地的部隊，經過官中，有許世友（上將）等將軍三十名。這些「新華社」所發，在大陸上大張旗鼓宣傳，香港的「大公報」等機關報所「不予採用」的新聞；只有一家非左非右更非中間的晚報披露，它的標題是：「韓戰兩總司令鄧華、楊得志下放去當兵」。這一段新聞內文特別強調「新華社」報道而沒有引起自由世界重視的消息，他們却認爲大有文章呢？他們以「正如台灣所說的『大陸上要起革命』」作了結論：「俄軍必然鎮壓，不消說，會在他們面前湧現出一幅慘酷的景象。」

彭德懷十二日所發命令，其中有謂：「……要打就打，要停就停……」，如果他們「內部不攪好」，仍將再度延緩「停轟」時間。究竟反映什麼具體的事實？中共內部確是有了問題，鄧華、楊得志、黃永勝、杜平以及昆明區秦基偉等高級軍官下放當兵之後，粟裕（「人民解放軍總參謀長」）也垮了台。這些情況，如果把它解釋作中共領導階層懲罰進攻金門不遂的措施，並不是適當的答案。不管中共軍事部門有何矛盾；重大改革，已是無可否認的事實。這種改革，希望在彭德懷下令「停止砲轟」期間迅速而「滿意」的成功。大陸上會不會乘此機會起來革命，與俄軍是否一如對付匈牙利人民那樣鎮壓，是另一問題。從這角度去看彭德懷一再宣佈「停火」，庶幾可得答案。自由世界如果不談解放鐵幕內被奴役的人民則已，否則此刻又到了有利的時機。

祝修衡

有感於「文藝獎金」者

請教育部取銷之以保持作家尊嚴

○華民一○

自由人報七九〇期史閒芝先生「詩文之諱」文中，述及教育部的「文藝獎金」，本年已有二位「文豪」開始活動提名與爭取審議委員的選票。不惜把出版的「大作」——小說，大量分贈，乞「造」佳評。吾人不禁感慨萬端，略爲抒述。

教育部設置「文藝獎金」以來，每年給獎一次，可是也一年一度非議雀起。有些人認爲「中華文藝獎金」專獎年青作家，提倡新文藝，「教育部文藝獎金」專獎老年作家，提倡舊文藝。此說雖不中亦不遠矣。像「李陳詩案」，李辰冬批評陳含光的動機，態度等等，可以不論，至少可以促起教育部對於提倡新文藝抑舊文藝的基本問題，弄清楚些。

再不妨以「諾貝爾獎金」爲例，其所以很少非議者，因能慎重審選作品，亦不問送審者之國籍、人種、政黨、年齡……，是好作品就得獎。

至於教育部的文藝獎金，就幾年來的得獎情形言，不外是須有什麼委員幾人推薦，簽報有無，與黨國有功否……等爲條件，嚴格地說，這些與「獎勵好作品」的旨趣，了無關係。實則，好作品的價值是客觀存在的，不能憑選幾個委員主觀意見先加決定，否則予人以：若與委員們沒有關係，即使是當年傑作也祇好向隅之印象，焉謂之公平！幾年來的得獎人，大多是五、六十歲的人，如果以年齡決定應否得獎，作品可以不必審選，則何勞師動衆辦什麼呢？究竟教育部是政府機關？還是政黨機構？如果文藝獎金的設置其旨趣是爲獎勵好作品，就應該廣爲徵求，慎審品評；不應受諸多無形的條件限制。否則徒然使得作家間爭攘不已；既不公允，復多非議；應否取銷「文藝獎金」似值得考慮，因爲張前教育部長的作風，是「笑駡由他」，所以也根本無人願意多所置喙了。最近兩位「文豪」的活動，原不自現在始，宣傳工作已經有大半年了，「造」佳評一事，在半年多以前的本報上早已見過，不必再多費辭。

文人、知識份子爲人做事，竟發展至一如政客官僚，說起來也是令人寒心的事。我想教育部取消這項獎金，給文人、知識份子多保留一點尊嚴，也比讓他們爭攘來得有意義吧！

談到台灣的糧政

○莊王○

台灣通訊

最近立法委員們在財經秘密會上就台灣省糧政積弊案提出質詢，認爲目前糧政數字不清，管理不善，損失過多，弊端叢生。俞行政院長陳誠當即表示，將予徹底改革。這條新聞已經九月廿四日台北徵信新聞刊出，當然不成爲一件秘密的公事了。談到這個問題，筆者也願從十年來的台灣省糧政說起。這個，試把功過分開來說。

從糧政主持人說起

台灣省糧食局長李連春，在執行政府所定的三七五減租和耕者有其田政策上是相當賣力的。但我們絕不能以他有這麼一點努力，就只如聖人所說的「隱惡揚善」。

我們首先說李連春這個人吧，他是舊日本加藤株式會社一個糧食買賣公司的部長（相當於普通公司裏的襄理以下的一小部門的負責人），不是攪財政經濟學科，也沒有學習過農業。他是在台灣光復陳儀主持省政的時代出頭的。

本來中央糧食部派員來台接理糧政，而陳儀當時自有一套，預備往往把部派的大員打入冷宮，但陳儀又發現自己的人還不能順利推行糧政，正欲覓一本省籍人士溝通政府與地方及農民之間的感情時，李氏就由轉輾介紹進入糧食局，先任督導員，並由一個日據時代留下台灣農民糧戶底冊的小職員某某手上取得該分底冊，使他後來一帆風順，辦了十一二年的糧政。

在這十一二年，李氏辦理糧政的方法，幾乎都是循依日本人的舊規。他也不讓兩位副局長（林振成、何煥帆）得分勞。他不能信任人，而自已的才力又有限，以致大事一月，小事一季還不能見諸實施。然而他卻非常注意生產統一數字，他懂得上司的心理——愛聽增產！於是他每年都有一個新的增產數字。這個數字眞不眞實？準不準確，我們可以借用立法委員們的質詢來加以說明。

借立委的質詢來說明

立法委員們說他管理不善，損失過多，那是指他委託農會代管糧食，和一種收購甘藷……等等措施的失當。把糧食委託農會及大戶代管，在糧價上漲時，他們盜賣了，到糧價下落時補進，從中漁利，有的斷絕補不進的，結果演成訴訟，這種訴訟案件，差不多每一個縣市（甚至每一個鄉鎮）都有許多起。四十三年一次清倉，竟發現倉中上層是稻谷，下層是穀殼。除了盜賣套利者外，還有保管者故意將壞谷換好谷，造成公糧蒙受價值的損失。

這些弊端，他知道，卻無能妥善制止，爲了保全職位，他也盡量隱藏事實，最爲嚴重的是他收購甘藷放在倉庫裏腐爛，然後設法一筆勾銷。

到目前他經手已有六萬公噸的數字而沒有糧食，現在雖是呈准上級着手清理，除非做假，這六萬公噸的糧食要從什麼地來彌補呢？

想到戰時需要糧食

看來台灣海峽的戰事可能發生。糧食在戰時物資中佔着最重要的地位。爲了將來軍糈民食不致匱乏，我在這裏提出下面的幾點：

（一）政府必須掌握實有糧食，這是說，我們不能空空泛泛掌握數字，數字是不能吃用的，糧食才可以供食用。要掌握糧食，我們首先成立公倉，收回自管，農會只代征收、收購、糧貸、棉布換谷、肥料換谷……等等業務。

（二）加強保管制度，每一粒稻谷是農民血汗生產出來的，我們絕不容人無故損耗。必須建立一個有系統的科學的保管制度。

（三）改良耕種，十年來，台灣糧政當局一逕在呼生產增加了，但卻很少注重改良耕種。這早已不是秘密了：台灣目前的糧食生產受了一定土地的限制，顯然已經到了飽和點，若不及早改良耕種，台灣人口繼續不斷增加，不僅將來沒有糧食外銷，恐怕日後連內銷都不夠了。

（四）開拓新耕地，開拓新耕地的工作，目前雖已經在蝸牛式的進行，但這種進行卻不能抵銷都市的迅速擴展，把耕地用地，很明顯的事實，年來耕地越來越減縮，這也是等於糧食生產數字的減少。

我們知道有許多都近郊市的土地都實際改成魚池兩三年了，但它們仍然按耕地在納田賦，像這種田賦的糧食，就不是實在的糧食數字太多，太多。

我坦白的說了這些話，也許無意中開罪少數人，但也覺得不該不說出來。好在立法委員們已經向政府提出當前糧政的質詢案，而陳兼院長又堅決表示過要徹底改革了。請拭目觀其後。

印尼華僑的呼聲

下面一封信，是印尼耶加達自由華僑中一位極有地位的人士給香港文化界的。該函備述印尼自由華僑所受迫害的嚴重，並呼籲自由中國當局及全球各地華僑從速聲援。特將原函發表如次：（編者）

××兄：

好久沒有寫信給你，想近況良好爲頌。對印尼局變，料兄比弟瞭然，蓋港報對印尼消息報導較詳，不像此間實行新聞封鎖，一切僅由軍方發消息。目前我看政府處境日非，經濟既受打擊，軍事亦一籌莫展，民心更不待言，而叛軍似乎在爭取時間，其勢力有日益壯大之勢，如蘇西軍要市鎮實武牙，上週爲叛軍攻佔，價要物資被搬走一空，政府軍損失慘重，誠給宣傳勝利之政府軍方面一大諷刺。

而對今日情勢自由華僑頗感不安，尤以爪哇島爲然，蓋印尼政府既左轉，而毛幫黨徒復大肆造謠攻擊，欲置自由華僑于死地，如與中共大使館往來甚密之耶加達市地方軍事掌握人，竟下令登記國民黨員及五十二個自由僑團，而陸軍參謀長又下令解散親邦交僑民之組織，一步緊迫一步，一切欲以對付荷僑之手段對付自由華僑，一切均欲迫華僑赤化，我以爲全世界自由華僑，應即起作不平之鳴，以言論與行動嚴重抗議這種行動，藉以挽救自由華僑之命運。

我以爲印尼政府所以先施苛令于耶加達，乃欲先試探海外華僑與自由中國之反應如何，如四處一片抗議聲可能適可而止，否則此苛令可能變本加厲，並擴大施于全國，所以今日印尼自由華僑皆特別向自由世界提出下列之希望：

（一）我們呼籲自由中國政府，應重視印尼之排華行動，應視爲一嚴重事件，蓋一切皆由中共在幕後操縱，中共怎樣計劃印尼政府便怎樣實行，一切似乎在配合中共對金馬之攻擊行動。自由中國應嚴重警告印尼政府，應向聯合國提出嚴重控訴。今日我們在聯大的席位，仍是一個五強之一的地位，爲什麼我們政府當局不爲印尼自由華僑發言，救發言：自然引起正義上的力量，阻止印尼這種無理性的行爲，反之亦可安慰在印尼一百餘萬自由華僑，認爲我們雖處危殆之境，尚有一個關心我們的政府，我們不怕任何的危險與威脅，只要自由中國政府能替我們提出嚴重的抗議。

（二）全世界的自由華僑，應該一致起來，表現道義上的力量，抗議印尼當政者擺脫自由華僑之行動，因這種行動無異模仿法西斯作風，無異走上比殖民地主義更凶的道路，這種爲中共作幫兇的姿態，全世界自由華僑應該聯合起來控訴。

（三）我們特地呼籲自由世界的人民應迅來作道義上的援助，應制裁印尼當權者摧殘自由華僑的行爲。

我們相信唯有發動自由世界道義上的力量，才可挽救印尼自由華僑的命運。

弟希望兄能促香港文化界呼籲自由世界的華僑聯合起來響應，給印尼自由華僑作道義上的支持與援助（下略）。

弟×××謹上

（十月五日耶加達）

中法庚款質詢案是怎麼回事

——台灣通訊——

○章焱○

上月廿六日立法院第二十二會期第四次會議時，立委李文齋提出中法庚款問題，以春秋責備賢者之態度，對負責人李石曾，作無情之質詢。李石曾氏爲黨國先進，一生從事文化教育工作，貢獻甚多，頃逾七十高齡，爲愛惜令譽，應即乘有生之年，表示清白，公開帳目，政府亦應派員徹底清理保管。

該案內容如何，退爲人所欲知，茲覓得李文齋提出書面質詢原文，摘錄於后：

「根據民國四十六年七月教育部所編第三次中國教育年鑑，法國退還庚款餘額折合美金七千五百十五萬餘元，案照中法間換文規定，其中大部份借與中法實業銀行，作爲該行發行五釐美金公債基金，而由該行每年付與中法教育基金委員會美金二十萬元至二十五萬元，替代利息，俾充中法間教育事業之用，此爲中法教育基金委員會管理之法庚款第一項收入。又該行以所發行之五釐美金公債券所換回之遠東債權人所有無利債券，票面四億五千六百萬佛郎，亦陸續交付與中法教育基金委員會，俾充辦理中法間有益事業之用，此爲中法教育基金會管理之法庚款第二項收入。

上舉中法教育基金委員會兩項收入：其第一項自民國十五年至十八年，每年收到美金二十萬元，十九年至二十七年，每年收到美金二十五萬元，總共收美金三百零五萬元，其第二項自民國十九年至四十年所陸續收入者，當共爲一億八千餘萬佛郎。四十三年五月三十一日，教育部呈報行政院文中，曾謂：『中法教育基金委員會所有基金，除中法實業銀行所存無利債券二億七千五百八十萬佛郎外，是否尚有其他存款，應由我國代表團（指中法教育基金委員會中國代表團）查明報告。』四十三年五月三十一日以後，該會中國代表團[illegible]

管理法庚款之中法教育基金委員會，其中[illegible]在名義上主席爲現方旅居美國之李書華先生，但實際上一手包辦其經濟支配權者則爲李石曾。（由附件一至三中益可證明）四十六年八月四日台北自立晚報社論中曾指出「此老會染指故宮的古畫，並主持庚子賠款一部份的度支事宜，全無賬籍，以至『無』『籍』而終」，所謂『無』『籍』而終」，似係指其化公爲私而言，本席最近曾獲見下列三文件，尤堪證明。（證明文件從略）

此案現正在送請行政院處理中，惟同性質之中英庚款負責人朱家驊，（即中英文化教育基金會理事長）最近亦以年事已高，請另選賢能，或將該會結束，中英庚款過去用於文教者甚多，而撥款協助建……

新聞隨筆

強硬和不退讓

十四日，美國務卿杜爾斯在記者招待會中，就中共再度「停火」發表聲明，我要點如下：一、希望中共「停火」延續超過二星期；並不認爲目前的「停火」是可靠的；二、他已能認清中共的最後目的是攫取台澎，和趕走美國人；三、基本上美國不贊成把金馬交給中共；四、美國也未與中共對削減金馬守軍；同時也不擬對國府作任何壓力；五、如果台峽出現可靠停火，局勢會有可觀的改變；六、美國正在華沙作強硬的談判；七、他認爲中共沒有固定的立場可資美國信任；八、他也認爲金馬問題是內政問題，現局勢已見緩和，不擬提出聯合國討論。

除上述各點外，尤值得注意的是，杜爾斯說：美國大部份盟國——[illegible]——都贊成美國對付中共關於金馬的途徑：強硬和不退讓。（當然包括英國在內）

強硬——美國已自認在華沙做到了；不退讓——國軍也已在金門（和馬祖）做到了。而這樣的策略又是爲大多數反共國家所贊同的，那麼，千言萬語歸總一句，今後就全看國府的既定政策能否堅持下去了。祗有不退讓，才能使美國強硬起來；祗有不怯戰，才能激起更多反共國家的同情和聲援；才能使中共的步調錯亂。也惟有不退讓，才是中華民國的唯一出路！

○金葉○

金門「停火」的幕後

文鑑。

中共宣佈停止對金門砲擊，是在本（十）月六日實行的。可是，它的聲明還未滿二十小時，卻有俄製米格機八架，先後分三批侵入金門上空，企圖掃射和轟炸島上軍民。尤其是十月十日，正當海內外同胞熱烈慶祝國慶之際，中共米格式機二十一架，又向馬祖上空發動進攻，結果被我國機擊落四架。這是台峽停火後五天來，中共第二次的挑釁行爲。其所謂「停火」聲言，顯係謊言詐術。

因此，金門前綫雖暫告沉寂，但是金、馬當面的共軍，自六日迄今，日夜活動頻緊，車輛運輸，大量增加，顯然是在所謂「停火」的陰謀下，正加緊備戰。尤其是馬祖當面的共軍，除忙于構築工事外，並有數以百計的機動船艇集結于溫州、瑞安及珠江，待命向金、馬進犯。自北菱半島沿海岸綫約十五里的海岸綫，共方的大砲估計約在一百門以上。自黃岐坑福州的公路，經已暫告停開，但共軍來往，馳騁于第一綫的，絡繹不絕，顯示共軍備戰甚急。由於馬祖在福建省的閩江口，東臨台灣海峽，南當白犬列島，北接北菱；北頻連江，與海洋航運的必經之地，可以完全控制閩江口船隻的進出，對中共以福州及馬尾爲進出口岸的貿易與運輸，實有決定性的影響。同時，並可制壓中共以福州、馬尾用爲侵犯台灣的一切陸軍及海軍根據地的活動。因此，馬祖一地的面積雖小，而在目前台灣海峽中所佔的地位至爲重要。

情報閒話

中共藉停火備戰

事實上，中共一面在台灣海峽「停火」，一面又在高叫「中國人民決心『解放』台灣及其他島嶼，不容許外國的干涉」。本月七日陳毅于「東德大使」紀念「德意志民主共和國」第九週年招待會中所說的話。

△左翼作文士說：彭德懷的命令，「其影響之快如閃電，其雷霆萬鈞之力，震動了全世界，震撼了台灣………」。實則世人當知金門承受了四十餘萬發砲彈，照計每人約挨了四砲，其乃姑可謂「萬鈞」；「震撼」則難爲吹牛，至於中共慘無人道之聲譽，卻眞令全世界爲之震動了！

××××

△「新晚報」關連前綫的消息說：前綫砲兵部隊黨委，正在發動砲兵寫論文，寫標語。我讀後不妨提供一些參考資料：四十餘萬發砲彈中，有幾萬發是未開花的；一共殺傷了軍民二百餘人；毀了一所醫院，還有一所小學。如此而已，如此而已。

××××

△一年一度的「出口交易會」，十五日在廣州開幕，中共大事宣傳可以大做生意。不過會做生意的人，也一定會打算盤：何不算一算轟在金門的四十多萬發砲彈價值幾何？抵多少鐵頭，抵多少番薯！

××××

△中共宣傳機器最近說：印度洋屬印度洋人所有。美國不應組織第五艦隊威脅該地區和平。其實，這話理應出諸印度洋沿岸國家之口纔對，因爲只有這些國家才瞭解是否美國在威脅和平，今則中共強自出頭，眞是底事干卿！

××××

△五星旗在日本已三次遭劫，中共暴跳如雷地指岸信介內閣是「眞正罪犯」。我寄語毛澤東：岸信介既是你們眼中的罪犯，而且又「一貫採取敵視」的態度，何不「打一些砲」或另行發佈「懲罰」他一下呢？

•不懂齋主•

馬祖當面的共軍部署

據較早的消息：中共在馬祖當面地區的軍事佈署，係以第十兵團的第二十八軍爲主力部隊；補助部隊則爲建甌地區的第八兵團第二十四軍，及駐莆田的第八兵團第二十二軍。關于共軍在該地區分佈的情形是：（一）第十兵團司令部駐于福州。（二）第八兵團司令部駐建甌。其中第二十四軍軍部駐建甌。餘分駐于建陽、浦城、水吉、南平、沙縣、三元、永安、建甌、古田、福州、連江、清流、長樂、平潭、福鼎、羅源、霞浦、福安、寧德、莆田、仙游、惠安各地。（三）福州海軍基地司令部駐福州——第四艦隊所屬的一部艦艇，分駐霞浦、福州、馬尾、莆田各地。其實力較優勢的東海艦隊，約有三十五艘軍艦悄悄南移，現已開到馬祖北面的三都澳。同時三都澳附近，還有魚雷快艇五十艘，機帆木船五千至一萬艘。目標似在馬祖。（四）馬祖對面的福州、龍田、澄海及連城等地機場，除駐有中共空軍第十二師飛機外；同時在這些機場，及新建成的橋頭機場，還分別駐有五十至七十架俄製米格十五和十七型噴射機。

不能長久支持消耗戰

中共砲擊金門，原不外三點作用：第一、企圖牽制美英當時在中東的行動；第二、企圖闖入聯合國；第三、企圖迫使自由中國撤退金馬。但自八月廿三日開始砲擊以來，共方已先後消耗將近四十五萬發砲彈，卻仍未撼動金馬的守軍。而每顆一五五口徑榴彈砲砲彈的代價，約值美金一百元上下，共計約爲四千五百萬美元。同時，照兵器學上說，每門軍砲或榴彈砲的壽命，通常在發射八千至一萬發以後就算完結了。若以四十五萬發砲彈計算，共方至少有五十門大砲，已經完全變成了廢鐵；加以國軍砲兵的還擊，又毀壞共砲的二十門以上，計爲七十門大砲，每門的代價約值美金一萬元上下；連同砲彈價值，則不下四千六百萬美元。若以「人民幣」三元合美金一元計，那末總計爲一億三千八百萬元。在這一短短的六個星期中的消耗，已經如此龐大之數字，若長此下去，中共怎能支持呢？特別是最近美國在遠東集結強大的原子攻擊力量，米格機根本不是對手，因此，中共最可能的動機是停火，而向俄請援的待補充後，相信中共的侵犯行爲，今後會捲土重來的。（十三）日中共又宣告「延期停火」兩週，也可作如是觀。（十月十三日）

國際動態拾零

△英外長勞合，在幕後安排杜爾斯與周恩來面的會談，藉以解決遠東問題，並要求聯合國秘書長前往北京，來安排此一會議地點與時間。

△英美在中東協議，如英國在波斯灣油礦地帶被攻擊，美國即給以物質援助。以後美國當局鄭重聲明，物質援助，含義甚廣，但不包括戰爭在內。

△四星期前，在蘇聯亞美尼亞，墜毀之美運輸機，其飛行員可能用降落傘降落至土耳其境內。但美土當局，緘口不言，認爲此時不宜討論是事。

△哈馬紹正向納薩提出嚴重警告，謂開羅無綫電台，攻擊約但與西方國家之聲，亟宜立刻禁止。

△莫斯科有一位聯共要人暗示，在明年一月召集廿一屆共產黨代表大會上，赫魯曉夫擬對史太林鬼魂，作一次的鑑風。爲的是藉以打倒其少數尚據要津的敵人，而被認爲史太林派之主要分子，即爲蘇斯洛夫。因爲蘇氏會被認爲第一號蘇聯頭子，爲赫氏最危險的潛在敵人。

△各國外交使節在北京，最近頗被冷淡。中共因爲亞非中立集團使節，對其反美與喊攻金馬，漠不關心，不肯助威，大肆不滿。

△伊拉克已要求英國，關閉其飛機場，且于本年內，將宣佈退出巴格達公約。

○陶然○

中共低了頭，我們怎麼辦

十月十三日彭德懷的延長停火兩個星期的命令，不用說，一如吾人所預計一般的低頭了。

不過中共這次的低頭，也有其突兀之處。從九月六日周恩來所發表的要與美國坐下來談的聲明時起，其姿態一直是以硬的做作，來掩飾軟的企圖，造成了一個曲折的過程。而這次，卻急轉直下，使人明顯的感覺到是讓步，與前一階段的做法有着顯著的不同。

中共所以在台灣製造緊張局勢的目的之一，是爲着要把大陸的勞動力組織起來，以軍事系統來推動大躍進。但是，這種民兵的組織至目前止，其發展是極不平衡的如：北平民兵佔該市人口的五分之一，上海佔十分之一，內蒙佔三分之二，一，四川佔二分之一，山東佔二分之一…這也就是說，中共藉台灣緊張局勢來組織勞武合一的勞動力的目的，並未完全達到，未竟全功而中止了。

中共所以在台灣製造緊張局勢的目的之二，是爲着要所有共產國家認識當前的局勢瀕于大戰的邊緣，從而作精神動員的準備；到目前止，各共產國家的領導人確實講了許多支持中共台灣海峽鬥爭的話；但是在這種講話的後面，除了北越表現得比較積極以外，其他共產國家卻絲毫沒有備戰的氣息；特別是像八北韓與東德，其行動的表現與八月六日「人民日報」社論所說的一般被和平主義麻痺了。這也就是說，要藉此來鼓勵各共產國家備戰的目的也未會達到；以致半途而廢。

最後，中共在台灣海峽製造緊張局勢的目的之三，是要利用自由世界懼怕戰爭的心理，通過輿論來壓迫美國讓步；不利于美國當局在台灣海峽行動的輿論到確實是引發起來了一些，但這些輿論並未能使美國主動的在金馬退卻；於是中共在這種目的將達未達之時，突然後退了。

十月六日，彭德懷的所謂告台灣同胞書」，基本上是要求與台灣和談，即使無法實現，也可藉其自己製造出來的和談氣氛，以作爲轉圜的根據；但是這種氣氛並未被製造出來，胡亂的斷章取義的拖了國府領導人的幾句話，如：「反對中美華沙會談」，「聯合國不應成爲交易所」等等，算是「美蔣各懷鬼胎」；由此而自說自話的又作出結論，認爲這就是所謂「愛國一家」的民族統一戰綫的基礎，可以共同以之來對付美國。中共這套手法在一九五五年時也會要過，搜集了一些歪曲港澳各報原義的章句，作了一篇報導，以證港澳輿論的贊同國府與中共間的和談。可是，這次做的與一九五五年的一次比較起來在效果方面來說差得多了；但中共畢竟在這種不成熟的「和談」氣氛下自動延期停轟了。

總結上述各節，吾人固可堅信其必然要低頭，但是，在時機方面，似乎應該再延遲一兩週才合理。事情之所以如此突兀發展，在我們的看法，主要的是由于其內部因素突然惡化所促成，——主要恐怕還是在經濟方面的不顧條件而大躍進的結果。

我們覺得，照這種形勢發展下去，台灣海峽的停轟，似乎也可能像其對美國的警告一般，長期地拖延下去；當然，這不能說中間不會出現再緊張的局面；大抵上以後將更趨和緩是可能的。

既然說，中共的停轟，與停轟延期，是出于其內部因素所促成，那末，自由世界各國似不必要急急忙忙的亦作出一種妥協的姿態。論者早已認爲，自由世界的行動對策，是隨着共產黨曲調起舞的，若要擺脫這種被動局面，現在正是時機。他們軟了，我們應該硬才對。否則，俯仰由人的日子是不會完的。國府若不在此有利期間來扭轉劣勢，前途是堪慮的。我們堅決反對放棄出擊大陸的權利，反對金馬撤兵；不但如此，必須以事實來否定，這種慕尼黑式的妥協，爾今爾后，只有，行動至上，出擊至上。

田心

自由人談

向美政客抗議

馬五先生

美國民主、共和兩黨人士，近來爲着國會議員競選關係，彼此互相指摘攻訐，而以台灣海峽戰局問題爲主要武器。

他們兩黨標榜的政綱政策，根本沒有甚末區別，祇把國內政問題作口實，藉以爭取選民的同情，攻擊政敵，因爲選民的心裏有數，不會聽信謊言的。若談外交問題，關於西歐方面的事，美國人亦相當瞭解，而且那方面又未有可以聳動聽聞的事件發生。只有中國問題，一般的美國人茫然不曉，而直接問題對美國牽生深厚的利害影響。拿對華外交政策來作爲選舉題材，即不妨信口開河，攻訐政敵的錯誤行爲。反正大多數選民皆莫名其妙，祇要一口咬定對方的主張是使美國冒戰爭危險，而本黨所提倡的策略則係和平主義，是使美國人民長享安全康樂生活的靈丹，這就行了。

例如民主黨要人史蒂文生日前在紐約發表談話，既說「美國固應堅守其維護台灣地區安全的諾言」，又謂「若將美國聲威寄托於事實上很難防衛的海島上，乃係一項可悲之事」。這話等於沒有說，而且自相矛盾，不知所云，用意就是欺騙選民以無知，表示民主黨是和平主義者，決不想像戰爭問題，請大家投本黨候選人一票罷！

竊者十餘年來，美國每屆選舉，即以對華政策爲爭權奪利的工具，而中國人即間接地受害一次，這是損人利己，不負責任的胡鬧把戲。實在可恥可惡！我們有理由向友邦這般政客們表示抗議！

「奇難雜症」

——海外讀「改詩趣話」

◦巾凡◦

讀居海外的巾凡女士，讀到「自由人」，給我們寫了這段有趣的往事，却也引起了人們對當年「復興關」上的不少回憶。（編者）

客居美國已十多年了。頭幾年在學校讀書時，還時常到中文圖書部翻翻中文書報，近幾年來，在美國機關工作；在夜校上一兩堂課，再加上燒飯洗衣娛樂等等的事，成天忙得不亦樂乎，除家信外，幾乎沒有用中文的機會，自然更談不上看中文書及中文報了。

今年我二弟自台灣來美國入研究院，他訂了一份「自由人」，隨時看完就隨時令我收「物盡其用」之效。「自由人」爲客居海外的中國人帶來了無限的故國風情與安慰；同時也帶來了無限的鄉愁與惆悵，方才讀到容翠羽先生的「改詩趣話」（七八七期第四版，九月廿日），不禁聯想到當年在陪都復興關渡過第一期自費留學考試後，在中央訓練團受訓時所聽到一段改詩的趣話。四星期的軍訓，在那時是留學出國手續的一部分。我們女生隊全體約三十多個人，成爲獨立分隊。有隊長及訓育幹事，最高的團長是現在的蔣總統，當時我們過着全部軍事化的生活。好在只有四個星期，大家都很「幽默」的接受這「有期徒刑」。臨結束前，獨立分隊還自己開了一次同樂會，有各種餘興。訓育幹事之一譚惕吾講了一幫詩醫的故事如下：

有一個人對於詩理很有研究，他能削肥增瘦，通滯化氣，於是掛牌行醫。他覺得杜牧詩：清明時節雨紛紛，路上行人欲斷魂，借問酒家何處有，牧童遙指杏花村，太嫌滿了，他主張刪去每句頭上二字，而成五言詩：

時節雨紛紛，行人欲斷魂，酒家何處有，遙指杏花村。

這樣不但意義相同，而且字句簡鍊得多了。

有一個人寫了一首頗爲得意的五言詩，向詩醫請教：

久旱逢甘雨，他鄉遇故知，洞房花燭夜，金榜掛名時。

他診斷後，覺詩意太弱，應該加強，於是改爲：

十年久旱逢甘雨，萬里他鄉遇故知，富貴洞房花燭夜，少年金榜掛名時。

還有一個人將自己的大作送到詩醫那兒去請教改正。這一次可就難倒了這位名醫了。這首所謂詩，是如此的：

亭釘掛景春，鬧笛竹我心，兇妻金釵假，肉頂金釵眞。

詩醫與詩人開了一次小組會議，作詩的人解釋這妙詩的來源：「我家後花園有一座亭子。亭子裏面掛了一幅描寫春天風光的圖畫。在園子的一個角落裏有一棵孤竹；我已久有心把牠做一支笛子吹吹。前些時二嫂生日，二哥送了一隻鍍金的釵子做禮物。「兇妻」就是「二兄之妻」的簡縮。我們詩人自然是求用字的簡練。上星期是我太太生日，我送了一隻十足的赤金釵子。她很得意的帶在頭上。「肉頂」即是「內人的頭頂」的簡練字。所以這首詩是我個人的抒情抒景及述事的詩。但很少人懂，所以特來向詩醫請教。」

詩醫聽了這篇妙論後，沉吟道：「閣下這首詩確有獨到之處。容我細加思考後再下結論。」半天後這位詩人接到詩醫的來信，在他的大作後評了四個字「奇難雜症」。

我聽這個故事的時間是一九四四年，地點在重慶復興關上。當年聽故事的人都不知分散到了何方？說故事的人從「颱風」中整了下來。假如她還青山健在，不知她還有沒有當年這種心情來談詩醫趣話呢？（一九五八年十月二日於紐約長島）

猶大不是魔鬼論

◦仁牧◦

世人往往把猶大看作魔鬼，爲的是他出賣了耶穌。筆者多年前讀神曲地獄篇，也參照了詩人維其略的指引下，穿過地獄，到達地心，所看見猙獰的魔鬼就是猶大。基督徒也相信猶大是魔鬼。這太違反了基督精神了。我們看看聖經新約中的若干段，再討論這一個問題。

馬太福音二十六章十四節起：「當下，十二門徒裏，有一個稱爲加略人猶大的，去見祭司長，說：我把他交給你們，你們願意給我多少錢。他們就給了他三十塊錢。從那時候，他就找機會，要把耶穌交給他們。」

同上二十七章三節起：「這時候，賣耶穌的猶大，看見耶穌已經定了罪，就後悔，把那三十塊錢，拿回來給祭司長和長老，說：我賣了無辜之人的血，是有罪了。他們說：那與我們有甚麼相干？你自己承當罷。猶大就把那銀錢丟在殿裏，出去吊死了。」

約翰福音十三章二十五節起：「那門徒便就勢靠着耶穌的胸膛，問他說：主阿，是誰呢？耶穌回答說：我蘸一點餅給誰，就是誰。耶穌就蘸了一點餅，遞給加略人西門的兒子猶大。他喫了以後，撒但就入了他的心。」

基督之所以成爲基督、十字架是最大的原因。如果沒有基督釘死在十字架上的事，就無從顯現出基督的偉大精神。很顯然的，耶穌知道自己將臨的事，更知道這事對整個人類重大的意義。早猶大出賣他之先，他便已經知道了。「他喫了以後，撒但就進入了他的心。」猶大這一個舉動，也得着神的默許，神要藉着他完成神的律令。猶大是人，不是神，免不了要受撒但的引誘——這連耶穌本身也不能免啊！——一時意志薄弱，信仰動搖，才會幹出賣人主的卑鄙行爲。

笑罵談

◦人木◦

「笑罵由人笑罵」，驟聽之下，好像是面皮厚得無可救。細想後，却覺得這話包含了許多人生智慧！「笑罵由人笑罵」，正如婁師德教他弟弟唾面自乾一樣，你說他面皮厚得可以，也可以，你說他聰明得不得了，也可以，全然是看你從那一個角度去看。

自然，世上嘻皮賴臉的人多的是。這是由於畸形社會造成的畸形生活，人爲了生活，各自創立了一套生活哲學。「我的生活哲學是拳頭」和「並且人與人之間祗有金錢關係，男女之間祗有性慾關係。」……等等。

每一個階層都有它們不同的道德觀。「黑暗怕光，所以躲避光。」它們每一個道德觀，也如與哲學和宗教的道德相去很遠，却無不盡量適合各別的生活，使生活變得容易過些。娼妓沒有貞操觀念，爲的是讓她們繼續生活；幫會中自有一套忠義觀念，爲的是幫會是賴此而生存。而不念你聽見某人被罵作「走狗」、「洋蔥」、「忘八」等等，無論要感到太大的驚訝的，他如果是走狗、洋蔥，即他的道德觀念中必沒有這兩個名詞，即使有，也不覺可恥；或即使是明曉得不對勁，也祇得裝作一副淡漠的樣子。我知道有人以做走狗洋蔥爲榮的，——這是笑罵由人笑罵的最普遍解釋，但我所要提出的是下面的一種。

如果別人罵你一句，你必得回罵一句；別人笑你一下，你必得回笑他一下，那麼整個世界都會變成笑罵世界了。

何況人多是自作聰明的，而希望別人也知道他是聰明的動物，當你的意見和觀點被他認爲愚蠢，認爲他的比你的高明，那你就非挨罵不可。

祇要你是人，無論你在何時、何地、做甚麼，都免不了挨罵的，祇不過有該罵不該罵之分而已。

我說「笑罵由人笑罵」是明哲的，祇是指不該罵的一種。從不聽說有人被狗吠一下，却倒吠狗一下的。不管三七二十一，一律反攻，反笑罵，那必然一無所得。記着：愛吠的狗，大都不敢咬人的！

金門高粱

◦小言◦

我雖能喝點酒，但絕不狂飲，總以欣賞的方式淺嚐即止以免失態。

記不起是那一年的雙十節，在一個聊天的場合，喝到了金門高粱，主人同時還備有台灣黃酒。高粱與黃酒，本是內地最普通的酒，但在座的朋友，也有六七年，不知高粱、黃酒何味的；於是不約而同的談起「酒經」來。大家皆以金門台灣出產高粱及黃酒而高興，乾杯之聲不絕於耳。

今年雙十節，適逢海峽緊張，中共向金門傾下了約近五十萬枚的砲彈，雖無多大損害，但不幸遭殃的也還有醫院和學校。祗不知那釀造金門高粱的酒坊無恙否？我不禁爲忠貞的酒友們，有一此問。

柳敬亭與杜茶村

道南

讀了十月八日本報第四版尤崇洵先生所寫的「關於柳敬亭」一文後，使我聯想起關于柳敬亭高誼的事蹟。在這個人情冷暖的世紀中，實在是值得一談的。

明末詩人杜茶村，是一位安貧樂道的君子，他的詩集，在清初是禁版，很難看到他的原本，可光以後，才有刻本行世，但亦不全。瀟齋藏有鄂石如手抄杜詩一卷，用小行楷書，密若蠅陣，畫法灑逸。曾由陳定山先生，將其「今日貧」全部發表於暢流雜誌，內中有二首，係與柳敬亭有關的。

其一

中秋日一粥，閉門睡矣，忽聞叫門聲，乃柳叟敬亭走力送酒，並青蚨一千，感而有記。

中秋無食戶雙扃，叩戶爲誰柳敬亭；兩送酒錢仍送酒，直教明夜也休醒。

其二

中秋明日，几上再見敬亭來札，封函下方，有八字云：「來人受賞，我受天誅。」始悟昨者仟銅逃去之故，不覺大笑，又成一絕。

多少封題讓太周詳，醉後重看笑一場；同入餓厚道，來人未免驚闔缺。

我們從杜茶村的字裏行間，想見其窮極的窘狀，中秋佳節，僅粥一餐，其他可以想見。但他並不諱言，很直率的道出窮相，語極沉痛而又幽默，其曠達，並且逸趣橫生。昔人所謂窮而無怨難，杜茶村的風趣，和柳敬亭的高誼，誠可謂相得益彰，他倆的交誼，也就竟乎尚矣。

抽烟者言

陳曉風

抽烟，樂事也，此所以有人抽；抽烟，亦苦事也，此所以有人戒。抽也罷，戒也罷，事屬各人自由，旁人管不着的。惟我以爲：既戒之，即不必復抽；既復抽之，更不必再戒。否則即犯了做人做事的大忌——不知擇善固執。

筆者不諱言已過，自入烟籍，也正是反覆無常的「抽抽戒戒……」之徒。好者，我不與聞國家大計，「反覆無常」，頂多自誤，不會誤人，自不會遭入非議。

話說我這回再度消戒之後，使我詫異的：一度中斷的癮復活之後，怎麼會來得奇大，且不屑與平民爲伍，偏得抽新樂園牌；竟想躋身貴族，取雙喜牌而代之。不過，初也只是在招待外賓，以及逢年過節，才會假藉名目「喜」一下。惟後以胃口吊上我就非「喜」而不歡了。

許多人假「喜」事斂財，而我則因「喜」事破財。難怪要引起主管財經的太座注意，她說：『此地何地，此日何日，你這樣提高享受，即使財源有着，也有背戰時節約……』接着她就說爲杜絕浪費，來個緊急措施：一、祇准抽新樂園，非必要——指招待特等外賓——不得喜臨門；二、兩天一包爲限，所需預算，按月份大小核實撥付；三、如擅自提高質或量，不僅不准追加預算，並即勒令戒絕。

烟費一受預算限制，「喜」事固不容鋪張，即連一般消費，亦難得其「樂」。爲救亡圖存計，首先想到開源，無奈書生無用，（寫稿雖可換錢，但我懶得寫，編者更懶得用——一笑——故寫亦不爲可靠財源。）計出下策，只有減量和降質來節流，傳維琪之狀於不墜。

先說減量：我烟不離手，除爲招待外賓，不得不奉陪外，則完全爲的是消閒。不說慚愧，配合預算，我常增加公事上一些必要的手續以製造忙，免得閒居不善，要多抽烟。惟一想到這種「忙」，法雖未禁，但總有失當局倡導「新速實簡」之良好政風。「一之已甚，豈可再乎？」故決心不作「累犯」，「不是閒人閒不得」，我誠是一旦告閒不再製造「忙」的時候也。烟的消耗量就直綫上升，突破兩天一包預算制，變成一天一包的新紀錄了。有時雖勉加抑制，反覺大殺消閒風景。索性抽所欲抽，一個月預算勛「枝」完了，乾脆不抽拉倒（此非戒），免在富有時硬裝窮，悖乎情理。也幸虧我有這種德性：沒有烟，也就沒有癮了。月底有上五頭七天斷抽，無啥稀奇。

次談降質：這是說我重投新樂園懷抱也。在台灣，我本是新樂園出身，中途升抽雙喜，原屬不度德不量財的不智之舉。茲復以新樂園消閒，該是「迷途知返」，實無降之可言。但我偏要面子，捏到「喜」一頭，就把新樂園的標記——氣洋溢之時，先行着火燒去，不給烟友他們一看到，我嘴上有「劣」跡，用以保持我「雙喜先生」的身價。等我翻然悔悟作僞之不是，公開掛起新樂園的牌號時，烟友不但不同情，還挖苦的說：『雙喜先生，何其名不符實耶？』但，我又不禁阿Q一番：『名不符實？』當年頭掛羊頭賣狗肉的多得很！我抽烟作僞，又算得了什麼？」

話說回來，我倒我要奉勸世人還是抽歹烟的好。因爲覺得了茲亂世，是祗有和備人抽烟，才有助於世界眞正的和平。試問：誰曾見過嘴上抽着烟，而手在和人打架的？相反的，一言不合，在行將動武之前，能及時抽上一枝烟的，却多會化干戈爲玉帛。

自由人
THE FREEMAN
（第七九六期）
（每週星期三、六出版）
每份港幣壹毫
台北市售價台幣壹元伍角
督印人：陳文
地址：香港高士威道二十二號四樓
20 CAUSEWAY RD. 3RD. FL. HONG KONG
TEL. 771726
承印者：東南印務出版社
地址：高士打道六十四號
台灣總經理處：台北市西寧南路壹號二樓
電話：三〇三四六
台北郵政劃撥儲金戶二九二五二
海外總經銷：友聯書報發行公司
香港：彌敦道六十二號A二樓

革命與剿匪

左舜生

人民，軍人，或起自地方的實力派，起來推翻一個王朝或政府，取而代之；或據一地方獨立，與原有的政府脫離關係，都可以謂之革命。一個合法的政府，以武力平定國內的一種動亂，則只能謂之平亂或剿匪，便不好隨便用革命這一名稱。

今天大陸的人民，事實上已在中共政權的統制之下，他們起來打倒這個政權，革命這個名詞是用得着的；自由中國用武力或其他方法去反共復國，或進一步與大陸人民的革命取得相當配合，就自由中國的立場來說，依然只是平亂或剿匪，決無所謂革命。

中共已澈底匪化

最近九年以來，中共在大陸屠殺和奴役的人民，以數千萬計，我們要到最近的所謂『人民公社』，更把全國人民的財產，一網羅得精光；把全國人民原有的生活方式，與固有的倫理觀念，一齊破壞淨盡；從本年的八月二十三日起，中共又無端的砲擊金門，迄今已發射炮彈近四十萬發以上，打了四十天以上，死亡無辜的人民好幾千，他們說：『要打就打，要停就停，』等於說中國人民的生命，只是逐中共的高興，要他們生就生，要他們死就死！凡此種種，已十足證明中共的行爲，已澈底匪化，我們今天以剿匪的方式對付共產黨，實在是名正言順，確當不移。

可是今天自由中國的當局，好像依然還要把國民黨的立場，置於革命這一方式，甚至確定爲『革命民主政黨』。我看報載本年七月十六日蔣總裁在國民黨評議委員會的一篇講稿，對這一點作了詳盡的解釋，但我讀了以後，卻依然引起非常的不安。

人民積有六十五年的痛苦經驗

第一，自清光緒二十年（一八九四）中山先生創建興中會實行革命以迄今日，其時間已經過六十五年之久，在這六十五年的悠長歲月中，包括推翻滿室，根絕帝制，打倒軍閥，以及清剿共匪，加上共產黨的大肆屠殺，全國軍民直接間接死於革命這一旗幟之下者，以最保守的估計，殆亦不會少於五千萬人以上！問道這國家所成就的究竟是什麼？我實在瞠目不知所答。革命，僅僅是國家在萬不得已的情況之下，所採的一種非常手段；好比一個人已經病到性命呼吸的邊緣，不投以一服猛劑，或冒險操刀一割，即決無起死回生之望，於是其親屬便只好請一個或若干個高明而又極富經驗的醫生去勉力爲之。一個國家不能把革命看成布帛菽粟或家常便飯，也猶之乎一個人不能把自己的生命很輕易的作爲一個或若干個醫生的試驗品正是一樣。人情大抵容易爲歷史所支配，尤其容易爲自己的成功歷史所支配。國民黨本以革命的方式取得政權，今天想要恢復完整的政權，其不能不繫念於過去一段光榮的歷史，自屬情理之常；可是就一般人民的立場來說，他們已積有六十五年血淚模糊的痛苦經驗，今天仍以革命來號召，在他們的心目中，革命兩字是否依然能像中山先生初提倡革命的時候那樣響亮動人，恐怕不無問題，何況今天明明白白只是剿匪，還不包含眞正的革命意義呢？

革命與法治

第二，辛亥以前的一段革命史，其光明純潔，我們至今也還是低徊嚮往的。可是自入民國以後，則原有革命歷史的若干分子，已經是變節者有人，賣國者有人，公然叛黨者亦有人，而黨內的傾軋排擠，互以惡聲相詆謀，更所在多有；再加上十三年以後，又讓共產黨混入了革命陣容，他們更運用『革命』，『不革命』，『反革命』種種名目來分化挑撥，或入人於罪，於是革命之禍乃愈演愈烈，以至鬧到如今天這種國破家亡的景象，今天一般老百姓聽到革命兩字不是談虎色變，便是目笑存之，您能說他們毫無事實根據嗎？

第三，在一個熟練運用革命方式的人想來，於處理國家的事務，一切以革命出之，誠然有許多的方便，也有許多難於想像的痛快，可是這種方便與痛快乃與法治精神絕對不能相容。我很了解，一個眞正的革命黨人，原自有其嚴格的法治觀念，例如黃克強先生在黃花崗一役失敗以後，他自己也損失了三個指頭，可是一經逃到香港，他便裹創扶病，首先向當日贊助革命的僑胞，報出一篇詳斷的清帳，其維護革命信譽的苦心，豈不爲天下人所共諒？可是這種流風餘韻，究竟還有多少能夠好好保留下來，卻早已成了問題，舉例言之，一個已被控訴的國營機構，政府能不能允許人民的代表去清查他們的帳目呢？如果說用了人民的錢，也算是革命方式之一，則人民對革命不無疑慮，也就無怪其然了。

以民主提高人民反共的決心

第四，中國能有一部民主的憲法，這是中國人經過半世紀奮鬥所得到的一個成果，今天剿匪有效，惟有依照憲法去培養人民的民主習慣，使人民習於民主的生活，然後才能提高其反共的決心；因共產黨心目中根本無所謂民主，人民，當然更無所謂民主，他們所說的『人民民主專政』，根本就是一個狗屁不通的名詞。假定我們但求方便與痛快，過度的強調革命，便難免不有超越法治的行爲，不知不覺會容易走到共產黨的路子上去，而喪失了反共的基本意義，其不足以號召大陸的人民，使他們一致奮起以共同來完成光復的大業，自然更是當然的結論了。

半週述評

展望中美高級會談

本文執筆時，杜爾斯正在越洋飛行的訪台途中。杜卿這次東來，據說是出於國府之邀請，會談的重要，自是具有決定性的。

根據現目可見的資料分析，會談的重點不出下述諸項：一、金馬的前途問題——是中立，還是增強火力，部分撤軍，抑完全尊重國府的現有堅守不退讓的立場和政策。二、會談將會對反攻大陸問題，作出不公佈的協議。三、對中共發動的，針對中美兩國所作一石二鳥的離間性的政治攻勢，將有一致的決定。四、國府將會要求杜爾斯透露華沙會談的實情。五、杜爾斯也將在會談中，反映出與西歐各國外長接觸所得的有關對台峽局勢的意見。而這些意見也正是西歐主要國家對中國問題底整體性的意見，具有受重視的價值。

扭轉局面須靠自己

就杜爾斯東來的一般新聞報導分析，吾人實看不出有什麼值得樂觀或悲觀的。筆者認爲，對於中國前途的可樂觀或悲觀，客觀的國際因素，固具有相當的影響，主要的關鍵，還在自己，還在自己之是否能自強不息！

即以金門的保衛戰而言，能夠堅守迄今，這是國際上所難能逆料的，但我們畢竟做到了。筆者在砲戰初起時既爲文認定，能守得住，就是我們的勝利，這是從軍事方面來看的；但同時也會指出，今後最艱困的一戰，還是政治的。在今天來說，這政治性的一戰，包括了對國際的，和對中共的。

中共在宣佈停轟金門的第二道命令中，即不諱言，此後將對台灣展開政治攻勢。當然諸如像在海外散佈的「國共和談」固是不值一哂之說，但其對衆多的第三者國家所起的影響，卻是不可忽視，而其因此在國際上相應產生對自由中國的所謂「壓力」，也就無形中增加了，國府究將對此作何種反擊性的有效的措施呢？這在目前來說，正是海內外一致所注視的。似乎不能不作決定了。

「擴大政府基礎」之說

美國的紐約時報，曾主張國府放棄金馬，此論自然是謬誤的。

但根據十八日華府合衆社的消息報導，華盛頓郵報是主張杜爾斯應向國府保證協防；但該報也同時主張，國府應該適時地進行擴大政府基礎，（其原文譯爲：「成功的防衛獨立的台灣有賴於蔣氏之接受一個概念——包含台灣人士和自由世界盟國所支持的人士在內，於更廣泛的基礎上構成政府。」

這樣的論述，從善意的角度看，自不應被視作是「干涉內政」的建議，更何況這種見議，也早就在國人中間被不止一次的論及。

不論從任何角度來說，欲待有效地反擊中共的長期的政治攻勢，執政黨也不應不對此作成熟的考慮的。政治上必須要作應有的變革，似已不能再被繼續忽視和拖延了。

中共已恢復炮轟

金門又再度受到中共炮轟，這是廿日午後的事。彭德懷並同時宣佈「停火」令無效！

據中共宣稱的理由是由於美艦參加了護航，實則這理由是難以成立的，因自「停火」以來，美艦何嘗有一日離開過台灣海峽呢？

看來，這是中共對杜爾斯放的「禮炮」，要使局勢再度拉緊，對中美雙方在會談之際同時感受到軍事威脅。

不過照美國既定的態度來看，大砲是不能促使美國低頭的；中共恢復炮轟也明知無結果的，遙遙的成份，遠在其決心大戰之上，而是希望第三者國家此時出面用壓力；倫敦早已傳說，英國是願意從中斡旋的。看來，射擊的目的還是政治的大於軍事的。

李金曄

消滅無產階級的大熔爐

程華原

今天擺在中共面前的嚴重問題，仍是一個「根本性」的「對抗」問題，這是他們自己承認的，在中共「六屆七中全會」中曾經指出『任何沒有無產階級化的小資產階級份子的革命性，在本質上和無產階級革命性不同，而且這種差別，往往可能發展成爲對抗狀態。』這種對抗的形成和發展，是毀滅中共的致命傷。

何以如此嚴重呢？根據「人民日報」九月三十日社論『投入體力勞動——共產主義的大熔爐』裏明白說出『一九四九年全國解放之後，參加工作的知識份子，佔全體幹部的百分之七十以上，這批幹部由於沒有經過革命戰爭和嚴重性的革命鬥爭的鍛鍊，也沒有經過生產勞動的鍛鍊，很多人並沒有無產階級化，在他們的思想意識，習慣的深處，還保存着資產階級和小資產階級的壞影響。他們雖然是革命幹部，也具有革命性，但是這種革命性同無產階級革命性卻不相同。』從這一段話裏面，我們把中共今天內在根本的對抗性的嚴重形勢指出來。

第一，照中共所說：他們所要求的革命是『無產階級革命』，而今天大陸上的青年知識份子的革命，則是『小資產階級份子的革命』，這顯然是有很大差別的「兩種不同性質」的「革命」。依據共產主義的理論，小資產階級在無產階級革命的發展階段，他是跟同無產階級革命的；但在無產階級革命成功階段，他是會走到「反革命」的。換言之：今日大陸上的青年知識份子，正是對無產階級「革命」，而不是參加或者依附無產階級的革命。這是一個理論的根據。

第二，從一九四九年到現在，九年了。參加工作的青年知識份子仍佔全體幹部的百分之七十以上，事實上更嚴重了。中共已說明這百分之七十的幹部，（一）沒有經過革命鬥爭，（二）沒有經過革命戰爭，（三）沒有經過生產勞動的鍛鍊。因此，表現一個必然的現象——沒有無產階級化；發生一個必然的結果——還保存着資產階級和小資產階級的「壞影響」。一個政權，如果有了百分之七十的幹部，對他的政權，都發生「壞影響」，那個政權，事實上已將接近崩潰了。這是一個事實的證明。

第三，中共已深知這百分之七十的幹部不可靠，所以從去年起，實行幹部下放，把這一羣廣大的青年知識的幹部，加以「勞動改造」，另把一羣認爲可靠的一批「後備軍」遞補上去。但是這百分之七十的下放幹部，與羣衆打成了一片。毛澤東曾在「論聯合政府」中說過：「只要幹部和羣衆打成一片，那就任何困難，也能克服。」要知道這些幹部是「小資產階級的革命性」，不是「無產階級性質的革命性」。他與羣衆打成一片，正是把羣衆團結領導而成爲消滅無產階級革命的小資產階級革命。這是一個必然的趨勢。

從以上三點看來，中共人民日報在他的僞國慶前夕所號召「投入體力勞動——共產主義大熔爐」，將是下放的小資產階級領導廣大羣衆，消滅共產主義——無產階級的大熔爐。這個反共革命是由共產黨自身所孕育，長成，而且發展的。

孔德成兩次出使

・余又蓀・

（一）

孔德成先生去年應日本學術團體之敦請，前往講學一月。近又應越南孔學會之邀，前往講演旬日。兩次出國都是講學，是我們的文化使節；同時，就外交的立場而言，也是我們國民外交的使節。

他兩次出使的成績都很好。對國家的功績很大。

我覺得孔先生這兩次出使，還有更深切的意義。

（二）

孔德成先生本人，學術造詣很深。在軍閥時，傳言閻先生說過，孔子的後裔，像孔德成先生這樣有學問的人不多。他雖然還年青，但儀表、風度、言語，都很好。令人一見便覺可親。他兩次出國同行的人都很少。而兩次同行的，都有他的朋友山東人屈萬里先生。屈君雖然矮小，素無山東大漢的狀態，但其人滿腹經綸，是一個應付事務的好顧問。其人肚內大有文章，是一個講學的好助手。

「孔子聖之時者也」。德成先生雖然穿洋服、抽洋煙、飲洋酒。但，在祀典、慶典等慎重場合之中，他則長袍馬褂，古色古香。去年到日本之前，他在台北談及帶了長袍馬褂去，我很表示欽佩。古今中外，凡是祀典慶典，都用禮服；禮服都是古色古香，不是平常都用的。這次到越南，他在九龍機場換上了長袍馬褂才飛抵越南。這些雖然是小節，是他周到的地方。

（三）

孔子講的是哲學，不是講宗教；孔子講的是倫理、政治、教育、社會等問題。近人想把孔子學說變為宗教，那是不對的。

孔子之道，平易近人；但一入人心，則牢不可拔。

孔子講仁，講忠恕，都是本乎人性。只要你受了他學說的影響，就會你良心的信仰。遇有違反人性的不仁、不忠、不恕等事，你自然會起反抗。

所以孔學流行的地區，那個地區裏的邪說異端就不會流行。

（四）

我們的東鄰，日本，戰後正值思想混亂的時期，邪說異端也正在那裏流行。

但孔學思想影響日本很深，很普遍。

孔學傳入日本，由來已久。孔學是經朝鮮半島而傳入日本的。朝鮮自古與中國交通，故其文化較為發達。日本古昔與朝鮮半島交通頻繁，於是中國文化又從半島傳入日本。孔學之傳入日本，實無法推測其始於何年代。史籍所載經典傳入日本之時代則較晚。日本書記記應神天皇十五年百濟人阿直岐到日本，為太子菟道稚郎子講經典；古事記又記應神十六年百濟學者王仁赴日傳論語，千字文。

應神天皇的年代，尚難確定。大約言之，總在晉朝了。隋唐時代，日本學習中國文化以建設其國家，儒家經典成其為國人必讀之書。儒家思想自此深入人心，普及於社會各階層。直到明末清初，我國學人朱舜水赴日，宣揚儒學，特別講朱子學。不僅思想上激起了一個大波動，政治上也發生幕府與尊王的運動。儒學表現於事功方面的實效更顯。

歷史上的事不多談了，總之，孔學在日本流傳很久，影響很深很普遍。二十幾年前，我在日本旅行，走到窮鄉僻野，日人一見你是中國人便肅然起敬，他說孔子孟子都是中國人！這是一個不可忽視的例證。

當日本軍國主義橫行之際，大部份國民尚能寧靜而不瘋狂的原因，我認為是儒家思想的影響。近代資本主義發展，人心沉緬於紙醉金迷，道德低落，維繫社會人心者亦唯孔學。第二次世界大戰後，日本思想界正進入狂濤洶浪之際，異端邪說很足以引動世人。目前唯有昌明孔學以正人心而挽狂瀾。

孔德成先生赴日講學，正是配合我們的國策。

（五）

至於越南，和我國的關係更為密切，中越本是一家人。當前彼此處境亦相同。孔先生此次前往，其有功於文化與國民外交更為顯明。

世界書局爭奪戰再起高潮

・豐公・

台灣通訊

（台北）世界書局董事長李石曾與總經理楊家駱之爭奪戰，自七月下旬李以不足法定人數之董事會決議，免除楊職，自兼總經理，楊以於法不合，拒不移交，各自延聘律師，相互登報攻訐，筆戰於焉開始。其後一度沉寂，至九月中旬，忽又趨於白熱化。由李聘派一律師朱遠謀為該局副總經理，並僱用打手十餘人，實行入住，致有雙方鬥毆大打出手之一幕，後由治安方面出動制止，始又暫成僵局。

惟此間輿論界如聯合報、公論報、大華晚報、民族晚報、自由中國半月刊等，均不值李之所為而予以抨擊，認為在金馬砲戰激烈期間，黨國元老不應製造新聞，擾亂人心。立法委員李文齋，適於其時在施政質詢中，提起李石曾管理中法文化基金多年帳目不淸之舊事。說者有謂與世界書局事件有關，實則截然兩事，不過適逢其會而已。李石曾為應付此項質詢，立即以代電一份呈送行政院陳兼院長，除對中法文化基金保管情形力加辯白外，並對世界書局糾紛也有所說明。不料李文齋看到這份代電，火冒三丈，遂於十月十四日登報公開請問李石曾，謂該項代電一節對本人多「誹謗污蔑之詞」，是否為其所發？「請於三日內答覆，以便處理」。看上去，不免又是一場大筆戰，這是世界書局爭奪戰之中的一幕有趣的插曲！

李文齋的出頭

就在李文齋登報請問李石曾的當天，也即是中共片面宣布繼續停火之次日，李石曾指派的副總經理朱遠謀和會計師廖兆駿率領壯漢二十餘人，於是日晨雞初唱好夢正酣的天剛破曉之時，前往世界書局，以淸查帳目為名，奪門而入，再度强行接收，釘封書櫃，切斷電話，因而與原住書局內楊家駱派職員，大起衝突，幸經大批憲警聞訊趕至，及時驅散，並在這批强行接收的壯漢中，有十二人係曾犯前科被判管制最近始保出者，並與世界書局毫無關係之人，警方遂以妨害自由嫌疑，將其扣送台北檢察處。同時，對朱遠謀廖兆駿二人亦控以教唆罪名，一併移送偵辦，刻正由地檢處傳訊中，但世界書局李楊本身的糾紛，尚在方興未艾，似尚未能就此中止。

楊家駱與世界書局

按楊家駱為一著名學人，在大陸即任職於世界書局，擁有該書局大量股票，遷台時將該局所藏貯的全部參考書籍，搶運來台，對文化事業，不無貢獻。惟其得任該局之總經理，則由於李石曾之提攜，故二人平時感情甚洽，楊對李亦恭侍唯謹。自李於前年締結「白髮紅顏」之鸞盟以後，其本身經濟狀況並不如所傳之富有，且以海外事業亦徒有其名而無其實，又以某某兩僑商赴巴西護照問題之牽涉，中央方面頗不欲此老再久於棲遲國外，然彼雲英下嫁者則殊乖所望，致勃谿時聞，且一度鬧到警局派出所，傳為笑談。李處於此一不甚愉快情況之下，亟思在經濟事業上有所發展，楊家駱知其隱衷，雖於營業不振之中，仍努力供應無缺，如汽車、公館開支、傭僕等等，以期博得其歡心。最近李老為營建金屋以娛晚景計，曾向某國家金融機關貸得三十萬元，然以工程過大，迄未完工，而又頗感拮据，致不得不於世界書局有所勵念，而楊則不勝其需索，又以大股東關係，決不肯放棄總經理，且該書局因營業需要各職員均曾介紹轉[illegible]，此即雙方無法達成協議者，其故即在此。

林語堂回國

林幽默大師偕大師娘回國，是今年十月間的盛事，事先有關機構，安排招待節目，發出宣傳大綱，到機場歡迎，舉行茶會，不知忙壞了若干人。即以各報記者之紛紛「投林」，也有極大的數字。

十四日在飛機場的談話，祇是應酬而已。十六日在「婦女之家」歡迎茶會席上，才算正式發表演說，十七日各報所刊的消息，大師的談話，足以使中共墮入「幽」冥，從此大「默」，使一般想做學人，或雅學人之輩，暗中羨慕不迭。他的談話中最「精彩」一部份，即解釋左傾與右傾。他認為今日世界上美國已經「左傾」，蘇俄才是「右傾」，一反常人的說法。再就是他主張中文的簡體字了。

在他辦「論語」時代，已經出現于該刊中，不少的簡體字，今日仍貫徹其主張，使不少當年提倡簡體字受打擊的羅家倫先生出了一口悶氣，或可嘆「吾道不孤」，尚有林公。

他提出投共的翁文灝，不用簡體「浩」字，是不妥當的說：「這些人都是認為「康熙字典」中，找不出的字，才是更「雅」呢。」引起了全場的鼓掌。

茶會也許在「雅」「俗」之爭後結束了。報上捧林之文，爭奇鬥艷，琳瑯滿目，而獨出新意者則有自立晚報石匠所撰「迎林語堂「博士」」文中有一段云：「在平時他以幽默娛人，在戰時他以「匿名」「報國」。誠可謂識時務之俊傑。」又說：「林氏發明「二字」打字機，該加圈加圈，大家「愛人及機」」：「這一定寬貫打字機問世，是則做了今日回國宣傳講學，倒似乎是給他登廣告，在以幽默報幽默大師了。」

木吾尙

台北輿論看「停火」

・張健生・

中共在砲轟金馬四十餘萬發，延續四十餘天之後，突然一再宣佈停火。

此間輿論和一般人士，咸認為中共的停火目的在離間中美關係，在鬆懈我們士氣民心。這是中共一慣所用「談談打打」的陰謀。現在已從戰場到議場，也可能復從議場到戰場。

中央日報社論認為：世界上一天有共產主義，也就一天有侵略戰爭。因為共產主義的本質，就是侵略戰爭的來源。在共產主義者的手上，無論是和談，或是作戰，都是為了侵略。而且侵略之成敗，最後仍取決於武力戰鬥。自一九一七年以來，共產主義蘇維埃俄國毀棄了八十幾個條約，侵略了七十幾個國家，本沒有信義可言，也不知天下有羞恥之事，他們只認得實力。當他們實力足够時，他們耀武揚威。當他的實力不濟之日，他搖尾乞和。

聯合報社論認為：彭德懷的片面停火聲明，外交意義重過軍事意義，也就是說：由於這聲明，我們應嚴防外交戰綫的重大變化。我們朝野應該有一個假定，在彭德懷聲明之後，蘇俄會提出若干讓西方國家下得台，而又可以使中立主義國家獲得對美國施使壓力振振有詞的幕後建議，而使我們實質上失却金馬。最根本的問題，還是我們要更加緊强化金馬這兩個前哨堡壘，和準備迎接一場更大規模更為猛烈的挑戰，而能够立於不敗之地，扭轉一切危機，粉碎匪俄一切狠毒的陰謀。

新生報社論認為：魔鬼正在考驗我們，只要我們守住原則，堅定不移，團結一致，奮戰不屈，一定可以獲得最後勝利。四十多天的苦戰，我們贏得第一回合勝利，就是依靠堅定不移的意志和奮戰不屈的精神。

公論報社論認為：我們一面鄭重告訴我們盟邦美國，不要對狡詐的共匪存有過多的希冀，一面我們必須以冷靜的最高智慧，熟權利害，沉着應付，妥為運用，決不能讓共匪的詭計，在中華民國與盟邦美國之間，打進一個楔子，使彼此友好關係，受到損傷。

今天我們應付中共匪，除在軍事上加强警覺戒備外，更應在外交上，在國際宣傳上，展開戰鬥性的工作，使自由國家和所謂中立國家能充分了解共黨政策的潛伏危機。中國失去了整個大陸，依然不得和平；失去了海南島、舟山、一江山、大陳，依然不得和平；我們可以斷言，即再奉送金馬也絕對不能換得和平。我們不能予侵略者以獎勵，應予侵略者以懲罰。

新聞隨筆

有謂此次杜勒斯東來訪台，意在遊說，目的還是要達到促成台灣海峽永久停火，要國軍撤出金馬，那怕是少撤點兵。

如果說杜勒斯在訪台前於羅馬會晤西歐主要國家之外長，又匆匆繞道英國與英外相勞埃德會晤等事實看來，誠有令人不得不為金馬前途捏一把汗的感覺。但是話得說回來，除非我們仍然一貫地俯仰由人，那末，除了撤軍別無他途。否則我們應該堅持不撤到底。

美國的軍人與政客

・金葉・

杜勒斯如果眞是出諸以遊說姿態，那我們也應以反遊說視之。

此外，我們還應認識美國海軍參謀總長勃克將軍的態度，即是最好的說明，他根本不贊成撤退金馬駐軍，同時他的觀點好像也糾正了過去五角大廈有限戰爭之說。勃克認為：天下絕沒有對的防錯的地方。因為戰爭是別人發動的，決沒有一個作戰利的地方。從一個將軍的職責來說，也可想見美國軍人眞渴望不惜與共黨作一決戰呢！

李石曾的態度

[illegible]

[illegible]

印尼坤甸僑胞來函

編輯先生大鑒：敬啟者：我們對於貴報主持正義的言論，且所發出的新聞極為正確，感到非常欽佩。我們現在願意借貴報傳達一些消息，給各界人士。我們是旅居印尼坤甸的僑民，有學生、有商人、有工人，我們是擁護中華民國政府的，但是現在的印尼政府是敵視我們的，大家都不能有自由。但是我們正是公然要和我們中華民國政府站在一起，我們並不灰心，（下略）

印尼坤甸正義僑胞全啟
（民國四十七年十月八日）

反正影人　蘇誠壽失踪之謎
他可能成爲中共統戰的失敗的犧牲品

祝修衛

雙十節慶華國的自由影人晚會中，蘇誠壽的出現，沒有人不認是中共「統戰」的失敗；十一日晚上蘇氏突告失蹤，誰能說中共「統戰」又一成功？可是，這位奔向自由的共黨幹部，竟然會成爲一個永遠不可知的謎？還是仍能再回到自由懷抱？

過去九年間，槍殺、綁架、與神秘失蹤案件，差不多沒有一年落空過。誰在製造這種無恥的毒辣案件，港九市民均能清楚辨識：一方面固屬中共「統戰」的重大失敗，同時也是共黨組織內部動搖的必然現象。於是，不得不藉卑劣手段予以鎮壓。然而這種方式會不會生效？事實反映出壓力愈重，反抗愈大。

香港是法治社會，在法治社會產生不法事件，任何人不無遺憾。但就整個東西兩陣營呈不安的局勢看來，香港無疑是感受威脅最大，而又是比較安定的一個環節。警方固然負有維持社會秩序，與保障市民安全責任，但在百密難免一疏情況之中，歹徒仍有一逞機會；蘇誠壽的失蹤，與其歸咎於治安當局疏於防範，毋寧是由於他自己粗心大意。就全般過程看來，十一日既然有人找他，在寓中曾經發生爭執，事後，他面呈憂懼，如非被人恫嚇，不致於使他要求包租人拒絕與任何來訪的客人見面。其實，當時他就應該請求警方保護；他並沒有這麼做。顯示當時他的心情相當惡劣，打不定主意，腦筋裏只有一個觀念：不開門見客；關閉窗戶與熄滅電燈，在黑暗中消磨過黃昏；自以爲可以避過對他加害者的目標，並沒有想到對方早已設就陷阱志在必得。

蘇誠壽出身是學經濟的，從影本來就學非所用。他到香港來，面對「人浮於事」現狀，能夠獲得在那家高掛「民族資本」口號的影片公司棲息，已經不易。爲生活設想，不能不遷就現實，從頭開始學習第八藝術。像這樣的人，香港比比皆是。假如這間公司真正謀藝術發展，就蘇氏在藝術上的成就看來，由場務而劇務，而導演，而編演，並不是難以發展的人才。可惜的，乃是公司不圖藝術上進取，一變再變，變成了赤色宣傳的政治工具。這一方面刺激，對蘇誠壽還並不怎樣深刻，他仍希望他自己只要不捲入令人厭惡的赤流，仍有努力邁向高超的藝術境界機會。而忍受資方對他勞力剝削、挨窮、耐飢、覺得還是有代價的。然而，事態發展，和他的理想，偏偏相反。這間公司已變質，各項設施跟大陸上並不因地而異，精神上的壓力，卻比大陸上更甚，因爲他是不滿於中共統治，纔離開天津南來。這個問題需要他交代，幾年來一直是他內心痛苦的死結，任憑他怎樣「坦白」也一直被認爲「並不滿意的答辯」；怎樣才使對方滿意？老實說，一個對政治並不感到興趣、一心只在生活、藝術上求進的人，對它並不重視。於是，他感受的壓力便一天天增加，不僅是精神上的，經濟上的桎梏使他無法自立。這是有兩種原因的：第一、資方對屬下員工一向把他們當難民看，給予他們的待遇，僅不過勉強有一口飯吃；第二、希望以低微的待遇束縛他們跟外界事物接觸。這些對蘇誠壽說來，也還可以忍受；不堪忍受的，無過於共特們對他無休止的鬥爭，與強令其接受政治領導、和政治學習。過去幾年，他的處境似乎跟關在牢獄並無分別，同外界差不多完全隔絕。

環境儘管對他束縛，他的思想依然並不改變。但是他畢竟是一位藝術界可以造就的人才。共方於百計無可得售之中，想出了一個辦法，讓他去大陸作一次考察旅行，希望他回到香港之後，思想上會有改變，並沒有想到他這一次的旅行，受到了強烈刺激，態度遽變。對方採取了兩項手段：一、藉美色誘惑，說服他去大陸「改造」；二、由導演的崇高權位貶落到低微的場記。這種精神、心理的懲罰，不但沒有迫使他自願請求回大陸接受思想「改造」，反而迫成了他非擺脫魔掌不能生存的決心。而於雙十節慶典中，在翠華樓揭開了他生平最感人的一幕。他不同於洪叔雲、歐陽莎菲，因爲他已落入赤色的政治圈，他知道共黨怎樣利用和把握機會，生根繁殖和擴大組織，他的毅然轉向，予共黨以打擊，不消再作進一步解釋。從這一角度去看，蘇誠壽無疑凶終隙末。只希望具有同一遭遇的不幸者們，不要再自己疏於防範，藉免治安當局猝不及備，而埋葬了自己獲得自由的機會。

竹幕秘

劉少奇·陳雲·粟裕

據九月十八日「人民日報」報導：九月十一日劉少奇在徐水視察商莊人民公社時引用了一句孟子：「且一人之身而百工之所爲備」；引用了一句禮記：「生之者衆，食之者寡，爲之者疾，則財恆足矣！」

據我們所知，劉過去所作文章或講話裏，極少有這種現象，祇知道引用馬、恩、列、斯的言論，而今，一反常態，也引用起中國古籍，這種做作似乎是想爲自己塗上一層民族色彩。如果劉的轉變是毛澤東暗示的結果；那末，從黨爭的角度來說，是否可視作是劉在思想上向毛儲服的表現呢？

在「最高國務會議」上，作財政與商業報告的是李先念，這份工作歷年來都是陳雲的；另外，陳雲最近被任命爲「基本建設委員會」主任（兼），基建工作本只是財貿工作中的一部份，這樣看來，陳雲的職權似已在下降中，其原有的地位可能已被李先念取而代之了。

「總參謀長」粟裕，被黃克誠取代的原因；看來不一定是因爲粟裕反對停轟金馬所致，基本上恐怕還是與他的單純「軍事觀點」，和不重視學習「毛澤東軍事思想」，反對當初在台灣海峽挑釁有關，作此結論斷言固嫌早了些，不過有一事可以說明者，即粟裕對毛的關係較之黃克誠疏遠得多。

陳雲地位之降低，粟裕之被免職，雖不一定就與劉少奇的降伏有關，但是，李先念與黃克誠的職位之增高，卻顯得毛的勢力在繼續增長中，可能已達到了（自已）「大權獨攬，小權分散」（親信）的目的了。

看報閒話

△在經過大肆宣傳之後，北平消息說：土法煉鋼，年內僅廿萬個土爐，即日產鐵廿萬噸。爲什麼？因爲家家戶戶的鐵閘，鐵窗，飯鍋，鐵灼，……一股腦兒投入了煉鋼爐了！

△中共中央的「紅旗」什誌第十期，以「評論員」（不知是那位紅員）名義發表了一篇文章，列舉了八大要點，敘述如何[illegible]受美國欺侮，字裏行間，不勝凄凄泣泣之能事，茲試舉二列爲證：「第一、美國侵略者欺侮我們，就因爲我們的鋼鐵還太少。」在第三點又說，「美國侵略者嘲笑我們窮國。」看來中共總算找到受美國「欺侮」的最佳口實了，於是折老百姓家的鐵門窗有了理由，驅農民「挑燈夜戰」——夜間下田幹活，也有了理由。

× × ×

△其實大陸老百姓何需挨餓吃番薯？又何須長期貧窮下去！如果中共能擺脫莫斯科。莫斯科如何擺佈毛澤東呢？就最近眼前事實爲證：命令毛澤東向沿海島嶼盲目砲擊了一億二千萬美元的軍火，此其一；蘇聯覺能出售[illegible]，此其二。在軍事上充當蘇聯炮灰，在經濟上淪爲蘇聯的農奴。此所以大陸人民之必然要吃番薯和長期挨窮了。

× × ×

△李先念（紅朝的財政大員）給這期的「紅旗」寫了篇通訊：「人民公社所見」，他指出，在公社制度下，「農民實行了半供給半工資的分配制度；在農村的國家工作人員怎麼辦？」中共的幹部本是騎在人民頭上吃閒飯的。於是李先念又說：「看來形勢逼人，這個問題必須及時加以考慮。」「形勢逼人」！看來農村問題的嚴重將可能表面化！

。不懂齋主。

勞動力與生產問題

目前中共正在大鬧勞動力不足，人們一定會奇怪，中國大陸有六億人口，居世界第一位，要算是中國大陸也鬧勞動力不足，那末，還有那個國家能夠足？

照現在中共使用勞動力的情況來看，是要使中國人民變成牛馬，並以之與西方的機械生產作競賽，盡情的把生產計劃提高，本末倒置的要勞動力來適應這種龐大計劃。但是，人終究還是人，除了像牛馬似的供獻勞動力以外，變成機器終究是不可能的，因其計劃的增大而出現勞動力不能適應的情況，把它說成是勞動力不足，其居心，不難了解是在于再搾榨勞動力。

從趨勢看未來演變

現階段，中共黨內鬥爭告了一個段落，毛澤東已經更進一步的大權獨攬，黨內反對躍進的幹部都在被壓服中，可以通過軍事系統來推動躍進的民兵隊伍也組織起來了，這樣，毛澤東以爲可以盡情的搾榨勞動力，可以更進一步的降低人民的生活水準，以之來作更多、更快、更好、更省的社會主義建設了。這種一廂情願的希望，後果恐怕還是不樂觀的。

在一九五六年十月匈牙利革命後，意共總書記陶里亞蒂曾經說過一段話來解釋匈牙利革命的原因，他認爲人民對於社會主義建設的積極性有其限度，而前一階段的匈牙利執政者就不管這一限度，而盡量要求積極再積極，結果就爆發了匈牙利革命。毛澤東似乎已經犯了同樣的毛病，那麼大陸上是不是也可能會在不遠的將來，全面的爆發似匈牙利式的革命呢？

於此，我們還要把匈牙利革命的背景與中共目前的情況加以比較，當時匈牙利是在展開反史太林運動，其原來的領導者拉科西並被罷黜；而目前的中共尚無這種可資觸發革命的條件。這也就是說，要觸發這種革命還要等待另外因素的成熟。

這當然不是說，沒有革命的條件人民就不反抗了，我相信他們將會採取消極的抵抗辦法，即「磨洋工」是也。

○田心○

悼教皇庇護十二世

古月

本（十）月九日逝世的羅馬天主教教皇庇護十二世，是全世界五億天主教教徒的精神領袖，也是善良人類的和平象徵。其于人類的偉大精神及貢獻，可以從美總統艾森豪，法總理戴高樂等哀悼教皇庇護十二世的電文看出。

艾森豪說：「……他是殘暴者著名而聰明的敵人，被壓迫者的友人和保護者；他對戰爭中不幸的受害者，常迅速施以援助；在世界各國中他不斷擁護和平的大義，既不恐懼，亦不偏愛；……我隨世上善意之人羣，對他逝然長逝同致悲悼。」

戴高樂的悼文是：「……他的在位期間，人類經歷了最重大的考驗……他那強烈的證言，已使如許世人的勇氣和希望受到鼓舞。」

誠然，共產黨的暴力、陰謀，儘可以毀滅物質世界，但不能摧毀精神世界的毫毛。天主教徒肩負着耶穌的十字架，會與封建領士鬥爭，與暴君獨力鬥爭，與獨裁統治者鬥爭。現在又與克里姆林宮領導下的共產國際鬥爭。歷史的事實告訴我們，基督民主運動，永遠是勝利的。

由于教皇庇護十二世，一向站在自由民主世界的一邊。他一生曾有兩個光榮的記錄：第一是反共，第二是反納粹。一九一九年，他還在德國總主教任內的時候，一羣慕尼黑的共黨暴徒，衝入總主教的座宮，意圖行劫，但被他一席話就懾服了。以後儘管慕尼黑的共黨暴徒，到處殺人放火，卻再也沒有人敢闖進總主教的座宮了。一九三一年他被調升羅馬教廷國務卿時，適希特勒的勢力膨脹，故于一九三三年春，他便與德國副總理巴本簽訂宗教協定。但幾個月後，希特勒却撕毀協約，下令解散所有教會青年組織，禁止人民入教會學校，檢查神父的傳道講稿，並限制其日常生活。同年八月德國主教集會佛爾達，在他的建議下，教廷特發表反納粹聲明，並譴責希特勒迫害宗教。

然而，共產黨迫害宗教，比納粹有過無不及！馬克斯曾肯定地說：「宗教是人民的鴉片烟。」列寧也曾說：「無神論是馬克斯主義理論與實踐不可分的一部份。」又對於一九二三年迫害天主教的事件中說：「我們對人民的鴉片烟作第一次總攻擊，在文化革命工作上佔着重要的地位。」一九二四年齊諾洛夫曾發出一個警告：「我們要在適當的時機，抓住那個上帝消滅他！……」總之，反宗教政策，首推克里姆林宮在各種政策中實行最一貫而且最澈底。

但教皇和共產主義鬥爭的武器，不是飛機與大炮，而是一個偉大的信心和博大的愛。因此，莫斯科的報刊及其電台從沒有替教皇的病況及死訊發表新聞；直至十月十日，莫斯科法國路易王主教堂，應駐莫斯科等天主教各大使之請，始爲已故教皇舉行首次彌撒。

這也許是羅馬教廷與蘇俄政府沒有官方接觸的原因。但在此民主與集權鬥爭的今日，蘇俄竟厭惡愛好和平的教皇庇護十二世，充分給予自由世界一個重大的考驗。

（十月十三日）

國際動態拾零

△蘇聯之越洲飛彈，在高加索深山中，每月舉行一次實驗，將來即以之爲基地。

△去年春天，蘇聯潛水艇，曾在距麻省海岸十二海里地帶；今年則在離美海岸五百里地帶，隨時可以遇到。

△美國人造衛星的出現，自其在地面控制情形看來，證明了在地面亦可隨時將敵人衛星擊落。

△將來美國越洲飛彈，可裝二三個原子彈頭，同時射出。其一爲誘彈，其他則針對目標。

△美國防部長麥克萊，年俸僅二萬五千元。但主管人造衛星的約克，年俸是秘密的。據聞爲四萬元，但不以政府名義，而以學術機關名義支給。

△亞當士的去職，共和黨人是歡迎的，從此他們可與總統直接了。共和黨主席亞爾康的意見，從前只能由亞當士轉達，現在已一躍而爲艾總統之政治顧問，且經常會面了。

△尼克遜控訴少數國務院人員。免將遠東問題弄壞，頗得共和黨委員會委員之稱許。委員們一向認這類壞人是民主黨的潛伏分子。

△美國防部長麥克萊，刻正巡視美國在全球的基地。他仍主裁減人員，聞民主黨在選舉時，將抗議其減削軍力。

○陶然○

自由談

隔靴搔癢之談

馮五先生

美英的輿論界如紐約時報等，近來大談其毛共在中國大陸上實施「人民公社」制度問題，好像很理解這回事的樣兒，其實乃係一孔之見，而且是以主觀願望為出發點的。

他們認定這是毛共走在蘇俄前面的共產主義建設，為俄帝所不喜，當然的結論，便是中俄共有分裂之可能，也就是主張對毛共採取撫綏姑息政策的理論根據。殊不知毛匪澤東過去曾因俄帝未如期履行經濟援助協定，藉紀念孫中山先生的的機會寫過反對「大國沙文主義」的文章，取悅而歌；俄酋赫魯雪夫對於毛共所謂「正確地處理人民內部矛盾問題」的鳴放把戲，亦表示過譏嘲的批評，說是蘇俄人民就沒有這種矛盾問題存在。但毛酋依然走到莫斯科去大呼「蘇聯是我們的頭」，並不因為俄共偶有政治歧見而發生分裂行為。何況中俄共雖偶有歧見，然其情形決不及英美之間隨時對外交政策所表示的紛歧言行那末厲害，英美既未實行分裂，而又期望着中俄共反目脫輻，這是何等幼稚的惰性觀念呢！

談到毛共的「人民公社」制度，美英的「權威觀察家」以及「遠東問題專家」們，祇知道這是「軍事化」的措施，究竟「人民公社」的內容如何，它對中國社會將要產生甚末惡果，毛共何以急急於從事這項抓鬮式的「社會主義大躍進」？相信他們是莫名其妙的。然而，他們却以輿論權威者指導政府的外交政策，還要領導自由世界的反共運動，且不接受別人的意見，譏補策途，守株待兔。既盼望鐵幕自行崩潰，又不肯乘機予鐵幕內人民揭竿而起的實力支持，坐視匈牙利人民轟轟烈烈的反共革命運動被俄帝消滅，事後表示「關懷同情」而已。這情形充分表現當西方人士幾案的優越感與幼稚的自大狂！交織於心目中，牢不可破，可嘆亦復可怕也！

閒話幽默大師林語堂

·士瀅·

離國十多年的林語堂最近離紐約作為期三月的歐亞旅行後于昨經港偕同他的夫人飛往台灣作為期一個月的訪問旅行。現在且來談談這位幽默大師吧。

林氏是德國萊比錫大學出身的語言學專家。他的開明英語讀本發行後，使商務模範英語讀本銷路大受影響，但是他在中國文壇上的哄動一時，實自他創辦論語始，民國二十年「九一八」事變以後，在十里洋場的上海，他和他的朋友邵洵美（新月派詩人），全增嘏（大夏大學教授）一班人，章克標（暨南大學教授）創辦論語，不但文字內容題材新穎，趣味雋永，而且封面和編排都極雅緻，古色古香，別具一種風格。創刊號一出，風行海內，當時上海各大中學校學生出入學校附近的包飯館，手拿論語一本，口含牙籤一枝，高視闊步，算是最名士風流的姿態。「幽默」兩個字也就成為人們口頭禪了！章克標後來為了換屁股詩入章衣萍文稿被拒事件，另辦十日談，但十日談的壽命却沒有論語長久。

論語出版以前，報章雜誌，偶然談到「幽默」（Humour）二字的很少只是林語堂有一次說過：「有一種文字，初看似是笨拙，而又不同於滑稽，祇了能使人發生一種會心的微笑，這就是幽默」！大概，許多名家談幽默的文字要算林氏這幾句話解釋較為睍踊入裏，有如美國專談幽默的雜誌笨拙（Punch）。

論語在中國出版界的地位奠定後，他又創辦人間世，提倡小品文，用不文不白又似文似白的語錄體，講究性靈，喜談明朝萬曆年間的公安，竟陵體文學，大華烈士簡又文稍後創辦逸經，雖有些篇做人間世，但是由於內容偏重介紹太平天國史實一類文字，其銷路自不及人間世，等到宇宙風出版，所謂「以宇宙之大，蒼蠅之微，皆可以為文章」，上海文壇覓成了小品文的天下，左派文人以生活書店為巢穴，創辦太白來與林氏對抗，由任教復旦的文化陳望道主編，口口聲聲提倡嚴肅性的小品文，但仍無法壓倒林語堂，這時候的上海出版界，各種文物如雨後春筍，左派文人長，為左派文人所把持的申報副刊自由談，曾經一再對人間世，宇宙風大肆抨擊，說是「人間何世」！等到林氏與黃嘉音黃嘉德創辦西風，介紹西洋文學，離開「八一三」滬戰爆發也就不遠了。「七七」抗戰開始不久，林氏遠適美國，他的英文著作「吾國與吾民」，「生活的藝術」相繼出版，引起了一部份國人的批評，認為他不應該以小腳女人，鴉片煙，豬尾巴（辮子）等國粹，來吸引西方人對東方民族的好奇心理，刺激西方讀者購買他作的興趣，[illegible]

大概是在民國二十三年左右，上海有名的[illegible]

好的職業是嫁人」！這論調引起許多人評論外，抗戰勝利後，他曾經回國到重慶，亦曾在國外舉行公開演講，他是主張「人生五十始可讀易」，[illegible]「左派仁兄」[illegible]

林語堂早年在北京大學執教，後來又回到他的家鄉福建廈門，在鷺江之畔的廈門大學教書，他與魯迅原係北大同事，頗相友好，所以曾將魯迅拉到廈大去教書，[illegible]

[illegible]相較一般，這也許是智慧釀酒一一般愈久愈醇的緣故！

在思想與人生觀方面講，林語堂多少有點喜歡道家的地方，他把莊子，其實絕非一類的書譯成英文，介紹給西方人，他也喜歡至情至性的文學作品，如沈三白的浮生六記，譯成厚厚的一部書（Floating Life），但是他又介紹大家讀夏敬渠的野叟曝言，這是一部推崇儒家排斥佛老的章回小說，這與胡適之推崇闡怕老婆小說醒世姻緣一般池是件頗饒興味之事！許多人勸他把紅樓夢譯成英文，他沒有做，不過他的瞬息京華（Moment in Peking）有譯作京華煙雲的），多少有一點紅樓夢與道家思想混合的氣息在內。

林語堂原名林玉堂，福建龍溪人，因為「金馬玉堂」這類的命名含有封建色彩，而改名語堂，他的女兒林如斯，林無雙亦會動筆頭。他可以說是一個徹底的自由主義者，與胡適、陳源、梁實秋幾位名學者一般，是「左派仁兄」筆下時刻不忘的敵人！前幾年他被新嘉坡僑領邀請出長南洋大學時，他原想有一番作為，把南大辦成合乎世界水準的第一流大學。共黨也不惜用種種手段去打擊他，卒使南大易長！

最近他的長篇匿名（Secret Name）已譯成中文在報上發表，對共產主義的邪惡，有較確切的描寫。

口占送會后希兄之台灣

·王世昭·

天下爭傳道予窮。故邦人識獨俠名。

大鵬海擊九千里。好趁秋風進一程。

四十七年十月八日於啓德機場

抗暴短篇

黨員江棠信，被退回來了，梅林是有計劃[illegible]

[illegible]

逃亡前記

·盛紫娟·

[illegible]

宋皇台遺址考證

·簡又文·

弁言

余承香港趙族宗親會之邀請，主編「宋皇台紀念集」，內容分五部門：（一）圖像之部，（二）志乘之部，（三）考證之部，（四）文藝之部，（五）紀錄之部；都二十萬言，附圖約六十幅。全稿早已付排，大概年內可以出版矣。

其第三部內載有拙著「宋皇台之考證文字」有二篇。[illegible]以「宋皇台」之遺址為中心，[illegible]以饗讀者。

一、官富山、官富場、官富巡司

景炎二年丁丑（即元至元十四年，又即西曆一二七七）四月，[illegible]

[illegible]且有遺蹟可見，故可斷為史實；即是：端宗（帝昰）偕弟衛王昺於是年確曾駐蹕官富場也。今先將各典籍所載有關其地者錄後，然後再事研究。

（一）「圖書集成」之「職方典」云：「官富山即官富場，在東莞縣西南二百八十里，有巡檢司，今地隸新安。」（陳伯陶「東莞縣志」卷卅八「古蹟略」二引。按：「西南」又是「東南」之誤。）

（二）舒懋官「新安縣志」（卷四）「山水略」之「山」：「官富山在佛堂門內急水門之東（按：應作「西」）。宋景炎中，帝舟曾幸此，殿址尚存。復設巡司，今遷入赤尾村」

（三）同上書（卷十八）「勝蹟略」之「古蹟」載：「宋王台在官富之東。」按：此當指官富山，以宋皇台一帶地方，即官富場也。

（四）阮元「廣東通志」「海防略」二，新安縣：「官富巡司在縣東南八十里，古官富場。宋史：景炎二年帝舟次於此。後改為砦。明洪武三年置巡司，今遷赤尾村。」

現在，應先將「官富山」、「官富場」、「官富巡司」三個名辭分別解釋，免致淆亂不清。

官富山的確是陸地上的高山（不是島嶼），原在今九龍陸土瓜灣西岸宋皇台之西（見上引「新安舒志」），其名已廢，或一部夷為平地，而其餘大概即今高山道以西何文田新村以東之一帶山地（有「華人墳場」）。復證以「舒志」「勝蹟略」所載，耿迎祿墓及金夫人墓均「在官富山宋皇台之北」益可信也。

官富場是官富山麓一帶地方的鹽場——包括今九龍半島之九龍灣土瓜灣岸邊一帶地方。據「新安舒志」（卷八）「經政略」之「鹽政」云：「官富場為宋時（東莞縣）四大鹽場之一。」又云：「明洪武二年，廣東提舉司領十二場。在縣境者舊有四場：曰東莞、曰歸德、曰黃田、曰官富。」所謂「舊有」者，即宋時廣東十三場中為於東莞縣之四場也。（參考宋史「食貨志」，「東莞陳志」。）宋末，帝昰等南遷蹕路所經，曾駐蹕於此。嚴格言之，是在官富場之地，而非官富山也。（按：可見「職方典」所云：「官富山即官富場」一語為不大準確，易惹誤會。）（又按：余最近訪得之北佛堂南宋石刻有「官是場」語，可見宋時官富鹽場的主管官所轄地，包括今之九龍半島。）（一）

稿酬：本報九月份全月稿費，通知單已分別付郵，請惠稿文友，憑單領取為荷。編輯部啓

自由人

THE FREEMAN

（第七九七期）

中華民國僑務委員會頒發登記證台新字第一第二號

中華郵政台字第五〇〇號執照登記為第一類新聞紙類

（半週刊每星期三 六出版）

每份港幣壹毫

台北市每份價台幣壹元伍角

督印人：陳文韜

地址：香港高士威道二十號四樓

20 CAUSEWAY RD. 3RD. FL., HONG KONG

TEL. 771726

承印者：東南印務出版社

地址：高士打道六十四號

台灣總經理處

台北市西寧南路壹壹零號二樓

電話：三〇三四六

台郵劃撥儲金戶九二五二

海外總經銷：友聯書報發行公司

香港：彌敦道中二十六號A二樓

台峽停火與其後果

毛以亨

一、台峽風雲之由來

共產黨無時無地，不思在世界上任何一個角落搗亂，但同一時期祇肯在一個地點搗亂。其理由是自由世界中之國家觀念極強，倘與其本國利益無關，則必如秦人視越人之肥瘠，而漠視之。甚至可以犧牲他國的利益，而達其保存自己的目的。在一個地區搗亂，不特不會引起同仇敵愾，而且會在自由世界中，找到幫助共黨說話的人。使壓迫反共盟主之美國，不得不犧牲讓步，以換得和平。共產黨此種不戰而勝之策略，屢試皆驗而大有所獲。歐洲之匈牙利，波蘭，捷克，與中國大陸都因之以相繼犧牲了。

蘇聯在世界各處，雖都佔到便宜，惟在中東則吃了說不出的暗虧。問題在中東油鑛，適當蘇聯油鑛之下游。油是如水一樣往下流的，中東開油鑛，無啻枯竭巴庫油鑛之源。然而阿剌伯油鑛國家，競與英美法荷合作而大量開採了。蘇聯不能忍，乃利用埃及，敘利亞，引起伊拉克政變。然而阿剌伯國家雖富民族主義，却尤重視油田之實利。繼以英美出兵黎、約，蘇聯倘亦用志願軍于敘利亞，則結果會引起整個歐洲與美國之直接衝突，因為全歐是賴阿剌伯煤油供給的。蘇聯力量，本敵不過美國，再加上歐洲，必為希特勒之續無疑。蘇聯預料到美國之基本戰略，是爭取與國，以對付蘇聯，而不願與中共作消耗戰。再則歐亞各國，尤其是英國與印度，必繼續慷他人之慨，而向中共送人情。美亦為爭取與國計，必犧牲若干利益，以維持世界和平。故美國之在遠東，為遷就歐洲各國故必須讓步，而中共之必有所獲是可斷言的，所以赫魯曉夫便親到北京，將中東戰場，移至遠東了。

二、停火前後之經過

中共炮轟金馬，據說其炮彈是一百萬顆的白米換來的，所以大陸糧食配給，又將減少了。但無論如何，台灣總是挨打，不過挨得起打，已算不錯。美國輿論公認，台灣之兵，現在已鍊得極精，非是十年前之饑卒與五年前之懷仗隊了。而且中共講武力是達不到目的的。數年前之柏林封鎖，亦何嘗有效？自中共封鎖金馬以來，每日供應，亦達百噸，平日則為五百噸。雖僅達平時五分之一，然以勉可足用，未加強供應。總之中共出動飛機，以完成封鎖，不料吃了響尾蛇的虧，這是美國決不讓中共完成其封鎖的證明。響尾蛇于一九五六年，已發給第六艦隊了。其構造並不比一架收音機複雜，身長九英尺，價值不過美金一千元。假使響尾蛇不能粉碎中共之封鎖計劃，還有原子炮，尼克飛彈在後，繼續搬出的。

中共在戰場既戰敗，乃欲在外交上收之桑榆，故重開華沙會議。於是中共頒發第一次停火令一星期了，但其條件以美國不再護航為前提。繼又頒發第二次停火令，而以美艦不走入沿岸十二海里為條件。美國已令美艦不再護航，且戒其第七艦隊，在沿岸二十里外活動了。然主張停火須無限期的展延下去，始可慢慢磋商出結果來，據說中共亦默認了。

美國安撫中共的第一炮，是杜爾斯發言認金馬駐重兵是愚蠢之舉，然而一個月前，杜爾斯尚認金馬駐兵是鞏固別的呢？出爾反爾，忽智忽愚，外交家的話，本不算數的，又何必計較？不過重要的是美國政策確已趨于轉變了，事前赫特副國務卿已說，金馬不值得駐重兵，事後艾森豪又說，依其軍人觀點，金馬確無須駐重兵。然而吾人如問，面對金馬之中共軍隊有三十萬，其目的在謀取金馬，是否為金馬不值駐重兵之證明，抑其否定之證明呢？政治家公開的話，總含有其未說出的計劃，這不過是強逼我們退出金馬，以安撫中共之權謀而已。

我們對于美國人這些話的唯一反應。為美國人不可靠，反共還須我們自己努力。然仔細分析一下，艾森豪的話，與英國工黨的話，完全雷同，乃承受了英國的影響。韓戰是艾德禮親赴華盛頓力爭，美國纔肯將其停下來，中共利用英國為之幫腔，其政策是成功的。英外長勞特本定于最近下台，但以其調停金馬戰事有功，現已決計留任了。

三、亟宜製定中美共同的遠東政策

我們雖少不了美國，無美援自由中國即不能活下去，但不應忽略的，是美國更需要我們，沒有我們的合作，美國即非退出遠東不可。中共是要美國退出遠東的，其力量豈日韓菲與東南亞各小國所擋得住？祇顧我們反共的人，強調美人對我們之從無領土野心，使全體中國人，不願為中共所驅策，致使韓戰不能再打下去。倘使反共者灰心，以為美國終要隱聞而出賣我們，則虎兕出柙，東南亞便無寧日，將悔之晚矣。

因中美在遠東，既如此互相倚賴之深，故亟須製定共同政策。自然英美有共同之國際政策，不免與中美將來製定之政策相違背。但基本的，主要的政策，則即使英國不贊成，中美必須澈底幹下去。如金馬為將來收復大陸之象徵，其重要性在精神上尤要于台灣，倘使沒有收復大陸之希望，則台灣于我們亦復何用，須知我們是大國民呀！聞美國有以金錢收買金馬，而以奉送給中共之計劃，即有之亦必無成，徒見美國人之可笑與英國人之自私而已。

（十月廿日）

半週述評

金門再砲戰

中共恢復炮擊金門，使台海局勢再趨緊張，同時使一些對共黨而目認識不清的外國人士，受了一次深刻的教育。

停停打打，原是中共的一貫策略，軍事進攻不成，則採取政治攻勢；政治攻勢失敗，又實行武力攻擊。花招雖有不同，但其對金馬台澎的侵略野心，則始終未變。因此我們不容望他停，也不怕他打，而是要由被動轉變為主動，取消他「要停就停，要打就打」的主動權。

此次中共的重燒戰火，雖以反對「美艦護航」為藉口，但卻另有其不可告人的目的，第一、他是企圖給杜爾斯以壓力，破壞蔣杜預定的會談內容，表明中共的目的，不在國府之減少外島駐軍而是要強迫對外島的放棄。第二、是破壞美國國會選舉，製造緊張局勢，影響共和黨的競選。

但這仍是枉費心機。就第一點說，國軍保衛金馬的決心，與美國反共的基本立場，不是幾顆砲彈所能嚇倒，所可改變。就第二點說，破壞別國的內政也不是可以生效的。本年四月間，中共曾以停止對日貿易以打擊日本自民黨，支持社會黨，但結果反促成自民黨在選舉中的全面勝利。因此破壞美國選舉的陰謀，也必然是失敗的。

更重要的一點，是中共面對金門的堅強堡壘，四五十萬發砲彈無動毫末，現國軍經過兩週的補給增援，防務更為堅強。要進攻，也真不是一件容易事。觀乎這兩天共方所發射的砲彈，已不如過去的多，說明他們已是「再衰三竭」了。

蔣杜會談

在中共砲轟金門聲中，美國國務卿杜爾斯到台灣，與蔣總統舉行會談。據說杜氏此行，一方面是加強中美兩國的的友好關係，粉碎共黨的離間。一方面原是勸請中國政府減少外島兵力，以換取台灣海峽「和平」。但現在因中共的背信食言，恢復開砲，會談的主題必有所改變。

至二十三日為止，雙方已舉行會談四次，內容雖未見宣佈，但可以估計得到的，國府的提案當是下列四項：（一）美艦恢復護航，（二）聯炸大陸炮位，（三）停止華沙談判，（四）加強軍備支援。至于美方的態度，則是（一）保證必要時恢復護航，（二）同意繼續供給新式裝備，（三）對轟炸大陸砲位問題，仍主「冷靜」。（四）對外島駐軍數量，仍不贊成過多。參加會議的美助理國務卿羅柏遜說：「金門外島不能視為進攻的基地，把兵員和裝備運到共黨砲火威脅下的外島，再從那裏冒着砲火登上福建海岸，在軍事上是不合理的」。這是中美當局在意見上的主要分歧，也是中共享有「要打就打，要停就停」的「特權」的重要因素。如何消除兩方的距離，如何有效制止共黨的侵略，在會議中當會有具體的討論。

回民武裝反共

中共的擴張政策，不僅提高了自由世界的警覺，也激起大陸人民的反抗。甘肅、寧夏等省區回民的武裝暴動，即是例證之一。

據最近中共清算寧夏回教教主，固原回族自治州州長馬震武的報導透露，幾年來西北回胞曾發生無數次的武裝抗共事件，如一九五〇年五月平涼地區的「五八」事件，一九五二年四月固原地區的「四二」事件，一九五八年四月甘肅的「四四」事件，六月一日同心縣的「六一」事件等，都是大規模的武裝暴動。此外廣東普寧縣流沙鎮在本月內也曾發生有一千餘人的搶糧事件。從大陸人心看，中共的統治是絕不穩固的，因此支援這些義民的反共運動，是與保衛金馬問題具有同等重要的意義。

○金達凱○

「停火」不是終止「緊張」

金門恢復砲擊已有事實證明

舒華章

北平實行狐搰狐埋的停火延長後，華盛頓方面曾傳出美駐台的軍力即將加以削減。表面看來，這似是並無不合的措置，實則是一種最不健全的看法，因為這個措置是根據所謂局部地區的緊張大見和緩的時局而作的，而緊張之來由於共黨的蓄意侵征，所謂緩和實在是自欺之談的。昨（廿）日在所謂「停火」未滿期限之前，又恢復「砲轟」了。這正好是中共所謂「要打就打，要停就停」的事實說明。

克里姆林這次策劃的緊張勿論是對內或對外的，祇有一個目標，那就是擴張勢力；換言之：共產黨徒對內須靠製造緊張來應付被奴役的人民，而於侵征赤區以外之際，同樣要靠多種形式的緊張情狀，自然包括撲殺，威脅，離間，滲透及其他。伊拉克猝然生事，美英大軍才又慌忙進駐黎巴嫩和約旦，這不是所謂緊張促成一連串禍亂的一種現象嗎？第二次世界大戰後，中東不斷在緊張中討生活，連那個企圖建立阿剌伯大帝國的埃及獨裁者也自甘接受莫斯科施行中東區造成緊張情狀那種手法的玩弄，就更加使人替民族主義被牽入邪道上去此一悲劇嘆息的了。

如果說英法當年進兵蘇彝士運河區，也是緊張成因之一，這在共黨聽來，大可笑逐顏開，何況赫魯曉夫曾經在英法撤軍之前，揚言必要時便把氫彈扔落兩國的首府——不，該說他隨時能夠發射越洲飛彈，把倫敦和巴黎轟成歷史的廢墟！蘇俄前些日子聲言協助中共把「美帝」驅逐出台峽一帶。「不幸」這一套用於美人身上，並不如赫魯曉夫預期，沒有同樣起着嚇倒了蘇彝士危機中英人那種效驗！儘管蘇彝士與台峽危機的實質是有根本上的不同，其因赤色毒計而釀成的緊張與禍亂，還是環球性的，絕不能出以局部亂子的觀點看的；亦惟有全面應付赤禍製造出來的任何緊張局勢，才足以言對付緊局，否則共黨一定利用自由世界那套頭痛醫頭的弱點，繼續瘋狂地進行其巧取豪奪的兇暴計劃。

或謂台峽這場打鬥，到今天結算一下，該說是中共敗戰了，還丟了不少威風。這一筆賬這樣結算，自然有一定的理由，但不論怎樣健忘也不致於忘懷約旦境內的英軍竟成為北平指使萬千學生喊叫英政府不得干預中東的靶子，繼而轉為更多的農工受更殘酷的壓榨的藉口；不消說，「美帝」遣兵入貝魯特之舉先已撥起毛朝乘時強迫老百姓生產多些物品的妄念。此刻共黨又利用「響尾蛇」打下許多赤色米格機的傳言，大操民兵。中共打不下金門，即使不敢發射五十萬顆以外的大炮彈，對被奴役者言，對內總起了相當緊張的實效。

自由世界應該嚴重地一致考慮台峽事件。目前這百多哩寬的海峽，南岸集結着環球按面積比例計算擁有最龐大的海陸空和原子化軍力。這就是中共停火前舉世憧憬然不可終日的一種緊張，也是共黨一手主動製造出來；它今天來一次警告，明天照樣警告美軍力又侵入了中共海岸外十二哩以內的水域，即使北平不開炮，也沒有和中國飛機打得落花流水的刺激新聞可以發佈的平淡日子裏，共黨依然沒有忘記把台峽樣子化僵局中的緊張因素，說是由「美帝」主動湊成的，是見今日的中共青出於藍，比俄人那年利用西柏林之圍，製造大封鎖的緊張，更多花樣——說得明確些，北平滿肚子毒惡，明知這一次試探美國決心與實力失敗了，老不甘心放棄在台峽動武，明預見遠東的緊張根本上無所和緩，猶之乎整個冷戰中的自由世界至今依然受着赤色緊張的左右，由是助長了亞非集團國家妄言行有利於共黨敵詐的威勢。對此。勿論如何，必須在心理戰上戳穿共黨利用世人懼於「恐怖」那種緊張的詐術；動不動在小戰中出以大戰毀滅的口氣嚇人，該不再適用於今後台峽！

中美堅決一致應付共黨在遠東迫出來的緊張，其成就應並不限於北平主動的「停火」；何況中共是早已說過「要停就停，要打就打」嗎？當作自由世界更應該注意的是：共黨為了要個破台峽這個僵局，可能在策劃進行打一項中戰，那麼，中美及以外的各大盟邦都不該再囿於緊張的圈子，而祇彷徨于些小的應付中。我們以此拭目觀杜蔣之會。

（一九五八，十，十九）

從最近新竹一案看法治

○人言○

人謂台灣司法黑暗，初不之信。最近看了新竹地方法院檢察官解寄察的起訴書（民國四十七年度偵字第五一一九號妨害名譽）副本，不覺倒抽了一口冷氣。筆者在此所要指出的，是起訴書中違法的文字及檢察官錯誤的觀念，以提醒社會人士警惕，並促司法行政部對司法官的素質善加注意。案件本身無關本文主旨，僅引為例證而不願有所置喙，但為使讀者明瞭起見，不得不就起訴的事實，先有個簡單的交代。

案中事實是：某省立中學甫卸任的教務主任與教務處幹事發生口角。事後教務主任指控幹事妨害名譽，而以該校現任教務主任為證人，提起自訴。

錯誤的斷語

起訴書上所援用的法條是否切當與本文無涉，但檢察官在起訴書證據項下強調着說：「其中（證人）△△△一名，為××中學現任教務主任，亦即被告之主管長官，其言『自可』採信。」——這就是筆者所指違法的文字，錯誤的觀念。試想長官與部屬涉訟，不據事之是非曲直為衡法量刑的準繩，僅憑職位高低妄作臆度而遽下論斷，則位尊者必是，金多者必勝，儼直在鼓勵以強凌弱，恃勢妄為，以造成社會的混亂了。當法律秩序受到擾亂或侵害時，設法維持使之恢復，纔是司法機關的主要任務，今茲所為，適以此背道而馳。豈謂高官厚祿之人，鐘鳴鼎食之家，必無作奸犯科之賢？即以本案為例，若據解寄察的邏輯，凡是長官的話都「自可採信」，則告訴人原是被告的主管長官，他的告訴已「自可採信」，又何必另求證人？我以為開庭偵查已屬多餘，逕可用命令逮捕，何等便捷了當。走筆至此，不禁為「法律之前人人平等」一語，擲筆三嘆！

法律的漏洞

按日本的檢察制度，檢察官提起公訴，到刑庭判決無罪時，檢察官便要受處分。我國不然，檢察官的起訴是不負責任的，可以任所欲為，可以把責任輕輕地推到刑庭推事身上，可以利用不公開的偵訊邏輯主觀論斷。這對於被告是極不利的。法律既有這麼大的漏洞，對於檢察官的遴選委派就得極其嚴格，俾能補救法律的缺憾。像新竹的案件，根據起訴書是本刑至多不會超過一年的小事情，中國的老百姓是吃慣虧的，就是受了冤枉，也只有自認流年不利而忍氣吞聲。反過來說，倘或案情重大而有生命出入的場合，也以此法無根據的「自可採信」四字輕下論斷，其後果又將如何？這就是筆者所以不能緘默，把此事公諸社會，希望司法行政部勿以事小而不顧，給我們一個滿意的交代。假如讓這類檢察官仍盤踞於司法大廈之上，不得不替此地善良的老百姓膽寒，且為台灣司法前途存很大隱憂。

民主政治以保護人民的自由權利為前提，而法治則是保護人民自由權利的基石，只有極權國家纔不敢奢談法治而用人治來掩其醜惡，望解寄察三思是言。

台灣通訊

汕頭地區發生搶糧暴動

本月二日，汕頭附近的普寧縣流沙墟，爆發了嚴重的暴動。死傷超過乙千人。

在大陸沿海地區發生暴動，尚屬初見，可見中共統治之動搖。此次的暴動係[illegible]

態度強硬‧弱點不小

○新聞隨筆○

實在是令人難解的謎，雖然中共在杜勒斯抵台的前夕恢復了對金門的轟擊，却仍無助於化解中美間基本上對金馬處置的歧見。

對於美艦之應否恢復護航，台北和華府所傳，也有出入。廿二日羅伯遜說，杜卿授權給他聲明：美並無意恢復護航；但同日路透社華府消息，美官員稱：軍事上如有必要即恢復護航。第七艦隊的部份主力，確也正在撤退呢！

艾森豪直到今天還說，「金馬並無極大的重要性。」這話反映出美國對金馬之不了解，不僅是在民間。如果說，「對金馬外島的性質並無認識，」只限於「美國國內大部分人」，（見廿三日香港時報二版通訊）我們姑可認為這只是宣傳上的不夠，實則白宮的觀點在基本上也有問題，那末，有人一定要說中美之間毫無歧見，就不盡其然了！

即使是英國與美國那樣血濃於水的關係，尚且時有不能協調的問題發生。當然，我們也不應過分地強調歧見。美國的輿論一向有左右或反映白宮政策的力量，就目下情形論，美國「輿論並非對我有利」，（同前）照葉大使的看法，國府「萬一在外表上（實質反而好商量）堅持某些形式」時，（仝前）更將形成對國府不利之趨勢。誠然，美國國會也正有人主張召開特別會議重加檢討對台峽局勢呢！

從這些跡象觀察，不難知道中共何以敢在此時此際再度恢復轟擊了。儘管美國態度強硬，但其弱點可也不小！

‧金葉‧

如此感化院

○山正○

（台灣通訊）高雄感化院問題重重，本月八日才發生一件少年犯陳恩川，因拒轉台北，即被該院以石棍開水擲逐，手足被擊傷多處，問題現正由警局處理尚未解決時，於本月十四日又發生一件十二歲童遭受該院虐待，內外傷勢嚴重，家長陳情警局，請救小命。

據十月十日台灣徵信報載，陳恩川係於本年前因犯竊盜罪，被判入高雄少年感化院，接受感化教育。因其籍隸台北市，該院要將其轉移台北感化院。陳恩川因台北距其家太近，自愧形穢，不願前往，至八日該院實施強制執行，陳恩川拼逃拒捕，最後跑進訓導組一教師宿舍，將門窗緊閉，不肯出來。院內保警及師生多人，竟採強硬對策，向室內拋擲石塊，木棍及開水，迫其出降；但陳恩川手足雖被擊傷多處，仍然堅持不從，並將玻璃窗打碎，手持玻璃碎片，指向自己喉嚨，謂如再打他，逼迫他，他就割喉自殺。如此僵持十六小時之久，最後始由刑警隊長前往，用言語即將陳恩川說服，乖乖走出房來。現送拘留所保護及處理中。

據陳恩川對該報記者稱，感化院曾經用繩索綑綁他，並用木棍打他，他說感化院施予他的種種虐待，切齒痛恨。並且他又說，院方黑幕重重，為了其他同學，不會遭受到和他同樣的不幸，他要提出告訴。

此波未平，他波又起。據該報十五日載，鳳山鎮黃埔二村住民謝群書之妻黃寶仙，因她的十二歲兒子謝多柏，在高雄感化院遭該院人員拷打虐待，混身傷痕累累，面黃肌瘦，慘不忍睹。其母黃寶仙于十四日上午，陳情鳳山警察分局，希望警察分局救救這條小命。

本來，少年感化院之最高指導精神為「愛」。少年法被稱為「愛之法律」，感化教育得稱為愛之教育。因是愛之處罰，其內容須是扶導與教化，而非報應與懲罰。蓋少年時期為幼兒至成人之過渡時候，且屬青春發動時期，心理狀態特殊而複雜，變化多端，為一生中最危險時期。故自我中心，矛盾性，不安定性，衝動性，缺乏判斷力自省力等為犯罪少年之特性。若未理解少年時期特殊心理，僅以恐嚇、冷酷之懲罰威嚇，則徒增其反抗與氣憤而已。美國司獄會議一八七〇年之原則宣言第四條說：「予以恐怖不如予以希望，予以懲罰毋寧予以褒賞」；殊屬愛之感化教育之精神，亦為實施感化教育人員之應有認識。高雄感化院其徒以懲罰威嚇為教育之手段，豈不違背感化院設置之目的？如是感化院！但願有關當局，能密切注意。

稷下談龍錄（三）

——現代文化的批評——

○賈若虛○

自從我同蘇志衍先生以及何學仁柏效同兩兄談話之後，我對歷史究竟有無意義，及人類的將來有無希望，甚感興趣。今天晚餐後，便到學仁家裏，那時效同已到，正和蘇老師閒談。我道：昨晚大家座談，十分有趣，我對老師所講的，雖覺得有道理，但是看法太過悲觀，內心總覺得不安。現在我要問的，是歷史究竟有無意義？人類的將來究竟如何？

蘇：歷史可以使得我們鑒往知來，趨吉避凶，所以孔夫子著春秋、與易、書、詩、禮、樂，並稱六經，傳授弟子，至於人類的將來歸宿，他自身決定。有的學者研究歷史哲學，喜歡把歷史演變途徑，予以一元的解釋。例如黑格爾的世界精神史觀，馬克斯的唯物辯證史觀，亨丁頓的氣候史觀等等，把事實拿來牽就他們的理論，流弊甚大。人類在當前時會，因為科學發展工業進步，殺人武器愈來愈多，兩大勢力對立，很有遭遇災難之可能。這個災難，不能歸咎於造物主，或前定的運命，而應歸咎於自身。本來人類由觀察研究自然與社會，會體驗出道理來。遵循此種道理便得吉，不遵循此種道理便得凶的結果。例如高電壓的電線，不要去接觸，因為觸電是要死的。飲酒過多不應開汽車，因為這是違反警章可以闖禍的。人有自由意志但應明因果守道理，於是為了某種目的，便用某種適當手段去解決他。此其間回旋餘地不多，米蘭斯名之曰行動式的決定（Activistic Determinism）與運命式的決定（Fatatistic Determinism）不同。許多歷史哲學家把自己當做上帝，用他的理論把未來世事預先安排定了，野心家乘機利用，使得多數人在這種氣氛環境裏意志消沉，認為事無可為，結果便有災難。這是人謀的不臧，與歷史無干。不是命該如此。

何：我們對近代文明史略加涉獵的，都知道自從文藝復興宗教改革以後，西方各國科學發達工業進步，十七八世紀之交有了啓明運動，理性主義抬頭，政治經濟各方面長足進展。到了十九世紀，達爾文的天演論出現，孔德斯賓塞等提倡社會學，其他社會科學如心理學人類學經濟學等也緊追自然科學而邁步前進。所以不僅英美德法諸國人民生活順遂，文化昌明，即遠東方的日本，同我們中國，也先後追蹤，將西方學術思想搬運過來，本世紀雖有幾次戰爭，然而聯合國已經成立，弱小民族紛紛獨立自治。總之科學民主為治平要術，人類已經運用理性，改良現狀，此後不斷進步，自在意中，老師還要說現世紀危機嚴重，災難當前豈非故弄玄虛，唱唱與衆不同的高調子嗎？

蘇：老弟台，你口頭講的很硬，其實內心裏對現狀充滿不安。你那一套話，照我看來不過是走在墳山裏吹哨子，自己壯膽子而已。（衆人哈哈大笑）

蘇：讓我來先講兩個故事做開場白，然後把若虛提出的問題來發揮一番，你們不同意的，請隨後提起來辯論。

何：好的。

蘇：從前十七世紀教士克迷理厄斯（Comenius）寫一本書，敘述一位求道者各地拜訪各種學問專家，請教真理後來到了歷史家聚會之處，看見他們每人都有一套儀器像一個長管子，用來觀察過去，研究當前，同預測未來，他便向他們借儀器來觀察，豈知各位歷史家儀器裏所見事物各不相同。結果各位歷史家大打出手，因為每人都以為他的儀器是唯一最準確的儀器，旁的人的儀器不佳，所以觀察的結果，不對。（四人大笑）

蘇：講到第二個故事，那是歷史家湯因比所講的，他在一八九七年隨他的父親參觀慶祝維多利亞女皇登極六十週年（Diamond Jubilee）的軍隊行列，看見各種殖民地的部隊五花八門，服裝特別，與英本國部隊制服不同。當時所有英國臣民，除去一位詩家之外，都以為大英帝國力量如日方中永無下降之可能。他們以為從一八一五年滑鐵盧勝利到一八五九年印度之亂平定之後，歷史已經停止，不需記載，因為凡事都十分順遂不能再好了。這種看法讓一九四七年的英國中產階級看起來，何等狂妄。但在其他西方國家，如北美諸州在向西部開發以及戰敗南方以後，還有德國在一八七一年戰敗法國以後，他們的中產階級都有此種感覺以為他們的國運日進無疆。豈知好景不常，世事本是不居的。湯因比在一九四七年向美國人講演時，暗示過去文明毀滅的因素，在現代業經存在。

何：老師開場白講過，好入正文了。

蘇：老弟台，你說世界不斷進步，這是十七、八世紀的洛克，休謨，盧梭，服爾代耳，乃至康多塞，葛德文等人以來的樂觀理想。十九世紀有一時候穆勒曾以為祇需全人類能識字受教育，便可彼此不爭，達於大同康樂。但一八六〇年前後馬克斯，達爾文和音樂家瓦格勒 Wagner 的作品，先後出現，種種學說，如同階級鬥爭，種族優越，及戰爭為演化的手段等等，一時並起。人類之間，有的合作，也有的彼此鬥爭。大同康樂，不像可以一蹴而躋。所以有所謂維多利亞式的折衷（Victorian Compromise）出來，承認世事不能盡如理性主義諸大家所講的那樣完美無缺。到二十世紀以來，西方文明的缺點更為顯現，大小戰爭多次，死傷人數連同希特勒所殺的猶太人，史大林，毛澤東所消滅的反共者同老百姓，在此數十年間，總計當在一萬萬人以上，比中國從有史以來直到宋末任何時的人口還要多，目前又有原子戰爭之可能，文明國家進退兩難，獨裁國家漸漸得勢，所謂人類不斷進步論，需要大大的再打折扣了。

何：然則人類究竟應當怎麼辦纔對？

蘇：讓我們先把古今若干歷史家的主要看法，概括的，粗淺的，研究一下。再把人口問題經濟問題乃至人性問題等等檢討一番。希望我們能有相當智慧來解答這個問題。

何：好的。

蘇：你們知道威廉斯詹姆士曾經把哲學家分做硬心腸（Tough-Minded）和軟心腸（Tender-Minded）的兩大類。雙方意見不容易調和。大抵硬心腸派注重人世間的事件，而軟心腸派則注重超出人世經驗的事情，求更基本安身立命的看法。前者有經驗主義派（Empiricism）懷疑主義派（Skepticism）自然主義派（Naturalism）實證主義派（Positivism）實驗主義派（Pragmatism）此派中當將詹姆士的軟心腸主張部份除外）。後者有玄想的形而上學派（Speculative Metaphysicians）直覺主義派（Intuitionists）及理想主義派或唯心派（Idealists）等等。中國的孔孟儒家像唯心論者，老莊道家管子韓非等法家比較接近自然主義派。西方自希臘以來，兩派或同時，或先後，紛爭不休，到今天仍然如此。現在是硬心腸的學派佔優勢，但此後軟心腸學派重佔優勢，亦有可能。我講以上的一套，因為普通歷史家討論世事，不易採取客觀態度，而大多受他自身的哲理觀點的影響。這是我們應當牢記的。

何：好的。

（上）

反正影人

蘇誠壽被掠脅赴粵

雙十節前投向自由的左派電影導演蘇誠壽，失蹤多日，現已證實，被綁架至廣州。但一般人均認爲他係在被人脅迫之下離開香港的。

現此案已在本港電影界引起了注意和關懷。

自由影人對中共地下組織的猖狂，不但無人畏縮，相反的因爲多人從蘇誠壽事件中獲得教訓，大家都知所警惕，並準備進一步團結合作，以防今後有類似事件發生。

左派報紙日來對此事件宣傳說是蘇誠壽爲「美蔣特務」脅迫，特別是邵氏公司導演李翰祥，不幸遭遇到誣陷。

記者據與李翰祥談話，李氏說：

蘇誠壽在雙十節那一天，到過樂聲戲院參加慶祝國慶，也到過翠華樓自由影人的慶祝晚會，在失蹤的前夕，他到過法治的香港，能夠被人公開脅迫去嗎？這是任誰都不會相信的。李翰祥承認蘇誠壽是很久的朋友，但最近才到李氏的家中請求李氏幫他忙，因爲他是多年來生活十分清苦，父母在大陸，他每月所拿的薪金不多，工作特別的繁重，想過自由的生活。當然，做朋友的是應該幫忙，應該對此考慮的，不過我的工作太忙，也從來沒有到他的家裏找他。但他在十月九日晚，曾到我的家裏找我，他還懷着興奮的心情要參加雙十節國慶，這是每一中國人的自由，在樂聲戲院的國慶晚會，他沒有機會發洩他的意志。自由，不過，他希望講話，時間所限，他在翠華樓的晚會裏見，他一定要講話，由于當晚國慶慶祝的節目太多，所以只能臨時抽出一些時間讓他講話，但他到廣州去了。李氏說：他延到十二日失蹤，至今才表團到廣州的綁過，其本意令人疑惑，李氏最後表示：我們從事電影藝術，是發揮藝術自由的意志，絕不會把自己的意志……

×日曾有人到花園街二×號××樓蘇寓拍門要見房東，這個人自承是某影片公司的高級職員，並示出身份證明，要求房東把蘇氏留下的東西交給他，他還從中掏出一個字條，上面寫有蘇誠壽的名字，但房東拒絕了，並把這件事向警察當局……角警署去查詢有關蘇誠壽下落，他自承是××影片公司負責人，是取得蘇誠壽的高級職員，留他在花園街寓所的東西，他透露蘇氏不原因是他已現在大陸，當時他被迫離開香港和怎樣離開香港的情形……上午乘火車返廣州的。

警察當局，對這突如其來，由××影片公司負責人出面領取蘇氏留下的東西，並說蘇氏現時動向一事正詳細研查中，據說，該高級職員所提出蘇氏現在大陸的種種根據顯示可靠，但結果該批東西，還未領得。（資）

供給制復元

中共在未奪得大陸政權以前，一切人員都是實行供給制的；北平開府後，逐漸的改成了薪給制，到一九五五年完成了這種改變。一九五四年九月彭德懷在「八大第一次會議」上的講話，認爲取消供給制而以薪給制代替之的優點是：（一）減少職業軍官的雜家費，減少生活的困難；（二）減少由供給制所產生的浪費，平均主義，結婚限制等現象；（三）實行薪給制，足以克服浪費，鼓勵上進。（一九五四年九月二十六日人民日報。）

現在，這方面的情況是：（一）在農村人民公社中，一半薪金一半供給；（二）工人方面在鼓勵自動取消計件工資制；（三）自朱德在太原對軍區幹部的講話來看，亦在軍隊中鼓勵放棄薪給制，恢復供給制。有全面的恢復供給制的趨勢；供給制的究竟浪費與否，看來由他們隨便說說就可以變成浪費與節約。其所以要恢復供給制，是要破除由薪給制而產生的積極性提高了，要破除人民的共產主義積極性等資產階級法權思想。

如果說三年來大陸人民對於共產主義的積極性有如許提高，誰也不信；唯一的原因，當是中共今年大躍進需要更加緊的壓榨。

恢復砲擊

本來中共停止對於台灣海峽的砲擊，我們早就說過並不能與停火相提並論，恢復砲擊並不能驚奇，只有一廂情願的人以爲會擴張下去之外。但是，我們並不以爲美國國務卿杜勒斯訪台前夕恢復在國府的砲擊不難了解，其作用當在表示其「要打就打，要停就停」，不受任何約束，若說美國就會被砲擊之下，任何人相信。但是美國的行動知道，一味的否認沒有護不過是一大堆藉口中的一個藉口，難道他們找不到另外的藉口來恢復砲擊？

反懲罰運動

前此，曾指出中共在不造成大戰的前提下，將不斷地在台灣海峽製造緊張局勢，若要根本消滅這種緊張局勢，唯一的辦法是擴大的揭穿它是一隻紙老虎。

中共把這種砲擊變成是懲罰性的，雖道中美雙方就默默地來忍受這種懲罰？

中共的這種懲罰，雖然說明其對象是金馬駐軍或台灣國府，然誰均知，在目前的情況下，其懲罰的範圍是以美國爲首的整個自由世界。自由世界的領袖們難道眞認爲是可忍乎？

爲自由世界的威信，爲眞正消滅台灣海峽的緊張局勢，爲自由中國創造反攻大陸的條件，我們呼籲海內外的輿論，大力的鼓動起一個反懲罰的運動，要把這隻侵略成性的狂獸制服，才是徹底的辦法。

◦田心◦

看報閒話

△「共產主義勞動，從比較狹窄和比較嚴格的意義上說，是一種爲社會造福的無報酬的勞動。」（列寧）這話正被中共在廣泛的宣傳。因爲目前在推進「公社」制，並且同時進行取銷薪給制和各種形態的工資制。這也正意味着在可見的未來，一切的勞動，將全變作無報酬的了！

天下會有此理！即使「萬惡」的資本家也不致如此說，如此做啊！

× × × ×

△「政治掛帥」是目前大陸生活中的主要口號。因爲政治掛了帥，凡事皆以政治性質第一位。於是掛了帥的黨幹部，就操「生殺大權」，工人中主張維持工資制度的人，就成了鬥爭的對象。爲什麼要取銷工資制度呢？因爲有些已「公社」化了的農村，已實行供給制或半供給制，爲了消滅內部矛盾，拉平工農的收入水平，工人就必須放棄工資制度了！這正是說來好聽的口號。

× × × ×

記得是前年的冬季，在蘇聯發生了大城市食無洋芋，而號稱豐收的農村，卻無人理會洋芋，任它在田裏爛壞，在倉裏發霉。這現象今年也在大陸發生了！

薯類是目下大陸人民主要的口糧，但就河北一省說，只創收了四百九十三萬多畝，紙是播種面積的五分之一，其餘的如不能完成搶收，將要全部爛壞。

但是荒年沒得吃，豐年也吃不飽！

× × × ×

△匈牙利又在大肆捕人了。這是革命失敗以來每年必有的壯舉。

的反蘇反共的分子，也永不能趕盡殺絕。

眞是「離離原上草，一歲一榮枯，野火燒不盡，春風吹又生！」

• 不懂齋主 •

竹幕裏看英國

◦旭軍◦

據英國「新政治家週刊」記者蔡蒙杜辛說：中國大陸被關進鐵幕九年，迄今人民對於外面的世界很隔膜愚昧。但良知未昧，始終不信任共產黨。

無錫一向是滬甯鐵路一重鎮，以前人們對外國人認識得很清楚的。但現在不同了，杜辛在無錫，有一天遇見一羣自學校出來的少年，包圍着他。

「你一定是俄國人，是麼？」他們爭着說。

杜辛否認了。

「那麼你從什麼地方來的呢？」

杜叫他們猜猜看。

「你是印度人。」他們說。

另有人抓着頭髮，苦思一頓，但愈猜愈離譜。

「那麼你是從外國來的，是麼？」

既感難猜，便有人說「你眞正是一個外國人，是不是？」

下面是杜辛另一紀錄：——

有些農人和我談話，顯見十分糊塗，『英國？它在那裏？』

『在西方很遠的地方。』

『當你走到分叉路口，你向左抑或向右走？』

當我到陝西華山，遇到一顆有文學修養的嚮導，他還不知英國和法國是兩個國家的。

這也是以爲報紙總是登載所謂『社會建設』，很少提及外國的事。共黨說：十五年工業趕上英國，所以大多數人不管英國是什樣的地方，也認爲英國人的生活一定是很好。

有些曾到過英國的，對英國表示極大的愛慕懷念。特別是在上海的，對於昔日的英國友人，不勝思念。一位青年的科學家，津津樂道荷理活的明星。但他只知道鍾歌羅福、瑪蓮德烈治、格烈特嘉賓，和謝實李。

我們在清涼躍足時，他問我：爲什麼英國對中共有如此的偏見。我說共產主義和俄國革命種種的無人道，與東歐國家的命運常常聯繫起來，以致許多人相信中共情形更壞。於是他一半懷疑一半娓娓動聽的說：『至於俄國人，我也是有這種的想法，但現在我以爲他們不是完全這樣壞。』

他好像普通大陸知識份子一樣的問：『共產革命有機會在英國發生麼？』當我解釋道：工人生活提高，用逐漸改善方法，故不需要共產革命時，他很自然的接納此解釋了。大多數人都是如此。他們只對政府是否能改善實際生活，感到興趣，而冷眼政治理想，祇是有一次遇到一位軍官，他的談話，好像留聲機一般高唱馬克斯主義。

我少聽到抨擊俄國人。當我抨擊俄人時，卻沒有人挺身出來替蘇聯辯護。

關於人們對英國政府的態度，他們相信英國的外交政策完全受美國左右。示威當衆反對英國干涉使館時，大多數的口號都是反美，毫沒有敵視北平的英國人。

有一天，我在蘇州看見『社會建設總路綫』宣傳大巡行。高中學生行列裏的化裝宣傳車，有一扮英國人的，身穿運動短衣，打着黑色蝴蝶式領帶，頭戴一紳士高帽，帽上有英國旗標誌，手上拿着一皮鞭和手錶，旁邊站着一位扮山姆叔叔的。好像表示英國是美國的幫兇。當我行上前和他們說話時，他們表現出很狼狽的樣子，旁有人哄然大笑。並沒有絲毫惡意。

港九觀旗有感

一民

前天傍晚，路過彌敦道的九龍貧民住宅。銀行界並不多。而十月一日，在德輔道，皇后道和雪廠街一些高樓大廈的銀行，却掛了僞旗。尤其是香港中華總商會和中國銀行，還花了大筆金錢，搭起高大的牌樓；這些少數腦滿腸肥的「人物」，竟對毛共政權感到興趣；而勞工貧苦大衆却痛恨他們，熱烈擁護中華民國；這豈不是明顯地對於那自稱爲「代表無產階級、農民、貧苦大衆」的「人民政府」一個最大的諷刺嗎？

同時，在國慶前一天，九龍總商會副理事長潘振明，臨自殺之前，親筆遺書：「中華民國萬歲」留祝四十七年國慶」。這是一件可歌可泣的事件。

敦大廈，見牆外高張數丈的巨幅的青天白日滿地紅的國旗，沸騰的血，激動了我的空虛的心；我幾乎要流淚了。

今晨早起，閱讀英文「香港虎報」，據載，昨天雙十節的國旗，大的，小的，布的，紙的一起計算，約有三十萬面之多；這比起十、一寥若晨星數千面，由大陸數千萬被屠殺的人民的鮮血染成的「五星旗」，眞有天淵之別。可是，今天這裏一些中共方面的兩報紙，沒有一字提到國旗字樣，反說「軍警戒備森嚴，市面蕭條云云」，他們是有難言之痛呢？還是不得不裝聾作啞？

據作者個人所目擊到的，昨天懸掛國旗最多的，是勞工團體，報販和中共自竊據大陸以後，復由俄帝的軍事，政治，經濟控制了整個大陸；並且英國當局承認中共政權，與中華民國政府並無邦交關係。港九又與廣東共區接壤，中共處心積慮從事于滲透活動已久，爲什麼在「旗織」的作戰上會如此一敗塗地呢？這是血的經驗和教訓，這是人心的向背；這是人民自由的「自由選擇」，「愛」與「恨」的表現！每一面國旗都代表了一顆熱烈的心。

港九懸旗，是人心向背的最好測驗，也是歷史的一面眞實的鏡子。執政當局千萬不可錯過這良好的機會。中共不足畏，蘇俄不足畏，湯七十里而王，文王以百里而興，歷史上以小擊大的例子數見不鮮！（「雙十節」後一日）

國際動態拾零

△駐台美大使以美國對中共政策之改變，未獲通知，殊表憤慨。自八月卅三中共砲轟金馬以後，美大使館祇接到一封國務院的函件，其內容僅是一般性外交方針的指導。

△響尾蛇飛彈，逼令中共不得不在華沙會議讓步，以致停火。因爲此類飛彈，蘇聯是沒有的，而最新式之米格十九式之戰鬥機亦無法抵禦。惟美國之響尾蛇飛彈，並不是最新武器，亦無意于在遠東戰場，試驗其有效與否。蓋一九五六年，已配備于地中海之第六艦隊了。

△美國給與金馬守軍之榴散砲，足以擊毀對方砲位者共六尊。惟祇有四尊能使用：一尊于卸運時壞了，一尊在貨車上連貨車一起毀了。

△蘇聯軍事人員告知赫魯曉夫，謂其軍備雖足夠自衞，但在大批無限度供給中共之情形下，勢將枯竭，尤其萬萬不能供應中共對美國之戰爭。赫氏曾據以告中共大使，與兩位新自北京來的專使。

△兩師駐防匈牙利部隊，現已調往中蘇邊境，訓練中共軍隊。其主要方法爲以火海替代人海。

△英軍退出約但，胡辛王今亦贊成，謂其軍隊足以應付任何內亂。哈馬紹且給聯合國一個報告，要求納薩于英軍撤出後，不再封鎖約但。

◦陶然◦

談判是共黨捕捉對方的陷阱

「如果他們遭遇打擊，不論是在軍事上，經濟上或其它方面，他們都會從事磋商。」這是美海軍參謀長勃克的意見。而這又是根據在韓戰和談判時的實際經驗而來。

美毛會談自一九五五年以來，實際上的成果何在？地已有很大變更，何時會予人以一種樂觀的希望呢？共產黨有時使對方不自覺地跌落手觀的希望陷阱裏，然後他們就手到擒拿。這便是共黨運用談談打打，打打談談的技巧的目的。（裕）

自由談

毛共的醜態

馬五先生

毛共背信砲擊金門馬祖的口實，說是聽見了美國的艦隊繼續護航我方對金門的補給船隻，而且進入了相距三哩以內的水域，所以非恢復砲擊行動不可。

「美帝」的第七艦隊在台灣海峽既不理會毛共幾十次的警告，照常地「侵犯」所謂十二哩的領海界線，又公然在停火期間護航我軍用船隻，毛共何以不直接給「美帝紙老虎」的軍艦以砲火攻擊，而只是向金門馬祖開砲呢？

共產黨人一特別是中國的毛共，就是這樣一個色厲內荏的傢伙，只顧自說自話，裝腔作勢，表示一個「强大」之象，竟忘却自身馬腳畢露，令人發噱作嘔不置。最可鄙的是它近來掩耳盜鈴的宣傳「美帝侵略台灣」，喊出「美國滾出台灣」的口號，但其迫使「美帝滾出台灣」的方法，除了用「坐地衝鋒」的口號，在報紙上亂叫外，就在歐洲挑撥離間，以爲在報上登些美國人反對美國政府的言論，就可以鼓動反共的中國人不信美國，將要出賣台灣的謊話，即可顛覆反共非共的中國人，甘受毛共利用爲「政治瓦解」的陰謀工具了。淺薄拙劣，一至於此，只有毛共才會厚顏無恥，認爲得計，而不怕世人嗤之以鼻也。

不過，話又說回來，美國現在對台海戰局的作法，即難怪毛共要施展謊言攻勢，滑溜誘騙，以期獲致心戰的奇效。老實講，美國若不修正其現時毫無原則的對華政策，毛共這套政治瓦解的詭計，對於海內外的中國人，難免不發生影響，那時美國再想補救，至少也有事倍功半之虞啊！

叔本華與尼采

兼談尼采的「女子觀」

陳永昌

德國哲學家叔本華（Arthur Schopenhauer一七六九—一八六〇）以爲生活意志（Will-to-live）爲宇宙之本體，由此意志以生欲望，欲望永不得滿足，故苦痛亦無已時，世稱厭世主義，又稱悲觀主義，他以爲救濟之道，惟有拒絕生活意志，而由知性以求解脫。由此看人生，人生則無快樂之可言，所謂快樂者，暫時無苦痛而已。更謂醒時不如睡時，睡時不如死時，世界之最後必歸於烏有。

另一位德國哲學家尼采（Friedrich Wilhelm Nietzsche一八四四—一九〇〇）其思想本於叔本華之生活意志說，但叔氏以解脫生活意志爲理想，尼氏則以權力意志爲人間至高原理；謂一切價值之源，存諸自我，努力與世奮鬥以滿足其本能者，爲人生之眞目的，又以人由動物進化，更進則爲超人，故創超人說，其哲學主張爲自我中心的個人主義，故尼氏所云超人，指自我發達，徹底發展自我個性，以自我之力，征服人之强者，自是以後，超人二字，概指極端主義之人。這兩位哲學家的思想，可謂同一出發點，而有兩個極端不同的結論。

尼采一生非常憎恨女人，他曾說：「到女人那兒去，莫忘帶你的鞭子。」在他的著作裏，很容易找出他汚辱女性的論調。尼氏的童年，可說在女人堆中度過，他對女人從小就有好感，而後來他轉變到醜詆痛恨女人，一方面是受了叔本華的哲學思想所影響（叔本華也是非常痛恨女人的。）另一方面可說是他瘋狂的「超人」理想的表現。尼采曾愛過許多女人，但結果都失敗，這也是他痛恨女人的原因，在他的大學時代，生活極度荒唐，喝酒、打牌、玩女人，樣樣都來，但不久就厭倦起來，退出那圈子。

他的老朋友曾介紹一位美麗而有錢，對他非常敬佩的小姐給他，他回信表示不願結婚，因爲他討厭任何束縛，他甚至說：「世界上沒有一個女人，有那樣寬大的胸襟，來追隨我思想的工作。」但隔了幾年後，他終於由他友人的介紹找到了一位名叫莎璐美的女郎，年青，貌美，聰穎，而且對尼采的哲學，相隔不到五個月便鬧翻了。在尼采是不願給女人玩弄，而在那位小姐呢？却也不甘心接受尼采的教訓而寫了一本書，痛罵尼采，莎璐美的失敗後，他寫給蓓伊博士的信說：「我以爲已經找到了一位能夠幫助我的人！一位還需要第一流的道理，然而竟不是這樣，我們找到的是一位只想娛樂自己的人物，她還滿懷不害羞，希望把世界上最偉大的天才，作爲她玩弄的對象。」從此，對於女性更寫下了不少詆誹的文章。

乞

尤崇洵

這乞者沿門托鉢，一路行來，却無有得着一些施捨。

「先生，可憐可憐吧！」然而不曾得着可憐。

「先生，做做好事吧！」然而好事很多，却不曾對他做。

這乞者獨自行走，得了一些的冷漠，譏笑與輕蔑。

這乞者遇見一個乞者，但那乞者並不相憐。

「嚇！你仍是這個樣。」

「嗯，然而你一一」

「！發達了，你看這些！」那乞者打開包袱，掏出許多東西炫耀着。

「我不如你。」這乞者很慚愧。

「你不會討？」

「討不到。」

「然而不會打謊？」

「只是不敢！說了怕被看穿。」

「嚇！」那乞者不屑地聳聳肩。

「這是眞的。」

「你兩手空空也是眞的。」

「那我……」

「試試吧！」那乞者鼓勵着，予以精神支持。

「……對，對，一定……回見回見！」半晌，這乞者自言自語。

「回見！嚇，」那乞者揚揚包袱去了。

祝寒操學長六十壽

黃相華

六十放翁萬首詩。端州綱纜復爲疑。不同杜陵憂諸謝。論世文章自可師。

杜陵憂國託吟情。有書謂生合論兵。且續任公膺盾集。他年更爲傳奇英。

戊戌生朝書懷

寒操

一、

大夢誰能覺？茲生忍偶然！飄然來六秩。昧想千年。沫泡滄波裏。薪傳火宅邊。不須參悟處。禪定逝川前！

二、

好德關天命。茲生豈偶然？亂魂廿九死。正氣往千年。心悟通無礙。身經忝賦先。當仁吾自責。庶少愧前賢。

三、

不盡矛盾感。茲生信可憐！獨驚羣盜裏。立孰能仙？跡溷繩墨裏。心栖皓月邊。澹無衾影愧。庶夜得安眠。

四、

已淡顏根樂。時裝命運哀。生原憂患共。死祇「涅槃」來。撫手隨時可。忘身此日該。皮囊終物化。底用壞棺材？

五、

自將心剖析。性本濟剛柔。志誓堅千劫。朋交治九流。春風權廣座。秋月契岑樓。「緣督」師莊懸。吾生寶自由。

六、

人欲從稀際。相螢繫一靈。性同需「食」「色」。德局具「公」「明」。事理思能得。天刑操足窮。「良知」道簡易。受用足終生。

七、

攜關不處憂。思學兩粗疏。克念仍多過。衡人輒弗如。誠存差自慰。命續又安居？舉世方棲溷。無心問卷舒。

八、

中庸非易企。且學狷兼狂。末日妨神禍。衰時與道藏。濟人甘入獄。隱姓欲逃荒。微命何嘗惜。猶思作國殤。

九、

生與衰濤狎。於今嘅老兵！眼前猶劍影。耳畔又鼙聲。意倦嚴間擾。羈愁永濕清。匏瓜成一笑。玉局伴公卿。

十、

風狠知淺薄。向道嘆重門。葉戲思忘世。志堅宜可戒。情在又當原。獄煉修持若。靈台幾淚痕。

宋皇台遺址考證

簡又文

官富巡司，是政治上行政區域的專名。據「新安舒志」（同上）：「元改官富（場）爲巡司，其鹽課附入黃田場。」此即是：在廣東鹽政制度上，廢了獨立單位的官富鹽場而將其歸併於黃田場。（按：嘉靖間，又革黃田場，附入東莞場，故東莞縣中只餘東莞、歸德二場。）是故此後，從前鹽政單位的官富場改爲行政區域——名爲「官富巡司」，在新安縣知縣之下，設「官富司巡檢」一員，管轄從前官富場附近一帶地方的政治民事。（按：新安縣另有福永巡司，與官富巡司平行。）清朝廣東地方官制仍之。（看「新安舒志」卷五「職官志」之「文官制」及「文官表」）

又據「新安舒志」（卷七）「建置略」之「廨署」載云：「官富巡檢司署在赤尾村，離縣治三十餘里。原署在縣治東南八十里爲官富寨。洪武三年與福永司同改爲巡司。衙宇久壞，巡檢任者，多僦居民舍。康熙十年，巡檢將振元捐俸買赤尾村民地建新署。」

在明、清兩代，官富巡司所轄的地方，很爲遼闊，包括現在之九龍半島（連新界在內）、香港全島、大嶼山、及附近的島嶼。「新安舒志」（卷二）「輿地略」之「都里」內表列在官富巡司所管之村莊中，有許多仍可指認即現今地方者；茲略舉如下：

錦田村、屯門村、屏山村、元蓢（即今元朗，內有數村）、上水村、大步墟（即今大埔墟）、蠔涌村（在今西貢道）、古瑾村（即今紅磡馬頭圍道，舊馬頭角村，詳下文）、官涌村（即今油麻地之官涌）、尖沙頭（即今尖沙嘴）、馬鞍山、衙前村（即今衙前圍道）、長沙灣、深水莆（即今深水埗）九龍寨（詳下文）、蒲崗村（今鑽石山附近）、牛池灣、九龍仔、九龍塘、土瓜灣、赤磡村（疑即今紅磡）、芒角村（即今旺角）、馬尿（即今馬料水，崇基學院新址）、淺灣（即荃灣，詳下文）、城門（即城門水塘）、沙田、大灣村、二黃店村（即二王殿村，原在今之北帝街，詳下文）、羅湖村（近深圳）等，皆九龍半島（包括新界）之地也。又如：黃泥涌（即今跑馬地黃泥涌道）、香港村（即今香港仔）、薄鳧林（即今薄扶林道）、大浪村（即今大浪灣沿岸）、石凹（香均，即今石澳）等，皆香港島上之地也。又如：大壕、杯凹（即今杯澳）、石壁村、白芒（即今白望）、梅窩、沙螺灣、等皆大嶼山島上之地也。又：青衣即今青衣島。（尚有其他，不錄）

由此可斷定，宋帝是等昔年駐蹕之處，由官富以至淺灣，皆在今之九龍半島。（二）

逃亡前記

盛紫娟

抗暴短篇

生物系的許鳴，擠到阿林身邊問：「梅林，吃得消嗎？」因爲車顛得太厲害了，爲了保持平衡，他不得不把手搭在她肩上。

梅林微挑着頭故意說：「怎麼？你還沒開始勞動就吃不消了？」

「我是在問妳呀！」許鳴以爲她沒聽懂。

學者已經把地圖收起來了，兩隻手，用力抓住車頂上的鐵條，汽車在凹凸不平的公路上，忽上忽下，忽左忽右，蹦蹦跳跳像個正在發狂的怪物，車上的人，都像是喝醉了酒的，東倒西歪地互撞着。大家嘗到了乘搭載貨汽車的滋味。

阿芳是認識許鳴的，忙插嘴道：「許大哥，你多照顧一下林姐，她是第一次……。」

許鳴笑着打斷她的說話：「眞少見，姐妹倆個感情這麼好……阿芳，妳放心吧！」

車子越爬越慢，終於停住了，司機說：「路太不好走，車沒法開了。」

車子停在離莊子十多里的地方，大家不得不背着行李，高一腳，低一腳地走。站得時間久了，腿都有些麻，梅林一蹦一跳地活動着筋骨。快近莊子的時候，迎面不斷碰見髒髒的，拖着濃鼻涕的孩子，一陣陣臭氣，逼得很多人不得不戴上口罩。梅林看見不少孩子的鼻涕就掛在嘴唇上，不是用舌頭一捲，就是用力往裏一吸，她不敢再看下去，心裏祇覺着，一陣陣的噁心！

青年農民，毛頭小伙子，像看過「會」似的，木呆呆地望着這些服裝整齊的幹部，他們感到奇怪的是：「怎麼把兜兒套在嘴上？掩着鼻子，透得過來氣嗎？」

在莊子外圍的屋簷下，站滿了老農，他們居高臨下地看着這些下放的來客。他們面無表情，個個像是木雞似地，不言不笑，甚至連眼睛都不眨一眨，只是使勁地巴嗒着旱煙袋。鄉裏的黨支書記迎面牽着一面紅旗，表示歡迎。也有人在放鞭砲，敲鑼鼓，熱鬧而不熱烈地歡迎着。

雖然這是一個北方的窮莊子，但風景很美，一面湖，一條河，把整個村莊分成大台、小台、東台三部份。兩座小橋又把三部份連在一起，湖邊的葦子都是黃金色的，登高一望，是金色的海洋。咕嚕嚕叫着的豬，追着呱呱叫着的鴨，也排成了隊走着，梅林覺得很有趣，不由得多看上兩眼。

從小學開完歡迎會出來，天已經快黑了。從早上開始的苦行，總算結束了。梅芳也跟首長們回去了，梅林彷彿失去了什麼，心腔裏空空的。她承認自己是有福的，她被分配住在全莊最好的屋子裏，又是跟金玉枝住在一起。那是座落在小台東端的新房子，紅漆的門窗，錚亮的玻璃，在這窮鄉僻壤的地方是罕見的，因此心裏暗暗高興。

× × ×

自土改後，被清算了的地主，能留下一條殘命的，就已經算是僥倖了。當然，這所房子是張社主任的，張主任是貧農出身，這所房子是用肚裏的錢蓋的。但是住慣了洋房，睡慣了軟床的梅林，仍是感到處處不方便，不衛生，沒有電燈，沒有抽水馬桶，自來水，沒有美的意境，到處都是又髒又臭。一個長着癩的小孩偷偷地摸了摸她的舖蓋，她忍不住失聲大叫：「哎喲！別動啊！」滿心厭惡得要嘔。

同屋住的四個人，有事的辦事去了，找朋友玩兒的，找朋友玩兒去了。梅林在昏暗的燈光下，提不起興趣地望着面目猙獰的神像。她最後無聊地走到堂屋，一下子發現左廂房裏的人，都偷偷地向她張望；一個梳着雙抓髻的小女孩，挨着牆邊躥着走過來，羞怯，懷疑地望着這個城市姑娘。梅林假裝注視着北牆上貼着的，「天，地，君，親，師」的紅紙，心裏却想：「看什麼？我又不是妖怪」？屋裏的女人們，也偷偷地移着小腳走出來，其中的一個指指點點羨慕地說：「瞧人家，細皮白肉的，就像畫上的人兒似的。」

第二個女人，一面不停地挪着小腳，一面斜着身子輕輕說：「瞧瞧那雙小手，就像綢子似的光滑又軟，連老爺們兒的手，也比我們的細啊！」

一個十七八歲的少女，羞澀地突然問：「同志，妳會寫字嗎？」她也不等梅林說話，就掩着臉跑到屋裏去，偷偷地笑。（二）

自由人

THE FREEMAN

（第七九八期）

中華民國僑務委員會登記證僑台字第一○○號

每份港幣壹毫

督印人：[illegible]

地址：香港高士打道六十四號四樓

20 CAUSEWAY RD. 3RD. FL. HONG KONG

TEL：771726

承印者：東南印務出版社

地址：高士打道六十四號

台灣總經理處

台北市西寧南路壹叁零號二樓

電話：三○三四六

台郵劃撥儲金戶九二五二

海外總經銷：友聯書報發行公司

香港：彌敦道[illegible]六號二樓

美國人對中國問題的空希望

◎謝扶雅

謝扶雅先生這篇文章是十月十三日在美國紐澤西州寫的，那時杜勒斯國務卿還沒有到台灣，但他對於蔣杜會談後所發表的聯合聲明，和國際形勢，看得很清楚。我們讀了蔣杜會談後的這篇文章，更覺得他的觀察很有道理，他的認為今後我們對美外交應該着力的地方，也是十分切實得要的，因此我們願將原文發表如左，可惜因郵遞及其他關係，未能早日與讀者相見。（編者，十月廿五日）

最近中共以「人道主義」名義之下，宣布對金馬停火一星期，美國朝野上下都喝采表示歡迎，一般期待將再延長下去，以致終於可由和平解決。[illegible]

……不戰而停火和平，即是十分體察和佩服的。所以蘇聯的「和平共存」口號是最適合西方自由世界，尤其是美國人的口味。道地的美國哲學——大心理學家大哲學家詹姆士（William James）的宇宙多元論，完全反映了美國的社會、政治，和一般人的人生觀。他們反對羅馬大帝國，反對大一統主義。他們自己的社會是決不會化成共產的，却一點也不反對別的國家行共產。當然他們就個人思想而言，贊成共產主義或社會主義的也實在不少。所以在世界大局的方針上，說是「共存」而又「和平」，那是對美國人一碗最甜的「米湯」！共產黨是以控制羣衆心理起家的。共產和自由的鬥爭完全是心理戰而不是軍事戰。

政治競賽畫梅止渴

只要中共不打仗，美國是肯犧牲自由中國放棄金馬的。現在軍事專家已在感喟金馬全無軍事價值了。誠然，專從軍略上來看，飛彈火箭時代已到，甚地觀念大變；區區金馬，何足道哉！即就政治史實而論，從前日本只占領台灣和澎湖列島。金馬當年原不在日本統治範圍[illegible]

半週述評

[illegible]

可尊敬的反共集團

[illegible]

中共攻台已厭煩了

[illegible]

要立即實行政治改革

[illegible]

美國只要不捲入戰爭

[illegible]

對美外交應改進

[illegible]……美國人。可惜英國人[illegible]英國早[illegible]現在工黨更在竭[illegible]美國一把「承認」（recognize）一個[illegible]說是：「承認」[illegible]的政府，並不等於「贊成」（to approve）該政府。可憐美國人[illegible]

[illegible]「美國來鴻之五」，一九五八，雙十節後三日于紐澤西州】

不反對中共入聯合國

現在美國人越來越不反對中共入聯合國了……來對中共入聯合國已不大熱心，爲的是於必要[illegible]中共放野火，[illegible]老大哥火中取栗。[illegible]世界上的野火沒有不是身爲聯合國會員國[illegible]……是好例，最近[illegible]放的火，還不是蘇聯[illegible]美國人對[illegible]可在聯合國範圍內解決問題的容希望[illegible]容說很快會幻滅了[illegible]

，互有爭吵口角，你爲一下杜爾斯的中國政策有危險性，他爲一下前杜魯門救濟失敗，無非各向選民賣弄自己身手，打擊對方。主要都在（一）不要美國本身被捲入戰爭漩渦，（二）[illegible]

能辦到世界到處沒有爭鬥，火藥氣，便可以通商無阻，賺錢過好生活。念「好生之德」的上帝，兒女們應各好好地舒服快樂度今世以至來生啊！

在這問題上自己沒有「眼」，而讓「耳」整日聽人驅遣，眞是冤枉極了。今後吾國政府對美實應大規模展開「報導」工作——不是宣傳，而是眞實的介紹，作有計劃有系統的介紹，一批一批地派專人到處去講演，在各報各雜誌上[illegible]新被表專題寫作。材料[illegible]由政府遴聘多方面專家好好準備，適分析中共的事情都在內，但不必憑藉甚以批評。俱理路是操最後勝利的。駐外使節對別國的交涉對象是政府，但對美國，與其說政府，毋甯對一般人民還更重要。這裏我們的大使館設有一個文化參事處，不知其職責是專爲照管本國留學生，抑或是對外。如果是屬後者，亟應大加擴充。但資料仍應由國內源源供給。這事百二十分關重要，切不可再讓這新大陸一億人口——[illegible]眞的，近來連婦孺都很關心中國問題，教會裏面的婦女會已請丙室去講過多次了——把我們的問題全蒙在鼓裏！

中共攻台已厭煩了

中共對砲轟台峽這一件事，在半個月內先後發布了三次文告，每一次文告都出之以無賴兒戲，漫不經心的態度。最後一次，竟聲言雙日不砲轟，單日也不一定砲轟。世人對於中共此舉，不僅對他們的文告文字輕佻無賴，覺得可怪，就是停停打打，雙日不打，單日也不一定打，這種有點類似瘋人的無義舉動，也覺得難尋味。有人說，這是中共的陰謀詭計，不宜掉以輕心。又有人說，這是中共掩飾失敗，自尋落台的手段可笑。凡此觀察，都有理由，並不矛盾。以我看，還是砲轟失敗，找下台藉口的成份爲多。明知再轟下去，祇有更大損失，絕無結果。只好採取阿Q精神，「老子不打你了」。

然而有一件事，已確定了的，即中共九年來對台灣用武，現在不僅自覺毫無把握，而且已經到了厭煩的程度了。因爲沒有信心而至厭煩，才會在三次文告，文字上出之以兒戲，言爲心聲，讀了他們的文告，如見其肺肝。否則他們將視武力攻台爲神聖戰爭，又怎肯以遊戲文章以自損其號召力呢？

◎陳克文。

對杜爾斯訪台的感想

◎王厚生。

美國國務卿杜爾斯到台灣訪問了三天之後，已於廿三日下午啓程返國。杜爾斯這次訪台，是應我國政府的邀請，此行的主要目的，自在商談有關兩國利益與抵抗共黨侵略的問題。杜氏與我國政府首要會談三天以後，曾有聯合公報發表。公報的內容除重新聲明中美兩國團結一致，合作更臻密切外，沒有什麼可以令人興奮的地方，相反的，却使人相當失望和憂慮。

中美會談剛開始，我就覺得事情的發展有異乎常規之處，此所謂異乎常規者，是指我方的會談重心不在行政院院長，而移至總統身上。在法理言之，此類性質的外交談判，在我方應該由行政院院長出面，如果事實上有問題，我方儘可於事先對這次會談所要談和可能談的問題加以多方研討，作出結論，然由行政院院長出面而與美方磋商。萬一雙方意見如外電所傳，很有出入，也祇宜到最後關頭，留給總統與美方磋商，作最後的折衝，以尋求協議。根據我國憲法，行政院是國家最高行政機關（第五十三條），這等於說，行政院院長是國家的最高行政首長。國務卿在美國之地位比我國的外交部長似乎又要高些。這樣。我方派行政院院長與美國國務卿會談，在外交禮節方面已夠周到。同時，如由行政院院長出面，爲維護我國憲法及其精神的一種明智舉動，反而可引起外人對我國政府的尊敬。

自退守台灣以來，我們政府負責人的心理似乎爲二種不健康的因素所左右；一種因素是自卑感，另一種因素由迫切期待外援而生的媚外心理。在這二種因素的影響下，我們政府對外賓的禮節往往有表現過分的毛病（如逢外賓參觀，必舉行陸海空演習之類）。近年來，經人指出，似已漸漸改好。但在這次的中美會談中好像又故態復萌了。

杜爾斯以美國國務卿身份來到我國，我們相信他從白宮帶來的也只是原則而已，許多細節問題，就地要由艾森豪無法給他指示，我不知道在這次中美會談中，杜爾斯是否曾經與艾克通電話請示，但不管怎樣，杜爾斯雖無上司在場，也一樣能在三天的會談之中完成了他的任務。尤其值得注意的，是杜爾斯和他上司的關係。六年以來，艾克雖倚重杜爾斯如左右手，但在外交問題和政策上，艾克時常以杜爾斯的主張爲主張的，有許多時候和問題，我們祇見杜爾斯的政策，不見艾克的政策，而艾克終是支持杜爾斯的政策的，說明白一點，美國今日外交政策的真正能手，不是艾克，而是杜爾斯，而杜爾斯在世界各地之遭妒恨和詬罵也比艾克爲多。在這裏，存在着一個「疑人不用、用人不疑」的精神，艾克既任用了杜爾斯，必對他有信心，而全力加以支持。杜爾斯有此專心可靠的上司，遂得繼續推行其強硬的反共政策而不輟。十月廿二日晚間，蔣總統在歡宴杜氏的席上致詞，「他是和平的建立者，又是自由的維護者，所以他就是與共黨主義決不妥協的對頭，也就是共黨武力侵略和征服等種種罪惡的對頭。……他是自由世界的中流砥柱，在中國人民的心目中，他是一位忠實可靠的友人。」杜氏誰爲美國外交世家的後裔，秉賦外交家最優秀的傳統，但如沒有艾克的全力支持和信任，杜氏就不可能有如蔣總統所說般的偉大。所以，我們在說明杜氏的反共功業時，亦應同時注意杜氏地位的背景。

關於聯合公報，我們感覺失望和憂慮的是這段話：「中華民國政府認爲恢復大陸人民之自由，乃其神聖使命，並相信此一使命之基礎，建立在中國人民之人心，而達成此一使命之主要途徑，爲實行孫中山先生之三民主義，而非憑藉武力。」

從這段話的意義看來，政府似已答應美國政府，不再憑藉武力爲恢復大陸人民自由之途徑，換言之，政府似已放棄歷年來公告於世的隨時反攻大陸的國策了。在這方面，政府這次的立場和態度是否與全國民衆的意願相符合呢？是否政府自食過去的諾言，失信於民衆呢？試問：在今天的環境之下，在敵我勢力相峙之下，實行孫中山先生的三民主義，就能達成恢復大陸人民自由的神聖使命嗎？三民主義可以成爲恢復大陸人民自由的主要途徑嗎？國民黨爲什麼不再談革命了？這些疑問，執政黨應該明明白白地向全國人民作一次清楚的交代。

（下轉第二版）

也談台灣的糧政

立院財經密會質詢中引起的問題

○林嘯崧○

最近自由人報第七九五期以顯著篇幅刊載莊王先生「談到台灣的糧政」一文，內容十分翔實，對糧食局李連春局長似不無微詞，認爲當前台灣的糧政，大有改進的必要，還是甚於月前立法院的財經密會中，立法委員就糧政積弊案提出質詢後，莊先生有感而著文。立法委員質詢糧政的要點約有三端：一、是糧食局把糧食委託農會及大戶代管，而保管者在糧價上漲時將公糧盜賣，等糧價下落時又予補進，從中牟利，有時虧空了補不進來，結果演成訴訟案件；二、是保管者有意將公糧存倉的好谷，暗中換成壞谷，漸且發現倉中上層盡稻谷，而下層却滲雜谷殼一類的東西，造成公糧蒙受價值上的莫大損失；三、是讓谷久儲倉中，任由鼠竊蟲損，最可怪的是糧食局收購民間大批的甘薯干因久置倉庫，以致腐爛，這些弊端李局長却不能妥善制止。

委託代管問題

糧食局何以要把糧食委託農會及大戶代管，問題是糧食局自己未有倉庫，有之其數量亦微不足道，台灣現有的稻谷倉庫，大都是農會所有，此外糧商及農民亦有一部份，但民間的倉庫大多因陋就簡，不甚耐用，僅作農家自備稻谷儲存之用，糧商的倉庫較多，但却是貯存出售用之稻谷，因此眞能發生儲藏功用的，僅有農會倉庫，現受糧食局委託寄存者據統計佔全寄存稻谷百分之七十三以上，糧商佔百分之二十五，農戶或其他經收貯存之公糧僅及百分之二，由此可知農會倉庫所經理的業務對象，便是糧食局，倘使農會倉庫辦理不善，直接即是糧食局的公糧受損失，這個責任雖屬，農會似亦不能辭其咎，在農會性質雖屬民間自己的組合，但有關農會制度的農會倉庫却負有安善保管公糧的責任。

儲量的主張

糧食局李局長一貫實行儲備糧食的主張，據筆者看來乃是鑒於現實需要：第一是使軍糧供應不致匱乏，台灣省所有的軍公敎人員不下百數十萬人，均仰給省產糧食爲生活的依據，且台灣海峽風雲正緊，在軍事行動中，糧食佔有最重要的地位，政府必需儲足够的糧食。第二是使民倉充足，人民生活安定，現在台灣人口已達千萬，若以每人消費一五〇・七五公斤糙米計算，全省一年消費量即近一，五〇七，五〇〇公噸，與全省糙米生產量一，九五〇，〇〇〇公噸（係四七年統計數字）比較則相差不多，況現時人口增加甚速，據統計每年人口增殖率爲千分之三十，若照現況繼續下去，再過十年糧荒增產與人口增殖，即成嚴重問題，因此稻谷儲備，亦爲當務之急，不容厚非。也許有人認爲糧食局大量儲存稻谷，殊不合財經原則，在理論上這也是很重要的，不過這僅是理論而已。

儲糧問題

現在全省各鄉鎭「農會所經收的稻谷，儲存于倉庫中的究竟有多少，而稻谷經收的情形又如何，筆者想在此略加敎導，台灣糙米生產歷年來一直都是增產趨勢，農會倉庫容量在四十二年僅有二八一，三〇五公噸，嗣復經農復會及糧食局之輔助而興建新倉九七，〇六六公噸，總計爲三七八，三七一公噸，此與全省糙米年生產量一，九五〇，〇〇〇公噸比較還是相去很遠，不够容納所需要儲存的稻谷。至於全省各鄉鎭農會所收的稻谷，大部份係地價稻谷，與肥料所換的稻谷，以要決定稻谷倉庫要量亦可以糧食局所需存於農會倉庫中的稻谷量爲依據，但事實上由於存谷歷年積增，容受量已突過飽和點，結果積現象，已不容忽視，因此欲杜絕糧食管理的積弊與損耗，其急務在興建糧倉，改善倉儲制度。

關于莊先生的四點意見

這裏筆者極爲贊同莊先生所提出四點意見，並將莊先生四點內容略加補充：一、成立公營倉制度，將所有農會及民間倉庫收回省營，農會只專辦代收、收購糧食、棉布換谷及肥料換谷等業務。二、加強糧食保管責任，以科學方法建立一個有系統的保管制度，絕不可使公糧有無謂損耗發生。三、改良耕作，增加單位面積產量，以應人口逐年增加需要。四、開拓新耕土地，與修水利，使若干烟田及新生地變爲稻作用地，增加稻谷生產。

總之，糧倉制度及管理上的改進，已爲當前刻不容緩之急務，而糧倉之興建措施，尤須有關當局善爲策劃推進，以求儲存更多的稻谷，此實爲一省一千萬人口切身有關的民生問題。至於李局長主持糧政十二年來的功過得失，本文僅就事論事，不欲深論，本文僅將台灣糧食情形，作實際的報導而已。

對杜爾斯訪台的感想

（上接第一版）

杜爾斯國務卿是我們政府邀請來的，照理，政府應該趁這個機會反攻大陸的問題，特別是一談轟炸大陸和擊毀匪砲火之際，我方應就打擊大陸敵人陣地的方法，並覓取美方的支持，俾使我方今後不再處於挨打的地位，而能主動出擊，予敵人以重創，假使能乘機反攻，一舉摧毀匪偽政權，光復大陸，是大陸人民所企望。今政府不循此途徑而辦理外交，反而多方遷就美國，甚至連還籍武力光復大陸之義者也在公報中公開表示，作等于放棄的表示，這是最令人失望和悲痛的事？公報中可以發現強人意的話是：

「雙方僉認在當前情況之下，金門、馬祖與台灣、澎湖，在防衛上有密切之關連。」這句話祇是美方公開承認協防金馬的必要。但美方之協防金馬，從護航之時即已開始，現在不過是重申美方的態度而已，在這樣的立場之上，萬一金馬遭到中共的正面猛攻，而國軍力量不足以抵禦來犯時，美方可動員其兵力，協助國軍防守金馬。但美方這種明朗的態度表示，終究不能掩飾政府放棄用武力光復大陸之過失，政府所得的是美方協防金馬的明朗表示，而所失的是拋棄反攻大陸的軍事行動的自由。兩相比較，顯然是所失的多，而所得的少。這樣說來，政府今天不僅在軍事上採守勢，即在外交上也是採的畏縮政策，政府何以軟弱至此程度呢？

台灣的林業

台灣特寫

嘯崧

台灣有中央山脈縱貫南北，形成在海洋中的一個孤島，復以岩石脆弱，風化容易，暴雨時則溪流湍急，沖刷跟之；乾旱時則河床暴露，旱象環生，所以保持水土，扞止風砂及維護農工生產與美化環境等，無不惟森林是賴。因之台灣的林政是相當受重視的，對林務行政，進行的計劃是：一、配合森林警察及各地護林協會，加強林野巡視，充實電訊交通防火設備；二、推廣林業研究及公私有林業調查，以謀林政改進，並委託縣市政府協助；三、施業案之檢討調查；四、建設林道，配合林業發展。至於本年計劃造林方面，台灣林產管理局所屬林場經濟造林，縣市公私有造林，耕地防風造林，公路行道樹木造林，及示範造林與實驗造林等，面積共爲四六，七九九公頃，而砍伐面積則爲一四，四三四公頃，兩相比較，則造林較砍伐面積約大三倍以上。惟造林目的除保持水土，扞禦風砂，預防乾旱山洪及維護農工生產與美化環境之外，事實上則又爲木材的生產，而木材生產則爲供應社會的需要。台省人口已近千萬，依照光復前之用材資料，平均每人每年用材消耗量爲〇・一一立方公尺，若然則每年即應消耗用材共爲一一〇萬立方公尺以上，這裏所指用材僅就台灣本身所需供應者而言，例如樟腦用材，礦場坑木，紙漿原料，建築及薪炭用材等，並不包括外銷，是以台灣的林木往往用途更多，所消耗之材積更大。根據以上事實，並配合台灣第二期經建計劃，筆者認爲必需針對台灣現有林況，採取多砍伐多造林的林政，以改變材質低劣，蓄積不豐之森林，使之逐漸成爲保續經營，而爲再生之天然資源。

稷下談龍錄（三）

——現代文化的批評——

○賈若虛○

〔續上期〕蘇：中國古時孟子說「天下之生久矣，一治一亂」。禮記禮運篇說大同小康據亂三世迭更。羅馬的希臘人歷史家普列比亞斯（Polybius）說一君政治變爲暴君專制，暴君專制變爲貴族政治，貴族政治變爲寡頭政治，寡頭政治變爲民主政治，民主政治變爲暴民橫虐，暴民橫虐再反於一君政治。如是再周而復轉。意大利人馬支亞維利（Machiavalli）說「法律生道德，道德生和平，和平生怠惰，怠惰生叛亂，叛亂生破滅，而破滅之餘復生法律」。法人聖西門（Saint-Simon）則說組織建設的時代與批評革命的時代互相迭更。此是近代循環史觀的先河。

目的史觀論者以人類歷史爲天志的表現。中國過去皇帝都自命奉天承運統治下民，所以皇帝爲稱天子。漢代陰陽學家用鄒衍的王德終始說，拿天命來勸皇帝不要失德，以免護罪於天而失去帝位。基督教聖經載稱上帝創造世界與人類，教義即爲一種神學史觀。康德潛心研究，寫了純理性的批判之後，又寫實際理性之批判，以說明上帝之應當有，來答復休謨懷疑論者，黑格爾繼之，自命他的歷史哲學，已經能證明人類的歷史，是一個有理性的歷程，一個目的之實現。世界史據他看來「不外是自由的覺識的進步」。並呼這種進步爲「世界精神」。從中國印度波斯民族靈魂中祇有「一人自由的認識」，繼而到希臘羅馬民族靈魂造成「少數自由的認識」，最後到了德意志民族的靈魂中造成「人人自由的認識」，照他看起來德意志式的社會是最高至上的。馬克斯從黑格爾借了辯證法再加上他的剩餘價值論階級鬥爭論成爲他的辯證唯物史觀。照他看起來，無產階級專政之後，「各盡所能各取所需」的社會，是最高至上的。黑氏馬氏的看法被後人駁斥的很透闢，我們不必多談。斯賓塞把達爾文的天演論拿來說爲社會演化論，後來摩爾根把來發揚光大。解釋人類從野蠻社會上升到文明的歷史程序，其中頗多與近年人類學者的實地觀察不符。郭沫若根據摩氏說法寫一本中國古代社會研究，牽強附會的地方太多。

此外還有氣候史觀，主張最力者爲亨丁頓（Huntington）他拿氣候變遷來解釋文化變遷，有相當的道理。例如我國西北的雨量減少，沙漠南移，可解釋秦漢以來政治經濟中心向海邊遷移。又如中東的古文明衰退係受氣候的影響，但日本明治維新或世界大戰，則不能用氣候變化來解釋。

近年用循環史觀來講現代文化危機的，以斯賓格勒（Spengler）之說，最爲風行。斯氏在第一次大戰後著西方之沒落（The Downfall of The West）書，以春夏秋冬四季來象徵文明之生長到毀滅而謂十九世紀已是西方文明之冬日。他的書出第二版時，德國正值潰敗之餘，通貨膨脹劇烈，所以他的書肯定說西方社會必然崩潰，白種人將爲亞洲黃種人克服，此種勝利者野蠻專制而有活力，行將統制世界。然而事實上他對中國文化所知甚少，他又說西方歐美人有浮士德（Faustian）精神，老而無力，仍貪圖享受。他並爲西方失去宗教信仰而悲哀。此書出後大受攻擊。米塞斯（Von Mises）說他將文明做一個整體來觀察方法錯誤又說他不懂經濟並對資本主義有偏見。索羅金（Sorokin）則說現代感覺的文化系統（Sen Sate Culture）雖然會崩潰，但代起的將爲一意想的文化系統（Ideational Culture）較現在的還爲光大，索氏之說我們隨後再說。

湯因比氏研究了二十個以上的古代文明，發現他們或毀滅或停滯僵化的原因，都是由於（一）戰爭（二）內部自分階級（三）或是以上二者的合併作用。湯氏認爲現代美蘇兩大勢力對立，隨時可發生原子戰爭，爲莫大危機，而提出宗教來作爲解決之方。他認爲這宗教不僅限於基督教，基督教外其他各教都可救世。湯因比的說法，較斯氏的受人歡迎，但也有批評他的，例如米塞斯說文明是理想的成果，每一文明所根據的理想不同，好像各具個性的人，而非同一階級的人，不能拿來對比。又如赫胥黎（Adons Huxley）認湯氏的研究對人口變動之影響文明，不够注意。

在斯氏湯氏以前，意大利人維可（Vico）美國人亞當斯（Henry Adams）也曾預言現代文明之沒落。美人孟復德氏（Lewis Mumford）近十餘年更大聲疾呼：要求人類覺悟，美蘇攜手，否則原子戰起後，玉石俱焚，君子小人都化蟲沙。此外如客生斯（Consins）之類，都抱同一主張。

米塞斯是經濟學權威，也是哲學家。他在理論與歷史（Theory History）一書裏，發表甚多感慨。他說近代的實證主義派（Neopositivism）把自然科學的實驗方法認爲唯一的研究方法及把從感官經驗的歸納當做唯一的科學推理。凡在實驗同歸納方法以外的事物都被指斥爲玄學，爲一文不值。行爲主義派（Behaviorism）與泛物理主義派（Pan physicalism）是實證主義派的同道人，不用說心理上的內觀方法，是他們所最不喜的。此種傾向，自然會使人類社會走上集體的路，而把自由人變爲野心家做實驗的工具。他指出所有主張社會主義的文獻對自由毫不注重，而現代過分注重財富更所得平等分配的趨勢，也使企業心減退，幫助獨裁政治的抬頭。關於新古典派（Nes-Classists），凱音斯派（Nes-Keynsians）以及制度學派（Insbtntionalists）諸家學說相異之處，希望我們另舉行一次座談會來討論。

現在講到索羅金。他的巨著甚多，最容易看的是一九四一年出版一九五七年再版的，我們世紀的危機（The Crisis of Our Age）一書。其大意即是當前的危機實爲數百年來感覺的文化系統累積的結果。感覺的文化系統（Sensate System of Culture）在西方從十六世紀開始。是一種注重感覺的，經驗的，與世俗的文化。此根據凡是眞正的實在和價值都是感覺性的與之對立的，是意想的文化系統（Ideational System of Culture）。後者根據於超感覺同超理性的上帝。惟有上帝纔是眞正的實在與價值。感官的世界不過是個短期的「人的逆旅」（City of Man）。人需努力纔可以進入「天國」。不僅基督教文化如此，即印度的古婆羅門教與佛教，中國的道教，希臘在前第八到前第二世紀的宗教，都是理想的文化系統。以上二者之折衷便是理想的文化系統。這個文化可以十三與十四世紀時歐洲爲代表。其論據爲眞正實在是感覺的與超感覺的各佔一部分。超感覺的，超理性的，以及感覺的，事物的表現，綜合爲多面形態，歸結於至高主宰——上帝。希臘在前五至前四世紀也是屬於這個文化形態。

索羅金說西方現代感覺的文化系統，到今日已經弊端百出。問題不是民主對獨裁，自由對專制，資本主義對共產主義，和平主義對武力主義國際主義對國家主義，也不是任何政客，敎授，牧師，新聞記者，或煽動家所高喊的口號。（下轉第三版）

香港輿論對中美會談的反應

可以這樣說：自八月二十三日中共猛擊金門后，國府從堅守離島中獲得提高的聲威，和予人反攻大陸的希望，皆因這次中美會談的一紙公報冲散了！」

但也有人謂，會談的聲明和公報，其實質的約束力不若正式的協議或條約爲强，不應過份重視其形式上所表現的價值，而應該多注意日後事實情況的發展，…何況這是台灣爲了適應華府內部和外部壓力，不得不暫時遷就呢？沮喪，在此時際是不相宜的。

對於這兩種不同的觀點，可暫且放置一邊，再讓我們看看香港各反共非共輿論界對此所作的反映：

一向被認爲保守穩重的華僑日報，廿五日的社論着重地對反攻大陸非憑藉武力一點提出疑問謂：「中華民國要重返大陸，將放棄軍事行動，而改採政治手段，但事實上，這有可能嗎？」……「依眼前情勢看，……無疑是値得重加檢討的。」

當然，需要重加檢討的不止這一端，工商日報爲此在廿五日及廿六日連續發表了兩篇分量極重的社論。

在首篇社論中指出，爲放棄武力反攻作任何解釋，「顯然是迹近「宣傳八股」，決不會使人滿意的。」該報並就大陸上能否爆發匈式革命一點，指稱：「大陸人心今日已到了忍無可忍的地步，但他們有沒有發動一個匈牙利革命的可能呢？殊屬疑問。」進一步又對以實行三民主義爲政治反攻一點加以評述謂『所謂「實行孫中山先生之三民主義」，要知道孫中山先生如果不是發動了辛亥革命，如何實行三民主義呢？這分明是句空話。因這段話，我們所耽心的，是以影響到大陸人民的失望。大陸人民固然可以有一個希望，只要動手，就有國軍來助，可是我們又爲什麼却要希望在涸轍中的困鮒自動躍起來才去援助呢？萬一他們無法動手的時候，則我們將永遠不「憑藉武力」去恢復他們的自由嗎？這些年來，大陸人民，何嘗不在刻刻有着反共的心，可惜「有心無力」，奈何呢？」

又檢討了大陸有無可能發生匈式革命的客觀因素後，社論接着又說：「誰都知道，中共對於大陸人民的控制，已無所不用其極，這麼一來，中共勢必加强控制，試問台灣能有多少力量滲入大陸去發動人民起來革命呢？必待大陸人民起來，國軍才可以動手，則大陸是大陸人民的大陸嗎？作爲一個政府，所負的是什麼責任？」對其後果則認爲『極其量所能做到的，是暫時性的「兩個中國」而已。』

因此，社論認爲其『希望於假設的「布達佩斯式的革命」，事實也就是把國家的命運託於不可知之數。』

該報廿六日的社論，對「中美公報發佈後所發生的惡劣影響」作再進一步的評述。首先它指出「不管當局如何苦衷如何，實際做法又如何，但只見之事實的，至少有三大的不利：一是台灣輿論對此深表不滿，認爲政府的對美談判已告失敗。二是華僑人心極爲震動，其心靈所受的創傷，可以比於吃了一顆政治「原子彈」。三是外國人的看法，認爲此項公報已使杜勒斯取得兩大勝利是：一、他已獲得總統提供放棄以武力光復大陸的保證；二、他已勸使中華民國政府接受「兩個中國」的觀念，因與當今的兩個德國，兩個韓國及兩個越南相同。」

此外，社論特別對華僑的反應有所强調，謂「海外華僑因有感於「中華民國」建立之不易，故即使政府由大陸播遷到台灣，他們還是會擁護政府和共體時艱於敵對的地位。當他們之知此效忠自由祖國，是相信政府必不會甘作「海外扶餘」，而總可能迅速光復大陸的故土的。所以在過去幾近九年間，海外華僑爲了維護中華民國的聲譽，與那政府本身有不如人意的表現，他們還是以赤子依附慈母的心腸，不忍作形諸色的反感。可是華僑這一點心理似乎一直未爲當軸諸公所深悉，因此他們也祇知有政府的力量，而迄未懂得借重海僑對國際影響的力量」。最後，社論表示，「我們以爲，不管政府認爲對此中美會談，是實迫處此，抑另有內幕，而爲了刷新中外的視聽，撫慰人心的創傷，都不可不有一種新的政治號召及措施，作爲必要補救的手段。」並謂「深盼政府當局急起圖之」。

廿四日的星島日報，以「國民政府對美國仁至義盡」爲題發表社論。該報的社論向被認爲直率而敢言的。這篇社論中除同樣對放棄武力反攻大陸表示不以爲然外，更認爲國府給美國的幫忙太大了。社論說「國民政府爲美國而犧牲，可謂仁至義盡矣。當今之世，有在友道上，爲友情而犧牲者；這當屬最大的一犧！」社論更引述十月十六日的該報社論說，「國府如放棄反攻大陸，就等於自殺。國府願爲美國盟友自殺嗎？爲存應先[illegible]，不要自殺了，還被人目爲「愚蠢」。

成報，這是香港和東南亞一帶大多數小市民所喜歡的報紙，該報的廿四日社論說「在三年來的美國與中共的大使級談判中，美國堅決要求中共放棄在台灣海峽使用武力，假如中共願意接受的話，則美國並不反對中共以武力之外的別種方法，以達到其解放台澎金馬的願望。但是經過三年的時間，美國此項要求，都不被中共接受了……杜勒斯勸中共不聽，現就日內瓦與華沙在大使級談判的[illegible]不成的藉口，拿到台北去密斟，於是三年斟不成的藉口，竟以三天的時間在台北斟成了。中共不肯聲明在台灣海峽放棄使用武力，國府却出人意料外地作出不使用武力反攻大陸的聲明來了。」

對於中美公報發表後的利害情勢，該社論作了這樣的觀察：「就近的來說，此擧將必影響士氣銷沉，民心低落。其損失也，比諸失去了金馬尤有過之。假如金馬眞的在戰爭中失去，那是力不能守而已，擁護它的人，仍可以原諒它，但是聲明放棄武力反攻大陸，則是「不[illegible]」，國府既然不爲[illegible]它的人民還擁護它做什麼」？[illegible]

[illegible]應該冷靜一個時期，周密地爲國運前途考慮興革之所在，庶能眞正地鑄成以政治觀囊的方式來反共，否則將正如工商日報社論所說，「把國家的命運託於不可知之數」了！（暐）

竹幕窺秘

赫毛對外政策未統一

赫魯曉夫在八月十三日對斯摩稜斯克的農民說，現在沒有戰爭的烏雲（八月二十五日人民日報）；十月十五日赫氏又在克拉斯諾達對農民說：「帝國主義者未必敢對社會主義國家發動戰爭」（十月十七日人民日報）；這些話的言外之意就是說現在不會有戰爭。不難了解，他一方面繼續不斷的在否定八月三日與毛澤東簽訂的以世界瀕于戰爭邊緣爲前提的公報，另一方面則間接的認爲中共的在台灣海峽製造緊張局勢是多餘的，使全國上下緊張備戰的情況是與世界局勢不相符合的。

儘管赫氏多次表示支持中共在台灣海峽的行動，似乎都是極其勉强的。雙方由於觀點的不同而延伸，便會發生對外政策的不同，這是可以想像的。

對狄托態度惡過蘇聯

對於南共修正主義的批判，中共比蘇聯嚴厲得多。不久以前，中共且調回與免去其駐南大使伍修權的職務，幾至斷絕邦交的階段；最近中共且在一艘油輪船上連同扣押了兩個南斯拉夫的水手。其兇惡的態度似無一些可以妥協的餘地。

蘇聯對於南共的態度則與中共有着顯著的不同，特別可以注意的是蘇聯供應南斯拉夫小麥一事的表現。十月十六日蘇聯消息報爲文指責南斯拉夫當局故意阻撓蘇聯供應小麥；並且宣佈蘇聯將供南斯拉夫小麥，南斯拉夫也已派代表團和莫斯科談判，顯然蘇聯想再度以小麥拉攏南共。

上述中共與蘇聯對南斯拉夫的分歧情況，就反映着它們之間對外政策的分歧。

撤軍北韓留下代表

中共在北韓的「志願軍」總部已經開始從北韓撤退了，大概在蘇聯的壓力之下，已無反悔的餘地。十月二十日，朝鮮停戰委員會中共方面的委員任榮特別爲此事舉行了一次宴會，招待中立國監察委員會的委員。「志願軍」的參謀長王蘊瑞在宴會上說：「目前美國軍隊仍然堅持留在南朝鮮，而且正在台灣海峽地區向中國人民挑戰。因此，在中國人民志願軍全部撤出朝鮮以後，停戰協定仍然繼續有效，軍事停戰委員會的中國人民志願軍代表將繼續留下同朝鮮人民軍代表一道爲監督停戰協定的實施，爲朝鮮和平而努力。」（十月二十一日人民日報）中共代表在「志願軍」撤離朝鮮以後，還要留在那裏，看來是不願意放棄它對北朝鮮的控制，唯恐北韓受到蘇聯的影響對南韓作出軟弱的措施。

蘇對台峽停轟的態度

自中共在台灣海峽停轟以來，已將近三個星期，但蘇聯並無隻字評論過。若從上述的中共蘇聯間的對外政策的歧見來看，似乎蘇聯不僅是對中共的不願宣告長期停火不以爲然，甚且早已洞悉還有製造緊張局勢的陰謀包含在內的緣故。

總括起來看中共與蘇聯間的對外政策方面的歧見，中共硬說世界局勢緊張，蘇聯則不以爲然，中共爲了證實其這種謬論，在台灣海峽製造緊張局勢。初時，確把赫魯曉夫嚇壞了；後來，蘇聯亦不置理。中共祗得打打停停，自己來欣賞。毛澤東的這種好戰態度，我們假使套用狄托的話來罵他是戰爭販子，恐怕連赫魯曉夫也會私底下同意的呢。　○田心○

稷下談龍錄

（上接第二版）西方政治不僅在政治或經濟方面需要改變，即在科學，哲學，藝術，宗教，法律，道德各方面換言之全部西方文化，必須改變而讓出於理想的或意想的文化系統。所有目前各種物質的功利的，感覺的評價標準，及社會關係，都要從頭改變。凡一個人革面洗心的過程（危機—痛苦—淨化—承恩—再生。Crisis—Ordeal—Catharsis—Charisma—Resurrection）西方文化都要經歷，而使得人類恢復高貴，上帝得到光榮。如果不照此做，則戰爭，革命，罪惡，奴役，當繼續不停，直到改變爲止。

[illegible]

你們看了，[illegible]

實：聽了老師[illegible]

如果你們[illegible]

科學方面[illegible]

蘇：好的。[illegible]

其他經濟問題，儘量把統計拿出研究一番何爲？

（我們大家對此建議同意，於是道晚安而散。）（下）——完——

國際動態拾零

△赫魯曉夫迄今仍不願以原子武器供應中共。現用折中辦法，將蘇聯之原子師開入中國境內。

△蘇聯現仍有足夠軍力席捲全歐。牠有三方面軍，每方面軍力，自七十五萬至一百萬，飛機二千架，並有火箭及化學兵團。大西洋公約國軍力，兵祗五十萬，戰機一千五百架。

△蘇聯已告知納蘇，敍利亞共黨要人倍達已回至大馬士革（敍利亞京城）；倘遭反對，即將經援延期。

△共黨駐星加坡特務，開始勒索華人之資本家。以遠東危機，請其捐助戰費。

△英外長勞合，本定于年底辭職。現因共謂停金馬戰事，不無微勞，已爲同僚所諒解，不至再辭了。

△美國人造衛星計劃，已不歸國防部，殊引起軍人們之反對，謂其打算從月球或另一衛星去打蘇聯。共和黨與民主黨若干議員，聯合一致，擬于下屆開會撥款時，開始反對艾克之衛星計劃云。

△毛澤東之人民公社，在共產主義上，較蘇聯已進一步，頗遭蘇聯之懷疑，尤其以槍械發給公社，難免將來人民不藉以反抗。　○陶然○

新書介紹

清嘉慶間順德羅學鵬氏曾編印廣東文獻初二三四集，共三十二冊行世，其初二三集，以鄉賢名儒，忠孝節烈，理學政事之選居多[illegible]

[illegible]

王君定

自由談

刻不容緩的急務

馮王先生

這次杜勒斯訪問台灣時的「中美聯合公報」發佈後，海外華僑社會人士相當激動，認爲政府放棄了七八年的武力反攻大陸計劃，深爲放棄，不啻是默認了「兩個中國」的存在，而寄望於三民主義的思想鬥爭，也就是從事政治競賽而已。美國的「和平諜統」，艾森豪用盡嚇唬、妥協工夫，要求毛共在台灣東不採取武力擴張政策，終不可得，卻憑杜勒斯的口舌游說我之力，先要我們放棄了以武力反攻大陸的立國原則，這不能不說是「和平」的奇蹟。海外愛國僑胞社會之激動憤慨，亦無怪其然。而「自由中國」雜誌早已倡出的「反攻無望」論，我們似應該再說幾句話：我們可能知之，能言之的道理，政府當局未必儘不可知，自甘暴棄，這其間，定有不得不然的原因與缺點在，殆可斷言。所以，此時此事，我們要負與論職責的人，祇能以冷靜的心情來觀察這項劃時代的策略，不驚不隨，沉着灑脫。這時候好像扁舟一葉，行駛在驚濤駭浪中，同舟共濟之人如其慌張失措，勢必覆沒不可！毛共現在大力施展招降的和談詭計，就是希望造成我們內部的紛擾不安狀態，大家必須提高警覺爲佳。但是，政府今後既以政治反攻爲前提，而敵人亦對我們使用「政治瓦解」的鬥爭手段，我們要想制勝，唯有團結海內外所有的反共非共人士，同心協力，共赴一的，此外別無他途。如何收拾人心，激勵全民擁戴自由祖國的熱情和信念？如何改革政治，由自己做起？這是刻不容緩的急務。否則軍事反攻既遙遙無期，政治反攻亦不能生存發展呢？

妻·子

陳曉風

婚後兩年多，妻的肚皮，一直保持小姐狀態——平靜無波，我實在看不上眼，但如單以審美眼光來看，倒也合乎理想。

照理新婚期間，妻提議第一個孩子由她作主，生個女的，不然她就要失笑。要問我愛什麼，我亦莊亦諧的說：「俗語說：『命好嫁個做兒子』，還是讓我作主吧！」……

爲「大人物」。妻子是吃把牛油塗麵包來了，水果更是應時新鮮，大批進口。營養價值是夠得，果然有效，不到一個月，就慢慢發育了。……四十五年八月十五日，妻肚子適時「滿月」，假座台東空軍醫院生下一個偉大九磅的「大」兒子，……夫！——幫忙扯「人事關係」。

我記得，當我行坐不安，等待四十分鐘，看妻由手術室出來時，……現代的醫術神乎其技，居然能爲獲得「出頭」的人，一開「刀」，這也使我聯想到，有許多出頭的人，原來係要靠拉人事關係，……所以我兒子有這「人事」關係，又殊爲不值了。……「知子莫若父」。今後呢，我決以我的硬骨頭一作風，教他走自己應走的道路。

重陽偶成

戊戌　·謝康·

又從客裏過重陽，重水重山憶故鄉。
三徑荒蕪猶舍草，十年滄從變毛霜。
愁吟杜老無家別，靜聽金鼓作戰場。
世亂早輸佳節興，任教野菊自新黃。

棲霞山之憶

·道南·

秋深了。想到此時，棲霞山上的紅葉，引起無限鄉思。猶記從千佛岩上，而到「遜清樓」，霞行宮」故址一帶，在古道兩旁，往往看見紅葉如火如荼的楓，淺紅深綠，鮮妍可愛。登上山巔，四望，則鳳翔、千山下，峯巒出現，長江風帆，良田萬頃，蒼翠縱橫，參差點綴，伏山翠柏之間，一幅錦繡河山。

「詩」

縱觀棲霞道上馳，沿山已見葉如脂。
十年瘋影江村路，憶坐漁船看水時。

千年潭水白於銀，百尺巖花紅欲青，
負手蹣跚寧不解，眼前都是采楓人。
（十年前辰子：「棲霞看紅葉」）

棲霞山在南京東北四十里，或由中山門取道麒麟門，仙鶴門，或由太平門取道堯化門，石埠橋，均可通車。山高三百十三公尺，東接寶華山，西鄰烏龍山，滿山都是楓樹，每年到了深秋時節，經霜一打，打得如火如荼，正是「紅樹青山」，相映成趣。

鳳翔峯的主峯，自東北而來，分而爲三：中間是主峯，奇嵐叠障，怪石嶙峋；西北是西峯；東南是東峯。東峯勢若臥龍，所以又名龍山；西峯狀如伏虎，所以又名虎山。中間便是棲霞寺，龍虎二山，左右環拱，象山前障，形勝天成。在此時期，每年遊山的仕女，冠蓋相望。

今天棲霞山上的紅葉，陷在赤色恐怖的陰霾中，思之惘然！

鼠

陳宗敏

鼠，在十二生肖（鼠、牛、虎、兔、龍、蛇、人、鷄、狗、猪、羊、馬）中，是最小的東西，但却排在前最面，見得牠是狡猾靈捷、僭越而不讓人。

鼠倫是有點技倆的，在伊索寓言中，牠曾救了獅子王，報那不殺之恩。但從許多事實上看，又不能不把牠納入「宵小」一類，有些書內寫牠爲賊頭像，有些辭典中，人們「把不務正業，鑽營刁滑」的一羣叫做「鼠輩」，可見人們印象中，鼠先生並不是正派「人士」。

在農村內，牠夜裏會在農夫的房舍內吱吱喳喳的搗毀家具，打斷農夫的睡夢，有些則躲在田裏，把那些農夫血汗結晶稻穀花生豆類作物偷吃偷搬，有時候，母鼠更肆無顧忌，把房主的衣服拿來築巢窩，準備給「鼠寶寶」睡覺。

牠不需像蜂蟻辛勞地爲採蜜找食而忙碌，不必像燕子南來北去一番奔波，就靠着一雙活潑的「賊眼」，一張慣竊能偷的尖嘴面，便可以大爲優哉悠哉了。

不過，鼠先生們只會在夜裏摸索摸索，不會在光天化日下施展本領，在有貓的地方，老鼠還要心驚膽戰，捲尾拚命而逃了，所可惜的是，我們舉目所及的地方，鼠太多而貓太少，難怪這「世局」紛擾永無寧日了！

宋皇台遺址考證

·簡又文·

貳、九龍、九龍巡司、九龍寨城、九龍城、新界沿革

由「官富」而改變爲「九龍」之經過，茲復爲考證如下。據陳伯陶言（見「宋台懷古」詩序，載「宋台秋唱」）：「九龍古官富場地。明初名官富巡司，嘉慶間，總督百齡築砦，改名九龍巡司。道光間復改官富巡司爲九龍巡司，而官富場之名遂隱。」（按：百齡，正黃旗漢軍，進士出身，嘉慶十四至十六年督粵。見「阮通志」卷四三「職官表」三四）尋考史蹟，……總督百齡改名九龍」一語，未得其證。何以言之？蓋明洪武間所設之官富巡司（見上引「新安舒志」）。巡司所轄地方，在清嘉慶前，已有「九龍」之稱。如上引「舒志」鄉村莊已有「九龍仔」、「九龍寨」。在同書「山水略」所載各山之下，（如「虎頭山在官富北」，「鵝溪山在九龍寨東北」，「鵝山在九龍寨西北」，「九龍巡司在官富山側」諸條是。又：今仍有「九龍山」在牛池灣之北。）可見「九龍寨」之名，斷非嘉慶間總督百齡所改定者。（按：「舒志」成於嘉慶廿四年，百齡築砦在其前十一年，詳下文。九龍既名當早於此時。）大抵昔時「官富」係官式的地名，而「九龍」則爲土人普通的俗稱，漸乃混而爲一也。（看上引有「官富九龍寨」之名。）至於「九龍」之名所由來，據故老傳聞，係因此半島有九支山脈如蚪龍之蜿蜒蟠踞其間，故名。孰爲此九山？則不可指定矣。余曾以「九龍」得名之由來詢之前九龍新界民政署署長彭德先生（Mr. K. M. A. Barnett）。據云：「蠻書」載：「九」即「後」，「龍」即「坐」；此皆原日蠻人土音，後人改用較雅之名字，故稱「九龍」云。附志於此備考。（按：「蠻書」，唐樊綽撰，於南方各土著部族有詳細的紀述，惜未得讀。）

上文所引總督百齡築砦事，大概即是「新安舒志」卷四「山水略」之「水」內佛堂門一則所言：「其南爲佛堂之山，乃孤島也。康熙年間，設炮台一座以禦海氛。嘉慶庚午（十五年）知縣李維榆詳請移建此台於九龍寨海旁。」此時，百齡任粵督，當先得其批准。故同是一事，但所異者，築者非九龍砦，而實是新炮台而命名爲九龍。九龍砲台在九龍寨海旁，但究在今之何地，未能確定。（按：「阮通志」之新安縣圖亦有九龍砲台，在半島之南端，似是今尖沙嘴一帶，但又在北佛堂山之西南佛堂山之北，全圖極不準確，殊不可信。然同書另有海防圖，即上方附圖三，以九龍砲台在紅香爐，即香港之北，佛堂門之西北，比較準確。）至於陳氏所云，道光間改官富巡司爲九龍巡司一節，則誠有其事。據「清會典」之「官制」：道光癸卯二十三年，移官富巡檢爲九龍巡檢，以從九品許文深試署。是故吾人可作結論：九龍之成爲官式正名，蓋自此始。（三）

逃亡前記

·盛紫娟·

抗暴短篇

第一個女人，有三十幾的年紀，上身是大紅布褂子，下身是翠綠的褲子，腳上是綉着花的大紅尖鞋，耳上的銀耳環叮叮噹噹，照例是前留海，後鬆頭，她故意抱怨道：「這閨女，怎麼不知好歹地問道。」梅林忙笑着說：「沒有關係的，大嫂是住在哪間屋的？」第二個女人，長了一臉麻子，穿了一身又破又舊的青布衣服，掩着嘴笑道：「她不就是張主任的媳婦兒。同志，你們的鋪蓋可眞多，一個人的東西，就比我們一家子的都多。」「眞的？」梅林裝作不信，「報上常報導你們過着幸福的生活呢！」麻臉的女人說：「光聽報上說的還有準兒？誰不儘揀好聽的說哪！」

主任的媳婦兒接着說：「同志，我們眞是一年不如一年，像咱家算是莊子裏拔了尖兒的人家，有的人家，全家蓋一條破被，更別說什麼褥子了。也沒那些布去作單子，能有件衣服遮蔽不露肉，就算強的了。大台上的駒子（人名）……

一陣寒風，堂屋的門，吱扭一聲被推開了，一個高大的人影，站在門口半響不出聲，張嫂子忙把鍋台上的油燈撚亮，梅林就着燈光一看，是個愁眉苦臉的老農民，披着件羊皮襖。梅林心裏覺得：「他眞古怪。」張嫂子奇怪地說：「呀！老爺子，怎的不出聲？」老頭子嘟嘟噥噥地說：「老娘們，沒事幹，就愛胡扯。叫妳爺們知道，不揍妳一頓呢。」他又對麻臉女人說：「三嬸子，還不回去拚妳的鞋底，也在這兒窮叨叨什麼？」

那個十七八的大閨女，不敢抬頭地想溜，也被老爺子罵了幾句！「老大不小的了，還這麼野，不怕妳男人揍妳了？」這時又只剩下梅林，孤伶伶地站在堂屋呆想：「這些老農民，原來這麼討厭幹部呢！以後小心些吧。」

第二天一早，阿林跟金隊長去抬水。一出屋門，清新的空氣，東方的朝陽，閃着金光的蘆葦，晴朗的天空，使得她們很興奮，善於唱歌的梅林，爲了表白自己喜歡下放，就高聲唱道：

「一對桶兒兩頭扭，
梅林打水到河邊。
看見老牛來飲水哪！
我的心裏好喜歡。」

下了土坡，她倆把桶子在水上，左弄右弄，也打不進水，水桶只在水面轉來轉去。兩個人都了一身熱汗。梅林因爲一時高興又唱道：

「桶底平平桶兒圓，
梅林放桶水面，
左撥右弄打不進水呀！
急得我出了一身汗。」

她拚命一甩，腳底一滑，就人帶桶跌到河裏去，恰好許鳴和者崔炳南也來打水，忙三腳兩步趕過來，把凍得索索抖的她揪上來。她想：「這次出了洋相了。」老崔笑着說：「在岸上打水不過癮？還要到河裏去打。」這時候，金隊長啼笑皆非地站着發愣，才說話：「她光顧唱歌，誰知樂極生悲。」

不久，這件新聞就傳遍了莊子。農民們都說：「新社員，眞沒用，打個水都不會，光會唱歌。」

當天上午去挖小溝，田野上一片吵嚷聲和笑聲，夾着鐵器撞擊的聲音。新老農民最大的區別就是：一個光會大聲大叫，呼號，表示決心。實際有不少人通巒都學不動。抬土，就像在跳阿飄舞，東搖西擺，還累得要死要活。肩頭腫了，手也磨破了，常常幾個人，也頂不上一個老農民。這樣的勞動力來支援農村？另方面老農民是只幹不說，因爲從小的苦，緊直的生活，他們已經習慣了。老農民對這些幹部，總是冷眼觀，偶而也偷偷地，不屑地說他們是：「嘴把式。」

從未勞動過的人，不久就感到很累，金隊長是藉口鄉裏有會，走了。有些人感到實在支持不住了，搖搖幌幌地要摔跤。生產組長，往手上吐了一口吐沫說：「本來嘛，你們唸書的，哪會幹苦活？這是剛開頭，以後哇……。」（三）

自由

THE FREEMAN

（第七九九期）

中華民國郵政登記認爲第一類新聞紙類

每份港幣壹毫

社址：香港高士威道二十四號四樓 20 CAUSEWAY RD. 3RD. FL. HONG KONG. TEL. 771726

承印者：東南印務出版社

影響美國將來的一個政壇新組織

——「美國民主實踐會」A.D.A.

·宋文明·

在這個世界上，有各種各樣的政治組織。從佛朗哥的「長槍會」，到緬甸的「反法西斯人民同盟」，直至東非肯亞最新的「人民大會黨」，眞是形形色色，無奇不有。可是在這所有的政治組織中，眞正決定世界將來，對人類前途具有重大影響者，既不是佛朗哥的長槍會，亦不是法國的戴高樂運動，更不是這些非洲土著人民的民族解放組織，而是今日美國政壇上的一種新興起的名爲「美國民主實踐會」（簡稱爲A.D.A.）的這個組織。（Americans for Democratic Action）一般譯爲美國民主行動；照中國語法翻譯爲美國民主力行社，但以「力行」兩字在中國被濫用，故本人譯之爲美國民主實踐會）。

一、

這一組織是美國政壇上的一新興產物，從一九四七年成立至今，僅時才不過十一年的功夫；但這一組織在美國政治及人心的影響，絕不是美國其他政治與社會組織所能比擬的。據一般瞭解，戰後以來美國民間對國內外問題所發表的許多重大建議，多數都是出之於這一組織的會員的。一九五二，五六美國兩次大選中，民主黨候選人史蒂文生的所有精彩的演說，亦都是出之於這一組織會員之手的。雖然由於現在美國聯邦政權掌握在共和黨之手，這一組織對現實政治沒有直接關係，但它對一般輿論的左右，有目共睹地都可以看到的。這一組織所以能在這短短的十一年中有此成就，主要是由於兩個基本原因：（一）這是一個以保衛羅斯福理想爲目標的組織。由於它是當在擁護新政傳統，保衛羅斯福的理想，所以凡是忠於羅斯福理想的美國人，都相率投入這一組織，自願接受這一組織在思想及政治方面的領導。（二）這是一個適應美國現代情況而有全國性基礎的唯一具有理想主義的組織。由於這一組織具有高度的理想主義色彩，所以凡是追求進步的社會與美國的更合理的國內外政策的自由主義人士，都爲這一組織所吸引。（三）美國今日社會情況，正如任何時代任何國家的社會情況一樣，正有保守與進步的兩種力量在作激烈鬥爭。當保守力量努力於保持現狀，企圖把歷史的輪子拖向後方時，另一股進步的力量便起而作相反的運動。這一組織的產生及發展，實際便是戰後美共和黨及南方民主黨實行反動和仇視羅斯福理想的一種結果。所以這一組織從其開始到現在，都是和羅斯福及羅斯福理想或新政，具有不解之緣，它的命運則與羅斯福理想同其始終。只要羅斯福理想存在一天，這一組織就會存在一天。羅斯福理想隨着時代要求而擴大，這一組織也就隨之而擴大。

二、

美國北方民主黨的新興人物，幾乎都是和這一組織有關[illegible]

三、

顧名思義，這一組織是以民主[illegible]

四、

自成立迄今，這一組織的基本形式並未變更，但一種要求變更的內在動力已隨着時間愈來愈大。至於將來這一組織將有何種變化，主要是在看美國的政治，經濟及社會情況將有何種變化。從美國經濟方面說，過去美國工業重心是在兩洋的海岸，特別是大西洋的東岸地帶。而現在美國南部和中西部逐漸高度工業化，結果，原日南部與中西部的保守力量同漸式微，相對的勞工與進步力量正在擴大。工業勢力侵入南部，同時正和工業勢力相反的是，南部的黑人亦日益湧向北部，亦使南部社會情形逐漸而生變化。至於小市民勢力的不斷膨脹，大資本家勢力的相對減弱，也連帶擴大了民主黨的社會基礎，而共和黨的勢力[illegible]。民主黨勢力的擴大，也正不意指南北民主黨力量同時增長，而是指民主黨北部自由派勢力的膨脹。因此這一情勢便是A.D.A.的擴展。一個直接結果，便是A.D.A.的逐漸凌駕全美。再加上阿拉斯加的通過建州，加上一九五八、六〇年大選的有利於北部民主黨，所以民主黨自由派控制國會的可能性亦愈來愈大。等到民主黨自由派完全控制了國會，它們即會改變美國國會的立法路線，根本打破南方民主黨與保守派聯合操縱國會的傳統，使美國民主政治邁進走上A.D.A.所指示的道路。

五、

我們可以預料，有一天，美國的整個民主黨，可能變成一個與A.D.A.一而二，二而一的東西。但到了那個時候，A.D.A.是否仍然要停留在現在這種組織路線？現在A.D.A.的作法，便是要求整個民主黨和美國向它看齊。等到民主黨和美國向它看齊以後，它本身自然又要前進一步，提出一個更高的努力目標。過去世界各國的兩黨政治，而今世界則爲保守與社會主義兩派之爭。A.D.A.就是代表美國在這種新的兩派政治中的一種傳統向自由並把人類帶向自由與安全之路的一種新嘗試。總有一日，我們將會發現A.D.A.已成爲領導美國和整個自由世界的主宰。

半週述評

援救印尼華僑

印尼政府迫害華僑的罪行，正在變本加厲，愈演愈烈。最近據台北的印尼華僑領袖林甘泉先生說，印尼政府這些迫害華僑的行爲，「等於爲中共赤化華僑鋪路」[illegible]

[illegible]在印尼的華僑，[illegible]的。

爲印尼人着想

因此，對於我們在印尼的華僑，[illegible]

印尼走向自殺

[illegible]物質陷入于極端艱難的境地，印尼當局這樣自殺政策，這樣陷入泥沼的兩足，就愈陷愈深了。而看一切，又正是國際共產主義者要有事于印尼所要製造的局面。

我們要拿辦法

目前印尼軍方所採取的接管「一切與印尼無邦交的外僑（主要實即反共華僑）所經營或投資的事業」。我們許許多多華僑宣告破產，甚至還遭受無理與野蠻的折磨。

印尼當局今天不惜以掠奪手段，對我僑胞施以毒手；然而迄至目前爲止，我們的僑務當局，我們的外交當局，竟充耳不聞，這不能不算是令人痛心的咄咄怪事！

僑胞愛國，出錢出力，冒險犯難，堅持鬥爭，今天落到這個地步，我們的政府竟不能拿出辦法，使我們的愛國僑胞太過寒心！我們可以向聯合國控訴印尼政府和中共的罪行，至少可以爭取全世界輿論道義上的支持和全球華僑的歡呼。

司馬璐

今天論反攻

王世昭

信了將杜的聲明，令人感到政府已放棄反攻的實際。這件事對於民心士氣是一種很大的打擊。但在事實上，中華民國與「中華人民共和國」之間的戰爭形態仍然存在，何以故？中共國防部長彭德懷會公開說：從現在起，對於金門馬祖以及各離島是隔日一砲擊，可見中共並未放棄奪取台灣澎湖以及金門馬祖各離島的企圖，因此，中華民國也還有隨時光復大陸的希望。但這個希望，不純是一種理論，也不能光靠一個政府的行動。而是寄托于中華民國海內外人士以及偏處台灣的政府以至全體上下是否都能一德一心作反攻的準備！

反攻是有希望的，何以故？世界兩大集團的政治制度絕不相容，此其一；科學競爭已至白熱化，此其二；軍事上劍拔弩張，隨時有爆發戰爭的可能，此其三；中共內部絕不安定，此其四。此四大因素，註定第三次世界大戰不能避免，其他問題都是附帶問題，眞正面對現勢的，還是戰爭兩個字。

所可惜的是，美國人和英國人都太短視，中華民國政府也沒有利用機會加以擴大，使金馬礮戰弄成這樣的結局。

現在事實擺在面前，中共正努力加緊控制人民的生活，行動，居住，農作，經濟，思想，以及從事工商業的自由。這些自由，完全置於中共有計劃的人民公社之下。人民公社既成立，遂使中國大陸的人民的衣，食，住，行，生產，勞動完全打成一片。表面上看，是共產制度必須經過的途程，而其實際上則是全國總動員的開始。

當然，依中共的作法，是不是會激起人民的反抗？依我看，如果沒有外力的壓迫，人民反抗是無望的！過去中國國民黨在大陸之所以失敗，失敗在自身的矛盾與對立，共產黨乃是利用政府弱點。今天（我祇說是今天）中國共產黨的高層組織尙未見敗徵，即有如高崗饒漱石事件，毛澤東都能事先加以防制。而各地方高級人員，亦可隨時互調，如林彪，陳毅，葉劍英，粟裕等都晉入中樞任要職。所以我們要說毛澤東沒有一套政治手法，那也是自欺欺人之談。

就爲了毛澤東還能安排各軍要將領的出處，地方問題即使稍有異動，他也還能應付；因此，我覺到在中國共產黨內部沒有大變化之前，老百姓要想揭竿而起，可能性是微乎其微的。

以故，在金馬停火或撤兵階段，中共必然致力於內部安排。對於金馬礮戰，自然適可而止爲宜，否則人民公社的推行是不可能的。所以我說：美國人和英國人沒有眼光，中華民國政府沒有乘機擴大金馬戰爭範圍，這是大大的失策。

人民公社成立之後，大陸人民一時無法反抗，只好俯首帖耳，在共產極權制度之下，過牛馬奴隸的生活。久而久之，不習慣而自習慣了。那個時候，再來講反攻，講推翻這個政權，勢必比現在爲難。到那時假使中華民國未來要解民命於倒懸而登陸反攻的話，老百姓已習慣了共產極權集體下的生活，即使中共失敗，所謂光復大陸也者，已不是像日本投降的時候，可順利接收，而一切必須從頭做起，一切也比現在事倍功半。

爲了這個緣故，請問從政當局應該怎麼辦？

我的推理絕不是空談，中共是極權制度，十年以來，在大陸，自有其一套從事于對內組織工作。反觀我政府在台灣，又如何？我們是民主國家，十年來空談民主團結，但團結的成績在那裏呢？現在，是政治角力的時候，時間雖然未必很多，但光陰豈可使其白費，如何精誠團結，推行眞正民主自由政治，此其時矣，此其一。

反攻大陸既然放棄，至少目前如此，無形中承認兩個中國的存在。事實也是如此，爲了適應環境或打開僵局，政府總應有機會，讓全國上下共同作一決定，至少要讓全國人知道政府究竟如何決定。此其二。

傳說，爲了政府同意不以武力反攻大陸，美國將予貸款十億美金。如果眞有其事，如何善爲運用，以待時機，此其三。

自目前看，上列三事，亦關歷史上的大責任，是要向子子孫孫辦交代的啦！

開梅部長改進教育意見後

◦杜多◦

〔今日通訊〕十月十八日，教育部長梅貽琦在立法院教育委員會報告教育推行改進意見，其中包括教育經費，教科用書，惡性補習，免試升學，校舍設備，職業教育，科學教育，大專招生等八項，完全就實際問題，分析研究，不尚空談，什麼是優點，什麼是缺點，利益何在，弊病何在，都說得清楚分明；他的改進辦法，當然不外存優去劣，興利除弊了。

我們始終認爲教育是百年樹人的大業，和一般行政不同，既不能矜持，又不能操切；辦教育要平易近人，腳踏實地，要正視現實，針對現實，開出有效的藥方。如果辦教育以保全職位爲目的，以標新立異爲手段，那與一般官僚何異？而言立國根本的工作，豈不成爲時髦了？梅部長是國內有教育經驗的人，本人以發表的意見，貢獻一得之見：梅部長認爲小學辦不好，影響中學，甚至影響大學，實爲小學教育問題，就（一）初中免試升學，旨在延長義務教育年限，外國已有實行，但就中國目前的財力、物力、人力來看，是否可以做到？需要深切考慮，我以爲這是很實在的

界一份子，謹就[illegible]

一、關於小學教育方面：[illegible]不好，弊害將影響中學[illegible]提出了解除教室荒，[illegible]辦三部制、四部制，[illegible]惡性補習，[illegible]提高師範教育素質一項，確是嚴重問題！因爲小學教員，絕大多數是由師範學校畢業生，目前師範教育辦理如何，人所共知，[illegible]其微了。關於改進師範[illegible]不能普遍，[illegible]教育，本人曾擬有建議，[illegible]因爲人微言輕，不易爲當道注意採納。

二、關於中學教育方面的：梅部長對於中學教育，提出三點意見，

話！（二）鄉村中學與城市中學，不能平衡發展，學生想進好中學，或是鄉村學生想進城市中學，便會造成小學惡性補習，交通困難，時間不够等種種流弊。的確！台灣中學林立，而學生和家長的眼光，却集中於極少數的「好中學」；那些多數「壞中學」設備簡陋，師資「低劣」，造出了大批「壞學生」，究竟爲什麼要辦呢？而且近年來台灣的私立中學，有如雨後春筍，私校收費比較多，「好學生」固然不肯進，「壞學生」也不願進；要與那少數「好學校」相比，可算「壞學校」，爲什麼政府還要鼓勵私人辦這麼多的「壞壞學校」呢？這些問題，如不能徹底解決，我敢斷定，中學教育愈辦愈糟！（三）增辦職業教育，使學生獲得謀生技能。我認這項措施，最關重要！本人濫竽中學教員，已歷有年，所眼看每年一批批的畢業生，除了升學之外，便徬徨無措；尤其是高中畢業生，不能進大學之門，那就慘了！要辦教育一問題，除多辦職業學校，使多數青年就業謀生，還有什麼好辦法呢？

三、關於大專院校招生方面的：大專院校招生，有兩大問題，必須解決，梅部長也曾提出過長討論。一是聯合招生制度，使得高中畢業生都擠向少數「好大學」選擇，同屬大專院校，一般人的看法，却大有高低；同爲大專畢業生，社會上對他估價，却大有高低，這算是替教育才呢？其次是考試科目不分組，難免會埋沒人才。人的天資是生就不同的，有長於文科的，有長於理科的，有長於技藝的，各高中階段，如能各就其所長，儘量學習，必能奠定良好的基礎，將來升入大專，就能造成各種不同的專門人才。如今高中學生，爲了應付大專考試，不長於文科的，也要勉強學文科，不長於理科的也要勉強學理科；長於技藝的，也要格外辛苦，文理兼修。說好的，高中學生就可以成爲通才；說壞的，虛費光陰精力，結果一無所成，徒喚奈何而已。請看今日大專院校的學生，無論何科何系，有眞才實學的，似乎不多，能說不是吃了不分組的虧嗎？

現在我再簡單地作個結論：（一）小學教育，師資第一；提高師資，師範教育爲先。（二）中學教育，重在職業學校；普通中學，當可少辦，必求平衡發展。（三）大專招生，既適應聯合辦法；考試科目，必須分組，以求適應個性。以上是個人經驗中得來的意見，願三致意焉！（四十七年十月十九日於台北）

寶島一花一絮

●豐公●

△徐復觀教授在一篇文章裏，很感慨的提到「日本、越南以崇高的敬意歡迎孔子後裔的孔德成先生講學，但孔先生的家住台中十六疊半榻子的破舊房子裏，會引起什麼負責人士的關心過嗎？」孔先生自越南講學回台以後，台中縣議會業已通過撥給一幢西式小洋房。台中縣議員亦可謂從善如流。

△台北市立女中初中夜間部三年級某國文教師，於月考中出一試題，問「願天下有情人都成眷屬」這句成語，出自何典？此公忝居人師，居然提倡灌輸「愛的教育」，眞是天生情種。

△前些時台北各報競載旅菲影星杜鵑珠因醫治眼皮而雙目失明的消息。最近，她偕其外子邢光祖返國爲蔣總統祝壽，在機場上接受各報記者採訪，明眸轉動，風姿依然，以事實來更正其雙目失明的謠傳，今日各報且將其照片刊出。

士京來鴻

一點小商榷——關於蘇聯人民生活

××先生：別來拾載，常在自由人讀尊著，快同面晤。前讀自由人第七八二期毛以亨先生大著，其主要觀點，願與先生[illegible]，惟有若干小節立論，敢請指教。

毛先生謂「蘇聯人民生活，雖比不上西方，但較沙皇時代，實在好得多，我曾遊蘇聯，看其人民之飲食烟酒，有無限制的供給，祇衣着房屋方面爲較差，而這些皆是蘇聯人民所最不講究的事方，故稍可忽略。」又云：「今日中共之奴工制度，一切殘民以逞，則爲蘇聯所無」。第一點，蘇聯人民生活，比沙皇時代爲好云云，愚見以爲，沙皇時代，大多數俄人爲農奴，俄共時代，大多數俄人爲集體農庄農民。集體農庄農民，其私人工作範圍，僅不到一畝的私耕地，私耕地所養的牛、羊、鷄皆受法律明文限制，大多數俄國人民認爲集體農庄農民生產量，以及活動範圍，和農民實際享受，均遠不及沙皇時代之農奴，觀夫每年春天，須由眞理報消息報寫社論督促春耕，即可證明人民對耕作毫無興趣。但在沙皇時代，並不需政府督促，而還有糧食出口。第二點，蘇聯四十年來，工業有絕大進步，但均爲軍需工業或所謂國防工業，輕工業（民生日用品）一向放在末位，人民享受，並未與其工業發展相平衡，觀夫馬林可夫、赫魯曉夫演說，即可證明此點。第三點，糧食缺乏，迄爲蘇聯最大問題，此點蘇當局演說中，迭有表示，毛先生謂，其人民之飲食烟酒，無限制的供給云云，據我所知，蘇聯的無限制供給，若干年來之大多數時間，祇有烟酒。糧食方面，須排長龍去買，而非無限制供給，肉類油類，若非缺貨，但是爲許多薪給階級所買不起。第四點，毛先生謂「衣着房屋，爲蘇聯人民所最不講究者，故稍可忽略」云云，愚見以爲，好逸惡勞，人之恆情，任何國家的任何人，祇要環境許可，其衣着房屋，皆要力爭上游，其忽略原因，實受環境所限。換言之，即蘇聯人民物質生活，遠遜于其他國力相埒之強國，決非蘇聯人民自動願意坐鴿子籠或衣衫襤褸也。第五點，關於奴工制度，蘇聯載有法律明文，其奴工制度之慘無人道，奴工數量之多，以及奴工營之普遍，聯合國及其他國際機構，均有詳確之資料，毛先生謂「今日中共之奴工制度，爲蘇聯所無」。據我所知，此說與衆所公認之材料，不大相符。意者毛先生爲強調中共罪惡，而爲言若是？殊不知中共一切殘暴設施，蓋無一不是學步蘇聯者，此點中共自己一再強調，世人亦有所論定。

以上各點，不知先生及毛先生以爲如何？匆此奉達，敬頌

撰祺

弟慈上十月七日

論名教之防與夷夏之防（上）

◦燕廬◦

在金馬停止砲戰期內，本港的報刊上，忽然有人提出了「民族大義」的問題，據說：中共之所以要停火，是迫於民族大義而與國人放棄其與合攤防務，才拿了「民族大義」作爲盾牌的。人要戰鬥，就必須有武器，那管它是盾牌或長劍，然而我覺得到底陳舊了些，易於使人無端想起徐錫麟、趙伯先，或黃克強；正如看見丈八蛇矛就無端想到張翼德一樣，但時至今日，再有誰配得上談「民族大義」呢？如果歷史尚算可信，那我還記得彷佛有過這樣的記載：「劉聰（匈奴劉淵第四子）謂懷帝（西晉）爲會稽郡公，從容謂曰：卿昔爲豫章王，與王武子造朕，[illegible]記否？帝曰：臣安敢忘，但恨爾日不早識龍顏。聰曰：卿家骨肉何相殘？（按即指八王之亂）帝曰：故爲陛下驅除，此殆天意」。又「懷愍二帝，皆爲聰着青衣行酒，聰出獵，令愍帝戎服執戟爲導，百姓聚觀，曰：此故長安天子也，故老或歔欷流涕」。我們不敢僭妄，自以爲是故老，也實在無涕可揮，却頗不願看到那末一天，有人指曰：「此故長安天子也」！

美國或蘇聯，雖然也只是美國或蘇聯，我們縱算眞已墮落到要「舉身投靠」，也無由把祖宗掙扎遺下來的一片國土，變爲美國或蘇聯的一部，因爲中國人自有中國的歷史傳統，美國人或蘇聯人，都是外國人，照我們祖宗的看法，是一律稱之爲夷狄的。但這裏必須先爲聲明：夷狄一詞，並非一種輕蔑，而祇是一種界限，孔子作春秋，諸侯用夷禮則夷之，進于中國則中國之。也不過因堅守着民族文化本位的立場。其所以不願同於夷狄，並非以夷狄低下於我們，而是因爲夷狄有異於我們。晉代的江統，當過一篇徙戎論，他說：「非我族類，其心必異」。也並不說夷狄如何野蠻，依然只說其異，異的不能強之使同，其實意義是對待的，也即所謂易地則皆然，夷狄之視我，亦莫不如此。

中國之有夷狄，大抵自黃帝時起，就有所謂蚩尤了，至舜禹時則有三苗，以下直到周幽王爲犬戎殺死于首都附近的驪山之下，遂開始了中國歷史上第一次的外禍，孔子生于周末，于是在其所作春秋一書上，特別提出了「大一統」「攘夷狄」的主張，大一統，所以防止內奸的僭竊，攘夷狄，所以抵禦異族的侵陵。孔子的年代，正是王道凌夷的霸攻時期，春秋之中，弑君三十六，亡國五十二，所謂臣弑其君，子弑其父的名教大變，往往而是。據春秋莊公三十二年六月，齊侯來獻戎捷，左氏謂桓公爲非禮；又僖公十年九月，諸侯盟於葵丘，左氏記曰：「宰孔先歸，遇晉侯曰：可無會也」。宰孔勸阻晉侯，其意以爲齊桓公北伐山戎，南伐楚，爲「不務德而勤遠略」。但孔子在論語中却毫不遲疑的說：「微管仲，吾其被髮左衽矣」。又曰：「夷狄之有君，不如諸夏之亡也」。齊桓公的獻戎捷，和葵丘之會，其實很有些驕武的表示，但因爲其對外攘夷，可以使當時的中國人免於「被髮左衽」，所以孔子對桓公的相國管仲，遂不吝而予以褒美。春秋一書之所以有功於名教，有功於文化，可能就在這些地方。後世帝王建國，本着春秋大義，必首先建立起名教之防與夷夏之防，作爲一種精神上的防衛，名教之防即倫理，夷夏之防即國防，這兩種規模擴立好，則其政府可以比較穩定，國祚亦可以比較長久而安寧。但名教之防又爲夷夏之防的基礎，如果名教之防一經潰決，則夷夏之防也必定如冰消魚爛，弄到無法收拾的。江統的徙戎論所說：「秦始皇併天下，兵威旁達，攘胡走越，當是時，中國無復四夷也」。秦對夷狄，採取一掃「不與同中國」的驅逐政策，爲一勞永逸計，還在北面建好一座萬里長城，這也正表現了我們先民的氣魄與其決心。漢承秦後，本也極其注意防胡，但一開始便上了匈奴人的一次大當：「冒頓佯敗誘漢兵，漢悉兵三十二萬北逐之，多步兵，高祖先至平城，步兵未盡到，冒頓縱精兵四十萬騎圍高帝於白登，七日」。彼時匈奴對中國，一時尚無政治上統治的野心，故高帝用陳平計，以和親政策姑求苟安。從此即用[illegible]，而却暗自培養士馬，不斷的擾我一來，即使大張撻伐，至孝武帝時，漢朝休養生息了七十多年，士飽馬騰，再也無法容忍了，又要衛青、霍去病一班年青有爲的將領，開塞出擊，絕漠遠征，終孝武之世，遂把匈奴驅逐得漠南無匈奴王庭。于是江統的徙戎論又說：「當其強也以漢高祖困于白登，孝文軍于霸上；及其弱也，以元成之微，單于入朝，此其已然之效也。」此則見所謂夷狄，其心目中並無所謂道義，和親政策之所以暫時生效，誰都知道那不過是一種變相賄賂之公開的進行，在我們的民族自覺尚未消失，名教之防尚未潰決的時候，大抵是非起來洗雪那種恥辱不可的。

（下期續完）

響應聯合報的建議——控訴印尼迫害華僑

新聞隨筆

台北聯合報就印尼政府迫害華僑事件，向當局建議，迴向聯合國提出控訴。

這個建議，在我看來是萬分正確的，不過恐怕除了能博得一些掌聲和喝采之外，當局未必能以迅雷之勢，在聯合國採取行動。爲什麼？因爲聯合報也已經十分確切指出，「政府當局過分顧慮國際環境」，所以「對印尼排華措施而加以容忍遷就……」。

我無法肯定，所謂「以不變應萬變」，是否即爲「容忍遷就」；我也不甚明白，諸如像這類的事情，如果我國要在聯合國內有所行動，是否仍要看看其它大國的氣色。因爲我們知道，自從印尼革命軍失敗後，西方大國與椰加達之間的關係，已有大大的改進。如果我們當局的政策是一切皆以「以不變應萬變」；在國際政壇上又必須要看看風使舵的，那末，我想聯合報的建議，即使是「值理」，也要落空的。

至於說立法院爲此事，也曾有強憤激的表現，當局不會不慎重考慮的。我想慎重考慮的結果，多半還是將再行慎重考慮，豈能「魯莽」從事，因爲事關「國際環境」。

過去，我們只曉得「弱國無外交」之可怕，近十年來，我們更體味到，即使沒有外交，還有僑民，只要有華僑擁護，一切還是可樂觀的。但是就今日的情況看，我們的政府，對兩百萬印尼華僑之被迫害，也竟束手無策呢！

其實，政府早該有所行動的，儘管我國與印尼無邦交，向聯合國提出控訴，還是可行而又是對海外華僑精神上能起鼓舞作用的，却竟乘而不爲！「顧慮」什麼呢？還等待什麼呢？如果再遷延，而竟至失去了華僑的心，那問題的重要性，在我看來並不在金馬問題之下呢！

◦金葉◦

泰國軍人的和平政變

泰國軍人革命團自去年九月十六日發動政變，奪得政權以來，迄今剛剛十三個月零四天，又發動了不流血的和平政變。同時，在這兩度戲劇性的政變中的主角，均為現任泰國武裝部隊的最高統帥乃沙立所導演。而且宣佈全國戒嚴，廢止現有憲法，解散國民議會，接管政權，組成一個完全以軍人為中心的政府。在表面上看，泰國已是純粹由軍人用事政權的國家了，似為現代民主政制所不許。

但，前者是對人而不對事，後者却是對事而不對人。由于去年九月十六日發動政變的對象，是在推翻根深蒂固的前總理鑾披汶，及前警察總監乃炮上將；而此次發動政變的目的，絕不是對付總理乃他儂的。然則乃沙立元帥的動機何在，可以從乃他儂總理于本月廿日下午，向泰王蒲美蓬辭職時，所舉出的三項因素看出：

乃他儂辭職原因

（一）在此王國間的共黨特別活動；（二）由乃寬所領導的民主黨極力反對現政府，該黨係由某一外國所支持者；（三）前總理鑾披汶的追隨者之政治活動包括經由邊界私運武器進入泰國。他並強調這些私運武器並非轉售，而是意味着在泰國國內使用的。因此，他若組織政事，則不能獲致其所期望的結果。這也是乃沙立元帥于十九日晨由倫敦匆匆趕回曼谷，十一時謁泰王緊急召見，直至下午三時始決定的。

所以，我們認為：這次政變是對事而不是對人。由于乃他儂總理，原為乃沙立元帥的屬部和摯好友，也可以說是乃沙立去年十二月改選時推舉出來，抵制乃寬當時躍躍欲試的企圖。他們之間，顯然沒有任何歧見。而乃沙立採取鄭及嚴厲的斷然措施，却在對付共黨份子在泰國蠢蠢欲動的成份居多。至于乃寬所領導的民主黨極力反對政府，以及前總理鑾披汶的追隨者的政治活動，問題都不嚴重。據廿一日曼谷的廣播說：「乃沙立元帥領導軍人團發動和平政變，奪得政權，維持君主政制，已獲得泰政府和大多數人民的諒解。由于國內外的壓力特別是來自共黨的，迫得採此一着。……」

共黨對泰國的威脅

事實上，共黨對泰國的威脅太大了！據曼谷消息：共黨正從事吸收泰國的計劃中，計劃〔illegible〕一九五四年八月十二日，這項〔illegible〕在北平潛備着。中共也許不致以武力奪取泰國，但却可能運用其人所週知的滲透戰略去發動泰國的條件是：（一）旅居泰國的華僑共有三百餘萬人，就中共的理想來說，這些華僑中大部是可以利用的；（二）「寮國」叛變的「巴特寮」在泰國的人民中，由于有若干不滿現政府的人士，他們為了本身的野心，也可能與現政府的敵人結合起來；（三）留在泰境四萬越南難民，當共黨將要侵入泰國的時候，他們也可以被利用作為一個橋頭堡；（四）尤其是一九五四年七月廿七日，北平無綫電台洩漏出來的危險訊號是：泰國前總理乃比里主張推翻泰國政府的計劃，便是準備先滲透緬甸和南越的關係，然後在泰國邊境生根。果然，于去年八九月之交，逃亡到緬京仰光的泰共頭目，均為中共駐緬大使館的座上客，他們于逗留期間，曾經擬展與當地各方面接觸。同時凡是流亡的泰國人，都可搭乘中共經營的飛機前往緬甸，企圖藉此作為顛覆泰國政府的中心。此外，在仰光最大的英文日報「民族報」，當時指控中共駐緬大使館，利用緬甸為「自由泰國」運動的活動基地。現已經改由軍人政府，實行反共政策，恰與泰國這次政變相呼應。

此次政變的性質

以往泰國的每一次政變，差不多都給予共黨以利用的機會，可是這次政變却不相同。由于乃沙立元帥下了最大決心，希望澄清泰國的〔illegible〕

〔illegible〕

。養之。

天文學權威張雲病逝香港

我國天文學權威張雲博士于本月廿七日在香港九龍醫院病逝。聞者悼惜。此間教育界八大團體已成立治喪委員會，定期哀悼。張氏自大陸變色，即避居來港，埋頭著作，並担任此間各大專學院教授。在不久以前曾爲本刊寫過不少論文，如「怎樣提倡科學」（本刊七五一期），「香港中文中學改制問題」（本刊七八三期）及「談香港教育」（本刊七二一期）等，甚博好評。

寧夏「自治區」　一週

寧夏設省是很久以前的事，中共軍進佔西北以後，亦仍按舊制；一九五四年六月，中共決定取消了這個省，大部份併入甘肅；如今，又以原寧夏省的地域爲基礎，成立所謂「回族自治區」。一會兒取消，一會兒成立，好像台灣海峽的戰事一樣，打打停停，糾纏不清。

這種打打停停的作法，可以從這次清算回教「哲海林耶」派教主馬震武一事看出來。據說馬震武在中共佔西北後，舉行了多次起義：一九五〇年五月八日的平涼事件，一九五二年四月二日的固原事件，今年四月四日的拱北事件，六月一日的同心縣事件，都是馬震武策動的（十月十七日人民日報）。既然說馬震武是如此的「反動」，爲什麼早不收拾他，還要讓他當什麼「伊斯蘭教協會副主任」，「固原回族自治州州長」，「寧夏回族自治區籌備委員」，足見馬氏在西北回民中的聲望，有非中共使用「停停打打」的手法延長到八年之多的需要。這次，中共一面用斷然手段清除了馬震武，成立所謂「寧夏回族自治區」；另一方面又讓中共中央的統戰部副部長汪鋒，劉格平，「國務院民族事務委員會副主任甘春雷等的中共一級處理民族事務的大員，都集中在那裏爲這個區的黨委書記，全權處理；這樣似乎，中共已下了決心，非把回族人民整服，非把伊斯蘭教毀滅，決不甘休呢！民族主義是壓服不了的，宗教是毀滅不了的，西北回族的反抗，也決不會例外。以前還可以和馬震武「談談打打」，以後却失掉了這個對象，可以展望的將來，恐怕還是愈「自治」愈亂呢！

。葉。

山東反黨

山東最近又挖掘出了兩個反黨高幹，即省委常委，副省長王卓如和副省長袁子揚。

一九五七年三月，毛澤東作了一篇「正確處理人民內部矛盾」的演講，要黨內執行；山東的地方幹部中就有兩名幹部，帶頭反對毛澤東的人民內部矛盾的理論。是年十二月裏，毛氏親自到了山東，該省的四級幹部會議，清算了濟南名反毛幹部惠禮地委第一書記李峯，泰安地委代理第一書記曹體羣批評了一頓。今年五月，中共召開了八大二次會議，毛氏利用整風形勢的轉變，把李峯與曹體羣免了職。七月裏，山東在這種高壓形勢之下，再根據李、曹的線索，擴大清算了菏澤地委副書記兼專員應國強，青島市委書記孫漢卿，除此以外，在這個第四階段整風時節已經說明省級行政機構與濟南市委機關中有兩個反黨集團。最近，由于毛氏的窮追猛打，終算把這兩個反黨副省長挖了出來。

從這個事的發展過程中，一方面可以看到毛氏的這種挖掘反對派是不懈的，另一方面却又說明了山東反黨集團陣營的鞏固。照我們的看法，濟南市委的第一個還未被挖出來，山東的反毛集團的核心還未破壞，要沒有更大力的支持，這兩個副省長不見得會有如此大的力量的。這似乎說，若要徹底清除山東的反對派還待毛氏格外努力呢！

潘復生事件

潘復生，是中共中央候補委員，河南省委第一書記，于今年五月八大二次會議上宣佈他是一個右傾機會主義者。潘氏怎樣右傾，最近一期的新華半月刊上潘氏說得〔illegible〕，合作化走入力化；農業生產還不及一九五一年；農民是坐在火山上，他竟覺自己好像坐在火山上，時有被吞沒的可能；河南地瘠民貧，也搞不好。于是他希望把合作社單幹戶看齊，不要清算富農，限制這種思想，中共給予「悲觀主義」，「右傾機會主義」的罪名。

按一「省」的第一書記，集黨權力于一身，他的說話，他的感想相信是有根據的。更何況在報導曾指出他有某種野心企圖，他的亦不是爲着將其辛苦了幾十年的地位，拋棄而和自己開玩笑，看來他們知未誠的人，已體會到農民情緒的危險，衷心而說出的話。毛澤東，大喊「一窮二白」是建設社會主義的好事，不斷的搞運動，似乎是針對黨內像潘復生一樣的消極悲觀者，與壓制反對派，鞭策他們緊張再緊張，沒有仔細地去考慮的機會，通過這種已經沒有頭腦的工具，再強迫人民如牛馬般的賣勞力。看來，一緊再緊總有拉斷的時候！

。田心。

看報閒話

△根據共黨可靠的資料，毛澤東的兒子——毛岸英，在一九五〇年南征北韓的第二天，就被炸死了，如果他當時不死，今天必然也是「志願軍代表團」的要角，毛澤東當時以爲兒子一定會成「英雄」的，却不幸變作了厲鬼，既不能活着回來，就只有爲他樹個石碑了！

△北平宣傳說：「志願軍」已全部撤回，爲歡迎「志願軍代表團」，北平動員了廿萬人敲鑼打鼓，韓戰早就停下了，現在撤回的「志願軍」及其代表們，當然不會是老百姓，也可能這些「志願軍」是根本沒有放過一槍的英雄，用廿萬人歡迎這些從未見過戰場的英雄，不知那些早年屍骨已經腐爛的戰場冤鬼，在天之靈作何感想！

△楊勇，這個後期「志願軍」的「大英雄」，這幾年在北韓的威風，自不在話下。不過他大概不久就會和他的前任楊德志一樣，自動報名下放當兵的，雖然他們都是上將。否則，他就太「不識時務」了。

△一方面大力宣傳今年是豐收，另一方面也報導出河南的「大躍進」，全省大量吃番薯。「稻谷堆滿倉」而百姓吃番薯，這倒尤如電影上兩個對比的特寫鏡頭，既強烈而又刺眼！

△加拿大的貿易商人，從大陸出來說，中共的鋼產量「在一九六一年超過英國是沒有問題的。」這位安德遜先生說得不錯，如果到一九六一年，他還有機會觀光大陸時，他就會覺得中共也已勝利地完成了實行原始共產主義了。人民生活也必然回復到石器時代了！人民既沒有家，（完全公社化了）也沒有私有的鍋器！

△一旦到中國大陸的鋼鐵產量超過英國時，英國的生活可能已經進入原子化了。這時，我又不知道這位安德遜先生，又將如何讚美中國大陸呢？他大概會想即使是原子化的生活，也不如人類原始生活狀態好吧？

。不懂齋主。

香港華僑教育

馬鴻述陳振名編著　台灣海外出版社印行

馬鴻述陳振名兩氏合著之香港華僑教育一書，實爲時下辦理僑校，與討論僑教者極富價值之參考資料。目錄如下：第一編引論，第二編學校教育，第三編社會教育，第四編討論與建議，並附錄香港教育新條例一章。〔illegible〕

〔illegible〕

〔illegible〕

國際動態　拾零

〔illegible〕

△人造衛星將來可能運載軍隊之用，〔illegible〕

〔illegible〕

。陶然。

自由談

立法院的秕政

馬五先生

最近在台灣出版的「民主潮」雜誌上，看到一篇「明日的立法院如何」的論文，作者以流暢之筆力，抒沉痛之觀感，慷當以慨，盪氣迴腸，可謂今之傷心人也，殊堪賛佩。

原文指述關於立法委員的若干問題中，有兩點實獲我心，也可說是社會公論。一是有些寄居海外，八九年來始終沒有到台灣開過會的委員，照樣地按月領取公費。他們並非不願意赴台出席會議，而是拿不到台灣入境證，行不得也。如是乎，每屆正式會期，照例搞一紙醫生證明書，聲請告假，等於公開作偽舞弊，這成甚末體制？既不教他們來盡職服務，乾脆就註銷其立委資格好了，且可替國庫節省一筆開支，不亦宜乎！既承認他們的立委身份，而又不讓其赴會，螫居異域，遙領俸給如儀，遍查古今中外的政治史乘，有這種怪例嗎？二是有些委員依據獨時官派立委所訂自私自利的惡法，幹過三年立法工作後，即取得律師和會計師的當然資格，掛牌營業，有如狡兔之三窟。實則真正具有律師會計師本領的人，並不需要「叨此惡法」之光，自可正大光明地執行業務。民選的立委們爲甚末要與官派的立委同流合污，而不自動將這種「惡法」予以廢棄，藉彰信譽呢？

至於該文作者對一般經常出席會議，只是敬陪末座，從不發言的立委們，亦表示不滿。這不過是春秋責賢之義，不足爲病，誠如在表決議案時，本諸理性與正義而贊否，即可告無愧了。民意代表固然是以說話爲職責，但如發話不能發揮效用，有時候還要招來一些無謂的煩惱，那就不如學金人之三緘其口，比較有益於身心，我當新聞記者，有話就說，不怕討人嫌，說錯了，大不了來個更正啓事，立法委員的言論卻不像記者這末隨便。所以，我對於在會議席上少說話的立委心情，相當諒解，因而所期望於袞袞諸公的，在彼不在此也。

談：「賈桂思想」

賈桂者劉瑾之奴才也，故所謂「賈桂思想」即奴才之奴才的思想。

兩個多月以前，北京方面正熱烈地討論：黨員應不應該作爲黨的一個「馴服工具」？自然，作爲一個共產黨員，是不應當有自己的獨立思想和個人前途的，應當百分之百的做黨的「工具」，並且還是一個「馴服的工具」，這是那次大鳴大放大辯論的結論。

也許有人這樣想：中共第四階段整風結束之後，對黨員幹部的要求，就是做「馴服工具」，不准亂想，亂說，亂動。可是事情出人意外，十月初中共各報消息訊，報導鄧小平、李富春等先後到東北各省視察，在他們的談話中一致提出所謂「賈桂思想」這個名詞。賈桂何許人也？

賈桂不是現在還有其人，他是平劇「法門寺」裏一個小太監、小丑，大太監劉瑾的乾兒子。這個小人物在戲劇中突出地表現一種小奴才的典型，劉瑾是明朝正德皇帝的寵信，利用東西廠錦衣衛等特務組織，謀害忠良，欺壓人民，而賈桂不過是劉瑾的應聲虫，奴才的奴才，十分地道的，凡是看過平劇法門寺的人，都可以了解其狐假虎威的奴才像。

賈桂有「賈桂思想」，而「賈桂思想」又是這種小奴婢思想的貨色，簡單說就是應聲虫思想，「一個馴服工具」的思想。可是中共竟這樣大膽，把這「賈桂思想」的帽子，給一部分黨員幹部戴上了。固然，中共說「要澈底打倒賈桂思想」，但是一個已「馴服的工具」，如何不是「賈桂」呢？黨要這樣做，鄧小平，李富春人等有什麼辦法？？事實不是這樣嗎？社會主義高潮起了，投黨員幹部都墓起傳遞，入運動中爲黨的政策執行的工具。大躍進運動起來了，鋼鐵高潮，人民公社化高潮也來了，你有時間去想一想嗎？你能夠反對嗎？不甘作賈桂是不行的。賈桂本身沒有思想，只有上面交下來的任務，永遠像工具操作一樣做完的任務。

賈桂是一個時代中的可憐虫，乾兒子只有仰視乾老子劉瑾的鼻息，賈桂思想所表現「處處被動」，「毫無主見」，「聽上級調撥」，「唯命是從」，「墨守陳規所縛」，「死抱老皇曆」，「志得意滿的奴隸思想」等，正是昔日劉瑾今日毛澤東所喜愛的，否則沒有這些爲數不少的賈桂，他就玩不起來了。可是有一天劉瑾毛澤東會反悔，那就是當劉瑾被正德皇帝拉去清算開刀時，才曉得假造這些賈桂害了他

牛溜子的政……越南講學回台以後，……議員亦可謂從善……

賈桂思想正表示在演一幕時代悲劇，奴才思想驅融了自由真理，而小奴才背後往往站着大奴才及其主人，「要澈底打倒賈桂思想」，必須首先打倒劉瑾所代表的勢力，甚至還要打倒正德皇帝所代表的奴隸王朝。

李湘芬輸血記

·張瘦碧·

藝人輸血，文士爲文，將軍作曲，賈老作跋。

反共藝人李湘芬，自金馬砲戰以來，首先倡導婦女界輸血，並以身作則，一時婦女界紛紛響應。張碧凡曾爲文記之，情文並茂。此間詩人兼民族舞蹈創作人何志浩將軍，又爲其撰人英雄熱血交流曲。詩云：「金門保衛戰，軍民血沸騰，寧拚熱血保寸土，阻遏紅禍國中興。前方砲火正猛烈，三軍壯氣堅如鐵，後方踴躍來支援，既捐物資復輸血。佳人李湘芬，色藝[illegible]，[illegible]自由之酬國，甘心捐血勞軍。壯士王謙亭，英勇又年青，金門海上抗頑敵，遍身流血戰不停。台北陸軍總醫院，佳人壯士初相見，同有一顆愛國心，[illegible]。壯士握手語殷勤，衛國負傷[illegible]，撫傷淚落沾羅[illegible]。[illegible]英雄輸血[illegible]，[illegible]大攻，殲滅赤匪[illegible]，[illegible]從茲[illegible]，[illegible]此事志[illegible]，[illegible]屏障，多少[illegible]人同此心，英雄百戰都無恙。壯士殺高歌，保山河，一寸河山佳人血。」此曲並經[illegible]賈煜老（景德）[illegible]讚賞，[illegible]跋文云：「愛國藝人李湘芬爲受傷海軍戰士王謙亭輸血，張碧凡女士紀其事，[illegible]生動，[illegible]血事！[illegible]人心，交流曲長於歌詠，英雄熱血人傳作，以資表揚，其詩更足傳。」

故鄉的酒

陳宗敏

酒這鬼東西，原是我的「敬而畏之」的朋友。但故鄉金門的高粱酒，雖然不喜歡飲，但一聽到人們談到它時，總是自離鄉遊子感到無上的光榮，爲故鄉能有幾樣名產而驕傲。

假期我從台灣回金門故鄉去，再返台時行李沒有添些什麼，只是添了幾瓶高粱酒。雖然政府規定私人帶酒限度大瓶兩瓶，或是小瓶三瓶，但我們這一羣每次往返都承政府專機專車送的學生，就像一羣受寵愛的小孩子一樣，只要在台有親友的，都得多帶幾瓶送人，又正政府爲我們派機關人員是不會把我們當做走私的商人的。

每個假期我從台灣回到金門故鄉去，故鄉很多老同學們，都有一度的相聚言歡，我雖然不會飲酒，但我卻愛吃魚肉青菜，正所謂「各取所需」，故鄉酒，近年來的名氣可很不少，不要說酒友一提起它，更是說得津津有味，就是不大飲酒的人，也都謂名不虛傳。我呢，我喜歡看別人飲金門故鄉的高粱酒。

小言先生的「金門高粱」一文，卻給了我無限的感慨。我不祇回答小言先生，而且是告訴每一位喝過金門高粱的人，「金門高粱酒的釀造酒坊已被共匪完全擊毀了。」

金門高粱的酒瓶中，印有鮮艷的標誌，寫着「九龍江」字樣，表示着金門的酒，像九龍江的水一樣源源成江，永是飄足而芬香的。而且「龍水」在我們中國舊風俗裏，含有「甘霖」的意思，那對於農業鄉村的金門島上，更含有一種佳美的祝福。想不到今日，酒廠已爲共匪擊毀，故鄉安靜的田園，也爲共匪的炮擊得傷痕累累，遙望故鄉，無限悵惘！

宋皇台遺址考證

·簡又文·

至九龍寨築城之歷史，亦彰彰可考。初，中英兩國因多年的國際糾紛及鴉片問題，於道光二十年庚子六月（西一八四〇）開戰，即所謂「鴉片戰爭」。清軍戰敗求和。十二月廿八，乃由欽差大臣琦善與英領事義律（George Elliot）議定草約四條，其第一條文曰：「香港之港及島讓與英國，商業上交納清國正當諸稅，如在黃埔所行之時，此地亦然。」實際上，英軍於此時已佔領香港島矣，旋而和議決裂，翌年春，戰事再起。清軍屢戰屢敗。至廿二年七月，英軍由鎮江直逼江寧府城。清廷迫爲城下之盟。七月廿四日（一八四二、八、廿九），廣州將軍耆英與英全權公使樸鼎查（Sir Henry Pottinger）在南京締結「南京條約」共十三條。其第三條文曰：「因英國商船遠路涉洋，往往有損壞修補者，自屬給予一處，以便修船及存守所用物料，今大皇帝特准將香港一島，給予英國君主暨嗣後世襲主位者常遠主掌，任便立法治理」。至是，香港始正式割讓，惟九龍則仍未歸英也。（參考蕭一山：「清代通史」卷中第四篇九九以下各節）

翌年（道光廿三年，癸卯西一八四三），耆英來粵，署任兩廣總督，黃恩彤任巡撫（原任江寧藩司，爲耆英親信，會助其訂約者）。大概是爲增強對香港英軍之防禦計，耆英即於是年增築九龍寨城牆，當是就原日之官富寨——即九龍寨——修建者。（閱覆案原無城牆。）上文所記移官富巡檢爲九龍巡檢——即在東莞縣治下改設九龍巡檢司——亦同年事也。城牆至道光廿七年三月（西一八四七）——經四年餘——始竣工。寨城面積僅七十餘畝，有東、南、西、北四門，門作半月形。其南門額有「九龍城寨」石刻四字，右旁綴「道光二十七年季春吉旦」一行，左旁下款列三官銜，中總督耆（英），右巡撫黃（恩彤），左提督顧。後來增築城牆四度，連前六度矣。寨城原址在侯王廟西南，跨白鶴山上，寨城牆多被日軍於佔領期間拆去。

由此可知，九龍寨城與九龍城是兩個不同的地方；九龍城實是寨城外附近一帶地方（昔多村落，今改設市區，廣闢馬路，連啓德飛機場在內）之通稱也。

至九龍半島歸英之經過，大略如下。咸豐七年九月（西一八五七年十一月），英法聯軍攻陷廣州（佔領三年），十年八月陷北京。九月十一日（西一八六〇、十、廿四），清恭親王奕訢與英專使額爾金（Lord Elgin）訂立「北京條約」（即一八五八年「天津條約」之續約）共九款，其第六款以九龍司歸英屬——即是，將九龍半島之南部，由尖沙嘴以北至今界限街止，面積共四英方里的地方「永租」與英國，即割讓也。「宋皇台」即在界限街東頭界綫之南，當係於此時一同割歸英屬的。（四）

逃亡前記

·盛紫娟·

抗一暴一短一篇

黨員江寶路以爲這個農民在故意嚇他們，馬上說：「共產黨員是不怕吃苦的，不怕艱難，不畏困苦的。我們的幹部隊伍……。」

但是，有誰愛聽這些官腔？就連從小在黨的教育培養下長大的梅林，也不以爲然。

她常想：「每一鋤，每一鏟，都是多麼強烈地消耗了人的體力。」

起初，梅林咬着牙幹，爲了使領導上好對她有個好印象，但最後，這種永遠也幹不完的苦工，使她憂鬱的心情越發沉重，她只好在心裏數着：「一、二、三、四、……。」她也記不清是多少下了，只感到鋤頭越來越重；深度挖得越來越淺。

「怎麼還不休息？」她心裏想，表面上卻裝作不在乎。

生產組長見他們實在不行了，就說：「同志們，歇歇吧！」他自己卻掏出旱烟袋，蹲在田埂上抽個不停。

梅林深深地吐了一口氣，抬頭望了望別人，就一屁股坐在地上，一股寒氣冲上來，使她打了個寒顫。她一面活動着又酸又麻的膀臂，一面不停地揉着磨紅了的手，手心熱辣辣的。心裏感到萬分委屈，卻又不敢表現出來。

許鳴休息了一會兒，忽然喊起來：「歡迎小梅來一個！」

「什麼呀來一個？」梅林南問。

「梅林同志是我們教研組的歌唱家，舞蹈家，[illegible]。」

「眞的？」有人驚喜地問。因爲消息太令人興奮，連最感到疲累的人，也抬起了無神的眼睛。

「梅林來一個！」

「來一個吧！」

有幾個人要求着。

還沒歇過來的梅林說：「怪累的，就這麼坐着多好。」

許鳴嚷：「不行，不行。我們不累。」

江寶路也說：「小梅同志，爲人民服務，總該來一個！」

「你就是這樣，一勞動就垂頭喪氣，一休息就興高采烈，什麼思想？服務！」[illegible]帽子[illegible]，也確有其事，老江[illegible]，臉紅了就不說話，[illegible]：「還是跳舞吧！等會兒唱歌唱到[illegible]去了，可受不了。」

大家開心地大笑起來。小梅生氣地瞪了他一眼。

老崔又正色地說：「[illegible]，就是調來[illegible]主義來。」大家笑仰後合，跟老崔同教研組的，中文系助教，[illegible]：「老費，你來賣你的牛皮了！小梅，別理他，跳一個吧！」老江又[illegible]，忙喊：「來一個嘛！」

老黃說：「不，還是跳小烏克蘭吧！」

老崔忙說：「我看她跳朝鮮舞最合適了，她長得也像朝鮮女孩子。」

大家笑聲未絕，梅林已經不便大家失望，就跳起了她最拿手的朝鮮舞。舞姿一曲，[illegible]的歌聲在空中飛盪。她激動的唱着：「我站在高山之巔，望黃河滾滾，奔騰[illegible]……」

她唱完，大家喊：「不行，不行！唱[illegible]歌曜！」

梅林停了一下說：「也行。不過，我就是有代價的。我唱完以後，請[illegible]」

江寶路馬上接口道：「同志們！我們[illegible]，自覺地，積極地幹活，[illegible]看看，我們也是文武全材的！」[illegible]的讚語，一陣掌聲，歡迎這最後一句[illegible]得這樣想。」（四）

自由人
THE FREEMAN
（第八〇〇期）
中華民國僑務委員會頒發登記證台教新字第一第二號
中華郵政台字第五〇〇號執照登記爲第一類新聞紙類
（半週刊每星期三 六出版）
每份港幣壹毫
台北市售價台幣壹元伍角
督印人：陳文泰
地址：香港高士威道二十號四樓
20 CAUSEWAY RD. 3RD. FL. HONG KONG
TEL. 771726
承印者：東南印務出版社
地址：高士打道六十四號
台灣總經理處
台北市西寧南路壹零號二樓
電話：三〇三四六
台郵撥儲金戶九二五二

中共和談問題的觀察

金達凱

報載毛朝清客章士釗又到香港來了，還有一位中共要員隨行。據說他們此行的任務，是在執行中共的和平攻勢計劃，企圖在海外華僑社會中發動一個「和平運動」，或散佈和談謠言，做出和談姿勢，以達成共黨的政治目的。此說屬實與否，尚待證實。雖然章氏以垂暮之年，其來港的主要動機，可能是爲滿足他個人的特殊嗜好，與一償其闊別的兒女私情，並沒有具備在海外搞風搞雨的條件；但是中共希望利用和談，以挽救其砲轟金門的軍事僵局，與解決內部問題，則十分顯然。因此對于他們的活動，我們仍不得不予以嚴重的注意。

（一）

中共此次的和談攻勢，實質上是一年前的統戰攻勢的延續。從一九五五年到一九五七年上半年，中共在海外統戰活動的方式是：（一）由附庸黨派和叛黨份子在一般御用報刊上發表公開信，誘勸自由人士來歸。（二）宣傳大陸建設成就，策勸華僑前往「觀光」。（三）以銀彈政策，爭取中立報刊和不堅定的文化工作者。（四）散播與台灣某某和談的消息，以淆惑國際聽聞。此一攻勢，至一九五七年的「百花齊放，百家爭鳴」運動時到達最高潮，當時若干人還以爲中共真的改變了政策，以爲共黨真可以「和平相處」，因之回大陸去的人也時有所聞。但轉眼間，「鳴放」一變而爲「反右派」鬥爭，如共黨右派黨員所說「上午還是嘻皮笑臉，下午就喊打喊殺」，在此情況下，他們海外的統戰工作也不得不悄悄收兵，用大批金錢所造成的一點成績也就烟消雲散。今天再來搞和談，想必仍離不開上一套，但其失敗是可以肯定的。

（二）

目前的中共的亟于「和談」，也是有其不得已的苦衷。其一，金門砲戰陷于僵局，攻既不能，退又不可，如不另找題目下台，則對內對外均產生不利的影響。其二，中共也實在不能一戰，最主要的是內部問題。第一是「人民公社」的問題。至目前爲止，中共雖在大陸農村建立了「人民公社」兩萬三千三百九十七個，參加的農戶達總農戶數百分之九十點四，但這不僅引起共區社會關係的變化，且引起生產、分配、交換、消費等方面的變化，因而使共黨的財經制度與基層政治制度也發生一系列的改變。其中包括生活資料供銷的改變，商品流轉環節的改變，以及工商稅收和農業稅收的改變等，有很多問題需要從新做起。因之也就需要一個安定的環境去加以安頓，而不能觸動戰爭，一有戰爭，則大陸局勢必陷入嚴重的混亂。第二是軍事問題。一年來共軍內部會發生統帥權的爭奪，新舊軍事思想的衝突，官兵關係的惡化，使他們無法進行全面的戰爭。因之將許多高級將領下放，到連隊當兵的高級幹部已將近一萬人，並有七十多名「將軍」在內，其中「上將」級的計有「濟南軍區司令」楊得志、「瀋陽軍區司令」鄧華、「南京軍區司令」許世友、「廣州軍區司令」黃永勝、「總後勤部長」洪學智、「鐵道兵司令」李壽軒等，這些高級將領的下放與共總參謀長粟裕的被免職，說明共軍領導階層的不穩，也是中共避免大戰的又一原因。第三是黨內問題。從去共到今年，僅省委一級就發生過許多「反黨」、「反社會主義」活動的事件，如浙江省長沙文漢、副省長楊思一，省委組織部長楊思秀，安徽副省長李世農，省委組織部長楊效椿，青海省長孫作賓，甘肅副省長孫殿才，河南省委第一書記潘復生，廣西副省長陳再勵，廣東省委委員馮白駒，山東副省長王卓如，袁子揚等，都有「反黨」活動，使毛澤東有其嚴重的顧慮。第四是中共各級幹部大都有「恐美病」，害怕同美國正面作戰。因此，「人民日報」特將毛澤東歷年來有關對敵鬥爭的文章，講演和談話，輯錄在一起發表，標題爲「帝國主義和一切反動派都是紙老虎」。該報按語：「怎樣認識革命力量和反動力量的問題，在中國，在世界範圍內，都是一個大問題，有許多人總不得解決。……現在有許多人，他們還迷信，還有幻想，他們還懼怕帝國主義，特別是美帝國主義，懷着敬畏的心理。」因此要拿毛澤東的言論，「在他們中間進行說服的工作，堅定他們的信心和決心」。此外，目前大陸各地民衆的反抗，特別是西藏、新疆、甘肅、寧夏地區少數民族的反抗，中共更存顧慮。而金門砲戰延長，台灣軍事力量的壯大，美第七艦隊在台灣海峽的巡邏，都是導致大陸內部不安的因素。面對上項局勢，中共不得不運用它的「三十六着」的最後一着，恢復統戰攻勢，策動「和平運動」，以便解除外在的壓力與內部的問題。

（三）

但是今昔形勢已完全不同，第一，海外中國人民經過中共「反右派」的教訓，已徹底認識共黨的嘴臉，不會再入它的圈套。第二，中共在海外統戰活動的據點，已漸漸受到當地政治局勢的改變而縮小了地盤，例如馬來和新加坡當局反共態度的堅決，即使統戰份子的活動也受了限制。此次中共的和談陰謀，要遭受比上次更大的失敗。蔣百里先生說：「敵人跳，我們笑」，現在是中共跳的時候，也是我們笑的時候。同時我們更應記取百里先生的另一句名言：「千言萬語，併作一語，就是不要同它講和」。

半週述評

葉公超解答難題

中美聯合公報之聲明「中華民國政府認爲恢復人民自由之主要途徑並非還藉武力」，引起了海內外輿論的不滿，那是必然的。因爲「反攻」，和「民主」一樣，是年來中華民國的支柱，是「碰不得的」；今竟公然碰了，爲得不輿論譁然。杜爾斯走後留給葉公超一個難題，是如何在不違背杜蔣會談的「基本精神」下向國人交代。如果不是難題，以葉氏的辯才無礙，何以也祇能說「這並不是我們已放棄使用武力拯救大陸同胞，而是表示今後將要特別寄重于政治力量」。詞令畢究是有時而窮的。

政府還須準備下文解答

所謂「非還藉武力」或「非還藉武力爲主要途徑」一個聲明，對于決策以外的人，尤其一般人民而言，雖不一定令人感到「反攻無望」，至少是「在客觀條件沒有巨大變動之下，不打算作主動的「反攻」」，起碼是對目前金門戰局不能作此想。我認爲「阿斗」雖愚，對此絕不是「誤解」。而且今後所特別寄重的「政治力量」，也令人聽後有點茫然之感。這一點且留待「政治反攻」論者去推敲吧！當局還須準備下文解答——準備如何去滿足政治民主的客觀要求，來充實政府所寄重的反攻「政治力量」。

所謂「不憑藉武力」

不錯，中美聯合公報是兩個絕對不同的基本觀念下的混合產兒。但外交策略是不能有背乎國策的，不管空言也好，反攻既是「既定國策」，所謂「不還藉武力」或「不以武力爲主要途徑」，或所謂「政治力量」反攻，是否仍是原來人民意象中的既定國策？當局處境困難是一事，而國策是不能含糊得了的。政府該有一項更明朗的表示，尤其是行動的表示，不要因爲還就友邦而讓國人「誤解」下去。——我以爲目前當局的話還不够明朗。陳副總統對一羣歸國的僑領說「中華民國可能進攻中國大陸，倘若共軍對離岸島嶼發動另一次猛攻」（合衆社台北卅一日電）「倘若」「可能」，祇是一種態度的表示，也不能視作國策的有力說明。

所謂三分軍事七分政治

目前「三分軍事七分政治」的口號又出現了。我以爲這口號對于目前是要不得的，什麼三分七分，本質上軍事原是政治的延續，或者也可以說政治是軍事的延續，尤其在戰時，尤其以反攻爲國策的時期，更尤其是在「打打談談」的戰局當中是如此。我相信我們的「心理作戰」專家，如果設身處地想一想金門戰士的心情，也當有所領悟吧！

人家有人家的算盤

美國呢，我以爲十月廿五日謝扶雅先生替本報寫的第五篇美國通訊描繪得清楚。美國的基本觀念是「兩個中國」，所以不但希望中共一時的停火，而且希望從今而後中共和台灣政府雙方休武斂兵，專作政治競賽，中共好做它的「大躍進」，台灣也努力做好眞正的自由民主，在那樣情形之下，美國就可不必再派第七艦隊駐防，可以不再化那麼多錢和精力在南太平洋的那麼一點星螺了。

我們自己的算盤呢

人家有人家的算盤。杜爾斯來台本是爲了「停火」，而時間上又適當關係下屆美國大選的議員改選期間，故帶來的，除了「兩個中國」的基本觀念外，當然是不讓在軍要關頭，台峽引起一場戰火，進退兩難，使執政黨失去選民，——美國不像我們，選票是握在眞正選民手裏的，誰碰了它，誰就不能穩坐白宮。更何況中美聯合公報是依據「防禦性質」的中美協定而來的，彼此一雙情願，只要人家依約行事，夫復何言？

但是我們自己的算盤呢？今後豈能像美國人心中所想像的「雙方休武斂兵專作政治競賽」，只等候大陸人民起來革命！

·林伯雅·

印尼傾向軍事冒險

掠奪華僑資產來挽救經濟危機

華仁傑

印尼局勢越來越微妙。軍力在逐步加強：海軍、空軍、與陸軍的騎兵、火箭砲部隊，正在迅速訓練、成長。軍方自認他們的武力，並不僅這一點點，還有秘密武器。經濟方面，朱安達認爲正向「順境」邁進，明年就可以恢復常態。可是，現實的經濟局勢，怎樣消除困境，除了掠奪華僑資產，看不出有什麼改善的好辦法。

儘管蘇加諾一再強調：印尼爲一愛好和平的國家，建立強大軍力係求自保的必要措施。實際並沒有人相信，他的建軍純爲「和平」需求。因爲他的饑餓建軍，並沒有取得爪哇饑民們同意，也沒有獲得各省國人支持。現在，一支海軍已在首都拉雅（巨港西南十五哩處）集訓；一支空軍已自埃及組成歸來，四十架包括了II—28型俄製轟炸機、與米格十五型戰鬥、驅逐機，曾在建軍節驕傲地翱翔於萬隆閱兵台上空；一隊年青的澳洲馬騎兵，於十月五日閱兵時出現；火箭砲在廣場上整齊排列着替陸軍壯威。在西方使節們看來，這是蘇加諾的「無言挑戰」。他告訴人們：印尼已不再會受人欺侮。當然，他絕沒有想到：武器在別人手上，不會讓自己帶來幸福。正在擴張中的印尼兵力，名義上是屬於印尼國家的，實際却接受共黨領導與指揮。至於說到秘密武器，雖未炫耀人前，不管它是否吹牛，即使有的話，俄國人也不會輕率地交與印尼人掌握。沒有人不會否認：在短短的一年間，印尼的軍力已有驚人發展，其目的，絕不是爲和平努力。

當五百及一千盾面額大鈔面世之後，一元港紙可以兌到十八盾，嚴重的通貨膨脹速度，只要拿今年一月匯率（港幣一元折七個印尼盾）作比較。它說明了一個事實，政府向中央銀行透支額，比上一財政年度增加了六倍；印尼盾的市面流通額，發行達二百五十億盾，外匯儲備額已短進十七億盾。主要原因，顯然是軍費額外支出（本年度達四十億盾）大增，稅收減少。朱安達對於這種困窘的局面，非但不感棘手，反而覺得樂觀，並說明年可以邁向「順境」。在十月十六日陸軍參謀長納蘇遜，發布一項沒收僑產命令之後，人們纔意識到朱安達的話，並不是空言許諾的；他的「順境」諾言，是鑒於去年侵佔了荷蘭人產業，使印尼經濟危機，從崩潰中獲得解救；今年侵奪華僑產業——包括了華僑全部或部分擁有的所有學校工商、企業、財經、保險、航運、礦務等機構——比荷僑更大。把這些財產置於印尼政府管制之下，取得了明年度印尼政府「恢復經濟常態」保證。這種只圖一己私欲不理萬戶哭的勾當，竟然爲國際輿論默認，全世界的公理正義，是否已被共產竊盜思想脅持，不能令人無疑。如所周知，這批擁有龐大資財、產業華僑，印尼政府在「嚮往於中華民國政府反對中共」的理由下，把他們橫加迫害。但是我僑務當局對此，竟然毫無表示，任由印尼政府把他們當「無國籍之民」看待，當非吾中華民國之恥，亦爲吾千幾百萬全僑大辱，斯可忍，孰不可忍？印尼對吾同僑的迫害，並非僅只掠奪財物產權算數，誰能保證將來，不會有進一步迫害。

從表面上看，一切的安排，都由蘇加諾當家作主。實際蘇加諾的處境可憐，沒有人可以想象。他自知墮入陷阱，無法擺脫束縛，只有把殃民誤國事務，交付與朱安達（總理）及納蘇遜（陸軍參謀長）出面去做，表示他自己置身事外，以待到了某一時期，登高一呼，把朱、納作爲禍魁，自認仍有恢復國家獨立、民族自由的權力。美國對印尼所作有助於共黨囂張氣燄的援助，也可能是寄託於這一虛幻空想，空想能不能成爲事實，現在看來，非但無從捉摸，而且越來越覺得距離越遠。

眞實的事態演變，印尼正趨向軍事冒險。一面俄共對蘇加諾顯然並不信賴，一面縱容印尼共酋艾迪，策動五萬名共黨黨員滲入軍中，操縱印尼三軍，同時監視蘇加諾以及軍政要員行動，依照預定計劃，以武力進攻西新幾內亞，威脅澳洲和紐西蘭。因此，不再顧慮遙隔西里伯斯的革命集團。他們認爲：只要爪哇的三軍如期發展，鎮壓國內畔換絕無任何困難。並且想到：革命集團也已擁有一支空軍，傳聞已死的辛波倫（革命政府外長）仍在蘇島中部活躍。他們終有一天聯合各省起兵發難。那時候，蘇加諾的空想，與俄共一切計劃俱被粉碎。

（十月廿六日寄自耶城）

張君勱論西德與台灣

上月三十日自美歐遊後過港的民主反共老戰士張君勱先生，曾在本港出版的「聯合評論」週刊第十二號發表其于十月三日在慕尼黑所寫的一篇文章，題爲「西德與台灣」，詞意警闢，爰爲轉載于此。（編者）

西德與台灣在現世界上同爲一半共產一半反共之國家，其分劃之情況相似，然其地位與權勢實有不可相提並論者。十月一日西德國會移至西柏林工科大學中物理教室開會，同時國會議長格司頓麥耶氏已宣佈在柏林德國國會廢址上重建新國會會所。凡此均爲德國國民對俄之示威決不放棄東德之表示。此次在西柏林召集之國會，通過一種各黨共同贊成之決議案，舉其要點言之，計有五項。第一項云：年來由東德逃至西德之人民已達三百萬之多，此即彼等所受良心痛苦生活痛苦者之表示。此即東德之統治超過人情所能忍受之限度。因此西德國會對此反於人性公道之舉特別提出抗議。第二項云：今年以來由東德至西德之交通往返，較去年減少百分之八十五。西德國會再行提出行旅自由之要求。兩方互相尊重法律以謀行旅便利，此爲各國間所共同許可之事。第三項云：國會要求聯邦政府與地方政府對於逃難者許以居住之便利。此不獨爲政府之義務，即德人中之每一人家，共有收容流亡者之義務，惟有如此方能表示不僅以空言求統一，且以實在行爲求統一。第四項云：德意志聯邦共和國具有自覺其國家生活之秩序，不獨限於目前，必繼續於今後，以求統一實現之日爲止。德國國會再行呼籲其基本法之原則曰：全部德意志人民之義務在乎本民族自決之精神完成其自由與統一。此項義務與四強之負有重建德國統一之義務不相衝突。德意志國會等待以直接與自由之選舉表示決定統一，惟現時反對此項自由投票之障礙必先有以去之。第五項云：西德國會再行承認其各黨所一致通過之四強合作解決德國問題之委員會。德國政府應以全力促成此事。吾人讀此決議文，誰不爲德國統一之前途，抱有樂觀。良以全民族一致之要求，非任何外人壓力所能妨礙者也。自大陸流亡海外之中國人誰不願見有此種反共統一之決議，奈政府退至台灣以來，但見其故步自封，自安於小朝廷，求此一類全民合作之機關之表示而不可得乎？台灣政府但知依賴美國爲生，不知美國遠東政策受有種種之限制：（一）須商西方各國；（二）須求人民與國會同意；（三）美台協防之約，早已不許中國單獨行動；（四）美國但求保台，不爲自由中國復國打算。此爲依賴負政策之自食其報，而無可如何者。至於內政方面，除一黨專政而外，試問有如西德之經濟復興政策乎？有如西德公然走上民主自由之方向乎？有如西德對學術文化之努力乎？（下略）

論名教之防與夷夏之防（下）

○燕廬○

漢朝經過了四百年的統治，其光輝與熱力，也終于逐漸消退下來，到東漢末，那種名教之防，慢慢造成些推財讓爵的虛僞之行，此中乃迫出一個要公然與名教爲敵的曹操來。當其爲丞相時，于建安十五年下令：『天下未定，求賢之急時也，若必廉士而後可用，齊桓其何以霸？今天下得無有盜嫂受金，未遇無知者乎？二三子其推才是舉，吾得用之。』又於二十二年下令：『韓信陳平，成就王業，吳起貪將，殺妻示信，散金求官，母死不歸，然在魏，秦不敢東向；在楚，三晉不敢南謀，今天下得無逸才異質，負汚辱之名，見笑之行，不仁不孝，而有治國用兵之術，其各舉所知，勿有所遺。』漢末羣雄，自以曹氏得人爲最盛，不能說不是他敢于公然與名教爲敵的結果。但屍骨未寒，自己的家庭竟就出現了一幕『煮豆燃萁』的慘變。而後來的高貴鄉公（曹髦），要想同山陽公一樣保其首領，亦不可得。而那個替司馬昭執行劊子手任務的賈充，就恰巧是曹氏當年的鷹犬。（充于魏時官廷尉）充女賈南爲晉惠帝后，不守婦道，誣太后父楊駿謀反，誅及三族，後來的八王之亂，即由此而起、匈奴劉淵，乘隙入侵，淵族子劉曜，于洛陽既陷，納羊王后，問曰：「我何如司馬家兒？」后曰：「胡可並言！陛下開基之聖主，彼亡國之暗夫，……妾生於高門，謂世間男子皆然，自奉巾櫛，始知天下有丈夫。」這便見得名教之防一壞，遂亦無所謂夷夏之防了，但却不能不說是曹操那種極端鄙視名教的結果哩！

自此以下，中國急速地轉入一個長期分裂的衰世，直須到隋、唐建國，纔再有像樣的政府出現。隋享國不久，即入於唐，但唐代對於所謂名教之和防和夷夏之防的觀念形態，似乎均相當模糊，朱子語類曾云：『唐源流出於夷狄，故閨門失禮之事不以爲異』。這已很令人覺得可疑了，即就其大端措施而論，他們的始祖是道教之祖的太上老君，而且尊之曰太上玄元皇帝，號爲英明的唐太宗，他是中國的皇帝，四夷擁戴的天可汗，一面又是西方佛教的大護法，但在名教上說，那一幕玄武門之變，則到底不免是一種慚德。至於對付四夷，則在他手上，平定了突厥，吐蕃，又出兵征高麗，於西北沿邊，設六都護府，儼然又是一座新的長城，對於領土的開拓，大略已超過了漢盛時，比諸秦皇漢武，實在毫無愧色。及至玄宗天寶，李林甫爲相，爲抵制儒臣入政府，妨其貪寵獨擅，遂建議專用蕃將，於是諸道節度，盡用胡人，其所領鎮兵，亦雜大量胡卒，于是養兵防胡的政策，一變而爲胡爲兵，安祿山一營州雜胡耳，竟受寵至於爲明皇假子，再還有什麽夷夏之防好說呢。故我們對於唐代的前半期，但只看見其震爍不可一世的功業，却看不到有什麽愷切深淳的教化。因此我們眞可以說：唐代對於名教之防實在並未樹立，即連其夷夏之防亦變失本意，殆無不可也。及其末期，諸鎮分割，遂致不可收拾，却帶來了五代時七十多年假子義兒的天下。名教之防，隨亦大壞，五代史稱：張存義對朱溫，爲保存富貴，以妻室兒媳，恣其淫亂。石敬瑭對契丹，曲弱稱兒皇帝。契丹入洛陽，耶律德光謂馮道曰：『天下百姓，如何救得？』道曰：『此時佛出救不得，惟皇帝（指德光）救得。』像這樣的情態，所謂名教，事實上已經蕩然無存，而夷猾夏的禍害，其普遍而深刻處，則已達於極點。

宋明建國，雖植基較弱，但其在文化上的樹立，則自有其民族本位的壁壘，雖太宗纂統，成祖靖難，均不免爲出諸攘奪，而社會上講學之風，士大夫競以名節相尙，實遠勝前代。至於徽欽靖康之難，英宗土木之變，則均在于力量之不足。而且並不因爲如此而立見覆亡，可見人心擁戴尙相當堅凝，就是直到其亡國之時，伏節死義者，宋有文丞相，明有史閣部，草野布衣之士，宋有謝皋羽，鄭所南之倫，明亦有朱舜水，王船山及亭林、梨洲諸老嚴守夷夏之防，抗志不屈，隱然保存了民族的正氣。而其流風遺韻，實直接啓導了後此推倒滿淸的辛亥革命。此一革命，無疑地是一種民族革命，其目的就是爲了爭取民族的獨立，獨立並非等于孤立，我們不妨與別的民族爲友，但民族之間，自有其界限，也即是夷夏之防，故不容用夷以變夏。昔章炳麟先生于辛亥革命前，著訄書客帝議，其言曰：『滿洲弗逐，欲士之愛國，民之敵愾，不可得也。浸微浸削，亦終爲歐美之陪隸已矣。』今天有人一面手上拿了外國人製造的武器，大量殺戮自己的同胞，而一面强爲解釋說：這是『民族大義』。我們也知道，這不過是政黨互爭勝負時的叫囂，但我們不是蠢人，而却是國民，我們不相信只憑高談一種主義便可以救國，最近台灣報載，一位先前高談世界主義的老前輩，正在爲爭奪一家書店的權益而大傷其腦筋，我們不知道一家書店的價値對于世界主義是何種份量，但由此可知，世界主義，也只不過是僅能在口頭上講講的東西，故我們不以爲講革命便可以不要名教之防，尤其是爲了自己之甘心爲歐美之陪隸，而說可以不要夷夏之防！其實沒有『夷夏之防』，則所謂『民族大義』，便祇是一件古董，再也作不得武器了。

（完）

葉公超的「憤怒」！

新聞隨筆

因對中美公報看法不同，官方與民間的輿論反應，也各有別。此本不足爲怪，這種分歧，自亦不應予以擴大了來看。

但是駐美大使葉公超氏，這位一向以持重有爲見稱的外交家，在返回任所前以「憤怒」的態度直斥民間輿論界對公報之評述爲「胡說」，却不免令人覺得是失常的。不過從他的强烈反應上，也讓我們體味到了作爲一個負責參與一項重大對外關係交涉的官員，在不爲國人所諒解和支持時，他的憤怒該是含了淚水的。如果不從這一角度去體會，我們將永遠無法了解一個平素有修養且講究風度的葉公超爲什麽會失常與憤怒了。

記得抗戰勝利初，當全國正在歡欣鼓舞慶祝河山重光時，國府當局，也曾以「委曲求全」的「心情」，與蘇聯簽訂了人皆以爲不可的中蘇條約。當時輿論的反對至烈，大家所以仍然以有好的心情接受此一事實者，乃認爲中樞必然對此有獨具慧眼處。不幸該條約之束縛，事實證明當時民間輿論的反對，倒是正確的。使我們的主權在東北無從得到合理的伸張，而共產黨却利用了時機在東北大了！

舉此一例，並非有啥惡意，（何況今日中美之關係不同往昔）但却在說明一種事理，輿論固不一定完全正確，却也有其存在之絕對的時候。反言之，政府當局凡百措施，也不能說是永無失當錯誤的。這一切是非固有待客觀的歷史來證明，也更有賴於各方面的共同努力。否則即使大陸上正在三年五載之內爆發了「何式革命」，也就只有望然的份了。

因此從另一角度看葉氏的反常和憤怒，反覺得乃是人情之常，因爲他個人一定感覺身負參與其事重任，在委曲求全之下而有被人目爲「罪人之嫌」是不值的，何況大計之決定，權不在他。

○金葉○

台銀二三事

○劍聲○

台灣銀行雖爲地方金融機構，因「時勢造英雄」而兼中央銀行的業務，對我國民經濟影響至大。但台銀應予檢討之處甚多，茲僅就所見述之如下：

——用人行政，重視八行書；眞正的民營工商業，如無有力之介紹以及政治背景，絕對不會獲得放款扶植的。台銀總行及各地分支機構，男女職員在二千五百人以上。就核計科三十六人中，其中女姓佔三十三人，男職員僅三位。冗員甚多。銀行從業人員必須經過考試及格方能任用，而該行則私自舉行行員考試，參加報名考試者，須經董事長等的准許才可。前些時候，該行舉行考試，應考者約四百多人，經評卷錄取者五十人，事後，復經董事長等斟酌取用，多屬來頭大者。

士林電工廠以二千雙窒禽向台銀抵押一百萬元的巨案，經治安機關破獲而移台北地方法院偵辦，警政當局以副本送台銀查辦該行有關職員，該行當局對業務部涉嫌人員中有副理，襄理、工礦科長、副科長等，曾接受士林工廠的禮物及賄款，台銀不因之警政機關有據而處分，僅將一個與該無關宏旨的小職員開革了事無。故遭殃的某君曾在報端刊登啓事表示不服而抗議，然而結果不了了之。該行稽核室主張嚴辦涉嫌人員，結果，四位稽核員却因此幾乎送掉飯碗。

台銀在今春發生一件緋色新聞，而轟動社會。原該行出納科副科長與女職員在貯藏物的地下室的通道上，做出風流艷事，適有服務生某經過，無意中躬逢盛會。以致春光外洩。這副科長以「行爲不檢」被調台南分行出納科副科長，祗以隔離代替處分。

台銀出納科員李某盜取中籤愛國公債還本付息鉅款百萬餘元，而以未中籤的愛國公債券調換，即棄職逃走，迄未追查。又如國外部寄發國外大宗郵件，其中有驚人的貪污情形。信差康某與林某，前者任職五年，已有洋樓三座，工廠兩家。後者在四年中，亦成爲新富翁了。而台銀郵資收據，如經專家鑑定一番，其秘密不難拆穿矣。

如台銀職員李某，代理茶商運盛行申請出口外匯七十六次之多，但經台銀簽證所得的外匯，皆未交與政府。此龐大的案件，也未見監察院的審計部及省議會有所糾處。

寶島花絮

△本屆立法院會期開始，立委王夢雲爲女學生戴乳罩問題，提出書面質詢，洋洋大文，殊堪噴飯。某詞人詞興大發，特塡鷓鴣天一闋以廣之。詞云：「審美三圍舉世狂，酥胸玉股競時粧。僞裝取媚明星事，義乳何曾到女校。會議論，欠量思，妄將學子擬優倡。如何國會莊嚴地，不問蒼生問乳房。」涉筆成趣不知王立委感想如何？

・豐公・

石門水庫簡介

○南銘○

（台灣通訊）自從民國四十三年五月，成立石門水庫設計委員會後，即從事調查此一位於台灣北部桃園新竹間大嵙崁溪的石門狹谷。

據調查的結果，核定全部工程所需費用，新台幣二十億元，其中百分之四十爲美援貸款，其他則由我國自行承担。此工程在目前，我們認爲是相當可觀的了，但是比起民國三十三美國墾務局，總設計工程師薩凡奇博士（Dr John Savage）勘察長江三峽所立的，長江三峽水利工程計劃（揚域安水利計劃Y.V.A.）那就顯得小巫見大巫了，石門全部工程僅及Y.V.A.的二十六分之一。

計劃中在石門狹谷築一高一百二十五公尺的水壩河床爲海拔一百二十五公尺高能容水三億一千六百萬立方公尺。此指爲日月潭之水容量的二、一倍，水庫長十六、五公里面積爲八、一五平方公里滿水位自海拔起二四五公尺高，此等鉅大水庫如期完成則在計劃中將可灌溉台北至新竹間的大部份丘陵高地，使此部原有的看天田（栽種旱稻的旱田）都將變爲具有充份利用價值的土地顯然的農業生產額也將會得到急驟的提高。

在大壩下方右岸計劃建一座發電廠，安裝三具最新的水輪發電機得部能發出四萬瓩之發電量總量則爲十二萬瓩，此動力將可能解決台灣現在每年乾季（五，六，七月）內日月潭蓄水之不足所發生的電力不足現象；同時北部雨季又較中部早到兩個月而在每年電力最缺乏之時期，將能得到石門電力之補助，益可使台灣的原動力增加。

每年颱風季節來臨時（七，八，九月），台北的淡水河爲新店溪，淡水溪，石門的大嵙崁此溪水量佔百分之五十以上），三條河流交滙，台北邊區的窪地會遭洪水淹沒，每年損失將近數百萬元之鉅。石門水庫築成後，便可利用此巨大水庫調結水量，避免到每年的一筆因水災的巨大損失。

在水量能儲備的情況下，又可發展自來水業足可解決台北至新竹間未來工業發展區的需要以及此間三十四萬居民的飲水問題。

水庫深延入內山十五公里，沿途山明水秀，風景奇佳。此一天然的景色和人工湖的陪襯，再加上水壩的鉅大工程爲一觀光事業發展的理想地區。（十月二日于台北）

緬甸政局動向

且看新閣如何清除當前障礙

○華永雋○

（仰光通訊）緬甸自從政權轉移，從表面上看，政府管轄區的局勢，暫時取得穩定。嚴重的顚覆危機，依舊未曾消除。因爲，這不是僅恃軍事力量可以解決，必須輔以政治始能奏效，但政治現時陷於停頓；九月廿六日以來，除宣布撤銷大赦令、繼續進剿共軍之外，別無新的動向。那顯然有待於過渡時期新閣組成之後，纔能受到眞正的考驗。十月廿八日召開國會，宇努正式向國會辭職，同時推薦尼溫繼任新總理，提請國會信任表決。這不過是一種形式，且可斷言：屆時不會引起任何爭執。

六個月的過渡內閣

過渡新閣的壽命祗有六月。尼溫早先說過：軍人決不干預內政，也不容黨派分子參加政府。這是很明顯的，現時殘留政府中的努派分子，將被全部踢出，大致只有無黨派的最高法院院長宇敏登可望蟬聯，前總統宇巴宇博士以及在野的無黨派各族領袖，均將延攬入閣，這不特憲法沒有明文規定，且打破了獨立以來歷史紀錄。如果大選以前能夠有新的作爲，那麼，這個既非民主，也不獨裁的政制，將會樹立新的政治楷模，創建新的風氣，未始不能爲民造福。

尼溫無意問政，從許多徵象看來，並非眞正對政治不感興趣，而係自問國內外聲望不夠，希望在短短的六個月間，能夠爭取民心，以奠定他的政治基礎；現時他唯一的要求，只望在國人心理上，對他有一個「臨危受命」觀念，勿讓人們誤解「軍人奪取政權」；另一方面，宇努這次「推莊」式的讓位，他一直強調着無意戀棧總理。這是一種以退爲進的手段。

宇努爲什麼要退？

爲什麼要退？人們都很清楚：宇努後悔上了共產黨及共同路人的當。六月間左翼製造政府黨分裂，並以「統戰」手段向努氏進攻締訂攻守同盟，極力排斥瑞派；國會臨時會議通過宇努繼續執政，大赦令頒布之後，左翼及共黨分子，以參加政府目的達到，努氏陷於孤立，迅即翻臉，宣布不再支持，企圖奪取政權。於是，宇努不能不藉軍力把政府中的共黨及其同路人逐走。

他是以退爲進

現在，尼溫既已當權，左翼失勢「人民同志黨」也被取締。宇努開始策劃進取，他很明白，如果專憑自己標榜「廉潔」，向「團結（瑞、迎）派」攻擊，在黨外人看來，總是「反法西斯人民自由同盟」的派系鬥爭，而非解決人民困苦。因此，他先從鞏固並整頓內部着手；然後再向民衆提出「改善國計民生」諾言。這種手段，確已贏得輿論界廣泛支持，並且也自己也有於（明年四月）大選中獲勝的信心；却不知道他在國際間聲望已大大降低，儘就亞洲各地報紙反映，宇努今後內外政策，除非改弦更張，要想爭取國人擁護，與國際支持，並不容易。

左翼志在離間努、瑞兩派

左翼「民族團結陣綫」，於這次企圖策迴共黨顚覆失敗，仍圖於明年大選中爭取三分之一選票，使之成爲合法的型式，包括不滿政府的無黨派。這樣，便可以通過這一政治路綫，進行顚覆詭計。目前，它採取的政治攻勢，是離間兩派（宇努與宇巴瑞），不使「合龍」，悉力抨擊宇巴瑞「團結」派勾結軍人，奪取政權，僞動民衆反對軍人干政。另一方面，企圖再度與宇努合作，[illegible]。這種「好意」未爲宇努接受，努氏且極力替「團結」派辯護。但這派本身却並不向左翼還擊，僅說明三點：一、緬甸的動盪局勢，完全由宇努一手做成；二、政府黨分裂，亦應由宇努負完全責任；三、該派沒有理由不支持尼溫執政。

帽尼温內閣的做法

最近泰國宣布推翻憲法、取消政黨，建立革命政權，當前政治局勢，雖然也極適用，但帽尼溫竟無此魄力，儘管軍人中甚多校官，都有獨裁打算；爲了避免加深國內各政治領袖誤解，尼溫極力克制他的部下心情。現在如言過渡內閣前途如何，雖嫌太早一點，過渡內閣的任務，在短短六個月間，似乎比任何時期更爲艱鉅，不但要把政治局勢澄清，且須樹立一種良好風氣。假如仍若往時，一面對共黨武裝進剿，一面容許政府內匪的共黨，及共同路人囂張助勢，絕非國家民族之福。除非嚴格取締共黨，並宣布共黨爲非法，與解散向來的共黨幌子組織，不易使緬甸長治久安。至於宇努能否審慎政權，就當前「廉潔」派分子紛投「團結」派看來，宇努企圖力挽其政治生命，殆將無能爲力。（十月廿五日寄自仰光）

國際動態拾零

△捷克與蘇聯均拒絕中共要求，予以米格十九式噴射機。以爲如此將削弱蘇捷之空軍，因該項新式噴射機，數量無多。乃改予以米格十七式噴射機，並助其訓練飛行人員。

△蘇聯拒絕納蘇對短程火箭之要求，以爲最原始的火箭，亦供訓練之用，不能發給，聞將改給以自動武器，以緩和埃及人之感情。

△尼赫魯一行，在不丹與中共邊境旅行，誤入西藏邊境，竟被扣留了數小時。幾經說明，始被釋放，但有兩部無綫電，終未發還。

△戴高樂舉行憲法投票，莫斯科報紙竟當其失敗。現在戴高樂在各區勝利消息，迄未以告知讀者。

△波共領袖戈慕卡，上月曾秘密派遣代表團，前往南斯拉夫。說明南波一切條約，波蘭誓必遵守，不容相反的蘇聯壓力，如何強大。而蘇聯之反狄托運動，波蘭亦決不參加。

△美國所不解的，是中共何以將金門馬與台灣連在一起來說，逼迫美國非協防金馬不可。但下屆國會，兩黨皆有若干新進當選，均主張美國脫出遠東與中東糾紛，此爲美國非改變政策，以適應其國內輿情不可之重點所在。

○陶然。

竹幕秘聞

中共北韓關係底新頁

——從金日成將訪北平說起

中共宣佈金日成將訪北平，根據公佈的周恩來與金日成的來往信件來研究，裏面包含着不少的問題。

一、周恩來的邀請信是九月二十四日發出的，而金日成應邀的回信日期是十月三日，而公佈這兩信日期却是十月二十七日；何以公佈日期會延遲二十多天？

按十月二十七日是中共「志願軍」完全離開北韓的次日，看來公佈這兩封信，是與「志願軍」的撤退有着密切的關係，似乎是這樣說的：「志願軍」不在北韓撤盡，這些信是無效的。好像在金日成的回信以外，還有一個保留的條件。

二、今年二月，周恩來在北韓與金日成發表聯合聲明，說明「志願軍」決定在本年年底以前完全撤出北韓；而今，中共履行這一決定的時間提前了兩個月，可能也不是偶然的。這似乎又可以這樣說的：金日成的來訪北平，是志願軍提前撤退所交換得的。

三、九月上半月，蘇聯與某些東歐共產國家的領袖在黑海邊舉行會議；九月十六日，赫魯曉夫接見中共駐蘇大使劉曉；九月十九日赫氏給美國總統艾森豪一封措詞空前強硬的信，引用「中蘇友好同盟互助條約」，威嚇美軍退出台灣海峽，這封信後遭艾氏退回；九月二十日，陳毅接着亦發表一項最強硬的聲明，以與赫氏的信相呼應。九月二十四日周恩來致信金日成，邀請其訪北平。從這種發展來看，志願軍提前撤出北韓一事，是蘇聯與東歐國家領袖會議的結果。若果如此，似乎又可以作以下的申述：

A、在八、九月裏，中共可能已經用「不撤在朝「志願軍」」來要脅蘇聯。——不撤的理由，在中共來說是很簡單的，因爲照它的說法，世界已在大戰邊緣，美軍到處在製造大戰的烏云；這樣，中共軍自應有繼續駐在北韓的必要。

B、其要脅的目的：一、要蘇聯與東歐國家全力支持中共在台灣海峽製造緊張局勢，特別是蘇聯必須引用同盟互助條約。——按在此以前，蘇聯雖然也虛張聲勢的支持中共，但絕未引用過「中蘇友好同盟互助條約」。二、中共要求在北韓繼續保有某種控制權力。三、或者還有我們未發現的其他目的。

C、結果：蘇聯與東歐國家在這種威脅之下，答應了中共前述第一、二項條件（或者還有其他的），中共亦答應提前在北韓撤兵。——蘇聯要它提前撤兵，可能是爲防夜長夢多，怕它隨後找出一些藉口，中共軍又賴在那裏。

四、另外還有一件事，可以作補充說明的是：北朝鮮副首相李國淵率代表團于八月二日到北平，商談兩國的經濟協作；這一談判一再遷延，至九月二十七日始行簽訂兩國「一九五九—六二年相互供應主要貨物的協定」和中共給北韓「提供兩項貸款的協定」。在共產國家間的貸款，一般都體現了某種經濟控制；中共這次又供給貸款，顯得中共在北韓又取得某一程度的經濟控制權力；這一談判的遷延一個多月，原因似乎也在這裏；其所以能在九月二十七日協議，可能亦是克里米亞會議答應中共繼續在北韓有某種控制權力的一部份。

從前述的分析來看，金日成的這次來中共，似乎是來簽訂中共在北朝鮮有某些控制特權的協議。

從這種發展過程來看，不特表現了中共蘇聯間的以利害而結合，極盡威脅利誘之能事，而且還顯示了雙方的互不信任；大概雙方除了在信奉唯物主義以外，即使是兄弟國家，也得採取這種「唯物」的外交手段呢。○田心。

羅柯索夫斯基元帥失蹤？

「俄國的波蘭人，波蘭的俄國人」

●風行。

二次大戰中，蘇聯最顯赫的指揮官，羅柯索夫斯基元帥，似乎已失蹤了。不在大衆前出現，已有一月之久。

在這最近的一個月裏，原本有很多屬事機會，使他應出現於莫斯科的，但終未見其蹤影。

自然，他可能是休假或患病，或負有秘密的任務。但從種種的跡象看，這種的解釋都不正確。

在九月初，駐蘇波蘭大使館，以勳章贈給蘇聯高級軍官，以紀念波蘭陸軍建軍。此種蘇聯軍官，大多數曾於一九五六年十月以前，曾指揮過波蘭部隊的。該年十月波蘭總理戈慕卡決定不必留他們在波服務了。目前的蘇聯國防部長馬連諾夫斯基元帥，與曾指揮過基輔軍事的柴可夫元帥，都內在大戰時在波蘭服務而出席領獎。

但羅柯索夫斯基，不但是在波蘭作戰的主將，而且從一九四六至一九五六年任波蘭的國防部長，但既得不到勳章，亦未被提及。

是不是戈慕卡對於那一般波蘭人認爲與蘇聯壓迫他們有關的羅柯索夫斯基元帥，堅不授獎？抑或戈慕卡以他自承是波蘭公民，故而說他無資格受獎呢？

據稱：甚至羅柯洛夫斯基本人曾表示不滿，因他在俄國時，俄國看他作波蘭人，而迫害他。在波蘭時，波蘭看他作俄國人，而迫害他。現在似乎他再遭遇到此煩惱了。

他是否可能係諸蘇聯軍事領袖中，唯一夠勇敢，替朱可夫元帥辯護的人？朱可夫元帥自失勢後，世人已不知其蹤跡及狀況如何了。（本文材料根據倫敦「每日電訊報」）

蘇俄工業向東走

計劃與中共工業之移向西北匯合于中亞腹地。

蘇聯的經濟重心有向東移的傾向。伊爾庫茨克（Irkutsk）會議，是本年蘇聯內政最重要的措施，會在貝加爾湖周圍五百哩以內六處地方，開一連串的會議。至伊爾庫茨克會議爲達到最高潮。草擬了一個全國七年經濟計劃。該區域爲蘇聯工業資源最豐富地。這是蘇聯經濟重心向東移的第二個步驟。

二十五年前開始實行第一個步驟，把東部重工業移至庫斯涅茨克，原欲生產鋼鐵以補歐洲俄境出產之不足而已，但結果竟超過預計四倍。

蘇聯共產黨第二十屆大會，決定更向東建立冶礦中心。在那裏不但資源豐富，而且人力極賤，可供剝削。尤其是與毛澤東商量過，以中共強迫勞役及「勞動改造」方法，大量供給人力予老大哥。伊爾庫茨克區是接近中國大陸西北及外蒙。

計劃大規模工業更向東擴展，到中國東北和太平洋，造成第四個冶礦基地。

東西伯利亞是蘇聯基本礦產種類最多而又最豐富之地。例如鐵佔俄國領土內儲量三分之一，而煤佔五分之四。

東西伯利亞也最適合於發展化學工業，及生產化學合成物質，爲蘇聯輕工業所最需要。

蘇聯還計劃將大量的熟練工人向東移。非熟練工人則取自中共。蘇聯將工業重點更移向東，可與中共的向西北移邇合於歐亞大陸腹部地帶，以免受原子突襲之危險，而比較接近自由世界包圍圈較安全。（旭軍）

看報閒話

△鐵幕以外地區的共產主義修正派，目前，活躍形勢益見蓬勃了。在美國，出名的得過斯大林文學獎金的作家法斯特和前工人日報總編輯蓋茲，早已經公開宣佈脫離美共，而張起修正主義派的旗幟。西歐和北歐共黨的分裂情況，也在發展中。

× × × ×

△歐洲的共產黨多數是合法公開活動的。因此，分裂火拚與互相攻擊的情形也至爲熾烈。修正主義派的共產黨，在「正統派」看來，已經發展成爲「一種國際現象」，荷蘭共黨總書記格魯特，也並不諱言其所產生的破壞作用。儘管修正派仍然遭遇到了無數譴責，發展的趨勢却在不斷擴大中。

× × × ×

△修正派的西歐共黨，例如像丹麥的和荷蘭的，都在躍躍欲試爭奪「正統派」在議會裏的席次。如果他們的嘗試能成功，「正統派」的共黨政治生命，就將被埋葬了。

× × × ×

△修正主義派的共黨，目前正受到歐洲的共黨以外的人士的歡迎，各國的輿論也熱誠地讚揚他們。丹麥非共的報紙一致的稱讚修正派的領袖拉森，因爲他主張共黨應該有獨立性，需要脫離共產國際主義運動。他更認爲黨內應該容許派別林立。這些主張，在「正統派」看來，不僅是異端邪說，而是「反動派」的主張。

× × × ×

△拉森的鬥爭有相當的成功，丹共的中央委會已經對他作了讓步，允許他在即將召開的代表大會上提出獨立的提綱，同中央委員會的提綱並列。

（以上取材自十月廿九日「人民日報」編寫。）•不懂齋主•

自由談

流言止於智者

近來在海隅香港地區，政治謠言又成爲輿論界的時髦題材了。原因是毛共正在施展所謂「和談」詭謀，特派黨棍名人章某來港活動，而一向在海外華僑社會中宣揚民主運動，會與章某以詩文辯論共黨是非的某政黨要人亦適到港暫住，政治謠言之朋興，良有以也。

毛共所玩弄的和談把戲，自從大陸上「反右派」的惡作劇演出之後，即使有心投共的人，亦已懍懍危懼，不敢以生命爲兒戲，誤入陷阱了。少數在海隅替秋歌王朝効統戰之勞的可憐人物，爲着開門七件事的需要，以前進份子的姿態，詐取毛共一點生活費，抱定至死亦不回到大陸去的主意，躲在海外的資本主義社會中，表示爲「人民」服務，白天當齊人做「前進英雄」，夜晚睡在床上又恢復「反動派」的原形。這類人的「和運」工作，決不會發生絲毫效用，固不待言。

至於在反共抗俄旗幟下，昌言民主生活的有志之士，他們熱心政治，不甘寂寞，原係他的自由人權，只要不是間接替秋歌政權張目助勢，對反共的自由祖國政府幫倒忙的言行，隨時皆可以發抒，也用不着大驚小怪，多所揣測，造作神經過敏的謠諑，尤其不必要。台下人說要反對推翻台上人，在民主國家乃司空見慣之事，無啥稀奇。問題是台下人一旦成爲台上人的時候，能否不發生「請看反人者，人亦反其人」的現象？即以民主攻人者，你自己所作所爲，是否符合民主眞諦而已！

我們決不爲政治謠言所搖惑，但盼望執政者盡其在我，用政治行動來答覆這些謠言攻勢就得了。「流言止於智者」，這是考驗智愚的大好時機啊！

馮五先生

叔本華的「婦人論」

他說女人是「矮人，削肩膀闊屁股，短脚的東西」，無怪他成爲一切女性的敵人了。

提起叔本華的「婦人論」，除了那些未曾知道它的內容的女性之外，我想全世界的女士們都要把叔本華罵個痛快淋漓的。這位悲觀主義的哲學家，以他那浪漫氣質的詩人筆調，寫出了也對女性特別憎惡的哲理文章；一開頭便引用了他的同時代的朱崇底說話：「沒有女人，我們生活的開始將乏人照料；中年將失去逸樂；晚年將缺少安慰」。

這些話若是粗心大意看來，還以爲叔本華在讚美女性呢！可是細心地讀着，便可以看出這些話實在另有「弦外之音」呢！他的意思是指女人的用場僅此而已，除此之外，女人不應該過問一切，而且根本上無資格去過問一切。

叔本華說：「每一個女人，一旦獲得了眞正的獨立自由之後，往往便立刻又和另一位男子有一種聯繫，以便獲得他的指導或受他的指揮，這正是女人有服從的天性底證明。因爲她需要一個上司，若她是年輕，這上司將是她的情人，如果她已年老，這上司則是牧師了。」在叔本華的意念中，女人完全是一種依賴而不慣於自立的動物，無論任何一方面的表現，女人都比不上男人的，因此，女人應該留在家中主持家務，不宜於學習藝術，更不宜於從事社會和政治的活動，叔本華又贊成古代希臘人的禁止婦女入戲院，他認爲這條禁例是合理的；因爲婦人最喜藉看戲爲由而特意裝飾；而且當戲台上的表演越是精彩動人的時候，她們在包廂中的談話和表情就越起勁；她們對於藝術根本是沒有認識和修養的。她們的特性是不知尊重，祇曉得虛榮，好奇，並且裝着「神氣十足」的樣子。

這是使女士們多麼難堪呢！但尤甚於此者是，毫不留情地刻劃：「矮小、削肩膀、闊屁股、短脚的東西」，人們所以認爲美麗，實在不過爲「性」的慾望所蔽而已。」這樣的語氣，當然是使叔本華成爲一切的女性的敵人了。但爲什麼叔本華這麼憎惡女性呢？據說他因爲一生吃了女人的虧太多，他與他自己的母親不睦，又與愛人無法調和感情，以致一生坎坷孤獨以終；他雖然輕視一切的女人，但他並不是禁慾主義者，因爲傳說他患有花柳病。叔本華對於女性的論調，不免過於主觀和偏激，當然不能使我們完全同意，他的整個觀念，可以用另一位哲人的說話來包括：「在人生的大道上，女人若站在道旁，那將是植在路旁的美麗花朵；可是若站在路中，則將成爲當道的荊棘。」這是很有意味的話呢，如果你是叔本華的讀者的話。

·克亮·

謊

世人爲了「面子」問題，往往製造許多「謊言」，裝出許多「僞貌」來掩飾。這不僅十里洋場的大都市裏如此，即山國邊陲之區，也未嘗不然。

記得我在幼年時，聽說鄰近有一位紳耆，他家裏本來很窮，卻要「面子」。一次有友人來訪，他強留人家吃飯，而無錢買菜；正在廚房間傷透腦筋的時候，忽見進來一隻黃狗，他便拿起木棒猛地打過去，並狠狠地罵道：「我買回來的猪肉，統統給這條死狗偷吃光了！」同時又當着那客人面前看看飯鍋裏，大聲呼叫：「倒霉！顧得打狗，遇米也下得不够，只能請老友吃粥了，對不起。」

又據說，那位紳耆家裏的灶上，經常掛着一二兩肥肉，他每逢外出，便把那肥肉脂膏擦在咀唇，好像女人擦口紅一樣，表示吃得好。不料一日有隻小貓把那肥肉偷跑了，紳耆的老婆拚命追蹤小貓。鄰人問她如何這樣驚慌？她祇意中便說出那小貓偷吃了她丈夫擦咀唇的肥肉。

古月

宋皇台遺址考證

·簡又文·

至所謂九龍「新界」租借與英國之經過又如下：自光緒廿年甲午清軍敗於日本後，各國對中國均有侵略之野心，紛紛租借南北土地。英國租借山東威海衞後，法國又在進行中，英又提出租借廣州灣，其時，在英法爭雄的局勢中，英又向清廷提出五項要求，其第一項即是擴展九龍租地，以爲保衞香港計。清廷應從之，乃於光緒二十四年戊戌四月二十一日（西一八九八、六、九）由大學士李鴻章與英公使竇納樂在北京簽訂「香港界址專條」，將九龍半島——南由界限街北至深圳，東由大鵬灣西至深灣，共約三百七十六英方里的地方以及大嶼山一帶小島（實佔寶安全縣土地三分之二）租借與英國，爲期九十九年（應於一九九七年期滿），但明定「九龍城寨仍舍官駐紮」，劃出碼頭一區，以爲中國船隻停泊官民行走之所。其正式的「香港英新界合同」則於光緒廿五年二月初八日（西一八九九、三、十九）始由清委員王傳善與香港政府駱浦政司在香港簽字。事實上，香港政府亦遲至是年西曆四月始接收管治，蓋由上年訂約租借後，九龍居民羣起反抗，曾有血戰，錦田一帶，戰事尤烈，至是乃平息也。嗣後，此新租界即得「新界」之稱。（以上參考蕭一山：「清代通史」卷中「清代外交約章表」）

叁、宋皇台

「新安舒志」（卷十八）「勝蹟略」之「古蹟」云：「宋王台在官富之東，有盤石方平數丈。昔帝昺駐蹕於此。台側巨石，舊有『宋王台』三字。」

上言官富，掌指官富山。所謂帝者，當是帝昺之謂。茲將凡與「宋皇台」有關之史蹟、地理、石刻等項一一略述之。

考證：在官富山東麓之官場當地，即今九龍城之南，九龍灣西岸，馬頭角之西北，相隔一涌，原有小阜，名曰「聖山」。考「阮通志」之新安縣圖上「聖山」，在縣南海濱，居官富山之西。又「新安舒志」「山水略」之「山」載：杯渡山與聖山，即今九龍之青山也。其非上言之小阜可知。此「聖山」英名作 Sacred Hill。又據九龍歸英後，英人所製地圖亦有此名，而爲中國志乘所未載，亦或是英人所未聞，則此「聖山」之名，大概是九龍割讓後港府之特稱也。小阜高一百一十四英尺，周一千八百英尺，其北，昔有玦杯石、宋街、帝街、馬頭，今皆廢。（按：此因建啓德飛機場之故。）山巔戴有巍峨巨石凡三，疊成品字形。最高之石最大，高丈餘，周逾十丈。其下兩石之間有天洞，然僅容一人。據說：這石窟即是官富場宋帝「石殿」的遺蹟。（五）

台灣文壇滴點

一窩風的散文選

最近，得有機會看到台北市上新出版的三種散文選集，書名是：名作家散文選，現代散文選，現代二十五名家散文選。三書的書名僅管有點不同；可是內容卻是大同小異，除了現代二十五名家散文選，裏面還選了幾篇被算是二十五名家中的最近不久成名家的名作品之外，其他選的都是民國以來，白話散文最盛的黃金時代的幾位名散文作家的作品，例如：徐志摩、朱自清、王世穎、孫福熙、落華生等幾位，他們的散文本來在中國新文學運動中，是最有表現與成績的一項；如今，台灣又出了齊名的幾位，値得喝采了！豈不是猗歟盛哉？

「下女作家」

很多受過一點教育的家庭主婦和小姐們，避難來台以後，由於台灣生活安定，氣候良好，和許多其他的原因，一個個都文思大動，對於寫作一事躍躍欲試，但是限於女性生活圈子狹小，人生體驗並不如何豐富，寫來寫去，故她們咸以擺弄身邊題材，來作爲練習寫作的資料了。諸如寫丈夫的懶惰，孩子的頑皮，下女的彆扭……然而，丈夫寫多了，寫得沒有材料了，寫孩子，孩子也不是好玩的，孩子呢，除了左寫右寫將之寫成天使之外，也似乎寫不出甚麼的了，祗有下女最好寫了，因爲下女沒有讀過書，也無公會及工會之組織，寫好寫壞隨由她們寫，反正下女一天攤開了雜務的事情可多着，儘可大寫特寫，七八年來很多女士們竟因寫下女寫出了名，直到今天，寫下女的文章，到處還是俯拾即是，連篇累牘哩。

耿耿

逃亡前記

·盛紫娟·

抗暴短篇

梅林的憤怒的，低沈的歌聲，打斷了掌聲，她唱：

「誰願作奴隸

誰願作馬牛？

娘啊！

我像小鳥回不了窩，

回不了——窩。」

那些疲憊的人們仰起了頭，瞪直了眼，瞧着。有一個右派份子，甚至偷偷地掉了幾滴眼淚。一般的下放幹部，一面瞧着，一面皺着眉頭若想：「我們現在的生活，不就是奴隸生活嗎？」團員同志們，心裏有一種說不出的感覺，只好像歌聲把他們心中的煩悶呼喊了出來，現在輕鬆點兒了，但被黨委激起了的勇氣和幹勁兒卻又無影無蹤了。

老崔注意地望着她，這是有用意的嗎？不像，只有她自己的心裏明白。人們卻都激動了，連老農民也走過來聽。

生產組長不再巴嗒着旱烟袋，他出神地想着：「誰願作奴隸？誰願作馬牛？」

江童路和崔梁互相看了一眼，提醒大家：「快幹活吧！」

但歌舞後的結果，使大家更鬆洩了，不少人肚子裏更裝滿了抱怨話。每當鋤頭往下一落，在人們的腦子裏，就迴響起小梅的歌聲，她也看出了自己的能力。

江、崔是小値一提的傳聲筒，有一個名叫孫世宏的黨員，是公認的好人。他從來不多說話，幹活眞是連命都拚上，以至老農民們也慢慢覺得，共產黨員並不都是嘴把式，吃不得苦，作不得戰的廢物。

莊子上的人，都對這位能歌善舞的小梅林着了迷，一到休息時，大家就自動地圍上來，要求着：「小梅，隨便唱一個什麼歌吧！」

有一天，梅林故意說：「我所有的歌都唱完了。」

「妳隨便來兩句吧！」

「信口唱一隻，行不行？」她試着問。

「妳就唱吧！」

梅林就把自己編的詩，加上了調，她用很悲追者的聲調唱着：

「月亮是我們的朋友，

星星是我們的伙伴，

我們，

白天黑夜勞動在荒原上

瘋狂的北風

吹透了

我們單薄的衣衫。

堅硬的泥土，

砸壞了

我們的鐵鍬。

殘忍的石頭，

磨穿了鞋底，

我們就赤脚，

勞動在荒原上。

肩頭已經腫腫！

雙手又被磨破，

面孔也被刻出了花紋，

我們還得勞動在荒原上。

啊！無窮的歲月，

啊！故鄉！

妻子和親娘。」

歌聲哀婉動人，不少人流着眼淚，這首詞句不美但是感情充沛的歌。並且也從此傳開了！

總隊部首先發覺，出了問題，先是明令制止：因爲沒有積極意義，不能鼓舞戰鬥。但是幹部們都喜歡唱，並且隨意加進自己的話，不得不開批判會了。

江童路首先指出：「人小鬼大的梅林，不知存心何在？用悽婉的哀號，降低了人們的士氣。把我們懸得描寫成，被放逐的奴隸，而且還要喊故鄉，妻子和親娘，我們新中國的幹部，就是親爹也不能拉後腿。還要悲嘆什麼無窮的歲月，怎麼，想回家了？怕吃苦嗎？好逸惡勞！吃苦耐勞是我們的義務，一切爲黨、爲人民嘛。所以，妳坦白坦白思想根底，和唱歌的動機吧！」

崔梁接着又補充了幾點，但大多數人全都同情地望着小梅，有人甚至眼睛看着窗外表示不耐煩。

梅林知道，這是沈重的一棒！但是倔強的她，絕不能承認是有用意的，她只坦白自己受資產階級影響很深，所以才會唱出這種思想性不強的歌。

金隊長因爲她年紀小，在鳴放及反右派時，表現得都不錯，所以，沒有深究。

歌，是禁止了，但活躍在人們腦子裏的詞句，卻再也磨不掉。雖然在表面上人們跟小梅疏遠了，但在實際上都覺得她沒有錯，感到領導太武斷了。（五）

自由人
THE FREEMAN
（第八〇一期）
中華民國僑務委員會登記證台新字第一零二號
中華郵政台字第五〇〇號執照登記為第一類新聞紙類
（半週刊每星期三六出版）
每份港幣壹毫
台北市售價台幣壹元伍角
督印人：陳文韶
地址：香港高士威道二十號四樓
20 CAUSEWAY RD. 3RD. FL. HONG KONG
TEL. 771726
承印者：東南印務出版社
地址：高士打道六十四號
台灣總經理處：台北市西寧南路壹壹號二樓
電話：三〇三四六
台郵儲金戶九二五二
海外總經銷：友聯書報發行公司
香港：德輔道中二十六號A二樓

政治反攻與革新政治

——這是當局向人民及盟友開出的支票

李金暉

當國府在軍事反攻方面多少有一些自主能力時，海內外與朝野之間的有識之士，曾不斷地大聲疾呼，需要以政治反攻，配合發展中的軍事形勢。可惜這種呼聲似乎一直爲執政當局所忽視。在執政當局看來，反共是軍事第一，軍事重於政治，不僅使執政當局長期以來醉心於反攻祇有靠武力，也因此使自由中國政治上的必要改革陷於停滯不前的境地。

現在，內外形勢起了很大的變化，中美會談公報和美方對公報的解釋，當局確說明，沒有美方的同意，國府不能單獨對大陸進行武力反攻。於是，執政黨才又轉回頭來，表示要以「七分政治，三分軍事」來實行政治反攻。但是，海內外的民主反共人士，對在這種情況之下的政治反攻，却感覺到渺茫、空幻；而當局的心情，也似爲沉重。這種情緒不是用「悲觀」兩個字可以概括的，當然也不就是悲觀。但却令人覺得當局白白地錯失了八年的有利時機，結果仍使反攻大陸的實現，要拖延到不可知的年月。

過去，當局曾一再表示，反攻必然與世界大戰有關聯性；換言之，沒有世界大戰，就不能單獨的反攻。但是民間的輿論，却認爲大戰是不可知的因素，而反攻是我們自己的事，我們不僅軍事上要有進步，政治上更需要長足的進步。事實也證明，匈牙利革命並未帶來大戰；中東屢次的紛擾，未能演變成爲大戰；而自由中國內部的團結與興革，却爲坐待大戰的出現和軍事第一的觀念所誤，拖延不決，甚至落空。使自由中國在政治上成爲虛弱不堪的骨架。時至今日，使我們既不能與西德比，也不足與南韓比！

這些，皆是言之痛心的事，但却又不能因爲忌於親者痛仇者快而不說。如果再長期地諱疾忌醫，不事振作，則再拖八年或十年，也不是不可能的。

現在，執政當局既已爲形勢所迫（而這樣的形勢，也有些因素是自己造成的），明白地接受了政治反攻的重要，則究竟如何始能達成政治反攻的目的，實在是需要大家來討論的。過去厭惡輿論，討厭批評和關起門來，不容共商國是的態度和策略，至少應該首先主動加以糾正，這樣，始能予人以有誠，示人以有信，庶能加速改變目前海內外的政治低潮和情緒上的波動，才能使大陸以外的二千多萬中國人從新樹立信心。

信心，新的信心，對執政當局產生新的信心，是實行政治反攻的主要心理因素。但產生這種信心，却必須先要執政當局有決心改革政治的具體表現。

在中美會談公報裏，也曾指出，國府也認識並明白其責任，[illegible]一種因循苟安，不能作痛切的改革，在實質上言，固是其失敗的因素之一，而整個的世界局勢[illegible]

[illegible]不容美國插手其間，[illegible]這是有困難在的。[illegible]甚或是不惜冒大戰的危險而慨然加以協助。

因此，我覺得，對中美會談公報，不能視作是件普通的外交文書，實質上是具有美方的要求與我方的承諾在。美方的要求，除了不允單獨向大陸作軍事行動外，還採取了一種靜觀我方有無改革政治的行動和實效出現。換句話說，執政當局既簽署了該項文件，也就等於接受了上述兩大原則和作下了在軍事上不作單獨行動，在政治上力求革新的諾言。

執政當局現今既已標榜了要實行政治反攻，也就等於向海內外人民表示了即將開始革新政治。這一點，儘管還有人對它抱着懷疑或採取觀望的態度，但却也是執政當局開出的一張鉅額支票。過去執政當局許下的願，雖然多有未曾兌現的，那已成過去，可以不必再談。但這次的願下的，不僅是對國內人民的，也還具有國際上的信義在，更深刻點說，這是關係着反攻大陸的整個命運的。我們應該相信執政當局，不會像過去那樣忽視或輕視它。因爲，在我們看來，這是執政當局能向全民，並向國際盟友許願的最后一次機會了。

雖然，也有人懷疑在政治反攻前提下，將不可能再會有軍事反攻。這也只是一種機械式的推論。如果沒有軍事反攻的可能性存在，政治反攻也將是無意義的，除非是每一個中國人皆放棄反共的理念和信心。過去執政當局是誤於過份的偏重於軍事第一，而現在提出政治反攻，當亦並非謂放棄武力反攻。我們所婉惜的，祗是對於執政當局必須以八年長的時間和在盟友的巨大影響之下，才能接受此種認識，糾正軍事重於政治所形成的錯誤，是不能無憾的。當然，亡羊補牢，猶未爲晚，故我們也還是誠懇的希望執政當局能儘快地爲貫踐政治反攻而作出一系列決定，以新耳目，振奮人心！

半週述評

美中途選舉揭曉

美國的中途選舉已于五日揭曉，如一般預測，民主黨獲得壓倒的勝利。

這次選舉，依例改選參議員三分之一，改選衆議員全體，和三十三個州的州長。其結果是，參議院方面：民主黨得二十五席，共和黨得八席；衆議院方面：民主黨得二百七十四席，共和黨得一百四十席；州長方面，民主黨當選二十二人，共和黨當選八人。民主黨取得三方面的勝利，即（一）參議院議席增加；（二）衆議院議席增加；（三）州長人數增加。因之替未來大選建立了勝利的基礎，也增加了共和黨施政的困難。

依照美國兩院的法定席次，控制參議院的最少席數，爲五十席。控制衆議院的最低席數爲二一九席。而現在共和黨在參議院僅佔三十四席，民主黨則佔六十一席，比例懸殊，共和黨政府將要應付一個被反對黨更大力量控制的國會，在外交和內政上，當要受到重大的牽制。

共和黨失敗原因

自一七八九年美聯邦政府成立以來，美國就建立了兩黨交替執政的制度，一百六十八年間，兩黨互有興衰，在羅斯福和杜魯門相繼任總統期間，民主黨對國會曾有三次堅固性的控制，以後共和黨抬頭，並[illegible]大選。共和黨之能夠奪取衆政達二十年之久的民主黨政權，主要是因爲它當時所標舉的政綱得到選民的擁護，其宣傳以解放政策代替民主黨的圍堵政策，更給世人以極大的鼓舞。但是共和黨獲得政權後，並未能有效實踐諾言，且在國際重大事件的處理上屢失良機，使美國威信降落，世界局勢未能好轉，因此自一九五四年期中選舉八十四屆國會時，兩院多數席位又開始落于民主黨之手。八十五屆國會，參議院共和黨四十七名，民主黨四十九名，衆議院共和黨二百名，民主黨二三四名，反對黨的潛力已逐漸顯露。

而這次（八十六屆）選舉中，共和黨的失敗，除國際問題因素，如蘇聯人造衛星超前、中東問題、台灣海峽問題等的外，在內政方面如經濟衰退，失業增多，以及總統助理亞當斯的失職，也都是影響選民的情緒，給民主黨造就機會。當然目前不能肯定說共和黨是完全失敗的，其主要的一關還是一九六零年的大選。如能接受教訓，繼續從新努力，則在未來選舉中當可得佔優勢，繼續掌握政權的。

對外政策不會改變

共和黨雖告失利，但其對外政策當不會變更。第一，美國的現行對外政策，基本上是兩黨的聯合政策。第二，不論何黨執政，何黨控制國會，都不能違背美國立國的基本原則，不能違背他們國家的利益，不能放棄自由世界的領導地位，不能不需要友邦，因之也就不會改變他們的對外政策。

而且據合衆社和美聯社所報導的美國觀察家的意見，美人還認爲新國會更有利于共和黨的對外政策的貫徹。他們指出，過去一部份保守的共和黨員與南方各州的民主黨員互相聯合，對政府所採的援外計劃，輒多阻撓。而這次當選的民主黨人，多屬自由份子及國際主義份子，勢將更支持政府的現行援外計劃及其它國際政策。

在此情況下，站在我們的立場，只須注意加强美國整個國家與其人民的友誼，而不必計較他們國內某黨某派的得失。因之情緒上一切哀樂的表現，都是不智的。

金達凱

美國選舉與遠東危機

舒華章

這次美國舉行中途選舉，是在遠東危機和美國經濟衰退聲中進行的。外交問題成爲競選運動的一項論爭。我們祗要查看美國所謂訴諸民意的方法，往往有利於敵人時，則可發現其相當的嚴重性了。

前美總統杜魯門在十一月四日選舉舉行之前，曾經警告民主共和兩黨的競選運動人員，認爲外交政策是可以討論的，但是不容許因此掀起中共視美國內部出歧見而陷於分裂的危機——由於估計對方的錯誤而妄圖冒險。

質言之：因在國內辯論外交政策而招致共同敵人的進攻，那是危險的。況乎共黨的軍事思想依然脫不了孫子十三篇「始計第一」第二段而稱的：「兵者，詭道也。」那種原則。還有一層，那就是中共的戰爭哲學，一如俄共之師承克勞塞維茨與孫子，只緣北平目前鬥力鬥智，把兵法應用到金馬上，這回惹起了「認識路綫」的錯覺，多於中共稱爲掌握「主觀能動性與客觀規律性」的統一法則，攪出了半打半談的醜態來！姑勿論中共狼狽到那種田地，祗要它不拋棄妄動的念頭，遠東危機便越來越見嚴重了。

閩境赤色炮兵奉命轟襲我金門守軍前夕，即赫魯秘密赴北平時，據說莫斯科答應了供應中程和短程飛彈給中共。此說是否可靠，暫且不必理它。細想一下：以中共核子武器火力的不存在，竟然敢攻打金門，內中必有詭秘之處，包括飛彈之類的力量在內，是合情理的推斷。換言之：如果中共獲有中程飛彈的射程是五百哩，就和早已運台的鬥牛士相埒。恐共病患者直到今天依然咬定金馬在中共飛彈勒索之下，遲早會被放棄的。這種人却沒有看見中共黨擁有中程飛彈，還是沒法予打破台峽核子僵局的。連蘇俄也猜錯了，以爲華府不一定肯替金馬部署中戰之局呢！這個軍事攻勢沒有弄好，的確是共黨始料所不及的。

美人競選運動期間的兩黨外交政策，雖說在雙方協議的外交方針上沒有動搖。但共和黨人曾把競選的火力集中到外交爭執上，以免在選票上受到嚴重的損失。杜爾斯國務長官乃至美總統就阻止中共動武進佔金門企圖一點所發表的言詞，先後諸多矛盾，顯然對競選的心理估計，大有關係。

中共對這項發展的估量，並沒有攪錯，如同它預料英國必然因金馬之戰而諸多牽制華府的，亦沒有摸了一個空，却料不到我金門守軍的英勇和美聯合參謀部堅持須守金馬一綫的堅決。政治勒索不遂，反把炮聲變的起了副作用，連彭德懷的話說來也語無倫次了，可見打仗這件事情，一弄得不好，就得演變成一子之差的危局來的。北平不能手，惟有再圖另一回合的軍事行動，那就是更其嚴重的遠東危機逐漸迫近了。

自由世界對金馬問題的私見仍深，且美大選之期亦日見迫近，中共總得針對這項因素而言而行的，不論它把握的「主觀能動性」和「客觀規律性」的方法，是否一如其在八月二十三日以來的空洞。中共無論如何，得再動武，以圖重振聲威。韓境三八綫南北拉鋸戰一役果然暴露了自由世界一致行動之欠堅決，招來了另一次挫敗——把越南半壁江山奉送給共黨！這個教訓適用於當前的問題——如何看共黨攫取金馬？

民主共和兩黨今天競選仍集中到外交上，作爲美選舉爭論的焦點，由內在的爭取選票轉化爲海外加以利用，尤其被共黨利用上了，那就太危險了。每四年一次大選，每二年中期選舉一次，次次都受別人利用，而且以對華問題爲外交爭議的重心，其有利於共黨乘時施壓力，迫令某政黨，即壓迫美共和黨降服於中共政治敲榨之下，超然若揭的。

美國兩黨對此，歧見迭出；美英對此，更是異議橫生；別的國家每多怕因金馬闖大禍，沒有認識看明白共黨對外任何行動都是環球性的。好！這鼓勵共黨玩火，企圖藉火力加深自由世界的歧見，然後再要惑力。

（一九五八，十一，二）

台北輿論對中美聯合公報的反響

台灣通訊

○劍聲。

由「中美聯合公報」引起的台北輿論，此間業已展開一場激烈的論戰。起因是可能甚於駐美大使葉公超在離台前對于海外報紙對「放棄使用武力」的說法斥為「斷章取義」的「荒唐」的「胡說」；以及新生報社論給反共的僑報戴上一頂「共黨同路人」的大帽子所引起。台北民營報一致支持僑報的看法，並且提出「見是」的意見。茲將此間報章雜誌對「公報」著論的反應，及其所持的態度，綜合分析如後，藉以了解各民報及在野人士對「公報」的態度。

聯合報

聯合報，上月二十九日的社論著重批評政府不懂得輿論的運用，有云「我們的政府在外交問題上似乎從來不懂得輿論的運用。外國政府並不如此。」又云杜勒斯國務卿來華與我舉行會談「決不會說，我美國政府要求你中華民國政府如何如何……但請看看我國內的民意，你們不如何如何，我們將無法抵擋那種日益增強的壓力」。想不到葉公超大使在赴美返任之前，却對一部份報紙的論調大發雷霆……並以申斥的口吻說：『這簡直是荒唐、胡說、完全是斷章取義』！葉氏為我們素所欽佩，但以這樣的口吻來對付國內的愛國輿論，實在有點過火。」該報以極幽默的言論，諷刺葉氏說：「如紐約時報駐華特派員的二十七日專電就說：『中華民國現已同意不以武力向大陸發動攻擊行動』葉代表是否也斥之為『胡說』與『荒謬』？」「豈明如葉大使，難道竟沒有想到這些竟圖拿嚴詞申斥來把事實上對政府有利的輿論嚇退？」

大華晚報

聯合報檢討葉氏後翌日，大華晚報特論，在評「葉大使之失言」一文中，指出葉大使的發言「可能發生嚴重的不利影響。……無異是立刻取消了若干日前聯合公報中所作的承認。……大陸事實上已經發生革命，又為什麼不使用武力呢？這樣，支援大陸革命豈非又成了一句空話？」

聯合報接二連三的發表「不使用武力」以後的國有作法的主張，十月三十日及本月二日連續兩篇社論。首篇社論指出今後在「三分軍事，七分政治」的環境下國有的作法：「應該斷然的提出『政治第一』的口號，來代替『軍事第一』。應該以通過整軍建軍那樣的決心、毅力、認真，實幹的態度與魄力，來從事政治上的變法革新。」「第一，擴大反共陣營。……必須先談團結，要談團結，又必須從擴大反共陣營，結納一切反共非共力量著手。」過去政府雖「有熱誠而無抱負」。「第二，推行民主憲政。傳統的觀念，『非常時期』的錯覺，乃至情感上的作風，往往間歇性的引起一種自我抵銷的反常措施。竟至功虧一簣。今後必須，取如此慘痛的教訓，從尊重議會職權、鼓勵言論新聞自由、厲行法治與確立制度各方面來發揮公意政治的功效與力量。」「第三，改善人民生活。……當前許多管制由此可以撤銷。」因此，社論認為「擴大反共陣營即為實現民族主義，推行民主憲政即為實現民權主義，改善人民生活即為實現民生主義。」此為復國的「主要途徑」。

該報二日的社論指出：「僑胞僑報議論中美聯合公報而，對國政府發為疑慮憤怒之詞者，乃出乎期之深也責之切，其動機是自然的。」因為僑胞「東望王師」復國之情殷急究，短期內能釋然於懷嗎？這幾年來的「政治建設」，則是抽象的，拖延的！扶得東來西又倒，牽一髮而動全身。」所以政治趕不上軍事。「如各方面詬病的治安警察稅務人員紀律問題，便是政風腐劣足以使人民離心離德的實證。」若是不大刀闊斧的改革政風，則「我們與共洋洋灑灑從事理論的宣傳和說服，將無補於實際。」

公論報

公論報，一日著論抨擊葉公超，認為僑報「似乎沒有『斷章取義』」。社論指出「聯合聲明以後，政府等於承認了兩個中國的存在，即『自由人民的中國』和「不自由人民的中國」，將和西德、東德、南韓、北韓、南越、北越一樣，降低了國際地位。……萬一僑胞們因失望而動搖轉向，對於自由中國的前途與東南亞國家反共鬥爭，都將有極不利的影響。……政府今後將如何厲行民主，革新政治，並團結海內外反共非共的力量，以實際行動爭取人心歸向。」

此外，該報復於二日又以「光復大陸應不受任何限制」為題，著文評論，對美國務院「糾正」那些對公報「誤解」的聲明，認為「需要進一步的澄清」。古今中外的歷史上，「對於一個暴力政權，不『憑藉武力』而能將其消滅，歷史上的先例是很少的，以周文王、武王兩世的推行仁政，三分天下有其二，仍需武王大會諸侯，弔民伐罪，始能拯民水火。推翻暴秦者，不是陳勝吳廣那批戍卒，而是六國遺新結合起來的龐大武力。」所以中美官方對於「非憑藉武力」的解釋，仍難令人滿意，同樣不能祛除僑人報的疑慮。

自由中國半月刊

自由中國半月刊在社論（二）「論放棄主動使用武力之承諾」一文中指出「放棄使用武力」的承諾，係政府自取其咎。美國反者以「拖美國下水」為藉口而予政府以壓力，至於「這個藉口也正是我們政府自己所供給的。政府這幾年來毫無事實根據天天高叫反攻，這就使得國際人士把我們看作危險分子，把駐紮金門的軍兵看成惹是生非的戰爭導火綫。他們（指美國人）千方百計的要我撤回部分金馬駐軍，要把金馬中立化，甚至荒謬到要把金馬送給共匪，就是從這種心理或這種邏輯發展出來的。」「假若政府「注意到國際反響，少事叫囂，今天可能就不會受這樣屈辱。……要自己親口來取消自己的立場。」

該刊社論（一）主張從速召開國是會議，關於由民黨與政府倡導召開反共救國會議，何故中途變卦，現在國民黨又將這個會議下召開的責任，推諉給民主人士？於是該刊社論「以沉痛的心情，籲請蔣總統釋疑」了。

民主潮

民主潮半月刊社論，認為「實行三民主義」何不改為「實行民主憲政」之直切著明。」中美聯合聲明英文稿中關于三民主義，會特別注明（Nationalism, Democracy, Social well-being）即民族主義，民主政治與社會福利，中文譯文竟刪去這個附註，難道是對內還怕談民主嗎？」

該刊發表青年黨籍朱文伯的一篇文章，以「光復大陸的途徑」為題，說：「我所以一而再再而三，喋喋不休，呼籲政府當局厲行民主憲政與地方自治，就是希望以政治反攻來爭取大陸人心的歸向，以使速摧毀共匪政權，使復國運動早日成功。……以民主政治求團結，試……，不過一紙命令幾件法案，不就可着手進行」。

寶島花絮

△某要人在國父誕辰日一紀念集會中演說，謂以國父生前經九次革命的失敗，最後才有辛亥武昌起義的成功。按諸孫中山先生自傳，但列舉自光緒乙未廣州之役起，迄宣統辛亥黃花崗之役止，計共有十次革命之失敗。年深日久，史事模糊，記憶不清，自所難免。好在目前談革命者，不再以「次」計，而以「期」計，比較容易記得住，即使說滑了口，也還不致有誤。

△今年為戊戌變法六十週年。六十年前以變法而殉難之譚嗣同、康廣仁、林旭、楊銳、楊深秀、劉光第等六人，世稱戊戌「六君子」。最近有一位曾在國內担任南通學院院長而旅居美國已久之某君，在其所發表的「海外青年的救國途徑」一文中，謂維新運動當時身殉的有「七君子」，不知他平空添上去的是那一位？頗令人有「偶悔當年不識還」之感！

○豐公。

台灣通訊

台灣交通事業此時該不該加價

○楚公。

最近台灣交通事業已經在醞釀加價，而且我們的前任台灣公路局長現任台灣省交通處長譚嶽泉，還打出美國人的招牌，來說交通事業加價是必要的。

這究竟必不必要，譚處長自己心裏有數，他多多少少是受了公路局那些老部下的包圍。在一般社會民衆看來，如果光光就是加價，那是對少數人和一小部份的影響，如果公路、鐵路加價，還會影響整個的社會與民生的。

只要公路、鐵路起了加價的帶頭作用，其他的公營事業──公共汽車、電力、自來水，將變醒的以公營事業虧損須得收支平衡的理由要求加價，如果台灣省政府、行政院允許一部門的事業加價，自然無理拒絕另一部門事業類似的要求。這樣一來，能算得尚稱穩定的台灣經濟，可能面臨一次大考驗！因小部門的加價，會不會造成台灣全面物價的上漲；目前正當中共在台灣海峽製造紛擾的當兒，是不該不考慮後方經濟的安定的。

自從八二三中共砲轟金門以來，無可諱言的，台灣有些東西是漲了百分之十到百分之二十不等的，最顯著的是黃金與美鈔。

不過，有些東西上漲並非升斗小民的日常必需品，那對於全民的影響並不太大。設使讓交通事業加價，而後一般公營事業，而後全面物價上升情形又不同了。

其實這些話，也是老生常談，過去的「加價」經驗就是我們當局最寶貴的鐵鑑。過去每一次加價對於一班商人而言，倒是「稱中思動」的好藉口，夠刺激的「機會」。然而對於一般薪水階級的人則是有意說不出的「苦況」。

我們都知道一個公開的事實，自從陳辭修先生由台灣政府主座，而行政院長，軍公教人員的待遇正式調整過兩次，以後他升了副總統，而現在又兼任行政院長，這一段漫長的歲月總共算起來有八年多哩，一般主要日用品物價，自八年前到現在，超低的上升有五倍到十倍（以新台幣計算，一般高的就有廿倍以上（舉例如白菜一斤由五分，到目前是一元二角）。可是軍公教人員的待遇呢？自新台幣改革以來，還祇有一倍點六強的調整，望塵莫及。

我不是說目前的台灣軍公教人員的待遇怎麼淒苦，不能維持；而是說我們的軍公務人員在現狀的物價中生活已經是再不能擔受物價上漲的影響了。假使因為一部門的要求加價，而波動整個台灣的社會經濟，這些唱諾的人是罪不可恕的！

或者有人要說我這種論調是「因噎廢食」，那是他滿分的主觀的思想。在此時，我們不論做任何事情，總要作全盤性的考慮才對。

當然，交通事業要求加價，不是譚嶽泉處長先放出一些空氣出來就可以實行的，還有待於省府會議，和行政院的決定。我們可以想像得到周主席和陳兼院長不會不想到那些更遠的問題上去吧！（十月廿二日於台北）

讀者論壇

我所見的國校「惡性補習」

──一個小學教師的報導──

○方以正。

關於國民學校「惡性補習」問題，當局一再申明嚴格取締，社會人士嘖有繁言，然結果呢，「禁歸禁，補歸補」，其癥結究竟何在？實值得作一檢討。

最近教育當局設大宏願，欲將教育事業辦好，乃成立所謂「教育輔導小組」，期經常對各學校作適宜之輔導。筆者為現任小學高級級任教師，供職素稱本省模範小學有年，且親身為學生施行補習教育，願將所見所知實際情況，作一赤裸裸的報告，俾供教育當局及社會關心教育問題之人士參考研究。

提起惡性補習，一般人的看法總認為發生的原因有二：一、中等學校不足以容納國校畢業學生，故補習以爭取考試錄取機會。二、國校教室不敷應用，在初、中年級時，當採分部制上課，影響課業頗鉅，故到高年級時，不得不予以補習，但據筆者之親身經驗，認為癥結根底，造成補習的原因及後果，均應由教育當局及負責教育行政者負其全責，茲逐一予以說明：

首先，吾人應當分析前述一般人所認為產生補習之原因，實在是教育當局辦理教育所遭遇問題未能解決之「惡果」。如果按上述二原因採取辦法，則消除惡性補習的方法極其簡單：一、增加中等學校以容納更多國校畢業生。二、增建國校教室，以利初、中年級學生上課。可是，事實上教育當局根本就無能力辦到。

其實，最初補習的開始，完全是基於部份畢業班學生家長的要求而興起的，他們担心他們的孩子們考不取中學，乃有這種要求，結果用家長會的決議和學校校長配合起來的行動，于是有課外的補習，從而又決定了收取若干費用，作為酬勞補習的教師，按照道理來講，也未始不是一件好事，但日子一久，便發生了如下的弊端：一、各校收補習費無一定標準，少數不肖校長，從中牟利。二、教育當局視學校畢業生考取中學之名額作該校長前途命運之決定，學生家長亦以此作為兒童轉學之依據。三、補習之風競爭不已，校長聘請高年級級任亦以該班錄取人數作決定。四、部份教師竭力注重補習課程，而一般學生原已感到應付不了之作業特別加重，影響學生身體之健康。

因此補種弊端之滋生，乃引起社會人士的注意，稱這類補習為「惡性補習」。

話要說回來，如上所述則此種補習完全應歸罪於家長了，實則不盡然，尚有兩大因素存在，其一是教育當局所實行的「聯合招生」辦法，因為「聯合招生」使得考學校（尤其是所謂省市立好學校。）的機會又減少了，也就是無形中刺激了「補習」的不得不加強。同時，大多數招生的那些委員先生們在出試題的時候，又大多出些課本以外的題目，於是又使得「補習」非大大採用課外「補充」，「參考」，「測驗」等的資料不可，這樣又使一些「圖解算術」、「[illegible]」等的書籍大發利市，筆者常懷疑是否那些出考題的委員先生們所編的，否則，他們和那些出版商是可能暗中勾通的。

其二是一些不肖的校長及行政人員利用家長會的關係，來個「校會一家」的行動，（有些家長會的圖章根本就在校長手上）竭力提倡「補習」教育，藉以從中取利。（拿筆者所服務的台灣省模範小學來說，五六年級全體學生參加補習，不但費用超收，還要另收材料費，任教師不過收入三百元左右，而校長及行政人員，均有分攤，至於材料費則全由校長處理）。這種情形教育當局知道與否，[illegible]究，但自補習開始在各校存在，起的時候，我們的教育當局並未[illegible]，補反地，教育廳抑有明文下[illegible]用只許收取若干，不得額外超[illegible]，乃是教育廳所默認的[illegible]規定而已，所以目前的「禁止」，不知是故意做給人看呢[illegible]因為事實上到今天為止，所有[illegible]生還是繼續不斷的在接受這種[illegible]

根據以上所述種種實際情形，筆者認為「惡性補習」的滋長，實由[illegible]行政人員未能善謀政策，從而[illegible]的辦法，絕不能徒託空言，敷[illegible]正本清源的從教育政策上去澈[illegible]要者當為：一、增設中等學校[illegible]業生。二、增添國校教室，恢[illegible]取消統一招生制度。在以上三[illegible]目的之期間，一定要做到：一[illegible]度。二、嚴防不肖校長超收費用[illegible]四、改良教員聘任制度，予教[illegible]員去留之依據。以畢業生投考錄取名額[illegible]

若能如此，則雖有「補習」[illegible]今後逐漸將根本問題解決，自[illegible]存在，更無需「禁止」、「取締」[illegible]

（四十七、十、十五，於台北）

章士釗能不回大陸嗎？

祝修衡

章士釗到港已二旬，正當中共瘋狂推行「公社」和對金門施行「人道砲轟」時，悄然來港？不消問，是負有「使命」的。「使命」爲何？絕不如若干報紙傳說，爲安排「國共和談」。目的是「招」，[illegible]「招」式的「招」。[illegible]心裏卻矛盾地存在着「去」（逃去）「留」（留港）兩個字。

就其十多天的活動看，結果怎樣呢？心目中欲「招」的人，有的去了台灣，有的不願去見他，但也有自告奮勇，「去」求見和拜候了。當然也有[illegible]，這些人祇是附共的金融界人士居多，另外有幾個是共黨的嘍囉虫。

香港是一個說話，行動，均有充分自由的社會，[illegible]

毛政權現在面臨的難關，非常簡單，只有靠統戰能修度過最艱困的兩年。這兩年中，需要風平浪靜，不能觸發三次大戰，也不能讓台灣反攻大陸。到了一九六零年，中美兩國元首任滿，他的戰略完成，再不怕「大戰」來臨。因此，外求「和平共處」，對內要全面控制和恐怖力鎮壓。派章士釗到香港，[illegible]到處「國共和談」。所謂「和談」，祇是專事向美國人宣傳，對自由世界孤立美國，瓦解中美聯合防禦。[illegible]

[illegible]

章士釗來港的前前後後

·余一·

章士釗與毛澤東係小同鄉，現年七十有七，早年曾留學日本，國會議員，任北平軍閥政府的教育總長及李宗仁代政時代的國共和談代表；現任中共偽政權的「政協委員」和「法制委員」。

章與毛澤東私交甚篤，今天在鐵幕內的黨派份子多被整肅，而唯有章士釗，毛是特別[illegible]放他出入自由地區，另眼看待，並非偶然的。

章士釗這次來港，算來是第三次了。第一次來港，是在民國三十九年間，[illegible]；第二次來港是四十五年九月，當時毛澤東指派來港進行所謂「和平解放台灣」陰謀運動，並[illegible]，希望拉攏港九少數的失意官僚政客，來作爲和談的[illegible]。

章那次抵港[illegible]，與第三黨[illegible]同居中國銀行宿舍[illegible]。除與共黨份子余×、及××黨[illegible]××、×××、報館印人馬××、前上海金城銀行常務董事吳××、及左派×××××、王××、吳××、曹××、高××等接觸頻繁外，並訪問過民主人士多人。

可是，章上次來港的任務是失敗了，他雖然費了不少心力，想摸出一點眉目來，但港九僑胞的眼睛是光亮的，反應異常冷淡。章自己亦非常明白，中共偽政權是不會長久的，所以[illegible]向章表示想回大陸去。章再三阻止，不可回去。章感無法達成任務，失意之餘，[illegible]，更感於中共的壓力，自主，一再促返大陸，身不由主，不能再留香港，卒於四十六年六月間由××機[illegible]，及左派商人何××等陪同赴澳門轉返大陸。誰也不會料到，章又於今年[illegible]二十日再來香港，仍下榻山頂共方的中國銀行宿舍。

章上次來港是失敗了，這次再來又如何呢？不外又想製造和謠。雖然不能起什麼作用，畢竟會有人疑神疑鬼的，說穿了，即想瓦解海外愛國人士的信心，影響盟友對自由中國的政策。章再度來港的主要任務即在此。

大家都知道，中共此次發動金門砲戰，大吹大擂，「登陸金門」迫在眉睫」。據最保守的統計，最低消耗一億二千萬美元以上，這樣長期的消耗，無結果的砲轟，絕非今日中共的經濟所能負担的。中共如何下場呢？因之，中共又施以慣用的技倆，改用「和平解放台灣」的老調，並且認爲現在是[illegible]的最適宜的時機，而章又是最適當的和談工具，所以更不惜屈老命，促使來港作說客了。我相信章氏這一次的任務，還是一樣要失敗的。（十月卅日）

爲什麼「停停打打」

目前中共對於台灣海峽戰爭的政策，與九月以前，確已有着巨大的不同。他們的前題是：一、[illegible]。但又無力擺脫美國，[illegible]。二、居于台灣的中國人，多數是台灣本地人，最近由大陸移去的佔少數，久之，台灣本地人會趨向於執政。三、當台灣本地人執政以後，或者由于某些野心份子的鼓動，進而會作脫離中國的運動。四、若果這種分離運動能成功而獲得國際承認的話，那麼中共若要進攻便不是「內政」，使得他的擴展達到瀕絕的障礙。五、於是他們想在國民黨政權尚未崩潰前實行和談，希冀獲得某種協議，作爲事實上與法理上的連繫，籍以阻絕台灣獨立的想法。六、若果現在中共取得了金馬，台灣海峽有着美國艦隊的保衞無法超越，在此戰況之下，不能停火，事實上不得不停頓下來，縱然它想堅持不停火，也沒有辦法，因此，它必須保有這個可以作爲內戰的對象金馬在國府手裏，停停打打，表示內戰的存在。照眼前的情況來看，即使國軍要撤守金馬，恐怕還不讓撤呢！這就是彭德懷所發佈的文件中的「以利固守」，美國要「撤退國民黨」，與國府「供應金馬給養」等這些議題的基本用意。

這一個設想是否會如意地實現，這是另外的問題，可是我們應該把他們的這些設想說清楚。然後，才能看清楚爲什麼「停停打打」及其意義所在。

國際陰謀

在氫彈威力如此巨大的時代裏，世界兩個集團是皆不敢輕易作大戰嘗試的。中共卻也懼怕因國府對大陸出擊而引起的大戰，因此要設法使國府放棄反攻大陸，在這種形勢之下，西方國家即使不願觀念「兩個中國」，事實上也自然地形成了。

國際上的某些政治家，慣於機械地推論合邏輯的結果，不肯考量這是極端錯誤的。他們忽視了還有海外千多萬的華僑，與大陸上的數以億計的反共人民。

對策如何

本欄前已曾多次作警惕性的提示，中共必將運用國際壓力，迫美國轉使國府放棄武方反攻大陸，因此也會批判過等待大戰以反攻的論調。極力鼓吹反對挨打戰略，主動地轟炸大陸，以發揮反「懲罰」的效用。目的是在于先發制人，俾在談判中取得有利地位。現在，中美會談後的形勢，既已是如此，其對于國府不利之處，是不智的，相反的我們要把它交代得清清楚楚，然後才有可能，在「政治反攻」方面，設擬出可行有效的積極辦法。我們認爲，國府現在應該趕快做的是：

一、擴大政府的基礎，要建立起與海外僑胞的密切關係，既然說國民政府是中國的政府，大陸上的反共人民又無法自由表達其意見，那麼目前必須以爭取僑胞爲中心工作，方能構成一個二千萬海外中國人不是一千萬台灣中國人的政府基礎。這不僅是形式上的，而且是要做到實質上的參政，甚至要實行史無前例的華僑選擧。

二、政府應該仔細地檢查並調和台灣本地人與外省人之間相處的關係。這是在內政上是一種長時間的政治工作。

三、對于「兩個中國」的問題應有一個正式的嚴正的聲明，以澄清國際間的糊塗思想，粉碎各式各樣的野心家的陰謀。

·田心·

旅越華僑已有十四萬人入越南籍

全部華僑總數約百餘萬人

（西貢訊）根據越南內政部外僑出入署發出的統計及外僑狀況報告，居住越南地區的華僑，包括男、女、小童以及土生華僑，共四十二萬七千二百三十五人。由一九五七年三月廿二日至一九五八年五月廿一日辦理總檢查的非土生男女成年華僑，共十八萬二千三百九十七人。

實際上，在越南的土生及非土生華僑總數約一百萬人左右，因爲其中若干人未向越南政府登記，所以根據內政部統計只有四十二萬餘人。

又據內政部宣佈：由自新國籍法公佈後，由一九五六年九月八日到一九五八年十月十五日，入越南籍的土生華僑共十三萬九千九百八十二人。——由吳廷琰總統批准入越南籍的非土生華僑共四百三十六人。合計入越籍的土生及非土生華僑共十四萬零四百一十八人。（太）

國際動態拾零

△美國失業人數，減去六十萬，將爲三百五十萬左右。而失業救濟，亦增到比就業工資占三分之一强。有人歸功于國防經費之驟增，鑒已使鋼鐵業重趨繁榮了。

△艾森豪于其生日，曾擧行早晨聚餐，發出三百封信，要求其幫助共和黨競選。大半爲商人，出版家，政治家，他爲國防部改組案，亦曾發信給與他們，而得到幫忙。

△前美財長堪富利加，謂不景氣爲自然現象。增加預算自可減輕一時不景氣，但如增到八百億美元，即若無法抵補。

△陸軍最新武器，爲從遠處管制及定時的地雷。其力量可從二萬噸黃色炸藥，至五百噸黃色炸藥，依其大小而定。

△蘇聯第一顆人造衛星放射之後，美國疑其爲偵察之用，紅石火箭兵工廠曾擬設法將其炸毀，而華盛頓方面未允。此類炸毀人造衛星之火箭，現正在發展中。

△莫斯科消息，中共將效法台灣之派空軍人員赴美國訓練，故亦將派空軍駕駛員赴蘇聯訓練。

◎陶然◎

自由談

畸形的教育現象

馬五先生

年來根據若干在台灣就學的僑生所述讀書生活情況，除卻學業考績標準，視一般非僑生的同學降低之外，對於日常管教工夫亦特別鬆弛，因而形成了一種「何必讀書然後爲學」的學生集團。眞正要想求得實學的僑生，亦以受着不良環境的影響，深感事倍功半之苦。

政府每年招收大量的海外僑生到台灣就學，目的是要爲國家作育人才，培養優良的民族生機，決非基於爭取羣衆的觀念，而採取各種優待放任的方法，藉廣招徠，以壯聲勢而已。每一個僑生的家長，沒有不盼望其子弟到祖國的學府中，求得眞實學問，蔚成有用之材者。像現時對僑生放縱優待的教育方針，不啻是賊夫人之子，且貽國家民族前途以莫大的後患，烏乎可？

教育固然不能完全脫離政治關係，但必須爲教育而教育，當政治作用於次要。尤其是在這原子世紀的科學至上時代，對於大專學生若不予以嚴格的管教，使他們安心求智，奮勉於學問之道，所謂科學人才，何由養成呢？僑生與內地學生爲甚末要採用不同的管教方法，誠令人百思不得其解。如此這般的結果，在學校掛名讀書之際，吊兒郎當，多半都是些「阿飛」型人物，有如市場上劣幣驅逐良幣的毛病，敗壞學風，妨害其他有志勤學的青年；迨離開學園，走入社會後，由於智識簡陋，氣質不良之故，缺乏職業技能，名爲大學畢業生，實際只是一個繡花枕頭，內中充滿着草皮或棉絮這類無用之物，貽誤終生，追悔莫及了。推本窮源，其咎不在僑生，而在政府當局對僑生採取這種不合理的教育方針，還不應該澈底糾正嗎？

讀馬五先生「立法院的秕政」書後

·隱鷗·

經常在自由人上拜讀馬五先生的短文，俏，辣，而又痛快淋漓。俏，比世姐新裝還俏，辣，比湖南辣椒更辣，痛快淋漓，遠可步武龍門，近亦媲美新會。可是，這位馬五先生，是黃髮老叟，還是紅顏王孫，我尚不識其人，只有臨風懷想而已。

這篇批政的短評，是根據「民主潮雜誌」而發的。華妙深永，慨當以慷！概括他的要點，不外三點：

一、寄居海外，遙領俸給。

二、幹過三年委員，取得律師、會計師資格。

三、開會時，敬陪末座，從不發言。

他對於上述三項解釋，兩項半，不折不扣的完全正確，但有半個，似乎待考。我不是好管閑事和他抬槓，我是甘於讓人的。他會做文章，豪情感氣，信手拈來，我卻查法律，探本尋原，咬文嚼字。他說：「既不教他們奉職服務，乾脆就註消其立委資格好了。」須知立法委員的資格，是根據「中華民國憲法」，及「立法委員選舉罷免法」產生的。選舉罷免法，第四十條，四十一條，四十二條，四十三條，分別規定選舉與罷免，是硬性的，不容曲解的，條文具在，歷歷可稽。怎能說註消其資格好了。也許台灣政府，還用獨裁政權，可以這樣做的，但在神聖法律面前，不可以這樣說的。我不是『看戲掉眼淚，多替古人担憂，』不過，這是一個法律問題，不得不說，孟子曰：『予豈好辯哉，予不得已也。』

至於寄居海外的人應否入台？應否不准入台？此是屬於是非問題，也是政府處理的賢明，或糊塗的問題。當過三年立法委員，便可取得律師，會計師的資格，聽說是以前立法院通過的法案，未免太自私了，以自私自利主義，制定國家法律，不特不足以服人，而且，遺害甚鉅，應該予以修正的。立法委員，從不發言，儼若啞鈴，有的是胸無點墨，好像劉老老進大觀園，不知如何是好，只有敬陪末座了；有的是消極的表示，也可說是消極的反抗，這是民主國家議郞，應有的特權。區區小子，對於現實政治，向來都不滿意，並且對於現代所謂袞袞諸公也者，什九看成不值一個大。然而，對於「中華民國憲法」，却是始終擁護，有理由的擁護。不知通政理，以能文章的馬五先生，以爲然否？

宋皇台遺址考證

○簡又文○

其最高最大一石之西側面稍平，上有摩崖橫書「宋王台」三大字。台字作「臺」，（按：「集韻」：「臺」同台省。見康熙字典土部。石刻作「臺」，即「台」，如非篆文即變體也。）「宋」字高廿六英吋，「王」字高廿二吋半，「台」字高廿七吋，俱闊二十吋。字體古拙有致。或有以爲宋人所刻者，非也。據「東莞陳志」（卷三八）「古蹟略」二「前賢遺址附」引「圖書集成」「職方典」云：「宋景炎中，帝舟嘗幸於此。元史以帝昰、帝昺爲『二王紀』。此元時覆刻，故稱宋王。」余以爲元脫脫等修「宋史」之以末二帝爲「二王」，實因有宋已亡國於德祐二年元兵入臨安時而不承認二帝爲正統之意，元人書此三字亦作「王」，是沿其誤。然益王昰已於上年正式即位福州，改元景炎。翌年，殂崩，其弟衛王昺即繼承帝位。故應改作「宋皇台」，所以正名也。陳伯陶云：「石刻舊稱宋王，以史稱二王而然。玆正之曰宋皇，使後之人無惑焉爾」（「宋皇台懷古」詩序，載「宋台秋唱」），甚合。今港府名新關之公園曰「宋皇台公園」，其前直通馬頭角之大道曰「宋皇台道」，宜矣。（按：「通鑑輯覽」卷九五，元世祖丙子「至元十三年」下注云：「是年三月，元兵入臨安，宋統已絕」。乾隆「御批」云：「至臨安既破，帝㬎見俘，宗社成墟，宋統遂絕，則自丙子三月以後，正統正當歸之於元……」皆沿元人所修「宋史」作「二王」之謬者也。此滿洲異族君主之見與蒙古異族之元人同，亦無怪其然。昔明詩人張鳴韶詠「厓門」詩有句云：「一日未亡猶正統」，余深韙焉。此與民族精神有關，故不憚贅言之。）

「宋皇台」榜書右旁另綴有「嘉慶丁卯年重修」直行七字，知所重修者必爲此摩崖三大字，否則頑石纍纍，無可修者。其時爲嘉慶丁卯十二年。據說，是時係由廣東提督明令屬下新安營武官舉辦者。考清官制，廣東原只設陸路提督；嘉慶初年設水陸提督，至六年添設水師提督。（按：「新安舒志」作十六年，疑誤，但實際上自十五年起始另簡水師提督。）十二年丁卯，任廣東水陸路提督者爲錢夢虎（浙江寧波人，武進士出身，十年由碣石鎭總兵升任）。（以上見「阮通志」卷六一、六二，「職官表」五二、五二。）錢氏當是主助斯役之大員。其受命督修之武官爲新安營遊擊林孫（潮州澄海人，嘉慶十年至十六年在任。其全銜爲「水師提標左營遊擊」。見「舒志」卷六「武官表」及「阮通志」「職官表」五三。）同時，知新安縣事爲李維榆（江西吉水人，嘉慶十一年履任），官富巡司巡檢爲胡宏昭（直隸大興人，嘉慶十年到任）。（上見「舒志」卷五「文官表」。）這是當時地方文官，當然共勷盛舉的。

（六）

雪與梅

尤崇洵

雪景在印象中褪色了，而記得眞切的是堆起的雪人。

雪飄時候，大人是不准我們出門的。只好隔窗望望。第二天，滿地都是雪，于是掃起，堆高，揑成雪人模樣。然後，塑造五官，行加冕禮。

有時，弄一個瓶子，塗一個小型雪人于其上，然後，造眼鼻口等，放件衣裳，怕他冷，放在火爐旁取暖，于是融化了。

現在，忽然想出一句話：「最靠近火爐取暖的雪人，最先消逝。」甚有富味，雖然自己也不甚了然其中深奧的哲理。

以後，許多年沒看到雪。一回，和同學登大屯山尋雪，結果找到了雪，而且還發現幾枝桃花，然而有人說是梅花。那時正行山路上，我忽然記起二句詩：「有梅無雪不精神，有雪無詩俗了人。」四下一望，雪雖然不厚，總還是白皚皚。梅呢？那幾枝身份不明的花暫充數吧！然而詩怎麼辦？哈！有了，還兩句想起的不就是麼？那麼，有梅有雪可以證明有「精神」，有雪有詩可以證明並未「俗了人」。我把這話轉告同學；于是，皆大歡喜。

故鄉雖得下雪的，但對家中幾株梅樹的印象很深。現在雖非梅樹開花時節，却不妨「呻吟」幾句：不知故鄉裏梅，着花也未？雪呢！降了吧！否則，「不精神」了。

曾后希畫展序

○賈景德○

湘鄉曾后希先生，名稷，爲清名臣曾忠襄公之元孫，父鎭藩公，長詩古文辭，富收藏，尤善評畫，先生繼承先志，學殖之豐，異於常人，而性情豪邁，憤世嫉俗之思，時溢眉宇。日軍寇華，改習空軍，冀以空勤救國，而曠世奇才鬱積雖洩，更以餘閒盡力於畫，於是充鬱蒼濱之正氣，乃更奔騰於豪楮間矣。先生畫藝爲全能，山水師荊關，人物師韓月，其他花卉，翎毛，樓閣，走獸，均能擅其長，既奠定溫深之基礎，然後以特殊之創意出之，戛戛獨造，縱橫馳騁，奔騰飛躍，如天馬行空，神龍翔舞，其工力直溯唐宋元明之上，稱一代巨擘。所畫山水人物，無論工筆或寫意，絲毫不假思索，全用腹稿，揮寫自如，能出盡畫中之趣，其部位章法準確者，在並世罕有其匹，其功力之深，天稟之厚如此。先生年四十二矣，其習畫自十三歲始，無師承，但其繩墨謹嚴，雖一點一畫之微，莫不恪遵古法，識者謂其善用理法，控制天才。三十五年南京全國美展中，先生鉅作「馬鳴秋老動邊陲」，得中外人士一致讚美，中央社發佈消息時，曾列此幀爲第一。十年來僑居香港，各國人士慕名執弟子禮者極夥。美國新聞處於三年前，曾徵借先生之四時八德四十二幀，精印日曆百餘萬份，散播全世界，於是大名益著於國際間矣。近年來作東南亞巡迴展覽，深受各國人士及僑胞之熱烈歡迎，享譽之隆，晚近無出其右者，尤以在怡保羅麗洞內石壁所繪之二丈四尺羣駿神象，爲該地有史以來第一大壁畫，引致遊人不絕，而成爲星馬之勝跡。

頃以回國觀光！適値金門、馬祖，共匪濫發砲火，憤激之餘，更欲久留祖國，出其箇人之力，贊助國家，共挽狂瀾，在台友好，既壯其志，更勸其展出生平雄壯傑作，以矯世風，而申正義，亦既慨允矣。余謂有抑塞磊落之奇才者，必能建驚天動地之偉業，具憤世嫉俗之志略者必能有出類拔萃之作品，況明德之後，必有達人，有文武兼資之雄才，出其緒餘，沾漑國人，吾知飛將軍當從天而下矣。

逃亡前記

·盛紫娟·

抗暴短篇

江、董之流却不然，認爲不好的影響清除了。其實隨着欣躍的消失，伴隨勞動的只是唉聲嘆氣，有時甚至是死水樣的寂靜，有人摔倒了，別人忙碌碌地從他身邊走過去，甚至，連一聲招呼都沒有，一遇到這種情形，小梅就憤憤不平，但也裝作不在意。

隊長們却喊着：「加油！同志們！摔倒了的，趕快爬起來接着幹呀！不要洩氣！」

每天早晨，大家都很不情願地爬起來，全身都要像散了。手，酸麻得不知放在哪裏好。

梅林很消沉了一陣，不再蹦來蹦去，不再跟別人開玩笑。

大家都覺得：「一個好人給毀了。」

她在這時候就暗暗地打定了主意：「我找媽媽去。」

但是，怎麼作才能去呢？放下鋤頭，偷越國境？這恐怕行不過。偷偷地跑上南行的輪船？這大概也辦不到。這些天她始終心神不定，工作時常常出神，呆呆地注視着一塊石頭，或是一塊土疙瘩。常常愁眉苦臉的，使得大家都很不安心，金隊長以爲她仍爲了那次的事，就特地找她談了一次話，問她：「妳是不是在鬧情緒？」

出人意料地，她爽快地說：「也許是那樣。因爲我不知道以後應該怎麼作。」

「不用着急，改正了缺點仍可作爲一個好同志，只要妳肯好好地表現。」

梅林斜着眼睛看着隊長，臉色不停地變，恰好老崔有事進來，又很注意地看了看她。

有一天，她突然很勇猛地跟江董倆挑起戰來，她說：「他挖多少，我幹多少，決不落後。」當然，沒有人知道她爲什麼要這樣作。

那天休息的時候，老崔從衣袋裏掏出窩頭，啃了一口說：「好香，我們的生活眞太幸福了。啃一口窩頭，看看風景，再作作詩。」

那個宋公明似的羅畢，很勢利地看出：金隊長喜歡小梅。

他是個不知天高地厚的蠢人，以爲自己是才子，又有潘安、宋玉之貌，因此他最初不管三七二十一就向金隊長表示愛情。通常都是這樣，黨性太強，人情也就剩下不多。羅畢討了一場沒趣，又怕組織上對他印象不好，回不去了，在幾個被下放的女性中，他看中了小梅。他想：「我選了她，也許會得到照顧的，像她那樣積極的，毫無疑問，一定是第一批調回去的人。」

崔炳南和小梅，不知不覺有了不淺的交情。老崔的詼諧，很使小梅開心，小梅的天眞、活潑，也使老崔喜歡。他總說：「我一見妳，就想起我的小女兒來了。叫我叔叔吧！」

小梅便張口叔叔，閉口叔叔的叫，因此老崔就給了自己一個任務：保護她。

一天晚飯後，梅林在伙房的炕上，發現了一本「懷香記」小人書，她把已經走出門口的老崔叫住：「叔叔，你來欣賞欣賞這個」她跑出去，把書往他手裏一塞。

「妳從哪兒弄來的？」他不安地問。

「就在炕上。」

羅畢本來在老崔的前面走，他懷着鬼胎，又轉回來問：「什麼東西？」

小梅從心底就討厭他，馬上輕蔑地瞟了他一眼說：「哼？你管得着？」

羅畢嘻皮笑臉地坐到炕上去，挨近老崔，伸着脖子，假裝也在欣賞，一面却不時抬頭看看，正在玩手電筒的小梅。她的黑裏透紅的臉蛋，短短的頭髮，黑運動衣，球鞋，像是一個體育健將的神氣……都很動人。

老崔三下兩下翻完了書，就把它扔在炕上說：「還不就是那種英雄美人之類的書，有什麼可欣賞的？」

「啊哈，您外行，這本恰恰是才子和佳人的。」小梅跳着腳裝蒜說。

老崔滑稽地一笑，瞟了羅胖子一眼說：「原來還有這種分別，妳給我們分析一下吧！」

「這有什麼不好懂的，比方說羅同志要找對象只能找孟光那：」

「小梅，不要跳皮！走，積肥去吧！」老崔忙揪着她的耳朵往外走，小梅咧嘴抗議着：「老頭兒，你再不鬆手，我可揪你的鬍子了。」（六）

自由人
THE FREEMAN
（第八二〇期）
中華民國僑務委員會
頒發登記證台教新字第一一二號
中華郵政台字第五〇〇號
執照登記為第一類新聞紙類
（半週刊每星期三、六出版）
每份港幣壹毫
台北市售價台幣壹元伍角
督印人：陳文華
地址：香港高士威道二十號四樓
20 CAUSEWAY RD. 3RD. FL. HONG KONG
TEL. 771726
承印者：東南印務出版社
地址：高士打道六十四號
台灣總經理處
台北市西寧南路壹登零號二樓
電話：三〇三四六
台郵撥儲金戶九二五二
海外總經銷：友聯書報發行公司
香港：彌敦道[illegible]

序支配與權力

陳伯莊譯。

當這人人皆曰予聖，處處佈滿教條的時候，實在狹窄到緊張到喘不過氣了。人們雖斷斷不應把「眞」字讀成「直八」，但亦不必看着「文廟」扁額，一個硬讀作「文朝」，又一個硬讀作「又廟」而打到頭破血流。桑他耶那（George Santayana）是美國大哲之一，有秋水南華的風味。他雖超然物外，却又一往情深，他雖樂道精神，却自堅稱為唯物論者。玆譯其「支配與權力」的序文，以代枚乘七發。（譯者附註）

多年前，我寫「理性之生活」第二冊時，為柏拉圖和亞里士多德的倫理論所感發，替人類社會釐了一張草圖。其時我是一個以裁判者自居的道德家，辨析何者方為制度的合理使用，斷定何者方為至善。現在，我若再作馮婦，我要謙遜多了。我現在明白每個人所好之善所悅之美超不出他所習處的環境，和所生成的天性：他不該期望心之所謂然者在世上能大行而長在也。柏亞二哲針對當時衰微的城邦而立說，所說的雖仍不失為政之良箴，然所論既未及那不濶土地而成力量的宗教，亦未及政治而外的人性衝動與國家如何發生關聯。故實際上本為相對的和暫時的，自二哲視之，似若為絕對的和永久的了。

自有生以來，我的處境早已令我感到道德獨斷論之有所偏。童年時我即從歐洲的西班牙移居北美之新英闌，兩國語言之異，宗教之別，道德胎息之殊趣，習尚之歧出，政見之分趨，在我都已是司空慣見。所以，不論那一類型的社會，既沒有使我五內傾奔致令我效忠於其所持之理想的，亦沒有使我憤火中燒致令我居之如坐塗炭的。若論鴻跡所經，則對任何邦國，苟能採取那生於斯而育於斯者的觀感與心情去體會它，我覺得都是過得去的。個人天性，或者也有我的偏溺；但是說到遊心騁懷，則我所耽樂，端在獲見更紛更邇雜之衆異也。假如有一政治主義能逢我之怒的，則此論非他，端的祇是那工業自由主義；它要平一切文物，推之使隊入千篇一律無可足珍之型，使人神傷興盡。往日在西班牙，在新英闌我已飽飫了家鄉之樂，後來到英國以及遊客蒞臨之勝地名邦，我亦復怡然自得。然而使我更感欣愉的，自然無過於希臘與羅馬，以及公教聖地，於此而理悅神會地呼吸其空氣，實至足樂；蓋公教馳其想像，拿一個由寓通而啓示出來的又一世界籠罩齊人間世和其完璞未彫之智慧，更為我幽思之所存也。凡此種種，苟不為所梏，悉能益人神智。他如東方之華夏，北非之迦太基，黑衣大食之名都，希臘正教之拜占庭，逝者如斯，徒勞想像。倘能置身其間，以廣吾意，豈不更快。果能如是，則本書所論，屈伸之度，將見更寬。人不得不於時空兩間度蝸於一點，物理之限，實精神之囚，稍稍解縛，惟遐理智。從永恒以觀世，則任何世代均屬過去，亦均屬未來。既喻此，我誠不能對當代人物之所志所尚看得太認眞矣。世間上一切的一切都輕柔的告語我們推使我們對於從物質世界帶着精神氣味而出現的人事，採取科學觀，實在觀，生物觀。（譯註這一句充份表明了桑氏是一個自然主義者，但他自己一定要自稱為唯物論者。）端爲無所好惡。果欲將悉無心肝，一切悲歡榮辱都將莫測莫喩。我們旣愛護，然則慘惻和涕淚又何能免。一切都可拋棄，惟慨感則不能。我決不遷言我有好惡，我不能與好惡脫離，則惟有不以己所好惡施加諸人而已。我亦深知好惡隨一己之傳統，或來自傳統，或來自偶然；唯有時復自勉，毋令性氣之偏處境之敵捲曲我對事之觀察而已；所謂事又包括別人容或與我相遠之性氣和與我相異之處境也。讓人人都各自爲戰各自立說吧，反正，一切都不會天長地久的。何況獲罪於自然的，自然將必懲之呢。

不論若何短暫，苟能將力臻於諧，悉為我衷心同情之事。有生的勝利在於獲取形式之大成大備。生體之愈豐富繁複者，則此大成大備愈有光輝，同時亦愈不穩定。壽考終屬凡品，與永恒較，亦徒枉然能壽，乃塵土與最低生物之權利耳。不見白頭之絕世容姿方為諸大之所永念的呢。我寧愛玫瑰，不愛燒不盡吹又生之草花，寧愛雌獅，不愛瀰身上蝨蟣邊。為了能護心之所愛，我願絕滅世上一切蠕動爬行的蝕類。人為有理智的動物，既愛美則又必進一步追究致美之由與賊美之敵，於是乎「支配與權力」之研究尚矣。美隨力至，亦隨力之衰而萎。美既為生命力大成大備之徵，則凡世上諸生苟能完成其運動，將悉能發揚其「充實之謂美」之潛能也。而且，當「支配與權力」，拔掉一本舊美之時，它又栽上一本新美；是故，常隨史家弔舊之涕淚，常又見迎新之笑語；一個文明之將入暝，又爲另一文明之將破曉也。

我之審睇濁世，久已乎習用這樣的道德觀點。故此，本書既非歷史的研究，亦非治道之探討。本書祇想對政府們所扮演而又不知其己在扮演的悲劇與諸劇獲瞻一瞥，並想憑着直悟把治道與政制繼續約化為治道與政制所產生的果實，此即人們能深喻諸價的精神果實是也。

一九五一年桑他耶那

半週述評

看金門戰局

金門局勢外弛內張，中共的間歇發砲，顯然不是走向全面停火的前奏，而祇在準備軍事上的另一大舉。其隔日不砲擊假場面，好讓國軍補給能源源抵達，只是說明共軍今後的新企圖一定另有其他花樣，而決非僅像過去那樣，只靠猛烈砲擊及其所謂的封鎖。

為了遷就美當局的「和平意向」，中國政府已鄭重聲明不準備以外島做為反攻基地，並在中美聯合公報中宣佈不以用武力做為光復大陸的主要途徑，這充分說明國軍無意於此際擴大台海風雲，以免駭壞國際間那些只求避免大戰而不計其他的人士。然而停火是兩方面的事，面臨中共在宣傳與軍事上雙重的進侵威脅，國軍的容忍自有一定限度。現在華沙談判已告擱淺，美當局的外交運用臨到窮途，即使僅僅為了人道理由，也不能讓金門軍民長此遭受共軍的砲火摧殘。

中美聯合公報發佈後，中國當局曾一再提出補充說明，表示如遇大陸人民反共革命爆發，抑或外島遭共軍大舉進侵，中國政府都勢不能不使用武力。現在金廈軍事形勢正醞釀着更大的風暴，當共軍另一大舉侵擾爆發時，國軍總不能再像過去那樣一味挨打，否則實在無以對得起前線英勇守土的軍民，與海內外殷切期待中的同胞。同時，對於共軍這種間歇性砲擊也該做一有力答覆：國軍何不嚴重警告中共，如果他不停，即施以嚴厲報復。近三個的時間不為不久，四十幾萬發炮擊不為不多，在這種情勢之下，任何其他民族，恐怕都早已失却容忍的雅量。我們應該顧全大體，但我們却決不願學步宋襄公的作戰方式。

談判停試核子武器問題

原子武器誕生以來十三年，關於停止試驗核子武器的活動從未像今天這樣熱鬧過。在日內瓦美英俄三國舉行停止試爆談判，十國專家會商預防原子突襲，聯合國政委會日前也通過決議請[illegible]公佈蘇俄在十月三十一日以後仍繼續試爆的事實，從而美英也將不再遵守停試一年的諾言。至於日內瓦三國談判，進行已逾十日却進展遲緩向未談妥。關於專家會議，美政府要求只談技術問題，不涉政治，但蘇俄出席代表却由外次庫茨涅佐夫率領，那是一位曾任總工會主席的冷戰專家。至於阿爾巴尼亞也與於十國之列，不知那落後的巖石山國附庸與原子突襲有何關聯？又有什麼專家可以貢獻？像這樣的一連串會議，若能有具體結果纔是怪事。

停止試爆本是俄共一項冷戰陰謀，藉以拘束西方核子武器在質的方面的發展。西方不能從基本問題上與蘇俄周旋，却被牽制在這種不會有結果的枝節談判中間，是一項重大失策。

哥崙坡計劃的首要任務

哥崙坡計劃會議星期一在西雅圖舉行。此項計劃本是大英聯邦的東南亞經濟開發計劃，此次在美國舉行，適足說明這計劃的進行今後將更依賴美國的龐大經濟力量。

這計劃最初產生在東南亞的中立集團國家，却從先天上就帶有反共性質，因為共黨正是要利用這地區的落後與貧困以進行其顛覆陰謀。目今東南亞地區正面臨普遍的經濟危機，原因之一是共黨集團的傾銷政策。以是今日而談開發東南亞最主要任務是如何拒絕共黨的經濟陰謀，這問題不首先解決，一切計劃都不會有良好結果。

○李秋生。

新加坡走向自治途中 面臨共產主義的考驗

司徒鈞

新加坡、馬來亞共黨及其同路人，對中華民族傳統文化，長期進行摧殘之後，星馬人民已鑄成一個錯誤概念，此即：不知共黨術語，不足以言前進。但是，「前進」又怎樣呢？這是一個任何人不易解答的問題，也是新加坡自治與馬來亞邁向建國途中最大障礙。

如所周知，新加坡華人居多，西方政治家們一直認為「星馬合併」是中共的顛覆陰謀，而暗示新加坡的華人為「不可靠」。無可否認：星華比馬華遭受赤化較深。尤其是十個月之前左翼在市議員選舉中獲勝，王永元出任市長之後，共黨對星洲的顛覆活動，由社會深入政治結構，不能否認是新加坡自治的一大隱憂。現時距離自治日近，若不清除顛覆危機，新黨制殆將被吊銷；幾年來的擺脫殖民統治努力，徒勞無功。因此，勞陣聯合政府首席部長林有福，於十月五日自香港度假歸來，毅然採取緊急行動，要求立法議院將公安法令繼續延長一年。然後，就法令範圍，對有關危及星洲的任何行為，一律厲行制止。

當然，這一針對共黨顛覆活動的有效措施，共黨及其同路人勢必起來阻撓。但基於自治要求，阻撓僅不過徒勞唇舌。例如左翼黨派以「外國勢力的政治活動」口實，企圖把蘇聯，中共包括了美國、自由中國與整個西方集團牽連在一起，將新加坡孤立起來，並強調了公安法令，係林有福對付政敵的手段，仍不能爭取多數票支持。林有福顯然很明白：香港人對共黨不歡迎，完全邏籍中國幾千年的傳統文化；新加坡、馬來亞人民的左傾思想，半由殖民地主義的不平等待遇，半由赤色文化渲染，與顛覆分子的謠言將來設想，單單鎮壓顛覆活動，結束殖民地統治，絕不是完成自治的根本辦法；林有福認為：先決問題，必須建立獨立文化，從心理方面武裝起來，然後使新加坡人民團結、和鞏固於這一不容分化的基礎上。因此，他在十月二十二日下令，將來自中國大陸、包括了香港一共五十三個單位的出版物，一律加以查禁，不准再在星洲流露，與此同時，並撤銷了新加坡當地出版的七家報刊許可證。誠然，這還祇是一種拍蒼蠅的手段，打虎運動倘在後面；但是，對於撲滅共產主義傳染媒介說來，無疑是一項有效措施。接着，馬來亞政府於二十五日發表文告，說明繼續執行過去已宣布的十五家出版單位的書刊禁止輸入外，勸告服賣商勿將星洲下令取締的刊物輸入。態度雖然比較溫和，對人民的親共觀念，却作了一次強烈糾正。不過，星馬文化不能陷於眞空，共黨文化流毒星馬，先前原屬以鑽隙逆襲的方法竄入，新加坡華人居多，平時受毒已深，如今林有福要求各民族沿用自己祖先的文化遺產，來解決本身的問題。那絕不是說行就行的一件事情。新加坡華人子弟所受教育，多數被共黨分化，大致是親共、反共和反對自由中國者兩種，甚本上的要求儘管傾向於星馬獨立，實際不知道怎樣才能建設新興國家，唯一的想法是：「從帝國主義鐵蹄下解放出來。」

因此，有人想到一個問題，那就是：教他們怎樣重整中華民族祖先留下來的文化遺產。這似乎是中華民國政府及其人民不能輕卸的責任；但是，如何發揚中國傳統文化，不是一朝一夕的事。

然而，林有福這次揭櫫保衛中國文化政策，僅不過是掃蕩共產主義流毒的一個開端，能否鼓舞起全民支持，正是重大考驗。不然，打虎未成，先遭虎吻。十月三十一日市議會因彈劾市長王永元，被這左翼人民行動黨領袖一怒陷入癱瘓；辯言必須解散議會重選。雖然，執政與反對兩派的爭執，並不是什麼了不得的事故，而係市長對市民幾塊錢的剝削，和不該除而除人的闢件事引起；雙方各持理由，王永元向來獨斷獨行。此次竟然禁止議員說話，以致全場嘩然！本來麼，在現實的排斥共產主義行動中，以一個親共的市長來領導市民，毋寧是一大絕頂的諷刺。

因此，我們可以說，新加坡在邁向自治途中，面臨共產主義的考驗，成功失敗，端視執政者有無作法，建立獨立的文化，以掃除共產主義及共黨勢力的障礙。（十一月三日寄自星洲）

不憑武力憑什麼？

（本報訊）過去一星期，香港許多報刊，對蔣杜聯合聲明發表後，中華民國今後的政治局勢，仍爲討論的中心。這裏我們把若干報刊的重要論點，撮要介紹於本刊讀者。

左舜生先生三大主張

首先要提及的是左舜生先生在十一月一日聯合評論周報，以讀「中美聯合公報」爲題發表了他的意見。他的文章前段，撮要敍述三四年來，台灣和海外先見人士所提出對時局的看法和建議，大體認爲「若干年來台灣所走的根本不是反攻路子」。而且「世界第三次大戰一時決無爆發可能，即會大戰起來，不僅於台灣無益，也許是更大的災害」。「抱着反共態度離開大陸的約六百萬人……如何把這六百萬人團結成爲一體，過去九年，台灣不僅沒有打算，而且認爲多餘。」這許多先見之士，「希望台灣嚴格執行憲政，實現民主，以爲團結一切反共力量的張本……可是台灣所做的剛剛與此相反」。這班先見之士主張裁兵，把軍事列爲第二第三，把政治與經濟建設列爲第一。……可是被台北駡得狗血噴頭，認爲「失敗主義者」。於是左先生提出他的「當前最應注意的」三件事：

一、不可錯怪美國，就履行條約義務這一點來說，美國可以說已經做到了十成，他們原沒有把我們送回大陸的諾言，居然辦到對金馬護航，已經算是仁至義盡。

二、中共的領導者，現正在進入瘋狂的狀態，隨實給我們以大好的機會，可是我們不能斷定中共這一瘋狂狀態永遠不會改變，機會稍縱即逝，應該切實把握。

三、「需者事之賊」，澈底放棄黨治，以實行民主求得全國的團結，並以號召大陸廣大的民衆起來推翻中共政權，目前是僅有而且是最後一個時機，過此以往便一切都完了。

放棄武力反攻的影響

其次自由陣綫，十一月三日，以「你們改懺吧」爲題的社論，首先嚴厲斥責。中共無辜屠殺金馬同胞，一意孤行，推行人民公社之後，認爲「推倒中共暴政，是今天台灣當局的神聖任務。應該不計成敗立刻反攻大陸，方對得起大陸人民。」蔣杜聯合聲明後，該社論以爲「台灣當局藉口友邦牽制，公然放棄了反攻大陸的立場了」。該社論又說：「台灣當局的公告，其中說等大陸人民起義，推倒中共時，它保留出兵干涉的權利。這類說法……本末倒置，煽動人民輕易犧牲，台灣則準備水到渠成，走馬上任。」該社論更進一步認爲台灣當局這些年來對於民族主義及民權主義，均未能切實執行。

再十一月七日的星島日報社論，以「一紙聲明鑄千古大錯」爲題，指出美國共和黨選舉失敗，其原因乃由於對中共取軟弱政策所致，跟着便說「國民政府放棄九年來維繫內外人心的武力反攻大陸……對於美國太過順從了」又說：「中美聯合聲明刊佈之後，中共曾將香港報紙張貼於國內各大城市之通衢。使大陸人民知道國民政府已聲言放棄使用武力反攻大陸。這打擊大陸民心，有甚於千萬顆原子彈。大陸人民經此打擊，希望他們起來革命，當比過去艱難萬倍。」該社論認爲「這是無可補償的損失。」

自身做出好榜樣

最後，我們要報告的，是新生晚報蕭峯先生一篇以「不憑武力究憑何物」爲題的專文，這篇文章是給蔣總統的一封信。他對搶救大陸受難同胞的工作建議三件事：第一是：「擴大反共團結」。他說：「總統先生，你須知道，向你卑躬屈節大叫萬歲的人們，我不定就朝秦暮楚，翻云覆雨最容易動搖軟化的侫倖之流；而不斷地批評你諍諫你的人們，也正出於滿腔熱情善意」，於是他主張「馬上召開國事會議」。第二是：「加強民主憲政」。他主張「首先要自身做出好的榜樣才對。「反攻之道，事事與匪相反」，憑藉這樣的政治優勢，沒有不絕對獲得勝利之理？我們遵守憲法；保障人權，尊重學術思想言論自由，以民主自由來對抗極權奴役，該是一種最有效最可靠的利器」。第三是：「支援大陸革命」。他認爲「目前不談政治反攻則已，否則要馬上需要動手來做的。第一、使大陸人民知道翻身並未絕望。第二、應運用一切方法，普遍有效地給予大陸同胞以物資上的援助，使他們有所憑藉，隨時隨地，揭竿而起」。他說「在台灣與大陸衆寡懸殊的情形之下，欲以純軍事制勝是很難的。政治是門仁門智的，我們即不憑藉武力，但也不放棄武力，祇要憑藉政治的優勢，則小可勝大，寡可敵衆，縱使不放一槍，而殘暴的共產黨政權就非垮不可，必敗無疑」。（十一月八日）

越共百三人脫離共黨

（西貢通訊）據巴川省四百三十名前越共，於越南共和國國慶之日在軍政界代表和三千民衆參加的儀式中，脫離國際共產，向政府宣佈投誠。由一名前越共代表迅立致詞，說明共產黨徒的殘暴罪行，並將越南南部的眞正民生制度和北越的極權統治作詳細比較，及後，全體前越共幹部宣誓，在吳廷琰總統領導的民主政府之下，忠誠報國。（太）

從中共清算「胡適思想」說起

鮑家琳

胡適博士，是世界聞名的學者，儘管他在學術上有相當成就與貢獻，但在中國的統治階級眼裏，卻是根難以拔出的刺。尤其是共產黨不惜動用文化教育界的一切力量來清算他，說他的思想有「毒素」。爲清算他的思想所出版的書計三百多萬字。

中共爲什麼要清算「胡適思想」？與其由第三者去找答案，還不如看看胡適先生自己所能體味到的來得更爲切些。據胡先生的自我分析，不外下列三個理由：

第一個理由，因爲「胡適思想」，是自由思想的一種，他說四十年來，不斷的提倡人們要有自由，爲的是只有自由的人，才能愛自由如生命如麵包，甚至愛自由比生命、比麵包更重要，這樣才可以造成一個自由的國家。而這正是主張集權獨裁的中共政權所不能容忍的。

第二個理由，就是他四十年來，總是提倡一種思想：即一切的主義都不是絕對的眞理，沒有一種主義是不可懷疑的，和不允許人家反對和批評的。他認爲，只有可證實的，已經證實的才是眞理，但發展到某一個時期，即使這種已被證實的眞理，也許會被更新的眞理取而代之的，故沒有一種主義是絕對的眞理。但是共產黨卻以其政權的力量，強迫人們接受馬列教條爲普遍的眞理。

第三個理由，就是他四十年來所提倡的思想方法，是一個出於世界人類常識的方法，他不主張人們不經思考，和不經證驗而接受任何種主義和教義。而這正是人爲保護自由和獨立的人格所必需的，可以使人不受人的欺騙，事的欺騙，不被人牽着鼻子走。過去，他常說：被孔夫子牽着鼻子走，固然不算好漢；被朱夫子牽着走，也不算好漢；但現在被馬克斯、被列寧、被史達林、被赫魯雪夫這一班混蛋牽着鼻子走，更不算好漢！因爲這個緣故，所以共產黨必須清算他，一切主張以主義和教條來統治人的人，皆會反對他。「胡適思想」並不具備客觀的政力爲其後盾，也絕沒有絲毫教條主義的強制性存在，但卻是基於理性產生的。

胡先生自己也說得很清楚：「科學思想方法，是人類拿來抵抗教條主義，不受人欺騙的一個方法，所以共黨要清算我不要緊，要清算這個思想的方法，那是決不會成功的」。

這次胡先生又回到了台灣，並表示了久居之意，但願那些蓄意攻訐他的人和曾經攻訐過他的人，對他能作較長時間的觀察，胡適的存在，不僅僅是肉體存在，人們可以用任何字眼攻擊一個具有獨立思想的肉體，但攻擊一個具有獨立思想的靈魂，卻不是任何主義教條所能成功的。

中美聯合公報發表後 政院應積極從事實際改革

台灣通訊

陳院長上任後，政府和社會奢侈浮華之風潮有所改變，這是一個好現象，值得一提。惟就陳院長對國家的抱負而言，這祇是個好的開始。（轉變政風及社會風氣）。中國政場，最大的毛病，是對人的應付，對事的疏忽和不負責，過去的舊官僚固然如此，現在的新官僚也不能免此，且緊緊的把握了這個官場的要訣。關於這一點，我希望陳院長特別警覺和注意，即不管那一個部會首長或閣員若果他實際認眞在爲國家作事或謀改革而不是自私或表面來騙我或取寵我，縱然他個人在禮貌上或小節方面對我有疏忽或不過之處，也不必計較他。反之，若果他專在人事或個人利益方面對付我，逢迎我或取寵，而在實際工作上或職實上完全敷衍，那麼，不管他與我關係，歷史深淺及來頭如何，都必以國事爲重，而絲毫不予姑息，即不讓他僥倖或永久混在這個「祇許成功，不許失敗」內閣裏。據說現在政閣裏確有不少人，仍是專在人事這方面苦心的計算和對付陳院長，而對自己主管部門的事，祇求「照舊」，「好官我自爲之」，像這樣情形，我以爲是不可樂觀的。

凡是內閣改組，不管是整個的，或局部的，總是因爲不好或不適宜才改組，若果改組之後各部會的情況，依然是「照舊」，只是更換一個新的首長帶來了若干新的人，而不求業務的改革，只注意於宣傳。像這樣子內閣改組，有何意義之可言！現在我拿內政和司法兩部來說，現內閣這兩部的[illegible]

[illegible]工作成績極壞的[illegible]宅興建委員會，現在仍而未聞有絲毫的改革，他如警察、出版和著作權等等方面的弊病[illegible]

[illegible]閣勤求民隱，重視民意而外，同時必須注意行政院各部會[illegible]，勿尚事人事上表面的改革[illegible]政治反攻」，祇是徒托諸空言，自欺欺人而已。（四十七年十一月四日）

秋涵。

飲酒的問題 ——台灣應考慮酒的輸出

高陽

在香港的中外人士喜歡飲中國酒的人很多，尤其是吃中國飯的時候，最好飲中國酒，情調口味才能配和。何況坐到席上吃菜時候，外國人並不喝「白蘭地」，「威士忌」；祇有「假洋人」，充闊和表示洋化才這樣吃喝呢。我在台灣喝過烟酒公賣局製的紹興酒和介壽酒，品質之佳，色、香、味之好，和過去的紹興酒不相上下，尤其是金門所產高粱，其純其美，也決不差於昔日之好白乾。這確足以算做中國眞正的好酒，也確足以代表中國的文化。

我遇見不少眞正懂得吃中國飯的外國朋友，也遇見不少懂得喝中國酒的朋友；然而最遺憾的，在香港，我沒法介紹台灣所產的酒給他們。

我很奇怪，爲什麼台灣不將所產的紹興酒、介壽酒、高粱酒出口，運到香港或外國來找市場？難道怕台灣的人沒有酒喝？難道不願意爭取外匯？爲了文化的宣傳，爲了出口貿易的關係，我希望台灣的烟酒公賣局和管理出口機構考慮考慮這個問題。

大陸上的物產，凡可以換得外匯的，無不盡量運輸出口，不問人民有無需要，以致在香港可以吃到廣東的魚肉，而大陸人民竟致終年不知肉味。我們自然不希望自由中國政府如此的去爭取外匯，然而也不希望在貿易上和文化宣傳上自甘退讓。我想酒的出口總當不是件難事。（十一月十日）

共和黨的政府．民主黨的議會

新聞隨筆

美國的中期選舉，「大事已定」，這兩年內，美國的政局將爲民主黨所左右。雖然政府是共和黨的，但議會卻是民主黨的，在地方政府方面，民主黨黨員獲選任州長的，也遠多過共和黨。「三分天下」，民主黨已「得其二」，共和黨僅得其一[illegible]

在這次選舉，[illegible]無」之感：無堅定的政策，無出衆的領袖，和無基層組織，這就不能不敗了。

號稱「台灣參議員」的諾蘭，放棄國會領袖，而競選州長，對黨來說是「乾子鉄交」，使黨既丟了加州的州長寶座，也失去參議院一席。可見，儘管諾蘭名噪一時，看來也不像是個[illegible]的大才，即使他幸而得任加州州長，也不夠入主白宮的條件。他的「前排議員」的地位和聲譽，也不過是長年累月熬出來的。[illegible]「會汙」事件，據說也是使共和黨失敗的因素之一，其實這也只有在以選票決定政治生命的民主國家裏，才顯得那麼重要[illegible]官運亨通之道呢！這些事例，對學步民主的國家來說，豈不也是活生生的教育嗎？

金葉。

鐵幕之後

。旭軍。

莫斯科隨處見醉酒人

蘇聯總理赫魯曉夫之透露蘇聯政府不得不採行嚴厲的立法，以減少俄國的酗酒鬧事，已證明他以前的警告沒有效果。

最近數月以來，反對飲酒運動，達到驚人程度。報紙滿載着飲酒災害的警告，但顯然的終告無效。赫魯曉夫感到焦慣的，是在莫斯科，幾乎隨處遇見醉酒人，令從外國來訪問的人，獲得極不良的印像。至於各省城市，更無論了。

爭懷好意的訪問者，看見莫斯科酒店的酗酒情形，也感到厭惡了。

伏特加第一

從我在莫斯科的經驗看來，主要的原因，是幾乎隨時隨地可購得強烈的酒。伏特加麥酒，不但在一切酒店，旅館，酒吧購得，而且在雜貨店也可以。

赫魯曉夫計劃嚴厲限制酒店沽酒，但嗜酒人仍可隨意購得。一位住在西伯利亞，卡迦斯區的地質學家，力主張大量減少生產號麥酒（烈性俄國白蘭地酒），而代以較淡弱的啤酒，蘋菓酒，及菓汁飲料。他常在邊疆地帶看見人民好像沒有別的飲料，只是加麥酒。人民忙於設加麥酒。他說：因此今年要到秋天後，人民才得嘗新出的洋葱。

他說：他原期望當地人給他一些青菜，橙柑，或檸檬。但不，他們送來的都是加麥酒。

這位地質學家之建，有一建議，即仿效某些國家限制售酒時間的制度。但蘇聯對此制度無法行得通，據「消息報」記者調查莫斯科與列寧格勒間的一個城鎮托梭克的酒店所得，便知其中有障礙。他發覺一間酒店甚至自稱講究飲食衛生的，都全神注重傳售加麥酒，或味芳香而性烈的酒，加上一些點心，除此之外，便沒有其他食物了。還有一避免法例干涉的方法，他們用茶壺供應加麥酒。

睹物思人唏噓悲憤

何牙利政府顯然決定：不讓布達佩斯的基得安兵房，成爲英雄紀念物。該地是一九五六年十月英勇革命最動人的現場。今年十月廿三日，在該地舉行革命二週年紀念。當年革命英雄馬爾遼將軍，原被派爲該兵房的指揮，但他反而領導革命勇士，使此兵房作堡壘，抵抗俄國強大軍隊來摧殘。當日最後作死守的二十人，原被俄軍答應免死。但俄人食言，用坦克機關槍將他們殲斃了。馬爾遼將軍後來也和前總理納基，被處死刑了。今天睹物思人，令匈牙利人不勝唏噓悲憤。現匈共政府打算將此兵房鏟平，建築貧民宿舍。

看報閒話

△共匪叫囂說，「今年是苦戰三年的頭一年，更大的躍進還在明年後年」。我們且看這頭一年的苦吧：農民現在已是處到「食無立錐之地」，「死無葬身之地」的境界了。因爲活着的時候，生活出公社裏，家完了，自留地也歸了社了；而死後的屍骨，也要化了作肥料！

其實最够肥料資格的屍體，還是毛澤東自己的那具，那麼高大肥碩。

△農民對公社化的反抗是相當激烈的。中共河北省委書記張承先在十一期「紅旗」上爲文主張在農村裏再搞鳴放，以便讓反對派暴露出來。於此可見反對派的潛力是够厲害的。

×　×　×

△反對公社的其實不祗是農民。幹部也普遍地在反。不過幹部反對的與農民反對的目的不同，他們反對的是「社越辦越大，官越做越小」，所以也不起勁。（見十一期「紅旗」）

×　×　×

△農村裏公社化後，城市也跟着來。上海有的里弄已經開始吃大鍋飯了。天津則已經發展到把家庭婦女從厨房裏，搖籃旁趕出來掃街，辦小型工廠。共黨當局讚頌於「一個婦女參加勞動，足足頂一個精壯的勞動力。」

×　×　×

△城市裏不再許可有吃飯不幹活的人，老年人也不例外，各地經過「街道居民整風運動」之後，老年人也下放到農村去「爲人民服務了」！

。不懂齋主。

增產的眞相！

據中共宣佈：今年糧食產量將達七千億斤以上，比去年增產了一倍；棉花預計將達七千萬担，比去年增產一倍多，一——九月的工業果計總產值比去年同期增長了百分之五十七，看來全年的工業產值將較宣佈爲去年的百分之一百五十。

假定上述宣佈的增產數字符合實際情况，那麼它必須通過經濟發展的另一個環節——消費，來再生產，否則明年的生產會迅即下降。

這裏所說的消費途徑有二：一是增加國內人民的消費；二是擴大對外貿易。據報導，今年國內人民的消費不但沒有去比年增加，反而降低了；在對外貿易方面，則預定今年只比去年增加百分之十四；既不讓國內的人民增加消費，對外貿易額又增加得不多，那麼增產的物品到那裏去了呢？顯然，這種情况說明了從流過消費來增加生產的經濟循環是並不暢通的，即使他們所宣佈的數字可靠的，也可以預期其即將減產。另外，有人說中共的增產是假的，從前述情况來看，當亦不無理由。

要加強研究大陸問題

大陸人民的生活實際上既是如此的苦痛，何以會得忍受下去而不發生大規模革命？人們一定會回答，這是共產黨的組織力強，人民沒有辦法反抗。我亦承認中共之所以能够維持到今天，其主要力量來源確是依賴于組織。但是，組織決不是懸空存在的，它必須生長在人民羣衆之中，經擁戴這的人民，何以不影響蛻化其組織？又，在何種狀况之下，組織才開始蛻化？我們是否有辦法使其蛻化的過程加速？

這些問題，我曾經與好多朋友討論過，終究未曾得出一項結論；這樣的問題如得不到解決，一切反共的宣傳與行動將難產生最大效果。國府現行的政策：是根據共產黨的一切行動是壞的前提來宣傳，根據一切共產黨的書報雜誌都是迷惑人的前提，結果呢？人民對于共產黨如何壞法，知得並不很深，而只是讓少數人在作主觀臆測，從而作出似是而非的對策；有時，實際上人民對共黨的了解，還遠超過了國府官員，尤其是主持反共宣傳的官員。這種情况，是不宜再讓它延長下去的了，我們認爲要動員更多的人力物力，來認眞的研究它，找出其癥結之所在，從而來制定對策，才會生效，這似乎不應該有人反對的。

反共努力的新方向

對於上面的話，或者有人會視作是「反共無望論」的論調，其實不然。現在我們也不是沒有發現能够加速共產黨蛻化的辦法，譬如：一九五六年二月開始的批判史太林運動，使得它不像以前一般的「集中」，比較讓人民多獲得一些「民主」了，這是可以從蘇聯以至于東歐國家的人民生活看出來的；後來又促成了波匈事件，這是自發式的革命爆發。但是我們不能完全還藉于這種前因的革命，因爲一方面，在中共來說，批判史太林運動的影響，眼是不像歐洲一般的顯著，不但如此，毛澤東反而拚命的在作個人崇拜的努力。那末，在大陸上爆發這種形式革命的時機，最有可能的是要等毛澤東死後。又譬如，南斯拉夫的修正主義，現在已經使得美國，丹麥，荷蘭，英國的共產黨分裂了，使得法國，義大利的共產黨勢力削弱，使得東歐各國共產黨擾攘不安，狂喊共產主義的主要危險是修正主義，不用說，這是蛻化一切共產黨的有力武器；但是再看遠東各國共產黨，雖然日共曾一度鬧分裂，大致上來說，影響力還是微小的。毛澤東遲早要死，南共的修正主義必然也要蛻化，遠東各國共產黨，從而也將給中共以影響，這是可以肯定的；那末，中共內部要起革命，也是可以肯定的了。

但是，毛澤東何時死呢？修正主義何時可在大陸發展擴大呢？我們是否有辦法，使修正主義傳播和發展得更快一些呢？又由修正主義而發生的蛻化，是不符自由民主的標準的，我們是否有辦法使這種修正式的蛻化，轉變爲自由民主的蛻化呢？這些問題都等待着我們去研究，去做；我們不希望人們一方面高喊反共，另方面却採取一種隔岸觀火的漠視態度。

。田心。

敬讀國父年譜初稿

李樸生

今天雙十節，國史館史料編纂委員會及中國國民黨黨史史料編纂委員會在羅家倫先生主持之下，出版國父年譜初稿兩巨册，約六十萬言。他們費了足足四年的時間，搜集了很多材料，謹愼考訂史實，著成這本初稿。我因十月慶典中，僑胞回國多，事情較忙，匆匆閱讀一徧，覺得條理整然，內容豐富。國父一生奮鬥的經過，以及其革命思想之醞釀，革命背景之錯綜複雜，敘述得很簡明扼要，是一部難得的具有時代啓發意義的大著作。

但就我所知，國父在檀香山意奧蘭尼書院肄業時，不是『該校唯一之中國學生。』（見上册二十二頁）民國四十三年，我從美國歸台北，經檀香山，鄉君烈學長（民治黨領袖）借我往致候鍾工宇先生，（綽號爲鍾宇）恰值他九十歲華誕。辦公檯上只有一個小花籃，別無裝飾。他捐了一筆錢給教會，概不請客。據說：他是國父在意奧蘭尼書院同班同學，也曾參加興中會，幫助國父頗多。中國國民黨建黨六十周年紀念，檀香山總支部特請他到慶祝會致詞，並切蛋糕。現主編中外畫刊及總統與蔣僑的蘇錫文先生，當時也在檀香山，詳知這些事實。

檀香山有華僑已百多年，有土生，有若干和國父一樣從國內前往的幼童。意奧蘭尼是有名的書院，中國兒童往肄業的當然不會沒有。今年鍾宇先生九十四歲，還健康，還可以從他的記憶中得到若干國父在意奧蘭尼的軼事。

廣東人的習慣，平時只穿一件長袍，不穿馬褂；加以檀香山的天氣暖熱，沒有穿馬褂的必要。年譜上說他穿長袍馬褂上課，恐怕不符事實。

國父做了大總統後，政費支絀，軍需浩繁。他會和日本三井洋行商借款二百萬元，以爲週轉。三井不答應。後來，三井物產上海支店長藤瀨政次郎以三十萬送國父濟急，國父不接受。藤井勸國父接受，國父說明不接受的理由。（詳見宋越倫先生著總理在日本之革命活動第四十二頁至四十三頁），這一段談話是極重要的，國父光明磊落的襟懷，臨財不苟的節操，最足爲復興建國的政治家模範。這比袁世凱假公濟私，向五國銀行團借款，作爲摧毀革命力量之用，賢愚，賤不肖相去遠了。而台灣年來貪污之風頗盛，凡有錢銅經手之事，極少不舞弊自肥。據報章所刊登，多少官員是因外滙關係而有舞弊侵佔之嫌疑？多少名人是因公共建築而被偷工減料的控訴？王德溥先生九牛一毛之慨歎，良有以也。李石曾先生世界書局之打擊，豈徒然哉！國父此種公忠體國，自勵廉隅，不開惡例，力矯時弊的深意，實應强調表揚，可惜年譜略而不錄。

國父在廣州，由于陳烱明及滇桂軍隊之橫暴，稅捐繁苛，政治汚濁，軍人橫暴，人民痛苦，他不能不急于北伐。（見年譜下册第六九〇頁）吳鐵城先生的回憶錄，更會說國父因憤恨閭害民，至于以頭撞壁。國父愛民之眞摯，使人感動。

今日台灣比昔年廣州，情勢好得多：（一）軍隊有紀律，能拚命打硬仗（金門被砲轟四十餘萬發，而愈戰愈勇。）又能抽空替人民服務（如幫助農民割稻，不受酬報）。（二）政令統一，總統有權；（三）人民同心反共，擁護國策，有陳廉伯之徒；（四）人才衆多，爲事擇人，無才難之嘆；（五）有美援可以協助，若干改革（如土地改革）若干建設（如工業及水利的建設），都可以按計劃進行，比國父昔時爲閭餘而遭各國打擊，遠爲便利。但我們應該警惕的是物質建設雖有進步，好人好事總特加表彰，而社會道德仍顯見頹廢。每日報紙所登載殺、搶、偷、騙、奸淫、棄嬰、吸毒、車禍等新聞。日有數起，較諸三十九年來台時大爲增加，而以台灣的面積與人口來一個比較統計，眞是怵目驚心。這決非與國氣象所應有，必須切切實實做移風易俗的工夫。

在台灣努力實行三民主義，做成善國的榜樣，對國際可以使世界人士具體認識三民主義天下爲公的面目（杜拉斯在台北說，美國人不識三民主義），對大陸可以加強人民抗暴革命之號召。中國歷史上偉大的軍事家與政治家，研究伐暴救民的政略，無不以修德行仁爲先務，決沒有純武力可成功者。國父當放棄總統的高位，就鐵路督辦之職；當歐戰正酣，舉國擾攘之際，他埋頭于實業計劃之創訂，三民主義之宣傳，就是這個道理。可惜他沒有一個可以實行的環境，徒留理想于人間。今日國父的信徒，有政權，有指揮如意的環境，有各項良好的條件，如果努力于三民主義的建設，成功必較快速，然後把握時機，督師中討，共匪在衆叛民離，逶而去之的情勢下，豈能有人懸戰術可用，豈能有俄帝武器可恃！國際是現實的，所以我們力量充足，誰能够限制呢？所以光復大陸的主要途徑，從實行三民主義是似迂而實最快捷的途逕。

（十月廿五日台灣光復節）

鐵幕內無人想看報紙

蘇聯國營報紙，雖然沒有其他報紙和他們競爭，但銷售很成問題，因爲人民不想看。報社中人，爲想把政治氣味太濃改正過來，而多載一點社會新聞，和一些情調輕鬆的資料，就立即被黨當局指責。因此大多數的報紙，尤其是地方報紙，依然沒有人想閱讀。

中亞細亞卡薩克共和國的『卡薩克眞理報』，居然實行『資本主義的』讀報有獎辦法。給推銷得多的人以獎品。社會工作人員，如能招徠訂戶一百份，便可得收音機一座。或影相機，或手錶。如推銷獲定戶一百五十份，便可獲單車，留聲機或大鐘。

卡薩克共和國是蘇聯第二最大的統治區，而其農業工業在蘇聯經濟中，日趨於佔領重要位置，因爲蘇聯經濟中心向東移。因爲千千萬萬的西部人民遷來此區，他們比較上是渴閱報紙，故銷售尚可觀。

社會主義的工業

捷克汽車一向是英國汽車廠的勁敵，因爲捷共奴役工人。但在最近將來可減少此競爭，假如捷克不太犧牲成本的話。

最近調查捷克柯柏里尼斯的他托拉汽車廠，知該廠出產的『他托拉六〇三式』的生產成本，達十萬七千克朗（一捷幣），等於英國五千鎊，而且此種車又絕非華貴之汽車。

成本太貴原因之一，是有許多工作是用人手做的，並且還需要其他工廠三十間供給器材。當『他托拉汽車廠』要求他們減低價錢時，他們答覆道：這是官方定的價，縱然我們的成本減低，但價錢也不能減低。社會主義的工業就是這樣！（本文取材自十月廿四日倫敦「每日電訊報」）

泰國政變幕后

據倫敦廣播的評論，泰國乃沙立元帥政變泰國政局之主要目的，在於穩定泰國的經濟情況。據悉，泰國的經濟命脈主要是操在華僑手裏，華僑經濟對泰國起了決定的作用，而近三數月來，華僑資金相大量轉移到星馬地區，原因是星馬的新政府有堅定的政策又明確的保護投資者，而泰國則幣值不穩，經濟動盪，再加上政黨林立紛擾不絕，正常工業無出路，泰國政府對華僑又缺乏明確的保護政策，遂迫使華僑資本不得不另謀出路。

目前的情勢，可能會因爲乃沙立的強硬政策，而使泰國內政趨於穩定，經濟之波動亦可能變得喘息而趨於和緩，如果泰國不會然出以排華措施，則華僑資本之外流亦將可以自動遏止。

由於乃沙立對共黨活動採取了斷然措施，中共通過僑委會，向泰國發表有關聲明，並要求釋放在押之共諜分子。（寶）

自由談

幻滅的和平夢

當毛共在台灣海峽開始軍事蠢動，砲轟金門馬祖，而美總統艾森豪與其國務長官杜爾斯亦相繼發表必須協防金馬的強硬言論之際，毛共深感形勢險惡，慄凜危懼。乃在華沙的美、毛秘密談判中，由王炳南向美方表示毛共之所以炮打金門，是因爲共匪廈門福州一帶，常常受着金、馬我軍的突襲，不得不採取防衛行動，暗示它們並無進攻台澎的意念。如是乎，美國當局信以爲眞，馬上把原有政策作一百八十度的轉變，主張撤退金門守軍，以示妥協。詎知毛共於美國態度軟化，第七艦隊停止護航後，却再三聲明美國沒有過問台灣事項的資格，非「滾出台灣」不可！

當美國的「中期選舉」運動進入競選高潮之際，艾森豪總統猶於過去藉「和平」主張而贏得選舉勝利的舊事，急忙教杜爾斯到台灣來訪問，用種種理由勸說中華民國政府同意發佈一項不以武力反共救國的聯合聲明，以爲這樣就可以博得美國人民的擁戴了。詎知選舉結果，共和黨竟落得一次史無前例的慘敗，白宮當局亦嘗到了損人而並不利己的痛苦滋味！

光看這兩項措施，即證明民主黨攻擊共和黨政府的外交政策是「進退失據」，是「沒有領導作用」的話，確非完無故實的宣傳詞令。共和黨則强調他們的領袖保持了和平生活，却不想想這種苟安一時的和平代價，究竟犧牲了自由世界多少的土地和人民？貽下了若干隱患？如果專以毫無原則的妥協姑息措施爲「和平」，那就不如乾脆實行英國哲學家羅素的主張，向俄帝無條件投降，讓它控制全球，慢慢地等待共產魔王施行仁政，而美英現時大量消耗財力物力的核子武器競賽工作，亦根本用不着了，豈非一勞永逸而又澈底的和平生活嗎？

缺乏高等智慧的人，對於自己偶爾成功的史事，總是念茲在茲，憧憬不已，然對於失敗的教訓，却漠然置之，滿不在乎。此人類悲劇之所以層出不窮也，易勝慨嘆！

馮子先生

林語堂談：作家的靈性與風格

凌人

林語堂博士在廿三日台灣各文藝團體聯合招待茶會上，發表了他對文藝創作觀念。他說：「小說沒有寫法，把人情看透了，自然而然成爲小說家。古人說：『事理調明，即是學問，人情通達即是文章。』就是這道理。」

「一般人寫小說，嘗重文字的推敲，其實小說本身，修詞固然重要，但作者個人的思想、情感、德性更重要，一篇小說裏面，沒有作者個人的思想、情感、德性，不論修詞如何優美，永遠不能成爲一篇第一流的小說，所以，由思想、情感、德性構成作者的性靈與獨特風格，就成爲這個作者作品的骨骼，沒有骨骼的作品，是言之無物不值一讀的作品。」

「一個文人的性靈與風格的培養，首先要建立理智的思想，作自由的發揮，所說的話，一定是個人的由衷之言，所看的問題，一定是個人的一己之見，決不處處仿學古人，古人對就對，不對就不對，這樣，才有獨特的思想，有眞知灼見和高人一等的看法。寫出來的文章決非人云亦云的無病呻吟之作，而是有生命的創作。」

「有些人博覽羣書，但培養出來的思想，竟味同嚼蠟，一無所取，這是缺少思考的緣故，所以才『有學無識』，得不到眞知灼見，因此，『識力』的培養極爲重要，培養『識力』的方法，仍是前面所說的，要說發自個人的由衷之言，尊重個人的一己之見。」

簡而言之，林博士對寫作的觀念，不外是：作者應當以獨立的思想，從事自由的創作，發揮個人的性靈和風格，才能產生一流的作品。其和胡適博士在今年五四文藝節在台灣對大家所主張的「人的文學」、「作家應海闊天空的去自由取材，自由創作」等說法是相通的，一言以蔽之，其基本論點，都是主張「自由思想」、「自由創作」。蓋一個作家如果沒有了思想和創作的「自由」，就不能有優良的作品產生。

最可惜的是舉行茶會請林博士發表演講的那些文藝團體的主持者，大都是專搞文化運動，制訂文藝政策，領導文藝方向，且專喜愛舉辦「文藝訓練班」的人們，他們自己甘心將鼻子牽在別人手上，却又去硬拉別人的鼻子跟他們去跑。

他們對于林博士所强調提出的文藝寫作的自由觀念，不知應作如何感想？

評毛詩：「送瘟神」

王世昭

最近毛澤東寫了兩首律詩，題曰「送瘟神」。

我記得唐人韓愈，爲了驅鱷，所以作「驅鱷魚文」，又爲了送瘧鬼，所以又作「送瘧鬼詩」。驅鱷之地在潮州，似乎很有效果，所以古今人樂道之。送瘧鬼到底靈不靈，應請醫生證明，病家自已考驗才好。

毛澤東今日貴爲「主席」，自是百神扶助，小鬼驚逃。所以也想効法封建時代的帝王如唐明皇者，親自吞蝗，遂使蝗蟲絕跡，而德及大陸的人民。所謂送瘟神也者，亦不外向古人看齊，祈求上天庇佑，對老百姓邀功而已。不過，以這證明毛澤東的封建殘餘思想也很濃厚呢！

若論這兩首詩，與柳亞子代筆的「沁園春」詞，眞不啻十萬八千里。毛澤東無詩人之修養，偏要東施效顰一番，眞不知量，而且不知趣。

原詩云：「綠水青山枉自多，華陀無奈小蟲何！千村薜荔人遺矢，萬戶蕭疎鬼唱歌！坐地日行八萬里，巡天遙看一千河。牛郎欲問瘟神事，一樣悲歡逐逝波！」（其一）「春風楊柳萬千條，六億神州盡舜堯。紅雨隨心翻作浪，青山着意化爲橋。天連五嶺銀鋤落，地動山河鐵臂搖，借問瘟君欲何往？紙船明燭照天燒。」（其二）。

這兩首詩，論形式，共重了三個字，即：「千」，「一」，「山」是也。而「其一」，「一綠水」與「逝波」意同而又相反。以「一千河」對「八萬里」，未免杜撰與訛謬，[illegible]爲周穆王典故，而「一千河」則不知何故事云！至中間兩聯，較爲通順，胡鬧，一悲一喜，寫盡大陸慘狀，也反映毛澤東志得意滿的心境。其中「薜荔」[illegible]「薜荔」之[illegible]，柳子厚曾有[illegible]「薜荔」[illegible]，至首聯用[illegible]，那是[illegible]欲問瘟神事[illegible]可謂驢頭不對馬嘴[illegible]不切，內容亦多矛盾。說到其二，更多笑話。請問：直是「千村薜荔人遺矢，萬戶蕭疎鬼唱歌」，又何能有「春風楊柳萬千條，六億神州盡舜堯」之光風化日氣象？說到「紅雨」漏灑，自是血光漫天，殺人不下二千萬的自供。「青山着意化爲橋」一句，也許寫實。但[illegible]所見，[illegible]

[illegible]

均默六十同人詩以壽之分韻得罔字

黃華表未是稿

曾陪日月光，意自難量。[illegible]應在念。[illegible]

宋皇台遺址考證

簡又文

今進而研究「宋王台」三字之意義。於此有兩說，其一，歷來多人以爲帝昺偕弟衛王昺駐蹕官富時，常登小阜遊覽，及入山洞嬉戲或小憩，故所謂「台」，即此戴石小阜（聖山）也。從常識言，借稱山石爲高台，此說未嘗不近人情。其二，據嚴格的歷史考證，上說殆非也。上錄「舒志」明言：「台側有石，鐫有『宋王台』三字。」可見石側必另有台，則此石此山之非台也明甚。而石上刻字，殆所以標出台之在山麓附近地方而已。最近，我爲此一點，曾與同文李景康（鳳坡）先生互相討論承其來函表示意見云：「『台』字問題，如一般俗人以該荒地一幅（小山）爲台，亦極可笑。試一翻類書如『淵鑑類函』或『事類統編』，『台』字俱入『宮室部』，並非『地理部』。故古人於地勢高而有建築者多稱『台』；例如：燕之『黃金台』，西漢之『思子台』，東漢之『雲台』，曹操之『銅雀台』，趙佗之『朝漢台』，皆其類也。但宋台久已不存；今仍稱『台』者，不過沿用舊名而已。」這眞是考據精詳的高見，且與上錄「舒志」所言「台側有石」句相吻合，足稱定論。

夫此山此石之側，既另有『台』——建築物，則爲紀念千古勝蹟計，其地——包括現已夷平之小阜石刻原在地及山麓附近，即原有宋行朝宮殿或台等建築物之所在處——現在總統稱爲「宋皇台遺址」。（近人亦有此稱，見「宋台秋唱」。）（按：九龍歸英後，「宋皇台」之變遷事蹟，將於「記錄之部」另有詳記茲弗及。）

余作宋皇台遺址考證竟，不禁感慨繫之。憶明儒陳白沙先生書趙瑞匡門奇石詩云：「忍奪中華與外夷。乾坤回首重堪悲。」信足悲矣。雖然，景炎祥興均已矣。孰意六百餘年後，天壤間猶餘海角彈丸之地，他山之石，有宋存焉。此以見人心思漢之終不可膩滅。夫心匪石也，而自有其不可轉者存焉，則亦可以興矣。

肆　二王殿

宋皇台遺址尙有勝蹟可考者，爲「二王殿」。據「新安縣志」（卷十八）「勝蹟略」之「古蹟」云：「官富駐蹕。宋行朝錄：丁丑年（即景炎二年）四月，帝舟次於此，即其地營宮殿，基址柱石猶存。今土人將其地改建北帝廟。」

考「新安縣志」（卷二）「輿地略」之「都里」有「二王[illegible]」[illegible]王或爲皇，[illegible]

陶之「石垣記」云：「宋行宮舊址，[illegible]之，其說益信[illegible]」。另見「[illegible]及祀合之「[illegible]蹟略」所謂[illegible]見石側之台與[illegible]人異其稱耳。（「二王殿」當是後人所稱之俗名[illegible]

（七）

逃亡前記

盛紫娟

抗暴短篇

[illegible]

（七）

自由人

THE FREEMAN
（第八〇三期）
中華民國僑務委員會
頒發登記證台教新字第一第二號
中華郵政台字第五〇〇號
執照登記為第一類新聞紙類
（半週刊每星期三 六出版）
每份港幣壹毫
台北市售價台幣壹元伍角
督印人：陳文華
地址：香港高士威道二十號四樓
20 CAUSEWAY RD. 3RD. FL.
HONG KONG
TEL. 771726
承印者：東南印務出版社
地址：高士打道六十四號
台灣總經理處
台北市西寧南路壹壹零號二樓
電話：三〇三四六
台郵撥儲金戶九二五二
海外總經銷：友聯書報發行公司
香港：德輔道中二十六號A二樓

我們的反省

張六師

人類文明在倒退中

俄共頭子赫魯曉夫到平後，所導演的遠東緊張局勢，會打破了部份地區的僵化與沉寂。也警覺了少數墮落，苟安，自私政客，使他們明白覆巢之下無完卵，更了解共黨人一旦得志「天涯海角」也會被各個「消滅」，同歸於盡。最有價值的是使亞洲人更進一步了解西方安撫主義者和共黨同路人的醜惡面目。——尤其是赫魯曉夫所明白指出「要埋葬你們」的英工黨左傾份子的面目。

二十年前，英國人李頓會率領「國聯調查團」到中國，揭穿了侵略者的僞象，國聯因此接受李頓報告書，保證會員國不承認偽滿傀儡。而美國史丁生的宣佈「不承認主義」，至今尚成為歷史佳話。以後，二次大戰，英國為了保障波蘭的獨立而與德國破裂。國聯為了制裁史達林的侵略芬蘭，而開除蘇俄會員資格。假使不因瑞典拒絕英法聯軍的假道援芬與俄作戰，蘇俄在二次大戰後是否還會存在，頗是問題。

可是今天世界的文明和人類的正義却已在倒退中，蘇俄共產帝國主義的凶惡面目，却把西方這一代的政客恐嚇住了。若干大國為了保持暫時的苟安與貿易小利，而忽略了未來生死存亡和子孫淪為奴隸的嚴重危機。若干小國則竟無知低能地竟與虎同眠。他們都對蘇俄所製造的外蒙，北平兩個傀儡政權承認是既成事實，以俄國所操縱脅迫的盜賊為賊贓的合法主人，蔑視大陸與海外反共抗俄中國人民的意志，打算製造「兩個中國」。更有部份低能，自私的政客還想對台灣作「中立化」的運動，擬犧牲金馬，作「拋薪救火」的愚蠢打算，不知自由世界的「薪不盡，火不滅」，莫斯科就是用自由世界來征服自由世界，在短短的二十多年間，人類的智慧，正義與愚昧，自私的距離，竟相差如是之遠，長此下去，難道「黑暗世紀」可能又要逐漸重見麼？

中國人向那裏走？

我們對於西方國家「重歐輕亞」的傳統觀念，認為不過是「種族歧視」與舊殖民地主義觀念的延長。他們這種觀念所造成的悲劇，是替莫斯科及其東方傀儡在開闢赤化世界的橋樑和道路，使國際共黨在這個矛盾中挽救了內部的危機，又獲得向外順利地長久。把西方在遠東的百年經營，到處放火燃燒，迫使西方不得不撤回殖民而孤立起來，然後再徹底「埋葬」。

我們由於三十年以上的經驗和犧牲，獲得了今日對莫斯科與國際共黨的知識和了解。因此，我們對這次台北的中美會談公報根本不予重視。因為第一它不是兩國間長期性的條約。第二它不是通過大陸區人民與自由中國海內外人民的一種法律。而是一種某一時期中兩國政府對當前局勢的態度說明。其作用，也如杜勒斯，艾森豪等的談話等量齊觀，視為與中共對金門「招降」文告，「即將」與「停火會」力相同。在時間過去，形勢更新之時，是無有拘束力量的。進一步說：我們就是對於一九五四年中美條約換文中拘束中國的所謂「任何一國」，如不經獲得共同協議，將不使用駐紮於中華民國土地之任何武裝部隊」的規定。（即饒伯遜二次對記者所謂：「任何攻勢行動將受吾人換文條款所限制」的含義。）也認為不足重視。因為中美條約明明白白是防衛台澎的條約。在美國四十七年來始終承認中國領土主權完整之際，而在雙方條約中特別提出「台澎」地區性的規定，即說明其拘束力雙方均限於台澎地區的防衛。故與中華民國的內部國策——剿匪戡亂，恢復失地是兩回事。在美國未承認北平傀儡一日，即有承認中華民國有治理其憲法所規定的全部領土和主權完整的義務。所以中國政府有關防衛方面的事項，自然要照條約規定與盟邦協議。但對於處理自己本國內部有關治安，和國防機密的問題，中國既不使用美國「駐紮於中華民國領土任何武裝部隊」的可能與必要。所謂「任何攻勢行動將受換文條款限制」之說，便不能成立。否則便給中共以宣傳和攻擊美國借口，而一般人便易把美國與中國的關係說成也是和中共與蘇俄間的關係一樣，這才是最不明智的。過去一年來的「受美國約束」的[illegible]，會製造出一物的流言，作為「反攻無望」論的基礎，而倡為「[illegible]」論」如英工黨左翼的議論，等於在反共營陣中投下一枚原子彈。如今，正值大陸傀儡政權危機嚴重之際，中共藉口外來安內，對外發動金門砲擊，對內藉此實行「人民公社」和「全民皆兵」以鞏固統治，加強奴役剝削。但我們如果再長期等待匈牙利式之變發生才行動，何異自以西方國民自居？共黨過去大大小小的匈牙利式反抗，已不知有多少，既無大陸基地，外間隔絕，如何法援？所以即不正式反攻，也應開闢大陸反攻基地。

我們該怎樣？

今天國際局勢已非常明朗，俄共是志在滅我。而西方是寄望於我能如西班牙之[illegible]自摩洛哥以光復故土。其他則是寄幻想於北平傀儡之走向修正主義，能如狄托之獨立自主。如兩者皆失望，則只有走「兩個中國」路線，這是過去的國際暗流，我們固不必因疾諱醫。在西方重歐輕亞的舊觀念中，他們年來不斷積極於德國的統一——不願兩個德國之存在，但從不論說急求兩個韓國與越南之統一，更無聞協助自由中國獲得統一的說法。

我們既然歷年信誓旦旦，要「獨立反攻」，「自助天助」，「決不希望美國以人力參與支援」，「寧為玉碎，不為瓦全」。「不甘偏安一隅」，「誓必拯救大陸人民」，……當然，這是政府的責任，又是海外自由同胞的義務。但事實上我們究竟做了些什麼呢？

以具體事實和行動來表現

我們今日處境，誠如諸葛武侯所謂「與其坐以待亡，孰若伐之」。何況敵人已有亡之理，必亡之勢，只看英雄是否能造時勢而已。以下列最起碼實際問題而論，我們曾否腳踏實地的去做好呢？這是我們應該反省的。

一、在不需要英美的人力支援與排除英美內部親共勢力的情勢下，九年來我們反攻的準備——任何一種規模行動與方式的準備，究已到了能否光復若干省區？或至低限度一省一區的「建立基地」，「橋頭堡壘」的階段，有沒有？

二、西方一向崇拜實力數字，所以對我武斷「反攻無望」。我們對外聲稱只有六十萬大軍，西方人士於是打折扣說：「只有二十萬能使用在第一綫」。但我們也聽過西方人士說：「台灣政治果有效率，一千萬人口不難如德日俄的比例，（更無論如以色列）可以動員二百五十萬至三百萬兵員。」我們對此種準備，是否已有計劃有把握，和有表現給西方現實主義者一個「當頭棒喝」呢？

三、九年來的戰時經濟，全賴美援，至今還不見基本有效的自立辦法，無怪「反攻無望論」者要灰心短氣。但事雖渺，假如美國再來一次白皮書，或表演一套一九四八年大陸撤退主義，難道我們便永不立國，更不復國？

四、三十年來的大陸事實，證明中共羣魯不過是莫斯科的御用工具。今日單就北平一隅，一個政治都市，除去黨、務、政治、經濟、文化、軍事、特務……的顧問，技術人員與外交人員外，單只控制北平近郊三十多個部門的負責蘇俄「專家」就一千七百多人。（見共黨中國新聞社北平本月八日電）。至於各軍種、兵種的蘇俄軍事武力，更無待論。但九年來，只聽見中俄共黨在世界上大喊「美國佔領台灣」，却不聽得中國人在世界上使人相信蘇俄才是眞正佔領大陸。只聽見國際共黨大喊「美國人退出中國的領土——台灣」，却很少聽過中國政府要俄國人退出中國的領土——

（下轉第二版）

半週述評

不要為共張目

由於毛共最近對台峽戰事問題，提出所謂「和為上計」的冷戰口號，海外若干反共非共的報紙，乃連篇累牘地刊載「國共和談」消息，馬尼剌的報紙竟肯定的說國共雙方已在香港進行和平談判，而且將和談的條件亦報導出來了。實則毛共方面始終祇是唱着「和為上計」的俚曲，並未表示有甚末實際的內容，我們何必捕風捉影，像煞有介事地替它作義務宣傳呢？

政治瓦解的魔術

西方人，乃至於中國以外的東方人，對於毛共的一切作風，或許是莫名其妙，因而對於毛共一聲「和為上計」的口哨，即相驚伯有，揣測紛紜。現代中國人積卅年的跟毛共鬥爭的經驗，又目擊它在大陸上僭竊以來的各項暴政措施，除却甘作共黨之徒以外，任何人亦知道這是毛共的一種政治瓦解魔術，誰也要嗤之以鼻的。

毛共施展這項魔術的最大目的，乃想完成「和平解放台灣」的好夢。唯一的急務就要製造反美形勢，使第七艦隊不復協防台灣海峽，一面揚言美國必不可靠，終將出賣中華民國，同時則以彼此都是中國人的論調，表示不妨從事和談，由自己來解決本身的問題，藉以引起美國方面的猜忌心情。它既然不敢碰碰協防台峽的「美帝紙老虎」力量，而吹着和談的哨子，也就可以對外遮羞掩醜，對內鎮定人心。這項魔術的本質，我們既已一眼看透，無所遁形，那對於毛共所謂和談的謊言攻勢，唯有不予理睬，看作寓言無忌就得了。誰如以好奇的意念，有所注視推測，誰就有被戴上「贊成和談」的高帽子之可能，君不見前年毛共發動和談攻勢時，海隅若干反共人士因為說了一句人類皆喜歡和平生活的話，即被共特們誣指為贊許「和平統一運動」的往事乎？

所謂和談的後果

假使我們接受「和為上計」的魔術蠱惑，毛共為着反美的急務，祇要不教它撤消偽政權，聽候人民裁判的話，任何美好的政治諾言它都可以信誓旦旦地慨然發出，滿不在乎。等到魔術得逞，「美帝紙老虎」被迫退出了台灣地區，它眉眼一橫，有的就是清算鬥爭的「陰謀」，請君入甕。試看大陸上那些投靠的民主黨派人士，由「四階級聯合政權」而「跟隨毛主席走」，再進而「接受黨的領導」，終乃實行「交心運動」，成為如假包換的奴役工具，即恍然大悟矣。

毛共好話說盡，壞事做絕的事實太多了，是不遑枚舉，它亦會經公然聲明「我們只講辯證，不講信用」的政治策略。凡屬一個崇尚自由生活的中國人，如果還希冀跟共產黨修好言和，以期苟活，那便是自尋死路而已。秧歌文特們利用我們對美國外交政策，有時候表示批評反對的言論，即謂大家都是反對「美帝」的，自應該聯合起來，愛國一家。這種「認人賴厚」的噱驗，依然是騙人的和談詭計，但其幼稚淺薄的論據，是不值一哂的！

雷嘯岑

論「守氣」與「守約」

——南韓、南越、西德與我

雅斯

「孟施舍曰：視不勝猶勝也，量敵而後進，慮勝而後會，是畏三軍者也，舍豈能為必勝哉，能無懼而已矣」。「曾子曰：吾嘗聞大勇于夫子矣，自反而不縮，雖褐寬博，吾不惴焉；自反而縮，雖千萬人吾往矣」（孟子知言養氣章）。當局嘗曰「反共必勝，復國必成」，非視不勝也；又曰「此乃光明對黑暗，正義對邪惡之戰。」，亦「自反而縮」也。今觀夫「中美聯合公報」之聲明，自我而言，固不如「曾子之守約」，且不如「孟施舍之守氣」也！

往史遠且勿論，今之南韓，西德，南越固可同時而語。吾謂南韓老人李承晚總統，今之勇士也，其言常錚錚有聲，近嘗謂：「美國及其他自由國家在第一次對抗共黨國家（包括中共）之戰爭中，實可驗時倚賴大韓民國以其七十二萬武裝部隊之支持」；又曰：「吾人並不擁有多大力量，但吾人在爭取自由與獨立之鬥爭中，將常盡吾人所能為力之一切」。敢作此言，勇也；能作斯言，義也。猶憶當年板門店和談時，韓國力爭，我對之固未嘗作類此之言；三八綫既成，李承晚且宣言揮戈北指之時，我亦未嘗作此類此之言以為聲援。今當中美聯合公報聲明之際，李氏斷然言之，實不啻為我而言也。

唯其李氏敢作政言，故當韓國問題提出聯合國時，英美各國莫不予以正視，支持「解決分裂之韓國問題，必須北韓同意舉行眞正之自由選舉」，主張「在統一，獨立，民主之範圍，由一個代表方式之政府統一」，且堅持不撤退駐韓美軍；以視英美之對我，雖曰反對中共加入聯合國，而「兩個中國」之觀念，却常情見乎詞。是英美之對我遠不若其對南韓。其故為何，雖曰形勢異，亦我國之決決作風，適于目前處境，遠不如李承晚之敢作敢言也。

在冷戰中，西方猶不致存「兩個韓國」的意念；而在金門熱戰中，西方的行動竟不以「兩個中國」的事實存在為換取和平。為何不同若是，雖曰形勢，豈非人事哉。在南北韓之間，順逆分明，固無異于台灣與大陸之間，為何看法不同若是，雖曰形勢，豈非人事哉。

西德更無論矣。張君勵氏新近遊過港，會謂「西德與台灣在現世界上同為一半共產一半反共之國家，其分割之情況相似，然其地位與處境，實不可相提並論」。其所以然者，張氏以之歸功于德國國民有決不放棄東德之對俄示威，而德國國會亦能反映自由之民意表示決定統一；其實亦由于阿登諾老人能以頑強之態度表示其主張，不以英美改變政策為憂，令西方國家不敢[illegible]

[illegible]

（寫于「國父誕辰」）

台灣的人口問題

○莫一生○

台灣通訊

今日台灣許多問題，不斷爲有識之士所指出，但這個人口膨脹，土地狹小，增產有限的嚴重現象，尚很少有人加以重視。

台灣地處亞熱帶，天然就是人口容易繁殖的多產區。許多來台的不孕婦女，一到台灣後就瓜瓞緜緜了，一般農工階級固然是子女衆多，而感到家庭經濟難以負担，即就中下級的公務員，不成家則獨自可，一成家就大喊老牛破車不勝負荷之苦。

一年就增加了四十餘萬

台灣在民國三十五年光復之初，曾就人口有一個約略統計，那時是六百零九萬零八百六十八人，僅一年後，就增加了四十餘萬人，變成六百五十萬了。及至民國四十年，這四年時間，增加了一百三十多萬，而成爲七百八十六萬人。四十一年人口已超過八百萬大關，到四四年全台灣舉行了第一次戶口普查，那時發表普查結果，常住人口已達九百二十一萬，這數字僅是指在台申報戶口的民衆，而無須申報戶口的全國駐台的陸海空勤武裝部隊，及友邦駐節使館人員及其眷屬，當不包括在內。我們保守一點估計，今天台灣陸海空勤部隊及軍事機關，只算七十萬人吧，那麼全台灣人口，已在民國四十四年就超過一千萬大關了。

早已破千萬大關

四十六年年底，有關當局又將台灣人口重新統計一下，已增加到九百六十九萬零二百五十人，如果加上軍隊及友邦使節眷屬人員，當在一千一百萬左右。若就台灣光復之初的六百萬不到的人口來比較，這十年時間，台灣人口上增到幾乎一倍了。如果我們再在台灣過上一個「十年」，不反攻大陸，人口又勢將上增一倍，那時兩千萬餘的數字，光是這人口問題，也就夠我們焦頭爛額了。

人口激增是一個隱憂

凡是今日居住台灣的人，無不深爲今日台灣人口的激增而引爲隱憂，只要走過公家宿舍，平常家庭，或甚至大街小巷，到處都可以看到一窩呼喊嬉戲的小孩子，感到這些小孩子多得就像地底鑽出來的。筆者曾在一個文化小機構服務，初時同事僅十八人，住在那個院子裏平靜清雅異常，看到同事們一個個娶妻，一個個生子，祗不過六七年光景，這院子早就沒有太平日子過了，僅是那些能跑能跳，能喊能叫的大孩子，即足以編成滿排人有餘了，而那些襁褓扶持，或腹內待產的尚不計算在內，如果台灣爲政治原因而被困的情形再繼續十年，這些未來的人口將向何處伸展？

每年人口增產率高達千分之三十六

我們即就前述官方歷年人口統計數字來看，台灣人口每年增產率最高達千分之三十六，最低也有千分之二十七，平均起來，每年增產率約在千分之三十四左右。這也就是說：台灣人口每年要增加三十萬之譜。台灣一個普通縣市的人口約在三十萬左右，這情形也就是說：台灣土地面積永遠固定那麼大，而人口卻每年要增加一個「縣」或「市」，所容納的那麼多。

十一個農民生活一公頃地須負担

我們都知道台灣還是一個以農業爲主的社會，全島面積僅有三萬五千九百六十一萬餘平方公里，而山地面積卻佔了三分之二，這也就是說可以從事農業生產區僅僅全島面積的三分之一。據民國卅六年的統計，全省耕地約在八十三萬公頃左右，而農業人口三百八十萬（該年全人口六百五十萬），農業人口佔全人口二分之一強，到民國四十五年再統計，可耕地約八十七萬公頃，但是四十五年的農業人口卻由三百八十萬增加到四百九十萬，這一百一十萬，可是耕地卻僅增加了四萬公頃，我們用百分比計算，農業人口增加了百分之四十，而耕地僅增加了百分之五，這農民和耕地的比例，相差太懸殊了。這情形使我們可以計算出：民國三十六年，一公頃耕地只要負担八個農民生活，現在由於人口增加，現在一公頃耕地就須負担十一個農民生活，這些用數字計算出來的事實，不比一般道理可以強辯反駁，敷衍粉飾，筆者用意也祗是在指出這種人口和土地面積，不能同時增加的嚴重事實，作一個大量的呼籲，希望有關當局和專家們來共同補救這一可慮的事實而已。

應及時消弭可慮趨勢

就目前現狀論，台灣因人口增加而引起的問題，尚不致引起嚴重的恐慌現象，但如果就現有的增加趨勢下去，困在台灣的話，那就是很令人不安了。現在台灣本身的經濟建設，是依賴於美援上，我們每年僅能節餘約二十萬到四十萬噸大米輸出，而人民的生活，但是很平心靜氣的來講，確乎當稱安定進步，至少台灣同胞生活比日據時代改善得太多了，這是有良心的人都能承認的。如果我們能及時宣傳節育，開拓荒地，從事畜牧等工作，在人口猛增可能引致的憂慮情形，或能消弭於無形，筆者就所提出三點，分述於后：

提出三點意見

一、節育：適當的節育，而不致墮胎，是較爲文明合理的一種人口政策。台灣許多農民，漁民，工人階級，其由於生活內容簡單，再加上地理氣候的刺激，於是就倒致台灣人口激增。據說：台灣東部若干山胞地區，居民家庭均都生育八個到九個子女之多，這種家庭負担，一方面影響了本身生活，勞苦父母，同時影響了下一代健康，未必能充分顧及。如果我們能適當的使節育知識普及於民衆，另一方面提高民衆教育水準，相信在這些措施中，定能或多或少的改善多少現象。

二、開拓荒地：這幾年來當局固然也要於人口激增情形，而作若干補救措施，其中如提高農業區單位面積產量，開拓海埔新生地（所謂海埔新生地，即是利用海濱淤積沙灘，而能從事墾殖者，此種新生地，即純爲台灣特殊情形，大陸近海各省，或亦有之）。但是提高單位面積產量，我們雖然可以利用種仔，肥料，技術，水利等等改良工作，而使一單位土地內的產量儘量提高，然而單位面積產量有一定飽和點的，達到飽和點後，產量又逐漸減少。因此這一提高單位面積產量，只能作爲彌補人口激增一項補助性的措施而已。比較有效的還是在開拓荒地，據專家估計：台灣可以開發三十萬公頃海埔新生地，從事畜牧。另外還可以開發一百萬公頃的造林荒地，我們僅以每公頃安置二人生活（因爲是荒地待墾之故），那麼一百三十萬公頃，就可以安插兩百六十萬人的生活，並且這些荒地開發之後，每進一年收益亦愈增，因此安插民衆生活數字當亦不祗於兩百六十萬。

三、從事畜牧：前述開拓海埔新生地，可以發展畜牧事業，由於畜牧事業發達，其中如牛乳，皮革，食牛等加工事業亦必相隨發展起來，這當然是國家的經濟資源，也就是安插民衆生活的基礎了。

（一九五八年，十一，初，寄自桃園）

台南點滴

報載台南市忠義國民學校部份學生家長，陳情教育廳，市府，及該校家長會，指該校校長張石頭「擅建宿舍，影響學生上課。」引起輿論界指責。我帶着一顆懷疑的心情，去看了一看，始終看不出其弊之所在。我即詢校長，他領着我又巡視了一週，再進至他的宿舍，又到校舍後面二五公尺處再參觀他百年前所遺留的遺產。由學校後門出去，進至一條單人道小巷，敲開了門，六十餘齡矍鑠的老婦，正在用水擦洗凹凸不平的地磚，據校長介紹這是家母。左邊的一節間，外作廚房，內爲雙親的臥榻，廳裏的上半截，原是六個孩子與張校長夫妻八口所睡的，現已暫由雙親移住。這一僅及兩丈高，破舊、古老、簡陋的小房子，上面還是蓋的舊鐵片，誰會相信這是從事二十年教育，任滿十年校長的人住的哩！在這種環境之下，他還移到學校去，在禮堂的下面左側扶梯口拔了一方作客室兼吃飯，樓上一截走廊鋪了六叠舊的榻榻米爲臥室，這就所謂「校長擅建宿舍」云云。我看了後有點不平的心，立即走訪教育科長。他也去實地考察了一番。羅氏表示要爲張校長爭取另配宿舍外，對張校長這次所遭受的打擊，是非常同情。筆者看了報之後！想像中的校長「官舍」，是如何的堂皇富麗，原來竟是如此，正所謂百聞不如一見也，爰爲發表所見如上。（十一月八日）

呂增勳

海外文化人士對時局主張

（本報波士頓航訊）青年黨陳啓天，民社黨蔣勻田，衛挺生諸先生等於今年八月間聯名上書艾森豪總統，請對中共採取強硬政策，該函經譯載本報，頃獲悉該函已發生相當影響，美國務院並已有函覆謝，衛挺生教授曾以此經過致函中國國民黨中央黨部，並提出其個人對時局的主張，言甚誠切，亦多爲海外文化界人士所贊同，特將原函抄錄如左：

衛挺生致張厲生函

中國國民黨中央黨部張厲生先生勛鑒：違教多年，時念賢勞。昨由陳啓天兄抄示九月廿五日尊電，語承獎借至爲感佩。邇當時艱，政策莫定。我以彈丸孤地，獨當中蘇紅陣之全力。我軍無論如何英勇，而鄰境勞師難操勝算。兵者國之大事，況在今世，三日之內可以亡國滅種，非萬不得已誰肯使義爲他人而戰。且美國今多選舉，執政黨更不肯損動強敵以受民衆責難。美國朝野未有敵我之辨，其故在此。然台灣存亡在此一舉。適陳啓天兄與勻田兄先是以弟之函招，來美商，參加聯名請書，遂合顧以在美人士資格通告美國國務院，痛陳此事對於美國自身之利害與世界大局之關係實動其樞紐。而於八月廿三日聯名發出。函發之次日，中共已開始轟炸金馬。此函所發微生影響，美國總即調兵遣將，而國務院於九月十五日之函，及其以後之國務代國務卿函謝云：

「衛先生：陳蔣二君連署之來函，總統及白宮討論後，飭交國務部注意條見。我們感佩高見，已分抄交本部各之。」

（附關係國際間相互承認並改組代國務卿函謝附件（內有九月四日杜國務卿宣言），艾總統復蘇聯赫魯雪夫函，及杜勒斯國務卿聲明，及艾森豪總統對民衆廣播詞，及羅伯遜次官答記者招待會談話等文件）三冊請察洽爲荷。現蔣總統與杜卿會談之結果，台灣此後得繼續存在已無問題，我政府應即大刀闊斧刷新政治及社會，造成台灣在世界中之新地位。謹主張左列各點：

（一）改去戰時體制，實踐三民主義的憲政，樹立民主楷模，

（二）收攬海外人心，天下爲公，大開言路，與民更始，

（三）提高鬥智實力，教育第一，科學第一，工業第一，工程第一，全力以赴，

（四）裁減現役軍人半數，改善軍人待遇，由政府協助退伍軍人獲得職業教育，專門教育，高等教育，及減少冒農鑛事業之就業。

（五）改善公教人員待遇，使能生活簡樸，減少變賣以獲得生活費，

（六）澈除舊染污俗，應去有閑階級，使在台每一男女從事生產勞動或教育文化事業。

（七）協助大陸逃出之人士，完成其教育或就業，並使其作台灣醉生夢死者之新生力量。

以上各點，盼先生代向當局主張之。則台灣雖小亦仍能得世界人士之刮目相看。古人有言「寇自爲謀」，海外寄食平民所不代爲籌畫者當在此矣。復頌勛綏

衛挺生拜復

（民國四十七年十一月六日于康橋）

香港看台北政局的「新醞釀」

新聞隨筆

十一月十三日香港『工商日報』台北航訊，以「自由中國政局有新的醞釀？」爲題，扼要地描繪出台北在政治低氣壓下的沉悶！該文綜合指出幾項主要因素如下：

一、因爲「自由中國」半月刊的結果，失掉了海外優秀反共人士的向心力；而出版法修正案的風波，更助長了這一傾向。

二、陳辭修先生組閣後，確有人舊事重提「反共救國會議」，然而在曲高和寡之下，沒有了下文。

三、中美聯合公報未能獲得海外反共人士的一致支持。致使「我們的政府在政治威望上正處於一個低潮」

四、美國中期選舉共和黨失敗，「或多或少是感到一些創痛的。」尤其是諾蘭的失敗，使人爲之扼腕。

但該文又說，在這沉悶的氣候中，也出現了「絲絲不絕如縷的清風」；胡適的返台北，與立委王世憲（張君勱的內弟）攜了陳揆的私函，追縱赴日會晤張君勱先生，使敏感的人覺出「政局有新醞釀」了。

不過就愚見所及，政局是有新醞釀的，但距離成熟階段還很遠。在香港或許比在台北看得更清楚些，消息也會更靈通些。即以張君勱先生此次旅行講學來說吧，根據個人接觸所知，當局爲邀請他赴台一行，使者僕僕於途，但已爲他婉拒了。理由是：如果只是爲了觀光，不到台灣。如果要談國是，則先請執政當局拿出具體的誠意和事實的表現來。所以我私下覺得：王世憲如果是爲了作說客赴日，怕也難以完成「任務」。至於敘舊談談，張先生精力旺盛不減當年，談三五個小時也無所謂。

在我看，執政黨中央恐怕還不十分了解海內外在野反共人士的心緒和過去所受到的創痛經驗之難以平復。如果就左舜生先生七日於「聯合評論」所發表的文章看來，朝野之間「溝」既很寬，「牆」也很高，距離也很遠。

但望執政黨當局真能拿出誠意和事實表現來，敷敷衍衍，怕是於事無補的了。○金葉。

我們的反省

○張六師○

（上接第一版）——大陸包含外蒙、新疆、東北……海南島。以致把主人當作賊，糊塗的西方政客，居然也認爲金門、馬祖是大陸的了。（離奇荒謬的台灣領土「法理論」，更是由於我們不能反攻而招致的侮辱。）

五、誠然，以海外自由中國的人口作比，我們還不足三千萬。連組織一個光復大陸後對大陸上反共新政黨（乃必然有的），相比的選民數字也不夠，政黨制衡之效當然更說不上。但今天要集中全世界反共中國人的力量以應付當前大敵，我們如果沒有具體有效的政治團結方法！——至低限度如以色列，我們的政治反攻，還能說得上把大陸反共同胞也能結成一個陣綫嗎？但至今我們還不見這個有效辦法何在？金門的砲聲，給我們的好處不少。炎涼的世態，也給我們以刺激不小，我們能否善爲利用時勢，這就是要看我們的智慧和勇氣了。

台銀來函：

台灣銀行總經理王鍾昨（七日）以公函致本報，謂本月五日本報所載劉聯君的「台灣銀行二三事」一篇報導，「查與事實不符，請查照惠予更正」云云。

幾經清算的朱光潛

○白方明

朱光潛教授是我國著名的文學家，身陷大陸，中共對他所作的思想清算迄未停止。本文是敘述一九五二年朱先生被清算的實況，原載「聯合」周刊三〇五號，爰特節錄轉載，用以哀憐這一位當代學人。——編者——

日前看報，又見載有北大教授朱光潛被嚴厲清算的消息。我覺得中共對朱光潛窮追不捨，斷不是對他個人進行攻擊那麼簡單，而是對他的思想及他代表的思想體系進行圍剿滅絕。因為中共最害怕的，便是除了「毛澤東思想」外尚有另一個思想體系存在，尚有另一個思想體系能對全國人民散播出有力的影響。

中共清算朱光潛，並不自今日始。遠在一九五二年，緊接「三反五反」之後，中共即掀起「知識分子思想改造運動」。

既然發動了知識分子思想改造運動，中共當然要進攻「自由堡壘」的北京大學。那時我剛好在北大，對於這個運動的始終均目擊其事。教授人人自危，飽受侮辱，他們成為待宰羔羊，怒指的箭下囚，師生關係發生改變，成為階級鬥爭的仇敵。中共清算北大教授，選擇其中最反動最頑固的教授作為重點，進行攻擊。文學院就是以朱光潛教授作為重點，法學院以周炳琳教授作為重點，理學院是研究自然科學的教授，中共對他們的攻擊也不如文法學院那麼慘烈，可是鄭華熾、江澤涵、申又棖、張宗燧諸教授在理學院內也飽受清算鬥爭。北大沙灘區的情況大略如此。工醫兩學院在北平西城，農學院在郊外羅道莊，情況不太清楚，僅僅聽說工學院長馬大猷是被清算的重點而已。

從局外觀察，一個教授要在北大全校性「思想檢討大會」上公開自我檢討，這位教授便無疑是被清算的重點了。朱光潛在全校性思想檢討大會上作了六次自我檢討，周炳琳作了七次，馬大猷聽說在工學院全體師生大會上作了七八次自我檢討。

朱光潛先生在六次「自我檢討」中，其中有兩篇檢討書印成活頁文選一樣的小刊，每篇約有七八千言。北大中共總支部順次發下給各個小組，每人一份，然後在小組會上檢討，討論的紀錄由組長綜合起來向上級彙報，較為嚴重的思想檢討大會，「北京」的「中央教育部」，「最高法院」也派人來列席參加，但是他們沒有發言。

朱光潛先生是安徽人，我國有名的文學家，同時又是一位學問淵博的學者。現在是六旬左右的老人了。他個子不高，方形的臉，沉潛明銳的眼光從黑邊眼鏡透射出來，使人肅然起敬。從他的「自我檢討書」中，我知道他曾在香港大學唸書，畢業後到英國愛丁堡大學留學，又曾在意大利某大學研究美學。他不但在中英文方面有很高深的造詣，而且也旁通許多種外國語文；不但在學術思想上有卓越的成就，同時在翻譯外文著作上也有重大的貢獻。他原先在國立武漢大學任文學院長，後來應北大聘為西方語言文學系主任，適值北大文學院長湯用彤到美國去講學，胡適校長又請他暫代文學院院長一職。他除在西語系講授英詩、翻譯等課程外，中國語言文學系又請他跨系來開一課「美學」。在政治活動方面，朱先生曾為國民黨中央監察委員會委員。如所周知，像朱先生這樣的一位學者，僅是掛牌當監察委員而已。中共不斷對朱光潛加以嚴厲清算的原因，據說是他「一向與人民為敵」，緣在五四運動之後，國內文學界分為「京派」和「海派」，「海派」以茅盾、魯迅、郭沫若諸人為代表，大本營在上海；而朱光潛卻是「京派」的中堅分子，大本營在北京。

五四運動以來，國共兩派展開生死之爭。共派紅色文學家通過他們的作品引誘青年走上「革命」的道路。在他方面，朱先生「給青年的十二封信」、「談修養」等作品，卻教青年用功讀書，有餘時間可作體操、打球等運動，或作澆水種花的園藝工作。中共未據有大陸之前，正是唯恐天下不亂，而朱先生勸青年讀書、打球、澆水種花，當然被中共視為死敵。所以上述那兩本書一而再再而三成為中共攻擊的目標。他們說朱先生在這兩本書中公然大肆宣揚資產階級個人主義思想和頹廢沒落的處世哲學，企圖消磨青年的革命意志，把青年引上「不革命」或「反革命」的道路上去。在大陸淪陷前不久，朱先生在北平某一著名雜誌上發表「羣衆的怯懦與兇殘」，文中多採用法國某學者所著「羣衆心理學」的觀點。在思想改造運動中，北大中共分子即據此文向他攻擊，說他寫這篇文章的目的在於勸誘青年不要參加那些「反美運動」、「抗暴運動」、「反飢餓運動」。

憑記憶所及，我把一九五二年思想改造運動中朱光潛先生所受到的折辱、侮罵、嘲諷和抨擊的一些事實加以輯錄，雖然零零碎碎，斷續不能成篇，但是亦頗可觀。

△北大在淪陷後，中共組有北大教職員工聯合會，聽說這個聯合會在某天晚上召開大會清算朱光潛，時間在思想改造運動之初，地點在北樓禮堂。會上竟有人高呼：「朱光潛跪下」。這就是在發動清算朱光潛之前先打一頓「殺威棒」。

△在第二次思想檢討大會時，由於朱先生第一次公開自我檢討被認為不夠坦白徹底，所以他在大會上說：「我總要把自己向組織交代清楚；否則我死了也不算完事。」從他的話聽來，他已把生命置諸度外。

△朱先生第三次的檢討書，劈頭第一句說：「我不幸生長在地主家庭。」中共分子尋瑕蹈隙，說他用「不幸」兩字仍然保有反抗態度。他們說：「中共中央內有許多黨員是地主階級出身。可是他們能夠背叛自己原有的階級，而改造自己成為無產階級。如今朱先生說自己不幸生長在地主家庭，」絃外之音，足以反映出他不願意積極改造自己的。」

△中共分子指出：朱先生曾託胡適替他在聯合國文教機構內找尋工作，這是一種向上爬的行動，同時他竟要倒向美帝資產階級，因為聯合國一直是在美帝操縱下的。

△中共分子指斥朱先生有濃重的反蘇思想。他回答說：「我的反蘇思想根源是由清代林則徐所說：『英、美、法、德諸國不足畏，亡中國者，其唯俄羅斯乎』而來的。」中共分子卻把林則徐擱置不予批判，僅僅辯稱：「那時是帝俄時代，今日的俄國乃是社會主義國家，他們是愛好和平的。」

△在教授宿舍裏，朱光潛賀麟的住所互為比鄰。有一天，他們兩人坐在客廳聊天。賀麟說：「聽說傅斯年在台灣去世，我們做朋友的不能弔祭了。」朱光潛答道：「我們只好遙遙致祭吧。」不知道這些話怎樣傳到中共分子耳裏，也成為清算的資料。

△經過三四次檢討，朱光潛先生受到巨大的打擊，有時喝酒讀詩以自遣。可是中共分子一點也不放過他。在大會上攻擊他說：「朱先生終日喝得醉醺醺的，坐在房裏唸綫裝書，顯然在思想上是逃避改造。」

△中共分子查出朱先生曾在四川宜賓附近以三千元銀洋購置田地，即斥責他仍擺不脫地主階級剝削的劣根性。他的回答稱：這三千元是稿費所得。

△朱光潛對於毛澤東的印象怎樣呢。我們也可從他的檢討書裏看出：「……我在偉大的遊行隊伍中，遠遠看見毛主席巍然屹立於天安門上，對於這位五十多歲的老人，心裏無限敬仰。他是美麗遠景的創造者。」上面這幾句話，別有一番意味蘊藏於字裏行間。在我逃離大陸之前，朱先生仍在西語系當教授，但是中共不讓他教書，只許他做些翻譯工作，研究馬列主義而已。

儘管朱先生在思想改造運動中作了六次自我檢討，但是始終沒有一次被大會通過。中共對他的清算，似無了局，不管是一宗無期的懸案，經過一次清算後，中共下令還押待判，隨時可能被解到刑庭拷問嚴詢。看來朱先生仍會繼續一次一次地受到清算。

唐代桂林之摩崖石像

羅香林著　中國學社出版

羅香林教授新著唐代桂林之摩崖石像一書，最近由香港中國學社出版，余承惠贈一冊，展讀之餘，驚喜莫名，如蔡中郎之獲讀異書也。該書共分三篇：第一篇為桂林唐代摩崖佛像之發現，第二篇為桂林石刻晚唐貫休十六羅漢像述證，第三篇為桂林訪古記，全書最重要，最精采之部份屬於第一篇。

在昔山西大同雲岡，太原天龍山，河南洛陽龍門山，河北磁縣南響堂山所雕佛像，與甘肅敦煌沙山莫高窟諸石室塑像，中外研究中國藝術史者，類皆盛稱之，獨桂林西山，伏波山，疊彩山諸處，其唐代佛教造像，有足與西北各區者相比論者，亦有數存焉者乎！

著者在民廿九年秋季，著者領中山大學一部份學生，由雲南澂江返粵北，沿途考察滇黔湘桂文化。當抵達桂林時，著者與一二友好，登危峯，行蝴蝶、疊彩、騮荆棘，分別於西山，伏波山，疊彩山發現唐代摩崖佛像；著者認為此種造像之作風，與大同雲岡，洛陽龍門之造像不同，反與印度菩提伽耶大覺塔古佛像，及爪哇佛樓大佛像大致相近，蓋與中國西北各地及中原之造像，適成另一系統也。

著者由此一假定，乃根據蒐討所得之資料，並精求論證，據以分寫下列各章：如桂林唐代佛教造像與印度及爪哇等地佛教造像之關係，及桂林佛教造像與交通孔道之佛教藝術傳播，以事實證明此一假定之完全無誤。

著者考證所得，「佛教東來，殆分四路：一路由印度西北經阿富汗、越葱嶺、入敦煌，而分布於甘肅等地；二者由印度東北、經緬甸至滇，北入巴蜀，由漢中沿漢水下長江而滙於洛陽；三者由印度東北，泛海至越南或廣州，循西江經湘水而滙於長江；四者由印度泛海經馬來半島，直接泛海而至浙閩蘇魯沿海，而屬於舊日青徐二州等地。其思想系統，與藝術作風，亦循此四地而異道，而中國文化之西行，亦似循此四道而與西化文化起交流作用。」（原書五八頁）

著者又謂桂林之佛教藝術遺物，自以西山摩崖造像為最勝。次之為伏波山還珠洞摩崖造像，又次為疊彩山摩崖造像。」如描寫阿閦佛像云「佛像坐高營造尺四尺數寸，面部頎長而端重，鼻根雖高，而略有波度，眉不與鼻根相接，而甚昂爽，目形扁長而溫肅，口合而脣微撅，耳長而垂至頷下，二足作趺坐形，左手輕撫膝蓋，而手背闊露，右手仰置上足，而掌心顯露，胸部發達而上突，乳頭細圓而顯露腰腹緊縮而內陷，袈裟簡樸而形薄，髮髻甚佳。造像背作圓渾形，全像作端靜證法狀，望之溫厚而健實，熟視愈覺莊嚴而可敬，能使人於無形中而嚮往不置，忘乎世事之紛擾，而頓生無極之至情，誠為造像之上品矣（原書三四頁）其描摹之佳，恍若丹青妙手矣。讀第二篇可見著者考證之細密。讀第三篇則見著者治學之勤劬。

原書印刷精美，插圖豐富，（共三十幅），其文字穠麗秀逸，纍而不厭，可上比楊衒之洛陽伽藍記，諸凡治宗教史、藝術史、交通史者，必將有取於斯焉。

王君實

幕後幽秘

俄援四十七項

中共宣佈：蘇聯最近又決定在技術上援助中共建設四十七個工業企業，包括冶金、水輪機、水輪發電機、儀表、發電站、煤礦、煉油、化工、木材加工以及特種金屬製造等企業。

過去蘇聯對于這種援助採取包辦式的，供給全部技術與成套設備，間中亦有應中共請求而應用一些自己的技術與製造一些設備。這次，改變了前述的援助方式，大部的技術，與設備除了特殊的新企業以外均由中共自己供應，小部的則由蘇聯供應。

但是，這些企業的產品生產特許權，需要蘇聯轉讓，據說是無償的；其所需的技術資料則需購買。這就是說援助的方式雖有改變，依賴的程度還很嚴重。

按這些蘇聯對于中共的所謂援助，實際是需以貿易方式支付代價的；如上所述，則證現着中共與蘇聯間的貿易額將減少。這種從對蘇聯方面減少下來的貿易額，勢必要尋找新的出路傾銷，東南亞當然首當其衝。

揭破「新增」之謎

過去，蘇聯領導人已不知多少次說過被中共榨乾了，這次改變上述援助方式的主要原因，當由此而出發。若果如此，則中共的工業生產與技術而臨考驗了。

以前所宣佈的，蘇聯援助中共的重點工業項目共計二一一項；去年年底以前已有四十五個全部完工，十六個部分完工，開工的八十六個。

今年十一月初宣佈，今年內預定完成蘇聯援助的重點工程將為三十多個，這些工業是由蘇聯供應全套設備的；既然供應其全套設備，則當不是包括在上述協議之內的，易言之，亦即上述援助方式改變的開始期間將是一九五九年。

從前述的情況來看，這四十七項工程不能說沒有新的項目，但其中的大部份將是原來二一一個中的項目，新增之說應該是有問題的。

大躍進萎縮信號響了

今年中共大躍進，絕大部分是由於加緊壓榨勞動力達到的，壯年的工作時間都在十六小時左右，老弱的以致于六七歲的小孩子也參加了勞動，集中起這勞動力施之於農業與工業，形成了大躍進，這是今年工農業發展的特點。

最近，各地突然普遍的喊起注意羣衆生活與農民的休息了，這當然是出於壓緊十分，放鬆一分，在形式上所作的假慈悲。但是，我們必須注意它為什麼要喊出這個口號，不用說，當是在其壓制下的人民已到達了不再能忍受的程度。首先可以斷言的是勞動強度將普遍的降低；如前所述，那末亦可預見其大躍進也將迅即萎縮下來了。

假如我們把這樣的問題擴大到政治方面去看，那末今多明春將是大陸上反抗者們活動的大好時機。因為過去歷史上指出這樣的事實：凡是反抗極權者的活動的時機，都不是在壓制最嚴厲的時候，而是在稍見放鬆的時候。

我們引以為憾的，當是自由世界包括國府在內都拿不出一點迎接這種趨勢的辦法，否則當可以事半功倍地加速摧毀這個極權政權了。○田心。

國際動態拾零

△美民主黨競選勝利，不是得了經費充足之故。南方民主黨募得之經費，並無一文送到總部。總部雇員最後一月薪水，迄未發給，房租亦欠了兩月。

△如艾森豪決計將人造衛星計劃，歸于非軍事機關，則陸軍火箭研究部長勃朗（Vor Braun），即將辭職，改在工業界服務。

△美汽車業如每年有七百萬輛之銷路，則該業工人即不至失業。一九五九年汽車預料可銷至六百萬輛，故減少之失業人數，不會過多。

△一九六〇年共和黨總統候選人之提名，尼克遜與洛克斐洛競爭必烈，艾森豪將嚴守中立。艾森豪必參加預選大會，但對二人之估價，其公開批評必無軒輊。

△美國與中共之華沙會談，已正式決定永遠繼續下去，假使中共要繼續談下去的話。明知談話毫無結果，但美國不願負破壞談判之責。

△日本太子對於選妃，有自由抉擇之權。其中最有希望者，為工商界鉅人之女，年廿四歲，曾邂逅太子於網球場，去年夏季始認識者。請帖已在印刷中，除非最後有變卦，不久即將公佈云。

△有一共產黨特務，曾以商人面目出現，要求葉公超獻攜，經葉嚴詞拒絕。（據美國新聞週刊）

△贊成炮轟金馬者，據說不是毛澤東與周恩來，而是林彪，且得蘇聯之支持。

・陶然・

自由談

法理與事實

馮[illegible]先生

在前一期的「自由談」中，我談到八九年來當居海外坐領議費的立法委員問題，認爲既不讓這些人到立法院執行職務，乾脆就把他們的立委資格註銷好了，何必公然掩耳盜鈴呢？所謂「註銷資格」這句話，原是一種加強論旨的反射語意，即等於說：「有幾十萬大軍，配備着現代化的武器，而又祇是被動挨打，不能主動出擊，那就乾脆把軍隊撤好了！」

然而，有人對我的說法表示異議，認爲立委乃是人民選舉出來的代表，依據憲法規定，他們的資格非經過民選不能隨便註銷，否則便是違憲，烏乎可？我自信這項常識也還懂得的，而且，立法院自遷移台灣以來，的確用「紀律委員會」名義撤銷過立委的資格，至今亦沒有人揚出異議，指爲違憲！我祇意否定這些久居海外祗領乾薪的立委資格和職權，毋寧是同情他們！因爲並非他們不願意到院服務。

法理與事實，每每發生距離或脫節的情形，即如我們這般依據憲法，經由選舉而產生出來的國大代表和立監委員，按照憲法規定，任期早已屆滿了。但以厄於事實，未能重行改選，如是乎，祇好依然留任下去。這在我個人看來（我是國大代表），雖然於法有據，但內心上總不免有些「外慚清議，內疚神明」的感覺。尤其使我就心的，我們政府既聲明不以使用武力爲討共復國的唯一手段，則光復大陸的期間，誰也不敢預定的。假使再過若干年而中華民國政府尚未回到大陸去，我們這般民意代表勢將逐漸凋零，萬一陷於不足開會法定人數的境況，如何是好？

因此，關於民意機關的個人進退得失問題，尚在其次，全部民意代表能否適應事實，重行選舉，這纔是值得慎思明辨的重大問題啊！

不買收音機的感慨

·符光祥·

自一天，老劉帶着感慨的口吻對我說：「台灣沒有音樂」，在他的意思，似乎中國的音樂家都跑了共產黨，所以台灣沒有音樂家，就沒有音樂了。接着，他又說：「小的時候，我討厭音樂，在學校時，十堂音樂課常有九堂課偸溜，現在年紀大了，忽然發覺不會唱歌，人生太寂寞，」說話的神情，是充滿了懊悔的情緒。

這就難怪他會說台灣沒有音樂了，我原諒他，同時，我也想起一件事，我先要說明的是，我是一所中學的音樂教員，有一次，我曾給學生們一個簡單的測驗，要他們把幾位中國有名的音樂家的名字寫出來。

結果有許多同學寫了姚敏、姚莉、白光。也有人寫上岳飛的名字，大概他記起滿江紅的詞是岳飛寫的。更有些同學認爲許多有名的音樂家投了共，所以他不寫。

於是，台灣每一個角落，日本歌曲仍那麼猖狂，黃色流行歌也那麼可怕，近來，電台通過王人美的漁光曲也翻了出來，這很使我感到難過，因爲一般人的音樂知識竟那麼自卑與貧乏，不是可悲的現象麼？投共的音樂家不是沒有，可是，站在自由世界這邊的音樂家却更多（不一定要在台灣）這個觀念應當弄清。做「卿雲歌」，「問」的蕭友梅，做「旗正飄飄」，「踏雪尋梅」，還有許多名曲的黃自和李叔同等，雖然他們都死得太早，但我相信，假如他們今天仍活着，對共產黨他們是唾棄的。活潑的傑作「茶花女中的飲酒曲」的趙元任，現在港台的黃友棣，蕭而化，李中和，等他們的作品與他們的精神，都是極使人欽佩的，聽說趙元任先生最近有回國一行之說，如果屬實，倒是一令人興奮的消息。

說到電影中的插曲，我記得從前的插曲，都是由名作家作的，如「天倫歌」，「大路」，劉雪庵的「何日君再來」，賀綠汀的「秋水伊人」等，雖是電影插曲，可是風格都極高，（劉、賀雖是共產黨，已死），就音樂的立場來說，他們仍有其價值的。

其餘像作「懷古」的陳田鶴，「玉門出塞」，「偶然」的李維甯，吳伯超等，和在海外被中共害死的朱永鎭，不管他們本身的立場如何，他們的成就，都是使我們懷念的。

我們中國人，自卑感特別濃，尤其在今天，似乎我們什麼都不如人的思想，[illegible]我們的科學水準太低，[illegible]這幾年來，電影歌曲狂熱，好像每個人都[illegible]「一句一變」，故此，[illegible]姚敏之流不是音樂家，[illegible]他們只是替販賣收音機的商人而已。

我的家沒有收音機，許多人都奇怪，因爲這件事對音樂的愛好者，爲什麼連一部收音機也沒有，要說明的是並非我買不起，生活在自由中國買不起一部收音機是令人難以相信的事，是我不願買，如果買的收音機一扭開，播出的都是什麼「一變變一對對」的黃色流行曲，我誠誓永不爲了沒有收音機而感到遺憾的。

宋皇台遺址考證

·簡又文·

考二王殿村原在聖山（即「宋王台」石刻）之西南（陳伯陶以爲在其東，其東爲海，當是錯誤），村西又有「二王殿山」，大概此即原官富山之俗稱也。是村舊有居民三百餘，以李姓居多。因附近一帶地方開闢市區，其村已廢。

北帝廟原在村之左邊，（此據陳伯陶上引語。其原址即今太子道法國聖德勒撒學院 St. Teresa Hospital 之背，九龍新警察局對面左邊。）亦因開闢市區，夷爲平地，而改建於譚公道，時民國十年（西曆一九二一）事也。惟今譚公道西有北帝街，想即舊北帝廟所在處。至譚公道之譚公廟，初建於乾隆廿一年，重修於道光八年，正門額有「譚公仙聖」四字，不知所祀何神，惟其右楹內又有匾額曰「宋王殿」，後來此廟亦隨宋王台而拆遷了。綜合觀之，大概「宋王殿」的匾額，是由舊有北帝廟遷來，結果兩廟均無存了。（譚公道當然是因原有之譚公廟而命名。即如北帝街，同爲紀念。）

陳伯陶又引「清一統志」稱：「宋行宮三十餘所，可考者四，其一爲官富場，此即二王殿也。」又云：「今（北帝）廟後石礎猶存，其地耕人往往拾古瓦，色甚黝，堅如石，雖稍蝕，然頗經久。」（見「宋行宮遺址碑序」，載「宋台秋唱」。）陳氏「遺址」當也，見「廣東文物」卷二攝影六三）。近人多爲題詠（見「宋台秋唱」）。余按：宋帝駐蹕官富，爲時僅兩閱月耳。在匆猝間建造行宮，大概只能以竹木構成臨時居住之處所，如後之在屋山然。時間斷不能許可其「大興土木」而有帝瓦建築之堂皇宮殿樓台，不過人以其究是皇帝「行在」，亦稱爲「二王殿」耳。矧當時官富一帶鄉野荒僻，殊非富庶繁榮之區，又何來此大量精製之瓦當？姑志此存疑。又按：官富之譚公廟與北帝廟，均嘉慶「舒志」所未載：當建於嘉慶後。又按：當時沿途行宮共三十餘所，除官富外，據史籍所載，有前之梅蔚，後之秀山、香山、碙州等處，餘在屋山附建共三十餘所也。

伍、土瓜灣，交椅石

宋帝在官富場登陸地附近有兩處地方，據故老傳聞，皆有趣味濃厚之掌故，以其亦在鄰近，故併述之於後：

詩四首

·懷冰·

北窗

恬淡高風北窗旁。閒自賞讀適莽蒼。蘿[illegible]微波迴逐宛。[illegible]匡林無趣[illegible]非樂。博鑑亡羊敢比臧。敢說平生愛樂大。能明吾意倘毋傷。

微雲

微雲漾帶曙星稀。滄海波翻客未歸。[illegible]鏡漫嗟玄鬢改。[illegible]多方始悟道通環解。斯世誰憐杜德機。莫嘆可兒尋霸史。邪巫柳嘆成團。

晨

長鐘未扣日初開。晨露林梢一角山。清峙峯巒仍聳立。[illegible]歸鳥任飛還。生涯自酒頻中聖。此事方[illegible]。六經未忘情擾擾。莫還皮相論時賢。

錦瑟

修教王謀獻璧成。翡翠珠璣眼角眼。花本無言有情有恨。[illegible]紅樓面面通[illegible]。左倚夷車紛掩靄。不[illegible]須臾。錦瑟絃絃抑碧城。[illegible]已心魔。

匆匆訪金馬

[illegible]沉寂以後，台灣幾位文化界人士組織了一個訪問團，赴金門戰地訪問，或者也可以說找些寫作材料。從海那邊射過來的砲彈的彈痕中，本有許多值得一寫的東西，寫作貴在體驗，此舉宜乎我們喝采。但不久報刊又出現他們匆匆返來的消息。眞是何其來去匆匆？

台灣文壇二三事

·梅魂·

大教授的「新詩」

某文藝函授學校，近來印行了一本該校師生作品集，其大無比，堪稱「巨」作。作家本產之不易，何況以生產孚育作家的文藝搖籃。該校的教授陣容，不少是「知名之士」，大多著作等身。但一位以開列專家聞名的先生，列身教授之林，有「代表作」刊於集內，其名「竹」之詩曰：

「亭亭如立且嬰姿，
像一個人字个字介字；
不怕風吹雨打日曬，
好一個謙謙君子。」

據該刊編者介紹，這是「新詩」，聽說有一位學生看到教授這首詩申請退學，據筆者看，這首詩倒頗爲「別緻」。

「有人盜印自是好書」

前些時，王藍的「藍與黑」爲書商盜印，一時哄動文壇，社會上都因此而知道有這麼一本「好書」，立刻一窩風搶購。這一搶却搶掉了三版，王藍的滿是「塞翁失馬」了。事後王藍告了盜書商一狀，結果不了了之，那位偸印書的商人逢人叫苦，說自己替王藍作了活動廣告。還要吃官司。盜印別人心血結晶，自然是「缺德」而不法不恥的行爲，不過這場「盜書風波」過後，「藍與黑」的銷路也到飽和了。筆者却曾經問過一位看這本書的朋友，基于那種動機買它，那朋友回答得好：「我也不知道，大家都在唸着這本書，而且有人盜印，自是好書」。

逃亡前記

·盛紫娟·

抗暴短篇

老崔不安地看了看她，就走了。

小梅套上大棉襖，對正坐在炕上補襪子的三個人說：「我去找金隊長。」

室長不放心地看看窗外說：「這邊這麼黑了，妳還出去幹什麼？這邊兒可不太平呢，壞份子很多。一會兒隊長就回來了，忙什麼的？」

小梅沒說話，從枕頭底下摸出一把剪刀，就往外走。

「小梅，小梅，妳怎麼不帶手電筒？」室長追出來問。

梅林壓低了聲音說：「拿了手電筒更危險，摸着黑走，沒有人會看見我的。」

當她剛過小橋，就碰見一個拿着把大蒲扇的人，一搖一幌地走來。小梅嚇得心突突地跳，便在原地蹲了下來。那個多天搧扇子的怪人，在淡薄的月光下，使人覺得很恐怖。

「一定是鬼。」她想。

等那個人走近一些，她覺得那個人的身形很像許鳴。已經近在眼前了，小梅一看果然是他，就大叫：「倒霉鬼，嚇死我了。」

許鳴沒提防在這沒人的村路上，忽然會有人在他耳旁大喊，嚇得踉踉蹌蹌地退了幾步，一隻手撫着心口，抖抖索索地說：「嚇死我了，嚇死我了。」

小梅不由得捧腹大笑：「膽小鬼。你晚上出來幹什麼？」

「借把扇子搧灶。妳知道我們屋後面停了一具棺材，好不怕人，我眞怕碰見鬼」。

「我也怕，但是偏偏碰上了你，看見金隊長了嗎？」

「在鄉公所開會呢。」

領導幹部散會後，小梅把金隊長拉到一邊說：「我覺得羅鼎同志很成問題，下放的意義他好像仍不大明白。整天胡思亂想的，這是他那兩封信，我看了以後很生氣，全是資產階級思想意識。而且太把個人利益放在第一位了。」

梅林這種積極組織的表現，使金隊長很高興，她對小梅說：「妳勞動表現好，作風也很樸實。最近思想更發生了很大的變化。我們一定滿足妳的要求，保障妳的安全，給他處分。以後妳可千萬別洩氣啊！仍要加緊勞動。」

關於勞動這一點，小梅的表現是驚人的。雖然，身體好是天然的條件，但是能够超過多數男同志，這事畢竟不簡單，沒有堅強毅力的人這是萬萬作不到的。因此，許人認爲這是不可思議的事，就連不大說話的採世宏，也挑着大拇哥說：「好樣兒的！」

小梅每天半夜就自動起身拾糞，擔水，雖然住在大台上的，幾個患肺病的幹部，已經因過度勞累得吐血了。這個問題很嚴重，因爲影響不好。金隊長就勸小梅，不要太拚命了。但是小梅怎樣呢？人家兩個人抬水，她一個人挑。別人一天割一百多斤葦子，她一天就割上二百斤。一般人抬大筐是多半筐土，她和老崔就抬堆了尖的一滿筐。

有一次抬柴火，恰巧金隊長那天參加了勞動，爲了鞏固威信，也爲了試驗試驗小梅，她提出和小梅搭伙幹。

「行！」梅林像個小老虎似的答應着，一面心裏想：「可別後悔呀！」

金隊長抬着一綑（六十餘斤）柴，就有些走不動了，剛好那天又颳大風，去伙房又是逆風，可是小梅却走得挺快。第二次又去抬時，梅林說：

「這次抬兩綑吧！」。兩綑柴禾在肩上，金隊長左扭右扭像在扭秧歌，小梅故意加緊了腳步，咚咚走。金隊長上氣不接下氣地喊：

「小梅，慢點兒，行嗎？」

「我們應該打破保守，力爭上游啊！」她故意笑着嚷道。

好不容易挨到了伙房，金隊長累得說不出話，靠在牆上直翻眼。梅林雙手插腰，朝氣勃勃地說：

「這次抬三綑，怎麼樣，金隊長？」

「不行了，我可不行了。」她心裏確實配服她。

小梅不但學會了趕大車，套牲口，而且還能騎着跑。小梅成了女英雄。

春節也就在忙忙亂亂度中過了，因爲上級號召春節不回家。

金隊長體力有限，她怎麼能跟小梅比？但是當大躍進一開始，她就提出了挑戰：「我要在半年內趕上梅林。」

（八）

自由人
THE FREEMAN
（第八〇四期）
20 CAUSEWAY RD. 3RD. FL. HONG KONG TEL. 771726

政治反攻之商榷

伍憲子

自杜爾斯抵台北，中美發表聯合公報，謂不憑藉武力恢復大陸，於是政治反攻之說，得以出頭。但政治反攻云云：其爲說不一。當此危急存亡之秋，再不容許我們挾偏見，作宣傳八股。我願提出問題，請大家虛心商榷。

一　美國是否安撫中共

杜爾斯抵台北之內幕，非局外人所能知。然政府當局平時言論，從不會放棄反攻，而且強調軍事第一。今竟公然宣佈，不憑藉武力恢復大陸，誠出人意料之外。無怪外間紛紛揣測，謂杜爾斯對台北施用壓力，不肯支持反攻，如此，則無異安撫中共。但我料杜爾斯未必出此。因爲安撫中共，於美國有百害，而無一利，杜爾斯或者是爲台北打算。以台灣一省之地，養五六十萬大軍，在平時已感困難，一旦渡海反攻，是否專憑武力，就可以制服中共數百萬之兵，使之土崩瓦解，杜爾斯似乎不相信。杜爾斯未赴台北之前，在記者招待會中，曾說過一句極不好聽之話，謂「不信蔣先生有反攻大陸之能力」。此話可以謂之侮辱，荒唐，亦可以謂之小心，老實。如眞是出於小心老實也，則今次之制止反攻大陸，並非有心安撫中共，而是示意改造台灣。誠然，以台灣之一隅，反攻擁重兵之大陸，確非單靠武力可能，杜爾斯之忠告，吾人應感謝之，而不應怨恨之。杜爾斯既非有心安撫中共，我們倘眞有意反攻大陸者，應該領受教訓，徹底覺悟。

二　領受教訓徹底覺悟

本來國家成立之三大要素，就是土地，人民，政治。有政治而後可以團結其人民，保守其土地，主權亦即在政治之中。政治範圍，包括甚廣，軍事只爲政治之一部分，應該受政治支配。季世政治失綱，造成軍人專政之局，於是軍事始獨立於政治之外。國家當艱難之會，習非成是，軍事第一之呼聲愈高。既然軍事第一，則政治必愈趨壞亂，此不能歸咎誰人，全國之人皆當負其咎。假令國人不負咎，而只爭權，將其咎歸諸攬權之一人，攬權者亦將其咎歸諸異己之人，而獨攬其權於一身，如此，則政治之壞亂，愈不可收拾。但此種現狀，每若不自知，而外來觀國之冷眼，則察察清楚，尤其是美國人，習染百餘年來之民主風氣，不慣於軍事獨力當頭。以美國人眼光批評台灣，其不相信無政治之軍事有能力反攻大陸，殆必然也。因此，提出警告，不可以缺乏政治精神之軍事，冒險向大陸進攻。此話雖未明言，然劍匣帷燈，光芒隱現。我們受此教訓，當大徹大悟，求出政治第一之理由，求出政治可以深入大陸，可以滲透大陸人心之微妙。夫然後可以憑藉武力爲後盾，以反攻大陸。否則什麼主義，都是一句空言無裨實際。

三　政治反攻的核心

近代談政治者，從事於羣衆運動，然不善探討羣衆之內心，每以自己爲主，以自己之思想或主義，強灌入羣衆之中，不知其內心是扞格不能入。此種手段，是運動羣衆，非羣衆運動也。共產黨與法西斯主義者皆用此種手段，共產黨更來得毒辣，反共者萬不宜倣效之。然不幸國民黨自十三年聯俄容共以來，中山先生曾說「民生主義即共產主義」。倘使中山復生於今日，見大陸人民之痛者，當亦自悔失言。最近中共以大陸人民救飢之糧食，換取蘇俄之大砲，殘殺金門之同胞，威脅台灣之安全，宋慶齡以中山信徒，發電向莫斯科，向蘇俄致謝。（據美聯社東京五日電，北平電台十一月三日廣播其電文）此事國民黨人不會表同情，而且憤恨其玷辱孫中山。然而宋慶齡則自以爲心安理得，眞正中山之忠實信徒也。今者中山往矣，我們崇拜英雄之心理，當尊重之。但不應過分推崇，作爲政治反攻之核心，授共產黨以口實，招輿論之反感，礙衆心之團結，啓無謂之紛爭。應當放開胸襟，以國家人民爲至上，稍抑其一黨偏愛之私，而後可以求出政治反攻的核心，在大陸及海外人民心坎中方能趨於一致。

四　自由民主之前提

一談到政治反攻，就有許多人要提出自由民主。不錯，自由民主是重要，無自由民主，即無政治反攻。但自由民主不是空言，享有自由民主之西方國家，今日依然受共黨困擾。蓋自由民主之於西方，就其長處言之，能獨立奮鬥，能休容政敵。自其短處言之，則各逞偏見，敵友不分。而且籠罩着資本主義之氣氛，充滿着物質文明之享受，養成一種苟且偷安心理。當此非常時代，不容易抵抗共黨之狂潮。在英國，雖以哲學界權威之羅素，在美國，雖以報界權威之阿爾索普，其學問不爲不博，其閱歷不爲不深，但對於共黨之魔術，就無法拆穿，而時發悲觀之言，造成恐共之病。無怪其政府中人舉棋不定，受克姆林宮主人玩弄於股掌而不自知，著着失敗而猶不改變。四十年前，歐洲第一次大戰將結束，有先識者早已夢西方文化之破產，思東方文化能爲之補救。今再證以近四十年來之事實，共產主義與西方民主陣營之冷戰，我中國之人性文化，確能給予自由民主以靈魂。在西方言之，尚且如此，何況我們要行民主政治以反攻大陸，安能遺棄之。事關大陸四萬萬以上人民心坎中所蘊藏，非打通之不能收政治之效。目前之失敗，可爲殷鑒也。

五　再不能錯誤下去

回憶七年以前，大陸淪陷，愛國人士憂心忡忡，思得援手，打回大陸。當此之時，人人想建新勢力，且以爲短期內可望成功。遠識之士則謂反共事業，不如從文化著手，發揚中國文化，建立反共中心，以文化支配政治，以人性運用人權，先聯合民主人士，各放棄其黨派之小見，共同團結於國家之下，以台灣一千萬人民，海外一千五百萬華僑，爲之始基，推動之以團結大陸之內外，而後可以轉移國之外交政策，堅其信心，使我恢復大陸之心，軍事反攻，方可談到。故此種事業，當爲長遠計劃，期以十年八年，不能求急效也。然不意聽者多視爲迂遠，多不肯放棄其小團體，只政府當局爲然，故此我們不忍獨責政府，爲什麼民主人士不能先自團結，爲什麼民主人士不肯努力發揚人性文化。須知反共之潛勢力，與今後復國之精神，散佈在大陸，蘊藏於四億以上人民心坎中者，以人性文化之成分爲最多，經數千年時間之薰陶，鑄成歷史，養成風俗，非暴力所能磨滅，亦非新興之黨義，稗販之舶來品，所能取而代之。爭取人心，就是爭取此點，表示愛國熱誠，與全國民衆齊一步驟，一致進行，齊一就在此點。若以爲舊而棄之，別標新立異，自矜前進，是等於遺棄其民衆。如此，則雖能孜孜成立，結果，必陷於孤立，終不能成功。聰明之政治家，應當警覺，不應錯誤下去。

六　結論

綜上所言，我們今後應將軍事納入政治軌道之中，我們應了解美國不支持以無政治之軍事冒險。此我們提出商榷之點一。共產黨辦黨之技術，是詐取陰謀，非政黨之正式途徑，故今後政治反攻，不應過分崇拜偶像，強調黨性，以懈國人團結之心。此我們提出商榷之點二。中共之失敗，在於違反人性，故政治反攻之中心思想，必須以人性文化運用民權，似比之空談自由民主爲較適當。此我們提出商榷之點三。此三者實一貫，必先去其狹隘之黨見，而後可以團結廣大之國人，發揚人性之文化，表現其萬衆一心之反共精神，建立其民主政治軌道，我們決不願永當一名美國前哨兵。

半週述評

反共聯盟能實現嗎？

蔣總統最近對美國新聞通訊員發表談話，贊成由中韓越及菲日五國組織一個反共聯盟。又說組織此一公約，應由美國來決定。

這一主張可以說是兩三年前東北亞反共聯盟主張的從新提出。這一聯盟如果眞能組織起來，自然可使亞洲的反共聲勢大爲增加。然而要實現此一組織，亦正有許多困難。第一，美國是否熱心於此一運動，便很有疑問。其次，在這五個國家中，中韓越三國是受共黨禍亂最甚的國家，對共黨的認識，上下較爲一致，組織聯盟當然極爲熱心。但菲日兩國是否一樣？便很難說。尤其是日本，困難更多。第一、日本自民與社會兩黨對立，國會不能輕易通過這樣的一個聯盟。第二、日韓之間的感情始終未能恢復。觀於民間組織的亞洲反共同盟，成立以來，日韓兩國始終未能眞誠合作，即可窺見一斑。蔣杜聯合聲明發表後，聲言中華民國不以武力反攻大陸。此時蔣總統提出五國反共聯盟的主張，不失爲一種有力的外交政策。然而如何促成美國的熱心贊助，如何消除五國內部的歧見，亦正有待於自由中國的努力，絕對不能倖致的。

蘇俄的七年經濟計劃

赫魯曉夫於今年三月間奪得全部統治大權後，無時不在打算如何鞏固他的獨裁地位。最近蘇俄中央委員會通過一項七年經濟計劃，目標要在一九六五年壓倒美國的高度生產力量。這便是赫魯曉夫想鞏固他權力的最狂妄的計劃。赫魯曉夫在近兩年來，不知說了多少謊言，口口聲聲說要追上美國生產。我們現在不必說赫魯曉夫的七年計劃是否能夠實現。我們要問的，是在未來的七年之內，美國的生產力量是否完全停止了，以待蘇俄趕上來呢？現在已經有人把鋼鐵生產爲例，以數字證明蘇俄的生產是無法追得上美國的。因此赫魯曉夫這一計劃，[illegible]完全實現，也不會是追得上美國的。

跟着七年經濟計劃，赫魯曉夫尚有他的新教育計劃。此一計劃把中學教育時間增長至八年，強迫中學畢業生做一定時間的工廠工作。據說目的在使學校更接近生活。這自然是配合他的經濟計劃的。蘇俄這兩項計劃，不管它將來的成就如何？吾人可以看出共產黨人正爲他們的經濟問題而努力掙扎。中共現在瘋狂的推行所謂「人民公社」制度，動機亦復如此。共黨經濟計劃的成敗即共產主義生死存亡所關。

人民公社敗象已露

看世界大勢，今後若干年內，兩大集團的冷戰必然集中力量於經濟競賽。自由中國既已確定不用武力反攻大陸，則今後經濟措施的比重必然與日俱增，此應爲謀國者所當特別注意的了。

中共推行「人民公社」制度，敗象已露，然中共是否將因此而陷於崩潰？即已陷於崩潰的邊緣，自由中國又將何以促其早日崩潰，而拯救大陸同胞於水火之中。此實爲最近海外僑胞常常提出的問題。亦即爲自由中國當局急應考慮的問題。

陳克文

論馬倫可夫之被殺

雅斯

馬倫可夫之被殺，縱然有人認爲事尚有疑，但此事自有其必然性。大獨裁者史太林尚可被「鞭屍」，失勢後之馬倫可夫，固常人也，殺之安足異。其所以始邀「恩免」而遲遲始不免一戮者，祇是赫魯曉夫一種策略，非可視爲共產政權已改變其慣例，今馬倫可夫之殺，可重新證實此一觀念。此一幕殘殺祇是赫魯對馬、莫派鬥爭舊案之延續，不可視爲蘇聯新矛盾之出現，而徒然寄以僥倖之幻想。

蘇聯大獨裁者史太林第一個繼承人馬倫可夫之被殺，雖是西方報導之新聞，可能早就是蘇聯鐵幕內之故事，不足爲怪。馬倫可夫被赫魯曉夫鬥倒後不即被鏟除，表面上雖似特邀「恩免」，諸設傳說，實則迄仍是一個謎，而今開始揭曉。

照極權國家獨裁政治之特質與史例而言，獨裁者之生命往往隨權力之沒落而告終。前此赫魯在生命與權力鬥爭中，得朱可夫之助，險勝馬倫可夫，莫洛托夫，卡岡諾維奇，布爾加甯，謝比洛夫等史派老幹部之後，赫魯不殺之于當時，祇是一種策略，非可視爲極權國家作風之轉變，或獨裁者之度量有差異。其策略之如此運用，祇是在其時世界衆目睽睽之下及史派潛勢力未根除之時，爲避開國際視線及緩和史派激變，而展緩其執行時間而已。

史太林之被「鞭屍」，可說爲對外緩和其時東歐國家之離心力，實質上何嘗不是意在凍結反對派一時之情緒。故此次馬莫等之澈底清除，可視爲赫魯曉夫繼上一次險勝敵方一幕，而完成整肅之餘波，與其謂爲「算舊賬」，毋甯視爲「完結未了案」之爲愈。

據謂馬倫可夫之被殺，係因馬倫可夫在赫魯曉夫計劃舉行一次整肅案中拒絕「合作」，此可能是事實，因製造「反黨集團」案及一般所謂「陰謀暴動」案一類事件，是共產國家政壇上之慣技，猶之一個編導家之編導一幕戲劇，並無值得令人驚異之處。如果赫魯曉夫由上次之險勝馬莫派而竟任令對方逍遙存在，反屬怪誕不經。至論者對馬倫可夫加之「拒絕合作」，許爲硬直，論斷未免天眞。馬倫可夫既曾爲史太林第一位繼承人，對此類政治戲劇之編導，豈有不懂之理，豈有不知戲劇中已安排其本人擔任扮演一個滑稽之角色，又豈不知「合作」固一死，「不合作」亦一死，且絲毫無補于其他案中人，「閻王（赫魯曉夫）注定三更死，不得留人到五更」。故馬倫可夫之死，不論目前之情節經過如何，總是必然之結局，無足深異，可得而言者，赫魯善于選擇時間耳，而其手法比以前「清算案」之編導家較爲不露痕跡，實皆不能掩人耳目也。

由此案看來，赫魯往者之對史太林「鞭屍」，貌乎魯莽，而實狡猾，其時之一著，可視爲此日澈底清除史派政敵一篇傑作之伏筆。即先除其偶像，再清其黨徒，先派以工作，後加以清除。然此固可以轉移外間對清算鬥爭之看法于一時，而決不能令人相信獨裁者會改變其先天性之清算作風也。

自另一觀點言，馬倫可夫繼史太林而起，固一世之雄也。然獨裁者不是超人，其所以似能呼風喚雨者，權力使之然也。一旦權力與其人分離，則失其獨裁之憑藉，固亦平常人也。任何一個人，固可不受死生之威脅，卻不能忍受長期之人性磨折。共黨固是長于磨折人性之專家，在人類體力所能忍受之病苦限度下，可以使一個普通人，當然亦可使一個獨裁者失卻其自傲感而使之充分表露其自卑感。由此看失勢後馬倫可夫等之安排扮演，亦猶平常人之被安排，扮演耳，固無須對其是否因拒絕合作而被害，作隔靴搔癢之談。而赫魯之繼續清了舊案，更不能視爲蘇聯內部新矛盾之發展而寄以幻想。吾人對此一事件，共黨獨裁者之內部矛盾，糾紛動亂，固可斷言其不斷「歷史重演」，但若將視爲共產國家自動崩潰之預兆，而企待其時機之自然到來，乃屬一種不智之想法。蓋極權制度有矛盾，亦有控制壓力，非有外力之干與，不易利用機會促鐵幕內人民揭竿而起。對蘇聯如此，對東歐各國如此，對中國大陸又何嘗不然。

三條可走的路子

當局走的是那一條呢？

——香港自由言論界的意見——

（本報訊）上一星期內，香港的自由言論界，有三篇很值得我們注意的文章，這三篇文章都是對今後的反共局面，發表具體主張的。一篇見於十一月七日的「聯合評論」，一篇見於十一月十四日的「聯合評論」。另一篇見於十一月十日周鯨文先生主編的「時代批評」。前兩篇乃左舜生先生執筆，後一篇是該刊的社論。

「時代批評」的社論以「化悲憤爲力量」爲題，首先指出「蔣杜聯合公報」，「限制國民政府不用武力反攻大陸」，「刺傷了中國人的感情」。他們認爲「爲此而悲憤，是中國人應有的，而絕不是不應當的。」「但今後的成功與失敗，關鍵在於化悲憤爲力量」。怎樣化悲憤爲力量呢？他們認爲「廣大的中國人民和海外僑胞是反共力量的主力軍」。「如何分別對他們支援，領導、組織，教育等等責任卻落在自由中國的在朝在野黨派，以及廣大文化界和各界領袖的肩上。」於是他們主張目前的執政黨和政府要切實反省，「在野黨和個人除了幫助監督和批評政府外，還有更多的事要作，更多的責任有待完成？」他們以爲執政黨和政府要反省的，例如「憲法是否貫徹執行？政府的機構發揮了多少能力？政府工作人員是新生力量多，還是腐敗的力量多？中國的前途，也可以說世界的前途，是民主自由的時代，在民主方面是發揚了或是抑制了？在自由方面是放寬了或是限制了。」該社論以爲「只有好好的，平心的檢查這種工作，去掉壞的，糾正錯誤，保持好的，堅持對的，才能符合今天時代的要求，才能符合國際局勢的要求，才能集結力量，才能談到與共黨鬥爭」。結論是：「蔣杜公報」激起中國人的千頭萬緒悲憤的心情，由悲憤而能產生力量，才是值得的感情。這種感情要從自己作起，奮發有爲。不要因此而丟掉友人，我們不傷害友人時，我們不要因有朋友而存苟安依賴心理。友人，我們盡我們反共的任務，我們也希望友人善自完成他們的任務。我們求其在我，個人要作一頂天立地的人，國家要成爲一個獨立自主生氣勃勃的國家；這樣，我們自然有朋友，有與國！……」

左先生的兩篇文章，前一篇題爲「關於反共救國會議」，他的目的在說明反共救國會議「所以始終無法召集的癥結所在，乃政府最高當局，甚於過去失敗的教訓，一談到這類性質的會議便不免談虎色變，因此才不敢放手一幹，於是他節錄本年十月十六蔣總裁在國民黨評議委員會一篇具有權威性的演說，來證實他的看法。

左先生在這篇文章的結論說：「我[illegible]先生的演辭，他[illegible]疑近年一部份人[illegible]立反對黨的，乃[illegible]共匪所「發動」，[illegible]號召」。他懷疑[illegible]以反共救國會議[illegible]，使其成爲「變[illegible]治協商會議」，他[illegible]由這種「變相[illegible]會議」，醞釀一[illegible]合政府」，要[illegible]日中華民國的憲[illegible]「取消民主憲政[illegible]於是左先生[illegible]希望海外民主人[illegible]論界權威，對這[illegible]加以共證，假如[illegible]實，「則海外的[illegible]士直是罪該萬死[illegible]果沒有事實，蔣[illegible]應該反省反省。

左先生第二[illegible]題爲「三叉路上[illegible]民國」。他在這[illegible]裏認爲台灣今後[illegible]路不出三途：「一、沿着[illegible]所走的老路，加[illegible]，徹底腐化，在六十萬大軍與美國協防的情勢以下[illegible]

[illegible]

[illegible]覺得不可爲而尚可爲，因而我的論調儘管悲觀，心情卻還是積極的。」（十一月十五日）

新裝　。尹震。

菲島排華有增無已

諸葛明

（馬尼拉通訊）菲律賓華僑處境日非，五年來所受殘酷虐待，設非加西亞總統明事理，以其權力勉[illegible]設想。今天菲人因反[illegible]（集會所）遷怒華[illegible]及道途華人，又受[illegible]辱。就鑒事前後經過[illegible]顯然受人幕後策動，[illegible]。

[illegible]簡單：日拉仁街那片[illegible]菲共黨基督教徒集會所[illegible]挑撥，煽起一批民[illegible]慫恿二百多個貧民，[illegible]拉仁方法院控訴；法[illegible]強制執行。共黨又收[illegible]僑商人恫嚇、施暴。[illegible]一個人是眞正的菲律[illegible]有一族，就歷史說，最[illegible]主人。[illegible]後來中國人、馬來人[illegible]去拓荒，馬來人把那[illegible]小黑人趕入森林，任[illegible]自生自滅。十六世紀[illegible]來國，這個被稱做印度[illegible]葉，這個被稱做印度[illegible]強佔），受西班牙征服[illegible]年之久，一八九八年[illegible]西戰爭終結，美斥資[illegible]千萬美元，把菲島買[illegible]，自一九零一年起，[illegible]式被宣佈爲美國自治[illegible]，給菲律賓帶來文明[illegible]中國人投注資金開發[illegible]馬來人赤裸光棹，只[illegible]出賣勞力，貧窮、會[illegible]

焚激起強烈政治野心；中國人隨遇而安，將本求利，並沒有政治興趣，不然，早就自美國人手上取得政權，早就不是今天的菲律賓了。

今天菲人竟說：「中國人是顛覆菲政府的人」。這種惡意的侮蔑，非共產黨教唆，菲律賓人想不起來的。文明的菲律賓人之中，誰都明白：他們的血液，雜有中國、西班牙，故總統馬獅獅便是一個實例。理當互助合作，沒有理由背典忘祖，我們不擬責怪無知而甘受共黨利用的菲人，因爲這些人不僅對華僑迫害，對他們自己同族相殘，也同樣令人震驚，每屆總統大選，不發生血案總是奇蹟。我們只怪自己，這幾年沒有有效方法，去向菲律賓國人開導，而菲律賓政府本身，也沒有盡到教育責任，長期則共僅恃軍事壓力，政治領導不夠，實爲最大缺點。

不久以前，「菲化律」受制於總統權力，國家經濟理事會、及菲律賓中央銀行，先後頒訂「菲律賓第一」政策，規定本年度第四季，非百分之百菲人，不准開設工業；不能取得外滙。但是任何一個現實政權，除非共產極權，對外僑態度，總得審度客觀環境，主觀條件，不顧一味專橫，何況專橫迫害，毫無裨益。例如零售菲化、商業菲化，其結果，國稅減收，國民收入減少，給中國人帶來災禍，予菲人並未受惠。

這種由共產黨故佈播毀菲律賓經濟、製造社會混亂的陷阱，菲律賓人早該覺悟，爲什麼仍甘蒙在鼓中，甘受愚弄？過去一連串菲化商業，開設國營公司壟斷，都是共黨的傀儡手段，目的在挑撥菲民族間仇恨，並摧毀菲律賓國家社會經濟建設，造成混亂，以遂共黨陰謀。[illegible]戰略地位，克拉克美國空軍基地，蘇比克美國海軍基地，必欲迫使美國放棄太平洋基地，切斷美在西太平洋鎖鏈的防線；其次，菲律賓華僑反共情緒，比亞洲其他地區爲強烈，這對共黨的顛覆活動，無疑是最大的障礙。共黨抓住菲人貪汚弱點，以金錢收買官員、議員，運用權力，不擇手段，悉力對華僑迫害，並甚於菲律賓政府組織，危害其安全。故此，我們有理由要求菲律當局對現實，勇敢地揆繼續不合理法案，和對共黨展開全面圍剿。（十一月六日寄自帆市）

台灣新生報來函

敬啓者：頃閱貴刊第八〇一期載有署名「劍聲」所撰「台北輿論對中美聯合公報的反應」一文，其中有云：「……以及新生報社論給反共的僑報戴上一頂『共黨同路人』的大帽子所引起……」云云。查本報十月廿八日社論「不使用武力問題」一文，曾有如下一段：「此外，國際間的姑息主義者與共黨同路人，也抓住公報中「不使用武力」一點，大作其「兩個中國」的文章。……」原文明明對國際間之姑息主義者與共黨同路人而發，了無疑義，乃該文作者「劍聲」竟謂本報社論給反共的僑報戴上一頂共黨同路人的大帽子。不知居心何在。用特函請惠予賜刊原函，以明眞相，而正視聽，無任感荷。此致

自由人編輯部

台灣新生報社啓（十一月八日）

「編者按」：拜讀新生報「不使用武力問題」一篇社論，內有「國際姑息主義者與共黨同路人，也抓住公報中「不使用武力」一點，大作其「兩個中國」的文章」之句。作者之意或非指海外僑報，而劍聲君確定其指僑報而言，或有點過於敏感。但照語句上看，確有足以引起誤會之處。因僑報中事實上多認爲「中美聯合公報」不覺已使中華民國接受「兩個中國」的觀念者，祗要一翻，海外尤其是香港的報紙便知，但我們確知其中持此看法者，並非皆爲「共黨同路人」，且多爲堅決反共之報紙也。

「警職法案修正案」引起的風波

自民黨首腦正會商謀取消弭之道

關鍵在社會黨是否承認國會延期

。觀游。

【本報東京航訊】修正警察權力法案正在日本全國各地鬧得不可開交；自民黨爲了要使這一法案在本屆國會修正通過，故經由國會衆院副議長於期滿前宣佈延期；而社會黨阻止於先之舉動既已失敗，故正全力反對國會延期，該黨鈴木委員長於七日在衆院會見新聞界稱「絕對不妥協，更不承認本屆國會延期爲有效」。一方面對於衆院議長與鈴木會談予以拒絕，社會黨之伊藤會計，成田總務局長向鈴木進言說此時不宜與星島見所，所以星島於七日造訪鈴木遭拒，因此所謂岸、鈴之會談自成泡影，不過自民黨七日夜宣稱：社會黨放棄審議法案一事，實屬遺憾云云。兩方既各趨極端，自民黨占有多數議席，如果決心要使此一法案修正後得通過，那是不成問題的，而且騎虎難下，這一法案之能否通過將爲岸閣之試金石了。

社會黨於五日發動全國性反對示威運動，據稱有五百萬人參加一時曾造成鐵路，電信，公資之騷亂，但下午即爲當局制止平息，倉石勞相亦發出警告促各勞組特別注意，勿觸法網，總之，社會黨正以全力藉「警察職權」法案修改爲題，欲一鼓而將岸擊倒。自民黨幹事長於八日晚於記者會上宣稱：社會黨議員佔據議長室會議廳十足表現暴力行動；並稱社會黨議員如果辭職，依法由候補人遞補，另一方自民黨松村謙三曾訪晤鳩山，鳩山表示「警職法」撤回爲最善策云云，使人不禁憶及四年前鳩山任閣揆日本國會大打出手的一回事了，也許鳩山深知大打出手的滋味才有比一撤回意見的表示，惟岸信介態度仍極堅定。

岸信介於九日分別訪晤自民黨元老吉田、鳩山、石橋，會各作一小時以上之商談。石橋表示意見：他不贊成立即將「警職法案」撤回；吉田表示：要堅定立場，一定要排除國會內的暴力；鳩山認爲：隱讓步之處就讓步。對兩黨首腦會談一事，諸元老皆一致表示贊同。事後岸本人表示：先決之條件必要社會黨承認國會會期延長爲有效，始有得商量。

日本政局現在已面臨分裂的前夕，至少可以說社會黨的日本與自民黨的日本；社會黨今天以全國勞工團體爲武器，以示威遊行爲手段，動輒以此迫使執政黨就範。把一切不能解決的問題用兩黨首腦會談的方式處理之，可是今次社會黨斷然拒絕會談，大有先「打」再「談」的趨勢。日共自始即不露面，暗中異常活動；十月廿六日甫自中共歸來的被扣日本船員六十九人，於抵達長崎上岸時即示威遊行「打倒岸內閣」「反對勤評」「反對警職法」，可說完全是中共操縱的玩意，事後廣播電台稱：某不肯透露姓名被釋船員說：「如果不示威遊行，下次再被捉，就要被嚴厲虐待云云」，足見中共亦無所不用其極在燒野火哩！

（十一月九日）

公社·鋼鍊·壓搾！

。旭軍。

從共產黨青年團北平市委宣傳部，所頒發的共產主義講話，『什麼是共產主義？怎樣迎接共產主義』一文看來，中共近來瘋狂的搞『人民公社』和『煉鋼高潮』，完全是爲便於加緊奴役人民，壓搾剝削人民。但是毫沒有計劃，簡直是拔苗助長，一團糟。我們從中共所說的話，可以看得很清楚。

「共產主義講話」說：『爲了社會主義和共產主義，不分白天黑夜，鍋幹苦幹，拚命幹。很多工人加班不要錢自動取消計件工資制。』這是承認工人無報酬。

他們還不分日夜作牛馬，他們自己供認：鍊鋼工人的慘劇；『今年五月，上海鍊鋼廠工人丘財康，受了嚴重的灼傷，全身燒傷面積達百分之八九．三，按照資本主義國家的文獻記載，灼傷這麼嚴重，人是沒有方法治好的。可是在黨領導下，終于把丘財康從死亡的邊緣上救了回來。在搶救過程中，各有關單位，日夜趕工，全力支援。許多人爭着輸血獻皮。』

弄成慘劇，全因沒有妥當的設備和訓練，例如他們共幹自招：『過去說學會煉鋼要幾年，現在躍進，也得幾個月。可是經毛主席一號召，到處都煉起來了，他們只學了八天，就學會了。』

他們自吹『今年在我國歷史上，眞是一個不平常的年份，從年產五三五萬噸，一下子發展到一〇七〇萬噸。』實際上，他們從搜刮民間『一切鋼鐵器具來鎔鑄罷了。但他們偏要拿緊迫人民去採原料，作掩飾。他們說：『說到原料供應，更是動人，這里的原料主要是鐵沙。一羣羣的人，不分男女老幼，成羣結隊，有的用木槽，有的用洗面盆，飯碗等，爲了淘沙，他們背着被子，扛着鍋，在河邊支起了鍋灶，打起了床鋪，吃在那裏，睡在那裏，人們不知疲倦的白天淘、晚上也淘。』可見除了搜搜刮刮民間鐵器外也壓迫人民去淘鐵沙，他們自認：『六七十歲的老翁，老嫗，在這一戰場戰鬥中，也不甘落後』。如何的殘酷。

據共幹說，河南商城縣超英人民公社，（按超英二字指超過英國工業的進步），第一營團員洪練樓，一人建了三小爐，三夜不睡，鍊鐵一百五十斤，淘鐵沙四七三斤。類似『動人事例』很多，又說：『羣衆幹部，夜以繼日的爲鋼鐵奮戰。他們不休息，或休息很少，眼熬紅了，累病了，沒有人叫苦，沒有人發怨言。相反，却很愉快的說，爲了共產主義，早日到來，拚命也值得。』共黨不論奴役與懲罰，都現當事人是心甘情願的鬼話。

試看他們怎樣賣人民公社。

『入了公社如上天，
一夜賽過幾千年。
利刀斬斷私有根，
開闢歷史新紀元。
人民一齊辦公社，
歡聲如雷震天下。
千萬婦女走出來，
老人笑得掉淚花。』

這首詩最主要的是「利刀斬斷私有根。」把人民一切私有的東西都搜刮出來。他們用『從按勞取酬，轉爲各取所需，是從社會主義的分配原則轉到共產主義的辦法，』來欺騙人民。實際上，他們着重取酬，就等於沒有勞動的報酬。所謂『各取所需』，就是他們吃不飽穿不暖，僅可維持你們苦絕的性命。……表現，不給報酬予你。假如你反對，他們反指你……

……階級餘孽。而不……是「共產社會」的合法行爲。雖然不敢承認完全取消「取酬」，但已……給制，所謂實行……「十包」（即……住，治病，生育……長，……等的包……但已絕無工作報酬……換句話來說……多少便多少，絕無反對的根據理由。他

說「現在生產情形是如此，不能多給。」便推搪得一乾二淨。根本沒有取酬的法權可言，他們已赤裸裸的說出來了。這簡直是回復到奴隸社會制度，主奴間無酬報契約，任由主人的喜怒而施賞罰。不過共黨以「公有財產不容個人置喙」爲藉口來操縱人民的生活而已。

還有共黨現在所謂「多面手運動」也是加緊壓搾剝削的方法之一，所謂多面手的名詞，意思就是多方面都能夠去做的手。據說北京建築業，有個張百發鋼筋工青年突擊隊，根據生產的需要，學會了十二種技術，他們的口號是：『身爲鋼筋工，樣樣都學通，學成多面手，永遠不罷工。』共黨現在要多方面壓搾一個工人的能力，便提倡『多面手』。他們說：打破『通不能專，專不能通』的狹隘思想。恩格斯說：『根據社會的需要，或他們自己的愛好，輪流從一個生產部門轉到另一個生產部門。』其實這是共產黨加緊剝削奴工的方法而已。

另一加緊壓搾勞力的方法，是破壞家庭組織，把養育兒童等家庭工作，歸少數婦女擔任，便將大多數婦女編入奴工隊，至於破壞家庭幸福的罪惡更不消說了。

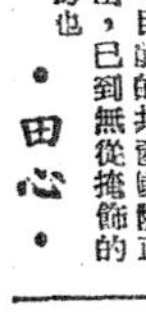

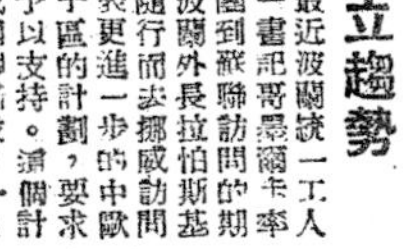

西貢舉行反共遊行

越北青年繼續南逃

【西貢通訊】十一月四日上午，西貢市舉行了一個盛大的反共示威遊行，參加的有越南各軍政及人民團體，和華僑學校學生共一萬餘人，情緒激昂，達於頂點。

這次反共示威是爲紀念越北瓊流人民起義週年和匈牙利革命。他們先在市政府前廣場舉行紀念儀式，奏越南和匈牙利國歌，全體向爲正義而犧牲的自由戰士默哀。

「瓊流事件」是一九五六年發生在越北宜安省的瓊流縣。當地人民以不堪共黨極權制度，殘民以逞，慘絕人寰。人民不論黨派、宗教，男女，老幼，忍無可忍，乃在十一月十一日一致響應，高舉義旗，大呼口號，申討越共胡志明，縣政府爪牙，各級僞職幹部，均爲義軍所佔，將積穀散發人民，並佔領各據點從事軍備，準備戰鬥。

越共政權乃調集大批武裝部隊向義軍攻擊，義軍英勇抵抗，前仆後繼，終以孤軍作戰，補給困難，而致失敗。義軍千餘在戰役中殉難，萬餘被捕。

頻年來因受不了北越共黨的迫害，南下投奔自由的難民，每日在途中被捕。但事變不斷中途截回，而遭共殘害的亦復不少。據北傳來消息：該批南下青年十七人，在一位十七歲的漁民武文章率領下，決心逃來南越。他們假借參加婚禮爲名，從南定同赴河靜省，買了一隻小船，在一個月黑風高之夜，南向行駛。他們是在到瓊江口時，因風勢轉烈，船不能行，遂被越共巡邏艇發現，加以拘捕，全體解返南定省。

南定僞法院最近曾開特別法庭，審判這十七位希望投奔自由的青年，判處十五年的苦工監禁。（自，十一月六日寄）

東歐有中立趨勢

最近波蘭統一工人黨第一書記哥穆爾卡訪問莫斯科期間，波蘭外長拉柏斯基曾隨行而去擬訪問，拉氏的計劃是無核子區的計劃，要求撤減分成兩個階段：一、禁止波、捷、德（包括東西德）生產核子武器，二、在上述地區中裁減地面部隊與常規裝備。這個計劃針對西德是無疑問的；但除此以外，對于共產集團內部也有中立化的意義，等于說在要求共局部中立化，上面非形式上的）退出華沙公約，二、也……蘇聯也支持拉柏斯基的局部中立化計劃，哥穆爾卡於此時訪蘇聯，當亦希望……

管窺柏林事件

因爲這一計劃是趨向中立化的，赫魯曉夫乃提出這樣的警告以答覆之，說西方進攻……就是蘇聯的計劃，……最後赫哥發表公報，強調要增強華沙公約，由上述情形來進尋，便會明白其眞意之所在，不得不承認東歐的中立趨勢已經形成，非任何壓力可以扭轉的了。

在哥氏訪蘇期間，赫魯曉夫要求四國結束……之一；但這一要求在哥穆爾卡訪蘇期間提出，不免可以懷疑它是波蘭的中立化計劃中之一項要求得蘇聯同意的結果，這當然不能是蘇聯同意東歐中立化，而是在哥氏強力要求下無可奈何的措施；果如是，則蘇聯對于東德的管制恐怕要作鬆弛的行動。赫氏之這一行動看上去是攻勢，實際上大概是退却，我們敢于作這樣的論斷。西德之具有旺盛而堅定的和平統一德國的信念，不是遷空的，確實已經在望。

十六小時與五小時之爭

中共在抓起一個保證睡眠八小時的運動；可見在此以前，工作者睡眠時間是不足八小時的，亦即要工作十六小時以上；現在當是「改正」了，「改正」以後的工作時間是十六小時。我們不免要懷疑，多年以來共產黨在高喊的三八制，何以在工人階級的政權之下，會變成十六小時工作制？他們把這樣的蠻隨歪曲地解釋爲社會主義與共產主義制度下的「各盡所能」。就算十六小時工作但是「各盡所能」的表現吧，我們再來看蘇聯的情況。

蘇聯的十月革命四十一週年大會上，強調要大力的爭取每天工作五小時；誰也不會否認，蘇聯是一個共黨集團中先進國家，那末這個五小工作制當也體現着「各盡所能」，這樣說大概也無需懷疑。果而，則何以中共的「各盡所能」要工作十六小時，而蘇聯的「各盡所能」却只要工作五小時？

大概有人會作這樣的解釋，中共與蘇聯的條件不同，一個工業不發達而另一個發達的緣故。這是一種極荒謬的解釋，環境和條件與「各盡所能」並無任何關係，不能亦不需影響于工時的多少。

現在中共與蘇聯在工時規定方面既有如此巨大的差別，其所表現的形態當是：中共正向加緊再加緊壓搾勞力方面努力，而蘇聯則在放鬆勞力壓搾，這是兩個極端相反的發展。也可看作是蘇聯與中共互爭「第一」領導權的法寶，但也反映出這是共黨集團內的極端嚴重的思想紛亂的兩個敵對制度。

從前述三事來看，目前的共產國際正是百孔千瘡，矛盾百出，已到無從掩飾的時期了，其分裂的趨勢也在逐漸地加強。

·田心·

看報閒話

△香港有家共報說，大陸之鋼鐵生產所以能「超」過英國，是「得力於『土』字」。所謂『土』者，即土高爐、土煉鋼爐。

但根據我們所知道的是得力於兩個字：一是拆；一是壓！拆者，拆老百姓家的鋼鐵門窗用具；壓者，榨也，迫害也，不必再要解釋。

×　×　×　×

△赫魯曉夫最近爲壓迫西方退出柏林而聲稱：任何侵略勢力反對德意志民主共和國，那麼，我們將認爲這就是反對蘇聯。對東德的「侵犯」就「將被看作是對蘇聯的侵犯。」這話祇是赫魯曉夫不久前替中共撐腰的話的再版，即使是能嚇阻西方，也無法抑止德意志民族統一要求的渴望。何況美國已表示了不惜爲柏林而戰呢！

×　×　×　×

△赫魯曉夫實際上也不過是個欺善怕惡之徒，南斯拉夫的強橫，和積極地反蘇行動，反而促使他向狄托遷就。最近他又表示將努力發展與南國的友好關係，擴大貿易和文化聯系，互派各種代表團了。

×　×　×　×

△赫魯曉夫的僞善，不過是釣鈎上的餌。目的在希望藉此以消除雙方「意識形態問題上的分歧」，促使南斯拉夫放棄修正主義。

但就目前的情況看，正當修正主義盛極之時，赫魯曉夫的俏眉眼，是形同要給瞎子看的。狄托深知美援比俄援可靠而且爽快；狄托也自知在鐵幕以外，修正主義底共產主義，已經取得了優勢，與其讓莫斯科牽着鼻子，何如自己扭擱。看來赫魯曉夫是好夢難圓哩。

×　×　×　×

△波蘭的哥穆爾卡，其實也是另種姿態的修正主義者，但國內駐有蘇軍，而德國民族的統一願望，又使他驚懼，於是當蘇聯主張趕走西方在柏林的勢力時，哥穆爾卡，就轉而變成爲莫斯科的幫兇了。

△至於哥穆爾卡與狄托之間，實際的感情是不錯的。在同一個集會上，他說：「我們並沒有做什麼事情，使波蘭與南斯拉夫之間的關係惡化。」這話無異當場摑了赫魯曉夫一個嘴巴。

。不懂齋主。

評「人間生活畫」

楊有劍作　台灣和平出版社印行

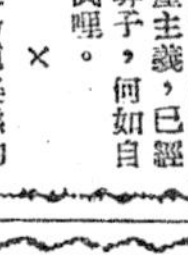

遠在去年秋間，楊有劍的畫始見於「自由人」上。

我對於文學與藝術的作品，凡是引起我有莊嚴的情操者，列爲上品；引起我有激動的情感者，列爲第二流作品。很多繪畫，當第一眼接觸它，有驚人的感覺，其所蓄者似乎很豐富，可是細看，越看越沒有什麼；有些畫，第一眼接觸它，覺得平淡，畫面上似乎並沒有什麼，可是越看越覺得它所藏的東西多；我的意思是畫面平淡，題材平凡，而予人以不平凡的意義，才是藝術家的高明之處，有些藝術家與欣賞者，却喜歡畫面複雜，題材新奇，反對前述的意見。其實人究竟是人而不是鬼，生活在人間的人對於生活感是親切的，這冊畫集命名「人間生活畫集」或者就是這種意思。它的六十幅畫，題材都是生活中常見的事物，畫面也簡單之至，不但表現繪畫者的高明技巧，而且引起人們對生活的情趣，雅俗共賞，深入淺出，是它的特色。

在美學上，我認爲美的根源並不單純在物也不單純在意識，物的本身並無美醜，而在人的意識與物的接觸發生調協時才有美感，也可以說美的產生是客觀與主觀的交融；所以畫家從客觀事物發現美，而表現出生活的美，因此中國畫是重視意在筆先，意不到筆到，筆不到意到，總還可觀，當然意筆均到才是上品。中國正統畫的文人畫，自王摩詰開始，便講求意在筆先，尤其蘇東坡品評王摩詰是畫中有詩，詩中有畫，文人畫更重視含蓄，令人有雋永的回味。我之喜歡楊有劍的畫，就因爲他有文人畫的風味，雖然每一幅畫都是寫實，而都是有令人回味的含蓄。作者說：「故集中圖案，不是新聞的報導，而是現實的浮雕；不是各種事實的敍述，而是這些事實所引起的反應。」楊有劍就有這樣的深刻見解，也確有這樣的畫。

我之喜歡楊有劍的畫，就因爲他的每一幅畫，最先吸引你的眼睛的就是主題。在技巧上，有人倡中西繪畫交流，我認爲用中國畫筆用西畫技巧寫畫，頗類文人畫的大寫，楊有劍就是以毛筆線條的圓潤表現溫和的情調，而以西畫的透視，素描的技巧來構成簡潔洗練的畫面。這樣的畫風，說它是新派也可，說它是文人畫的進步，也未嘗不可。

我們的時代是不歡迎新人新作風的，像楊有劍這位年青的畫家與畫風，無異對於老畫家老畫風，注射了一針強心劑了！（四十七年十月九日於台北市）

自由談

美共和黨的敗因

馬五先生

美國共和黨這次「中期選舉」之役的敗績，可謂史無前例。由今之道，不變今之策，共和黨在一九六〇年的總統大選中，其失敗似乎是註定的了。

共和黨領導階層人士檢討這次失敗的因素多端，雖然言之成理，但多半都是不相干的，最主要的敗因，我認爲不外兩點：一爲共和黨的政綱政策及其作風，誠有如民主黨所指摘的，完全是代表大資本家的意志。政府各重要部門的首長，無一而非由大資本家承其之，這般人滿腦子裝着商業技術觀點，遇事講節省開支，緊縮通貨，減少預算赤字率，而不計及這些政策可能產生的惡果，如前任國防部長威爾遜把研究火箭的經費予以剔除，致讓俄帝搶先發展人造衞星，使美國朝野間大驚失色，即其明證，在節約政策之下，若干公共事業即日趨縮減，失業人數自然隨之增加，經濟亦就無從繁榮了。二爲黨內沒有領導中心力量，以致內部離心離德，各幹各的。艾森豪原是拉夫式的領袖，但他一心一意要做「和平總統」，對內對外都採取超然態度，以爲祇要死心眼兒地維持和平生活，人民就皆大歡喜，一定擁護共和黨政府了。因此，共和黨人在各地方的競選行動，多係互相牽制抵消，替民主黨造機會，如加州的諾蘭與萊特，搞成兩敗俱傷是也。至於勞工大衆之傾向民主黨，並非偶然的事，假使共和黨政府沒有上述兩點失策，勞工界亦決不致於一面倒，殆可斷言。

艾森豪先生已聲明不再競選連任，他在這殘餘的兩年總統期中，對內對外更將保持其「和平」與「超然」姿態，但求留名於後世，不計其他了。共和黨連續兩度執政的成績不過爾爾，若想在下屆大選中再得勝，那除非像羅斯福在二次大戰前夕的雄圖，對世界問題表現着「舍我其誰」的領導作風，構成英雄造時勢的局面，否則希望甚微。可是，艾克能有這種驚人的措施嗎？噫，難言之矣。

自捧術

嗚呼，其法多矣：有「自我吹彈法」，有「壓人法」，有「攀上法」有「欲升先降法」，不一而足，「聰明人」觸類旁通可也。

自捧術歷史大概是很悠久了，且看儒林外史中描寫匡超人的一段：

『馮琢菴道：「先生是浙江選家。尊選有好幾部，弟都是見過的。」匡超人道：「我的文名也夠了！自從那年到杭州，至今五六年，考卷墨卷，房書行書，名家的稿子，還有四書講書，五經講書，古文選本，家裏有本賬，共是九十五本。弟選的文章，每一回出，書店定要賣掉一萬部；山東、山西、河南、陝西、北直的客人，都爭着買，只愁買不到手。還有個拙稿，是前年刻的，而今已經翻刻過三副板。不瞞二位先生說：此五省讀書的人，家家隆重的是小弟，都在書案上香火蠟燭供着『先儒匡子之神位』。」牛布衣笑道：「先生，你此言誤矣！所謂先儒者，乃已經去世之儒也；今先生尚在，何得如此稱呼？」匡超人紅着臉道：「不然，所謂先儒者，乃先生之謂也。」牛布衣見他如此，也不和他辯。馮琢菴又問道：「操選政的還有一位馬純上，選手如何？」匡超人道：「這也是弟的好友。這馬純兒理法有餘，才氣不足；所以他的選本也不甚行。選本總以行爲主；若是不行，書店就要賠本。惟有小弟的選本，外國都有的。」』

人類與禽獸最大的區別，是腦部的發達，所以才會有求知欲，也有「求被知欲」。古往今來，鑽鑽營營，弄來弄去也弄不出「求知」和「求被知」的範圍。大英雄、大偉人、大藝術家、大科學家等等，若不是爲了探求宇宙生命的常理，便是追求一些不朽的事業；最後，雖然屍骨與草木同腐，也能使自己的名字「長存青史」。

誰都曉得：大英雄、大偉人、大藝術家和大科學家等等是絕不容易做的，非絕頂聰明智慧、有堅毅卓拔的精神才能做到。雖說：「舜亦人也，我亦人也」，但除了奮鬥外，是別無他途的。

世上泰半人都是入不了「廣泛地被知」之流的，於是便有些人便把「廣泛地被知」這一個意念錯誤地和「偉大崇高」聯在一起，以爲自己只要有辦法被人知道，便可以「偉大崇高」了。實在呢，別人聽了你那番偉大的自捧，心中作何感想，又是另外的問題了。反正人一到利害關頭，是甚麼都會忘記的，那還顧得着別人的想法？看，「儒林外史」上的那一段，我懷疑是否作者太誇大了？後來在實生活中稍一注意，竟發覺不少這種人；

總括上說，自捧術可以約略分作以下幾個類型，至於實行起來，大都是綜合「運用」，隨機應變，以至於無窮。

（一）自我吹彈法：譬如匡超人說：「我的文名也夠了！自從那年到杭州……。」把自己吹上九重天，簡直不知所去了！

（二）壓人法：如匡超人說：「馬純兒理法有餘，才氣不足；所以他的選本也不甚行。選本總以行爲主；若是不行，書店就要賠本。惟有小弟的選本，外國都有的。」把別人壓在自己之下，自己不也就無形中升騰了嗎？

（三）攀上法：如某人名氣實在太大，明知攀不住，只有先捧後攀，使自己的身價抬高，如：「胡適博士的學問實在好，對中國文化有不能磨滅的貢獻，他對我所著的一本書，表示十分佩服……。」

（四）欲升先降法：與欲擒先縱法異曲同工：「我呢，實在是才疏學淺，愚騃頑冥，不過如果叫我跟他比呢，那就高明一點了。」

此外尚有許多旁通別類，不能列舉。人是免不了虛榮的，偶爾當然，我們忍不住要自捧一番，也得小心，不要像匡超人一般說出「先儒匡子之神位」來，否則自討沒趣，是與人無尤的！

管城子歌

‧潘光晟‧

君不見傭書自歎非長策，定遠毛錐輕一擲，只今千載慕侯封，致與纖毫傳事迹。又不見劉季何曾事鉛槧，逐鹿中原横一劍，詎伊馬上能治之，還讓蕭何刀筆遺。世人且莫輕管城，興酣落紙神鬼驚。寸纏尺素重球璧，礁水横山俱有聲。今古眺名聽疑絕，臧否自饒胥自竭，霜毫禿盡鬢絲多，消盡才人幾心血。可憐世事隨轉車，牛童馬走紛塗鴉，却嫌毛穎老無力，招邀異類來中華。西方製作銜奇詭，鏖染淋漓一滴水，管生寄續三千年，棄置一朝如脫屣。管城管城君莫悲，即今幸免汙窮兒，潤色鴻業會有時，高文典冊君司之。

宋皇台遺址考證

‧簡又文‧

一爲宋皇台遺址迤南之土瓜灣。（按：土瓜即一種可食之土產植物——沙葛——之俗稱。）是地，昔爲古村，名見上錄「舒志」之「都里」，屬官富司）。宋時，居民爲潮州人，講福建方言，土人呼爲「學佬」（閩音「福」與粵音「學」相同），早經他徙，村亦廢矣。（今沿海濱有「土瓜灣道」，在漆咸道北頭。）其時，村民結隊出迎「聖駕」。以護駕有功，得御賜黃緞巨型羅傘，繡字甚多。原物以年久敝爛，村人依樣重製，用留紀念；每年端午競渡，必奉御賜羅傘於特別龍舟——稱「皇舟」，由各鄉紳耆先向傘叩拜，然後開始競賽。歷代相傳，風俗不改。廿年前，七八十歲老人猶及見之云。余按：帝昰於四月舟次於此，六月始遷去。時，帝年方十歲，想見其於五月初五日端午節得觀競渡（粵俗稱「鬥龍船」）之盛舉，「聖心」大樂必矣。又按：吾粵他處端午競渡，皆盛張羅傘於龍船上，儻亦源出於是歟！姑併志此待考。

其次，爲白鶴山遊仙巖。據「舒志」「山水略」之「山」：「白鶴山在九龍寨西北，上有遊仙巖。巖下三小石，如品字，上盛一巨石，高約六七丈，廣約三丈餘，巍立難登。石頂有棋枰，棋子至今猶存。石北刻『遊仙巖』三字，歷年遠，字稍模糊。昔常有白鶴一雙，棲止石上，故名。」遊仙巖畔有「交椅石」，有靠背如交椅式。據故老相傳，宋帝嘗至官富時，大臣嘗奉之至巖間，權作行朝，帝端坐石上，故稱「御座交椅石」，簡稱交椅石云。（按：上言棋子早佚。）（又按：另據傳說，楊太后當年曾隨駐九龍寨城，有平面巨石，爲后及宮人梳粧之處，故名「梳粧石」。傳聞如是，無可考證，姑併志之。）

陸、金夫人墓

「新安舒志」（卷十八）「勝蹟略」之「塚墓」有云：「耿迎祿墓，在官富山宋王台之北，刻『耿氏迎祿墓』五字，至今猶存。舊志作『榮』，今從碑字改正。」同上書：「金夫人墓在耿墓側，相傳爲元后女晉國公主溺死，鑄金身以葬，鎔鐵錮之。碑高五六尺，大篆宛然。」

考慈元后即楊太后，有少女爲帝昰之妹（見「厓山志」），從南宋制封「晉國帝姬」（見「趙姓族譜」），死時纔七八歲，何得稱爲「夫人」？觀此，縱此墓眞爲晉國帝姬葬處，墓碑斷非當時朝廷所立。如謂土人所立，又何至有「金夫人」不倫不類之稱？況「金夫人」並非「俗稱」，墓上立有豐碑，刻有大篆，尤非當時附近朴魯貧寒之土人所能辦者，必原另有「金夫人」其人可知。「舒志」只云「相傳」爲晉國公主墓，從歷史上嚴格言之，則此說未可信也。

陳伯陶又云：「耿迎祿墓，縣志不詳爲何許人，疑亦隨宋二王南奔，死葬於是者。」此說比金墓傳說尤乏證據，故尤不可信。（陳說見「侯王廟碑」按語。）

以上兩墓，原在「宋王台」西北小丘上（亦屬官富山區），今太子道與譚公道之間，前時建有西教堂於其上，後因開山築路，教堂拆毀，兩墓亦無存矣。（九）

吳稚老一趣事

張文普

吳稚暉先生雖然已經辭世，但是他的爲人風趣依然留存人間。聽說稚老在世時，曾有三不主義：不做官，不坐小汽車，不討小老婆。他唯一的所好，就是喜歡遊歷山水。因此我想起一個好笑的故事。在抗戰期間，他有一次因事去江西瑞昌縣時，該縣縣太爺李某——李同機關首長，及學校員生數百人迎候於郊外；稚老到達，見路邊有一美麗公園，隨之遊性大作，便道一遊；這位李縣太爺及各級首長，當然陪同前往。公園內稚老見一涼亭，中懸一人像，便立時止步，整整衣冠，然後對亭中人像，就是九十度的鞠躬。這一下子！弄的大家莫名其所以，尤其是這位李縣太爺更是慌愧無已，連忙向稚老問道：「你老人家這是做什麼？」稚老非常嚴肅的說：「亭中掛的不是國父的遺像嗎？」「不是！不是！那是本人的一張小照片」，李縣太爺不勝慌愧的說。稚老面不改色，仍然鄭重其事的這麼說：「也應該！也應該！」這一個好笑的故事，已足說明稚老是如何風趣的一位人物了。在這人心世道，社會風氣，政治風氣日漸敗壞的當前，令人特別感到稚老的可愛處。

逃亡前記

‧盛紫娟‧

小梅是第二個貼上躍進計劃的，她寫着：

「我爭取在一年內入團，兩年內入黨，作一個又紅又專的國家幹部。我在勞動方面，一定要趕上男同志中的强勞力——孫世宏。並且響應隊長的戰：比勞動、比思想、比幹勁。」

——抗暴短篇——

就在這天，梅林的妹妹忽然來訪。時機來了！

「阿芳，妳來了？看，這是我的躍進計劃！」當着好多人的面，梅林得意地指着七牆上貼的紙頭。背着人的時候，梅林對她妹妹說：

「現在天氣漸暖和了，妳替我帶些東西回去吧！過兩天我最好給我帶點兒止瀉藥，這些天我常鬧肚子呢！」

她把棉被、衣服等等都包成一個大包，送妹妹搭上一輛剛巧進城的大車，又叫阿芳帶去兩封信，進城以後寄了。過了兩天，阿芳又帶走不少東西。這點小事，引起了室長的懷疑，她問：「小梅，妳怎麼把東西都搬回去了？」

她馬上說：「用不着了，放在這兒也佔地方。」

室長一想，果然不錯，也就不再追問。

老崔越來越懷疑她：「是不是想跑？」

報上登出在村邊、堤邊、路邊植樹，並且號召兒童種大麻，向日葵。鄉長看中了，年青活潑的梅林，就特派她組織全鄉的兒童，領導兒童園。兩天之內，幾百個兒童就自動地聽着梅林的指揮，植樹、種油料作物，鬧得熱火朝天。大家讚不絕口：「這個小鬼，眞有兩下子，連最難組織的頑童，都連絡得這麼好。」

老崔暗地問她：「小梅，妳又用了什麼攝魂術？」

「我只不過教給他們幾個遊戲罷了。」

每天，天不亮，大家就下地，雖然大人們都睏得睜不開眼，但是小孩子們卻自願跟在小梅後面跑，幫她扛鍬子，替她拿暖壺，又不嫌累地喊：

「小梅同志，唱個歌！小梅同志。」

起初，隊長們很欣賞她的組織能力，不久，因爲「孩子頭」的威力太大了，那些長了癩的，拖着鼻涕的，髒得要命的孩子，只聽她一個人的話。金隊長覺得不妥，跟幾個黨員商量了一陣，決定限制一下了，於是幾次向小梅建議：「不要再和孩子們接近。」

天氣漸漸變暖，梅芳坐着「二等車」（自行車後輪上，裝着小椅子，可以在小路上行走的一種交通工具）又來到大寨莊。大家剛搶種了土豆，正坐在地裏休息，梅林的「四季歌」被一幫孩子的亂嚷打斷了。阿芳正急急忙忙地向着小梅跑來。

「阿芳，什麼事？」梅林忙迎過來問。

「媽媽病了。」妹妹一見姐姐，就忍不住哭了起來。她一面掏出三封信，兩封電報。梅林緊皺着眉頭看完了，對老崔說了聲：「我母親病得很重，叫我們去看看她。我找隊長請假去。」他卻在她的眼神裏，發現了喜悅的光芒。

倆個人趕回莊子，不巧，隊長去了南里，開會去了。梅林叫那輛「二等」跟着，去找金玉枝去，一路上，她們商量好了應對的話。

恰好，在出莊子不遠的地方，就碰見隊長們。

「小梅，去哪兒？」大家奇怪地問。

「我找金隊長。」

「什麼事？妳妹妹怎麼又來了？」金玉枝問。

「我媽媽病了，病得很重，叫我們去看看她。」梅林馬上從衣袋裏掏出了信及電報遞給她，一面用手絹抹着眼淚，一面斜着眼偷看金隊長的表情。金玉枝很仔細地研究了信和電報，便問：「妳很多時候沒給妳父母寫信了？」

「嗯！」

「梅芳妳想去嗎？」

「想。」阿芳仍在流着眼淚。

「如姐不去吧？」隊長又問。

「去。」

「妹妹爲什麼這時候才把信和電報送來？」

「我接到前兩封信時，就想來的，因爲功課很多，我們還要去工廠編鐵絲網，所以我預備等到星期日來，昨天又接到一封信，及一封電報，今天早晨又接到一封電報，所以我連假都沒來得及請，就跑了來。」

（九）

自由人
THE FREEMAN
（第八〇五期）
中華民國僑務委員會頒發登記證台教新字第一第二號
中華郵政台字第五〇〇號執照登記爲第一類新聞紙類
（半週刊每星期三、六出版）
每份港幣壹毫
台北市售價台幣壹元伍角
督印人：陳文韜
地址：香港高士威道二十號四樓
20 CAUSEWAY RD. 3RD. FL. HONG KONG
TEL. 771726
承印者：東南印務出版社
地址：高士打道六十四號
台灣總經理處　台北市西寧南路壹零號二樓
電話：三〇三四六
台郵撥儲金戶九二五二
海外總經銷：友聯書報發行公司
香港：彌敦道中二十六號A二樓

對中美聯合公報的看法

王厚生

中美聯合公報公佈後，引起海內外普遍的不滿，政府對這次民意的反映，顯有焦慮之感，故對公報的內容一再加以解釋，以期消除海內外民衆的憤懣情緒。但是解釋來，解釋去，總不外乎如下的說法：

一、自由中國有自衞權，假使中共對台澎和外島使用武力，政府也可應用武力以爲自衞。

二、假使大陸上有類似匈牙利式的革命發生，政府可以對這種革命採取武力支援的行動。

除以上的自衞權和支援大陸人民革命的行動外，自由中國的政府如事先未商得美國的同意，已完全喪失對大陸實行反攻的自由權了。

一、

這次的公報在精神上與上次中美的聯防協定是一致的，或者說，這次公報是上次中美聯防協定的引伸。在中美聯防協定上，早已規定我國政府如未得美方同意，不能擅對大陸用武。這次公報的內容並沒有踰越聯防協定一步，不過，在字面上，說得比上次更加明白和確定而已。

關於中美聯防協定，本有一個解釋的問題，在我國政府方面，已有多次表示，宣稱反攻大陸我有自主權，不受美國的干涉。另外有一種解釋，坦白指陳，謂中美聯防協定訂立之後，我方的手足已被束縛，不再有反攻大陸的自主權了。前一種的解釋是官方的，後一種的解釋是非官方的，是民間和在野的。兩種解釋之中，以何者爲正確呢？依作者看來，當然以後一種的解釋爲正確，實際上，當局確已承諾美國，如非會商同意，我方決不採取反攻的行動。

當時，政府做了這樣一件沮喪民心的事情之後，何以仍然在口頭上表示得那麼強硬，否認已失反攻自主權呢？據作者的觀測，這是當局自知做了不得民心的事，不便明說，而取得美方諒解之後的一種粉飾行爲。在美方，諒解到國民黨當局的處境困難，只要沒有實際的表現，對人民空言反攻也無所謂，況且反攻大陸之說，頗能吸引海外僑胞，特別是東南亞一帶的華僑，美國對此，尤其有諒解之可能。可是，這次公報的情形就大不相同，它的內容說得非常明白和確定，用不到解釋，人們一看便知是怎麼回事，因而使政府感到相當爲難，使人民覺得十分失望和痛心。

二、

爲什麼美方對於上次的中美聯防協定頗能諒解台灣的尷尬處境而任何作口是心非的解釋，而這次卻要明明白白地說出「非憑藉武力」的話呢？我以爲這與局勢的劇變很有關係。今次，因有中共炮轟金馬之緊張局勢，西方國家和人民對此局勢一度有驚惶之色，甚至以爲第三次世界大戰將以金馬之炮戰首開其端。美國政府對於協防金馬問題始終未作明確的表示，而國務院的態度一直非常堅強，白宮方面也不止一次地支持這一堅強的立場，同時，美方負責的高級官員一再發表談話，警告中共自制。這樣，使美國人民和若干西方國家的政府更加心神不安，以爲美國這一次大有牽入對中共作戰的可能，於是，紛紛對共和黨政府施加壓力，要求美方表明眞正的立場和意圖。直至九月上旬中共提議和平談判與艾克杜爾斯同意談判之後，情緒方始緩和下來。但是，美國國內和歐洲國家的姑息派並不以共和黨政府同意談判這一點爲滿足，他們進一步要求在台灣當局放棄金馬，放棄反攻大陸。這種要求當然只得通過美國的影響力去說服台灣才能達到。我們當能回憶，杜爾斯在訪問台灣之前，先是參加已故教皇庇護士十二世的葬禮，隨後，杜氏忽訪英國，與英外相勞合談台峽局勢，然後還北極、阿拉斯加飛台灣。顯而易見的，杜爾斯在飛台之前，受到二方面的重大壓力，一方面來自美國國內，另一方面來自美國的西方盟國。這些壓力要求杜爾斯勸中華民國政府放棄憑藉武力作爲收復大陸的主要方法。自然，它們要求杜爾斯不可繼續縱容台灣高喊反攻大陸的口號，這種口號使美國國內的一部分人民不安心，使美國的西方盟國不放心，所以，它們要求杜爾斯說服台灣當局及其領導人，對於反攻大陸這個問題，作一種可以使人定心的公開表示，同時，也可堵塞中共的宣傳藉口，祇指金馬爲自由中國反攻大陸跳板。杜爾斯在這種壓力之下，不得不盡其力之所能，勸告台灣公開同意不用武力作爲解放大陸的主要方法。這一次的情形剛好相反，是美國努力求取自由中國的諒解，而自由中國之諒解美國的困難處境，不能完全忘去本身的困難，這是自由中國對美國的諒解顯得十分勉強，外傳中美雙方的意見分歧，可能由此引起。

三、

明白地表示了「非憑藉武力」的立場以後，人民對台灣當局不諒解是很自然的，人民的失望和離心也是必然的。至於說「非憑藉武力」即等於中華民國當局承認「兩個中國」的話，那是演繹之議，對台灣來說，是受了委屈，我們可以說當局的外交辦得不夠高明，吃了一次冤枉苦頭，卻不能說台灣當局及其領導人眞有「兩個中國」並存之想，假使他們眞有這樣的想法，那麼，他們連共產黨都不如了！

對於美國的共和黨政府來說，有了「非憑藉武力」的公報之後，可使它的西方盟國稍安毋躁。在國內，原來希望其有助於十一月的中期選擧，但事實已經說明中美聯合公報對共和黨在國內的聲望一無補益，民主黨的壓倒勝利，表示美國人民對共和黨的外交政策仍有不滿之處，是美國人民覺得中美聯合公報還不夠徹底嗎？是美國人民支持民主黨袖手旁觀中國局勢的政策嗎？這些情形，目前還看不清楚，但民主黨之勝利，無論如何是對自由中國的不利的。據報導，台北政治圈內近來籠罩着一片憂鬱的氣氛，我想，造成這種沉悶氣氛的原因主要是美國選擧的結果，海內外輿論不滿中美聯合公報還在其次。

四、

世界局勢是一個整體，中國局勢只是這個整體中的一個環節，它能影響整體，而整體中的其他環節也能影響它。以自由中國幾年來積儲的一點實力來說，要單獨反攻大陸確有事實上的困難，況，現勢是牽一髮而動全身的局勢，中國地區的變動必牽連世界其他地區的形勢。但是，我總覺得政府當局的確做了許多值得批評的事。我們盡可以爲了顧全大局，量力行事，但總不應消極到只保有自衞權的地步。大陸人民反抗中共是事實，然而要在怎樣的情況之下，政府才動用武力支援呢？這是很難說的，譬如，政府曾將西藏地區的反共運動譽之爲匈牙利式的革命，但我們始終未見政府出而支援。要知，政府今天是在戡亂，戡了十餘年的亂，只得了一個自衞權和支援權，豈不悲哀！

半週述評

軍人執政

戴高樂將軍在法國軍攝政權以後，亞洲，先是緬甸，繼而泰國、巴基斯坦，最近又有非洲的蘇丹，一連串的發生政變，軍人紛紛當權執政，目前對於印尼、印度、伊朗，都已經有人在加以揣測，那一天要輪到他們頭上了。

關於軍人執政，有許多種看法，但是，無論你喜歡不喜歡，高興不高興，你總要承認這是一個「事實」，這是一個「潮流」。

反常現象

無疑的，當整個自由世界以民主政治作爲主流的時候，「軍人執政」是一種反常的現象，因而我們有理由相信，這也可能是一種暫時的現象。

在這些國家政變的過程中，幾乎完全沒有經過流血，奇蹟般和平地將政權易手，在緬甸，前總理吳努反覆向他的國人說，尼溫將軍還是經過他三請二邀之下才肯勉任艱巨的。

民意基礎

在泰國，乃沙立將軍上台以後，一方面還捕了一大批的親共份子，一方面則宣佈了一些有利于人民生計的法令，因而，我們又有理由可以相信，這些政變的背後，不是完全沒有民意的基礎的。

「軍人執政」既是一種反常的暫時的現象，我們又同時承認產生這種事實具有民意基礎，這兩個問題之間的關係很微妙，如果我們能夠從這一問題中獲得一些啓示相信是有用的。

厭棄政府

這些政變的過程中，那些領導的軍人所用的口實，有一大部分完全相同，那就是，他們指責政客們的玩弄政治和腐敗。有人或者說，最初莫索里尼在意大利的上台，不也是這些口實嗎？誠然，這些口實不會被誰利用，作爲打擊民主政治的武器，總是很不幸的。但是，人們又不禁要問，爲什麼「很不幸」這些口實被利用呢！

愛國動機

必須指出，今天在這些國家所發生的「軍人執政」與當年的法西斯，有本質上的不同。法西斯有整套的與民主政治絕對對立的極權理論作基礎，而「軍人執政」有時則基于純愛國的動機。

一個國家缺少眞正的政治家，縱有議會政治的形式，而政客們置國家的大義于不顧，終日斤斤于私利與意氣，其遭受人民普遍的厭棄，是必然的，結果是相同的。

強人政治

一個國家，在共黨分化之下，接近政治瓦解的邊緣，而政客們又顯然無能力挽狂瀾，「強人政治」是必要的。

像戴高樂將軍所領導的「強人政治」，並沒有否定「議會政治」的基礎，但是，無疑的，他正引導法國渡過危機，重振聲威。

像緬甸吳努這樣的政治領袖，不錯，我們過去是不滿意他的「親共外交」的，但是，當國家處于危難時，他把政權交給一位「反共強人」負責，這種風度顯然是值得我們稱頌的。

・司馬璐

從美國的國會選舉說起

・謝扶雅・

這次美國參衆兩院議員選擧的結果，民主黨占了壓倒的多數。美國民主黨的立場和政策，頗相當於英國的工黨（即較左），所以這次民主黨的勝利，很令人爲中國前途担心。大家都知道美國總統四年，所以得四年必擧行大選一次。但這四載的中間又必擧行選擧國會議員一次。艾森豪下任的總統改選，將於一九六〇年擧行，其前兩年，即在今年十一月四日的一天被規定要改選衆議院議員四百三十二席（全數），參議院議員三十三席（即占該院三分之一）；另由各州自選任滿之州長三十二人，其中包括全國最大的一州——紐約州，爲共和黨洛克菲勒與民主黨哈里曼之競選，結果前者獲勝，這是一件可注目的事。因爲下屆總統改選，照憲法，艾森豪已決不能第三次連選連任（上次大戰時，羅斯福竟四任總統，開歷屆總統任期之破天荒紀錄，但至杜魯門總統時，美國修改憲法，規定總統不得第三次連選），況因健康關係，上次繼續連任，共和黨已竭九牛二虎之力。目下國內有失業問題（全國差不多五百萬人失業），在外有應付蘇聯中共問題，加以機要秘書亞當士受賄嫌疑案（雖已撤換），大家皆信下次共和黨恐難再秉政權。本來參議員任滿的共和黨諾蘭，這次競選加里福尼亞州（僅次於紐約州之大）州長，如果成功，則下屆共和黨提他競選總統，頗具甚高的呼聲。可惜他竟慘敗於民主黨布朗之手而長作政治下台。諾蘭爲自由中國之最大良友，與副總統尼克遜都很同情中國。但尼克遜畢竟年輕望淺，胆力有餘而老練不足。下屆總統競選自難如意。所以洛克菲勒當選紐約新州長，爲共和黨這次競選中「收之桑榆」的一大幸事。因爲充任這最大州的州長兩年，成績表現果佳，則很自然地可以繼艾克之後，再爲共和黨選取白宮主人之榮銜。

筆者恰逢十一月四日選擧高潮之處，感慨萬分！神聖的一票！民主政治的眞理在此充分表現出來。全國是日定爲公衆假期，以此神聖日而行神聖事，人人行使了主人的權利，亦實踐了公民的義務，擺長龍去投票，費時失業，但決不肯放棄，除廿一歲以下未成年者而外，無論男女貴賤（附言，美國本來沒有貴族，勞工的收入，平均勝過大學教授，恰與蘇聯相反。蘇聯科學家工程師的收入高出普通勞工二十倍。所以美國不可能起社會革命），無不參加這天親去投票，本着自己良知決定選共和黨或民主黨，夫婦亦各有其自由，不必從同。例如紐約州擁有人口約二千萬，選民約八百萬，差不多有公民資格的人都去投了（因爲二千萬中除了未成年者約佔半數而外，約有一百萬爲外僑無投票權，所餘者僅佔百分之五而已。）回顧我們的國家，顯出距離民主的理想實太遙遠了。其中因素固甚複雜，但公民教育及社會教育之缺乏當爲最大的主因；而這正是招致共產極權之適當酬報。於是筆者又聯想到這次杜爾斯訪華的結果，發表了一種聯合聲明。這裏的一般輿論，公認爲「事實上，美國已搞成了兩個中國了」。在第三次世界大戰未能發動，及大陸中國殊難實現匈牙利式革命的實際情狀之下，當然不得不出現兩個中國以爲暫時的過渡。這也就是欲怒無從，欲哭無淚的中國之命運了！

在我們的小說裏，開場常說「天下大勢，分久必合，合久必分」。所以歷史上有南北朝，有三國，有六國（連秦則七國），有……以至五代十國。果使台灣自成一國，則在一段過渡期內，香港亦何嘗不可另成一國。星加坡既可獨立自治，香港亦何獨不可。英美素來標榜民主自由及民族自決，以作反擊共產極權之根本武器。果使香港三百萬人民能如美國人那樣明白人權，由擴大市政府民選議員積極爭取香港議會選擧，未嘗不可如國內與瑞士也門等而既屹然有獨立的主權，說美蘇兩大，瀰時合港，自可與三國時代之蜀吳抗衡相通，共爲大陸難民之淵藪。那桀紂之崩潰益將指日可待，而中華民族固又可「由分而合」了。爲今之計，香港的知識分子亟應與當地工商界聯成一片，共向建設香港民主的大道而邁進，自助天助，相信世上有識見有器度的政治領袖必會熱誠相支援，玉成是擧。客觀形勢如此，應當逆來順受。況且「識時務者，謂之俊傑」，港九不乏明達，盍速投袂而興。西哲柏拉圖名言：「人不管公衆之事，便罰受惡政府之苛虐」；這對中國人眞是一最嚴重的教訓了！（美國來鴻之六）

政治反攻「與」法治問題

【台灣通訊】政府在「公報」中表示以實行三民主義作為反攻大陸的主要途徑。但此九年來當局所實行根據三民主義訂定的中華民國憲法，其績效又如何，國內外的輿論，仁者見仁，智者見智，因為民間的與官方立場不同，看法亦異。記者僅就民意機關的質詢及台北民營報最近發表有關法治的事項，引誌於下，藉供關心國事者有所了解。

人身保障問題

監委黃寶實等十一人，為治安機關對於非軍人身份之人民及官吏，往往因事逮捕，經長期間之綑押，偵訊，然後移送法院，不僅逾越軍法審判之權限，且有損法院檢察處之偵查權，故由監察院司法委員會調查，[illegible]人權而崇法治。嗣經該院委員[illegible]，[illegible]治安機關有違[illegible]分辨法之主旨，[illegible]糾正。（四百十次院會）

又委員陶百川就治安機關非法逮捕及有無違法失職情事提出討論。監院並派監委金越光、段克昌再調查，認為治安官署對於人民之傳喚逮捕拘禁審問，多未依法辦理，應予糾正，經該院司法委員會（一〇六次會議）決議送請政院辦理。可是糾正的效果如何？我們可以列舉事實加以說明：（一）宜蘭縣警局巡佐非法毆打澎師薛湘澤案，成為民營報社會版的頭條新聞，議會質詢的對象，儘管民意代表與輿論均有指責，有關方面僅僅記過撤職而已。（二）台中縣警局刑警刑求逼供，受害人王百川竟請議界主持正義，結果打人的刑警自請辭職了事。（本月十五、十六台北公論、聯合報）（三）前自治半月刊編輯現任中國地方自治研究會幹事孫秋源於上月下旬間被治安機關逮捕，其罪名連他的太太都不得而知，現在尚未移送法院。（孫非軍人）（十字論壇光復號三期）。

司法獨立問題

前南投縣長（？）李國楨涉嫌貪污，初審判刑，二審無罪，台中法院檢查官黃向堅依法上訴，狀至首席檢查官延憲諒處，竟批上「奉命不上訴」字樣。監委陳大榕調查該案問延究奉何人之命時，延吱唔其辭，監委陳氏當面斥其「顯為遁辭！」自前台中區謠傳紛紜，謂有隨路情事。李案上訴非司法行政範圍，而係檢查業務。所謂「奉命」係上級干擾違法的鐵證。「自由中國十九卷十期社論（一）」

現在台灣的治安人員逮捕非軍人的嫌疑犯，絕少持有檢察官或推事簽發的拘票，逮捕後亦常常超過法定的二十四小時，才將嫌疑犯移送該管轄法院審問，甚至將嫌疑犯延長羈押，以利刑求口供。凡此種種，顯已逾越法律規定的範圍。

因此，我們以為不談「實行三民主義」則已，否則必須要厲行民主憲政，崇尚法治，尊重人權。標語與口號再漂亮和響亮都沒有用。（十一月十八日）

○劍聲○

蔣夢麟與農復會

○仲偉庭○

農復會十週年的前夕一個晴朗的下午，筆者在復興大樓一間寬敞雅潔的辦公室裏會見了一位年逾古稀精神矍鑠的老人，那是農復會主委蔣夢麟博士。他是一位老教育家，先後得過日本農業學士，和美國加利福尼亞大學哲學博士，哥倫比亞大學教育博士，做過大學教授校長及部長，行政院秘書長等高官要職，但自三十七年奉命，籌創農復會時，就脫離政治教育生涯，全力從事中國農村復興工作。就一個人的事業而言，與其說是退休，無寧說為進取。

蔣氏的生活是很規律的。早上六點起床，散步、盥潔、進早餐，八時上班。午後休息一時，晚上八點就寢，星期例假則驅車至郊外垂釣或散步。他有個快樂的家庭，長女蔣燕華和長婿林滅明均在從事自然科學工作，次女陶燕錦與外子在港從事工程營業，近因母故返台在家侍候他老人。蔣氏雖然是年屆七十二高齡，但是精神健旺，風采軒雅；寬闊的前額，戴著一付金眼鏡，而透露出智慧的光芒，侃侃而談，十分動人；身穿一套藏青色的西服，帶有白花的稀疏頭髮，梳理得一絲不亂。他待人謙和，治事精明，為學淵博，曾見過他的人們心中，容易喚起人類的尊嚴人性。他在台灣一千餘萬人的心目中受到熱烈的愛戴，尤其以直接受惠農民為最。

談到農復會，該會是民國三十七年十月一日成立於南京，開始研議籌劃，創訂若干新的原則與方法，進而從事復興中國農村的繁榮。在過去這十年中，我國在政治、經濟、社會和農村各方面都經歷了大變化。農復會成立之初，中共早已利用農村正存的弊病以及農民組織的鬆懈，普遍伸張勢力。該會成立後之第一年即曾兩度被迫搬遷，深感此項農村建設計劃的開始已為時太晚。

該會於民國三十八年八月遷至台灣，在過去九年中，該會曾推行農村復興工作計劃二、七四二件。從台灣人民所獲得的利益而言，該會所做的工作可說切合實際需要，收到成效。根據估計：台灣農民中有百分之九十五已身受其惠。

談到農復會在台灣的成就一點，必先了解台灣農業所面對的困難和現有的客觀條件。台省耕地有限，已耕土地的面積為八七五、〇〇〇公頃，僅佔全省土地總面積的百分之二十四左右。另一方面，台省人口半數為農民，總收益的三分之一均來自農業。此外從事農業方面的人數佔全省就業總人數的大半。外銷農產品所爭取的外滙則佔滙額的百分之九〇。工業雖在積極發展中，但目前仍以農業為主。

農復會是針對這情形與政府合作而訂一項農業政策，增加稻米、甘蔗、甘薯、花生、小麥、菸草、大豆和黃麻等作物的產量。近年來台省不僅糧食可以自給，並且平均每年可以外銷主要糧食——食米一五〇、〇〇〇公噸。此項成就，是由于灌溉面積的擴充和作物單位面積產量的增加。

此外對於品種改良、野鼠防治，輪流灌溉，防洪建築，開發海埔新生地，家畜人工授精，漁業貸款，漁船放領，造林、土改、鄉村衛生，家政推廣，農業普查，四健會青年，赴美深造[illegible]的貢獻，農會改組等都有[illegible]，怪不得台灣農民對農復會印象最深，原因是他們受惠很多的緣故，所以大家一遇到蔣夢麟主委，都異口同聲稱他為農民之父，是有來由的。

（下轉第三版）

七分政治三分軍事　。尹震。

內政部田部長有所說明

——關于本報八〇二期台灣通訊

編輯先生：閱讀　貴刊八〇二期台灣通訊「中美聯合公報發表後政院應積極從事實際改革」一文，使人深感處事之難。該文指責「不求業務的改革，祇注意于宣傳」底作風，本人極端同情。溯自從政以來，除有重要改革，須求社會瞭解者，方發表言論或消息外，分內應做的事，從不在紙上宣傳，自認此乃理所當然，卻不料因此反引起指責宣傳者的誤會，而謂本人就任以來，一切「照舊」。茲請借　貴刊的篇幅，略加說明如次：

一、關於國民住宅與建委員會方面者：本人於四月初兼任該會主任委員後，立將不合理之變相待遇廢除，交通費，房屋津貼等則較原定數額減低發給，至本會計年度開始後，即按照行政院規定標準，編訂預算，嚴格執行。至工作方面，單以居住該會房屋簽訂契約一項而論，該會所建房屋三七五棟，除未配售之二棟外，本人到任前已簽訂者有一七七戶，另一九六戶均未訂約而居住房屋。經該會工作人員之努力，現已全部訂約。

二、關於內政方面者：分三部份說明。

一、醫藥部份　本人奉命接長內政部時，內政部最受輿論指責者，爲衛生司的工作，故委任後，將該司科長以上人員，澈底加以調整。過去數年未積壓的二千四百餘宗審查案件，自九月十五日起開始清理，除正在台灣省衛生試驗所化驗中之四百餘件外，現已全部清理完竣。民國十七年以後，迄未加以修訂的中華藥典，亦已審編完稿，即可付印。近月來，衛生司工作人員配合金馬戰事，籌措醫藥用品之儲備，爲實施馬來台軍傷民衆之醫療，成效卓著，甚受各方的好評。

二、出版品和著作權審查部份　內政部之出版品和著作權審查工作，原係警政司出版科主管。本人因感出版科之工作過於繁重，乃將著作權之審查工作劃出，另設著作權審查委員會主持其事。出版科科長人選亦予更換。至出版法修正案在立法院審議時，本人曾反復說明政府所欲取締之重點，在妨害風化之黃色刊物，今修正出版法施行以來業已數月，本部處分停止發行及扣押之十餘種刊物，均屬於黃色之範圍，正當之報紙及雜誌，均未違反出版法，未有一種受到干涉，而黃色刊物之遭受處分者，從無任何異議。至著作權之審查工作，自本人蒞部以來，亦未發生糾紛。

三、人事部份：本人蒞部時，內政部職員編制一百七十餘人，而調用其他機關人員卻多至六十人，經多方設法，將調用人員或予納入本部正式編制，或予遣回原機關服務，現確屬業務需要而繼續調用者已僅十人。至其他人事業務的處理，悉依人事法規辦理。　　尚此，敬請

撰祺

田炯錦敬啓

（四十七年十一月十五日）

○……新一聞……○
○……隨一筆……○

請當局修口德，結善緣

「反共救國會議」，本是五年前由執政當局提議召開的。開後卻又以各種莫須有的理由和疑忌，竟一拖拖了五年！最近聽說又有召開的可能，惟傳說當局正在爲「大型的」或「小型的」，而舉棋不定。

所謂「大型的」「反共救國會議」，即邀請的人多點，所具代表性自也廣泛些；所謂「小型的」，即邀請的人少些，代表性當然也比較小些。

就目前傳聞所知，當局有意召開一次「小型的」，據說理由是「小型的」比「大型的」較易集中意見。也有謂，其所以主張「小型的」，是因爲便於邀請，和便於邀請一向比較與執政黨接近的在野人士。

姑勿論上述傳說是否可靠，至少已顯現出執政當局已經有意思進行召開該項會議，當然距離實現，爲時尚早。不過大家已經聽到「樓梯響」了，確是事實。

「反共救國會議」是否能解決當前政治上的實質問題，以及是否就能因此而使朝野重行團結，這是大家關心的關鍵性底問題。因此，也就有人對該項會議抱了保留的態度，甚至有謂，當局之所以一再遲遲不決，原因也即在此。不過就我的管見所及來看，問題的癥結不在此，而在於如何先消弭朝野之間長久積存的疑忌！而這似乎又須由執政黨方面先自善種好因才行。比如說，當局常在宣傳上說，海外民主人士是「共黨同路人」，是意圖進行顛覆政府；而其海外工作分子卻又對某些人或某些團體散佈「有共諜嫌疑」之謠言，這些都是有傷感情的玩藝兒。有時則又做出一些令人啼笑的事，比如故意示好某些人或某些團體，而又謂是意在孤立另外的某些人某些團體等等。其實呢，程咬金三斧頭，不過就是那三兩下，技巧之拙劣固不必說，卻徒然使朝野之間誤會增加。所以我覺得，當局如真有誠意召開「反共救國會議」，看來第一步還是請當局多修口德，也要飭令那些「海外工作同志」循規蹈矩些，少散佈些無聊的流言，多結些善緣，多做些有益於「修橋補路」的工作才好。

。金葉。

台南漁會選舉追記

【台南通訊】台省各縣市鄉鎮漁會，日前開始改選，這一會員衆多，經費充裕，大權在握三年一任的理事長爭奪，比議員選舉，其劇烈有過之無不及。

台南市漁會第二屆一次會員代表大會，於十一日召開，選舉理監事及省漁會代表時，照例又有一幕緊張刺激鏡頭。原理事長魏東安迫于情勢放棄競選以後，漁民頗有依依之感。一間僅可容百餘人的西區民衆服務站禮堂，只有僅及四尺寬的一個樓梯，門口即是長樂街警察派出所，臨集街頭的民衆與漁民，被拒擁塞於樓下，選擇這麼狹小的一個會址，正是禁止旁聽的一個好藉口。唯其如此，更引起不少人注意。

一位同業從會場回來說：漁會開會，很劇烈，儘爲推選臨時主席就開得很劇烈，會場內外戒備森嚴。記者經交涉後始得列入記者席。同業指告衣青色西裝要求發言的那個代表，即是參加理事長角逐的鄭文瑞。在一陣喧嚷聲中，開始發票選舉。一個叫姓蔡的代表說：漁業區長與黨部會派人到他家叫他寫委託書派代表出席，在一張空白委託書上祇寫了一個名字。另一個姓陳的說：我根本沒有寫過委託書，剛從遠方回來，現竟有人代表出席，會場下傳出七個人有兩份以上的委託書，選票無效消息時，五六個衣着貌似漁民，手拿身份證私章，及當選代表證書，在樓口與三個全副武裝的憲兵及警察，鬧着要進會場，請求立即鑑定他們委託書的眞僞。大隊警憲兵開來，一時交通斷絕。

會場記者席上，忽走進一憲兵上尉指導員，叫去一位記者，在會堂口被責詢問拍照有無得到憲兵同意，憲兵隊長堅持要沒收底片，因此鬧了一場小糾紛。

選舉結果：黨提名與鼎專等十五人當選理事，與之爭雄的鄭文瑞，祇爭得一個候補理事，原任理事長魏東安等五人當選監事，（魏當即宣佈放棄讓賢）杜丁賢等五人爲省漁會代表。

這是一場以武力維持的選舉，無怪原任理事長（現市議員）魏東安說：「這次議會開會，我有一件八人聯署提案，停止台灣一切選舉」。其實，就記者來說，新出版法，或民法、刑法也應加上一條——「禁止記者攝取有關憲兵執行任務照片」才好。

昌增勳（十一，十二）

東歐對大陸「人民公社」的反應

◎唐昭祺◎

華沙的笑話是「感謝上帝，有了蘇聯，我們和中共之間才有了個緩衝地帶」。

△中共政權在大陸上所推行的「人民公社」制度，慘絕古今，甚至連他的老祖宗蘇俄也爲之自嘆不如。東歐附庸國的各個首都。從他們駐在中共的代表，獲得有關于中共「人民公社」組織的詳細報告之後，都表示十分的震驚。目前華沙的咖啡館和俱樂部即流行一個笑話，這個笑話是綜合共黨知識分子最近對中共推行這種制度的極左作風的一種看法。這一笑話是：「感謝上帝，有了蘇俄，我們和中共之間才有了緩衝地帶」。

△據紐約時報的維也納通訊報導，東歐各共黨附庸國對于中共的「人民公社」制度並沒有公然提出批評，甚至在彼此交談之間，也支唔其詞，不作詳細評論。中共目前認爲東歐共黨對於達成馬克斯主義目標的作法是落後的，躊躇不前，和老式自由主義派。東歐共黨對於中共這種評論感到不安。

△在南斯拉夫政府和民間的反應比起東歐其他共黨國家更爲反感。一位作家批評「人民公社」的特徵，認爲是史太林主義與封建主義的組合，而並不是溯到共產主義的一個方式。

△不但東歐如此，甚至在莫斯科的最高階層，對於中共所搞的這一事件，都愈來愈感到不安。蘇俄報紙對於中共「人民公社」的性質，幾乎完全不予發表。俄共此一緘默，顯然認爲北平目前的作法，乃是企圖暗示在思想上領導社會主義陣營至完全共產主義方向前進的是中共，而並不是蘇俄。

△中共「人民公社」制度實施的結果，其將引起全大陸人民的反抗，是一樁意料中的事。但鑑于蘇俄對中共的猜忌，防制，則中共這種僭越制度是否獲得莫斯科的容忍，恐將成爲問題。莫斯科不能不深慮，中共實行「人民公社」除在思想上爭取領導地位以外，再且正以這種史無前例的嚴密組織來對中國人民發動更大的努力，以遂他們的經濟建設，特別是軍事建設，如果中共這項企圖獲得成功，則蘇俄在人口與資源的壓力下，能否繼續其社會主義陣營的領導地位，將是很問題。因此中共「人民公社」制度的內外形勢都頗不利的，中共的澈底失敗，很可能就失敗在這種「人民公社」制度之上。

竹幕幽秘

農產品收購

目前大陸最緊張的任務是農產品收購，截至十一月九日止，據十一月十三日人民日報報導，其收購情況如下：糧食已完成年度計劃的百分之三十三．五，烤烟完成百分之三十一．三，黃蔴完成百分之四十二．四，棉花完成百分之四十四．八。

其他各項，尚無具體資料可以說明。且就棉花吧：該報又說，年度收購計劃的任務，比去年同期的收購量增加百分之八十二，亦即本年度的收購計劃是六千四百萬担。按較早時節中共宣佈，今年棉花預計產量將爲七千萬担，就算這一數字是實在的，那麼百分之九十以上的棉花被收購去了；另外，再做農業稅以百分之八計，則爲五十六萬担，剩下給棉農的約有四百萬担，假定今年植棉農戶是一千萬戶，每戶五人計則每人可剩留〇．八市斤，即一兩二錢八。由此可見，其搾捐之澈底。

問題並不僅止乎此，上述估計產量中，若有一兩個地區或者數個是虛誇的，則要完成任務，非搾出自己所穿的棉襖，所蓋的棉被和所存的棉花數不可。在我們看來，其收購任務所以如此的緊張，就是因爲這種棉農戶可不肯在西北風中拆棉襖、棉被而繳故。若真要收購，棉田中出產的，那末恐怕只好以棉花撐充數了！

「兩個中國」

韓戰時節，中共任命了若干派赴聯合國的代表，要爲聯合國嚴厲拒絕；若從中共對于「兩個中國」的角度來說，則是想利用「兩個中個」之在聯合國併存，進而迫退國府在聯合國中代表。一九五五年以後，中共又在各國製造「兩個中國」的承認，從而來迫退在這些國家中的國府的使節，以增高其國際地位，它對日本的政策就是如此的。今年上半年，猛烈抨擊國際上製造「兩個中國」，有「兩個中國」同時併存的國際團體它都退了出來。這是中共對于「兩個中國」政策的三個階段。最近，雖然在口頭上還喊反對「兩個中國」，事實上，其政策恐又回頭了。因爲較早以前所舉行的聯合國教育科學文化組織會議，蘇聯代表在一天中就提出了要該組織接受中共代表，排斥國府代表的議案三次之多。不難了解，他們是想在所有聯合國附屬機構中佔有席位，然後再進入聯大。在其他國家中雖然現在還無動靜，看來還是要走一九五五年以後的那條老路。我想，國府應該有所準備的罷。

看報閒話

△用中國老話「瞎子摸象」，來形容那些外國訪員之對中國大陸的情形，是最恰當的了。內幕這些「瞎子」到大陸上去亂摸之後，便出了一些謬論，於是中共的宣傳機器就吹出了「各國輿論盛讚中國大躍進」的調子。

當然，外國人不會懂「大躍進」曲子裏隱藏着多少中國人民的血淚和家庭支離破碎的悲劇！

△彭德懷除了向金門打砲以外，最近他又到西北去放砲（吹牛）了，他重複了毛澤東的話：西北人民的要求，到「一九六二年讓全國人民達到每人每年有兩千斤糧，一百尺布，一百斤肉，二十斤油」。

這個直是天方夜譚了，好在他在說這話時，前面還加了「我們想」三個字。「我們想」者，即是說，他和毛澤東等不過在做夢，說話而已，作不得數。

△自從實行公社之後，農民吃的是「大鍋飯」，實則「大鍋飯」是習慣上的說法，在北方有些公社食堂裏，農民只能吃什麼窩窩頭喝白開水，但有些公社就不能吃，連開水也免了；在南方——以廣東爲例，吃一餐飯總要只有四粒飯而已。當然，公社之後，一個人吃的飯，曾比古代的奴隸，當尤過之。所以共產黨不再用「共產主義的遠景」來騙人了，改用「二千糧，一百尺布，一百斤肉，廿斤油」作餅子。「一百斤肉」！這不是比談什麼遠景更誘惑人嗎？

△到十一月上旬爲止，中共煉鋼總產量號稱已突破了八百萬噸，距離指標一千零七十萬噸，「還有二百幾十萬噸沒有到手」，因而不能說「爲萬事大吉」。中共通過「人民日報」的編輯發出了指示，「總不能到十二月卅一日才拿到一千零七十萬噸，這是一。」又向重點鋼鐵企業指示「希望那些完成任務不算好的鋼鐵企業，在這一年最後四十多天中，要更深更透地發動羣衆大幹一番，不達目標，絕不罷休」。

△本齋主在此獻中共中央略獻小計，若要加速完成，乃可將大小頭目所坐泊來品小汽車投入煉鋼爐。

×　×　×

◎不懂齋主◎

國際動態拾零

△亞非阿拉伯各國之製造混亂者，爲蘇聯主席團中年紀最輕的莫希丁諾夫（Mukhitdinov）。其人對外殊少接觸，爲赫魯曉夫一手提攜，年纔四十一歲。他已提供貸款埃及一億盧布，興築阿沙水壩，並安排赫氏與納氏在開羅會面。

△阿爾及利亞叛軍，已得外援。埃及國防部長阿密近訪蘇，歸謂消息，謂只要反對法國，總可予以支援。

△戴高樂對阿爾及利亞前途，仍抱樂觀，惟有鑒望之人，迄今仍不願參加選舉，阿爾及其前途，未符戴高樂之樂觀理想。

△伊拉克副總理阿雷夫之鬥爭，加氏已得勝利。上星期反加氏之示威運動，示威運動在機場，歡迎阿雷夫，揭示納塞萬歲與打倒加氏。

△蘇聯之五千英里越洲飛彈，可能於一九六三至一九六四年完成。美國急于完成反飛彈計劃，據說其命中率達百分之九十的準確性。

◎陶然◎

蔣夢麟與農復會

·仲偉庭·

（上接第二版）

農復會的組織是委員制，五位委員中有三人（包括主委）係由中華民國政府任命，二人由美國政府任命，現有委員蔣夢麟（主委）、錢天鶴、沈宗瀚、戴維斯（美籍）。該會是用美國的錢，中國的力，不受中美政治干涉純係爲農民謀福利的機構，近年來該會對中、泰、越、菲農村復興工作也不少貢獻。所以這次菲律賓政府以麥格塞塞總統紀念獎金頒給蔣氏。

反對自我陶醉

有人這樣說：去年中共之由鳴放之轉爲反右派，是由於「蘇俄在中國」一書發表的緣故；我們不曉得，這兩樁事如何聯系，我們更不曉得這是何種邏輯。

當然，我們希望國府在大陸影響愈大愈好，我們也願意盡一份使得這種影響力擴大到大陸去的責任；但是，像前述那樣的論調，除了使人反感以外，實無其他作用；說這種話的人，除了自我陶醉以外，並無其他意義；我們反對這種雲裏霧裏的不切實際的思想，這種思想基本上就是不思進取的苟安思想。

◎田心◎

我們是中華民族繼起的兒女

——現代文學美術協會第一封公開信

朋友：

「爲了我們處于一個多難的時代，爲了我們中華民族目前鑒證的流離，更爲了我國半世紀來文化思想的解體，于是，在這個決定的時刻中，我們都面臨着一個重大而不可抗拒的問題，迫使我們需要聯結每一個可能的力量，從裏面發揮每一個人的勇敢，每一個人的信念，每一個人的抱負，共同堅忍地正視這個時代，共同表現中華民族應有的磅礴氣魄，共同創造我國文化思想的新生！

「這個組織，希望是我國新文藝再造運動的一座燈塔，跨越這半世紀的空白；希望是通向光輝未來的一面旗幟，排成所有文學美術工作者的行列；希望是一股主流，衝向廣闊的世界。

「讓所有有共同善良願望的年青人緊密地站在一起！讓所有有共同善良願望的年青人肩負一個偉大而莊嚴的使命！」

一九五八年八月一日，我們幾位年青的文學美術工作者便通過了這「草擬的宣言」，隨着，我們滿懷熱忱、冷靜地開始組織的行動。進行中，可以感到快慰的是困難並不多，我們于是知道：我們這樣年紀大的年青人，心胸中原蘊藏着高揚的熱望，眼眶內原閃耀着堅強的信念，雖然我們走在米字旗下的柏油路上，但仍踏着民族方向的步伐，因爲呵，在目前，這空前多難的一代，我們該是中華民族繼起的兒女，假如我們此刻不站起來，我們將永遠躺下，這東方的巨獅已酣睡太久了；當我們醒來，伸伸懶腰後，讓我們發誓再不繼續夢鄉。事實，現實的噩夢已降臨，迫使我們呼喚一個新的紀元！

我們已厭倦個人主義的浪漫與頹廢，我們已厭倦實利觀念的自私與躊躇。它們的象牙塔不能成爲我們思想的隱遁之所，同樣不能成爲我們肉體永久享樂之地；它們的席夢思只能使我們担心個人之榮辱，只能使我們成爲一個安份守已之順民。

然而，我們不停地耕耘。

然而，我們耕耘在誰的泥土上？

然而，我們是否安心如此？安心無視于一個民族新生分娩的痛苦，麻木地走過斑馬綫，心裏單單盤算着明天是星期幾呢？

我們試詢問：當從學校回來，當工作下班回來，所有的時間消磨在看看電影、跳跳舞、喝喝咖啡等等，我們便能安慰自已有一份幸福的人生了？除了每天吃吃飯、睡睡覺，與及談談戀愛，我們是否還有時間幹點有意義的工作呢？我們連一點剩餘的精力都吝嗇起來？

我們立下決心利用這一點剩餘的精力，所以我們開始進行組織的行動。

在這塊殖民地上，文壇是長久被荒蕪着。沒錯，報紙與雜誌擺滿所有大小報攤，假如你是個遊客，你一定驚奇香港文化之蓬勃現象。刊物數量是蓬勃之現象，對的。但是，刊物是個怎麼樣的刊物呢？它們能夠暢銷的，不外屬于趣味、色情、娛樂性那類。能夠站得穩的，不外有政治背景之支持——這差不多即是說有別一個國家的金錢在支持——這類，它們不在乎讀者的多少，顯自我陶醉地唱獨腳戲。其他嚴肅的純文藝刊物呢？眞是鳳毛麟角，能夠出現于羣衆面前的，許多是經不起時間的考驗，倒下來了。于是我們有一個結論：無論是那一種出版物，尤其是屬于文化思想的出版物，假如我們要它生長成爲強壯之樹，我們必給予它陽光、水份與泥土。陽光是羣衆，水份是金錢，泥土是我們每一個人所付出之努力。

若假設社會是一個有機物，羣衆是一大堆被動的細胞，他們的何去何從是有賴于其兩三個具有思想革命性的強有力的細胞的決定。問題是必須走着一條路，問題是走那一條路，問題是誰担負領導羣衆走一條路。目前，在畸形的發展下，這個「誰」在個人主義與實利觀念下，已帶領着羣衆走向一條毀滅的道路。這條道路將使民族的歷史倒退回去。或是，這幾個「強者」的「論」，把羣衆弄得頭昏眼花，胡亂地走着通向不知名的路。在這旅程中，已沒有人敢大聲指出錯誤，因爲他害怕爲不幸時代麻痺了的羣衆指責。

就失望嗎？

不。

于是，我們下了決心開始進行組織的行動。

我們安設寬大之門，容忍之門。

讓我們成爲情熱而冷靜的強者。

讓我們邀請所有有善良願望的朋友。

建立我們的信。

建立我們的望。

建立我們的愛。

羅馬非一日之羅馬，而我們的新樂園也非一日之新樂園。

朋友，明天的新樂園是沒有毒蛇與禁果的！

朋友，明天的新樂園裏我們都是不受誘惑的亞當夏娃！

今天，我們是赤裸的一羣，是被遺忘被漠視的一羣！

明天，我們是鋼鐵的一羣，是經過創造的一羣！

這不是烏托邦式之幻想。我們是腳踏實地，是面對現實，是工作着。

在一個決定的時刻，我們已出發了。

雖然我們呱呱墮地不久，可是，我們長得又白又胖，紅潤的臉閃耀着健康的光芒！

願我們坦誠地握手！

無邪・藍子

崑南・子匡

野馬・葉維廉

十一月十七日香港

自由談

且說「人民公社」

馬五先生

關於毛共在大陸上大力推行的「人民公社」問題，近來國內與國際間皆有不少評論，認爲這是毛共的自殺行爲，秧歌王朝很可能隨着「人民公社」之猛進步驟而趨於崩潰。

我們讀過種種說法，却不敢無條件地自我陶醉，盲目樂觀。毛共急於實施「人民公社」制度的理由，其說不一，但有兩點似乎最主要的因素：一爲經濟的理由。毛共在大陸上的共產行爲，已經萬分艱窘，連墳墓裏的死人財物亦「共」盡了，人民十室十空，再也沒法搜刮，因而不得不把大的財力消耗於［illegible］，而農業合作化與商業公私合營的結果又甚惡劣，乃想出「人民公社」這項方案，至少可以減輕經濟上的負累，同時亦可以擴取更多的勞動生產力；二是軍事的，毛共懍於國際形勢之日趨緊張，自須積極從事備戰工作，尤其害怕台灣實行反攻，一旦發生戰事，不管是全面性的或局部性的，大陸人民必然乘機蠭起，紛起反抗共黨。這種內在的憂患，毛共心裏自然明白，藉「人民公社」的制度，即可以嚴密控制一般民衆，使沒法動亂，它對於所謂「民兵」的組訓事宜，自屬意料中事。

因此，世人如果認定大陸人民不堪呻吟顛頹於虐政之下，必然不會自動起來革命，即使共軍發生動搖，若無外來實力應援，亦不容易形成秧歌政權的致命傷。美國當局勸我們放棄武力反攻政策，萬一大陸上發生動亂，我們也無法施展「政治反攻」，那便是守株待兔，決無停理。這道理我們大家都懂得，就不知美國當局是否懂得？以西班牙和匈牙利事例爲例，我實在不敢樂觀啊！那是太危險的想法。

住（翠萃廬散筆）

。陸夢墨。

我常想有棟自己的房子就好了。但是要筆桿爲生的人，又沒有鑽獎金的路子。要買房置地，豈不是夢幻。且讓我再哼一哼「天地爲萬物之逆旅」。有天地這樣大的房子住，何必爲幾片磚瓦所羈！

李笠翁說：「人之不能無屋，猶體之不能無衣。衣貴夏涼冬燠，房舍亦然。」房屋和衣服，在笠翁看來似乎是差不多的東西，有差不多的用途。事實上鳥獸有毛羽，仍然要築巢，人類雖然穿衣服，也要有間房子住，這兩件東西的用途究竟不止是夏涼冬燠，各有其用途。唯有蝸牛最聰明，走到那兒都背着那只殼，連房子帶衣服，都是它了。美國有一種住宅車，往汽車後面一掛，開到那兒都可落腳，非常方便。我就覺得這車子的功用很像蝸牛的殼。行不擇所之，居不擇所止。正是旅行家們最好的「蝸居」。我就常想能有一樣一部住宅車，和［illegible］兩人遊乎山川，行乎田野，欲行則行，欲止則止。人生之樂莫過於此了。但這畢竟是幻想，我們也有我們的「蝸居」。不是方便得像蝸牛的殼，而是窄小的像［illegible］，雖然不如這麼一部流動的住宅來的方便，但是想想報流動戶口的麻煩，也就知足了。

說起了住，我從童年到現在可分爲三個階段，幼年那段是頗值得回憶的，魚缸、花架、月亮門，風沙故都的老四合房。從我落生到讀小學，中學，大學一直到離開家，依然是那樣的魚缸花架月亮門。沒有更動沒有改變，這些古老的陳設正像我這古老的回憶，都是屬於退了色的年代，當初詛咒過，現在却來懷念。後來一個勁在外面流浪，民間的「前廊後廈」，軍艦的「上舖下榻」，「亭子間」「木閣樓」「瓊樓玉宇」「摩天大廈」似乎是都嘗試過了，覺得住好住歹都差不多，日擁千間不過夜眠八尺。閉上眼睛關了燈，對於睡在洋房裏的人與睡在草房裏的人，睡神所給的待遇都是一樣。但是在那個時候心裏的感覺却不同。光棍宿舍，一燈獨對的時候，對「天地者，萬物之逆旅」。這句話就感觸良多。因爲無論住在那兒都像是住旅館。現在有了窩，心自然也就定下來了。

「翠萃廬」不姓陸，是租別人的房子。大小各一間，大間做臥室書房，客廳及餐廳之用，小間做廚房浴室以及門房之用。門外有木瓜樹二，高不滿尺，爲抽荊親手栽植。右鄰翠萃廬一小販之家，與翠萃廬一板之隔。大凡談話，吵嘴，哭聲，笑聲，打孩子罵老婆，以及半夜三更做油餅，均淸晰可聞，如身歷聲。但是住久了，也就安之了。我們住的房子既不高，自然不可稱之爲「什麼樓」，房簷上沒草又不可冒名茅蓬，若名之爲「什麼蓬」常使我聯想起尼姑庵，總覺得那個。所以就姑且名之曰：「翠萃廬」。有幾分陋室之意。事實上這房子蓋的也並不壞！兩張窗子有一張既不通風又不通光。房頂沒按天花板，一根根彎曲的樑棟剛好和筆者的肋骨相映成趣。牆上掛着一幅題名「室內」的畫，是一位新靈派的畫家送我的，我在那堆餌色裏找了這些日子才找出一些似乎像人的東西，但是頭上多出兩隻角。我不知是不是這位畫家在向我老牛破車的生活開玩笑。但是我覺得它和那滿頭犄角很相稱，有協調的美。

房子雖然不夠新，抽荊却把它收拾得整潔不俗。架上有書，瓶內有花，桌椅櫥架，名人字畫。有居如此，夫復何求？來往的客，雖不見得談笑皆鴻儒，却也有幾種人不得入我室。面目可憎者，語言乏味者。市井買豎，達官顯人。大凡常來的客，不是文墨中的同道，便是肝膽的朋友，這些人也都窮，我這陋室却常響着他們的笑聲。可見得愁眉苦臉的不見得便是窮人。

房東太太是鄉下人，到不會擺什麼嘴臉，但是講起話來聲音像鷄叫，最近念念道道的要給兒子娶媳婦，大概要用房子。不知會不會是我們的廬？

我常想有棟自己的房子就好了。但是要筆桿爲生的人，又沒有鑽獎金的路子。要買房置地，豈不是夢幻。且讓我再哼一哼「天地爲萬物之逆旅」。有天地這樣大的房子住，何必爲幾片磚瓦所羈！

滿庭芳

鍾應梅

戊戌九月，與同人遊汀九。小憩洗氏龍隱別墅，共飲靑山酒樓。

碧壓汀九，疑是武陵溪。別館龍騰靈靜，輕雲斂，烟收紅甜絲潤，此邦秋與人宜。妙讀催詩。何須問，誰賓孰主，淸話頻杯。有酒幾，魚蝦價賤，天海靑遊，更名山坐對，楓葉新萎。一水溯洄念謙，容偎遲，在彼之湄。同遊者，闢成賦筆，好爲寫鄉思。

愛（讀書隨筆）

最近讀到的好小說，「春風化雨」和「棘心」，可以說是我［illegible］人的創作，［illegible］「棘心」寫母女的愛，但並不局限於此，這兩本小說都及於四周的鄰人，並及於所要觸過的同胞，貴在可以說，都是努力的去描寫一個人類中最美麗，最光輝，閃閃爍爍的一個字——愛！

「棘心」筆調細膩，句子很美，也有很多思想上的感觸，值得人體會。在描寫法國的風景時，不亞於遊記，使人倍增意味盎然。

「春風化雨」用充滿迷人氣味的輕鬆幽默的句調，在描寫正派人物像一位小學教員「岸然可畏的杜芙小姐」，也會做到這種情調，這眞是美國人的特點。近代美國小說的活潑而不凝重，應該感謝馬克吐溫的餘澤流風。

好的小說（其他作品亦然），它會從思想上，感情上提高人的理性和情操。這兩部小說「當之無愧」。

。陳宗敏。

宋皇台遺址考證

。簡又文。

柒、侯王廟

宋皇台遺址之西北白鶴山上有侯王廟，今屬「新界」（界限街以北）。據陳伯陶：「侯王廟碑」云：

九龍砦西北有侯王廟，甚靈異。相傳神楊姓，佚其名，南宋末忠臣，始封侯，晉封王，故稱爲侯王。余曰：此殆楊亮節也。（按：亮節爲駙馬楊鎭子，楊太后弟，而帝昰之母舅。）……疑亮節道病卒，葬於斯土，土人哀之，立廟以祀，史羞失載也。宋世外戚多封王，亮節脫二王於險，又輔政，則生封侯，歿封王，亦恩禮所必至。海濱朴魯，故不能舉其名及封爵耳。不然，如珪與亮節俱提舉，亮節尤用事，十四年十一月，劉深追宋王至七洲洋，執如珪，史有其文。如亮節不死，從必爲之俘，當特紀之矣。究從二王海上，史所無楊姓者。焉有晉侯而王，恒赫如是，而史闕文者乎？余故曰，此殆亮節也。……

自陳伯陶氏倡此說，立此碑之後，加以「宋台秋唱」諸詩人之題詠，人口鑠傳，幾成爲考證確定之史蹟，而侯王廟所祀之神卽楊亮節一說，人皆［illegible］，王廟亦頓成九龍名勝矣。近與數友談及，乃知懷疑其說者仍不乏人焉。（葉林豐先生亦極懷疑陳說。）茲以其人其事與宋帝南遷至有關係，且廟址亦在官富，故對此問題特作重新研究。

今先研究陳氏本文。其全篇以根據「相傳」所祀神爲宋末忠臣楊姓遺說起，而中間加以「疑」似之已見，乃結論爲「殆」楊亮節也。（殆卽「或然」之義。）如此行文，措辭立言，審愼之極，可見其自己仍未敢作斷定之語，蓋其自知毫無確鑿根據，只是臆測之辭，故只姑陳此說，而不得不保留絕對的斷論也。

復就其文字而分析研究之：（一）「侯王」之爲一名辭，殊難徵信，因若旣由侯晉封王，則當直以王稱之；在文字上及口語中，是侯則侯，是王則王，從未有連其前後兩爵——尤其是生封死贈者——疊稱爲「侯王」也。（二）楊亮節自臨安護駕出亡，確立殊功，但自福州以後卽寂然無聞，大概死於由閩至粵道中，殆可信。然病死究非忠烈殉國者儔，故史書未有顯著的紀載。在宋方面，當時自始至終從二帝海上之陳仲微後作「二王本末」，即未紀其事，而元人所修之「宋史」則又以不知其事而闕文，獨有俞如珪被俘，故上其事以報功，乃得傳世耳。（三）所謂「葬於斯土，土人哀之，立廟以祀」，皆忖測之辭，無根據。

（十）

抗—暴—短—篇

逃亡前記

。盛紫娟。

「妳的學校放妳去？」

「嗯。」

「跟妳說過？」

「嗯。」

金隊長輕輕唸着：「母病危急，速來港。」

「母病更危急，急速來港。」

她忽然抬起頭來問：「梅林，妳母親什麼時候好呢？」

「我怎麼知道，生病，死亡都不能由自己作主啊！」

「妳母親一見自己的女兒變成土八路了，一定不放妳回來的。」

「不會的，她很開通，也知道共產黨的審美觀點是跟資本主義社會不相同的。」

「妳下放以來有什麼感想呢？」

「覺得自己什麼都不行，一定要好好鍛鍊，才能符合需要。」

「妳喜歡鄉下嗎？」

「當然喜歡，雖然起初不太習慣。但現在就是叫我回學校，我還不願意呢。」

「妳妹妹的問題，妳預備怎樣解決？」

「我希望學校，替她找一個比較合適的地方住，最好等我們回來後就能解決這個問題。她上學，我下鄉，那樣我也可以放心了。」

「妳一定要去嗎？」

「無論如何我也得去一趟，見面了，這一次說不定是最後一次了。」

「妳以爲是最後一次嗎？」

「我是說：可能。」

「妳什麼時候回來呢？」

「我母親好了以後。」

「如果她病個十年、八年或者死了呢？」

「那我最多一個月就回來。」

「一定的？」

「當然一定的，我在那邊生活不會習慣的。」

「那妳們等一下，我去問問別人的意見。」

在前面走的黨員們，也覺得發生了不平凡的事，都一面走，一面不時回頭看。當金隊長趕上來後，把這件突然的事說了出來。江黨路首先說：

「什麼？去香港？這不是瘋了。」

「母子之情心連心，」孫世宏說：「何況她是好同志，對香港那樣的地方，不會感到習慣的。我看讓她回去一趟吧！」

黨羣說：「這個問題可不簡單，如果她去了以後不回來了呢？」

老孫說：「老黨，你老是愛疑神疑鬼，她怎麼會不回來了呢？她的躍進計劃，有多大的勇氣，而且在實際勞動中也是把好手。」

金隊長聽孫世宏說完，也表同意，一想起那次抬柴火的事，就不由得讚許地笑了。

梅林一拿到證明信，就高興得要跳起來，但仍壓住興奮，問：「金隊長，我現在就可以走了吧？」

「妳走吧。」

「在公安局給我路條以前，我能用回來嗎？」

「［illegible］上同意妳去香港，是對妳信任的表示。也是對妳的一個考驗。要知道，共產黨是最通人情的，最仁慈，最寬大的了。現在的國際局勢已經是東風壓倒了西風。我們一定能解放全世界的……。」

梅林心想：「再見吧，親愛的！我再也不聽妳吹牛皮了，也不會再作工具。我將要作一個自由的鬥士。」

金隊長繼續說：「你應該爲自己的前途着想，港澳一帶很複雜，很危險，我希望妳能快回來，不然是死路一條。組織上是多麼關心妳啊！妳快走吧！天一黑，路上就不太平了。」

她們經過菜園子的時候，老楊過來問：「喂！批准啦？」

「准了。」

「現在就走？」他焦急地問。

小梅點點頭，但並不敢看他的眼睛。

「妳還回來嗎？」

「回來。」

「路上小心，千萬別多說話。」

他拿着她的手說：「小梅，咱們恐怕再也見不着了，」話說完，才發現這漢子，竟流下了眼淚。小梅的頭，更低得厲害，［illegible］暫時我也許要在那邊住幾年。」

「好孩子，和我握握吧！」

梅林在他撫摸着自己的頭髮上，聽到他的淚滴到自己的頭髮上。

「孩子，別了。如果妳不打算回來，就別給我寫信了，省得麻煩。快走吧！已經黃昏了。」

老楊眼看着她們上了車，走遠了，他目送着自己所愛護的人，越去越遠，雖然傷感，但感到輕鬆：

「孩子，祝妳幸福！」

在暮日的餘輝中，老楊仍在呆立着。

（一〇）——完——

自由人

THE FREEMAN

（第八〇六期）

中華民國僑務委員會頒發登記證台教新字第一一二號
中華郵政台字第五〇〇號執照登記爲第一類新聞紙類
（半週刊每星期三、六出版）
每份港幣壹毫
台北市售價台幣壹元伍角
督印人：陳文華
地址：香港高士威道二十號四樓
20 CAUSEWAY RD. 3RD. FL. HONG KONG
TEL. 771726
承印者：東南印務出版社
地址：高士打道六十四號
台灣總經理處
台北市西寧南路壹壹零號二樓
電話：三〇三四六
台郵劃撥儲金戶九二五二
海外總經銷：友聯書報發行公司
香港：彌敦道中二十六號A二樓

台灣的戰時財政與金融

陳式銳

行政院陳兼院長九月十六日在立法院的施政報告內有一段說：「財政方面，我們要從改革賦稅來配合經濟的發展，要從控制預算來鞏固財政基礎。同時，力求節約消費，充裕補給，支持作戰。在戰時尤須加強金融管理，穩定幣值物價，安定人民生活」（九月十七日台北各報）。約一個月之後，財政部長嚴家淦於十月十五日對記者稱：「爲顧及戰時財政支出的增加，並正在盡量設法開源節流，以避免通貨膨脹」。在這一前提之下，節流方面，嚴氏指出：「現在正盡量減低開支，對於一切新的支出，均須經過嚴格的審核批准後，方許撥款，對於國家錢財，決避免濫用情事」。至於開源，他指出：「現正整理各項收入，本年稅收方面，預計將可比原來預算超出二億元。至於進一步的措施，即一般國家在戰時常用的手段如發行公債、強迫儲蓄、財產稅、資本捐等，政府亦均考慮及之；惟此非到萬不得已，當不會驟予實行」（十月十六日台北聯合報）。

金融膨脹的趨勢

台灣在現階段正在集中力量以發展經濟，所以陳兼院長主張「從改革賦稅來配合經濟的發展」，而經濟的發展，要從管理金融與物價下手，既可穩定幣值，且可安定人民的生活。其間，嚴部長於財政支出的增加，要設法開源節流，以避免通貨膨脹，[illegible]以銀行放款及投資計，[illegible]一〇〇、一〇九、一一九、一八七、一七八。同時，我檢查同期的物價指數是一〇〇、九六、[illegible]。[illegible]不隨膨脹比例[illegible]還是購買力；[illegible]它欲振無力；[illegible]美金等物的價格，新台幣由[illegible]元至最近的四十[illegible]元，其指數是八八〇[illegible]。再則[illegible]由政幣所定的[illegible]發行至本年九月[illegible]二千九百萬元，其指數是一〇六四，兩者的比例爲82.6:100，不是亦步亦趨嗎？[illegible]年間物價提高[illegible]階段的[illegible]〇元，[illegible]至六十四元，[illegible]不是在受着膨脹的沉重壓力嗎？

引導游資入正途

至於工商業的缺乏資金，不是增加膨脹所能解決。今日台灣的資金問題，除先天上原來缺乏之外，其關鍵是結構的毛病。我曾在台北「聯合報」（十一月三日）從游資、利息、談資本市場」的記者集體訪問中指出：現在工商業資金的缺乏，是經濟結構上的脫節；[illegible]銀行業務未能[illegible]，在金融組織方面，[illegible]證券市場，又停留於[illegible]階段，所以大量的游資，不能投入工商業，而工商業又不能從銀行取得融通，只得仰求於私人借貸，求之既切，利息自高，高利貸由是應運而生。而高利貸對經濟發展的不利，已是衆人所知的事實，且爲當前朝野一致急謀改善的問題。我對此亦即提出意見：一方面，強化金融組織，從速舉辦儲蓄存款，並開放民營銀行，以核准之華僑銀行爲開端；另一方面，從速建立證券市場，兩者正可乘倒風之後，游資徘徊之時，雙管齊下予以吸收。觀乎大同公司債及裕隆、工礦等保證公司債的搶購情形，益可證明游資正在找尋正當底出路。但是證券市場的設立，應當及時舉辦「儲蓄存款」，以免重蹈「一窩蜂」底覆轍，而當局所訂儲蓄（包括利息）及證券市場的辦法，務求有效，才能真正地引導游資入於正途。再者，戰時游資最有移動性，可造成經濟的不安，而在通貨膨脹之下尤爲顯著，希望主管當局及早有所措施。

厲行直接稅制

由於膨脹的慢性（與過去惡性祗程度之差而已）增長及其影響所及，物價的程度已如前所云，所以陳兼院長[illegible]「穩定幣值物價」；[illegible]財政當局不但今後在財政支出增加時要避免通貨膨脹，就是眼前的膨脹趨勢，在金融管理方面也要有所改正，否則稍一不慎，就陷入惡性膨脹的危險。今日談戰時財政與金融，膨脹一途既無人主張，[illegible]那怎樣辦呢？「不患寡而患不均」，係吾國固有文化的精神，直接稅[illegible]按其納稅人的能力，而稅制課征的效果，實優於間接稅[illegible]缺點，尤其在財富的分配上作爲衡量的基礎，算是符合了「均」的精神。先進國家[illegible]實行直接稅，多在戰時舉辦或予加強，並在愛國心激勵之下可[illegible]制度的建立。況且台灣在日據時代，直接稅已高達全部稅課收入的五二%（民國三十年），我們爲什麼不在此時特加努力？陳兼院長的「改革賦稅」一點，我想應該以此爲中心，才能真正地「配合經濟的發展」。

戰時措施的考慮

到了戰時必須「進一步」的措施，財政當局所考慮之強迫儲蓄、戰時公債、[illegible]似乎有討論的必要。所謂強迫儲蓄，[illegible]以信用方法創造新貨幣，致物價普遍上漲，而足以使其持有人帶來犧牲；其結果，由於物價的變動而降低消費的人，最後並沒有得到儲蓄；換言之，它就是膨脹；而[illegible]凱恩斯[illegible]是把所得超過消費的部份，以比例儲蓄方式強迫存入銀行，直到戰事結束始准支用，即凱氏[illegible]延期消費（Deferred Consumption），[illegible]分配於全體人民，以免如過去之集中於富有者之手。台灣現有底工業，[illegible]絕少。凱氏的理論在此[illegible]。[illegible]其性質又似乎與戰時公債同爲[illegible]國民所得[illegible]預支。在國民所得外的預支，[illegible]戰時公債[illegible]比較是[illegible]考慮的方法。不過，公債的償還來自未來的稅課，台灣的間接稅占八五．九%（四十五年），將來必定是富人的利益建築在平民的負擔上，形成了財富分配的不均。這裡，凱恩斯的強迫儲蓄精神——倒有加入利益均等考慮的必要；那末，有人建議：「用租稅的辦法向富有者課稅，用公債的辦法向國民全體借債」，正是理想了。只是，在通貨膨脹之下，舉辦公債將失去意義，還是自明之理。至於財產稅及資本捐，如果財產稅不是征取財產收益的一部份（名曰財產稅），則兩者同爲征收實質底財產或資本的一部份，以目前台灣正在工業化之中，如果財產私有生產的資本，對於發展[illegible]，自當加以權衡。況且，以上兩項的舉辦，一般國家都爲歸還或減少戰時公債而設想，如與戰時公債同時並進，似乎有一牛兩皮之嫌。再者，如果考慮名目財產稅，毋寧計劃開征戰時利潤稅（Windfall profit），因其屬於不當利得，且爲戰時特有現象。總之，戰時改革稅制，爲發展經濟，合理底管理金融，穩定幣值物價，兩者同爲安定人民的生活；不但是平時或戰時的財政方針，尤爲[illegible]應有的努力，故略論之。（十一月四日）

半週述評

從東到西

赫魯曉夫走着史太林路綫，並不因爲曾經「鞭屍」而有所改變。蘇聯打打談談的戰略完全是看西方的反應而不斷更迭運用着。中共攻金門的砲聲，還未完全停息，而蘇俄又將柏林問題的舊戲上演，這正是當前事實的說明。中共攻金門不一定是要直接取得（當然，如有可能，所謂金門，而主要的是要使中共成爲與美國談判的對手；蘇俄之掀起柏林問題，也不一定敢于併吞西德之想，也是要把東德抬出來作爲與美國談判的對手，或造成東西德直接談判的新局勢。東德是一向沒有資格與美國或西德直接談判的，中共也祇是在不大正式的場合下與美國作幕後的「對談」而已。我以爲這是目前共黨集團在德國及中國問題上冷戰的核心。這也就是冷戰忽東忽西的原因。既然由東到西，當然也隨時有由西而東的可能。

冷戰不會變爲熱戰

目前，又度緊張的柏林問題，基本上是由這冷戰策略而來的，除非西方超過原有限制的要求，影響到東德的存在，不論是軍事的抑或政治的，否則冷戰當不致熱化，因爲西方也絕不會爲西德的統一而逼蘇聯攤牌。西德與台灣不同，阿登諾還可以等待「統一」。西德比東德佔優勢，不比台灣與大陸；西德可不疑懼西方會出賣它，台灣卻可能有被人幕後被出賣之慮。因此，中國人對西德與台灣不能有同一的看法。

輿論應怎麼指向

如果認定中華民國要由動中才能求生存，不論當局的打算與意向如何，輿論就不能把天下現勢算成定局——東西德永久併存，南北越永久並存，南北韓永遠並存，台灣與大陸永久並存。諸葛亮雖曾在漢末以後算定「天下三分」，卻也六出祁山，鞠躬盡瘁，死而後已。如果[illegible]江渚上白髮漁樵「慣看秋月春風」的心情，固然看透了「天下大勢，合久必分，分久必合」的道理，但我們畢竟是無限長歷史當中的一份子，歷史上每一個朝代的英豪以至平凡人物，如果不能像伯夷叔齊採薇首陽或像屈原投身汨羅，一息尚存，那一個能不而對歷史[illegible]最後的力量。每一個人在歷史上都應有所交代。

向歷史交代

向歷史交代，應該像一個嚴正會計師一樣，絲毫不苟不應取巧，不能偏私。要怎樣寫便怎樣寫，我們更不能把歷史看成少數英雄人物的日記，也不能把歷史看成證券市場的行情，祇供一般人作自我打算的根據。目前一般俠義小說的風行，也就象徵着時代的一面人心，雖三尺小童，都歡把「忠」「奸」的界限劃的清楚，好惡當然；「忠」「奸」二字可能小孩與大人看法不同，在朝在野看法不同；但真正歷史家是要嚴格判斷的。

怎樣下去

就目前西方國家應付共黨攻勢的立場看，似乎已把共黨集團一手劃裂的世界局勢，都看成定局；把德國、韓國、越南、中國，都要看成歷史的兩國，所以在韓國劃出一條三八線換得了「和平」，在越南也是用差不多同樣方式換取了「和平」，在台灣海峽也幾乎要以金門來換取「和平」！似乎不知道北韓撤軍問題，柏林問題都走着同樣的路。西方國家繼續的政策，「和平」下去。這已[illegible]不能和平的矛盾，[illegible]考驗過了。強與弱，有與無，畢竟不同。我懷疑一段歷史還不知怎樣演進下去，如果劇變[illegible]家還不及早自爲之計的話。

林伯雅

外交與非洲新形勢

·淦克超·

國父遺教中特別提到中國舊日是「千邦進貢，萬國來朝」的國家。「此情可待成追憶，祇是當時已惘然！」尤其是近半年來，黃外長上任前後，慶賀的旅程（歷北美往返阿根廷）走了太平洋大三角形的勾方加股方，又由羅馬的慶賀轉到墨京的慶賀，實際上把這日漸縮小的地球而加了一道緯綫，使人意味着「外交第一，慶賀第一」。只是年前英國外交耆宿尼可遜爵士的名著外交學（Diplomacy）中還不曾把這一點包括在內。

儘管數年來，自由中國的外交主持人亦嘗發揮「主動外交」的精神，歷聘歐美亞洲各國，只是對于黑色非洲似乎不够注意。迄今除了南非及原由美國黑人返非建立的賴比瑞亞外，其他非洲各國都和我們沒有外交關係。外交部亦向無主管非洲事務的部門，祇是附隸于歐洲司或亞西司方面；數週前台北報紙纔有外部將設非洲司之消息。另一方面，公衆亦很少注意非洲事情，總認爲非洲係外交之客體，而非主體。老實說，大家對非洲的了解非常模糊。

今後非洲「在政治上的重要性是與日俱增的。事實上自二次大戰後，民族主義的洪濤已遍及整個的非洲，造成了若干新國家和新問題。自九月二十八日，法國的公民投票結果揭曉後，幾尼亞獲得獨立，非洲已增到九個獨立國了。

關于非洲的一般情形，經緯萬端，本文不擬贅述。所須特別指出的事實爲——今日非洲不僅因亞非集團在聯合大會投票中表現重要性，而且非洲是世界上繼續產生更多的新國家之唯一大洲。很明顯，歐洲各國之形勢是分久欲合，除鐵幕國家之解放外，極少增加新國家之可能。美洲情勢亦和歐洲相似，未獨立的殖民地，除圭亞那三塊殖民地和英屬宏都拉斯外，已極少變動。亞洲的各殖民地亦大都已獨立。祇非洲尚有英、法、意、比、葡、西等國的殖民地或託管地。這許多殖民地和託管地有的已預定了獨立的年月；有的雖未預定時日，其獨立在原則上已無問題；有的仍在積極爭取中，其獨立終將實現；至若葡、比兩國的懷柔政策固尚見效于今日，但料無法改變那大勢所趨的形勢。一個非洲的新國家繼續產生，別的影響姑且不論，至少聯合國大會的形勢亦將隨之而有所轉變，或者非洲國家集團的姿態在投票上要發生舉足輕重的影響。

就經濟方面言，非洲仍係地廣人稀，而天然資源甚豐富的國家，不僅南非剛果一帶的鑽石向具很大的吸引性，即「浩浩乎平沙無垠」的撒哈拉所蘊藏的石油已經使世人對於非洲的沙漠改變觀念了。撒哈拉的石油，在過去是海外奇談，但自一九五六年十二月，法國的鑽探者已在北撒哈拉的瓦格拉鎮（Ouargla）附近三十英里之已廢水井發現了石油，自後法國即成立了兩個公司，積極開採。所屬的十一個油井已有十個油井產油，計每日可達二百五十至三百噸。另有十個油井在開掘中，本年底亦可產油。至儲量之大，即即專以哈西——瑪蘇（Hassi Messaoud）一帶所論，可能有三億噸的儲量，儘足以供法國十年的消費。（見九月份大西洋月刊撒哈拉之油一文。）

若以非洲對自由中國的經濟關係言，最重要的是摩洛哥的綠茶貿易，五年前曾佔台茶每年出口總額一千萬磅之半，即五百萬磅。近年來台茶輸摩的數額已大大降低了。因此不論就政治觀點或經濟觀點，我們都不能忽視今日非洲之重要性。可是多年來，我們的外交要員，草根大使，文化團體，藝術組織均不曾涉足非洲，藉通好音。又歷年來訪自由中國的貴賓，上自皇帝陛下或首相，以次上下院議員，作家或記者，包括美、歐、亞、澳各洲，獨缺非洲的賓客；不能不說是美中不足。非洲的各民族應說是屬于我們所應聯合的弱小民族的一類，何以與自由中國反不够接近，這是值得思考的問題！

救國會議要不要開

會議究竟是誰提議的　先切實做點好事情罷

（本報訊）救國會議要不要召開？要怎樣開才開得好，才開得有意義？這是上一星期內，香港自由言論界，最觸目的論題。這裏我們舉出祖國周刊十一月廿四日的社論，和左舜生先生十一月廿一日在聯合評論上所發表的，以「一個政治的美夢」為題的兩篇文章，概括報導自由民主人士的一般意見。

關於召開救國會議問題，本來是幾年前的事。但此事到底是海外民主人士提議在先，抑或是執政的國民黨或政府提議在先，現在似乎已有了爭論，這爭論對會議本身雖非極端重要，但多少有點會議不能召開的道義責任問題在內。左先生說『究竟這件事是那一方面首先倡導，我現在已弄不清楚，也可能是政府自動，也可能是在野有人提議，而為政府所贊同，但海外無任何人提倡，都是事實。』祖國周刊却說「這一主張本是國民黨在五年前提出來的，可是無故拖了五年之後，他們已由倡議者變成反對者。」

要問目的何在

其次，要不要召開這樣一個會議呢？兩篇文章都認為如果能夠開得好的，當然贊成開，否則不如不開。左氏說：『我對這一問題的回答，始終只有「慎重」兩字，換言之，即無所謂「能不能」與「應不應」，所要問的，只是目的何在。如果說，為的徒壯觀瞻，熱鬧熱鬧，集合海內外若干人士來對現政府所持反共抗俄的國策實在作一次集體的熱烈擁護，或白紙黑字，寫上一二三四五：若干條「反共建國綱領」，交給現政府去執行，或供參考，甚至還要送到立法院去作一次七折八扣九五兌，老實說，像這樣，便開與不開都沒有關係，甚至為了免得勞民傷財，徒傷感情而無補實際，便還是不開更來得妥當。』

左氏對於這樣的會議召開後，能否對實際政治有所改革，是表示極大懷疑的。他說：『我必得奉告大家，中國實行黨治，已三十年以上，在目前能不能，會不會真有實質的改革，我便不能無所疑慮。』

先做些事情罷

雖然如此，左氏還是提出了他對這會議的積極意見來。他說：『要開這樣一個會，無論是小型的或大型的，都是困難重重，政府最好是預先有一番審度，是不是有從事實際改革的誠意？如果說只是為了敷衍輿論，那就最好不開；便最好老實經過了一番慎重的考慮，覺得確有誠意，毫無疑問，也就不一定非開不可；只須把若干年來為輿論所最為不滿，而又與憲法精神確不相容的事實停止幾樁，或把類似的法律或條例廢止幾件，乃至把不受輿論歡迎的政治人物撤換幾個，比起在目前便召集一個這樣的會議，豈不輕而易舉得多？把這類的事做得確有相當的成績，經得起國民的考驗，然後政府以報告成功的姿態，約集一般好學深思的學者名流，如張君勱先生（七三歲），胡適之先生（六八歲），錢賓四先生（六四歲）之類，以及海外赤誠愛國而又富有實力的僑領先生們，如某某某某之類，五十個或八十個，大家相聚一堂，來從容討論反共建國的百年大計……我想不僅一般國民一定鼓舞歡欣，一般青年們也一定會感奮興起，甚至蔣老先生（假定他那時候已不在總統任內而還為國老的話）也一定樂觀厥成。』

不應是聯戰工作

祖國周刊的社論，題為「構想政治反攻」。該文提出他們對反攻的看法。他們認為時人所說的「除弊興利」，「厲行戰時生活」，「轉移社會風氣」，「加強心理作戰」，甚至主張請政府積極展開聯合戰線的工作，都不是根本的，根本的是國家大計。他們說，聯合戰線『的辦法只有對無獨立人格的分子才是有效。對於有理想，有志氣的人，這是侮辱和損害。』他們對於救國會議的看法，和左先生的態度是不相上下的。他們說：「如果開得成功，對於團結海內外反共力量，振奮整個人心士氣，鼓舞大陸同胞的反共意志，確有極大作用。」

先要做到三點

他們認為要開得成功，必須做到下列三點：『一、這個會議必須在民主的基礎上，不能為任何一黨所包辦或控制；二、參加會議的人選不應以「忠貞」與否為標準，應以對於反共工作的貢獻，與在社會上的影響力為標準；三、這個會議所決定的共同綱領對於政府必須能發生相當的約束力。除開三點能否辦到，許多技術問題難得解決外，最要緊的仍在國民黨的公心和誠意。』該社論又說：「據聞國民黨當初提出這個主張，主要在藉反共救國會議這個形式來達成聯合戰線之目的。如果上述傳聞確屬真實，國民黨懷抱聯戰目的來召開反共救國會議，則實在看不出這一會議能有什麼前途。如果國民黨未能了解此點，在一種如意算盤下居然召開了這一會議，也可以斷定這一會議一定失敗——對「聯戰」企圖固是失敗，對真正反共的團結工作更是失敗。」

七項起碼方案

於是該社論提出：『我們所構想的政治反攻，其目的在樹立民主憲政，規模創建自由生活方式，與極權政治鮮明對壘，一新國際的觀感，以此來實現反共陣容同心合力的大團結，以此來擴大和增強對大陸運動的鼓舞與號召；以此來動搖和瓦解中共幹部的信心與意志；從而創造軍事反攻的形勢，一俟時機成熟，集結台灣及海外所有人才與力量，期能在不假外力之下揮戈西向重光我大陸神州！』

最後該社論提出「一個起碼的方案」。這意思，又是和左舜生氏所說的，在開會之前，政府先要誠心誠意的做些應做可做的工作是一樣的。方案共七項，要點如下：

一、切實保障言論自由。這包括：（一）廢除或改正出版法，（二）停止檢扣書刊，容許海外所有具有堅定反共立場的自由報刊進台銷行，（三）廢除內政部限制增辦新聞紙的法令。

二、樹立司法尊嚴，切實保障人權。公開審理長期扣押的政治犯，無罪者平反冤獄。革除治安機構濫行捕人、押人、刑訊等違法行為。

三、解除出入境限制，取銷省保安司令部簽發出入境的權力，使台灣成為反共中國人進出無阻的自由樂土。對於共諜活動的防範工作，儘能採由自由國家一般使用的合理辦法。

四、結束黨化教育，黨團退出學校，保障教育自由與學術自由。

五、軍隊國家化，黨部退出軍隊。（中略）

六、解除黨禁，保障組黨的權利及政黨（這些黨派指的是反共黨派）活動的自由。

七、修正地方自治，依照憲法劃分中央與地方的權限。

該社論認為唯有上述的政治改革完全實現或一部實現之後，召開反共救國會議才有意義，才有成功的希望。（十一月廿二日）

借問酒家何處有　學童遙指北投村

·尹震·

請救救逃亡的一羣

去台灣？留香港？總該有個辦法！

祝修衡

大陸逃港難民，與要求政治庇護共幹，如何安置？誰能負起這一責任？誰也無從解答。

本來，上述有關人物，除「政治庇護」，其餘如以偷渡方式入境，循例予以「遞解出境」處分；但是法令賦予自由局，並不斷然處置的義民，沒有一個願意重回大陸，無不希望前往台灣。

去台灣，並不是說就可以走去台灣，需要依照入境手續，辦理申請；申請期間，與囚犯同等看待。「這是一時權宜合理措施」，當局聲稱，事亦未可厚非，不過「一時權宜」，却變成了無期羈囚。這問題不在香港，是在台灣。因為，集中營依照他們選擇途徑，入營第二天，很快就給他們填具表格，寄往台灣辦理入境申請；申請之後，一如石沈大海。

一個被認為無罪，而喪失自由的人，站在人道立場說，是有所不當的。這種失去法律保障的羈禁，無時不想自由來臨的人，半年前一批（大約三分之一）被運去台灣之後，他們的眼睛閃得一亮，轉眼之間又告幻滅。台灣為什麼不再接運？難道那一百多人在集中營挨着？根據過去情況，台灣對這「政治難民」，似乎偏重「自新共幹」，忽略嚮往自由的難民，當非良圖；勢將引起反感，這也可以理解：這批具有強烈的愛國情緒，原可以保衛自由的力量，其結果，這種力量將被失望怨恨心情抵銷。姑不論性質如何，理應同等看待。

後來，香港政府基於人道立場，對於非法入境難民，只要他們能夠在港找到親友，經調查認為無可疑，准許他們入境居住。然而這種待遇，獲得者並不多。除非共產極權，沒有一個現實政權願意放棄擁護它的國民，尤其是逃出大陸，嚮往自由祖國的難民，他們不惜以生命博取自由，以智慧勇氣貢獻國家，其忠貞熱忱，尤甚於一般追隨政府轉徙，其處境應更使政府同情。現中共強迫推行「公社」制度，大陸上人民處境日非，幸獲逃出者必冒萬死，刧後餘生，忠勇彌足珍貴。儘管共黨滲透不擇手段，需裝難民有例可按，所有難民之中，都底不會盡係共諜化身；如以遏止共諜滲入，停止接運難民，那絕不是聰明措施。

然而，不擬接運難民去台，讓他們留在香港，也並非絕對不可者。香港政府雖然格於法例，必能基於人道，只要有一個人出來向港府說話，保證這批人安分守法，也不會堅持「出境條例」。因為，這一條例，只適用於「不受歡迎之人」。因此，我們相信，香港不乏善長仁翁，他們絕不會任令那一百數十名難胞，無限期吃「洋官司」。但這到底是一件可恥的事。不讓他們去台灣，方法也非沒有，救濟未嘗不可以派一位專人，負責主持處置這批難胞的工作，例如設置一個接待機構，要求香港政府發出一片荒地，讓他們去開墾，從事生產自助。最低限度，比留在集中營自由得多；而予港府負擔，也就可以減輕，一舉兩得，有什麼不可以呢？

觀克難賽後有感

領導球隊打球，與領導政府施政的道理是一樣的

李樸生

當然，政治是有最高的智慧，不能和打籃球那樣全以體力為標準。但選才致勝之道，研究進步之理，打球與從政，都是一樣。不過打球勝敗的原因，由於有萬目睽睽的觀眾在場上看着，無法掩飾，容易研討改進。而政治的得失成敗，原因較複雜，又可以上下其手，作為掩飾，故要研究其原因極不易。惟其極不易，必須更求集思廣益，提倡公開的批評。

一　台灣最熱烈的籃球

這次軍中體育會為慶祝蔣總統七十晉二華誕而舉辦的四國五強籃球賽，是中國籃球史上打得高水準最熱鬧，最有聲有色，最有意義，震動全社會的十三日大比賽。在過程上十分緊張，勝勝負負無常，而結果是克難得到冠軍，滿足了大家的希望！觀衆擁護克難，為克難鼓掌打氣，完全是愛國情緒的表現，十分可佩！惟其我們對克難有這樣熱烈的情緒，極高的期望，遇到克難球員有時精神鬆懈，技術失常，隊伍凌亂的時候，不禁歎息痛恨，有時且會責備球證不公，高叫『開汽水。』

二　克難的優點與缺點

我是一個球迷，又是克難一個很够老資格的朋友，從克難的組成，以及在十六屆世界運動會在墨爾砵，第三屆亞洲運動會在東京，克難代表中華民國與各國球隊週旋之際，我都是一個啦啦隊。我還記得在大鵬與七虎對峙的時期，我因東南亞華僑受共黨惡毒的宣傳，對台灣不明瞭，曾主張組成一個代表中國的球隊作有計劃的南遊友誼賽，讓僑胞及若干國際人士看看我們的青年在技術上是有怎麼高的程度，在精神上是有怎麼好的修養，守禮、守紀律、活潑、大方、強健，與一般運動員恃技而驕，生活浪漫不守紀律的不同。我相信這一隊球隊可給予僑胞認識自由中國够深刻的印象，可惜這個意思出于人事的阻礙，叠經磋商仍不能成功。後來克難成軍，我非常高興！克難在新加坡「南大杯」一役，刷新了多少萬僑胞對自由中國的觀感！而純德的南洋行，戰無不克，也替自由中國增加了不少光輝。可見體育使節的影響，比許多大官名人的演說訓話都有力量。四十三年，克難參加巴西的世界杯比賽，路經夏灣拿，我恰在該埠，便聯絡僑胞，帶同土生的銅樂隊到球場做喇叭隊。不料在這一場賽，我們打敗了，僑胞很失望，我更難為情。克難打敗的原因，不是技術不如人，而是由于（一）帶球不快，（二）傳球太多，（三）不注意籃下球的爭奪，這在國內是不會輸的，因為克難的體型比較高大，氣力也比較好，佔了便宜。到了古巴，他們同我們一樣高身材，够氣力，肯跑、肯搶，以快打慢，便打敗了我們。

克難的缺點，我在這一場比賽，看得很清楚。

三　球評的缺乏

我回國以後，再看兩三次克難和菲律賓及香港球隊的比賽，我相信我的觀察不錯。然而仍然由克難獲勝，則由于克難的身型多數比菲港隊高，氣力也充沛，加上「撬睏」多，打氣多，便保持了不敗的紀錄。但我們如果要在世界第一流的球隊有地位，我們非把自己的缺點改善不可。因此，我有好幾次和體育記者談及這個問題，我問他們，對于每一場足球比賽都有指出這一場比賽勝敗的原因，如佈陣、踢法，某人努力，某失常，都有批評，何以你們沒有批評？他們說，批評會惹來麻煩，並會受到某有力單位的警告。我諒解他們，但我覺得這是使克難予智自雄，固步自封一個原因。我不是有研究的人，只憑我的經驗，我以一個球迷的資格便在我自己在民國四十四年出版的一本集子裏建議克難要改善這些缺點。我這本集子沒有公開出賣，只是「聊以自娛」的回憶錄，克難的當局與球員自然沒有看到我的拙作，不會注意我這一段批評，克難就在這樣只有恭維，只有捧場的環境中過了幾年的頹萎狀態。

（下轉第三版）

由「土改」到「合作化」到「公社化」

○郭解吾○

中共自竊據大陸，對「中國農村革命」的策略，可分爲三個階段：第一階段，是在所謂「資本主義革命」中所執行的「土改」政策；第二階段，是在所謂「社會主義革命」中所執行的「農業合作化」政策；第三階段，是在所謂「共產主義革命」中所執行的「人民公社化」政策。

在「土改」的運動中，中共用「分田分地」、「清算鬥爭」的口號，鼓動農村中的貧雇農，造成「階級鬥爭」，將農村中的地主，富農，及較具影響力的人物，全部加以迫害清除；由共幹們取而代之，控制了整個大陸農村。

「土改」政策是標榜「農地歸農民所有」，以滿足農民對土地的私有慾，將地主及富農的土地沒收，分配給貧雇農；然後利用「土改」的圈套，以控制農村與農民。大陸地主被沒收分配給農民的土地，計達四千七百餘萬市頃；但分割細碎，五口之家的農戶，平均只分得一、三英畝，尚不及大陸淪陷前每戶二、三英畝的十分之四。

中共經濟制度的特質，是「生產手段」公有。大陸農地雖經暴力掠奪而分給農民，但在進入「社會主義革命」高潮時期，自然不許農民繼續私有，所以進一步實施「農業合作化」，將已經分配的土地，再自農民手中集中起來，實現所謂「生產手段集體制」。

由於中共實行暴力強迫，大陸上七億的農戶，全面被驅入「農業生產合作社」；組織單位，最多曾達二百萬個社，其後實行併社、整社、升社的結果，縮減爲七十五萬個社。農民被迫參加「農業合作社」，必須受「社規」的約束，將土地及其他主要生產資料，歸「合作社」所有，實行「共同勞動，按勞計酬」的「分配原則」。共幹們則利用「農業合作社」，控制了農民的生活命脈，從而統制了農民的政治思想。所以中共「農業合作化」的目的，在透過「合作化」以全面控制農民，藉以鞏固其極權政治。

在「農業生產合作社」中，農民雖受盡剝削，但仍可保存極小塊的自留地，畜養家畜，種植蔬菜；房屋、林木、菓樹、魚塘，仍可保持私有，但自今年（一九五八年）四月底起，中共推行「合作社」「大躍進」到「人民公社」運動後，農民們這一點僅有的私生活，也被完全剝奪了。這是中共對大陸人民自行業性的分別控制，進而爲地域性的統一控制；也就是對農村人力，財力，物力，以至每個人的生活行爲，作進一步的榨取，壓搾和奴役的一種新制度。

「人民公社」的體制，是「集體領導」，「分級管理」，「統一經營」，所有社員的一切生產資料和勞力，都歸「公社」統一調配和使用；所有工、農、林、牧，以及副業等，都歸「公社」統一經營。因此，「人民公社」是多種經濟的生產單位，且不但具有經濟的特質，且兼具政治、軍事、文化等的性格。所以中共推行「人民公社化」，是在打破「鄉」「社」界限，經濟界限，生活界限，澈底改變政治組織和經濟組織，基本上改變農村社會面貌，公社成爲奴役的基本單位。

自七月試辦至目前爲止，共匪業已建立二萬九千個「社」，分佈於大陸各角落；預計今年年底，將七十五萬個「合作社」，依一鄉一社原則，合併爲七萬五千「公社」；再由「鄉公社」，擴展爲「縣公社」，並且計劃由農村而都市，由農業而各業，使大陸全面「公社」化。

中共推行「人民公社化」，較之俄帝所試圖實行的計劃，更具野心。中共之所以敢這樣孤注一擲，是具有下列的意圖：

（一）在政治方面，易於管制：「農業合作社」乃以村爲單位，一「社」農戶，通常自五百至二千戶不等。「人民公社」則以鄉爲單位，一「社」農戶，一般是自七千至二萬戶。合併的結果，使七十五萬「合作社」，簡化爲七萬五千個「公社」；集體化範圍擴大，管制的單位減少，在政治方面，易於控制。「農業社」屬於生產單位，而鄉爲行政單位，生產與行政統制分開；實行「公社」制後，生產單位與行政單位合而爲一，「社長」由「鄉長」兼任，鄉「黨委」書記，兼社「黨委」書記，鄉「人民代表大會」，就是「社員代表大會」，鄉「人民委員會」，就是「社管理委員會」。合政治管制經濟統制爲一體，將農民整個生活事務套在政治管制之中，使無法反抗。

（二）在經濟方面，利於榨取：「農業社」雖將農民土地及其主要生產資料收歸公有，但農民尚保有一小塊自留地；房屋、魚塘、菓樹，仍屬私有。「人民公社」，則將農民所有生產資料與生活資料，都歸「公社」所有，自居的房屋和自留地以及牲畜菓樹，亦均爲公社所有，美其名爲「全民所有制」。全部生產收益，則仍實行「統一分配，按勞取值」，在「不做工，無飯吃」的威脅下，榨取婦孺老弱的勞力。並實行「基本工資額外加獎制」，榨取農民剩餘的勞動力；同時，根據生產需要，設立生產大隊、中隊、小隊，和各種不同的專業隊，按年按季，確定生產指標，用生產軍事化的方式，以打破過去「農業社」生產的局限性，擴大榨取範圍。

（三）在軍事方面，便於統馭：大陸廣大的農村，不但是糧食的供應地，而且是兵源之所出。中共在「人民公社」中，實施「組織軍事化」，將適齡壯丁，編爲民兵隊，在「就地訓練」，「就地給養」的條件下，「人民公社」鑄定了「全民皆兵」的基礎；建立「勞武結合」的「亦農亦兵」的勞動大軍，在「平時是向自然界進軍，必要時即動員向『敵人』進軍」的口號之下，農民不但要爲中共生產，而且要担負中共所交付的軍事任務。

（四）在社會方面，毀滅家庭：中國的社會傳統，一向是以家庭爲社會基本單位。無論是雇農或佃農，農民一向都在獨立的狀態下從事農業生產，對於農作的安排，農產的支配，以及生活的進行，都具有充分的自由。在「農業社」中，大多數農民，仍是人在社裏心在家，認爲「社」是大家的，「家」才是自己的，這「家」與「社」的對立觀念，就是所謂「個性利益」與「集團利益」的矛盾。中共爲消滅農民的獨立性，所以實行「人民公社」制，普遍設立公共食堂，托兒所，和縫紉組，農戶不再分別舉炊，而就食於公共食堂，小孩交托兒所照管，衣服交縫紉組縫補，將全部婦女勞力，投入生產，藉以解散農民的家庭，割斷人與人之間關係的紐帶，使之成爲孤立體，消滅以家爲主的心理。實行所謂「用社會主義集體化的生活，代替以一家一戶爲單位的個體生活方式」。

（五）在思想方面，消滅自由意志：中共根據唯物觀念，認定經濟制度，乃決定人民的意識形態，農民的意識，一向是保守而尚自由；不慣集體生活。中共要奴役人民，必須消滅農民的自由意志，所以由「農業社」而「人民公社」，將農民自由生產，自由消費，轉入集體生產，集體生活。以集體主義的思想意識，來消滅個體主義的思想意識；改變農民的經濟觀念，與政治意識，使共基本上消滅自由意志，以供中共更殘酷的剝削和奴役。

——完——

反共的基本態度

○田心○

最近從台灣吹來了一陣陣「帽子風」，最簡易的就是給人扣「共產黨同路人」嫌疑的帽子了。其實，海外知識分子的反共，不論從那一方面來論，也決不在台灣人士之下，若因爲海外說話有較寬的尺度，就認爲海外的反共人士是「共黨同路人」，足見這些大人先生之陋了！因爲反共終是反共，海外反共的人也決不會因爲有戴「帽子」的恐懼而改變他反共的態度的。問題的癥結其實是在于港台兩地的反共氣氛的不同，在海外，就事論事的人多，八股標語口號是爲人不恥的。在香港只有錯與對的評論，也無須担心會遭遇到紅帽子上頭；在台灣大概就不同了，邵今此「風」已吹來香港，大家也只是一笑置之，見怪不怪。

此是閒話，帶一筆也爲的是讓台灣的讀者，知道點此間行情。

共產黨本來就是教條主義者，抱住那個由十九世紀的社會情況而作出結論的馬克斯主義不放，彎彎曲曲的以詭辯這種過時理論的「準確性」，不擇手段的奪取政權以遂行其教條。既然我們的敵人是教條主義者，我們當然不可能再以教條主義來打倒它。在這方面，恕我舉一個例。

孫中山先生手訂的三民主義，其經濟方面的中心要義是平均地權與節制資本，現在，台灣完成的土地改革猶宣傳是具有上述精義的。但是，要以此來作爲反攻大陸的政治宣傳則未敢苟同。因爲，目前的大陸，既無地權可平均，又無資本可節制；在此時節對大陸人民來談平均地權與節制資本，豈不等於面對飢民而談節食，調子拉得未免就太高了！我覺得像這樣的調子，就是教條式的反共。

逃出了魔掌的人，也都是爲着反共，就我來說，這是我研究，討論共產黨以及反共的基本目的。也即是說，只要共產黨一天不改變政策，繼續奴役人民，即使毛朝「穩如泰山」，我也反共到底。

在反共運動的過程之中，不能沒有領導，這是可以肯定的。從世界範圍來說，美國是領導者，從中國的範圍來說，國府是領導者，反共的人不會否認這樣的事實。但是，這並不等于反共的人是爲美國，爲某一執政黨的利益而反共。要是領導者放棄反共的立場，難道我們還能再叫他們來領導反共嗎？要是領導在利用反共之名，而作鞏固自己的既得利益之實，還配領導反共嗎？或者，某一措施是與反共利益違背的，其必然遭受到民間的堅決的反對，自也是肯定的了。

我們試再把世界的反共歷史檢討一下，就可知道到現在爲止，尚未產生一種有效的進攻方法；要不然，共黨就不會向外擴張，中國的面貌也不會如此大變了。最近幾年來的世界性的圍堵政策，戰爭邊緣政策也不過只是防禦性的政策而已；這些政策施行的結果，似乎是阻止住了共產國際的向外發展了，但願這是共黨由擴展而消逝的轉捩點。但是，有些人却大言不慚地，閉起眼睛，否定一切；自以爲能憑一本書就可以打倒共產黨了！這等于有人把國府退出大陸的原因，說成是由于中國人民不瞭解國府的政策所致；和某些人說談「兩個中國」的人就是「共產黨同路人」是一樣可笑的。

時至今日，尚執迷於盲目反共，而不思重加檢討，重訂政策，甚至鬧到敵友不分，亂扣帽子，也足見其積重難返了！

香港不是台灣，有中共的宣傳品和國際的輿論，任何關起門來不見世面寫的文章，是沒有人要看的。這不像是在某些特定的氣氛中，可以容許抄八股，寶教條！因此既要反共，就必需正確的去理解共產黨的所作所爲，此地不像台灣與大陸隔有海峽，不根據事實，只根據口號的文章也是沒有市場的。因此，紅帽子在這裏並不能唬人的！

觀克難賽後有感

李樸生

四　危險中得勝的原因

歲月無情催人老，克難的英雄，如王毅軍、凌鏡寰幾位，從前都是滿場飛，始終有勁的，現在都力不從心，氣易喘，走易疲了。我想，如果世運會沒有陳禎烈一些新血，亞運會如果沒有羅總然，黃國揚一些新血，成績一定差得多。

這次四國五強賽，克難在第二循環對國光一戰，如果不是國光念老大哥情誼，慷慨開放華容道，克難便不能入冠軍決賽的範圍了。到冠軍決賽，克難與韓國，第一場是由個人的英雄主義，缺乏合作而失敗了。第二場上半場也輸了，下半場又險象環生，賴江博士良規之決用新人，賴黃國揚之拚命一搶，挽回危局！第三場，則賴各報館記者之公開批評，指出克難失敗之各種原因，如過人的英雄主義，如老將之不振作，如對球證之無禮表示，如對教練之調遣失宜，都有不客氣的檢討。我七八年來在台北觀球，以此次爲最熱鬧。而蘇玉珍記者十二日在中央日報的球評，可稱是最佳的球評。她和他們這樣大胆的直率的，中肯的批評，克難當局如果沒有雅量，球員如果不虛心接受，而自以爲是，還情死硬，必沒有第三場的進步與成績。

五　以球喻政的八條道理

領導一個球隊打球，與領導一個政府施政的道理是一樣的，如：

（一）選擇人才要公道，不能有門戶的成見或私心；

（二）人才要天天求進步，不能自滿而致固步自封；

（三）求進步要容許有公開的批評，不能拿『惡意破壞』，『維持威信』等理由禁止批評；沒有批評的國家，便沒有進步的政府。

（四）求進步要有接受批評的誠意與勇氣；

（五）國際是天天在進步的，我不進步，或進步的速率不夠高，在國內也許暫時可以憑仗舊威風，支持新局面，但與國際一有比賽接觸，則落後與進步判別顯著，無從掩飾，而到此時始知落後，對國家已有重大損害。

（六）老將有了打法的定型，要換一套新技術，不容易排除舊習慣，便阻碍了新技術的進步。故新人才是從新的觀念，新的基本動作，新的習慣訓練出來。

（七）時代是無情的要人才新陳代謝，王士選、賈志軍、蔡文華的一時名將，只有退任教練。而凌鏡寰、王毅軍在今日的球場，也已失却當年滿場飛的威脅力。今日的英雄，應該是年青的一輩，陳禎烈、黃國揚、丘俊賢、羅總然等。我們若必要顧念舊感情，便會失去新錦標。這是我們在政治上要特別警惕的。如果我們的政壇，還有以王士選先生等爲球賽的前鋒，那就阻礙進步了。

（八）淘汰劣用，是從實際的決賽發生的，如果沒有實際的比賽，高下以口來爭，好壞當選者便可憑主觀，所謂才，不一定是眞才，惟有實際的比賽，有客觀的裁判，人才纔能脫穎而出。

當然，政治是有最高的智慧，不能和打籃球那樣全以體力爲標準，但選才致勝之道，研究進步之理，打球與從政，都是一樣。不過打球勝敗的原因，由于有萬目睽睽的觀衆在場上看着，無法掩飾，容易研討改進。而政治的得失成敗，原因較複雜，又可以上下其手，作爲掩飾，故要研討其原因，極不易。惟其極不易，必須更求集思廣益，提倡公開的批評，以期獲得眞正的原因，作自我不斷的改進。詩云：『周雖舊邦，其命維新』，就是這個道理。克難于失敗之後，危險之中，終能轉敗爲勝，取得冠軍，就是我們在國政上求改進的最好參考。我們今日于冷戰熱戰四起的國際中，要圖強，爭取大陸的錦標，一定要虛心誠意接受輿論的批評，迅速作自我的調整，否則錦標不能到手，辜負了我們千千萬萬球迷的熱望！

中華民國四十七年十一月十五日

國際動態　拾零

△美共和黨人，三藩市市長克里司朵夫（Christopher）送了二萬張票給民主黨。據說他並沒有如此做，祗是告訴選民，憑良心投票而已。

△艾森豪于選舉前數日，已知共和黨國會選舉會失敗。他是沉痛的，因爲這完全是選民反對現政權的表示。

△尼克遜辦公室中，有新製卡片，悉爲共和黨青年的姓名，爲其在選舉場，所遇到的。尼克遜預備多與接觸，希望各州與地方黨部，能重用這些黨員，使能改造共和黨。

△衆院議員，民主黨超過一二九席，議長雷朋，以爲可靠的票數，僅超過六十五票。他認爲決不能希望每一民主黨議員皆投民主黨的票。流動性是極大的。

△新選出民主黨之加州參議員老鷹（Engle），主張開放美國對中共之貿易。他不主張目前即承認中共，但謂將來遠東情狀必須調整。倘與中共貿易，則加州之海上運輸業、工業與農業，均會繁榮云。

△共和黨國會領袖，將爲勃里奇。祇他能調和黨內自由保守兩派之意見，他爲民主黨領袖約翰孫之好友，而議案必須民主黨同意，始能通過，故非他出而調停其間不可。

下月美國可發射梭鏢火箭所放之人造衛星于北極。此項計劃，本擬于十月舉行，現已延至十二月，將作爲報告該區天氣之用。

○陶然○

宗教的行情

金溟若

子曰：「非其鬼而祭之，諂也。」——由這一句話，便可以知道孔丘不是宗教家，而是個理學家。古帝王之行封禪，諸侯之祭山川的神，都是對自然的崇敬與畏懼之意象[illegible]……老莊玄虛的外衣，更非老莊的本意。

不僅此也，自春秋戰國以迄漢初，思想燦爛如錦，儘管諸子百家的學派爭艷競勝，儘管學術從來沒有逸出「人」的範疇。禮是爲「人」而設，祭也爲「人」所有；天只是大自然的體讚，鬼神乃發自人性的純眞，沒有一件事，一句話，是離開人本位而超乎人間之外的，沒有一件事，一句話，是爲一人一身求福的，祇是爲求人性的尊嚴罷了。這正是學術思想與宗教的分歧點。

宗教信仰的起源，淵於人類的自私，亦即動物自衛本能的延長。自原始時代的神石進而成爲圖騰，隨人類智慧的發達，再進而有各種宗教儀式；一言以蔽之，只是在求一人一身之福利已爾。今生不能，則期諸來世，故佛有極樂，基督有天國。這精神上的鳥托邦，正是人類的弱點——極端自私的暴露。到後來，統治階級便攫住了這人類的弱點，以爲駕御庶民之助了。時代雖進入原子世紀，人類的弱點則永遠存在。不，毋寧更見尖銳化了。渺茫的來世，他們已不感興趣，眼前的一手庇護，乃至一袋麵粉，纔是可貴的，才是他們所念念不忘的太上之境。

初住中壢時，我的左鄰右舍都是慈悲爲懷的佛教徒，雖爲了爭取井中一桶水而面目猙獰，但初一、十五上廟燒香，仍沒有忘了慷慨君子的樣子。我覺得很奇怪。後來我纔知道這裏的主管是個風流居士，[illegible]……於是我恍然有悟。

但每當我見了那些左鄰右舍，合十頂禮[illegible]……人生寂寞之感。人事無常，滄桑多變，[illegible]石頭佛[illegible]也，換了主管，便帽，[illegible]人物不[illegible]容多福[illegible]陪着主[illegible]也變了，不再是袈裟芒鞋的僧人，而是男的，女的，耶穌的使者了。時過勢異，菩薩無靈。我的左鄰右舍已不再上廟燒香，每逢星期日，挾上一冊皮面燙金的祥獎書，扶老攜幼，忙忙地走動起來了。每隔幾天，挨家輪流請同道來家開「小組會議」，有「演講」，有「唱歌」，着實熱鬧。一袋袋美援麵粉，一罐罐脫脂奶粉，提在他們的手上。孩子們高齊饅頭，皆大歡喜。

聽說那些背時的人走了，辦公室裏不再死氣沉沉，洋溢着新的氣象。同事們心有不平的事，也只得自己譬解着說：「人家摑你左頰，你得把右頰也慷慨地迎上去。」——「以牙還牙，以眼還眼」，那就是要不得了。於是雍如也。晏如也。[illegible]

[illegible]

舊調重彈

馬五先生

早已由燦爛而歸於平淡的「反共救國會議」問題，近來海內外各方人士又復舊調重彈，甚囂塵上了。區區原是極端贊成這回事的，現在雖不反對，卻不主張貿然舉行，我認爲朝野人士至少亦要有幾點心理準備和諒解，纔可以嘗試一下。

原則上，這會議必須是有利於反共救國的實際問題，而非政治上湊湊熱鬧的玩藝，只許成功，不能失敗，大家應該特別重視這項會議的結論，務期見諸實施，決不徒託空言，轉滋紛擾。換言之，祇要詢謀僉同，大家一致決定的辦法，即須具有拘束力，不宜又藉着尋常的法理觀念，多所瞻顧徘徊，事後議論紛紛，橫生阻礙。因此，政府於事前似宜派遣妥當人員，跟在野各黨派各團體——特別是海外——的領導人物，以及一般爲社會羣衆所愛重的名流學者，切實交換意見，把應該要討論的問題，彼此開誠佈公，列舉出來，分別去取歸納，先構成一套議程內容的大體藍圖，大家心裏有數，庶幾在舉行會議時，不致陷於衆言龐雜，莫衷一是的景象。[illegible]……這是誠可信之言，[illegible]

至於參加會議的人數，應以精簡爲主，而執政黨的人士不必多所羅致，以示政府公開政治，採擇輿情的誠意。[illegible]……一定產生不了好成績，殆無疑問。

假使沒有上述的心理準備和諒解，這會議即大可不必舉行，否則不特無補大局，[illegible]……到不如先由政府自動表現一些興利除弊，與民更始的非常措施，對於振奮人心，團結救國力量，有用多了！

題陳璇珍百松圖展

羅香林

三才之異，在天曰象，在地曰形，在人曰情；無形則天地不分，捨情則人獸離別。情之勵也，是曰靈感，詩人得之以成文，樂工得之以協律，畫師得之以攄其胸中丘壑。

嶺南陳璇珍女士，馬維岳夫人也。少負奇氣，稟承家學；遍名山紀大川，收五嶽奇景於胸次；既以詩詞鳴，復研六法，數十年來鍥而不舍，所造精深，其落筆若游刃然，而獨喜畫松。昔敦頤愛蓮，淵明愛菊；菊得其清，蓮得其潔，雖清矣潔矣，未有經寒疊不凋者，其不凋者唯松柏乎？夫松，木中之龍也，非峻嶺不生，於污泥不長；嚴霜不能損其姿，風暴不能搖其骨，大哉松也！

璇珍之愛松也，有欲言者必言於松，有欲吐者必吐於松；喜怒哀樂，善惡美醜，成敗興衰凡有動於情者，無不藉畫松以發之；觀山川之勝，人文之秀，日月星辰運輪之象凡有見於事者，無不寓畫松以記之；故璇珍之畫松也，爲態不一：有仰視者，有趺坐者；有左顧右盼者，有張牙舞爪者；有伸拳若擊者，有攜手同行者；有昂昂獨立者，有燕燕居息者；有趦趄不進者，有嘯嘯不言者；有彬彬若君子者，有洸洸若武夫者。其于松也，可謂窮盡人世間之萬象矣，而出之于璇珍之腕下，則璇珍可謂與造化同其功矣。

余嘗於故宮見任伯年畫松圖，距今二十餘載，其蒼莽之態，宛然心目。莊生有言，故國故都，望之暢然，今覩璇珍百松圖，彌增空谷足音之感，故于其展出也，爲書數語以張之。

一句之差

——關于一首「新詩」

松風

本報八〇三期載有梅魂先生「台灣文壇二三事」一文，內有「大教授的新詩」一節。筆者手頭正有某文藝函授學校一本師生作品「巨大」的集子，查對之下，發現梅先生所錄僅爲題名「竹」詩中之一節（該詩共分四節；分別標出「晴」、「雨」、「雪」、「風」，四題）且與原文頗有出入，爲恐該原作者懷疑梅先生有意竄改名句或斷章取義，爰將全詩錄出，俾讀者得窺全豹，予以公評，全詩如下：

竹

晴

亭亭直立美體姿，
披一身人字个字介字；
伸到高處轉低頭，
好一個謙謙君子。

雨

陰雨時節多感傷，
葉萬片、淚萬行——
傷心淚洗盡千萬行，
洗不盡心傷與時傷！

雪

冰雪最忌耐寒枝，
滿身雪、滿身恥——
縱然冰雪毀枯葉和枝，
節不折呵，心不死！

風

靜待東風一聲響，
枝枝葉葉都朝向西方！
此心理合應天心，
請看我乘着風雪俯仰！

（四十四年雙十節前三日）

（編者按）梅魂先生截引原詩第一首，把「伸到高處轉低頭」，錯爲「不怕風吹雨打日晒」，遂使與下句「好一個謙謙君子」意思不連貫。同時第一句「直」字又錯成「如」字，第二句「披」字錯成「像」字，更使全詩失色。今拜讀全詩原文，前後當有兩樣感覺也。至于批評，還是讓給讀者吧。

宋皇台遺址考證

簡又文

（四）考「宋史」外戚傳，所載姓名共六十八人，其生封國公者，祗錢忱一人；生封開國侯者，祗楊石（晉封國公）一人；死贈國公者只邢煥一人，生封郡王者有曹佾（開國元勳韓王曹彬之孫）、向宗回、孟忠厚、韋淵、吳益、楊海山七人；其死後追封爲王或郡王者，僅杜審進、張堯佐、李用和、高大林、高公紀、李道行（贈楚王）等六人而已。至於曹佾（晉沂王）、楊海山（晉冀王）、楊石（晉魏王），皆生前已封郡王，死晉一字王者不計。由此可見宋外戚生封或死贈王爵者，殊不能說「多」，對公侯來說尤少；至生封郡侯，晉國公，郡王，死贈王者僅一人（甯宗之恭聖仁烈皇后兄楊海山之次子石）而已。如此少數，誠不足以例楊亮節而謂當「生封侯，歿封王，亦恩禮所必至」。（五）由侯踰越公爵而晉封郡王，或王，是殊等也，禮制不合。（六）如亮節[illegible]……（七）縱使「葬於斯土」矣，何故絕不見其墓？[illegible]……是故從以上七點以觀，即就文字上所言，論據已非強有力，殊不足以令人信服也。

[illegible]……「重修九龍楊侯王宮碑記」[illegible]……嘉慶廿四年己卯（西一八一九）重修之「新安縣志」（卷七「建置略」）[illegible]……並無「侯王廟」。[illegible]……由此可見斯廟之建，必不甚古，[illegible]

再就外部事物研究，此說尤爲可疑。考此廟之歷史，據土人傳說，[illegible]……其第一次見諸紀錄者爲道光二年壬午（西一八二二）重修碑文。[illegible]

閑話文與稿

尤崇淘

在我認識的朋友中，各人所喜[illegible]

[illegible]

自由人

THE FREEMAN

（第八〇七期）

中華民國僑務委員會
頒發登記證台教新字第一第二號
中華郵政台字第五〇〇號
執照登記為第一類新聞紙類
（半週刊每星期三六出版）
每份港幣壹毫
台北市售價台幣壹元伍角
督印人：陳文華
地址：香港高士威道二十號四樓
20 CAUSEWAY RD. 3RD. FL. HONG KONG
TEL. 771726
承印者：東南印務出版社
地址：高士打道六十四號
台灣總經理處
台北市西寧南路壹零號二樓
電話：三〇三四六
台郵劃撥儲金戶九二五二
海外總經銷：友聯書報發行公司
香港：德輔道中二十六號A二樓

「南渡君臣輕社稷，中原父老望旌旗」

放棄武力反攻　何以慰大陸人民

•甘家馨•

南宋居積弱孤危之境，猶有百年偏安之局可保者，在能爭人心，示天下決無委棄人民於敵之意。然後世論者猶以輕社稷責之也。反觀今日形勢，大陸人民困苦，已十百倍於當年中原父老，而朝野上下處境則遠勝於南宋。我們為對天下公論和後世歷史能稍有交待，為針對中共加劇的迫害，表示嚴正的立場，為反共大業保全基礎，無論當前形勢如何，我們必須起來繼續高舉武力反攻大陸的義旗，大聲疾呼，不得躊躇！

（一）

最近中美公報聲明放棄武力反攻大陸。從政治的意義說，武力反攻這一大旗的高懸，可使億萬人民之心，有所嚮往，在任何時勢推移之下，其作用都是非常重大的。昔宋室南渡，偏安百年，終不復振，後人痛惜。然我們每讀歷史，知宋人恢復中原，爭取民心，昭示煒煒，史不絕書，宗澤死前尚高呼「過河」，維音悲壯，數百年後猶可喚起國魂。以此論之，宋室雖亡，然民族大義愛國精神始終未死，歷史遺蘊，後人尚可用之以興復國家，就民族生命的意義言，仍有價值；而此種歷史的形成，就是由於對莊嚴的政治號召，堅守不移。

我們退出大陸以後，從來即以反攻大陸，拯救人民為號召。九年以來，信誓旦旦，中外共知。我們的政府，向是以實踐這個號召為存在的基礎，我們個人亦向以恢復中原援助大陸同胞為目標。是故無論環境變化如何，我們只有堅守此一貫的號召，然後政府才能維持國格，自由人民才能保全自由人的人格。力量不足以行動之時，儘可不作實行反攻的宣佈，但斷不應自把莊嚴大旗扯下，因為前者天下後世可以共諒，後者則勢必招致打擊民心士氣的惡果。這面大旗，應使之屹然無恐。國際形勢變化愈激烈，或中共荼毒人民更甚之時，更應高舉此一旗幟。才可使國際間不敢隨意擺佈輕侮，大陸人民在痛苦中仍可得到希望，抵抗力不至衰竭。目前的國際形勢，此處皆不具論。以下略就大陸最近情形，以發揮我們應有的責任感。

（二）

大陸現在是個什麼世界呢？「萬戶蕭疏鬼唱歌」，毛澤東在他的鬼詩中已經自道得很明白。中共實行所謂人民公社制以來，殘酷的程度空前未有。原始時代的奴隸社會，竟出現於二十世紀的中國。現在全國廣大土地，都已變成了人間地獄，劫後餘生的人民，一一淪為奴隸，世界任何暴君時代所不能發見的史例，今皆見之，古今一切獨夫民賊所不會為的惡事，毛澤東皆悍然為之了。

在人民公社的新奴隸制之下，中國倫理基礎的家庭組織，已完全被拆散。數年來由於共產黨的迫害，本已殘破不堪的家園，今已被根本毀滅。祠堂家廟化為丘墟，殘存什物雖是一針一綫不免充公，甚至身上穿的衣裳，亦須登記；古語云，孑然一身，現在大陸人民的慘狀，眞是一身之外無長物了。然這樣孑然一身，還要充當奴工奴農，每日被趕入「公共食堂」吃大鍋食料，如同餵豬。又被趕至工地做工，如同驅牛，起作休息，均有嚴格規定。總之，人民唯一所剩之殘弱軀，最後還是歸奴隸主的共產黨所有。在共黨視之其存在價值與牲畜無異。苛政猛於虎，今皆見諸大陸。

我們對此空前慘局，決不應見死不救，亦不應含糊其詞。雖從實力言，我們現在尚難採取軍事行動。但從政治言，我們也有許多可做的事。至少應鼓勵精神力量，對痛苦中的大陸人民作精神支援。要設法呼喚大陸同胞自痛苦中甦醒回來，要設法對他們顯示前途尚有光明的遠景。更要堂堂正正的表示，無論環境如何，永不會動搖決心，逃避責任。我們深信能在精神上多給大陸人民以一分鼓勵，則他們雖在水深火熱中，亦能多保持一分希望。此種希望，亦即最後和中共決戰的主要力量所在。

放棄軍事反攻的中美聯合公報，適於此時公開宣佈。此與當前的實際情形實大為刺謬。這一聲明，在海外固引起重大反響，對大陸人民情緒打擊尤大。這一聲明，對中共實助長了他們的凶燄。中共將載有中美公報的香港報紙，遍在內地張貼。不斷將此消息擴大宣傳。即其快意的證明。這一公報在國際上的意義如何，雖當別論。對大陸人心的影響，實在很壞。將使他們發生懷疑，反感以至失望的心情。他們將以為九年來的反攻宣傳，祇不過是不負責的空頭支票。現在他們在痛苦中求生不得，求死不能。我們不能援手，反在精神上增加他們的痛苦和失望。豈非極大的失策。

（三）

「南渡君臣輕社稷，中原父老望旌旗，」血淚史詩，古今同慨。然南渡以後，宋室君臣勵志收復失地切謀北歸者正大不乏人。宗澤臨死，猶三呼「過河」而後瞑目，李綱議政，亦曰：「車駕不可不一到京師，見宗廟以慰都人之心」；他的中興政策又力主「於河北置招撫司，河東置經制司，擇有才幹者為之，使宣諭天子恩德，所以不忍棄兩河於敵國之意」；高宗奔餘杭，衛膚敏對詔問亦曰：「餘杭地狹人稠，區區一隅，終非可都之地」。請進都建康，高宗從之。且下詔謂「金人逼近，倉卒南渡，暫至錢唐，勢非得已，每念中原，未嘗終食敢忘」。又金人南侵，高宗決意還都，李綱極力反對南渡，他說：「關中為上，……縱未能行上策，猶當且適襄鄧，示不忘故都，以繫天下之心，不然，中原非復我有，……雖欲退保一隅，不易得也」。

以上所舉，足見南宋居積弱孤危之境，猶有百年偏安之局可保者，在能爭人心，示天下決無委棄人民於敵之意。然後世論者猶以輕社稷責之也。反觀今日形勢，大陸人民困苦，已十百倍於當年中原父老，而朝野上下處境，則遠勝於南宋。故今日之事，我們為對天下公論和後世歷史能稍有交待，為針對中共加劇的迫害，表示嚴正的立場，為反共大業保全基礎，無論當前形勢如何，我們必須起來繼續高舉武力反攻大陸的義旗，大聲疾呼，不得躊躇！

半週述評

東德妄想與美坐談

從製造台灣海峽緊張局勢的經驗中，中共獲得了與美國坐下來談的機會，取得了在實際的外交事務關係上被「承認」的地位。

這種由既成事實造成的惡例，間接地鼓勵了東德。於是，在蘇聯協助下，柏林的緊張局勢又接踵而起。

東西雙方會因柏林問題交火嗎？就目前情勢觀察是不會的。蘇聯也不會為此而戰的，其目的不過想藉此迫西方三強默認東德傀儡政權的事實地位。

東德共黨第一書記烏布里希已明白透露：「不必恐懼西柏林之被封鎖」，也「絕無斷絕交通之理，此事可循正常程序達成協議。」但西方三強的初步協議已表示，不以東德為談判的對手，要在不承認其事實地位。

華府有決心有準備

較早時，曾一度傳說西方三強對柏林問題有歧見。現在則已在基本上達成協議，雖然杜爾斯話中暗示，在柏林不用武力，但另一方面軍方的消息則顯示，將有六百架運輸機，在噴射戰鬥機掩護下，為確保西柏林自由，和維持其供應線而戰！

如果東德不作過分奢望，西方或者可視東德為蘇聯佔領軍的代理人，但不會承認其為一個合法的政府。

巴黎倫敦態度堅定

戴高樂已於廿六日在西德境內與阿登諾會談；倫敦方面，英國以盛大的禮節歡迎尼克遜，尼氏亦強硬表示，英美一致地決定，有決心要留在柏林，直到一項德國人民所能接納的德國問題解決辦法實現後為止。他還聲言：反對任何安撫政策。據上述各種情況觀察，東德將難在此時此際討得便宜。

這是面事實的鏡子

無論如何說，西方在柏林問題與台灣海峽問題上，所採取的態度是有軒輊的。西方之所以迅速堅定地要支持西德，就因為阿登諾及其政府已是日耳曼人的燈塔。這個政府及其領袖，曾不竭地為統一德國創造了有利的條件。如果波恩政府是個不民主的，無效率的，實質上只是一具消耗美援的機器的話，那末情況就迥然不同了！

更必須要指出：正因為波恩政府是一個日耳曼人民愛戴的政府，美國人對待西德，就不能用像對待一般政府的態度來對待她了。這是一面事實的鏡子，足以令人深省。

遠東局勢再度拉緊

在柏林局勢的緊張中，遠東的情況也並不安謐。

東埔寨於廿四日主動向泰國提出絕交。而台灣的軍方也警告說，海峽上空可能發生大規模的空戰！這兩條消息，使遠東局勢又再度拉緊！泰國「強人」乃沙立元帥，因東泰關係惡化，趕赴邊境巡視，曼谷的氣氛已相當緊張。但金邊方面，卻好整以暇，在歡度進行為時三日的潑水節。北平的「中國婦女代表團」，由陳毅的妻子張茜率領，正在東埔寨作不平常的活動。

烏雲籠罩中南半島

另一方面，金日成在武漢朝見毛澤東之後，已於廿八日抵達北越。從最近亞洲共黨集團的活動來看，一個由北平為首的亞洲共黨侵略集團，正在形成中，處在夾縫中的東埔寨，為利誘所惑，已淪為中共刀俎上的魚肉。

中南半島上的新形勢，實已劃破了自越戰停火以來的寧靜，已為戰雲的烏雲所籠罩住了！

李金曄

內銷僑報調整台灣區報費啟事

自政府於本年四月十二日公佈外匯貿易新辦法後，僑報等內銷報紙及航空運費結匯成本增加一倍，僑報等迭向讀者負担，已一再向政府籲請補救，經有關當局指示僑報等於本年六月一日起照內銷結匯成本增加一倍之數，由僑報等提高報價百分之五十，所差百分之五十，則另由政府以內銷獎助金名義，撥款彌補。現奉有關當局通知：該項獎助金自本年十二月起，即停止給發，對此結匯成本差額，由僑報等自行設法解決。僑報等因無法長期賠累，不得不依照結匯成本差額提高報價，以資彌補。茲經僑報等開會決定自本年十二月一日起，調整內銷報費如下。事非得已，敬請台灣區讀者原諒並予支持是幸！

華僑日報	全份五大張零售每份台幣五元五角全月一六五元
	外埠版二大張零售每份台幣二元六角全月七八元
	公教版一大張零售每份台幣一元六角全月四八元
星島日報	全份四大張零售每份台幣五元全月一五〇元
	外埠版二大張加畫刊零售每份台幣三元全月九〇元
工商日報	全份三大張零售每份台幣三元六角全月一〇八元
	外埠版一大張零售每份台幣一元六角全月四八元
工商晚報	一大張半零售每份台幣一元七角全月五一元
環球報	一大張零售每份台幣一元六角全月四八元
天文台報	（四開張雙日刊）零售每份台幣一元六角全月二四元
自由人報	（四開張三日刊）零售每份台幣一元六角全月一六元
香港英文虎報	零售每份台幣七元全月二一〇元

駐約旦陳大使談：阿拉伯國家

．劍聲．

（台灣通訊）這篇報導，原是駐約旦大使陳質平於上月二十九日監察院外交委員會的報告；其中關於約旦的內政及外交國防方面，分析至詳，可供參考。記者爰摘誌其要點于後。

阿拉伯的統一與團結

民主國家對伊拉克的驚人政變，和黎巴嫩的內亂及約旦的動盪不安極爲關注，我們必須瞭解其背景；即儘管阿拉伯間之相處如何分歧與矛盾，但是有一前提，關于阿拉伯之統一與團結——即阿拉伯民族主義的真諦，這是無人敢于反對的。不過埃敘與伊約針鋒相對，來得特別尖銳化，其政治結合雖異，而其標榜民族主義則同：埃敘所採取爲國際共產，伊約所採取爲西方民主，事實上這兩種國際政治集團是水火不相容的。

埃敘民族主義的實質

況埃敘最初時的路綫是一種手段，由民族主義變爲澈頭澈尾的共產者。伊約多少是因循的貴族政治，而埃敘則爲激進的暴民政治。於是感倡中立主義者，如蘇丹、利比亞、摩洛哥、突尼西亞等國。又有以改變偏於伊約以制埃及，如沙國者。又有因傾向西方而觸埃及之忌，如黎巴嫩者。這些儘管對埃及稍有戒懼，而納塞竟可節節勝利，其原故則是：

阿盟間立場有矛盾

（一）利用各阿盟間國際背景結合的矛盾，例如西方對阿政策舉措不定，與援助不切實等。（二）利用阿盟間傳統的嫌隙如沙國之對伊約。（三）利用巴勒斯坦問題無法解決，以激起普遍阿拉伯民族主義的意識。所以納塞以這些作爲排除異己的最有效武器，因此埃及對異己者不斷地攻擊，推行其顛覆陰謀。目前中東局勢仍是危機四伏。

伊拉克政變的影響

伊拉克政變的影響，（一）伊與所有共產集團建立外交關係。（二）伊退出巴格達公約，使中東防共陣綫受最大影響。（三）其他阿拉伯國家或參加阿盟或向納塞親近或投入蘇聯懷抱。（四）我國駐伊使館的撤退及我技術專家之相率離伊。

黎國的趨勢

談到黎國將來的趨勢，黎新總統與前反對黨較接近，他原爲前反對黨的主腦，可是前總統沙蒙現仍居反對黨的地位，具有實力。沙氏的力量不可忽視；其在國會佔有大多數的席次，曾在新政府組織之初，要求參加內閣，而新政府即須沙派先予支持，而後參預政事，但沙派始終不同意，因此雙方僵持不下。一直到目前局勢仍緊張。由於沙派勢力的潛存，黎新政府倘不與沙氏合作，則黎國前途將不堪設想。

約旦的難題

談到約旦的難題，一是巴勒斯坦難民有五十萬人，佔約旦人口三分之一，其唯一願望爲重返舊巢，故對現狀非常不滿，反對王室和政府最爲普遍，且與納塞互通聲氣，担任地下推翻政府陰謀，或私運軍火，或暗中破壞，迫使約政府大捕反動份子，造成約旦局勢不穩定。一是納塞威脅有加無已。自聯大通過阿決議以迄於今，埃敘對約旦的仇視有增無減。至今約敘邊境交通及約旦飛機過境等，仍未恢復常態。此可見納塞的有恃無恐。

約旦反共立場堅決

約旦政府剛毅果決地反共與反納塞，銳意改善民生，肅清貪污，爭取軍心與民心。因爲約旦係農業國，且又貧瘠，故國家財政赤字很大。大部份均賴英美以經援或貸款予以補救。

中約關係

談到中約關係，約王表示與我國同舟共濟，加強合作，除在國際方面支持我國外，兩國技術合作已有端倪，本年二月間，我國立委趙連芳應約方邀請，赴約調查設計稻種方案，深得約方的重視，尚有其他專家亦應約旦之請前往觀察，並提供各種計劃。最近約方爲加強兩國關係，已決定在台設館並派使節。

中東阿拉伯國家今後處境更加險惡，其安危與否，將視西方與蘇聯在此地區爭鬥力之消長，以爲轉移。約旦處境孤立艱難，至於如何渡過難關，仍須英美之支持與軍經的援助；若此能改善英美人的反對觀念，和各種建設的加強，亦足消彌共禍。中約方面，必須在技術合作與貿易發展方面，更要加強其促進。（十一月廿四日）

應救助金門中學歸來的師生

近來政府當局對於金門疏遷來台的難胞，所舉辦的緊急措施，安排周到，遣散時無論大小口各給與三千元自謀生活，可謂做到仁至義盡了。不過我從客觀方面打聽，和難胞一同來台的金門中學師生，除在高雄接受了救總臨時招待了兩餐伙食之外，以後像沒有甚麼下文了，學生借讀各校，聽說伙食費都是自備，把手中帶來的三幾百元都用光了，公費尚未核下，借讀學校也有的發動了學生家長會，救助了少數，解決了一部份困難，但畢竟是少數，現在大部份學生，繳第二個月的伙食費都成了嚴重問題，至於一些教職員們到了台灣以後更是囊空如洗，還有的在旅途丟掉行李的，來台之後未聽到當局對他們有一點救助。我認爲前線歸來的教職員及其眷屬，應該一視同仁，總得須要給他們一分溫暖才好。

．友隸．

台灣衛生所醫師荒

爲甚麼沒有醫生

．章垚．

（台北通訊）台灣在光復之初，並沒有衛生所這種機構。自中國農村復興委員會，（簡稱農復會）遷台後，鑒於台灣祇大城市有省立醫院，鄉鎮人民保健機構，尚付闕如，因此建議台灣省衛生處創辦衛生所，作一般性的醫藥服務及健康指導，並配合學校的衛生，和日常生活有密切關係的環境衛生的改善等，以達防治疾病的目標。開辦費由省政府及地方政府籌措，農復會撥給大量醫療器材作爲基金；常年開支由該所業務收入及地方政府補助。目下全省這種衛生所，已達三百五十八個，分佈各縣市鄉鎮，這是光復後省衛生處對保健工作的一項重大設施。

不負責任的特約醫生

可是近數年來，衛生所却存在着一個危機。最近的省議會三屆三次大會時，有一位劉盛朝省議員明白的說：「目前全省三百五十七個衛生所，（根據省衛生處統計應爲三百五十八個）僅有五十九個有醫師。」而省衛生處處長顏春輝亦承認說：「尚有四十個衛生所無法聘到醫師，情形至爲嚴重。」我們試想，在這三百五十八個衛生所，除了有醫師的五十九個，無醫師的四十六個，其餘二百五十三個衛生所是如何的呢？原來政府想出了一個變通辦法，就是聘請當地開業醫師任衛生所主任，即所謂「特約醫師」，這特約醫師在省府人事制度上說來，却成爲「不公不私」「亦公亦私」的身份。事實上這種特約醫師，雖然擔着衛生所的職銜，可是並不重視他的責任。衛生所規定九時至十二時爲診療時間，而特約醫師常要到自己門診病人看完了才來敷衍一下，甚至索性介紹病人復診時到他自己的診療所去，自此，有錢的病家都選到診療所去看病，因爲同樣的一個醫師，在他私人診療所去看病，既少麻煩，又比較負責任。而在衛生所裏等候着看病的一般貧苦病人，特約醫師是不會重視他們了。這是目前若干衛生所的怪現象。

因此劉議員在大會時也曾經提出意見說：「本席認爲目前請開業醫師兼任衛生所主任一節，不甚理想，可否將無醫師之衛生所，予以出租與開業醫師，則鄉鎮公所之收入可望增加，且可達到醫療的目的。」顏處長答覆時說：「衛生所缺乏醫師，主要原因是物價波動甚劇，原有各衛生所醫師，均紛紛自己開業，本人認爲這個問題，非常嚴重，因爲過去係利用農復會補助之藥品，作經營基金，繼續維持三五年，現在情形不同，故每月雖有二三千元之收入，亦難聘到醫師。」顏處長並謂：「衛生所因與農復會訂有合約，出租辦法，須要研究；同時，現在的特約醫師兼理衛生所，亦可說是一種變相的出租辦法。」由此看來，關於衛生所的醫師荒，顏處長早已看到它的嚴重，和它癥結的所在的；今後如何改善，那要看衛生當局的能耐了。

前天，台灣聯合報揭發省衛生處所屬新營製藥廠，在日治時代頗具規模，廠房設備現值千萬元，多年來台灣民營藥廠紛紛設立，而當局却將此廠棄置不加利用，七年來任其腐爛；而更怪者，該廠仍雇用廠長員工六名，保存藥廠之名，因此若干人士對衛生所的將來，是否也會保存着一個招牌，而走上藥廠的命運，不無懷疑。（十一月十九日）

爲「畸形的教育現象」進一言

讀者來書

譚醒承

最近看到馬五先生本月八日「畸形的教育現象」的大文，我想對這位一直是我所敬仰的文化界老前輩的這篇「自由談」，表示一些拙見。

我可以榮幸的說：我對馬五先生並非「素昧生平」，我過去曾有整整五年時間與他天天在一起，在同一信念上共同以筆桿爲正義而戰；從而學習他老而彌堅的精神，在他強有力的筆鋒下，也許我不是每一句都得到讀者（包括我在內）的讚同，但我深知他無論寫甚麼，都是發自毫無詭詐的嚴正光明的動機。

我還得說明：我不以爲我所說的比馬五先生寫的會更爲正確，並且相信也一向爲各方面所重視的言論，那「畸形的教育現象」一文也必能促進有關當局對僑教措施進一步的加強；以不負海外輿論的關切。我尤其要指出，我並不代表任何方面說話，我是以一個在台華僑的身份，藉此對馬五先生所注意的僑教問題有比較深入的體驗作一事實的說明。

據我所知：「僑教」一直是政府多年來決心作爲僑政的南針以實施的，前任僑委員會委員長以「無僑教即無僑政」的，迄今仍成爲現任陳委員長所要貫澈的最大工作。一方面要爭取到共匪邪說煽惑的海外華僑青年回到自由祖國得到教育的正途，使他們獲得適當優良的培養；另方面要爲他們遷離僑居地的家，得到生活上的諸設施照顧和一切困難的解決。僑生在海外的生活習慣和所受的教育水準，需要相當時期纔能適應國內的環境與程度；所以管教的措施是經過不斷的嘗試和改善，纔有一點點的成就。在這方面，我親自看到僑政工作人員在微薄的待遇下所表現過人的耐心，苦心和智慧的任事精神和能力，不是置身事外的人所能想像的。

我無意爲有關當局作辯護。僑教的尚未盡善盡美有待當局的繼續補救的努力仍多。最頭痛的是不少原在海外的家裏還未離開過父母的或是生活放縱慣了而比較年輕的一羣僑生，於是，華僑中學便成爲「僑生問題」最多和一般人對僑教批評最多的地方。但如果以那個地方作爲考驗僑教優劣的「定評」，是有欠公平的。一般大專僑生大多表現了他們優秀而成熟的品格才智；與在修業上常創造卓異的成就，畢業返回僑居地也有許多值得我們華僑引爲驕傲的貢獻；馬五先生一定有機會看到這些可以安慰的事實。何況，華僑中學現更加強整頓，新任校長原是建國中學的校長；建中在自由中國的成績，是大家都知道的。要做到愛護而不姑息，嚴格而不苛酷，既須糾正他們的浪習，也須保持原有的活潑；即使家長對其子女，也不容易一時得到滿意的效果。

爲了僑生在海外教育課程的不同，所以考取標準比國內的放寬，是有其值得同情之因素的。但入學後便與國內同學同樣教材，同樣考核；僑生起初爲要趕上國內同學的「標準」，這便是僑教當局與僑生同樣加倍努力纔有成效。在這方面，也值得我們欣賞。

一般人認爲政府對僑生的「優待」，是由於他（她）們住有新型舒適，以三合土建成的現代化宿舍，而爲國內所無的，這些宿舍其實並不比香港的平民徙置區住宅堂皇漂亮；僑生既來自海外，在國內沒有「家」，政府如不負起「家長」的責任爲他們解決住的問題，那末便不需「僑政」了。另一被視爲「優待」的事實，是政府爲僑生盡量解決其生活遭遇過的困難。例如我的青年好朋友×××君來台後前後病了八九個月，父母在香港無法照顧；幸而有關當局花了新台幣二萬多的醫藥費，纔使得他得以痊癒。如果說優待，這的確比國內學生爲優待；但我們能把這種「優待」認爲是「特別優待」嗎？

事實的確如此：僑生問題是不斷發生的，一件還未解決，另一件又來了；可是我實在知道有關當局從未放棄這最難處理的管教責任。如果要明白僑教的事怎樣操心和艱苦是並不困難的，可以體驗做父母的怎樣管教自己的兒子便行了。

亞洲共黨擴張之路

——向美國務院官員進一言

新聞隨筆

美國的有些官員好像漸漸地覺醒了，覺悟於過去他們對待亞洲民族政策的錯誤。過去，來到遠東工作的美國人——不論是官方的或民間社團的，總脫不了君臨姿態，高傲自大；當然，其中也有一些是比較對亞洲民族有認識的，他們祇是耐心地工作與促進彼此間的了解，但這樣的人畢竟是少數，所建立的一點良好關係，也不足以彌補那些錯誤政策所留下的遺憾。

廿五日，美國務院情報處長康明，公開坦率地提出警告，認爲過去美國把亞洲人民族自覺的情緒誤解爲反西方的政策，是一種錯誤，如果此種錯誤仍再繼續下去，不尊重和不協助鞏固亞洲國家的主權，與這些國家的關係搞壞了，那必然是有助於共產黨的擴張。因此，他建議：美國必須有耐性地，平等地對付這些獨立的主權國家，理解和容忍他們的缺點。

康氏的話確是根據客觀的事實而發的。然而問題是他並沒有進一步指出，他所主張尊重的主權國家，是不是包括那些已爲共黨滲透威脅下的國家，或那些國家是爲一個腐敗的政府所領導的。若然，則仍不免涇渭不清，甚而是忽視了這些亞洲國家的人民意願。

就美國過去對亞洲國家政策的另一項錯誤言，由於忽視亞洲人民的真正願望，美國的援外政策，反而成爲不受人民歡迎的政權的「續命湯」！使那些貌似民主而獨裁是實的政權，有繼續與人民爲敵的力量，由於人民與執政者之間有了對立、矛盾，遂予共產黨以可乘之隙。而這也就成爲亞洲國家內共產黨之得以迅速擴張的原因之一。

因此，我們覺得作爲美國國務院重要官員之一的康明，儘管是已經從亞洲國家的現實情況中獲得了新的認識，但可惜仍不免是一面的，不是全面的，只是消極的，不是積極的。

．金葉．

巴斯特納克和齊伐哥醫生

——昭　祺——

「一個人除了做他自己職業上的工作——如耕田或行醫——之外，還多願望創造一些有恆價值和極爲重要的東西出來呀」！

這一段話是以著「齊伐哥醫生」獲諾貝爾文學獎金而受到蘇俄統治者迫害的俄國大詩人巴斯特納克在他的私人日記中的表示。

的確，巴斯特納克已由于「齊伐哥醫生」一書而創出了永恆不朽的價值。雖然他說：「我的小說不是政治性的小册子，它祇是一個和他的家庭的故事」。但這故事已給蘇俄在這一個轉變期中作了歷史上證人。他清楚地刻劃出在這種狂飈的風暴裏，那些藉「革命」的美名，如何的殘賊人民。所以，「齊伐哥醫生」又不僅爲俄國歷史的證人，同時亦代表了今天被關在鐵幕內千千萬萬人民的呼聲。

×　×　×

下面是「齊伐哥醫生」的簡要內容

齊伐哥醫生生長在帝俄時代中，他受了他唯一親戚而又是朋友尼科來叔叔的影響。尼科來是一位研究新式基督教的哲學家，是一位了解自由平等與尊重人類個性尊嚴的一位眞正貴族。因此，齊伐哥醫生雖然生長在那種擾攘不安的社會裏，但憑他們寬洪的氣量，誠實的品質，與很高的文化修養，依然對來日的光明寄予熱切的自信。十月革命前，年靑的齊伐哥醫生曾小心翼翼的嚐試以詩來表現自己，因爲他要在一個瘋狂與死亡的時代中去尋求清醒與生存。

第一次世界大戰推翻了一切事物，這場戰爭自開始時起就不受俄國國內的歡迎。由於俄國屢遭挫折，更使情況變得更壞。農民們天性是不喜歡戰爭的，知識階級也因爲從來不會有黷武的心理，所以認爲這次戰爭是一個行將垮台的君主制進行的一項危險行動。士兵與軍官們由於屢次的敗績而軍心渙散；他們對他們司令官失去了信心。在大戰進行中，人們已習慣于屠殺，並且認爲屠殺就是一個解決個人與社會間問題最容易的一個方法。未幾，前方的厭戰，所謂「十月革命」便以一種「向後移動的前綫」形式發生了。經歷這兩場戰爭、撤退、疏散，被毀壞與被屠殺，每件事都顛倒了過來……所有人類制度都被推翻了！

齊伐哥在前綫當醫生，他對戰場生活感到若痛，當戰爭結束後，他被留在俄國南部，並遇見一位從前相識的女人拉雷吉沙，拉雷吉沙的母親是法國人，父親是比利時人，但她是在俄國烏拉爾長大，到十五歲時便被一位年長的男人所引誘而獻身了他。齊伐哥這時候又碰到了她，但她的丈夫已斷定壯烈成仁了。他同情她的遭遇，他覺得除了繼續愛他的妻子之外，他需要拉雷，並必需盡量發揮她的生命力而不願與世浮沉。

隨後齊伐哥醫生從陸軍中退職返回莫斯科，他目覩城裏街道骯髒不堪，人們都在飢餓之中，而所有房屋都被新來的人所侵佔，但受難的人都不談論這些災難，他們把這些災難視爲「革命的代價」或者當作暫時失去常態而已；甚至齊伐哥醫生也不認爲這是「絕症」。在一次演說中，他提到：「從來沒有體驗過的，從來不曾有過的事情現在發生了……我們要懇請上帝，希望不致互相失望，「去我們的靈魂」。「總會有一個時期，看來生命是已經終止了的，也是一切事情到了終途的時候，祇要五年或十年的時候，人們就會體驗到他們所經驗的要比整個一世紀的人所經驗到還多」。他認爲革命「那是外科手術上的一個多麼偉大的傑作」。

然而這竟是他最後對「革命」的幻想。人們雖表示無意將這個國家浸沉於血泊之中，可是新的統治者並未因微起洗血而縮手不幹，無產階級專政並未注意人民的需要，而祇是使人民麻木的處于飢寒與瘋疹傷寒中，這種不幸的影響誰也逃避不了的。

現在齊伐哥醫生在靜靜地偷取街上沒有人看管的木柱子維生了。他的妻子則除了一天到晚爲柴米油鹽與孩子的健康發愁之外，唯一是希望能夠返回他的烏拉爾娘家；那裏有房子，而且還有自己的朋友。至於齊伐哥醫生本人則因爲工作過多，缺乏休息、饑餓，也終於患上了瘋疹、傷寒，祇是沒有死而已。

終于他們乘坐一輛塞滿了被送往勞工營的「異族與有害份子」的大貨車廂上回烏拉爾去了。在這段漫長的旅途中，齊伐哥醫生碰巧與一位共黨旅客聊起馬克斯主義，他說：「就一種科學標準來講，馬克斯主義本身的立場是太不穩定的：我想不出是否還有另一種運動比馬克斯主義更加是以自我爲中心，也更加與事實不符。每一個人所着急的祇是他本人在實際的事情上是否幹對了？爲了孜孜求建立他們認爲從來不會錯的那種迷信，竟然不惜竭力去演飾事實和眞相」。齊伐哥的結論說：「那種集體化運動乃是一項錯誤的與不成功的措施，而且還不承認錯誤。爲了抹煞這種失敗。更不得不以一切恐怖的方法來整肅人民，而人民有他本身的一打算與衡量的習慣，於是不得不迫使他們去看那些並不會有過的事情，去說那些與他們親眼所看到的相反的話」。

齊伐哥醫生一家人返回到烏拉爾，他們在一個小小的農莊上居住下來，過着寧靜的生活。在夜晚他們圍爐而坐，重讀俄國的古典文學，或寫寫詩，和對藝術與宗教作沉思默想。但是這種內心的滿足與恬靜，維持不到一年。在一個春天的晚上，齊伐哥醫生被三個游擊隊領袖俘去，他們強迫他參加他們的隊伍去充當一名醫生，他隨後發現雙方戰鬥人員都是由殘酷的互相砍殺而表現他們同一的性格。齊伐哥醫生經過了失敗三次之後才逃出了游擊隊，游擊隊之所以忍住不殺他，是因爲他們根本沒有據到另外一個醫生的希望。

齊伐哥醫生逃出之後沿着一條被雪堆埋沒了一半的鐵路躑躅地步行，他隨時對自己說：「不要思想，不要思想，思想就要發瘋了」，當他到達一個市鎮時，他已精疲力盡了，這個市鎮看來已沒有人烟，商店都是關閉的，窗戶都是破損的。那印在破紙上的命令說：犯了最輕微的罪也要處死。他從這個命令上知道這個市鎮已經被共產黨佔領了。

他找到拉雷往常居住的房子。她不在那裏，他就倒下去了，等到拉雷回來，看護他恢復健康。她告訴他，他的家已搬回莫斯科，他的妻子在莫斯科生了一個女孩，但他的岳丈不久之後就連同所有家人一同被逐出蘇聯，其中包括齊伐哥醫生的妻子和他的兩個小孩。共黨以爲齊伐哥醫生死了。現在他已變成一個無家可歸的人，他只得悄然地又踏上回莫斯科的路。在路上他恐怕被人抓去，所以大半的行程是走路的。他行經那些因飢荒，部隊過境，以及放逐，那些依戀自己土地的所謂「階級敵人」而糜爛了的鄉村。在到達了莫斯科，他覺得比三年前[illegible]

[illegible]

看報閒話

△狄托，在共黨集團裏，雖面臨圍剿陣勢，然其雄辯之風可比美諸葛亮「舌戰羣儒」。在狄托來說，他的對手已經不是赫魯曉夫，而是毛澤東了。毛澤東在狄托的眼裏，不僅不是個馬克思主義者，且是個歷史上罕見的暴君！其殘酷遠在於斯大林之上！

△毛澤東如果不是暴君，怎麼會允許用屍體作肥料呢？「屍肥」經過普遍推廣後，根據最近從大陸出來的人說，有的地區已經出現了「催死」和「賣屍」。「催死」者，即凡年邁病弱無勞動力的人，用飢餓或強迫勞動，促使其提早死亡；「賣屍」者，主要是在僑鄉地區，凡有僑眷欲接其垂死老邁親人出境者，按其財力完成買賣交易後，即可放其出境。

△毛澤東如果不是暴君，怎麼會主張「全民皆兵」！他還說：「武器是戰爭的重要因素，但不是決定的因素，決定的因素是人不是物。」因此，他夢囈地，醉酒地，狂號「美帝是紙老虎」。

△毛澤東如果不是暴君怎麼會推行「人民公社」，瘋狂地摧毀家庭，生生地拆散夫妻？而這些都是斯大林生前所不敢爲的，赫魯曉夫今日所不敢學的！

△就中共黨的現象來看，中共內部是否會產生另一個狂漢，像赫魯曉夫那樣的狂漢，敢於對毛澤東挑戰呢？或者像托洛茨基那樣，是一個可以與毛澤東抗衡一時的「智者」。如果從外面打進去是暫時無望的，我不禁有此疑想。

不懂齋主。

國際動態拾零

△蘇格蘭將成爲美國監視站，以防蘇聯之火箭，向美國突襲。建造經費，將在十億美元左右，雷達之効力，可達至三千英里以外。此外另兩個監視站，將設于冰島，及阿拉斯加。

△巴斯脫納克，爲赫魯曉夫所允許，將往瑞典接受諾貝爾獎金。惟史太林派則反對，認爲赫魯曉夫的政策太過軟弱。

△傳說上週，蘇聯曾試行放射火箭至月球，而遭過失敗。這是東柏林科學家所說，事前波蘭亦曾廣播，謂[illegible]有新聞，可能是蘇聯火箭，射到月球。

△禁運放寬之後，英國工商業家，已將輸[illegible]預定一億至一九六○年春季，英貨輸往中國，可值五百萬磅。

△埃及先請狄托，後請赫魯曉夫，去開羅，狄托以先被請，要求先去，然赫魯曉夫亦欲先去，故納塞殊感左右爲難。

△維也納已成爲美蘇情報人員交戰地點，奧政府殊感其中立地位之難以維持，乃秘密請求美國撤退其情報站，並拘捕了六位匈牙利特警，逐解出境，且將在當地搜集情報之六位捷克人下獄。

金日成訪毛澤東

十一月二十二日北韓首相金日成率代表團到中共訪問，團員包括朝鮮勞動黨中央委員會副委員長朴正愛，副首相金一、外相南日，民族保衛相金光俠，教育文化相李一卿，駐中共大使李永鎬，此外，金光俠還率有一個軍事代表團，同車前往。

我們前已說過，金日成這次訪問中共，是爲的肯定今年九月以來在北韓所獲得的領導權。共同有一個軍事代表團，另外周恩來在車站的歡迎詞中提到了「唇齒相依，安危與共」，「親如手足，休戚相關」；共軍事同盟的氣息，確實異常濃厚。

過去，中共除了與蘇聯簽訂了同盟互助條約以外，與亞洲共產國家尚未有類似的條約；不過，從今年五月以來，中共的對外政策已經有了轉變，以之結合前述情況來判斷，即使不訂同盟條約，其將加強軍事上的合作則可以肯定。

外蒙再度傾向中共

外蒙在蘇聯翼護之下成長，蘇聯的勢力本來很牢固的；但自一九五三年史太林逝世以後，中共的勢力即開始伸入，蘇聯勢力即相對的在退出之中；至今年上半年，相反的中共的勢力卻相對的在退卻；[illegible]

[illegible]

遠東共黨集團之形成

[illegible]

○田心。

[illegible]

自由人談

愚昧的外交策略

馬五先生

從日內瓦搬到華沙的「美、毛談判」，若斷若續地尚在進行中，僅聞美代表在最近一次會議中，曾向毛共方面提出强硬要求，謂毛共如不將囚在中國大陸上的美僑四名先行釋放，則美、毛關係決無改善之可能云。

美國如果專爲營救被毛共非法拘禁中的十幾名僑民，而不惜降格相從，跟毛共舉行所謂大使級談判，即未免小題大做，得不償失了。當共黨周恩來在萬隆亞非會議中，聲稱願與美國坐下來談談的時候，白宮當局若不是心以爲鷄將至，暫時沉住氣，只管訴毛共：「先把囚禁在大陸上的美國僑民放出來再說」，我看毛共會像現時的情形一樣，將美僑大部分繼續扣押爲人質。後來中共瓦談判無疾而終，毛共要求恢復，美方初則置之不理，繼以毛共對台灣海峽實行武力進犯，砲轟金門，而萬爲又說是願與美國繼續和談。這明明是一種武力威脅的行爲，然白宮當局依然急不暇擇地趕忙跟它舉行華沙談判。似此「紙老虎」式的作風，怎能教毛共就範呢？它把四僑美僑扣留作人質，藉以脅迫美國讓步，即使看穿了對方的弱點，不怕發生惡劣後果，大不了冷戰相持而已。

可憐美國希望依談判方式以營救美僑，更要毛共承諾不向台灣地區使用武力攻襲，這眞是有如孟子所說：「以若所爲，求若所欲，後必有菑」啊！談判台灣問題而撇開對台灣擁有領土主權的中華民國政府，在法理上即已站不住脚，縱使毛共拒不接受，再談十年亦係徒亂人意，枉費心機，連那四名美僑也不容易恢復自由呢！美國要毛共在台海停火，它就說美、毛之間並無戰爭行爲，何來戰火可停呢？同樣，美國單獨教毛共不得使用武力進攻，它就指爲「侵略」了。越俎代庖，作繭自縛，天下寧有若是愚昧的外交策略乎？

最後的吻

短篇小說

朱夜

鷄啼了，這使她猛地從夢裏驚醒。

抬起頭，她才知道自己是和衣偎坐在丈夫的床邊。從窗檻射進來的日光灑在他的臉上與身上，他的身子似乎急促地起伏着。

她摸着案頭點燃的蠟燭，燭光照着他那張蒼白的臉，他的眼微睜，口角輕輕地顫動着。

她伏下身去，將臉偎在他那乾枯的手上。

「妳哭了，又很傷痛地哭過了？」他說。

她已習慣于聆聽他那微弱斷續的病語。

「沒有啊，我剛從一場夢裏醒來。」

「那一定是場美麗的夢！」

「是兒時，我與你策馬馳騁在草原上。」

她笑着。

「那——」他面容上掠過一層憂鬱。哀愁的說：「我感到快離開妳了，有時我也並不悲哀哩！」

「你告訴過我不再提那些傷感的事的。」

「現在我不了，我知道悲喜都是無益的。」他說：「我快到另一個世界去了，在與妳永訣之前，我在猜想着未來那世界的一切。」

她哭起來，哭聲在這幽靜沉寂的晨中震盪。

這婦人的哭泣，伴着那跳動的燭光，使這間房裏充滿末日的恐怖。那床上的人喘得更急了，他用無神的目光看着她，用無力枯槁的手輕輕撫動披在肩上的髮絲。她抬起臉，他用手微微在她的頰邊抹動着，淚水也沾在那枯枝似的指上。

望着她，腦子裏的那些回憶在遊漫，雖然那回憶也是朦朧的。在那湖邊，他們曾遺落太多的足印在翠境上。於是他笑了，這臨終的笑容很開朗。她忽地驚起來，她看到他那紅紅的頰，她捏住自己的胸襟，感到孤獨起來。

「別這麼望我，妳使我覺得可怕。」

「爲什麼？」

「妳不該驚奇什麼，命運是每個人都有的。」他又微笑——出力地扯動唇角說：「妳應該讓我臨去之前看些愉悅的笑臉。我忽然感到世界美麗了。」

「你應該這麼想」

「但我畢竟要去了的，別離的感覺，是這樣的。」他反複地說着。

婦人低下頭偷偷地吞下幾聲嗚咽。

這屋子更沉寂了。遠處又一遍鷄啼，她不覺望向窗外。她的目光似一雙求援的手伸向東方，但那兒僅掛起一張魚肚色的網。她有置身在荒野的感覺，四壁盡是冷漠、恐懼與荒涼。她發現他的唇在戰慄，俯下頭去，她的耳朵貼在那發出低微聲息的口上去。

「我還在記掛着那一本著作，它奪去我許多歲月，現在我覺得那些歲月都是寶貴的。」

「快會有回信了。」她說。

「它若被用，那將來便流傳在人間了？」

「會的。會有許多人讀它的。」

「那些人和我的心靈握手，那些人是我的友人。」

「你將被歌頌着」

「可是我畢竟離開他們了！」他說。

她絕望地諦視着他。他的頰更紅，聲音卻更微弱了。她走到窗前，窗幃被夜風吹拂着輕輕抖動。她合起掌，向那不可知的地方祈禱着。那一串喃喃的聲音傳入他的耳鼓，他也把眼睛闔起來，嘴角上又有些笑意浮現着。

「我要離開妳了。」他說。

她禱告完時，把頭慢慢轉過來，忙又伏到他的臉上，靜靜地聽着他說：

「我要離開妳了」

「別這麼說吧！」她嗚咽道。

「我不知道在墳墓是否更寂寞些。」她說：「孤獨是每個人的歸宿，妳也別怕它。」

「說些別的吧。」

「不，我要去了。」他努力扯起嘴角的笑紋，自慰地：「我覺得妳還似廿年前一樣美，以後有那本成功的著作底光輝襯托，妳會生活得更好。」

「那光榮是永屬你的。」

「那只是我的遺作——它爲我伴妳度過以後的年華。」

他笑着，把頭偏過去微微眨着眼。她用手搭下他的眼皮，伏到他的身上，在那冷冷而枯硬的唇上吻着。……

她蓋起他的臉，拿出一本厚厚的稿作——那被退回的稿本，淚水滴在那四個大字上——「最後的吻」。

戊戌中秋

。史次耘。

萬里飛雲鎖，關山立夜闌；奇哀還鄉國，疑絕慘儒冠。赤縣仍漂鎖，金風正擁巒。幾家明月裏，忍淚數輕彈。

憶故廬

。前人。

露白驚凋三徑險，淒迷殘樹夕陽沈；秋風似識兒時路，吹入江村月滿林。

宋皇台遺址考證

。簡又文。

侯王廟外有亭，柱上懸有聯曰：「慈元殿大節，官富拔宏恩」。帝昺生母楊太后宮號爲「慈元」，[illegible]成且暗示此神爲宋忠臣，[illegible]「不離帝側，保我宋室」[illegible]仍留靈感護羣英」。[illegible]一八四二（一八六二）香港歸英後，甚至保光緒廿四年（一八九八）九龍亦歸英後所製者，當不會爲廟神是楊亮節之證，但所可注意者，則陳伯陶之說並非其自已新創，蓋得自上聯之啟示也。

抑有進者，宋皇台西北之楊侯王廟，絕非一無二的侯王廟。據吳灞陵先生（近年四出旅行港九各地研究史地甚力）云：九龍共有侯王廟六，除九龍城一所外，新界有三，大嶼山有二（一在東涌，一在大澳）。又據香港隱者某文報記，九龍新界（近深圳）之新田米埔墟之「楊侯王廟」，內有重六十餘斤之大鐘一，上鑄有「敕賜楊侯大王」諸字，係乾隆十八年癸未（西一八六三）所立。[illegible]其神廟設有兩木主，一題「茅洲流水感顯大王之神位」，其他題「勅封[illegible]」。[illegible]此神位與沙田廟相同。）又聞屏山村亦有「楊侯王廟」。[illegible]山東涌海濱之「楊侯王廟」，其碑額曰「宣統二年」「楊侯王廟」[illegible]澳之廟未詳，但已可見君之說而有徵。）尤堪注意者，九龍而外，新會縣小塘大王市亦有一侯王廟（據新會雲步「李氏宗譜」之「雜錄譜」，頁五五。又聞海南島亦有侯王廟，待證實。）綜觀楊侯王廟各處多有，爲數頗衆，其非祀楊亮節者可知。何也？蓋以其人、其名、其位、其功，究非特殊「烜赫」[illegible]氏所云，亦非人所共知。況各廟所祀之神，均稱「楊侯大王」，尤非「生封侯，歿封王」之尊稱——殆楊其姓，侯其封，大概是土人俗稱之尊號，如「感應大王」、「洪聖大王」之類。考歷朝誥度，無「大王」之號，只有「郡王」、一字「王」（即「親王」）兩種。除神號外尚無他稱。則陳伯陶以爲是生封侯歿封王之楊亮節一說，愈爲可疑，甚且簡直無成立之可能矣。

另據土瓜灣故老傳說，當帝昺舟次是處時，夜聞野獸叫聲，攜甚，後詢土人爲何獸，則以「黃麖」對。因「黃麖」音同「皇驚」，少帝即大驚，隨而生病。幸得一「楊二伯公」治癒之。迨查其居住處乃在附近之「何家村」——即今楊侯王廟址。復訪其人則早已死去，其地祇有「楊二伯公墓」，則實楊之爲鬼魂顯靈治病者也。自是，土人乃爲立廟祀之，顏曰「楊侯王廟」，即是「楊」二伯公的「候」，「候」宋「王」之義，後作「侯」，乃候之誤云云。此迷信神話，固未足入信，但既有土人此一傳說，亦符合重修廟碑之所稱爲護宋忠臣楊氏者，固不必是陳伯陶所指稱之楊亮節也。

（余按：侯王廟附近尚有「鵝」「鶴」石刻大字等古蹟，以其與本題毫無關聯，茲不贅陳。）

——（十二）——（完）——

甲乙紀遊

衛挺生

民國甲申乙酉間（公元一九四四至四五年）二次世界大戰，勝利在望。美國統籌世界戰後問題，提議以美英中蘇四强爲主體，先後召開聯合國之食糧會議，貨幣金融會議等會議。余時在法國奉命赴美任貨幣金融會議中國代表團顧問。一九四四年五月往，次年一月底返。出行前，重慶大學史學教授張聖奘（江陵相國張居正之十六世孫）贈之以詩，其詞曰：

武公博雅今人豪。重任相將擁節旄。經濟深心融典籍。文章老手壯波濤。雄飛萬里搏鵬翼。愧託雙清護鳳毛。（小兒泰宇託君照管）。舊地重來新大陸。天風破浪快遊遨。

自重慶乘中航機飛越喜馬拉雅山脫峯入印度，改乘超級空中堡壘飛美。自中印度西行，經伊朗、伊拉克、亞刺伯、巴勒士丁、埃及、利比亞、突尼斯、阿爾及耳、摩洛哥等國，赤地萬里。越大西洋，波濤萬里。半夜飛入美國，經鉢特闌、波士頓、哈特埠、紐約費城等名城之上空。電光輝煌，五色燦爛百里無際。與數日間所見荒涼氣象迥異。因歌瑤海潮詞一闋以紀其壯觀。

盪胸星海，凝眸鑑采，鋁船天際雄飛。經緯萬條，縱橫百里，遙排照夜珠璣。穿透黑雲扉。指橫空電白，鋪地燈緋。層樓點綴天衣。喜人間奇景，空際交輝。生而別開，乾坤再造，幾同列宿爭輝。堪笑化機微。只神州龍戰，城郭都非。好把光明借與，銀漢振天威。

鄉思

·楊樺·

一陣蕭瑟秋風，捲來了三五片枯萎的黃葉，輕輕地飄落在窗前的庭院裏；微細的「悉索」聲，宣告它們結束了流浪的生涯，獲得了永恆的安息。

我默默無言地凝視，看它們一片片安靜地躺在泥土上，我羨慕它們結束這流浪的生涯，我祝福他們獲得這永恆的安息；可是，它們卻在我這流浪異鄉，飄泊天涯的遊子的心湖上，激起了無盡的鄉思漣漪，……

已是秋深的季節了，棲霞山頭的楓葉，想已紅遍了山嶺，玄武湖畔的蘆葦，想已白漫了湖濱；但，故鄉的親人啊！在長久的奴役、折磨，失去了自由的掙扎下，不知還能有幾人可以僥倖地活着留下來，等待我們的歸去？

我想尋覓那南來的雁群，問一問有無親人給我捎來書信？可是，我縱目漫無涯際的碧空，祗見那朵朵白雲，在天空中悠然的飄浮來去，卻找不到一隻南來的雁。

難道說雁兒也失去了飛翔的自由，被封鎖在那羅網密佈的鐵幕之中！

詼諧人物

。漁翁。

古之以滑稽著稱者，莫如東方朔，朔漢厭次人，字曼倩，武帝時，爲金馬門侍中，以諷諫名，長於文辭，作「答客難」一篇，娓娓動人，楊雄班固以下多仿之。

有清一代，以紀曉嵐爲最詼諧，紀河北人，生而穎悟，弱冠入詞林，爲清高宗乾隆帝所鍾愛，乾隆微服遊江南，必命紀隨行，一日過鎮江，見江畔有一小漁舟，飄泊自如，乾隆屬紀撰詩一首，以漁舟爲題，限嵌十個「一」字，紀即口占前兩句云：「一山一水一漁舟，一個漁人一個鈎」，吟罷稍延，乾隆笑拍其肩而催成下句，紀續云：「一拍一催還一笑，一人獨霸一江洲」。尤以最後一句，饒有雅致。

台灣文壇點滴

生不榮而死哀

本月四日已故青年作家劉垠逝世四周年，此間文壇鉅子在報章雜誌一時頗發表了好幾篇紀念文，表示悼念，但文學圈裏誰也感到劉垠生前社會給予他的待遇如此，（例如枵腹創作，無錢治病）死後世人所予他的榮譽又如彼，不無啼笑皆非之感。

大將與廖化之爭

此地有些文壇健將，平日對那些口口聲聲批評台灣沒有好的作家，並動輒以「蜀中無大將，廖化作先鋒」來形容跟譏諷自由中國的文壇的人，最爲痛恨，甚至在一本由文化團體所編訂之文藝函授教材上，也認爲這是「長他人志氣，滅自己威風」，該予糾正。可是站在純客觀立場看，對於大將不大將，廖化不廖化，倒是沒有什麼問題，問題倒是有無成熟而有價值的作品。

男作家之禁地

耿耿

婦女的文藝地盤似較男人多，姑不論社會上有全面性的婦女組織而男人則無男人會是事實，即就文藝圈內這一片小天小地裏，多數女作家們除了爲文協會員不算而外，還要在文協範圍之內，另外有女作家聯誼會一類組織。此猶其餘事，至令人驚異者，就是在文藝地盤的劃撥上，她們確有特殊的表現，例如各報紙雜誌上，她們除享有與男作家平等之發表機會外，其他婦女與家庭，婦女生活、家庭婦女、婦友、女生園地等，她們獨擁自有的周刊與專欄，眞是名目繁多，驚蟲蔽戲，都是不許男作家插足的禁地。八、九年來台灣一些女作家之崛起，男作家之竭力捧場，也與有力焉。

自由人
THE FREEMAN
（第八〇八期）
中華民國僑務委員會
頒發登記證台新字第一零二號
中華郵政台字第五〇〇號
執照登記爲第一類新聞紙類
（半週刊每星期三　六出版）
每份港幣壹毫
台北市售價台幣貳元
督印人：陳文華
地址：香港高士威道二十號四樓
20 CAUSEWAY RD. 3RD. FL.
HONG KONG
TEL. 771726
承印者：東南印務出版社
地　址：高士打道六十四號
台灣總經理處
台北市西寧南路壹壹零號二樓
電話：三〇三四六
台郵撥儲金戶九二五二
海外總經銷：友聯書報發行公司
香港總館：德輔道中二十六號A二樓

中共軍隊危機四伏

·鄭竹章·

軍隊是中共政權最主要的靠山，毛澤東認爲「槍桿子底下產生政治」。彭德懷亦强調「解放軍是中共革命事業的基本支柱」。但最近幾個月來，由於金門砲戰的失敗，人民公社的推行，以及部隊供給制的實施，嚴重打擊中共軍官及士兵的士氣，這一中共最「基本的支柱」，已有動搖跡象。

黨軍鬥爭白熱化

最近中共總參謀長粟裕的去職，一方面固由於金馬戰局的牽連，一方面乃中共內部黨軍兩大系統長期鬥爭的反映。中共爲實現對軍隊的絕對控制，長期以來均實行政治委員制，在共軍中形成兩個統馭系統：一是各級司令員系統；一是各級黨委書記系統。在這一雙軌領導系統中，實權乃操諸各級黨委書記、而黨委書記一職，不一定落在司令員身上。因而黨委與司令員之間，長期以來即存在着種種的矛盾。

一九五四年實行正規化後，由於新兵種的建立與新武器的訓練，一般軍事幹部强調「技術作用已躍居第一位、政治和人的作用已降到第二位」。自此以後，軍中黨委及政治工作逐漸被鄙視，據共軍喉舌「解放軍報」報導：「許多軍事幹部藉軍隊現代化爲理由，削弱黨對軍隊的領導，他們只强調軍事首長的個人權威，個人領導，而不顧黨委集體領導；只要求軍隊的黨組織來保證首長命令的執行，而不願意把首長置於黨委領導之下」。因而黨軍之爭，抵達白熱化。這種現象，照「解放軍報」所述，是「拒絕黨指揮槍，而要求槍指揮黨」，從中共的立場而言，乃一極危險的傾向。爲了改變這一「槍指揮黨」的危險現象，中共中央軍委會在檢討八年建軍工作以後，決定要貫澈政治掛帥，以黨統軍的原則。貶低在戰略戰術上有卓越成就的將領，黃克誠以中共中央書記處書記的地位，而代身經百戰的粟裕出任共軍總參謀長，主要即在執行這一以黨統軍的原則。

但這一以黨統軍原則的貫徹，必然要加强黨委的權力以約束各級司令員，其後果可能會進一步加深部隊內部黨與軍的對立，而埋下將來共軍分裂的根苗。

「恐美病」再抬頭

除黨軍對立的加深外，由於金門戰事的失敗，共軍士氣已受相當打擊，恐美病已再度流行。在金門砲戰發生前，廣州「南方日報」在紀念「八一」建軍節的論文中，即曾透露共軍內部有人認爲美國的實力仍不能低估，他們認爲「美帝的十八般武器還沒用完，在朝鮮的表演雖不精彩，還不能就算是完全輸了」。「南方日報」指示這是一種「恐美病」心理。這次金門戰事爆發後，美國軍艦雖一再「侵犯」中共的「領海」，而中共「警告」了四十多次，卻不敢發一槍一砲。在一般中下級軍官及士兵心目中，更認爲是怕「美帝」的表現。十一月十二日「人民日報」社論中指出：「直到現在，還有許多人對帝國主義反動派的力量估計過高，對人民革命力量估計過低」。並認爲「這些看法，祇能長敵人的威風，滅自己的志氣，對人民革命事業是不利的」。

爲了鼓勵士氣，「人民日報」在十月三十一日特以兩版地位發表毛澤東「論帝國主義和一切反動派都是紙老虎」的狂言。這些狂言的基本內容，包括三個論斷：（一）帝國主義和一切反動派都是外强中乾的紙老虎，註定要失敗；（二）它們現在還有力量，還要進行最後掙扎，因此，對帝國主義在戰略上要藐視它，在戰術上要重視它；（三）要相信人民力量，化弱爲强，最後戳穿敵人的紙老虎。毛的這些謬論發表後，中共「解放軍總政治部」即於十一月四日動員全軍學習，强調毛這些文件，「可以大長人民志氣，大滅敵人威風」。並指出這一學習運動的意義，乃在「大破人們對美帝國主義的迷信」，以便把全軍官兵的思想武裝起來。

中共在此時此際發表毛的狂言，並發動全軍學習，足以反證共軍的恐美病必因金馬戰事的失敗而捲土重來。因而只好祭起毛澤東的符咒，希望藉此穩定軍心。

·不滿公社化運動

與金馬戰事同樣影響共軍情緒的，一是部隊恢復供給制後，軍官生活水平顯著降低，中下級軍官均表示不滿；一是中共推行公社化運動後，軍人家屬被拆散，亦影響其部隊的情緒。

共軍官兵在一九五四年前一律實行供給制，軍官生活由國家「包乾」，並無固定薪餉。這一制度隨着共軍正規化的推行，被指摘爲「農村作風」，不適宜建軍工作，因而一九五五年九月，按照軍官軍銜改給薪餉，軍官生活有顯著改善。中下級軍官紛紛結婚。這次中共爲配合其公社制，宣佈取消軍官薪給制，恢復原來供給制。這一辦法實行後，軍官收入無形減削，軍中不滿情緒普遍抬頭。據「中國青年」半月刊最近一期報導：「許多幹部認爲實行供給制會降低生活水平」。反映供給制的實行，在軍中已引起不滿。

至於「人民公社」的實施，軍隊中亦有不滿的情緒。不滿的原因，是去年下半年中共推行軍眷回鄉運動。據本年二月二十三日「人民日報」發表的統計：已有四十多萬軍官家眷被遣返回農村。成立「公社」以後，這些軍人家屬都被强迫編入「公社」，造成妻離子散，內心更增加軍人的不滿。

針對着上述心理，中共「解放軍總政治部」在十一月十六日發出另一指示，要求全軍在本年中國展開一個「共產主義教育運動」。這一指示包括六項要求：（一）破除私有觀念；（二）破除資產階級思想；（三）破除資產階級特權思想和等級觀念；（四）破除小生產者的個體生活習慣和舊有家庭觀念；（五）要站穩共產主義立場，以正確的態度來對待人民公社運動；（六）要反對滿足現狀，鬥志衰退，斤斤計較個人得失（十一月十六日「人民日報」）。從這一「指示」中，反映軍人對於拆散家庭的公社制，必已普遍不滿。否則共軍總政治部，不會要求軍人「站穩共產主義立場，以正確態度來對待人民公社運動」。

中共的心腹大患

由黨軍的對立，軍人恐美病的抬頭，以至對「人民公社」的不滿，都表示共軍愈來愈呈不穩。其間最值得注意的是軍人對農民關係的轉變。自從一九五五年實行徵兵制以來，農村新兵大量入伍，軍隊與農民聲氣互通。去年「鳴放」期間，許多軍人均站在農民立場說話，要求中共提高農產品收購標準，降減工業品售價，强調農民生活太苦。

這些現象說明共軍與農民的關係，已有日趨合流的傾向。就中共政權而言，這是一絕大的危險。中共一向以軍隊爲鎮壓人民的工具，到了軍隊站在人民一邊的時候，中共還憑什麼來維持其暴政？

半週述評

救國會議仍在停頓中

據我所知道，今天散居在海外的中國人，對台灣所發生的任何事件，或在不久的將來可能發生的任何事件，大抵都是模模糊糊的；說得更不好一點，也可以說是漠不關心的。過去因爲台灣的負責當局，經常在表示隨時可以反攻，海外的中國人便大體把他們的希望，寄托在這『反攻』的遠景上。自從十月二十三日中美聯合公報發表以後，這一遠景乃歸於幻滅。於是他們由失望而流於[illegible]觀，過去那種『漠不關心』的心情，乃更進一步陷於極度苦悶。我們不難推測，這一使人心陷入苦悶的事實，不獨留居在海外的中國人爲然，即大陸遭受共匪高度壓迫的中國人亦復如此，因爲過去關於台灣的任何消息，大陸人民知道得很少，惟有這次中美聯合公報所說中華民國把恢復大陸人民自由的方法，側重於『實行孫中山先生之三民主義』，而非憑藉武力』這一點，共匪卻是把登載這一消息的海外報紙，張貼於大陸各鬧市，一聽人民閱覽。共匪的用意，在使大陸人民期待反攻的心情完全絕望，今後惟有死心蹋地聽憑共匪驅策的一途，他們這種手段可以說是非常毒辣的。

既不憑藉武力，乃惟有强調政治，於是台北當局乃把『七分政治三分軍事』的這句老話，一再重提。果然他們過去堅持反攻的這一號召，一下便轉移到了改進政治。因此，例如召開『反共救國會議』這一多年的舊案，又已一再而成了海外若干報紙和定期刊物上的熱門題目，不僅如此，甚至就在台北，也有不少的人對這一問題表示了他們的意見，就是最近胡適之先生也就這一問題發表了他的意見。

其實，據我所了解，有關這一問題採取行動的方面，意見最多只是贊成召開這一會議的，最多只能佔總數的十之七八，即贊成的這一部份人，也始終未能提出一套具體的辦法，成的一種政治家的意見，有主張，有行動，實在不免要落到自己的頭上，爲避免麻煩起見，一切總以不主張不行動爲原則，最低限度也以不堅決主張，不積極行動爲妥善，所謂『三十年來積漸而成的那種滯北騰談而又擱置的政治空氣使然，不白不黑，不痛不癢的，這是今天鼓吹召集這一會議的輿論界所必須明白認識的。

『奉命不上訴』事件

最近的台灣，爲了省政府遷移台中，南投縣經辦徵購地皮，縣長李國楨有夥同科長及經手人集體貪污的罪嫌，經提起公訴後，科長等已判罪，而這位縣長則逍遙法外，提公訴的檢察官黃向堅不服，再提上訴，但爲台中地方法院首席檢察官延憲諒所延擱，經黃一再催詢，延乃居然批示『奉命不上訴』五個大字，及經監察院派人向延詢問奉何人之命，延又說『奉我自己的命！』於是，監察院更有人提出對司法行政部長谷鳳翔的彈劾，台北與輿論也爲之大譁。像這樣一件案子，如果在一個眞正講法治的國家，至少總追問得明明白白，但在咱們的自由中國，卻又很難說了。

中華民國憲法第八十條規定：『法官須超出黨派以外，依據法律獨立審判，不受任何干涉。』我覺得這才是澄清今天司法界黑暗的一個基本要點。不從這一基本問題上着眼，而枝枝節節的去留意個別案件，實際上是不會有多大效果的。

『吃飯不要錢』

中國共產黨的宣傳技術，是他們自以爲十分高明的，可是最近他們把『吃飯不要錢』作爲『人民公社』的一大優點，殊不知古今中外的奴隸，都是吃飯不要錢的，也惟有吃飯不必付錢，奴隸的身分才十分確定，因此自從有了『人民公社』，大陸乃成了一個十足道地的奴隸國家，這是再也不容狡辯了。

左舜生

台北輿論抨擊「奉命不上訴」案

·劍聲·

台灣通訊

自從自由中國半月刊的一篇社論揭開「奉命不上訴」的謎底以來，已引起輿論界、民意機關的重視。近來，民間議傳紛紜，認爲有重大內幕，且繪聲繪影指稱某些大員均牽連在內。因此，台北民營的聯合報、公論報、大華晚報等均著論評述，成爲近週台北言論界最觸目的論題。記者概括報導言論界的一般意見如下，以明所謂「奉命不上訴」案的眞相。

聯合報

聯合報在「論李國楨案的案中案」，社論中說「那位阻止李案上訴的延首席……不依法理，詳予解釋，不按權實，予以指示，公然批了「奉命不上訴」五個字，這個是不可解。至於答覆監委詢問時，解釋「奉命不上訴」的「奉命」爲「奉我自己之命」，尤屬語無倫次，構成了這個案中案，更突出而令人困惑的不可解。」同時指出：「那位延首席，在這一軒然大波中，先則批示不當，後又語無倫次，是否涉有濫用職權之嫌？則職司黜陟進退的司法行政部，對於延憲諒本人，似乎應該依法有所處置，一方面表示官箴的整飭，一方面表示此絕非如外傳之行政干預司法。」（十一月廿三）此中是否另有文章？記者可引用另一報社論說明。

公論報

公論報社論「關於『奉命不上訴』問題」[illegible]說：「『奉命』二字究可解爲『奉自己的命』嗎？三尺童子也不會相信。……因爲電話或口頭指示，也同樣可以作爲奉命，其力量有時且超過公文書。在台灣一般人所講實的，除法官的頂頭上司可以影響審判外，在『一切服從組織』的教條下，地方黨部或上級黨部，也是具有兩大影響力量，司法不能超然於黨政關係之外，獨立審判，還是今日自由中國法治的致命傷。「……但五月份的上訴後，高等法院竟遲至『自由中國』雜誌將本案揭露以後，才定期下月開始庭訊？一個上訴案件，一擱就是半年！這樣一件與司法機構信譽攸關的檢察官相互爭議，司法行政部查明以後，何以竟肯任其延擱，不對高院有所表示？今日司法界風氣之壞，一般人均認爲主管長官不能辭其咎，不是沒有理由的。」該社論嘆着又諷刺監察委員「只會拍蒼蠅，不敢打老虎」說，「社會上對於監察院的輿情不佳，監察委員們早已深知。陳大榕委員所提對司法行政部部長的彈劾案，外間推測結果恐又將是無疾而終，不了了之。」社論沉痛地指出「在『司法配合國策』的指導原則之下，人民對所謂：『法律之前人人平等』等美好口號，已經發生很多疑慮，今再加『奉命不上訴』的妙批，司法界的執法精神將更不堪聞問了。」（十一月二十七日）

大華晚報

大華晚報「每日談」『疑團必須打破』一文，認爲「延首席把『奉自己之命』二字解爲『奉命』，這是天大的笑話，無論如何不會使人滿意的，[illegible]……儘管監察院的彈劾案因證據尚未充分，而未能成立，事情還不能算是解決。……，仍將不脛而走，眞相不能大白於世，悠悠之口終將無法堵塞。」近年來，司法界以幽默語氣報導許多驚人事件，當事件發生之初，主管方面照例總是『下令澈查』那一套，而最後總是含糊其詞，不了了之。」（十一月二十六日）

[illegible]案彈劾司法行政部長谷鳳翔及延議，監院司法委員會認爲「尚需補充證據」，未成立。因此，此間輿論咸認爲其中大有「？」文章。（十一月二十七日）

監委的話

監委曹德宣在監院檢討政治設施時，以「政治反攻」爲主題說明法治問題，大聲疾呼實行三民主義，必須注意法治與司法獨立。[illegible]這是根本大法。[illegible]違憲條例，使違憲者有處罰的根據。另一監委陳大榕提[illegible]

聽「台海緊張局勢」講

·淦克超·

（台灣通訊）在氣氛不很緊張的台灣社會，聽聽「台海緊張局勢」講演，還對於若干人士，別是一番風味。

這一串英語講演是留英同學會黃仁霖將軍主辦的。黃氏的正式官職是聯勤總司令，可是若干年來他在「交際天才」事實上是自由中國的禮賓部長，雖則行政院並沒有禮賓部之設。他這次安排的這一串講演，以林語堂博士開幕，而以胡適博士閉幕，中間有蔣夢麟教授、曾約農教授、陳長桐總經理、和「台灣橋頭堡」[illegible]太太。

這一串講演可以想見是以對外爲主，雖則黃氏聲明是學術性質的，不論實質如何，大家都爲講者的特殊優美英語所吸引了。雖則他們本是出口成章的，但都準備好了全稿，[illegible]美國人。[illegible]心台灣局勢或「生活的藝術」較多。筆者無從推測[illegible]林氏提及英國人租借香港[illegible] Lessing [illegible]之解釋：話係出之大家之口，不能專就法理條約來論；何況英國和自由中國沒有正式邦交，對此非代表官方的評論，亦不會提出抗議的。聽者亦爲之莞爾。「萬德主教是一中國」，認爲金門炮戰齊強中，合作。陳長桐[illegible]了許多經濟統計上的數字，顯示自由中國的進步；銀行老闆認是是歸本行。[illegible]太太是熱忱呼籲在台的美國人致函美國的親友，促政府採更堅定的立場，並分析美國人對本問題的幾種看法。

曾任首任東海大學校長，精通中英文學的留英採礦工程師曾約農教授的演辭予人印象特別深刻。這位半生多穿中國長袍，家學淵源的英人學人，以比一般英美人還優，是得多的標準英語，指出共方金門斷續發砲的主要目的，在使美國人因煩擾而生厭倦，而重考慮金門的防守價值。

胡博士在廿六日晚發表的要旨是要提防共黨之「聲東擊西」，詳見報載。演說雖僅歷半小時，但語言很有力量，比他上半年演講時的精力還要充沛些。

這第一串的演講算已結束。但黃將軍已徵得出席會員的同意，還要繼續舉行第二串的講演。從這六次的講演中，筆者有下面幾點零星的感想。

第一，中國人的語言天才和見解——姑且不論就 Wisdom——歐美人沒有理由可以輕視我們；儘管諾貝爾文學獎金還沒有授予過中國人，[illegible]是卓越的還是老一輩的學人。難道中國人種退化了嗎？決不是；問題還在教育和培養的方式，從有限的各種出版品看，年青些的中國學人除李楊等之于物理學外，人文方面亦漸有表現。不過這些人似乎都不是在台灣的而在國外。

第二，美國朝野對於金門炮戰之看法，「人心之不同，各如其面。」不過在台灣的美國朋友料想極大部份是事務官或軍人或美國務院的交換教授及學生，近年來對任何問題大都不發表意見；如發表意見，亦係外交性的，而非個人的學術見解。因此講演後的詢問討論極少，而接近于零。

第三，就此問題之遠景看（in perspective），關于「台海緊張局勢」之觀察，胡適之和曾約農兩先生已經接觸到遠景方面，這情勢還要繼續發展，此間的講演討論亦將繼續下去，筆者願佇聽名家的高論。

政治反攻的讜論

陶百川與袁晴暉的意見

·弓長·

（台北通訊）中美聯合聲明發表後，政治上要如何切實實行三民主義，達到澈底實施政治反攻大陸之目的，當然是今後我國政府的嚴重課題。有監察責任的監察院於十一月廿四日舉行該院第五百五十一會議，監委陶百川與袁晴暉兩氏發表了若干有關此問題的高論，茲摘要報導如下：

陶百川先生說：大家都知道，反共抗俄是以三民主義爲號召。所謂三民主義——民族主義——自求解放，做到民族平等。民權主義——人民要有權，政府亦要有能。民生主義——平均地權與節制資本。

陶委員在會議席上提出了十點具體意見，希望政府切實做到。（一）改善民意機構與政府的關係。發揮民意機關應有的權力，但亦要不妨礙政府應有的權能力，即眞正做到權能劃分。（二）從速改善選舉辦法，以解除民間的怨憤。（三）推行法治，做到保障人權，縮短政府與民間的距離。（四）法院改隸，應切實做到司法獨立。（五）加強外交陣容，選派第一流人才出國。（六）人事政策應力求合理，人事法規應有適當的改進。（七）縣市行政機構，應提高其權力。務期老有所終，壯有所用。目前縣市權力太小，有時甚至連科長也有人安排，極不合理。（八）分層負責的原則，必須切實執行。（九）學校軍訓和青年訓練，關係國家前途甚大，應有改進。（十）財經政策要走積極路線，調節資本，以發展民間企業，改善投資環境。美援運用，應分配適當，務使用之於生產，而減少消費。稅務行政亦需要改革。後來陶氏又補充三點：杜絕浪費，改善公務人員待遇，加強對中央與省地方的審計監督工作。

監委袁晴暉先生的演說，大意謂過去實行的，不是三民主義，而是一民主義——民族主義。高級同志不懂什麼是三民主義、政府財經首長亦不懂三民主義。因此他們認爲實行民權，就是削減官權。實行民生，就是減少收入與享受。結果，形成自私自利的作風，今後必須改革。

袁氏又強調立監兩院必須密切聯繫合作，惟有兩院合作才可扭轉目前敗壞的政治風氣，把國家弄好，至少足爲省縣市級民意機關的榜樣。（十一月廿五日台北）

也談科學發展

·涂慶光·

（台灣通訊）近年來，台灣瀰漫一片「發展科學」的風氣。不但各種科學學術年會的舉行特別熱鬧，同時還成立了規模宏大的青年學術研究機構，清華原子能研究所第一座原子爐的建立亦預計于明年四月完成。尤其自梅貽琦氏出長教育部長後，更一再強調研究科學發展的重要性。梅氏于十月十八日出席立法院第二十二會期會議作教育施政報告時，並坦白指出在第二屆國際原子能和平用途會議中，許多平時被認爲貧窮落後的小國都有驚人的展出，而我們的科學實在落後太多。新近返國的中央研究院院長胡適博士，于十一月十三日出席中國工程師學會年會時，對自由中國二千名優秀工程人員發表演說，亦認爲我們國家缺乏發展基本科學的研究，更缺乏從事基本科學的人才，因而主張提高科學人才待遇，建立獨立研究的客觀環境。對於政府于八月間召集學術界人士舉行會議，研討長期性的研究學術發展計劃，則許爲一項值得贊成的國家根本大計。

但是談起科學，也不免令人感慨系之。遠在五四運動時代，我們即提出了民主與科學的口號，如今時間過了快四十年。四十年來，世界經過多少變遷，不但民主已成爲今天世界政治的主流，科學也進步到核子武器與太空競爭。可是我們由于國家多難，許多因素以及一向強調精神的觀念，無形中阻塞了科學的研究發展。時至今日，我們雖有享譽國際的第一流科學人才，但無可諱言，國內的科學建設仍瞠乎其後，甚至可說還停留在「啓蒙」階段。幾十年的時光白白過去了，眞是無可彌補的損失。

過去，或許有人認爲從事科學建設，需要大量的人力財力，而且一時不易獲得成效。不如強調精神力量，用精神來克服一切，比較來得直截了當。誠然精神力量很是重要，科學發展也非朝夕之功，而是一種長期消耗財力物力的實在工作。但是世界進步到今天，國家的生存已完全基于科學的優劣。所以俄帝搶先一次發射人造衛星，使得舉世震驚。富強如美國且不惜坦白承認落後，立即提高科學人才待遇，大量增加經費，急起直追，目前我們的財力物力雖不如人家，又豈能長此在陶醉于精神力量與過去的「光榮偉大」中，建立現代化的國家？

因此，今天談發展科學，不但首先應由政府針對國家需要與實際情形，制定一項長期性的研究發展計劃。充實科學設備。奠定基本科學研究基礎。提高科學人才待遇。建立獨立的學術研究環境。並鼓勵人民從事科學建設與發明事業，予以財力上技術上的支援，以激起普遍的科學興趣。最主要的還是觀念問題。今後必須人人有新的觀念，新的認識，確認惟有發展科學才是國家轉弱爲強的不二法門。惟有發展科學，國家才有光明的遠景。從而摒棄一切機偉的不正確的心理，以及不絕如縷的「復古」「幽情」。舉國一致，在「科學第一」的信念下，而對現實，以不怕認輸，不求急功的精神，從頭做起。用全國的人力物力集中于科學發展，由科學上的成就，來加速完成反共復國的任務。（十一月二十四日于台北）

稷下談龍錄（三）

世界人口增加問題

·賈若虛·

昨晚我們約好在今晚討論的人口問題，是我向來喜歡研究思考的。晚餐一過，我便到何學仁兄家中，與蘇志衍先生談話。等了一會柏效閻兄也到了，大家便開始討論。

何：關於這個問題，我的見解如下：自從馬爾薩斯在一七九八年寫出了他的人口論第一版，對人類前途以爲人口增加超過糧食增產而抱悲觀，並同他的老太爺以及康多基葛德文等樂觀論者，辯駁之後，一百六十年來，世界除去東方各國偶然有局部饑荒，以及共黨在蘇聯與中國大陸爲了改變制度而製造人爲的饑荒之外，尚未出現如馬氏所說的嚴重狀況。這是因爲在此期間有美、加、澳、阿等大量產糧國家，地廣人稀，既有肥料水利殺虫剪與選種等技術方法增產，又有大農經營的機械和組織，如是全球交通便利，貿易船運金融保險堆棧等種種便利，不一而足。所以此後世界人口縱有增加，似乎不足爲患，因之我的看法是樂觀的。

柏：對了，人與動物不同。人有理智，善於思考，尤其現代科學昌明，經濟發達可以調劑盈虛使得供需相符。不僅糧食如此，即各種工業原料與產品，乃至凡有經濟價值的服務企業，都在不斷增加。所以我同學仁的意見相同，要勸老師在這方面，不必杞人憂天，過於抱悲觀的看法。

蘇：承你們的指教，以上所講諸點全不錯。但是我仍有杞憂之處，請容我慢慢道來。

賈：好的。

蘇：在未講人類數目增加以前，讓我先把生態學Ecology裏有一個老故事講一講。你們知道在營養供給無限制狀況之下，一個單細胞阿米巴在一小時後便分裂爲兩個。如照此例推算，兩天之後，所有的阿米巴便有一磅重再加半天便有一噸以上重。到了第五天之末，全部阿米巴重量超過地面海水重量。第六天終了全部阿米巴就比整個地球還要重。但是食物供應不可能如以上所說的那樣無限制，所以生物界有一種生存競爭狀況。生物彼此競爭食物，以求生存。譬如我們把試驗管裏放了少數微生物，然後照一定速度供應營養溶液到管裏去，微生物的數目最初雖上升甚速，漸漸便轉慢，最後就停止增加，數目變成固定。這是因爲一定數量的營養資料，祇能維持固定數額的微生物，而不容其無限制的繁殖。世界上所有動物的食品是從植物而來，因之全部動物可存活數目，受植物賴以生長的光力生成作用Photosynthesis（即日光將大氣中二氧化炭，變爲炭水化物的程序）所限制。（一）

緬甸輿論趨向反共

◦高福慶◦

仰光通訊

緬甸自帽尼溫將軍組閣以來，雖然不過一個月的時間，但對緬甸國運之由否轉泰，却有決定性的作用。

此次帽尼溫之組閣，除緬共及其同路人外，顯然得全國上下所支持。迄今緬甸朝野如惡夢初醒，回顧二月前政局之危殆，尙有餘悸！僉謂當時倘非軍方當仁不讓，把握時機，宇努當機立斷，和平轉移政權，同盟政爭將伊於何底，固無人敢作樂觀之想像，共黨之顛覆政策，早已水到渠成，不費一兵一卒而囊括全緬。

過去有矛盾觀念

在過去，緬甸之報界與輿論，對共產主義常識及共產黨人之陰謀，幾乎均模糊不清，甚至一無所知，故常有爲彼作倀，受其利用而不自知者。至於少數反共報人，雖知共產主義流毒甚於洪水，然對共產黨之國際性組織與運用，仍所知無幾。故彼等對緬共則恨之刺骨，對蘇俄中共，卽引爲「友邦」，其形成如此矛盾之觀念，固與過去同盟政府採取中立主義有關，然亦可見彼等對共黨認識之一般。

形勢大有轉變

最近，自帽尼溫將軍出而組閣之後，緬甸政局已有最大之轉變，賦得輿論亦趨向反共。由此次政局之更替，已使緬人民在反共政治認識上，上了寶貴有內容之一課。以往非獨一般緬甸人對共黨之政治顛覆不知爲何物，即同盟領導階層，亦根本不以此爲意，所以新興英緬文報刊，均熱烈向帽尼溫政府提出在文化教育方面清共防共問題，認爲對付共黨除用軍事與政治的力量還不够，應從文化教育方面，以根除共產主義之根源，乃爲一勞永逸之計。有些報刊論及從文化教育上清共防共時，卽指出中共年來推行赤化教育對緬甸聯邦所發生之影響與危害，至深且鉅，促請政府予以注意。

提出華僑文教問題

如緬文卑都梭日報之專論及此問題時稱：「緬甸華僑人數衆多，華僑兒童青年多數均在中共所控制之僑校讀書，此等僑校於中國大陸被共產黨統治後，即對共產主義宣傳與灌輸，以作灌輸宣傳共產主義之場所。此等華僑兒童青年，因受中共赤化教育宣傳之結果，或爲共產主義所感染。而華僑在緬甸聯邦內開設工廠從事工業者至多，此由共產華校畢業之學生，即被安排於工廠之中，彼等與緬甸青年之被雇用於工廠中工作者，朝夕相處，乃向緬甸青年進行宣傳滲透，與灌輸共產主義思想。對此等共產華校，吾人實應密切加以注意」。此外英緬文報，提出同樣之評論與指責甚多，不勝枚舉。

趨向武裝戡亂

緬共於帽尼溫組閣後，知帽尼溫將軍之新政府將以武裝戡亂，顛覆，最近又派出代表，要求和平談判，要求准其以合法政黨地位在明年四月來屆大選中參加競選，對此事仰光各緬文報，均以重要版位著論揭破緬共和平僞裝之奸詐陰謀。並指責緬共參[illegible]武器即胡作亂爲，殺人，搶刼，姦淫，焚燒無所不用其極，禍同兒戲，絲毫不顧國族人民死活，今政治顛覆失敗，又欲僞裝和平，到地上來作偉大的反對人物，反對黨派，天下便宜之事，莫比爲甚！

從最近緬甸輿論界之趨向反共，與帽尼溫將軍新內閣政策，頗能相配合，我們竭誠希望緬甸文化界報人，再作努力，爲緬甸之民主自由，打一次反共文化鬥爭的勝仗！

岸信介以退為進乎？

◦觀游◦

因警察官職權法修正案而起的日本議會糾紛，由於岸信介與反對黨鈴木會談後妥協：社會黨雖然承認延長國會的會期依然有效，但事實上延長後的國會始終是空白狀態，儘管岸信介說「警職法」爲審議未完案件，實質上與撤回無二致。

所以岸信介這次是付出了極大的代價，幾乎是把他自五月領導自民黨大選以來所獲得的光榮喪失殆盡了。對岸一向是他所領導的「岸體系永久政權」，更無異是一大諷刺。岸一向是「八面玲瓏」的政策，任人不得罪，向誰都要討好，結果是誰都沒有討好，誰也都得罪了。這次如果說是岸信介的失敗，毋寧說是「自民黨內部人事糾紛」大暴露，也是主流派與反主流派互鬥的結果。外與共產黨的滲透與公開活動，社會黨的公然爲敵，僞總罷工遊行示威，確能夠自民黨頭痛了。

我們可以看出自岸主閣以後，其行事，主政，可說有其獨特成績；若非岸的才具亦非不能勝任的，除非有不可控制的情勢發生，岸政權在一年半載之內不會動搖的。明年一月自民黨總裁選舉，將爲岸的一道難關，反主流派必盡全力在「反岸」上下功夫，來逐鹿「總裁」位置，不過岸與其弟佐藤，對總裁選舉，均有信心與樂觀，他們說目前還沒有一位有力的候選人足以與岸力匹敵，不過，內閣自民黨內部糾紛有增無已，岸政權永久性的幻夢始終是要破滅的。（十一月廿八日寄於東京）

法國大選共黨失敗

◦旭軍◦

法國此次大選，有一特殊的現象，就是人民對選舉特別的冷淡。據第一回合選舉的結果，法國國民議會的議席四百六十五席中，僅四十席被選出。不足一成。這是法國選舉歷史空前未有的局面。

這是不是表示人民厭煩第五共和國呢？共產黨是否可以乎反慘敗的局面呢？

在競選時全國各選舉區的候選人，大多數不能吸引很多的人聚會聆聽他們演說。但是到投票前數日，才現出些微感到興趣的跡象。共產黨縱然是唯一大反對黨，但聽衆情形更冷落。可注意的是共產黨的競選演說，不敢直接抨擊戴高樂，而集中攻擊政府的其他人物。顯然的，是奉了上峯的命令，不得再疏遠了那通常投共產黨票的一百五十萬人。他們在九月全民複決法國第五共和國新憲法時，都投『贊成』票。令到共產黨大爲驚訝。

法國選民的冷淡，是有數種原因，其中之一，是除了共產黨，和左傾社會黨。以及普加特派以外，從社會黨以至左翼之獨立派，都是支持戴高樂的。

我們得到的印象是，這些候選人，如果獲選，幾乎是絕對擁護戴高樂。引起大衆齊一步調的，是戴高樂，不是其政黨。這種的一致擁護戴高樂主義，意味着各政黨的分歧，沒有以前一般的明顯。

唯一的全國性問題，是你是否擁護戴高樂問題？而這個問題完全在複決時已決定了，因此只有當地問題和人選是決定的因素。

第二，有許多選民根本不重視國會。他們說：『我們讓戴高樂當權，便任他解決問題好了』。有人說：至少讓『沒有國會一年之久，而自己進行統治好了。』

自然，這是反映法國一部份人厭恨國會的情緒。他們將一切的壞事歸咎於舊日的國會。又另有一種人感覺：這在明年四月組成的國會，依照新憲法，已被削弱了官能。以致目前的選舉議員已不重要了。

第三，法國普通人民感到選舉很麻煩。除了共產黨以外，候選人都支持戴高樂。他們要求選民再選他們，便證實他們是『複決時贊成新憲法的』。

那些極端右翼候選人說：他們支持戴高樂，因爲他們終止舊政府的制度。他們要求選民『驅逐國會中的舊黨徒』。

社會黨人稱：戴高樂在過去數星期表示的政策，已值得他們去支持他，因他會表示，在阿爾及利亞問題，和他們的意見相同。在海外法屬領土問題，與必須消除極端右翼的權力問題上，亦然。如此令人民困惑不知所從。

但在次週的二期的選舉情形，或較踴躍。各黨已甚積極作最後五分鐘的競爭。在法國之選舉常有重大影響。例如在一九五六年臨到最後階段，普加特派反稅聯盟才突獲大量選票。

在上週，人民漸趨感覺興趣，共有七十五位候選人，盡量利用無綫電廣播及電視廣播。

另一刺激大衆興趣原因，是恐怕不能選足代表新國會組織不成，會令戴高樂再行退隱。

在十一月廿三日第一次選舉，在此新國會四百六十五席中，祗有四十個候選人在其選區中，佔選票百分之五十一而穩佔席位。到了十一月卅日，將以最多數而獲選的辦法選舉中，非共黨的候選人，希望取得第一次投已獲席位候選人的票之人擁護。而共產黨亦寄其希望於那些曾在九月的複決憲法時，投反對票之人的擁護。

在記者執筆行文時，法國預料共產黨在新國會，至多能佔四十席，失去百餘席。社會黨佔一百廿席。此外擁護戴高樂的各黨派將佔絕大多數。（按選舉結果大致如所預料）

至於阿爾及利亞與撒哈拉的七十席，亦必是擁護戴高樂派的，因爲此兩地人民大多數已相信戴高樂，海外實行開明政策。從本年九月舉行的複決新憲法之大多數票，是贊成的一個，看來，早已決定此新國會是擁護戴高樂而共產黨必一蹶不振了。（取材自倫敦「每日電訊報」）

宦海幽秘

武漢之會

這幾天，中共正在武漢召集會議，這次會議當是討論今年八月的北戴河政治局擴大會議以來的國內外情勢。

八月下旬以來的三個月時間中，中共的內外政策走到了「左」的極端，這次會議當是討論「左」的路線能否維持下去？維持下去，或者再「左」下去，會有什麼後果？不維持下去則又如何的轉「右」一些，用以緩和一下國內外的緊張局勢。這裏，讓我們先來討論幾個主要問題，或者可能作出一個簡單的結論。

人民公社

人民公社在農村的架子是搭起來了，但是在城市中却未實現一個方法。這種不平衡，是會促使已搭好的架子垮台的。農村的人民公社，向未見到大規模暴動反抗的報導，但最近一本「財政」雜誌上的「財政部」副部長戎子和的文章透露，中共當局對於農村中的人民公社做得過「左」，亦有所不安，要求維持社會主義的所有制形式。

因此，我們並不以爲會解散人民公社，但是具體的來說：中共將在城市中繼續搭起人民公社的架子，同時會要求基層維持「社會主義」性質的人民公社，過激的走向共產主義會遭到阻止。

經濟發展

根據矛盾論，認爲在經濟發展方面，要打破舊平衡，在新的基礎上求得到平衡；今年中共就首次運用了這一理論，這是目前中共經濟發展的特點：大概舊的平衡確實有些被打破了，但是打破了舊平衡以後的新問題，毫無疑問將是如何在新的基礎上使其有新的平衡。這樣，就需要對現在的經濟發展有所調整。

本欄前已指出，大躍進要縮的信號響了，這一趨勢是難以扭轉的；所謂經濟發展的調整，其重點當在于如何使得這種緊縮的程度減到最低。

對外政策

中共的對外政策分成兩個方面，其一是對共產國際，其二是對自由世界。早一陣時的砲轟金馬，使得它在這兩方面的形勢都有了改變。

自九月下旬以來，中共在北韓與外蒙的勢力都有了些進展，如何的把這一進展的形勢固定起來？這該是一個問題。照此形勢發展下去，則以中共爲中心，牽行「毛澤東主義」遠東的共產集團將形成，這一集團形成後將採取何種形式，亦該有一決定。

金馬是肯定不拿了，要拿也拿不了，自由世界的態度看來只有愈往下去愈堅定，硬拚不會有好結果，這是一。東南亞各國的反共氣氛最近幾月來突然濃厚了起來，泰、緬、巴、馬來亞都有各種程度的行動，這是二。從中共對英、日的貿易情況來看，它是急求擴大輸出入的，這是三。這三種情況都不容許它維持過去三個月來的強硬程度，看來也需要「右」些。

「右」的趨勢

總結前述的內外情況，中共是沒有理由再「左」下去，「右」的趨勢居多。這裏所說的「右」，並不是整個像一九五七年上半年那樣的「右」，而是從現在「左」的尖端退回一些而已。

×××

◦田心◦

唐代桂林之摩崖佛像

羅香林著

新書介紹

本書著者羅香林教授於抗戰期間，曾到桂林及其附近做了相當長時間的考古工作，也發現了「桂林之佛教藝術遺物，以西山摩崖造像爲最勝，次之爲伏波山，還珠洞摩崖造像，又次爲疊彩山摩崖造像。」他經過研究之後，覺得這些造像的藝術作風是大體相同的，但「與大同、雲岡、洛陽、龍門之造像不同。而反與印度菩提伽耶，大覺塔古遺大佛像及爪哇佛樓像，大致相近。」羅先生認爲桂林及其附近的佛像作風與中國西北各地及中原的造像，是另成一系統的，這一系統羅先生稱之爲西南佛教藝術系統。

羅先生作本書的目的，在於敘述桂林之佛教史迹及其重要造像作風。並附論其與中外文化交流的關係。此外又論及這一系統之所以能與西北各地佛教造像相提並論者，其特徵何在。這是一本對我國佛教傳播史及佛教藝術史極有貢獻的新著作。

全書分三篇，附圖卅幅。第一篇「唐代桂林摩崖佛像之發現」，第二篇「桂林石刻與唐貫休繪十六羅漢述證」，第三篇「桂林訪古記」（卽羅氏在桂林考古的日記）。

前兩篇的重要文字，有「佛教之傳入桂林及其興廢景況」，「桂林西山之唐代勝蹟與佛教造像」，「桂林伏波山與疊彩山之唐代造像」，「桂林唐代佛教造像與印度及爪哇等地佛教造像之關係」，「桂林佛教造像與湘水流域及其他孔道之佛教藝術傳播」，「貫休事蹟及桂林摹刻貫休十六羅漢週賞像之由來」，「記述十六羅漢來源之法住記及貫休所繪之異同及由十六羅漢演變爲十八羅漢之經過。」均爲學術上極有價值之作。

全書一册一五八面，另附圖片卅面，道林紙印刷，香港中國學社發行，每册定價港幣拾元，「自由人」報社代售。

×××

◦陳克文◦

國際動態拾零

△民主黨領袖之參議員約翰遜，宣稱將禁止該黨左翼再有反對杜爾斯運動。他不同意參議員克拉克的看法，以杜爾斯爲禍害，非逼其辭職不可。

△民主黨將貫徹兩黨之外交政策，爲了告訴共產世界，民主黨勝利，並不等于美國外交政策之示弱。

△但民主黨參議院外交委員會主席格林，爲九十一歲老翁，其反對杜爾斯之措詞，仍極尖銳，而外委會行將展開美國外交政策之全面檢討。格林曾函詢艾總統，協防金馬，是否明智，以艾氏覆函，不甚客氣，乃爲杜爾斯所口授，故必欲在參議院報復杜氏，而此外民主黨參議員之反對杜氏者殊多。

△一九五六年之總統預選大會，史塔森曾與尼克遜競選副總統。此次史氏關于共和黨改選問題，會與艾總統晤談一小時。聞其提出一九六〇年總統候選人名單，有洛克斐洛，洛奇與財長安德遜等，而故意漏列尼克遜。共和黨主席亞康，與洛克斐洛均反對史氏，以其有意掀起黨內的風潮。

△艾總統節約運動，恐在下屆國會行將失敗。本年度國防經費，爲四百另八億，下屆至少要增加十億。因蘇聯中共對自由世界之壓力加甚，援外經費，亦須增加。

△美工會幫助民主黨選舉，盡了最大努力，在若干州，俄州至少花了八十至一百萬，而且出動人力助選。在加州打倒共和黨數十年統治，使諾蘭等落選，故用款最多，約爲一百五十萬。

◦陶然◦

自由談

英國人的反共論

馬五先生

久矣乎銷聲匿迹，置理亂於不聞的英國前任首相艾登爵士，最近爲着俄帝對柏林的搗亂問題，亦沉不住氣，起而警告西方國家對柏林危機勿採取姑息政策了。他指出：「民主國家考慮其所作所爲，是儘量緩和緊張局勢於一時呢？抑眞正有利於持久的和平？姑息與和平之別就在這兒哪！」其詞甚壯烈，其意極堅決，可謂難得也已。

不過，艾登爵士執政時在日內瓦搞出的越戰協定，把安南大部分的土地與人民送給越共，製造兩個越南，犧牲弱小民族之所爲，這是否有利於持久的和平，而非姑息政策？實在令人莫名其妙。英國搶先承認中共政權，說是「承認現實」，並非贊成共產主義」，更反對聯合國的禁運政策，將戰略物資輸送中共匪區牟取暴利，並且隨時主張讓毛共進入聯合國。這又是持久的和平政策呢？抑係保守黨老前輩張伯倫所垂範的姑息主義？至於英工黨人士，經常祭起「民主社會主義」的旗號，唸着和平符咒，替毛共張目助勢，拚命反對美國在遠東採取強硬的反共行動，要把反共的自由中國消滅掉，但對埃及與伊拉克政府的親共政策，卻贊成出兵討伐鎮壓！這般僞裝的社會主義者，最近見着毛共在台灣海峽發動軍事進攻，即大叫將金門馬祖交給毛共，台灣應該由聯合國託管，然對於俄帝併吞西柏林的陰謀，乃不聞其有將西柏林交給德共，由聯合國託管西德之說了。

總而言之，無論是保守黨也罷，工黨也罷，他們反共的心理是眞的，但其範圍必以西歐爲限，只要美國以全力保衛西歐，不讓英國遭受共禍，而又能向共區貿易漁利，則全球其他各地區縱爲共黨所控制，亦係「有利於持久的和平」，並非姑息主義啊！

不聆艾登爵士所謂「亞洲狄托主義」，「共產大國之間有歧見」的高論有日矣，忽因柏林事件而扶病作此反共的獅子吼聲，不無驚奇之感，且不禁爲盎格魯，撒克遜民族的文化精神悲也！

布袋裝

短篇小說

符兆祥

妻從李太太家回來，一見面伸着手就問我要錢。

她近來不知爲什麼那樣使人討厭，我皺着眉，拉長着臉正預備訓斥她一頓，她可先哼了句：

「總是擺出一付死人相。」

「誰叫你一開口就要錢？」我沒好氣的說。

「要不得？」

「昨天才給過你」

「昨天，昨天去打牌，輸了。」

「今天又……」我驚訝得說不出話來，五百塊一晚就輸光了，而且，她說得很爽氣。

「今天我要錢是做衣服。」

「我記得你還有半箱子的衣服還未穿過呢。」

「那些衣服的樣子早不時興了，你懂什麼。」

「還不是一樣，有什麼時興不時興的。」

「說你不懂就不懂，現在流行布袋裝。」

「布袋裝？什麼叫布袋……。」

「反正我懶得給你解釋，拿錢來就是了」

「要多少？」我姑且這樣問。

「你身上有多少」

「拾塊錢，」我輕鬆的說。

「死相，誰跟你開玩笑，我要五百塊。」

「五百」？乖乖隆的多，我吁了口氣。

「怎麼？」

「昨天拿五百，今天拿五百，這幾個月來，你可算過你用了多少錢？」

「多少錢？都是需要用的。」

「割雙眼皮，墊鼻樑，墊四十吋胸乳，這都是需要的！」

「怎麼了，我好看一點還不是爲了你。」

「怎麼是爲了我？」張太太割雙眼皮，你要，李太太墊鼻樑子，你也要，周太太去……。」

「還不是爲了你，太太漂亮點，是先生的光榮，別那麼不識抬舉好不好。」

「我不希罕，講老實話，倒是你從前的樣子看得順眼點，現在的樣子，誰看了誰都不認識了，都說像妖精似的。」

她生氣了。

「放屁。」

「你說，單眼皮不好看，去割，割得臃腫回來，整天戴着一付黑眼睛，鼻子呢，動了手術不能碰，又說，像什麼珍曼絲菲，要有四十吋的胸圍，現在呢，天天喉痛，何若。」

她把頭一歪，硬是要美不要命的樣子。

「且說，我們怎能和李太太，周太太比，我有了多少錢一個月」，

「怎能比不上周太太，李太太，她們先生只是個窮教員而已。」

「窮教員，你知道他們一個月收入有多少，有三四千呢。」

「怎麼？」她一怔。

「你天天上別人家串門子，爲什麼不知道？」

「天天上門，都是打牌，那有時間閒談」

「他們在外面有補習班，學校有補習班，還不都是學校收入？」

「鬣我不管，」她發恨的說：「我要做件布袋裝，你沒錢，去貪汚好了。」

「你的話可又說斜了，在台灣做事你不是不嘷得的，儘管大官們可以貪汚，像我們這種小公務人員，就是有機會也不敢貪汚，你說話也得想想。」

從家裏出來，有滿肚子的煩惱，妻本來是個安份守己的人，自從搬到台北來後，可變得太厲害了，我想不出原因。

下班時，街上忽然有賣號外的聲音，我奇怪之餘買了一份，天呀，原來金馬戰事緊張，我機擊落米格機多架的消息，幾日來沒有看報，原來世界已經變了這許多。

回得家，妻匆促跑出來：「喉，」她叫我：

「你看到號外嗎？」

「什麼號外，」我故意板起臉，裝不知。

「我們的飛機打落米格機的消息呀。」

「這關我們什麼事。」

「哎呀，說這句話你還算是自由中國的人呀。」

「你呢？天天搓麻將，製衣服，整容，這也算是自由中國的一份子？」

「好了，別說了。」她把手伸出來：

「錢有帶回來？」

我獃獃的把借來的兩百塊丟給她，她接住，笑了笑。

第二天上班，主任出公差，到南部去了，我牽掛着金馬的消息，偷空找了一張報紙來看，看了一會，忽然在某一欄看到我的名字，我驚訝了一下，忙用神的再看了一看，果然是我的名字，刊登在支援金馬前線捐款欄裏，捐款是一百五十元，我奇怪着這一件事。

回家後，妻問我：

「你看到報紙嗎？」

「什麼事？」我沒好氣的說。

「你捐款的名字呀。」

「這是怎麼一回事？」我到底忍不住了。

「喏」她把收據在我面前一幌：

「你昨天給我的兩百塊，我捐了一百五。」

「爲什麼？」我不明白地。

「這不很簡單，我們都是自由中國的一份子。」

「你不做布袋裝啦？」

「我想過了，在此時此地，仍有閒情做布袋裝，那就不配做人了。」

難得她明白了。我笑了笑！

「還有伍拾呢？」我想來，她一定揩了油。

「喏，」她指了指飯桌：

「平時我趕着打牌，對於家務疏忽了。對於飯菜更是馬虎，現在我決心戒賭，對你的身體好好的注意一下。」

「怎麼一下子變得那麼快？」我希奇起來。

「先生的健康就是妻的幸福。」她開玩笑的說，接着又說：

「現在戰事緊時，全國皆兵，說不定幾時總動員令下，你又要面前綫去，身體是最重要的！」

閒話歌功頌德

素蘭

歌功頌德是一件並不十分困難的事，同時又不會引起什麼麻煩，雖然技術頗有高下之分，但不過是揣摩對方心理的深淺程度的問題而已。

比如對於一個吝嗇鬼，或守財奴，你儘可以讚他一聲「樂善好施」。這四個字在壽屏上可以用得，在他死後的行狀上也可以用得，尤其是後者，比較來得更妥貼。因爲非但死無對證，而且旁人對於已經一瞑不視，蓋棺論定了的死人，也總肯在皆大歡喜的喪筵上原諒他。

因此有些文人的筆下，就把守財奴的吝嗇，寫成「自奉儉約，數十年如一日」之外，更會加油加醬的添上事實，反覆引證，務使他成爲值得歌頌的行爲。這不但守財奴自己看了開心，就是他的子孫眷屬，也會看了感到得體的。

在行狀上的寫法雖然有些兩樣，但只要換湯不換藥，把他的一些可鄙可笑的事，用幾個極冠冕堂皇的字眼裝上去，並且綴上幾句傷感痛悼的詞句，那麼他就變爲鄉里的模範人物，而他的死亡似乎正是社會上的一種無可彌補的損失。死者的子孫讀了固然不免有些「苦塊昏迷」之感，而朋友親戚對此也不得不擊節稱賞，說是一篇好文章，爲了這點，聰明的商人也搜集了一大套的歌功頌德的成語，以便隨時給一般人去選用。

最普通的，無過於輓幛上的金字，男人死了，不管他十惡不赦，惡貫滿盈，靈前掛着的卻是「老成凋謝」，「哲人其萎」。女人死了，即使她生前是個潑婦，或者是個賊婆娘，靈前所揭示的，卻是「懿範長存」，「駕返瑤池」。在結婚的禮堂上，即使新郎是個文盲，新娘是個麻臉，而大紅幛子上的金字，卻是「才子佳人」，「美滿姻緣」。生了一個孩子，還不知這孩子是活不長，大家卻送他四個字，「天賜麟兒」，或「弄璋之喜」的金字先捧一捧再說。

照此看來歌功頌德的根底如何，也就不用再加以贅言了。假如有個十歲的胖子壽辰，送他一個「當心中風」，或者一個朋友生了兒子，送他一個「愼防……」的幛子，好了，其有不被認爲惡意咀咒者幾稀！帶筆至此，可以煞車了，不然再扯淡，小則：「這小子又再發狂了！」大則……。

牛

陳宗敏

如果有人叫你一聲「牛！」你若非涵養有素，不飽以老拳才怪，原因是我們通常認爲牛是又蠢又笨，所以聰明的人們，誰也自以爲自己是足智多能，自然不甘屈居爲牛。

其實，牛是人類最忠實，最可靠，最有功績的友人。暫且不要看牠「老步躡躓」，就說牠又呆又蠢，把最慢的動作和最快的腳步作爲衡量功績的尺秤是靠不住的。因爲緩慢有時是穩重，謹慎，小心與平實。所以我們用以笑人遲鈍的句子「老牛拉車」，實在並不很對。

牛就像一位默默無言，腳踏實地的耕耘者，牠不善「巧言令色」，不屑諂諛阿附，不造作，不諂飾，不像鸚鵡能鳴善語，不像小雀輕佻自高。牠只靜靜的在那泥土上，一步一步的穩重的邁走着，翻鬆田裏的泥土，播下新的希望。牠刻苦自節，牠立身自潔，雖然牠是孤獨的，但是牠踏在青青的原野草上，仰望青天，牠無愛無憎，因爲牠心安理得！

牛是忠實堅貞的，人類的「田」裏，必須要有老實的「牛」，希望才可以在這「田」裏播種，也才可望其萌芽，新生，茁壯。

爲當代畫壇進一解

江聲

當代畫壇人才輩出，各有所成，亦各有所蔽，眞能戛戛獨造而爲一代宗師者，亦不過數人而已。

挽近而還，如依香港而言，實碍波譎雲詭之能事，於此，余不能不爲之進一言。

古人之在生前，多一藝不能自存，死後乃聲譽雀起，此古人之不幸也。但就爲「這個不幸的緣故，其創作是否傳世，胥視其人品可以傳世與否而後定。生前即有所作，亦不過傳觀於師親友好之間；幸而致大譽，獲大名，亦不敢沾沾自喜，用示無所釣沽。今世則否！稍有一能與一藝，惟恐無人不知；新聞紙從而鼓盪之，社會從而培植之，有識者從而扶持之，於是，乃得以其藝與世相見。而其間良莠相揉，高低不一，畫壇乃入於混亂頹靡之境。

竊思藝術之爲物，除工力外，必須有修養，修養者何？敦品勵行，孜孜日新是也。又必須有學問，學問之道，多讀多作多商量是也。又必須有工力，工力者內美而致於外能，勤於學殖與寫作，冀有所表現是也。又必須有個性，個性者，畫人一已之風格，所表現於筆端是也。又必須有時代性，時代性者，不離現實與理想是也。吳道子之畫以工力見，王維之畫以學問見，鄭所南與八大石濤之畫以個性見，張擇端之畫以時代性見。上之數子之所以名世者，非偶然也；或見一端，或窺全豹，得諸天而通於人事，有由來矣。

今世作者，眞能以工力見者（生者不論），黃賓虹、齊白石等數人；眞能以學問見者，除溥心畬外，恐尚處於林間草野之中。眞能以個性見者，徐悲鴻一人，蓋其所作代表其心情與時代之背景。時代，自西洋畫風迷漫於中國美術界而還，能之者實繁有徒，無計其數。惟古人之畫，三日一水，五日一石，亦有興到隨筆，自成其所表現，除工力二字而外，少有個性與時代性。至於修養與學問，雜言。若論品德，則今日之中國，[illegible]變紛紛，吾又何從而覘之耶？

刁作謙先生七十晉九壽言

王韶生

今夫講信修睦，折衝樽俎，此誼非行人之職所當事歟？在昔春秋之世，列國聘問頻煩，若狐偃，若叔向，若子產，若季扎，明於禮數，嫻於詞令，其周旋雍容中規，其說辭宏博多文，彬彬然有君子之風焉。降及戰國而縱橫之言興，彼所謂辯士者，掉三寸之舌，以取功名，其於國權民，漠然無與，故蘇張之徒，予輿氏所謂安得爲大丈夫者哉？執斯而衡論我國當代外交人物，安得不心折於我斐立刁先生者乎！先生粵之興甯人，幼隨父僑居檀香山，稍長，自費留英，先後在劍橋大學及倫敦法律學院畢業，歸國應試，欽點法科進士，授職翰林編修。旋入外交界任職，歷典機要，翱翔中外，閱半世紀，誠所謂魯殿靈光，巍然爲衆所具瞻者矣。第一次世界大戰結束，集和會於巴黎，我國與日本爭山東問題未決。列強畏日之強，凌我之弱，想草和約抑我而利彼，故簽約與否，關係甚重。日本駐華公使日置益乃入說國務總理段祺瑞曰：「貴國簽字，日本居其名不居其實，青島及膠濟鐵路附屬權益保證歸還也。」段氏惑其言，命外部電令我代表團遵辦。都下或聞其事，羣情洶洶。代理部務陳籙，集會檢討。時先生以外部參事與會，慷慨陳詞曰：「日人言甘，誘我也，若其食言，誰與我者！拒之是」。聽者爲之動容。陳氏曰：「電報已發，奈何？」先生抗聲應之曰：「可立發第二次訓令糾正，依格林威治時刻計之，仍可及也。」議遂定。先是我代表團諸君，恍於屈辱外交，擬辭以白國人，相約拒命辭職；及讀奉電令，與衆議合，莫不反憂爲喜，踴躍稱善，以爲國家有人也。先生任外交官有年，以廉能稱。當抗日戰爭爆發之翌年，廣州淪陷，先生由粵之桂，轉赴國難。先生[illegible]任職[illegible]利後，[illegible]大陸變色，[illegible]教讀[illegible]彼朝秦暮楚[illegible]位，或[illegible]其人格[illegible]去懸絕[illegible]即耳先生[illegible]邂逅於[illegible]。今茲[illegible]朝夕追陪[illegible]生瑰行[illegible]初吉，爲先生七十晉九佳辰，爰摭其涯略，效奚斯之頌，以代稱觴。先生年登大耋，而精神矍鑠，使天祚中國，明哲不遠，詢茲黃髮，用嘉謀嘉猷，所以益翊而敦邦交者，則異人任矣！敬以爲先生祝。

自由人
THE FREEMAN
（第八〇九期）
中華民國僑務委員會
頒發登記證僑台新字第一零二號
中華郵政台字第五〇〇號
執照登記為第一類新聞紙類
（半週刊每星期三 六出版）
每份港幣壹毫
台北市售價台幣貳元
督印人：陳文華
地址：香港高士威道二十號四樓
20 CAUSEWAY RD. 3RD. FL.
HONG KONG
TEL. 771726
承印者：東南印務出版社
地址：高士打道六十四號
台灣總經理處
台北市西寧南路壹壹零號二樓
電話：三〇三四六
台郵撥儲金戶九二五二
海外總經銷：友聯書報發行公司
香港：德輔道中二十六號A二樓

廿世紀下半葉與天下三分

宋文明

自第二次大戰結束至今，這個世界一直就受着戰爭或戰爭威脅的影響。在很長的未來，這一擾攘不安的情勢也不會有何改變。不過就總的趨向看，除了一九四九年，五零年，五一年，五六年，和五八年等幾個短暫的時間以外，這個世界已逐漸脫離戰爭的險象，開始走上了戰後正常化與穩定的道路。一般都承認現在世局的所以不安，和冷戰與熱戰的時作時息，[illegible]擴張所致。站在這一觀點來看，蘇聯與共產主義的擴張，或至少是軍事性的擴張，亦已隨戰後世局的趨於穩定而逐漸和緩下來。

一、

一九四九年中國大陸變色，一九五三年韓國停戰協定的成立，一九五四年越南的分割，是戰後在遠東所發生的主要的幾項領土變更。但中國大陸的失陷祗能算是二次大戰的延長；韓國停戰協定實際並未帶來領土上的損失；越南的分割亦祗是和議的現狀。自此以後，就一般來說，共黨在遠東和南亞的擴張大致已經停止。[illegible]蘇聯在歐洲採取外交攻勢，而祗求保持現狀和鞏固現有東歐，而非進攻，更不求擴展。相反的，蘇聯即採取一連串行動，撤退奧國駐軍，撤退芬蘭特卡拉基地，並駐東德及東歐各國軍隊也減少。假若蘇聯要想在歐洲作戰，那麼它的撤退便形同瘋狂；即若共黨要想在西太平洋及南亞作戰，那麼它們的接受韓國與越南停戰，亦便成了不可思議之事。

在一九五四年以前，西方國家時常高叫「解放政策」，表示不承認戰後以來的勢力範圍劃分現狀，準備從蘇聯與共產集團控制下收回某些已經失去的土地。但一九五四年夏天以後所發生的東德及匈牙利事件，都證明了所謂解放政策已經沒有任何實際意義的，換言之，自此以後的政策精神也祗求保持現狀，以不實際的高調維持外交與宣傳攻勢而已，而非真正要求解放什麼。歐洲早已達到了一種相持的穩定，即蘇聯亦不可能再前進一步，而西方亦不可能要求蘇聯後退一步。在中東與東南亞，目前亦正在走上這最後的穩定狀態。所以我現在可以相信的世界局勢，不論冷戰如何緊張，而冷戰不論如何激烈，而勢力範圍已陷於凍結，最近將來不可能再發生任何重要的變化了。

二、

可是二次大戰後，整個國際關係中產生了一項過去所未曾有過的現象，即亞非集團的出現。[illegible]在二次大戰前，整個南亞和東南亞只有[illegible]個獨立國家[illegible]。在中東，勉強算得上獨立的，也只有三四個國家。[illegible]戰前的非洲只有三個獨立國，可是至現在有十個之多，並正在不斷增加中。[illegible]亞非地區已有三十多個聯合國國家，[illegible]和平相處[illegible]，成爲這一國際[illegible]的主要支柱。[illegible]關係，並不一致，對國際問題的看法，亦不盡相同。但它們之間有一種態度是完全一致，這就是：它們一面反對共產主義，一面又反對與批判資本主義。[illegible]的立場，所以它們不僅在外交政策上實行各[illegible]或「不涉入主義」的中立主義，而且在思想上也日漸趨於混合與中立化。

這種中立化運動，發軔於一九四九年秋尼赫魯訪美行中的表現，造型於一九五一年初亞阿集團對韓戰的調停，具體化於一九五五年的萬隆亞非會議。嗣後經過一九五七年末的開羅亞非團結會議，一九五八年春的非洲八國阿克拉會議，以及在聯合國中無數次的集體表演，這一亞非集團已成名實相符的區域集團。因此，我可以得出第二個結論是，即今日世界局勢已不是共產與西方兩大集團的對峙，而是共產與西方再加上亞非集團三者的鼎足而立。我不敢預料這種鼎足三分的局面究竟能維持多久，但我深信在二十世紀下半葉的未來四十年中，這種局面絕不會發生根本的變化。

三、

未來數十年世界的必然趨於三分，絕不僅是由於現實的國際鬥爭最後勢必導致這一結果，而是由於這種鼎分具有更深的文化，政治與社會的根源在。共產集團是以馬克思主義爲經典，追求一種「人間天國」的理想，企圖經過「集團人」的雙手萬能，根本改造地上一切。而西方集團則以基督教義爲神聖，發揮個人創造本能，以天人合一的境界，企圖以「上蒼天國」模式來規範大地。基督教是一種絕對的一神教，而馬克思主義亦復如是。由此觀點來看，亞非集團便成了一種宗教與文化上的雜牌勢力，除了自成一系，獨立發展之外，絕無他途可循。這一雜牌宗教勢力包括回教，佛教，婆羅門教，以及亞非兩地各種各樣土著宗教，其對廣大亞非人民心靈上的根深蒂固的控制，並不下於馬克思主義之於共產集團，和基督教之於西方。

在過去以前，西方與共產集團的鬥爭，祗是一種前哨鬥爭的性質，故時有進退。自此以後，雙方已進入自己的陣地，深溝高壘，嚴陣以待，雙方要想把對方突破，已勢所不能。共產主義要向西方勢力範圍再前進，必須要先解決基督教問題。西方要想把共產勢力擊回去，亦面對了馬克思主義的威脅。同樣的情形，共產勢力雖已統治一部份異教徒，但若無軍事力量作憑藉，共產主義亦很難再征服其他的亞非聚眾。基督教和資本主義雖滲透亞非地區數百年，但目前它們在這一地區的勢力和影響不祇未見增長，反而日趨式微。

四、

馬克思主義正借蘇聯的現代科學成就與原子能的力量，在共產集團內部實行自我立體改造。這一改造的結果，將使北平——莫斯科——布拉格形成一個堅強的共產軸心。蘇聯現已是聯邦國，我相信中共最後亦將走上聯邦國道路。整個東歐亦然。布拉格便是未來東歐共產聯邦的新重心和新首都。與這一共產軸心相對峙，西方集團亦將形成一個由巴黎——倫敦——華盛頓——巴西城的堅強的軸心，以團結整個基督教世界。這一軸心先以英美同盟爲樓心，再加上以巴黎爲重心的西歐聯邦而成北大西洋同盟，最後再加上以倫敦爲重心的英聯集團和以巴西城（巴西新京城）爲重心的拉丁美洲集團而成基督教同盟。與以上兩大軸心勢力作對的，便是以東京——新德里——開羅——阿卡拉爲連鎖的亞非軸心。這一集團現正經歷一由分而合，由自主而統一的過程，先是出現數十個剛獲獨立的小國家，然後這些國家再自願結合，最後歸併爲五個左右的大聯邦，把這兩大洲廣袤地區緊緊結合在一起。

總之，以今日來看未來，廿世紀的下半葉將是馬克思主義同盟，基督教同盟，與亞非同盟三分天下，鼎足而立的世界。至於世界能否真正出現大一統局面，那自有待於下一世紀才能決定了。

一週半評

柏林問題的發展

蘇聯於十一月二十七日向美英法三國提出照會[illegible]柏林問題又成爲世界冷戰中心，並有醞釀熱戰的危險。蘇聯照會的內容，是主張將西柏林成爲非軍事性的自由城市，改爲獨立的政治單位。在六個月之後，如果與西方不能達成此項協議，蘇聯即片面通過與東德的協議辦法，[illegible]。由于西柏林在蘇聯佔領的東德區內，[illegible]「主權」，則西德對西柏林的交通，勢將被切斷，[illegible]「重演一九四八年六月至一九四九年五月蘇聯封鎖的事件」。

在西方國家方面，美英法三國及西德外長已于十二月十五日在巴黎舉行會議，並提交北大西洋公約理事會討論，以決定對蘇聯建議的答覆。據外電所傳，目前西方三國在正式討論中的兩個計劃是：（一）舉行四大國（美英法蘇）會議，討論德國全盤問題。（二）對赫魯曉夫實行挑戰，要求在此二百二十萬西柏林居民中舉行投票，看有無居民贊成西柏林成爲自由市的計劃。

西方的錯覺

西方的態度顯然是軟弱的，英國甚至還在研究蘇聯提此建議的動機。美國新聞週報則認爲蘇聯在柏林問題的行動幕後是中共，甚且說中共希望赫魯曉夫碰壁。這些是不可思議的。蘇聯的動機，已在它的照會中說得很明白：「蘇聯政府關于柏林佔領制度問題上採取的立場，是想結束由美英法三國的繼續佔領造成的危險局面，使西柏林不再是對社會主義國家，對民主德國（東德）和蘇聯加緊進行間諜破壞活動和其它顛覆活動的跳板」。這就是說要把西方勢力趕出西柏林，以鞏固蘇聯對整個柏林的控制。

在這方面，中共是強烈支持蘇聯的。「人民日報」發表的「外國軍隊必須撤出西柏林」的社論說：「由于西柏林是民主德國的心臟，美國和英法及西德政府把它作爲威脅和顛覆民主德國和其它社會主義國家的跳板，並把它作爲向蘇聯進行侵略活動的基地」。「不管西方國家採取什麼態度，外國軍隊佔領西柏林的狀態是一定要結束的，柏林必須成爲德國的柏林」。這也說明中共與蘇聯的基本利害是一致的，排斥西方勢力與侵略自由世界的目標是相同的。以民主國家的尺度衡量它們之間的關係，是脫離現實的。因此，西柏林問題，不在蘇聯的威脅，而在西方各國的堅定立場與強硬的對策。

中、韓、越共之間

在中共支持蘇聯對西柏林採取行動期間，韓共首腦金日成率領代表團訪問中共，並前往河內，與北越發表聯合聲明，支持中共進攻金馬，並要求美國退出台灣海峽，南越和南韓。從他們的這次行動來看，中共與北韓及北越之間，必醞釀進一步的合作，如締結軍事同盟之類，以加強對台灣，南韓和越南的威脅；在此情勢下，中共對金馬有所行動時，則北韓和越共則在各地放火，實行策應；或同時發動攻勢，以分散美國在亞洲的防禦力量。雖然這樣做，會惹起大戰來的，但在自由世界沒有充份準備以前，它們還是有可能冒險一試。因此，韓，越地區除加強戒備外，而迅速成立東北亞聯盟，以保障集體安全，更是迫切需要的。

•金達凱•

中共在渡難關

——論大陸的供給制

•旭軍•

中共實行「公社制度」，毀滅家庭，劫掠民產，嚴厲組織以利極度榨取勞力，極度減低給予勞力的酬報，開中國四千餘年來最殘酷之剝削，還自鳴得意的，自詡其「吃飯不用錢」的供給制，使人民以十六小時的勞役，換取每日兩餐的番薯雜糧飯。民怨沸騰，而中共則仍[illegible]

據中共的解釋說：爲了實現共產主義，就要逐步限制和縮小「按勞取酬」的原則的作用範圍，[illegible]「各取所需」。

其實取消「按勞取酬」[illegible]在任意給酬，使人民失去[illegible]的根據，去反對政府給予[illegible]酬報。

共黨的「各取所需」[illegible]，其實「所需」是不顧[illegible]。共黨可以「現在生產不[illegible]所需的水準係如此。」則[illegible]的刻薄，人民都不敢出怨言[illegible]吉拉斯說得很好，他說：共產黨是極權主義，而又係「[illegible]義」，信然。

因此目前中共爲其劫[illegible]與不按勞給酬予人民，自[illegible]民勞動力，而作自辯，最[illegible]，是所謂「破除資產階級法權的殘餘思想。」

中共的「中國青年」半月刊說：「有些人，對供給制不滿，是由於受資產階級法權觀念的束縛，他們把「按勞取酬」多勞多得看做天經地義，看成最公平的最合理的永久不變的原則。他們把工資收入高低的差別，看成當然的事情，而不知這本身就是資產階級法權觀念，還是等價交換的原則，[illegible]作用……共產主義已[illegible]門了，如不趕快丟掉資產階級法權觀念，就要被時代遠遠拋[illegible]」這完全以「資產階級」與「時代落伍者」帽子加在反對者的頭上的一套把戲。

共產黨領導集團，只是一個新的剝削者階級，是一個歷史上「權力最完整的階級」。其應有何在？就是擅自以國家社會之名，來管理並分配所有權。這便是共產黨實際上，在共產國家並沒有「集體所有權」。」這一個空幻的觀念，掩飾着黨的官僚們實際掌握一切。試看中共怎樣洗脫虐待人民的[illegible]其過着奴隸生活之罪。

「我們還處在艱苦建設的[illegible]先是滿足生活的基本必需[illegible]們更好的努力建設，方能[illegible]現我們美滿的理想。…[illegible]均一些好。隨着向共產主[illegible]資產階級法權殘餘思想是[illegible]

[illegible]

台灣教育春秋

陳司鐸

台灣通訊

△台中市篤實國民學校教員江申旺，不顧教育廳三令五申的告誡，在校外爲學生施行「惡性補習」，經人檢舉，教育廳調查屬實因予免職。該校校長亦將因監督不嚴而受處分。事後該校學生家長葉志懋等一千三百人，以江某的爲學生補習，全因家長要求非出江之本意爲由，聯名向教育廳，省議會，台中市政府及市議會等有關機關爲江某大力求情，懇請教育廳收回成命。

我以爲教育行政當局爲維護下一代的心身健康而下最大決心撲滅「惡性補習」，確是當前之急務。不過一事之成，必有其遠因近果，僅就消極方面雷厲風行於一時而不溯本求源，徒以一二人爲犧牲，寧有根絕之一日。甚望教育當局深思熟慮覓其癥結以下鍼砭，快除病根，尤爲切要，至已處分者，則萬萬不能收回成命；此婦人之仁也。倘而如此，法令將成弁髦，惡性補習從此滋長，更無寧日矣。

△教育部長梅貽琦於本(十一)月十五日在立法院教育委員會上同意一位立法委員的看法，認爲研究純粹科學的青年學生，使其免除軍訓或兵役，俾免研究工作中輟而有所影響。

按大學爲專才教育，一旦國家有事，大學畢業生而被分發部隊工作時，亦必各就所學，展其所長以效勞國事：如醫學生之進軍醫院，理工學生則分發機械化部隊或兵工廠，外文系畢業生之充任聯絡官，終不成叫他們去做一個小兵。假如硬要他們去接受軍訓，或服兵役而影響了他們的專門研究，此所謂「小學而大遺」，不智孰甚！所以不論是研究社會科學或自然科學及文學的，凡是大專畢業的青年，都應該豁免其軍訓與兵役才是正理。要不然，寧可加强高中的軍訓以補此不足。

△立委王純碧在立院教育委員會上會向梅部長提出緊急詢問，謂最近接獲青年學生來信，檢舉本年度大專考試落第學生，有利用特殊關係，以僑生名義分發各大專學校就讀者。信中列舉學生姓名，原畢業學校及所分發之大專院校，王委員當時將原函交與梅部長，希望迅即查明答覆，並要求公開披露眞相。

我以爲「君子愛人以德，細人則以姑息」，僑生之無條件分發各大專就讀已於理不合，但時異勢遷，政府自有其不得已之苦衷，尚有可說，至利用此一隙縫而魚目混珠，則又喪官箴而干風紀，亟該徹查自無疑義。據我所知，此事不自今日始，去年便有七條黃魚學生在僑大先修班過堂後被分發至台大就讀，經該校註冊組查明拒收，乃轉送師大就讀，其中一名且係現任教育部高級官吏之子，甚望梅部長一併查明，秉公辦理以肅官箴。

△教育廳長劉眞於本(十一)月十五日前往中壢，參加省立中壢中學化學館落成暨技藝訓練中心開學典禮。該校師生事前在校長趙仰雄領導之下，粉飾會堂，洗刷禮堂，不一而足，忙了兩天。劉廳長蒞臨之日，該校僅上課一節，自第二節開始便恭候廳長而臨時停課，全校師生列隊鵠候，達一小時之久。

我以爲劉廳長背後沒有眼睛，當時所見者僅該校地無纖塵，人爲卑恭已極，但以劉廳長就職以來的言論與措置，凡此種舉動，必以爲非是，自可斷言。俗云：「過多不怪」，劉廳長若知實情如斯，對如此校長未知作何感想？

△梅貽琦部長在立法院教育委員會上答覆詢問時稱：政府將盡量鼓勵私人興學，只要合乎教育部所定的標準，政府均表歡迎。今日台灣私人興學已成風氣，鼓勵私人興學固屬要事，但教育與其求量的發展，毋寧求質的改進，所謂「政府規定的標準」，一般是指物質條件而言，如校舍，敷地，經費及設備等項，並不包括學業水準在內，我認爲今日私立學校之設立，在今日並不必要，外表上的冠冕堂皇，貴族化的學校，尤非今日所需要。至於實質上，則極須將私立學校的水準提高，以求與公立學校平衡的發展，據我所知，今日私立學校所招的學生，多半爲富貴人家的落第秀才，管理上極不得當，那些學校便變成「太保學生」的苗床。故對私人興學：鼓勵是一回事，嚴厲管制又是一回事，兩者不可偏廢；否則寧缺勿濫，未知高明者以爲如何？（十一月十八日）

司法行政部傳將改隸

（台北航訊）最近，司法行政部改隸司法院的問題，似已成定案。最高當局及有關方面對於這個問題，聞已表示同意。祇待修改現行司法院組織法及行政院組織法后，即可實行。聞改隸後的司法行政部名稱爲司法部，管轄三級法院，職掌審判。而檢察業務劃歸新成立的法務部管轄，法務部則隸屬行政院。

這次司法行政部的改隸，出於「奉命不上訴」一案的刺激關係極大。該案發生後，立法委員競相質詢，監察委員正在醞釀彈劾，民間議論紛紜，海內外輿論交相指責，致使當局不得不採取行動。

另方面據聞，行政院副院長王雲五於行政改革委員會上會建議司法行政部改隸司法院；最近，監察院年度總檢討會，監委認爲要確保司法獨立，必須將司法行政部改隸司法院，司法院長謝冠生在招待監委時，曾透露這問題已屆成熟階段。

劍聲

竹幕幽秘

西方觀察家的謬論

近來，西方的輿論，一致的對于中共這一年來的進展都感到驚恐與唏噓。這是一種好現象；至少說，他們將把過份注重于蘇聯的觀點，多多少少的移轉些到東方來，這種移轉在整個反共的形勢上來說是有利的。

但是，西方輿論中的若干觀點，是不爲我們所同意的。譬如說，時代雜誌的封面上，引用了一句拿破侖的話，暗示這種大躍進是中國的覺醒；這在我們中國人看了，眞是啼笑皆非。又譬如說，他們指出了土法煉鋼的質地差，只能做農具；但是他們並不能指出今年生產的鋼鐵中有不少是取自老百姓家中的門窗與灶頭的鐵鍋。

這一種膚淺的論點，影響至大；筆者就曾經遭遇到一個外國人問我爲什麼不贊同這種爲國家努力的共產黨？問題之一似乎在于他們並未身受；其二是他們對于一件事情的看法，只能局限于一個國家，而不擴大着眼于全人類之上；其三是他們並不了解在中共的這種建設中，人民犧牲的程度；我們認爲任何人對于國家的犧牲，不能是無限制的，要是主張無限止犧牲個人利益供獻給國家的就是軍國主義者，極權主義者。這是在世界反共陣綫上不能團結起來的關鍵，也是若干海外同胞還迷信中共之所在。某些世界性言論中的不正確觀點，是必須予以批判的。

大躍進的基本原因

假使我們將中共的大躍進，置于歷史發展中來看，便會明白它是被迫的。

一九五六年十月的匈牙利事件，以共產黨的術語來說，是修正主義在共產黨內部的表現，在這次事件後，大多數的共產黨員對于共產主義的信心已經有某種程度的低降了。隨之，中共爲防止這種事件的重現，採取兩項辦法，在國際上反對大國主義，在國內實行大鳴大放；但是，這兩項辦法實行的結果，不特不能阻遏，而且還助長了修正主義的發展，至一九五七年六月，遇到中共攻擊都有被淹沒的可能，于是阻止鳴放而掀起反右派；這是中共對修正主義作戰的第一個回合，其結果是失敗了，隨後策略是「右」傾，其國內外政策都有「右」傾的趨勢。

今年三月南共綱領的發表，是修正主義的第二個浪潮。五月，一方面爲了要比蘇聯更猛烈的批判，另一方面爲了要表示共產國際的強大，共產制度的準確，以增加共產黨員的信心起見，其內外政策一齊在此時轉往「左」傾，其中就包括上中東事件，台灣海峽事件的刺激，更加速了其發展到「左」傾的程度，九月底，是爲這種發展的尖端。這是中共與修正主義作戰的第二回合，這一回合所使用的策略是「左」傾。由這樣來看中共的躍進，可以理解其本質只是防禦的，攻擊只不過是其中之一部而已。

看毛澤東如何對付狄托

西方把目前的毛澤東主義說成是史太林主義的復活，我們不很同意這種說法，因爲它們之間還有不同點；不過從「左」的方向來制定其政策却是相同，而且毛比史還更「左」一些。

史太林主義執行的結果，發生了匈牙利事件，毛澤東主義這樣的執行下去，看來，匈牙事件之要在中國發生是可能的。

最近，狄托將來東方訪問，對于修正主義的傳播是會起實際作用的；過去，東方各國共產黨對于修正主義的影響還不像西方之深，通過這次訪問大概亦會被鼓勵些起來；看身在死胡同裏的毛澤東還有什麼辦法再來阻遏修正主義在東方的發展吧！

田心

逆水行舟談加薪

從改單一匯率說到物價上漲

麟兮

龜兔賽跑，結果勝利的是龜。那是寓言，寓言永遠不是事實，事實上龜兔沒有過賽跑。有人將物價的上漲與薪水的調整比做龜兔之賽跑，我就認爲沒有什麼不合。寓言裏的龜雖然勝利了，但究竟還是在跑。薪水階級如果也比做龜，那麼便是石龜，不但不能跑，背上還要馱個千斤重碑，上寫「泰山石敢當」。眼巴巴地望着兔（物價）絕塵而去。我敢和任何人打賭，這個龜永不會勝。雖然愛國獎券我永不會中，但是相信賭這個一定是穩贏。

我不懂經濟學，所以也不懂單一匯率對國家經濟與國計民生有什麼幫助，甚至「國計」皆非升斗小民所能知，若說幫了「民生」的忙，那才是恰好幫倒忙。匯率調整後百物飛騰，麵粉的價碼兒，上漲三分之一。麵粉漲，用麵粉做的大餅就要漲。大餅漲，吃大餅活着的人力就要漲。人力漲，互成因果，似乎是彼此都得漲。而且說漲，應該漲，不漲者，軍公人員薪水耳。每天報紙上都登着日用必需品上漲的消息，我想不合理的，這些能夠呼來喝去的人們爲什麼一定要穿衣吃飯。也許單一匯率對國家經濟有什麼遠大的利益。這利益要若干年之後才能實現，而能不能實現，尚在未知之數，經濟大員們衣食足，倉廩實，運籌帷幄目光遠大，升斗小民急眉，今天火油漲，明日燒不得飯，今日棉布漲，明日便穿不得衣。我不相信今日的官兒尚有「何不食肉糜」的笑話。但是面有菜色的人們祇有目前如何過活的問題，實不能伸直了腸子去陪他們等候那久遠的經濟利益。

新聞隨筆

也談「台灣國際化」

金葉

要不是見到外長黃少谷氏，在墨西哥斥杜魯門及艾德禮之建議「把台灣國際化」爲荒謬，還眞不知今日天下有此荒唐事。

不過話要說回來，凡事也總不離「自侮人侮」之道理。說這話其意非謂贊成杜艾之論，而是說當人家有此荒誕之倡議時，已可見其人之心目中，實已無中華民國之存在矣！

在歷史上沒有一個國家，能久享太平的，內憂外患，治亂興衰，本是歷史之循環，但其要能免爲人侮，必要有中興之氣象，必要有足以肩負中興巨艱之人物。

二次大戰時，鐵騎縱橫法蘭西，戴高樂不過一少將軍人，但其僅以「自由法蘭西在此」一語，而支持了半壁山河。戰后戴高樂雖一度秉政，終又退隱，今年六月循民主法治之途，再起東山，則氣象雄偉，決務選民之前，續播多烈士、杜克洛，使法共一蹶不振。此無他，戴高樂深諳「退而結網」之政治哲理故也。

中山先生自黃埔建軍，爲北伐統一立下了必要的基礎，但要謂僅憑那黃埔學生軍即可統一中國，其誰能信，而政治號召，實爲決勝之因素，其奈後日國民黨黨人，迷信武力，置軍事於第一，政治於第末，於是乎外患內憂，內憂外患交替作亂。卅年之後的今日，而得再聞「七分政治，三分軍事」，雖爲時不免已晚，若眞能「以求貫徹」，未嘗不能收「補牢」之效。而這，才是用事實來否定「台灣國際化」的根本辦法，是其操之在我的主動做法。否則，就不堪想象了！

稷下談龍錄（三）

賈若虛

「爲政不在多言。」這次頗遵古訓，事先沒宣傳，也沒貼標語，抽冷子來上這麼一下子，有點要我們好看的意思。第二天一睜眼，家庭賬簿的超支額上突然就要多出好幾根紅綫。這是有關切身生活的大問題。社會上人人都在談，其嚴重不亞於火箭射到月球，但是在報紙上有關物價上漲的消息，要用顯微鏡才能找到。某鉅公云：「不致影響物價」某大員云：「希望各界支持」云云，云云。

無論如何，物價是漲了，而且還漲了這麼高的一大截。薪水階級們有淚祇好流在肚裏，奇怪的是這次再也沒有人狂想到加薪的問題，他們也明白就算加也加不過這次匯率的調整，加不到三分之一，即便等因奉此的給加了，那物價又追過去了。生活不是寓言。別想跑的過兔子。報載交通及很多公營事業也在要求調整票價，電影院也要求調整票價，幾曾聽到過軍公人員要求過調整待遇？他們的薪水眞夠用麼？我想要員們夜半捫心，這些人們也夠聽話了吧！還不夠惹他們「憐愛」麼？

借一句古語用「薪水如逆水行舟，不進則退。」這麼多年了，進寸退尺，越落越遠。何時追上了兔子，有似何日從西出。天乎！（寫于台北）

世界人口增加問題

全世界光力生成作用，又依照日光照臨的強弱，季節溫度的變化，植物所需要的水分，與淡鱗鉀硫等營養素數量而定。光力生成作用程序在海中陸上同時進行，但海中的比陸上較爲重要。海中生物吞食海草等各種藻類，然後各種生物之間又互相吞食。陸上的動物也是彼此競爭殘殺。這是天演論所說生存競爭，物競天擇，適者生存的定律，我們都同意的，是不是？

賈：請講人口增加到今天的經過。

蘇：從五十萬年以前直至基督降生爲止，世界人口平均大約每十萬人每年增加四個人。從基督生後直至十六世紀終了，全球人口僅略超過於四萬萬。一六五〇年到一八五〇年二百年間世界平均每千人每年增加四人，比基督降生以前數十萬年的增加率大一千倍。從一八五〇年到一九五〇平均每年增加率升爲每千人增加八人，比以前二百年的增加率加大一倍。一九五〇年全球人口爲二十四萬九千七百萬人。一九五一年增爲二十五萬一千九百萬人。到了一九五五年爲二十六萬九千一百萬人。一九五六年更升爲二十七萬三千七百萬人。近數年平均增加率爲每千人增加十七人。這是人類有史以來所未有的高增加率。

近三十年來，所有關於人口的估計，凡是在前的都失於太低而須改爲高。美國人口據從前裴爾 Raymond Pearl 第一次估計，永不會超過一萬五千萬人，但到今年十月中公佈的統計，是一萬七千五百萬人。美國人口調查統計局曾請湯普生 Thompson 教授估計該國人數，先後共改估過四次，每次均經改高。聯合國專家在一九五〇，一九五四年及一九五七年做過三次世界人口估計，也是每次都改高。（二）

怒江不再嗚咽了！

傈僳族待機打回老家去

伊爾根

最近滇緬邊境的傈僳族因不滿中共強迫勞役，無代價的參加灌溉與築路工程，以及慘無人道的「人民公社」制度，終於集結了四百人，襲擊大陸境內片馬地區的中共軍營。駐守在那裏的中共邊民軍有六十人，被滿懷憤怒的傈僳族一舉殲滅了二十人。這批原本上居住在緬甸境內的傈僳人替他們那些住在中共境內的同族兄弟報仇，雪了恨！中共老羞成怒，惱性勃發，乃調大軍追擊，屠殺了傈僳族人民四十人。事後中共駐仰光使館還向緬甸政府外交部提出口頭抗議，說是緬甸傈僳人進入滇省境內進攻中共軍。

這個事件除了說明中共在國際事務上的一貫無恥行徑之外，更說明了中共「人民公社」的暴政經已分別遭到各地區人民的反抗；也反映出中共對大陸少數民族的工作已經徹底失敗了！

滇緬的事實，將使中國境內的少數民族，以及東南亞——特別是印度支那半島上各國家的民族，更明顯地看透中共的真正面目。

傈僳族（Lisu）主要居住在雲南省境內的怒江、瀾滄江、金沙江流域和四川省的西昌專區，緬甸的卡欽邦（Kachins State）境內也有傈僳族。其總人口（在中國境內者）共有三十一萬多人。中共為了便於控制，並進一步企圖吞併江心坡及野人山以西的緬甸領土，在一九五四年八月在怒江地區成立了一個「怒江傈僳族自治州」，轄碧江、福貢、蘭坪、瀘水四縣及一個「貢山獨龍族自治縣」，首府設在碧江（即知子羅）。全州人口有十二萬人，傈僳族佔該州總人口的百分之七十五。這個地區是傈僳族聚居的中心區。此外還有怒、獨龍等民族。

傈僳族是勇敢和愛好自由的民族，歷史上他們曾經不斷起義反抗過暴政的外族統治者。在大理起義反清，建立回族蘇丹國時，傈僳族即曾參加。一九〇五年，當英人侵入江心坡，企圖吞併時，傈僳族人民曾予以抵抗，維護了中國領土主權的完整。現在，傈僳族又首先反抗中共暴政。傈僳族有反抗暴政的光榮傳統，他們將使中共今後在滇西地區的統治，遭到日益嚴重的困難。

中共對傈僳族人民怎樣殘酷地壓迫和剝削呢？可以從「中共怒江邊疆工作委員會」書記「張旭」，十一月十九日在「光明日報」的一篇文章裏看出。該文為「怒江傈僳族跳躍進社會主義」。該文開頭就承認，「經過幾年的努力，歷史上所遺留下來的民族隔閡才『基本上』消除」，說明傈僳族根本就不信任中共那套虛偽的「民族政策」。經過中共「解放」後這麼多年，傈僳族人民卻過着慘苦的生活。

傈僳族人民的最大問題，就是吃飯、穿衣困難。」張旭坦率地承認了。「出產的糧食每人平均不到兩百斤（每年），農民大半年時間是以山芋、野菜和樹皮草根充饑。穿衣方面，無被無蓋，赤身露體，火塘邊過夜。」試問這種「倒退幾個世紀」的「社會主義生活」，傈僳族人民怎能不起來反抗呢？反抗自是理所當然的事了！為了加緊管制和榨取，中共在山區進行了「先產改造」，在一些區和鄉建立了黨組織，並「改造」了鄉政權，剝奪了傈僳族頭人（即土司）的傳統地位與職務，代之以漢族幹部及中共控制的「積極份子」。一九五六年時，中共在該地區就開始試辦一百四十六個「合作社」；

這種奴役組織果然給中共帶來了利潤：百分之八十以上的社都得到「大豐收」，而一九五六年正是自然災害特重的一年。這個「豐收」是傈僳族農民自己挨餓，和拼命流血汗勞動的「偉大成果」！中共往往利用邊疆少數民族的貧困和落後，對之進行了殘酷的剝削。中共抓住了這一條：「三抓」，抓住了大多數，抓住了主要問題，要求通過生產、發展團結、生產、進步的「方針」，要求傈僳族人民「努力生產」，「好好民族團結」。今年中共號召「生產大躍進」，瘋狂地逼迫在怒江畔的傈僳族人民進行奴隸勞動。

多個傈僳族人，也有一部份幹部，都紛紛提出反對，有人說：「合作化是邁進的組織基礎，內地合作化了，可以躍進，如何躍進？」有的說：「怒江山高坡陡，谷深水低，石頭又多，田開不上來，也引不上水，只會浪費人工和物力。」也有的說：「傈僳族貧困落後，既無財力，又無技術，沒有內地的大力支援，躍進只能是幻想」。等等。中共自己已經露了：「客觀條件」，把反對者都扣上兩頂帽子：一是強調特殊；二是「唯心主義」，不管甚麼「客觀條件」，否則都是「右傾保守」。在中共雷厲風行的「鼓動」下，「怒江傈僳族自治州」也「大躍進」，逼迫傈僳族人民再受苦難。以下就是中共共產黨委的計劃下，傈僳族人民進行「奴隸勞動」的「躍進成果」（一）

國際動態拾零

△飛機造價，愈來愈大。B十九型，在第二次大戰時僅六十萬美元，但現在之B五十二型，造價為八百萬元，B五十八型為一千五百萬元，而計劃中之B七十型，竟增至五千萬元。

△新自蘇聯回之約翰遜，告知艾森豪。蘇聯已經宣稱，並以後任何潛入蘇境之美機，將不先警告，而立即擊落之。

△美國六千英里之飛彈，將提前半年完成，明年夏季，即可放射，藉以增強報復力量。

△美空軍放射一個半噸衛星的計劃，將延至一九六〇年夏季舉行。現在已實驗完成者，僅一百磅之人造衛星，以備偵察之用，不久即將放射。

△南斯拉夫駐蘇大使，向蘇交涉，不許中共繼續誹謗。否則將公開去年中共大肯之秘密。

△西德最近拘捕一位年輕之柏林的百萬富翁，因此發現中蘇之經濟間諜網，規模殊大。

△波共領袖甘木卡門前，常停一架美製的新車，知為蘇聯特工，該車上司機，曾向其解釋，問其是否不知此車為美製？他答道：「我是認得美國車，但認不得你是誰呀！」。陶然。

看報閒話

△煉鐵煉鋼的高潮，似乎已經要過去了。於是中共照例就要來「慈悲」一番，提出了「保護鋼鐵大軍安全」的口號。這就像當初土法煉鋼時，幹部可以殘酷地放手對付農民，事後則命令「不准亂打亂罵」一樣。

△在煉鋼的高潮階段，不知有多少人喪身在土爐旁，被赤紅的鐵水燙掉了皮肉，被石頭、廢鐵砸傷，跌下了高爐，也不知有多少人，就照「人民日報」廿九日社論所說吧：「晝夜不眠不休」的結果，帶病上陣，負傷不下火線等情況，是最普通的現象。

△春耕的時候，農民們必須拼命挑戰！煉鋼煉鐵的時候，又必須通宵不眠！現在是秋收之後，又得連夜熬糧！據廿九日「人民日報」載，夜間運糧是從七點鐘開始的，所謂深耕的農民，卻能在公共食堂裏吃到「香噴噴的紅薯」，這是真的麼？

△毛澤東在武漢開會的期間，武漢地區的人民「有福了」，因為「副食品供應量大增」，所謂「大增」者是「平均每人每天可以吃到近一斤鮮菜」。據「新華社」廿七日說：「因而基本上消滅了排隊搶購現象」。──我不禁也要替武漢的同胞「感謝」一番。阿門！

△金日成在武漢見到毛澤東之後，就深入參觀了離漢口約二百華里的農村「武漢人民公社」。他說：「人民公社是更先進的互助合作」。他也讀到「人民公社」的「紅旗」了嗎？回去之後，難免不也東施效顰起來，那末，北韓人民就將大大地「大躍進」了！

△在夏季「大躍進」階段，北方的農民，為了「給庄稼追肥」，拆掉了「都拆掉了自家的睡炕」，移作肥料。八見「新華社」廿六日電）拆掉睡炕，對生活在北方的寒冷的農民，是難以想象的。這真是飢寒交迫的活寫照！

不懂齋主

港督柏立基主持典禮

第十六屆華資工展四日揭幕

廠商盼能有永久會場

（本報專訊）本港中華廠商聯合會主辦之第十六屆「香港華資工業出品展覽會」已於昨四日下午四時，在九龍尖沙咀半島酒店左側之會址，隆重舉行開幕典禮，本港軍政首長，各國領事，商務專員，中華民國工商代表團，各界名流，蒞臨觀禮者，凡二千餘人，情況熱烈，比之以往各屆有過之無不及。茲分誌各情如下：

開幕典禮秩序

：一、朱主席石麟致開會詞，二、王副主席澤流英語譯述開會詞，三、督憲柏立基爵士致訓詞，五、張玲小姐向督憲夫人獻花致敬，六、恭請督憲主持剪綵，（由董副主席之英呈獻金剪），七、鳴炮，八、禮成。

港總督柏立基致詞要點：

工展會現已成為本港每年重要事項之一，亦為吾人寄予重大期望者，因其對香港大部份工業一年來之成就，表現無遺之故，而吾人更可藉此機會認識一年來之新產品，及確知受人歡迎之舊物品，在設計與質素方面會經達到之程度。

近日獲得獨立之新興國家，現正轉向發展工業，以增廣其財源，並自行製造貨品，而此等貨品，在不久之前，則向由香港所供給，日本為吾人所目睹者，日本潛力之大，較往昔尤有過之，接踵軍興，在最近數月來，更有強烈跡象，顯示在工業上已成爲吾人一個有力之競爭者。

同時更有其他國家對吾之貨物，不表歡迎，或使貨物之輸入，更感困阻，即吾人最大之工業已遭遇此種困難，本港工業不論在今日之展覽會所代表之範圍，能有充分代表性之展覽，但本督所指者當然係棉織業，對該業之務，目前如有所誤會及加以誤解者，則本督願藉此一階段已成過去，而香港該業之各部門均已表現顯著之互讓精神，已同意英聯合王國棉織業委員會之要求舉行會商，冀能達成協議，對英聯合王國之輸出在有限期間內自願加以限制，其會商過程，至為崎嶇，如在某方面而對會商之延擱有所怨懟者，則本督願請其稍為忍耐，並請其牢記被要求作犧牲者乃吾人之工業也。本港缺少一個足以代表全體工業立言之機構，倘有此種機構存在，則現在之磋商，能較為容易，自本年初以來，此事已由一委員會進行研討，本督據悉，該委員會將於短期內，向政府呈遞其報告書，本督對其詳盡之建議，未能事先臆度，

惟其中一項，料必係贊成設立一個工業聯合會，以廣泛代表本港之全體工業者，本督當熱希望建議，將獲得關心吾人經濟情形之廠商支持，因吾人若要應付他人反對，祗有合力聯結成為一條堅強之陣線，方克有濟，如無團結，則無力量，此為不易之理。

本港工業既有如是種種困難，則各位對政府決定使本港婦女及青年在工廠中之工作時間，接近國際標準一點，間於感到詫異者，惟本督相信，所需調整，一旦實行，則較短之工作時間，與每週一日之定期休息，不但對工人之健康，大有裨益，而在長期而論，將使本港工業之出品，有所增加，新規例將於一九五九年一月一日實施，而勞工處將應個別雇主之要求，儘量給予指導與協助，使雇主明瞭，根據該新法例其應負之責任。

香港之工業家，倘欲克服其所遭遇之外表競爭，仍應盡其所能，對其工廠之工作效率，加以提高，增加生產與減低成本辦法之一，乃爲購置新式與經過改良之機器，但祗有新式與效能更好之機器，仍感未足，工廠主人，應確保其工廠之組織與管理，使其中之機器，係足以應付競爭之挑戰者方可。

香港亦應對世界多作宣傳，使購物者受吸引而多購吾人之產品，並圈在本港貨品不大出名之地方，開闢新市場，政府願意用多種方法，協助推廣本港產品之輸出，主席先生經提及現在中美洲考察之香港商業代表團之創舉，對於此項創舉，香港總商會，中華總商會，及貴會均有不少資助，而青年商會，亦予以援助，而在三個月內，香港將在雲咸林商業展覽會有新發展，政府意欲由下一財政年度起，加強此種活動，並擴充統計及銷場研究工作，因缺乏此種工作，則促進工商業之計劃，不能預先擬定，吾人現計劃在來之八九個月內，開辦另一海外辦事處，本督相信，所有此等活動，將獲得各位之擁護與援助，政府對支持此等努力之工業近完成之際，將繼續給予廠家以土地，及所需之便利，以助工業之發展。

主席先生適曾提及成立工業銀行之問題，政府對此可能性經根據現行各種便利，予以研究多時，本督可向各位保證，此問題現正獲得最慎重與同情考慮。

中華民國參觀團抵港

（本報訊）一年一度應中華廠商聯合會之邀請，來港參觀工展的中華民國工商界代表團，首批副團長吳邦護，王庸及團員一行十人，已於三日上午十一時由台北民航機飛抵此間。該團抵港的人員名單如下：副團長：吳邦護（嘉陵公司董事長），王庸（自由地毯公司監察人），團員兼秘書：鮑良傅（老正和印染公司總經理），財務：蕭洲根（永興實業公司總經理），團員：江永祥（中國皮鞋公司協理），吳能耀（台灣鋼鐵公司董事長），洪建全（國際通訊機械公司董事長），林火炎（華南化學公司董事長），鄭燮和（順風工業公司經理），張雲蔚（大德航業公司總經理）。至於第二批該團團長謝成源及其他團員共七人，據悉將於日間起程抵達。該團預算留港參觀兩週，即行返台。

自由談

談政治反攻問題

馬五先生

在最近的將來時期中，自由中國政府對軍事上不得不採取守勢，而對政治上必須採取攻勢，這是「中美聯合公報」所嚴述的原則。

所謂政治攻勢，並非以召開一次政治性的會議，就算是盡了「政治反攻」的能事，這類會議如果不能審慎周全以爲之，很可能獲致相反的結果。除却舉行政治性的會議以外，從台灣到海外，尚有很多關與國運的事情，非以最大的決心與魄力進行不可。就台灣來說：司法人員之貪污瀆職行爲，時有所聞，如近來法院發生「奉命不必上訴」的怪事，尤爲駭人聽聞，而地方選舉之種種缺失弊端，尤爲輿論所詬病，這些事，皆直接影響於人民的日常生活，爲甚末不能切實整頓改進呢？就海外來說：在華僑社會中眞正有信譽，有能力的反共非共人士，政府是否盡到了團結的責任？常常赴台灣觀光就診的人物，是否多屬職業性的「僑領」？海外華僑們朝夕盼望於政府的唯一大事，就是何時實行軍事反攻？如今政府說是暫以政治反攻爲首務，若不見之於行動，證之以事實，要想僑胞不發生彷徨迷惘的心情，而漸趨於失望的狀態，那是不可能的。

政治反攻云云，說來甚容易，也很動聽，問題就在如何實行。執政者如不能揚棄舊觀念，改變舊作風，淘汰舊人物，敞開胸懷，放大眼光，而以天下爲公的精神，盡其在我，悉力以赴之，縱使召開一次政治性的大會議，對於政治反攻究竟能夠產生多大的效用，殊難言也。

羊

（動物素描）

尤宗洵

記得最初見到的是一隻黑羊。也許因爲黑，故而沒有什麼好感。但那是很小時候的事了。那隻黑羊，在印象中的特徵是：全身黑，有一對角，還有記得最清楚的是那一粒粒的羊屎——也是黑的。

忘了隔多久又見到一隻白羊。因爲兩隻顏色的大不同，便引起了好奇。由于深加注意，終于得着兩點新發現：一、白羊的糞也是黑的。二、羊的眼睛總是冷冷的。我想這大約是眼中白與黑分配不當的緣故吧！那隻黑羊，眼球是否如此，我因不曾注意所以不得而知。但因見白羊如此，竟漸漸產生黑羊眼珠也是如此的觀念了。由於那冷冷的眼珠，使我生有凜然的感覺，那幾分好奇心，便漸漸的消失了。

這以後又隔了許久，始終不會和羊打什麼交道。

一次到朋友處小住，見他家中餵養了一頭白母羊，我便聯想到那冷冷的眼珠，一看，果然是冷冷的。再就注意到更新的發現了，那咀吧着冷冷的笑意，連鼻子也是冷冷的，像是一聲聲哼着。這就又使我沒有好感了。

第二天早起，看那羊還是冷冷的，牠抬頭望望我，咀吧又冷笑着，然後不屑似的調過頭，我忽然記起這眼珠彷彿什麼地方見過，然而一時記不起來，卻想起咀吧，鼻子也是見過的。

一會友家一個傭工過來，開始作擠羊奶，朋友和我也嘗試，然而擠不出什麼。傭工擠時本就吃力，況且我又時時防着牠冷冷的眼呢？

喝過羊奶，朋友和我來羊外出尋草，其中有些感恩圖報的意思。我手上牽着繩子，本以爲要拉的，然而羊已跑在我前面了。

吃草時，我把羊的眼珠，咀吧帶着冷笑意味的話告訴朋友，他十分贊同。說：

『然而把牠帶上一副太陽眼鏡，便不會見着牠眼珠了。』

這時那隻羊似乎是知道我對牠批評不利，又抬着頭，冷冷地：。

過了相當的時候，我想該把羊帶回。然而牠不動。于是我拉；牠低下頭。我用力拉；牠頭更低。而且四隻腿向後傾。帶着勝利，牠又抬起頭，冷冷的笑着然後叫了一聲。

最後我改用推的方法，這果然有效。在牠身後推一下進一步，推一下進一步，慢慢地才進了屋裏。

但是過了幾天，這方法卻又不生效了。不過，我還不會去研究什麼對付的法子。

爲公車正名

・陳曉風・

我這裏的「公車」，不是與「私車」作相對稱的，而是「台灣省公路局車子」的縮寫。

在公路局的車子試開出的班次來說，分有兩種：即普通車與直達車。普通車誠如其名，普普通通不會求「名」，故也沒有什麼需要「正」的；而需要「正」的，則是極盡求「名」之能事的直達車也。

直達車的名之所以需要正的，因爲名爲「直達」，事實上則並不眞的由出站一直到達終站。舉例來說，高雄開往嘉義的直達車，可就不是一下子開到嘉義的岡山、台南、新營等站，還是要像普通車一樣停下來供乘客上下的。直達云乎哉？

我很奇怪，車子旣非直達，又何必要是直達？若謂因此則有別於普通車（因普通車每個小站要停且開得慢），則易名爲「特快車」（如火車），不是很實際嗎？

張雲與人造衛星

道南

我國天文學權威張雲教授最近病逝香港九龍醫院，年僅六十二，確是中國科學界的損失。

他的遺著，最近脫稿的有「天文學講話」，「月球」，「地球」，三冊，在正中書局出版之「廿世紀科學」一書中，有張氏的「廿世紀的天文台」一篇巨著。

猶憶八年之前，他曾替陳伯莊氏所主辦的「今日半月刊」，寫過一篇「漫談人造月」，他用的筆名是「天幔」。那篇在張氏文章裏，曾經計算過人造月每秒鐘繞地球速度限距爲六．九五至四．七三英里，去年蘇俄所宣佈的速度爲五英里。他又計算它繞地一週的時間，應爲一小時三十四分半，去年蘇俄發射的衛星所卅六分。都是合理的。因爲蘇聯沒有用到最高的可能速度，自然繞地一週所需要的時間要多些。他以爲技術必須依據物理，只要技術上來解決脫離地心吸力所需要的速度所引起的問題，射出的東西便能在太空中繞地而走，並沒有了不起的玄奧。

去年他曾對人說：

這星是觀之而不見，聽之而可聞的玩意兒，蘇俄所發射的衛星，其直徑爲五十八公分，離地遠到九百公哩。直徑比地距僅有一百六十萬分之一；照比例說，等於十英里外去看一個斗零，吾人雖明察秋毫，也只好徒勞悵望罷，不但肉眼看不到，就是用望遠鏡，也不容易看見的。在他的文章裏，他曾說過，假如碰巧，適於日出或日沒之際，人造衛星恰好於那一瞬間在地平綫上或出或沒，望遠鏡有將它覓見的可能。至於何以說聽之而可聞呢？簡單得很，它裝有一套能發射二〇至四〇米標週的發報機，任何人都可收聽的，祇須有適當的設備。

張雲教授在八年以前，就有如上的研究，與人造衛星決不是神奇，而張雲教授的看法，與事實相符的。可見他的享譽，不是倖致的。

台灣文壇見聞

復活的殭屍

章回體的武俠小說，早被新文藝取而代之了，但年來報紙副刊爭相刊登這類長篇，據說是循「讀者需要」。于是你打開任何一家報紙，便不難看到「荒江劍俠」，「子母劍」，一類打殺得「硬是熱鬧」的章回小說，使你有倒退四十年之感。奇怪的是一些居報紙領導地位的報紙，居然也「附庸風雅」，不能免俗。文藝有娛樂教育的雙重價值，我的孩子們近來受這些大報紙上的小說影響，棄書本而就刀槍，滿口「看槍」「照鏢」，到處闖禍，實在是武俠小說的功効。也有些新作家咒詛這種小說已成殭屍，但殭屍卻在編輯先生的魔力下復活了。

選集風波

詩人丁穎，因鑒于近來文壇曾有過一段狂飈時期，其間有不少可貴的作家與作品，乃不辭病苦，集兩三年時間編成一本「當代中國名作家選集」，內容包羅海內外作家，是歷年比較有份量的一本文藝集，選稿態度亦頗嚴肅。該書出版，閧動一時。但受委辦理印刷的一位朋友，蓄意侵佔，弄到公堂相見，終又不了了之，看情形已成明日黃花了。這是小事，但說到出版道德，卻又是一件值得重視的問題。

文藝人材的搖籃

自從李辰多博士創辦一所「中華文藝函授學校」，幾年前蔚成一陣函授風，各種函授學校爭相成立。後經政府約束，僅存幾家，其中中國的函授學校，的確是一所有規模，教學認眞的函授學校，如今已有不少畢業學生在寫作上已獲成名。惜該校于去年因內幕情形，校長辭退，一切急走下坡，而「文壇函授學校」適時而生，現中華已三度易人，而且全非。不久前文協又成立幾個研究小組，其性質與函授學校相差無幾，但範圍已廣，包括文學創作、戲劇、音樂、美術等，聞均延聘各科名家担任教席。

○梅魂○

門外談新詩與新詩人（一）

○士瀅○

文藝自從五四運動到現在，將近四十年，中國的新文藝在逐漸成長的階段中，除了小說、散文、戲劇各有一部份的成就外，新詩可說是新文藝園地中最脆弱的一環，從「但開風氣不爲師」的胡適之底嘗試集說起，以至沈尹默的三絃，康白情的草兒等，可以說是新詩孩提時代的一個起步，其清新的氣味有如嬰嚐之微笑，充滿了未來希望的光芒！稍後冰心（謝婉瑩）女士的繁星、春水等小詩，也曾風行一時，這一種詩體，受印度詩人泰戈爾（Tagore）的影響，用一句兩句長短句來表現一個詩的意境，風格是新的，可是它的表現力終嫌薄弱，存在與閃耀一個時期也就過去了！英國劍橋出身的已故北大教授徐志摩，才華煥爍，名重一時，在詩的內容與風格上，自有其婉媚綺約的地方，試舉他的短詩沙揚娜拉一首（贈日本女郎）爲例：

最是那一低頭的溫柔，
像一朵水蓮花不勝涼風的嬌羞，
道一聲珍重，道一聲珍重，
那一聲珍重裏有蜜甜的憂愁——
沙揚娜拉！

這首小詩中深藏着「它特具的生動的氣韻」，和「靈異的閃光」，他的詩，總是這樣美，美得有點「濃得化不開」！可是有一位北大出身曾在清華教過書的蔣某說過：「徐志摩的詩，只有一首蘇蘇是寫得好的」！這句話可以說明一班愛好舊詩而看不慣新詩的人底一種「偏頗」，或者可以說是一種「執拗」，以個人的成就來說，徐志摩不僅是詩人，也是一位散文家，因爲徐志摩的散文，詞藻美麗，抒情深刻，實在比成就比詩還好，試讀其猛虎集，翡冷翠的一夜，巴黎鱗爪，自剖，愛眉小札，兩者可作一比較，像我所知道的康橋諸篇，是最美麗最動人心絃的散文。

劉大白，這位做過浙大校長，又做過教育部次長的詩人，是早期白話詩拓荒者中的一員，而且是甚有成就的一位，他的舊夢，（後改訂爲丁寧，再造，秋之淚三部，復又增出賣布謠），其中所表現的詩的清新滋味與意境美，較之沈尹默、劉半農幾位更向前邁進了一步，譬如郵吻中秋晚的江上一篇的第一節：

歸巢的鳥兒，
儘管是倦了，
還馱着斜陽回去。

再如同集淚痕之羣的第十二首：

誰來窺視我呢？
小樓窗外，
只有青山。

詩中的意境美，用王國維人間詞話中的「隔與不隔」來說，就較爲妥貼，上面的兩首，就以表現出「不隔」的詩的境界，這位詩人於民國二十年以患肺結核去世，之後，上海某大學讀書的兒子爲愛國而在江灣臥軌自殺，這是一件很可惜的事情。

清華園出身的近代白話詩人朱湘，應安徽大學之聘前往安慶教書，他喜寫西洋詩體中的一種十四行詩（Sonnet），內容充實，態度嚴肅，他所寫的詩結構謹嚴，是中國人寫十四行詩中最有成就的一位，他的作品大都發表在施蟄存主編的現代雜誌等刊物上，可是詩的寫作界等刊物上，可是詩的寫作稿費又甚薄，朱氏又有中國讀書人傳統的的脾氣，接到稿費單往往不肯去領取或雁寄去，當時的安大是薪水常有拖欠，與稿費兩者皆無以維持家庭，終至貧病交迫，憤而厭世，他在從安慶回上海的長江輪上投江自沉，從此我們就失去了這位風骨孤高的詩人。

去年多季在北平受共黨清算的紅學家俞平伯教授，是清末「春在堂主人」杭州俞曲園（原籍德清）的文孫，是著雨齋老人周作人的得意弟子，是一位其成就與朱自清相伯仲的散文家，也是一位詩人，他的多夜於民國十一年出版，是初期白話詩中銷路最廣泛的，俞氏已說要「努力創造民衆化的詩」，但胡適之卻說俞詩「最不民衆化」和「艱深」，其作品中的一部份誠如胡氏所說，一部份又不然，像多夜等首，與劉大白的桃花幾瓣，一般通俗清新，不過俞氏爲文一向較爲晦澀，近似其師周作人的筆調。

（待續）

自由中國美術展覽會

致：香港現代文學美術協會函

逕啓者：本會于本月廿二日拜讀貴會在「自由人」八〇五期發表的第一封公開信後，極爲興奮，並深表欣慰！從該信裏，我們知道海外有許多熱血愛國家愛民族的美術青年，正在努力中國文藝復興的艱鉅工作，而團結奮鬥着，使之發生喚起作用，向新時代邁進，創造中國新文藝新美術，這是使我們非常欽佩的！我們希望從此與你們合作，互相攜手，充實大家的力量，共同走向一致的目標！——至高無上的神聖文學美術。茲先寫給你們此信，以表示我們十二萬分的贊助，並願繼續不斷的支持。惟今後尚祈經常聯繫，互通聲氣，竭誠發抒意見，以求進取，躋于完成！是禱！此致

香港現代文學美術協會
無邪・藍子
崑南・子固
野馬・葉維廉　諸先生：

自由中國美術展覽會
主持人　何鐵華　謹上
四十七年十一月廿三日

自由人
THE FREEMAN
（第八一〇期）
中華民國僑務委員會登記證僑台字第一一二號
中華郵政登記認為第一類新聞紙類
（半週刊每星期三六出版）
每份港幣壹毫
台北市售價新台幣式元
督印人：陳文帝
地址：香港高士威道二十號三樓
20 CAUSEWAY RD. 3RD. FL.
HONG KONG
TEL. 771726
承印者：華南印務出版社
地址：高士打道六十四號
台灣總經理處
台北市西寧南路壹零壹號二樓
電話：三〇三四六
台灣郵撥儲金戶九二五二
海外總經銷：友聯書報發行公司
香港：彌敦道中二十六號A二樓

金門否定了中共戰略

黃震遐

金門砲戰造成了一種新的遠東戰略僵局，這個僵局的形成，一半是由於共方的「職業軍人派」低估了中美協防的親密關係，一半是由於在赫毛決定發動金門冒險的同時，中共發生了軍黨之爭和戰略路線之爭的重大矛盾。

因爲美國小型核子阻嚇兵力出乎共方意外的迅速增援，使共軍竄建前線指揮部新建立的相對優勢迅被打消，是共方陷於全面性的戰略頓挫的主要原因。事實上，從杜魯門在一九五〇年六月下令第七艦隊急援南韓以來，中經一九五四年六月繼續援越而援越邊緣失敗，五角大廈在一九五八年兩度急援黎巴嫩和金門的應變行動，證明美國組織「小型戰爭」的機動準備，其兩棲性及澈底性已較前進步。

一九五八年所表現的美國阻嚇優勢，以第六艦隊穩定了中東可能發生的重大變局，而台灣海峽的美國戰略空軍活動的第七艦隊（擁有戰術核子武力的），則使中共發現它的冷戰試探，發生了意外的戰略危機。中共宣傳美國是「紙老虎」，但當它伸手去捋虎鬚時，卻發現了它自身在國防上的空虛。

主動者變成被動者

中共炮擊金門的冷戰動機，是試探美國的海空部隊，迫其集中圍堵熱忱，它估計美國的大部份的海空部隊，一定會用而圍堵，問題的重炮和共軍兵力（包括從北韓抽出的部隊），度超過美國反應速度而援越前線的準備，特別是它一切能想到的防禦原子攻擊的消極措施。用以「圍堵」指揮部的準備。中共不敢想到五角大廈會在台略打擊力量。中美聯軍的核子會

中共在九月間所面臨的戰略危機，迫使它動員了整個沿海省份及若干縱深地區的綜合動員力量，包括中共所能擁有的少數核子武器，及其在質量上仍屬貧弱。

自由中國「一個圍堵的熱點」，卻換來了它自身必須忽忙集中它全國性的現代化武力，來包圍擴大中的美聯軍的潛在威脅。

否認俄式正規戰術

美國在九月間向台海集中了擁有核子裝備的航空母艦群，在台灣本島集中了幾個短程的飛彈部隊（包括「屠牛勇士」），此外在沖繩和菲律賓的中程飛彈部隊，在關島的戰略空軍，還有綜合的戰力，至少足以摧毀中共大部份的精華省份，直接威脅中共三分之二的人口。事實上，美國在一九五八年十月間集中在西太平洋的新式海空打擊威力，要比美國在韓戰中所用的舊式海空威力（大部無核子裝備）大得無可比擬。美國最近退任的空軍參謀長屯寧將軍一再強調美國必須時刻準備一種「小型戰爭」，以對付共黨侵略性的擴張。

張，蓋文的堅決主張未受五角大廈的重視，但美國以比較迅速而機動的兵力在台海集中一支小型核子戰術空軍，及納粹式的戰術（快速戰擊和滲透），同時要求蘇聯援助中共建立核子製造，飛彈裝備。中共如採取嚴格的計劃。中共的職業軍人派方針，必須擁有兩個條件：一是蘇聯「無私」的大量軍援，二是中共必須授權給職業軍人放手去幹。特別是要給他們一個備戰的期限，不加干涉，在此期限之內。這是蘇聯建軍的路子。史達林在世時即用這個政策，逐步建立夏波希尼柯夫元帥的軍官團，以鞏固國防。不然，紅軍誰能

職業軍人與黨的矛盾

中共的職業軍人派開始出現於韓戰之後，當時中共效法蘇聯，恢復軍隊階級，實行徵兵制，偏重技術訓練，後勤組織，招用大量知識青年擔任軍，要建立蘇聯式的戰術，蘇聯式的海空散方案，發展蘇聯式的戰本打擊。

據此項「先進經驗」，加上共軍在韓戰後期的初步試驗，中共職業軍人派在一九五四年至一九五七年間的戰略構想，是史達林格提戰略式，朱可夫式，羅柯索夫斯基式的。同時，一切職業軍人的共同特點，是「謀定而後動」，不打沒有把握的仗，職業軍人到最後一定會有一種「愛國重於忠黨」的偏向。當他們發現黨的軍事計劃危及他們的軍事計劃時，他們會從反對黨的最高決策，而令共黨的最高決策發生困難。因此蘇聯的另一先進經驗，是史達林必須清算杜嘉契夫斯基和夏波希尼柯夫，赫魯曉夫必須清算朱可夫。當赫魯曉夫進行中東的冒險時，朱可夫深感蘇聯的綜合國力還不能打核子戰爭（即赫魯曉夫破壞了朱可夫的時間表），在黑海召集軍官表示異議。即被赫魯曉夫撤職。此次赫毛在平會談，發動台海試探時，備戰蘇聯職業軍人復表示蘇聯僅足自衛，無力外援。此即中共如

水。綜括這些情形，一點很清楚，即中共搞金門冷戰冒險，是赫魯曉夫毛澤東援亂了馬林諾夫斯基和粟裕的軍事時間表。而美國出乎意外的強大反應，則使毛澤東和職業軍人間的矛盾，達到無法調和的地步，以致被迫表面化。結果爲毛澤東戰略偶像抬頭，粟裕去職，鄧華楊得志洪學智等參加過韓戰，見過正規作戰大場面的將領下放當兵。此可說明一種內幕。

粟裕被撤職內幕

當美國強大的小型核子阻嚇力量來到時（或估計其必來時），中共的職業軍人派必曾提出一個計劃，懇求蘇聯突然加強中共的現代化戰爭條件。但蘇聯卻告訴毛澤東說，你們何必一定要有核子武器？你們有的是廣大空間打游擊，你們的經驗，你（毛澤東）的經驗可恢復領袖拜，加強控制：「中國人」不怕原子彈，中共即令犧牲三億人口，你還有三億人民可戰。你們的國力還不配打原子戰爭，你們可以提前組織三萬萬個人民公社，建立三萬支游擊部隊，三萬個集中營，同時發動不怕「紙老虎」，不怕洋

中共的杜嘉契夫斯基是林彪，中共的朱可夫是粟裕。林彪的俄式現代殲滅戰計劃被毛澤東所否決，比對方主戰的麥克阿瑟先撤一步差一着。那是尚待證實的國防秘聞。粟裕的時間表被毛澤東攪亂，不得不滾。這是今天可能的內幕。

中共在美國核子力量臨頭，遠東變成僵局的時候，必須有一對策，對策有二，一是職業軍人派夢想中共逐步變成一個現代軍事強國的技術主義，一是毛澤東組織游擊戰持久戰，搞解放區的經驗主義。一是職業知識軍人抬頭，蠟視政治領導偏向的發展，及中共出現拿破崙的威脅，一是中共游擊八股，人民戰爭教條復活，及中共黨權的鞏固。

（下轉第三版）

老赫要作長期冷戰

半週述評

最近美國民主黨參議員韓富利，告訴記者說，他與赫魯曉夫談了六小時，赫魯曉夫問他：「蘇俄不會採取任何走向戰爭的行動，因蘇俄要進行經濟計劃」。又說：「蘇俄將繼續進行長期冷戰，這是它的一種看法，大體是正確的。」

赫魯曉夫於本年七月底八月初到北平，不久，中共便以砲轟金馬，經過兩個多月，毫無所得，中共祇好以單日砲擊日不砲擊，悄然下台。跟着，赫魯曉夫又放出要美英法退出西柏林，改西柏林爲自由市的方案。在此期間，蘇俄因伊朗與美國訂新的安全協定，竟不惜干涉日本內政，對日施行恫嚇，要日本放棄與美聯防。希圖造成日本的中立地位，以實行對東亞的威脅。這些都是最近幾個月內蘇俄所發動的冷戰事件，都是最近四個月的大規模冷戰。砲轟金馬顯已失敗。中立西柏林，據赫魯曉夫自己所定時間，須明年六月解決，此時判斷不免太早。惟恫嚇日伊，則顯然要與砲轟金馬一樣，同歸失敗，無待蓍龜。

世界性的政治反攻

赫魯曉夫的狂妄，雖然暴力世界所熟知，但所得印象，彼亦甚爲明白，赫氏將逐漸放棄外交，但所得印象，彼亦非全無任何所得，他在東方，卻中共將以政治攻勢，又以「警察犬的人民公社」嗎？赫魯曉夫撤了「清算」中共必須提出的方案，放鬆了對黨搞派的緊迫，把「民革」的右派份子釋放，蘇俄的作用。最近的鬥爭，發動了中共的綜合國力，加強中共的內部控制。

共產黨的最近在世界各國的活動，竟加強人民的統戰策略，蘇俄國際的實際，以「民主」「和平」爲口號，以轉移世界人民的注意。美國政府已經注意到蘇俄的世界性的政治反攻，所以最近杜勒斯在第十三屆聯合國大會上，已經提出對蘇俄的攻擊，說明美國的反共政策，以足以證明美國的反共政策，已經發生了積極的作用。

非共國家，必須有切實的行動，而祇有政治反攻，才能應付。於是，杜勒斯說到自由國家本身，他說：「自由國家的力量，必須以經濟發展，及種種改革，以防止顛覆，同時更要建立……」這話是「用經濟發展來打擊蘇俄陰謀破壞」，必須表現自由的良好成績，然後自由才能得勢」。這亦即世界性的對共黨的政治反攻。

再談亞洲反共聯盟

菲總統加西亞，於本月初訪問日本六天，得到日本賠款四千七百餘萬而歸。使二次大戰中仇恨加深的菲日兩國，握手言歡，消釋嫌怨。又上月大韓總統李承晚訪南越，受到越南極大歡迎，增進韓越的友誼不少。此兩事件均屬目前亞洲自由國家的團結，可爲蘇俄陰謀煽動世界冷戰之際，中共與韓共又復在亞洲集會，圖謀不軌，他們很可能再在東南亞製造事端，影響一切干涉日本與美國締結防協定，在中東伊朗事件作梓鼓之應。但中共與蘇俄慣然不顧一切干涉日本與美國締結防協定，亦殊堪注意。此時，東南亞自由國家亟圖更進一步，從速訂立聯盟，始足以貫澈國策。目前蔣總統已提出日韓越合組自由亞洲集團共聯盟的組織，已有永到宜亟圖之。

此一局勢，各國政治家，將總統以爲要美國積極倡導，中日韓越菲各國的自己努力，我國既已倡導在先，尤望採取主動，才有成功之望。

陳克文

放棄武力？

衣華

享有主權獨立的國家聲明不以武力爲其光復失土的主要手段，從政策上看，此舉總是害多利少的，縱然聲明的發表有其迫不得已的苦衷。美國欲求在最近發表的中美聯合公報中，取得一項保證，用來向若干方面指證，中華民國不會越過台峽，對中共區進攻的，自冷戰觀點看來，此舉絕屬失策！

攻守同盟知不使協定無非是形勢告急前的一種徵候；也就是說：當前冷戰緊張局面必然表現着各種徒托空言的保證——敵對陣營在大打出手前不時作態，以示無意進攻別人之意。共黨喊出和平的口號，又鬧着裁軍，停止試爆，還要擺弄撤退駐外大軍的鬼頭鬼腦，明明是在玩弄和平保證的花樣。但是共黨到處亂鬨，在西歐、中東，尤其遠東隨時撤起動亂，著意在進行滲透與傾覆活動中，加添緊張的困擾性，而自由世界反而儘可能表白對共區不會盡其解救之責的心意，無異向億萬在赤色暴政下盼護解救的民心澆冷水，那算是什麼的一回事呀？

如若不然，爲什麼台北官方，駐美大使館，葉公超大使，蔣總統夫人等近來講演的重點，一致着重時機到來時，即行反攻的論調；又何必在金門被圍，連猛烈轟炸中共閩境砲兵陣地的適當軍事行動也不表現出來的悶局中，亟亟於表達這個意思呢？北平和莫斯科在美英先後進兵中東後，雖然估計錯了；對金馬的行動弄的狼狽萬分，可說是金門守軍英勇卓絕的戰果之一，也因此促成了美目前加速加強自由中國新兵器使用的火力，使中共終於弄出了隔日講一次「人道」的怪狀。同時呢，中美比肩抗暴達於最緊急關頭時，卻竟揚言中華民國不會隨便向大陸進行軍事解救的果敢措置的！試問：人民公社在金馬告急的掩護下，就任令赤色暴徒胡攪下去麼？被迫入社的大陸同胞如果聽說中美目前並沒有乘時打倒暴力的意念，豈不是祇好心一橫，跟着共黨拚命幹下去！

「魏德邁報告」這本戰時回憶錄適在此刻問世，堪稱適時。這位退休將軍對當年美國務院在艾奇遜主持下採行「等等看」和「俟塵之清」的措施，一誤再誤，猛加抨擊，認定了美軍當時由主張國共組織聯合政府的那種對華政策，在第二次世界大戰後一直造成大陸陷共的悲劇來。他在書中指陳：中國人是

何矛利大革命的慘烈下場，在我們這一輩子腦海中留下了可恥的影子，使我們痛感到正義有時太怯弱了，才讓虎狼橫行。昔年張伯倫從慕尼黑回到英國，就在一九三八年夏天的英京機場上，手持一紙約文，在他下機時，在頭上一幌，表示這次妥協歸來，贏得「一個劃時代的『和平』」！歷史證實了他說的是鬼話，其實，當時他又何嘗沒有自知之明呢？他之所以自欺欺人者，無非迫於無奈，一方面是希特拉那些暴徒的整軍經武，氣勢凌人，一方面都是整個歐洲之形同不設防地帶，與其空言抵抗，何不與虎謀皮，來的更實際？那景象和今天縱有實質上的不同處，而自由世界抵抗赤色暴力的意態還是那麼自私，怯弱，而爲不爭之論。

把時局重心自金門移向西柏林被封鎖的新陰謀上而去，這無非是同一花樣的換地表演。任何人多麼天真，其實該稱私愚，也不可能抹殺了毛朝此次利用金馬危機去作進一步控制我大陸同胞的奴役運動。不要以爲毛澤東已經把面子丟在台峽，這回行動之中，實際上，他依然撈到一個大便宜，那便是，大陸想「造反」的人心，一聽見杜爾斯國務長官勸服了蔣總統，聲明不必太重視軍事反攻的話，便會冷了半截。誰有事佳的想像力想像出放棄武力爲援助被緊迫者的主要方式，不是促於北平加強其對大陸人民的控制呢？

往者已矣，不必狡辯一種錯失了！光以爲大陸人民在公社壓迫下，會率先挺身而起，再招我們去反攻；我們這樣打算盤，又有什麼理由使他們深信我們靠得住的呢？暴力絕不畏怯弱，抗暴者該勇於承認既錯的事實，急圖補救。

如何組織一個新黨？

（本報訊）十二月五日出版的聯合評論有一篇左舜生先生以問話方式發表的文章，其中有一段是談組織新黨問題的。茲撮要述之如下：

「我知道，近來確有不少的人，頗熱心於組織一個新黨；同時我也知道，還有不少的人想把胡適之先生拉上作爲這個新黨的檯柱。有人問我對這件事的意見怎樣？我想，這件事我祇能分作兩段來說：

第一、不組新黨則已，眞要組黨，即令活動不必以台灣爲範圍，可是黨的本部，畢竟不能不留在台北，今天國民黨的心情，確實是一片樹葉子掉下來也怕打破了頭，即令這個新黨不會對他們有任何惡意，但實逼處此，天地也實在不寬，像我們這裏十個左右的人，偶然在一塊兒談談天，一不出賣國家，二不勾結共匪，三不顚覆政府，大家湊合幾個小錢，辦一張還像小得可憐的小報，但不幸打着一個『大團結』的招牌，他們已經是談虎色變，居然可以爲寫僑報的人，添上一筆買賣。您能說台北眞的有一個新黨出現，他們能不猜忌橫生嗎（中略）。從積極方面看，目前可能構成的條件與形勢，還只能形成一個有力的自由民主運動，而無法立即組成一個像樣子的大黨。祇要這個運動做得相當靈活，範圍相當廣泛，也還是一樣可以發生制衡作用，爲什麼一定非馬上便有一個在野黨出現不可呢？

第二，關於拉上胡先生來幹的一層，我覺得本於『君子愛人以德』的這個意思，似乎也可不必，（中略）胡先生已經是望七之年，張岳軍先生所說七十歲才是人生的開始，這個用意不外是想給予台北一羣老頭子一種鼓勵，以我這個二等老頭子的經驗，已足以證明他這句話並不怎樣科學。胡先生讀書和寫作的興趣，似乎還很濃厚，以他的精力，大致還可奮鬥十年，就讓他坐在書房裏面完成一兩本未完的著作，或更留下一點別的東西，這在他算已經可以交代得過去，又何苦一定要把他拖上來活受罪呢？曾慕韓先生奮鬥了半生，不到六十便已死了；張君勱先生則已屆七十有三的高齡；他們所成就的不過是『青年』『民社』兩個這樣的黨，您們還能說組黨工作是怎樣輕鬆嗎？」（十二月六日）

四十八人的國是意見

對今後中國局勢的看法及主張……海內外民主自由人士怎樣聯合起來……華僑力量要怎樣建立起來，又怎樣遏止中共向東南亞滲透……

（本報訊）在香港出版的「自由陣綫」周刊於本月三日，刊行了一本「步上第十年特輯」專號。在這本特輯裏，有一篇題爲「關於國是、華僑、大聯合三大問題的意見」的文章，全文長約二萬五六千字，是由四十八個自由民主人士分別發表意見，集合而成的。這些執筆人士，大都是國內外知名之士，有住台灣的，有寄居東南亞的，有遠客美洲的，多數居留港九。該周刊的編者說，「惠稿諸先生都站在民主自由的立場，觀察角度容有不同，但見仁見智，各臻其妙……來文意見縱有與本刊觀點歧異之處，亦全部照刊」。因此這篇長文章實足以反映許多方面的不同意見。這裏我們無法把全部四十八人的主張及看法一一介紹於本刊讀者，特擇其中若干較有代表性的，撮述如左以見一斑。

一、關於國是問題：

毛以亭先生以爲「未來統治中國者，必爲新興勢力」。他所指的新興勢力是「能將所有叢複而牽制進步的內素，一掌勾銷」，必須「單純才能形成一致的力量」。任憲予先生主張今日號召團結，必須「當局放棄黨見」，「最好，毀黨救國，最低限度亦嘗先國後黨」。左舜生先生的文章是專談「反共救國會議」的召開，他首先懷疑這會議能否召開，他的理由最主要的，是「今天國民黨的當權派（至少一部份）是確確鑿鑿是反對民主的」，「國民黨當權派眞要與民主爲敵，試問召集這樣一個會議的精神條件，以及關於召集的程序與討論的範圍如何建立得起來？」其次左先生對胡適之先生主張救國會議應採取小型的秘密方式，表示極力反對。他以爲「國民黨經過卅年的失敗，依然對反共復國的工作要由一黨包辦，甚至只容許黨內一部份人包辦」，是錯誤的。他極力強調「要求在野黨的合法存在，合法活動，而無需取得執政黨的承認」。因此他說，「我看不出這類問題爲甚麼一定要關起門來才能討論」。最後左氏舉出他的具體主張：「假定政府眞有召集這會議的誠意，最好成立一個足以代表國民黨內各方的小組，先行討擬一個具體方案，包括召集主體，與會人數，人選分配，會期長短，討論程序，以及政府如何接受這一會議所得的結論等等。先求黨內步調一致，不許任何人還有後言，然後公布。」胡越先生認爲「促進台灣民主化，實現反共大團結」，「今後所能使用的方法，恐怕還是輿論」的力量。金典戎先生主張政治反攻之道「要趕快召開救國會議」。孫寶毅先生認爲現在「要有一個中心思想，再根據海內外的現實情形，提出一套主張。」于平凡先生認爲「國民政府的存在，「第一，自由世界需要一個足以維繫海內外反共中國人心志的政府。第二，自由世界需要台灣這個基地。第三，自由世界需要一個在名義上代表中國的交涉對象。因此，如果台灣不能在國際政治要求上就可能被除名」。孫述憲先生說：「我不認爲台北今日的措施與立場『可以反攻復國』。」他認爲「台北當局沒有反攻的道德力量。」如果有此力量「面臨五億以上中國人民的生死存亡的決擇之時，台北當局就可斷然行動，不必亟亟於先解決合衆國的協防問題或美援問題了。」

二、民主人士如何聯合起來

毛以亭先生認爲：「必須集結核心人物，要考察十年內歷史，從未到過大陸與台灣的，自己可以交代清楚，而爲大家所信得過者」，伍憲子先生說，「無中心思想」不能聯合，「中心思想應在國家，不應在黨，應在中國，不應在西方」。周祥光先生認爲「團結之道多端，召開救國會議爲當務之急」。王厚生先生，以爲必須「重視海外力量，反對把持」，應該是「一個大規模的運動」，「絕不是小圈子的活動」。胡越先生覺得現在還沒有一個妥善的聯合方式，「許多誤會隔膜都源於此。大家要開誠布公的研究，別鬧意氣」，聯合便不成問題了。周鯨文先生舉出六項聯合起來的原則，（一）互相鼓勵，互相支持。（二）擴大民主作風。（三）展開工作範圍，別在小圈子裏兜來兜去。（四）勿存嫉妒，彼此希望好。（五）要有百家爭鳴，百花齊放的人。（六）鼓勵有大抱負的人。甘友蘭先生認爲「最高中心問題」無非「共同覺悟問題」。「只要相互之間能保有共同覺悟」，「其他問題均有基礎矣」。「國民黨如無公心卓識」，「救國會議雖開，亦無成就」，「一般民主自由人士未能大致捐棄恩怨之情，利害之見」，「即使可獲某些成就，亦必有限」。

三、華僑力量如何建立

王世昭先生說：「必須因事擇人，不可因人就事」。「今天的外交武器，找不出比文化進軍更具體的計劃與辦法」。伍憲子先生說：「阻止共黨向東南亞滲透，其力量不只在美元，文化之力比美元尤大」，周天問先生主張「要通過教育的運用，才可以發生消毒作用」，「培養民族自信心」，「使華僑集起來」。羅先生認爲：必須（一）「發揮華僑力量取得當地國家國籍」，（二）「發揮華僑事業」，（三）「發展多種社會活動」。許子由先生則認爲「華僑工作，經濟更重於文化，文化重於政治」。易君左先生一以爲華僑自救運動，第一以組織華僑聯盟，第二以光大萬里投荒，啓山林的大無畏精神。

現在再撮述已有十年歷史的「自由陣綫」周刊的本身意見。謝澄平先生在「本刊步上第十年」一篇文章裏，「我們對於當前局勢的看法」一段裏，表示該刊的態度。他說，大陸如果眞是「人民的共和國」，應該「取銷黨天下」，「黨國家，讓人民有基本的自由生活權利。」他對於台灣的期望，以爲如以「政治反攻」，以「新政策，應該「實行憲政」，推行民主改造以表現同時精編軍隊，提高官兵及公教人員待遇，限制官僚資本的獨佔，而保障僑資，投資的利益」，他還說「台北當局也要做到，即退一步，先讓國民黨內自由分子和有爲之士參加政府工作」。並且要「讓台灣地方政府和議會代表由自由選舉來推行其新政」，使華僑領袖參加中央民意機關，僑資發展農工商業，利用要「讓海外言論能流行於寶島。」（十二月六日）

旁觀龍雲的「再起」

右派分子龍雲、陳銘樞、黃紹竑、李俊龍等之再被選爲「民革」中央委員，是並不足奇的事。這並非意味中共已經把他們的右派份子的帽子去掉了，而是這一階段的「統戰」配合了鬥爭的一種具體表現。本來龍、陳、黃、李等人以至於章伯鈞與羅隆基等右派份子，自反右派以來都未曾把他們在「民主黨派」內的中央委員的職務去掉，所免除的只是行政方面的或者是社團中的領導職務而已。

共產黨老早已經明白，所有「民主黨派」的職員除了極少數以外，都是右派；其不同是：已經表現出來的，與沒有表現出來的；沒有表現，未必沒有右派思想，只不過強自忍住而已。因此，共產黨在此以前已經把這種「民主黨派」組織當成一個特殊的改造機構了，把幾個明明化了的右派留在這個機構裏，可能發生反面的作用，使他們的改造進行得更順利些，這並不是表示對於右派份子開始優待了。

中共的傾銷

中共的傾銷，已引起了自由世界的廣泛注意了，首當其衝的是日本在東南亞的市場被侵奪。我們若把這一問題看深遠些，那末有兩種可能的趨勢，其一是中共本身支持不了這種傾銷而終止，其二是導致一場對中共的經濟戰爭，因爲近代的國際間戰爭，因素雖多，但其主要者是市場的爭奪所引起。假定中共硬是要維持這種傾銷政策，那末恐怕要逼日本加強與中共交惡，最近日本內閣的態度強硬，這一因素之刺激甚大。毛澤東自以爲這種策略是高明的，其實完全是錯誤的。

毛赫對日政策的差異

從最近的中共與蘇聯的對日政策來看的。今年四月以來，中共對於日本，斷絕交往，拚命的咒罵日本人是軍國主義者，目前美日正在修改安全條約，惡罵更不絕于耳。蘇聯爲美日修約事給日本政府的照會，說日本與美國修改條約將使日本「不自覺的」爲美國侵略中共的……這當然有與中共相呼應來壓迫……但其中也還有可以討論之處。……「中蘇友好互助同盟條約」……日本，現在，從蘇聯的這份照會……日本政府的這種態度，似乎祗與蘇聯毫無直接關係。這一種蘇聯的態度，顯已與「中蘇友好互助同盟條約」的精神不符了，這種情況看來並不尋常，至少說，它不願主動的，直接的與日本爲敵，要把仇視日本的責任轉嫁與中共；另外，又似乎暗示着蘇聯之照會是有某種原因的。——這當然不是說蘇聯不希望日本中立，而是說明蘇聯的這種壓迫日本的政策會有某種限度，並不會像中共一般的恣意而爲。

本月四日日本與蘇聯簽訂了一項貿易協定，規定雙方貿易在下一年度內各爲三千五百萬美元。這似乎又與中共對日斷絕貿易往來的政策不符，其中且還有抽中共後腿之意。

共產集團的對外政策向來是有些分歧的，並不若其宣傳的那麼一致。從前述兩事看來，中共與蘇聯在近期的對外政策的差異眞的不小呢。

．田心．

稷下談龍錄（三）

世界人口增加問題

．賈若虛．

蘇：聯合國最近出版的人口預估報告，估計世界總人數（中間數）在一九七五年將增爲三十八萬二千八百萬，二〇〇〇年更將增至六十二萬六千七百萬。目前世界每年增加四千五百萬人。當前的危機不僅是人口數字上升過速，更重要的是每年人口自然增加率之不斷上升，過去三十年全世界平均每年每千人增加十二人，目前已到十七人。此後至少在本世紀內這個數字還有上升可能，這是因爲現代醫藥發達，近年來死亡率尤其是嬰兒死亡率，有顯明的下降。而生產率則因社會風尚習慣和信仰關係，不能伴同下降。我的看法是如果本世紀之內，這個增加率能停止上升，便可算做大幸運的事情。然而人口總數上升的問題仍然存在。

賈：請問各民族各國之間人口上升是否速度相同。

蘇：不是的，按比例而論，十九世紀歐洲北美洲白種人增加較快，亞非洲人增加較慢。到了二十世紀情形相反。拉丁美洲混血種人增加最快，澳洲紐西蘭人次之，中東亞非等洲人又次之，歐洲與北美人口增加最慢。亞洲人數本來已佔多數，此後比重逐漸上升，一九二五年亞洲人佔世界人口百分之五十三點五，到二〇〇〇年時將增爲百分之六十一點七，從一九二五年的十萬二千萬人增加到二〇〇〇年的三十八萬七千萬人。不用說中國人數是世界各國當中第一名，所以現在歐洲人又重行開始討論黃禍來臨的問題。

賈：現在全世界各國每年人口增加率甚高的，有那些國家？

蘇：第一名狀元是中美洲英屬巴哈馬羣島 Bahama Islands，每千人每年增加八十人。他們生活困難，男子經常的跑到英國覓取工作，最近英國諾丁翰 Nottingham 地方黑白種人大打出手，使得傳統自由無種族偏見的英國爲之受窘。如果該羣島的增加率不能降低，恐怕英政府遲早會採取限制向內移民的手段的。第二名應推新加坡，每千人每年增加四十人。中東的敘利亞與自由中國的台灣，均爲每千人增加三十八人。猶太國以色列每千人增三十五人。中美的委內瑞拉與亞洲之馬來亞每千人增三十一人。香港每千人增二十七人。中國大陸每千人增二十二人。亞洲只有日本，因近年法律准許避孕打胎，所以每千人祇增加十三人。此外又應當注意的是青年人佔全人口的百分數，在此後若干年，有發生上升的趨勢，尤以在拉丁美洲與亞洲非洲等地爲顯著。

我們現在介紹兩個統計名詞，一個是「淨再生產率」Net Reproduction Rate，一個是「總再生產率」Gross Reproduction Rate。兩個比率都以女人爲統計對象。前者是每一千人所生產之女孩的數目，後者是假定每一千女人在生育期間，都不死亡而生產的女孩數目。淨再生產率如果是一，人口該無增減。但事實上英美兩國在一九四三年此比率皆在一以下（英國從一九二五年以前，此比率曾有多年在一以下），但兩國在一九四五年以後，即均上升至一以上，人口亦顯然增加。如錫蘭此比率在二以上，其他多數南美國家的比率較淨再生產率爲高。本世紀如果人口的政策……難以回跌，……美國等青年日增，謀生困難……。

賈：……

蘇：……這話說起來太長。（三）

岸信介與日本工潮

（東京航訊）打倒岸信介，已成爲日本左翼政團的瘋狂性行動，而這種行動，主要還是根據了外國人利益要求出發的。這裏所謂外國人的利益，就是指莫斯科與北平。

近二三年來領導日本工人運動的日本工會總評議會，就像過去共法領導的工人運動那樣，主要的目的，就在製造政治不安，就在推倒內閣。

在日本左翼政團分子的眼裏，趕走岸信介，不啻是拔去眼中刺，因此政治攻勢一波緊接一波。

根據本月一日日本總評在東京舉行的常任幹事會議上所擬訂的來年政治鬥爭綱領，約有下述數端：

「警察官職務執行法修正案」，廢除日美安全條約。並擬以擴大罷工來達成上二項目的。具體的步驟是從明年一月廿日起在日本各地區做好鬥爭準備工作，以全力向資本家鬥爭，二月下旬舉行全國性的工人大遊行，而以二月下旬到三月上旬爲高潮。

同時，目前已臨到每年一度的年終津貼和加薪關頭了。日本鐵道工會和公共企業工會將於十二月十日和十一日採取聯合行動。郵務工會則於本月一日即已開始有所行動了，但到本月十日和十一日時，行動將與日鐵工會合流。電訊工會，到時也將參加。

至於其它非全國性的要求年獎的罷工行動，已在逐步的開始，目前已有住友金屬工會，帝國化工。

此外，日本教職員工會，也決定於十二月舉行第五次波浪式的全國性行動；迨到來年二月和三月間，將再配合總評領導的活動擴大所謂「春季鬥爭」！

岸信介內閣屆此年尾歲首之際，要應付每年一度的全國性工潮，看來也實是不易呢？（裕）

中共為什麼對香港廉價傾銷

·祝修衡·

香港第十六屆華資工業展覽會，已於本月四日揭幕。對香港工業界說來，毋寧是一個喜氣洋溢的節日。實際上，本港工業界的基礎，已被潛在的共產勢力搦緊，搪瓷和紡織兩業首當其衝，其他罐頭、皮革、藤器、糖薑、五金、熱水瓶、膠鞋、文具、塑膠製品、以及陶器、鋁製品無一不受慘重打擊。而來自大陸產品的進口數字，正在直線上升，本年一至十月比去年同期，增加達一億八千二百十一萬元。這與馬來亞、新加坡、泰國禁止共貨輸入不無關係。

從一九五五年到現在，中共對香港的經濟戰，使香港在經濟上的損害，竟達四十億港元之鉅，損害的，事實上還不僅是工商業者，間接對社會造成了重大不安，勞工失業的數字，非但無法減少，反而新增了六萬多人。未來的問題實堪注意。但是，香港是自由港，不同於星馬泰國可制止共貨輸入，必須有待港市民及時警惕。因爲，中共的廉價傾銷，目的是摧毀香港工商業，企圖獨占利益。

也許人們很難理解：「中共爲什麼要廉價傾銷？」與「我們爲什麼不應當買廉價貨？」首先必須明白：中共的廉價傾銷，它的內外因素，都存在着嚴重敵意。

對內來說，它的輸出物資，都是取自民間的「賦」物，不論物質、勞力，都在人民身上壓刮來的，沒有成本的物資，自不能與本港的產品並論，中共如果不用傾銷方式也就根本不能達到掠奪市場目的；對外來說，中共大量傾銷，主要戰略，其目的有三：一、瓦解華僑反共意識。誘使僑民在不知不覺中，墮入中共社會主義建設宣傳的虛幻中，自動地解除反共的心理武裝。二、摧毀香港工業基礎。香港鄰近中國大陸，工業產品在世界自由市場，佔有極重要地位，中共若不摧毀香港工業基礎，則絕難取代香港在世界市場地位。因此，香港成爲其傾銷口的吞吐港。三、中共建立統治根本並無經濟基礎，建設費預算，龐大軍費，既乞靈於印鈔機；戰略物資輸入，勢非倚恃外匯。最初幾年，全賴僑匯，近年僑匯逐漸減少，改以傾銷方式套取外匯。

金門否定了中共戰略

黃震遐

（上接第一版）因爲中共在它的最危急的時候居然無法獲得俄援，因爲蘇俄的軍援還要中共搜括錦鎢錫和大量食糧去換，因爲赫魯曉夫深感六億黃面孔的芸芸衆生早該淘汰，因爲馬林諾夫斯基和粟裕實際並無兄弟般的友愛，綜括這些因素，毛澤東就只好採取史無前例的無賴戰略，來對付蕞爾的小型核子阻嚇兵力。

落伍的毛澤東戰略

最後，中共在它那百孔千創的政治基礎上，亦不得不清算職業軍人派所夢想的國防藍圖。自波蘭匈牙利革命，大陸「鳴放」以後，中國人民各種不滿情緒的深入和普遍化，中共的統治者如不加以集中管制，分別關進牢籠，則在政治上不特不可能達到職業軍人派所夢想的「國防遠景」。而且在政治上非常危險。事實上，中共搞不成一個起碼的現代國防，而竟採時代落伍的毛澤東戰略，歸根結蒂，是因爲中共的職業軍人不知中共的政治基礎已經腐爛，已經緊急到等不及職業軍人從頭做起，去完成他們的時間表了。

毛澤東一定也不信人民公社可以應付原子戰爭。但因這個辦法，總比提早爆發革命好些。毛澤東戰略不會完全取消現代化（那是不可能的），但必延緩了中共成爲現代軍事強國的進程。而且蘇聯對此一點，似乎並不關心。（完）

怒江不再嗚咽了！
傈傈族待機打回老家去

·伊衛根·

例如水利，原先規劃只是數百件，後來硬要提高到一千六百多件，最後竟強迫完成了二千八百多件。開水田，最初只是規劃三萬畝，後來提高到五萬畝，再提高到六萬五千畝，最後竟強迫完成八萬畝。施肥，也由最初每畝四、五千斤提高到七萬斤，超過去年的十五倍。「合作化」的速度，原來中共只打算從原來的入社農戶佔總農戶百分之十二點六提高到百分之三十六，後來又改爲百分之六十，但希望能儘早把傈僳民族整個都「奴隸化」的中共，並不滿足這個急燥冒進的數字，結果完成時有百分之八十六點六的傈僳族農民被驅入了那種農奴組織。現在全州除了北部獨龍族地區因該族不斷武裝反抗故未進行之外，基本上都已完成了「合作化」。

中共的這個「大躍進」不是在平靜順利中進行的。它受到了傈僳族人民的強烈反抗。中共承認：「除了在前面所敘述的經過了兩條路線的鬥爭以外，還有尖銳的兩條道路的鬥爭。主要表現在與國內外反革命分子、地主、富農、右派分子和民族主義分子的鬥爭。」中共說：「過去有些人認爲傈僳族階級分化不明顯，地主階級還沒有形成，富農經濟在某些地區還不發達，因此，階級鬥爭不那樣尖銳，但事實恰恰相反，所謂階級分化不明顯並不否認階級存在，而且階級鬥爭還很複雜、尖銳。……」

事實是怎樣的呢？恰恰與中共所說的相反。傈僳族還是民族社會的原始民族，若按照馬克思恩格斯的「社會發展史」和「階級分析法」，他們根本就尚未產生「階級」，「階級鬥爭」更無可能。因此，所謂「階級鬥爭複雜尖銳」完全是中共製造出來的。中共就是專門製造人與人之間的仇恨——「階級鬥爭」和「民族鬥爭」，以利其剝削壓榨——「自然鬥爭」。中共所謂「國內外反革命分子」，即指聚居滇緬國境線兩邊的愛好自由的傈僳族人民；所謂「地主、富農」，即指傈僳族傳統世襲或部落選舉出來的土司和頭人；所謂「右派分子」，即指一部份反對過度壓榨傈僳族的有良心的漢族幹部；所謂「民族主義分子」即指反抗中共而要求真正「當家作主」的傈僳族幹部。

中共「民族事務委員會」的機關刊物「民族團結」月刊，一九五八年第四期中，有「怒江地區的傈僳族」一文，就承認了傈僳族地區根本沒有所謂「階級鬥爭」。（二）

捷和製造廠出品 時鐘鬧鐘極準確

榮獲第十六屆工展攤位比賽冠軍之捷和製造廠，乃本港著名工業家鄭植之所創立者。歷屆參展中，均有鐘錶類新出品在大會展出，造譽各方好評，外國人士遊工展，亦加讚美，本年度該廠主持人鄭植之，爲不負各方之期望，將研究成功而製就上市之新鬧鐘參加展覽，因其式款新穎，計時準確，取價比舶來貨爲廉，更能吸引遊客興趣。

該廠出產除電筒，風燈，鋼盔，水壺，車床，飾盒外，年前更設製造時鐘部，所出品各種時鐘，電鐘，款式新型，美觀準確，該廠出品時鐘牌子多種，計有大秤牌，燈塔牌，長尾鐘，座檯鷄尾鐘，鬧鐘，壁上電鐘等，各型款式與瑞士出品，並駕齊驅，且價格比舶來廉宜，早已蜚聲海外各地市場，尤以非洲，東南亞及英屬各地爲暢銷，每年出口數量頗巨，該廠時鐘部機器全部來自瑞士及英國，故自該部設立後不久，各種精良出品陸續開始面世，同時所出品成就也較初期預想的更超出美滿完備。

白花油優待

看妙手回春喜劇觀衆・・・・・・

白花油主人顏玉瑩提出了白花油可以妙手回春的號召，凡看各院「妙手回春」的觀衆，請保留票根，你將會得莫大的幸運。（白）

徵文比賽十五止截

本屆工展爲增加入場觀衆興趣，舉辦徵文比賽，已聘定文化界名流錢穆、羅香林、黃天石、劉百閔、何德奎爲評閱委員，各入場觀衆請留意截稿日期（白）

安生堂攤位設第十街

安生堂溫灸器藥廠出品之溫灸器治病神奇，早馳名中外，而天他的攤位受到外國參觀團及自由中國參觀團各外商搶購，使到主人黃石譚夫婦，應接不暇。（坤）

味力攤位今年更奪目

味力廠本屆參加聯

合室展覽，由於該廠董事長莊軍文先生精密設計，比別家新穎奪目，圖案及光綫調節非常吻合，是以遊客無不駐足該位欣賞。（坤）

遠東棉產物美價廉

遠東棉廠出品之棉毛品，早已風行海內外，棉毛被每張八元至十餘元，此價料手工亦值回此數，故日來遊客托大棉被行出展覽會者甚衆，尤以女遊客所買之「伊得時衛生巾」更爲踴躍。（白）

星光攤位燈光燦爛

工展會第四街星光實業公司攤位裝飾，特別美化，全座像鵝蛋形，頂上與四圍，都裝配燈飾，夜間一入工展大門，便見燈光燦爛，巨型的「紅A」字也照耀眼前。查該公司乃由星光製刷廠分廠而成，今年初次參加工展，而攤位佈置，着重燈飾，乃因該公司所出品的塑膠吊燈罩、座檯燈罩，款式繁多，特別新型美觀，且爲本港的最新出品，不論酒家、酒店、學校以及一般茶樓食館，一律適用，且以之裝飾，特別美化，所以一經推出，即能暢銷港九、東南亞及遠洋各地，連日在工展會內，也銷流最多，遊客以低廉的代價而得此華麗燈飾，如獲珍寶，這些新型燈罩，全是該公司經理梁知行的精心傑作，無怪人譽之爲「燈飾大王」。

鷓鴣菜送玩具

宏興藥廠出品之鷓鴣菜，有專治兒童百病之功，十年以來，海內外各處人士皆樂予購買，予孩童服食，有病治病無病強身功效。十六屆工展會，該藥廠參展之攤位，設於第八街，裝飾極爲美觀，主人張思雲爲酬答顧客之盛意，特備有兒童玩具百數十款，在展覽期間，凡到該攤位購買鷓鴣菜一包，由三毫起，皆有玩具贈送。開幕之夕，邵氏新星梅月華小姐曾到該攤位客串售貨，以致一時擠擁異常，而顧客亦皆滿意而去。

工姐競選熱

（專訊）第十六屆工展會自發動工展小姐競選以來，會內氣氛頓增熱鬧，各攤位紛紛準備推出小姐參加預備今年參加工展小姐競選人數定必異常擠擁，聞大會宣傳部經陸續收到各廠號捐贈品甚多，並得國際攝影公司答允免費爲參加競選工展小姐攝拍玉照，並義務代爲放大以便在各該攤位懸掛，東方藝術公司亦答允凡參加競選工展小姐者者每人贈送刊有本人玉照大號瓷碟一只，以留紀念，該兩公司藝術精良向各界所讚許，此次得其贈送大照相及彩色瓷相碟，實爲各參加競選小姐之佳雅。

榮記食品 買二送一

工展第六街榮記食品公司，本屆以嶄新姿態出現大會，裝飾新穎，食譜精選，榮記牛頭牌，美味龍蝦，鐵獅牛肉乾，餅明蝦片，川貝檸檬，菓汁牛肉球等數十種，榮譽食品，早已受到歷屆遊客讚美。主人爲酬謝各界仕女，在本屆工展期內，擺位全部食品，買二送一，「好野」即是「好野」，遊工展者，幸勿「走雞」。

自由談

興國的要務

馮五先生

一個國家在新興或中興的時代，社會各階層一定充滿着活潑旺盛的發展機能，人人皆有「草茅思奮，幸遇明時」的氣概，不期然而然地各盡所能，各安其所。一般從事政治生活的人物，亦相率以勤勞國事，以求其心之所安，地盡忠職守，有所不爲，無論新的舊的，老的少的，都具有一種恥居下流的君子風格，決不妄自菲薄或流於狂。這情形，歷史上數見不鮮，遠者如唐朝李世民當國之時，近者如清朝[illegible]，許多降臣，亦傳佳話。近之如滿清王朝號平洪楊之役的中興時代，[illegible]的文武勢力，皆被一些自田間的布衣書生的新作風掃蕩無餘，使滿清得以延續數十年，相反地，一個國家的社會各階層人士，如果常在抑鬱悲觀的氣氛中討生活，對國事不關心，社會各階層，一般政治人物亦只是在因循敷衍，苟且偷安，甚至[illegible]。這種現象有如一部機器，部份螺絲鬆弛，機器[illegible]，[illegible]的生產力。

我們中華民國在目前的階段中，可說是新興時期，也可說是中興時期，無論從那一方面設想，皆需要具有創造代的新計劃與新設施，以向上奮發的精神，共復國的大業。不但是換些齒輪與螺絲鬆釘，而是要有基本成效的辦法，從根本改造著手，祗是頭痛醫頭，腳痛醫腳，枝枝節節而爲之，那是不會有太大的效果的。時機急迫，關係重大，當國者其念之哉！

台語片的今天

梅魂

四年前，從一部「王寶釧辭平貴」的台語片開始，在台灣掀起一陣熱風，台語片隨着如雨後春筍，一直到去年升到飽和，一年出產八十餘部之多，而爲爭拍台語片所成立的影業社（公司）竟有數百家，數目相當驚人。由于主事者大都是門外漢，且志在圖利，爲了節省拍片費，粗製濫造，幾年來台語片能夠舉出一二部够水準之作。加之演員的低下，劇情的荒謬，委實令人可嘆！

每個拍台語片的公司，大都有它不外揚的「內幕」，有的是營商式的，有的是自資自己主演或編導的，也有「醉翁之意不在拍片」的，更有的是小股東式的，還有一些公務員爲興趣爲利益客串一部的，說起來五花八門，不勝枚舉。今天台語片走向下坡，也就爲了他們對影劇事業的態度欠嚴肅，使觀衆失望，票房一落千丈。

儘管如此，經過四年長時間的考驗，有作爲的幾家公司已在這種考驗過程中站起來了。還有許多公司，用廿萬左右的拍片費，隨便由自已或從別人的訓練班裏找幾個學生，買一本描寫酒女養女一類的劇本，拉一個連影劇智識完全缺乏的歌仔戲演員當導演，糊糊塗塗便用十幾個工作天把一部「台語片」完成了。在這種條件下拍成的片子，其成績我們可想而知，尤其有些誨淫誨盜，傷風敗俗的劇情，卻值得我們注視了。

在所有台語片中，差不多每片必離不開兇殺、玩弄酒女一類的劇情，對社會造成不良後果，尤其對身心尚未健全的少年。本來劇本以及拍成後的A拷貝都須經過教部及電檢處檢查的，但商人玩弄花樣，常能移花接木，逃過檢查，如抽掉問題內容，無論劇本，拷貝都如此，都是無法檢查得出的。也有人說負責電檢人員的剪刀有價，那非筆者所能確知的，但我想那頗不可能，因爲還是玩法的勾當。

影片是大衆藝術，富有教育社會意義的。凡是一部予人印象深刻的電影（無論它的意識正確與否），經過一個城市，它的插曲便會流傳在大街小巷，甚至那故事很快便會在那兒出現，尤其是關于格鬥、搶竊、姦殺等。由此我們也可知道電影對社會影響之深。台語片年來日漸沒落，千篇一律的粗劣。社會畢竟是崇善貶惡的，台語片已不爲他們所接受了。所以，無論站在影劇道德與發揚立場，甚至說純利益上講，台語片如果想重振聲勢，需要在製作上[illegible]。至于台語片是否值得提倡，那是另一問題，不過，我敢斷言，如果片商們不求改進，仍然以往那兩三年的濫片現象，必將成爲台灣電影最初也是最後的黃金時代了。

駝鈴

尤崇洵

近讀駝鈴，散文中有一篇「徐志摩其人其事」，讀後以爲然。作者張自英說：「徐志摩的詩……雖有唯美主義和印象主義的色彩……他的詩天才橫溢，頗多驚人之作」，但是「他雖然生長在內憂外患的苦難中國，然而在他的詩篇裏卻嗅不到祖國的一絲泥土氣息，和激于大義的慷慨之歌。」（駝鈴八十一頁）

我想這是因爲徐志摩曾陪過泰戈爾泛棹西湖，因而有些「詩哲」意味的緣故吧！

台灣文壇點滴

耿

梁實秋有點不平凡

早在數年以前，師大的名教授梁實秋（中國研究莎士比亞的權威學者），這位魯迅生前的死對頭，曾主張在極慎重的條件之下，把魯迅的一部份有價值的文學作品予以翻印出來，以饗青年讀者。他的意思是說：魯迅生前之言行，尖酸刻薄，趨於偏激，固有可訾議之處，但其在文學上的成就，不能一筆抹煞，及我們「不以人廢其作品」，梁氏如此「不以人廢言」，不念舊惡，就目前學人眼光和胸襟看來，確屬有點不平凡。

盜者自盜

目前台灣有一些作家，正當自己嘔心瀝血的作品出版後，又被不肖書商盜印而冒名出售，不惜勞師動衆，似乎硬是要跟他們算一算「血債」，[illegible]。可是誰知道那些作家們，在作家們[illegible]，[illegible]。[illegible]，一筆劉金就是了。

「隨稿登床」

「三代以下無有不好名者」，一般女人往往在虛榮心驅使之下，爲了獨往電影界的聲譽、地位，而有以成名，對於那些能對她發生影響的人，而不惜採用任何卑鄙手段，已是見怪不怪，想不到作家的頭銜對於她們同樣有着不可抗禦的魔力，目前台北某報，會以其「譏而又處」一的大筆，評一些以不正當手腕而「擠」身「作家」行列的女士，謂其成名方法「隨稿登床」。啊，我的上帝！

黃色漫話

黃俊東

現代人似乎不大歡喜黃色，不知是否受了「黃色文學」一類名詞的影響。

黃色在色彩學上，是原色的一種，它表示溫柔、清爽、高貴。歷來各民族都是珍視黃色的，尤其是在古代東方人的思想中，黃色是正色，是帝王之家象徵色彩，[illegible]，祇要略有深淺，調感完全不同，清淺一點的黃色，使人愉快，濃厚的黃色便會引起沈重之感。我們看到和尙所披的黃色袈裟，雖然有種棄絕俗慮之感，但也覺得死板板的太過了。

自然界裏的黃色都是使人發生好感的，黃色的花朵，黃色的果實，尤其是一片黃色的禾田，更令人們高興。最動人的黃色，莫如是夕陽西斜下的晚霞，一片金光，不論是照耀着大地，或反映在大海裏，那燦爛的景象，飄逸而誘人。

黃色落在畫家的調色版中，更是變化多彩而有生命感了。誰都知道最熱愛黃色的畫家是十九世紀後期印象派三大師之一的梵・谷訶（VanGOGH）。當他在法國南部的阿爾斯時，他把自己所佈置的畫室稱爲「陽光之屋」，又叫做「黃屋」，室中全是用淺黃色漆塗牆壁，又畫了六幅向日葵作爲點綴，向日葵中那股黃色猛烈得閃閃發光，使人感到比真的向日葵更有生命力。梵・谷訶的畫中都是以黃色爲主調，他畫黃昏的咖啡店，室內的煤氣燈，人物畫的背景，田野裏的禾稻、草堆、房屋、天空的太陽……都留着可愛的黃色；不過他是一個熱情而瘋狂的畫家，在強烈的色彩效果中，我們不難從暗示中看到了他的人生底憂鬱和苦惱。

自由艦上晨望（有序）

會後余在美遊覽參觀，重訪母校密溪干大學，哈佛大學，及其他可大芝大等名校，以觀別後廿餘年之進步。公私皆畢，十一月乘船返。美政府代定一自由艦艙位。「自由艦」者，二次大戰美新式運輸艦也。當日百餘艘運軍需赴歐。余所乘者運軍火援濟我國。艦中有四客位，余得其一。自紐約向大西洋進發。

浩浩碧瀛，蕩蕩洪濤。濃雲西騖，曙靄東燎。鐵艦百艘，共征迢遞。余望禹域，胡敵翔潮。

百字令（海行懷古）

行經西西利海峽，南爲迦台基國舊疆，北爲羅馬共和國舊壤。回憶其數次鏖戰，有感而作。

凍風吹面，月圓處光耀汪洋平水。鐵艦冲過，南北陸，留二千年舊壘。百萬雄師，爭衡數世，殺伐滔寃鬼。功成羅馬，迦台基大邦毀。羅馬稱霸云何？記千年殘破，民生如燬。故國軍光曾幾日？希墨狂能無悔！宇宙空長，積銷盡霸業，波譎雲詭。易更前轍，大同人類美。

衛挺生。

門外談新詩與新詩人（二）

士瀅。

將近二十年來，一位早已爲人所淡忘了的汪靜之，據說原是徽州績溪人，與胡適之同鄉，五四運動時代，以胡適之、劉半農、錢玄同等爲首所倡導的文學革命運動，揭起「打倒死的貴族文學，創造活的平民文學」的大纛，北大教授們所編的新青年雜誌，以及胡適之的白話詩，深深影響全國的青年讀者，汪靜之爲胡、陳的名聲所召，就拋棄了學徒生涯，遠走北平，跑到北京大學聽課去了，這一次「人生的轉向」，[illegible]而成爲一位新詩人，[illegible]作序介紹推薦，一時銷路很好，他的小詩「一步一回頭地瞧我意中人，我怎樣欣慰而膽寒呵！」會被批評家胡夢華[illegible]，引起過寂寞的文壇的一陣熱鬧，[illegible]。[illegible]他以一本研究李杜作品的著作，[illegible]里橋畔的浦東中學教國文，[illegible]本小說，寫得並不十分圓熟，其中心思想只是反對舊禮教過份地束縛人性而已。

從北平的清華一直到昆明西南聯大教書的聞一多，死水的作者，是新詩中寫長詩較爲突出的，胡適之說過：「民國六、七、八年的詩，大部份祇是一些古樂府式的白話詩」，「詞式和曲式的白話詩」，如沈尹默、劉半農、劉大白、康白情，以及胡適之自己，因爲這一個時期的白話詩人，是大都對於舊詩詞用過一番工夫的人」，而與徐志摩、聞一多、朱湘等幾位受西洋詩體影響較深的寫作方法多少有不同之處，可惜聞一多在昆明西南聯大教書時期，思想方面，深受左派邪說蠱惑，不能專心寫作，而去弄政治，結果身敗名裂，假如聞氏當年未死，能夠看到今天大陸上共產政權窮兇極惡的面目，我想他將懊悔自己對於政治方面的幼稚與無知。

大概是在民國廿一、二年，上海四馬路有一家現代書局出版現代月刊，是一種純文藝的刊物，那時適值「一二八」淞滬抗戰之後，上海的雜誌界受戰事影響尚未完全恢復，如商務的小說月報已經停刊，現代的創刊，可以說是大型純文藝刊物的先鋒，由施蟄存，葉靈鳳主編，內容除了小說，雜感，譯文等以外，每期都登載有一些詩，像戴望舒、劉延陵、杜衡、臧克家、徐遲、路易士、袁水拍一班人的作品，戴望舒後來出了一本望舒草，與沈從文的月下小景，穆時英的公墓等幾部暢銷書一同編在現代文藝叢刊內，臧克家出了一本烙印，在開明書店發行，是一本小册子，這位青島大學出身的青年詩人是陸侃如的學生，有一個時期，是大家心目中認爲寫白話詩中比較有希望的一個，中共竊據大陸後，報載他數年當中寫不出一首詩，其內心的痛苦不言可知了。路易士，有時亦用史衛斯作筆名，民國廿五年我在上海大同大學時，常去江灣復旦訪問一位少年時代的同窗，有一回，他替我介紹一位身材修短的青年方瑞士君，說就是詩人路易士，是復旦商學院二年級的學生，他的詩倒有一股靈氣，他後來也像一般喜歡弄新文藝的朋友一般，犯了左傾幼稚病，等到三十八年大陸淪陷，他家在杭州所開的一爿茶莊爲共黨所清算，這位詩人無路可走，據說被迫參加勞動改造去了，這是九年前我從上海逃難香港前據朋友告知的事。劉延陵在杭州省立杭高教書，徐遲則亦在復旦，袁水拍爲一左傾文人，前一個時期報載他在上海文藝界反右派鬥爭中大賣力氣，這種狗咬狗的事，實在是陷身在鐵幕中知識分子的大悲哀！林庚，抗戰初期我去廈門大學，那時他在廈大教書，人是很聰明的，據說他原是清華物理系的學生，因爲唸羅本棘的普通物理學不及格而轉入中文系，廿六年隨薩氏出長廈大，林氏不久即應邀去長汀教書，林庚的詩，寫得相當清麗，他也像朱湘一樣，常喜歡寫十四行詩，但其工力則遜於朱湘，民國三十年秋天，以上元燈一本小說成名的施蟄存也去廈大教書，施氏在編現代時對於新詩算是盡過一份心力的！最近從報上看到共黨清算北大教授名單中也有林庚的名字在內，才知道他在北大教授文學史，而且是升作正教授了！

當時的上海也有一些喜歡寫詩的青年出一個純粹的詩刊詩風，有許多新人和世人見面，其中有些是幼稚的，粗疏的，不成熟的作品，也有些是頗有希望的作者，但胡適之說得好：「稚氣勝於暮氣」，能夠一直寫下去，總是有前途的，不過這類的刊物常常夭折，當時北平出版的文學季刊，由最近在大陸遜噴射機赴魔都失事的投共文人鄭振鐸等主編，商務出的文學雜誌，由傅東華主編，以及左派生活書店出的文學月刊，每期也登一二首詩，像左派文人王統照的長詩，等到「八一三」上海全面抗戰開始不久，這幾種雜誌也都停刊了。

寫到這裏我又想起了李金髮，這位留法的雕刻家，也是一位詩人，可是他的詩，一班人都說看不懂，有的人說是印象派，有的人說是象徵派，也有人說是頹廢派，讀起來是頗爲困難的，與康白情所說：「以讀來爽口聽來爽耳爲標準」是不符合的，這位詩人回國不久，住了一段時期又到歐洲去了，後來就很少看到他的詩，商務的文學月刊上倒登過一些。

在抗戰時期，在重慶爲左派文人大捧特捧的艾青，田間的詩，尤其是後者，那種兩個字或三個字一句的詩，讀起來像呼口號，看起來像兒童堆積木玩兒，詩的意境美，詩的韻味美，都無從找到，胡適之說過：「凡是好詩，都是具體的，越偏向具體的越有詩意詩味」，又說：「南宋人的寫景絕句，所以不討人厭，全靠他們的選擇力高，能挑出那最精彩的印象」，可是艾青，田間的詩，乃是抽象的詩，在中國大陸，而左派文人卻捧之爲「農民大衆」的詩，當時識字的農民恐怕還不到百分之五，要想懂得田間這一類左派詩人底詩的，眞要踏破鐵鞋無覓處！從這個方向來看白話詩，可說是愈走愈遠，入牛角尖裏去了！再從田間說到稱赤色魔酋史丹林爲「你，親愛的鋼，偉大的太陽」這一類肉麻當有趣底狗臭屁詩的郭沫若，已是無恥之尤，還談什麼詩的意境美和風格美！在這裏乘便提一提郭沫若一則小故事：話說當年他追求徐葆炎的妹妹時，出過一本詩集瓶，算是獻給徐小姐的禮物，可是不幸得很，書雖出版，卻未獲得美人青睞，而綽約多姿的徐小姐卻拋了詩集去做成紹宗的新娘了！

自由人

THE FREEMAN

（第八一一期）

中華民國僑務委員會
內政部登記證台字第[illegible]號
中華郵政台字第五〇〇〇號
執照登記爲第一類新聞紙類
（半週刊　每星期三、六出版）
每份港幣壹毫
台北市售價台幣貳元
督印人：陳文華
地址：香港高士威道二十四號三樓
20 CAUSEWAY RD. 3RD. FL. HONG KONG
TEL. 771726
承印者：東南印務出版社
地址：高士打道六十四號
台灣總經理處
台北市西寧南路壹零壹號二樓
電話：三〇三四六
台北郵政劃撥儲金戶九二五二
海外總經銷：友聯書報發行公司
香港：德輔道中二十六號A二樓

中共的泥足

司馬璐

今天中共的處境，一句話，它陷在泥淖中，它在掙扎，然而掙扎的結果是：泥足愈陷愈深。目前，中共企圖用什麼新戲法，拔出它的泥足呢？

從「人民公社」說起

關于中共的「人民公社」，現在有兩種相反的說法，一些人說，這一政策直接取決于赫魯歇夫；另一些人說，這一政策反映中共與蘇聯之間在國際共產主義運動領導上的矛盾。

在這個問題上，我認爲必須承認以下一些事實：

第一、今天中共的「人民公社」，確實是比蘇聯更大膽的向前亂闖一場。

第二、在共黨集團中，担任「先鋒」的不一定就是包含有「領導」與「主宰」的意義。

第三、中共與蘇聯之間，確實存在尖銳的矛盾（主奴的矛盾）。奴才在某一點上有突出的表現，可能暫時增加一個奴才的身價，但不足以改變主奴之間的基本關係。

「人民公社」的建立，在中共來說，是孤注一擲，迫不得已的冒險行爲，這種冒險必然要鬧得大陸天怒人怨，可能危及中共政權的根本，中共領導者何以愚蠢至此，自掘墳墓呢？在這個問題上，我的看法是：

第一、共產黨人認爲，「人民公社」的建立，是對于舊社會制度的徹底開刀，遲早必須下此毒手。他們認爲在開刀時，痛苦與流血是必然的，如果人民的反抗被鎭壓下去，他們的統治可能更要「穩定」。

第二、蘇聯遲遲不敢開這一刀，赫魯歇夫明白「這一刀」的危險性與可能遽然致命的嚴重性；蘇聯不僅不敢冒險下此孤注，而且，在史達林死後，赫魯歇夫並且一度對集體農場的政策讓步，向後轉，但是，共產制度的本質，狄托同志學習過，是他們決不可能停在一點上不動，不向這個，就要向另一個目標進行，在農業政策上，如果赫魯歇夫與毛澤東既不可能繼續沿着狄托主義的目標，他們就必須朝向另一個冒險：在這點上，赫魯歇夫與毛澤東的看法是相同的。

假如，一個主子與一個奴才共同臨到一個深淵，試想，誰應該先跳下水去試一試水的深淺呢？奴才比主子賤，先跳下水豈不是很自然嗎？蘇聯要附庸國在火中取栗子，做過河卒子，以不拿同志當作試驗的犧牲品，這一類的例子不是很多很多嗎？

最「有利」的時機

第三、既然遲早必須下此毒手，而且也明知道這是一件危險的勾當，因此，就必須選擇一個敵手，就必須選擇一個時機。他們認爲最「有利」的時機。

「人民公社」今年三四月間開始試行于河南遂平，七月間逐漸向各省推進，八月二十九日中共中央公佈「關于在農村建立人民公社問題的決議」，[illegible]個事實，還有另一個重要[illegible]金門，八月中共開始砲轟[illegible]的目標，以便于他們達[illegible]起「門」來，[illegible]份子與學生。這一次「人民公社」的建立，可能從農村中燃起反共烽火，中共砲轟金門開始以後，使他對當前的局勢有以下一些估計：

一、自由國家支持中國用武力反攻大陸的可能性是很少的。

二、在此種情況之下，國軍單純用武力反攻大陸的可能性也是不大的。

三、因此，縱然大陸人民反抗「人民公社」，如果「外力」（國軍反攻）一時打不進來，中共用軍事特務力量全力鎭壓人民的反抗，他們認爲這是較有把握的。

「人民公社」既然有這樣一個「最有利的時機」，所以中共就大膽大了，就決定大搞特搞了。

雖然如此，但是中共還担心到，大陸人民的反抗，在精神上與台灣發生聯系，所以中共對大陸人民宣傳說，「國民黨和共產黨又要合作了」，中共的「和談」宣傳，一半是爲了瓦解大陸人民的反共意志的。

中共還担心到，大陸人民的反抗，又可能把希望朝向「台灣之外，還有美國」，同時，中共幹部及軍隊間，有很深的「恐美病」，所以中共爲了瓦解大陸人民的反共意志和治療幹部軍隊間「恐美病」，宣傳美國是「紙老虎」，培養「義和團」精神。但在另一方面，中共又明知自己在軍事上難以與美國爲敵，所以要幹部與軍隊讀早期的「毛澤東軍事思想」，即所謂「以弱敵強」的游擊戰術。

以「統戰」拔泥足

事實上，大陸經過「反右派鬥爭」，特別是「人民公社」以後，在基本上，已經沒有所謂「統戰」存在了，今天無論國民黨也好，海外自由人也好，已經認清共黨「統戰」的本質，在這些人士中間，「統戰」宣傳已經不可能發生作用了。

但是，爲什麼中共的「統戰」戰法依然層出不窮呢？如前所述，中共的「和談」宣傳一半是對內而發的，那麼另一半是爲誰而發的呢？

我們必須指出，這另一半是對我們天真的外國朋友而發的，在自由世界內部，直到今天，由于我們缺乏高級的統一的戰略與政略的配合，以至自私短見的政客大行其道；由于商人唯利是圖，以至共黨的經濟滲透無孔不入；由于文化觀念的龐雜混亂，以及對共黨暴發本質認識的淺薄無知；由于美國除科學知識與物質生產外，配得上領導自由國家的文化政治等條件，無一，凡此種種，遂使中共認爲「統戰」之武器在國際上仍有大可發揮的機會。

所以，中共最近把一些被清算過的「右派份子」重新在大陸的「民主黨派」「當選」，以及最近大陸「民主人士」發出不滿「人民公社」的表示，全是中共故意做給我們的外國朋友看的。大陸人民不滿「人民公社」是事實，倘由中共故意安排發表，就是這樣一幕的戲劇了。外國朋友到底能發生多大影響呢？共黨在基本上反對西方民主，但同時盡量利用西方民主，分化自由世界，[illegible]宣傳久之，能影響一部份西方國家的輿論，必愈加增加西方國家之間的混亂；[illegible]西方國家不能積極支持自由中國，西方國家就可能在「兩個中國」的牛角尖鑽；中共目前一面用「外交」手法，孤立台灣，製造「兩個中國」，一面則以「反對兩個中國」的口號，欺騙一切的中國人。

如前所述，中共根本的目的何在？他目前兩足陷在大陸泥淖中，它的「統戰」在中國人中已經不可能產生多大效果，但它企圖繼續用這些貨色，騙過我們的外國朋友，協助它拔出泥足。

一週述評

國際逆流威脅中國

外長黃少谷氏，西遊返台後的首次談話，直率指出「國際逆流威脅自由世界」，這應該可以說是具有深遠意義的警語，國際逆流的存在及其威脅，已非一日，不過由於過去不去正視它，或者有人指出了，又不爲當政者所重視，官方的宣傳又偏於避重就輕，故大家未感覺其嚴重。現則因爲語出外交部長之口，似乎便份量不同了。老實說，過去那種[illegible]的積習，是萬萬要不得的，而目前的「相驚伯有」，也是不必要的。

我願意在此說句老實話，國際逆流威脅自由世界，固如天塌下來自會有人去頂；國際逆流在正面威脅自由中國，我們又計將安出？問題是最近加拿大公開透露要考慮承認中共，已非一次了。日本與中共間的幕后往來，也從未中斷。美國國內「恐赤病」的增加（詳見本報二版中頭條謝扶雅先生美國來鴻），凡此皆足以令人警惕「國際逆流」的惡化！

「努力」、「奮鬥」之道何在

黃外長好在還指出了，「我們的一切只有靠自己繼續努力奮鬥」，這話至少表示，在位諸公，還有警惕性，[illegible]所謂「努力」，所謂「奮鬥」[illegible]

[illegible]

也談西藏的反共革命

台北的又一消息說，西藏的反共革命[illegible]

[illegible]

對於邊疆民族的反共活動，是應該加以重視的。中國歷史上也不乏邊疆民族統一中國的史實。就今日西藏的反共革命活動來看，基本上是能擴大而又能鞏固再擴大的條件。如蒙藏委員會李永新氏所述，我們但希望國府能夠積極援濟，使他們能長期堅持下去。

獨裁與民主之間

蘇聯內政上，目前正發生着強烈的分裂現象，在極權體制下，朝不能信，夕爲階囚，已屬常事。這正所謂是「伴君如伴虎」！當赫魯曉夫整肅掉主要的政敵後，劊子手塞洛夫也成爲烹狗藏弓，而他的被黜，恰在美民主黨參議院領袖之一李佛萊旅蘇返美前后。赫魯曉夫一方面毀掉一個可能的政敵，一方面用以宣傳共黨有意要削減警察特務力量。雖然塞羅夫死不足惜，但也可見赫魯曉夫其爲人之卑鄙。實則古今中外，那一個大獨裁者不是如斯！

反之，在民主政治下，人既恥於爲特務，也有其官作吏的一定分寸，法律保障了公務員的自由應有權利，政府首長既無權不經審判褫奪公務員的公職，更遑論隨心所欲地格殺勿論！即使是當衆公然羞辱屬員，在情在理也是難逃公議的。民主之可貴，於此亦可見其一斑矣。

〇李金暐〇

蘇日關係與日本中立

〇胡養之〇

月初蘇俄外長葛羅米柯遞交日本大使的照會，內謂日本「廢除其作繭自縛的軍事義務，將有利于世界及日本本身。」又謂「日本若採取中立政策，則對于遠東的和平與安全及國際合作的發展，將有重大貢獻，蘇俄準備尊重日本的中立。」

從整個局勢看來，這項照會，可視爲蘇俄在柏林糾紛中碰了釘子而把冷戰重心轉向日本的一項做法。于最近日本爲了修改日美安全條約的問題，會使日本內部發生重大的分歧。因此，蘇俄乘着這一機會，極盡挑撥離間的能事，企圖破壞日美的關係，並誘日本逐步走上中立路線；當然同時也企圖牽制了美國在柏林的行動。

本來，日本與蘇俄是死對頭。可是一九五六年十月，它們居然締訂了和約，結束兩國戰爭狀態，恢復正常關係。不過，當時會有人指出：日俄雙方都各有其作用。在日本方面言，戰後十一年還沒有加入聯合國，其原因多半受着蘇俄的阻碍，所以日本考慮的還是先加入聯合國，然後再談領土問題，比較容易；至于蘇俄呢，它覺得日本始終是它的敵人，但目前在美國的掩護之下，既不能以武力直接解決日本，索性以政治手腕拉攏日本，一方在亞洲少了一個勁敵，另方面則進行滲透工作，分化日本內部和影響日美的友誼關係。

談到日美關係，固不能說不深。但戰後美國佔領日本，給日本人的印象有好的也有壞的。好的方面是，日本利用美國的強大軍事力量來保護它，不致馬上被那虎視眈眈的蘇俄和中共併吞；同時又利用美國雄厚的經濟力量，來恢復它那已經破了產的工業。但在壞的方面卻也有，例如美國人天真浪漫，駐日美軍多少帶點戰勝國的氣燄；加以日本人的胸襟素狹窄，和日共從中的挑撥離間，因此對于美國人的態度，自然發生一種不良的反響，甚至歧見和磨擦便接踵而來。

據我們所知道的，除了日本作家不斷發表反美的文章外，日本共有四家大報，其中三家親美，但最大的一家「朝日新聞」，自結束佔領狀態之後，即對美表示不滿，且曾一度對美原子間諜盧森堡夫婦之死，及美共領袖被拘捕下獄等表示同情。每逢日本人被美國拒絕入境時，或美軍行動越軌事件，它都大抱不平。

同時，日本的反美電影，生意興隆，例如一九五三年所攝製的「原子彈兒女」一片，描寫廣島被炸慘況。又一九五四年售票打破紀錄的「百合花之塔」，敍述沖繩島一般少女，組織一枝百合花部隊，替日軍效力，其後被美國大炮轟擊。關于席捲南洋後被美軍絞死於菲律賓的山下奉文大將，及一九四五年被美機炸沉的世界最大主力艦「大和號」，也各有一套影片。

至於日俄復交及日本加入聯合國後，急功近利的日本人，似乎有恃無恐。一九五六年十二月廿七日前首相石橋湛山在第一次記者招待會中說：日本以聯合國會員國的資格，將遵守和履行聯合國義務，但無論對任何國家包括美國在內，都不將做一個唯命是聽的人了。尤其當此蘇俄向東西發動冷戰之際，而日本與俄國于本月四日在莫斯科簽訂一項協訂，規定一九五九年每方三千五百萬美元之貿易，比今年的日俄貿易總額每方二千八百萬美元，日本不僅增加對俄貿易，而且增加了百分之二十五。早已替代英國與中共擴大貿易。據一九五五年八月倫敦泰晤士報揭露一項內幕新聞稱：日本有六家貿易公司已宣佈：聯名具函在中共地區的公司，表示當時可以進行三千五百萬至五千萬磅左右的貿易。日方建議向中共輸出鐵砂、焦煤、大豆、棉花和若干其他貨品，跟日本交換錫鐵製造品，工業機器及消費品。

日本商人相信在[illegible]自由搶奪對華貿易的鬥爭中，日本爲較任何一國家都要佔得近水樓台的好處。日本商人又相信中共一天對英美存着敵視的態度，日本就一天能夠以同文同種的資格，比西方商人更能博得北平政權的青睞。

雖然，日本對於共黨集團尤其是蘇俄，未嘗不時刻存着戒心。差不多每個日本人都以爲蘇俄對日本是不會放鬆的滲透和威脅，目前蘇俄設有大空軍基地的地方，距東京和日本大產業中心區祇有七百英哩。易言之，是在空襲的絕對有效距離之內。日本人不肯直率地說他們期待蘇俄的攻擊，但他們完全明白：世界已被煽動得將近爆裂，遠東卻是一個感覺特別銳敏的區域，而他們自己又是懷着擴張領土的觀念。他們在未把蘇維埃的邊界推回到[illegible]以前，是不會安枕的；他們在未能使首都東京不受轟炸距離空襲的威脅以前，也是不會放心的。

美國的「恐赤病」！

「外交承認絕對不就是道德認許」嗎？

謝扶雅

——美國來鴻之七——

美國人的健康一般良好，他們的壯實也大體上很健全，可是近來忽然新患了一種精神上「相當伯有」的疾症，而且益增其嚴重，如果以名之，名之曰「恐赤病」。而其所「恐」的「赤」，蘇俄的陰影其次，毋寧是最怕中國大陸上饑會咬人的「老虎」。讀者不信，讓我在下慢慢道來。

怕死的心理與事實

當韓戰發生，中共發起抗美援朝的大運，喊出「美國只是紙老虎」的口號響徹神州。筆者有個學生兼朋友，正任廣州嶺南大學宗教主任。他剛從美國進修神學回去一年多。有一次在星期講道的時候，對會衆說：「我們要提高警惕，不能單以紙老虎目之。」[illegible]可是中共當局斥他「震懾人心，動搖士氣」，提他入牢，訊其與美帝勾通之罪。足足關了三年，才算釋放，而他已人不像人，鬼不像鬼了。

[illegible]

教會人士及文化領袖，可以彼此切磋商榷，然而影響中共的作風。然而這些都是不合理的理由，無非爲掩飾「恐赤」之心底裏總之一希望[illegible]

中國人應走自己的路

我們責美國人以道義，評西方文化爲功利，嗤現實，這是全搔不着痒處的。政治素以本國利益爲前提，聯合國也祇是一個政治機構，不是教育或道德勉勵協會。除非整個世界人士道德精神提高，我們決不能期待由一羣可憐的人，通常自私的人，貪生怕死的人所組織社會，國家，以及國際機構能發揮高度道德，以正義爲前提。我們中國人今日所走的路是先把自己的祖國同胞從極權奴役解救出來。我們非以鮮紅的血去灌滅那赤焰不可。然而這赤焰似「外強」而實「中乾」：它才是真的「紙老虎」哩！它可以嚇美國的老太太少奶奶之輩，却決不能欺明眼人啊。（十一月三十日紐澤西州）

促白宮改訂對華政策

[illegible]

竹幕幽秘

遼寧黨爭起於反毛

中共遼寧省委會舉行了一○三天的會議，在五個省委書記中清算了三個，他們是：王錚、杜者蘅（省長）、李濤（副省長），此外還有「旅大市長」宋黎等[illegible]

金日成訪中共的結果

周恩來與金日成簽訂的聯合聲明已於八日發表，其內容是：一、中共支持「朝鮮人民爲爭取自己祖國的和平統一而進行的鬥爭」；二、北韓支持中共要求美國從台灣「撤出它的武裝力量和實現中國的完全統一的正義鬥爭」；三、雙方全力支持北越「爲和平統一越南而進行的一貫的努力」；四、雙方支持蘇聯「關於普遍裁減軍備，禁止使用和試驗核武器[illegible]的建議」；五、必須對現代修正主義繼續進行不調和的鬥爭。

[illegible]其他兩點則無特殊意義，這大概是金日成訪問中共的重要目的之一。這一種互相支持的關係明當與軍事同盟的另一種表現方式。

此外，金日成曾與毛澤東在武漢會談兩次，這是不能包括於這一公報中的，在[illegible]談，其結果恐怕是毛要把「毛澤東思想」帶去北韓實行。

陳毅講話語多詭辯

十二月七日，陳毅在歡迎阿爾及利亞臨時政府代表團的宴會上講話：一、否認[illegible]民族主義國家與帝國主義國家間的關係，認爲社會主義國家與民族主義國家的關係非常緊密。二、承認[illegible]的家庭」，認爲杜爾斯[illegible]破壞了舊家庭制度，建立[illegible]恰好證明人民公社運動非[illegible]」。三、認爲「共產黨宣言」[illegible]「成立產業軍」，特別是在[illegible]綱領，以此來批駁狄托之認[illegible]「軍事公社」的批評。

陳毅所說的民族主義國家與帝國主義國家間的惡劣關係並非社會主義國家所挑撥起來的，這一點到是非常老實的；在對於共產黨的陰謀大部份已被揭露的情況下，就算他們要想挑撥恐怕也不易呢。但是他認爲共產集團國家與民族主義國家間的關係非常緊密之說，則恐怕祇是無常鬼搽粉而已，被共黨恨得牙癢癢的狄托正在訪問埃及就是一例。至於說舊家庭制度與中共的所謂新家庭制度的比較，要待歷史的評論；這種違反人類天性的制度，蘇聯是嘗試過失敗了的，中共硬是再要來失敗一次，對反共者來說眞是「壞事就是好事」。「共產黨宣言」裏提出的並不祇「成立產業軍」的一個綱領，它還有「各取所需」，「取消雇工勞動」，等等綱領，中共排除了另外的這些綱領，單單着眼於軍事化，狄托說它是「軍事公社」是並不錯的，陳毅的這種詭辯共產黨人當都會明白的。

○田心。

台南點滴

△南市議會四屆三次大會，議員質詢稅捐處，指責稅務員催稅態度欠佳，有聲色俱厲戟指痛罵兌捐處長「官僚」者，有進而又指責處長太太用公車買菜者。對這場仇視性的詢問，稅捐處處長滕卓答說他作了幾十年公務員，今才第一次聽說有人說他「官僚」，覺得「榮幸」云云，繼而氣憤的答稱：「我太太如有坐公車買菜，我可和她離婚」。繼說：議員在議會發言，對外雖不負責，但也要以道德作基礎，最後答允對部屬多加約束，改善態度。

這種充滿火藥味詢問，據說，其幕後是：稅務員催收某寓公房捐時，開罪了其夫人，某寓公即電話警告稅捐處長，並令將該稅務員革職，事後多次至議會告議員與記者，指責稅捐處長。因此引起外界對某寓公及一般不服納稅義務的人反而表示反感云。

× × × ×

△在台南市第四屆議會第三次大會中，議員指責市府民政科長等，辦理人民團體選舉的人「邀功」把持，更責其不聽派憲警到場，致影響投票人的心理等。議員魏東安（原漁會理事長）指出漁會這次的選代表與理監事，一切由市府「包辦」，一個尚未卸任的理事長，致被[illegible]會詞也被阻止。其實也是奉命辦理之類歟？

• 昌增勳。

稷下談龍錄（三）

○賈若虛。

世界人口增加問題

馬爾薩斯的書方出版就被多人痛罵有一位薩德勒Sadler先生寫一本一千餘頁的書，證明他抄書同引用統計都不正確，詩人雪萊Shelly說他情願同柏拉圖受罪，不願同馬爾薩斯升上天堂。後來有人證明人口增加不是照幾何級數，又有人說食物增加也不是依照算術級數。穆勒用收益漸減律來代替食物依照算術級數而增加之說。馬克斯派從恩格斯以來則說科學發達，以後，糧食生產會照幾何級數增加，共產黨是不承認有人口問題的。十九世紀許多法國學者因爲法國生產率下降人口不增加，而謂文化愈高的生育愈少。二十世紀裴爾用生物學統計方法來解釋一國人口初起增加迅速，終於停止的經過，他用S典型的對數綫Loigcurve以描寫人口增加過程。十九世紀的都不兒戴Doubleday同二十世紀的加斯楚Castro却謂人類營養愈佳，生產愈少。後者是用老鼠做實驗而得的結論。自亞當斯密馬爾薩斯李加圖以來，英國的舊古典派認爲人口增加是勞工需要增加的結果，被馬克斯派痛加批評，說他們將勞工當做商品，不合人道觀念。新古典派大師馬夏爾Marshall認爲工資是一種函數依隨對勞工的需要方面——資本，與對勞工的供給方面——人口——而上下變動。爲了改善勞工狀況起見，馬夏爾也贊成新馬爾薩斯派Neo Malthusians的主張，提倡節制生育。近年不完全競爭學派張柏林Chamberlin和羅賓生Robinson等學說成立，尤其凱因斯學派興起之後。人口從工資函數的他變數Dependent Vadiable有被改爲自變數Independent Variable的傾向，因爲許多經濟學家不承認現代經濟（尤其是西方工業經濟）容許完全競爭之存在。我個人覺得舊古典派的話不無相當道理，你們請看：自從凱因斯提倡全面就業政策之後，不問工業先進或落後國家，人口全都上升，醫藥學進步死亡率減低，是廿世紀的一種進步。但凱因斯的學說同近代福利國家理論，恐怕不無激刺人口上升的功能，使窮人並不得到福利，無意中成爲一種諷刺，無論如何馬爾薩斯的基本看法是對的，你們不妨把布朗Harrison Brown所著的「人類未來之奮鬥」，以及前任聯合國文教機關幹事長裴理赫胥黎Julian Huxley所著的「新瓶新酒」兩書，大致的看一看。此外如聯合國今年所出版的「世界人口之未來增長」一書，以及若干英國、美國的研究基金，與各大學裏關於人口增加的報告，一看就明白了。現在研究這個問題的方法，是由人口學家，經濟學家社會學家，地理學家，生物學家，優生學家，營養學家等等，聚在一起，共同研究。大多數專家均主張各國人口停止或輕微的上升，而任令國民所得繼續的增加。如此則每人的所得繼續上升，全人類的生活程度不斷提高，似乎比人口增加而多數人生活程度無法提高，反有下降的傾向要好得多。

賈：我贊同這個主張。

何：我尚不能完全同意。

賈：此後數百年人類的吃飯問題如何解決？

蘇：我方纔所說古文明的興起與衰落過程中的黃金時代，就適用於我們現世紀。將來的人類回想起來恐怕要有不勝今昔之感。

賈：我們現在是在黃金時代？

蘇：自從工業革命以來，人類初在英國同歐洲大批發掘利用地下資源，如煤鐵之類，其後就把南北美亞非澳等地的各種資源任意使用。工業愈發達的國家所需的工業原料愈增，同時動力的需要亦大。我們知道糧食的需要彈性很小，但原料的需要可以隨工業發展而大量增加。在過去五十年美國人口上升一倍，可是礦物的生產增加八倍，動力則增加十一倍。目前工業國家人口估全世界人口之四分之一，但所使用的礦產物是世界產量的百分之九十五。拿每人消費的礦物計算，則工業國每人消費額爲經濟落後國每人消費額之一百倍。經濟落後國所生產之七種重要工業原料，在一九五○年雖較一九二九年增加，但落後國本身對此種原料的消費，則反相對的降低，所有的礦物發掘使用之後，便無從補充。而植物性的工業原料如生產需要，增時，勢必將生產糧食的土地移用，對於糧食生產自有不利的影響。現在經濟落後國與先進國均以增加工業生產爲號召。如果落後國工業眞能追蹤英德法等國，則對原料與動力的需要，必然巨大。布朗氏說：美國每人對電力的消費日益上升，估計一九六○年要比一九五○年多用四分之一，到一九七五將多用六成。（四）

影印書繁榮了台灣出版界

台灣通訊　章垚

目前台灣出版界，呈現着極度的繁榮，出版社及書店，林立市區，櫥架上陳列着新出版的中西圖書，眞是五光十色，琳瑯滿目。可是當你翻閱一下有些書的內頁，字跡總有一些模糊不清，原來還是用照相影印的。再看書的末頁的作者，不是無名小卒，便是××書局編輯部，細看內容，大多是早年的作品，揭穿了這是大陸未淪陷前的出版品，現在作者有的已投共，有的下落不明，書店感覺到這書還有銷售的價値，所以就影印了。目前在台灣的商務印書館、中華書局等，就是靠影印過去自己出版的書來維持職員工的生活的。中華影印了「辭海」，梁啓超著「近三百年學術史」等書，商務正在影印「辭源」、「英漢大辭典」等，便是一例。

古書珍本，隨着中央圖書館、中央研究院的公運到了台灣。許多書商知道古書沒有版權，因此動上了腦筋，國文印書館、國民出版社、新興書局、世界書局等，都拚命的搜獵「國學基本叢書」、「史學基本叢書」、「國學標準叢書」等名目，大量的影印古書。至於「二十五史」及「四庫善本叢書」等卷帙浩繁的巨著，也紛紛爭相影印，這類書每部定價高逾新台幣五千元，書商獲利甚優。惟際此政府正努力提倡科學教育之時，銷路是大成問題。可是書商神通廣大，他們想盡方法，拉攏了一些有地位的人士，介紹至各圖書館學校推銷，各校辦公費卻有限，應付實感左右爲難，況且一所中等學校，就是勉力的買了一部像「四庫善本叢書」或「二十五史」，能有幾人能去看呢？此事當局已一再明令禁止介紹書刊強銷，不過有些書商，還在陽奉陰違哩。

另一批專營西書的，見到我國與英美各國並無訂立出版的公約，故可不受約束，所以歐美新出版之暢銷世界的名著，多大專學校之教科書，尤其是理工醫科，學校規定採用原文者，均有影印本，銷路對象爲學生，甚至香港、菲律賓、馬尼拉各地之學生，亦設法向台灣購買，因較原本售價爲廉。

還有若干書商，竟偷取了中共出版的書籍，改頭換面，如最近影印的「綜合英漢漢英大辭典」，銷路之佳，空前未有；因此書編排新穎，內容翔實，而用索引法集英漢漢英於一册，尤爲特色。惟該書中文索引，係採中共區通行之中文簡易檢查法，與目前國內通行之四角號法不同，翻查不習慣。聞該書出版前，已獲內政部審查合格，發給版權登記；無疑有些學者，對辛勤五年編纂成東英漢大辭典的梁實秋，爲之大抱不平。

台灣書商影印書籍，競爭甚烈，如暢銷書，常有二三家爭印，最近爲影印「化學工業百科全書」，便有美亞及東南亞兩書店，在報紙上作宣傳競爭。而英文「讀者文摘」，在台有總經銷，可是十二月到台沒幾天，市上已有了影印本出售，可見書商手段的高強、敏捷了。還有若干書商，影印順了手，把新出版的書，像「紅色上海八年」、「藍與黑」等暢銷書，也來影印了，你說他犯法，他還不相信呢！因爲影印書籍簡便，照相一印，既不用「排」，又不用「校」，不用付稿費，連稅捐也免了，印刷成本低廉，獲利之豐可以想見，台南警局有一次查到一位影印商，年齡祇有十八歲，已是獲利數十萬的富翁了。

影印書的出版，對文化的交流與傳播，我們不能完全抹殺它的功績；不過，出版界大部份要賴這一批影印書來繁榮，那是可恥和可悲的。

國際動態拾零

△非洲新國加納與幾尼亞，行將成立聯邦，以抗拒納薩主義之侵入。由加、幾總理起草計劃，現已積極推進，實現可期。

△蘇聯將以原子武器，供應東歐衛星國之說，由來已久，但始終爲宣傳而已。一九五六年匈牙利軍隊叛變之舉，蘇聯至今仍有餘悸，故對衛星國，始終是不放心的。

△美共和黨預定于一九六〇年爭取衆議院席次。惟在參議院，即使增加十分之一，仍爲民主黨多數。因爲每二年，參議員僅改選三分之一，而衆議員則全部改選。

△杜爾斯之聲望，在國民心理上較預期者降低。惟在國會頗得人心，故不至辭職。

△美國之越洲飛彈，有八十英尺長，九英尺直徑。高度八百英里，速度每小時一萬六千英里，最大距離六千三百英里。試射有八次完全成功，二次部分成功，四次失敗。將于一九六〇年，生產五百枚，在美境遍設基地，現已訓練大批人員，預備成立若干飛彈隊。

△以色列保密人員，發現駐在該國的外交使節，均有廣泛之情報網，藉以偵察以國之軍事力量，與其他秘密，盡量供給于納薩。以總理古利安，不肯將其驅逐出境，深恐東歐共產國家，對散居各該國之猶太人報復。

。陶然。

怒江不再嗚咽了！

傈傈族待機打回老家去

●伊爾根●

這篇文章說：「……居住在怒江區貢山、福貢、碧江、瀘水等四縣的傈傈族，土地基本私有，但是階級分化還不十分明顯，還保存一些原始社會的生產方式，如『公荒』、『共耕』、『伙種』、『瓦刷』（有土地、缺乏勞動力的人，可以煮酒請同族或鄰居幫助種地）等等。……」既無「階級分化」，何來「階級」？更遑論「階級鬥爭」？

中共所謂「一些剝削現象」，如家庭蓄奴和放高利貸等，傈傈族聚居的怒江「自治州」境內都不可能發生，因爲他們還處於「原始共產主義」或「氏族公社」階段，根本沒有「剩餘勞動」和「剩餘價値」，故也不會有「剝削」。居住在雲南省境內怒江地區以外的蘭坪、麗江、武定、祿勸等地區的傈傈族，地主經濟雖已形成，階級分化也較明顯，但這些地區是傈傈族與他族（漢族、傣族、白族、麼些族、夷族、藏族等）的雜居區，不是純傈傈族區，因此必然受到外族社會經濟的影響。

中共使傈傈族「跳越幾個世紀」也是事實；那就是：從沒有階級沒有剝削的家長氏族制或原始公社社會「跳越」到中共大奴隸主剝削壓榨下的半奴隸半封建社會！

中共在傈傈族地區製造「階級鬥爭」的方法是這樣的：「堅決打擊了一批反動地主、富農和反革命分子」，同時，在農村進行「階級教育」（按即「回憶對比、訴苦追根」），鬥爭一些反共的民族上層和頭人。

據中共誇稱，經過這樣一段鬥爭之後，民族關係、黨羣關係、幹羣關係、本地與外來幹部的關係，「大大的改善、鞏固、發展了。」但事實上是怎樣的呢？經過中共這樣一搞，本來已夠複雜的怒江地區就更加混亂了，傈傈族及其他少數民族，由於對中共憎恨，不幸地轉變成爲對漢族的仇視；中共黨組織（黨團員）與羣衆（包括傈傈族、漢族及其他民族）的對立自然日益復加；幹部與羣衆的關係則演變得更爲複雜，少數民族幹部大部幫傈傈族說話，漢族幹部則因傈傈族的反抗，故基本上站在中共一邊；在中共幹部內部矛盾也日益嚴重，雲南本地幹部對北方幹部的「太上皇」作風極爲不滿，故有所謂「地方主義反黨份子」，例如昆明的鄭增偉、楊曙、吳之伯、陳季伯、李春仁那類人。

目前中共已把「人民公社」推行到怒江地區，傈傈族人民遭受到亘古未有的殘酷的奴役剝削，在今年秋收中，「傈傈族自治州」估計最低可能收到三億六千萬斤，比去年增長百分之七百二十。這是一種多麼可怕的奴隸勞動！怒江地區平均海拔爲三千公尺至六千公尺，高黎貢山脈一帶還有雪綫，本來祗能種植青稞子一類的耐寒作物，現在中共竟強迫傈傈族在每條江河的峽谷裏耕種江南的水稻，強要他們在寒風裏「增產」。

中共也在怒江地區開辦工廠，進一步奴役傈傈族人民。「解放」以後初期，就辦了十多個廠子，工人有兩三百名；「大躍進」以來，各地的傈傈族人都被中共半徵半抓成爲奴工，於是廠礦增加了六、七倍，奴工也增加了二十多倍。大部份是水晶礦、煉鐵廠、煉銅廠、農具製造廠等。（三）

捷和廠工展攤位美 出品鐘錶新型準確

香港十六屆華資工業出品展覽會，今年攤位比賽該廠攤位設計新型，榮獲冠軍。捷和製造廠在歷屆參加展覽會，均有各式鐘錶，新款電筒等各種出品展出，其出品之精美實用，決獲各方人士好評，而歐西人仕遊工展時特別讚美，今年度該廠主持人鄭植之先生爲不負各方之期望，將研究成功而製就上市之新型鬧鐘，雞尾酒鐘，電鐘……等新出品參加展覽；因此款式新型美觀，計時準確，取價低廉，男女遊客均樂意採購，該攤位設在第六街口。

捷和鋼鐵廠，創設迄今已有三十餘年，在總經理鄭植之先生精明主持，暨各部門主理人員努力合作下，建立了廣大工業基礎，而使香港五金工業創下輝煌嶄新的一頁，捷和製造廠轄下共約五個廠，部門分煉鋼廠，鑄鋼廠，電筒廠，風燈廠，時鐘廠等部門，規模宏大，爲香港五金工業之冠，其出產之鋼鐵製成品等暢銷南洋羣島，泰國，菲律賓，澳洲等各地，而出品電筒，每月亦遠銷萬打，銷遍世界各地，電鐘部最新出品的雞尾酒各種電鐘，鬧鐘，原子電鐘，更爲各地人士樂於購辦，故其產品銷至全世界每一個角落。（白）

我觀展代表團 參觀香港紗廠

自由中國工商界參觀工展代表團，十一日下午四時，由團長謝成源率領，參觀香港紗廠，當由該廠主持人暨高級職員招待，遍往各部門參觀，並交換意見；晚間八時，該團應本港蘇浙同鄉會歡宴，由理事長徐季良，副理事長車炳榮，部郵人及全體理監事作陪，席間談笑甚恰，代表團以「鄉梓情深」錦旗一面贈與該會紀念。

十二日下午七時，該團假座東興樓歡宴本港自由報界人仕。

工展驗線 工作認眞

昨仍停止開放預料十一日可恢復

工展會自前（八）日下午發生小火警後，消防治安及大會當局因屆工展觀衆極多，爲安全着想，對于今後防患未然工作，特別認眞，連日承接大會電器工程之虹光公司，每天不分晝夜澈底檢查，修理電綫之工人經增至一百二十九人，電力公司亦[illegible]夜加派人員到場檢驗，對于各項查修電綫工作，特別認眞，故昨（十）日仍整日加緊工作中，預料（十一）日當可恢復開放。

鷓鴣菜 送日曆

工展會第八街宏興鷓鴣菜攤位，本屆展出，爲慶祝該廠出品之鷓鴣菜已有卅四年之悠久歷史，在國內和東南亞各地，向享盛譽，該廠主人張思霖爲酬答顧客，製就一九五九年印花七彩鐵日曆數千個，極爲精美名貴，該日曆之彩色圖片，爲榮獲世界攝影比賽冠軍之該廠第七老板張汝釗先生近年之傑作，凡購買鷓鴣菜一盒，即贈送一個。

本社代售圖書目錄

世紀中文錄	胡秋原著	兩册港幣十五元
王陽明傳習錄札記（影印本）	但衡今撰著	每册港幣五元
梁任公文存	羅荷濤註	每册港幣四元
文論	鍾應梅著	每册港幣五元
人文現象的理解	周德偉著	每册港幣二元
報人張季鸞	陳紀瀅編著	每册港幣二元
社會學導言	謝康博士編譯	每册港幣二元八角
中共制憲評論（再版）	王厚生著	每册港幣三元
論毛澤東的錯誤		每册港幣一元五角
制憲述要	雷震著	每册港幣二元
萬竹樓隨筆（新版）	左舜生著	每册港幣四元
批老通辯	錢穆著	每册港幣六元
中國歷史精神	錢穆著	每册港幣二元
中國歷代政治得失	錢穆著	每册港幣三元五角
人生十論	錢穆著	每册港幣二元
莊子纂箋	錢穆著	每册港幣五元
國史新論	錢穆著	每册港幣二元
中國思想通俗講話	錢穆著	每册港幣一元
中國思想史	錢穆著	每册港幣三元
馮浩集註 李義山詩		每册港幣五元
箋注標點 陶淵明詩		每册港幣一元五角
今讀詩鈔 姚鼐選評附唐人絕句	附蘇東坡和詩	每册港幣二元五角
歐陽修詞		每册港幣一元
納蘭詞		每册港幣二元
蘅痕新詞譜	王歡彬編著	每册港幣六元
再版增訂二王詞	俞敦詩輯刊	每册港幣四元
經濟學新辭典	高叔康編	每册港幣十元
基本經濟學	楊桐菉著	每册港幣三元
台灣經濟（三版）	陳式銳著	每册港幣四元
翠鳥湖	宣頤著	每册港幣八角
古香爐	牛嘯著	每册港幣一元八角
政監兩院法理爭議論叢		每册港幣二元二角
反共抗俄英文選	廖英鳴著	每册港幣一元
自由民主的經濟制度	何浩若著	每册港幣一元五角
中國文化與世界	張君勱等著	每册港幣八角
燕子崖	龔碧林著	每册港幣二元五角
蘇俄在中國	蔣總統著	每册港幣一元五角
中國大陸人民反共抗暴運動	殷孔淵著	每册港幣二元
同光風雲錄	鄒鏡人編著	每册港幣三元三角
學術與政治之間	徐復觀文錄甲集	每册港幣二元
	乙集	每册港幣二元五角
買靈兒前傳	陳紀瀅著	每册港幣三元
愛之石	陸珍年著	每册港幣一元
太平天國典制通考	簡又文編著平裝	每套港幣四十五元
西遊散墨	桑簡流著	每册港幣三元五角
屈原傳	王世昭著	每册港幣三元
當前經濟問題	劉潤田著	每册港幣五元
吠檀多哲學	周祥光著	每册港幣一元
薄迦梵經研究		每册港幣一元
中國文化史（上册）英文本	周祥光著	定價印幣六盧比
老子微旨例略 老子衆說糾繆 合輯	嚴靈峯著	每册港幣三元五角
「陶鴻慶老子王弼注勘誤」補正（附「讀老子札記」）	嚴靈峯著	每册港幣二元五角
普通心理學	鄒謙著	每册港幣十元

自由談

政治上要有聲勢

關於召開反共救國會議的問題，海內外輿論界近來紛紛有所論列。有的人認爲如要挽救國難，舍此別無他途；有的說是先要看政府對這類政治性會議是否重視，不宜輕率從事，虛有其表；還有人覺得這是徒亂人意的玩藝，何必多此一舉呢？見仁見智，其說不一。

實則大家如果太過重視這類會議對現實問題的利害關係，那就不免流於書生之見。主張召開會議的，固不宜認爲這就是救國的仙丹，必能產生意想不到之效力；具有相反觀念的，亦不必總總顧慮這會議有甚末不良的副作用。

政治上最重要的條件就是「聲勢」，所謂張之以勢是也。搞政治而表現着無聲無勢的局面，在平時亦係衰世的象徵，在非常時期更是一片「江關蕭瑟」的凋零景色。所以，古今中外一般擅長政治藝術、深諳政理的大政治家，隨時都要發出一種針對國計民生問題的政治號召，教社會大衆起而響應，形成蓬勃的聲勢，以壯觀瞻。利用這項聲勢，對內對外就有許多文章好做，結果總是利多於害的。

現在我們國家正處於亘古罕有的艱危時期，政治上尤其需要創進舉國一致的蓬勃聲勢，集中力量，共赴一的，實行「政治反攻」的諾言，而召開反共救國會議之類的政治號召，即不失爲擲之風聲，張之以勢的一種方法。政府如舉行政治性會議殊不必要，即應該別出心裁，發動更妥當有效的政治號召，以期裨益大局。總之：以不變應萬變的策略，如今不合時宜了。所謂「政治反攻」之道，決非文告傳單所能濟事的！

馮五先生

台灣冬季畫展攻勢

△古畫展、東方畫展、張大千畫展、曾后希畫展

·許傑·

自從教育部梅部長，以鐵腕改組了那早被人霸佔的國立藝術館後，再又把那毫無生氣的「全國美展」暫時凍結起來，以待新力軍的參進，再行舉辦（原定在雙十舉行），這都是過渡時期，值得重視的一種措施。

每年冬季是藝術勃蓬的時期，在台北演戲及畫展幾無日或停，平劇以金山戲院爲領域，話劇以大華戲院爲根據地，名角已陸續排出，話劇演了一個又一個，最近演的是咪啡女郎。可惜沒有較大力量支持，沒有怎樣的發展。畫展方面約分三部分，即爲古畫、西畫、國畫：

一、古畫之展出計二起，一在中山堂，負責展出者爲「郁州山耕農」，出品約百餘幅，雖然好醜混雜，但仍有幾張可觀的東西，如戴熙的山水，八大山人的琵琶小鳥，吳讓之的花卉，李復堂的蓮花，林良的鷹集，都是很有可觀的。二在青年服務社，負責展出人爲「古琴閣」，出品約百餘幅，似比前者爲強，其精品有：爲簡的山水，李鱓的雙松，南田的山水及花卉。這些古代作品，雖然精妙而有民族意義，但參觀並不踴躍（要收門票），購買者尤爲疏落，這足反映出時代的趣味，及社會經濟的情況。

二：西畫：最大規模者乃「東方畫展」，在新聞大樓展出，出品百餘幅，出品人計有中國青年畫人蕭勤李元佳等十一人，西班牙作家七人（其名爲蕤拉達、藤加拉維、達格瑪、或恩吉安、爾埃米、士萊阿蘇、拉拔達等），其畫風爲超現實派，其畫面只看見顏色及一部份線條，什麼也看不見，就連想找一個美的構圖也捉摸不定的，但，有時只感覺色調頗調和，看起來有點趣味而已，這或者就是它們的成就吧！筆者是一個從事研究音樂者，以音樂的方法來看它們時，仍得不到究竟，這的確是玄之又玄了，但，藝術的製作條件絕對不能不要讀者的。淺見以爲美術爲繪形之藝術，只可超形，但不能無形。

三、國畫：在最近十年中，自由中國的國畫家們，因爲集於一隅之地，彼此利害太接近了，難免發生派別的衝突，但因彼此競爭而不得不努力研究，故均有出人意料之進步，此種的情形，大概有點似南宋的情形吧！最近數月來較大規模之國畫展卻多是外來的，一爲歷史博物館所主辦之張大千國畫展，二爲旅港國畫家曾后希國畫展，他們是師徒們，作風略爲相近，但工力即大有分別；大千之畫展約有百餘件，其藝術之深造固不待言，但此次所展者乃張氏歷期作品，有遠在二十餘年前者，故良莠不齊，爲美中不足。（其中最顯著者杜甫詩意之青綠山水及其他巨製山水及珠荷等）筆者以爲張氏既享高名，宜仿效康有爲晚年登報徵求收回不佳之舊作並以新作作爲交換條件，否則遺留於後世，將有傷令譽呢！曾后希爲曾文正公後代，多才多藝，最爲可佩，惟其此次在台展出不算成功，在其抵台後之第三天，大華晚報刊出了一篇有關其最近行爲的香港通訊，對他打擊不小。至其畫之如何，據畫家傅狷夫爲文介紹所稱，雖語多恭維，惟弦外餘音，祗指出其作品以山水較爲可觀而已。其在歷史博物館展出十餘日，成績不見佳，後又于十二月一日轉在中山堂再度展出，並指定其中三十件精品售出捐作勞軍之用，始稍轉其頹勢，其餘尚有高逸鴻向前王漁屏等畫展之舉行，這裏不及一一介紹了。

風

（無病呻吟）

尤宗洵

風吹草動，是自然現象。不必多廢話，然而因爲與自已不免有些相干，便呻吟幾句。

第一次求助于風，是放風箏時候。風不起，無法昇空；風太大，也不行。于是只好求了，然而既不是孔明再世，風終是求不到的。

風吹來，有涼意，這是最普通的感覺，因而熱時便希望有風，可以涼涼。但也有不涼之風，理髮店裏所謂的吹風是也。熱烘烘的，然而因爲有着一股風吹來，便叫吹風。鳥乎，此風也的確令人呻吟。

至于風涼話，大約也屬于冒牌貨品。

風能予人涼意，是指平常的風。然而一旦「大風起兮」，則何止于「雲飛揚」呢？就台灣的颱風說，人們總不免視爲災禍，因而「深惡而痛絕之」。

但微風則最受人歡迎。微風起來，沁人肺腑，確實妙在其中。

另有一種慢性侵蝕致人于死地的風，即燻人的風。燻得人飄飄然，如醉如癡；所謂「煖風燻得遊人醉，直把杭州作汴州。」最後，完蛋。此風萬萬不可長。

一年四季春夏秋冬有風，四面八方，東西南北有風，吹來吹去，引起許多千古佳作，就這一點論，風又是一位文化功臣。

暮遠樓詩二首

宇靈莊君，令題蜀師自畫像，爲書二十八字，其實未見畫也。

魯殿吳宮跡已無。漢陵隋苑亦先蕪。含毫和墨沈吟坐。試寫臨安山水圖。

讀書雜詠

自別江津向海潯。十年世事費哀吟。比來怕讀神仙傳。爲說蓬萊水淺深。

伍俶

秋後台北菊壇

·張瘦碧·

台北的國劇界，每年一到十月慶典以後便開始熱鬧起來，不論伶票界都如此。去歲筆者曾有「歲暮話台北菊事」一文，在本欄報導，如今又快屆年終，台北菊壇較諸往年，似乎更形熱鬧。這與三軍康樂國劇隊的熱烈提倡有關。自國光電影院的晚會，改爲國劇專用之後，由國防部直接管轄，[illegible]國風劇團演出，爲胡少安領隊，[illegible]中山堂公演，王寶釧及苟灌娘。空軍方面，大鵬劇團，正連日趕排新戲，其代表作爲大名府，安天會，漢明妃、青石山、珠痕記、賈家樓，頭二本伐子都，李七長亭大戰宛城，紅桃山，得意緣……等，演員陣容頗堅強。

除了三軍國劇隊有一個月長期公演以外，復興劇校學生，新院泰國宣慰僑胞歸來，在三軍托兒所禮堂，公演八五花洞，及搖錢樹，主要角色，年歲均在十茂左右，武藝做派，玲瓏可愛。教育部主辦之國立藝校，自梁秀娟主持該校戲劇科以來，近曾在國立藝術館演出兩場，該校青衣沈雝，刀馬旦李居安唱演祭塔，王堂春，青石山，小放牛，極得好評。票社方面，文藝有施傳青演出壇林宴。營業戲方面僅有金山一家，秋後先由張正芬開演，繼由關鴻賓繼之，眼看歲將云暮，台北菊壇，又有一番新熱鬧。

門外談新詩與新詩人（三）

·士瀅·

早年的周樹人，周作人也都寫過一些白話詩，左記文氓中的郭沫若，成仿吾，田壽昌，也寫過詩，過去的創造社刊上常登載一些不成熟的但可歸之於浪漫派的詩，郭雙子、田老大，因爲和宗白華都同在日本留過學，合印過一本三葉集，是討論詩的寫作的小冊子，民國二十年左右還可以看到，現在則恐早已絕版了！其他如新月派詩人，邵洵美，孫大雨，以及馮至等，亦有一些作品，尤以後二人較多，另外有章衣萍以及因寫「打麻將，國家事，管他娘」而騰喧當年上海報章雜誌的曾今可等，亦曾發表一些白話詩。再如與女作家白薇在日本大談戀愛而同居把情書印出來的楊騷，亦算是當年上海灘上的一位浪漫派詩人。

舊的白話詩人已經退隱，像宗白華，已不知所終，像沈尹默，則陷身在群魔亂舞的北平，以書法娛晚年，至於康白情，民國三十二年春財政部發表簡派一位名叫康洪章的爲蘇浙皖區菸類專賣局局長，就是詩人康白情的別名，可是他不願走馬上任，甯可守在重慶，後來孔財神只好另外派了一位國庫署的副署長王某接替他，否則我倒可以和這位詩人在一起做事，這些人從中國舊詩的束縛中解放出來，其作品倒還有一種清新滋味，至於後來新起的一部份詩人，連這點清新滋味亦無從保持，所以白話詩走的路子愈來愈狹隘。王國維在人間詞話中說：「詞以境界爲最上，有境界則自成高格，自有名句」，詞如此，詩亦如此，白話詩更是如此，寫白話詩的人應該細細體味他這幾句話。

記得二十多年前讀胡適之的詩送任叔永回四川時，深覺其情調別具，今錄其一段如后：

你還記得，我們暫別又相逢，正是赫貞春好？
記得江樓同遠眺，雲影渡江來，驚起江頭鷗鳥？
記得江邊石上，同坐看潮回，浪聲遮斷人笑？
記得那回同訪友，日暗風橫，林裏陪他聽松嘯。

這首詩裏的「他」，是指當時同在美國留學的陳衡哲女士，（陳後來與任叔永結爲夫婦，曾在上海做過暨南大學教過書，是位歷史學家，任則做過四川大學校長），這種從舊詩詞脫胎寫出來的白話詩，其韻味與意境要比後來的新詩人要深厚得多！

四十年來，中國產生了許多白話詩人，也印許多白話詩集，但是在新詩的園地裏，我們不沒有莎翁、拜倫、雪萊、華茨華斯，也沒有愛默生、郎非羅、惠特曼，這一類的大詩人，更談不上有寫伊利亞特和奧德賽的荷馬、寫神曲的但丁、寫失樂園的密爾頓、寫浮士德的歌德了！

有的人竟至從日本人的俳句（亦稱發句，日本短詩）中去找尋中國白話詩中已失去的意境美，像小河長詩的作者周作人就很欣賞日本俳首如同：「蒼蠅，它在搓手搓腳呢」！有的人索性從舊詩中找尋慰藉，過去像清華外交系名教授吳雨僧（宓）、王了一（力），浙大外文系教授梅光迪，以及以「著書都爲稻粱謀」的名小說家郁達夫，以及以吶喊、徬徨成名以至誤入歧途與狐鬼爲伍的魯迅等，都有意無意地走上這條路。

或問白話文學中的新詩眞的已走到絕境了嗎？以一個門外漢的我看來是不會的，在我們的悠久歷史裏，一千多年以來，產生過許多偉大的詩人，像歌吟大自然的陶淵明，斟字酌句的杜工部，天才橫溢的李青蓮，作詩務期村嫗都能解意的白居易，以及王摩詰、孟浩然、韋莊、蘇東坡、黃仲則，一連串寫不盡的大詩人，他們智慧的光輝一直照耀着我們，歷久而彌切！從我們歷史的傳統看來，中國人的靈魂深處是有詩的泉源在的，不但有泉源，而且有無窮盡的寶藏在，祗是近代的白話詩，一方面拋了中國舊詩中固有的意境美韻律美的優點，僅僅獲得了形式上詩體的解放，是不夠的，所以詩的味道愈來愈淡薄了，使少數人以爲已經走到了絕境，但是白話文學是不會滅亡的，正像胡適之先生說的一樣：「它是我們老祖宗帶給我們的遺產，並不是五四時代倡導文學革命的一班人所創造出來的」。祇要我們白話文學寫作者不斷地努力，尤其是白話詩寫作者的努力，終有一天，中國的新詩壇，總會開出美麗燦爛的花朵來的！（四十七，九，廿六脫稿，十一，十八謄清。）——（全文完）——

談讀古書

·陳宗敏·

通常我們說：「讀萬卷書，」但若我們根本失却了活潑的思考力，則我們將不知不覺的把我們發明創造的能力埋葬在書卷裏，我們的思想將漸漸的被紙張文字所奴役。我們可能的成績，最多把我們自已的腦子訓練成一架古人的錄音器，或者成爲古人的打字機。於是，我們只能承襲過去的一切，完完全全的全盤生呑硬嚥。我們不會有所選擇。只是有目卻「視而不見」的跟着古人亦步亦趨。這就和一個書櫃子藏滿了經、史、子、集，但書櫃子永遠是書櫃子，我們難道可以承認一個藏滿「萬卷書」的櫃子是位有學問的聖者，學人？

我國過去多少秀才學究，那個不是讀爛四書五經的，但這許許多多的讀書人，在文學史上能夠有創見，有發明的，幾乎是鳳毛麟角。這似乎可以說明「讀萬卷書」不過是種好習慣，但決不是培養思想，探求學問的正確方法。

「盡信書，不如無書。」我們讀古籍，必先謹愼提防自己莫被古人把我們訓練成一位「多烘先生」，我們要培養活潑的思考力，即是堅持一個原則：任何聖賢權威的言論學說，僅供我參考，任何學問必經我的批判，透過我的思考。無論我的思考與批判價值如何，我可以由幼稚漸至成熟。所以，培養活潑的思考力，願與好學並行不背

自由人
THE FREEMAN
（第八一二期）
中華民國僑務委員會
台僑登記證新字第一第二號
中華內政登記證台字第五〇〇號
中華郵政登記爲第一類新聞紙類
（半刊每星期三六出版）
每份港幣壹毫
台北市售價台幣貳元
督印人：陳文華
地址：香港高士威道二十號四樓
20 CAUSEWAY RD. 3RD. FL. HONG KONG
TEL. 771726
承印者：東南印務出版社
地址：萬打士道六十四號
台灣總經理處
台北市西寧南路壹壹零號二樓
電話：三〇三四六
台郵撥儲金戶九二五二
海外總經銷：友聯書報發行公司
香港：德輔道中二十六號A二樓

談「單一匯率」

陳式銳

行政院於十一月廿一日實施「單一匯率」，是一項新底改變，爲四月十二日改善外匯貿易方案以來的關連措施。它是把乙兩種匯率合併爲一，亦即把原甲種匯率（進口）由二四．七八元調整到三六．三八元（出口三六．〇八元），提高了四六．八％。因爲它直接影響於必需品（棉花、大豆、小麥、石油）及機器的進口價格，使公營產品的出口（糖、米、鹽）增加了收入，亦加重了美援借款償還的負擔；本質上，又牽涉到政策性的變動，所以引起了社會普遍的注意。我在這一問題上，曾經參加了學術性的座談會，亦應邀對民營報發表意見；現在我把個人對此的看法，作一撮要底敍述。

官價匯率的一元化

在「單一匯率」的意義一點，曾有爭議。當局的新匯率（台灣銀行進三六．〇八元，出三六．三八元），包括結匯證價格在內；而結匯證有官價與市價之不同，所以有人視爲仍有兩種匯率。外貿會主任委員尹仲容的解釋是：「政府匯率僅限於台銀公佈的牌價。現在政府根本未承認有什麼結匯證市價，市場價格如何能爲準。且目前一般單一匯率的國家，牌價與市價也有差別，我們不能即認定其不爲單一匯率。市場結匯證政府所賦予的是優先申請權，由此而發生的增益，不能誤解爲匯率」（十一月廿三日台北徵信新聞）。其實，匯率原是調節外匯市場的供需，亦即平衡市場供需的工具；在管制制度之下，這種自然底調節作用，已爲人爲政策所代替。所謂人爲政策，即導到某些目標，而採行不同底匯率（複式匯率）。這些目標，大別有：（一）壓低必需品進口的價格；（二）抑低次必需品及奢侈品的需求，以節省外匯；（三）供給政府的財政收入；（四）扶助發展經濟，並保護國內工業；（五）以懲罰匯率允許無形支付及資本出口。台灣過去所行，雖不盡如上所舉，原甲種物資的進口，在棉花、黃豆、小麥、石油方面，即屬於壓低必需品的價格；機器原料方面，即屬於發展經濟；防衛捐等，即爲財政收入。此次改爲「單一匯率」，其意義即不再顧及政策的運用；它在本質上，意味着欲就匯率本身以解決外匯的問題。但是，眞正調節外匯市場的供需，必須處於自然的狀態；一有管制，即喪失眞實底意義。所以當局此次所行的「單一匯率」，充其量，只不過是官價匯率的一元化而已。

單一匯率如何維持

再說，過去幾次外匯貿易的改革，也許都均以通貨膨脹之故，新台幣貶值，匯率偏低，不得不迫當提高。四十二年的出口匯率爲一五．五五元，當時美金的黑市爲二七元，匯率的偏低達四二．六％；四十四年的出口匯率爲二〇．三五元，美金黑市爲三五元，匯率的偏低仍達四一．九％；現在美金黑市爲四五．〇八元，匯率的偏低是一九．八％。匯率偏低，直接的影響是阻礙出口；此正與促進貿易的政策功用相違背，不得不加調整。但以通貨膨脹之故，一再提高，底落在美金黑市價格之後。試看發行的指數：四十二年爲一〇〇，四十三年爲一一二．九，四十四年爲一五一．〇，四十五年爲一七〇．四，四十六年爲二〇七．六，四十七年來增加到一倍強。所以談到現在的「單一匯率」能否維持下去時，尹仲容氏且說：「假使是天天拚命發鈔票，那是水漲船高，任何人都沒有辦法」（十二月一日台北聯合報）。

建立結匯證市場

調整，當局此次對匯率的[illegible]，我們看台灣的對外貿易，四十六年結匯出口一億[illegible]萬美元，進口二億[illegible]萬美元，入超八千三百七十萬美元；在進口之中，結匯進口一億三千八百八十萬美元（[illegible]〇％），美援進口九千八百七十萬美元（三九．一％），其他進口一千四百七十萬美元，[illegible]情況之下，我們的入超若存在近[illegible]％底美援進口，實在無法[illegible]增加出口，[illegible]逐漸取消美援的依賴，爲要求此一目標，無疑[illegible]匯率偏低至一九．八％之下，出口的鼓勵，要看結匯證的功用，也就是它的進口「優先申請權」有多大底「增益」。其次，蓋在現行官定匯率之下，結匯證的牌價已納入「單一匯率」之內，欲求偏低的補償，只它的「增益」是了。這一點，我想當局應該在研究之中；否則，終難以達到所懸想底遠景。其次，結匯證既是當前外匯的重要工具，它不能不有公開的市場；況當局正謀促進「經濟的正軌發展」，結匯證市場的建立，自然亦爲正軌途徑之一了。

開放自備外匯

再者，台灣戰前的進口總值二億三千萬美元之數，當時人口爲五百餘萬人；四十六年的進口（包括美援）爲二億五千萬美元，但人口已增至近千萬人，進口物資不足可以想見。今後即以出口而增加外匯，亦非一蹴則可達到，以增加物資，由自備外匯進口，仍爲必要底措施。觀「四一二」改進方案，自備外匯進口列爲要點之一，惟五月廿一日所公佈的辦法，須以出售物資所得之款在台灣銀行凍結半年始得動用，顯然是欲行又止底態度。當局或許顧慮到套匯；而影響外幣價格的變動，以過去實際上的自備外匯進口，並不少爲套匯的輸入，並不見得影響美金價格的波動。況且，自備外匯的進口，由於物資增加（包括品類的放鬆），可以減少或杜絕私進口，又是另一善端。此一着，希望當局一併重加考慮，眞實地予以開放。

目標應在促進外貿

就此次措施的影響，公營出口糖、米、鹽的收入是增加了，台糖公司的出口損失所招致的困難，由此獲得解決；而台灣電力公司等因美援借款的負担，當局已與美援當局協商延長償還期間及降低利息，算是有了安排。惟在實施之中，當局忽略了民生必需品如原甲種物資之石油、大豆、小麥、棉花價格的波動；尤以公營機構的不適度地抬價，乃受輿論的指責。當局雖一再解釋其他物價不受影響，究其實波動幅度二〇—一五〇％，無法不影響於一般物價水準的提高；蓋百川歸海，終是匯成水平，某些物價殊無獨立的可能，爲一常識，不是解釋可以了事。

尤其台灣此時正是旺季，過去物價的波動，大多發生於此一季節；現在麵粉漲了價，刺激米價的波動；米的漲價，則又牽同其他必需品以刺激一般物價。此一情勢，在旺季的活動特甚；所以「單一匯率」實施的時機，似嫌欠加選擇。因此，它帶來了另一物價問題，卻得當局加以調節，以防止其傷害經濟的發展。

此次措施，我個人瞭解其爲「一連串改革辦法中的一個項目」，而不是由此就可以解決一切問題；所以官價匯率單一化，應當把它的目標放在促進對外貿易，以進而針對此一目標，以解除貿易的障礙，尤其在金融、租稅、變進出口手續等的革新與合理化，與其密切配合，才能眞正收到功效。（十二月十日）

半週述評

關於毛酋退位之說

日來報紙上忽傳毛酋澤東將要退位的消息，原因是由於「人民公社」制搞得天怒人怨，連各級共幹們亦深表不滿，乃決定不再提名毛酋聯任秧歌王朝的主席職位了。

這種說法是把毛酋在中共的地位，看成如俄共主席的伏洛希羅夫一樣，形同傀儡而已，毛澤東是這末一塊料嗎？笑話！兩年前，大陸上瘋狂進行「農業合作社」運動的時候，地方共幹亦有許多人認爲窒礙難行而表示異議者，浙江省且將一萬多個農業合作社給解放了。然毛酋大爲震怒，斥責持反對意見的共幹如「裹小脚」，終於貫澈他的原有主張，而浙江僞省長沙文漢等一羣共幹，且遭到了整肅的命運哩！

決不致被迫下野

「人民公社」制之出現，事前當然經過「共黨高層領導階級共同商討決議的，縱然行不通，亦不能將責任完全歸諸毛酋一人，而要請他退位，以平民憤，這是資產階級所謂「萬方有罪，罪在朕躬」的封建思想，焉能語於共產黨人呢？至於毛共在台峽軍事冒險雖不得逞，卻打出了一個華沙美、毛談判，又產了一種不以武力反攻大陸的中、美聯合公報，在政治上它已經大有收穫了，更不致因此而使毛酋不安於位，殆保常識所能判斷的事。秧歌政權的軍事力量，全在毛酋掌握之中，他若不是別有苦衷而自動告退，誰能撼動他？誰敢撼動他？

日本方面的觀察家，認爲毛酋如果眞是「倦勤」，亦係爲要避免共產政權領導階層間的權力鬥爭禍患，不如早爲之所，趁他在生的時候，即產出一個繼承人，自己仍以黨魁身份，實行以黨馭政，控制一切。這亦是天眞無邪的想像之詞。在專政獨裁的極權政治生活中，權力即是生命，必須「鞠躬盡瘁，死而後已」，誰也不願意體諒恬退的。何況毛酋秉性陰鷙，酷嗜權威，並非朱德之流的椎魯無能者可比，他決不屑作「太上皇」，更不肯私淑俄共主席「伏老」的風範。祗有一種情形可使毛酋自動告退，那就是受着病魔的困擾，命在旦夕，不復有掙扎之力了。前幾年曾傳說毛酋肺病深沉，又說他害上了癌症，有一於此，則以望七的風燭殘年，很可能陷於不支的狀態中。他這次久在武漢召集各種會議，亦或許是由於病體受不了北國冱寒氣候所使然，亦未可知也。

毛酋垮了又怎樣？

即使如日本觀察家所預料，毛酋要在有生之日佈置好繼承人，以期消弭未來的內部權力鬥爭之禍，這亦是秧歌政權的進步現象，對自由世界有害無益。若如台灣方面的消息所示，毛酋受到各級共幹的檢討非難，被迫去位，然其結果亦並不見得秧歌政權就宣告崩潰。史達林死了，有馬倫科夫；馬酋鬥垮了，還有赫魯歇夫。在人民沒有任何自由生活的共產社會中，統治階級個人的去留隱現，可說是跟自由世界毫不相干，要摧毀鐵幕，非從外而予以實力打擊不可。大陸上的民衆儘管對共黨抱有「及汝偕亡」的敵愾心理，沒有外來力量的支援指導，他們即沒有揭竿而起的可能！

我們不必重視毛酋是否去位的問題，尤其不應憑主觀的願望來分析敵情。最重要是能夠準備充分的力量，乘機跟大陸同胞裏應外合，給毛共以沉重打擊。否則毛酋即告死亡，又何有於我哉？

雷嘯岑

論所謂「亞非經濟會議」

曾旭軍

最近在開羅舉行的所謂「亞非經濟會議」，究竟是什麼東西？顯然，它是蘇聯想操縱亞非二洲國家所玩弄的另一花樣。據開羅電說：該會議有[illegible]代表團，曾要求邀請中華民國及南韓參加，且印尼及非律賓在內之要代表表示抗議。但蘇聯的同路人在會內甚多，不會被排除出來的，就算蘇聯退出，我國不能也不會參加，因爲水油不能混合。

「亞非經濟會議」的來源是怎樣的呢？一九五五年蘇聯未有參加在印尼萬隆舉行的「亞非會議」，但從此以後，蘇聯總想從後門走進此會議。但它之陰謀，好像她從外交上，企圖使[illegible]即成爲第二屆有政府代表的亞非會議主辦城市之一樣的未成功。在去年十二月，蘇聯利用共黨「人民」陣綫組織，安排一個所謂[illegible]的亞非團結會議，而不[illegible]府的代表[illegible]。該「團結會議」秘書處定下一方針，要設立一個亞非經[illegible]合作的機構。又在今年的七月十六日至二十二日，在斯德哥爾摩舉行所謂「[illegible]和平會議」，通過一項廣泛的議[illegible]，係增進國際經濟關係。在次月[illegible]開羅舉行一個「亞非經濟會議」[illegible]年十二月舉行一「亞非經濟會議」，以上三者卻是目前這會議可以[illegible]的線索。

據開羅的宣佈稱：雖然請柬發給該區域約一百個國家或領土的總商會及類似的商會，[illegible]其他國[illegible]，蘇聯的參加似乎也被邀請之列。奇怪的是，擬議中的會議是非政府[illegible]，蘇聯的參加更顯得奇怪。[illegible]引起亞非會議的更惹人注意問題。雖在地理上蘇聯有大部份土地跨[illegible]洲，但在一九五五年赫魯曉夫偕布爾加寧訪問緬甸時，曾聲明道：「我們是屬於西方的。」

顯然的，這個所謂「亞非經濟會議」，和那以開羅爲會址的亞非團結委員會有關連，印度之共黨黨徒馬拉維雅就是亞非團結委員會秘書長的一要員。

蘇聯就是這樣千方百計利用同路人或其傀儡陣綫，去謀控制亞非二洲國家的經濟和政治。亞非團結委員會曾主張開所謂『人民的萬隆會議』。而蘇聯在塔什根召集亞非二洲作家會議時，赫魯曉夫也到會，且稱之爲作家的「萬隆會議」。許多參加塔什根會議的人，起初還眞的想，以爲是純屬討論寫作與文學問題。誰知到那裏去聽赫魯曉夫的訓話，他說：『我們的目的是和殖民地主義與資本帝國主義鬥爭』。其後又同樣的舉行亞非電影節。此次之『亞非經濟會議』，共黨稱之爲經濟的「萬隆會議」。他們都想從經濟與文化中，設立一個永久性的組織，給共產作怪的工具。[illegible]

[illegible]

更正。上期「中共[illegible]」一文，第一節末段「蘇聯……以不拿同志[illegible]作試驗的犧牲品」句，「以不」二字係多植的，合行更正。

四十七年監察院檢討會議的檢討

○馬周○

台灣通訊

監察院在本年初彈劾了行政院長俞鴻鈞以後，不再以「老朽昏庸」或「只拍蒼蠅，不打老虎」的口頭語加在御史老爺身上了！

最近自本年十一月六日起至十二月四日止開了一個月的檢討會，共計連續舉行了二十次會議，對政治、國防，外交、司法、財政、經濟、教育、交通、僑務、邊政等各項有關問題，都作了比較、深入的檢討，對於自由中國的政風國運有關，此時此地，實不應以等閑視之。在其綜合的提出了三十四點意見中，有五點關于一般政治的是：

（一）在當前情勢上，國人尚應信任政府，政府亦宜博采國人意見，團結一致。（二）尊重議會職權，改進選舉辦法，議會之決議案及單行法，除違憲或違法者外，上級政府不宜以命令加以變更或撤銷，其不當或不能執行者，應提請覆議，否則即當勉予執行。（三）行政效率尚待促進，必須裁併駢枝機關，簡化指揮系統，切實實行分級負責制，及分層負責制。（四）中央及地方人事制度與政策，亟應改訂，關於人事凍結，考績不實，退休辦法，均有積極改革之必要。（五）恢復大陸人民自由之主要途徑雖爲實行三民主義，然武力亦有使用之必要。故整軍經武之工作，仍應積極加强。軍人待遇，亦應酌予提高。此五點建議就自由中國一般情勢而言，可以說沒有一點不針對事實。所謂團結一致係指此次檢討會中有若干委員主張召開反共救國會議加强團結而言。所謂尊重議會職權一項係指若干委員希望嚴格規定縣市長候選人資格及議員在會議發言及表決不應負責而言。所謂促進行政效率係指現有若干機構無事可做，形同虛設如民防司令部之類，只是各縣市養了若干冗員，至於各機關的行政效率，仍未見有所改進。所謂改訂人事制度，則因各機關因人事凍結，未實行退休，致失新陳代謝作用，待遇菲薄不能養廉致紅包之風盛行而言。所謂整軍經武則係針對着現在海內外失望的民心而打的一針興奮劑，也是此時此地應有的文章。否則監察委員也不成其爲民意代表了。

其次，係提供行政院注意辦理有關外交事項者三項：（六）當前我外交方針應就文化、貿易、及國民外交方面統籌策劃，展開活動；（七）增加外交經費以適應實際需要；（八）愼重遴選使領館人員及出席國際會議的代表人選；

這些意見都是當前自由中國外交上的實際問題，可惜只有原則，並沒有方案，那只有期之於行政院了。監察院檢討會中對於外交事項，却有一項值得注意的提案，委員陶百川等四人曾提出臨時動議案；認爲：「對年來由其國會組團訪問我國之澳意等國，吾國亦有組團出國訪問之必要，經決議通過交外交委員會，對監察委員之要組織訪問團出國訪問友邦案，此間聯合報黑白集曾有評詞，認爲：「由監委組團出國訪問，增進國民外交。惟關於名義問題，意見不一，有主張用國會名義者，有主張以視察駐外使領館名義者，亦有主張兼用兩種名義者，雖名目仍待巧立，而出國則勢在必行。國會名義之爭，似尚未決，倘監委一馬當先，扛起這塊招牌出國，是否將使爭議重起？暫且不論，惟就監察權的行使而言，不重內政，而重外交，殆不無本末倒置之嫌！」等語。至于如何正名，尚有待于提出具體辦法，是要看監委是否實事求是，使不致引起覆問題來才好。其次，關於對於中共情形的研究，倒提供了一項確切的意見，以期打開「包辦反共」環境中的「敵情專利」的不合理現狀：

（九）關於俄帝及中共情勢之研究，政府應將全國敵情調查研究機構予以調整，集中人力財力，作廣大深入之研究。但仍未能公然主張將這些資料研究，公開於社會大衆，盡衆人的智慧來「研究發展」，來個「知彼知此」，現在究竟有那些機關在研究這些問題，其成效如何，也正如「敵情」一樣的被鐵幕所掩蓋，豈爲自由中國應有的現象？

監察院的檢討會中，對於財經問題頗特別有興趣，所發現的問題也最多，因而提供的意見有十一項之多：（十）中國、交通兩銀行復業，自爲「適時」之措施，中央銀行亦應復業；（十一）預算收支，應設法平衡；（十二）公營事業收入均應依法全部列入國家預算；（十三）事業與預算不能配合，應切實執行預算；（十四）調整稅制，健全並整飭稅收機構；（十五）酌予提高軍公教人員之待遇，並對待遇標準有一較合理之統一規定；（十六）經濟政策與財政政策，應互相配合，不使經濟爲財政之尾閭，實爲當前切要之圖；（十七）改善公營事業機關之管理，以免除日益增多之賠累；（十八）公營事業機關除繳庫之比額，今後不宜浸予提高；（十九）公營事業機關如石油公司之石油漲價，中央信託局標售小麥，領導漲價，刺激物價，發生多種不良之影響，應檢討改正；（二十）新建工廠如台灣肥料公司第六廠，花蓮氮肥工廠，台碱公司之强力漂粉工廠以及彰化啤酒廠等或開工一再延期，坐耗巨額維持費用，或雖開工，而產量或品質未滿預定標準，致有大量虧損，應查明責任；

以上關於財政經濟所提供的十幾點意見，包括稅制、預算、軍公教人員待遇和公營事業諸方面，中國、交通兩銀行與中央銀行之復業，憑何理由，謂之「適時」？此間通貨膨漲的情形，已無法諱言，再加上若干銀行來興風作浪，大陸的教訓還沒有受夠嗎？預算之不能平衡，固然可慮，預算以外的收支，爲何不予提及？預算執行各級機關都應尊重審計權，而十二月八日監察院五五八次會議中所提出的：「審計部對於國防經費的審核，似嫌不够，今後應設法加强。」（公論報）並沒有提及，似乎自由中國的國防經費審計部未必能管得到。提高軍公教人員待遇和改善公營事業機關的管理各項意見，似乎言之已久，並無新奇之感，只是已有的公營事業機關賠累日增，現在却反而又添了若干賠累更多更巨的公營事業機關工廠了。

其次，對於自由中國教育方面提出了五點意見：（二十一）現行二部制或四部制的國民學校設施，應予以消除；（二十二）現有研究所三十所之多，而實效如何，有待檢討；（二十三）當前教育方針因重科學知能之培養，而我國傳統文化之優點亦應注意發揚，（二十四）初中免試升學試行有年，利弊互見。然地方財力不克負担，此種政策應如何加以權衡，主管部門應迅予考慮；（二十五）中等以上學校學生軍訓未能切合實際，殊少裨益，主管部應爲籌劃改進；對於教育方面的意見，從國民學校到研究所，從教育方針到軍訓都提供了意見，多爲此間輿論界所已言及的，只是免試升學一項，說得有點矛盾，記得于右任院長榮獲中華學術獎金那一年，監察院的委員到新竹視察免試升學，替前教育部長張其昀捧場一番，而當時立法院正因免試升學和張其昀鬧得不可收拾，不意張其昀下台以後，監察院又要教育部將「利弊互見」的免試升學迅予考慮了，不免使人有朝令夕改之感！

其次，對於自由中國交通提供了兩點意見：（二十六）政府應積極輔導民用航空事業的發展；（二十七）政府應切實獎勵海運，購製船隻，其原有之船隻亦應汰舊換新，以達國際海運之標準；現在自由中國之空運，操在美國人辦的「民航空運公司」手裏，中國人的復興航空公司和遠東航空公司對於環島飛行，都應付不了，形同虛設，如何將該項權益，收回改由國人經營，也確是有心人之言，但如寄之於現時的政府，希望未免太奢，至於航海方面則有六七十年歷史的招商局在勉强維持，合發航業公司已經靠賣船過日子，有朝不保夕之勢，相信自由中國的航業界聞此意見極爲興奮，可惜政府對此心有餘而力不足何！對於交通事業，監察委員袁晴暉曾在十一月二十四日的檢討會上指出：「許多政府機關首長房間裝冷氣，郵局以千萬元建築合乎國際標準的大廈，但我們的工業却並未達到國際標準。」（十一月廿五日聯合報）而此項浪費情事，未能提出，以促起政府的注意，未免美中不足。

此次監察院檢討會議中指摘最具體的爲司法方面，共提供意見四項：（二十八）切實保障人權，並依憲法第二十四條建立冤獄賠償制度；（二十九）爲求審判之獨立，憲法第七十七條規定法院應屬於司法院；（三十）訴訟案件過多，法院現有人員辦案超過標準，亟應添設法院，增加員額並疏減訟源；（三十一）司法界風氣不良，應以全力挽此頹風；這四點意見已經說明了現在自由中國的司法界問題甚多，人權未能獲得可靠的保障，審判不能獨立，往往受到干涉，司法界風氣不良，這些都是此間輿論界所指摘的，此次監察院不過重爲提出而已。最後，對以僑務提供了三項意見：（三十二）加强輔導僑民教育；（三十三）印尼政府迫害華僑，政府應採取有效措施；（三十四）吸收東南亞華僑僑資，應改善投資環境，應由有關機關切實辦理。在華僑遭受迫害的時候，政府限於事實，束手無策，監察委員作此呼籲，與立法委員作桴鼓之應，雖不由其有效，總算是代表了老百姓，發出了正義之聲了。這次監察院開了一個月的檢討會，提供了三十四點意見，當然沒有包括無遺，但是已經足够警惕的了！有人認爲該院自開院以來迄未有如此大胆的作風，因此認爲是該院有史以來最大的收穫。不過這都是對監察院以外而言，至於監察院內部的檢討如何呢？第一，彈劾案如彈劾江杓金開英案，彈劾孟昭讚案都沒有下文；第二、十年來有很多違背憲法精神的事情發生，但監察委員並未當做重大事件來看。（十一月十七日聯合報刊「監察委員曹啓文語」）第三、檢討會議結束之日，各監察委員收到匿名傳單，指摘該院某單位印刷表報有舞弊情事。第四，監察委員指摘監察院的專門委員不「專門」，且不經過委員會的同意就任用，（見十二月五日自立晚報）。這些問題都是監察院自己應該改進的問題。

監察院大規模檢討業務的收穫是什麼呢？據十一月十九日自立晚報新聞眼的記載：（題目爲監院處境新展開）「一、監委于鎮洲昨日在院會中報告。透露陳兼院長已在一項會議中指所屬對於監院所提糾彈案件，必須澈底執行；二、司法院院長謝冠生已定期邀請監委餐敍，全體大法官均將作陪，諒爲兩院合作之開始。三、立監兩院之合作？短期內諒必有新開展。」

僑聯開會與農產實況

本月十一日，中共的全國歸國華僑聯合會在廣州開幕，這一會議之在此時此地召開，無非是希望海外華僑對於奴工式的人民公社加以支持，辦法是用一連串的數字哄騙，因此，這幾天來的宣傳報紙用盡了方法，來宣傳這種一再誇大了的數字。

第十九期新華半月刊載有兩篇批判性的文章，都與中共的捏造數字有關，前一篇是河南省委第一書記潘復生說：「河南的基本情勢是：人多地少，地瘠民貧，耕作粗放，自然災荒，生產不如一九五一年（按一九五一年尚未土改），合作化以後生產力倒退了，幾年來農業沒有增產，農民生活很苦，生產情緒很低，農民過去和現在和牛馬一樣。」前廣東省委書記、副省長古大存說：「農業增產是騙人的，農民的糧食不够吃，農村漆黑一團。」他非常痛恨「工作成績是基本的、主要的，缺點錯誤是次要的、個別的」說法；原因是：在一九五八年「普選」時節，中共當局怕「民主搞得太多」，會徹底的打擊幹部的積極性，於是定下了這樣的原則：「要首先肯定成績，然後適當批評缺點，要根據這一原則來批判，否則就是違背了民主；還有，上述原則給中共幹部揑造成績，賜給幹部一具抵擋批評的盾牌，于是上下幹部互相爭寵，於是數字愈誇愈大，古大存在這一問題上要與廣東省委硬幹，這樣，一方面說明中共農業數字的虛偽性，另一方面說明所以會出現這些虛偽數字的基本原因。

現在，他們正在通過僑聯會議用這些虛偽數字引誘海外華僑，可惜人們對于生產的數字，並不是單憑這種數字的，最重要的還是人民的實際生活情況，即使把僑聯大會搞得再熱鬧些，把數字再誇大一些，恐怕已經騙不了有實際經驗的海外華僑了。

新的矛盾與對立

在中共佔據大陸初期，是黨與地主、資本家對立；在社會主義改造時期是中共與工商業者、農民羣衆對立；現在的人民公社時期，則已擴大到少數領導黨員與普通黨員和工人羣衆的對立了；這種對立的現象可以見之于這一個多月來的關于取消「資產階級法權」的討論，其中心問題是取消工資制與實行供給制；參加討論的有工人與幹部；由于這種結論之不易得出，才使中共還沒有在城市中普遍成立人民公社。要是毛澤東硬要在死胡同中變把戲，則不居于領導階層的普通黨員亦將羣起而反毛。看來他這種做法確實是有利于資本主義在大陸恢復的，看上去「左」，實際是「右」的「美帝間諜」的陰謀。武漢之會已快二十天了，顯得問題之不簡單，這批中共的領導人似乎是在嚴重的考慮做不做「美帝的間諜」。——是不是再從「左」急變到「右」。

蘇聯會跟中共走嗎？

十二月七日「人民日報」報導：蘇聯各地正在廣泛開展「共產主義勞動工作隊運動」，這種運動除了要加倍完成生產任務以外，而且還要求其成員在學習和生活上，都要按照共產主義的精神來行動，完全消除思想意識上的資本主義思想殘餘。若把這一運動與中共的人民公社運動來比較，可以看出在這方面上是一致的，在程度上是不及中共人民公社的猛烈。人民都認爲目前蘇聯的經濟發展是背向共產主義的，而這一運動却違反這一趨勢，這種情況極堪注意；要是赫魯曉夫胆敢效法中共發展人民公社，那末我敢說他就會馬上垮台；說實在的，大概只是裝裝樣子而已。

○田心○

稷下談龍錄（三）

世界人口增加問題

○賈若虛○

蘇聯對煤的生產每五年加一倍。日本的動力消耗在一九三九年比一九三〇年多百分之七十，而在一九七五年將爲一九五〇年的加倍。他又說印度南美非洲等工業化開始後，燃料的消耗可能每十年增加一倍。本來世界所有動力的來源，如煤、石油、水力發電，及原子能等等，均經專家計算，存量並不豐裕。煤大概至多可用五百年。油約一百年後便將用完。水力發電與木材均不算重要。原子能則鈾鈈等原素雖分布地面，但可以經濟利用的數量不算多。其存在地面花崗石裏的，則含量少，開採成本大。現在重氫氣，原子能，潮汐，風力，日光，地心深處熱力，甚至宇宙綫都已有專家考慮利用爲動力來源，但何時方可以有成就，尚無法知道。在此處值得一提的，爲自然科學裏重要支柱之一，所謂熱力學第二律者，對人類將來命運關係甚大。

賈：願聞其詳。

蘇：極粗淺的說來，就是凡物質都有一種趨向，從較高溫度向低溫度的狀態上轉移。無一種機械可以將熱力從低溫度狀態的物體轉移到高溫度狀態的物體。整個宇宙最後走向「熱寂」Heat-Death之狀況，其時便達到「最大的焠」Maximum Entropy。「焠」就是熱的函數。當宇宙抵達這一種狀況的時候，所有的空間都在同一溫度，所有的能力都經平均分配於全宇宙，不能再遭使用。我們渺小的人類，現在天天發掘和轉變各種物質來利用厚生，但地球上產生動力的物質經過爆炸式上升的人口不斷使用，最後終將達到「焠」的狀態。爾時動力不足，文化便將停頓了。（五）

現實政治的好教訓

（本報訊）十二月十五日香港出版的「祖國周刊」有一篇社論，題爲「戴高樂與民主政治」，另外一篇爲王厚生的「論政治反攻」。茲撮要介紹如左：

前一篇於分析法國共產黨此次選舉慘敗的原因之後，進而討論戴氏的成功因素，該社論說戴氏雖以軍人勝利，『並未毀壞民主政治基礎。議會未受到嚴重的損害』。該社論認爲『戴氏本人並無意於自居英雄地位，領導黨衆橫行不法』，又說『戴氏的政治生涯是從軍人開始的，可是，畢竟我們不能把他看作是個軍閥』。該社論的結論說：『二次大戰以來，在西方民主國家中由軍人轉而執掌政權者，亦復不少，其所以並未因此而演變成爲軍人獨裁政治的最大原因不外二點：一是有賴於民主政治傳統；一是賴於這些軍人有高貴的氣質，而又能尊重民主政治。他們畢竟與中國舊式的軍人不同。

『戴高樂之挽救法國政權與共產黨之終於失敗，對中國的現實政治來說，正是一次最好的正面教育。』

非先改革難期實効

戴高樂不是個軍閥　中國國民黨有缺點

政治反攻主要方法

王厚生這篇文章，主要的意思有二，第一他指出「台灣以外的反共人士和團體」應如何去做政治反攻大陸的工作。他認爲『主要的方法有四：（一）做思想或理論的研究工作，（二）與大陸裏的同胞做聯絡工作，（三）本身要爭氣，努力做團結工作，（四）要爭取國際上的同情和支持。

第二，他指出國民黨在政治反攻的工作上有許多缺點；他以爲首先國民黨過去把信譽弄壞了。他以爲國民政府在做政治反攻以前必須先做「改革自身政治的工作」否則一定沒有實效。』其次，他以爲國民黨的黨性太强，不適宜於做政治反攻。他說，『黨化教育，軍隊中的政工制度等，都是人民所不喜歡的。假使大陸人民反對中共的黨化教育和軍隊政工制度等，那末，人民亦必反對國民黨的黨化教育和政工制度。所以，國民黨必須就現行的制度加以澈底改革，凡共產黨所用的一切方法而爲大陸人民所痛心疾首者，國民黨都得一一加以革除。』

最後他的結論是：『拿三民主義當做復國的主要方法，實在大有問題。即以三民主義來說，國民黨今天的做法是否符合三民主義的精神，可爲疑問的地方還是甚多。豈有本身未奉行三民主義而能拿三民主義的招牌救國的道理。總而言之，台灣國民政府如不發揮其所長（軍事），而欲從其最無辦法的政治進行反共，若非能此開誠佈公實現民主自由，我可斷言它失敗無疑。』（十二月十三日）

怒江不再嗚咽了！

傈僳族待機打回老家去

·伊爾根·

爲了加强交通運輸，中共又强迫傈僳族人民冒死修築四條公路，翻越碧羅雪山越怒江，瀾滄江，聯接保山，大理和麗江。這樣中共可以很方便地由內地運送軍隊前往鎮壓；由怒江地區將掠奪來的傈僳族人民勞動所獲運往內地。

中共對傈僳族的文教政策，則更爲毒辣。中共企圖澈底消滅傈僳族的原有文化。這個陰謀，中共最近已經不打自招了。十一月十四日「中國青年報」刊出一篇充滿謬論的文章：「共產主義的民族融合」，就公開說要「同化」（即消滅）少數民族。傈僳族原有自己的語文即傈僳文，但中共却由「中央科學院」另外「創造」一套字母，企圖打亂和消滅傈僳族的文化，並美其名曰「文字改革」。

此外中共也乾脆摘下「尊重宗教信仰」的假面具，禁止傈僳族信仰自己的宗教——基督教及多神，凡堅持信教者一律誣爲「帝國主義走狗」和「反革命分子」。傈僳族人民崇拜的大石岩被中共故意炸開，神樹被砍下挖水槽。禁止人民臨巫師的咒語。基督教堂被拆毀，弄得「青年男女在工地上結婚，教徒在工地上祈禱」。傈僳族人民都嘆氣道：

「白天黑夜，炮聲隆隆；
黄昏以後，數萬把火，
鬼跑了，神也沒有了！」

對宗教如此，對傈僳族的風俗習慣，中共也不遺餘力加以破壞。過去死了人，全族、全村停止勞動三日，以紀念死者，現在死人也不准停工了。過去，開始春耕必須祀祭，下種必須占卜吉日，現在，這種民族傳統的風俗習慣都被廢除，中共汚衊說這都是「鬼把戲」。傈僳族老人眼見本民族的傳統被摧毀殆盡，都悲哀地說：「世道變了！」

傈僳族本是能歌善舞的民族，十多歲的小伙子就彈得一手好琵琶，青年男女一直到七八十歲老人都喜歡唱調子，愛跳舞，彈口弦，彈琵琶。他們在耕種，打獵，造屋，搭橋及婚喪喜慶的時候，都要歌舞。常見的舞蹈有收割舞、洗麻舞、打獵舞、蓋房舞、瓦刷舞、喜慶舞、戰爭舞、求愛舞，長矛舞等十多種。現在中共一概認爲這都是多餘的「落後風俗」，人們再難聽到過去傈僳族那種歡樂愉快的歌聲了。中共只准他們「歌唱大躍進」一類的八股歌曲。

中共更籍口便利勞動，强迫傈僳族進行「服裝改革」。傈僳族婦女本來善於裝飾，青年婦女戴的帽子是用紅色料珠和貝殼串成的，頭上掛着很多色彩料珠作成的裝飾品。傈僳人全民族的服飾像烏鴉一樣美麗。現在，在中共的禁令下，傈僳族都被迫脫棄了他們民族服裝，改穿清一色的奴工制服——藍灰色「列寧裝」，同時因爲貧困，往往赤身露體，連奴隸的號衣也沒得穿！

很多傈僳族，像傈僳族、哈尼族、景頗族一樣，受不了中共的迫害，被迫離開自己家園，逃到緬甸。投奔到國界那一邊的同族兄弟那裏，並且很多已參加了緬甸邊境的反共遊擊隊，反抗中共，等待時機打回老家去！

新的形勢已經到來！受迫害的怒江已不再嗚咽了，它開始發出了怒吼！——（四）——全文完——

國際動態拾零

△美國本有五百餘萬人失業，現已減爲三百八十萬。如再投資一百億，則能再吸收一百萬人就業。以後，每年須增加投資七十億，因勞工增加，每年約七十五萬人。

△美國潛水艇裝備中程飛彈之計劃，本擬一九六〇年完成，現將延遲數月。且其尾部之燃燒彈道，似嫌過重，勢非減輕不可，但其射程亦將縮短至一千五百英里以下。

△意大利雖與阿剌伯集團，爲已違大西洋公約國，各國國防部長之議決，將允許美國中程飛彈隊兩隊留駐于意。於是歐洲國家，除美國外，意大利將有中程飛彈隊之第二國。

△伊拉克雖時有再發生政變之可能，總理加森，雖得軍隊支持，但納薩黨人與共產黨人，業已滲透其各機關。

△美洲越洲飛彈，較中程飛彈爲輕，成本較廉而放射亦較易。將于一九六三年，付諸大量生產，而中程飛彈之現有計劃，行將凍結。

△戴高樂之弟，曾任巴黎市長，本是一位銀行家，將任法國駐美大使。而現在法國之駐美大使阿爾芬（Aeppand），則調任法國駐聯合國代表。·陶然·

工展特輯

香港人用香港貨 港製安生溫灸藥 牌子最老功效多

今年廠商會朱會長呼籲香港人用香港貨，深得各界響應，所以展覽連日空前熱鬧，此係香港人愛護香港的表現。

工展會第十街香港安生堂王隱雁女士依中國三千年溫灸原理，及百年祖傳溫灸經驗所首創之中國正宗老牌溫灸器藥，自一九四九年由中國東北遷港創製以來，因係根治一切腸胃病、胃下垂、疲弱症、婦科病、哮喘病等特效藥，業經暢銷全世界，海內外大醫院大醫生處方採用，並經列入中國醫學年鑑，法國醫學什誌亦予介紹，現全世界經有七十餘萬人治療神效。自一九五四年該廠首次參加香港工業展覽後，至一九五六年秋在香港便出現各種仿射雜牌溫灸器藥，此種雜牌溫灸器藥，在香港、曼谷、星、馬，有些誤購採用者不但無效且多久用致全身黄腫現象發生，此由腎臟受損害所致。香港人欲用溫灸療病，請認明香港安生堂正宗老牌溫灸器藥，才是最有效最安全之溫灸器藥云。

陸智夫攤位 優待顧客

陸智夫藥局每年工展都有參加展出，該廠出品之「跌打藥酒」「跌打膏藥」「通脈丹」等，遊客多樂予購買備家居或旅行之需，該藥局優待顧客起見，在工展期內，每購一元者包括「跌打酒」，「刀傷止血」，「風濕膏藥」，「通脈散」共三款另送免費贈診證乙張，以酬顧搭。（坤）

今年日曆設計 錦興榮獲首選

一九五九年將至，世界各國名廠商多發行日曆分贈各界，本港市面目前除廠外商印製之日曆外餘多採用中式者，最近獲悉目前市面日曆之設計，據一般批評首推本港錦興公司所印證之風景日曆爲最佳，實足與世界名廠者比美。據悉該日曆之設計內容包括有瑰麗彩色的海灘風景，偉大建築物維婺，最特色者其中一幅爲本港名畫家繪製之大廈立體鳥瞰圖，從高達二百尺太空向下望爲藝術界之一精心傑作。並包括有農曆，適合中西人仕兩用問錦興公司對該日曆分發已有供不應求之勢，各大商行及往客亦多獲分配。聞該公司爲適應各界人仕之要求特印備有袖珍型之年曆並附有公案假期者，免費於工展攤位內贈送，贈完即止云。（坤）

鷓鴣滿場飛 尤敏當工姐

工展會開幕以來，參觀工展的男女，當行到第八街鷓鴣菜攤位，許多人都購買鷓鴣菜，小孩子則爭着攫取贈品，以致場內各處皆見人手拿着鷓鴣菜，小孩子則歡天喜地的拿着心愛的贈品，所以有鷓鴣滿場飛的美譽，贈品中，尤其得人歡喜的「七彩日曆」，畫面是張汝劍先生榮獲世界攝影比賽冠軍之藝術傑作，凡買三盒鷓鴣菜則獲送一個。

該攤位之四位小姐，，模樣標緻，甚得遊客喜歡，其中梁君麗小姐，樣子，極似影星尤敏小姐，所以許多遊客都話尤敏在鷓鴣菜攤位當工姐，引動遊客駐足，如你不信，可到該攤位前細心欣賞。

中華民國工商界參觀香港工展代表團謝啓

此次承香港中華廠商聯合會邀請，來港參觀第十六屆香港華資工業出品展覽會，渥蒙港九各界僑胞熱烈招待，高誼隆情，感荷良深，祇以行色匆匆，本身業務亟待料理，返台在即，未克一一踵辭，敬希見宥，並伸謝忱。

中華民國四十七年十二月十六日

談日本民族性

自由談

馮五先生

日本有位名叫「佃鍋勝」的作家，在其所寫「中共問題之我見」一文中，對於日本人的趨炎附勢性格，深致不滿。他說：「日本人以前曾一心仰慕希特勒，墨索里尼，以後又把麥克阿瑟當作救世主，現在則叩頭於毛澤東之前」。他舉出一個例子以證明其見解之不謬，說是「社會黨某委員長（按係鈴木茂三郎）前年往訪北平之際，在周總理招待席上看見了一隻蒼蠅，覺得這兒是沒有一隻蒼蠅的國家（按這話是英工黨領袖艾德禮發明的。）深恐這隻蒼蠅一定是自己帶進來的，要把牠捉起來免被周總理瞧見。」以本國的知識分子批評自己的民族性，當然入木三分，深中肯綮。

日本一般人確有這種性格，怕強欺弱，不問是非，見着比自己強大的力量即不禁五體投地，仰慕不遑。在中日甲午戰爭以前，日本人多稱呼中國人爲「唐人」，迨甲午戰役以後，即改稱中國人爲「支那人」或「清國奴」，雖經中國留日學生不斷地提出抗議，且因此而引起了不少的糾紛，亦所不顧。二次世界大戰結束後，我國首先聲明對日本不採報復主義，要以德報怨，並以事實來印證這項諾言的眞確性。但大多數的日本人依然瞧不起我們，認爲中國並不是戰勝國，美國纔是大好佬，非特別恭順屈服不可，久任首相的吉田茂亦是這種心理哩！

毛共竊據中國大陸後，在「中蘇同盟條約」上訂明以日本爲敵人，而美國對毛共亦表示妥協。如是乎，日本人對毛共乃表現其比對美國更仰慕的態度了。就是對南韓，由於李承晚總統之激烈反日的言行，日本人亦即不敢以對我們的心情相看待。這證明我們的對日外交政策大大失敗了，敗在不瞭解對方的民族性，自作多情，弗神實際。今後我們要在外交上求出路，即圖惜取對日外交的教訓，先得知己知彼，然後妥訂策略，愼選人才而爲之。弱國尤其需要外交作用，但非有妥當的策略與人才不爲功也。

行

（翠萃廬散筆）　○陸夢墨○

在「行」字的範圍中，最舒服的似乎就是旅行，阿里山的雲，日月潭的水，到意大利去逛古廟，西班牙去看鬥牛。身揹着照像機口啣着大烟斗，這是有錢有閒階級的行。沒錢階級的行是每天上下班，跑斷兩條腿，上司的冷熱言不聽也要聽。車掌的寡婦臉不看也要看。趕車子站車站，逢個禮拜休假寧肯在家歇歇腿，更何敢奢望乎旅行？至若三隻飛輪，踏遍全市，顧客指東，則不敢走西，指着行來吃飯，也就是「行」中最苦的一種。

馮驩彈鋏而叫苦，在食無魚之後，跟着就叫出無車。可見得古人出門也是希望有個代步。說到此處，我忽然想起自己也總算個最幸然的有車階級，所以這個嘆「出無車」的體力都沒有了。我的車既非高軒駟馬，又不是油壁香車，而是一部患病經年的自行車。若問它患什麼病，五勞七傷似乎是無所不備。該直的地方是彎的該彎的地方卻是直的。乘騎起來除了鈴鐺，沒有一個地方不響。五步一斷鋼絲，六步一掉車鍊，服務了廿載有餘，從前馱着我追求太太，現在又馱我們兩人，到明年可能就要馱三個了。可算是鞠躬盡瘁的忠臣，我每聽到它吱吱地嘆出疲勞的哀號，其聲慘戚，心中便老大不忍。想到應該換部新車了，不然有朝一日它一旦不支，豈不要鬧車禍。但是想歸想，騎歸騎，每次騎它滿城都似拚了一次命。讀者若問我爲什麼不換新車，我祇要告您我是拿薪水吃飯的軍公人員，而且還是小員，也就用不着再說我所不願說以及有些人不願聽的話了。

「車船店脚衙，無罪也該殺。」這是古人的話，也可見那時行路之難。車船店脚衙，到有四樣與「行」有關。這兩句話一直維持到抗戰時期，尙是個理，敵偽時期淪陷區的鐵路人員，他們的任務似乎就是辱罵或者是毆打乘客。至於海行乘船，讀一讀朱自清先生「茶房」一文，便知端底。現在的輪船自然沒有這些弊端。去年台北的公路車會受過一次攻擊，大抵是在車掌小姐的臉子上挑毛病，我以爲既然口袋裏的錢短，就不用怪車掌的臉拉的長。不然坐小包車比什麼都痛快。幾毛錢一張車票，夠便宜的了。還想再饒上一張笑臉？我想站車門的鶯鶯燕燕，沒有傻姐兒肯賠這個本兒。

政治家們常說：「因爲交通的發達而使這個世界變小了。」往日要走上好幾個月甚至好幾年的路程，現在祗要踏上飛機，可以朝發而夕至。眞是方便，地球豈不眞的縮小好幾倍。也許小到不能容納那麼多大政治家，那麼多的救世主。朝發而夕至，要歸功於飛機。所謂「御風而行，冷然善也！」這是神仙的享受，況且空中小姐的臉蛋兒不似車掌，總是笑臉相迎的。談到這兒，區區要叫一聲慚愧，平生還沒有嘗過這御風而行的味道，沒乘過飛機。也沒乘過與飛機有親屬關係的小包車，行路總是兩脚着地的時候多，自然有些土，但是總要比兩頭着地的動物感到幾分優越的。

讀者們行路不知有沒有遇過泥沼。台北雨後初晴，遍地泥沼，如今汽車駛過濺起泥來，路人紛紛避讓，有的濺一身泥，走避不及的就要變成泥菩薩。此時最難看的就是早讓滿臉的泥濘給濺住了，而可憐那些沿途走窘態而娛樂，那份得意，那不屑的神色。你如果拿這種臉作靶子，保險你槍槍皆中。在晴天也有一種災難，那就是汽車過後所揚起的灰塵，如黃霧，如霧障，張目無所見伸手不見指，這時你要緊緊捂着鼻子，像賴疤子似的，滿頭滿臉，有似披上一層土，看你的臉還不像是西餐桌上的一塊炸肉排。你會說這是鄉下的土路？在那近郊城鎮，不應有這樣的土路。有些城市的柏油路之不許牛車通行，原因是怕傷路或有礙觀瞻，那麼土路也應該禁止汽車通行才對。

我每天都要在這塵雲土霧之中通行四次，雖然不乘飛機，也稱得上是穿雲而行。如今兩眼腫的像桃，害角膜炎，不外是這太落伍的路與太不落伍的車所賜。我不能埋怨別個，也只能埋怨這條路太不爭氣。通行的只是些大載重車，如果那些嶄新的雪佛蘭或者福特每天必須路經此處，恐怕當中早就鋪上柏油，兩旁植滿洋槐了。像我等自行車之輩，禿子賞月，也借點光。

入紅海

○衛挺生○

十二月入紅海行，無綫電傳美總統方召開聯合國協商會議。同時倭逕爾入貴州獨山都勻縣境。

三百南行春已歸，多衣脫盡換春衣，風波不起泛舒緩，天宇全清映暉暉。大同有計人寰喜，小醜縱狂隊末微。昨報元戎親赴敵，佇聞義師凱聲飛。

一篇混話

高豫

歷史老人燃起一支白燭，燭光照着一本書上，封面上寫着「名人傳記」。他左手翻開了書皮，右手拿起羽毛管，往墨池子裏蘸一下，然後把書一頁頁的翻過去，翻了大半本，才有空白的紙張出現。

他猶豫了一會，剛要寫下幾個新名人時，忽然前面的書頁有聲音出現：

「慢着，慢着！」

「手下留名！」

他放下羽毛管，翻回前面，一個個名字都立體化地從書縫裏跑出來。

卓面上黑壓壓而且亂哄哄的。那些立體名字擠來擠去，最後有幾個名人代表走向歷史老人手邊，一齊鞠躬；這時全場鴉雀無聲，於是代表們便開口了：

「親愛的歷史老人先生：我們是名人請願團的代表。今天要跟您老人家商量一樁事，就是關於名人登記問題，現在，我們發覺名人登記的限制愈來愈寬了，我們不得不抗議，試想，以前名人少，學生考試時也記得住，然而日子愈久，名人只有增多而無減少，便有了一流名人和二流三流名人之分。這樣下去，不是天下人都要上簿了？那麼怎麼容納的下？名人應該是歷代的偉人、天才，然而現在天下大亂，而您不但不嚴加限制，反而更隨便了，所以我們忍無可忍……」

歷史老人嘆了一口氣：「唉！你們有所不知，這年頭地球上的人都精靈了，都懂得出風頭，又不曉誰說了一句『豹死留皮，人死留名』，大家都想青史留名了。不這樣，我又有什麼辦法呢？」

「不行，不行，」代表團員紛紛抗議。

歷史老人攤手而嘆。

綠帽子，紅帽子，藍帽子

○小言○

帽子，在天寒地凍的地方，是禦寒必要裝備。在中國的長城內外，那「三塊瓦」，戴在頭上，顯得神氣豪邁；在中國的南方，戴帽子的人就少見了。長江流域一帶，冬天也只有年邁的人才戴呢帽，年青人還是很少戴帽子的。

在西方社會裏，尤其是女人生活的領域裏，帽子的功用不是在禦寒，而是用來裝飾的。講究衣着的婦女，把帽子和衣服配成一套，出席某種宴會上，帽子所佔的比重也很大。因此，我們可以見到西方婦女，一年四季都有戴帽子的。

晚近廿多年來，中國也流行戴「帽子」了！

不過此「帽」非那帽，而最流行的「帽子」的色彩大概可分二種顏色：一是藍色的；另一是紅色的。這種「帽子」儘管色澤單調，但是尺碼卻相當齊全，既無分男女，又老少咸宜。

儘管這種「帽子」很流行，可以隨便給人戴上一頂，但是無人不對此「帽」見而生畏的。就像人們怕戴綠帽子一樣！

綠帽子，是以名譽和羞恥綉織成的；而紅帽子或藍帽子是以羅織成的。戴了綠帽子的人尙有摘除的機會；但被戴上紅帽子或藍帽子的，卻形同是終身監禁。

從中國近廿多年來扣帽子，風氣之盛行，也就可見政治上的紊亂了。誠落葉而知秋也！

桐城詩派

黃華表

桐城自方望溪劉海峯姚薑塢以後。世乃始知有桐城古文。自姚惜抱以後。世遂有所謂桐城古文文派。其流風至於民初而未歇。然不知尙有所謂桐城詩派者。豈非其文太盛。而詩輒爲所掩。抑習焉不察。而未暇更詳之故耶。余竊考桐城古文。始自望溪。而桐城之詩。則起於海峯。海峯之學。或不逮望溪。而才則過之。其文與詩。皆以才勝。吳文恪詩所謂「生名大櫆其姓劉意氣橫絕凌九州」者是也。尤欲力追昌黎。豈獨其文。其詩亦然。厥後寄心盦遂謂先生古文。直接望溪。爲一代起衰之手。詩亦直凌唐人。爲一代復古之士。海峯既不得志。遂教授終老。其古文衍而爲吳殿麟姚姬傳。其詩衍而爲王悔生朱子穎。姚姬傳序子穎詩云。夫古今爲詩者多矣。爲詩而善者亦多矣。而卓然足稱雄才者。千餘年中數人焉爾。今世詩人足稱雄才者。其遼東朱子穎乎。即之而光升焉。誦之而聲閎焉。循之而不可一世之氣勃然動乎紙上而不可禦焉。味焉而奇思異趣角立而橫出焉。其惟吾子穎之詩乎。王悔生詩。周儀暐稱之爲沉雄。卓然爲一大家。同時鮑桂星張惠言皆折節行推與之。寄心盦詩話云。悔生廣文詩。五古神味。逼眞摩詰。縱有非摩詰處。亦當與蘇州抗行。七古沉雄博麗。稍遜一格。五七律風調軒翥。絕似盛唐。截句得古樂府遺意。其學太白處。十之七八。大堤曲怨情海陽春白諸作。即太白爲之。不過如此神韻。姚惜抱以古文名當代。其詩名或不逮悔生子穎。然楊園消夏錄稱其詩兼備衆長。七古沉雄廉悍。浩氣孤行。無所依傍。又謂先生初爲盛唐。晚年喜稱涪翁。又謂先生論詩。當先學七子。得其典雅醲重。但勿沿習皮毛。使人生厭。復參以坡谷諸家。學問宏大。自能洞開生面。惜抱晚歲居金陵。既以得於海峯薑塢之古文法教人。且以其師承撰爲古文辭類纂一書。示學者古文師法途徑。又本海峯薑塢之詩說。續漁洋古詩選。撰爲五七言今體詩鈔。示學者以詩之師法與途徑。自此二書出。天下爲詩文者。皆翕然宗之。其詩弟子則有劉開孟塗。方東樹植之。姚瑩石甫。毛嶽生生甫。皆卓然爲一代大宗。孟塗奇人。其詩以奇才抒奇抱。爲當時詩人中另一格。生甫詩取之介甫魯直。而導源於二謝。其才力所到。足以駿撫轡行。厭服老宿。而奪之氣。寄心盦稱其詩。生硬處字字劇削。鏦錚興折。於山谷似又透進一層。石甫則尤卓絕。孟塗稱其詩有蒼涼勁直之氣。有淸轉婉妙之思。法古而能變其貌。張聰咸又稱其詩於沉著處見骨力。俊爽處見風神。激烈處見意氣。闊大處見門戶。奄有古人之美。而自成面目。其五古一體。根源忠厚。寄託遙深。憂樂無端。磅礴鬱積。則屈宋蘇李之嫡派。宜自許陳思越石間也。鮑桂星又云。昌黎論文主氣盛。石甫之詩。可謂氣盛矣。方植之之詩。姚石甫謂其七言諸作。橫空盤硬。合杜韓歐蘇爲一手。放翁以下。或有未能。何況諸子。梅伯言謂植之之詩妙在字字有凸凹。步步有吞吐。國朝詩人。無此境界。然植之之所以承惜抱之緒者。不徒其詩之工。實爲其昭昧詹言一書。蓋桐城詩法。自海峯薑塢倡之。又雖有子穎悔生諸人。成就卓卓。尙未有成書。漁洋雖有書。而未經論定。惜抱又以謂漁洋古詩鈔。可謂當人心之公。惜其論古體而不論今體。至爲今體者。紛紜歧出。多趨訛謬。於是取唐以來詩人之作。論之。爲二集二十卷。以繼漁洋。與漁洋之書並行。至植之更依漁洋惜抱二選。又採海峯薑塢惜抱三先生之緒論。撰爲昭昧詹言十卷。續錄二卷。且揭習之之文理義及諸家古文法爲詩法之奧旨。其於五古特揭十九首、思王、阮公、陶公、大謝、明遠、小謝、杜公、韓公、山谷、諸家。其於七古特揭王、李、高、岑、李太白、杜工部、韓退之、歐陽永叔、王半山、東坡、山谷、放翁、遺山、道園、淵穎、諸家。其於七律。初唐僅及沈雲卿三人。盛唐則推摩詰。衆論崔顥祖詠二人。於杜公則論之特詳。中唐則論劉文房。十子之後則取義山。宋則僅及坡谷。不及遺山。以惜抱原選不錄遺山也。自植之昭昧詹言出。桐城詩派。不特有師法途徑可以率循。且有堅確理論爲之支柱。猶之古文辭類纂以後。復有諸家之文論以支持之也。植之之徒爲戴鈞衡存莊。存莊至京師。曾文正從問古文法。存莊以惜抱軒尺牘告之。意存莊亦嘗及植之之書。文正詩「杜韓不作蘇黃逝。今我說詩將附誰」。何其類植之之說也。厥後所謂道咸詩派。雖由祁春圃程春海倡之。實成於曾文正、黃翔甫、何子貞、朱伯韓、蘇賡堂、邵位西、魯通甫、黃香鐵、郭羽可、姚石甫、張亨甫、戴存莊、王少鶴、劉楙甫諸人。皆直接間接承惜抱之緒論。曾文正後更成經史百家雜鈔。以廣惜抱古文辭類纂之緒。又成十八家詩鈔。以廣漁洋惜抱古詩選今體詩鈔之緒。二書與惜抱雖有異同。亦猶孟荀之於孔子。未嘗非其一脈之傳。桐城文派詩派。亦正賴文正二書而益大益久。曾文正以其學傳之張廉卿吳至甫。廉卿至甫傳之賀松坡。三子者皆不以詩稱。而桐城之詩傳。乃在石甫之子姚慕庭。吳至甫爲姚慕庭墓志銘云。桐城自方侍郎顧不爲詩。至姚郎中乃以詩法教人。其徒方植之東樹。益推姚氏緒論。自是桐城學詩者。一以姚氏爲歸。視世所稱詩家。若斷潢野潦。不足當正流也。大亂以後。業此者希。耳目所接。唯君一人。君沒而桐城詩學。幾乎熄矣。夫豈一鄉一縣之不幸。抑亦文學絕續之所係也。至甫此文成於光緒二十八年。正値西學東漸中學式衰之際。然今之所謂「同光」詩派者。或稱山谷半山。或稱宛陵后山。可謂桐城詩緒之一端。固未能溢出桐城詩派之範圍也。假令今日猶欲復興吾國之文學詩學者。吾意尙當自循桐城文派桐城詩派之徑途始。然此惟深知之者而後能信之耳。（轉載新亞雙周刊）

自由人
THE FREEMAN
（第八一三期）
中華民國僑務委員會登記證僑台教新字第一零二號
中華郵政登記證台字第五〇〇〇號
執照登記為第一類新聞紙類
（半週刊每星期三 星期六出版）
每份零售港幣壹毫
台北市每份售價新台幣貳元
督印人：陳文華
地址：香港高士威道二十二號四樓
20 CAUSEWAY RD. 3RD. FL. HONG KONG
TEL. 771726
承印者：東南印務出版社
地址：高士打道六十四號
台灣總經理處
台北市西寧南路壹零壹號二樓
電話：三〇四三六
台郵劃撥儲金戶九二五二
海外總經銷：友聯書報發行公司
香港：德輔道中二十六號A二樓

毛澤東下台的因素及其影響

關於毛澤東在武漢會議決定辭去下屆「中華人民共和國主席」候選人之說，業經新華社正式宣佈證實。這是毛澤東自一九三五年遵義會議取得「元首」領導地位以來初次遭受的挫折，也是中共奪得政權九年以來其高層政治人物的首次異動，這不僅是毛澤東個人政治生命的重大轉變，其對大陸局勢也有重要的影響。本文僅就個人的初步觀察略加說明。

形式上自動辭職

據中共官方公佈，此次在武漢舉行的八屆六中全會的主要議題，一是「人民公社」問題，二是毛澤東的辭職問題，三是一九五九年的經濟計劃問題。會議以前，毛澤東曾在鄭州召集部份中央領導人員和省市黨委書記舉行會議，十一月二十一日至二十七日又在武昌召集部份中央和省市領導人員舉行會議，作為六中全會的預備會議。由此可見這兩次會議是六中全會唯一重要議程，也是他們幾經考慮和討論的結果。

關於毛澤東不再連任「國家主席」，六中全會所作的決定如次：「幾年來毛澤東同志曾多次向中央提出希望不再擔任中華人民共和國主席的職務的要求。全會在經過充份考慮以後，決定同意在第二屆全國人民代表大會上不再提他為中華人民共和國主席的候選人。毛澤東同志不再擔任國家主席的職務，專做黨中央的主席，使他更能集中精力來處理黨和國家的方針、政策、路線的問題，也可騰出較多時間從事馬列主義的理論工作，並不妨礙他對于國家工作繼續發揮領導作用。如果出現某種特殊情況需要，仍然可以根據人民意見和黨的決定，再擔任這種工作。」

從這篇決議的文件看，毛的辭職是出自自動的，而其形式上是自動的，但海外某些報紙所傳「老毛已被迫下台」，而且幾乎就是坐下來看中共當局之前所曾戲言「的本心話」的，我們知道，中共的自動退休是民主國家的常例，都非與中共的政治所有的事情。在共產國家中很少有自動放棄權力的事例。何況今日中共黨內個人崇拜毛，社會主義的建設尚未完成，毛的個人英雄主義的抱負尚未達到目的，會這樣就淡然以去。但是不出毛受到黨內的鬥爭，因為幾年來的中共是毛澤東一手建立起的，長時期以來他集中黨權、軍權、政權于一身，自張國燾走紅四方面軍被消滅化，陳紹禹、李立三相繼失勢，高崗自殺以後，在中共黨內已沒有與毛抗爭的對手。劉少奇、彭[illegible]餓之法，是毛的冒進政策的積極支持者，他們既不敢在太歲頭上動土，也沒有向毛挑戰和抗衡的力量，因此，可以斷定，武漢會議是檢討性的會議，而不是鬥爭性的會議。因為檢討的性質，所以毛澤東有半「讓賢」下台的結果，又有東山再起的機會。

主要因素是甚麼

然則毛澤東下台的主要因素是甚麼呢？目前比較合理的解釋，一是蘇聯的壓力，一是「人民公社」所引起的一連串的問題。[illegible]乏有力的證據，因為今日毛澤東已非當年陳獨秀、瞿秋白和李立三等可比，當日中共領導人物的去留，完全決于第三國際，而今日的中共自身已有力量，其領袖人物特別是個性倔強的[illegible]聯正需要團結各附庸國，以保持對自由世界的均勢，赫魯曉夫對毛[illegible]。但據華盛頓郵報所載赫魯曉夫曾說人民公社是反動的，可見他們彼此的心病。目前中共的工業與武裝建設，仍控制在蘇聯手中，只要蘇聯施以壓力，則毛澤東仍有被迫接受的可能。

其次，比較可信的一點，還是與「人民公社」的推行失敗有關。對外來說，人民公社不僅引起自由世界的憤懼，且引起中立國家的[illegible]，甚至若干附庸國家為之震駭不安，南共直斥之為「恐怖的修正主義」，已為人所共知。[illegible]滿，使中共完全陷于孤立，對其國際聲望有很大損害。自對內而言，引起的問題更多，如生產的下降，城鄉經濟脫節，僑滙的減少，人民反抗情緒的增強，以及軍心的搖動等等，使中共在統治上面臨空前嚴重的局面。在此情勢下，如若遲于改變方針，解散公社組織，則可使數年來農業集體化的全功盡廢，而且也宣告了中共整個政治路線的破產，這對中共是更不利的。因此，在兩害相權其輕的原則下，毛澤東只好暫時退位，放棄「國家主席」名義，以緩和廣大人民群衆的潛在壓力，以沖淡軍人和下級幹部的反感。俟情況好轉，再捲土重來。這當是毛澤東辭職的主要背景及其作用。

因此，中共六中全會期間，已進行如下的佈置：第一是減少農民勞動時間，着手安排農民的休息。第二是對公社組織暫停發展，決議在今年十二月至明年四月的五個月時間，對各地公社進行整頓和鞏固的工作。各省組織「公社檢查團」，實行「下馬看花」，幫助解決生產和分配等方面的問題。第三是恢復各附庸黨派的若干右派份子的黨內服務，如章伯鈞、羅隆基、龍雲、陳銘樞、黃紹竑、黃琪翔、林漢達等，都再被選為所隸屬的小黨的中委。這是毛澤東對其過左的偏差的局部糾正，也是其一種安撫的手法。

此外，此次毛的辭職，也可能又是一種「陽謀」。利用辭職的幌子，以測驗幹部和人民的反應。以便部署一次大規模的整肅，特別是黨內的整肅。

毛酋聲勢已下降

不管毛澤東辭職的真正因素如何，但其下台，無疑地是毛本人聲勢的下降。依照中共憲法，「中華人民共和國主席」具有如下特權：（一）為國家元首，對外代表「中華人民共和國」；（二）統率全國武裝力量，擔任國防委員會主席；（三）擔任最高國務會議主席；（四）根據人民代表大會決定，公佈法律法令，任免國務院總理、副總理、各部部長、國防委員會副主席及委員，發佈動員令等。這是中共政權的最高職位，也是最大的權力職位。現在一旦垮了下來，雖然還保持黨主席的職務，但在獨裁統治者的權力觀念上說，二元領導究不如一元領導更能滿足權力慾。所以對毛而言，這當是他政治生命中的一種難堪的挫折。

其次，對中共內部也有重要的影響。自延安時代以來，毛的地位已由黨的領袖逐漸成為黨員崇拜的偶像。自反右派以後，更把他提高到「神化」的地步。在中共平日宣傳中，毛永遠是成功的，因而毛澤東的方向就是整個大陸人民應走的方向。而現在毛失敗了，方向錯了，使若干年來在幹部和群衆教育中所造成的神化觀念為之破滅，因而增加了黨內的混亂，也鼓舞起廣大人民反抗共黨的信心和勇氣。這一點，中共也似乎注意到，所以在十二月十日武漢會議通過了毛的辭職決議後，推遲公佈時間，先逐級召開電話會議，透露會議的內容，然後在各地區各級機關、廠礦、農村、學校、部隊、城市居民中舉行會議。但據新華社十七日電訊報導，大家對此消息有些想不通，雖然經過相當的解釋，群衆的情緒還是不安。也可見對中共本身所發生的不利的影響之大了。

金達凱

毛澤東的「辭職」

半週述評

中共中央宣佈，毛澤東的「辭職」，是為了他將更專心於黨的理論與原則性的領導。這一說法十分勉強。但是他同時等于承認了一個事實：假如在目前沒有發生「原則性」的「問題」的話，那麼，在目前「政治領袖」的要求下，毛澤東至少沒有必要放棄「政府主席」的。

我們相信，今天共產黨人無論怎樣善于詭辯，都無法推翻這一基本事實：毛澤東的「辭職」，是由于整個大陸內部的不安，被迫出此的。

「集體」自殺的路線

鳴放以後，繼之反右派鬥爭，幹部下放，再繼之人民公社，出現了當前中國大陸最有利的反共形勢。今天中國共產黨的領導當局，正在自掘墳墓，整個黨的路線是一個「集體」自殺的路線，「人民公社」快要變成「人民公墓」了。問題的嚴重性在于目前的情勢不是個別地區個別幹部的偏差，而是整個黨中央的政策所造成的。因而，在這種情勢之下，就不是任意用「反黨」的罪名犧牲黨內個別幹部所能為力的了。

加強幕後的控制

毛澤東暫時擺脫「政府主席」職務，可能給人民一個錯覺，人民公社的推行，會要緩和些了。但是，在目前來說，這樣做並不等于毛的垮台，至少在表面上，今後毛澤東不至受到「行政失」的牽累，更便于放手行事，更便于加強黨的幕後的控制。他便于欺騙人民說，「黨中央和中共的主席是永遠不會錯的。」如果這一本質不變，「憲法」是以黨的專政為基礎的。「政府主席」的「權威」或「傀儡」地位，全視黨的安排而定。

最後一次的掙扎

所以，毛澤東的「辭職」，一方面是「被迫」的，一方面又是另一掙扎的開始。但是，這一掙扎又可能是毛澤東最後一次掙扎了。為什麼：第一、如果說，毛澤東過去的「土地革命」，還能夠欺騙一部分農民，那麼，這一次的「人民公社」，把毛澤東的這點賭本輸光了。第二、如果說，毛澤東過去是靠槍桿子起家的，那麼，我們必須指出，今天農村的靡爛，千千萬萬家庭的悲劇，如何不影響軍心士氣呢？

巨大的政治影響

第三，如果說，毛澤東的領導依然「神化」的宣傳，那麼，這次中共在金門的挫敗，已經相當嚴重的打擊了毛澤東的領導「威信」了。在國際上，過去有些朋友懷疑「保衛金馬」的價值，今天可能承認，我們粉碎了中共早先誇下的大口，已經在大陸發生相當巨大的政治影響。

自由中國在大陸的地下活動，這次受到了考驗。我們相信，如果政府今後在這方面多一些表現，是可能加強自由中國的國際聲譽的。

。司馬璐。

毛澤東下台後的中共

。衣其。

毛澤東要辭去「中華人民共和國主席」的職位了，以後「從事寫作及思想領導」云云。

最先傳出這消息的是台北，繼之以洪新社北平十五日電，再繼之以路透社北平十六日電引用陳毅的說話。中共官方不加否認，也不加承認。有意思的是，香港新華社在十六日表示「今晚稍後將有消息」（星島晚報十六日號外），左派的新晚報「台灣之窗」欄說：「如毛主席能從事寫作和思想領導的話……」（十七日新晚報第二版），晶報也有如此的模稜兩可的說法。

中共不但沒有出面否認，甚而已隱約地附和這一消息，雖然仍未有官式公佈，但我們已可以相信這已是事實了。這樣做法是中共的一貫手法，高饒事件發生後，在黨內、機關內部，都曾先作了傳達，正式公佈卻在毛辭職這件事的四個月之後。

在看法上，我們切不可為「毛將從事寫作」等論調所迷惑，而應該將之看成為毛澤東已經整個地從領導的地位上垮下來了。

拉科西在辭去匈牙利總理時，匈共說他將專門從事黨的工作；馬林科夫辭去總理的時候，甚至由他自己發表辭職聲明，其中有「西方國家又將認為是某一個人的垮台了」（大意）之句。結果呢？他們兩人在辭職後，先後被鬥倒，生死不明。正因為中共是極權統治集團，所以就不可能發生如西方國家那樣的總統到期就卸任的事，毛要辭職，也絕不會完全是自動的，當然有被迫的因素。毛的帝王思想極為濃厚，更不會不知李白的詩所謂「君失臣兮龍為魚，權歸臣兮鼠變虎」。

翦粹可說：「借人國柄，則失其權；失其權，則雖聖哲不能保社稷妻子，其禍有必至之勢也。」或以為毛澤東仍保持着黨內的地位，而極權國家的一切又是由黨決定的，該沒有問題。豈不知毛的辭職，就是黨的決定呢。行政上的名位既不能保，黨內地位不也是隨時可完蛋？行政職位的喪失，接之而來的就是黨內地位的喪失，再接着而來的是被清算，因為毛澤東過去在黨和人民中的威信被捧得太高，為了避免「天下大亂」，中共中央會盡量把這些措施拖遲，甚而秘密進行而不作公佈。

這次他垮台的原因，不外三點：（一）在他獨力主張「鳴放」時已失去了大多數中央委員的支持（二）在金門之戰中縮手，使「很多同志不懂」（見由毛起草的「第二次停火令」），失去了一部份軍隊領導人的支持。（三）人民公社制的推行，既使大陸人民紛起反抗，也使蘇聯大表不滿，失去了共產國際的支持。

而最直接的原因是第三點，黨內對毛不滿的人，利用了「人民公社」的無可掩飾的弱點和共產國際即蘇聯的支持，在武漢召開的高級人員會議上，將他鬥垮了。

毛既然倒下去了，繼承人是誰？在周、劉兩人相爭不下的局面下，朱德可能會出。但黨內的大混亂大鬥爭，遲早定要演出。這裏且估計毛下台後，中共今後的政策路綫可能的改變：

對內：中共將進一步對反抗勢力實行壓制。但在人民公社方面，將作某些後退。城市公社化的計劃甚或會停止施行；鄉村方面，據浙江鄞縣來信繼續寄錢，公共食堂已停辦。為了穩固統治，將有一系列的緩和措施來麻醉人民的反抗情緒。

對外：對台灣態度將轉趨強硬，用來轉移國內人民的目標。對蘇聯則更要增強「親密的團結」。

此次毛澤東的倒台，正是中共內部不調和的明證，也是中共日趨動盪的明證。所謂「百足之虫死而不僵」，須從內部自己殺起，才死得絕，這正是中共目前情形的寫照。在中共內部派系鬥爭傾軋，高級領導人員熱衷於相互爭權奪利的時候，也就是中國大陸反共革命力量抬頭的好時機。

歷史並不是一篇掌故，歷來王朝是怎樣垮台的，中共也將怎樣垮台。毛澤東完了，以後無論誰出山，都不能挽回敗亡的命運！（十二月十六日）

今日的外交

從黃外長旅行外交說起

○季鸞○

外長黃少谷這次鴻遊歷國各方，遍訪西歐義、法、比、西葡日本，訪問岸信介首相暨藤山外相後，業於本月十日歸來。此一環球旅行外交，該視爲前外長葉公超氏訪問歐洲、中東、越南、韓國及外交部沈昌煥次長訪問南美後，一個連續性長期的全部外交。

往昔評論者嘗以我外交政策，每以單純對美外交爲詬病，究其因，由於大陸淪陷後，歐洲方面情勢微妙，若干已承認中共政權的國家固與我斷絕邦交，即使未承認中共政權者，亦因其內部的複雜政治關係，對於中國局勢採取觀望政策；從而，使我國與歐洲外交關係，一時陷於低潮。因此論者以爲我國只有對美外交，原是事實，也無可厚非，但歐洲方面的空白，卻有賴爭取與國的宗旨，雖說德不孤，必有鄰，而歐洲各國在世界上自由力量的重要一環，仍有賴主觀的努力。外交之道，本來在於雙方合宜，對於弱國有依賴與仰助人之弊，只有廣交遠近，敦睦四方，方能擴大視野，增長聲望，體現自助助人的功能。最近國際形勢的演變，實已顯出了我國展開對歐外交的有利條件。第一、歐洲共黨勢力正趨於沒落，最近法國與西德的選舉，顯示出歐洲政治風向的轉變，第二、俄共向中東北非的大力滲透，西歐國家深感其切身利害，他們逐漸瞭解共黨侵略勢力的膨脹在整個國際局勢中所生的影響，在這兩種情勢之下，我們適應世界的觀感爲之一新，此時機，自具有利外交的機會。如何進一步加強外交活動，使西太平洋與大西洋北大西洋集團聯繫增長，當前駐歐使節所負的任務，今後外交政策上的一大課題。

當然，國民外交的加強，亦極重要。不必諱言，西歐各國的人民與輿論，對於中華民國在台灣依然缺乏瞭解。在台灣與自由中國兩方及輿論界改變觀念，也要使一般西歐人民不能完全依賴政府旅行外交，必須國民外交配合；駐外使領館的日常工作中，配合各國各界的國民外交活動，我們必須在文化藝術的交流方面，經濟合作與貿易關係的建立方面，而各方面都應使西歐重新認識中國，感到我們在反共的艱苦奮鬥中，以及我們的抱負們在這樣的存亡的戰鬥中，做到這一地步，我們便能在民意上，那麼，我們的外交關係，應該有廣大的前途。以友邦的關係大前途是基於民主陣營之民族，共同奮鬥了。外交旅行後，接上去的國是有計劃的外交，並充實駐外使領館，並加派使節常駐各友邦是必要的行動，除此我們還要強調改進對外宣傳工作的重要。吾人認爲注意這方面的工作應注意兩點：第一、是改進宣傳的方式；在內容上，不要說教，不要八股，在形式上要講求表現的技巧，要適時適地的迎合當地情勢，作宣傳上的最好配合。尤宜通過當地輿論，作所謂「間接宣傳」。第二、外交與宣傳，在國內雖不妨分爲兩個不同機構的業務，但在國外，宣傳業務與使領館的活動則必須打成一片，不可分彼此，尤其不應有步伐不一致，各自爲政的現象。

國際逆流目前依然威脅着自由世界，一切仍有賴自己的努力奮鬥。要從國際綏靖逆流中打開出路，擴展對歐外交是一條路，外交當局勉乎哉。（寄自台北）

也談革新國民教育

讀者論壇

○杜多○

十一月三十日，台北市國民學校校長，教導主任，教職員、家長，議員共二百餘人，在太平國校舉行教育座談會，討論惡性補習問題，教育廳長劉眞首以「釐清教育目標與改進教學方法」爲題，說明在「國民道德之培養，兒童身心健康之訓練，並授以日常生活之知能」三項目標中，特別強調「以維護兒童身心健康爲第一」。

國民教育是立國的基礎，一般國民，對這一問題，都能認識淸楚，毋待贅言。不過劉廳長所強調的「以兒童身心健康爲第一」，完全爲針對目前惡性補習，有害兒童健康而發，似乎不能包括整個目標。

國民教育目標，應求德、知，體育平衡發展，法令既有規定，即不容偏重或偏廢某一方面；更不應因救弊而矯往過正，致使趨於畸形發展！我們應該放眼看看當前中國社會，國民道德墮落，何嘗不是由於學校不重德育之所致？國校兒童知識不充足，當然是國民知識低落之主因。一般學校任用教師，只講資格，不問品學，師生之間，也很少以教品力學相期相勉的；就以惡性補習而論，身爲人師，不能教好學生，反以鼓勵升學爲由，濫施惡性補習，藉機斂財，致影響兒童健康而不顧，這不就是學校德育已經破產了嗎！再看社會各階層，做官的貪污失職，爲民的作奸犯科，整個社會，擾攘不寧，民生日趨痛苦；一般國民大多數曾受過教育，他們竟然敢爲非作惡，違法亂紀，當然是學校的德育知育都未收到成效，也可以說如今的國民教育，已經完全失敗了，豈是糾正某一方面，就可以挽救的嗎？

所謂革新教育，並非是標奇立異，炫惑耳目，而是就教育本身興利除弊，求其日新又新，進步不已，這樣對國家纔有所補益。辦教育本來有其宗旨與方法以爲根據的，政府又法令煌煌，主持人如能依據宗旨與方法，再遵照法令而推行，沒有辦不好的理由。無如現今的國民教育，積弊太深了。言德育，師長自身就有不少言行不檢，使兒童耳濡目染，習以爲常，人格從何提高？品德從何健全？況有時藉端斂錢，使家長厭惡，任意體罰，使學生自卑，其後果如何，不問可知了。以言知育，教師口說錯話，手寫錯字，不以爲奇，還有些國校，國語教師不能批改作文，而單聘「作文老師」的，（不教課僅擔任三四班作文）教師語文基礎如此低劣，還能充分灌輸兒童的知識嗎？以言體育，低年級實行「多部制」，兒童在校機會太少，當然談不上協調身心；高年級實施惡性補習，兒童健康，更從而殘害之，無待問了。如此國民教育，毫無實際；幾乎徒具形式，實則量乎其低也！對於下一代之小國民，雖曰愛之，其實害之，雖曰教之，其實毁之，怎不令人胆寒！

由於此，我要鄭重加以說明的，如今國民學校，不是沒有優良教師，不過瑕多於瑜，逆勢難轉；教育當局也曾謀補救之方，不過皆屬於治標方面，終嫌未能徹底。我們所馨香禱祝，引領企盼的，乃是當局要求其癥結所在，釜底抽薪，循正常途徑，從根本着手；如仍頭痛醫頭，脚痛醫脚，那就難乎言革新了。

美移民局允審慎辦理移民案

僑商譚錫曾出面為僑胞請命

（紐約通訊）紐約爲美國僑胞次多之城市，年來僑胞之商店或住宅常常受到移民局人員搜查，致令坐臥不安。僑商譚錫曾爲美國共和黨員，曾出面爲此事請命，經多時搜集證據，證明被搜查之僑胞多爲忠貞愛國之士，顯係爲共黨及其同路人所密函誣告，指爲非正式入境。又根據香港方面報告，亦係有共黨及歹徒因勒索不遂而向駐港美領館密函誣告申請來美者爲左傾或非正式親人，企圖阻碍簽證手續並不能來美等情事。茲値美國大選年，譚氏又曾致函紐約共和黨第一區主席茄倫，請求設法阻止上述騷擾行爲，當有利于共和黨競選。後茄倫氏會將譚氏原函寄交上議員努倫轉送國務院。該院主管簽證主任又將該函送交司法部之移民歸化局。據該局復努倫氏函稱：「譚君來信所稱各節，本局特加注意。關于調查問題，以後自當審愼辦理，而不致騷擾被查之人；關于駐港美領館對于申請人之調查證據，亦當使之特別留心審愼。以免發生被人勒索等行爲」云。（少）

台灣司法之窗

△司法行政部長谷鳳翔，於十一月二十九日列席立法院司法委員會議。施政報告之後，立法委員梁肅戎質詢，最高當局曾說「司法是今日三害之一」，令人痛心；谷部長答稱：司法人員中大多是廉潔的，並謂：青年一代的法官最是純潔，雖然經驗較差，但不會發生舞弊。

俗云：「一鍋白米飯害在一顆鼠矢上」，一個機構中如有一二壞人已嫌多了，何在少數！至謂青年一代的法官最是純潔，而竟在起訴書上公然寫解害案，據聞也是年紀輕輕的，當然應該列入一代的純潔之列，但新竹地方法院檢察官寫出「主管長官的證言，自可採信」一類違法的文字，一手毁了「法律之前人人平等」的銘言，不僅「經驗稍差」，如非另有緣故，簡直是毫無常識，眞要不得。

△警察機關羈押人犯的時限「延長」辦法，流弊百出而爲各方所詬病，近司法當局有派各地檢察官至各縣市警察局駐辦理刑事案件之擬議。

依刑事訴訟法所載：縣市長及警察局長於其管轄區域內，爲司法警察官，有協助檢察官偵查犯罪之職權，應將偵查之結果移送該管檢察官。如認受拘提或逮捕之犯罪嫌疑人認爲有羈押之必要時，應於二十四小時內移送該管檢察官（刑事訴訟法第二〇八條）。可見案件偵查的主角爲檢察官，餘者僅負協助之責，警察機構之羈押人犯二十四小時，已嫌過長，又有何延長之必要。最近台中市警察局刑警隊，打死彰化銀行失款案嫌疑人王自川，勞動監察院、法院和議會爲之操心。此種現象，不一而足，法院隔審時，嫌疑犯多推翻警局供詞，謂爲屈打成招而得，主審推事亦未必一定採取，則又何必多此一舉？高喊保障人權的今日，仍有「刑訊」這一名詞的存在，眞是今日台灣的莫大恥辱，將何以取信於國際。現在還如讓他們在法院寫坐地。望司法當局三思而後行。

△少年男子吳明俊，被控結夥搶劫一案，第一審判處有期徒刑七年，上訴第二審改論無罪，當庭保釋。冤獄雖獲昭雪了，但已經坐了五個月監牢，吃上半年官司了。我國的六法全書原是日文翻版，第二次大戰之後，日本有過許多修改，一如濫禁，而我國則一仍其舊，固步自封。司法風氣敗壞的今天，冤獄賠償制度如不及早確立，以我們這一瀰漫民族的作風，吃虧的還不是咱們升斗小民？望當局高呼整飭司法風氣之便，深思熟慮，實自爲之（十二月九日）。×××

○人言○

稷下談龍錄（三）

世界人口增加問題

○賈若虛○

賈：老師以上所講的是能力與工業原料的供應，在將來有問題。請將糧食供應有問題情形也講一講。

蘇：好的，我所以先從能力講起，就是因爲將來人口增加，食糧供應不足，需多用勁力來生產糧食的緣故。你們知道據國際糧食農業組織的報告，全世界土地有百分之九即三十萬萬英畝，現在是充爲農作和果園之用。此外五十三萬萬英畝是作爲牧場與草原之用。以上總計八十三萬萬英畝，佔全球陸地的四分之一。拿人口來分配時，則每人在目前攤到約三英畝的農作與草原地，或每人攤到一英畝的農作與果園地。但有三點應當注意：第一，各國之間數目不同，差別甚大。澳洲紐西蘭阿根廷加拿大美國蘇聯等國，平均每人所佔耕地高。中國日本印度馬來亞以及中東的埃及等平均每人所佔耕地低。根據國際糧農組織一九五四年報告，我們可隨便舉每人所攤之耕地爲例如下：加拿大一〇、三英畝，阿根廷二二、一英畝，澳洲一一七、三英畝，紐西蘭一七、八英畝、蘇聯四、二英畝，美國七、〇英畝，中國大陸一、五英畝（不準確）印度〇、九英畝，埃及〇、三英畝，日本〇、一英畝。但以上是以全國人數攤算，如以農夫人數來攤算農地，則每人所佔英畝數字如下：澳洲一九一四、八紐西蘭二四〇、九美國一五三、〇加拿大一五一、九阿根廷二二〇、六印度五、一中國無數字（我的估計約爲〇、二）日本〇、九埃及一、四。第二，各國水土保持工作尚待努力，中國華北黃河流域二千年來黃土總是隨水瀉入東海，海爲之黃。美國據前任水土保持局長本納德氏Hugh Bennett報告，自開國以來，不到二百年之間已經毁去耕作地二萬八千二百萬英畝，現有七萬七千五百萬英畝遭水土侵蝕最好之作物地已無可挽救。就中有一萬萬英畝最需要保持，本氏又說大自然通常需要從三百年至一千年的時間，方可在地面製成一英寸表土，但此一英寸表土，祗需一陣暴雨便可衝刷淨盡。第三，在現存狀況之下，世界有若干國如美國加拿大之類糧食有餘，人民豐衣足食，甚至不無浪費。但在亞非中東諸國，有甚多長期飢餓的人存在。普通人依其所在地之氣候溫度，以及職業情形，而每日所需之熱力營養有所不同契。照斯氏Ancel Keys的報告，一位砍伐木材者每日需三九九八卡洛利Calories，開貨車者則需三、〇一七卡洛利，大學教授只需二六七〇卡洛利。據威亭斯基Wotinsky的報告世界人口每日所能營養在二二五〇卡洛利之下者，超過半數以上。印度每人每日祗攤到一六八〇卡洛利。

何：老師請勿忘記你所說的人口理論；現在固然亞非中東南美等地人口增加甚速，營養欠佳。但等到他們工業化現代化有相當成就之後，普通人民爲了希望得到合理的生活，便會自動節制生育。方纔所說法國人口在十九世紀停頓，以及歐洲現在人口增加甚慢，尤其像瑞典等國，幾於不增加，也爲明證。所以我說在本世紀末或下世紀初，工業國家增加之後，人口就可漸漸停止上升。

蘇：你所講的有局部的眞理。然而二十世紀的落後國家不能同十八世紀英美法德等國相比。當時資本蓄積容易，市場也不難尋覓。尤其有美加澳阿等大塊土地，既可廉價供應糧食，使歐洲的農人得以轉入都市來做工，同時新增的人口，又可移民至美加等地。此種黃金機會今日不再有了，因之現代經濟落後國的工業化有無窮困難。等我們討論經濟問題時再來詳談。我現在所要說的，即是落後國家要靠生活程度提高，人民自動節育，以及移民他國，來使人口不增，是難上加難，幾於不可能。請你把近八年來聯合國的刊物，如人口年鑑等看一看就曉得了。還有一層插曲，也值得一提的，就是美國北方中西部，如南達柯他與孟太拿等州，有多年前從帝俄移來的再洗禮教徒名爲舍會Hutterites，他們自成社會，廣生人口，不與外界接觸。他們的生產率爲每千四五、九人，死亡率爲每千四、四人，故人口自然增加率爲每千四一、五人，美國近年一般人口增加率祗爲一五、四人。此種教徒以及美國國內天主教徒及黑人的生殖率，均遠超過一般之白種新教徒，後者如何不心懷疑懼？所以美國的人口上升問題，與國內種族問題，近二年來已被開始討論，此後將日益喧嚷。總之你所說的理論，不適用於廿世紀的今日，我可以肯定地拿數字來證明的。（六）

中山大學復校問題

黃晃

溯中山先生鑑於過去歷次革命之失敗，辛亥革命成功之未能徹底，與夫民國成立後建國事業之未能有成，皆由於人才缺乏所至。於是認定今後欲達成這兩種使命，則培育人才實爲當務之急。所謂人才，自不外革命的軍事人才和建國的科學人才兩種，而建國的科學人才，除革命時期外，尤重於軍事人才，其造就亦遠難於軍事人才。欲培育人才，則從事百年大計之教育事業的努力爲刻不容緩。無奈中山先生雖早於民國五年開府廣州，但因歷年局勢關係，直至十二年間，方命鄒海濱先生籌辦國立廣東高等師範，爲培育建國人才之始。是年多，又命鄒校長爲籌備主任，將國立廣東高等師範，廣東公立法政學校，和廣東農業專門學校三校，合併籌組國立廣東大學，作爲將來培植革命和建國人才的大本營。

後中山先生以三校雖已合併，而原有各校校舍，散處市區，不適藏修，復命鄒校長指定石牌地方爲廣東大學新校址。隨又將廣東工專，廣東公醫兩校及醫院，以次併入，範圍日廣，規模益大。惜甫事經營，而孫先生遽逝，遂易名中山，以資紀念。從此積極建設，經時十載，蔚爲大觀，成爲東南亞規模最大之一的高等學府。鄒校長曾先後有詩詠之云：『藍縷篳路啓山林，寸寸山林盡化金；樹木樹人兼樹穀，規模遠託百年心。』『黌舍縱橫入望中，十週剛屆慶竣工；從來締造非容易，令我低徊國父功。』蓋紀實也。

惜當一般人才方悉力爲建國宣勞，基本大業正在展開之際，却遭東流暴日蹂躪！至廣州轉進，此歷時十年慘淡經營之東亞規模最大的中山大學，當局以不忍其盡罹浩劫，不得不盡最大努力，將其中重要部分，西遷澂江，繼又搬回坪石，不久敵侵粵北，又受摧殘，以致暫時停頓。抗戰勝利，始得復校原址。溯自中大前身之廣東大學創立以迄大陸變色，經時不過二十五年，而其所造就的人才，則遍佈於國內國外，肩任建國重任，作分門別類的奮鬥。至此，中山先生當年對廣東大學所寄的期望，又漸趨於實現之途。方期建國大業長足進展，以底於成，不料共匪叛亂，致一切努力，又盡付東流！現在大陸淪於浩劫，又値國府播遷海隅，我們不僅應培養大量的革命軍人，更應栽培大量的建國專才，以備來日收復大陸，從新建設一個現代化的新中國。

誠然，黃埔軍校早經在台恢復，可謂寶哉革命軍人，已有地矣。國軍之能有長足進步，實所攸關。惟各方建設之不能追蹤軍事，又豈無因？其造端於人才缺之，一如當年。從前在大陸的各大專學校，也不少已先後在台重建，而獨孫中山先生所創而建爲陶鑄和儲備革命，建國人才的中山大學，未聞復校，且無若何消息，實非憾事！現在革命軍人已準備再度發揮當年的黃埔精神，行將進革共匪之命，收復大陸，解救同胞。惟中山先生生前所寄望之建國專才又將從那裏來產生？所以中大復校，此不僅我們中大校友熱誠的期望，也正是現階段政府當局重大責任：蓋所以應反共抗俄時代趨勢之迫切的要求哩。

當廣東大學於十三年春間開始籌備，本人適於是時由歐洲歸國，即承鄒校長之邀，任籌備委員兼農科教授。至是年秋，廣東大學於原址成立，隨即就中山先生所指定作廣大新校址之石牌地方選擇廣大地區，增闢爲第二農場，又復兼任該場主任。踏勘場址之日，與同事鄺嵩齡，利寅兩教授及梁惟一，馬毓清，王方升先生等，率領校警，前往會同地方紳耆審愼進行。不料該鄉民衆受共匪彭湃的蠱惑，竟糾衆圍毆在場人員，本人遭鋤頭猛擊，重傷昏厥，其餘同事亦各罹輕重傷，幸得迅送醫院救治，亦經相當時日，始告痊癒。想當年雖因公受傷，險些喪生；每一念及自鄒校長以下，全校員生，頻來醫院慰問，關切備至，則不特毫無遺憾，今且猶以爲感！回思創校之締造艱難，尤感復校之益不容緩。筆者以甫由歐回國，即參與該校成立前籌備事宜，並先後執教于廣東大學，中山大學，故對於該校懷念特深。爰亟草此短文，略抒所感，藉以喚起國人，尤其有關各方之深切的注意。

時至今日，共匪崩潰之象日著，建國時機之來臨日迫，我們要記取中山先生在革命建國時期文武並重的理想，既除革命的軍事人才，有軍校爲之大量的儲備外，其建國的科學人才的陶鑄，則除現有各大專學校外，紀念孫先生的中山大學實有緊急復校的必要。深願我們的政府當局，尤顯我們的中大校友，爲了反共抗俄，爲着建國前途，應從速設法，使這一所負着革命建國雙重偉大使命之中山大學的復校，早日實現！

民國四十七年，三月，出國前一週，稿于台北。

國際動態拾零

△尼克遜此次赴英，與女皇處得極好。女皇曾與尼氏聚餐于白金漢宮，及美大使館。並告尼氏，謂渠明年將訪問加州。

△據說柏林問題，是中共爲造攏其在金馬之失敗，要求赫魯曉夫如此幹的。另一動機，爲使赫氏受到外力壓迫，因以放鬆其對付史太林派之行動。

△蘇加諾得軍人諾許洵（Nasution）之支持，將總統改選延期至一九六〇年舉行。諾氏曾爲之削平外島叛軍，曾向美購買一千萬元之小型軍械，認爲不必向蘇聯低頭，俾免陷入糾紛。以納氏態度，蘇加諾曾到駐印尼美大使家中敍餐，做出若干親美姿態，以是華盛頓大爲樂觀。

陶然。

看毛澤東的下台

從北平來的消息已證實毛澤東的職務將有所更動。若從消息的本身去研究，說明毛只是辭去那個「高級儀仗隊的頭兒」似的「中華人民共和國主席」而已，對于毛的權力來源的中共中央委員會主席一職仍得保留，那末，也就是說，他的權力未曾有基本的動搖。

至于有的消息說，他因爲：人民公社倍受攻擊，黨內鬥爭嚴重，蘇聯壓迫諸因素，而迫使他在倦後將致力于著作，或說他將退休隱居等，看來也都是過早的推測之辭。這並不是說人民公社未受攻擊，黨內鬥爭不嚴重，蘇聯沒有壓迫，而是，現階段的各種跡象顯示有這些壓力，但還未發展成熟到足以致毛於死地。因此，我認爲，毛澤東在未來的「人代會」上更動職務，並不完全是被迫的。

公安人事調動

大概在三四個月以前，中共的公安部隊副司令員程世才，調去瀋陽軍區指揮東北區的公安部隊；後來，才知道遼甯省正在進行黨內鬥爭。最近，原公安部隊的副政委李天煥僉任了公安部的副部長；這種情況，是否又說明由於大陸的治安不良，爲了更靈活地運用公安武力起見，而使他僉任公安部的副部長呢？這是必須注意的問題。

按李天煥與程世才原是紅四軍的幹部，後來隨李先念在鄂豫皖邊區發展，現在李、程的如此活躍，顯示出李先念的勢力在增長。按李先念自調任「財政部」長以來，一邊倒向毛澤東的方面，毛亦時常以李的根據地湖北爲典型要各地黨向之學習，可以說武漢已成爲毛的新根據地了。由上述公安人事的調動，結合起毛、李間的關係，亦足以說明毛的權力尙不致於急遽下降。

公社中的婦女生活

本月十五日，中共中央政治局委員書記處書記譚震林，在全國婦女積極分子會議上講公社的「好處」，說社會主義建設將因此而「加快」。他在談到公社中的婦女工作時，特別指出，要密切注意婦女的特殊利益。怎樣注意呢？他說：「在月經期間不做重活，不下冷水，要睡足八小時，加上吃飯和自由活動，共十二小時，不得短少，使體力得到適當的休息。」共產黨說「善心」了，只要婦女每天工作十二小時好了！這種比資本主義制度下的女工工時多了二分之一的制度，大概就是中共治下的「保護女工」！眞是好話說盡，壞事亦做盡！

我眞不明白世界性的婦女組織，工會組織，保護人權組織等爲什麼對於這種情況，不提出抗議？爲什麼對於中國大陸的事情總是漠不關心？難道說在這方面也存有種族歧視？我們也明知道即使有這種抗議，對於像野獸般的獨裁者，是不會發生實際效果的，但是總會使得他們多一點顧忌。我們假使反過來看，共產國際方面，甚至動不動就發表宣言，提出抗議，甚至由政府出面正式聲明，雖或不獲實際效果，但至少已獲得宣傳功用了。在這方面，台灣的與各種世界性組織有關的機構，大概應該義不容辭的盡其促發動的責任。

‧田心‧

二十九名小姐 角逐工姐寶座

本屆工展小姐報名者特別踴躍，破空前紀錄，計至十六日下午五時止，已達六十六名之數，繼後更紛至沓來，迄是晚十時半止尚有下列十三人，計開羅美梨，寶富油廠。黎美蓮，雲利乳膠製品廠。梁麗蓉，科藝工業社。梁綺玲，星洲化工廠。趙美華，海化大同。歐綺文，雲利乳膠製品廠。饒懷玉，普濟檸檬精藥廠。呂瑤間，榮記麵廠。伍丹鳳，邵氏製片廠。李念珍，美洲顧繡製衣公司。鍾安娜，哥倫比亞領帶公司。余麗珍，權記蝦片廠。

工展特輯

工展攤位比賽 錦興公司榮獲優異獎

百德新街大廈之展出爲本年度之特點

香港第十六屆工展會攤位比賽，由工商業管理處處長晏加士及港大建築系主任格力哥利等多位專家任評判人員，評定各攤位佈置之等級，其中包括有置業建築界錦興置業有限公司評獲本屆攤位優異獎（Gommendation）將於日間頒發獎品及獎狀。

錦興置業有限公司乃本港規模頗大的置業公司，專一興建高尚住宅，銅鑼灣百德新街（Paterson Street）爲該公司所開發全區清一色爲高尚洋樓，計開有：銅鑼灣，唐甯，華爾，海德，華納各大廈已完成入伙，最近更加速興建之百德，華廈，華登等大廈，純爲第一流之華麗住宅，地點適中優美，可稱旺市住宅有郊外享受之風味，且爲交通便利，聞該公司在銅鑼灣百德新街地盤亦有分辦事處，近日到工展會及銅鑼灣辦事處參觀者甚衆云。

（附圖：工展會錦興公司攤位圖）

通勝日曆 業已面世

蔡伯勵醫學專家以出版通勝及擇日堪輿馳譽，每年編定之七政經緯曆書，擇日者無不奉爲圭臬。最近更獨出心裁、編成亥年通勝與日曆合併之己亥新年案頭日曆一種，內容既有陰陽曆對照，於十二時辰之吉凶宜忌，更按日詳註，檢查至便。

自由談

談毛酋退位問題

馮子先生

毛澤東聲明不再擔任中共偽政權的主席職務這回事，全世界的輿論皆紛紛批判推測，其說不一，究竟孰爲正確的觀察，此刻殊難作出肯定的答案。但我們根據中共一貫的宣傳技倆來研究這問題，可以領悟兩點必然的事實。

毛共平日的宣傳策略，凡是遇到最困難或失敗的事情，即大力從事相反的宣傳。如大陸糧食奇缺，餓莩載道的情形發生時，它就拚命宣傳農產品的奇蹟收穫，說是一畝地可生產了十萬斤以上的稻谷，一顆衛星，人民個個豐衣足食，如共軍在台海的軍事慘敗失敗了，即發佈「帝國主義以及一切反動派都是紙老虎」的文章，還要強迫人民一致學習這類自欺欺人的無聊文獻，又狂呼「必須武力解放台灣」的口號。

毛共中央委員會日前宣告毛酋不再作偽王朝主席候選人的公報中，特別強調這是出於毛酋的「自願」，又聲言今後仍須加緊「人民公社」制的推進工作云云，實際乃反映着毛酋之失敗於「人民公社」制的內容，而以「人民公社」爲其退位的主要因素。我這種推論是否正確，只看今後共黨對「人民公社」運動有無改進的表示，即可證明。現在據說俄共頭子赫魯歇夫對美參議員亨佛萊曾指斥「人民公社」是反動的。如果這話可靠，更足以反證我的辯證論庶幾近乎事實哩！

不過，無論毛酋之退位是出於自動或被動？自由世界人士不可誤認毛共政權已瀕於崩潰階段，尤其是自由中國的朝野人士，應該以冷靜的頭腦來看它的後果，萬不能稍有自我陶醉的心理，認爲毛共即將要完蛋了，再說一句總話：毛共決不會不受實力打擊而自倒的。

甚麼才是「新興繪畫」

莊世和

一九○一年在美術之都——巴黎，開了梵高回顧畫展後，西歐畫壇已漸醞成「新興藝術」的新生景象，加以當時興盛的寫實主義繪畫研究，促起了新興藝術運動的擡頭。野獸主義，一九○五年之表現主義，一九○八年之立體主義，一九○九年之未來主義等陸續產生。這運動于一九一六年傳到日本，一九二七年前後才傳到中國來，使我國的繪畫、文學、音樂、建設思想等，都覺醒於這一條新的道路。

在回憶起來，新派畫在我國已有三十多年的歷史，如今一般人仍未完全了解新派畫，這是一件憾事！因爲目前我國一般人對于新興藝術作品的欣賞，還缺乏之習慣，所以被人稱爲「古怪」的東西，又對現代繪畫隨意評擊。新派畫在歐美諸國不必說，東亞我國的日本，韓國，菲律賓，印度等國家，都很旺盛的。

說起我國新興繪畫，實在太貧乏了，去年有一羣台北師範學校藝術科畢業生，也有本省中部生的學生，受了自由中國美展的影響，組合了「東方畫會」，可是他們卻關注遠自西班牙底「第二藝術」派：所謂純粹繪畫派：在三十年前——一九二七年前後，由我國的陳抱一在滬首先提倡「新興藝術繪畫」，後來只見少數畫家承受了他的遺志，專心研究。如何我們在二十六年創立「上海美術會」，展至北平、廣州、香港等地，後因太平洋戰爭，一度停頓，及至光復三十九年起繼續推動，創刊「新藝術」什誌，四十一年起至今舉辦了四屆的自由中國美展覽會，使大家獲得再次的認識。這些便是畫派的繪畫，必先有「畫因」，然後求其如何表現，故能「言之成理」，不是只求玩弄技巧，標奇立異，故弄玄虛的情形，與表着中國的特色與精神，並非西洋新興繪畫的翻版，而是中國的新興繪畫。

所謂第二藝術，二年前由我國留學西班牙的學生蕭勤，以秒譯方式，把西班牙底現代畫派介紹到我國。曾在報紙上發表文章，蕭勤譯爲「另藝術」的——是西班牙的一部份現代青年畫家組合而成立的藝術運動。

在西班牙的「第二藝術」，是作家們受到畢卡索、格利、米羅、戴利等先驅的薰陶，和西班牙傳統的鬥牛精神與騎士觀念去拿齊畫布，以印象的、構成的情感作用表現。所以作畫前卻沒有畫稿存在，往往把自己的意思，自由自在地表現，它是感情的爆發、有笑、有哭，塗了色，究竟我不出一個主題。畫完後有時候連自己也就隨便拿了一個題目作爲畫題，只好留了一個什麼，假若找不出畫題，便用「傳成」、「繪畫」、「作品」、「構圖」等來代替畫題。故美術絕對，也必抛棄物體的觀念，純然抒寫內心的情緒來抽象化。這樣未踏進「至上藝術」的領域的我國國民，當然找不出一個道理！目前在台灣活動的「新興繪畫」，已成有兩派：前者已踏入「自由中國文藝復興」的「國粹畫派」，它正在「至上藝術」裏找尋着我國五千年來固有文化的精粹，加以世界的文明來發揚光大，成爲我國的新興藝術。——是自由中國美術展覽會的路向。後者是懷着熱情，卻沒有自我的思想與主張，更不肯廣泛的吸收現代藝術各流派的精粹，只是跟着西班牙去找尋「第二藝術」的路徑。——是中國、西班牙現代畫家聯合舉辦的東方畫展。（按東方畫展最近在台北舉行，受到輿論界的非議，我因有所感，草此以釋疑惑，免于亂眞也。）

台灣文壇見聞

孟瑤的慨嘆

漢明威的小說搬上銀幕，這位文豪曾爲劇本中一句對白與劇作者爭持不下，弄到公堂相見，漢明威仍堅持己見，不同意更改那句對白。法官問其故，這位文豪幽默地說：「法官先生，因爲只有這一句對白是我原作中的」。由此可見作品改編劇本，其間差離之大，當然尊重作者的劇作家也是有的。最近孟瑤女士的小說「窮巷」被中央公司改編爲電影，孟瑤當然喜于自己的著作能上銀幕，及至她看到劇本，她不勝慨感地對人說「所謂我的作品改編電影，不過是他們用了那個故事而已。」言外之意，似連漢明威「祇有這一句對白」的幽默，也沒有了。

○梅魂。

悼李文若委員 並序

○邵鏡人。

文若，名鈺，福建邵武人。於中華民國行憲時，當選立法委員，近隸中央委員。余與別十年矣，音訊常通，意氣相孚。詎料突以心臟病逝台灣，年五十許。斯人遽歛，而止於斯，惜哉！賦句悼之。

閩中多奇士，李子其猶龍！鬱鬱匡時略，匣劍氣如虹。一朝膺賢選，議席逞雄辯。與子心同盟，相期天柱擎。不圖一二木，難支大廈傾。蒼皇別建業，慷慨下羊城！從此遵海濱，魯連不帝秦。書札相濡沫，淸暉入夢頻。孤鴻來海上，烏雀噪堂楹。世溷莫我識，君死吾獨行。思君不能止，人天萬古情。

悼李文若硯長

○王韶生。

週末於車中讀報驚悉文若病逝台北悼之以詩與鏡人同作

八閩多俊秀。共學憶西堂。佉盧精文字。天骨何恢張。結社抗京滬。聲聞溢南疆。年少誠不賤。更勉致軒昂。分飛惜勞燕。黯然神亦傷。櫻人嗟世網。徒嬴鬢上霜。金陵昔制憲。風雪話聯床。婉陳天下計。相看漸老蒼。銅駝委荊棘。襆被走炎方。國運圖中興。經綸仗智囊。君仍厠議席。微管誰一匡。鞠躬以盡瘁。殞身等國殤。故交今寥落。海澨同韜光。臨風而雪涕。桂酒奠一觴。後死原有責。報國路正長。魂其祐吾儕。素志終獲償。

傳統文化與時代

伍希雅

傳統文化，這個名詞往往受到廣大的誤解和頑固者的利用；而在文學與藝術的領域內，「傳統」二字，則是形容詞，尤其是往往用作反面的形容詞：即如某某人的作品是「非傳統」的。有些批許家也每每深愛用這二個字爲唯一武器。於是，在任何一個時期的藝術史上，對任何新興的藝術運動，有時少不免被斥爲「非傳統」的；雖然事後仍有它一定的地位。

假如將目光擴大將偏見抑住，我們必然發現到任何偉大的藝術家，一定有其與傳統的背景，但其偉大處，一定是他有與傳統不同的地方。藝術家所以有其獨特地位，非由於他只承受傳統，而是由於他有所加於傳統，在東方如此，在西方亦然。

隨便將「非傳統」的帽子加諸新興藝術運動或任何藝術家，是欠思考的，因爲傳統的廣度和深度，是無窮的，新興藝術自不免或多或少與傳統中的某一點有關聯。

在中國文學史上，如曹植、如陶潛、如韓愈、如黃庭堅，何嘗不對他們以上的傳統有所繼承，而又有自己一代的面目。

即使以二十世紀的西方現代藝術運動來看，在詩的方面，現代詩和十七世紀玄學派的詩有明顯的聯繫，在畫方面，畢加索深受格力哥影響，是一般研究畢氏者共認的事實。由此來看，「傳統」與「非傳統」之間並非是對立的，只有一般好排斥新生力量者，才硬生生地把它對立起來。

事實上，傳統文化是所有過去的文化的積累體，是一條大河，無所不包容的，誰能以「傳統的」自命呢？傳統不是死的，是活着的，而且時時在演變的。我們今日的創作，即使受指責「叛離傳統」，但本能地在他日又將成爲傳統的一部。

傳統有它縱的和橫的意義。縱的方面，是歷史意義和遺傳意義。橫的方面，是所有已經存在過的學說、思想、派別等給予的啓示性。

歷史意義是肯定的，全民族文化的創興、發展、盛衰、衰落、與再造，均構成傳統的一脈，在這方面而傳統文化價值是絕對的，傳統文化的綿延性從過去而到達了現在，任何新力量皆是傳統的力量。

遺傳意義則是任何藝術家均不能擺脫的所有興趣、性格傾向，均有生俱來，或得自父母，或因環境催生，但也都是傳統的賦予。

然而，當藝術家認識清楚傳統的歷史與遺傳意義之後，即有權利從廣大傳統中，在那些已有的學說、思想、派別等裏面，選擇適宜於特定時代需要的那一部，或那一點，加以擴大，並使之成爲新運動的原始動力。

任何藝術家均不能跳出其傳統背景，亦不能脫離傳統而獨立，他的保守思想是因受制於傳統所啓發，他的新觀念則由傳統的了解，愈有傳統的深度，愈有創出新觀念的能力，這是必然的。因爲不了解傳統文化自不能體會到傳統文化思想的高和深度，而新觀念亦無由產生。

我國文化經過五四的一再考驗後，一般新學者，均以爲我國的傳統文化已受到史無前例的大動搖，守舊的學者，尤痛于西風的東漸，覺得我國的傳統文化勢將一蹶不振，於是，對我國文化的估價，成爲許多人當前討論的時代中心。

在文化史上可以比諸南北朝，當時中國受到五胡的擾亂和印度文化的巨大洗禮，文化亦同時受到同樣的考驗，結果新思想產生了，盛唐的詩壇和敦煌的藝術，竟造成中國文化的頂點。

中國的文化需要一個新面貌，則無疑問了。它必須不同于昔日，亦不同于外國的任何時期。

無論如何，以隋唐爲例，我們有理由去迎接外來的文化，從其傳統中選擇可取的部份加以融滙，萬不能視外來文化如毒蛇猛獸，更不能以目前中國文化的暫時陷於低潮而缺乏信心。必須有熱誠和積極、自覺和勇敢，然後方能實現文化的再造，中國才能有另一個盛唐的出現。

傳統文化不要以爲在後面支持我們。不要以爲從事研究西方有損民族的自尊，當然也不應得自于西方太多而對東方鄙棄，因爲這樣有違我們對新文化建設要求。在這個重要的時刻，任何中國人必須對傳統文化的意義有正確的認識，然後才能夠無害於中國文化的繼續發展。

步伐

○野馬。

躑躅着，在白色的斑馬綫上，
同胞們，我們是仰人鼻息，
歷史不能被遺忘，被塗改；
躑躅着，在若干的兩個極限裏。
曾經有這樣的陰影，米字旗飄揚，
而我們把一角子放進唱機裏；
我們期待，只是三分鐘的享樂。

下一代美好的日子，是前途，
在冷靜中，我們必須情熱地創造；
讓年靑的堅毅彌落半世紀的空白。

躑躅着，千萬純摯的靈魂，
同胞們，東亞睡獅已甦醒吼叫，
窄門裏有生路，窮巷中春大誕生；
昂起頭，我們依舊踏着民族步伐，
前進！

初生（木刻）○無邪○

辦刊物應有的精神

羅曼瑩

辦刊物並不是件難事，只要能拿出一筆錢，隨時可以出版，問題只是辦刊物必須要有一種精神，這「種精神」卻不是每一個辦刊物的人所能表現。尤其是目前，在香港這種環境中，刊物雖然觸目皆是，但符合我們底理想的，卻是鳳毛麟角，這實在是件很可憾的事。

辦刊物實則決不是我們想像的那麼簡單，刊物雖然是自己拿錢出來支持，但決不應爲滿足個人的某種慾望而辦，而應該是爲千千萬萬讀者辦，爲表現羣衆的意志與力量，喚醒統治者的昏庸而辦。環顧目前的情形，一般刊物若不是因政治立場甘心爲虎作倀，作別人的傳聲筒，就是販賣低級趣味，以致目前的文壇，一片混亂，使有志之士，疾首痛心；有些刊物的篇幅，都是半私人化的，主編的人爲了豢活朋友親戚，把一切外稿，摒棄不用，這就更全無意義可言了。

當我們的祖國正面臨一次偉大的改變，須求一個文化再造運動時，我們謹希望有能力從事文化和新聞工作的朋友，能正視這些問題。

自由人
THE FREEMAN
（第八一四期）
中華民國僑務委員會登記證 [illegible]
中華郵政 [illegible] 第一類新聞紙類
（每週三期刊出版）
每份港幣壹毫
台北市價新台幣壹元
發行人：[illegible]
地址：香港高士威道二十號四樓
20 CAUSEWAY RD. 3RD. FL. HONG KONG
TEL. 771726
承印者：東南印務出版社
[illegible]

赫魯歇夫、毛澤東和「人民公社」

△必須搞清這三者間的關係才能把握問題的核心

張六師

對於由人民公社所引起毛澤東下台的事件，近一週來，已成爲國際要聞之一。因爲各方的觀察不同，故結論各異，至少產生下列三種說法：

一、認爲毛之下台是由於推行人民公社犯有錯誤；

二、認爲是出自赫魯歇夫和中共「黨」，「團」的壓力；

三、認爲毛決非自甘淡泊，乃是以退爲進的策略，仍圖捲土重來。

但無論是出自何種原因，其下台絕非出自自動，而是迫不得已，同時對中共今後內外政策也不會發生基本上的改變，則各方皆同此看法。可是這都不是問題的原因，只不過是問題的結果。今天毛和中共本身所遭遇的結果已很明顯，但欲知其未來的演變，即必須了解其背後的影響之所自來，才能掌握住問題的核心。

今日所應獲得答案的問題是：

這裏幾個問題

一、人民公社運動，是出自毛澤東的獨斷專行？或是先曾得蘇俄的同意？二、毛澤東的喪失政權，是出自中共內部的傾軋？抑是主因是由於赫魯歇夫的壓力？三、今後人民公社運動還是繼續躍進？抑或重走列寧路綫？長期和緩下去？

我是認爲：一、人民公社運動是獲得赫魔同意，毛才大力推動的。二、這次毛曾是上了赫魔的圈套——等於一種「陽謀」，使毛碰壁，才好借口整肅。三、今後人民公社必然繼續在農村推進，但在方式和技術上必然重新修正，重步列寧迂迴後退的路綫。

我的理由如下：一、無中共與任何附庸國的「黨」的決策和內部行政，都難逃蘇俄的控制，中共當然不能取得如南斯拉夫一樣的獨立自主權。二、根據共產國際的組織法——各國共黨都是共產國際的「支部」，和中共一向所強調的國際主義與反修正主義的事實，加以「黨」高於「國」的原則，中共以俄爲「頭」，把「心交給莫斯科」的號召，「走俄國的道路」的著作與言論，人民公社的運動，能說是毛在未經「顧問」的同意，赫魔的許可便敢獨斷專行嗎？在正式既經過中共中央通過才頒行各省推動，毛澤東還獨任其咎嗎？三、關於人民公社的理論，早是出自馬列教條，近則根據去歲十月國際共黨在莫斯科的宣言（第三段），而此次八月三日赫毛北平公報，最後還又重申一次「捍衛各國共產黨、工人黨莫斯科宣言原則」。是則毛澤東即令犯了左傾冒進的偏差錯誤，嘗至嚴重到解除政權的程度？（赫魯歇夫獨自的試驗「農業城」失敗，何以無處分？）四、赫魔對美參議員堪富利指摘人民公社是「反動」的話是否可信？如然，則爲何明知魔欲加之罪，已揭明顯，則毛今後欲再抬頭，其勢甚難。（除非有勇氣敢走狄托路綫。）五、赫魔斥責人民公社之話如確，何以蘇俄仍聽任中共今後要繼續辦下去？足見幕後另有原因。

從中共過去的文件看

基於上述各理由，我在中共過去發表的文件中，尋出如下的證據：從去年「十月革命」紀念，毛回北平起，到今年五月中共召開八屆二次代表大會以來，直到赫魔到北平爲止，中共中央與地方並無關於人民公社的任何迹象。四月間的河南遂平「併大社」，幹部對此舉性質都不甚了解。八月中旬以後，中共突然提出實行人民公社，因事件來得突然，各省共幹都無準備，這個改變整個社會與家庭生活方式的大事，又適與中共過去各種美麗諾言相反，使中外人士和共幹，都感震動和意外。誠如中共河南省長吳芝圃所說：「河南人民在聽到毛澤東同志關於人民公社的指示以後，但由於運動來得太猛，進展得又很快，河南各級黨委以極大熱情堅決地，勇敢地站在羣衆前面領導前進，但思想的準備還是不夠，總結經驗也不夠及時」。（紅旗雜誌第八號）足見這是何等臨時急迫，事前並無充分準備的任務，連中共的高級幹部都茫然的。

其次更由赫魯歇夫七月三十一到北平，八月三日離北平，而毛澤東便匆匆在第二天——八月四日也離平趕到河北徐水縣的南梨園鄉大寺各莊，視察該地的農業合作社。他下午離去後，「當天天晚，連夜由縣委召開全縣電話會議……大寺各莊公社在這天黑夜正式成立。八月四日這晚有多少人在黑夜裏沒屬覺，有多少人流着又酸又甜的眼淚，想起了他們黑暗的過去和『美好』的今天，多少母親非要幼兒闖看看自己多日不丢的孩子，才肯回去。」（原文見人民日報八月十日）凡是一個人，都會想得到，在赫魯歇夫七月三十一日未到北平，和毛澤東八月四日未到徐水以前，當地決不會連夜建成一個「人民公社」的。

根據中共遂寧省農村工作部所接受中共中央關於「併社問題指示」，透露在五月間進行了一次「併大社的工作」，和「河南併大社已成爲浪潮」的說法，足見最初中共的目的是在想辦「三社合一」的大合作社，當時尚無「公社」之稱。到了八月，才正式定名爲「人民公社」。在辦社最早的河南，還是根據譚震林向他們講解說「黨中央關於工農商學兵的「大公社」的一番道理後，回

公社是在摸索階段

關於中共對人民公社如此震大劃時代的歷史大事，事前並未見先有任何方面的正式提議醞釀，與公開的準備和議決手續，甚至做了後很久，還不見中共中央正式向全國公佈它的正式法令，說起來真可謂「無法無天」。我們僅就他們所公佈的。一、河北省委關於建立人民公社的指示。二、河南「嵖岈山衛星人民公社試行簡章」。三、新鄉「七里營人民公社福利工作試行細則」，和共黨報刊所描述的一片宣傳文字上來看，可以知道這個制度混亂不清，邊做邊改，連共黨自己也沒有自信會搞好，它還正在由下而上地在各處一面試驗，一面改變。也就是如共黨「人民公社專輯」第一輯第五頁所說：「人民公社建成

來就叫成公社了」。「公社」之名是自此尚未冠「人民」兩字。所以當初是並不公開的，其知者甚少，其然是在八月以前。以後八月中旬正式發動，稱爲「人民公社」，並補行宣佈「嵖岈山衛星人民公社試行簡章」，於是各地都紛紛發動，內容也變得包含農工商學兵各部門的全面性組織。大陸人民便又天翻地覆了。

，不要忙於改集體所有制爲全民所有制，有些地方可能較慢，需要五六年或者更長一些時間過渡到了全民所有制……也不必忙於改變原有的分配制度，以免對生產發生不利的影響……在條件成熟的地方也可以改行工資制，在條件不成熟的地方也可暫時採用原有的……以勞動日……按勞動……我們應積……人民公社的形……過渡到……途徑。[illegible]……是並未正……這樣快

。可是赫魯歇夫親來北平後，就急轉直下，因此，可以斷定，不是赫的指示，至少也是得了他的同意，受了他的影響。所以中共在八月份的「紅旗」刊出這個所謂「在四個進行合併的基礎上發展出來的所謂河南遂平縣嵖岈山衛星人民公社」的試行簡章草案」。這個在「試行簡章草案」四個月後，在八月間赫回俄後才擬定出來的「試行簡章草案」，（九月四日正式公佈。）以中共遇事不惜人命晝夜趕工的慣例來說，何以會有如此顛倒邏輯現象？這恰好反映出他們是要想遮飾出自蘇俄影響的破綻而已。（其他如九月十日新華半月刊所提到最早的如「秋間」所辦商城「超英人民公社」「七月下旬」所辦的黑龍江尚志縣「長壽鄉人民公社」。「鄭州紡織廠人民公社」，以及河南遂寧的「併大社運動」；亦都是在八月中下旬才發表，追述過去之事。這裏可看出中共當初的小心秘密，和八月後欲盡彰彰的情虛內幕，是別有苦衷的。）

原來的計劃

未來，按照中共原來的計劃，農業合作化是打算在十年到十五年內完成，完成後的目標號稱是提高「生活水平」，同時並訂出了一個「全國農業發展四十條綱要」，宣傳一套未來的美麗遠景以欺騙人民。在這個綱要中從無一字提到「人民公社」，而它的重心只在增產。今年初，僞農業部長廖魯言在報告農業生產任務時，也只說「今後的任務是鞏固農業合作社」，他的四個任務是：「發展生產」，「提上富裕中農水平」，「增加農業合作社的積累」，「改善經營管理和鞏固合作社」，（學習雜誌今年第三號）他的文字中這時並無「人民公社」的暗示。他提出較遠的目標是「合作化，與搞社會改革，解放生產力。這個任務完成了，是向自然作鬥爭……」。可是，如今却突然在赫魯曉夫到北平後，赫毛公報中尾段輕描淡寫的提出「捍衛各國共產黨工人黨莫斯科宣言的原則」一句話，（——當然就是指宣言內「消滅基本生產資料的資本主義所有制，和建立基本生產資料的公有制，逐步實現農業的社會主義改造。以建成社會主義和共產主義。」的那段意義。）於是中共便突然不顧一切的推動「人民公社」。初在八月十七日北戴河召開中共中央政治局擴大會議後，繼在九月五日到八日在北平召開「最高國務會議」。會議中由譚震林「報告人民公社」問題與「全民皆兵」問題。從此，正式展開全面的人民公社運動。因此，我們說：中共今天的人民公社制度，也就是俄共所要中共實行的一種國際任務。這話並不冤枉他們。因爲行得好，只有對俄有利；行不好，可以借刀殺人，加以整肅。

有人以爲毛澤東的這一行動是在對蘇俄搶先一步由社會主義階段過渡到共產主義階段，而不知這正是二次大戰後，十餘年來蘇俄對附庸國以肥己的一貫陰謀。而正因中俄共黨對於中國人民的反抗意識都內心感到恐懼，所以才用竭澤而漁，殺雞取卵的軍事組織即（兵法部勒），把中國人民的血汗來替蘇俄建設西伯利亞。一方則加重中共對中華民國作軍事冒險的任務，一方把大陸一切人力物資都擺在直接受莫斯科指揮的「黨」的手裏。爲甚麼赫魯曉夫到北平，除了隨帶主持軍事和外交的重要共黨外，還有一個「蘇聯共產黨中央委員會主席團委員」「波諾馬列夫」呢？這就是在中共推動人民公社的各項文字中，必定強調「加強黨的領導」，「公社」要在黨的領導下進行」的原因。

毛澤東所以獲咎下台

既然人民公社與赫毛北平會談有關，何以毛竟因此反獲咎下台？這就是蘇俄傳統政策上決不許附庸國及其首領有獨立自主權的又一證明。如所週知，遠在赫魔……[illegible]……招致赫魔不滿，這都是遭……（下轉第三版）

半週述評

裁減國軍問題

[illegible]

……雲低迷，那是國軍……前情形自然又有不同。以台灣一千萬……誠然是一項沉重……軍，陣地至今屹立……務的成功，軍費的……全國民經濟的立場……這幾個月中政府幾……支出，一意支應軍……是其中小小一端……無戰術取勝，現代……代替人力。因此無……[illegible]

要新式武器有充分供應，裁軍是一件應做的事。但此項決定，還應當完全基於自由中國本身的經濟軍事方面的全盤考慮；友邦的勸告可以作爲參考，却不該是決定的因素。要做必須由我們自己主動去做。聯帶想起的一項問題，就是今日台灣物盡其用是相當做到了；却談不到人盡其材。在軍隊方面人力是否有浪費之處我們不敢妄言，但在一般社會方面則有用人材置之閒散者太多了。其中有許多人都無所事事而虛糜國帑。對於許多關係亡人士的生活，政府於情於理都應照顧，但今日情形却不容讓台灣成爲一座許多人不勞而食的養老院。年來部隊厲行更新制度，頗有些成效。全力解決退除役官兵的職業問題，我以爲政府更當作全盤設計，使那龐大的表面有「業」實則無所事事的人衆都能直接間接投入生產事業，使其精神能力在建設事業上有所發揮。爲了繁榮，尤其最爲了安定，這都是切要之圖。

戴高樂當選總統

法國前天舉行大選，由龐大的大選舉團票選第五共和國首任總統。從九月下旬由法國海內外民衆票決新憲法以來，經過上月底的選舉議員，此次大選是改制的最後一項步驟，也是比較最不引起注意的一次投票。因爲事前任何人早已料定：第五共和國首任總統必由戴高樂將軍出任無疑，此次投票恰等於美國總統大選之年由人民選出的投票人在十二月間那次純屬儀式的選舉總統，其由何人出任早在人民投票之際決定了。戴高樂在新憲結束了擾攘不休的法國政爭，同時也埋葬了從一八七一年末以來的民主傳統。就目前情形來看，這是唯一挽救法國之道。近年來的法國政潮，總理的產生已一次比一次困難，最近幾任閣揆都是以政界新血勉強充任，如不加以澈底變革，法國或有一天國際間面臨更嚴重的危機，可能有一天陷於無政府局面。至於向久遠的方面看，則其利弊雙方消長之數尚有待於未來事實去證明。

最嚴重的問題是：新憲內容是戴高樂的長期理想，同時也祗有他的威望纔能負起如此沉重的責任。現在政黨勢力已一蹶不可復振，戴氏左右最有力人物如蘇斯泰，從他在北非策動軍人政變的事實看來，便很難贏得世人信任。戴氏已是望七之年，七年任期轉瞬即屆。誰是戴高樂的繼承人，是今日法國最嚴重的問題。

○李秋生○

最低調的救國論

這是我們立國及復國之起碼要求

田雨時

本文係田先生從巴西遠道寄來，藉此可以窺見當地僑胞的意見。爰爲發表于此。（編者）

國家今日處境之艱危，前未之見，需要說實話，做實事。凡忠於謀國者，必做忍辱負重，任艱致遠的打算。凡救國大計，都應化繁爲簡，就事論事，我願提出我們對於政府起碼的要求：

一　關於外交方面：

大家都認爲十年來的外交，是政府最成功的一環，我的看法正相反的。我認爲政府各部門多有長足進步，唯有外交仍失敗了！美國一面與中共談判，一面又壓迫我們，這些事實，就是外交失敗的證明。以十年來外交成功論者，總以爲足以誇耀的中美關係，我並不否認現階段的中美友好關係，必須以中美外交爲基礎。但十年來我們的親美外交，使我們變成了祇有一個朋友的國家。我們雖與世界上絕大多數國家通使往來，祇是徒具與國的形式而已，他們雖在某些情形下支持我們，（如在聯合國中。）也是看在美國的面子。或出於美國的疏通。而我們和某些國家之間，爲遺某種協調，有時竟請美國出來打圓場，或秘密的替我們打，公開（這有許多事實可舉。）覺得不是把我們變成缺乏獨立自主的外交了嗎？因此一向對我們具有好感的泛美及中東國家，乃至與我們同一命運的亞非國家，我們都許多未曾在外交上下過一番功夫？絕未在政治、經濟、軍事、貿易、文化各方面，深切溝通，結成盟邦。因而今日使我陷於孤立無援之境，且美國兩黨外交政策未盡協調，設異日政府更迭，尤不知發生何等變化！我們豈能循着這一外交途徑，走到底嗎？

我願鄭重提出：從速展開獨立自主，多結善緣的外交政策。就是，事實上，我們必須一面繼續親美，但一面應將過去祇重對美關係的政策，注意到所有的與國，使他們能加深對於我們的瞭解與同情，由與國而成爲我們的盟邦。除掉共產極權國家之外，都應變爲我們堅強集團的陣線，即大英帝國集團的國家，亦並非無轉圜餘地的。美國今日每每藉口許多盟國牽掣，對我施以壓迫，即所謂「環境所迫」云云。假使我們的外交能把這裏所謂「環境」，逐漸改變爲對我有利的形勢，則美國已無所藉口；甚至「環境」一變，美國改變其態度，便需要我們在外交上，有所振作，刷新人事，反省檢討，獨立自主的外交，奮天下之反共的盟邦，最大的目標：在做到一反已往的作風，在國際來安排我們的命運。

二　關於政治方面：

當前形勢，端在如何收拾人心。我們今天迫切要維持住這一復國的中心，亦即中華民國政府的存在，進而恢復國家土地的主權之完整。這工作的最大力量是人心；所恃者亦在人心。我們一切設施，必須做到與中共暴政成一強烈的對比，得人者昌，失人者亡。故改革政府的基礎，徒恃外力實爲不足。最可靠的還是我們自己。海外的人心將爲國家的安定力量，不可使之離貳，不可使之嗟怨，必須從政治的修明，制度及法治的確立，以號召，以團結，啓發國家新生的偉力。

就此，我們願特別提出兩點：第一，對於大陸人心的維繫，是我們復國的最大本錢。中共今日處處企圖破滅大陸人民期待政府反攻復國的希望。儘管規復大陸的國策，有如逆水行舟，一時不易完成；但祇求這一航海中的燈塔不滅，則大陸同胞即可逞其排山倒海之力，奔向革命奮鬥的前程。第二，對於台灣地方同胞，我們應有審處之道。我們深知內地與台籍同胞十年相處，甚爲相得，但爲了若干政治上的問題，如競選、如自治，發生過不愉快事件，我們爲求這一復國基地之安定，爲防止中共及國際間之陰謀，希政府對此格外重視，要以開明包容的風度，受懷遠理，團結無間。而地方賢達人士，亦應以國家爲重，値茲國族艱危之際，應具風雨同舟之懷，兄弟一心，外禦其侮。

關於軍事方面：我確信遲早必有以軍事力量規復大陸之日，因而萬不能稍爲鬆懈武力反攻的意志或準備。但在目前的步驟上，確應針對事實，考慮緩急輕重。我們認爲：現階段的軍事重點，防守重於反攻，訓練重於防守，而士氣之振作尤爲訓練之首要。唯如此，才能在期待反攻之情形下，維軍心與戰志於不墜，歷久而彌堅，將有可用之兵。在目前國際形勢下，我們的民心士氣，顯已遭受影響；我們必需以生聚教訓臥薪嘗膽的號召，確維軍事力量於不衰，而期隨時可以抓住反攻的機會顯其身手。新陳代謝，係爲軍要。故對於台籍青年應徵入伍，應多予以鼓勵與愛護。

果能在軍事部備的比重上，予以妥善的檢討，則軍費之負擔，當予以合理的調整。改善軍公教人員之待遇，政治刷新，經濟建設，人民福利，都有賴互相爲用的關係。還在政府短期不能返回大陸，勢不得不在台灣稍作長治久安的打算，一面須對國家之人力財力做一通盤籌劃，一面須力謀台灣基地之建設發展，皆將以防支出之是否合理爲其決定的因素。

這是最低調的救國論，立國及復國之起碼的要求。甚希舉國朝野，目前不必多存奢望，但求團結一致，一心一德，共維此一具有法統之中華民國政府，頂天立地而不動搖，使我海內外人心賴以維繫，大陸同胞之希望不致破滅，乃得從容對付國際間之一切壓迫與陰謀。反攻復國，庶幾有望。（寫于巴西）

台灣點滴

高雄市李連福警察局長，控告省議員李源棧「誹謗」一案，經高雄地方法院受理一度審訊。後因縣市議會議員風起雲湧表示支持李源棧。日前由第三者出面和解，原告撤回「告訴」。有人說這次的「控訴」是「奉命」，「撤回」也是「奉命」云云。

△南市議會四屆三次大會期間，有署名邱阿運市民投函議員檢舉市府主任秘書等，勒索新南國校附近三甲多（市有）魚塭土地填平，變爲建築用地，有七、八家廠商承租，得賄款二十萬元。該函中繪形繪影，儼然有介事。該函秘密投寄給郭水龍議員等十六人後，未經調查即行大量印發全體議員與記者，有一間報紙，即行全文刊出。次日，議會又向市長葉廷珪提出糾正書與不信任主任秘書案。指責市長「違法開支，濫用人員，違反土地政策，違反戰時節約生活……」要求更換該主任秘書。民政廳認爲議會對縣市政府人事不能「干涉」，提不信用案「於法無據」。至對邱阿運市民投書檢舉索賄二十萬元事，則令警局依法徹查。結果：「查無邱阿運其人」云云。因此一般人頗懷疑無黨無派的市長，有作事「難」之嘆。

△美國滑水團來台表演，瘋靡了南北軍民。在高雄西子灣演出七場，市府曾印發入場券，免費發給民衆觀賞。爲顧全秩序起見，分普通區與特別區，高市以外縣民雖得票甚易，但如高市市議會僅得「特券」六張，而高市議員一人即分得二三十張之多。由此可見市府人員對議員之恭。（十二，十五）

昌增勁

來函照刊

編輯先生：貴報十二月六日台灣通訊陳司鑄「台灣教育春秋」一文，其中關於中壢中學理化館落成典禮之記載，內有「師生粉飾教室，洗刷路面足足忙了兩天」云云，查教室粉刷，係早於開學時各級學生自治活動之一項，同時本校獨林蔭翳，環境衛生，歷年均爲桃園之冠，不必臨時洗刷路面，已甚整潔。又謂「縣長蒞臨之日該校僅上課一節，第二節，開始爲迎候縣長而臨時停課迎候縣長」查是日爲星期六，本校下午無課，毋庸停課迎候縣長。至于請縣長檢閱軍訓學生，僅有樂隊，部分軍訓隊員及校長與軍訓教員而已，所載全體師生，亦與事實不符。用特函達，敬請惠予發表爲荷。敬請

撰安

台灣省立中壢中學敬啓　十二月八日

華美協進社台灣分社關門

向以聯絡中美情感，溝通中美學術文化而著成效的華美協進社，十四年前係由在美中美文化界名流碩彥組成，現由胡適之任社長，總社設於紐約，分社遍設全美各大城市。台灣分社係於民國四十二年秋由陳雪梅、杭立武、查良鑑、吳幼林等籌劃而成，首任社長杭立武，除對輔導中國學生留美及中美文化服裝書籍交換展覽及聘請美國碩彥、名流來華至各大專學校任課外，並舉辦留學生獎學金考試，對國際文教交流服務等，頗著成效。嗣杭氏出任駐泰大使，聘台大李儒教授輔導會主委查良鑑繼任，經時三年以查氏兼職過多，加以經費拮据，終於日前宣告關門大吉，論者惜之。

台灣劇運的興衰

素有扶不起的阿斗之稱的台灣劇運，時盛時衰，究其原因是劇界自己不爭氣，就是有諸葛再世，仍缺乏東風也是枉然。年前台灣劇運在政府鼓勵扶植之下，曾由冷落沉寂的局面轉變到熱烈的狀態，如火如荼的演出，如此一年之久，後因劇界內部問題太多，故中央主管劇運當局再將劇場地收回，使劇運再趨萎縮。後有富當劇社，當代劇藝社，中華話劇團，中興話劇團等自本年五月份起分別在台北「大華」、「藝術館」兩戲院公演歷史名劇，時代話劇，諷刺趣劇等二百餘場，又使劇運復趨蓬勃。

台灣零縑

·仲偉庭·

音樂界苦幹打勝仗

近年來台灣賭吃嫖游之風興起，黃色歌曲接踵而至，致使整個社會充滿了低級趣味的浪漫放蕩頹敗之風，電台上是靡靡之音，歌場中是黃色氾濫，全國各地殘殺案件一日數起，把社會弄得烏烟瘴氣，幸有一批埋頭苦幹的音樂教育工作者在無政治背景支持，又無後台老闆撐腰之情況下，典當借貸苦心的訓練學生，曾先後演唱新曲，把黃色歌曲掃蕩淸淨，正統古典音樂得以抬頭，其苦幹精神，是值得一提的。

江杓因禍得福

因股台造船公司案而被立監兩院整得體無完膚的江杓，在經濟部部長任內被中外各界毀得焦頭爛額，最後辭職，被聘爲國策顧問，上月因葉公超赴任駐美大使時調任中國駐美特別物資採購團團長，近日前往，原駐美大使館商務參事霍寶樹調任中國駐美普通物資採購團長，使館商務參事由美援會秘書長王蓬繼任。如江杓者可謂因禍得福。

在上者爲什麼不能振作

以前的中國政治是八點上班九點到，人家辦公我看報，社會風氣是前方吃緊，後方緊吃，這種不正常的現象，現在似乎好轉一些，但主管遲到之風依然如故，在上者爲什麼不能振作，眞令人痛心！

採訪不公平

談到採訪，目前由政府到社會，由中央到地方，大家仍都蔑視新聞採訪自由，歧視一般通訊社，現在大家都將通訊社分爲官報、次要、不必要等級，目前很多機關對大通訊社不要的資料硬要送給它，小通訊社去要也不給，大通訊社記者出去採訪，機關社團都笑臉歡迎，小通訊社記者出去採訪，機關社團都冷面以待，而造成採訪不公平的現象。就拿三軍球場發記者證來說吧，他們認爲不應該發的就不發，應該發的才能發，外客獲是秉承上級指示。內政部既然准許登記的通訊社爲什麼待遇要有差別，採訪要分等級，我想這是主管當局自己打自己嘴吧給人家說新聞採訪不公平的傑作。

稷下談龍錄（三）

·賈若虛·

世界人口增加問題

現在我們來談一談所謂「均衡人口」這是一種生物學上的觀念，就是在某種數量時，各種影響人口的正反面力量最好平衡，使得該數量人口得以存活下去，均衡人口數目與最適當人口 Optimum Popnlation 不同，後者是生活享受最高時的人口數目。我們若講生態學 Ecology，便知道地球表面上，有一種自然分布的相互關係。人類高高在上，享受各級動植物所供應的營養，而以萬物爲芻狗，林德曼氏 Raymond Lindeman 曾以四年之久，在美國此間杉木湖細心觀察水藻，輪虫各種昆虫及魚類的生長關係，來計算整個湖裏生物所吸收及供應之能量 Energy。生態學上有一個定律，便是從低級生物到最高級生物，成爲一個金字塔。將生物的生產換算爲能量單位，從日光而生之植物是百分之百，而食草獸類之效能是百分之十，食肉獸的真正效能，是百分之十的百分之十，所以食肉究竟不如吃素，飲牛奶不如飲豆漿，前者所需能量大，後者必需能量少。

第二維氏 Edward Deevey 用林氏的方法，按每人每日需一六九〇卡洛利的營養爲計算基準，則世界人口最多達到二百六十萬萬人便到達此極限。但是：第一，地球上所有可耕的土地需全部開闢，第二，物全部都用來種可食用之植物，第三，人類和動物的效能可到達百分之十。照上述算法，到現在可試作一粗淺的估計。從二〇〇〇年起，以聯合國所估計數字六〇〇〇萬萬人，每年每千增十七人，來試算此後六個世紀末年的人口數字。

未來世界人口數目估計表

人數（單位一萬萬人）二十世紀末年六二，廿一世紀三八，廿二世紀一、八五〇，廿三世紀九、八五〇、二，廿四世紀五三、一六九、六，廿五世紀二八六、九一五、二，廿六世紀一、五四八、三一二、八。

紀第維氏所計算的人口極限便會達到。儘管科學家的計算，有時因爲情形更變，而證明不確，但作爲二十世紀目前二十八萬萬人中之一人，恐怕不如舒服。你們知道自由主義的前提是人類，而這種自由主義，需要人口數不過多，以便對付任何難題。如果地面全是人類，聚居於無窮的樓房，看不見一塊草地與花園，則勢必成爲所謂的大衆人，如歐爾威爾 George Orwell 的「一九八四年」所描寫的，或如赫胥黎 Aldous Huxley 的「勇敢世界」與奧德加 Ortega 所描寫的。廿六世紀的人口，依照我們所推算，到了推算極限的六十倍，你們看那時人類生活，有何等可怕的情形呢？

問：老師旣主張人口的節制，須知每人生男育女是他的天性，因此主張由國家製訂法律，強制節育，豈非與希特拉的主張相去不遠嗎？

答：我們需要另用一晚時間詳細檢討，我們學問淺薄，今日只提出兩個原則，供你們批評指教。

問：佛洛依特 Freud 與容格 Jung 等學說與社會達爾文主義之內容如何？

答：從斯賓塞以來，這一派的人認爲人的社會也是依演化定律而進，而競爭現象是不可避免的。但社會學演化論與倫理合一，始成功。（七）

沉痛哀悼中國之友賈瑪黎先生

。岳騫。

據十二月十三日路透社貝魯特消息，伊拉克前總理，亞洲反共巨人賈瑪黎先生已被現政權殺害。

這件事也許不爲人重視，但賈氏之死，實爲匈牙利事件後，自由世界最大的一次道德破產！失去一個伊拉克事小，失去了人類的良心，這個世界就沒有希望了。

記得當賈瑪黎先生被伊拉克現政權刼持之後，筆者曾在九月六日「自由人」發表「我們要營救賈瑪黎先生」一文，惜乎人微言輕，絲毫未得到反響，今天賈瑪黎先生已經死了，在他可說求仁得仁，死而無憾，但是在自由的中國人來說，却無異欠下了這位巨人一項債務，因爲賈瑪黎先生是爲我們死的。

當賈氏初被捕時，筆者即預料到受了中國的牽累，因爲他在萬隆會議中痛駡周恩來，替共產主義定名爲「新殖民主義」，現在伊拉克暴徒左右當現政權，賈氏的命運便確定了。

十一月十三日，賈氏受最後一次審判，當被判死刑時，他提出質問，究竟犯了什麼罪，答覆是：「你反對中共加入聯合國，就是罪過」！以這樣的罪名判處死刑，似乎史大林尚未開過先例。於此亦可見伊拉克現政權的傾向和面目了。

賈瑪黎先生因爲反對中共入聯合國而被捕，被害，但是身受其惠的中華民國朝野，對這位偉大忠誠的友人，自始即無表示，亦無隻字哀悼，我覺得每一個中國人都該摸摸下良心，對不對得住朋友。

賈瑪黎先生若懂得投機，他不會作反共的急先鋒，不會在萬隆會議領導反共，也不會到台灣訪問，那麼相信他這次也決不會被暴徒殺害的。賈氏在道義上和行動上幫助自由中國，還在我們當局經常呼籲道義支持的情況下，誠是空谷足音而今日却對他毫無表示，我們的道義究又何在呢？

當伊拉克流血政變時，王室全部遇害之後，英國尚且舉行追悼會，我們的政府爲什麼不替曾來華訪問過的伊拉克皇叔前攝政伊拉親王舉行一次追悼會？我們爲什麼不通電聯合國營救正在獄中的賈瑪黎先生？再者伊拉克現政權成立後，迅即宣佈與中共建交。中伊邦交既已斷絕，我當局究有何顧慮，而不在聯大加以譴責和設法營救他？

在此我首先要提醒立法院的委員們，諸公應該記得四十四年五月九日，曾在立法院致辭的那位中東貴賓，他帶來合撥運精神武器，言回到伊拉克去抵抗共黨，這個人就是賈瑪黎先生，現在他死了，他的死，多多少少與我們有關的。我們是要負些道義責任的。我希望立法院正視這件悲慘的事實，本着民族的良心！向聯合國人權會議控訴這種暴行。我們也應該爲他開一個盛大的追悼會，安慰我們忠誠友人的在天之靈，我們更應當留下會議紀錄，當中共政權和伊拉克暴徒政權倒台，中伊恢復邦交之後，我們要設法訪查賈瑪黎先生遺族，慰問，撫卹，即派正式代表去巴格達祭奠。

不要視爲這是泛泛之論，這才是中華民族立國的基本精神，中華民族精神不死，中國還是有希望的。今天要說政治反攻，先要從道德作出發點，賈氏的殉難事件無疑就是測驗中國人良心的一個試金石，假若民族良心喪失了，再講什麼反攻也是空談了。

其次我要向中國回教協會呼籲，賈瑪黎先生是伊斯蘭教中最偉大的人物，他的光輝不僅永遠照耀着伊拉克，也鼓舞整個伊斯蘭世界，如若中國朝野不願對賈瑪黎先生之死作任何表示，最低限度回教協會應該定期開會追悼，召全世界伊斯蘭教徒，聲討伊拉克的一羣暴徒，我謹以至誠爲賈瑪黎先生的死，發出最後的呼籲。

竹幕幽秘

中共六中全會

十一月二十八日至十二月十日中共在武昌舉行了八屆六中全會，在此以前，又在鄭州與武昌舉行了預備會議。

這個會議的主要議程是：人民公社，明年的國民經濟計劃，毛澤東辭去「政府」主席」，改進農村財政貿易管理體制，和國際形勢問題。

這個會議總的傾向是「右」，把一步要跨到共產主義的幻想口號打消了。看完幾篇決議，深深地爲大陸的人民鬆了一口氣。

人民公社

這個會議在關于人民公社的決議中強調說明基本上是集體所有制的社會主義制度，保留按勞分配的原則；對老百姓來說，這種公社與農業合作社的不同，可能只是集體生活的方面。影響于集體生活方面的最主要者當是供給飯食的伙頭軍，養育兒童的教養員等，這些當是目前新增的管理人民的新貴，他們給中國人民帶來了新的枷鎖。在發展人民公社當兒，報上說明幾大幾晚不睡是平常事，後來要求保證有八小時的睡眠，這個決議中則要求保證吃飯休息，睡眠合起來的時間不得少于十二小時，這也就是說工作十二小時左右，就差不多了。這是中共當局對于人民的最大讓步，在這方面，中共中央似乎才醒悟，人民公報說：「目前勞動力緊張，這是事實，但是要着重在搞好工具改革方面和改善勞動組織方面而找出路，而不要指望在延長勞動時間方面找出路。」在過去一場人力與機械搏鬥的鬥爭過程中，不知傷亡了多少的無辜百姓！以後可能會減少一些。現在的十二小時勞動規定，中共自知還是一屈，於是說這是「爲每天勞動六小時創造條件」，可是何時實現六小時勞動，到確實是一個人懂憬的，又是一張空頭支票。

此會議以達到這個條件呢？顯然讓人民繼續在人民公社方面勞動，最大的漏洞是城市公社發展的停頓，這個決議中自說自話的列了三個緩慢發展的理由，老實的說，要是城市不能普遍建立起公社，則農村中的公社永遠不能鞏固，中共在農村公社的內容方面已放寬了些，但還是隨時有垮台的可能；因爲人們均知，公社制度不一般該爲農村所專有，相反的，正是城市中的制度！正像赫魯曉夫說

經濟發展計劃

據說今年的鋼產量將由去年的五百三十萬噸增加到一千一百萬噸，煤由去年的一億三千萬噸增加到二億七千萬噸，糧食由去年的三千七百億斤增加到七千五百億斤，棉花由去年的三千二百八十萬擔增加到六千七百萬擔；這四項主要產品今年比去年都增加了百分之一百以上。明年的計劃呢？鋼一千八百萬噸，煤三億八千萬噸，糧食一萬零五百億斤，棉花一億擔。這也就是說明年預計鋼增加百分之六十，煤增加百分之四十，糧食增加百分之五十，棉花增加百分之五十；我們若把明年增加的速度與今年比較，便會發覺這些數字是用來宣傳的，我們認爲這其中出現了這種低降的情況，[illegible]的這些宣傳數字也大躍進確已到達了頂點了。

國際局勢估計

儘管這個會議的公報以嘔聲的口吻強調「敵人一天天的爛下去，我們一天天好起來」，但又不得不注意到國際形勢的影響，因爲共黨最近趨勢對於中共和其他共產國家的[illegible]表示反動派的強大，任誰都知道，不過人民這某些國家的[illegible]，承認帝國主義的「[illegible]」，這就是說「[illegible]」的「[illegible]」，[illegible]。

目標，現在中共中央的總的內外政策的總心，[illegible]，而且在精神上還有深刻的意義，這一趨勢，必然要在中共[illegible]

。田心。

國際動態拾零

△蘇聯的不斷干涉外蒙，中共曾多次提出抗議，以爲外蒙是獨立國家，而且處于中蘇之間，蘇聯勢力不應侵入。這是東方紅色高級外交官所傳出的消息。

△蘇聯原子能飛機，在空中飛行三十七萬英里。

△一九五七年之計劃，將于明年完成。

△在蘇丹新成立之政權，雖已承認中共，仍在國內肅清共黨勢力。凡一切紅色組織，反帝陣綫，均被解散，而將其領袖下獄。

△赫魯曉夫，受到紅軍壓力，將封鎖柏林之原定計劃，延至六個月後實行。

△阿爾及利亞叛黨首領，最近訪問北京。中共允援助以軍械，並予叛徒以政治訓練，頗爲法人所注意。

△美范登堡空軍基地在夏季不斷放射時，蛙人能將所放射的衛星[illegible]射載生物之衛星[illegible]，估計以爲蘇聯必[illegible]美國越洲飛彈不[illegible]，都在美中共人民[illegible]星國所不滿。

△最近停止核子試驗會議，有人估計[illegible]。其目的在禁止試驗[illegible]，可使美國越洲飛彈不能完成。

△中共近來，大量蘇聯及其他衛星國所不滿，無論在各該國之餐館，學校，娛樂場，都在美中共人民[illegible]

陶然

赫魯歇夫，毛澤東和「人民公社」

（上接第一版）

所以自一九五五年以後的援，便急轉直下的減少，直到去年毛齊賀俄，竟空手歸來，今年俄援且一文莫名，還彼不能償價。迫得毛不得不改變發展小型工業，以土製代洋機，以土法代洋法，提倡土洋併舉，甚至軍事都提倡回返抗日時期的游擊戰略戰術。（研究過去毛澤東軍事思想）。

在中東事變後，美國進行全球軍事戒備，遠東也隨之緊張起來，但高階層會議甫經醞釀成熟，在赫魯曉夫到北平後，隨被打銷，但人民公社，則隨之開始大力推動。當然公社運動，如可增加大量生產以換取俄援，但不料不僅人民反抗，連共幹與「黨」「團」員和軍隊都發生嚴重問題，遍佈全大陸的蘇俄「顧問」與「專家」和蘇俄特務，還有不詳盡報告赫魯曉夫之理？這樣，在內外交迫之下，毛的政權發生問題了。

從鄭州會議到武昌會議

在這次由鄭州會議到武昌會議的四十多天內，和這次他們所發表的公報與決議中，我們可以看出毛政權的下列許多新迹象：

一、一向傳說中的中共內部派系鬥爭，並無外傳之甚，尤以高階層的中共羣會，相當一致。（下層人事比較複雜）

二、毛澤東在黨委幹部和軍隊中的實力仍在，所以在宣佈毛「不擔任國家主席的職務」以後，並不按照偽憲法的規定同時解除「主席」的黨國防委員會主席」的職務。

三、公報中一再強調「中央全會經過充分的多方面的考慮」後的「決定同意」毛的「建議」，則足見幕後的「方面」之「多」。在獨裁專制共黨內所指的「方面」還能比蘇俄更重要的麼？如果沒有蘇俄的關係，和毛尙擁有足資顧慮的實力，何必如此小心謹慎與久延不決？

四、會議已畢多日，劉少奇，陳毅……等均在平露面，獨對這個黨中央主席，國防會主席，現在何處，一字不提？

五、因爲中共內部問題正多，所以至今蘇俄不發一言。更由於與蘇俄關係密切，所以明年一月的人代會必須延長到三月之後，如果純出於中共內部之事，何必還要等這久？

六、由於今後要毛澤東專致力於「理論工作」，足見含有認真思想路綫的因素。至於「黨」中央的「書記」和政治局「秘書長」既非毛黨，主席還不等於空頭？

我看這次完長會議之必擇在武漢召開而不在彼等之首都，足證事先即爲避免各國駐平使節與武官和新聞記者的發覺有無蘇俄魔影在後之故。目前下一節目，即看蘇俄把毛系黨幹和軍人調整到何種程度，然後再看高級共幹與高級軍人的去職。在這些人事變化未安定前，大陸目前幕後的醞釀和不安，北平，莫斯科間的交手回合，其意義是十倍於人民公社的。不知西方國家和中華民國政府對此有何高見？和措施？（全文完）

工展特輯

三興廠出品火水運水爐

在第十三屆工展中，三興製造廠出品有兩件新出品，即家庭用具，如火水爐及新式火水運水爐，由該廠主持人潘紹煊先生積多年研究所得，創造成功，這種新式化火水爐，所有的危險，均已消除，便利，省錢，及具美觀，有六方五型及七型兩種，十五元，工展期內八折優待，只售二十元，[illegible]十五元。

淘大舉辦神秘送禮

公司在工展會第四街設攤位，最近舉辦一項神秘送禮，由本月廿二日（星期一）起至廿五日（星期四）止，凡到該攤位購買醬油、蠔油，即可獲得贈券一張，然後在廿六日起到攤位即可領得特別贈品，該項贈品內容，屆時當有不[illegible]

左顯記一元五味

左顯記醬油食品，所出品的東西，不但[illegible]，[illegible]一位[illegible]，一元[illegible]，左顯記主人左[illegible]所出的[illegible]，[illegible]有[illegible]十餘種，其中以[illegible]

電懋新星羣參觀鱷魚館

圖左起：田青，白露明，丁櫻，張濟。

工展小姐開票 林菲再度佔先

[illegible]

光明聖誕燈購客特擠

聖誕來臨，第五街光明電燈泡廠[illegible]

自由讀

怎樣創進民主制

馬五先生

紐約時報最近有一篇分析亞非國家盛行軍人專政的文章，指出這些國家未能推行民主制的共同因素，就是殘存着殖民地或半殖民地的統治背景，使人民的政治成熟發展和領袖責任心之養成，皆受到阻礙。因而認定：「其中沒有一國能有巨大的高度發展的中等階級，能用他們的經濟和政治勢力來穩定和推行民主制：：企圖推行民主制度的文人政治領袖，通常是缺少資財的。然而個人的黨員和政黨機構都需要給養，達官貴人的社會排場也須維持，這樣就自然引致貪污風氣盛行了。」如是乎，軍人專政乃成了這些國家的必然結果。

我國從抗戰末期取消國際間的一切不平等條約，脫去半殖民地生活以來，歷時不過十二載，上述情形似乎亦不免，尤其是第二段所說各點，跟我們的實際狀況毫無二致，民主制度之不容易創進，眞是良有以也，豈徒然哉！我們巨大而高度發展的中等階級在那裏？一般倡言民主政治的知識份子，有幾個不是因爲缺少資財，而要以搞政治來維持生活的？我常常對朋友說笑話：今日誰如持有千百萬美金，起而號召組黨，不崇朝即可以招徠百萬名的黨員，不成問題，黨魁亦實至名歸，既異人任，並且每個黨員都是忠貞之士，擁護領袖到底的。

推行民主制，固然非有反對黨不可。可是，從事組織反對黨的人如其沒有生活基礎與職業技能，而要向現實政治場中牟取衣食之資，換言之，即是爲解決生活而組黨，那就永無成功希望。近十年來，國人在海外從事政黨組織運動者，層見迭出，結果都是一哄而散，基本原因即係沒有中等階級存在。秀才造反之所以三年不成，癥結不在人才缺少，而在錢財貧乏。有志於實行民主政治，希望組織反對黨的朋友們，對於紐約時報的見解，應該細心體察，識其癥，知所努力爲上。

× × ×

多種角度的觀察

。淦克超。

「我願君王心，化作光明燭，不照綺羅筵，祇照逃亡屋」。

曾任哈佛大學校長二十年，並於戰後一度任駐德高級委員的柯南特博士，在一篇歡迎新生入學的演說中（見商務出版的台灣師範大學的「大學英文選」），不啻對於受教育的人下了一個定義。「求了解一個問題之各面，並取圖獲知其他民族和其他時代的見解，就成爲受教育的人。」

這主張似乎與孔子的絜矩之道不謀而合。「所惡于左毋以加于右，」明明是多種角度的觀察。又孔子是担任過大司寇的，他雖然有「聽訟吾猶人也」之感，卻了解「盜憎主人，民惡其上」的心理：這多種角度的觀察當非一般司法人員所可企及的。

多角觀察更是文學上所必不少的條件。文學是人生之表現；又據英國大批評家安諾德的話，文學亦是人生之批評。人生的中，不論表現或批評，倘缺乏多角的觀察，便無由發揮其效用。紅樓夢和水滸傳的主要特色，在其從多角的觀察各種人物的個性，那些個性都是由那些人物自動表演的，而非作者的主觀評述。帶有主觀評述意味的小說今天不會擁有讀者的。孔尚任的桃花扇傳奇，其最難能可貴的是各類人物各從其角度所自行表演的一切；較之舊記之帶有主觀評述意味者，大不相同。

從多角觀察固不是一件容易事，這使筆者想起莊子在濠濮間的富有高度機智的談話：「子非魚，安知魚之樂？」「子非我，安知我不知魚之樂？」嚴格說來，莊子所知的「魚之樂」，應該是有性質上和種類上的差異；但莊子設身處地的想像，仍是極可寶貴的。正惟設身處地的多角觀察之不易——儘管這類的想像去眞實還隔了一紙疏櫳——我們就不能不承認沙士比亞，歌德等的作品之特別可貴。以「浮士德」爲例，這是和「桃花扇」根本不同的。「桃花扇」中的人物是眞有其人，其情節是實有其事；而「浮士德」中的人物，則除浮士德博士和華格納等數人是眞實的，像魔費斯特弗尼斯（魔鬼）之流都係子虛烏有。可是這魔鬼並非子虛烏有，而係存在于每個人的頭腦中的，文豪的妙筆卻使之人格化了。劇中還有許多的妖精，形形色色，乍看來令人莫名其妙，但歌德就爲了這劇本，前後花費了六十年的工夫，當非胡謅。逐漸玩索，再回看社會上的牛鬼蛇神，則不難領略聯想到那劇中角色所代表的多角觀察是甚麼。

儘管多角觀察之意義重大，盼望世人從多種角度觀察，或至少換一種角度來觀察，似乎是極不容易的。唐朝聶進士夷中的名詩：「我願君王心，化作光明燭，不照綺羅筵，祇照逃亡屋！」這似乎是書生的如意想法。如果君王心本是光明燭，則無需化；如果本不是光明燭，如何能化？堂高簾遠，君王的光明燭如何會照到逃亡屋？反過來說，「日暮漢宮傳蠟燭，輕烟散入五侯家，」倒是物理之宜然。

以外交之演進來說，百餘年來的中國外交史可以說是一種角度的觀察所造成的結果；不過我們不應過于責備前人，因爲地理環境之遙隔和語言之不通，使多種角度的觀察不可能。反之，歐美人在過去之了解中國，並不比中國人之了解歐美要高明多少。別的不說，單就法文字典中Chinoiserie一詞，其意義是「中國之謎」，不僅指來自中國的事物之不可解的，而且普遍化到一切事物之不可解的。即此一端，已可例餘。

近年來，美國人之研究國際事情，漸趨于多種角度的觀察。學術水準頗高的紀事雜誌（The Annals）曾于一九五五年發行一次專號，專載各國人士對美國人之看法，內容有歐洲人眼中的美國人，以及英、法、德、意、印、日等國人們眼中的美國人，各有專篇，並闡述各階層人士對美國人之印象。

紐約時報的莫斯科通信或倫敦通訊，已不僅是電遞該記者的主觀報導，卻時常設身處地先把自己當作一國俄國人或英國人，然後對某問題發表見解。

固然，嚴格說來，這樣的評論或報道，擬之莊子不知魚之樂，美國人既非歐洲或亞洲人，又怎能知道歐亞人對美國人之眞正印象！至少是隔了一紙疏櫳的。何況宇宙間並沒有標準的俄國人或英國人，亦沒有標準的保守黨人或民主黨人，更沒有標準的商人或工人或自由職業者；因此概括的論列總不免是無冕帝王或文章言說之士的幾分想當然耳。這以偏概全的毛病實在是值得警惕的。

儘管有值得警惕的條件，但若我們不否認統計學所根據的大量觀察之根據，則多種角度的觀察無論如何總較記者以爲如何如何的主觀報道要高出一籌。

培養多種角度的觀察，是現代社會的急切需要，不論在文藝上，事功上，或其他方面。這樣的觀察較之一般所謂的客觀要廣泛得多，所需聲明的是：這並不是贊成「學無所主，」「隨人說妍，」而是主張從多種角度的觀察以達到綜合的，平衡的判斷。

閱報知毛澤東將因「人民公社」垮台，大陸人民革命卽行爆發，佇見復國有期喜而賦此。

重光日月已非難，莽制王田終自殘，萬壑風雷翻閩海，八方豪傑會長安，收京有仗焚人火，擒賊先梟沐猴冠，虎踞石城陵樹在，鍾山依舊待龍蟠。

。岳騫。

波斯灣懷古

。衛挺生。

過波斯灣口，見白雲在天。因憶周穆王西遊事。「白雲在天」爲西王母贈穆王詩原句。而波斯北部米地亞即昔王母之邦所在地。感而作此。

浩浩碧瀛，穆穆清風。鐵艦孤往，我歸亞東。白雲在天，杲杲日中。尙懷穆王，八駿鑿空。葱嶺以西，遍其遊跡。王有遠略，玉帛非攻。坦蕩至道，古誰比隆。我過西土，西王母封。念茲前烈，我心忡忡。高士巍峨，仰止益崇。

短篇小說

悲劇（一）

。朱夜。

我眞遺憾，第一次便導演了一部悲劇。

在天亮前，我必須趕完最後三場，這片子便算殺青了，而事實上影棚的租期也滿了。在强烈水銀燈下忙碌到快天明時，我將不太重要而又沒有女主角戲的一場交給我的助手去處理，我感到微微有些昏眩，便獨自從影棚裏踱出來。

這是個私家影棚，座落在荒涼的村落外。沿影棚左面有一條小溪，我順着那小溪走去，今夜有朦朧色的月色，波動着的溪流似一面拂動的綢，潺潺的溪聲變得格外悅耳。我忽然感到舒適起來，便哼着「綠島小夜曲」，一面用環抱起的一隻手在另一隻臂上擊着拍子。夜太靜，不遠處從影棚中傳出那位助手高亢的呼喊聲仍清晰地聽到。于是我想走遠些，我知道不遠處便有座石橋。

一陣風吹來，我微微地偏過頭，這時候我看清了橋上是有人的。我知道這一定是影棚裏走出來的人，但我決想不到會是白苓——這部片子的女主角。當我走近石橋，那一束飄動的髮影，我便知道是她了。我喚道：

「白苓！」

「啊，是你？」她似乎有點驚奇。走近她時，我發現她用手在臉上揉抹，隨着有一陣「唏噓」的聲音。她哭了，我知道她又在傷感。

我說：「白苓，妳不該這麼傻，這部戲完了，妳會得到很高的評價，我相信妳甚于自己。」我在石橋上坐下來。

「我知道，可是——」她咳嗆了兩口：「可是我總抑止不住一份蒼涼的感覺，我担心着自己會串演一個眞實的悲劇。」

「不會的。」

我說：「回去，下一場全是妳的戲。」

「聽說演戲的人對人生悲喜都能淡然處之，爲什麼我卻不能呢？」歸途，白苓還喘息着說：「如果這悲劇眞發生了，你又是導演，是不是？」

「也許是吧。」我也感到傷感起來：「白苓，我不該第一眼便看中妳是個悲劇的角色。」

我們走進影棚，上一場剛剛拍完，白苓立刻整理了一下服裝便上場了。這是高潮中的一場，女主角全是內心戲，我讓白苓盡量培養情感。她似乎有些焦灼，我喊起「開麥拉」。白苓作得很好，但她忽然扶住頭踉蹌幾步，隨着栽倒在地上。

影場立刻紊亂了。白苓躺在地上仍告訴製片人不必焦慮什麼，她休息一下便會好的。但那夜她一直不能上場，製片人開始詛咒，最後一個鏡頭是無法趕成了。

我疲乏之地依在棚壁上小憩，從遠處已傳來鷄啼。心裏出奇的亂，我益竭難以入夢。我想到白苓，想到這個即將完成的戲，但屬于白苓的還不知道何時結束。我希望那最多只是個感傷劇，這世間悲劇已經是太多了啦！（待續）

生活小品

假期

恬辛

經過六天的辛勤工作後，就可以獲得一天的休假，這據說還是上帝的安排。然不論如何，大多數人們總是這一天的假，很受用的。

有些人對於節日的概念十分模糊，可是關於那一天放假這類事卻無比的敏感。其實人心固同。試看許多對上課讀書總皺眉頭的學生，遇到寒暑假或是年假豈不是「精神百倍」？

自然，假期過份冗長，也易使人流於散漫，且養成惰性。尤其如一個自覺力不强的青年學生，但，假期還是不能沒有的。人同機器一樣，久壓不用，固然會生銹；用之太頻繁，也會發生故障的。譬如美國人終年忙碌，平日幾乎連停下來閒談兩句的時間都沒有。可是一到週末或其他假日，輕車一輛，直駛渡假勝地，全身肌肉放鬆，一切俗務都置諸腦後，徹底地尋樂(Good Time)。

古今中外許多詩人，哲學家，都曾以爲生死只是現象之不同，如印度詩哲泰戈爾說的：「死亡像出生一樣是屬於生命的。」那麼，生若是生命之工作期，死亡不正是一般不可預測的假期嗎？許多人視死亡爲生命的解脫，正是覺悟到這項微妙的關係嗎？況在人生的整個歷程中，成年以後，大多成家立業，須要養兒育女，其負担絕難輕鬆，非至老死無以解脫；然在未成年之前，由童年到青年一段「黃金時代」，卻不是無憂無慮，一個個賽似活神仙嗎？這又是一段不可或再的假期。

新書評介

史事人物談

趙宋岑著

「自由人」及台北中央日報代售

趙著的「史事人物談」是一本有趣味，有獨到見解的新著。書中計有八十餘篇文章，其中除幾篇較長的論文外，皆爲短小精練，談論史事、人物和詩文的作品。

各篇文章都曾在中央日報副刊和自由人報等刊登過，副刊文章趣味第一，書中儘管有時談的多是帶些考據性質的，但仍以其生動的文筆，把它趣味化。譬如第一篇「最早女間諜」是考證夏代少康中興史中「女艾」其人性別的，作者把他寫成了讀來趣味盎然的小品文。其餘如「三神山與方士」、「服食非爲求神仙」等！都能深入淺出，引起讀者興趣。

就實質而言，這書的價值仍在其有獨到意見。作者對史事提出了很多新見解，譬如「亡國之音不哀」、「李廣不封侯」、「熟解爲身謀」、「佳句多從抄襲來」、「擬改正氣歌兩句」、「水滸中地名之差錯」等，從題目中就可顯出其別致。也有若干篇，含有深刻的政治見解，如「漢武帝之用人」、「漢代君主的謬德」、「東晉如何爭取地方人士」、「我國古代之輿論」等篇。

若就個人興趣而言，我最喜歡讀的是「陰平古道散記」、「金牛路訪古錄」等篇，發思古之幽情的遊記。作者以親行見聞參以考據，以證記載之誤，而又以雋永的文筆，用遊記體裁寫出，殊爲難能可貴。

有兩三篇辯駁性長文，插在書中，在體例上似欠調和；但從這幾篇也可看出作者歷史知識的豐富和態度的嚴謹。

。王訪。

自由人

THE FREEMAN

（第八一五期）

（半週刊每星期三六出版）

每份港幣壹毫

台北市價台幣壹元

督印人：陳文蔚

地址：香港高士打道二十號四樓

20 CAUSEWAY RD. 3RD. FL. HONG KONG

TEL. 771726

承印者：東南印務出版社

地址：高士打道六十四號

台灣總經理處：台北市西寧南路壹壹零號二樓

電話：三〇三四六

台郵撥儲金戶九二五二

海外總經銷：友聯書報發行公司

香港：德輔道中二十六號A二樓

毛澤東政權問題

伍憲子

自中共宣佈其政府主席毛澤東不再提名續選，於是毛澤東政權問題，引起各方面紛紛揣測。當然各有各的看法，我亦自有我的看法。今將我的意見申述於下，姑備一說，以供參考。

一、

先綜合十日來各方面之揣測而分析之，不外下列數說。一、蘇俄恐怕說，謂赫魯曉夫只知利用中共增壯聲勢，但又妒忌毛澤東出風頭。今毛澤東十年來之對蘇俄，雖不敢不受命，但對東亞則居然想能令，以此觸赫魯曉夫之忌，要削減其政權，免其坐大不能制，此一說也。二、內部鬥爭說，中共各領袖間之明爭暗鬥，已非一朝一夕，自「百花齊放，百家爭鳴」之把戲演出後，毛澤東要避開北京，其支持已非常辛苦，一時雖不至被清算，黨政軍大權斷不許再集於一人之身，毛澤東不能不退出其政府主席之位，以讓通者，此又一說也。三、人民怨憤說，八九年來，中共暴政屈指難數，竭澤而漁，肉盡見骨，人民痛苦已極，至最近之人民公社，車裂家庭，則等於肢解人民，八小時之苦工，番茨芋頭雜粥之半飽，牛馬且不能忍受，已到揭竿爭命之時，爲緩和計，不得不避開，此又一說也。四、以退爲進說，共產黨制度，是以黨治政，以政治軍，事實則軍權居重要地位，黨與政亦互相嚮能，毛澤東現仍操軍柄，倘無人敢清算之，惟指揮黨，則有些不如意，因此欲擴大其權力於黨，表面上退出政府，實仍隱爲操縱，此又一說也。五、功成身退說，在中共高級人物中，毛澤東比較多讀兩部綫裝書，不是愚蠢之人，不知失敗，惟知戀棧，彼於現勢已了了於胸，自知不能應付，來日大難，不如急流勇退，此又一說也。是五說者，各有其理由，但我以爲都不是問題中心。

二、

何以言之，毛澤東失歡於蘇俄，蘇俄棄之，此是蘇俄控制附庸國家慣用之手段，不值得大驚小怪，今日一毛澤東夫，明日再一毛澤東來，其後台依然是蘇俄也。內部鬥爭，是共產黨司空見慣之事，不問誰人主政，其向世界搗亂之政策則一。至於人民，共產黨只利用之作工具，共產黨絕不恐懼人民之變叛，即使人民大量死亡，共產黨亦絕不覺惜，故無論更換何人，亦不必望其行仁政。共產黨人好弄陰謀，尤其是毛澤東天性機警，勢力既尚存在，則以退爲進，容或有之，若果如此，更不必驚怪。功成身退云云，共產黨人所用之詞典似無之，若奪者死標，正是共黨領袖之寫照。故在我觀察，上段五種揣測，皆只是兵法中所謂「知彼」問題。夫知彼，固極要，然太注重知彼，就容易受彼所搖惑，今世界上許多研究蘇俄專家或研究中共專家，往往爲彼之煙幕所蒙蔽，致斷陷於錯誤。四十年來，世界共黨勢力之擴張，其始由於民主國家不知彼，其後則誤於所謂專家之判斷，被謂爲知彼。因此之故，我以對共產黨另具一看法，能保持此看法，而後可以進一步，再求知彼，或者以爲此乃成見，其實不是成見，此乃定見。

三、

我對共產黨之各種動態，向來不感興趣，不大研究，並非漠視不關心，我總覺共產黨之行爲，是不能還人情天理推測。因爲共產黨之當權者，皆失去人性，蔑視天理，絕不能還人性天理作標準，以窺測其方向。他事姑勿論，就以最近人民公社一事言之，無論從那一方面看，皆不能施行，不當施行。然而共產黨竟敢於輕舉妄動，不管中國數千年來之歷史民情，不管中國今日所處之環境，與人民不安定之情狀，不當行此，其失人性，違天理，乃至於是。又如號高爐、動大衆、扯風箱、打鐵皮，而大吹大擂，謂之煉鋼，謂之生產大躍進，一天等於二十年，欲與原子生產時代爭衡。思想之幼稚如此，行爲之狂妄如此，謂有人性，夫誰信之。幼稚則事事兒戲，狂妄則問於瘋癲，以幼稚而且瘋癲之彼，我們倘欲知之，則但知其幼稚瘋癲足矣。若想進一步研究其幼稚瘋癲之一舉一動，而想還其人性天理以推測之，恐怕白費心機，徒勞精神。如此，則愈求知彼，愈爲彼困。近人謂西方國家，聽共產黨人音樂而跳舞，其失去主動，經已可憐。若對幼雅瘋癲人之舉動，而以成人之有理性者待之，比猶聽音樂而跳舞者，豈不更可笑乎。然則今日之對毛澤東政權問題，斷非但還知彼一方面所能了解也。

四、

我們斷迅速找出中心問題，換言之，應迅速建立中心思想，中心思想存在，在政治，不在軍事，在人性，不在人權，知彼在此，知己亦在此。今世界反共陣營對此中心思想，似未建立，故對於毛澤東政權，找不出中心問題。因之孫子兵法就講不通，知彼知己，知不透徹，粗者只注重軍事，稍細心者，亦祇講到人權民主之生活方式，而未注意到人性文化。於是孫子兵法所云：「無恃人不來，恃吾有以待之，無恃人不攻，恃吾有不可攻者。」他們之解釋「吾有以待之」，就是武力，在現代言，就是原子武器，解釋「吾有不可攻者」亦如是，總之不離於武力。當然，武力是重要，我們斷不能放棄。但武力必有運用之者，兵法謂「攻堅，則瑕者皆堅，攻瑕，則堅者皆瑕」，此堅瑕之所在，能深切認識，實費工夫。粗人祇看到軍事，不知共產黨之瑕，在軍事者少，在政治者多，在人性文化，尤顯現一個大空缺。然粗人不認識之。能認識者，必賴有智信仁勇嚴之將，孫子兵法說：「將者，智信仁勇嚴也」，此語亦即全部兵法之至精，此語應付毛澤東政權，亦是應付毛澤東政權中心問題之所在。苟不明白此義，則世界局面，治絲益棼，謂予不信，請徵事實。

五、

今世界形勢，已成爲民主與極權之爭。但民主國家不識攻瑕之法，頻年以來，屢擬召開所謂裁軍會議，嘗倡核子會議，乃至所謂防止突襲會議，都是表示對蘇俄武力有所畏懼，都是攻堅，而不是攻瑕，故讓亦無成，且爲彼宣傳所利用。更因畏懼蘇俄之武力，遂帶畏懼其附庸，造成彼等集團之聲勢，凡比都是攻堅。愈攻堅，愈使其瑕者皆堅，其喪失人性，違反天理之行爲，愈來而愈猖獗，顛覆陰謀，到處滲透，變成瑕者皆堅。而西方國家之所恃「有以待」與「不可攻」之原子武器，則畏大戰慘禍之故，備而不用，堅者亦變成瑕。問何以至此，皆因西方國家之過於運智，失去中心之仁。以爲和平，可以安樂無事，坐視鐵幕內慘無天日之人民，漠然無所動心。所以始終於毛澤東政權問題，祇希望毛澤東能做中國狄托，今毛澤東下台，又希望中國內部能起何牙利式的革命。然而何牙利革命之往事不遠，當其熱烈時，民主國家依然是袖手旁觀。故共產黨擾亂世界問題，將歷半世紀，仍少人了解，即其中問題之一，亦少人了解，我亦不敢自謂了解，但我總覺得人性文化不發揚，反共中心思想永不能建立，則毛澤東政權問題，亦不能迎刃而解。

半週述評

蔣總統的表示

昨二十三日蔣總統在光復大陸設計委員會中致詞，作了一項引起中外矚目的表示，表示他「代表中國國民黨及代表政府不僅是沒有修改憲法的意思，而且反對修改憲法」。這無異表示了，至少在若干程度上表示他本人不再願意連任總統。因爲，如果不修改憲法，則依憲法第四十七條的規定「總統及副總統之任期爲六年，連選得連任一次」意思已夠明顯。有了憲法規定，這一項表示，原是可以不必的，其所以有此次表示者，無非因爲「去年以來有好些國大代表曾經提出修改憲法的問題」（引用致詞中語），因此引起外間，尤其海外揣測修憲是爲了擁護總統連任，有「因人修憲」之嫌；海外人士之所以對蔣總統項表示反應良好者，亦屬所謂「吾愛吾師，尤愛眞理」之意。良以目前憲法爲號召人心的國本，不可輕率修改，尤不可因人而變。

應無所謂技術問題

總統是否連任問題，如不談憲法則已，否則應該沒有所謂技術問題，然而事實上台灣有不少人曾稱爲技術問題而苦惱。據傳若干立法委員及國大代表在幕後活動，保證憲法上沒有阻礙將總統再次競選連任六年的條文（根據美聯社廿三日電）。不知他們將拿什麼來保證。但「阿斗」們卻認爲條文是最清楚不過的。如果以爲憲法第四十七條只是規定「總統得連任一次」，並沒有規定不得連任第二次或三次，誰也不相信當年制憲國民大會二千餘代表竟是那麼糊塗，個個單到連個「連選得連任」幾個字都不會用偏要拖上「一次」二字。至於如果認爲三屆總統非蔣總統連任不可，那就非修憲不可，但蔣總統的表示，已足澄清海內外若干對修憲問題的疑慮了。

不競選並非等于下野

于此，我們要奉勸「去年以來曾經提出修改憲法問題的一些國大代表們」，尤其對若干提出「保證憲法沒有妨礙總統再連任的立委及國大代表們：千萬要尊重自己的神聖職務；而且應該明白，如果爲了事實上擁護蔣總統而修改憲法，也可以爲了打破國代及立委逾期不能依法改選的僵局而修改憲法。——目前橫梗在國人心中的事實問題，恐怕沒有更重要過這個的了。

至于蔣總統不連任，無論誰人繼任，他仍可以國民黨總裁的影響力，實際上決定國是；因此，自國民黨言，也犯不着硬要總統去研憲法的。而且，以戴高樂爲例，此次戴氏之出任總統，雖然對其本人，對法國都是成功的了；但爲什麼若干年前戴氏會從淪亡中復興了法國，功不可沒，而于第四共和國的成立中竟志隱豹呢？蓋形勢使然也。這項史實，也是值得鑑取的。何況我們現在還是一個憲法上的問題，無論就理論上或事實上言，蔣總統不競選連任也並不等于下野。

憲法與三民主義

此外，不管大陸的「人民公社」制度是否拖垮了，或將拖垮毛澤東——而且我們都相信將必如此。但如果因此就認爲可以坐在台北講三民主義，等候大陸人民起來打垮中共政權，我以爲那是一個危險的想法。

目前「三民主義反攻」，又成爲台灣一種口號，這一口號對于海外，也祇是作爲口號聽聽而已。一般並非有所不滿三民主義，但若以三民主義爲反攻武器卻沒有若何特殊意義。三民主義兼容並包，一般自由人士的言論，原則上也沒有能跳出它的範圍。然而三民主義並非不講民主，爲什麼在全國都在要求民主改革，而不就拿民主爲團結反攻的利器呢？語曰「民之所好好之」，我不知喊民主有什麼妨礙。何況三民主義明載憲法條文中，如果推行憲法，又何須多此一言。而且事實上大陸「人民公社」的失敗，正是表示極權政治的失敗，正可以民主的做法攻其弱點，否則再有什麼更重要的「政治反攻」可言。蔣總統的表示，在政治上的意義，主要的還是在此——當然他同時表示了不放棄「武力反攻」，尤其是必需的。

○林伯雅。

司法行政部應速改隸

・黃少游・

一個國家不怕弱；只怕亂；不怕亂，只怕昧，所以古人說：「兼弱攻昧，取亂侮亡」；昧與亂，乃是國家亂亡之由。

司法行政部之應該改隸司法院，輿論界早已一再言之矣。現在據各方面報導，此事中央行政改革委員會已向最高當局提出建議。此實爲一項早該付諸實行之措施。爰就個人對於司法行政部爲何應該改隸司法院的理由，再爲一論之。

一、維持五權憲法的體制。五權憲法之五院各有其憲法上所賦予的職權，分工合作，不相侵越，且各有其完整和獨立的體制，此五院對國民大會（即全國最高政權行使機關）而言，又皆爲政府權或行政權（Administration Power）（註）而現在行政院之權，究其實質而言，乃執行權（Exeutiva Power）即整個行政權或政府權之一部，因行政權或政府權除行政「執行」權之外，尙有行政「立法」權，行政「司法」權，行政「考試」權，行政「監察」權及行政「執行」權，蓋此等權之目的均在要實現國家之目的或人民之意志。同時就現行憲法第五十七條行政院對立法院負責之規定而言，行政院之所謂行政權乃僅係對「立法」或議事機關相對而言之一種行政「執行」行政權而已，此固不能代表整個行政權或政府權之行使，亦不能（或不應）將司法院所享有之整個行政「司法」行政權之一部掠奪而去，（如現在司法行政部之隸屬行政院）一方使五權分立之原則體制破壞，一方使司法權擴，不能發揮在五權憲法政制中最大及應有之功用，此爲時賢一般所最詬病而今後或因司法行政部改隸司法院之後即可以免除此弊，以維持其相互平等獨立爲原則底五權憲法根本之體制。

二、免除行政干涉司法。行政與司法在憲法上各有其分際，權限與功用，就法制而言，既不可互相侵越，亦不能狼狽爲奸，惟行政與司法二者性質根本不同。前者着重政策之得失；而後者則在是非之評判。所以美國法學權威龐德教授（Prof. Pound）說：「行政兼理司法的弊病很大，因爲司法要追究是非，而行政只顧自己的政策；行政兼理司法審判絕不會公平；法國的法官絕少貪汚，但很多感受行政的壓力而影響到案件的判決。」我們司法行政部因爲隸屬於行政院，幾年來因爲要配合行政之故，所以有許多案件鬧得滿城風雨。如四十二年轟動全省之台中選舉訴訟事件及其後之楊子公司胡光麃及江村等訴訟事件及目下猶在發展階段中的「奉命不上訴」事件等等，蛛絲馬跡，未嘗不令人尋味。因孟德斯鳩亦曾說：「凡有權力的，未有不濫用其權力」。事有必至，理有固然，司法行政部改隸司法院之後，以上所發生之事件或許可以不致常見。

三、免除立法干涉司法。現在司法行政部隸屬於行政院，而行政院又對立法院負責；而立法委員每個人對行政院又都有質詢權，而立法委員任滿三年之後，憑法律都可以做律師及法官，司法行政部對於此一方面是立法委員，在事實上又不能不賣帳，整個的司法檢察和高等法院審判都歸司法行政部管轄。在一般情形之下，審判如何能獨立，司法如何能求進步，現行法三年立委可以做律師，法律師法及法院組織法修正案，司法行政部至今似猶不敢提出，政府威信如何能保全？以及中國法治前途如何能上軌道？凡此，若果司法行政部改隸司法院——則今後司法，就可以免除立法的直接和間接的干涉了。

（註）按法國學者狄驥（Duguet）說：「我們心目中所想像之國家權力，只有制訂法律之權，與執行法律之權兩種，除此兩種權力以外，別無第三種權力存在餘地」。美儒古德諾（Goodnow）說：「國家一切權力不屬於表示國家意志的權力，即必屬於執行國家意志的權力，屬於前一類之一切活動，皆可統名之曰政治（Politics）屬於第二類的一切活動，皆可統名之曰行政（Administration）所有國家一切活動，我們所名爲立法，行政，司法，執行及其他等等，其實皆屬於「政治」與「行政」兩類。」迦納（Garner）說：「嚴格言之，國家權力可分爲二：一，制定與表示國家意志之權；和二，執行此種表示的國家意志之權。第一種權力可統稱爲立法權，按廣義解釋它可以包括立法機關與制憲機關二者之權力。」

孫秋源何事被捕

◦齊中人◦

台灣通訊

在十一月二十八日的台灣各大官營報紙上，社會新聞版中均以顯著地位登載了警備司令部拘捕三個「甲級流氓」的新聞。中央社在這段消息中說：對於此種惡性流氓的取締行動，實係保障社會安全的措施，值得市民一致支援。三個「甲級流氓」中有一人爲孫秋源，中央社這段消息中說：孫秋源，二十九歲，高雄市人，住台北市西園路一段二二〇巷十弄三號，册列甲種流氓。經常姦淫脅迫良家婦女，拍攝有傷風化的照片營利，惟多數被害人因顧面關係，受辱害而不敢申訴。……

孫秋源何如人也？

孫秋源何以被警備司令部濫捕？又何以成爲「甲級流氓」？此中原委，我在這裏分析一下。

去年（民國四十六年）台灣最暢銷的刊物，「自治」半月刊創於民國四十五年六月，曾依法向內政部登記，薄薄十幾頁的一本雜誌，內中也沒有甚麼文章，只是轉載「省議會公報」中省議員李萬居、郭國基、郭雨新、李源棧、吳三連等在省議會中的質詢全文。由於台灣的官方報紙一向封鎖或很少登載民意代表們對政府較嚴厲的質詢，所以「自治」半月刊這一轉載這些位屬於民、青兩黨或無黨派議員的質詢全文給選民們知道，竟大受歡迎，因而銷路大增。據說：因此引起查扣事件，普及至台灣各縣市鎮。有的說是「奉命沒收」，有的還說「內容荒謬」。這「自治」半月刊的發行人，正是目前被警備司令部稱爲「甲級流氓」的孫秋源。

又今年八月時，孫秋源，聯合李萬居、高玉樹、郭雨新、郭國基、李源棧、朱文伯等七十八人，「爲響應政府建立且鞏固民主政治以闡揚民主理論、研究自治制度，以期促進完善之地方自治爲宗旨」，發起籌組「中國地方自治研究會」。這個組織直到今天也並沒有被政府批准登記。當局是厭惡這個組織的。

孫秋源這個人，發行「自治」半月刊於前，出版「自治研究」半月刊於後，復又爲「中國地方自治研究會」的發起人，他做了這些事，據說，就是使他被警備司令部稱爲「甲級流氓」的主要因素。

本年十月二十七日的夜晚，台北西園路一段二二〇巷十弄三號孫秋源的住宅，突然來了六個人打門而入，鄰長帶領着一個警員，兩個穿軍裝的人員和兩個便衣人員，進入屋中後，並未出示任何證明書，即在孫秋源家中大肆搜查，即將孫秋源逮捕，孫逮捕後一直未宣佈他的罪名，也沒有任何消息。

大概孫有友人名汪文瑞者，氣憤孫秋源之被捕，乃投書「自由中國」半月刊（十二月一日），題爲「從人權保障談到孫秋源被捕」的讀者投書，說：「孫秋源一非軍人，二非匪諜，三非牽連犯，四非戒嚴時期嫌疑犯，而軍事機關何得越權逮捕無軍人身份的人民？和到人民家中搜索？……軍事機關無權逮捕拘禁審訊，如果逮捕且任意拘禁而不依法移送管轄法院，這是違法違憲的」。

孫秋源是否眞的是「甲級流氓」呢？這個我們只須從警備副司令李立柏（以前的台灣保安總司令）對李萬居的談話就能知道了。公論報社長李萬居，在孫秋源被捕後曾向警備副司令李立柏交涉，而李立柏曾經親自向李萬居說，孫秋源是經常在刊物上，批評政府、罵政府的，政府不願容忍這種人。好了，從李立柏口中說出的這一點兒實話，我們就能知道，所謂「甲級流氓」云云，不過是治安機構中的專家們經過仔細研討後所下的最有利於他們行動的罪名而已。

在十一月二十八日發表孫秋源爲「甲級流氓」的報紙上，同時還登載着中央社的另一段消息，這一段消息中說：「據警備總部發言人稱：這批流氓將如以往拘捕的流氓一樣，從重論處，或交管訓，直至他們痛改前非，澈底悔悟，重新作人爲止。」看這意思，還極可能把孫秋源送到火燒島上去從事幾年的「洗腦」工作。

幾年前保安司令部公佈的「懲治流氓條例」，實際也是「黑市」法律，它根本沒有經過立法院的通過。當局這幾年來不斷的強調民主和法治，但如果一方面卻用這些「黑市」法律來掩人耳目，其結果將是自毀威信的愚措中又多添一個新的愚措而已。

一個政府的威信是最重要的。民國三十八年政府初遷台灣時，爲求社會安定，嚴辦匪諜，當時政府說某人是「匪諜」，人民亦均以「匪諜」視之，從不懷疑。但後來，經常把政府想要打擊的人說成「匪諜」，人民遂漸漸的持懷疑的眼光了，及至「孫立人、郭廷亮案」一出，人民對政府指爲「匪諜」的人根本不再相信了。這幾年來一般人民對於政府懲治流氓，一向都是很同情的，但如像孫秋源這樣的例子一發生，以後政府指爲「流氓」的人自將不會被人民信服。這該是一個政府的多大損失？因此，對於警備司令部逮捕孫秋源的事，政府應迅予糾正，並恢復孫秋源的自由！

自由中國歷史最悠久的國際性團體——

聯合國中國同志會

◦章垚◦

聯合國中國同志會（Chinese Association For The United Nations），也和其他各國的聯合國同志會一樣，是擁護聯合國憲章與組織的一個民間團體。總會是聯合國同志會世界協會（World Federatration of United Nations Associations），會址設在巴黎。

聯合國中國同志會前身爲中國國聯同志會，遠在民國八年（一九一九年）巴黎和會後，國人梁啟超、伍朝樞、王正廷、熊希齡等在國聯正式組織成立之先，即已組織該會，出版有「世界政治」與英文「中華論壇」兩刊物，頗爲國內外朝野人士重視。第二次世界大戰爆發，國際聯盟瀕於崩潰，而該會仍繼續存在，直至聯合國成立後，始在重慶改爲今名。

抗戰勝利後，該會由渝遷回南京辦公，上海、重慶等地則先後成立分會。至民國三十八年（一九四九年）中共竊據大陸後遷台，至三十九年（一九四〇年）七月一日正式在台北恢復辦公。現有會員計：普通會員一七〇七，永久會員六四三，登記會員七五二〇，總數爲九一九八。（爲自由中國會員數最多之人民團體。）現任會長朱家驊，總幹事爲陶振譽。

該會設有理監事，（會長係由理事中互選產生。）理監事由一年一度之會員大會選出，現任之理監事均係朝野名流，學者專家。該會附設有下列機構：（一）國際問題研究委員會（主委楊公達）。（二）經濟研究委員會（主委東雲章）。（三）婦女問題委員會（主委陳逸雲）。（四）匪情研究室（負責人李天民）。編印有中英文叢書，已出版者有：泰師證詞，如何走向安全和平之路，五年來中共迫害人權紀實，世界實況與戰爭，聯合國組織與業務，免於恐懼之自由，台灣與新疆，毛澤東會變成狄托嗎等四十七種。

該會會務重點爲：（一）宣揚聯合國精神——每年於「聯合國日」「世界人權節」，均作盛大紀念，並有專册報導。聯合國日紀念專文，三年來均由該會譯爲中文，向南韓、馬尼剌、曼谷、香港、馬來亞等地分發宣傳。（二）參加國際會議——如美國政治科學協會，世界聯邦建設同盟，泛太平洋婦女協會，奧國同志會之衛生委員會，荷蘭同志會之國際法院問題講習會，紐西蘭同志會之各國國情展覽，日本京都同志會之各國風光展覽，泰國同志會之各國玩偶展覽等均有參加。（三）勵行國民外交——聯合國每屆大會，該會均本我國立場，就世界大局作成備忘錄，向大會提供意見。又各國學者名流到我國訪問，均由該會聯絡接待。（四）發行定期刊物——有中文簡訊（月刊），供會員參考；英文簡訊（News Letter）（月刊）報導國情及揭穿中共之國際陰謀，按期分寄各國之民意代表，朝野名流、教授、報社、大學圖書館等。英文時事文摘（Current Facts and Opinions）（月刊），報導國際時事介紹各國輿論，贈與國內朝野人士參考；（五）開放圖書室——除自行購備中西文圖書，供會員閱讀外，並獲聯合國總部，美國國會圖書館捐贈圖書甚多；台北美國新聞處亦輪流將有關政治、史地各書送至該室陳列出借；每月舉行兩次學術座談會，現已舉辦至二〇三次，主講人均係中外學者。尙有論文，演說，比賽，音樂，電影欣賞，攝影，圖片展覽等，亦常不定期舉辦。

朱家驊與胡適在人權節茶會上

稷下談龍錄（三）

◦賈若虛◦

世界人口增加問題

此後國家主義種族優越主義者，大多將天演論曲解。例如羅德氏 Cecil Rhodes 在南非洲推行盎格魯薩格遜種族代天行道主義。張伯倫更繼起來發揚光大。迦內基主張美國應當擴大至五萬萬人，爲了人類之自由快樂而擔任全球霸主。吉布林詩中提倡統治弱小民族是白種人的担負。後來希特拉，墨索利尼田中東條等都認爲他們的國家應當統治世界。眞正學問家祇有老赫胥黎的高足濟斯爵士一生研究人類學和天演論。他活到八十餘歲，在希特拉戰敗後纔死去。他說人類永遠被倫理與進化兩個觀念所糾纏。人的倫理觀念，從本身引伸到家族，國家，世界，未有不希望個個人太平，康樂的，但人又受進化觀念支配，而須向外奮鬥。此兩個觀念永遠是對立的，即對自己的人如家族或團體或國家是應用倫理觀念，對非自己的家族或國體或國家則須應用進化觀念，方能存在。這種道德標準永遠是二重的。對內用愛，對外用爭。國家係由部落演化而來，爲演化程序所必須。國與國之戰爭是慘酷的，專恃武力向外侵略的，最終固然失敗，但一味妥協而無抵抗，最終必變爲奴隸。如世界大同永無戰爭，則必須另有演化途徑，否則人類社會將停滯不進步。他所說倫理的應用須有差別，與中國儒家的「親親而仁民，仁民而愛物」的道理，頗爲接近。他又與達爾文之孫（著有「未來百萬年」一書）的意見相同。後者懷疑世界能否永久大同，而說最好的狀況不過與中國過去歷史相類，分久必合，合久必分。濟斯爵士與達爾文爵士均屬於硬心腸學派。赫胥黎之兩孫則希望人類能有辦法將總數限制，使得生活程度得以隨科學技術進步而上升，以免得社會達爾文主義之實現，有點接近軟心腸學派的先生們。總而言之，從前老子說過：「吾所以有大患者，在吾有身。及吾無身，吾有何患」？後來韓非子又說：「古者丈夫不耕，草木之實足食也；婦人不織，禽獸之皮足衣也。不事力而養足，人民少而財有餘，故民不爭。是以厚賞不行重罰不用而民自治。今人有五子不爲多，子又有五子，大父未死，而有二十五孫。是以人民衆而貨財寡，事力勞而供養薄，故民爭。雖倍賞累罰，而不免於亂。」這是中國二千餘年前的馬爾薩斯。中國雖有聖君賢相，以及儒家心性之學，尙難防止易代時的屠殺。老子合你，你們還是把我所講的人口增加，引起世界危機的話仔細的想一想好吧？

賈：敬謝老師的指點，讓我們回去仔細思考。

蘇：明晚我們討論經濟問題，因爲那是與人口有關的。

（八）完【四人於是道晚安而散】

報壇春秋

（台北通訊）

◦英强◦

第一大報之爭？

報紙，原是宣傳的利器，尤其台北的報紙，更是自我宣傳的利刃。

我們時常看到甲報號稱自由中國第一大報，乙報又自稱台灣第一大報的巨幅廣告，同時，稍微明瞭「內幕新聞」的人，也都能聽到幾家大報，上自老板，下至工人，爲「自己是老大」而爭得面紅耳赤。

究竟誰是第一大報？因爲沒有銷數調查，自然沒有公開的報告，我想就是身爲老板者，也數不出自己的報紙，有多少訂戶？因爲這是報紙的秘密。

最近，記者在偶然的機會裏，「瞄」到一份蓋有「機密」藍印的文件，這是台灣各報購紙的記錄表。

因爲，台灣各報的用紙，是由台灣紙業公司配給的，各報爲了維護共同利益，乃組織了用紙審議會，大大小小的報紙，都是會員，而推台北：聯合、中央、中華、新生、徵信、自立（晚報）、基隆聯合報、嘉義商工日報、台中民聲日報等九單位爲常務理事，而由聯合報發行人王惕吾爲主任委員。

主要工作在審核各報請領配給紙，是否都裝進自己的印刷機，有無套購的弊端，其根據是銷數。所以，這個審議會，在必要時，有淸查各報「底牌」的大權。

自四十七年五月至十月止，全台灣報紙每月平均購紙量，最多的前五位，依次爲：新生報（一〇三．〇七噸），中央日報（一〇一．五五噸），聯合報（八六．〇七噸），中華日報（五一．七一噸）徵信新聞（四八．七四噸）。

而把一噸折合二二四〇磅，每五〇磅爲一令，每令五〇〇張，每張出對開二張爲一份計算者，前五名的估量銷數，應爲：新生報：七六、九五九份，中央日報：七五、八五七份，聯合報：六四、二六五份，中華日報：三八、六〇三份，徵信新聞：三六、三九二份。

根據以上的統計，新生報的銷數，仍然維持第一位。

「靠得住嗎？」記者問一位中立身份的老報人，他說：「目前台灣紙業公司的配給紙，比市面的小廠商所出品的白報紙，還要便宜，所以沒有傻瓜，願意幹這種賠本生意（市面的白報紙，只能供平板機用，而無捲筒紙），所以大報必須向台紙請購。」這統計可靠嗎？信不信由你。

可喜的新聞教育

自由中國的報業，就台灣各種發展情形而言，實在不是進步的一面。而且讀者的讀報興趣，就版面，新聞的競爭性，都比不上香港自由報業和淪陷前的上海。

特別是近在服役的新聞從業員，面對環境不堪的報館，都有點怨言。唯一的期望，只是拖一天算一天；唯一的期望？

在台灣資格最老的政工幹部學校，培養出不少冒險犯難，肯幹實幹的優秀新聞記者。前在羅邊遇難的徐搏九，就是其中之一。

國立政治大學新聞學系，自己經營的實習報，已有「小密蘇里人報」之譽。今年十二月五日滿二週年之後，增加了晨刊和英文版，同時，每天還對台北各報，發一次較大於中央社份量的新聞，實習報館，其新聞寫作的技巧和新聞份量，很受採用報館的重視。

明年夏天，在台復校後第一屆新聞系畢業生就要畢業。據說，有雜以改革一番的雄心老板，紛紛向該系負責人「預約人才」，這在找事難於上青天的台灣社會，確是奇蹟。

被譽爲「中國北巖爵士」的成舍我，所創辦的世界新聞職業學校，升格爲新聞專科學校外，現擁有一所實習廣播電台，在木柵該校校舍，台北附近都收聽到。附設電台，這在國外也是少有的，在國內更是劃時代的。

耶蘇聖誕之今昔

一個可注意的社會現象

淳

節令和時裝一樣，表現出某時的社會風向，也就表現出某時人們的某種心情透過某一定約俗成的方式而選擇。凡「現在」都帶着「過去」，孕着「將來」；所以即景即物細味當前，會引起「春江水暖鴨先知」的味道。

從節令和時裝的星移物換看來，戊戌則戊戌，中國社會之變遷實在太大了。六十年前的戊戌我拿一個孔方制錢給揹着西洋鏡的滿街佬，撥轉鏡裏十張公仔看一看，看見三兩張番鬼化過多跳丹神，嘸諗知道這是「平安臨大地，帝眷滿人間」的令節，而且除此之外，家家主主祖蒸羅白糕拜神過多，而今年的戊戌親友們的聖誕卡片之飛來。如此者已是好些年了。妙的是，你祝我快樂，我祝你快樂，你我都充滿了春風解凍的心情，而彼此又多不是基督信徒。

是了，這是一個溢出了宗教範圍的社會現象，同時又是一個宗教的符徵一年一度向全社會作大伸展，而這伸展又是一年盛過一年，儘管許多參加熱鬧的人們心頭上從未意味到「平安臨大地，帝眷滿人間」的歡忻。

自從教皇不許拜祖先而康熙帝把耶蘇會士逐出不與同中國之百餘年後帝國砲艦再把聖教帶來，於今又百餘年了。到今天，再不會有第二個洪秀全說什麼天父天兄了，也再不會有第二個義和團搬出黎山聖母來仇洋仇教了，人們的心情都會人云亦云地，也像愛備新裝地大送其聖誕禮大寄其聖誕卡了。人們接受基督教的雖然居極少數，但觀感改變了舊阻碍消去了，轉入易於接受的心情了。

若論轉變的功臣，高居凌烟閣上第一位的該推教會學校，大家都想子弟讀番書，留洋學，自然「君看幽絕處」，高價在終南」了。而百貨店，跳舞場少不免是也該封個關內侯，賞個巴圖魯的。穿上紅紅綠綠聖誕新裝的式樣，過門誰不砰然心動，借題發揮，誰不想聖誕跳個通宵，新年之夕跳個通宵。此事也，鞠躬那得無功！

過完聖誕又新年，過完新新年又過舊新年。到其時家家主主都擺葉盒，封利市，蠔廊旋地大家拜新年，然而不是家家主主掛神像拜祖先，拜「天地君親師」了。舊社會現象式微了，褪色了。

舊曆新年擺在街邊寫紅紙揮春的在深水埗，而不在尖沙咀。聖誕節的社會現象燦爛於通都大邑，到鄉間便寂寞了，一馬當先的總是禮衣足羅階層，所以說「禮失而求諸野，」所以又說：「草上之風必偃」，所以隔壁那穿黑布衫褲的老娘家也會指着我窗中的雁來紅，說是「耶蘇花」。

國際動態拾零

△美國務院建議，由尼克遜請蘇聯文化委員到副總統官邸聚餐。最後取消約朱可夫，因爲他怕將因以聯想及另一被清算之朱可夫。

△一九六〇年之民主黨總統候選人，將于是年七月十一日提出。最近訪蘇歸來之參議員堪富利，爲有希望之一人，同時參加預選，不必參加本職。他年方四十七歲，說話極快，最近與赫魯曉夫一次談了八個鐘頭。

△尼克遜訪問英國，殊見成功。他計劃于明年一併訪問德意，其目的在欲在國際上建立聲譽，以爭取一九六〇年共和黨之總統候選人。

△洛克斐洛將與尼克遜，競選一九六〇年之共和黨總統候選人。洛氏于上週週末會與艾森豪總統談過，希其嚴守中立，勿作左右袒。

△美國發明一種新照相機，可在一百英里以上高空，攝取地面照片，爲波士頓大學科學家所發明。空軍將以用于將來放射之電眼衛星上。

△美下年度預算，關于火箭方面之費用爲四十億，國會于下年初即付審查，以免延誤與浪費。

△麥美倫將于明年一二月間，訪問華盛頓，與艾森豪討論柏林、中東、亞洲各問題。

現代文學美術協會 今舉行會員徵求

該會已獲港府批准

（本港訊）現代文學美術協會自本年八月一日創立以來，已深得社會人士贊許支持，最近該會已獲香港政府正式批准，將於本月二十七日假座大坑春暉台二號舉行會員徵求會，該會宗旨求文學美術界之大團結，共同推進我國文化再造運動，聞該會正展開第一屆公開徵求會員運動，凡有志於文學美術者均所歡迎云。該會通訊處：香港大道西一〇五號四樓。

毛的繼承人

所謂「中華人民共和國主席」是一個虛懸權力的職位，誰要是邊得了這個職位，就表示誰無權力；自由世界的論者，以爲誰要承繼這個主席，誰就繼承了毛的衣缽，這種看法無疑是錯誤的。

在我的看法，繼承這個主席可能性最大的是劉少奇；果若如此，則毛辭去這個主席，是着意留出這個空洞職位，讓他來繼任，以調離他的「人代會」委員長的職務。因爲劉是反對派首領，他操有一個「憲法」給予權力的「人代會」，毛若要名正言順的依照正規來搞某些運動，那麼他必須獲得「人代會」的通過，而劉則時常從中作梗；例如毛提出的農業發展綱要就始終未被人代會通過；雖然經毛施展各種壓力，其實際發展也已超過了農業發展綱要所規定的程度，但終究並不是名正言順的。又如今年八月召開的「最高國務會議」所通過的某些決議，若以中共「憲法」的角度來看，是違法的。那末，毛何以不在「人代會」上去通過，要搞這種「最高國務會議」呢？很明顯是要避過「人代會」。由此可見，「人代會」對于毛的牽制力的巨大。

現在毛讓出這個政府主席，表面上使劉繼任，示人以可以容納「反對派」，實際上抑制削弱其權力，以便他爲所欲爲。這種猜測固有待于明年「人代會」的證明；但我敢說，毛的辭政府主席的動機，是使劉入彀的陷阱其可能性佔百分之六十以上。若果如此，則劉被毛視爲眞正繼承人的可能性已經完全消失。

反之，若朱德出任這個政府主席，則劉繼承毛氏衣缽的希望尚未消失。

若把「憲法」修改成「元首」，而仍由「人代會」選出，元首就是「元首」，而仍由劉出任，那麼毛已確定劉爲繼承人了。

儲蓄額增長

大陸經濟有嚴密控制的特色，因此對于其人民儲蓄額的增長總有另一種觀念，此即：因爲無法或者不准消費而剩餘下來的被強迫儲存的私人金額；這種金額增長得愈多，亦即反映其人民消費的限度愈小；反之，則人民消費較多。據十二月十八日人民日報宣佈，今年十一個月的城鄉儲蓄增長數比第一個五年計劃期每年平均增長數增加三倍以上，由此亦可見今年人民消費降低的程度。

歡迎狄托東來

狄托雖然是個共產主義者，但他在南斯拉夫的作爲，不失爲共產國際中敢想敢說敢做的領袖；他修正了某些列寧與史太林的教條，接近于富平民主的思想，使得東歐共產國家的領袖，因此被斥爲修正主義者，假使共產國家的領袖，個個都像狄托一般，世界就不致于這樣緊張，在他們統治下的人民也不致于像現在一般的苦痛了。

儘管狄托的主義未完全合乎民主自由的尺度，但在共產國際中已經是一個朝向民主自由前進的一種制度。共產國際內部的蛻變，必然是朝向狄托主義的。

由於狄托主義的存在，至少可以讓共產黨人暗中明白還有一種另外的共產制度存在着，他們會知道共產制度是可變的，是能變的，有比較的，這樣的懷疑思想將是內部動搖的開始。狄托到東方來，特別是大陸正在實行史太林主義的今天，我們希望通過他的傳播，使遠東某些共產黨員清醒一些。

田心。

中華佛教文化館出版美術集

（台灣通訊）台灣中華佛教文化館，自成立後曾出版了一部影印大藏經正續編，現在又繼續在影印續編。同時，最近又出版了一部「中華佛教美術」，蒐集唐、宋、元、明、清以來歷代的名家繪像，其中尤有幾種是很難得的，如釋迦說法相圖（敦煌壁畫原本藏英倫博物館）、普賢菩薩圖（法國羅浮宮藏）、觀音像（原本現藏德國柏林博物館）、水月觀音（原本藏巴黎）、沙門天皇像（原本藏大英博物館）。此外如唐吳道子的觀音圖，宋陳居中的無量壽圖，宋李公麟的維摩居士圖，元趙孟頫、明仇英、清丁觀鵬等的佛像，共計一百七十五幅，分上下兩大本，並附有中英文說明，和曼壽的序說。

喜雨慶佳節 工展生意好

本屆工展會開幕以來，由于各廠商之出品精良，頗引起本港人士之讚賞，各大出口商人紛紛前往參觀及探詢訂貨情形者，大有應接不暇之勢，該商號爲便利各界參觀計，特於昨日上午十時再度招待本港出口商，當時雖微風細雨未稍休止，但滋會參觀者仍接踵而至，計有滙何洋行、福昌洋行、歐美洋行、濟成利有限公司等五十餘家，嘉賓約百餘人。

工展特輯

工展舉辦廉價週 遊客個個買到夠

工展會自發動「廉價週」開始後，遊客倍感興趣，是因爲攤位標出的廉價物品，特別廉宜，昨日遊客如入寶山，無不滿購物品而歸，至於會塲的平價貨品，除日前公佈外，昨復有多家舉行特別優待游客。

遠東棉產工業廠有限公司此次參加工展，位於第十街，因該廠紅棉被風行港九多年，輕暖適體，復經高氣壓消毒，極爲家庭主婦所樂用，該廠主人鄭光，頃又響應大會，發動廉價週，將花綢被（原價每張十七元）減沽九折，光綢被（原價每張十一元）減沽十元，尤爲觀衆所放手搶購。

工展記趣　呢一回：投票選工姐

文：竹馬　畫：小韋

呢位小姐 儀表出衆
投你一票 以示推崇

呢位小姐 才貌双全
投你一票 以示欣羨

呢位小姐 態度大方
投你一票 以示尊重

洋樓小姐 品格高尚
精神投票 以示表揚

高尚靚樓！
處參觀錦興公司
十街工展小姐投票
請光臨工展會第

自由談

不朽的立言問題

古人認爲人生有三不朽的事業，即立德，立功，立言是也。吾輩新聞記者雖以說話爲職業，卻不能躋於「立言」的不朽事業之列。因爲每天皆有所言，而言多必失，乃意料中事，失了言就來一個「更正」，毫無所謂，這怎能稱之爲「不朽」的績業呢？

眞正不朽的立言，必然具有放諸四海而皆準的妥當性，教人發生共鳴的情感，進而對立言者表示崇敬的意念，構成所謂「夫人不言，言必有中」的影響力。這樣的言論，新聞記者頗難勝任，搞政治的人尤其說不上，唯有學者名流，庶幾近之。

可是，學者名流若想建立不朽的立言事業，有一個先決條件必不可少，那就是愼言。吾生有涯，而知也無涯，人的智識學問並非萬能的，如其遇事皆有說詞，即與吾輩以說話爲職業的新聞記者一樣了。新聞記者失了言，儘可更正，學者名流一有失言，根本就損害了立言的信譽，爲社會大衆所竊笑，等於供奉在神龕上的偶像，一度被投入垃圾箱之後，再要拾起來供奉如儀，誰也對它不發生虔誠的信仰心情了。

因此，我希望被世人奉爲學者名流的先生們，不可不立言，但須切戒輕言，尤其對於自己平日少所研究的問題，不好隨便發議論，以免貽笑大方，喪失立言的不朽價值。至於強不知以爲知，或阿其所好，或自我矜誇的言談，千萬使不得。否則立言的效用遞降尚係次要問題，學者名流因而被人視爲跟搞政治的官僚政客們是相去無幾的人物，那才是無可補償的嚴重損失啊！

我愛聞學者名流的言談，吾尤敬愛愼言的學者！

馮五先生

耶誕與賀年卡

．歸舟．

距今約百年前，在將近耶誕的時節，英人陶卜生畫了一小幅「合家歡樂圖」，還在圖上寫了幾句精短的懷念和祝福的話，寄給他一個在遠方的朋友。他的朋友接到了這一幅小圖後，覺得非常高興和感激，到處把它拿給別人看。於是聰明的書商觸動了靈機，每年印製精美的耶誕和賀年卡發售，而這種卡片也就一年比一年風行起來。以後復活節，情人節，感恩節用的卡片，全都是從賀年卡的觀念中派生出來的。

許多事情國人都喜歡模仿外國，獨有賀年卡一項，我認爲不盡是一種時髦的模仿，而是卡片的本身，的確代表了一種祝福和懷念。對其所親所愛寄予一種溫情和敬意，正是人類高尚情操的共同表現。一個離鄉背井的遊子，當他接到家中寄來的賀年卡時，他該多麼高興。同樣，一個母親接到千里外兒子寄來的祝福，她怎會不滴下喜悅的眼淚？「一個終年埋頭書齋的老教授，當他意外的接到多年不晤的學生的賀卡時，又將勾起他一番如何深沉的感想？

歐美的賀年片不但是套色版精印，且其裝璜設計，亦極盡妍美瑰麗之能事，使人愛不忍釋；至於卡上印着的名家詩詞，更足令人迴味無窮。外國卡的最大優點，我看還是在於它的詩詞，詩詞的優美猶其餘事，至於它的種類多變化多，眞不是國產卡所能望塵的了。像寄給父親、母親、丈夫、太太、情人、朋友、兄弟、姊妹、老師，各種不同身份的人，都有特別製就的卡片，所以畫面的設計和祝福的詩句，都能恰到好處，往往能夠代表寄卡人的眞實情感，收卡人讀來也就份外親切。

以前上海的書商，亦有印製耶誕和賀年片發售，惟印刷粗劣，畫面設計復膚俗不堪，題詞亦僅套用兩句最通用的英文：「祝你聖誕愉快，新年快樂」，間亦有用中文祝辭的，卻也逃不出「恭祝聖誕，並賀新禧」的範圍，千篇一律，毫無情感。同樣的一張卡片，也可以寄給你的情人，也可以寄給你的祖母。當你接到這樣的一張賀卡時，祇要了解你知道是誰寄來的就夠了，根本用不着也不會把封套剪開來看內容。我常常奇怪，爲什麼我們的書商不在這方面動動腦筋，聘請本國的高明畫家設計各種不同的賀年卡，而署名的詩人或散文家撰寫各種不同的題詞，這樣，我們不是可以有理想的中國賀年卡麼？縱使印刷粗劣一點，也將無礙於表達中國人眞實的情感。試想想，一個旅居北平的人，要寄一張賀卡給在廣州的朋友，假使他能選到一張畫面是北平冬景的設計，而題詞又是對於南國友人的懷念和祝福，則當時，他的朋友接到這張賀卡時，應該會怎樣的高興，悵惘和感激！國內河山現已面目全非，這一切如今當然都無從談起了。

最近我接到好些從香港寄來的賀年卡，其中當然多數是舶來品，而香港印製的，卻也不少。去國萬里，我對於港製的賀卡，特別感到興趣，看到它，我就好像觸到故鄉草木一樣的親切和喜悅。然而，我對於朋友寄來的這些賀卡，始終仍不免有一點失望。祝詞自然終是「恭祝聖誕，並賀新禧」，至於畫面的設計，卻有令人啼笑皆非之感，多是鍾馗、呂洞賓、李鐵拐、何仙姑、張果老、韓湘子等的畫像，畫得奇形怪狀，不忍卒視。其中有一幀我比較喜愛的畫面題名「肥皂泡」，可是那三個在玩肥皂泡的孩子，全都不像是現代中國的孩子，而是清朝初年的大清兒童。

賀年卡代表着人類的一種溫情，這種溫情一天存在，人類的文化也就一天不會滅亡！（寄自Jamaica。B.W.）

次韻奉和卓翁先生七一生朝述懷

榮名令德世方稀。硯水淵山亂化機。軒冕素懷甘本色。園林小築見精微。安良共許勳功在。結客欣逢逸興飛。酒泛黃花齊上壽。九疇三疊叶宮商。新鬢何曾南鸞帶。策杖早踏野北。銜杯時聚繞星旁。論詩最愛南容好。賴貴同符端木良。化及豚魚誠信著。邦人稱說鄉公鄉。

懷冰

「奉命」

自從台中地方法院首席檢察官延憲諒，因爲台中縣長李國楨貪瀆職涉案，「奉命不上訴」後。台北的報紙上，滿紙皆是「奉命如此如此」，從新聞版、社論、短評到廣告。

「奉命」之聲，就正如健身（呼啦）圈一樣，流行台北。國民學校小學生，在沉重的課業負担之餘，也能「奉命」一番，下女也會說「本人奉命」如何如何……。

記者認爲這是好現象，至少，反映出二點：

一、台灣的民主社會，正在培養之中，亂說「奉命」之人，不會担心政府懷疑你有意諷刺政府（事實上是諷刺檢察官的無能），而有被「奉命」關進去的危險。

二、台灣的大衆傳播工具，已有驚人的普遍和快捷。連國民學校的小學生，也要天天看看報紙，台灣的下女們，打開收音機時，聽罷了「妹妹我愛妳」之後，還要聽幾段新聞，換換味口。

．強英．

小短篇

悲劇

．朱夜．

（二）

三個月前，我爲了挑選所導的這部悲劇主角，我曾找過幾位有名的演員，但一直都難以滿意。有一次我的助手帶着一位少女來見我，告訴我她只是一個三流的演員，一直作着配角，她希望來試試。我不忍使她失望，便揀了劇本中一段悲涼的地方讓她表演一次，倒出我意外，竟表演得那麼合式。要緊的是她控制心理──這本是內心的戲。于是，我決定把她列入三位候選主角之中。

「妳表演技術已無問題。」我說：「妳有三分之一希望主演這部片子。」

「謝謝你，導演！」她笑着點頭。

「其實我希望選老練的演員。」我毫不掩飾地說：「我是第一次作導演。」

「我沒作過主角，但我替人家配戲也有四五部了。」她忙爲自己辯護：「當然，這不能算是老演員。」

「至少是有影場與表演經驗了。」

「你說得對。」她很嚴肅的口吻：「我總反對天才一類名詞，尤其是演戲。」

我們對面坐着，這時候我細心觀她打量一下。我發現到一個值得驚異的事：這少女全身布衣，看上去一點也不像一個電影演員。我沒有看過一位演員穿得如此樸素的，簡直近乎「粗陋」。隨着我又想到女孩子總喜歡標新立異，也許這正是她立異的地方。我又對她的臉端詳一會──我染上這個職業性的毛病了。我以爲她有幾個很好的角度，我覺得她的臉型是偏向悲劇的，她不說話時，益發使人有這種感覺。

「白小姐！」我說：「妳是個理想的悲劇角色。」

「眞的？」她微微露出笑意。

「妳自己以爲呢？」

我發現她一塊手帕落在地上，便檢起來放在她的身邊：「妳喜歡那種角色？」

「演悲劇的，我喜歡悲劇。」她說。

白苓第一次給我的印象很深刻。我的助手是個很負責的青年，他找來的這個沒作過主角的少女，在我衡量中絕不亞于那自命不凡的紅星。那天送她走後，我將這意思告訴老闆，他似乎猛地一驚說：

「你不覺得冒險嗎？」

「其實，你請我導這部片子已開始冒險了。」

他笑笑，承諾下來。

我吩咐劇務發出通知，要白苓來公司簽約，而且緊隨着便要排演了。

（三）

一個溫和的初冬上午，我主持了開鏡典禮。在晚上的酒宴與晚會中，我發覺白苓與這歡樂情調很不相稱，她仍然是一襲布衣，使許多來賓都誤認了女主角。那晚都玩得很盡興，雖然後來助手告訴我大家對白苓的裝飾都有微詞。第二天便開始外景了，我與助手仍在劇本上下功夫，直到夜深，助手送我回去，在夜攤上我想着停下步，拍拍他的肩膊：

「我再請你喝點，祝賀我們合作得完滿。」

他很樂意。于是我們便坐下來，要來酒與菜。他對我舉起杯子時忽然詫異地望向遠處：「咦，那不是白苓？」

那的確是白苓，她坐在不遠的另一個夜攤上。她已吃完什麼，站起來走向一條偏僻的窄巷裏。

「她住在那裏？」我向我的助手吳天問。

「女明星的家，都是謎。」他說：「那是貧民區，她不會住在那裏。」

「別管這些了。」我舉着酒杯說：「來，乾一杯！」

我多喝了些，吳天不時用手扶持我，送我回家。第二天，我率領外景隊將出發時，老闆忽然一把拉住我，悄悄地說：「你看白苓的衣服是否合式，因爲外景隊是到處走的。」

我立刻把白苓喊來。此時我有些不快地說：「白苓，妳怎麼總是這一身？」

「什麼？」

「這一身衣服，妳不以爲有些不相稱嗎？而且，一位女主角，最受注目的女主角……。」

「好了，我知道了。」她說：「其實我早看得出，但明天才提得出來啊。」

「難道妳平時的衣服就是這兩件？」

「但都不比這套好。」她有些惱怒道：「我已經趕做了，我不知道平時爲什麼也注意服裝哩！」

我沒有再說什麼，叫管服裝的在女主角的服裝中檢一套出來，讓白苓換着。

但白苓是個會演戲的演員，她在表演上的成功又沖淡了人們對她的評議。她開始光芒畢露了。

（二）

關於九龍侯王廟的補充史料

．簡又文．

前在本刊發表「宋皇台遺址考證」，篇末（七）關於九龍侯王廟歷史。斷論所祀之神非楊太后弟帝昰舅楊亮節。茲因與饒教授宗頤討論灣洲所在地問題，承其惠示宋遺民周密「癸未雜識續集」上「二王入閩大略」一則有云：「宋軍既大敗於厓山，帝昺及樞密使陸秀夫、楊亮節，皆溺海而死焉。此二月六日也」。亮節之忠烈殉國結局如此，由是可知其非前死于由新闢入廣東道中，如陳伯陶所臆測，更可確定侯王廟所祀之神非楊亮節矣。而余前文之理論有此新史料爲新憑據，亦得證實。喜而補書此數行以告讀者，並以謝饒君。

弔韓潄泉

．李仲侯．

他是一個猝然倒在講台上的文人。他倒下時，神智似還清醒，救護的學生問他要否請醫生，他說：「不用了，生不如死好。」

在基隆一間簡陋殯儀館內，當中停放一具靈柩，旁有一穿孝服的中年婦人，領着一羣孩子，最小者不過二三歲，個個在一盞黯淡燈光照耀着的屍棺前，不斷的啜泣，這就是韓君潄泉於十一月廿四日上午十一時在某市立中學，教完最後一課，鈴聲快要響的時候，突然昏倒在講台下面，死後停靈殯儀館所見到的一付淒涼景色。

韓君湘人畢業湖大，從事軍中文教工作甚久，前歲他自台北來基隆任某報外勤記者，始常有接觸，未久這報與另一間報社合併，他就失業，好容易擠進基隆文獻委員會，當一名額外委員，照例額外人員過年，是領不到所謂一個月年終獎金的，臨到除夕那幾天，我見韓君常奔走於黨政之門，我看他對年事滿分認眞並露出一種張皇失措的形態，纔注意其家世，知他旅台，擁有一妻及子女五人，還有年邁的岳父母亦隨同生活。他領不到這筆還不到新台幣四百元的年終獎金，也不知如何渡過了這樣艱難的一個年關。

韓君到某中學任高二級導師，是本年九月間的事，由於台灣精簡機構，額外編纂早已解雇，賦閑快要半年，纔又獲得此一教職，他以貧病之身，授課改卷，編寫焚膏，很吃力，結果他患腦溢血，猝然病倒的。未病倒之前爲要趕改學生課卷，已兩晚未曾交睫，他倒在講台上，神智還似清醒，救護的學生，問他要否請醫生，他說「不用了，生不如死好」，以後就口噤難語，默默無言的死去。他這樣結束了生的旅程，遺下這一大堆未成年的兒女，啼飢號寒，亦一人生悲劇。

我從不寫大人先生作傳贊，我要寫這篇短文的動機，因親眼看到一個亂世文人的悲慘下場，感到世途的坎坷，不禁爲同病相憐者一掬傷心淚耳。

自由人

THE FREEMAN

（第八一六期）

中華民國僑務委員會
發登記證台教新字第一第二號
中華郵政台字第五〇〇號
執照登記為第一類新聞紙類
（半週刊每星期三 六出版）

每份港幣壹毫
台北市售價台幣貳元
督印人：陳文華
地址：香港高士威道二十號四樓
20 CAUSEWAY RD. 3RD. FL. HONG KONG
TEL. 771726
承印者：東南印務出版社
地址：高士打道六十四號
台灣總經理處
台北市西寧南路壹段壹巷壹號二樓
電話：三〇三四六
台郵劃撥儲金戶二九二二五
海外總經銷：友聯書報發行公司
香港：德輔道中二十六號A二樓

中國民主的新曙光

——蔣總統反對修憲聲明申論

甘家馨

一、一個歷史上的重大聲明

蔣總統最近在台北發出一項政治聲明，宣稱反對修改憲法，在中國現代史上，此實為一非常重大的記載。首先，由於該項聲明的發出，國家當前若干政策措施問題，可稍得澄清，國人對政府的認識，因此可以有所增進，此為一般輿論現所一致強調者。然進而言之，當前現實問題的應付，尚不可作為該項聲明的最高評價，其最高的評價，尚在其歷史意義的重大。我們回想過去，數十年來，自袁世凱以至段祺瑞等，無不任意修法、改法、造法、毀法，祇顧一時之利害。至其結果，憲法、議會、政府之尊嚴，固一律同歸於盡，而政治領袖和代表議員的政治生命以至個人人格，亦橫被犧牲，此豈僅其個人的大不幸，實亦國家莫大的損失，可嘆何如！鑒於往事，蔣總統今天的聲明，即就是洗滌過去國家歷史污點，重振民主憲政常道，其在歷史上意義的重大，概可知矣。

二、憲法非不可修改者

憲法原為規定一國統治者行使統治權時有一定範圍的典範，亦即使政府權力有所限制，使人民權利得到保障及能夠伸張，此所以保障憲法即保障政治民主也。就任何一國的憲法，皆非萬能萬全，亦非一成不變者，是故各國憲法中，莫不列有修憲條文的規定。

但是，任何一國的修憲程序和手續，其規定均非常嚴格，憲法修正案的通過，較諸一般立法程序，遠為鄭重與艱難。職是之故，各國的修憲案，規定必須在應備條件俱已完全充足的場合，始能成立，易言之，各國憲法雖有修憲條文，但一旦付諸實行，則未有貿然從事者。這種情形，即就是各民主先進國家政局所以長治久安之故，而民主制度所以能夠正常順利發展，即有賴於國民如此共同保護憲法的尊嚴。

我國現行憲法，創立於時局艱大之日，內容非盡善盡美，其多有待修正之處，自不待言，然按諸今日事實，修憲案應有的條件，殊難具備，應通過的程序與手續，實不易完成；在此場合，若勉強輕率修改憲法，其為國家前途之害，殊易想象得之。因此之故，關於修憲問題，政府此時能作重大嚴正的表示，實為一明智的抉擇。

三、歷史的回顧

我國推行憲政，迄今已有數十年的歷史，然一部中國憲法史竟充滿了污點與悲痛，這實是我國家的恥辱。然這一部不名譽的歷史，是如何形成者乎，要約言之，當時執掌權力之人，處理國家根本方法，操切輕率，任意變動，即為主因。他們當時為現實利益，為所欲為，安知貽禍後世，然而我國莊嚴的憲政，卒為此種[illegible]無知所誤；今聯想所及，能不有掩卷長嘆之感乎？

回顧歷史，我國最早曾於民元三月有中華民國臨時約法的公佈，此即我國實施憲政的開宗。然臨時約法，自袁世凱被舉為大總統後，即遭其破壞；袁初則嫉忌約法對其野心獨裁大權有所限制，繼則公開破壞責任內閣制，[illegible]軍人干政，不得內閣總理副署，擅自令派王芝祥擔任軍職，最後並實行驅逐唐紹儀去職，如此，約法遂等同廢紙，方始萌芽的民權政治，首次歸於破滅。當時南京臨時政府北遷後，民二七月，曾成立憲法起草委員會，此即民國立憲的第一次嘗試。

起草委員以國民黨員佔多數，彼等以保衛內閣制為主張，然以進步黨為主的反國民黨則力主總統制，以擴大袁氏[illegible]，由是雙方對峙，爭持激烈。[illegible]袁氏一面唆使各省軍人反對，一面非法剝奪國民黨籍議員出席資格，迫使國會根本不能開會。其尤荒謬者，更擅自組織所謂政治會議，該會竟公然解散國會，取消臨時約法，另行公布所謂新約法，袁氏被奉為終身獨裁的總統。然袁意猶未足，以後卒演成做皇帝的醜戲，而我國第一期的民主憲政，至此遂被毀滅無餘矣。袁世凱帝制失敗死後，黎元洪恢復民元臨時約法，召集國會，並進行起草憲法，然擾攘經年，終無結果。及歐戰參戰問題發生，黎段衝突，張勳藉黎求助之時，迫黎解散國會，此第二國會，又臨厄運，其時且曾有復辟怪戲發生。

張勳復辟失敗後，馮國璋升大總統，段再任總理。段因深仇國會，此於馮就職後，竟不再召集，而另行製造選舉，成立所謂新國會。然此時段組安福俱樂部，包辦選舉，所謂新國會實乃段之工具，故後有安福國會之稱。安福系國會召集後，又進行起草憲法，但迄至後來北京政府崩潰，憲法終未成立；其中安福系倚賴武力，把持政權，橫行不法，國家綱紀蕩然無存，憲法運動，根本無從說起，是故終北京政府時代，我國憲法運動，以悲劇始，亦以悲劇終。

由於北京政府的毀法亂紀，孫中山先生乃有領導護法的運動，後乃成立革命北伐之局。然廣州非常國會召集後，其經過仍艱難萬狀，弱點重重，後至北伐成功建立，最後乃有現行憲法之成功。[illegible]，這今猶有餘痛也。

[illegible]憲法過程的痛苦及現行憲法得來的不易，觸目驚心，可概一斑。然唯其如是，當局對修憲問題，乃採取鄭重的態度，而此種措施，可視為憲法歷史的終結和新曙光的來臨。

四、憲法與政治

雖然，就法言法，固為現不修憲的主張，的實確當，但以言當前的實際政治問題，此則非萬全之策。具體言之，現任總統不久即屆任滿，依法總統不能再連任；然今方在反攻復國大業待成的中途，國家基於利害的必要，未必即可容許其退休，因此法律觀點和政治實際之間，顯然發生嚴重問題，而反對修憲論者至此不得不面臨當前實際情勢的考驗。

關於這個問題，並非本文討論的範圍，此處亦不克盡述其意見，惟平心靜氣地說，國家現在的確有此問題存在，人民不容漠視或否認之。這是一個異常複雜而微妙的問題，究將如何解決，全國人民正在矚目之中。惟基本原則應該是不違憲法，[illegible]就政治，如此則政治利益始得[illegible]，否則將無異蹈過去覆轍，則於國家前途，一方面危險堪虞，另一方面殊如前所言，一方現狀之下，修憲條件，不能具備，則仍當放棄法律途徑，另謀解決之道。這種措施，雖未必至當，但至少不致自正面破壞憲法體的危險；諺云：兩害相權取其輕，[illegible]治問題謀善處之，於此分際之中，能[illegible]負此次之號召也（完）

半週述評

應尊重蔣先生的願望

自廿三日蔣先生公開表示無意再出任未來第三任總統後，迅即獲得海內外及國際之良好反應。蔣先生斷然堅決表示反對[illegible]，更是值得鼓掌的。

根據蔣先生在國民黨內的影響力，他的上述[illegible]，是應該可以取得國民黨籍的國大代表[illegible]支持的。如果支持蔣先生的國大代表們，能[illegible]，[illegible]憲政創下了良好的慣例。好的憲政慣例，是具有[illegible]正常憲法之實質內容和精神的效果的。從這個[illegible]看，可見[illegible]者，即在避免遺下憲政惡例，留後世所譏議。

有八「不識大體」

不過消息傳來，國大代表積極主張修憲者，大有人在，並且也提出具體之議案並公佈其內容。據廿九日香港工商日報台北通訊報導：「一部分國大代表[illegible]……曾擬具修憲計劃書一份，據說已遭批駁，並被斥為『不識大體』。」上述報導如屬確實，則「不識大體」四字誠可圈也，可點！亦可見蔣先生之公忠體國，實非如「某要員」者之流之所能善體也。

南韓在鬧倒事！

在南韓，以李承晚總統任期問題為中心的政壇上業已迭見風暴起伏。據說，在廿四日，多數派的自由黨及其它獨立派議員九十六名被通過了「國家安全法案」和「修正[illegible]」。這種破壞民主政治之舉措，憲政開創惡例！於是引起美國官方，國務院聲明說「我們希望該法案的[illegible]付共黨的顛覆活動，而非妨礙大韓民國和平程序的繼續發展。」蓋美國憂[illegible]能被用以鎮壓在野政黨和輿論。發展到廿八日，中央社漢城消息說自由黨，準備修改憲法，賦予李承晚以終身總統職位，不惜通過「[illegible]，給韓國帶來新的『緊張情勢』。

[illegible]安全法案」於先，而繼又準備修改憲法於後，可見南韓執政黨之所作所為，誠乃不識大體至極！此種鬧倒事之惡例，言來令人齒冷，實不足為訓，徒然擴大國內政局之不安。

就此點以論，李承晚誠不逮將先生遠矣。起碼說風度上已望塵莫及了。

展望四十八年

從台北來的消息，一再反映大陸西北各省和西藏省內的反共抗暴運動，在積極地開展着。上海方面，由於毛澤東之決定下台，而大舉捕人。華南地區和華西地區也呈現一片動亂景象，廣西和廣東農民為反抗公社已經個別地組織行動起來，雲南的人民則亦在同樣地情況下，流竄到緬甸境內。

各地區的大城市，由於經辦公社，變成了農民的生活託庇所，大批農民正蜂湧逃入城市，間接地給大城市帶來了紊亂，使城市的經濟生活，供應上發生極大困難。以上海為例，目前人口已超過八百萬，社會問題，亦跟著嚴重起來。這些事實，皆說明來年將是決定中共命運的重要的一年。而來年對自由中國來說，也是極重要的一年，不論是政治反攻，還是軍事反攻。

・李金暉・

一再叫喊的「反共救國會議」

・郎純青・

中共常說：中國的社會是兩頭尖，中間大的社會，意思是說：資產階級和無產階級特別小，而中產階級特別大。

如果知識份子被視為中產階級，那麼我們可以說：中共是中產階級欺騙了無產階級取得大陸暫時的成功；而中國國民黨在大陸則是中產階級運用資產階級而失掉群眾陷於失敗。

這些問題原本許久沒有人注意和提及了。但自杜勒斯東來，「中美聯合公報」發表之後，我們反攻復國的形勢顯然是由軍事轉移到政治，如果要談政治戰，便不能不重視群眾運動。假如從深一層來透視，我們反共的政略，應該造成民眾「主」動，政府「被」動的態勢，唯有這樣才能逐漸打破我們週圍的障礙與枷鎖。

為了加強反共政戰，近來台北的民營報刊已連續的向政府呼籲，其中表現得最熱烈的是「聯合報」及「自由中國」半月刊。後者曾以「呼籲從速召開反共救國會議」為題，檢討政府數年來對「反共救國會議」的態度，催請政府迅速召開「反共救國會議」以加強反共人士的大團結。

我們知道反共的中心力量在民眾，但當前民眾運動，應該是以中產階級為核心來團結全民，共同來擔負時代的責任。因此，我們不能不認為中國知識份子透過輿論來反映其對反攻復國問題的熱心與積極為可喜。

「反共救國會議」是中國國民黨在四十二年五月第七屆二中全會時的一個方案，到了四十二年十一月，第七屆三中全會又對此作成一個決議：「本黨二中全會此項決議，業經中常會審慎辦理，已完成初步準備工作。其所定政策與辦法，亦至妥善。本案關係反共救國，至重且鉅，自應繼續努力，以竟全功」。在四十三年二月九日，當時的行政院陳院長向立法院施政報告亦說：「召開國民大會和反共救國會議，是今年要做的兩件大事。」經過這樣的醞釀，「反共救國會議」應該是水到渠成了，可是後來卻給許多「穩健的考慮」拖住了。記者常想，反共戰綫內面的「心戰」，往往比對敵人的「心戰」緊張，許多問題都是在這種要不得的內部「心戰」狀態下弄失敗的。

我們翻閱中外歷史，可能會有一種感覺，任何戰爭，政治與軍事相互運用常有一個基本的因素，必須將整個戰爭放在攻勢上，才使政治與軍事有攻勢，如果將整個戰爭放在守勢上，而要求政治攻勢或軍事攻勢；甚或軍事既採守勢，而希望政治採取攻勢，這樣收效必定不大，甚或還時常產生反效果。

記者觀察政府目前政戰的重心，還不是擺在「反共救國會議」或其他什麼會議；而是着重於大陸反共運動的支援與引發。其實這問題亦不簡單，在鐵幕封鎖下的民眾反共運動，如不由外而發開若干缺口，使他們有精神和物質上的呼應，這些反共運動在時間上常有間歇性的停頓；在空間上會有孤立無援的痛苦。因此，我們單在政治上採取攻勢，而不配合以軍事攻勢，則當前局面，一時尚難作為。

台北民營的及民青兩黨出版的刊物，要求政府加強對中共政戰，在輿論上幾乎已結成一條「陣綫」，有人看是對政府的一種壓力，我敢說：這種壓力如果是善意的，對政府祇有好沒有壞。因為政府八年來在台灣並不是不想勵精圖治，並不是不想反攻。但他們事事信心不夠，決心也不夠，甚而有了惰性的表現。且有時對人對事的態度常流於偏。

我們不客氣的說，今天台灣的各種建設，民眾的批評常比國民黨黨人的批評來得友善，來得溫和。因此，常有民眾這樣發問：「為什麼你們常說你們自己人做得不好，你們自己罵自己，難怪人家罵你們。」

上述這種現象的形成，是有其時代背景和社會背景的。最大的原因，是原來中產階級的知識份子天天變窮，因對生活的前途無信心，乃對時代的責任無決心。這恐怕是當前一個普遍的現狀，我們不能獨責任何一個知識份子。

據悉中國國民黨八屆二中全會，原定於十月廿五日召開的，後來因為適應反共新局面的要求把時間延遲了。團結反共的時機是不能一再輕輕放失的。

記得許多從大陸逃亡出來的反共義士，常常告誡我們，中共最希望我們分化的。我們對任何一點一滴的反共力量都不能放棄，這足夠我們警惕了。

修憲與總統任期問題

香港報刊的言論一斑

（本報訊）蔣總統於十二月廿三日在「光復大陸設計委員會」宣布「他代表國民黨和政府，表示反對修改憲法的意見」，這一宣布和十月間的蔣杜聯合公報一樣，立刻引起海內外國人士的極大注意。這幾天來，香港報刊對此發表評論的很多，大體上都是一致贊揚蔣總統這一聲明是十分明智的。不過在這些文字之中，也有許多深入的意見，值得當局小心體認，特摘其大要報導如左：

衛憲是民主最高表現

行憲法學家張知本說：「現行憲法需要修改的地方頗多，國大代表建議修改憲法者有修憲之權，且修憲並非毀憲，亦非違憲」，但在各方面主張修憲的人，大家都知道是要在於總統任期的規定這一條的修改，和張氏的主張，是不同的。蔣總統反對修憲，是大家的了解，自然是反對關於總統任期規定的修改。

香港報刊的評論，也是針對此點而發的。十二月廿四日新生晚報的評論，認為蔣總統的決定，是「辭職堅貞」，「謙遜了一些，還不失為明智之舉」，「一個人對國家民族的貢獻是多方面的，不一定要居於領導地位，才能有貢獻」。「今天的事業是群眾的事業，個人作用因素比重，相對地減少」。同日的真報評論，也認為這是英明的決定，是「不計個人的權利，來保障憲法，是民主的最高表現」。十二月廿五日的星島日報社論，首先回溯過去，以及第一屆行憲總統，蔣先生本來是不準備[illegible]，「站在國民立場，我們以為君子愛人以德，應該要同蔣總統的守法精神，贊同他不修改憲法的主張」，「蔣先生報國之道正多，不必連任總統，亦可以為國努力」。

繼任人選誰屬？

關於四十九年五月後，總統的繼任人選問題，新生晚報則認為「目前決定誰人連任，那是太早」。但他又提出未來繼任人選應具備的條件：（一）是[illegible]，（二）對民主政治有素養，懂得國際形勢，（三）能號召大陸的革命志士的人。

改憲的法理手續

關於修改憲法的法理手續，自由報認為「我們的憲法是根據民主自由的民意……順應民有民治民享，世界政治潮流而制成的，是不可輕言修改的」。新生晚報更認為「台北現有的國大代表及立法委員不足合法名額四分之一，如何可以談修憲？」這都是對一部份國大代表提出修改憲法案，表示反對的。

憲法的基本精神

此外十二月廿六日聯合評論，左舜生先生的一篇「獨立應付緊急局面的規模」一文，雖[illegible]

[illegible]中國的人才乃真正發生了一種青黃不接的現象。起人才的培育與獎進，又毫無有效的辦法，一直演變到了今天，於是中國的人才乃真正發生了一種青黃不接的現象。

今天怎樣辦呢？

最後左氏提到，今天具體的應該怎樣辦呢？他提出五點具體辦法：一、我們必須嚴守這部憲法，[illegible]

二、執政的國民黨在黨內不容許再有派系，何的時間與精力，要用自己認識[illegible]任何事，都絕無價值而只足以令人齒冷；

三、執政只限於執政，不能誤解為包辦一切，國民黨對黨外人士以及台灣當地人士必須求得精神上的融合，與事實上的通力合作。

四、要相信團結是絕對可能的，其方法在先求得國民黨自身的團結，其次求得台灣一千萬人的團結，再次求得海外一千四百萬人的團結，必須有了一個這樣的團結基礎，然後始能給予大陸反共同胞一種精神上的支援，所謂政治反攻也才有根據。

五、蔣先生的總統任期，只有一年多便將屆滿，究竟老先生是斷然不幹，還是想繼續再幹，都應該早有打算，不應該完全隨國際形勢為轉移，也不宜過信一放下總統專幹總裁仍可一切指揮如意。這不是個人的問題，而是國家的問題，我們當然有提出討論的權利。」

左氏這篇文章大概是在十二月廿三日以前寫的，否則他的第五點辦法便不會這樣措詞的。（十二月廿七日）

人才的濫費

[illegible]

主張「修憲以維國本」者之言

儘管蔣總統公開表示了不宜修改憲法，可是修憲之聲不絕於耳，主張修憲的人，大致如下：「本會迅依憲法第二十九條……請求於民國四十八年十二月廿五日以前召集國民大會臨時會討論修改憲法以維國本」一案，其中有云：「……自行憲以來，[illegible]行政院，司法院，考試院仍隸政院，官不必出於考試，[illegible]迅予修改廢止」。「因廢止之法未廢，應立之法未立，舉其一端言之，法官資格[illegible]公務員任用之規定[illegible]而立法委員竟以[illegible]不以為違而破壞之[illegible]此種立法一院之消極怠忽而已，抑且影響憲法之基礎」。

部分國大代表的修憲提案，經蔣總統代表國民黨和政府反對修憲後，其忠貞之意，看來頗有些心領了。至於提案內容，是應能細加咀嚼，則應能體味其無窮之味！（十二月二十三日於台北）　劍際

作者來書

編者先生：本人寫稿作文，如非「十分」確切，決不率爾落筆。頃見貴刊八一四期省立中壢中學「來函照刊」，對於本人十二月六日「台灣教育春秋」所揭「中壢中學校長趙仰雄為迎逢教育廳長劉眞不惜犧牲學生學業」一節，謂與事實不符，深為詫異。查該校於劉廳長蒞臨之前一日（十一月十四日）向學生口頭吩附：「明日歡迎廳長，僅上課一節，第二節起停課，不必多帶課本。」廳長來校當日（十一月十五日），教務處小黑板上揭示：「本日第一節照常上課，第二節起停課。」而事實上僅上課半節，即便集合學生鵠候。凡此皆係該校全體師生所共見共聞之鐵定事實，與所謂星期六下午停課無涉，舉一反三，可概一切。

我以為，在七分政治三分軍事的今日台灣，政治風紀的整飭實為政治革新的起點，凡我國民皆有提高警覺之責任，故在「教育春秋」上特為指出，以促教育行政當局之注意，今該校長，反事飾非掩惡，將何以對千餘學子交代，言之痛心。

本人所有文稿，事無大小，皆負信譽與法律上之一切責任，為維護寫作者的正確立場，不得不如實奉陳。尚希惠予披露，以明責任，以正視聽。敬乞 鈞安。

陳司鐸（十二月廿四日）

養生貪得與反攻大陸

從「人生七十開始」談起

○唐昭祺○

當金門前線將士浴血作戰，全國人民熱血沸騰之際，一向以方外自居的佛教僧尼，在家居士數百人在台北市做起沿門托缽，支援金馬前線將士運動。在金門火線上，更有美籍神父梁海，在隆隆炮聲之中，甘冒危險，走到每一個碉堡戰壕與戰士們厮守慰問。這種慈悲無畏，信道救人的宗教精神，是值得敬佩的。

我個人不屬於任何一個宗教，所以我過去對於宗教那種消極的自我表現，常認為無補於我們國家目前這種殷憂多難，險象橫生的處境。我並不是懷疑宗教可以產生某種積極的作用；相反的，我倒相信一切宗教都無非教人認識眞理，辨別善惡，以擇善固執之操，所謂以死殉道，大抵都是對宗教信仰甚篤的人的一種偉大犧牲表現。然而過去許多形蹟，却不免使人認識到今天國人的宗教信仰，實際多數失却了此種基本精神，實質上已完全改變了。要不是這次台北市僧尼的募化支援前線運動，我簡直要把國人信仰宗教的懷疑態度，懷疑到底了。

我之所以有如此的懷疑的事實根據是：宗教人士或許多非宗教人士受了佛教道教的末流影響，逐漸只趨於講究於養老長生之道。

自從黨國要人提出「人生七十開始」以後，老人家都覺得自己確實年青了。由這種想法，就滋生兩種情形：一是在位的不論高低大小，都賴着不走，使後進者無進身的機會。第二是自以為仍然年青，所以成為一般老年人「戒之在得」的古訓，不復在他們三思慎慮之內。自由中國許多有識之士，常不以現行實際上已凍結人事，（當局曾再三否認）堵塞人才的新陳代謝為然，但試問老年人自己不肯走，其奈他何！老一代人既有機可乘，於是養老長壽之說，乃大行其道，不久以前，某大學教授事迺演講，題為「參同契與養生」，聽者大悅，其踴躍情形，有過于論原子戰爭的學術講演。至於不在其位的大老，精力無所發揮，乃隨老入花叢，大做其風流美夢。這幾年來，台灣的老人少婦，白髮紅顏之事，特別為新聞界所艷稱。

老一代的甜於名利，且不惜求養生長壽之法以保持之；不幸是這一代的青年。他們既然缺乏有機會嘗試擔當上一代的工作，而且甚至有被他們的上一代利用青年冒險犯難的特有精神，光叫青年去犧牲，而不肯放棄機會。不錯，青年應該吃苦犧牲是很對的，但年青一代還有什麼理由要為老一代的養生長壽，以至於爭名爭利而吃苦犧牲呢？

中美聯合公報發表以後，羣情譁然，青年人都沉不住氣了。但對于那些抱着頤養天年，歡娛晚景的若干大老們，無寧是得其所哉吧！

本文由談論宗教教徒的同赴國難，而伸論到當前若干祗談長壽養生，戀棧貪得的自私觀念，比對得雖屬牽強，但實在是不已于言的。

法國建築工業的新發展

○吳肇周○

吳肇周先生是留法學工程的專家，現任交通部專門技術委員會的主任委員，台灣省政府的簡任技正。去年奉派赴歐，考察最新的建築技術及汽車製造術，歷時一年。近回國過港，在珠海學院土木工程學會講演，關於「預力混凝土工程」的發展及今後對於社會經濟的影響，有極簡要的說明。吳先生對於我們今後經濟政策，極力主張集中資本，大量生產，此文不啻爲此一理論的佐證。特將演講原文發表如左，惟其中一段屬於專門技術的說明，且附圖甚多，從略，謹向吳先生及讀者致歉。——編者——

一、預力混凝土工程

A、預力混凝土的演進　自一八六一年發明鋼筋混凝土後，至一八八八年金里羅（Doehring）首先創造預力混凝土技術，自此以後，一九〇一年俞柳爾 Rliul，一九〇六年沙克勒（Sacrez），一九一二年葛郎（Koenen），一九一四年布爾沙利（Borsari），一九二四年昂伯爾適（Emperger），一九二八年葛羅色（Gloser），均先後試用預力方法，做了若干工程。直至一九二八年法西納（Freyssinet）始正式建立預力混凝土原理及應用方法，申請專利。隨後逐漸大量製造，進入科學化。自一九二九年至一九四四年，還有許多專家，如何葉（Hoyor），馬格納（Magnel），昂伯爾適（Enpargar）的山適與樊得溫得（Dsschinger et First erwolder），亞伯爾（Abells），索得（Shoder）石羅（Chalos）羅希爾（Lossier）布希爾羅（Boussiron），葛牙年（Goignet），均曾各研究一種方法，申請專利有案。至一九四六年法國國家鐵路公司，有一位工程師名叫樊伯爾（Weinberg），研究一種比較更好的方法，迄今甚爲發達，申請專利。製造鐵路軌枕及電氣化鐵路所需要的電桿與橋樑，油池，水池等工程。

B、預力混凝土的原理。（略）

C、目前應用方法　自二次世界大戰以後，預力混凝土方法，始大量應用於建築工程，目前所用的方法，大概有三種：

一、後拉法（Post tension）　最普遍的是法西納氏方法（Freyssinet），其次爲馬格納氏方法。

法西納氏方法，係用很薄的鐵皮管子，放在混凝土內，吊在模型內，十二根鋼絲穿在管內，鋼絲分七公厘及五公厘二種，先將混凝土倒在模型內，待混凝土乾硬後，使用千斤頂將高拉力鋼拉長，管內灌滿泥漿，然後用尖塞塞緊，使高壓力鋼絲，不能縮回去，而使混凝土永久保持受壓狀態，日本及台灣工信公司所用者，即係此種方法。

此種方法的缺點：因鋼絲拉長時與管內發生摩擦，尤其在轉彎處，使鋼絲全長拉力不勻，且鋼絲不能與混凝土直接粘結。拉長後，灌以泥漿，因管子內鋼絲空隙甚少，是否能完全充滿，無從查考，如遇鋼絲拉斷時，亦無法檢查或更換。

二、無扣住器先拉法：——如何葉氏（Hoyer）用二公厘直徑的鋼絲，其拉斷應力達每平方公厘二〇〇公斤，在倒混凝土之前，將鋼絲拉長，待乾後，才將錨住器鬆回，使鋼絲與混凝土粘結力阻止縮回，此粘結力視混凝土乾硬程度及鋼絲表面情況而異，並有一定限度，過此限度，則鋼絲滑縮。

三、帶扣住器先拉法：此種方法與前者同，惟在鋼絲兩端用扣着器扣着，阻止回縮，除鋼絲與混凝土粘結力外，加上扣住器的扣着力量，可以完全阻止回縮，且施工比後拉法簡單而容易，無後拉法的缺點：現在法國有三個工廠，用此方法製造鐵路軌枕，每年數十萬根，自一九五〇年開始，用至現在還未發生裂紋及損壞現象。安南鐵路局用此法大批製造標準橋樑，法國鐵路局電氣化鐵路所需要的電桿，亦用此法製造。此非利用此法做水槽，其他如公路橋樑，房屋樑柱，大水池，大油池，高壓水管，亦多採用之。此種方法，爲樊伯爾氏 Weinbarz 的專利品，名曰 Sysleme S. N. C. F. Weinberg et Valette。

四、預力混凝土之優點及其效用　預力混凝土工程，要用高拉力鋼，每平方公厘一四〇公斤，好品質混凝土，每平方公分三五〇至四五〇公斤，因其品質好及預力功效，故同樣的載重，預力混凝土比普通鋼筋混凝土輕的多，材料自然可以節省很多。（上）

蘇聯的情況

十二月十五日至十九日的蘇共中央委員會會議，與二十二日開幕的最高蘇維埃會議上，有幾椿事是值得注意的，這些事情反映蘇聯的內部確實是在急劇的變化。

自由售購制

赫魯曉夫的報告中，最可注意的一點是改變農產品的徵購制而為自由售購制。不但如此，他說：「自由出售產品的原則將逐漸普及到經濟各個部門」。這一種改變在共黨制度之下將是劃時代的，它將擴大商品市場，從而亦將助長資本主義之在其國內的成長。赫氏說：「我們的目標是盡力提高經濟的商品率。商品關係的發展會使農產品富裕，它是向共產主義過渡的重要條件之一。」商品的發展會使農產品富裕，這句話是對的，但同時又滋長了資本主義，這似乎是被他忽略了。他這種說法，與其說是為着過渡到共產主義，不如說它將過渡到資本主義來得更切實一些。因此，赫氏在其報告中又指出：「有人担心集體農莊自由出售產品會給農業發展帶來自發因素，這種担心是沒有根據的。」其理由是：「國家將根據人民的消費來調整各種產品的生產和價格，使集體農莊有足夠的資金積累用來擴大再生產」。他這種強辯，我們可以用一九五六年十一月二十三日偵理報評論南共政策缺點中之一來說明其實質，偵理報說：「計劃方面的某些措施，削弱了南斯拉夫經濟計劃的基礎並加強了市場關係的影響。換句話說，赫氏的這種政策根本是修正主義。之外，這種事實，又反映着兩種制度的鬥爭結果，自由經濟制度是開始勝利了。

反黨案愈揭愈臭

赫氏報告中再度猛烈抨擊馬林科夫等的反黨集團，說這個集團反對黨的墾荒政策，反對新的農業計劃制度，反對取消集體農民，工人和職員的自營經濟交售給國家的農產品，說莫洛托夫提出的關于每一個州應保證馬鈴薯自給自足和增加農村中國家公債的建議，是把集體農產推上完全破產的境地。若以馬列主義思想來看馬、莫等的政策，是並不錯誤的；前面說過，恰巧相反，赫氏的現行政策是修正主義。這樣的事實，基本說明了共產主義理論與實踐的錯誤。

赫氏在抨擊這個反黨集團時節，特別又指出馬林可夫捏造了農產數字，把一九五二年的實產不及六十億「普特」說成八十億「普特」；此一事實之不僅是對馬的打擊，更重要的是揭穿了一個允許捏造數字的制度！安知今天的赫、毛等所報告的數字，不是誇大捏造呢？這是反黨案愈揭愈臭了。

公開審訊與辯護

最高蘇維埃通過了一個決議案，說一切法院將公開審訊，並保證一切被告可以辯護。這一決議說明了以前蘇聯的一些罪犯是在不公開與無辯護的狀況下判罪的，現在要改變這種狀況，似乎人權是有被尊重，司法有獨立的趨勢了。

固然前述數項蘇聯國內政策與制度的轉變，還待更充份的資料與事實來作進一步的論證，但大體來說，蘇聯的內政確有在趨于向右轉的變化了。○田心。

一彩靈魂中跳出的火星
為傅聰選擇自由而寫
○江南。

「永恆的火焰在昏黑的靈魂中燃着了，只要一彩靈魂中跳出一顆火星，就能把靈火帶給那個期待着的靈魂。」——羅曼·羅蘭。

繼續使共黨集團顫慄的巴斯特納克——齊伐哥醫生的出現，在中共長大的青年鋼琴家傅聰又出奔投向自由了。這些事件是共產國家內無數不堪壓迫的知識分子覺醒的又一例證，足以表示雖在暴力政治的鎮壓下，知識份子的靈魂仍是清醒地，維持着人性的尊嚴，使鐵幕內外的人更加了解共產黨的本質。

傅聰，是中國文學界名翻譯家傅雷的兒子。一九五二年他隨中共的一個民間藝術團到波蘭獻技，後來就留下來研究，一九五五年，在國際蕭邦比賽中他得到了季軍，繼續留居華沙，跟波蘭最優秀的教師德爾諾維基教授學習；根據波蘭音樂界的評論，傅聰有資格成為歐州音樂家特別是蕭邦最有名的演奏家。今年年初，在偶然的閒談中，他向一個中共大使館的女孩表示過愛好歐州音樂，要旅行全世界演奏，這消息由大使館傳到北平，中共就立刻拘捕了傅雷，以要脅逼迫傅聰回國，同時，傅聰也被召到大使館去，面對着「他不能接受的陳述」，迫他作自我批評，但為傅聰拒絕了，並拒絕交出護照；大使館於是又發出了一份北平的命令，要傅聰回國，最後他躲開了中共大使館特務的監視，起來。十二月廿一號的晚上，在朋友的照顧下，他終於上了到倫敦的航機，飛向自由世界，開始了新生命的一頁。

對於中國人來說，傅聰的奔向自由，其意義不下於巴斯特納克事件，他的意志，反證了在共產制度下長大的年青知識分子，並沒有為馬列思想所征服。

傅聰在共黨統治下長大，長期以來接受共黨的教育，但在波蘭生活的期間，他嗅到了自由世界的新生氣息，使他能夠把兩種不同的生活作比較，使他重新認識到自我的人格和價值。當他想到：「我認為我的藝術還得發展，需要受訓練，並用歐州所熟知的自由方式，獲得表現」時，他是真實地體驗到共產制度生活方式下，一切的藝術與天才都將無法生長。由於對藝術的忠誠，由於對良心的負責，他終於覺得「與其在新中國的氣候中窒息而死」，不如選擇了自由。傅聰祗是億萬不滿共黨青年之一，在共黨統治下仍有億萬有良知的青年，傅聰的出走將喚醒他們的自覺，增加他們對暴力政權反抗的勇氣。傅聰的出奔，連帶負累了老父傅雷被捕，恐將不免被加上像胡風、蕭軍、丁玲、吳祖光一般的反黨罪名而受刑辱。傅雷是中國作家中的傑出人才，他翻譯羅曼羅蘭的約翰克里斯朵夫曾對青年發生很大影響，消息傳來，他被捕的罪名是「未獲授權翻譯羅曼羅蘭的小說」。通過翻譯作也有禁售的消息，連翻譯外國小說的一點自由也受到限制，可以看到共黨愛護藝術口號下的真正面目，也可了解共黨政權下苟延殘喘的知識分子的悲慘生活。

傅雷的音樂素養很好，最崇拜貝多芬，他譯述的約翰克里斯朵夫也是一個有良知，愛自由，愛理想的典型音樂家，傅聰從小就受這些良好品德的影響。羅曼羅蘭說過：「人生往往有些決定終身的時間，好似電燈在大都市的夜裏突然亮起一樣，永恆的火燄在昏黑的靈魂中燃着了，只要一顆靈魂中跳出一顆火星，就能把靈火帶給那個期待着的靈魂」。傅聰的覺醒，正是由於一絲在良知中所存有的自由之火的閃耀，他燃亮自己的靈魂時，把自己帶向光明，同時，他也將照亮了整個黑暗的極權世界，在那些期待自由的靈魂中燃燒起來，去解除靈魂的桎梏，去毀滅身上的枷鎖。

鑒於自由世界的青年們，願對傅聰這種勇敢的舉動加以最高的敬意，和為年青一代的覺醒歡呼。

新書評介
讀羅著「掃紅集」
楊力行

「片紅休掃儘從伊，留待舞人歸。」——李後主詞

近讀友人羅穎仙先生所著「掃紅集」，是他旅台九年中所作三百多篇時論中精選的四十篇好文章，約二十萬言，計一八六頁，[illegible]

[illegible]

其語氣的抑揚頓挫，意態的顧盼指揮，無形中領略了古文的神韻氣勢。[illegible]

有詞作十四首，[illegible]如民國四十五年元旦感懷「洞天樂」云：「飄零十載又逢春，看大地山河[illegible]」

[illegible]台北市衡陽路拔提書局發行，[illegible]

工展特輯

棉藝攤位　八五折再送毛巾

棉藝織造廠出品優良，為保持老牌子信譽，製造方面，精益求精，一向俱價廉物美作風，該屆主工展貨大包，貨以鶯鶯牌、富貴牌、擂嘜、無綫電牌之男女綫衫，文化衫，仿毛衫，衛生衣，原子襪等，最受羣衆歡迎，外銷方面，創日前港九織造界首席，該廠歷次參展均獲好評。本屆展覽攤位設在第二街，羊毛衫為主要展售，款式新穎，花樣之多，花樣滿目琳瑯，且以八五折減售，為酬謝大會減價週，凡購羊毛衫一件，再奉送大毛巾一條，多買多送，連日來該攤位常發現遊客擁擠爭購，為便利顧客起見，大道中門市部亦同樣價格減售。（白）

香港味力廠主人　莊重文史略

香港味力廠主人莊重文，福建惠安人，早年在星洲任教席，桃李滿門，嗣有志于工商業，乃親自研究茶葉製造法，頗有心得，戰後來港，創辦香港味力廠、南國貿易公司，集泉惠記茶莊，發展對東南亞出入口貿易，以熟諳當地人情，經營有道，業務大盛。

香港味力廠出品有茶花嚟「味力」、「味美」、「味靈」，寶塔嚟「味之寶」，三九嚟「味之晶」等味粉，均為特級調味佳品，凡廚師主婦，莫不樂用，因為用以調製肉食及菜餚，其味鮮美，且營養豐富，性和不燥，誠為入廚必備，每飯不忘之妙品也。

工姐競選已熱烈展開
梁君麗林菲相持不下

[illegible]

知識即是罪惡

自由談　馮五先生

有個長期呆在美國作寓公，盜領着立法委員職位將屆十年的所謂反共人物，據說他對於我國出席聯合國大會代表蔣廷黻在本屆會議發表的演說詞，其中有謂在台灣的一千多萬中國人，不願跟大陸上六億同胞敵對的語意，認爲是放棄了軍事反攻復國政策，深表反對，會以立委資格向立法院提出書面質詢，義憤填膺，激昂慷慨，極盡「坐地衝鋒」之能事。

不管蔣氏的說詞是否違背國策？也不管旅美的僑胞對蔣氏這項論調作何感想？然這位躲在異域，瀆職十載的立法委員，卻不恥來冒充反共義勇軍。立法院把他的書面質詢束之高閣，可謂明智的處置，深堪贊佩。

自大陸淪陷以來的十年之間，我們在海外目擊若干中國知識份子的變態心理表現，不勝概嘆，而這位潛蹤新大陸，長期曠棄職守的表面反共義士，更令人覺得可鄙也。凡是崇尚自由生活的中國人，今日皆可以批評乃至攻擊蔣代表的演說詞有洩氣的毛病，吾無間言。但在九年前即已洩氣而辜負人民委託，放棄反共職責的代議士如某者，似應免開尊口，最好是申請加入美國籍，以策萬全焉。我常說，今日一般中國人——連同一般鬥神式的國民黨員亦在內——對於喪失大陸這項亘古罕見的變局，都有資格責備執掌政權的國民黨，唯獨過去在黨政方面隨時稱據要津的人物，絕對不能妄說風涼話，否則應該唾之以口沫。現在僭懸這個臊在遠洋上度其寓公生活，卻裝出反共義勇軍姿態，攻訐別人沒有反共勇氣的瀆職立委，道理正復相同。

我敢担保：假使自由中國政府一旦反攻大陸，殲滅了毛共政權，首先以反共英雄的神氣，回國來攫奪政治權利最熱烈的人，必係這些遠走高飛，在海外坐地衝鋒之徒無疑也。「知識即是煩惱」這句話，對這類人決不適用，他們祇可說「知識即是罪惡」啊！

作家的鐘聲

・趙鐘人・

自古以來，作家就被稱爲「人類的智慧」，或者什麼「人類靈魂的工程師」；「智慧者」，應該是有思想能思考的人類。可是從現實的許多作品中，我們能獲得一些什麼啓示呢？

威爾遜著的「羅曼・羅蘭傳」中，提及托爾斯泰對於西方當時藝術的嘆息：「托氏嘆惜現代藝術的虛僞、說謊、和缺乏理想。」如果從我們今日的浩瀚的文藝作品中，能夠體味出多少眞實、懇摯和理想呢？對於托爾斯泰的藝術概念，威爾遜氏說：「凡是使人類聯合的東西，都是善的美的；凡是使人類分離的東西，都是惡的醜的。」這眞可說是人道主義者的藝術思想了。另一位美國故世的小說家傑克・倫敦也有類似的話：「我有一個用來量度的簡單標準。凡是有益於人生、有益於肉體和精神的健康的是好的，凡是有損於人生、傷害人生、挫折人生、扭曲人生的是壞的。」這是寫實主義的藝術思想，其說法相類，但是都代表了作家對於眞善美的看法。當我們的作家說到眞善美，想到眞善美時，可想到自己對於眞善美的特殊區別是什麼嗎？

羅曼・羅蘭及其同學對於托爾斯泰的著作，認爲是「一種生活的啓示，一扇向無窮的宇宙開着的門」。羅曼・羅蘭還這一點就有資格作爲一個世界性的作家；我們作家對前輩作家的著作有此禮高貴的智性的認識嗎？今日大大小小的文藝作品，只給了我們現實生活的照片，有時也不能體味到那種生活的眞實，談什麼生活的啓示呢？作家們並沒有爲我們「開一扇通向無窮的宇宙之門」呀！大概是缺乏心智和理想的緣故吧？

羅曼氏對於其戲劇主人翁說：「使過去的力量復活，它的行動的威力再生，……以共和時期的火焰再燃起民族的英勇精神和信仰。」當我們的民族失掉自尊心自信心的今天，我們的作家何嘗以昔日民族精神的火焰，來燃起今日我們民族的英勇精神和信仰呢？

威爾遜氏說：「而在羅曼・羅蘭看起來，沒有偉大的性格，就沒有偉大的人物，不管這偉大的藝術家或實際的行動者；他們只是供衆崇拜的『空洞的偶像』，這些偶像，將來會被時間完全消滅的。最要緊的是，一個人必須眞正的偉大，不可裝作偉大的樣子。」我們的那些因爲在作家上面加上「大」「名」等的形容詞，沾沾自喜的作家，有沒有偉大的性格？是否是供讀者羣崇拜的「空洞的偶像」？是否眞正的偉大人物？是否是時常裝作偉大的樣子？如果是，當心時間會完全消滅你們的！

當「人類智慧」的作家，聽到眞正偉大作家的如鐘聲的話語時，應該沉思吧！好藝以暇地「空洞的偶像」，也該聞鐘聲而低首思考，聞鼙鼓而思良將，作家們如今是到了沉思的時代了。

「武昌哥」住的「月衣莊」

我在九歲時隨父母由美返國，抵港之日，就認識了張雲（子春）先生，那時候我年輕，他年紀比我大，我叫他做「武昌哥」，因爲我們親戚中叫他做「武昌哥」，他也以此名自傲。隨後幾十年來，他從教授做到校長，我從記者做到主筆，我還是叫他做「武昌哥」。

今年，爲了印尼局勢所逼，我從耶城脫走抵港，第一位朋友我就先去訪謁張雲。他住在荃灣白漁的房子「月衣莊」，來時候，把一點積蓄先在荃灣買了一所房子，住上一年，見荃灣地方可以發展，就決心在荃灣一條仍祇准軍車通行的馬路旁邊建築起來二層石屋房子。他不獨是一個科學研究權威，且有經濟學識，有生意遠見。他的談吐總是講口天文原理，所收藏關於月球的書籍極爲豐富，所以他的寓所，不過是以月衣命名。荃灣果然不到三四年，繁榮起來，他的「月衣莊」地皮漲價，也隨之而漲，但他仍捨不得賣，因爲他說，這是他恒久居住的地方，他喜歡荃灣環境，月衣莊有花園，有空地種菜，可以養雞鴿子，他很難以同樣的價錢去換取更適宜的地方。

落月衣莊之後，腿痛不住，近來患風濕病。他本來有胃病，我這次訪他，他一定要留我吃飯，而每飯時我見他要便利，假如他願意出國的話，他可以去做教授。他寫文章，有某國還寄應他給他入籍，但他留戀香港，他說「月衣莊」，也許他的命運如此吧！還要打幾圈麻雀，這是他惟一嗜好。可是他對自己工作不懈。高興時，他

我從「自由人」第八〇九期讀南先生的「張雲與人造衛星」才知道他病逝九龍醫院。除了他在正中書局出版的關於天文學著作外，他爲「證塔」寫過一篇最近關於美蘇競賽人造衛星的文章。以我所知，恐怕那是他最後的遺作了。

中國雖然科學落後，但二十世紀最突出的科學成就，所謂太空時代的人造衛星與火箭等東西，中國也有幾位科學家發現與創造，可惜他們都不是在香港好幾年，有許多國家都要聘他出國講學，做教授，或邀請他寫文章。有某國還寄應他給他入籍，但是他說的話。但是他留戀「月衣莊」，也許他的命運如此吧！

（四七，十二，十七於台北）

陳炳洪

偶像

・高豫・

廣漠的大地上立着一尊高聳着的偶像。

一切都寂然。靜謐的月光下，有許許多多膜拜着的頭顱，或是禮讚，或是歌頌。

衆星柔柔，零落的藍色碎片綺麗着偶像一身。偶像似乎在笑。膜拜者敬畏地仰着頭，謳歌着偶像，然後向天空嗚着。

天是孤寂的黑幕，無垠的展開。星子像是鑲嵌在上的碎金。在神秘的背景前，偶像露出寒光，在偶像寬闊的臉部，秋瑟的藍光混進，似乎是至高無上的標誌，令人震慄。一切膜拜者都屏息在高不可仰的偶像之下了。

人的心弦都在震顫偉大的化身的腳下。像夢囈般，從口裏喃喃出對偶像的崇敬。歌頌祂是無上的創造者，全體的重心。

「哈哈哈哈哈……」

一陣恐怖的大笑聲，像是一次摧毀性的大滅亡，人們全回頭了。然而不曾去阻止那醉漢，偶像在他之下，他將空瓶用力一抛，對準偶像頭部擲去。幾聲乒乓，酒瓶已破，偶像的頭也一部分碎裂而落下。還有沙沙的泥沙聲，跟着其後。

衆人一齊驚呼。

「哈哈哈，去他的，什麼玩意兒？哈哈哈……」醉漢仍然大笑着向前，搖晃長長的身影。

（于是乎，大衆沸騰，秩序大亂。）

醉漢身旁有個人在說話，「從前偶像是泥塑的，現在的偶像都是鋼鑄的了，碰碎一個泥塑的偶像容易，但打倒一個鋼鑄的偶像就非醉漢所能爲力了」

電影法規與檢查尺度

萬香堂

電影爲文學、音樂、戲劇、美術、攝影等的綜合藝術，而其與社會教育有重大關係，故其製作時，不能絕對放任，因此各國皆有電影檢查機關，如美國，即訂有檢查法律，英國更嚴。美國電影製作法規乃一九二〇，而經全國著名製片家協會討論修正，於一九三〇實施，其要綱如左：

一、犯罪鏡頭之限制。——1.殺技術必須隱藏，不得顯露於觀衆，如有非表演不可者，亦須表現至令觀衆無法摹仿者，至於殘殺行爲絕對禁止。2.竊盜、掠奪、搶奪、及爆炸火車、搗毀及火燒房屋工廠礦場等，只能表演其事，而禁止表演其行爲進行之方法。3.永遠禁止表現導人於走私的行爲。4.有傷國民道德禮貌者均一律不准表現，如酗酒爲一例。

二、性愛鏡頭之限制，——1.關於兩性姦淫方面不得暴露，雖爲情節上之必需，但只許抽象表示有此類事情，而不能暴露其眞實情態。2.雖爲愛情故事，但對性變態場面應加約束，如超常態之色情狂吻擁抱，誘惑等之鏡頭一律不准映出。3.勾引異性及強姦行爲只能「提示」而不能誇張及暴露。4.同性戀一律禁止。5.性的衛生、性病，婦人臨盆、男女性器官、兒童器官、白人與黑人之性關係、白人被賣爲娼、一律禁止。

三、猥褻與不雅之禁止。——任何場面，其語言、態度、動作如屬誇張猥褻，雖合於劇情之需要，而影響社會福禮，有傷國家民族體面者，一律禁止。其有褻瀆神靈，於宗教上有不恭者，一律禁止。

四、服裝之限制。——歐美人士服裝雖然袒胸不以爲異，但不能離開其習慣太遠，電影檢查尺度對此頗難澄清，但規定：1.永遠不准完全裸體。2.避免觀衆看見脫衣褲不雅狀態，非特殊情節，永遠不准使用。3.禁止不穿衣服之任何淫蕩之暴露。4.跳舞衣服如有不正當之暴露表現，永遠查禁。

五、空間上之限制：——在臥房內不准兩個成人異性睡一床，凡關於懸樑自盡、坐電椅、殘殺、汚辱人類，虐待婦孺，販賣婦女人口，女人出賣貞操，一律不准過份的暴露渲染。

以上所限制之五部份，有時事實上要會放寬尺度的，美國電影全裸的鏡頭不是沒有，男女同睡一床的鏡更所常見，不過其猥褻之處不敢過火而已，法國檢查電影對此則較爲放寬，如「上帝創造女人」一劇，女主角在性慾發作時，自己裸體套入一張棉被後復將其男情人套進去，這種鏡頭實在暴露過火了，在中國及香港方面，也有同樣的暴露猥褻的情形，如翡翠谷以脫光爲號召及上月放映張仲文主演之某劇，張仲文裸臥於床上，黃宗迅赤着身體作臥跪形撲在她的體上，兩人又無任何的表情。作者不是一個古董先生，有時對有趣的性感鏡頭也喜歡看的，但我看了這些，實不敢恭維。

短篇小說　悲劇

・朱夜・

（四）

外景很快地拍攝到中途。外景全部完成時，吳犬開始厭惡起白荼。他說白荼和許多躍上主角地位的人一樣，她已經誤時了，對演員似乎又不太合作。我忙着拍戲，沒有和吳多說什麼。等到改拍內景的時候，我想起白荼，覺得該和她說出這些。于是，第一天搭好的內景棚中，我便悄悄地約她到那小溪石橋上。

我與白荼從影棚走出來，走到石橋上，兩個人都沉默着的。那是黃昏，遠遠山坳間露着太陽半邊紅渦的面頰，白荼的臉似乎格外紅些。她依在石橋上，久久才抬起頭，用目光在我的臉上劃了個問號。

「白荼！」我說：

「妳一直演得很好！」

「我知道，你不會要我到這兒來，接受你這句讚美！」她咬住唇半晌才又說：「你以爲我有什麼不好，除了穿衣服以外。」

「當然，妳是一個老演員，妳作過配角，才知道主角得來的多麼不容易。」我加重了語氣：「一個演員最忌諱違背拍片規則，不守時，或者是不合作。」

「我沒有。」她說。

「如果妳有，妳必須改正它。」我說：「白荼，驕傲對一個人，尤其是一個演員，是最大的致命傷。妳初登上主角，應該警惕，是不是？」

白荼眼角忽然溯濕起來。她終于垂頭啜泣道：「我怎麼說，我怎麼說好？」

「忘記這些，把我當作妳最好的朋友。」

她抹着眼角望着我，不住地點頭。

這以後，白荼似乎好些，但隨着卻更令人難解。她兩次在拍片工作中告假，使不得不臨時更拍場次。一次補拍幾個外景鏡頭，那天的陽光一直不太好，好容易等它強烈時，全體工作的人員都歡呼起來，但劇務跑來告訴我白荼仍沒有來。

「那麼，今天是無法拍了。」我望望天：「即使來了，太陽神也不會等候她花半天時間去化粧的。」

白荼卻在這時候匆匆趕來。我上去質問她，她並不向我道歉，只急忙地說：「我實在太忙，我趕來得並不遲啊！」

「白荼，妳在毀滅妳自己。」

「毀滅？」她一仰脖子：「我已經是出賣自己了，我賣了自己的自由。」

「妳——」我忍不住，摑了她一耳光。

她捫住臉，並沒有立刻哭出來，只呆呆地望住我，兩串淚水沿頰邊緩緩落下。我怒着吩咐劇務，要他立刻去租一部車子，我說：

「送白荼回去。」我又轉向白荼說：「妳可以儘量去荒唐，隨妳什麼時候來片場。」

「也好，作爲我向你的屈服吧。」

白荼倖倖地走了以後，我要劇務通知休息一天。于是我便與助手進城去。我一直是不悅的，吳犬拉着我到處走着。晚上，我們不覺走到從前坐宵夜攤的地方。

「酒能消愁，咱們再乾兩杯。」他說。

我苦笑一下，與他坐到攤子上。兩杯過後，吳犬離開攤子，我一個人呷着。半響他走回來，拉着我往一條小巷裏去，我多少有些醉意，便猛推着他說：

「這是花街，這種地方不能去。」

「不是，我讓你看一個秘密。」

（三）

自由人
THE FREEMAN
（第一八七期）
中華民國僑務委員會
登記證台僑新字第一零二號
中華郵政台字第五〇〇號
執照登記爲第一類新聞紙類
（半週刊每逢星期三、六出版）
每份港幣壹毫
台北市售價台幣貳元
督印人：陳文錦
地址：香港高士威道二十號四樓
20 CAUSEWAY RD. 3RD. FL.
HONG KONG
TEL. 771726
承印者：東南印務出版社
地址：高士打道六十四號
台灣總經理處
台北市西寧南路登發號二樓
電話：三〇三四六
台郵撥儲金戶九二一五二
海外總經銷：友聯書報發行公司
香港：彌敦道中二十六號A二樓

恭賀新禧

本報同人鞠躬

「大躍」不進的「人民公社」

——一九五八年大陸人民的頭號新聞——

林伯雅

自從一九五八年九月開始，中共的領導階層將幾年來在大陸實行所謂土改的成果！——全國七十五萬個集體農場，在短短幾個月時間內，便合併爲三萬個以上包括全國農戶九成以上及少數都市地區的「人民公社」，引起了大陸人民的反抗，中外的抨擊，以至于共產集團內部的非議，已顯示「大躍」不進的頹勢。然而還是不當論於「人民公社」，不過手法有所不同耳。關於「人民公社」的內容及其實行動機，論者已紛加抨擊。究竟它是否爲適應社會發展的必然程序？中國歷史與事實的根據在那裏？本文試就本質上概括地略加剖釋。

理論與事實的根據在那裏？

答案應該是一個「否」字，理由如下：

從理論上言，社會主義思潮的產生，係由于資本主義制度發生流弊的結果，所謂「公社」初期，如法國的聖西門派，以至十九世紀中葉以後的各種社會主義派，都不是依照極權的方式來進行的，但對於社會改革，也並不否認私有財產的存在，祇主張以有限度的私有財產，以維持合理的生產競爭。又如吳文，傅立葉，湯姆生派，雖稱國家會社主義，也主張用結社（Association）的方法；但對於社會改革，認爲應由地方團體的自願，出于社員的相互同意，並且主以有限制的人數從事結社。又如布朗在十九世紀中葉也曾主張「國家勞動組織（Aocial Workshops）」，但對以爲分配應按照需要，而以個人勞動及價值觀念以代替，仍是要以個人入格，不能剝奪個人的生產能力，並非主張絕對的平均。「科學社會主義」思想的無政府主義者普魯東，則根本否認國家管理財產，甚至以對勞動結社。後來馬克斯對以「公社」二字否定了前期一般社會主義者的「唯物辯證」的結果，

及今看來，又何嘗不是像其先進的社會主義者一樣，成爲空想主義者。馬克斯推斷的共產主義，不但他不如預期發生于資本主義發展最高度的英國，而偏發生于生產落後的俄國；循致弗成有蘇式社會主義與修正社會主義派間之爭論。蘇俄先行共產制度，但不旋踵到了二十年代初期，即行退却採取新經濟政策，在若干範圍內，恢復農民的私有權。自一九二八年起又經過五個五年計劃的試驗，到第六個五年計劃，仍不得不終止而代以第七次的七年計劃（一九五九——一九六五）而審愼的進行。比中共仍屬先進的東歐附庸國，雖服膺馬克斯，竟中途爆出新的修正主義。而中共則不知根據什麼理論或事實而大躍進，實行蘇聯所不敢行及東歐各國所反對的所謂人民公社制。如果說毛澤東比馬克斯，史大林，赫魯曉夫，毋寧說更爲前進，毋寧說更爲冒進。

然則毛澤東所冒進的人民公社，是否有客觀的社會發展的事實作根據呢？即使依馬克斯的看法，共產主義必然產生于資本主義廢墟之上，則事實上中國資本主義什麼時候發展到最高度？難道中共在大陸「搞」了十年，胡亂的把一些民族資本家清算完了，就神工鬼斧的造成了資本主義的廢墟嗎？果眞如共產黨人所稱，人民自動要求成立人民公社嗎？共誰欺！又難道中國數千年來的文化遺產，家庭制度等社會本質，可以使之在短短期間化爲無影無蹤嗎？目前大陸人民的反抗，便是一個事實的否定了。所以人民公社也者，只是毛澤東發思綺想中跑出來的怪物，而絕非中國歷史的，客觀的，科學的發展的產兒，不待申論。

幾點論斷

這個從毛澤東發思綺想中跑出來的怪物，究竟是什麼？這裏至少可以下面幾點論斷。

一、從演變過程看，它是大陸幾年來所謂集體農場遭遇人民反對，而强迫變幹出來的，並非順應中國經濟社會自然的演變。

二、從性質看，它是要大刀闊地强地「大躍進」，變更中國整個社會制度，拿整個國家的政治力量來幹的一種有組織有計劃的行動，絕不同于自治團體的公社等普通組織或合作社等溫和組織。

三、從動機看，它旨在推翻現存制度，不是以大多數人的最大幸福爲理想，絕不能拿西方人士所目爲土地改革者一類的觀念的所能範圍。

四、從科學觀點看，中共的領導者，祇是主觀地把主義套在中國客觀社會的發展上，先以主義爲絕對的假定，然後，用共黨自己所批評所否定的演繹方法去作出來的結論。共產主義理想的實現，原不是一朝一夕之事。發展了將近兩個世紀還不能實行的理想，單憑中共領導者走了幾年所謂「社會主義渡過時期的總路綫」，就可以「大躍進」？所謂歷史的科學的發展，是那麼容易的嗎？

五、從文化觀點看，它是把中國社會單位澈底破壞，由共黨躍居全國家長地位，不但使中國的文化傳統，改變中國人類自由思想，而且要把人類生活方式局限在共黨主義中，而且限于共產勢力牢籠內。所謂人類文化的大躍進，而是澈頭澈尾的開倒車。所謂前進，至多祇是對蘇式共產主義而言而已。

六、從共產主義觀點看，它是橫衝直撞而不依循軌道的野馬，與南斯拉夫等共產國家所謂修正主義也不可同日而語。東歐國家與蘇式共產主義之爭，還有若干理論意味。難怪「先進」的蘇聯對之也斥爲「反動」的了。

七、任何一種制度團是爲人而存在，不是爲國家或主義而存在。人民公社却祇成了共黨主義的試驗所，

（下轉第三版）

一週評

新年展望

一九五八年過去了，一九五九年開始。各大國領袖入物，在迎新致詞中，無一不說好話。艾森豪說：「和平與繁榮歸於全世界人類」。赫魯曉夫說：「一九五九年是和平的展望是和平希望的一年」。除非是預言家，恐怕誰也不敢隨便判斷。然而大體上，我們可以推測，一九五九年的世界局勢，既不會比去年壞得更多，也不會比去年好得更多。冷戰的僵持，宣傳的攻勢，恐怕不會有什麼大改變。最令人關心的西柏林問題，經蘇俄提出限期，到本年五月廿七日，似非解決不可。但以目前情勢看，今年內東西方最有爆炸性的問題，也斷不至於訴諸武力。米高揚之即將訪美，西方三强對西柏林問題除了以堅決態度拒絕之後，赫魯曉夫新年向美國人致詞，還特別强調和平，說「世界並無任何爭端不能以和平方法解決者」。即可爲佐證。

中共的反美運動

目前共產集團各國，內部的矛盾實在太多了，也太嚴重了。他們必須以和平做號召，才能爭取時間，消除矛盾，鞏固權力。而免於崩潰。因此，一九五九年，共產集團的和平攻勢，也許還要比過去一年更爲利害。蘇俄將於今年一年內對美國表示更大的和平姿態，可以斷言。中共的抗美運動現在雖有反而加緊之勢，似乎與蘇俄政策有異，但實際上恐怕不久也要改變的。我不是相信中共凡事必聽命於蘇俄，也不是相信中共與蘇俄始終不會分裂的人。但我相信目前的中共對外政策，尤其是對美政策，必不至和蘇俄相差太遠。中共內爲台澎金馬問題，而遷怒美國，拚命鼓吹反美。其實他們的內心知道，這是絕大的錯誤。蘇俄尚且不敢仇美反美，又何有中共呢？

如何推行三民主義

蔣總統的新年文告，指出要在台澎金馬，全力推行三民主義。光復大陸之後，更要以台灣爲模範省，作爲建新三民主義新中國的藍圖。又重新提出六大自由和三大保證的主張，這是反共復國不可移易的原則。誰也不會有懷疑或反對的。

然而，六大自由和三大保證都是對大陸同胞的號召的，在目前祇能說是心理作戰之一種，惟有在台澎金馬全力推行三民主義，才是目前政府可以切實致力的地方，自政府遷台以後，八九年來，大家對三民主義的推行，認爲最難滿意的，莫過於民權主義。本來一部民主政治史，就是人民與政府爭權的歷史。人民永遠不會對掌握權力的政府放心的，以今日美國尚且不免有此現象，又何況其他呢？所以今日許多人責備政府不够民主，是很自然的。

蔣總統宣佈反對改憲，暗示他不再競選第三屆總統職位。此實足以增加憲法的尊嚴，亦即推行民權主義的一種重要步驟。吾人希望今年一年內，自由中國務必上下一致，貫徹將總統此一主張，切勿自亂步驟，枝節橫生，示國人以反覆。至於召集救國會議一類的集會，期收集思廣益之效，補救不能如期舉行全成大選，徵求民意的實施，亦應於今年內切實考慮，從速執行。

陳克文

且看今年的赫魯曉夫

——注視一九五九年六月的聯共會議

牧人。

蘇俄聯共中央黨部早已宣佈將於一九五九年六月召開第廿一次的聯共會議。鑑於二年前的第廿屆聯共會議，赫氏清算史太林的一幕，我們可以預料到未來的一次，也將是駭人聽聞的。要不是有相當嚴重的原因，赫氏是不會如此着急的。

這個會議的召開，有兩個發展的可能傾向：其一，赫氏自我宣佈登極，自封共產帝國「皇冠」，其次，他的政治命運的終結。前者之可能性很少，因他對二年前宣佈反史的個人崇拜，其印象一定猶新；故觀察家們咸認後者之可能性很大。若如此，則共之震動駭人，將不啞於日前美國放上去四噸重的人造衛星。

從最近蘇聯「眞理報」，對宣佈召開會議的反應看，我們的第二點假定，更可找到許多蛛絲馬跡。該報曾一連串發表過有關此次會議之文章，除了幾句歌頌赫氏者外，其餘全是集中火力攻擊「反黨集團」反叛第廿次會議的決定。而對於赫氏二年來遭遇的困難，沒有片言隻字，眞令人玩味！

俄共機關報掩蓋赫氏之苦衷，正好反映出召開聯共特別會議，有不可告人的秘密。否則，以他今日在克里姆林宮的勢位言，還會有何不便嗎？以黨之書記地位言，他有堅强的大多數，在中央政治主席團裏，他更控制住四分之三的人數，那二百五十名中委，有二百名是他自己的人物。所以，很顯然的。赫氏今日遭遇到的壓力黨外的遠超過黨內的，地方的超乎中央，形成了尾大不掉之態勢。

赫氏今日在國家行政上的困難，已是盡人皆知之事實。那些數不盡的「技術人員」和幹部級「下放」後，構成了地方與中央的對立。因在他們中間，一些是黨的思想中堅幹部，多半是知識份子、作家、記者、科學人員等。舊日的「日丹諾夫主義」今日正嚴重地威脅着俄的行政命運。

蘇聯中央黨部的理論家們今日正指責赫氏「完全忘記了共產主義的神聖原則及主張」。說他假公濟私的在羣衆間，建立個人地位與聲譽。他們說「赫魯曉夫常在羣衆前以「提高人民生活水準」，以「黃油、牛奶、肉類給蘇聯的勞動者們作釣餌，爭取他們的同情。」他更爲實現此諾言着重於農業方面的發展，這一切都是與黨的理論相違的。他有置集體化於死地之危險。

此外，這些批判者還指出：赫氏製造了許多混亂與矛盾，就以他在工業方面，他也宣佈改革的計劃。他的强硬疏散工業措施，但給技術人員予以莫明其妙，他們直覺地不了解蘇聯的工業體系浪費了不計其數的金錢和勞力。這些們的批評指摘，也有部份眞實性。今年五月間，「眞理報」曾以「畸形發展」爲題，指責赫氏在工業方面的措施；八月十三日，更以「國家的紀律」爲題，强硬的質問某些地方行政幹部的胡作亂爲。同月十二日出版的「黨的生命」什誌，更揭露了各工業改革區經濟浪費的情形。該什誌指出：按照原定「計劃」爲各地煤礦業開採現代化的七千五百萬盧布，有三分之一被動用於卡拉岡達之蘇納克諾茲建設戲院及其他休息設備，其他五千萬也被浪費於奢侈方面。在同一地方之行政當局還在預算中預定以一千二百萬盧布爲建設二座游泳池及其他不需要的東西，而在預算中記上工業設施的帳目。這種浪費現象的發生，都是不偶然的，指使此事之人物，正是由以前工業部下放的高層人士。所以，不單在卡拉岡達如此，在古尼比雪夫、高爾基、費勃羅別特勞斯克、拉斯諾耶斯克及里伯斯克等許多地方，均如此。成了被批判的對象，地方、行政幹部如此的罔無綱紀，浪費，造成無政府狀態，正說明中央與地方的脫節。這些對中央的反叛，蘇聯地方組織之攻擊，赫氏能完全無視嗎？各地從亂爲，赫氏能否高枕無憂，就是最後的辦法。赫氏有權力的名字，莫洛托夫在「集體農莊」的伙伴，布爾加寧的會議，就是最後辦法的除去。再過一些時日，我們就可知道赫氏之政治命運，有沒有多長？」的答案！（一九五八年十二月廿日寄於比利時）

如何擴大團結？

擁護蔣總統最近聲明
保障人權釋放孫秋原

（本報訊）蔣總統以對修改憲法的聲明發表後，香港報刊一致加以贊美，本刊上一期曾有報導。十二月廿九日出版的「自由陣綫」周刊，亦以「蔣介石先生放棄再任總統」爲題發表評論，亦認爲這是「明智」之舉，對於憲法及中華民國的前途，是大可慶幸的事。

該刊更申言「如再連任，必須修改憲法」，但修改憲法，因爲目前在台的國大代表與立法委員，無論如何不能湊足法定人數。如果勉强從事，『其結果祇有增高毀法惡聲，加强人心攜貳。禍害不堪設想。』

該刊也和其他香港報刊一樣，認爲蔣總統不再連任第三屆總統後，因爲他是國民黨的總裁，『仍爲中國政治的掌權人。』

該刊認爲蔣總統這一表示的積極作用是『邁向民主，人民自然向心，團結自然擴大，力量自然加强，國際地位也自然可以提高。』

最後，該刊對主張修憲或鼓勵修憲的人，認爲是『企圖勸進邀寵之流』，這些人一定會因爲蔣總統的『公開宣言，昭告世界，言出有信』而歸於失敗的。

定期新年後（一月五日）出版的祖國周刊，有一篇有關人權保障的社論，題爲『孫秋源被捕應告台北當局』（此案十二月廿七日本刊已有報導）。該社論以爲孫秋源是台北『中國地方自治研究會』的發起人之一，在合省同胞中素孚人望。絕非『經常姦淫威脅良家婦女，拍攝有傷風化照片營利』的『甲級流氓』，當局這次捕他入獄，罪名是莫須有的，是『當局有意加罪於孫秋源』的。該社論認爲孫秋源之被捕是和龔德柏，孫立人，倪師壇等案相同，是『當權者排除異己，而誣害無辜』的舉措。

該社論因此認爲孫秋源之被捕，對於台灣本地將發生不良的影響，亦將打擊台省同胞的民主政治活動。於是該刊大聲呼籲政府應儘速釋放孫秋源。

這一篇社論，一方面着重保障人權，一方面也着眼於團結。因此它說『民主是一條寬而牢韌的紐帶，唯有此紐帶可以把不同語言風習的民族維繫在一起，衷誠互助，和諧共榮』。（十二月卅日）

△　▽

自立晚報改組

杏杏

「無黨無派獨立經營」的自立晚報的改組消息，已傳說很久，據悉現已接近成熟階段。原定雙十節改組而革新，版總變更爲兩小張（原爲一大張），結果並未實現。又傳十一月底先行改版以待改組，然而十一月已完了，還是不曾兌現。

于是一般讀者，都感覺失望，嗣後消息傳來，在元旦，一定改組也改版了。這次恐怕不會「黃牛」。因爲在參加的方面，已有確實消息傳播。如人事配備，據云：吳三連任董事長，成舍我任社長，龔德柏任總編輯，張滄波任總主筆，社論委員還有雷震，原發行人李玉階不變更，其公子李子戈亦仍任副總編輯，副刊有陳紀瀅、王藍兩人主持之說，增資二百萬元新台幣。

假若眞的兌現而這個陣容，眞是不虛，那末，將來不但是自由中國第一張理想的晚報。過去自立晚報是以「言論」大胆見重于讀者，較「自由中國」週刊爲相近，比「自由人」半週刊爲激烈，在讀者心目中早有「三自報言論一致」的批評。今後更加强了人力財力，即其前途大有可觀。（十二月廿八日寄）

「不爲無益之事，
何以遣有涯之生？」
。尹震。

修憲提案

省議會如何通過黃蘇收購預算案

劍聲

（台灣通訊）台灣省臨時省議會第三屆第四次大會，在審議物資局四十八年預算時，有主張保留該局黃蘇收購業務預算八千多萬元的，有主張通過這項預算的。該案由去年十二月十五日下午起，直到同月十六日止，雙方展開一場激烈的辯論，在辯論終結即舉行表決，在表決時發生不可思議的通過。

何以呢？省議會於三屆三次大會，八月間，通過由議員[illegible]等提案及工礦公司董事長許金德[illegible]案：請政府解除黃蘇管制同時自生產輔導至售賣業務[illegible]會負責辦理農林廳以監督全責[illegible]提案，此項議案經大會通過送[illegible]予辦理，不依程序送議會復議，而且在十月間召開推動黃蘇業務座談會，意圖抵消[illegible]局不得編列黃蘇業務預算。而[illegible]了無他，因爲獲得反覆無常的議員的支持。

省議員許金德，是國民黨省議會黨團幹事會書記，他出爾反爾已非一次。省議員林清景，即曾主張廢止[illegible]，主張黃蘇業務由全省各級農會承辦者也是許金德。上次請願主張黃蘇業務由全省[illegible]

這次該案表決的時候，在場議員共四十三人，第一次表決：是主張黃蘇預算通過者，舉手贊成者十九票，但[illegible]只有十四票。第二次表決：是[illegible]預算通過者，舉手贊成者十七票，於是，主席黃朝琴宣佈通過。

事後，林清景議員等表示懷疑：即進行偵查眞相，原來第一次的十九票，其中[illegible]等四票未計算，另由點票者報[illegible]，所以，十九票變爲十四票了。但黃議長堅絕否認有舞弊之情。

由於筆者親目睹此一事實的發展經過，頗多感慨，不能不予以報導焉！（十二月二十二日于台中）

台灣教育春秋

陳司鐸

有感於出國進修標準

台灣省教育廳頃決定每年發出一部份特種教育基金資助優秀教育人員出國考察進修。據悉，過去被資人員出國進修者，偏重於大專學校教授，此次則惠及優良之本省中小學教員及地方教育行政人員，也可以出國進修。

但據特教會所訂「進修辦法」所載，現任中等學校教員之被選的條件，須「在同一學校連續服務五年以上，最近五年考績有三年成績列爲一等者」始合格。這項規定，如在考績制度健全及負責學校行政的校長都合格的國家，自無問題，但在今日台灣，則大有考慮的必要。蓋今日台灣的中學校長，泰半是半路出家的黨政人員，他們把學校視爲地盤，，倘非同流合污者必遭排擠。教育考績爲他們所控制，難以使人信其公正。如作者所知某省立中學的校長，爲排擠一個幹事而鼓勵爭訟，且不惜强姦民意，壓迫同事蒐羅入人於罪。如以這樣的校長所操縱的考績，作爲出國進修遴選的標準，勢必「黃鐘毀棄，瓦釜雷鳴」了！

住校能減少少年犯罪嗎？

不良少年的產生，一般的都認爲應由家庭、社會和學校共同負責。家庭與社會固然影響不小，但我認爲學校的責任尤大。說句不客氣的話，有些不良少年簡直是學校塑造成的。何以言之？蓋今日台灣的訓導方針，不是「愛」而是「恨」。有的校長會爲了學生在作文上批評學校行政，而竟有作三數小時的疲勞說服者。且有爲了自己的方便，竟鼓勵學生去作不正當的事，默迫他們去說謊，去作假。而且動輒損害學生的自尊心，培養成學生的仇恨心理。社會是學校的延長，在這樣環境中滋長的少年，怎能叫他們善良？這與住校不住校又有什麼相干，弄得不好，也許越住越壞。教育當局應正視現實，善於處理，豈能認爲多建中學校學生宿舍强迫住宿即能改善呢？訓育學會的看法未免太樂觀了吧？

在校長的小鐵幕裏

省立師範大學教育系社會中心教育研究室，最近發動一件大規模的民意測驗。對象是中學教員，學生家長，教育從業員及民意代表等熱心教育人士。表格內容包括極爲廣泛，表上附註：本表已付回件郵資，只須折叠封好付郵，不必再貼郵票。

按該項表格，教員所填的，只要寫上服務學校名稱而不必署名，且可由填表者本人選自投郵，考慮不可謂不周詳，防範不可謂不嚴密。但可惜舉辦的先生們對今日台灣中學的實際情形，仍多隔膜。你得明白今日有些學校，已經形成校長的小鐵幕了。學校於發給表格時，便口頭通知填好之後仍須送還學校代寄。試問加重校長職權的今日，待在冷板凳上的先生們，誰還敢同自己的飯碗開玩笑呢？我深怕這批印刷費和心血，勢將付之東流了。（十二月廿三日。中壢）

法國建築工業的新發展

。吳肇周。

以重量計，同一工程預力混凝土與普通鋼筋混凝土之比，水泥爲1:1.4，鋼料爲1:4 法國高拉力鋼按每平方公厘八五公斤計算，目前聞朋友云香港普通鋼筋按一六〇〇〇磅／平方英吋，約合一一二公斤／平方公斤，依此計算預力混凝土的鋼料，可節省七倍而價值。祇高兩倍半，故就價值而言，可省四倍半。同時普通鋼筋混凝土不能做很長的跨度否則造價很高預力混凝土橋樑。最近法國 Tancarvitte做了一座橋樑，中間一座濟六〇八公尺，兩端各五座，每座各五〇公尺，寬一五公尺。Zille，一九五七年建了一座橋，跨度七〇公尺，其樑的高度，僅二。八一五公尺，法國現在設計的橋樑依政府規定，要能行駛一〇〇公噸的戰車（虎克車），法國現在大的工程如大水池，大油池，高壓水管，大工廠等均採用預力混凝土方法。

預力混凝土的第二個優點，沒有裂縫，因爲用預力混凝土所製的東西，沒有或很少的拉應力，所以不容易龜裂，如因載重超過而發生龜裂。待載重去了以後，即可復合。因爲不易發生龜裂而滲漏，適宜於製水槽水管，水池，油池等。同時也適用於做飛機跑道及高壓建築，且更爲經濟。如同一飛機場跑道，用普通鋼筋混凝土厚達六〇公分，用預力混凝土只要十六公分。

預力混凝土的第三個優點：有鐵料及木料之彈性，同時有鋼筋混凝土之耐久性，不怕衝擊及震動，故適於製造鐵路軌枕，具有木枕的彈性，及鋼筋混凝土的耐久與不腐的優點。

（五）法國預力混凝土技術的擴展

自法國發明預力混凝土技術以來，許多國家，均派工程師前往研究，去年筆者去法國研究是項技術時，有二十二個國家，同時派有工程師，一同研究，共計二十五人，法國政府辦有一個預力混凝土之講習班，每年兩期，講習期間爲三個月。包括參觀考察，然後由各人選定自己所願研究的對象，派到工廠研究，因此全世界均在倣效實行，同時世界各國，已組織研究學會，每年開會檢討，提供改進意見。

二、建築工業化

二次大戰後法國房屋破壞甚多，需要重建，因按平日施工方法，異常遲緩，緩不濟急。於是政府組織房屋建築部，從事研究並發動民間建築業，集中研究，推行工業化政策。工業化的優點在能大量生產，集中製造，節省工時，減低成本。法國建築業因此有很大的成就，十幾年來，創辦了一百多間預製有關建築配件的工廠，在工廠內用機器及模型製造各種配件，運至工地裝配。

法國政府每年有五〇〇〇億佛郎（約十億美元）的預算，作爲建築新村之用，每一新村可住數百至數千家。新村分兩種：一種是出租給人民居住，租金甚低。一種賣給人民，分卅年付清本利。以五〇〇〇億佛郎計照法國建築價錢包括水電暖氣等設備，每公方約二五、〇〇〇至四〇、〇〇〇佛郎，平均可造一六、〇〇〇、〇〇〇平方公尺的房屋，可供三十萬個家庭居住。如此浩大工程，非有大批生產方法不可，故以機械工業的方式製造配件，如樑柱，牆壁，屋頂，門窗，圍牆等，均在工廠裏用模型及震動機等製造。時間迅速。運至工地安裝。從前一年才能完成的房屋，現在祇要一月的時間，便可建築起來。人工固可節省，材料亦可減少。其造價比以前舊方法，可節省三十%以上。

預製配件，關於房屋建築者，已有許多不同的方法，原則一樣。筆者曾依據我們環境的需要，選擇一種適合我們環境的方法，與彼等技術合作，擬先在台灣設廠製造，購買其機器及專利權。可用分期付款辦法，分兩年四期支付，頗爲合算。據陳樹桓先生說，香港政府每年有一億港幣的預算，建造遷徙大廈。如用此種方法，能節省三十%，可多造三十%的房屋，供市民居住。確是值得考慮研究，倣效提倡的。

製造此種配件的原料，僅係砂子，石頭，及鋼筋水泥本地均有出產，勿需採購外貨。大的建築工程，或數量多的工程，可採用預力混凝土方法，如道路橋樑，工廠房屋的樑柱，高壓水管，鐵路軌枕，大水池，大油池，飛機場等均可採用。工料可節省。

是項新的建築技術，日本已採用，台灣也已採用多年。南洋新嘉坡曼谷等地均已開始應用。（完）

讀中共有關公社的決議

曾旭軍

（隨着毛澤東之下台，中共發表其所謂「關於人民公社若干問題的決議。」全文共萬餘言，觀其主旨，可見中共有改變急進高壓手段，變爲緩進懷柔的傾向，然其死心，欲達成全面控制奴役人民之意向，依然如故也。）

初，毛澤東在催促實行「人民合作社」時，認須要「龍行虎步」，不該像「小脚婆扭扭捏捏的緩進」。現在中共說公社不致於廿年內完成，再則曰暫緩推行城市人民公社。其三個不成理由的理由是：「因城市的情況比農村複什」，「城市已有社會主義全民所有制的主要形式」，及「目前城市中的資本家和知識份子中，許多人的資產階級思想，還相當濃厚，對於這一部份人，我們還應該有所等待。」

我們從事實上得到的解釋是：城市中智識份子對公社的憤恨特別强烈，愈是大的城市，其惡劣之反應愈顯。例如北平市人民，一聞實行公社制度，其驚懼之情形，立即由外國通訊社宣洩出來。中共既說「城市已有社會主義全民所有制的主要形式」，更應該易於推行公社制度，現在不實行城市公社，還是一個矛盾的說法，中共統治大陸十年，對許多「資產階級思想」還濃厚的人，施以「整右派」，鬥爭，或勞改，放逐，殺戮，無所不用其極，到了現在，還肯等待。眞是阿彌陀佛，功德無量。

這個決議說：「我國現在的生產力發展水平，畢竟還是很低。苦干三年，加上再努力若干年，全國的經濟面貌，可以有一很大的改變。」共產黨的宣傳，正如毛澤東所說：「一個新社會的誕生，總是伴隨一場大喊大叫，這就是宣傳新制度的優越性。」可是在大喊大叫中，矛盾百出。既誇說每畝產數十三萬斤，何以說畢竟生產力還是很低？這種假數水準，已超過世界最高紀錄百倍了。這裏說「苦戰三年，加上再努力若干年」，妙就妙在『若干』兩字。

在兩月前，代表中共青年團言論的「中國青年」什誌，還大喊『積極準備過好共產主義的「關」』。又說『供給制是個試金石。它考驗着我們每個人，在邁進共產主義的第一關時，採取什麼態度，能否跨過這一關。』現在放

戲了。因爲共產主義造成懶漢之恐慌四起，便要實行按勞給酬『逐步提高社員工資』，欲想以三餐番薯飯，換來十二小時或竟至十六小時的工作成果，未免刻薄得太露骨。所以要『逐步』提高社員工資了。

現在又說『祇是生產資料歸公社』，但生活資料是永歸原主。」本來生產資料歸公社，這個掠奪，已經夠狠的了。大多數窮如乞丐的老百姓，還有什麼生活資料好掠取呢？應該把上自毛澤東，下至各級共幹的生活資料，撥出供給公社才對。現在生活資料歸原主，反而是給共黨維持其超特生活的合法保障。

共黨以「將來」二字騙人不知若干次。該決議說：「我們必須在今後『若干』年內，爭取在實現每天勞動六小時制度。」但事實上，絕對不是。今後仍然是要强迫人民勞動，每天至少十二小時，試看決議案已自招道：「目前勞動緊張，這是無可奈何的事。」但是無論如何，必須保證每天睡眠八小時，吃飯休息四小時，」其餘的十二小時，就不加說明了。

該決議不肯招認破壞家庭的罪惡，其巧辯是：「不錯，中國破壞了一個封建的家長制，須知這種家長制，在資本主義社會中，一般早已沒有了，這是資本主義的一個進步，我們卻更進一步，建立民主團結的家庭。」但事實是中共不顧父母是否同意，硬把他們的小孩送到邊疆去或夫妻拆散，母子分離，到天南地北。恐怕這就是所謂「民主團結家庭」吧？

該決議最重要的還是最後兩點，即：「組織原則要民主集中」和「加强黨的領導，和黨要徹底羣衆路綫」。共產黨要徹底便利於集中奴役人民，他們現在承認「人民公社的勞動組織，必須是旣有紀律，又有民主，所謂組織軍事化，也就是組織工廠化。」又說：「公社必須在實行組織軍事化，行動戰鬥化，生活集體化」，這就是所謂「羣衆路綫」呀！

如公社制度存在，人民永是共黨的工具了，現在中共已坦白說：「辦好人民公社的根本問題，是加强黨的領導，才能實行政治掛帥，才能在幹部和社員中深切的進行社會主義。」

毛澤東之不能不下台，縱或是暫時下台，却已表示了「公社」這擴播，是中共掘墳之鍬。

（上接第一版）而不是爲人民而存在的。社會主義先進，原有良好的理想與動機，到了馬克斯就有了偏激，到了蘇俄已變了質，到了中國大陸眞成了反動了。

八、一種制度的存在，必須有人民支持，否則要靠強權與槍桿是不能持久的。因此我們對于人民公社的前途，也不難預卜。

人人不必有家，住在人民公社

第九千八百人民公社

「大躍」不進的「人民公社」

——一九五八年大陸人民的頭號新聞——

「人民公社」的出現，從記者的角度看，應列爲一九五八年大陸人民的頭號新聞，——其實應該說是最大事件；因爲這個傳奇式的怪物出現，目前已不但是一個刺耳的口號，而且已是一種殘酷的行動。它不但在宣傳上影響大陸人民的心理，而且在實行上極梏人民的生活。雖說它已經是「大躍」而不「進」，然不論如何，顯然中共不是局部的拿它在作爲一種制度來試驗，而是大規模的作爲一種政治目的來實施。金門砲聲，已引起了自由中國全體軍民

一九五九年不應解除的警報

的怒潮；人民公社的威力，却使大多數大陸人民敢怒而不敢言在大壓力下呻吟着。大陸砲轟金門，已被列爲自由中國一九五八年的最大新聞，則人民公社的出現，自應列爲大陸人民的頭號新聞。就其重要性而言，兩者實都成爲一九五八年自由世界的警報，這個警報，直到一九五九年不應解除！（一九五八年除夕寫于）

毛澤東的台下

毛澤東辭去政府主席一事，在時間上與蘇共赫魯曉夫再度批判反黨集團，相距不遠。在這一問題上我提供兩項觀察：一，中共駐蘇大使劉曉于十一月二十九日由莫斯科被派去保加利亞，參加保共代表大會，若果六中全會是從十一月二十八日開始的，我想劉曉不至于會如此的優游自在。二，從上述情況來看，毛的辭職與蘇聯有關。馬莫等是史太林主義者，以他們的某些思想與毛當同之處，毛傳過頭來支持馬，莫亦非不可能，而這却是觸犯了赫魯曉夫的大忌，於是赫魯曉夫即正面攻擊毛澤東，而毛則不能不下台了。

緊張搜購緊張供應

十二月十七日，中共中央財貿部召開了一個電話會議，由政治局委員李先念親自主持，他說：「（一）主要農產品收購工作緩慢了，要求各地加緊搜購；（二）要過年了，因此要設好副食品的供應工作。」本欄已早指出，要完成今年的收購計劃，並不容易，因原因是大陸大躍進的大數字便當，而「秋後算帳」要按數字實物可就困難了。而二十九日路透社電訊說：北平已開始配給白菜，反映出了副食品供應緊張的程度。其實這恐怕並不是由於什麼過年才緊張的，而是長期的缺乏副食品，已引起了人民普遍不滿的情緒，於是才用强迫的手段，實行配給。

這種情況看來已成大城市普遍現象，爲了同一個副食品供應的問題，廣東省特別指派第一書記陶鑄「親自掛帥」。來搞青菜蘿蔔問題，眞是可笑，也亦復可嘆！

六中全會白日做夢

中共六中全會「關于人民公社若干問題的決議」中說：「應當爭取在若干年內，根據地方條件，把現有種農作物的耕地面積逐步縮減到例如三分之一左右，而以其餘的一部分土地實行輪休，種牧草，肥田草，另一部分土地植樹造林，挖湖蓄水，在平地，山上和水面都可以大種其萬紫千紅的觀賞植物，實行大地園林化。」目前大陸的耕地約共十七億畝，平均每人能佔耕地二畝半多一點，這一數字較之其他富足國家已經遠甚，而六中全會居然設想，只種其中的三分之一，則每人所佔的耕地將不到一畝，他們眞以爲每畝耕地都能像搞試驗田一般的產「幾萬斤」嗎？這種決議誰能說它不是在做白日夢呢？

所謂科學分析

現在大陸上最響亮的一句口號是：冲天幹勁和科學分析的結合；所謂科學分析，在經濟方面來說，則是：「認眞注意經濟計劃建立在充分可靠的基礎上，使經濟各部門的發展相互保持適當的比例，使經濟工作盡可能地接近實際或者符合實際。」這就是說，經濟發展還是不能脫離客觀條件；前一響時，曾猛烈抨擊「條件論」者，現在則倒過頭來自己倡所謂科學分析；這一種只是改換名稱，出乎爾反乎爾的行爲，恐怕是難能使人信服的呢！

·田心·

工展特輯

元旦工展客似潮湧

一半乘假期採購平貨　一半爲選美爭睹儀容

△元旦日，島上氣溫低降，上午微風細雨，午後轉佳，以各業休息，學校放假，故工展自朝至暮，遊客益見擁擠，會場摩肩接踵，各攤位男女職員皆有應接不暇之勢，絲多數遊客係乘此假期採購廉價用品而來，亦有因「選美」鬧得如火如荼，特來瞻仰熱門「工姐」儀容，準備選投「神聖的一票」者，故會場歡樂氣氛更見濃厚。

四時許，會場電台傳出一陣響鬧驚聲，向遊客報告：「請各位來賓注意，現在粵劇名伶吳君麗、鄒彼英二位小姐已來本會參觀，」於是全場遊客靜聆佳音之後，等均紛紛轉而湧至門前，候，及吳鄒兩人芳蹤蒞止，先由大會茶點招待，繼即巡視全場，大衆又蜂湧而爭睹儀容，並緊尾隨其後巡視各街，兩伶號召力之强，於此可見。

在每一條街遊客行列中，不時可聽到評判工展小姐之言詞，由此足見「工選」競爭情形之熱烈，已深深引起全港人仕之注意焉。

新年兒童多快樂　最好莫如遊工展

△新年元旦小童遊樂的地方很多，如潮電影，賽球等；都只能引起小部份的興趣，但工展會裏，則包羅萬有，處處都能引起兒童興緻，假如好看電影場內又有邵氏影院攤位，滿佈着電影照片，令人目不暇給，而且會場內食物攤，展出的食品，都能引起兒童的食慾，益以塑膠玩具，更能使到一班小童感覺到驚奇新鮮，是以新年小童的去處，確實莫如遊工展會，現悉香港小童群益會於元旦日帶同小童二千五百人到展會觀展，佳聯第十校員生百五十人亦同時往會參觀，至使展會裏更增加了不少熱鬧。（白）

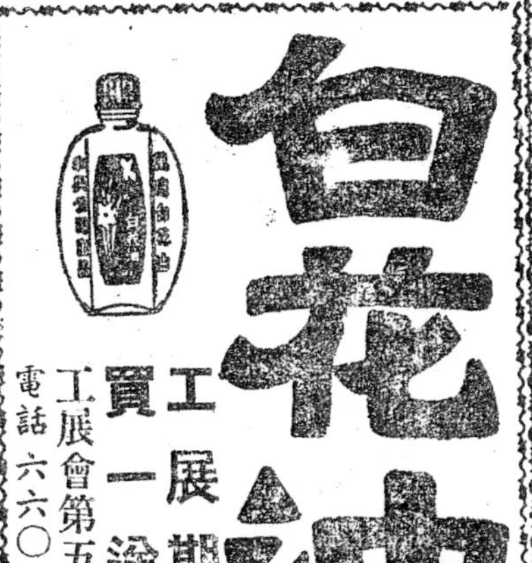

何必修憲呢？

修憲的問題，在台北已是甚囂塵上的事，其勢已成騎虎，雖然蔣總統是斷然表示「反對」的。

修改憲法本不是値得大驚小怪的，像法國那樣，戴高樂上台對憲法的變動更大，也未必見得就影響了法國的國本；因此一定說修憲就會動搖國本也是言過其實的。

不過，修改憲法畢竟是椿大事，國家的根本法，能不修改還是不修改的好，如果說，因爲目前的實際政治上有難予推進行之障碍，就歸罪到憲法條文及其精神，也是欠公平的。

我不相信，當年國民大會制憲時會沒有注意到它的完善性，若謂監院被指於政院，立院與政院之間失其制衡作用，也被認爲是憲法之有未妥，不如說行憲之有未善，更恰當些。例如監察院獨立的問題，在憲法上根本難找到有行政干涉司法之依據，而今日何以有行政干涉司法之實際事例出現發生呢？可見還是人的問題，是執政的人未能眞正尊重憲法行事，所謂徒法不能自行。有史以來凡法律，其奈戲，其效能，皆端視執法、行法之人能否切實遵行；能切實遵行，其奈戲，其效能自然產生；反之，若專尋法律漏隙，以求便利行事，稱快一時，則任何完善之法律也將淪爲作惡之工具。憲法當然也一樣。

蕭何佐劉邦興漢，約法不過三章；基督的法律也不過祇十戒，若以之與我憲法相比，其簡潔與完備之間，相去何止千里，可見雖法律有明文之規定，而人之生活若不遵循規範行事，法律也莫奈何的。

憲法既爲國家之根本大法，則實際政治之必須遵守以遵行自不殆言，十一年來其所以有行憲之名而無行憲之實者，可見問題之根本不在憲法，而在實際政治之未能遵守憲法行事。

因此，蔣總統之反對修改憲法的主張是正確的，若非有意爲實際政治洗滌開脫積垢，着來修憲乃是多餘的。所以說，與其冒大不韙修憲，何不從今以後切切實實的行憲呢？

金葉。

小啓：自由談稿未到，暫停一期。

理論的力量

凱恩斯的肯定底認識

塗克超

如果接受莊子之說「此一是非，彼一是非，惡得而正之！」則一切學術不必論，眞要走向孫黑一團的主義了！

莊子的說法固然帶有他的至理，然而其中終究含有偏激，但怎樣纔能明是非，却是一個嚴重的問題。

沒有光是無法認知事物之是非的。凱爾培根（Bacon）在所著的新工具（Novum Organum）卷一第一百二十節中，特別提光，並且特別指出上帝於創世的第一日以整日專門造光，不與其他創造相混。筆者並非教徒，但爲此種說法所深切感動；上帝以第一日全日造光，到如今人心仍是一片黑暗！◎

事例並不必遠求，中外歷史上的許多聖哲們都是努力爲世人造光，結果如何呢？終生爲光而奮鬥的耶穌是被釘十字架了！林肯以全力解放黑奴，結果刺殺林肯的竟是黑人。甘地一生努力爭取印度獨立，結果刺殺甘地的却是與他無私怨的一名印度人。

好在聖哲都抱有與耶穌相同的心理——「亦余心之所善兮，雖九死其猶未悔」——早把本身的利害置之度外了。所不解的是：何以人們的見解會有那麼大的差異呢？照蘇老泉的解釋：「人事之推移，理勢之相因：而賢者有不知，其故何也？好惡亂其中，而利害奪于外也。」既然涉及到好惡利害，那麼，辨是非似乎是不可能了。一般人的觀念未必不如此。

不過一九五八年三月出版的耶魯評論，首篇係托賓教授的「論國防，美元，與理論」一文，闡述理論之重要性，其第一段曾徵引那絕頂聰明的大經濟學家凱恩斯的話，完全與一般人的見解不同，致人深省，是否正確，筆者祇譯供讀者自行判斷，如左：

「理論在歷史上的力量從來沒有比凱恩斯在其就業一般理論一書的末段所描寫的更好的——「經濟學家和政治哲學家的理論，不論其爲正確的或錯誤的，總比普通人所料的要強有力得多。世界確不是由別的甚麼統治的。實際行動者自以爲完全不受任何知識份子的影響，常係某一死亡了的經濟學家的奴隸。醉心權力者聽取空氣中的聲音，乃是從多年前某一著作者蒸溜得到些狂話野語。我確認爲：既得利益之權力，比起理論之逐漸侵犯之力量來，簡直是過于被誇張了。這影響不是立即的，而是經過一個段落的；因爲在經濟理論或政治理論之領域內，過了二十五歲或三十歲的人們很少受新理論之影響的，因此公務員和政客，甚至煽動家，所應用于當前事勢之理論就不會是最新的了。但，早或晚，有爲善爲惡之危險性的是理論，而不是既得利益。」

釋未集

僞體

曲齋

對於龔定庵的爲人我所知不多，却頗喜其有關論文見解的一首小詩，其詞曰：「天教僞體領風花，一代人才有歲差，我論文章恕中晚，略工感慨是名家」。班固藝文志，序詩賦，論詩賦起源，亦曰：「哀樂之心感，則歌詠之聲發。」所謂感慨，其實即是哀樂之感；一個人仍然活着，就不免於有所感，有感而又未能已于言者，如其懂得寫作，就把它記下來，即我們之所謂文章，因此只要是眞感慨，即無害其爲好文章，不必限於盛唐或晚唐也。我自己不是作家，對於近時之所謂文壇，其實非常隔閡，至少是既沒有勇氣去什麼端陽雅集之類簽個名，或在雜誌報章上，換着一大串人稱之後，發表些治國平天下的讜見，以自附於志士仁人之林。我之所以喜歡龔定庵的這一首詩，也該是一種理由，因爲他並沒有唱高調。

文人們論文，大致都有其家法，先秦、兩漢、六朝、唐宋，以至於陽湖，桐城等等，專家們談起來，似乎都有脈絡可尋，像近時的許多宗親會一般，一代一代追溯上去，而結果一定是若合符節，每一個人都心安理得，以爲自己並沒誤認姓之嫌。至於一些外行人看來，無論他們說得如何頭頭是道。但看看貨色，其實就差不多。於是乎我也就有了一種見解，論文講宗派，到底免不了是一種客氣。那末，雖不合自己脾胃的文章偏偏僞體的先生們，儘可以達觀一點，「天地同於生物而不同其所生」，一切都要定於一尊，則這個世界就不免是太單調了。

新正開筆

○崇○

按照古老的傳統，參寫是：每年初一，總得正襟危坐地在紅紙上寫「新正開筆」四字。然而這只是「舉業」的事；而且，現在過的是舶來品的年，所以和「新正開筆」不大相干了。

但是，人有時不免是好古的，故而依樣葫蘆的寫幾句。

△有時候，覺得反悔是件很無聊的事，然而，對於一年的浪費，却確確乎生發了歉疚。

小學時代，每篇作文第一句大抵是：「光陰似箭」。但因爲寫得太多，自己反而不相信了。並到不寫這幾字的時候，却又漸漸信仰起來。

人不可以無志；志是早立過的，而且有許多。但多是在作文課上立的，並且統統不同。而今泰半都忘却了。

一年來，本也有「宏願」，計劃做一些事；然而，不成。是以很有「流年不利」之慨。——但却不會打算借此解嘲。

一些不自覺的想法、意見，現在也不以爲然了。「伯玉年五十而知四十九之非」，可見知過能改，畢竟是壽的，還可以補救。

至於始終堅信的事，也是有的：石在，火種是不會絕的。

△而對一些珍貴的慰勉，則起了莫名的感激。有時確然感到惶惑了，而因此尚不致失望。

由於人情的支持與關注，更堅信世界有着美好的前途：路，終究可以走出來的；日，終究可以排開黑壓壓的夜。這些，啓示着希望的花朵的怒放，新的日子的微笑。

△是一句阿拉伯的諺語：「無花果樹常希望其他無花果樹而結果。」存疑的是：如果其他的無花果樹全不結果呢？但假定的其他無花果樹不會結果，世上永無無花果了？

△說到這裏，有些不像「新正開筆」的話了。

總之，寄望於今年的是新的努力。爆竹聲中，願能帶來振奮與活力，對頹敗作一次滌濯。更願不是仍然的幾句空話。

「偉大的希望使我們成爲人。」或許這是個眞理。

「光陰似箭。」記取罷！

△　▽

風雨樓繪畫叢談

迷嬪

中國畫創始人的爭辨

中國繪畫，創自何人，在畫史上，有三種不同的說法：清代人認爲是始於舜妹敤手，明代人認爲是始於舜妹畫嫘，唐代人認爲是始於黃帝的史臣史皇。前二說的依據，出自兩漢典籍；後一說的依據，出自先秦史料。至於這些可資引證的古代往事，是不是正確可靠，作者都沒有進一步的考證，也沒有進一步的辨明。按繪畫的歷史發展，到了魏晉以後，才漸漸的產生了有系統地專門性著作。一直在千多年的改朝換代中，繪畫撰述的卷帙愈多，頭緒愈繁，還比之其他歷史文物的遺留，眞可說是典册充沛，別具豐華。惟一可惜的是對於繪畫的創始人，至今還是爭論不休的畫史之謎。我想。凡是愛好中國繪畫的人，都會感到失望的！

舜妹敤手與畫嫘

揭出舜妹敤手爲繪畫始祖的，是清代人秦祖永。秦氏在他的畫學心印裏說：「通於天者莫如河，河有圖而龍馬出之，天地自然之圖畫，莫先於此，世傳史皇作圖亦以此。其實畫祖，端自有虞氏女弟敤手始。敤手與二嫂諧，脫舜於瞍象之害，列女傳稱之，宜其造化在心，創此神技」。又據梁玉繩的二十五史補編人名表考說：「敤手、舜妹。始見列子楊朱，史記以敤作數，路史作嫘，說文作敤首，列女傳名繫。師古云，俗本繫字，疑爲繫之譌，抑或誤合敤手爲一也」。此中列子一書，事多荒誕，故學者多疑爲後人僞造。然則敤手的實有其人，都不外兩漢人的資料了？不過，我並不是有所否定於兩漢的典籍。我是說在這些紀載之中，確沒有發現敤手爲繪畫始祖的說法。即以劉向的列女傳說，他之所以認爲敤手的可以傳世者，亦祇是她能「與二嫂諧，脫舜於瞍象之害」。秦氏不察，便肯定爲「宜其造化在心，創此神技」。豈不張冠李戴，設想離奇？何況劉向之論，在古書裏早有問題呢。秦氏既知河有圖及史皇作圖，都是繪畫上的先河。爲什麼不作深入的探討，以資佐實？而一定要如此的閃爍其詞，前後文意相反。我懷疑他是在掇拾前人牙慧，或囿於成見而强作解人。（一）

報人作家受訓歸來

杳杳

草山受訓，已成了國民黨黨員心嚮往之的「榮譽」。當初開辦之時，人們還不大起勁。只是以黨員服從黨的心理而上山。殊知上山以後，才覺得與過去一切受訓者大不相同，因爲研究了「革命實踐」。

最近這一期只有八十多人，以黨員文化人最多，各報的編輯，以及一些名作家，都「調訓」了。如陳紀瀅、穆中南、馮放民、郭衣洞、王雪茵、林適存……等男女「同志」都在內。他們已於聖誕節前受訓期滿，預料今後的三民主義的民族文學，又要勃興一個時期了。

短篇小說

悲劇

・朱夜。

「祕密，我從不揭別人的祕密。」我說。

「如果是白苓呢？」

「白苓？」我有些吃驚，此刻我想到從前看到白苓走進這條小巷的一幕。我說：「好吧，看看去。」

吳天領我走進巷裏一個破落戶，門虛掩着，他先推我側身進去。當我一眼看清那暗澹的房屋，我的心猛地沉下來。

那屋子很狹，而且很暗，裏面有一個推車，車中坐着一個男人的背影。白苓蹲在一個煤油爐邊，懷中的孩子哭叫着，她拍着孩子唱着催眠歌。這景象使我瞭解了白苓，我如同從一個陌生的夢中醒來。這時，吳天從我後面喚出白苓的名字。

白苓緊張地站起來，她睜大了眼睛，唇抽搐着。我忙向她示意，她放下孩子招呼我們。這時，那車中的男人忙旋轉了車子，我發現那是一位很體面的青年。

「讓我替你們介紹——」她向那青年介紹我與吳天，然後指着她對我說：「這是外子沙漠。」

「你是導演？」沙漠——白苓的丈夫對我冷漠地說：「找白苓去拍戲？」

「我們來看看你們。」我尷尬地說：「白苓頗有天才，她是個很好的悲劇角色。」

「那算不了什麼？」他說：「羅丹早說過，每個人都有扮演悲劇的天份。」

「沙漠是學藝術的。」白苓聰明地插進來：「他學雕刻，兼攻西洋繪畫。」

「啊，那巧極了，你可以爲我們設計字幕——如果我能請得動你，我一定請你到我們公司去担任設計顧問。」我向白苓說：「公司正缺少這種人才。」

「那用不着我。」沙漠冷笑道：「那種字幕，誰都可以設計。」

「是的。」我覺得沉悶，便向他們告辭。白苓送我們到巷口，她臉色很蒼白。我說：「白苓，妳好像有什麼不適？」

「他病了幾天。」白苓說：「他的心臟很衰弱，常常他會發這種病的。」

「他的腿？」吳天問。

「殘了，患半身不遂已幾年。」白苓望望我倆：「沒有冒擾你們的地方吧，沙漠總這麼孤僻。」

我笑笑，吳天也搖着頭一笑。與白苓告別，夜已很深了。街頭上只有夜攤上的梆聲，一聲聲落在我心頭——我覺得萬分沉重。

五、

隨瞭解而來的便是寬恕。我瞭解白苓，從此沒有再責難過她。我總將她的戲排在一起，只要是可能，我便讓她早早地歸去。我告訴白苓，很想與沙漠作個朋友。于是，不久她告訴我沙漠歡迎我去，預備帶我參觀他的畫室。

我很興奮。一天拍完兩場內景，我便讓吳天接過了我的工作，準備去會見沙漠。我與白苓同時回去，這是我安排好的，同時也好讓吳天拍些不太緊要的鏡頭。我踏進沙漠家的門時，一眼發現沙漠背向着門外，孩子在地下哭叫着。白苓忙去抱起孩子，並告訴沙漠我來了。

「歡迎你——」沙漠旋轉過車子說：「我要白苓去請你來，你眞的來了？」

「如果我知道你歡迎我，會來得更早。」

「走，到我工作室去。」他很高興地說：「這間破房子留給她們母與子吧。」

「沙漠！」白苓用指在他臉上括着：「多羞！你把孩子帶成這副樣子！」（四）

自由人

THE FREEMAN

（第八一八期）

中華民國僑務委員會
郵政登記證台新字第一零二號
中華郵政台字第五〇〇號
執照登記爲第一類新聞紙類
（半週刊每星期三、六出版）

每份港幣壹毫
台北市售價台幣貳元

督印人：陳文郁
地址：香港高士威道二十四號四樓
20 CAUSEWAY RD. 3RD. FL. HONG KONG
TEL. 771726

承印者：東南印務出版社
地址：高士打道六十四號
台灣總經理處
台北市西寧南路壹壹號二樓
電話：三〇三四六
台郵劃撥儲金戶九二五二
海外總經銷：友聯書報發行公司
香港：德輔道中二十六號A二樓

中共實行人民公社之目的何在

毛以亨

一、公社制究係何人的主張

據各方的報導，以公社制度祗是毛澤東的主張。現在已瀕于失敗，所以毛澤東等于引咎辭職了。此殊與事實不符，毛澤東之退休，固已漸露端倪，然公社之推進絕未停止，而且有再接再厲之勢。公社之智識份子，固有一部份召回，然軍人繼續下放，以替代共幹，益發暴露其軍事組織之本來面目，看來中共是不肯罷手的。

赫魯曉夫曾公開聲明，反對公社制，且斥爲反動與落後，殊疑其非由衷之論。因爲公社與蘇維埃，同爲會議的意義，故名異而實同，難道赫氏會反對蘇維埃麼？若謂祗是城市工人，纔可組織公社，此乃以一八七一年之巴黎公社爲例。然則列寧曾主張成立貧農蘇維埃，難道赫魯曉夫會反對列寧麼？現在蘇維埃雖已轉化爲人民代表大會之意義，然一七九一年法國憲法所稱之公社又何嘗不是想實爲人民代表大會。一八七一年之巴黎公社，每區選出人民代表三人，巴黎爲二十區，共代表六十人，稱爲中央執行委員會。毛澤東曾在江西組織過農民蘇維埃，此次成立全國人民公社，正是其順序之發展，蘇聯不會反對，而赫氏亦不能反對的。

我總認爲，赫氏之反對人民公社，是一種烟幕作用。公社是軍事組織，近于全國人民總動員。中共之組織公社，已是欲向東南亞發展，以分西方國家之勢，使蘇聯在歐洲，得以應付裕如。而中共之組織人民公社，蘇聯決不會反對，甚至爲蘇所授意，亦未可知。就令毛澤東不幹，蘇聯亦必勉強中共，繼續幹下去。這是一種諱言其軍事加緊準備的烟幕彈，即使西方國家識破了，亦無法向蘇聯提出抗議。

總之，公社制決非中共之單獨行動。蘇聯對衛星國之控制力甚強，絕不容許以不同的道路，走到社會主義上去。

二、公社之軍事性

公社制度，始于十七世紀英國革命時代，有軍人公社之設。法國繼之以完成其革命體系之軍事組織，故軍事與公社，幾爲不可分之夥伴關係。蘇聯集其大成，有軍事蘇維埃。聖彼得堡之蘇維埃，由工人組織、轉化爲軍人組織。在一九〇五年，已露頭角，至一九一七年，大收革命之實效。故無論軍人，工人與農民之公社，其目的皆在軍事，爲無可諱言之事實。

此外無公社之名，而有其實者，在中國有秦始皇，隋煬帝之奴工營，太平天國之男館與女館。而皆軍事性質，重于生產性質，俾人力集中，爲向外發展之急遽準備。中共此次組織公社，發動于進攻金馬之前數日，而反對美帝，益形劍及履及。以公社用兵之前奏程序，一切公社皆是如此，無可置疑。而中共站在蘇聯方面，欲有所努力，只有在遠東牽制美國，且進而以中國龐大人力，消耗美國大部力量，以求蘇聯勝利之機會。而蘇聯所需于中共者，除此以外，亦沒有其他的忙好幫。

公社制是中共的表現，配合蘇聯人造衛星之發展，爲對西方國家，雙管齊下之威脅。

三、結果則不利于中共

中國是糧食不夠的國家，現在全國人民，均成爲飢民。然在中共言，飢民是宜散不宜聚的。聚飢民而以軍事部勒之，自然亦可驅策其向外發展，如秦始皇之發五十萬人，鎮守南越，太平天國之褒奪百萬飢民攻取金陵。但陳勝、吳廣，赤眉黃巾，何嘗不可乘機崛起以抗暴爲己任？所以將來向中共政權不斷挑戰者，就是中共所欲不斷利用的飢民力量。這是中外歷史，都可作證的。

公社現狀，每人每日工作在十八小時以上，大概在深夜十二時收工，而晨四時即須開工，加以營養不良，此豈可以長久者？現在被驅策以從事生產的人們，至少可以稱爲不能長久勝任。以不能勝任之人任事，而期其有良好結果，豈非矛盾之至，所謂工業即趕過英國，農業大躍進者，實爲一場糊塗之浪費。以後，拿不出成績，只好以讓賢來逃避其預期之威脅目的。

其浪費之尤甚者，莫如使知識分子下鄉。蘇聯有二百萬科學人才，不視如一般人民，而當作特權階級看待，故科學上能有如此之進步。蘇聯之對科學家，不特優其待遇，而且予以言論之相當自由，以前黨化科學之主張，現已逐漸放棄。且許其到國外去旅行，此則對蘇聯人民所絕不允許的權利，而竟給科學家，使他們覺得爲蘇聯工作，與爲自由國家工作，管御上不見於外難受，所以能安心任事。蘇聯蓋欲藉科學家之智慧，助其作國際競賽，而其享受的與自由世界生活。中共所曾昭掄，錢學森都下放了，其所信任的，只是一般愚蠢幹部，不復求助于科學。這至少要使中國科學界，癱瘓下去，永遠趕不上西方；使我們以前對科學運動之努力，前功盡棄。焚琴煮鶴之慘，實逾于此。

四、向全世界人士請命

人類第一天職，是維持自己的尊嚴，而以尊重他人的尊嚴開始。所以非洲澳洲的蠻人民族，絕不齒于人類，而非強迫其改變不可。試問中共對于一般人民的虐待，與蠻人民族相去幾何？即使最野蠻的原始共產主義，其程度亦不過如此，此豈現代人類所應有？歐美人有禁止虐畜的組織，香港亦有之，但奉行不力。中共現在之虐待人民，其程度已超過歐洲人之虐畜，故意使其吃不飽，就是虐畜罪行之主要者。而在大陸上之人民，殆如猛獸之困處籠中，雖猛獸亦無能爲力。中共之人民公社，正似獸類之大籠，其以分別安放六億同胞者。現竟號召以人代牛了。連做人的權利亦被剝奪。夫復何言！應如何激揚淬厲，以解民倒懸爲己任！

半週述評

征空競賽新高潮

自美國予耶誕期間放射「阿特拉斯式」人造衛星成功後，蘇聯跟着于一月三日放射「宇宙火箭」，使征空競賽抵達一新高潮，也使東西冷戰又發展到一新階段。

據莫斯科四日廣播，此射向太空的蘇聯火箭，已距離地球中心六萬公里，距離月球中心四十二萬二千公里，逐步進入太陽的橢圓形軌道。因之自赫魯曉夫以至中共都爲之手舞足蹈，大唱「東風壓倒西風」，成爲整個共產集團的擴大宣傳題目。

從科學研究的意義上說，這自是蘇聯的一大成就，證明蘇聯已解決了脫離地心吸力的重大問題，能夠製造巨大推動力的機械與燃料，使人類征服太空的道路縮短了一步。

但從另一方面看，這一次並沒有完全成功。因爲這枝火箭原是準備探月的，初命名爲「月球伴侶」，結果由于計算的未夠準確，軌道發生偏差，由射月變成射日，成爲「太陽衛星」，這又表明蘇聯對於遠程火箭還不能作有效的控制。西德火箭專家奧勃殊指出：射放太空火箭的最重要問題，厥在導向的準確問題，像蘇聯目前這般做法，射放一個非常遙遠的火箭，比較射放一枚導向準確進入月球軌迹的火箭，更爲容易。這是中肯的說法。

因此，此次「宇宙火箭」放射的局步成功，只可說蘇聯在太空競賽途程中又走先了一步，能否取得到達終點的勝利，還是成問題的。今日科學技術，非任何國家所能獨佔，在新的刺激下，美國亦必奮勇趕上去的，一如趕上蘇聯人造地球衛星的成功情形一樣。

米高揚的訪美

在蘇聯放射宇宙火箭期間，其第二號頭目——部長會議副主席米高揚飛抵美國，企圖與美當局接觸，展開和平攻勢。火箭與米高揚之行是否是有意配合，雖不得而知，但米高揚之藉此大肆活動，却是十分明顯的事實。

蘇聯的外交政策，一貫是武力恫嚇與和平攻勢交相運用。自上週英美法三國坦率拒絕赫魯曉夫之西柏林自由市建議，指斥其東柏林移交東德管理之計劃爲違反國際協定後，蘇聯的恫嚇攻勢宣告失敗，自不得不另採和平攻勢手段，以圖挽回頹勢，這是米高揚訪美的主要任務。

因此米高揚在美活動的目標，第一當是進行高峯會議的安排，或爲赫魯曉夫與艾森豪互相訪問問題鋪路。最低當是要求擴大貿易，以減輕蘇聯的經濟困難。

如果這些目標能够達成，自對外而言，可以解除目前蘇聯與西方的僵持局面，並可提高蘇聯的聲勢，以緩和東歐附庸的離心。自對內來說，可鞏固赫魯曉夫的統治地位。因爲蘇共二十一次黨代表大會，即將在二月舉行，這是蘇聯統治集團政治鬥爭的重要關頭，在馬、莫、卡、謝、布等的「反黨」勢力尚未完全消除以前，赫魯曉夫必須利用外交上的某些成功和科學技術上的成就，以爭取大會代表的支持。因之米高揚之訪美，一如放射「宇宙火箭」的目的一樣，是具有對內對外的雙重作用。

不過美國也不是「不設防的城市」，「先鋒論壇報」已提出警告說：「米高揚的使命，乃蘇聯逐次軟化美國的手段之一部份；……一九五五年日內瓦高峯會議，軟化吾人之防衛心理，造成蘇聯向中東的侵入。此種經驗，屬使吾人對彼等之眞正意圖，知所警惕」。由此又可預料到米高揚在美將不會有麼什麼收獲的。

金達凱

從中共本質看毛澤東的下台

自中共宣佈毛澤東將不再担任「人民政府」主席之後，對於毛下台的原因，即有下列幾種推測。

一、毛因政治上（推行人民公社）及軍事上（金門砲戰）領導的失敗而被迫下台。

二、由於蘇俄的壓力，引起黨內勢力之消長，而被迫讓位。

三、否認毛下台，認爲毛係集中精力於黨的領導與控制，以加強人民公社之推行。

在黨權高於一切的共黨制度中，眞正權力，在黨及黨之領導人，行政及軍事首長職位的更變，並不即是權力之轉移。史達林一生中即從未担任蘇俄政府首長職位，但無人能否認史達林爲蘇俄之實際統治者，可以爲例。而毛在另一方面，更仍未能脫離半封建主義的地方色彩，以及以個人爲領導實心的幫會型態，中共黨政軍高層幹部間，即遍佈毛之湖南同鄉與追隨多年之親信左右，反對份子多已被消除或打入冷宮，其所謂中央委員會事實上已成爲毛御用之傀儡組織，就是能有權決定毛之去留，實難以令人相信。

中共與蘇俄之間，雖存有某種程度之依存關係，但不屬視同東歐式的附庸。自史達林死後，中共在共產國際中之聲望地位即日見增強，對蘇俄所行之政策與路綫，即再不全面予以追隨，（如人民公社即係毛獨出心裁之舉），毛的行動作風，雖引起蘇俄不快，但如謂蘇俄即冒與中共決裂的危險，以圖推翻毛，恐亦未切事實。

推行人民公社，雖已引起了大陸人民普遍的不滿與反抗，同時也導致了中共內部的矛盾與紛歧，但公社制度仍繼續推行，即證明中共並未否定公社制度，故亦不能視爲毛乃因推行公社制度而垮台。反之，毛之下台，說是集中精力於黨的領導與控制，專心致志於黨的政策與路綫之策劃，企圖轉彎抹角的完成公社制度之推行，反爲不能斷然否定其可能。獨裁政治與個人崇拜有不可分離的密切關係，其基礎即建立在個人崇拜上，除非獨裁者有極重大的原因，絕不願輕易放棄最高名位而「自貶身價」。

由於可靠資料及情報的欠缺，在明年三月僞人代會閉幕之前，一切預測估計，皆未免言之過早，可是倘就中共的特質，毛澤東在中共中的力量地位，現階級國際的環境，以及歷史——特別是獨裁政治歷史——演變的法則而予以綜合的判斷，則毛澤東的下台，也可能用意在解決其繼承問題——藉「禪位」的作用以逐漸培養其繼承人的聲望與權力。

獨裁政治最大的缺點，是不易解決其繼承問題。繼承人的過早決定，須冒大權旁落及導致叛亂的危險，過遲的決定，即難以避免後繼人不能承繼與內部火併的現象發生。史達林逝世時，因未能成功的培植馬林可夫，以致馬氏爲赫魯曉夫所傾覆，而史氏屍骨未寒即遭鞭屍之辱，此當爲毛所耿耿於心，而不願再陷其覆轍者。

中共自竊據大陸以來，毛即不斷在努力鞏固其權力，在對其個人權力的根本威脅未能消除之前，勢難作任何決定性的舉措。

現在由於一、中共整軍工作相當完成，大行政區的取消；林彪、劉伯承、陳毅、聶榮臻等高級將領退出實際軍事領導圈，湖南籍將領之分據要津，充分的顯示了這一點。黨對軍的確實控制，以及毛個人領導權的確立，過去存在中共高階層間分裂的危機，可謂已大半消除。二、幾年來不斷的肅反鎮壓的澈底推行，使有組織大規模的反抗不易發生。三、核子僵持局勢而產生的美國外交上的消極圍堵政策，以及蔣杜聯合聲明給予毛心理上的安全感，毛因而認爲中共內部以及國際情勢，均已達到一個相當穩定，可以自行其是。辭退僞主席地位，自然比較可集中其有限精力於「奴隸帝國」的建立，實現其超邁秦皇漢武與「天公共比高」的狂妄野心，同時可藉禪位之作用，逐漸增強共繼承人之聲望權力，俾使中共之核心權力在毛身故時，仍得以順利遞嬗，使中共僞政權不至因繼位之爭而陷於分崩離拆，毛亦可由其忠實的後繼人繼位，而得繼續保持其「命名」與「歷史地位」。而不再演史達林身死名滅之悲劇。

假定上述分析的前題不錯的話，更有理由推斷繼承毛担任僞主席地位的人，將是毛的同鄉劉少奇，而不是江蘇人周恩來或四川人朱德。而且，在國際政治上將被迫而採取守勢，同時亦熱力從事於大規模的軍事冒險。

祁登文

道德和糧食

一美國來鴻之八一

○謝扶雅○

（一）

前羅斯福總統夫人上星期在某中學講演，認為美國在對蘇聯冷戰和爭取中立國家之時，其最好及最大武器乃是道德和糧食。她覺得共產黨人最怕見上帝，所以說，「我們必須具有相當高的倫理觀念，及實踐道德生活」。她又以為蘇俄糧食不足，所以「我們如能適當利用我們多餘的糧食，必可使民主戰勝共產」。羅斯福夫人的言論，在美國仍具若干勢力，至少她可以代表一部分美國上層人物的思想和心理。今天耶穌聖誕禮拜，有個著名牧師講道，以「君王與僕役」為題，以為上帝差遣耶穌基督（實即上帝自己分身）來世為人類服務，作人民公僕，而這就是祂統治世界的優務方法。地上的王誕知攬權專政，壓迫人民，然而天上的王，倒過來，却以卑賤自牧，作人僕役為唯一職成。這樣，上帝無它，即王即僕而已。可見基督教與共產主義，在目的上都有志統治世界，不過前者從「爲全人類服役」，即發揮普愛的能力為途徑；而後者則一反其道，從「奴役人民」，以仇恨，鬥爭為武器。換句話說，共產黨就是專制魔王的代表，民主政治則使人「民」為「主」人，而政府為公僕。所以我常說，西方民主思想的發展，實在潛伏着基督教的精神。羅斯福夫人說共產黨怕見上帝者在此。

（二）

基督教會中人透過日本基督教界（因為日本教會於前年曾派出慰問團到中國大陸訪問教會同道，以後兩方面常交換印刷品），知道中共統制下的中國基督教會已不能自由崇拜上帝，而以「社會主義教育」為基督教的原理及方針、神學院全部師生都下鄉勞動，以參加生產大躍進代替研究聖經及宗教問題。但政府仍標榜着信仰自由。這裏一聲從大陸退出的宣教士，皆熟知中國文化的基礎在家族。而今人民公社居然把它徹底鏟除，所以他們無不驚奇何以人民方而沒有反抗。那裏知道大陸民間今日連一根釘子都已充公。中共正師秦始皇故智，盡收民間鐵器，以防造反的可能。不過日暮途窮，「予及汝偕亡」的恐氣充塞，「公社」其外而「公憤」其內，爆炸終不遠了。

最近毛澤東辭去「主席」之職，美國一般輿論，大致均不加以重視，認為從美國方面而論，無論誰做主席都好，反正中共對美，還是要痛罵美帝，還是要喊美國勢力從遠東「滾出去」。要之，共產主義是主張以「黨」統「國」」的。所以主席之位，也不過是傀儡吧了。實權還是操在黨魁之手。毛既抓住黨的書記長，主席不主席何足數哉？不過黨中的火併，正是他們所謂內在矛盾的必然性。今日乙鬥倒甲，明日丙又鬥倒乙，輾轉清算，非至一齊消滅為止不可。

（三）

最大的問題毋寧在我們自己準備的工作；而準備上最基本問題，還是知識學術。以美國的文化水準，近來尚在發生一種運動，要把中學程度大大提高，庶使能二千所大學的青年都能為開拓太空的新人物。從祖宗遺傳下來新大陸開拓的精神，今日發以月球探險自勵。美國人需要有刺激的，蘇聯搶先放射了一顆滑星，使全國大為震動，亟要改革教育制度，鼓勵科學訓練。尤其是深感蘇聯對科學家待遇之高，高級知識分子共相驚羨。這裏職工一般的薪水，都比大學教授高出數倍。最近紐約時報派報工人罷工，將近兩星期猶未解決。事實上報館中的編輯員年薪不過五千，而排字工人高至一萬。肉體勞動的價格，高於精神勞動的價格最少一倍，這確是知識分子大為不平。儘管如此，美國的一般知識水準還是比之任何國家為高，所以可指導政治，監督政府，而不受獨裁或寡頭之害。我們回顧一下自己，不禁興望塵莫及之嘆！大陸方面一般教育水平之降低，姑不具論。台灣也說不上有什麼學術研究可以揚聲於世界。香港近年來學院林立，大學生數字快到五千吧。然美國單加里福尼亞大學一所已就學生三萬人了。而況我們學院的設備——尤其是科學儀器實驗的設備，還遠不及它們的初中，造出的人才，將來怎樣領導新中國的建設啊！軍事競賽，政治競賽，最後畢竟要看學術競賽，那才是成敗興亡的眞正考驗呀！

一九五八。大除夕前一星期。紐澤西州麥迪生。

地方自治研究會不准籌組

○小舍○

由國、民、青、及「二無黨」（胡適博士語）黨員聯合發起籌組的「中國地方自治研究會」，於本年七月間，由李萬居等七十八位發起人依照政府規定，聯名提向台北市政府申請備案，當時市府以該會係屬全省性組織，不予受理，乃於八月間轉向省府主管的社會處申請。這一公文旅行了將近五個月，一直到最近才由官方傳出確實消息：「未便准予籌組」。為什麼？因為和「非常時期人民團體組織法」第八條的規定不合。據一位主辦人民團體的政府官員透露，所謂「非常時期人民團體組織法」，是在民國三十一年二月十日由國民政府公布的（此法者，顯與憲法抵觸，實應為無効之法也。－編者），第八條條文規定：「人民團體在同一區域內，除法令另有規定外，其同性質、同級者，以一個為限」；但官方並未說明現在台省已有何種同性質的組織。一般推測：現由省府委員翁鈐氏所領導的「台灣地方自治協會」、及李宗黃氏所主持的「中國地方自治學會」，可能被官方認為同一區域內之同性質的組織，而翁、李兩氏先後組織的「協會」與「學會」，則早於數年前即已成立。筆者曾把這事向「研究會」某發起人徵詢意見，他認為目前官方不准任何一個人民團體成立，可以據為引用的法令甚多，特別在戒嚴地區各種法令的伸縮性更大；可是，如果在訓政時期國民政府所公布的「非常時期人民團體組織法」可以引用的話，那麼，目前單就台北市轄區以內（同級）已經成立的各種「宗親會」、「同鄉會」，何止百十個？趙、錢、孫、李的宗親會，他們組織的宗旨同為「敦親睦族」，姓趙的和姓錢的，性質不是一樣嗎？「協會」、「學會」、和「研究會」的名稱不同，又何嘗不是一樣的？當局又將作何解釋？

（四十七年十二月廿七日於台北）

救國會議應在光天化日下召開

十二月廿二晚胡適博士應邀參加「民主潮」社的晚餐會，應邀的文化界和民主人士三十餘人，席上胡博士曾就救國會議問題發表演說。翌日，台北民營的「公論報」和「聯合報」都把它作為頭條新聞登載。其中胡博士主張召開救國會議的人數不宜太多，而且主張會議方式要秘密。前者胡氏以一七八七年美國在費城舉行的「制憲會議」為例，那個會議，僅有五十五名代表，而在憲法中簽字的僅有三十九人，但却為美國帶來了輝煌的歷史；後者胡氏不但主張不准新聞記者參加，而且主張與會的人，應該個個發誓不把消息洩漏。因為胡氏一向是民主運動的領導人，現在忽作秘密會議的主張，免不了有些人感到意外。「聯合報」曾於廿三日以「談反共救國會議的方式」為題發表專論，針對胡氏的主張，提出反對的三點意見：「聯合報」首先指出，會議本身，由於技術關係，不能容納太多人，但人民的意見，也可藉報章雜誌、廣播及私人接觸的媒介，獲得一般國民的意見。其次，因為反共救國會議的決定，沒有法律上的代表性，要使此類決定成為國家的政策，尚需經過立法院的一環，但會議人數如果祇有五六十人，何能包括甚多的立法委員在內，如果讓個會議都是秘密不公開，祇在結束時發表一些簡單概括的結論，又如何能使立法院瞭解，更如何能使立法院接受。最後一個理由是「聯合報」認為胡氏舉美國「制憲會議」來作比擬的說明，並不十分恰當，因為美國各邦在當時實值是獨立國家，「制憲會議」可說是一種國際會議，代表們是代表各州的「利益」。我們的會議並不代表什麼「利益」。萬一他們是代表個人的利益、小集團利益、或黨派利益，那就壞了。所以，會議變成權力爭奪場所，那就壞了。

其實，胡適博士的主張，他也自己說有許多朋友勸他不要倡這種不准記者參加的會議，因為這個主張容易被人指為十八世紀的落伍思想，但他仍認為要使會議成功，有秘密的必要。胡氏的演說，是非常得體的。但他也許當天晚上時間的不允許，所以還有未說完的話。會議應該在光天化日之下進行，讓一切私的動機無法存在。過了一年又一年，救國會議究竟何時開會，還是個「未知數」呢。

○諸葛。

新出品！

○尹震○

新一聞一隨一筆

寄語台北「權威」發言人

元月二日，台北方面發動了新聞攻勢，由「權威人士」向洋記者透露了「政府將全力策動中共區抗暴起義」，及「可能部分地區光復」的消息。這消息由路透、合衆、法新三社從不同角度撰寫向全球發出，很明顯，這是「權威人士」用來支持總統元旦告全國軍民同胞書的。

由於這樣重大的新聞發佈，未曾見到中央社有隻字消息印證，恕我冒昧地說，不知是否這三位洋記者過年老酒吃飽了，醉醺醺地合計之後，作為新年第一條「大」新聞，向老闆湊數交賬銷的。

如果說，「權威人士」眞有其人，呼之即可出來的，那末，我就少不免要請教請教他，何以在新年歲首就供給洋半吊子的「權威」新聞給洋記者。

路透社的消息重點在：「政府勢將以未來財政年度的預算百分之四十左右，專用於大陸工作方面。」在我看，如果眞有其事，「權威人士」應對此負洩漏國家機密之責任；如果事屬子虛，則「權威人士」也難逃責任。因為預算的百分之四十，並非是一小數目，路透社照實發此消息，是要讓人根據常識，一望而知消息之可靠性有問題。而法新社則以之演繹成為「台灣正面對嚴重的財政困難」，「雖在積極準備於本年內對中共大陸發動軍事性及政治性的反擊」。並謂「財政困難」，「已屬『公開的秘密』」。而合衆社則對於上述各點，未加着墨，祇是輕描淡寫重複了幾句蔣總統的元旦談話，表示他根本不信「羊上樹」！

由於海外的報紙，皆以上述三條消息編列為第一版頭條新聞，但此新聞之價值如此之脆弱，說老實話，這種消息是並不對我方面有利的。尤其是不過是空砲而已。

因此，我願再勞叨幾句：一、宣傳不能出於說大話小說的方式；率勸台北的「權威人士」們，對洋記者說話是應該留神的。二、少說不夠常識程度的話，免為別人利用。三、能使洋記者們不亂發消息；尤其是那些看來是有利，其實卻是不利的消息。四、少作當局開「空頭支票」般的方式發言。作為發言人，你應該懂得「狼來了！狼來了」那則故事之利害。五、空砲式的消息發多了，不禁令人聯想到也將是有失信譽的。

望台北的權威發言人，慎之！慎之！

○金葉。

台北政治圈內

誰是未來總統？

十二月廿三日上午，蔣總統在「光復大陸設計研究委員會」致詞，對於一年來不斷有人主張修改憲法一事，鄭重表示其反對意見。筆者忝列末排座位，感到其語氣確而堅決。這段話說完，經過掌聲大約有十五秒鐘之後，「全場寂然」。其時緊鄰在我左邊的朋友悄悄的對我說：「下屆總統寶座，篤定是陳辭公了！」這話被我右邊一位在坐的設計委員中算是「中堅人物」的芳鄰聽到了，他持保留意見說：「照總統的話引伸出來的意義看，說不定胡適先生也值得考慮吧！」但我說：「左舜生先生在『聯合評論』有篇『不談政治』的文章裏，談到組黨的事，對胡先生有人拉他出來一幹，他主張還是讓胡先生坐在書房裏讀書和寫作，那是本於『君子愛人以德』的意思。既然不肯出來搞黨，他還能搞總統？」

第二天，幾乎所有外國通訊社發出去的電訊，都說蔣總統不擬連任下屆總統；但台北的黨報和官報一致緘口不言。雖然有一二家民營報紙在憲法修改問題上繞圈子，並未討論下屆總統問題。我請教過一位寫專欄、社論的新聞界朋友，我把這事向他討教，他說：第一，蔣總統是代表政府和國民黨說話的；可是政府以外還有眾多人民，國民黨以外還有民、青兩黨和無黨無派的人士，可能他們都有意見。第二，現在距總統任期屆滿，還有一年零五個月，在時間上預言還是過早。

○諸葛小舍。

學友雜誌社重要啓事

本社經於中華民國四十六年休刊改組，附設各項康樂活動亦全部停止。本港出現同名之組織公開活動，概與本社無關，同人等並無個別參與該項組織，承青年讀者及同業函電相詢，謹此鄭重陳明。

學友雜誌社同人謹啓

中共對香港居民另一攻勢

——廉價傾銷受阻透視「笑臉苛索」內幕

中共對香港的「經濟攻勢」，已由壓價傾銷，改爲「笑臉苛索」，其[illegible]供應說節；擱宿貨大量積壓」轉口往南洋各地阻延，或因抵制不能轉往」且需提供大量倉租。陰曆年屆歲終，經營共貨商人，還是經濟周轉困難，鑒於最近澳門一批「五羊牌」汽水倒流大陸，紛作退貨冲帳打算。於是，共方以傾銷受阻改取苛索手段。

年終歲首，香港工商界人士大多數都接到「支援大躍進」的背景信。這些信的語氣，無非誇張大陸上的「生產」，正在依照預定計劃躍進，特別在鋼鐵生產方面，需要「大力支援」。而肯定的認爲收信人是「熱心愛護祖國」，要求他們「捐獻」一座、或幾座「土高爐」代金。「土高爐」的代價雖然並未列明大小價值，據已經收到信件的人說，大致是視收信人的經濟能力，規定一個爐値，最高爲港幣三千元。同時指定收款地點及負責經收者姓名，可以取得收據。這些收款人跟收信人交數者，係屬同一行業，有等是平時有往來的熟識者。

綜合一般收信人的意見，他們認爲數目雖然不高，支出總是一項負担。

他們說：「我們曾於家人在大陸上受苦，尤其是在煉鋼的逆流中，房屋被迫繳廢鐵拆毀了，親人給分散了；這煉情況，試問誰願意拿錢去建爐躍進鋼鐵生產？多建一爐，多增加親人痛苦受罪，多繳廢鐵，增加煉鋼原料，還不是多拆毀些房屋。再說，那些鋼鐵生產，對人民壓根兒沒有什麼利益，目的爲擴大備戰。所以，儘管經濟力量可以負担，出錢必受到良心譴責，精神上祇會加重負担。」

大概基於此種原因，共方發出第二封信。那第二次的信顯然含有怒意，竟以「命令」的口吻，帶有强迫性的背景：催促收信人去指定的地址「繳款」。硬說收款人已經代收他的捐，默認捐了一個爐，或幾個爐，一共多少錢；要

他趕快去付清這筆欠款。有等商行老板，把這些信送去律師樓，請求法理解釋。

一位名律師指出：處理此等事件，只有兩個途徑：（一）乾脆不予理會，看其次一行動如何，再行考慮對付辦法；（二）香港是法治社會，絕不容許任何非法活動，此種信件可以送交警方處理。這位律師認爲：倘有進一步法外行動，警方必然嚴加制止，並依法拏以適當罪責，絕對不容寬貸。

至於此等函件是否抵觸法律，筆者曾就此事徵詢於某大律師。因渠不諳中文，據稱須詳加研究之後始能決定；如果有人委託，願意受理，並研究它的內容；但他認爲無論如何，此時無意置評。但是，强使人違背自己意向行事，法律絕不容許；假投書信，若收信人認爲不堪其擾，而向警方檢舉，發信人應負妨害安寧責任，被告人在法律上最低限度構成「行爲不檢」罪責。

根據熟悉內幕人士透露：中共發信「獻爐」，並非眞的將款撥爲大陸，而係用以移作海外政治活動經費。此等經費，並非專用香港一地，而係包括了世界各地者。年來大陸貨雖然大量傾銷香港，單靠香港一地，恐在微不足道，主要係由香港轉口，現在南洋各地，除印度、印尼、緬甸、北婆羅洲，其他菲律賓、星馬均告受阻；歐洲南美爲數不多。經此打擊，原期可以藉僑匯彌縫，可是，「公社」制酷烈推行之後，僑眷家庭拆散，僑匯不能全部落入僑眷手中，海外僑胞，特別是在香港的，均無意匯款資共，僑匯銳減，不得不巧立名目，向僑港工商界打主意。不久以前，曾大張旗鼓宣傳，籌募建築「工人華廈」經費。結果，非但不獲工人支持，反受大加指摘。這次因連串斂錢失敗，藉口「生產大躍進」，推行「獻爐運動」，根據現實情況反映，不特注定失敗，且有招惹官非可能。由此可以斷言：中共僑管狡黠詭謀，顯已瀕臨計窮力拙。在二百多萬港華心目中，中共已是破壞他們家庭的强敵，不談「公社」、「土高爐」尚可，一經談及這兩大惡劣暴行，沒有人不感切齒痛恨。他們之中多數這樣說：「要錢！談也不要談，要命，沒有！」大陸那樣現成。這種殆將普遍存在的激憤情緒，適足說明中共對香港的「統戰」，已經全綫崩潰；「經濟戰」已受到消極抵抗；「香港人用香港貨」觀念一經建立，紅色的「經濟戰綫」也就迅速瓦解。

祝修衛

竹簾幽秘

調整外交部機構

去年十二月，中共的外交部內部機構有相當大的調整：一、原來的社會主義國家司改爲蘇聯東歐司，司長仍爲王雨田；二、原社會主義國家司中的亞洲共產國家的業務劃出而成立第二亞洲司，這個司尚無司長，現由副司長李義負責；三、原亞洲司則改爲第一亞洲司，司長仍爲章文晉。

按在一九五八年初，上述三個司的業務是由蘇聯東歐司與亞洲司所分管，是年四月裏，將蘇聯東歐司改爲社會主義國家司，原在亞洲司中的亞洲共產國家的業務劃入該司主管；現在又成立第二亞洲司來主管亞洲共產國家的業務，足見中共對于亞洲共產國家的重視，或者亦可能是因爲它對于蘇聯東歐國家的政策與亞洲共產國家有某種程度的不同。

若以共產國際的角度來看問題，此事當反映着中共有使亞洲共產國家成爲在共產國際中的另一集團的態勢。歷史的發展往往不是直線的，但此事足以說明中共正在朝這一方向努力。

中共與亞洲共黨關係新貌

中共與外蒙

十二月十九日，中共與外蒙簽訂關[illegible]給予外蒙經濟技術援助協定，規定中共給予外蒙一億盧布，用以建設發電廠、[illegible]、紡織廠、酒精廠、小[illegible]住宅。

人們知，中共正在要求人民緊縮再緊縮肚帶來搞其大躍進，但是在另一方面卻借款給與其附庸國家，這種飢餓借款不但足以表示其强大，反而說明[illegible]抗衡，寄意控制附屬國的野心。

隨着貸款而來的爲技術人員，工程部隊和政治工作人員的進駐，可以想見，其勢力將繼續深入外蒙。十一月九日本欄曾經指出外蒙傾向于中共的趨勢，現在此一協定，卽完全證實了當時的判斷。

中共與北越、北韓

十二月二十二日，北越總理范文同致函南越總統吳廷琰，申述四點：一、要求南北越不加入任何軍事集團；二、開展南北越間的貿易；三、展開南北越有關經濟和協商以達于統一的宣傳；四、實現南北越間的來往。

此事之可予以注意者是：一、其時間在金日成訪問北越後不久，其政策則與北韓對南韓的完全相同，當可說明胡志明已受到金日成的影響。二、北越對於南越這種政策的轉變，當非北越所能獨立促成，之間當然還夾雜有蘇聯的主動，中共的點頭。三、這種政策不但表現于北韓與北越，卽中共對于台灣的政策，亦將會朝向這方面轉變的；這當然不是說中共將放棄用武力。

四、不久以前，論者推測中共將領導組織遠東的「華沙條約」，以迎合莫斯科方面不加入軍事聯盟一點，當已說明不會有這種形式上的條約關係出現。但是，這也不能說他們之間就沒有實質的軍事援助關係存在。

果如上述，那末中共所致力的，其所領導的共產集團，雖表面上將經濟的，政治的統一，而實際上不過是爲了極力避免形式上的軍事性集團的形成而已。

○田心。

國際動態拾零

△美國一九五九年之總預算，爲八百億左右。軍事預算爲四百另八億：空軍占一百八十六億，海軍占一百十六億，陸軍占九十六億，國防部（包括情報，人造衛星）占一百二十億。

△艾森豪聲明，渠未嘗有意提拔尼克遜，但尼氏在外交上與黨務上均幹得很好。至洛克斐洛係渠之好友，且其紐約州長之競選勝利，對渠印象甚深。看來艾氏對此二人，不願作左右袒，而尼氏訪英成功歸來後，聲望已經提高。

△伊朗共黨總部，已從東柏林遷至伊拉克京城之巴格達。伊王是親西方的，突感緊張，乃對從巴格達來的旅客，不予入境簽證。

△據駐捷克之埃及外交人員透露，周恩來將于明年訪開羅，以及亞拉伯國家各都城。

○陶然。

工展特輯

李麗華嚴俊參觀安生堂

電影明星李麗華及嚴俊爲響應香港人用香港貨號召，特於日昨下午二時到工展會參觀，一時人山人海，水洩不通，李嚴二氏因聞第十街安生堂科學溫灸器藥係王隱雁女士所首創發明，並聞該項溫灸藥保根治一切腸胃病，胃下垂，哮喘，婦科病，瘦弱症等特效藥，業經行銷世界，國內外各大醫院處方採用，因是特到該廠攤位參觀與該廠主人王隱雁女士，宣傳部主任朱劭欽，副主任該廠總經理黃石華，及高麗梅在攤位留影紀念，對王隱雁女士發揚國粹醫術，詢問甚詳，備極讚揚。（白）

自由談

值得研討的問題

美國參議院民主黨議員領袖人物曼斯菲爾，最近在電視演播中，表示他對於我國蔣總統反對修改憲法，暗示無意連任第三屆總統職位的觀感，說是「蔣氏如果退休，將使美國的外交政策走入十字路口」。因而他預料蔣總統「極可能繼續留任若干年」。（見合衆社四日華盛頓電訊）

細讀曼斯菲爾的語意，似乎希望蔣總統改變其原有決定，繼續當政，以免美國在外交上遭遇困難。自二次大戰末期以來，美民主黨人士一直對蔣總統不滿，中國大陸之淪陷於共黨手中，就是民主黨執政時期的傑作。迨共和黨當政後，民主黨的議員和政客們[illegible]。如今蔣總統表示尊重憲法的民主憲政思想，而美國民主黨的領導人如曼斯菲爾，又認爲不合式，將增加美國外交上的困惑，這眞是令人啼笑皆非，雖乎其爲美國朋友了！我敢預言：如果修憲實現，蔣先生三次連任總統，將來說我國政治不民主的美國朋友，一定又是民主黨的先生們無疑也。

我們以爲憲法應否修改，修改的手續要怎樣纔符合法定條件？那些地方要修改？蔣總統若決計不再競選連任了，值此非常時期，朝野上下亦須預作心理的準備。此時此事，未可等常視之，含糊決不是辦法。[illegible]，才是國家之福。一來年一月便要召開國民大會，時間轉瞬即過，[illegible]論工作的無謂爭執。

馬五先生

一年來台灣詩壇的論戰

常青樹

由於前幾年詩人情緒的狂熱，報刊上充滿了「戰鬥」的詩篇，雖然動機都是熱情的純潔的，然而人們總覺得那些狂烈的咒罵，口號的排列，實在不像詩。更沒有絲毫文藝氣息。最近幾年來，詩壇頗不冷寂，創辦新詩的刊物，據筆者所知有「新詩週刊」、「詩葉」、「現代詩」及「藍星詩週刊」等，把新詩由標語口號，引導到了文學藝術的領域。「新詩週刊」及「詩葉」，早已於數年前停刊了，而仍能屹然存在者，則爲「現代詩社」及「藍星詩社」兩家。四十五年二月「現代詩誌」十三期發表了成立「現代派」消息，並宣佈了現代派的信條：一、我們認爲新詩乃是橫的移植，而非縱的繼承。二、新的內容的表現；新的形式的創造；新的工具的發現；新的手法的發明。三、知性的強調。……等六大信條。

到了四十六年八月間，「藍星詩社」除「藍星週刊」外，又發行「藍星詩選」雙月刊，在第一輯中，在覃子豪的「新詩向何處去？」首先敘述了自由詩的眞義，繼而針對現在的詩壇說：新詩目前極需要外來的影響，但不是原封不動的移植，而是蛻變，一種嶄新的蛻變。……有人以極放肆的語調，圖逐抒情於詩的領域之外。近代詩有強調古典主義的理性和知性的傾向，因而，中國有些詩人也學一些西洋詩人，專事表現世紀末的厭倦，以及神經質行爲的敏感症，沮喪、恐懼、嫌惡、咒罵，幾乎成爲詩中的精髓；含糊、曖昧與游移，便成了這類詩的特色。他認爲：新詩方向的正確原則是：第一、詩底再認識：凡屬具有永恒性的藝術，必蘊蓄着人生的意義。第二、創作態度：首先要考慮作者和讀者之間的密切關係；其次要尋找讀者作者兩者都能望見的焦點。第三、重視實質與表現的完美。第四、尋求詩的思想根源。第五、從傳統中求新的表現。第六、風格是自我獨創的完成。時代風格，就是超越了舊傳統的新風格，就是民族風格，就是民族古老氣質的新風格。個人風格，就是超越了現實中的舊我的新風格。「藍星詩社」的基本精神與態度是如此。

紀弦在「現代詩」十九期的社論：「從現代主義到新現代主義」駁斥覃氏文中涉及「現代派的：……」問題，其主要內容是：我們的現代主義是革新了的，而不是內變了的現代主義，尤其不是所謂世紀末的。我們有所揚棄有所發展，即稱之爲後期現代主義或新現代主義亦無不可，正如後期象徵主義之爲象徵主義的發展。至於「難懂」與否，那是程度上的問題，是相對的而非絕對的。我們的本質論是：詩的本質不是散文所能表現的「詩情」，而是散文所不能表現的「詩想」。

我們的形式論是：基於內容決定形式的大原則而以「自由詩」代「定型詩」；以「散文」代「韻文」的新工具代「韻文」的舊工具。我們的方法論是：幾何學的、代數學的表現手法之作廢；物理學的表現手法的揚棄；相對論的表現手法之實驗。

他在「現代詩」廿期對於覃子豪所提六個原則加以駁論，除大致同意第六點外，其論點是：

一、只有在爲藝術而藝術的大前提之下，才可能是眞實的意味上的爲人生的藝術。二、我們的詩絕對不是「故意令人難懂」而自鳴得意，實在是由於表現上的必要。三、在一個手法高明的作者，無論其內容「完整」與否，他都能把它表現得夠「完美」的。四、我們承認「思想」的「重要性」，更重要的是「詩本身」。五、所謂表現的「準確性」，乃是表現的「相對性」的，全新的表現手法中，那是超越了「準確」的「不確定」，有其高度的「或然性」，而決不是一般「感時」「詠物」的抒情詩所可以同日而話的。

「藍星詩選」第二輯「天鵝星座號」上發表了黃用的「從現代主義到新現代主義」及羅門的「論詩的理性與抒情」向紀弦答辯，羅門的重要論點是指出紀弦所要打倒的抒情主義是絕對的不可能。黃用除對世界較有影響的詩派加以檢討得失，並提出他對中國現代派的幾點困惑。對論的重點，集中於詩的抒情問題，「現代詩」廿一期上發表了林亨泰，紀弦等三篇社論，林亨泰在「談主知與抒情」中一般的說來，所謂「打倒抒情主義」，只是不承認「抒情」在詩中的「優位性」而已，這並不是說我們要拋棄一切「抒情」。我們所眞正歡迎的詩就是其「抒情」的份量要在百分之四十以下，而主知就是所謂「主知主義」的詩」。

因爲「詩刊」是雙月刊，均不能一定期出版，此一論戰曾一度轉入「筆匯」半月刊，討論「詩派」優劣的揚棄與吸收的問題，未受到詩壇的特別注意，所以從略。我之所以把雙方的重要論點介紹出來，是希望大家能認識新詩的前途問題。因而我想起了APOPE的一句詩：「我們的意見如同我們的時計，未能走得完全一致，而每人相信他自己的。」時至今日雙方已盡爲讀者所知的高見，其出發點怎麼也無法掩飾的，現在已將近對關的邊沿了，如果再繼續下去，將被讀者誤解爲詩壇的「爭鬪戰」了。因爲學術性的討論，永遠受人歡迎，謾罵架總是令人厭煩的。（四七年十二月）

四十八年元旦懷人

·林瀚年。

照海花光滿處春。每因瑣屑負芳辰。故人此日知何似。眼底河山尚翅塵。

釋耒集

老爺

世上尊美的稱呼很多，諸如大人、先生、仁人、君子等等。而强盜自來卻祗喜歡自稱老爺。這是稍讀些舊小說的人都知道的。考老爺一詞，始見于宋徐夢莘所撰三朝北盟會編，稱金兵的統領官爲老爺，可見老爺之稱，原自不大古雅；到淸代，四品以上稱大人，以下始稱老爺，則老爺之稱，也不見得怎樣榮寵。如所週知，做了强盜，自然是不講道理的人，他要稱老爺聊以自娛一下，人們對之，是無可奈何的，但也有碰釘子的時候，記得水滸傳上便有過這樣的故事：黑旋風李逵，因爲跟宋江吵嘴，賭氣獨自離了山寨，途中碰上了沒面目焦挺，因衝突互相打起來，李逵指着鼻子自稱老爺，焦挺也是個强盜，冷然地說：「你是誰的老爺？」這一問很有趣，那不啻說，每個人都可以稱爲老爺，但是否眞正的老爺，則下邊必須有稱其爲老爺的一羣小的，否則這老爺，便有些近於蠻混，像李逵的那一副嘴臉，依世俗的眼光看，百份之百是個小的，誰也不肯相信他是個老爺。但平時他所遇到的人，十九是些弱者，無人敢對之提出抗議，日子一久，他也就居之不疑了。

香港的報紙上，每天可能都刊載着一些死了人的訃告，那些死者，如其是男人，便十九是個老爺，因爲既然是老爺了，報喪的人，就必須是某宅家人，至于有沒有家人，那是不重要的，這裏也斷乎沒有焦挺跑出來。而且人已死了，就算僭妄一點，爲了使這個死了的老爺，可以「生榮死哀」，別人自亦不吝于雅量一點的，于是乎一般人都已行之若素，儘管有人要發起什麼運動，取締大淸律例，而這個由大淸沿襲下來的風俗，看來一時仍未至于衰歇，若論其行迹，有類于李逵，則是時下許多人所不暇計較的了。

曲齋

風雨樓繪畫叢談

迷僧

明代的畫史撰述者，有兩人是始人的。一爲畫史繪要的作者朱謀垔，一爲畫塵的作者沈顥。朱氏說：「說文云：畫嫘，舜妹也。畫始於嫘，故曰畫嫘」。沈氏說：「世但知封膜作畫，不知自舜妹嫘始。客曰，惜此神技，創自婦人。予曰：嫘，則造化在手，堪作畫祖」。從沈氏的故事寫作中，可以發現淸人秦祖永有關嫘的畫學心印，首段可能本之唐人張彥遠的名畫記，[illegible]如比歎世盜名以倡畫祖數手，畫祖[illegible]沈顥遺詞亦有不够坦白之處。他[illegible]畫嫘改爲嫘。另一面取材於列女傳[illegible]移傳會漢，是不是畫嫘即嫘，嫘即[illegible]不淸，便爾徒亂人意了！畫史繪要的作者，態度相當光明，他同意畫祖爲畫嫘，是說出自說文。說文，即說文解字的簡稱，乃東漢名儒許愼所撰。由於他以小篆爲本，推究六書之義，所以在文字學上，向爲後世學者所依據。許愼自言：「李斯作倉頡篇，趙高作爰歷篇，胡毋敬作博學篇，皆取史籀大篆，或頗省改，所謂小篆者也。」是說文源於小篆，小篆源於史籀，史籀爲周初書法，[illegible]所有文物，除依據典籍的記載以外，可靠成分是很少的。凡屬考證，[illegible]紛紜，莫衷一是。[illegible]才可以找到她有力的答案。（二）

悲劇

·朱夜。

短篇小說

沙漠推着他的車子，一面推着我向屋裏走。走出這一間通屋（我不知道怎樣形容這所房子，鍋與床放在一起，只有這麼稱它了），裏面有一張黑色的門，沙漠這時用紙擦抹着門，推開了門，這使我眼睛立刻明亮起來。

這是一間與前面那所「通屋」多麼不相稱的畫室，四壁掛滿了雕塑的人像與油畫，窗明几淨，地板上光潔可鑑。沙漠讓我在坐椅上坐下來，要我認識幾具離像，我只認識梵谷，他又把另幾具都介紹出來。他的畫架上是未完成的油畫，他說這幅畫的模特兒就是白荼。

「白荼，她爲你付出太多的愛。」我說。

「是。」沙漠說：「幾年來，她使我的藝術生命在延長，我很感激她」。

「你們是一對藝術夫婦」。

「我坦白告訴你——」他說：「我們相愛還經過一段頗大的波折，她幼時便是我家的婢女，我們相戀，受家庭的反對。我在羅馬三年，白荼便在我家庭中忍受三年非人的生活。」

「你們都勇敢！」

「我與她爲愛出走，那是九年前的事，但想不到我們壞運，病魔摧殘了我一條腿。」他低下頭：「白荼吃盡了苦，對我仍然很誠摯。」

「你們本不是平凡的結合。」我說：「慢慢地，白荼會紅起來。」

「那很可怕！」

「又怕？」

「你想，她如果紅起來，孩子與我都會失去她。」

「絕不會，紅起來不過多拍些片子。」

「但願如此。你知道我的心臟病重？所以有一天我發現對自己與白荼，我有自己的打算。」

「你打算怎麼？」

「我可以使自己生命結束。」

「你說得太傻，沙漠！」

「一點也不。」他微笑着拍拍我，「醫生曾經與白荼說的話我已聽過：我生命的火快將熄滅。」

「藝術的生命無價，你應該珍惜。」我說。

他笑，那淺淺笑容點綴在他那清瘦的臉上顯得很飄逸。我相信他立起來一定很動人，他揮動手時的姿態使我有這樣感覺。那晚上我們從音樂、戲劇、談到繪畫與文學，雙方而他比我知道得豐富。我與他分別時已將近雞啼。白荼送我到門外，她說：

「你竟能與他這麼融洽？」

「他並不孤僻，他懂得太多了。」

「他和我說的話是否確實？」

「什麼？」

「關于醫生和妳說的沙漠的病情？」

「是的，但這種病全在于患者休養。」白荼嘆息：「我爲此才去拍戲。」

「妳應該快點紅起來。」

「沙漠不主張我紅起來，他怕會失去我——其實那會？」

「妳可以使他不這麼想。」我對他揮手：「明天影棚中再見，夜深了。」

夜街上那寄夜攤都已沉寂了。遠處有雞鳴聲。我迎着晨風不覺寒噤起來。

（五）

自由人

THE FREEMAN
（第八一九期）
每份港幣壹毫
督印人：陳彥
地址：香港高士威道二十號四樓
20 CAUSEWAY RD. 3RD. FL. HONG KONG
TEL. 771726

提出一個南亞大聯邦計劃

宋文明

最近不久，東南亞各國發生了一連串的軍事政變或軍人出主政府的事件。促成這些事件的背景及其出現方式容或不盡相同，但有一個共同事實是：這些事件毫無疑問的反映各國內部的不定及其困難，顯示這些國家在政治上已無法運用正常的民主程序，在經濟上無法解決現時的危機和長遠的工業化問題。但軍人干政，相繼取得了巴基斯坦、緬甸，和泰國這些國家的政權之後，不但沒有消除，而且實際上反而加深了這些困難。所不同的是，軍人以武力作後盾，暫時把諸種危機加以強力掩蓋而已。

一、

在政治上，這些軍人沒有一個真正有能力建立一種像樣的有效率的獨裁政權。因此這種軍人干政的結果，一種可能是拖延過一些時日以後，便一切重新恢復舊日原狀；另一種可能便是，在表面上維持軍人獨裁，在實際上仍然保持政客分贓的那一套，外面穩定而裏面不穩定。在經濟上，這種軍人獨裁並未改變這些國家所面臨的基本條件，即令以武力暫時緩和一下政治腐敗所招致的經濟惡果，但沒有一種力量能保證這一軍人政權本身不腐化。而且要解決各國現時經濟上的被侵蝕現象及長期工業化問題，亦絕不是單純獲致政權穩定一途所能完全奏效的。去年底西德經濟部長歐哈德訪問東南亞及遠東以後，曾公開聲稱整個東南亞若不落於印度之手，即將落於中共之手。這就是說今日東南亞所面臨的問題，是一個經濟上的根本出路和國家的生存，絕不單純是民主政治的前途問題。對於這樣一個重大的問題，任何軍人政變或其他特殊措施，都是無能為力的。

二、

歐哈德這一說法，對整個東南亞的未來，無異提出了一個警報。在這位西德經濟部長看來，東南亞在經濟上是一塊真空地帶，它若不屬於印度的勢力範圍，就要屬於中共的勢力範圍，它本身是無法單獨存在下去的。它們所以無法單獨存在，一、是這些國家的經濟太落后，根本無法抵制先進國家工業品的侵蝕；二、是這些國家太小，既不能自己建立一個完整的經濟體系，也無法有效進行一種長遠的工業化計劃；三、是這一地區與印度及中共相接近，雙方都具有地理上的優勢與方便，故易於受它們的影響。歐哈德的說法是把印度與中共相提並論，但他的真正的意思似在強調中共從經濟上控制東南亞的危險性。從文化及歷史上說，緬甸與馬來與印度較接近；泰、越、柬、寮各國與中國大陸較接近，但在經濟上，中共對東南亞的壓力，遠比來自印度者更大。所以要想阻止東南亞最後中共的勢力範圍，唯一的辦法便是迫東南亞先成印度的勢力範圍，以印度的力量來抵制中共的力量。否則，正如歐哈德所暗示，東南亞的一併入中共經濟體系，一如中美洲的依附於美國，是完全不可避免的。

三、

然則，如何使東南亞與印度合而為一？我認為這種辦法便是東南亞十個新興國家，以印度作核心，共同組成一個大聯邦。這十個國家中的印、巴、錫、緬四國，在英統治時期本屬同一單位，當中尼泊爾名為獨立，實際亦屬印度的一個外圍，因此所謂建立南亞十國大聯邦者，就是除了恢復戰前由新德里所治轄下各地的重新統一外，另使馬來、泰國、柬埔寨、寮國與越南五者參加這一聯合之謂。馬來與印度有很深的淵源；泰、柬、寮、越四國亦均屬佛教或半佛教文化國家。所以這五國參加以新德里為核心的共同聯邦，在經濟上有急迫必要，在文化上亦有此可能。這十國大聯邦組成之後，在新德里的領導下，併合這一地區的廣大的資源及人力，並有效的用來自外面的一切經濟援助，如何能進行一種全面的經濟計劃，任何一種經濟開發計劃，只有建立在大規模的基礎之上，才能發揮真正的功效，若零星分散，個別實施，相互間缺乏共同聯繫與規劃，結果浪費與重複，勢必抵銷了這一計劃所能產生的效用。同時只要組成這樣一種聯邦，則今日東南亞各國便變成了一種地方性的爭執，內部紛爭也不致影響大局，使彼此而趨於穩定。

四、

在我看來，東南亞這些國家實在沒有單獨立國的必要。這種小國林立的局面，與其說是出於各國民族主義的作祟，還不如說是由於過去殖民主義者的分化，期使這些國家獲得獨立後，仍能維持其不見諸形的個別控制。例如巴基斯坦與印度，便是一個絕大的荒謬。巴基斯坦的分治，不但使印度遭到損失，而且也使巴基斯坦本身至今，仍無法解決其一個國家所面對的根本困難。他如法國退出越南後，竟使該地出現三個獨立國，在事實上也是完全沒有這種必要。現在要想糾正這些錯誤，唯一的簡捷途徑，便是迅速與印度組成一個大聯邦，截長補短，消除人為的疆界，以集體努力，從事實行工業化。在這一聯合中，小國不會受到損害，而印度雖大，在這一聯合中亦不會佔盡便宜，對印度對這些小國，都是有利的。

五、

在組成這一聯邦的路上，當然也潛伏着很多的困難，但這種困難是來自於這一地區之外的。換言之，今日不論美國或過去統治這一地區的英法等國，已不再對這一地區的聯合橫施阻梗，相反的，艾森豪於一九五七年底，美參議員史巴克曼訪問亞非後所提的外交政策建議，美國勿寧是很願樂觀這一地區能自願結合的。所以這一南亞十國聯邦的能否成為一種事實，關鍵並不在外面的支持與否，而是在於這一地區各國政治家的能否覺醒，及早體認這一大聯邦的深切必要。任何一個聯邦都不會一蹴而成，這樣一個空前的南亞洲大聯邦，自然更要逐步實行，必須先從建立「這一聯邦所賴以存在的核心作起。這一核心，便是印度，巴基斯坦、錫蘭、緬甸等國，先恢復昔日一元化原狀。只要這點能作到，這一南亞十國大聯邦，最後亦能夠作得到。不過不論這一聯邦能否在眼見的將來出現，而東南亞各國為了自求生存，這一歸宿遲早總會到來。除非如此，我實在看不出這些東南亞小國還有甚麼政治上的遠景。

半週述評

柏林危機因何而起

蘇聯思有以穩住東德，當是此次米高揚訪美的主要原因。和歷次一樣，所謂柏林危機，都是蘇聯所一手製造的，而其製造問題的動機，卻是為了東德——防守性多于進取性。因為，德國統一問題，是全德國人所共赴的目標，但自蘇聯而言，實為一個不願澈底解決的難題。如果德國統一是在自由選舉之下完成，則東德這塊赤區勢難保持下去。東德只佔全德領土人口三分之一，而且無論任何方面都比不上西德進步，尤其是政治方面為然。年來東德鐵幕人民不斷的向西德逃奔，正表示時間對于東德的統治是不利的，自蘇聯看來，韓國、越南、中國問題可以拖下去，時間愈久愈有利，只有德國問題相反。因此蘇聯一再製造柏林危機，只是替東德造成一種防守戰略，其法則為促使美國坐下來談。

米酋訪美所為何來

如果上述看法不錯，必然的在東德問題上，美蘇間所謂高層會議，可以說是蘇聯所企求的；因此說米高揚此次訪美，主要目的是替高層會議鋪路，是很有理由的。也就是說，蘇聯之製造柏林危機，就是要促成高層會議——高層會議目的固不完全在柏林問題，但目前顯以東德為主。觀乎米高揚到美後的言行，在在都以「親善使節」的面孔出現，但儘管他「王顧左右」地與尼克遜等談什麼「經濟競賽」一類問題，熱烈地接受美國資本家的款待，欣賞資本主義的出產品，而其目的也是掩蓋不了的。因為伏特加的外交，俄酋原是行家。

兇手與嘉賓

美國人呢？似乎在沉迷于這個伏特加外交的和平攻勢下，除了一些受過紅禍慘痛的人，在這位嘉賓接受資本家盛宴之際，懂得在朱門外大罵「米高揚是兇手」之外，不會有人想到這位嘉賓所代表的蘇俄，曾經幹過什麼樣的「好事」，甚至把迄在罵「美帝」，說過美帝在韓戰中實行細菌戰那些事，都忘得一乾二淨了。「唯同病者相憐」，美國人猶如世家子，政治家也只懂得怎樣去爭功邀譽，何嘗懂得受害人的痛苦，何嘗會想一想這位貴賓，就是全世界跟着美國反共的人士所敵對的俄酋。以小喻大，姑無論米高揚此行是否攜有對柏林讓步計劃到白宮，柏林危機是否會因此解決——其實是替蘇聯解決東德問題——！而世界人士反共的近視光度將會受其影響而因此加深。這是不能見諸無形的。

高層與低層

蘇俄絕無誠意于順從德國人心去尋求德國問題的解決，也絕不致借助于自由選舉一類方式，故只好借助于美國用所謂高層會議——高層會議當然也照例不會解決問題，而祇會彌縫問題，在變相承認現狀之下，把問題拖下去，這樣，東德問題也就不決自決。但是，低層呢？——那些站在高層會議門外的——自己也不能解決問題，且大都在解決所謂柏林危機的題目下寄以幻想。這個就是所謂世界局勢的出路。然而「低層」所担心的，絕不是美俄的不能和平相處，而是世界歷史又要回到所謂「蘇聯奏樂，山姆叔跳舞」的一幕上頭去！

扶得西來東又倒

正在美國朝野與米高揚攜手言歡，集中問題于解決所謂柏林危機的時候，金門砲聲又更番地響了。這砲聲，和蘇俄于此際發放所謂「月球飛箭」一樣，都是為米高揚的伏特加外交助威的。柏林問題是發生在金門砲聲中止之後，而今金門砲聲又恢復在柏林問題尋求解決之時。蘇俄的手法，是車輪表演，此起彼息局勢在蘇聯如此主演之下，世界問題是永不會解決的。吾人對於蘇聯伏特加外交與美國的雞尾酒外交的看法，是形同而質異，利害之勢顯然。

林伯雅。

蘇聯開始抨擊尼赫魯了

曾旭軍

尼赫魯居然被蘇聯共黨猛烈抨擊了！這是稀奇嗎？不，尼赫魯一向反共親蘇的作風，早已為克姆林宮中人所忌恨，祇因尼氏在外交上，尚有利用之價值，而虛與委蛇而已。但問題在因何至今始翻臉？

此次抨擊尼氏之主旨，為「尼赫魯之言論傷害了共黨之意識形態」。共產黨以一套理論作其政權的護身符。他們最忌怕的，不是資本主義，或共產明亮的刀槍來反共，來和他們對壘；而是拆穿了他們玩弄的社會主義和共產主義是虛偽騙人的謊言。共黨的自相砍殺的整肅，以偏差路綫作口實，也是這個原因。

在去年八月全印度國大黨委員會刊行的『經濟評論』月刊，登載了尼赫魯總理一篇題目為『基本的趨向』之文章，引起所謂『社會主義陣營』集中火力，向尼赫魯和他的政府抨擊。開始是駐北平蘇聯大使尤金，在『世界馬克斯主義評論』報開炮。他選擇這本什誌來登載，是因為這是以蘇俄為朝拜中心的國家之聯合機關報紙。還須注意的，是那本聲名狼藉，而報名冗長的前共產國際情報局機關報，『為了永久和平與為了人民民主什誌』之承繼者。在赫魯曉夫共存主義始創時期，這本什誌便停刊了。現在尤金這篇文章的副標題：『和平與社會主義的難題』，已無形中強調它與這停刊的什誌有進化的關連。

隨着尤金的攻擊，義大利共產黨重要機關報『團結報』，也攻擊尼赫魯，附庸國的共黨言論也隨聲吠影。

顯然的，這不是偶然的發展。如此的一致行動，必須經過蘇聯共黨集團最高層的領袖審慎的思考過。我們可以回憶一九四八年和一九五七年所謂『社會主義陣容』，也聯合起來向南斯拉夫的鐵托元帥作未露恐嚇的批評，在南斯拉夫之領袖拒絕向克姆林宮叩頭之前，還口口聲聲稱鐵托做『同志』。

現在『和平』與社會主義的問題』這篇文章，還稱讚尼赫魯完成為印度求民族獨立，與其後『保衛世界和平』的歷史任務。但一方面指責尼赫魯目前在印度所採取的立場和政策。尤金擁有蘇聯科學院院士的銜頭。他這篇文章，是自一九五三年史達林逝世以來，共黨首次對尼赫魯的猛烈攻擊。他已乾脆的指出印度反共的可恨，他說：印度政府使用暴力及印度還迫個人自由。他說：『政府事實上是鎮壓的機關。主要的問題，是武力用來對付何種人？……在一個社會主義國家，暴力是用來對付社會敵人與帝國主義的特務。但在一個資本主義國家內，武力是用於對付人民的。』

尼赫魯談到存在於蘇俄，與其他社會主義的暴力，好像印度沒有這種暴力，但在印度資產階級和地主，利用政府以為是對人民工人和農民施用暴力的工具』。

他又指出印度警察開槍射擊印度示威者。又謂，直至現在印度仍實行極端反動的預防拘留法。每年數以千萬計的工人與農民受到控罪。

至於印度總理尼赫魯那篇文章的主旨，是印度應向共產主義與資本主義雙方學習，但在決定印度國家發展趨向時，不要模仿這兩種主義。尼赫魯接受從蘇聯經驗獲取的計劃經濟原則，但他以為共產主義否定個人自由和使用暴力，所以拒絕接受共產主義。他的社會主義觀念，是一種保留了個人自由的計劃經濟。

尤金是有意要印度追隨蘇俄和中共的『真正社會主義』。

義大利共產黨的『團結報』就把尤金含隱的意思，明白說出來了。『團結報』指稱：尼赫魯和他的國大黨領袖，不承認中共統治下的人民已獲『真正自由』，和是『自己命運的主人』，以及『脫離了剝削』，反而說『他們沒有自己的人生哲學』。該報又說：印度這種態度，引起蘇聯解放運動的危機，不但影響到印度全國，而且由印尼到緬甸。這顯出蘇聯共產集團的野心，而且恐怕中共失去了侵略亞洲的工具價值。上月印度政府方面有人指出以印度和中共的人民生活比較，印度是天堂。這是和蘇聯的抨擊印度政府還有尤金最露骨兇險的言論，是他正式的聲明：『印度國內人民的社會關係，實際上仍然完全不改變。』這是暗示印度應該來一次他們所謂『社會革命』，讓共產黨發動內戰。

赫魯曉夫曾經評擊印度，稱印度是『一個犯人擋的民主陳列品』。不知印度以及其他媚蘇反共的所謂『中立主義國家』有何感想！（本文取材自十二月廿七日新德里「思潮週刊」）

千萬不可改憲

現行憲法是海內外共同基礎
改憲理由是無視憲法的結果

（本報訊）蔣總統反對改憲，暗示不再競選第三屆總統的聲明發表後，極爲海內外輿論界的熱烈擁護。但不久，便有國大代表年會「修憲以維國本」的決議案發表，跟着又有國民黨副總裁現任副總統兼行政院長陳誠先生的談話，鄭重表示「蔣總統不宜引退」，他的理由是「可能在反共之一項重大的鬥爭中影響國家之命運」。此兩項消息出來後，便使到很多人發生疑慮。新年後的香港報刊，至少有三篇足以代表這一種疑慮的文章。

一月五日，新生晚報一篇以「希望於蔣總統者」爲題的短文便說前述兩項消息發表後，「當然與蔣先生個人不相干」，可是「卻使蔣先生的英明決定蒙上黯色，更引起許多人的莫大誤解」。該文又說這將使人懷疑蔣先生是不是以退爲進。因此，該文主張「蔣總統應再昭告國人無論如何，決不再連任總統」。一月二日出版的聯合評論，與一月五日出版的祖國周刊均有相類性質的文章。

政府不要自毀其基礎

聯合評論的文章，題爲「千萬不可修改憲法」，該文首先說一番新年的感想和希望。希望政府不要再作任何足以自我毀滅的措施。例如修改憲法即是此種措施之一。該文認爲現行憲法「是大陸同胞和海外流亡人士與政府之間的一個共同基礎」。如果「擅行修改當年全國人民（除共黨外）所一致接受的憲法，無異是政府自毀其基礎」。說到這裏，該文回憶十年前蔣先生參加競選第一屆總統經過的一段內幕新聞。該文說當時蔣先生本不願當作總統候選人的。一部份國民黨中央委員亦極力贊成，但另一部份則反對。雙方相持不下。後來由陳布雷如何說明各方情勢，如何草擬決議文。再經國民黨討論通過。蔣先生才放棄原來意見，而參加競選。該文認爲假使當年蔣先生能貫徹不做總統的主張，李宗仁也許不敢競選副總統，那一場副總統的爭奪戰當可避免。這一項爭奪戰是促成國民黨內部分化和李白離貳的，與後來大陸變色有關。於是該文認爲這一段往事，總給人以一個不好的印象，現在有人疑惑蔣先生「以退爲進」，也是由此而來的。該文的結論說：「現在蔣總統雖然已宣布他反對修改憲法，可是他是否將貫徹初衷，仍有待於事實的證明啊！」（一月六日的新生晚報還有一篇短文題爲「雜聞的政治氣味」，該文所根據的事實與立論與聯合評論很相似。）

改憲非愛護領袖之道

祖國周刊的社論題爲「總統任期與修憲問題」。該文對陳誠先生的談話是否係禮貌上的謙讓，表示懷疑。又認爲恐有若干國民黨員私下揣摩，曲解蔣先生「個人不便干預」這句話的意思，想繼續連任的佈置。該文以爲就事論事，一般對蔣先生的聲明，反應甚佳。「應該爲國民黨內人士所欣慰與贊成」。國民黨人士若仍照過去積習，故示忠貞與擁戴，將使國人誤會」，「不但於國家無益，並且絕非愛護領袖之道」。該文進而論及修改憲法，無論國民大會代表或立法委員均不能有足夠之法定人數。勉強行之，必無良果。世紀的政治不宜過份強調人治。

實際政治不在改憲

該文對於主張修憲一派人的意見極力加以駁斥，以爲彼等所持理由，只是「無視憲法條文，不依法行事的結果」。又說：「十一年來，實際政治所表現的，竟是今日修憲派所指出之一連串違憲事例……今日的實際政治弊病，癥結自不在修改憲法，而在如何徹底遵行憲法」。該文的結論說：「我們不是認爲憲法絕對不可修改，但無論如何不應爲總統任期而修改……今日主要的問題是在未曾有一天真正行憲，故與其作違憲之修憲，倒不如依據憲法真正監督政府，約束從政黨員，一體遵憲守憲之爲愈」。（元月七日）

舉步維艱

反共復國

民主

。尹震。

從省府組織談到縣市議會職權

（台灣通訊）立法院委員劉錫五認爲台灣省政府組織暨現行台灣地方自治無法律根據而且違憲，所以在院會提出嚴厲質詢，其中有謂：「我們應有的地方制度，明載在中華民國憲法」。憲法規定；省得召集省民代表大會，依據省縣自治通則，制定省自治法，但不得與憲法牴觸。在現行的地方自治法規，在法律上是沒有根據的。因爲省縣自治通則，在立法院審議了十年多，尚未完成立法程序，所以未召集省民代表大會，制定省自治法；而係由現任中國國民黨中央黨部秘書長張厲生等二十八人，於三十八年八月間成立台灣省地方自治研究會，經過四個月又六天之研究，所擬定的台灣省各縣市實施地方自治綱要，經省府委員會暨省參議會通過，送行政院核准，報立法院存查，並於三十九年四月間實施。這是現行台灣自治實施綱要的來由，是無法律根據的。同時，因選舉而發生訴訟時，法院因自治綱要不是法律，而拒絕受理。於是行政院只好命令司法行政部，以自治綱要作爲審判選舉官司的「法律」的根據。這就是行政干擾司法審判」。所以劉氏指責內政部；「要推行憲法上的地方制度」，必須「先由中央立一大法，便是憲法上規定的省縣自治通則」。但省縣自治通則，何以送到立法院就無下文？反觀去年國內外人士一致反對的出版法修正案，立法院在數天中居然通過呢？

根據司法院大法官會議的解釋：縣議會行使縣立法之職權時，若無憲法或其他法律（省縣自治通則）之根據，省不得限制人民之自由權利。根據這個解釋：臨時省議會及縣市議會的組織，既非憲法上的地方自治制度；「省設省政府置省長一人，省長由省民選舉之。」又不是「依據省縣自治」通則，制定省自治法」。那末，省縣市政府暨省縣市議會有何根據而提案行使立法之職權？限制人民呢？

劉氏又說：「單就台灣省的省府而言，它的組織，在法律上看，那是很離奇的！查現行法律中有省政府組織法一種，是民國三十三年四月二十八日修正公布的。其中規定；省政府僅有民政、財政、教育、建設四廳，僅有秘書、會計兩處。但是現時台灣省政府的組織，那就大的驚人。它有秘書處，民政廳，財政廳，教育廳，建設廳，農林廳，社會處，警務處，交通處，衛生處，新聞處，糧食局，一共十二個部門；另外還有主計處，人事處兩個部門。（編者按：尚有物資局、水利局、公賣局、林管局、審計處、檢驗[illegible]計）而且各廳局處多半都設有副長。如此擴大組織，顯然的，乃是依據命令組織的，而不是依據法律而組織的」。政府職司監察院，全國各級[illegible]不知對此應如何加以糾正。（一月五日）

。劍聲。

飾金八七五成色的困擾

・章垚・

（台灣通訊）台灣銀樓業出售飾金的成色，過去一直保持千分之九九〇，這是依據「台灣省銀樓業許可規則」及「台灣省銀樓業規則」的規定。目前此項辦法，並未經明令修正或廢止，而最近行政院公佈了今後飾金成色爲千分之八七五，使銀樓業者感到異常困擾。據說這次規定飾金成色，是由於台灣黃金與美鈔比率的「偏高」，黃金一盎斯值爲三十五美元，而台灣[illegible]。因此私運黃金入港走私者甚眾，與目前的外匯措施及貿易政策，均屬不利。同時，我國爲國際貨幣基金會（I.M.F.）的會員，依照該會會員公約，我有遵守保持每盎司黃金價格值三十五美元之義務，因此理由，乃形成我政府當局供應飾金成色爲八七五之觀念。

關於這千分之八七五成色，折算起來，即爲二十一K金。此次政府公佈的飾金原料供應辦法，及變更飾金的成色規定，不僅使一般人對黃金自由買賣之觀念，且更進一步的對銀樓業者有了新的束縛，故銀樓業者會一再向政府請求暫緩實施飾金八七五成色的規定。茲舉其所提理由如下：（一）八七五成色飾金的加工翻造消耗率，如過去九九〇成色飾金的翻造消耗率爲二厘，八七五成色則達一分五厘之譜；因此，台灣全省銀樓業一年黃金的損耗，估計將達五萬四千台兩之鉅。（二）八七五成色飾金加工翻造消耗率既高出七倍有餘，而翻造加工費亦將提高三倍之譜。例如一枚金戒，九九〇成色的僅需加工費三、四元，八七五成色的便在十二元以上；因此，一百元所購進的八七五成色金戒，變賣時僅能得價六十元；對國民儲蓄之意義，將大有影響。（三）此次政府規定的飾金八七五成色標準，即二十一K金，推翻我國數千年來喜愛足赤金的傳統，且銀樓工匠對於八七五成色的加工並不熟悉，或將使彼鑿會狡者造成偷工減料之機會，因八七五成色的辨別，非依賴於化學之分析不可。（四）顧客所提供委託翻造或加工的舊飾金，都在九八八或九九〇成色以上，如不接受按照舊成色翻造加工，勢將轉向地下交易，正當銀樓業將無法維持生存。（五）由於上項的「黑市成色」依然存在，非法銀樓又無飾金原料來源，只有求之黑市購進，因之黑市金價將更高，香港走私，必更趨活躍。

上面是銀樓業所列舉的理由，均係業者實際的經驗中得來的。惜當局「擇法」固執，未允考慮。今且宣佈於本月六日，委託中信局作首次以標售方式供應銀樓業的八七五成色飾金原料，亦即是「飾金原料供應辦法」的開始實施了。

千分之八七五成色的二十一K飾金，不久即將正式應市了。今後，能否改變國人喜愛足赤金的飾品傳統來喜愛二十一K金？能否改正黃金美鈔的比率，以符合國際標準三十五美元的價格？能否消滅黑市買賣以及香港走私等問題，那將是新辦法實施後面臨的重大考驗了。

澳洲的中國留學生

人數四千多僅次于美國（上）

。方濟人。

（澳洲墨爾鉢特訊）最近幾年，中國學生負笈澳洲的人數日多。據此間報紙公佈，現下在澳洲就讀的亞洲學生約在六千以上，其中中國學生名額估總數百分之八十，計算起來，約有四千多人。多數薈萃在幾個大城市中。

澳洲有何吸引力

澳洲中國留學生以來自馬來亞，新加坡及香港的爲最多，其餘來自大洋洲的島嶼。因爲來自不同的區域，無形中就分成了互相對立的小組，形成了不同的陣綫。

澳洲有什麼力量吸引了留學生呢！這句話若在歐美講，是略帶諷刺性的。因爲他們對澳洲大都僅有一個模糊的印象。在他們腦海中，澳洲除了袋鼠，毒蛇與囚犯以外，就祇有沙漠與森林了。與其說到澳洲留學，倒不如說去澳洲探險狩獵恰當。不過在半世紀前，如有人如此想，如此說，是對的。但是今日的澳洲，應令人刮目相看的了。

澳洲是個新興的國家，雖然立國不久，但是她的政府依靠盎格魯、薩克遜人的治國精神，幾十年來，大力開拓，自治圖強。許多地方已遠到先進國家的水準。科學工業雖然略遜英美，但與亞洲多數國家相比，仍佔優勢。現在東南亞很多國家，自愧工業落後，正在一步一趨的做效歐美。澳洲一衣帶水之隔，近水樓台，自可不必遣送子弟遠涉重洋，前往歐美去求功名了，

中國留學生的動機

此外澳洲還有一個哥倫布計劃，佔着很重要的位置。依照這個計劃，每年澳洲政府支出相當的經費，栽培東南亞各國政府保送來的學生。現在在此計劃庇蔭下的學生，有八百多名。至華人子弟，得此好處的甚少，幾乎全是自費的。

很多在此經營商業的華僑，爲了發展與延續他們慘澹經營的事業，着力設法移植自己的親朋戚友來澳。入境以後，讀上幾個學期的英文，然後放幾枚銀彈，使一點神通，將身份證書一轉，便可在此永久住下去了。還有澳洲在地理地位上是屬于最安全地帶。一旦世界性的戰爭爆發起來。澳洲將是很多人的避難所。因此之故，很多中國家長，尤其是住在香港的，不惜投下巨資，在澳置家置業。先打通他們的公子或千金來此避難留學。一旦香港有事，他們不愁無地可投了。

中國留學生的程度

說到留澳中國學生的程度，是很參差不齊的。其中有乳臭未乾的毛孩子，也有鬢髮將白的船員，有園丁的兒孫，也有企業家的千金。在這樣五花八門組合而成的陣容中，要想有高的學問水準與優越的成績真是戛乎其難了，每一年大中小學的考試中，中國學生名列前茅的固不乏人，但留級補考，以及名落孫山的，卻佔大多數。英文一科是中國留學生最弱的一環。十九落第的學生，都是因不能闖過英文這一關。他們來此以前，固然也有相當的英文基礎。但與澳洲同級學生相較，仍是相形見拙，甚至幾乎差上一二年的學力。在中學會考中，有的中國留學生爲了節省時間，索性拿中文一科來做招架。中文考試題目，多係取自小學新國文第一二三冊（今年已經更改）。然而就這樣容易的試題，也有人不及格，提起來敘令人汗顏。有一次我打趣一位來自香港的學生說：你根本是一匹驚馬，何必到外國的試場中來丟醜呢？他沒有回答。祇向我扮了一個鬼臉。

（待續）

金門砲戰期間 狄托「炮轟」毛澤東

狄托，這共產集團內的「異端」，目前正在遠東地區訪問，他是全世界共產主義信徒的「新修正主義派」，是蘇聯，也尤其是中共的眼中釘。

自從狄托開始和莫斯科有了意識形態上的歧見後，國際共產黨在形式上的分裂，已經是不容掩飾的了。儘管狄托仍自命是最忠實馬克思主義的正宗，但是他與莫斯科——北平之間的分裂，卻對反共集團是無害的，當然我們也不必強調說，它們之間的分裂對反共陣營有利。

狄托與毛澤東之間關係之惡化，並不下於他與赫魯曉夫之間關係之不協調。狄托不僅在公開抨擊中共的「人民公社」，當金門砲戰最激烈時期，也毫不留情地對其暴行加以譴責。這使得中共認為狄托十足的是蒂盧頓的「寶兒」。

去年八月底開始，南斯拉夫各種報刊，皆特別注視台灣海峽的情勢，大量刊載西方通訊社的電訊和圖片，以及西方政要對台灣海峽的有力發言，尤其是杜爾斯的講話，被南共機關報——「戰鬥報」所重視。

南斯拉夫雖然在聯合國大會及各種活動中，往往對中華民國有不友好的舉動，但是從金門砲戰的事件上看，南斯拉夫仍極重視自由中國，並沒有否認其在法理和事實上的國家地位。南斯拉夫的這種態度，也無異是激怒了中共。

南斯拉夫的「信使報」在八、九月間不斷地攻擊中共，其觀點是認為中共故意製造海峽緊張局勢，使世界情勢惡化。該報八月廿六日的社論說，「十分明顯，世界需要和平，更勝於中華人民共和國需要台灣。」九月七日「解放報」憤激地質問中共道：「人們有權發問：一個中國沿海島嶼金門的命運，是否值得把千百萬人投入戰爭災禍中去？為了金門，是否要世界捲入戰爭？」隔日，該報又再度警告中共不得「玩火」以燃燒全世界。

南斯拉夫的「政治報」，是一張銷路接近卅萬份的大報，它九月十日的評論贊同美國用「和談」的方式與中共談判。南共機關報「戰鬥報」亦取同樣的態度。「信使報」則斷定美國絕不會容忍中共對金門的攻擊，「特別是這種行動意味着軍隊登陸的前奏。」

南斯拉夫對台灣海峽的態度，基本上說，當然不能看作是對中華民國有利的，祇不過是和一般中立主義者的面貌一樣，並無積極的作用。可是在消極方面，這種態度可以對東歐共黨國家產生作用，影響他們不積極支持中共的暴行。

在反對「公社化」這一主題下，南共的立場比西歐或美國尤為肯定。

首先指出中共內部不妙的是南斯拉夫。「消息報」直斥中共的行為是「官僚主義退化和非人道化」的結果，是「人類從來『沒有經歷過』的。」「戰鬥報」，也有長篇的攻擊性文字。

十月廿三日，狄托在諾沃梅斯托發表的演說，是可以比美杜爾斯的那篇演講的。狄托直截了當地揭穿了，中共「有一些困難，而且困難是很大的……他們希望越過這些困難，有時候他們在他們國家以外的地方想辦法。」他更認為，百分之九十以上的中國農民是被「軍事公社」化了，是「同馬克斯主義的社會主義建設觀念沒有多少共同之處。」杜爾斯曾肯定地指說：在「公社」之下，人的人格和個性被否定，只是個物質單位。狄托也說，大陸的農民「變成機器」，「遭受『非人道化』的統治。」

南斯拉夫是已經放棄農業集體化的共黨國家，其所以放棄這種共產主義「金科玉律」的政策，就是因為認定集體化不但不足以促進農業增產，而且會阻礙農民生產情緒的積極性。南共農業政策的主要轉變是根據實際的痛苦經驗來的。在一九五一年集體性的農庄共有六八六六個，但到一九五五年只剩下了八五〇個，以後還在繼續減少中，而私有制的普通性質的生產合作社，卻欣欣向榮地發展着。這證明了共產主義理論的破產，而狄托是大膽的接受了這項經驗，也據此以抨擊中共的「人民公社」。這就是狄托之所以反莫斯科和低視中共的真正原因所在。●小言●

（根據中共一九五九年第一期「紅旗」什誌編寫。）

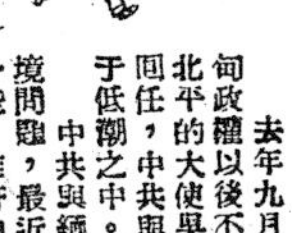

東南亞的圍堵新形勢

與緬甸的關係

去年九月宇溫將軍取得緬甸政權以後不久，即召回其在北平的大使與拉茂，迄今尚未回任，中共與緬甸的關係陷入于低潮之中。

中共與緬甸間的癥結是邊境問題，最近消息傳來，緬甸在這方面似讓步了一些，准許中共空軍在一月內至緬北喀欽邦邊區作空中攝影，以為雙方談判未定界問題的準備。又據仰光消息，緬甸副總理兼外長宇天芒，將于近期內到北平談判邊界問題。

若從大陸的政治形勢看來，緬甸適時去與中共談問題，利用它急于在東南亞找尋與國的心理，對于緬甸可能較為有利。但是，在未開始談判之前，緬方先作了讓步，則中共反而獲得了搶先的優勢，他們慣于得寸進尺，恐非緬甸政府所能接受。這樣來看中共緬甸間的關係，最近期間，大概並不能夠解決這個邊境問題；可能只是中共藉機拍攝空中照片，供其將來侵略之用而已。

與巴基斯坦的關係

一九五八年初，巴基斯坦駐中共大使蘇饒丹烏丁被召返國，它們間的關係亦陷入了低潮。不久，中共與巴基斯坦簽訂了兩項貿易合同，以大米與煤交換巴基斯坦的棉麻；隨之，巴基斯坦的第二副首相兼外交大臣納伊姆決定于十月中旬到北平訪問，當時，中共與巴基斯坦間的關係原有日趨接近的可能，時適巴基斯坦發生政變，此項訪問即告終止。最近巴斯坦雖然已派出其大使馬立克到北平履新，看來並不是為着友好親善，主要大概還是為維持巴棉的銷路。若說中共與巴基斯坦間的關係要作進一步的改善，想來亦難。

與泰國的關係

在一九五八年的頭九個月中，泰國政府對于中共的態度似有轉變的趨勢，若干訪問團在泰國政府默許之下到中共訪問，流亡在中共六年多的五名左翼政治家亦于是年的八月間被遣返泰國。十月裏，泰國發生政變，所有到大陸去訪問過的人員均被逮捕，左翼報刊均被封閉，使得泰國的反共形勢更加堅強，中共想與它改善關係的希望至此幻滅。

上述是東南亞三個國家的政變對于中共的影響，無疑是積極的趨向反共。在這方面，人民日報對于六中全會的報導中指出：「最近法國和其他某些國家的反動政變，決不是表示反動派的強大，而是表示了他們的腐朽和脆弱。」所謂「其他某些國家的反動政變」當指的是前述三國的政變，這種詛咒式的謾罵，足已反映出引起了中共的不安。

展望東南亞各國的合作

馬來亞總理拉曼，最近在訪問菲列賓期間要求舉行亞洲領袖會議，其主旨在于求得東南亞各國的經濟合作，對抗共黨的侵略；菲列賓外長賽拉諾則主張文化合作，並已初步達成協議，成立馬菲間的經濟同盟。對于上述建議首先表示歡迎者竟是中立的印尼，看來這一種東南亞各國間的合作，具有良好的遠景。西方大國若能從中支持，則此種經濟文化同盟將迅即建立，其反共的威力當比東南亞公約還要大得多。我們若以中共對東南亞的發展的角度來觀察，這種趨勢，再加上前述三國政變，將使它遭遇到極大的阻礙，今年中共要在東南亞謀發展，恐怕比去年還要困難。

●田心●

國際動態拾零

△英美合作製造中程飛彈，在英設廠大量生產，供大西洋公約國之用。且將距離從一千五百英里，擴張至二千五百英里，這是英工程師的設計。

△美國助理國務卿臨屈利（Rountree）到伊拉克與其總理加森會談時，蘇聯大使先與加森秘談了四十五分鐘。是否伊拉克完全依蘇聯設計，來應付美國，殊難預料。

△西德將協助納薩建築水壩，這雖是冒險行動，但係政府與私人的聯合投資。其目的在與蘇聯一億經援相抗衡，且使西德已在埃及的投資獲得保障。

△東德人民贊成共產政權者，最多不過百分之五，其餘百分之九十五，都是反蘇的。西方現已決議，除非赫魯曉夫收回其六個月內西方軍隊退出柏林之哀的美敦書，即不再與蘇聯談判。

△美國之輕氣彈秘密發展至十億噸黃色炸藥的力量，至少已有紙上的方案。但以威力太大，在軍事上無用，將用以炸山開渠，甚至在北冰洋開出一條水道。

△有一原子設計機關，計劃放射價值百萬美元的衛星，預備以降落傘一將衛星載回地面，於美國未來一連串實驗時有此一種。

○陶然○

工展特輯

工展小姐選舉曉揭 梁君麗獲冠軍 林菲朱惠儀分膺亞季軍 八日在會場舉行加冕禮

工展小姐選舉，經十九來之投票競選，七日已告揭曉：梁君麗榮膺第十六屆工展小姐冠軍，林菲亞軍，朱惠儀得季軍，伍麗娜得殿軍。

大會於八日下午二時半在工展會場大門樓下舉行加冕及頒獎典禮，會長朱石麟為工姐加冕，影星樂蒂小姐並親臨為工姐佩錦雲，會場情況至為熱鬧。秩序經編定如下：（一）典禮開始，（二）請各位就席，（三）宣傳部主任報告工展小姐選舉經過，（四）請電影明星樂蒂小姐及主席夫人為當選工展小姐佩錦標帶，（五）請朱主席石麟致詞，（六）請朱主席石麟為膺選工展小姐加冕，（七）請余育長達之致詞及頒獎詞，（八）宣傳部副主任馮元侃致謝詞，（九）拍照，（十）禮成。

林子豐日前廣播 呼籲港人用港貨

培正中學校長林子豐博士，於日前在麗的呼聲金色電台廣播，呼籲香港人購用香港貨，又中國婦女會主席吳仲朝夫人亦於七日下午六時四十五分在香港電台及七時四十五分在麗的呼聲金色電台作同樣的廣播，俾市民對于香港工業，更有深刻的認識。

林子豐博士廣播詞指出：這一屆香港華資工業出品展覽會，相信各位都參觀過，和買了不少用品，同時你們對琳瑯滿目，品質優良的本港工業工品，當獲得深切認識和愛好樂用。

紅伶吳君麗剪綵

四日中午，紅伶吳君麗，替九龍城界限街的國際電器公司剪綵。在當天的雞尾酒會中，赴會的名流僑領，包括有林子豐博士、黃桂、柳子元、油蔴地街坊會首長鄧啓侃，名流馮右初、劉超然、李榮、梁勉墀、伍江，和港府工務局電器工程師勞士、余碩、朱伯新等，鬢影衣香，場面端的熱鬧。（白）

工展已屆尾聲 攤位大賣平貨

本屆工展自開幕，至七日為期已逾三十五天，經決定九日下午十時半閉幕，現距離閉幕期只有今明兩天，所以連日來各攤位紛紛將貨品盡量減低售價，藉以引起遊客採購興趣，一方面使顧客購用後，感覺貨價廉實用，另一方面，內閉幕期近，使貨物盡量沽清，以免搬運返廠，是以價錢特別廉售為市上所無，今工展裏，舉行工姐加冕典禮，同時頒獎，遊客工展會時，既可一睹本屆各工姐的秀麗嬌姿，復可選購實用的廉價貨，一舉兩得，何樂不為，愛好買平貨者，幸勿錯過好機會。

（一月七日）

工展攝影比賽各組冠軍公佈

一年一度之香港華資工展工業出品展覽會，十六屆已於九日期滿閉幕，在展出期間，大會舉辦之各項比賽，除攤位比賽，早已揭曉外，「工姐」競選，業於七日公佈，僅徵文比賽，及攝影比賽，因所收之來件過多，審閱評判，需時甚久，尤其是攝影比賽來件極為踴躍，共計收到各組照片，有七百餘幀之多，由大會延請中國攝影學會會長郎靜山，香港攝影學會會長司徒安活，香港中華攝影學會會長徐憩豐，香港攝影學會沙龍秘書何宗熹，香港中華攝影學會副會長陳復禮五位，主持審查評判工作，昨日為評判之期，由攝影股股長何德輝，宣傳部副部長馮元侃，陪同五位評判員至廠商會聯誼廳，自下午六時起展開評判工作，每組經七次反覆審查，歷八小時，直至子夜二時，始告完竣。茲將評判結果，公佈如后：

第一組：（大門樓組）冠軍仇永同（工展夜景），亞軍顏震東（大門樓特寫），季軍林鑑洲（工展之夜），殿軍江啟才（請參觀）優異獎：梁硯（大門樓），李維新（工展之門與人龍），黃新發（工展夜景），衛尚義（浮雕），陳金堂（工展之夜）潘寶琦（大門樓日景）。

第二組：（攤位組）冠軍黃操（居然第一）亞軍陳易安（神往），季軍顏震東（錫聯貨品），殿軍周宗濂（東方藝術）；優異獎：鄧業熙（太空時代），鄧若港（捷和攤位），周宗濂（東方公司攤位夜景），黃富（時價貨），佘振球（冷熱如意），周宗濂（金錢牌出品）。

第三組：（人物組）冠軍黃新發（衛星時代），亞軍程寶祺（小姐與流氓），季軍莫斌（擄下先），殿軍顏震東（圈圈獎），優異獎：顏震東眼不轉睛，司徒秋（選擇），郭鈞泰（樽國雜作）。周宗濂（出品陳列），（買毛筆），（買毛筆）二件，司徒秋（象徵的守衛）。

第四組：彩色組冠軍翟家光（無題），亞軍盧濂（大門夜景），季軍顏震東（彩色玩具），殿軍余俊（小姐和拍友）；優異獎：江啟才（調味珍品），廖華（無題），謝永耀（多姿多采話工展），區懶雄（無題），翟家光（無題），顏振東（雕刻圖案）。

自由談

亞洲的民主方式

馬五先生

馬克斯有「亞洲的生產方式」之說，我不妨談談亞洲的民主方式。

報載：南韓總統李承晚博士決計競選連任第四屆總統，而要把憲法修改一下，下屆的總統不用全民投票選舉方式，而改由國會議員來選舉了。這方法很簡便，在執政黨佔有絕大多數席位的議會中，選舉李總統繼續爲國家服務，十拿九穩，不成問題，即副總統亦必然「肥水不落外人田」，非執政黨人物不可了。猶記得上屆南韓總統選舉之前，亦曾經過修憲工作，且因此而發生過若干國會議員的風波。現在南韓的在野黨（民主黨），爲着反對政府提出的「安全法案」，正在激烈鬥爭之中，將來再要修改憲法，照例得經國會通過，修憲後的新任總統，又須由國會議員負選舉之責，如果在野黨對這兩大要務，皆採取不合作的態度，是否又會發生議員們大打出手的全武行悲劇，而煩勞警察出動抓人呢？當然，即令反對黨始終不妥協，他們只是少數，修改憲法與選舉總統這兩樁大事，照樣通過，毫無疑義，只是表面上未免有些難看罷了。

大韓民國是民主國家，南韓每屆總統選舉之際，即要修改憲法一次，而我們不特民主國家，……統亦表示反對修憲。究竟中韓兩國的民主政治孰爲得失，眞有莫可究詰之感。這得請教於熟悉[illegible]的美國朋友了。

我欣佩李總統這種爲國家鞠躬盡瘁的勇氣，更相信他的身體十分康健，至少還可以再作兩屆總統，[illegible]不如乾脆規定「開國總統永遠連任」，[illegible]根本就用不着選舉，李總統自不必[illegible]改憲，豈非更省事嗎？阿門！

動口與動手

金恆杰

拳打脚踢祇是一種技術，口誅筆伐才是一種藝術；到了失去藝術祇賸下技術的時候，眞可說已經窮途末路了。

我們中國人，有一點好處，那便是文雅。看歐美電影，免不了插上幾個拳來脚去的鏡頭，國產片則多的是卿卿我我哭哭啼啼。即使偶然也有動了粗的，拳頭一律是高高地舉起來，輕輕地落下去，帶三分慈悲。總歸一句話：君子動口，小人動手。

我國罵人花樣之多，是別國人所想像不到的。上可以遠溯祖先，下可以直降後裔；可以生理解剖，可以神經分析。外國人最刻薄的罵人是：「下地獄！」或者「懦夫！」我們中國人講實惠，對於「下地獄」或者「懦夫」可以爽然地回答：「就懦夫怎麼樣？」所以外國人這方面比起我們來，眞可謂滄海之一粟，不値一哂。

仔細想來，吵架不一定是壞事。它能發洩平日鬱積，運動面部肌肉，練習機智，擴大肺活量。並且，「對罵」本身就是一種藝術。我住在上海時，經過弄堂回家，傾耳於蘇州娘姨倚窗對罵，是一種無上的享受。看她們齊舉玉葱似的手指，一隻手叉着牛皮糖似的腰唱山歌似地悠悠道：「呢特個殺千——刀——啊——」有「兩岸猿聲啼不住，輕舟已過萬重山」的感覺。對於她們，對罵是競技，是發洩，是磨鍊，是娛樂，是炫耀，更是藝術。她們嗓門尖，氣長，一連數分鐘金聲玉振，使對方無法插嘴。事實上，她們不必理會對方罵什麼，祇要聚精會神各自鳴高就夠了。水準高的聽衆，像我，自能分別得出，何者爲入雲的歌聲，何者爲伴奏的鑼響。

我到過福建，常見人們在大街上捲舌如[illegible]，吵得行人圍得水洩不通，結果十之八九是發乎情止於禮，訂下了後會之期。打架的事很少發生。我有一位在天津的朋友，爲我描述衚衕坊鄰舍們的動口趣事，也都是止於至善，眞不愧中國人謙謙君子的風度。天津人舌頭雖不及上海福建人快，嗓子一不若蘇州姑娘甜軟玲瓏，但說別有一種高昂婉轉嘹亮的韻味，是自成一格的。八年抗戰，促成了我國人口流動；勝利之後，由四川回來的人，帶來了另一格「動口的藝術」——川式罵架。四川人有做人長輩的嗜好，開口「格老子」，閉口「龜兒子」。看了好多川式罵架之後，我發覺雙方也都鮮見動粗。大抵大罵一通，手足並舉之時就被人拉開了。彼此狠狠地罵道：「龜兒子，要不是張大哥拖開了，格老子揍不死你才有鬼！」

大陸沉淪，留在台灣，呼吸自由空氣的人，大部份心情苦，肝火也旺。吵架的事反比打架的事少了。似乎沒有那份悠閒來從事藝術了。在家鄉，常見車夫當道怒罵，結果大都抄起車把喃喃而退。在台灣則不然。台北一地車夫競爭激烈，罵架不再是生活的調劑，也不是藝術。他們爲了生活而口角，而動武，而拚命。有幾次，我看見入組的三輪車夫，拖住了流動三輪車，悶聲不響，低頭狠命地踢車輪。我看見他們互相對看，如有不共戴天仇之。我在他們的眼中似乎看到了淚水。啊，這全不是我所熟悉的罵架。這是殘酷的「生活」在雕琢它的「醜惡」。

拳打脚踢是一種技術，口誅舌伐則是一種藝術。到了藝術失去，只賸下技術的時候，眞可說已經窮途末路了。記得我一位略嫌野蠻的同窗，在發覺自己無理的時候，不禁老羞成怒，振臂道：「哼！講理，你這種人也配講理！」接着圓睜三角眼，抖動無肉腮，大喝一聲吐出兩個字曰：「揍你！」

動口的藝術到了這般地步，祇有醜惡了。我只希望，能早日反攻大陸，解除我們心中的苦悶，否則「國罵」這一種藝術，恐怕也將與草木同朽，失傳於世了。

題張劍芬兄自撰書傲芬簃聯存並柬李漁叔兄

○顧翊羣○

儒釋兼師張子韶（宋世學者人稱橫浦先生）。胸羅星斗志干霄。只緣家國多離恨。叔世微芬寄寂寥。

前身的是玉溪生。吐出奇葩意自舉。千古才人同不朽。何須撫慕到公卿。

涵今茹古篆如椽。功德無邊自性圓。並世歐梅誰比得。騷壇爭說李青蓮（漁叔前後序跋堪稱凌蓋徐庾。爲當代大手筆）。

風雨樓繪畫叢談

古畫四千年

以薔薇代表愛情，以橄欖代表希望，這是基督美術負譽一時的西洋畫法。基督美術的歷史，不致超過二千年，而其理想的最高旨趣，大致也不會超越於宣揚教義以外。但距今四千年前，在中國揖讓政治時期，繪畫的象徵形式，經已發展到輝煌的高峯，而且包容了各種不同的豐富內容。例如尚書云：

「日月星辰山龍華蟲作會，宗彝藻火粉米黼黻絺繡。」

這是中國古史上最著名的舜帝十二章！依周禮記載，它是天子的袞冕。依漢儒解注，它是天子的冕服。前句所指是說明采畫，後句所指是表示刺繡。至於冕服和袞冕，大致是同物而異稱，爲祭祀和臨朝必須穿着的禮服。不過在國語和左傳作者的心目中，却看得極其尊嚴。他們的引伸之義，包括了多方面的表徵；一爲光明，二爲祥瑞，三爲威儀，四爲文章，是用以臨照百官，昭示子孫，懷柔遠人，垂長萬民的。有關祭祀和臨朝，舜帝何以要用畫衣，後人都似乎沒有深入考究。而周禮又云，「有虞氏皇而祭」，皇爲畫羽之冠，則舜帝祭祀，也同時是要戴上畫冠了，這是一個最富風趣的古史，在沒有發現他的理想前，至少可以說，帝舜性格，可能雅好繪畫。又尚書云：

「臯陶方施，象刑惟明」

臯陶，舜帝獄官，他的處理獄政，是說採用象刑。所謂象刑者，即以繪畫的表現，代替刑罰之義。由於它是古代治績的良好制度，又別具道德上的至善風範，所以歷代大儒，都有精透的闡揚。在字義的訓詁方面，漢孔安國曾釋爲法刑，漢武帝易爲畫象，班固注爲衣服象五刑，應劭解爲畫衣冠。在政治上，漢書刑法志，是備極稱許的。刑法志云：「蓋聞有虞氏之時，畫衣冠，異章服，以爲戮，而民弗犯，何治之至也」。周人荀況，最不同意治古無肉刑之說的。但他亦不能不以教育家的襟懷，致爲「古之刑罰，異其服色，以示恥辱也」之論。

（三）

述賢

釋耒集

儒術

曲齋

今人論及李杜，多主張李近道家，故超脫放恣，而鄰于縱恣；杜近儒家，故沈厚篤實而遐于激切。但杜甫對儒術似亦嫌其不切實際，他曾說：「紈袴不餓死，儒冠多誤身」。又說：「儒術于我何有哉，孔丘盜跖俱塵埃」。以示其竊比稷契，爲愚不可及。（按儒之名，始見于周禮，謂以道得名，禮記儒行篇載孔子言十五儒，而後世或疑其僞，此不具論。）

儒術使人生疑，早在晚周戰國之世，荀卿儒效篇云：「秦昭王問孫卿子曰：『儒無益于人之國』」。稍後的韓非，則直截地說：「儒以文亂法，俠以武犯禁，而人主兼禮之，此所以亂也」。則已不特謂其無益，而且足以生亂了。後來的漢高祖，溺儒冠，慢而侮人，踞見酈食其，尤不禮重儒生，儒道承秦之弊，以迄漢初，大抵是相當倒霉的，漢武以前，以軍吏立國，蕭曹起郡吏而爲相，自絳灌至申屠嘉，皆向時椎埋狗竊之人，然治效顯著史册。太史公司馬談論六家要指，道德、儒墨、名、法，一體視之，故班氏父子，謂其先黃老而後六經，爲大弊儒道之言，而班固藝文志諸子略，始謂「儒者助人君，順陰陽明教化，於道爲最高」。這顯然已是漢武帝用政治壓力，表彰儒術的結果，不能說是學術自然的趨勢，但兩漢後眞正算得是儒生的，其在政治上的成就，實在是黯然無光的，曹操、諸葛亮、王猛固不算醇儒，房杜姚宋陸贄，似乎也吃不得丁祭的胙肉。

近代人說儒，惑于「儒柔也」之說，以爲必須從祀孔子廟庭的經師或道學家才是眞儒，而儒者遂致與事功遠離了。故陳龍川說：「道德性命之說一興，而尋常爛熟，無所能解之人，自託於其間……，相蒙相欺，以盡廢天下之實，終于百事不理而後已」。

司馬遷撰孔子世家，謂「天下言六藝者，折中于夫子。」論及春秋，以爲：「撥亂世，反之正，莫近于春秋」。而其道則在于：「貶天子，退諸侯，討大夫」。孔子的氣魄，原自十分磅礴，其實荀卿說儒，也不像後儒的拘執，他說：「行事失中，謂之姦事，知說失中，謂之姦道，姦事姦道，治世之所棄，而亂世之所從也」。近時亦頗有人主張復興儒術，我們很懷疑，到底所指的是漢唐儒，抑或宋明儒呢？司馬遷又云：「無巖處奇士之行而長貧賤，好語仁義，亦足羞也」。這其實正是對于杜甫一類人的忠告呢。

悲劇

短篇小說

・朱夜。

六、

影場租期已近，以致我不得不照快車，但我又怕因此影響了這部片子的成績。我已幾天沒有再去見沙漠，每次白茶來總說他希望我去。爲了沙漠與白茶，我在拍片中又替白茶介紹了幾位片商，而且很快地便有人請她主演新片，這對白茶也許是有益的。一天我去見沙漠時，他忽然發病了，白茶伏在他的床前正低聲啜泣。我勸慰他們，沙漠只對我苦笑，他很少說話。白茶這時拉我到一邊，她悄悄地告訴我說：

「那部片，我本不想接受。」

「爲什麼？」

「那裏面有我裸浴的鏡頭，這怎麼可以？」

「和他們商量過沒有？」

「但他們不肯改變，除非我拒絕這部片約。」她望一眼躺在床上的沙漠：「但是，爲了沙漠，我只好接受下來，他們說簽約時便可付酬。」

[illegible]床邊，[illegible]「請你們把我移[illegible]」我與白茶把他[illegible]了。第三天白茶告[illegible]住到醫院去，並且[illegible]着工作沒和她多說[illegible]室了。

今夜是最後幾[illegible]了鏡頭。晚上，我將兩場[illegible]人到了那小溪[illegible]白茶。我與她回來[illegible]影場。我先拍一個[illegible]而部表情，我喚過[illegible]一對準她[illegible]「白茶！」我忍不住[illegible]她的身子搖幌[illegible]天快明時，白[illegible]又忙於搶起來，順利[illegible]片狂歡聲中，白[illegible]

「沙漠危險了[illegible]」

「什麼？」我[illegible]

「昨天深夜。」

「爲什麼不早[illegible]我怕影響你[illegible]場了。」

「現在呢？」

「我馬上要[illegible]」

「等我。」我[illegible]

我叫來一部車子[illegible]醫院。扶白茶進去時[illegible]一夜的拍片，她的[illegible]跑來，她告訴白茶[illegible]推開房門，走到沙[illegible]他們，他的屍抖動着[illegible]他的話聲：

「告訴白茶，[illegible]術的東西。」

「她沒有，她[illegible]」

「不，我什麼[illegible]掉片酬，別爲我的[illegible]」

他的聲音低啞得[illegible]握動着嘴唇，我提[illegible]是個好演員，她不[illegible]我握住他的手[illegible]又漸漸鬆弛，也猛[illegible]白茶傷心地哭[illegible]臉，然後把她扶到[illegible]場一趟，然後帶着[illegible]

七、

影棚中人們用一份驚異的目光歡迎我。製片人向我道賀，而且他又介紹另一家公司的製片人來見我。那位[illegible]握緊我的手說：

「我要請你担任導演——一部悲劇。」

「演員呢？」

「我看上你們的白茶，她眞是個很好的悲劇演員。」

「白茶？」我說：「她是個悲劇的角色，她演的悲劇也太多了！」（六）——完——

一九五八年十二月于桃園

自由人
THE FREEMAN
（第八二〇期）
中華民國僑務委員會登記證僑報字第一零二號
內政部登記證台版字第五〇〇號
中華郵政登記認爲第一類新聞紙類
（半週刊每星期三六出版）
每份港幣壹毫
台北市售價台幣貳元
督印人：陳文蔚
地址：香港高士威道二十號三樓
20 CAUSEWAY RD. 3RD. FL.
HONG KONG
TEL. 771726
承印者：自由出版社
地址：高士打道六十號
台灣總經理處
台北市重慶南路二段五號二樓
電話：三〇三四六
台灣僑報劃撥金〇一九二五二
海外總經銷：友聯書報發行公司
香港：德輔道中二十六號A二樓

中共財經面臨新考驗

鄭竹園

中共的「大躍進」與「人民公社」兩大運動，表面上並非完全失敗。連日來大陸上及海外的中共報紙，均在拚命渲染其「史無前例」的成就。事實上這二項激烈的行動，正將中共的財經推入一更危險的地步。如何收拾這一盤殘棋，正是中共決策者當前面臨的棘手問題。

「大躍進」流弊百出

一九五八年三月以後所推行的「大躍進」，雖然使中共在工農業生產上有若干增加，但其所採用的手段，乃屬於左道旁門，並非發展經濟的常規。其所謂「小、土、羣」路綫，不但打亂整個經濟計劃，而且造成人力和資源的高度浪費，到去年年底，其整個經濟發展，已面臨許多問題：

首先，由於中共揚棄經濟平衡發展觀念，企圖「以鋼爲綱」，帶動整個國民經濟。結果鋼鐵雖然一馬當先，但其它各方面並無法跟上，因而造成經濟發展的高度混亂。去年第三季度以後，電力及燃料均普呈不足。據去年十二月二日「人民日報」報導：全國三十六個主要供電地區，有三分之二受到缺電威脅。以東北重要工業城市旅大爲例，去年八月以後，供電量即減少百分之三十，許多工廠因缺電而停工。燃料不足亦極嚴重，除由於土法煉鐵，浪費大量原煤及木炭外，運輸力量的不足亦爲主要原因。如去年十月份大陸煤產量爲七千多萬噸，而實際運出者只有三千六百多萬噸。運輸能力的落後，已使其碼頭及車站陷入淤塞狀態。

其次，中共在去年雖建起二百萬個土高爐，但其中只有百分之三十左右能正常生產，其餘大多形同廢物。這些土高爐動員了六千萬人苦戰六、七個月，雖然煉出了幾百萬噸土鐵，但因含硫過多，且成份不齊，大部份無法供洋爐煉鋼。結果只好建立土爐煉鋼。而煉成的土鋼，「塊小、尺碼短，不能直接軋製鋼材」。因而中共雖然宣稱鋼鐵已超額完成一千零七十萬噸的「躍進」指標，而大陸上鋼材的缺乏如舊。

復次，二百萬個土高爐建立後，每天需要數量龐大的燃料及礦石，才能維持其生產。在初期中共集中一切人力來挖礦、運礦、碎礦、選礦。再加上各礦山表層的礦石被挖光後，非有機械設備已難作進一步採掘，因而更令中共感到這二百萬個小高爐乃一極沉重的負担。

上述各項因素的出現，使中共財經決策者覺得問題愈來愈不簡單，黨內的「觀潮派」據說已再度抬頭。

「人民公社」帶來的問題

除「大躍進」所滋生的各項流弊外，「人民公社」的推行，對中共的財政經濟亦發生極大的衝擊。

第一、是農民的宰殺牲畜家禽，已嚴重影響其城市副食品供應。最近幾個月來，由於農民不願公社變相沒收其家禽牲畜，紛紛自行宰殺。各地家禽，鷄蛋及生猪的供應直綫下降，不但嚴重打擊其出口，而且其國內市場亦進入緊張狀態。上海、廣州等地居民，已有幾月不知肉味。一九五六年下半年市場嚴重脫銷的情況，已再度重演。

第二、農村經濟自給性的提高，已影響其稅收及商業利潤。「人民公社」成立後，由於許多商品流轉環節的改變，稅收減少極多。據河南遂平縣衛星人民公社的調查，只完成稅收任務47%。減少最多的是牲口交易稅，其次是屠宰稅和營業稅。爲了解決這一問題，中共已決定由公社包稅，但在各地幹部本位主義思想的支配下，這一包稅制度的效果如何，仍有待事實的證明。

第三、由於海外華僑的不滿公社化措施，僑匯收入已直綫下降。據星馬二地的統計，在去年九月中共未全面推行公社化以前，八月份星馬僑匯流入大陸者爲一百七十一萬餘叻幣，九月份即降爲一百五十四萬餘叻幣，十月份續降爲一百四十六萬餘叻幣，到十一月份更減爲一百一十三萬餘叻幣，四個月間下降幾達60%。香港僑匯雖缺乏完整統計，但據此間金融界人士的估計，公社化以後香港僑匯流入大陸最低限度亦下降三分之一以上。這一問題對中共財經雖不致發生嚴重的打擊，但無論如何總是一不利的影響。

躍進路綫的頓挫

上述各項不利因素的出現，使中共對其冒進路綫不能不重新檢討。最近中共內部，又再度提出要「掌握國民經濟有計劃按比例發展的規律」，說明中共已被迫走回頭路。在最近一期的「紅旗」半月刊上，中共國家經濟委員會主任薄一波即首先揭舉上述的觀念。薄一波指出「經濟的發展是受一定的物質技術條件所制約的，比如煉鐵煉鋼，就需要礦石、煤炭、電力和高爐設備，平爐設備等各種物質技術條件，缺乏這些條件，就不能進行生產」。薄一波進而強調「社會主義經濟的發展，必須遵守有計劃按比例發展的法則，只有這樣，才能最充分地、最合理地、最有效地利用人力、物力和財力」。薄一波這一觀念，與去年二、三月間中共的全力反對平衡理論，正成爲一鮮明的對比。證明中共魔術式的「大躍進」，只能搬演於一時，決無法長久維持下去。

爲了避免經濟情況進一步的惡化，中共最近已採取三項新政策：第一、對去年建成的二百多萬個土高爐，進行淘汰。對於遠離資源，及爐型缺點太多的土高爐，予以廢棄，即選擇接近礦石及燃料的土高爐羣，設法予以鞏固。預料在今後，此類土高爐將不會再有如去年的瘋狂建立。

第二、對本年度工農業的躍進，已放棄再「翻一番」的計劃，其本年度的生產指標，鋼的增長率爲百分之六十四，煤炭爲百分之四十，糧食爲百分之四十，棉花爲百分之五十。增長率雖仍相當高，但和去年比較，步伐顯然已放緩。

第三、爲緩和國內市場的緊張，避免加深「人民公社」的危機，最近已儘量減少副食品及燃料的外運，並宣佈本年度棉布配給額每人增加六市尺。

這幾項的新措施，顯然在緩和去年大躍進及人民公社所造成的惡果。但由於中共並未放棄其繼續冒進的基本方針，預料大陸經濟的混亂與緊張狀態，仍無改變的可能。客觀形勢的發展，將迫使中共走上另一馬鞍形路綫，非作更進一步的退卻不可。（一月十一日）

半週述評

我看修憲問題

記得去年底，國大代表年會的第一項決議案，即係修改憲法問題，主張成立「憲法研究委員會」，從事修憲的準備工作。國大代表以憲法的產婆兼保姆身份，設置機構，研究現行憲法的利弊得失，是應該的。

不過，若在目前就要實行修憲，那卻使不得。這倒不是因爲蔣總統有反對修改憲法的表示而然，實係環境不許可，事實無必要。當此國難嚴重的非常時期，何必沾沾於這類不急之務呢？

主觀條件不具備

修憲不是毀憲或廢憲，必須依照憲法所規定的程序和條件來進行的。

現行憲法上明文規定的修憲程序只有兩項：一是經立法院提出修改意見，交由國民代表大會複決；二是由國大代表逕行提議修改，召集臨時大會討論通過。目前無論採取那項程序，都沒法湊足法定出席通過的應有人數，雖將現時旅居台灣和海外各自由國家中的候補國大代表暨立法委員，全部予以補缺，亦復無濟於事。如果說是基於非常時期的理由，不妨通融辦理，遷就現實需要，那根本就是違憲的行爲，即等於毀壞憲法，豈非治絲益棼？過去大法官解釋國大代表、立監委員任期延長的理由雖然有點勉強，尚有憲法條文的詞意可資依據，不够合法人數的修憲舉動，將何所據以示大信於天下乎？

事實上並無必要

修憲的目的如其只在使蔣總統繼續領導國家，連任第三屆元首職位，那亦是舍本逐末，徒亂人意。

老實說，現行憲法的整個體制與機能，是否適合於我國國情，即大有研討之餘地，豈止總統任期這一條嗎？但茲事體大，未可草率從事的，所以我贊成國大代表們不妨悉心研究。

按照現行憲法的精神，總統在實際政務上的權力尚不及行政院長，幸而我們的立法院不像法國第四共和時代的國民會議，黨派林立，政爭紛紜，以致內閣常陷於冠蓋往來的無政府狀態中，而總統又不能越權處理國事的那種情形，否則大局更不堪設想！在現行憲法之下，作總統的最好是如國府的林主席然，再配以勇於負責，有爲有守的行政院長，庶幾有濟。

我們希望蔣總統繼續領導國事，完成反共救國的大業，若僅是修改憲法上的總統任期這項障碍，而實際上許多事情都因爲憲法的約束，總統顧忌不進，動則得咎，結果是事與願違，徒呼負負，殊非愛護蔣總統之道。再明白地說，憲法的其他部分如不修改，則以一個責任感極豐富，事業心極強烈的政治人物，教他在亙古未有的國難時期，久負垂拱而治的元首名位，實在是一樁痛苦的事。將來蔣總統若以國民黨總裁地位，指導本黨的從政黨員，在政治上的功用，決不會亞於總統兼總裁時代，實可斷言。所以，我認爲如果光是修改憲法上總統任期這一條文，殊無必要，亦非蔣總統所樂聞的。

憲法可以修改，但還是一種嚴肅的工作，此時此事，非所宜也。

○雷嘯岑○

論「等等看」

·衣華·

自從毛澤東下台的消息發表後，審慎的觀察家當然要等等看，但過分嚴肅的態度，和若干坐待中共自己湊合的想法態度則有不同，而同是消極則一。自金門的砲聲，又再度響了，等吧！

十年來，自由中國對大陸匪僞統治下動態的探索，直到外[illegible]自台北傳出毛澤東將不再任僞主席之日止，外邦之所謂專家之流還是半信半疑的居多，而於陳毅證實此訊不虛之時，全世界注視共黨的特別是怕中共的人士才開始覺察到中華民國的情報人員從赤區拍發出來的電報，果然了不起！這個情報的傳出就如同金門保衛戰的威力，一新世人對自由中國意志與力量上種種表現的觀感。

但，我們又得認識敵情的判斷並不是完全基於報導的需要，而必須在適當的時機來臨時，先發制人，在行動上主動地打擊我們的共同敵人共產黨徒，才談得上情報的價值，否則決策人物的決策所及，充其量在減少挨打的危機而已。

因此，我們便不難理解當前摸索敵情的重要性和怯於行動的危機如何嚴重的了。毋忘珍珠港這句話，在情報員心目中，其警覺性就顯的特別濃重，又使他感覺到所肩担的任務異樣重要；外交觀察家一想起米高揚赴美之行，祇就大國在「均勢論」現勢下的關係上進行臆測，無異乎特別情報員的看法。誰也不易找到證據以證實米氏此行類似來棲大使當年的動態的；即使有此可疑之處，如何以果敢的行動對付在即將到來的大危機，又是一大疑惑。勿以爲光在蒐集情報足矣，更沒有理由老在盼望敵人的危機加深而不思有所行動，以配合機會降臨可能出現的亂子。情報人員或觀察家可以等等看，自由世界的決策人物，不論是局部的或全局的，又怎可以老在等等看呢？

第二次世界大戰結束後的冷戰局面一直在緊張有增無已中，直到匈牙利大革命猝然爆發的前夕，自由世界一如今天面對着中共匪瘋狂地推行公社計劃的殘酷無情，意料到亞洲大陸上極可能會有劇變，又雖然估量毛澤東將不再担任僞元首職與未來劇變不無牽連之處，却沒有任何應變的準備。我說這個，是一如何應變之變，應付這種變的準備是絕對離不開武力的，其理由的明顯有如人造衛星納入軌道之必需相當動力，沒有武力適時接應共區民變，或不予赤區人心以肯定接應的表示，則民變的可能性便越來越小，還有疑問麼？

由於中美聯合公報聲言不以武力爲收復大陸的主要手段，自由中國從中共匪蒐集的情報在使用上的價值，大大減損了！台北首先傳出毛酋將丟掉一個僞官職後，又說這個消息是中國特工以担任高級共黨人員的身份獲知的。這樣說來，大可不必。一國的情報來源，盡屬最機密，實在沒有透露其來源或其來源的性質的必要。俄人當年竊取了美國的原子機密，事後如果故示其能，稍事露示他們如何取得部份情報的門路，即使在政治上有所企圖，宣示或暗示情報綫索之一，也不一定是利多害少的。

我國對共區的情報蒐集，無論如何，都是積極的，而其使用價值的積極性則決於對共黨的行動，是否積極？對共區不以武力爲主的任何手段，即使怎樣加以分析，也不可能去掉它的消極性，與此消極性對照的，就是和平共存之類的胡說。

但是，共黨並沒有在共區內向被奴役的人民揚言共產黨人必須從此放棄世界革命，不再採行其滲透與顛覆的作法，也不再在文化、經濟、政治乃至軍事上，分頭進行其包圍自由世界，予以各個擊破的計劃。相反，蘇俄頭目迭次聲言飛彈隨時可毀英法，又說快要埋葬以「美帝」爲首的資本主義，強烈地反映出自由國家還沒有好好團聯成一氣，大敵當前，又怎能應付得了？雖然我們的情報從大陸拍發出來的，是第一流的，只緣中美合作對此基本上欠積極，而此項弊病又涉連到其他自由邦國於私利之愚，而致今後陸續收到的重要情報，即使爲於人類安危所繫的，也祗能老留在不得不等等看的階段，因而配合情報的行動至今依然處於等等看的性質！你說國人怎不會等得不耐煩呢？

台灣通訊

陳兼院長關于教育的談話 引起輿論教育界坦白檢討

·馬周·

一月三日行政院舉行院內同人團拜，陳兼院長即席講話，特別提出本年的施政重點是：平衡預算；充實戰力；努力生產建設；並使教育風氣得到正常的改善。

各報競刊整頓教風的談話

此事尤以整頓教育風氣一項，爲台北輿論一致重視，蓋陳氏特別提出省教育會和家長會有干涉學校行政和推銷書刊牟利情事，並要教育部澈底查辦，陳氏且具體指稱：「台灣省教育會是游彌堅辦的，別人不敢碰他，但如果有不法牟利情事，一定要查辦的！」翌日各大報均刊載了陳氏講話。（詳見台北各報刊中央社訊）在中央社的電訊裏已經把游彌堅的名字删除，而把所謂「這個問題」指明是「教育風氣很壞，尤其是惡性補習爲害最大。」陳院長把「惡性補習」比「教育與生活脫節」還要看得重要，中央社的通訊稿已將陳氏的發言加以潤飾，但是先一天的大華晚報已經刊明陳院長要整頓教育風氣的主要[illegible]了。

聯合報關於教育會的報導

一月四日聯合報上發表了一段報導：「台灣省教育會理事長游彌堅相信陳副總統昨天在行政院對他的指責，是出於誤會。他相信陳副總統以爲：一、省教育會包辦了國民學校的教科書；二、省教育會助長了惡性補習；但是，游彌堅說：「這些都不是事實！」而且事實上此間若干闊佬每月以三百或五百元屈請家庭教師爲自己的子女日夜的補習，而國民學校學童的家長每月負担數十元的補習費請國校老師補習就成了「惡性」，這也是有待解釋的。」

官方對「惡性補習」問題

台灣的教育行政長官，對於學校教育的本身似乎都非常自信，而對於國民學校的補習似乎有不共戴天之仇一樣！前教育部部長張其昀辦理免試升學是爲了免除惡性補習，現任台灣省教育廳劉眞廳長下車不久就把嘉義縣的一位國民學校教師爲了「惡性補習」而免了職，於是引起各縣縣議會的紛紛議論，平心而論，國校教師特殊的補習有若干實際因素不可忽視的。行政院長日理萬機，竟能注意到此一問題，殊爲難得。不過要解決惡性補習，是不是強力禁止或是將個把國校老師「免職」或是把「推銷書刊」的省教育會改組一下就可了事呢？況且搞絕了「惡性補習」，就可以矯正教育界的風氣呢？這些事實相互間是否有因果關係？實在值得我們探討。

關於推銷補助教材

一月六日聯合報發表這麼一段消息：「一位曾任省教育廳長之行政官員，昨日應記者之請，揣測省教育會理事長游彌堅之受陳副總統的指責，係由於游所主持的省教育會，經常向全省小學生銷售補助教材，圖表及文具等書物所致，因爲銷售這些書物，顯然爲營利行爲，而營利行爲在省教育會的組織章程中，經予嚴格禁止。這位官員透露稱：在其任內，曾要求其批准省教育會向全省每一小學生發售手冊一本，每冊售價約四、五元，該官員以全省小學生逾一百四十萬人左右，若每人購買一本，總價將逾五、六百萬元，以其中有營利企圖，故未批准。」

從這段談話中知道小學生手冊之未被批准，原因在「總價將達五六百萬元」，至於手冊內容如何，似乎是無關宏旨的了！其不知推銷書物在台灣教育界是獨門生意，在台灣就有人是以推銷書刊起家的。而他們推銷書刊的對象就是國民學校的學童，憑藉自己的政治地位，加以優厚的回扣使得國校校長和老師均樂爲效勞，後來鬧得太不像話了，一個辭職，一個調職了事，茲者游彌堅也因此而受到陳副總統的指責，但是游氏談話的辯護是：省教育會編印此種書刊，不僅不是斂財，而且有功於教育。

教育界的態度

陳兼院長的講話發表以後，此間知識界教育界對於這一新年新聞都頗予注意，尤其注意教育部的態度，因爲大家都知道台灣省教育廳取締惡性補習而和台灣地方人士意見相左，台灣小學教育界尤其不滿於劉眞的措施。教長梅貽琦氏「對陳兼院長對教育當局指示澈查教育會，家長會等有不良企圖的人民團體事，表示他因未出席參加團拜，尚未正式獲悉，教次李熙謀氏表示一俟行政院命令澈查的公文到部後，即着手從事調查後依法辦理。」

輿論界的態度

輿論界對此事也極爲重視，首先中央日報在一月五日的社論裏，以整頓教育風氣爲題，祗對於陳氏的主張加以闡述。一月六日聯合報認爲「十三年來台灣地方教育的發展，無形中造成了地方性的教閥與學閥，而以地方自治實施後爲甚。」其次說到中等教育：「我們常常奇怪某些中學校長的聲名狼藉，已不足爲人師表，却能安於其位，至多是和另一學校校長對調了事」。該報最後愼重的表示：「我們對於陳院長今後教育在質的方面應予提高的提示，至表支持，惟對於陳院長今後教育重點求精不求多這一看法，衡諸現實需要，未敢贊同。總之，因爲指實游彌堅而使輿論界對整個教育風氣予以坦白的檢討和陳述，恐怕不是最高行政當局始料所及，如何及時挽救此種頹風，還須從大處着手。」

不宜改憲的三大理由

——左舜生先生的意見——

（本報訊）香港報刊在上一星期內，響應蔣總統反對修改憲法的主張，概括言之，所持理由約有三點：（一）現行憲法是海內外中國人民的共同基礎，政府不宜自毁其基礎。（二）修改憲法非愛護領袖之道，（三）目前實際政治問題並不在於修改憲法，本刊上一期已有簡要的敍述。一月九日出版的聯合評論關於修改憲法的利弊得失，又有左舜生先生的一篇文章。可資報導於本刊讀者。

左氏的文章，首先認爲蔣總統儘管沒有權力干預國大代表行使修改憲法的職權，但他確有權力遏止國民黨黨員採取與國民黨主張相反的行動。蔣總統的聲明既係以代表政府與國民黨兩重身份而發，是應該很有實際效力的。

其次左氏認爲，憲法雖不是不可修改的，但今天並不是一個修改的最好時機。他認爲此時修改，（一）容易引起誤會，故不宜修改。（二）憲法未經完全實行，不能修改。（三）大陸變化太大，在未收復大陸前，不必修改。他詳述這三項理由如下：

容易引起誤會

『假定在選舉第二屆總統的時候，即有人在國民大會正式提議修憲；同時在憲法實行了六年以後，又能確切指出憲法的某一條某一項，在事實上確實發生扞格，只要能把握着這一個時機，即令提出以後仍可贊成與反對各執一辭，但在動機上總可得着多數人的諒解。可是今天主張修憲的人，在五年前並沒有採取這樣一種的積極行動，一直延到今天第二屆總統任期又將屆滿，乃忽然強調修憲，即令所主張修改者不以第四十七條爲限，但因爲正在第三屆總統將要選舉的期間提出，總難免不引起一般人的誤會。

憲法第四十七條規定：『總統副總統之任期爲六年，連選得連任一次。』當初某一部份人最初看到這部憲草的，原已有過不同的意見：第一，他們覺得六年的任期未免太長，『連選得連任一次』的規定，又嫌過於硬性，似不如把任期改爲四年；『連選得連任一次』這一句，則改爲『連選得連任』，乃比較的富於彈性；同時使得一般國民多有注意選舉的機會，也未嘗不是民主教育之一種。可是有人不以爲然，他們覺得中國正在行憲伊始，選舉過於頻繁，徒滋紛擾，於國事無益；又値抗戰結束以後，百廢待舉，任期過於短促，長才也不足以供展佈；現在規定六年一任，又得連任一次，實際乃等於美國總統三任的任期，從一方面說既不致委屈長才；從另一方面說，稍示限制，也可避免造成『終身總統』的危險。這可以說是當日起草這部憲法者的一種苦心，後來國民大會也就愼重的予以通過，由現在想來，我們也實在看不出有什麼草率的地方。』

以上是左氏的第一點理由。說到第二點，左氏說：『在最近這個十年，因爲處在一種非常時代，一般國民所期望於政府者，乃在國家的重大措施不可違反憲法的精神，原沒有人強迫政府非把一百七十五條的憲法，在台灣這一個島上一一付諸實行不可。我們以政府近年的舉措與憲法條文加以對照，其大部份固未見諸事實，一小部份則顯已超出憲法以外；大體言之，說這部憲法並不會完全實行，總是事實吧。已經實行而發現其確有不妥，主張加以修改，這是有理由的；沒有實行而輕言修改，其理由安在？』

應在大陸收復後

第三點左氏認爲：『我們復國工作的成功，可能很近，也可能還要較長的時間；假定再過五年十年，中共會把大陸變成什麼一種樣子，目前很難預測。主張修憲的人，其目標至少應以整個中國爲範圍，決不應以台灣一島爲對象，如果今天就來閉門造車，把這部憲法大加修改，一旦大陸收復了，又發現無數的新情況與這部修改過的憲法依然格格不入，豈非再有修改一次的必要？不注意這部現行憲法所代表的精神，不檢核這部憲法已經實行的究竟有了多少，而徒然吹毛求疵，在文字上來兜圈子，是何許予之不憚煩耶？』

此外左氏還有兩點意見，第一他認爲這部憲法必須使之逐漸表現於實際政治，否則有點近於崖山舟中講大學，事實上毫無補益。其次，他認爲國際間有少數人因蔣先生這段演辭而發生一種揣測或顧慮，這更跡近多餘，且適足證明他們對中國的實際情況不太了解。（一月十日）

澳洲的中國留學生（下）

四人數千多僅次于美國

·方濟人·

留學生的國家觀念

幾年來，筆者因爲職務的關係，經常和中國留學生接觸，從數年的經驗，我體會到這羣青年缺乏之一種有力的生活因素——國家觀念與民族意識。中國大陸上人民的牛馬生活，與台灣海峽的風雲，很少能激起他們的興趣。甚至有些青年對此諱莫如深，覺得愈少提到國家愈好。具體些說（也許是我的錯覺），香港來的學生，似乎有優越感，很多人都有一種過強的民族自卑感和『全盤西化』的慾望。舉止言談生他們爲中國人的怨氣！

我有一次遇到一位香港小姐，她告訴我她不會說國語，只會講廣東話或英語。不過，她神氣的接上一句：『我同我的弟妹通信，都是常用英文的』。『我不喜歡寫中國字』。但以後在另一個機會上，有人告訴我，這位『神氣十足』愛講英語的小姐，兩年考試，英文都不及格。我聽了，不覺道了一聲『善哉』！

至於她們的國家觀念如何？這裏有一段小故事：有一次我參加一個學生組織的晚會。有一位與我很熟的學生帶着他的兩位同學給我介紹，寒暄了幾句之後，我問：

『你們是從那兒來的？』

『從香港』，第一個乾脆的答了一句。

『不是我們都是 British Subject』第二個插上了一句。

『啊……啊……』我勉強支吾了一句「哀莫大於心死」！我回頭自嘆了一聲。如此這般的中國留學生，對我們的國家究竟有何裨益？眞是絕大的疑問。

紅色小丑極活躍

另一方面，中國學生中，來自馬來亞的，倒有不少是非常關心國事的，很明顯的表現着強烈的國家觀念。唯其如此，便有不少青年，被共產黨糖衣包着的愛國主義迷惑住，變成了紅色小丑了。他們時常在公私集會中宣傳共產八股，在宿舍案頭上堆放着共產的書籍報章。又在大學內散佈共產的傳單雜誌。年前曇爾缽留學生中的紅色小丑，曾自已油印過一份刊物，作爲宣傳。雖然刊物幼稚得可笑，但它十足表現出那羣青年的生氣。他們的錯誤雖可悲，但他們的精神熱血還是可嘉的。

不可諱言，海外的共產尾巴，對這羣留學生作着積極的滲透工作。從多方面培育這股新的勢力。我敢說，此地很少僑民能窺出他們的陰謀活動的。在民衆中既缺少一種普遍的警覺，共產黨便無孔不入了。

僑務外交成績如何

此間自由中國的外交工作，年來頗有起色。但仍是蝸牛緩步，沒有大刀闊斧氣魄。致使共產黨在很多場合中，猖獗狂妄。

此外大家對於僑務的觀念，似乎也有一種錯誤。認爲辦僑務是拉攏幾個有錢有勢的僑棍，在酒酣耳熱之餘，由中國呼幾聲萬歲，就可以上報，[illegible]歸心了！實際上大多數的僑胞與中國外交人員，根本無緣識荆。百分之九十的留學生也抱着無事不登三寶殿的態度。在這樣的形勢下，僑務要辦得好，非有奇跡出現不可。筆者並非反對外交人員從事聯絡華僑中的巨富殷商。但希望他們也不要將對留學生的活動，視作無關重要。抱着不屑爲之的態度。這是筆者一點小心事。

（十二月廿六日・墨爾缽）

中國地方自治研究會不准籌組！

國民黨籍省議員有人受處分

·劍舞·

（台灣通訊）關于中國地方自治研究會政府不准籌組事，自由人報八一八期略有報導。記者更就該會爲何不准組織？政府所依據何法？以及該會發起人如何被歧視？三點加以分析。

政府不准該會籌設的理由，在法理上是頗有研究的。中國地方自治研究會之組織醞釀，始於台灣省第三屆省議員暨縣市選舉結束之後，由在野的民主人士基於選政弊害百出，影響民心與反共前途頗大，所以推舉李萬居等籌備，經過一段時期的籌劃，到去年六月間纔向政府申請組織該會。台北市政府即以全國性的人民團體，無權准否爲遁詞，推到省社會處。社會處接到申請公文後，又往內政部一推，於是在申請半年後，內政部根據三十一年二月十日國民政府公佈的「非常時期人民團體組織法」第八條規定，不准組織。省接到內政部令後，復於去年十二月一日通知李萬居，因此，該會的成立，又成泡影。

省議員許世賢曾於省議會大會上，質詢社會處長不准的理由，拿出抗戰時期有「同性質同級者」的中國警察學術研究會與中國警政學會一事爲例。同時，又以目前在台灣也有同一性質同一級的中國憲政學會與中國憲法學會暨中國憲法研究會等三個組織，如果內政部的解釋不錯的話，即上述的人民團體內政部又爲什麼會批准。

其次要談的是該會發起人中，已有不少的人，如國民黨籍的省議員許世賢、楊紅綢、黃占岸等人均受到處分。原因是參加中國地方自治研究會。據該會發起人之一的孫秋源被捕之後，許世賢在去年十二月十日接到黨的「開除黨籍」決定書，理由是「不服從黨的命令及決議與參加地方自治研究會」。決定書中有云「反對修改出版法，黨的號召拒絕不接受」，與「八月五日又擅自鼓勵罷免省議會議長黃朝琴同志」以及「正式簽名反對本黨之『中國自治研究會』爲發起人，不惜公開叛黨」云云。（元月八日于寶島）

香港市政民選議員展望

·祝修衡·

香港市政民選議員李有璇、陳樹桓、鍾愛理遜、區達年任期，將於今年二月任滿，三月間（確期未定）又屆舉行選舉。市政局共有八個民選議席，任期分爲四年及兩年；兩年一度選舉，過去情況，競爭相當劇烈。現有八個議席，均由兩大政團——香港革新會及公民協會包辦，單獨參加競選與匹敵；但公民協會成立之前，歷屆選舉，均爲革新會獨占；現在看來，雖以過去兩次選舉趨勢，似乎正向後來居上發展。雖然目前革新會仍佔優勢——五對三之比；區達年去年已脫離革新會組織，事實上僅四比三革新會只多一席。本屆選舉形勢，對革新會證勢得失攸關。

由於此種原因，革新會年來在組織方面力求發展，港九各區均已先後成立分會，會員數字，比五年前幾達十倍。公民協會則極力爭取各大社團、與工商教育界人士合作。革新會的發展路綫，雖不忽略爭取文教工商各界支持，基本會員却建立於廣大衆多中下階層；由於該會政綱及其歷史背景關係，在白領階級羣中，仍擁有百分之八十以上的基本選票。

本屆候選人登記尚未開始，而兩大政團所支持競選的候選人名單，業已公開宣布：香港革新會除了原有李有璇、陳樹桓、鍾愛理遜三人，繼續爭取聯任之外，由巴士度大律師補足（原由革新會支持四席民選議員）缺額。這四位候選人之中，李有璇爲革新會執委兼西區分會主席，職業爲單獨掛牌醫生、香港大學醫科教授；陳樹桓也係該會執委兼分會主席，現任德明中學校長；鍾愛理遜是一位英國小姐，革新會執委，是九龍醫院醫生；巴士度也是英國人，在香港掛牌執行律務；一般揣測，革新會本屆囊括四席並不輕易，不過李有璇及陳樹桓兩人，均有基本選票，鞏固連任殆無疑問；鍾愛理遜及巴士度除非爭得教育界全票，不易獲勝。

公民協會僅提名兩人：王澤流及張永賢律師，前者現任東華三院主席，爲工商界名流，他擁有納稅人的多數票；後者的基本票在白領階級手上。兩者均需教師們投以同情票，得失均在教師們的一念之間。這也是該會不擬增加候選人的基本原因，如果候選人提名多，選票勢必會分散。根據一般選舉人看法，公民協會可能同革新會平分四個議席，就筆者剖視現實情況，革新會縱不能包辦四席，三對一的可能性極高。

可能出於種種顧慮，區達年是否繼續參加競選，目前尚在周詳考慮，假如僅得選舉人中有力支持，他爭取聯任機會必然緊緊把握，不會輕易任令坐失的。

每屆選舉，候選人例必提供諾言，同時也是爭取選舉人支持的一種手段。香港革新會的結構及其政綱比較單純，十年來除受阻於對「立法局增加反對力量」（該會政綱第六項），其餘十五項却有相當成績。年來該會致力於教師福利，公共衛生改善，以及籌謀抵制「廉價傾銷」，以挽救工商業危機對策，正有待於各方合作。公民協會八大綱領之中，大部分是偏重教育方面的。如所周知，紅色教材現正極力普化香港兒童身心，意圖取代香港傳統的教材。基於此種理由，該會現已設置研究機構，編訂中小學生新教材，極受文教界歡迎。此外，跟革新會所努力方向大致相似。然而，港市民今天需要的，並不是任何動聽的諾言，而僅求直綫下降的生活水準，稍獲改善。先決條件是抵制共貨，促進工商業繁榮。（完）

文壇透視

七[illegible]

從郭沫若入黨說起

在比較老一輩的新文學作家中，被中共收買最早而又最賣最久的，當屬這位翻雲覆雨、無恥之尤的「郭老」——這是中共文藝圈內近年對郭沫若一致的「尊稱」。

五四以後，他從日本回來，在上海辦「創造社」，打起「爲藝術而藝術」的旗子，和提倡「爲人生而藝術」的「文學研究會」相抗衡。那時「文學研究會」出面和他「爭戰」的，就是現任中共文化部長的茅盾。這是民十到民十四這幾年間的事。這期間，中共會由蘇俄回來的蔣光慈，先後在後期「新青年」和「覺悟」上發表過提倡「革命文學」的文章，但無影響。照理論說，倒是茅盾這一派比較接近中共的「革命文學」，郭沫若的「藝術至上」主義和中共的理論，正如冰炭之不相容。誰知到了民十五，郭沫若突然來了個一百八十度大轉向，大聲疾呼地喊起「革命文學」來，把列寧捧爲聖人，蔣光慈也在「創造月刊」上發表了文章。瞿秋白曾說：「時代的電流使創造社起了化學的定性分析。」其實哪裏是什麼「時代的電流」，還不是因爲蔣光慈不濟事，拿出資本來收買了創造社？從那時以後，他一直被中共豢養着，據他自己說，寧漢分裂，他流亡日本，得到周恩來的資助，至今中共已豢養了他卅餘年了。

在文藝方面，他於「解放」前給中共建了三次大功。首先是如上面所說，他在被收買後即作了中共的傳聲筒，吹起「普羅列搭里亞文學」的妖風，而使創作社成了中共的資產；其次是當民廿五左翼文人鬧大分裂時，魯迅、茅盾都反對周揚的「國防文學」論點，他却乖巧地附合了周揚，促成了中共御用的「文協」；最後是抗戰時他在總政治部第三廳長任內，給中共拉攏了不少文藝人，組成了中共的一支文化大軍，他這些部下差不多後來都變成中共的文藝權要。這是他所以能在中共得勢後榮任中共文藝最高領導人的資本——雖然他這個「全國文聯」的主席，還得受中共中央宣傳部副部長周揚的指揮。「解放」後他對中共那種奴顏婢膝的無恥行事，衆所週知，不必再數統舉。像他這樣的人本來早就應該讓他入黨的，爲什麼直到今日中共才肯賜以這種「殊榮」呢？說來話長且待下次再說。

保阿大躍進

一九五八年保加利亞將其原有三四五七個農業合作社併爲一四七〇個，這種併大社可能是通向組織像中共一般的人民公社的途徑。阿爾巴尼亞一九五八年的工業總產值比上年增加百分之二十，是爲這一年東歐共產國家中工業進度增長得最快的一個國家。上述情況，是東歐共產國家中較突出的，這一種突出的情況，可能是受到了中共的影響。

格羅提渥訪中共

東德總理格羅提渥已經離國，即將到中共訪問。某些論者以爲通過這種訪問，中共將影響東德對柏林的態度，我却不以爲然。因爲蘇聯對於東德控制最爲嚴緊，此次格氏東來訪問，無可懷疑當是蘇聯的授意。中共固然想影響東德的政策，但東德對於柏林的政策是蘇聯制訂的，東德未必有自主的[illegible]。而蘇聯對於柏林的政策，一似米[illegible]透露者，背予褒還，是軟弱的[illegible]從[illegible]觀察，格氏之訪問中共，似[illegible]德想藉此而獲得中共的諒[illegible]屏，[illegible]中共的主動。

共與波蘭

十一月十日，中共在波蘭的華但斯克（即但澤）設立總領事館，總領事爲宋石，這是中共在蘇聯以及東歐共產國家中的第一個領事館。在外交關係來說，此事當有其廣泛的意義。但若就此而來說中共波蘭間的密切外[illegible]，則又未必；例如最近由華沙出走[illegible]家傅聰，消息透露，早經中共的注[illegible]而波蘭竟不予以阻止，足見它們間[illegible]合作並非是無間的。

中共與東歐

一九五六年十月匈牙利革命以後，中共高喊反對大國主義，在國內則實行鳴放政策，企圖用右的方法來消滅國際的與國內的人民內部矛盾。此時，中共的這些措施，受到了東歐共產國家的普遍歡迎，共中尤以波蘭與匈牙利最爲熱烈。

一九五七年六月，中共用「右」的方法來消除人民內部矛盾的嘗試失敗，轉而反右派，共國內外政策，一左再左，至一九五八年則採取大躍進、組織人民公社與在台灣海峽製造緊張局勢。這種左的政策，亦有上述的保阿兩國來效法，似非意外。

若以一九五六年十月以後中共的右的政策對於東歐的影響與現在左的政策的影響來比較的話，恐怕還是前者大。右的政策爲波蘭匈牙利所歡迎，左的政策被保阿所接受，這正說明東歐各國思想的參差，步調不一，蘇聯控制力的薄弱。

至於說，這種情況就是中共對於東歐國家的思想領導，那就未必；因爲當它採取左右兩項不同政策時節，是被幾個不同的共產國家所歡迎，這是符合於它們自己的不同需要的緣故，並非表示中共在那裏佔有了思想領域。前述的格羅提渥訪中共，與波蘭一任傅聰出走，當可說明中共在東歐的影響力微弱，時左時右，當說明中共政策的不穩定，這種不穩定的政策要想他人亦採用，當非易事。可以斷言者，到還是它的影響足以搗亂共產國際的思想統一耳。

·田心·

新書評介

雜文集：人間隨筆

劉心皇著：台灣反攻出版社印行

·耿直·

年輕人愛看散文，小說和新詩，而老一輩的人却喜歡看雜文，這表現各種人的嗜好與閱歷交互影響之故；所謂：人情練達，自是好文章了。寫雜文，還當如此！

我認爲雜文較之其他文章爲難寫。今讀了劉心皇先生之雜文集以後，我有下面的看法。

依我平日與劉心皇先生交往中的觀察，他對人的觀察很細微，同時對於事理也透視得深徹，且他已四十餘歲了，正是寫雜文的時代，據反攻出版社的介紹，可以得知這部雜文集的內容：作者的雜文，或就人就事而置評，或藉掌故軼事而抒寫，或錄別人話語而申論，皆有獨到見解；有坦白之言，有弦外之音，均能發人深省。劉先生見諸於報刊的文章多爲文藝的小說、散文、新詩、文藝部門的作品很難見出作者的胸襟與眞性情，因爲文藝依憑想像，可以說出「不由衷」的話，而雜文必須「言之有物」，無論人或事，必須有所指者。他告訴我說：這部書中大多是眞話。我告訴他說：惟有說眞話才能感人，因爲眞話乃出之於肺腑者，此一時際說眞話，也是我們讀書人的時代責任，否則天地間全被「官話」「謊話」充斥了。

我又說：形容雜文，除七首一詞外，套一句江湖話：白刀子進，紅刀子出。但其目標不盡相似，而是惡事惡人。他也首肯這個意思。

據我過眼於該集的印象，作者是懷着怨[illegible]的，雖然刺進惡事惡人的心深處，但也有其醫治的心腸，對於世道人心而言，作者是「大夫式的雜文家」，它使讀者能够辨忠奸、善惡，也正如孔子在「憲問篇」所說：「忠焉能勿誨乎？」所謂盡忠，諫者，諫諍也，不過不止於對人君之忠和諫諍，而是對整個國人之「忠」的諫諍，這樣的胸襟，還是文藝作家的胸襟。

該集共收卅五篇雜文，以藉古諷今一類最好，如「談貪污」、「再談貪污」、「猜忌」、「清代的文字獄」、「再談清代的文字獄」、「葉德輝二三事」、「無恥的典型」、「自稱忠貞份子的典型」、「謊話」等篇；其次是人間世的新知識，如「關於李宗吾的厚黑學」、「逢迎秘訣」、「逢迎之例」、「影劇上逢迎的例」、「逢迎的又一例」、「告世人書」、「人生五計」等篇，都可使人識世增加雜得的知識；其他如「由侯佩尹的死說起」、「悔不當初」、「作家的『志』和『才』」、「作家與文藝運動家」、「世故」、「大家諱言的問題」、「談語病的人」、「談編輯的心情」等篇，對當代知識份子，無是語語針砭。

這樣的書對於中年，老年人，可以有很多會心之處，對於年輕人的新知，對於被刺的人，無異是一副[illegible]劑。予人印象最深的如「謊話的人」如影如鏡，「世故」中寫文章是實血與實受情的行當，可謂獨創的形象了。

但是，這部雜文集並非十分完美的，諸如「附錄」（一）中之三篇及「附錄」（二）中的五篇，多爲作者廿年前大陸時之作，當然不如現在的深刻，無論觀察與見解都是如此；其次作者在談現實的人與事時，還保留一點厚道，宛不如藉古諷今之深刻感人。當然這個雜文集是第一輯，希望以後的雜文都能做到「白刀子進，紅刀子出」的地步，這是我們對作者的期望！

（四十七年十一月廿四日夜）

瘟君夢

第一回　消息自天來，人捐秋扇　風波從地起，夢冷新華

三月天氣，在江南已經是杏花春雨時節，北平城內却依然積雪橫陳，堅冰鎖地，一陣陣朔風怒號下，充滿了蕭条景象，老百姓衣食兩缺，抵不住寒風侵襲，蜷伏在室內不能外出，整個城內一片蕭瑟景象，偌大一個「首都」，好似鬼域一般，除去荷槍實彈的「解放軍」和人民警察，馬路上看不見一個人影。

新華宮內在適當暖氣調節下，和煦如春，中人欲醉，眞個是天上神仙府，人間帝王家。

下午兩點半鐘，毛澤東剛剛吃過早飯，拿起一本水滸傳，正看到林冲火併王倫，不由得想起當年在井崗山上殺死王佐、袁文才的經過，和這段故事完全相同，不過晁蓋、宋江只株守梁山，咱家今天却混一中國，遠非宋江所及了。正想得出神，田伯英推門進來，躬身說道：「報告主席，郭沫若來謁，請示是否接見。」

毛澤東猛然一驚，順手擲起水滸，換出一本唐詩三百首放在檯上，然後點點頭說：「讓他進來。」

室門開處，郭沫若戰戰兢兢走進來，剛邁門行了一個九十度鞠躬禮，連說：「主席好，主席早。」說過惡縮地垂手站在門首。

毛澤東笑道：「沫若兄，你來得正好，我一個人悶得慌，想找人談談，這叫做『正欲清談聞客至』了，請坐下談。」

郭沫若惶悚萬分，用半邊屁股，直着身子坐下。連說：「主席太客氣了。」

毛澤東笑道：「沫若兄，哎！我該稱你沫若同志了，組織已經決定批准入黨，今後是一家人了。」

郭沫若站起來恭敬答道：「我就是爲這件事來向主席致謝。想不到我郭沫若竟然加入了偉大的共產黨，在主席英明，神聖，偉大，慈祥，[illegible]，頂天立地，震古鑠今的光輝領導下，我郭沫若有生之日，一定要把心，交給主席，仰報知遇之恩。」郭沫若說到這裏，眼圈有些紅了。

郭沫若說完，毛澤東哈哈大笑起來，連說：「得了，得了，沫若兄，你把我當作慈禧太后了，是吧！」

郭沫若不料這個馬屁拍錯了，頹然坐下，剛才興奮得通紅的臉膛，頓時變得蒼白。

毛澤東也覺得有點過分，故意掉轉話頭問道：「沫若兄，你的耳朵近來怎樣了？」

「噢！」郭沫若又站起來，「承蒙主席關懷，現在配了一付助聽器，好得多了。」

（一）

岳[illegible]

自由談

口惠主義乎？

馮五先生

近月來，香港市面缺少猪肉供應，原因是中共大陸上的香港來源銳減了。因此之故，其他的日常副食品亦乘機漲價，而酒菜館乃相率振振有詞地增高售價百分之二十。市民們皆以沮喪愁歎的心情，渴望台灣方面的猪產能够及時應濟，消弭大陸上毛共政權隨時譸張爲幻，操縱本港居民日常生活的威脅。過去常聞台灣猪隻產量豐富，可以大量供應香港的宣傳消息，事到臨頭，人們即期待甚殷也。

可是，據台北十一日泛亞社電訊報導：「台灣生猪之供應香港，在產量上絕無問題，唯一可能發生問題的即爲運輸。全省生猪之產量，除自用及銷港外，尚期在日本開闢市場」云。這又是空口說白話的宣傳詞令，徒給海隔兩百多萬的僑胞以不良印象。大陸上毛共乘此舊曆年關階段，藉猪隻作武器，困擾香港社會大衆的生計和生活，台灣既有如許剩餘的猪隻，爲甚末不盡量於爭取人心的心理戰利益，而及時大量供應香港市民的急需，以挫敗共黨陰謀呢？運輸問題並不像製造原子彈那樣艱難的事，而乃搞了幾年亦不能解決！這種論調，我們聽過兩三年，——這證明我們的政治機能，仍不免腐敗因循之病。運輸一些猪到香港，且如此困難，那還談甚末大事渡海反攻大陸的話呢？

所謂運輸問題，其癥結必不在工具，而在成本關係。爲著心戰的利益，縱不賺錢，甚至於由政府賠補一些運費，也應該毅然從事的。平日夸夸其談，說台灣有的是剩餘物資，可以供應香港，臨事却諉諸運輸問題。口惠而實不至，猪隻問題上的影響實在太惡劣了！猪肉的事是這末艱難，竟說要向那不吃猪肉的淨洋國家——日本開闢市場，這不是離奇了嗎？

我不相信運輸問題沒法解決，我懷疑一般政治人物猶吾大夫崔子，一切作風還是過去在大陸上那一套。噫嘻！

記台灣兩個迎年歌劇會

萬香堂

這次新年，筆者曾參加兩次迎年歌劇招待會：一次乃梁寒操嚴家淦徐恩曾鄧萃英何應林等十五人所主辦；另一次乃師範大學平劇晚會。

「迎年歌劇」於新年前兩夕，在國立藝術館舉行，啓幕前由梁寒操致詞，幽默地稱其前數排座位名之爲「保留座」，但非保留與達官貴人者，而乃爲年長者留座而已，是否如此「解嘲」，不得而知，却頗够人情味，故能使那些坐在後面的「貴賓」們爲之哄然而呵呵大笑。

是晚節目有三，一爲粵劇「抗秦」由關子龍梁儀玉等主演，二爲崑曲「遊園」由程蘊英徐謙等主演，三爲平劇「新頂刺湯」由金素琴李金棠等主演，三種歌劇混在一起，令人可以作個比較增加興趣不少。平心論：平劇是古典主義之保守派，唱工做工均有典型，而且主演諸劇之青衣花旦金素琴乃屬全國有名之第一流脚色，李金棠乃譚派老生，其造詣亦相當不錯，其他節目自難與敵；崑曲年來在台北頗爲流行，江浙籍人士大概懷鄉心切，對此道特別有興趣，晚間在新生南路一帶住宅區，也常聞以絃歌之聲，可見一班，此次主演之二角，均爲旅台最佳之名角。至於粵劇「抗秦」內容慷慨激昂，劇本乃屬新編，自有創作之價值，惟以既與平劇、崑曲一齊觀摩，自應選演粵劇中之最著名劇本。此次主演各角均乃梁寒操等所辦之「粵劇研究社」票友義務擔任，且各主角在粵劇界亦有相當歷史，與一般普通票友不同。

×　×　×

師範大學慶祝元旦平劇晚會，乃於元月二日晚，在師大禮堂舉行，主辦者乃師範大學國劇研究社，其中脚色全部乃該校男女學生，而其標明其演出人爲師大校長杜元載，由這點可預測，此次演出必有其特出之人才，否則焉敢大發「招待券」請客呢！我推測愛好平劇之學生多必因其家庭有此陶冶，故能以「家學淵源」而有其大才之表現。故我當機往其他的節目而往欣賞，果然沒有使我失望。

是晚演出四個節目，一爲「空城計」，二爲「春秋配」，三爲「一捧雪」，四爲「打漁殺家」。

戲贈叔儻先生

邵鏡人

六代風流未易師，幾人抖擻化神奇？宜城不作陶潛去，又見文星照伍蠶。

自　嘲

鶴人

十載風霜入鬢絲，自憐出處向矜持。餘生豈合空山老，故壇經唱杜詩時。

論相與知人

陳宗敏

相人術士號稱能知人吉凶，預測人的禍福運命，係從人的容貌，氣色，面部，手紋等去審察的。有時候從人的面上氣色和精神作爲談相的觀測。我從不相信這些勞什子，所以從來沒有去「問命」過，這正像我對於「宴天求神」一樣。

實在的，「人不可貌相，海水不可斗量。」所以荀子有非相篇，他臚舉堯，舜，周公，文王，皋陶，傅說，孔子公孫等古人的外形怪狀，如果真如其言，這些曠世聖賢却是一羣醜狀猙獰的魑魅八怪。由此看起來，從外表衡量一個人的本質，可見是靠不住的。

歷史上的偉人，常常能知人善任，如周文王之用姜尚，如漢劉邦之用蕭何、張良，韓信，這等事實，便是史不絕書，難道其相人的標準，必是從相貌去選賢人的。管仲病死時對齊桓公說：「豎刁，易牙，開方三子，非人情，不可近。」即係管仲平日觀察三人的行爲不合人情常理。雖然後來桓公不聽，但管仲所以知之，便是平日觀察所得。

大凡不正當人物，不管其平日如何的「見君子而後厭然」的假事掩飾，但總會露出破綻的。所以孔子以觀其所由高的名言「人焉廋哉」爲不錯，便是一種見解。

荀子說：「相形不如論心，論心不如擇術；形不勝心，心不勝術；術正而心順之，則形相雖惡而心術善，無害爲君子也，形相雖善而心術惡，無害爲小人也，君子之謂吉，小人之謂凶，故長短小大善惡形相，非吉凶也，古之人無有也，學者不道也。」

釋耒集

游俠

曲齋

司馬遷史記游俠傳序曰：「今游俠，其行雖不軌於正義，然其言必信，其行必果，已諾必誠，不愛其軀，赴士之阸困，既已存亡死生矣，而不矜其能，羞伐其德，蓋亦有足多者焉。」在司馬遷心目中，實在是極其看重游俠的，故他又說：「要以功見言信，俠客之義，又曷可少哉！」

戰國儒墨顯學，數術，方技，網羅所偏，而獨無游俠之書，俠乃不得附於九流之列，依我們測想，大抵自荀子所以「大道不道」之罪，受誅後，游俠之與刺客，漸漸只能從傳奇中出現，成了小說家的材料。

按司馬遷爲朱家傳，曰：「魯人皆以儒教，而朱家用俠聞」，是見儒俠似乎同出一源，孔子言儒行，曰：「儒有忠信以爲甲胄，禮義以爲干櫓，戴仁而行，抱義而處，雖有暴政，不更其所」，其實就是俠客的行徑，若更高一層，俠客視之，固自細密，儒生惑于端慤純深爲體，假游俠之名以……「此盜跖之在民間者耳，曷足道哉！」章太炎先生，清末爲革命黨，鼓吹暗殺，曾撰儒俠之義，其言曰：「……位，賊元元無算，法律不得行其罰，非刺客而鉅奸不息」……明矣。故暨刺客，當亂世則輔民……革命黨人，之後，頗有秦漢之際的風氣，及民黨執政，文武之法立，而任俠之風遂泯，人心士氣，凋喪已極，今天的大局，仍然一部頭緒紛紜的……主義，恐亦不免爲緣木求魚之類而已。

在迎年娛樂中，而能發揚民族藝術，比諸開跳舞會，聞西洋音樂會好多了！淺見以爲平劇應該不要太守舊，應該嘗試革新，粵劇則應該吸收平劇之長處，任何新劇亦必須有其應守之規律，不能如野馬一般自由奔放，「平喉」雖乃極佳之創造，但失諸普遍的平，其間應雜以激昂之曲調，似應該再將舊派粵劇雄壯曲調再行採用，或另創一雄壯之新聲，對服裝一律華麗，常有損劇情，亦宜改正呢！（一月五日於台北）

風雨樓繪畫叢談

述賢

慎到，爲周代有名的刑名家，他本諸法律觀點，考證最精，紀事較詳。他在慎子上說：「有虞氏之誅，以幪巾當墨，以草纓當劓，以菲屨當刖，以艾韠當宮，布衣無領當大辟，此有虞氏之誅也。畫冠，異章服，謂之戮。上世用戮，而民不犯也」。以上諸說，是表明舜時繪畫，理想很高，應用很廣，影響力很大。人類發明了法律制度，原以維持社會的安寧秩序。遠在四千年前，就把殘廢一類的刑法，都棄而不用。從藝術觀點看，是美化人性，從道德觀點看，是革除獸性，則其智慧之高，殊令人有超人之感。所以孔子曰：「無爲而治者，其舜也與」。惟其如此，繪畫和畫嫘的關係，便大有問題。虞舜娶帝之二女的時間，是行年三十，距離攝行政事的時候，也不過兩年。靈嬴以一介農家少女，在一個沒有溫暖的家庭環境中，便能創造繪畫，於情於理，都不可通。更何況舜帝的朝服，冕冠，刑法，都需要繪畫采飾。又豈嫘一人之力所能勝任？想來舜帝的畫人還不會用得很少呢。周人孟軻，是言必稱堯舜的先儒，他對於虞舜的平時生活曾說：「舜之飯糗茹草也，若將終身焉；及其爲天子也，被袗衣」，袗衣，爲采繪常服，既非寒素農家所常用，自爲堯宮舊藏無疑。堯舜同人，相處於廟堂者，二十有八年，平常飲食起居，衣冠穿戴，當不致異形異色，相去太遠。即如舜帝十二章，可能仍爲帝堯的舊時制度，否則，以舜之德，何致一作天子，便行違反堯帝，驟加改革呢。凡此都是舜明堯帝時代，早有繪畫存在的反證。所以漢儒馮勳云：「二帝但畫衣冠，異章服」。唐人張彥遠名畫記云，「洎乎有虞作繪，繪畫明焉」。宋人張懷山水純全集序云，「畫之祖述於古，有自來矣，願自唐虞，備於商周」。然則繪畫的創始，一定還在上世，決非舜妹嫘嫘。（四）（待續）

諷刺小說

造字

尤崇洵

一天，史官倉頡照例上辦公去，到了宮裏，拿起刀子便一劃一劃地刻起圖形，繼續編史前史。

忽然，黃帝進來了。

「陛下，早安。」倉頡迅速丟開了雕刻刀，立起身子，鞠了一躬。

「你坐，你坐，我有點事想跟你談談。」黃帝自己拖了一張椅子，靠近倉頡，用食指在椅墊上抹一下，看看沒有灰塵，才放心坐下。因爲今天黃帝穿了元妃嫘祖製的絲織品的新衣和新裳。

「陛下有什麼吩咐？」倉頡坐下，謙恭地問。

「你近來編歷史忙麼？」

「還好，總是那樣。」

「嗯——」黃帝沉吟一下，「我覺得你工作很吃力，你編歷史符號不够用吧！」

倉頡有四隻眼的，與常人不同，當然立刻就會意了：「您是說要我編一套符號？」

「是的，是的。」黃帝欣然地說：「將來完成後，你可以拿到內政部申請五千年專利：……」

「陛下要我造字，除此外，還有別的原因麼？」

「哈哈——」黃帝打個哈哈：「確有的。我前幾天一直想，有巢氏構木爲巢，燧人氏鑽木取火，伏羲氏發明網罟，神農氏播種五穀，到了現在，我們又發明了宮室，舟車、貨幣、衣裳，我太太還會養蠶，百姓生活都很安定，吃得飽穿得暖，不愁生計。然而似乎還欠缺些什麼，那便是藝術。」

倉頡幾天來不斷地刻史前史，所以指頭都起了繭，十分疲勞，不想造字，便打岔說：

「陛下，我以爲藝術不必要。文藝是苦悶的象徵。陛下聖徽真主，治國以來，天下相安，和祥之氣，充塞宇內，百姓豐衣足食，怎麼會有苦悶，沒有苦悶，又何必去搞勞什子的藝術？」

黃帝想了一下，說：「不然。人對現實都不滿意，這是一定的道理。所以大家都苦悶。而且欲蓋彌彰，欲蓋彌彰……」

黃帝說完話就出去了。倉頡無可奈何地歎口氣，送走黃帝。

（二）

倉頡只得加班了。白天編史前史，晚上創造字，忙得不可開交，指上的繭也一天比一天多了。

日子一天天過去，倉頡最後只得每天閉兩眼開另兩眼，輪流休息着。這樣又過了許久，字才算造成了。

字成的一天，「天爲雨粟，鬼爲夜哭，龍乃潛藏。」

黃帝知道了，高興地跑來向倉頡致賀。立刻，消息轟動全國，百姓們把皇宮圍得水洩不通，大家爭看倉頡。有的說他不止有四隻眼，而且有三顆頭顱；又有的說，此外更有六隻臂膀。結論是：這些消息都很可靠，因爲沒有三頭六臂，是不可能有這發明的。於是乎，參觀的人更多了。

倉頡雖然造了字，然而懂得的人也只有他一個。因此，黃帝又命他教宮裏的人，宮裏教出幾個學者後，再教百姓。這樣，百姓們漸漸懂起來，黃帝也笑顏逐開。

先時，倉頡教宮裏的人，用認方塊字的辦法，但方塊字不方便，便決定改變教法；於是和宮中的學者們一齊編了幾套教科書——「趙錢孫李周吳鄭王……」「天地玄黃宇宙洪荒……」「阿貓叫，阿狗跳……」之類。百姓們一車一車的把書買去，此後，不論街道上、住家裏，大家都談論學問。牆壁上、廠將上都刻了字。遊覽山水時也都就地刻字，以資留念，並可以與山水共傳不朽。

（三）

正如黃帝所說，百姓們真有苦悶的。大家認得字後，便「象徵」起來。因爲刻字不方便的緣故，大家就先作詩。詩較短，而且「押韻便是」，所以方便多了。（上）

自由人
THE FREEMAN
（第八二一期）
中華民國僑務委員會登記證台僑字第二號
中華郵政台字第五〇〇〇號執照登記為第一類新聞紙類
（半週刊逢星期三六出版）
每份港幣壹毫
台北市價台幣貳元
督印人：陳文華
地址：香港高士威道二十號四樓 20 CAUSEWAY RD. 3RD. FL. HONG KONG
TEL. 771726
承印者：東南印務出版社
地址：高士打道六十四號
台北總經銷處
電話：三一二六九四二
海外總代理：友聯書報發行公司

從蔣總統反對修憲說起

王厚生

幾年來，我們所聽到關於自由中國的消息，大致是壞的消息多，好消息少。但在去年一年中，台灣至少傳來了二件可以令人興奮的好消息，第一件當然是固守金馬三軍的偉大戰鬥精神和勝利，第二件要算蔣總統反對修憲的主張了。

去年十二月廿三日，蔣總統在光復大陸設計委員會第五次全體會議中致詞，說了這樣一段話：「自去年以來，國民大會有好些代表曾經提出修改憲法的問題；自然，這是各位代表的職權，個人不便有所干預。但我可以代表中國國民黨，代表政府來說，我們不僅是沒有修改憲法的意思，並且反對修改憲法。」

繳去反共復國的武器

「言為心聲」，蔣總統說出這段話，表示蔣總統個人、國民黨和政府都沒有修改憲法的意思，都有維護憲法的決心。但是，從蔣總統發表演說的那天起，我們從報章上獲悉仍有國大代表主張修憲，為蔣總統連任三屆總統做鋪路工作，甚至有所謂五人小組會之組織，專負修憲和安排蔣先生連任總統之責的。這些消息是否可靠，我們不去管它，但就消息的本身來說，總是不好的，假使這種不好的消息實際上又是確有其事的，那末，這不僅是不好，而且更糟糕，是不好之尤了。

怎樣不好呢？第一，這班主張修憲的人是在破壞中華民國的立國根本，他們在開創惡劣的毀憲事例，斷傷中華民國的憲政前途，尤其嚴重者，是他們企圖繳去我們反共復國的有力武器（蔣總統在演說中會明明白白地說：「反共復國的武器，如軍事、政治、經濟、文化等等，莫不皆是，而憲法即尤為反攻復國的有力的武器。所以我們必須尊重它，而且維護它，才能達到反共復國的目的。」）第二，這班人不聽蔣總統的話，違背蔣總統的意思，而且有意損害蔣總統在我國近代史中的地位。假使這班人中有國民黨黨員在內，那末便是這些國民黨黨員不聽他們總裁的話，企圖破壞總裁的政策。這班人，與其留在國民黨內，不如宣佈退黨，另組反對黨。國民黨有黨紀，對於這班不服從總裁意思的黨員，也應該有所制裁，而且須即刻採取行動，免得他們繼續活動，破壞國民黨和蔣先生的信譽。

如何停止修憲活動

修憲既不好，故只要國民黨中央和蔣先生採取行動，不必說干預一代表的職權，而是命令國民黨黨員服從黨中央和蔣先生的決策，修憲的活動，立可戢止。因為大多數國大代表都是國民黨人，他們都有服從黨中央和蔣先生的決策的義務，縱使仍有少數頑固分子不聽命令不盡義務，畢竟是達不到修憲的目的，即使修憲，總統候選人也不會是蔣先生，因為我們相信，蔣先生是不會做不願做的事的。

總之，這次蔣先生主動地代表國民黨，代表政府鄭重宣佈：反對修憲。我們已可放心地說：蔣總統已決定不再連任三屆總統了。同時，修憲之舉[illegible]泡影，瞬息就會破滅。反對修憲，[illegible]為反共復國[illegible]，這是一個很好的憲政事例，也是非常高明的措施。自然，我們拿反對修憲一事，看成為自由台灣的好消息。

應開始籌備競選

蔣先生決心不連任第三屆總統，誰來繼承蔣總統的職位？對於這些問題，我沒有肯定的看法，我所希望的有二事：

第一，[illegible]，自由中國[illegible]即展開下屆總統的競選活動，誰出來競選，有志者都可一試。競選會有效嗎？能[illegible]之常選嗎？我也不能說保險有效和有助於他日[illegible]

[illegible]演說，影響國大代表及其投票。競選活動，我們並不習慣，正因為不習慣，讓我們努力去學習。[illegible]

[illegible]選人。萬一國民黨籍國大代表不合作，阻碍提名，則可聯合有黨有派與其他開明人士共策進行。候選人推出後，組織助選團，進行聯絡和宣傳工作，因為是試辦，故候選者較前者尤其重要，印發小冊子，發表競選演說（假公共場所和電台），並請官營報章雜誌公開園地，登載一切候選人的言論文章，縱有文字攻擊和政策爭執，不受限制，一律照刊。凡有競選，必牽涉政策，也少不了互相指責。除反共抗俄之基本國策外，內政問題可談，外交問題也可談。近年來，台灣政治界有一種停滯沉悶的空氣，我們要趁這個機會，吹一股清新的空氣，把它吹散，使生活在其中的人精神舒爽。

國民黨的態度如何

第二，我希望國民黨方面對于大場面的競選運動出現，不要加以阻止，因為這是對憲政前途、對反共復國極有關係的事。我們要想憲政前途光明、反共復國成功、中華民國前程光輝燦爛，就必須做有利於憲政的事，有利於反共復國的事。[illegible]國民黨人也[illegible]黨在訓政的名義下一黨專政了數十年，現在我們要考一考「訓政」的黨及其黨員有無實行憲政的誠意。假使他們根本不理會憲政為何物、民權為何物，則可證明他們對於「訓政」，祗是把持政權，更足以證明我國沒有走上憲政的常軌，是要由國民黨負責，再巧辯也無用了。

最後，我也考慮到競選的可能性問題。這問題在已有憲政基礎的國家是沒有的，但在我國，特別是在今日的台灣，卻是一個基本的問題。我們儘管希望有競選，也知道競選對憲政對國家的益處，但沒有人願意出來競選又怎麼辦呢？難道中國人民中竟沒有熱心憲政和國事的人嗎？當然不是，問題還在乎掌握政權的國民黨的真正態度如何。（一月十三日）

半週述評

看俄共權力爭鬥

蘇俄聯共大會召開在即，克里姆林宮內部權力鬥爭又形劇烈。從俄共報章不斷攻擊所謂反黨集團，可見與赫魯歇夫敵對的勢力，雖遭挫逆，卻是死而不僵，可能藉聯共大會的機會發動反擊。赫魯歇夫掌握了主席團中委會和地方黨部，但在書記處經理階層與軍人方面，反對派仍擁有雄厚的潛勢力。今日的赫魯歇夫固已羽毛豐滿，等閒不虞傾圮，但要完全懾服反對派的反側卻還要大費一番手腳。因此從去冬七年計劃的提出，一連串中樞軍要會議的召開，抨擊反黨集團的加強，與種種外交方面的策動，都可視為赫氏為了應付聯共大會的一番佈置。三年前的聯共第二十次大會，赫魯歇夫仍不能不依恃莫洛托夫卡岡諾維支等一批老布爾塞維克，經理階層的薩布羅夫貝爾烏辛，朱可夫元帥的軍令派軍人等以為己助。在這次大會中，赫氏無疑要造成清一色的自己勢力，猶如史達林之於一九三〇年第十六次聯共大會那樣。

大舉整肅仍有可能

最近米高揚在美國說：蘇聯的政治自由已在加強，並舉出無人以政治原因被捕做為佐證。實則赫魯歇夫自己就曾充當史達林在烏克蘭的劊子手，過去該地區共黨領導階層的全體夷滅，他和莫洛托夫要負同樣的血腥責任。赫氏決不比史達林開明或仁慈，只是更機變而狡猾。米高揚為過去的殘酷整肅辯護，說「那是需要的」。目前俄共之所以尚未大開殺戒者，一則是赫魯歇夫至今還想保持一種與史達林不同的面目，二則是反對派的聲勢尚不足以危及他的生存勢力。特別是後者的原因，所以莫洛托夫馬倫科夫諸人儘遭貶黜，對於貝里亞卻非殺掉不可。今後是否會大興黨獄，全要看「反黨集團」對他所發生危險的程度。如果確有「需要」，莫馬諸人終難免為李諾維夫布哈林之續。

至於莫洛托夫調任駐荷大使之說，一種看法認為是要分化莫氏與毛澤東的勾結，另一種見解說是「反黨集團」死灰復燃的朕兆。總而言之，對於這位「可敬愛」卻十分「保守」的老布爾塞維克，可能赫魯歇夫至今還想不出最妥當的處置辦法。

米高揚訪美之行

就對外運用而論，赫魯歇夫在中東有相當成功，但阻力也繼續增長；關於柏林問題卻全部失敗。他自己造成一種難於轉圜的僵硬局面，如果不是西方建議談判廣泛的德國問題，赫氏會因此構成其在內部權力鬥爭中的重大弱點。過去他在中東的冒險政策，就曾遭受朱可夫反對，柏林問題的風險比中東更大，這便是赫氏在大會前夜匆派米高揚前赴美國活動的理由。

此次米氏赴美，有幾分像一九五六年春赫布二氏的訪英。但那次是正式訪問，事前有馬倫科夫去探路，臨時有塞洛夫的佈置，而赫氏在酒酣耳熱之餘，又難免露出幾分狂態，因而結果並不如理想。此次米高揚訪美的身份，介乎公私之間，完全擺出他自己本行「售貨員」的面孔。以是縱然東歐逃亡者忘不了那些血海深仇，一般美人卻覺得這位第二號俄共首領和藹可親，此其影響表現在今後第八十六屆國會中。美政府為了打開柏林問題僵局，對於米氏來訪，內心中無甯深表歡迎，甚至予以許多特殊便利。預料這位「售貨員」歸去時，會賺得大量政治利潤，在聯共大會中為赫魯歇夫平添顏色。單就這一點而論，美國是替赫氏幫了大忙。

李秋生

△　△　△

粵共省委書記陶鑄承認：公社破壞了家庭

衣其

中共廣東省委第一書記陶鑄，在去年十二月二十七日為答覆香港中共報紙的記者的問題，而就人民公社若干問題作了發言。

這當然是一個自問自答式的宣傳把戲。但是也可以看出在人民公社問題上，由於海外各報刊的揭露真相，暴露了中共的種種慘無人道的措施，已使得中共在海外的宣傳工作處於極不利的地位。所以才不得不祭出這個新「南天王」的談話，企圖扭轉不利形勢。

陶鑄的這篇發言，有兩大特點。第一是針對港澳兩地的自由報刊而發，將自由報刊稱為「港澳反動派」。第二是就若干具體問題作了詳細的解釋。

陶鑄在這篇發言中，規避了港澳自由報刊所刊載的自從人民公社成立後逃港漁民及農民的談話。不敢正而答覆這些問題，而一概以「造謠汚蔑」四字統稱之。記得逃港的大陸人民都是有姓名、有地址、有服務的單位的。陶鑄既然要想指斥我們是「造謠汚蔑」，為什麼不列舉事實予以反駁呢？這些逃亡的大陸人民的控訴，無論中共拿出誰來發言，都是沒有法子作正面的抵賴的。因為這些關於人民公社的情形全是事實。

在具體問題的解答上，陶鑄引用的根據全是中共八屆六中會議的「關於人民公社若干問題的決議」。因此陶鑄的這篇發言就在解答人民公社是不是搞錯了的問題上一無價值。因為中共中央的這篇決議，是已經承認了過去的人民公社是錯誤的，也就是說，是搞錯了的。這個文件上的人民公社，和過去在大陸實行的人民公社有很大的距離。現在陶鑄想後手歸天，引用這個文件來證明人民公社並未搞錯，豈非笑話？

所以陶鑄口中的人民公社，乃是中共發覺了人民公社已遭到全體人民反對後在各項問題上作了修正的人民公社。中共八屆六中會議的決議中所謂「整頓鞏固」工作，也就是指的這種修正。

現在且回過頭來看看陶鑄在具體問題上的發言。

家庭方面，陶鑄雖竭力否認人民公社破壞家庭制度，但他也不得不承認說：「我們徹底地破壞了個體家庭的形式。」在這一問題上，人民的觀點和中共黨徒的觀點大不相同。陶鑄認為將老人送養老院、孩子送托兒所和在公共食堂吃飯這也算是「家庭形式」。因為中共無法不承認這些拆散家庭的事實，所以才不得不說這種措施是「創立了新的家庭制度」。老的見不到小的，父母要見自己的孩子還要經過領導的批准後巴巴地跑到托兒所去。請問，這算什麼家庭呢？

農民被奴役方面，陶鑄承認了現在的農民已不可能有「不想幹的時候就幹得很少或不幹」的情形。這說明了農民已完全失去了自己的意志。在農閒時，農民本來是有較多的休息時間的，現在連陶鑄也親口承認這種自由支配時間的權利已沒有了。連農民也到了這種程度，其它階層的人民更可想而知。純從陶鑄自己的話中來看，他提出的「是不是沒有自由」、「躍進是不是靠壓榨奴役來的」等問題都有了解答。那就是：是的！試問，農民不能自由地支配自己的勞動時間，要在黨的命令下集體行動。黨叫往東就不能往西，這不是被奴役是什麼？

在全民皆兵問題上，陶鑄說是為了「保衛和平」，這是不值一駁的笑話。關於僑匯問題，陶鑄硬說「保證僑匯仍歸僑眷所有」。這大概是這篇談話的最主要的目的了。可是僑眷的來信卻給以最有力的駁斥，在海外的人收到大陸來信囑不要再寄錢回來的不在少數。陶鑄想憑幾句話就引人上鉤，是枉費心機了！

總觀這次發言，除了例行的宣傳外，最明顯的問題是：人民公社的確搞糟了。而且在解釋中還承認了拆散家庭和奴役農民的事實！

我國民主運動的大障碍

（本報訊）一月十二日出版的「自由陣線」周刊上，有許冠三先生發表了一篇專論，題目是「傳統文化與民主人格」，他主要目的在介紹林栥教授所寫的「人格的文化背景」一書。但他在這篇文章裏對我國近八十年來民主運動失敗的主要原因之一，認爲是「絕大多數從事民主運動的個人缺少『民主人格』」所至，最後他認爲林栥教授的結論對我們目前的民主運動是很有用的。

反民主的現象

這篇文章首先點出近八十年我國民主運動史上的四種常見現象，認爲是民主運動的大障碍，四種現象是：

（一）同是一個人，早年的民主運動先鋒，竟可能是日後的保皇黨支柱。嚴復便是一個最突出的例子。當他在一八九五年發表「闢韓」一文，公開稱君主爲「民賊」時，就思想上說，他無疑是一個激進的民主主義者。可是，廿年後，他竟擁護袁世凱稱帝。

（二）同是一個人，同是一個擁護民主之政黨的黨員，當他在黨內無權無勢時，他要求民主，可是，一旦情勢，身居黨的領導地位時，驕傲和作風馬上大變，全心全意把持並擴張自己的權威，壓制黨內的民主。

（三）同是一個以民主爲號召的政黨，在初成立或失勢時，高呼民主萬歲，一旦強大或執政，則立即傾向於專制或獨裁。不只對黨外無民主可言，即黨內亦無民主存在。「黨外無黨，黨內無派」一句口號雖出自國民黨，但事實上，却代表當代中國政黨領袖的一般潛在心理趨向。如果可能，誰都希望能做到「黨外無黨」的清一色局面。總覺得「天下一統」是正常，「多黨並立」是過渡是不正常。大家都不自覺地有這種想法。

（四）黨的領袖大多數不自覺地自許個人以家長式的權威，一舉一動皆以中國舊式家庭中的家長身分自居，而黨員亦不知不覺地扮演晚輩的角色，是以，黨領袖的意志即爲黨的意志。是以領袖牽着黨員走，而不是黨員推着領袖走。這種現象不只見於在朝黨，亦見於在野黨。

缺少民主人格

於是作者舉出產生這些現象的原因，他說：

「在這裏，我們只指出一點：絕大多數從事民主運動的個人都缺少『民主人格』。因爲，我們是在一個非民主的文化中生長的，每個人的『基本人格』（Pasic personality）和『地位分人格』（Status Personality），基本上是由我們的文化傳統，特別是家庭制度決定的。而我們中國的文化傳統，最注重家長的權威。因此，雖是以民主爲奮鬥目標的政黨組織，特別是在黨領袖與黨員的關係上，也甚爲類似家庭組織，而黨員對於黨領袖的態度也很類似子弟對家長的態度，兩者間的年齡差別愈大，交往愈密切，這種態度也就愈明顯。」

作者又認爲要徹底了解這其間的因果關聯，得先對文化傳統與個人人格間的關係有個全面而系統化的認識。必須作綜合研究，才可能得到較比接近眞實的答案。於是他推荐林栥教授的「人格的文化背景」一書，認爲是這一類問題最有權威的著作。跟着他把這一本五章的內容，作一個簡要的敘述。最後他的結論說：

民主人格的培養

「如果就我們所關注的問題說，本書的結論是甚爲有用的。第一，據此，我們至少可以斷然的說，民主運動者所以缺乏民主人格並不能完全由非民主的文化傳統負責。非民主的文化並不能杜絕個人民主人格的形成，以及民主文化的創造。第二，甚於林栥教授對文化、社會，與個人三者交互關係的分析，我們不難了解文化對人格之限制的所在，並從而發展出一套足以擺脫其限制的方術。這對於我們目前流寓海外的民主運動者來說，尤爲方便。因爲，我們現在多已生活在一個大的自由世界之中。而這個大的文化環境，是有利於民主人格培養的。」

這一篇專論，雖近於書評性質，其實是對我國的民主運動，所以不能有合乎理想底發展的原因，從傳統文化求一解答的。（一月十四日）

決議通過

府會一家

·尹震·

公營電台商業化

台灣近年來文化事業相當發達，廣播電台林立，公私營廣播電台不下十數個，但在教育與宣傳上的價值，是適得其反，其原因是主管當局管理不嚴，以致步上黃色泛濫商業化的途徑，造成社會色情狂殺案件一日數起之風。

英國公私營廣播電台均受政府統制，收費機關，統分給各電台開支，而我們的主管當局只求名義上的統制，並未統制，廣播事業濫用，私營電台既得不到政府補助，又獲不到適當補貼，只好向商業化發展，播送廣告，每天每小時廣告，超過節目占五十分鐘時間播送黃色歌曲，藉以招引聽衆，因此使整個社會被黃色靡靡之音所籠罩，同時也渙散了民心士氣。私營電台爲了維持生存不得不如此，但其中最怪的是公營電台也隨着私營電台後面大做其愛國獎券，有利儲蓄等，好把分獎券廣告，離開了教育服務的崗位，似有與私營電台作商業化競爭之勢，在說不過去。主管當局應積極地轄導，不要在那裏再做等因奉此的官腔了。

·仲偉庭·

蓋章政治

目前有個朋友說：「我的友人昨天去台灣銀行辦理六十元港幣結匯，公事拿進去三天才批下來，但上面由呈轉到核示批下來蓋了百多個章」。這說在政治效率上來說已經是落伍的了，去年有個美國茶葉商人在巴西花了二元美金拍了一電報給我國貿易機構詢問茶葉價錢並擬購十萬斤茶葉，但是我們主管機關經主辦人員簽辦呈批答覆已經一週，後來這批生意給印度茶商搶去做了。並不是我們茶葉貴而是我們工作遲慢了。其原因就是大家怕負責，而造成今日蓋章政治的弊端。（偉庭）

建築中興大橋又涉嫌舞弊

·石翁仲·

（台灣通訊）台北縣兩岸來往樞紐的偉大工程，是跨越台北淡水河上的「中興大橋」，據台北市議會專案小組調查結果，又出了涉嫌舞弊案。當政府決策於政治改革之際，可惜負責「中興」建築任務的官員，却毫無「中興」的材料，從「中興」村的舞弊到現在「中興」大橋又涉嫌舞弊，實在令人氣短。特摘要報導於后：

第一，淡水河「中興大橋」爲設委員會係由前台北市長高玉樹任主委，現任省公路局局長林則彬任設計主委；均先後扭任政府要職，高在市長去任後，且以其職能受社會之同情。承包是項工程者乃工信工程公司，該公司負責人是林則彬局長的女婿陸爾恭。

第二、至於招標却出了漏洞：第一次工程招標係四十五年十月二十二日看現場，廿四日即行開標，何以開標如是之速？當時合於嚴格限制之營造廠商四家，開標結果，超出底標一倍以上得標，而得標者又係工信工程公司，陸爾恭是否由林則彬處預先得知工程計劃之材料數及價格，便是一大疑問。

第三、工信工程得標後，轉包其他廠商，其目的無非在於圖利，而被轉包之廠商是否合格，彙主委高玉樹不予查究，內情究竟如何？

第四，該工程第二次招標，僅由工信工程公司參加投標，致令審計部無法監標監約單價，顯於法不合。

第五、木材部份：原定所用橫板爲一級檜木，林務管理局初核准二級檜木，經台北市府函請後始准以一級檜木一二、〇五五立方公石交件，而實際所用橫板却爲杉仔板，是否超出杉仔板六倍價格的一級檜木，售出圖利？

第六、鋼筋部份：原計劃需要鋼筋招標時爲二百噸，實際購買爲八百噸，超出三倍數量，是否由二百噸價格購八百噸次級鋼筋，抑或謊報三倍虛款圖利？

第七、違約竄限不罰：按工程合約規定，逾期一天賠償二萬八千五百元，該工程共逾期一五四天，總賠償四百三十八萬九千元，工信工程公司自四十六年十二月卅一日迄今未履行合約，主管單位不加追究，是否串同舞弊？

第八、該工信工程公司於中興大橋工程賬目分內賬外賬，由一位女會計在家私做假賬，生活豪華奢侈，內幕究竟又如何？

第九、台北縣負責之一百五十萬元，係由二重埔地主負擔，縣府當還本息正在棘手，即使縣府對該案不提出抗議，二重埔地主也不得「不呼冤了！」令人又於此，得「一無官不貪」的印證。政府今後已不可能再有公共建築了；如果要改革政治，此種會做的官僚作風首先要改革，否則還談什麼政治改革呢！（四十七年一月九日夜寄）

孔教式微的回顧

·陳伯莊·

本文是陳伯莊先生最近在「自由陣線」周刊發表題爲「孔教式微的回顧」一篇文章，的主要內容。據他說「只作回顧的檢討」，「暫不作前瞻」，全文見「自由陣線卅八卷十一期」。（編者）

回溯六十餘年來往事。我覺得兩個拱衞孔教的重要制度之毀滅，關係極大。這兩個制度是，（一）君主制度，和（二）科舉制度。

到了以詩賦和八股取士，實綜合了唐朝以明經與進士分科取士之長。詩賦試才情，試胸襟，而八股「代聖賢立言」乃教條主義的教育之模則。誰不想「白屋出公卿」，既想，乖乖地四書五經成誦，朱註成誦。在最可塑的童稚頭腦上，深深地記印了孔教的道德情緒，經文和朱註的義理，這是宗教性的教育。科舉廢，白屋出公卿不能恢復，誰耐煩去讀經呢。

至於君主制度怎樣拱衞了孔子之教呢？自漢武帝迄清宣統，君主們的確積極拱衞了孔教，但今天的儒家思想者是不高興承認君主是「護法金剛」的，是要說儒家早有民主思想的，是要說「日月經天，江河行地」的大道，不假於力以流行的。

不錯，道理的約束力，所服者心靈；物理的約束力，所制者軀體。但是，這兩者必然交相爲用的。「日月經天，江河行地」的大道，雖不假力以流行，然而力，在一定限度內，可以幫助它的流行，是無可諱言的。何況君主制度既是力又是理。君主制度的理是：「受命於天，爲民父母。」是「人皆有不忍人之心。……以不忍人之心，行不忍人之政。」

辛亥革命，又革掉了一本大清律例；於是君主制度下，國家是用法律來維護儒家庭制度的父權和夫權迅速地開始崩潰。在一本孝經的。三綱（君臣、父子、夫婦）變色，五倫中一倫廢（君臣），兩倫變（父子、夫婦），縱圍着日常生活的孔子之教，棟折榱崩至此，還不反映出君主制度係拱衞孔教的重要實踐條件嗎？

十月初，張君勱先生在新亞書院講「儒家思想之復興」，講後我和他談，並且順着他的心情之傾向說，如果要復興儒家思想，必得捨棄舊形上論，而創造一套不違現代科學的新形上論，像懷德海創他的新形上論一樣。他甚以爲然。雖然，這不過是萬端之一端而已。而且，這是前瞻而非反顧的話，不擬多說。

中國文化協會春節徵文啓事

本會爲協助清寒文化人士寫作起見特舉辦春節徵文其辦法如次：

一、種類：論文、小說、詩歌聯三類（論文、小說每篇以三千字左右爲度）

二、題目：

論文：（三題任擇其一）

1. 新春展望　2. 談人性　3. 人民公社必敗論

小說——以記述流亡生活中最動人的一個故事爲範圍。

詩歌春聯——以富有激勵民族氣節鼓舞人心之作品爲上選。

三、收稿及限期：即日起開始收稿，本年元月二十三日截稿。應徵文稿統請逕寄香港第九五八號郵政信箱轉本會收啓。並請在信封上註明「應徵文稿」字樣。

四、稿酬：論文類

第一名，港幣二百元整　第二名，港幣一百八十元整

第三名，港幣一百七十元整　第四名，至第十名自港幣一百六十元起每名遞減十元。

小說類

第一名，港幣一百八十元整　第二名，港幣一百六十元整

第三名，港幣一百五十元整　第四名，至第十名自港幣一百四十元起每名遞減十元。

詩歌對聯類

第一名，港幣一百二十元整　第二名，港幣一百元整

第三名，港幣九十元整　第四名，至第十名自港幣八十元起每名遞減五元。

以上三類除每類取錄優等作品十篇外；其餘取錄文稿再分甲、乙、丙三等致酬。（每等取錄名額若干？每名稿酬若干？當於揭曉啓事內載明）

五、揭曉及發酬日期：預定本年二月一日揭曉，次日開始發酬。

六、限制：投稿人以港澳兩地作者爲限。應徵文稿必須用原稿紙繕寫清楚，請勿橫寫與一紙兩面書寫。作者眞實姓名，住址另用浮箋（貼於稿首）註明，發酬時憑領酬印章或暗碼，親到本會指定地點領取。

七、附記：應徵文稿無論取錄與否概不退還。取錄佳作當由本會設法送請各報章雜誌發表。

新加坡變成了東南亞的里斯本

谷風

（星洲通訊）過去曾經有人把香港形容為東方的「里斯本」，以表明其複雜的政治鬥爭情況，正如第二次世界大戰中的葡京里斯本一樣，成為國際間諜的集中地，情報販子的收購站。如今，新加坡似乎也有資格獲得這個雅號了。據消息人士說，東南亞國家的政客代表好像都對新加坡感到便利，因此許多動亂似乎都在這小島上策劃。

「蘇門答臘國」的流產

最明顯的，是印尼內爭的雙方都以新加坡作為鬥爭的場所，自從印尼內戰基本結束以後，印尼革命軍和中央政府之間的鬥爭也從戰場上轉到「地下」去，印尼革命軍份子曾在新加坡集會，決定在去年十二月十五日宣佈成立一個「蘇門答臘國」，但因領袖間的意見分歧，這個「建國計劃」流產了。據悉他們的領袖夏弗魯汀和納席爾（瑪斯友美黨主席）及其他活動份子都曾在去年十二月初到星島開會，並與回教軍隊舉行了多次會議。據悉「蘇門答臘國」的消息是印尼官方所發佈，由此可見雙方的「無形戰鬥」如何白熱化。

新加坡政府婉拒干涉要求

印尼駐星總領事查蒂古蘇摩准將在十二月十七日宣稱，若此間新加坡當局把印尼革命軍在星活動停止，則印尼政府將協助新加坡恢復對印尼的貿易。言下之意，似乎有「否則後果概不負責」的氣概。自去年年中以來，新加坡與印尼的貿易減少達一半之多，而今年年初也無改善徵候。

印尼駐星總領事曾建議新加坡政府，要求禁止印尼革命軍在星活動，並要求阻止本地商人支持印尼革命軍。他說這些活動嚴重地危害到了印尼共和國的利益，同時也危害新加坡與印尼兩國之間的友好關係。不過新加坡方面認為，印尼革命軍人員在這裡並沒有正式的組織，而且他們在星也沒有違法的行為，新加坡政府無法干涉。

印尼指責星洲商人干政

隨着印尼與新加坡兩國關係的趨向惡化，首先大大地影響了兩國的貿易。印尼駐星商業專員東姑漢集指出，在過去六個月間，兩地的貿易數目，減少幾達百分之五十。去年第一季度，星洲與印尼貿易貨值為四億一千二百萬元，去年九月以前的三個月，貿易貨值就降為二億九千三百萬元。他指出這項降低，是因為「目前的誤會」，致使許多印尼商品不通過新加坡貿易系統。

星洲商人將遭印尼杯葛

他繼續說：「印尼政府將把支持印尼叛軍的新加坡商人列入黑名單，並且考慮將來對他們採取貿易杯葛的行動」。

印尼總領事稱：我們對新加坡很有興趣，但是我們要知道新加坡人民是否支持在印尼境內扮演若干角色的親印尼的地位。如果新加坡方面能珍惜印尼的利益，則我們仍能利用新加坡以進行貿易。他說：新加坡少數奉承叛軍的商人暴發戶，已經傷害了兩國的友好關係。他又不滿地說：如果新加坡要生存下去，那麼其人民不應該只管賺錢，他們也應該關心印尼人民的感覺及情緒。

查蒂古蘇摩准將作此聲稱：若是星洲商人停止援助印尼叛軍，那麼我們就能安祥地坐下來探討改善兩國貿易關係的方法。最後他不客氣地說：新加坡在地理上的特點，不容易被變更。但是如果泰國克拉運河開鑿成功，新加坡將不再是東南亞交通的門戶，而只成為後門而已。

新加坡和印尼兩國的小規模外交戰，說起來也是十分有趣的，前者為了商業利益，後者為了政治原因，互不相讓。而各持理由，如果印尼方面能夠平心靜氣地考慮一下國際法規，則是沒有甚麼理由對新加坡方面生氣的。

在新加坡活動的「各路英雄」

目前在新加坡活動的外國政治人物，據估計有印尼革命政府的蘇門答臘派；蘇拉威西派的流亡政客；南越的保皇黨人和教派；中共統戰份子；中國國民黨人士；台灣獨立同盟人員；中國第三方面人士；緬甸各色叛軍，以及西方國家的「外交人員」……五光十色、洋洋大觀。真不愧是個「東南亞的里斯本」了！（完）

中國文化協會舉辦春節徵文

（本報訊）香港中國文化協會為鼓勵港澳青年寫作，特舉辦春節徵文（以港澳兩地作者為限），預定元月廿三日截稿，本年徵文仍分論文、小說、詩歌對聯三類：（一）論文題目：（一）新春感言，（二）談人生，（三）人民公社必敗論。（二）小說題目自訂，但以反映當前大陸人民生活中最動人的一個故事為原則，至於詩歌對聯則不限題目。論文、小說、詩歌對聯每類各取第一名一名，獎金二百元，第二名一名，獎金一百五十元，第三名一名，獎金一百元，除優等獎外，其餘錄取文章均予刊登，所有港澳兩地徵文稿件均經該會審查後，一律寄交香港郵箱，並訂於二月一日揭曉，翌日開始發給獎金云。

文壇透視

七心

中共文藝領導層

誰都知道，在文藝方面的真正最高領導人是周揚。在「左聯」時代他即以中共上海地下黨組織的成員被派到「左聯」主持一切。作為傀儡的魯迅最初並不直接受他的指揮，大都由柔石（趙平復）作橋樑，柔石死後是馮雪峰，馮走後是瞿秋白，瞿走後馮又回頭，周揚之間起了磨擦，周揚受到魯迅的攻擊。幸虧魯迅死了，接着即由郭沫若取代了魯迅的傀儡地位。這時周揚調回延安，郭沫若便直接受周恩來的指揮，——在國共二次合作期間，周恩來任軍委政治部副部長，正是郭沫若名義上的頂頭上司。「解放」後，中共叫郭沫若任「全國文聯」主席，叫茅盾任「全國作協」主席，仍然是傀儡，因為實際主持這兩個團體的是以中共中宣部文藝處長身份任文聯和作協副主席的周揚——後來周揚升任中宣部副部長。

周揚這人在文藝上毫無成就，黨外作家都怕「黨」，誰也不敢表露不滿，黨內作家卻不然，對他並不乖乖地聽話。中共幾次黨內文藝整風，都與黨內作家反對周揚有關；王實味、蕭軍、胡風、丁玲、馮雪峯、艾青、秦兆陽、江豐、鍾惦棐、劉賓雁、劉紹棠等，全是周揚先後羅織「黨」的名義來清除的異己份子。在黨外作家中，中共提到最高領導階層的共有四位，除郭、茅外還有主持北平文壇的老舍和主持上海文壇的巴金。此外過去有名的黨外作家，不但未能爬到這樣的高位，現在處境都極慘，有些在大專學校擔任教職的人，去年一年都遭受了清算。這四位現任中共文藝領導階層的人，都是從前在新文學家中地位極高的人。魯迅和郭、茅是北伐前後新文壇上三大權威，老舍和巴金是抗戰前後最有影響力的小說家。中共一向只看重他們的招牌價值，而懷疑他們對「黨」的忠心，所以「解放」後，有些次等的文人，如歐陽予倩、曹禺、卞之琳、馮至、吳組緗等已經入黨，還輪「殊榮」迄未落到他們頭上，而巴金的小說半年來正遭受着清算。我們現在暫且撇開茅盾和老舍不談，先研究一下郭沫若。他的翻雲覆雨的性格，從他在文藝理論上的大轉向直到他參加北伐和抗戰時的出爾反爾的善於變化，已經充分表露無遺。滿清把洪承疇、錢謙益列入二臣傳的，中共也不會讓郭沫若成為「同志」的。然而現在又為什麼准他入黨呢？這還得下次再作交代。

國際動態拾零

△美軍現在仍恃戰略空軍為報復力量，一九六〇年預算，B五十二型轟炸機仍將續購七十架。機上可裝火箭，能命中一千英里以外目標。軍艦方面，軍砲大減而火箭大增。軍砲預算在一九五四年為三七億，至一九五九年則減為六億；火箭預算，在一九五四年僅為五億，至一九五九年增為三十四億。

△退休的美國空軍總司令史巴兒，與若干美國外交官，主張以柏林歸聯合國，與以凡蒂岡歸教皇相同。他以維持柏林佔領區現狀為不合理，交還東德，則依靠赫魯曉夫；美國民意大多數反對，而盟國之英德法亦反對。

△一九六〇年美共和黨總統預選大會，尼克遜反對在東部都市舉行。他主張在洛杉磯，但若在三藩市或芝加哥，則亦不反對。鑑于以前東部美人之熱烈擁護威爾基，深恐洛克斐洛在東部將占他的上風。

△美國正設計火箭載人方案，因六千英里以上的宇宙綫，對人並無損害，此係「探險者」經驗所得的結果。而近地面之宇宙綫，對人體有傷害，但不至于致人死命。

△美國設計用輕氣彈頭之輕型導向飛彈，較原子火箭為輕，且放射者無須掩護。速率每小時一千英里，且可作訊號警報之用。

·陶然·

讀者、作者、編者

編者先生：貴刊本年一月三日所刊「自立晚報改組」及「親人作家受訓歸來」消息兩則涉及鄙人之處，完全不確，請賜查，並予更正為荷！此候撰安

弟陳紀瀅拜上　元月十一日

瘟君夢

岳騫

第一回　消息自天來，人捐秋扇　風波從地起，夢冷新華

毛澤東若有所悟點點頭：「怪不得我講話你聽得如此清楚，原來買了助聽器。記得抗戰初期，你在大公報上發表的大文『從轟炸中來去』，再三說蔣先生同你談話時，因為你耳聾，所以把椅子拉近你。那時你就聾得這樣厲害，現在居然好了，豈不是返老還童了。」

郭沫若不料毛澤東揭起這個瘡疤，一面聽，一面流汗，但是偷偷看毛澤東又不像有惡意，才比較安心。

毛澤東接着又問，「這事有多少年了」。

郭沫若揩着指頭算一下：「那是民國二十七年，一九三八，到今年整整二十年了。」

毛澤東嘆口氣：「世事真是無常，二十年前你在重慶和姓蔣的談話，二十年後又和姓毛的聊天，再過二十年不知又和誰去清談了。」

郭沫若越聽越不是路，身上熱汗變成冷汗，凍得牙關打起戰來。

幸而毛澤東並未注意，又接着問道：「沫若兄，我前天寫的幾首詩詞，你以為如何？」

說到作詩，郭沫若精神來了，滿面堆歡答道：「主席天寶聰明，雖然在萬幾之暇，偶而作作詩詞，都已到了前無古人的地步。」

毛澤東緊縐眉頭：「別談前無古人了，記得我早幾年塡的一首沁園春詞，也是你說前無古人，結果被香港一些反動刊物罵得一塌胡塗，說我寫的詞有帝王思想，信口開河，你說氣不氣死人。」

「那有什麼關係」，郭沫若搶着回答：「主席的詞得到全國人民的贊美，海外一小撮反動份子的誹謗，何必介意。」

「不能這樣說」，毛澤東搖搖頭：「他們有些地方，也確能言之成理，就事論事，比你們來得深刻。」

郭沫若怔了一下，不知如何回答。

毛澤東接着說道：「我最近寫了幾首詩，又被他們罵了一頓，最可恨的，他們說那是唯心主義，這個直是想陷害我。」說到這裏，走到郭沫若跟前小聲說道：「你知道，假若被這些小子，報到克里姆林宮去，老赫豈不又借事生風找我晦氣。」

郭沫若氣得連連跺腳，駡道：「這些反動份子眞該死，他們不懂主席這種體裁是革命浪漫主義與革命現實主義相結合，而任意誹謗，實在可恨。」

毛澤東點頭道：「是呀，所以你要多寫文章宣揚，這種事靠周揚一個人是不成的，他根本就不懂這一套。」說到這裏，只見陳伯達神色倉皇走進來。（二）

竹幕幽秘

統一戰線的新戲法

所謂統一戰綫是中共一種「既聯合，又鬥爭」的對付「敵人」的戰綫，必須聯合的時候高倡聯合，需要鬥爭的時候盡情鬥爭，這是統一戰綫政策的兩面性。

自反右派以來，在這方面鬥爭多於聯合；最近中共召開了一次統戰會議，從各種跡象來看，下一階段的統戰政策將是聯合多於鬥爭。

各民主黨派，都籌備事務委員會，民族事務委員會，宗教事務局都已先後召開過會議，其目的無非是要以聯合參於鬥爭的手法迫使他們在國內供其順利驅策，在國外則企圖構成一條所謂「民族愛國」的統一戰綫，分化美國和國府的密切聯繫。

最近幾天來通海峽的砲聲也沉寂了，隔日轟擊的命令看來已自動的失了效；為什麼？無他，即將再度掀起和談攻勢耳。

短命的小高爐

一月八日人民日報說：山東省委在學習了六中全會的文件以後，對於三立方公尺以上的高爐、轉爐、平爐將予以鞏固利用，三立方公尺以下的高爐、土爐和土煉鋼爐將予以廢棄。

去年全民煉鋼時期，高倡「土洋」、「大中小」結合，猛烈發展土高爐、小高爐，發動整個大陸的人力物力而建立了幾百萬個；現在一聲命下，幾百萬個土高爐、小高爐已經面臨悲慘的命運，所費的人力物力當付之流水！這樣搞法，其結果無非是使中國大陸上的人民更「一窮二白」些！

增產謊言比賽

中共的各級地方官僚，一九五八年下半年似乎在進行一次謊言大比賽。

一月七日「人民日報」載，去年河南的生產是：糧食比一九五七年增長一·八五倍，棉花增長一·七倍，工業總產值增長百分之一七七·六。這種增長率到確實是古今中外少見的，可惜與實際情況有着一大段距離。

十一月十三日「人民日報」曾經報導過主要農產品收購的情況，此後就不再見有這種數字出現，十二月十七日，李先念親自主持一個電話會議，要各地區的主管財貿業務的黨委書記親自掛帥，加緊突擊收購；一月十三日路透社北平電：十二日「人民日報」又引用收購部門負責人的講話，認為糧食與棉花已完成百分之七十五，其他除烟以外，完成得都不好，要求各地財貿部門，在一月以內完成收購計劃。就這一點，可以看出假定實產與其「數字」並無距離，那麼收購便不會這樣的困難了。可見實產與「數字」之間是有很大玄虛的！

若以上述河南的生產增長比例數字來看，較之全國各省要高得多，可是其收購，亦並未完成，可見其增產僅只是「數字」的增大而已，這種情況，視它是謊言比賽，應該是不錯的。

·田心·

自由談

癡望

馬五先生

美總統艾森豪對新聞記者說：「如中共在現時之途徑繼續進行，不改變目標、理論及方法，則吾人不獨為自己本身，亦為與中共比鄰之友人，必須加以注視」。他又指出「自由運動正在亞洲各地展開，此乃一項有希望之象徵，最後亦將在中國大陸出現」，但認為直到發生此事為止，中共當係必須加以解決之一項問題云。

毛共基於其從事世界革命的任務，遵循着「蘇聯老大哥的先進經驗」，它的目標理論與方法，絕無改變之可能，這是常識所能理解判斷的事。俄共在十月革命後以至二次大戰發生為止，因為英國尚有自由世界的盟主地位，它的世界革命策略，乃以反對「英帝」為主要手段；迨二次大戰後，美國取英國的世界盟主地位而代之，如是乎，俄帝即以拚命反對「美帝」為急務了。俄共集團的世界革命目標，固定不移，顯而易見，毫無疑義。除非美國放棄其領導自由世界的職責，轉向俄帝投降，亦在所不惜，要想俄共集團改變其打倒資本主義社會的目標、理論和方法，簡直非幼稚得可憐的想法？

艾克既然關心與中共比鄰之友人如自由中國、日本、南韓和泰國的生存前途，卻沒有希望於共區人民發生反共革命運動，這與俄帝希望英美內部發生反資本主義的社會革命運動，是一樣的心情。但後者不斷地利用自由世界的弱點，實行擴張蠶食，所在得逞，而前者限於「人不犯我，我不犯人」的惰性觀念，只知與俄帝搶「和平帽子」而已。所謂關心與中共比鄰之友人的作法，充其量亦不過是跟毛共進行妥協談判，盼望它和平共存，適可而止。至於呻吟顛頓於奴役生活下的共區人民，如要自由，乃可自行革命，為着避免引起大戰，美國是愛莫能助的。

我看過艾森豪總統這篇言論之後，如見其人，因而引申其語意，如此。然乎否乎？試拭目以俟之。

活人說鬼話

張瘦碧

孔子說過：「未能事人，焉能事鬼。」再說：「未知生，焉知死」，更說：「子不語，怪、力、亂、神，」有些雖然都是他的門弟子記錄下來的話語，不過我們活在世上，應該說人話，做人事，這點似乎原屬做人之道，何必定要不向生的方面去發展，而偏要向死的方面求進取呢，這實在太不合邏輯了。

尤其在這二十世紀的末葉，一切皆趨向着原子方面前進，科學的發展，可以說是相當神速，我們生活在這樣環境裏，一切需要有蓬渤的氣象，自然迫切的想要有新的智識和足以配合着前進時代相輔而行的一種啟發性文字來補充我們的不足。同時社會上有更多畸形發展的情勢，演變出來很多不合理的現象，這些執筆寫文的人，都應該以刻劃入微的筆調，以及深邃的情感，來予以徹底的糾正，這並不是完全屬於暴露性的洩憤恨，而是須帶着一些指示迷途的含義。這份千斤重担，當然要擱在什誌和報章的身上，他們執筆為文的人，無法辭其責的。

這裏且略話各報紙的副刊，自增版之後，副刊已經可以按日出版了，而過去有很多佳文，因為篇幅所限，往往被編者忍痛割愛，如今在版面上似乎可以比較鬆動得多，照說，好文章當可隨時容納，像散文什麼之類，可是事實竟不然，反而感覺到稿荒了，說正站在時代前面，或者是我們所渴望看想看的新知新識，好的散文，有力量的什麼簡直不可多見，事實上反而都在擁着死人的墳墓，而把骨灰去仔細研究，什麼前朝後代，與目前反共抗俄不知道有什麼切膚的關係。而台報副刊差不多都是標榜着一個長篇歷史故事，縱然設法翻新論，產示怪論，我不知道與現代社會，又有什麼益處。此外志怪異聞的鬼故事鬼新聞，大都換湯不換藥，改頭換面，不斷的往報端，騙取稿費，這些說予聊齋似的文字，又有什麼用處，還有近代人物的軼事遺聞，也都視若至寶的隨便改編，仁者見仁，智者見智的觸目皆是。

過去執筆為文的人士，曾一度高喊反共文藝，戰鬥文藝復興文藝……試問這些文字，何以甚少見到，不知道究竟跑到什麼地方去了，當年五四運動時一般熱心文學之士都說舊文學為吟風弄月，無病呻吟，如今一般這些副刊的內容，可以說還不如從前，時事新報的學燈，青光，相差得太遠呢？我們生活在新的時代裏，就需要新的時代文藝作品，何必定要搬出許多妖魔鬼怪來迷惑人呢？

名言語蠹

愚蠢

•文抄公•

一個時常表示自己決不愚蠢的人，往往具有最多愚蠢的嫌疑。

當我見到一個頭腦庸碌之輩，身穿漂亮的衣服，我時常為他惋惜——為他的衣服惋惜。

愚人者，他不懂得你所知道的任何事情，而他所知道的任何事情，你也完全一點也不懂得。

法朗士說，一件愚蠢的事情，即使經過一千萬人的讚美，它仍是一件愚蠢的事情。

釋耒集

政治

曲齋

我對政治二字，有比較明晰的概念，起于幼年時讀中山先生的三民主義。他認為管理衆人的事就是政治，實在簡單明瞭不過。但從此卻使我對於政治覺得厭惡。

凡所謂事，如果是屬于衆人的，自然就不免於意見紛紜，無論如何盡力去辦，都有人要表示不滿，為了彌縫這些人的不滿，因而也就有了宣傳。

先前因為尚沒有報紙，那些宣傳往往就散見在官書裏，唐代開始由政府設局修史，正式的史書，必須出于欽定，於是所有的帝王，便都成了堯舜，而且是一代好過一代，幾乎都是「武德定四海，文治垂千古」的聖王。但其中私人的記述，也往往有漏網的地方，例如清代，文禁最嚴，士大夫先王經世之志，十九都消磨在訓詁說經的工作上，然其中竟出了個唐甄，他在康熙大帝英明的統治下，寫了他的潛書，明目張膽地說：「自秦以來，凡為帝王者，皆賊也！」康熙之治，歷來似乎很少人指摘過，他卻偏要說：「生業之道，三年可就，五年可足，十年可富，政之常也。清興，五十餘年矣，四海之內，日益窮困，農空，工空，市空，仕空。穀賤而艱于食，布帛賤而艱于衣，[illegible]居官者去官而無以為家，是四空也。金錢，所以通有無也，中產之家，嘗旬日不見一金，[illegible]……[illegible]而無生之樂……」唐甄死于康熙四十三年，正是滿清號為大治的年代，其所述已如此，則官書的背後，充滿了人民的血淚，實在是自古已然了。

共產黨在大陸執政，轉眼十年，[illegible]也宣告下台了，[illegible]同胞，正在[illegible]人龍去購求一[illegible]，也成了珍品。

[illegible]「天下既定，苛無害民之政，未有一二十年而民不聊殖者」。今天可以供作宣傳的技巧和工具，都較之往昔，有了飛躍的進步，共產黨就是憑藉宣傳起家的。但私家著述的流行，同樣有其非常的便利，必須[illegible]了。

人儘管可以厭惡政治，但到底無法離去政治。出家，苦隱，不過自欺欺人的行徑。因此先前我對于一家大學[illegible]的聘書上，寫明不准談政治[illegible]

曲齋

哀人民公社

鍾槐村

世變急湍流。誰翻滅國謀。哀哉禮義邦。加肆北熊暴，率事人率食。蹣跚民是號。乃窮詭詐術。那掩猙獰貌。妄倡公為社，巴黎源且導。（昔有巴黎公社之創議）紿農而集農。躍進邁猿蹄，其制舉民力，飾詞在來勞。鋤渠齊及鄉。同井何嘗有，朝出夕莫歸。耕牧逮樵釣。胼胝殿兵勒，未明濕保暑，拔尤崇軍令。日討紅旗報，叱犢復耦干。響錯類益噬。宿以寄遠房，食則嗟來鱸。妻子生別離。父母嘆無告。家室委墓烟。人倫賊野燒。沸獄何至斯，三化操姦盜。（組織軍事化生活集體化行動戰鬥化）懸賞猶不足。蘇金像萬砲。四顧海茫茫，狂潮淹忠孝。忠孝滅之魂。安可稽伐弔。拔苦資何歸。攻心算方妙。東西阿兩情，鞏采鈇鼎照。憤悱同茲仇。黃胄振風教。

風雨樓繪畫叢談

史皇說

唐人張彥遠的歷代名畫記，引證浩博，識見獨到，在畫史上，它是一部很有影響力的著作。大致唐代以後，繪事風尚，雖屬盛極一時，漸有變動。但許多畫家，鑑賞家，收藏家，以及繪畫的撰述家。對於張氏的畫論，都相當推崇，也相當受到他很大啟示。即如元人趙孟頫以次諸大師，是以篆隸入畫，享譽於世。可是他們的思想淵源，卻沒有超出他的書畫同體論範圍以外。張氏長於繪事，而精於鑑賞。他在他的繪畫源流論中，又是首倡繪畫起於黃帝史臣史皇的作者。他說：

「古之聖王，受命應籙，則有龜書效靈，龍圖呈寶。自巢燧以來，已有此端。庖羲氏發於滎河之中，典籍圖畫萌矣。軒轅氏得於溫洛之中，史皇倉頡狀焉。是時也，書畫同體而未分，象制肇造而猶略。無以傳其意，故有書。無以見其形，故有畫。按字學之體，六曰鳥書，在幡信上，書端象鳥頭者，則畫之流。顏光祿云：圖載之意有三，一曰圖理，卦象是也。二曰圖識，字學是也。三曰圖形，繪畫是也。周官教國子以六書，其三曰象形，則畫之意也。故曰，書畫異名而同體也。」

按幡信的意義，與古代符節相類，為取信於人的證件。有以鳥頭為標志，亦有取摹印作識別者。秦人李斯，先事採入秦書八體，分為刻符，摹印二類。此為鳥書的初期轉變。鳥書之作，漢人許慎的看法，是創自倉頡。所以他在說文上說：「黃帝之史倉頡，見鳥獸遞迒之跡，知分理之可相別異也，初造書契」。書契，為文字之別名，亦即書畫之簡稱。張氏雖極力強調書畫同體，卻不同意圖識與圖形相混；所以他把鳥書劃在繪畫以內，認為狀圖形者，非倉頡，而是史皇。所以他在歷代名畫記中，有關古今畫人的排列，是以史皇居其首。自此宋人韓拙的山水純全集，王該的三古之畫論，元人夏元彥的圖畫寶鑑，明人宋濂的畫源論，都先後一致的同意說：倉頡造書，史皇製畫，繪畫之始，起於史皇。可是史皇之事，年代邈遠，他在歷代學者的體認中，雖未至於怪誕不經，卻有着很複雜的紀錄。

迷贊

造字

尤崇洵

至於宮中的學者們，則專門研究文章，不大理會這些。百姓們作詩，先是歌頌豐收時候，但漸漸地吟風弄月，更進一步，作起歌詠女子的詩來。

諷一刺一小一說

這樣，詩教大盛。特別是情詩更是風靡。於是書局裏陸續出版什麼情詩大全，情詩選，情詩集，情詩入門，情詩研究，情詩論……都去請倉頡先生作序。

再以後，百姓們字刻得熟練了，便更藝術起來，大家除了寫詩外，又寫散文、戲劇、小說等。青年們寫得最多的則是情書。寫好了，一隊隊的去請藝術權威倉頡先生斧正。

從此，書局的生意大大興旺起來。倉頡也更忙了。

（四）

那時，學者們見文風如此，煞是傷腦筋。于是大家開會，決定把街坊上所有的書統統搜購，以便研討百姓的文藝心理。出版的書搜盡了，仍然嫌不夠，于是籬壁上的，麻將上的，石頭上的、樹皮上的字，總總拿來作為參考的資料。每天在研究着。

宮中，學者們一個個把腦袋埋在書堆裏，細心的看着。忽然，屋角裏的一個學者抱着一本書跳了起來：

「是了，是了，我早就知道了……」

其他的學者都從書堆裏抬起頭，只見這學者一會跳上，一會跳下，滿臉急得通紅：

「你們快看，你們都來看，這一篇文章裏，說有一條蟲，中秋節晚上在樹下看月亮。這個人一定是知道我在中秋晚上賞過月，所以罵我，赫！罵我虫……」

他說得上氣不接下氣，其他學者也都圍過來，把頭都湊到那本書裏。

「赫！真有這等事！」另一個學者背後氣得不住發抖：「中秋那晚我也賞了月，他也在罵我……」

「我也是，他也罵我。我命好苦啊！」又一個學者幾乎就哭起來。

這樣，個個學者都義憤填膺，一直嚷嚷着，然後有一個說：

「罵我們，他一定沒有好報應！」

大家聽了這話，心裏才略略平靜些，接着，又圍在一起商議。因為氣憤的緣故，把先時要研討百姓文藝心理的事忘卻了，卻考察做這文章的人的籍貫、年齡、職業、住址，最後把他的家譜也搬出來。然後又紛紛地罵了一陣。

但是事情並不就此完了，大家對於被罵一事的責任問題追究起來。一般認為，對這事負大責任的該是倉頡，因為如果倉頡不造字的話，就沒有「文風」；沒有「文風」，學者們便不會去研究；不去研究，便不會發覺被罵的事了。

于是，一窩蜂似的跑去找倉頡了。

倉頡的桌前，堆了高高的文籍，正在那兒埋頭寫序，見這些人一齊來了，驚訝的很，不待他開口，學者們便七嘴八舌的說：

「你看看，這成什麼話？」

「都是你造字，害了我們。」

「他罵我們，也等于罵你。你中秋看過月亮不曾？」

「你造字，他罵了我們，也罵了你，于你有什麼好處？哼！」

「……」

許久的辛勞，已把倉頡折磨了。即使除了四隻眼外還有三頭六臂，也無濟于事的。再經過這一場風波，倉頡先生兩眼一黑，不省人事，從此病倒了幾個月。（下）

自由人

THE FREEMAN
（第八二二期）
中華民國僑務委員會
僑發登記證台教新字第一三二號
中華郵政台字第五〇〇號
執照登記爲第一類新聞紙類
（半週刊每星期三 六出版）
每份港幣壹毫
台北市售價台幣貳元
督印人：陳文郁
地址：香港高士威道二十號四樓
20 CAUSEWAY RD. 3RD. FL.
HONG KONG
TEL. 771726
承印者：東南印務出版社
地址：高士打道六十四號
台灣總經理處
台北市西寧南路壹壹號二樓
電話：三〇三四六
台郵報儲金戶九二五二
海外總經銷：友聯書報發行公司
香港：德輔道中二十六號A二樓

克服國際逆流

——爲「一、二三」五週年紀念作

司馬璐。

共黨政權絕不可怕 歷史事件可爲教訓

「一、二三」自由日五週年即將屆臨，筆者願意藉這個機會，向五年前堅決投奔自由的反共義士敬致慰問。

共黨政權絕不可怕，共黨政權本質的脆弱性，我認爲有三件最主要的代表性的事實：

第一、在德蘇戰爭以前，史太林曾經誇言蘇聯紅軍攻無不克，戰無不勝，但是，從希特勒進攻開始，蘇聯的防綫土崩瓦解，在不到六個月內，紅軍投降者就達六十萬人。

第二、韓戰中反共義士的投奔自由。這一事實的重大意義說明：當年在中立國的監督下，我們反共義士的這一選擇，無異代表全中國人民的一次公正的投票，結果，他們反映出絕大多數的中國人民的意志，否定了中共政權。

第三、一九五六年底的匈牙利革命，一個共產黨的政權——在死硬的史太林主義者吉羅的鐵腕統治下的，一夜之間就被動搖了，不到一個星期就被連根拔起了，全匈牙利人民參加浴血搏鬥，百分之八十五以上的匈牙利共產黨員掉轉過槍的方向，對準外國侵略者，試想，如果不是蘇聯紅軍血腥的屠殺，匈牙利今天早已獲得眞正的獨立和自由了。當全世界又爲「紅汽球」所宣傳的「威力」所迷惑，我們今天重提這些歷史的教訓是頗有意義的，汽球底「威力」是不是很可靠呢？汽球裏裝的是什麼呢？如果在汽球上戳一個孔，會發生怎樣的後果呢？

今天問題的關鍵，不是敵人到底狠到什麼地步，而是在于我們，爲什麼不肯在汽球上戳一個孔——在鐵幕國家內再打開一個窟窿。

西方國家錯用了資料 中共增產與民生無關

如前所述，今天舉世又爲「紅汽球」所宣傳的「威力」所迷惑了，許多在西方國家，位高級人士中，對於共黨問題的見解，在我們看來，例如是最幼稚可笑的。例如最近聯合國關于中國大陸去年糧食產量的報告，所根據的是中共所發表的資料，當然，我們並不反對採用與參考中共的資料，因爲在中共的宣傳中，自相矛盾之處甚多，但是在西方人士引用時，他們不是根據全面資料而事實，往往在粗心中上了中共宣傳的當。

有些人又提到中共經濟與重工業的進展（例如艾森豪總統），當然，我們絕非漠視現實，中共的「全民大煉鋼」，縱然有一點點成就，我們也必須承認的，因爲面對一個鬥爭，自欺並不等于勝利。

但是，我們願意提醒若干西方的「專家」們，從最簡單的經濟常識說明，一個缺少輕工業基礎的重工業發展，是否靠得住呢？在人民生活極端貧困的基礎上發展與人民生計無關的重工業，會有什麼結果嗎？

軍事威力如果不建立在人民基礎上是靠不住的

[illegible]軍事工業的擴充，將它的主要力量用于發展軍事工業，可能一時生產出可觀的「威力」，但是由于人民生活的貧困，其基礎是極不穩當的。二次大戰期間的蘇聯、德國、意大利、日本，都出現過相同的事實。

蘇聯也向世界炫耀說，他們的太空發射如何如何超越美國，在這一點上，我們也有些美國人「長他人志氣，滅自己威風」，過份低估自己的說話，我們却始終對美國的科學技術滿懷信心的，因爲一個國家的科學潛力是要看全面的，蘇聯全力于一點突破，雖取巧于一時，也到底是無根的。

無論中共與蘇聯怎樣向世界炫耀，我們總認爲俄共、中共都是不必怕的。

最重要的問題還是：無論經濟也好，軍力也好，甚至太空競賽也好，如果它的發展不建立在人民的基礎上（人民生活，人權與人性的尊重與提高），全是靠不住的，人是決定的因素。蘇聯紅軍向德國的投降，匈牙利的反共革命，鐵幕中反共義士的投奔自由，均可作歷史的見證。

吾人應樂觀地面對現實 勇敢地迎接這艱苦一年

就整個的局面而言，我們應該樂觀，但是同時我們應該面對現實，承認眼前的困難來臨，今年可能是我們最艱苦的一年。

聯合國現任主席馬立克氏說：中共進入聯合國可能不會出現，[illegible]

黨的領導人士都在公開討論和承認中共問題了，加拿大的國會也在醞釀了。我們不必諱言，這一切事實，如前所述，「面對一個鬥爭，自欺並不等于勝利」。我們必須平心靜氣地想想，爲什麼目前[illegible]

實際上這一股逆流愈來愈猖狂，大家都知道，政治鬥爭是科學，[illegible]

當年反共義士投奔自由之日，自由中國在國內外的聲譽何等高昂，[illegible]在世人的心目中，今天自由中國地位又是如何？

談政治反攻已經很久了 請國民黨人士莫再輕視

我們談政治反攻也很久了，[illegible]

[illegible]今天的形勢是，共黨不可怕，但是由於我們自己[illegible]

（完）

半週述評

米高揚訪美的結果

米高揚訪美，已經結束，明日（廿日）將回莫斯科。他這一次漫遊美國東西兩海岸若干大城市；和艾森豪總統，杜勒斯國務卿，各方面的領袖人物見面交談，又對於美國的老百姓和美國實際情形也親自接觸了不少。然而，他此行的結果如何，影響如何？

這可能有兩種不同的看法，例如紐約時報的專家列斯頓說，米氏已得了蘇俄所希望的美蘇雙邊會談，他訪美收穫，較所想像的更多，已迫使美國重新研究對德政策。另一專家沙里斯堡却說，米氏訪美結果，將使共黨的思想方法有相當改變，米氏訪美的影響，對蘇俄比對美國更爲深遠。

香港許多觀察家的看法也是如此，很不一致。因此，有人以爲美國之准許米氏訪美，是極大的失策。筆者個人意見，雖不反對列斯頓的話，却願意採取沙里斯堡的看法。

最近塞富萊的赫魯曉夫會見記，赫氏並不諱言他的經濟思想是與馬克斯理論相反的資本主義理論。因此，我常常覺得，史太林死後，由赫魯曉夫所領導的理論，是最大的修正主義。是受了西方思想影響，和接近自由民主的理論。蘇俄內部有了這樣的思想傾向，才有米高揚的訪美。故米氏訪美的結果，一定會加強了這種思想傾向的勢力，沙里斯堡的意見所以可採取的地方在此。列斯頓注意的是目前的政治局勢，沙里斯堡注意的是較長遠的思想制度。

赫毛之間的矛盾

十七日的西柏林外電，蘇俄秘密警察頭子塞洛夫之被撤換，與莫洛托夫之行將調往海牙，均足表示赫魯曉夫與毛澤東之間，存在嚴重衝突。不錯的，蘇俄與中共之間，一定有矛盾，一定有衝突，但其程度並不至於影響到共產集團的對外團結。此是可以斷言的。狄托之敢於漸漸脫離蘇俄覊絆，不甘做小星，所恃的是尼赫魯與納塞的中立主義。狄托現在正棲棲皇皇，奔走中東各地，從事中立主義運動，以鞏固他的聲望與權力。中共的地理形勢及其他人事條件，均不許他們成爲中立主義，於是便只好一面倒了。有人譏笑中共，認爲他們改國旗，應國號是極大的愚笨。然而不是如此，又何能一面倒？不是一面倒，中共的統治恐怕早已沒有了。

古巴的反美風潮

古巴的革命領袖卡斯特羅，僅短短的十七八日，但很快的已經得到美國的承認。然而，現在他一面殺戮舊政權的許多人物，而又舉行五十萬人的大規模的反美運動，而名之爲「反對外國干涉」。他大聲疾呼，說美國使用砲艦外交，反對他的政權。他說「如果美國需要與古巴人民的友好關係，他們必須做的第一件事，是尊重我們的主權，永遠不再談及古巴的事。」古巴是美國的鄰邦，此次革命又與共黨無關，革命政府也已經得到美國的承認，爲甚麼革命領袖竟會有如此狂妄粗暴的反美言論？我們中國古聖人有句格言：「反求諸己」。我們希望美國人不要只怪古巴的革命領袖，須首先自行檢討自己的政策和自己的態度，才是睦鄰之道。近年來美國所講反對沙文主義，即以大國自居的主義。難道自由世界還不能避免這些毛病嗎？

陳克文。

自由談

可怕的官僚主義

馮子先生

近聞友人告我一則趣事：香港某學院曾向台灣一間大書局訂購若干科書籍，從去年秋季開學之際即在進行中，到最近尙無確切答復，再三函詢，得一回信，內開：「案奉總經理諭：貴院所購書籍，[illegible]照爲荷！」說這故事的朋友是在某學院任教職，所言決非捏造也。

做生意也講官僚主義的公文格調，[illegible]

[illegible]

無論任何事業，只要沾上一點公家的關係，[illegible]

台灣省自治法規解釋權問題

諸葛小舍

> 在過渡期間，把解釋權賦予立法機關的省議會，雖不十分理想，但甚合情合理。如交予省府去執行，則勢將增加省府的控制力量，影響自治的實質內容。

台灣實施地方自治選舉，已有七、八年的歷史。有關選舉法規，曾經過屢修改；從第一屆開始時的「制約選舉」，演變而爲第二、三屆的「自由選舉」。但不論選舉如何修改，由於執政黨的自作自毀，自始自終，都過用一次選舉的結果，不知毀傷了多少民心。尤以第四屆選舉，從縣市鄉鎮，執政黨導演的「讓賢」製造出來「[illegible]人競選」，結局而，以及所謂「安全措施」實行包辦操縱選舉，在台灣地方自治史上寫下了最不光彩的史頁。

四十六年十月底，省府組成「台灣省地方自治法規檢討委員會」，作第三次的修正。其修正理由有二：一因省府認爲過去法規太過繁雜，應予簡化合併，將原有法規十三種歸併爲七種；二因近年來發生罷免案數起，但罷免案如何辦理，尚無法規可資依循，故乘修正法規之便，加入罷免一章。有此二因，省府自開始組會研議，直至去年十一月間，才把全部已經修正的七種法規送請省議會審議，並希望該會能於本會期予以審議竣事。爲了促進省議會的審議工作，省府並決定在本年三、四月間，任期屆滿的鄉鎮長延期改選，等待新的法規公布以後，再行舉辦選舉。

這一項選舉全省人民權利義務的重大事件，何以省府不公開廣徵民間意見？據民政廳長連震東氏本月八日在省議會答復議員質詢時說：「不需要徵求民意，以免各方的紛歧意見，使其成事不足而敗事有餘」（一月九日公論報）。這就是政府無視民意，不予公開徵詢意見的原因。幸好省議會還有部份議員，秉持民意代表的立場，才勉強作成決定：分函各縣市民意機關徵詢意見，而且時間據限定半個月。目下各縣市議會正在分別召開臨時會議，有的已有結論，有的正在開會中。在這些法規中，值得商榷之處甚多：如選舉之解釋，選舉監察，候選人資格，選舉無効及當選無効，競選制度，縣市長之免職，罷免法規，以及選舉妨害等問題。筆者先就法規的解釋權問題，略作探討。

根據省府修正後的七種法規中，「自治綱要」是法「母法」；而在綱要的第六十六條規定：「本綱要如有疑義，由省政府解釋之」。在「台灣省各縣市議員選舉罷免法草案」中的第七十二條，及「台灣省妨害選舉罷免取締辦法草案」中的第二十五條，都有同樣的規定：省府並沒有訂立法案的根據，是奉內政部的規定；可是，省府和內政部都是行政機關，無權解釋法規。因此，法規的解釋權，便發生了仁智不同之見。新竹縣議會主張依照原文增加「如省府解釋不滿意時，得由大法官解釋之」（十二月廿六日公論報）；台南市議會修正爲：「本綱要規定如有疑義，應由司法院解釋之」（一月九日公論報）；雲林縣議會則建議重其事，主張仿照憲法第一百十七條之規定修正爲：「本綱要規定如有疑義，[illegible]以司法院院長爲主席，提出方案解決之」。[illegible]這些主張，都是根據憲法精神，[illegible]

[illegible]「自治綱要」既然是在「自治通則」未通過，「自治法」未制定而准先實施的過渡時期，[illegible]還是由立法機關較具法性呢？這一點，根據憲法七十八條規定：「司法院解釋憲法，並有統一解釋法律及命令之權」。現在「自治通則」既延不通過，而政府已准台灣先行實施地方自治，豈可無法可資依循？記得數年前，本省某縣市曾因選舉涉訟，當事人向法院提出控告，當地法院即以[illegible]規不能作爲法律引用拒絕受理，弄得[illegible]由於這一個險事件所引起，行政院才[illegible]市地方自治綱要與其他有關法規，經[illegible]擬，省臨時議會通過，行政院核准，[illegible]已經『具有法性』，法院審理有關[illegible]應視同法律，作爲判決依據」。因[illegible]者各級選舉官司，均由法院依照自治[illegible]院必法院把自治法規視同法律作爲審[illegible]之依據，那麼，自治法規的解釋權歸[illegible]那有什麼問題？

[illegible]主張由臨時省議會解釋，認爲「自治[illegible]立法院備查，究與經三讀通過後的「[illegible]依具「法性」，並無「法根」。省[illegible]所省縣民代表會來制定省縣自治法，[illegible]綱要」取代「自治法」，其係過渡時[illegible]施其理至明，可見含變的准先實施地[illegible]治上的意義，遠大於法律上的觀點。[illegible]強政治號召，團結民心，既准其實行[illegible]真實實地給予自治的實質內容。如[illegible]更由所謂「自治監督」的省府去執行，勢將增加省府的控制力量。鑒於過去種種事實的證明，安能收拾民心？所以在過渡期間，把解釋權賦予立法機關的省議會，雖不十分理想，但亦甚合情合理；不過省議會得了慎重使用解釋權，應該延聘各政黨的專家學者組成「自治法規解釋委員會」，共同負責研究解釋。因爲省議員的主要任務，乃在充分表達民意，議員中可有「專家學者」，但並不個個都是「專家學者」，應該尊重「專家學者」的意見，根據國家傳統、政治經驗、政治習慣、以及人民文化道德永恆諸原則，善爲使用解釋權。果能如此，把解釋權交由省議會去執行，那也是非常恰當的。

究竟解釋權應屬司法院抑或省議會，筆者茲引用貝爾德一句話：「政治這個東西，不是像乘數表那樣呆板」。最緊要的，我們還是要尊重大多數人的意見。

四十八年一月十日於台北

代郵：諸葛先生，賜稿以空郵遄寄香港本報最爲快捷。

編輯部啓　一月十五日

美國來鴻之九

政治競賽與學術競賽

謝扶雅

（美國紐澤西州特約航訊）

筆者在上次通訊的結論裏，曾提醒我們在這世界競爭角逐之林，必須着重科學。古人說過：「鬥智爲上，鬥力爲下」。眼看目今核子彈如此可怖，誰也不敢發動世界大戰。然而和平相處中的競爭，仍非拚個你死我活不可，而欲奪得勝利，近之則靠政治爭取，遠之則在學術研究。而這就是今日美蘇兩大交綏的手法了。大哲羅素曾說當代有兩個混世魔王——赫魯曉夫和杜勒斯——[illegible]，各不相下。其實赫杜可去可亡，而民主自由集團與極權共產集團，總難免會消滅。這種長期競賽，自非有極大極高度的忍耐力不可。

米高揚抓住美人心

在柏林撤退問題的僵局聲中，蘇聯第一副總理米高揚突來訪問美國。[illegible]

[illegible]飛擲雞蛋，雪球（不正到處多雪）等等，[illegible]老赫自然還是不會來的，不過從西伯利亞寒帶來的人物，臉皮總是厚的；[illegible]，到處對當地實業界領袖演講，出以最爽朗的口調，直擲至美國人的心窩，『我們都已討厭了冷戰（Cold war），今後來一個「熱戰」（Hot peace）好嗎？』『美蘇關係經過好幾個時期：最初頗壞，以後更壞，再以後簡直壞得不得了。但現在正向好的方面走了』。『現在風雖還冷，但畢竟是新春的風了』。『兩國從前並肩作戰的熱烈友誼，以後不知由誰搞糟，這問題讓歷史家去判斷吧。現在總之讓我們把這關係改善過來』。『我對於美國人民的常識，有最大的信仰』。『再有一次新戰爭，誰都不能保身家性命啊！』『我今才悟知美國一般實業家真不喜戰爭哩。好好的機廠不都化爲灰燼嗎？』『你們汽車工廠，彼此常有劇烈的競爭，但不見得要打仗啊！國際關係亦何獨不然』。這是多麼由衷之言，而亦是米高揚人民外交的勝利了。

台灣應該做的事

我從來不會聽到我們台灣派遣大員到這裏——東美、中美、西美——對社會領袖和一般民衆講話，聯絡聯絡感情。我們英文流俐的人多着哩，[illegible]多移些不急[illegible]事情上好不好？[illegible]代申包胥、伍子胥一類故事，我們總不致數典忘祖；雖然美國今日未必會因你在「秦廷」哭了三日三夜而竟出兵，但史例不是不可以活用的。當年邱吉爾說不是三天兩頭跑到華盛頓來慫恿甚至包圍羅斯福總統嗎？中外古今，事同一律。誰說弱國無外交？弱國才真要靠外交哪！

俄科技優勝的原因

米高揚所借喻的汽車生意競賽，這除宣傳交際而外，基本更在科學技術。我們已踏入了太空時代。美蘇兩國的今日最高競賽，就是太空科學。聖誕新年時節，美國放過了一顆八噸重的人造大衛星（「Atlas」）可繞地球數星期，從衛星上廣播艾森豪總統代表整個美國報佳音及賀年給全世界。接着蘇聯於一月二日放出一顆重達一噸半，速率每秒七哩（即每小時二四、五八八哩）的宇宙火箭，本擬於第二天（即三十小時內）直達月球。不意它交臂擦過了月球，竄入那繞太陽而行的大軌道，成爲世上第一顆人造的太陽系恒星。蘇聯以此大吹大擂，又是一個人類歷史上空前的成功，爲之特發紀念郵票。據他們稱：這顆人造恒星將需時十五個月完成繞太陽一周，即比地球繞太陽一周多化三個月，其軌道全長爲二一四，七五〇，〇〇〇哩。又據說這次的宇宙火箭射程，表示第一次人造物征服地球吸力的牽制，自己遊行太空。而其最有利的成就，還是在：火箭內裝置的感光器，達到距月球——只五千哩——時，等於月球本身兩度映攝了月球的某部球面，由火箭內的無線電傳達到地上蘇聯電台。故已得了關於月球的若干寶貴材料。例如月球的磁場如何，可與愛因斯坦各星磁場的學說相校證。蘇聯中央科學院[illegible]報，雖有許多不免吹牛，但究竟也有些是真的。不錯，他們早就於一九五七年十月四日搶先放射了第一顆人造衛星，震動了全世界；美國科學界亦爲之相顧失色。急起直追，滿頭大汗。其後陸軍空軍疊射幾次「先驅者」，但却沒有得到如意的結果。總括起來，在太空競賽上，還是蘇聯佔了先鞭。據說，蘇聯在這方面長足躍進的主因有三：（一）二次大戰時，虜了若干德國名科學家回去，作他們的老師傅；（二）科學工作人員的待遇，比美國還高得多；（三）方針統一，權力集中。美國議論他們的衛星火箭建築在人民生活的犧牲上。現在美國對於太空研究工作，也已機構統一，一掃過去散漫不合作之弊。然而人類要想坐太空船遊行九霄之上，還有些日子哩。蘇聯曾試驗放入一隻狗在火箭裏，美國試過一隻猴子，但沒有什麼好成績。然這確是富有意義的競賽啊。人類征服太空，同時非遙遠無期。征服內心，也大有希望。例如今後像希特勒一類的人，將不可見了？[illegible]還敢怎樣瘋狂呢？那領袖慾[illegible]服了？只有在科學落後的大陸，還能存在着狂妄像毛澤東一類的物啊！（五九、一、一，紐澤西州）

從中國佛教團巡台視導說起

何日中

由甘珠及道安二大師所領導的中國佛教會弘法視導團，近正環遊全台視導各地的會務，本（元）月八日，來到花蓮，在花崗山下的東淨寺弘法。該團此行，負有整理中國佛教，重振三寶氣象的任務。筆者是個沒有宗教信仰的人，然對民族文化之復興，素具微忱。佛教文化，雖非國產，然上起漢魏，下迄明清，初以性空爲宗，繼以真常爲本，思辨融貫，知證篤行，千餘年間，已使佛教精神與儒家思想同成中國文化之主幹。有清以降，佛儒同趨衰萎，西學東漸，耶教因勢邑行，民族文化，由此降入歷史上空前未有之低潮。有心之士，近年來輒以文化復興之說相倡議，筆者以爲，中國之文化在農村，欲復興中國文化，必自復興中國農村始。而在中國農村中，佛教之影響，似較儒家尤爲深厚而具體，故就復興民族文化之觀點而言，佛教之重整，實有其歷史之價值。

宇宙的規律，本非一成不變的；人爲的規律，更不能一成不變，否則即將因失去進步性，而爲時代所淘汰。佛教自魏晉南北朝以迄於唐，傳譯思辨，融貫該綜，進步之速，氣象之隆，可謂盛極。但晚唐以降，既因教義篤行而失去其進步性；乾嘉而後，更因廢度牒而速僧制大亂；太平天國，使佛教之損失尤大；鴉片戰爭及五四運動之後，西學日興，耶教盛行，佛教命脈更難乎爲繼矣。然處今日之中國，言復興民族文化，實與復興佛教有密切之關係，而佛教本身，亦非有重大的改革，不足以負當前的使命。改革之道，應從正視人生始。蓋宗教既不能脫離人生，即應勇敢地來面對人生。而所謂面對人生，並不同於佛教之「今菩薩行」，今菩薩行講救人[illegible]積極地去改造它。當前所面臨的問題，是如何改造人生，爲人生建立一個新的、不與人性相衝突的、平易可行的標準，以此標準做起點，積以時日，則不難抑物慾、揚靈性；息紛爭、弭禍亂，爲人類文化重開一個新局面。

對台灣駝鳥式的書禁政策

左舜生先生提建設性建議

左舜生先生，一月十六日在聯合評論發表的一篇「關於台灣查禁書報問題」的文章，他說現在台灣當局的政策是「駝鳥政策」。他認爲當局的政策有三個毛病。第一，與「知己知彼」的原則不符。他舉例說，台灣的反共刊物，他看到的不下二十種，都是「原則性的」，「籠統式的」，「能深入的研究，確能說明大陸一般實情況的，涉不得」。「足以證明台灣一般人可能看見的資料過於貧乏」。第二，左氏認爲「海外出版的反共書刊，何止二三千種，有價值的也不少」。但「台灣檢查機構不問書刊內容如何，只看見係某人所寫，或某機構所出，便一律照扣，直接阻礙一般人的研究興趣，削弱反共的力量」。第三，左氏認爲「留在大陸的許多學人並不一定是共黨，最近十年他們做了不少工夫。他們的觀點，在研究立場看，沒有甚麼妨礙。」從事檢查的人，不問青紅皂白，只要是大陸出版的，便照例扣下，這是很荒唐的。」於是左氏提議：「台灣從事文化研究的朋友，應自外與大陸（包括多方面）組織一個委員會，請教育部撥款，就近十年海外出版的書刊，作一次廣泛的購入，經審查後，規定某種可以進口的，某種則仍在禁止之列，給予檢查機構一個清單，請他們就准予進東西一律放行，這或許不失爲一個補救的辦法。」（一月十七日）

印尼通訊

加瑪烈大學風波

·伊敏·

加瑪烈大學的命運，其實正像中國大陸上的基督教大學的命運一樣。燕京、金陵、東吳、嶺南、聖約翰等校之所以被封閉解散，皆是因爲印尼政府實行親共與反西方政策的結果。至於說「與(中國)國民黨份子有關」，不過是欲加之罪而已。

印尼的排華運動不僅波及許多親自由中國的華僑及其企業倒了霉，同時也殃及一些據說「與(中國)國民黨份子」有某些關聯的純印尼民族的文教機構。加瑪烈大學即其一例。

這家大學全名爲「印尼亞加瑪烈大學」(Gamaliel University of Indonesia)，是印尼基督教會辦的私立大學，地址在首都雅加達郊區巴油蘭(Kebajoran)。該校現已遭政府封閉。事實上該校主持人是否真的像所說的那樣「與(中國)國民黨份子有關」呢？仰或是有其他的微妙原因？在實相沒有被人們完全搞清之前，只好先由這家大學的本身觀察一下。

加瑪烈大學的校訓是「國臨格」(Thy Kingdom Come, Adveniat Regnum Tuum)，完全是基督教口號。該校的宗旨是：「……依靠耶穌基督的靈。耶穌基督是世界的唯一希望，他的福音能解決我們今日的問題。……他建立了這個學校，並通過訓練與派遣領袖到那收獲的田野。」加瑪烈大學主持人要堅定不移並全心根據上述思想來訓練能幹的基督教幹部，這也許就是犯忌的基本原因。因爲人們都知道：基督教精神不容於回教徒佔百分之九十以上的印尼。

加瑪烈大學校長是譚文南(A.M.Tambunan)，一個印尼基督教家，也是有名的政治領袖之一。兩位副校長是趙世光和李國源，前者是東南亞基督教界人士所熟知的牧師。該校二十五位名譽理事與九位顧問中大部份是華僑，全是印尼籍華裔。但他們幾校許多華裔教授多是各國著名大學出身的，其他還有印尼、荷蘭、英、美、澳等國籍的教授，教學素質相當高。

加瑪烈大學設有六系：經濟系、國際貿易系、會計系、文史系、新聞與教育系、英文系。所以該校並非人們所想像的那樣是「神學院」式的基督教高等學府，而是一所相當完備的偏重文科的綜合性大學，沒有甚麼「政治氣味」。

從這些表面現象來看，似乎印尼政府並沒有充份理由加以貿然封閉的。據推測所謂「與國民黨份子有關」不過是欲加之罪而已，事實上這次事件與印尼朱安達政府親共與反西方的政策有極大關係。在中國大陸上發生的事件看來也正在印尼上演。加瑪烈大學的命運不也正與燕京、滬江、聖約翰、金陵、東吳、嶺南……等等教會大學的命運相仿嗎？人們可以很容易地循着「反荷」「排華」這一發展跡象推測下去……「反美英」「反西方」正是「必然的」結果。印尼現政府還認爲加瑪烈大學受美國的影響，爲基督教學府，其實該校也就不可避免地要與外國基督教機構發生接觸；這是人們極易理解的，並非甚麼怪事。

如果說該校與美國世界基督教聯合託事部有關，因而就「有問題」，那麼國際間的文化交流是否仍有必要呢？

印尼是個文化教育落後的國家之一，文盲就佔全國人口百份之九十以上。全國著名的正規大學也沒有好幾家；人們熟知的就是雅加達的「印尼大學」、日惹的「卡渣瑪打大學」、泗水的「埃朗加大學」，以及茂物的農學院、萬隆的工學院、醫學院和蘇島一些伊斯蘭教大學等。所以封閉大學的措施實在是不智的。這在自由世界裏也是罕見的現象。人們只好這樣解釋：印尼目前是處於「軍事管制時期」，一切唯軍事首腦之命是從，朱安達內閣不過是「行政內閣」，並無實際權力。但這種說法顯然沒有觸及問題的核心。那麼核心何在？看來也不難發現。加瑪烈大學校長譚文南氏曾說過：「我們理解我國的需求，所以我們明白建立基督教大學的必要。……我們要訓練一批男女青年，具有道德與工作的各方面才能，以宣揚上帝的光榮和人類的福音。」其意即要培養出許多「西方式」的民主化的青年，參加國家的建設。但這種觀點可能與「指導的民主」不合，所以終於難逃封閉的厄運。果若如此，那麼印尼立國的基本「五原則」(班查希拉Pantja Sila)中的「上帝至上」與「社會公義」何在？這只好問封閉令的發佈人了。

管窺幽秘

徹底的以黨代政

最近中共中央財政貿易部召開了一個全國財貿部門黨的基層組織工作會議，參加這次會議的有各地財貿部門先進基層單位的代表和財貿部門的黨委書記；一部分人民公社黨委管理財貿工作的書記、財貿部長和各省、市、自治區黨委以及一部分地委，縣委財貿部門的負責人共五百多人。這個會議決定了今年財貿方面的中心任務是：繼續加強黨的領導和大搞羣衆運動，以保證財貿工作任務的完成。

這樣的黨的基層組織工作會議，在以前未曾舉行過，它當意味着黨將包辦一切比以前的被人稱爲「黨天下」的情況還要包辦得更徹底些，一方面收回以前已分給行政部門的權力，另方面企圖使黨中央的政策直接貫徹到基層組織，以減少中間階層的阻力。

毛澤東辭去政府主席，專門致力於黨的工作，從這個會議的情況看來，似將實行更徹底的以黨代政，使其權力更集中；這個會議可能就是這種措施的開端而已。

書記掛帥

「書記掛帥」已經是中共制度中一種正規化了的領導工作的方法；這種方法的本意無非是使黨委書記親自動手，在各種運動的各階段中，對於各種重點工作加重注意。黨委書記並不是三頭六臂的「多面手」，不過是憑着書記有生死予奪的權力，強迫工作部門的業務人員爲完成和超額工作而已。中共既然常利用突擊來趕任務，則採取強迫制度是必需的；但是這種制度也是造成官僚主義的制度；另一方面，卻又使得主要負責幹部疲於奔命，對於任何工作都不可能去作徹底的研究。我們且以江西省委第一書記楊尚奎的情況說明之，去年五月，黨的八大二次會議通過總路綫要求大躍進，楊尚奎率領了一個萬人檢查團到各地檢查大躍進。去年八月，黨中央又號召以鋼爲綱，猛烈要求各地土法煉鋼，楊尚奎又率領一個萬人檢查團到各地檢查煉鋼。去年十二月，黨中央決定整頓人民公社，楊尚奎再率一個萬人檢查團到各地檢查人民公社。在半年左右的時間中，要他作這樣三個巨大的檢查，除了使得他作官僚式的走馬看花以外，實無其他可爲。吉拉斯說共產主義造成官僚主義，確非虛語。

春節難過

一月十一日「人民日報」發表了一篇「對春節回家旅客的幾點希望」的社論，第一項是希望「一定想回家過節的人最好早走或晚走，不要集中在節前的那幾天裏」，這也就是說不一定要回家過節的最好是不回家，要回家過節的人應先寫好決心書。第二項希望大家來維持春節旅客的秩序；若果因爲太擁擠影響運輸秩序時，似乎要他們最好取消回家過節的要求。第三項希望是，要得個回家過節的人利用這個機會學習與宣傳。就上述三項「希望」來看，像這樣過春節，應具有「六親不認」的精神。——這篇社論不用說已道出了中共當局對於回家過春節的人，懷有不平常的疑懼。怕在春節期間因爲人的流動性大，鬧亂子。

另方面在人民公社組織之下，物資缺乏的情況十分嚴重。如何使人們能滿意地過這個春節也是問題。按照國人的習慣，過年要一家團聚，要總結一年的生產，預祝來年的好景，因此，誰都想回家過節，誰家都得有些雞鴨魚肉，雖然過去貧窮，但都有一個勉強的物質水平。現在組成人民公社了，以家庭爲單位的團聚當更被禁止，可是又怎能令人不回憶起過去家庭生活的美好呢？又怎能不令人對于人民公社的集體生活產生怨恨呢？所以中共就希望大家能夠不回去過春節更好些。

這樣來看今年的春節，該說是對於人民公社的一次全面考驗；這幾天，中共當局爲着這個春節，大概很不安哩。

·田心·

國際動態拾零

△美國商業繁榮，公司所得稅，在一九五八年本爲三百七十億，至一九五九年，將達四百八十億，下年度總預算，將縮減爲七百七十億，故不至再有赤字，且增稅之議，亦將打銷。

△毛澤東的大躍進運動，突然停止，中共又宣稱，純共產主義之階段，須待二十年之努力，是否與公社制度的失敗有關。浙江有九十二個公社，完全改組，包括一千人之調查團，派往研究糧食與運輸供應問題。軍官亦派往參加公社，以執行紀律。工作將限於十二小時，並恢復其家庭生活，且謂將發還私人所有云。

△西藏之千把族，于一九五六年即起叛變，現已蔓延至新疆青海一帶。自上年四月份起，中共軍隊死者超過五萬人，而藏兵亦死了一萬六千。藏軍勢將切斷拉薩至中國公路，以威脅中共軍隊之給養綫。

△金門對岸之中共統帥，改由林彪担任，擁有二千蛙人，人民均被編入運輸隊。一般人皆謂海峽戰事，行將復發。

△納薩最近第一次宣佈反對敍利亞的共產黨，因爲敍共是反對阿剌伯聯邦，而主張敍利亞獨立的。西德貸與埃及四千八百萬美金，助其建築水壩，美國賣給他三十萬噸小麥，而許其用埃幣付款，可能納薩此後會走中立路綫。但要知蘇聯對埃之建築水壩貸款，已達一億，恐陷溺已深，難以自拔了。問題在蘇埃爭取伊拉克，能否妥協互讓，是其焦點。

·陶然·

大陸文壇透視

推銷毛澤東思想

七[illegible]

雖然中共和蘇共的情況不盡相同，但看毛澤東在退職以前的安排，他顯然是想做列寧而不做史大林的。所謂馬列主義在中國發展出來的毛澤東思想，包括有毛澤東那些哲學、文學、社會科學的講話和著作，毛澤東要在生前看到他的思想能在中國文化學術中佔一席位。去年一年，大陸文化學術界在大躍進中掀起的厚今薄古運動和高等學校的教學改革運動，全是爲推銷毛澤東思想鋪路的工作。

毛澤東辭職的動機不自今日始，核准郭沫若入黨的決定也應該向前推一步。郭沫若現任中共的科學院院長，該院組織龐大，下轄幾十個專業研究所，全國的專家教授幾乎全是該院的「學部委員」。在學術領域內消除舊文化傳統來入毛澤東思想，借重「郭老」最爲合適。他一向懂得察言觀色，很會先意承志，說出來的話有時比中共黨員還「紅」。他對毛澤東的吹捧可謂無微不至，也極恭維劉少奇，與周恩來的私交甚厚，更是周揚的幫腔人。在從前，他曾強調毛澤東的延安文藝講話是有永久性的經典；把胡風問成反革命，是他首先指出胡風的意見書是反動的政治綱領。去年的表現更爲突出：范文瀾根據陳伯達「厚今薄古」的指示，提出要打倒一切專家權威，郭沫若就首先響應要打倒陳寅恪(見去年六月十一日人民日報)；周揚在「紅旗」創刊號上提出「革命的現實主義和革命的浪漫主義相結合」的話，他馬上就說毛澤東的蝶戀花詞正是這種結合的典型；在他主持的科學院中，各個研究所正在編寫毛澤東著作，文學研究所所編的「毛澤東論文藝」已在付印。斬斷中國文化傳統，使毛澤東思想定於一尊，工作正在開始。中共在黨內還找不到一個像郭這樣的劊子手，爲了此後更好地謀的決策，給了他希求並羨慕了若干年的「殊榮」。今後可以預見，他定更要賣力來報答「皇恩」，大量推銷毛澤東思想，也必然像周揚那樣拿着「黨」來嚇人了。固然郭沫若此時獲准入黨的原因並不如此簡單，但就文化學術方面來看，對他進一步的利用不失爲主因之一。不過在文藝理論上，他還得對周揚俯首聽命，不然他妄自尊大，飛揚拔扈起來，必爲心狹的周揚所不容。他的那些充滿着濃厚的個人主義浪漫色彩的作品，就是很好的「罪狀」。

瘟君夢

岳騫

第一回　消息自天來，人捐秋扇　風波從地起，夢冷新華

陳伯達看見郭沫若在這裏坐着，不覺一怔，當時呆在那裏，不知說什麼好。毛澤東正和郭沫若說笑，一見陳伯達進來，登時變了樣子，繃着臉問道：「伯達同志，有什麼事？」

陳伯達翻眼看了下郭沫若，低聲說道：「有緊急事向主席報告。有第三人在此不方便。」陳伯達這句話，明白是趕郭沫若走路的，原來他們兩個早有心病，郭沫若担任科學院院長，陳伯達卻是第一副院長，中共一貫規定，凡是一個機關首長是非黨人士——副的一定要派個黨員，非黨人士地位愈高，黨員的份量也就愈重要，例如水利部長傅作義，在中共當局眼中份量較之沙千里，史良這些部長重要得多，所以水利部的第一副部長李葆華，就是一名中共中委。郭沫若當然也是一名重要人員，所以就派了一名政治局候補委員，中共中委，陳伯達去作第一副院長，在科學院內自然是陳伯達當家作主，郭沫若連劃諾的資格都沒有，許多事陳伯達設下命令之後，郭沫若看到院內通訊才知道，郭沫若想起民國二十七年在漢口任軍事委員會政治部第三廳廳長時，本廳任何事情都由自己作主，那時才知道做官甚有威風，現在的官卻是一文不值，所以心裏恨透了陳伯達，現在一方面倚仗自己也入了黨，另方面特邀毛澤東的寵，你陳某人無奈我何，於是坐在那裏得意洋洋，只當未聽懂陳伯達的話。

陳伯達又急又氣又夾着嫉妬，繼續說「實在是特別要緊的事，要向主席報告，在這裏不方便。」

毛澤東知道他兩人有心病，想乘機和解，笑着說：「沫若同志不是外人呀，已批准他入黨，只是尚未公佈，你有話好了。」

郭沫若聽到這句話更如奉綸音，心[illegible]，你陳伯達龜兒子，平時專欺負格老子，動就拿組織壓我，現在格老子也是黨員，[illegible]全國代表大會，只要主[illegible]，還愁當選不了中委，[illegible]許你龜兒子落了選，[illegible]子後面呢？想到這裏，[illegible]透出得意的神氣，兩眼[illegible]幌起來。

陳伯達氣憤交加，顧不得毛澤東的[illegible]厲聲說道：「這件事特別秘密，絕不能[illegible]知道，不用說他是黨員，就是中央委員[illegible]去。」

毛澤東愕然問道：「什麼事如此緊[illegible]」

陳伯達舉起手中信封：「劉駛大使自莫斯科發來急電」。

一聽到莫斯科，毛澤東倏的站起來問：「什麼事，電報拿我看。」(三)

釋耒集

光復

曲齋

南宋高宗紹興三十一年，金主完顏亮大舉南侵，詔令虞允文參謀軍事，率諸將大破金兵於采石磯，金主亮退走，爲其部下所弒。這一役，自岳飛偃城之捷後，算是替南宋的小朝廷出了一口怨氣，高宗譽允文曰：「朕之裴度」，但照高宗的本意，原是一味要求和的，他心裏的感覺如何，我們無由知道，不過這一戰，畢竟撕毀了紹興十一年，由秦檜所主持簽訂的和約則是事實，它又證明了和約只是一紙空文，只要敵人認爲是形勢上的需要，他隨時都可以動手的。這一戰，給了一味主張對敵人屈服的宋高宗，打了一記耳光，於是演出光堯內禪一幕，那就是說，宋高宗已再無面目做皇帝了。

高宗的兒子孝宗當國，原要振作一番，他曾說：「士大夫諱言恢復，不知其家有田百畝，內五十畝爲人強佔，亦投牒理否？」可見他的腦筋絕不糊塗，照我們的臆想，那時也一定召開過「反攻」或「光復」一類的會議，記得放翁詩有句云：「近聞下詔喻言路，已卜餘年見太平」，[illegible]

[illegible]……可知議論之來者爲正，言恢復者之失所宜，僅生平好說：「渡兵要有人」了。不言反攻，正爲從，認爲是這些說法，也都是大政帝王所過知，一開宗明義時，一種信思想，一心一意的生前所要替他的武力也即是所則一種思想，思想只爲主義，如此清談，或一種清談，或玄學作大抵不致如此，以爲昭興勝，王夷甫諸人今，殷鑑不遠。

人的太息

金溟若

「人爲財死，鳥爲食亡。」——這是動物求生存的一種本能。人類之有財，就是人類文化演進，有了經濟社會的組織之後求生存的工具；故財也者，亦即食之代稱。[illegible]

……受，有錢時，我會儘量享受，沒錢時，我也會甘心忍受。[illegible]

……大的力量。最近我的這一信念動搖了，以爲從前一輩的老人到底比我多吃了幾斤鹽，見識自然不同，對於自己的淺見，深爲慚愧。而最可怪的，這金錢的力量，竟也在孔家店裏發揮了很大的作用。

過去的讀書人口中不大肯說到金錢，那是因爲當時財裕物阜，生活從容，不必天天愁錢，自然不需要天天說錢，並不足以爲醫做。抗戰中期以後，讀書人不再矜持清高，時時把錢與米掛在嘴上，固然不是一件光榮的事，但爲了缺乏和需要，有時在嘴巴上提出來談談，也並不一定說他們就失了身分。對於金錢，貪求是一回事，打算又是一回事。通蘇東坡那樣灑脫的人物，在做杭州通判時還是量入爲出，把俸祿所得的錢吊在樑上，按日限定費用，以免冷爨不勻而鬧飢荒。何況我們！所以像我這樣常常手忙腳亂的人，並不知道打算，而對金錢不足以爲諷。只是對於金錢：取捨之間有一個分寸，估計上有一個分量，也就是讀書人的本分，卻是「人獸的交界」了。

拿文筆的人，爲了稿費去拜三家求四舍，拉關係走標門，在今日已很平常。拿粉筆的人，爲了多找些外快，拉住校長的後腿不放，也是很平常的事。我以爲愛好金錢也是一種嗜好，有的人固然爲了有用價值去撈錢，也有的並不爲此，只是爲了興趣。一件事物成了興趣，那力量可大了，也與動物的本能一樣，不惜任何犧牲的。爲了爭取錢點，爲了博取獎金，爲了擴拓投稿的地盤，不惜採擇任何手法；但老實說，總還算是正當的生財之道。要不然，

告一場病也能因禍得福；自己不病，叫女兒來一場病，也一樣生效。再不然，乾兒子結婚，爺爺來一次冥壽，也未始不是好辦法。所謂戲法人人會變，各有巧妙不同罷了。好得「集腋成裘」，「滴水成渠」等詞彙，都是寫文章的讀書人給造出來的，仍不失斯文一脈，不可厚非。但孔家店的老闆們，看穿了勸物的悲哀，運用飢餓政策來對付那些「文質彬彬」的「君子」，卻是最可痛心的一件事。憑記叫我灰頹金錢威力的信心，不發生動搖呢？

於是我想起一個故事：孔子周遊列國，到了陳國的匡邑。老夫子被一班及門弟子簇擁着，正在指指點點，興高彩烈時，卻給當地的老百姓們包圍住了。駕車的顏剋勒住了韁繩，把車子煞住了。子路指揮着同學們戰陣以待，一面派公西華爲外交代表前去打聽消息。匡邑雖是河南省南部的一個蕞爾小邑，但以孔子當時隨行的幾個弟子，卻是寡不敵衆，無法突圍的。形勢非常尷尬，弟子們面現憂懼，慢慢地有些動搖起來了。

「哀，你們怕什麼？文王以後，斯文的傳播不是擱在老夫的肩仔上嗎？除非老天要毀滅斯文，要不然，匡人怎能動我的毫髮。」

老夫子的嘴巴雖硬，心裏卻也兀自不安。且，這倒在次，從早上動身，到了匡邑已在辰巳之間，這樣那樣，公西子華又一去未回，時間已到了未末申初，早晨吃的東西早已消化淨盡，在這前不巴村，後不靠店的地方，「吃」的問題比被圍更爲嚴重。子路見老師面有飢色，便悄悄地拉了一把出納組長子貢，邀他同去買些東西，以免餓壞了老夫子。在前面的路傍，他們兩人，找到了一間湯圓舖子，挂着「一個一文」的紙條。子路喜出望外便進去要了一碗，十個湯圓。子貢一檢荷包，只剩下最後一文錢，不夠付賬，只得硬着頭皮說：

「我們是孔子的學生，湯圓錢待送碗回來時一併給你。」

賣湯圓的老頭兒說是聖人的門徒，便讓他們先拿着走了。

[illegible]攪清了，顏剋這次不幸陽虎當差而替孔聖人爲車，全匡人馬將次淹灑開拔前，子路與子貢送還湯碗，給了一文的湯圓錢。

「先生，您攪錯了，一文一個，十個十文。」老頭兒說。

「怎麼？」子路輪着兩眼指着紙條說：「不是明明寫的十個一文嗎？也忒欺負人了！」

「啊喲，啊喲：：：：」老頭兒連連搖頭說：「這是從郎兒說起：：：你還說是聖人的門徒哩。」

「是聖人的門徒才是一文只買你十個。哼，換別人羅，怕不要你一文千個：：」說着，兩人攢前一步，去趕老師的車子去了。

故事到此爲止。幸好是讀書人，要錢還是講公道的，要不然怕不殺人放火了嗎？而且讀書人要錢倒也振振有詞的，金錢的老祖宗孔方兄，可不是與孔老夫子同姓，原是本家呀！誰還敢道一個「不」字。

風雨樓繪畫叢談

史皇的四種造型

史皇的較早紀載，是呂氏春秋，較晚爲淮南子和路史，而較詳的考證，則是清人梁耀王氏二十五史補編人表考。在這些典籍裏，史皇的造型，大致可以歸納爲四類；一爲古帝，二爲倉頡，三爲史臣，四爲翟圃。據梁氏的人表考說：「倉頡始見荀子解蔽，姓侯剛，亦曰史皇」。又說：「路史從古帝解，謂倉帝始皇，非人臣之號，殊不然。左傳楚有史皇，豈亦非人臣乎」。又說：「呂覽君守彼，史皇在二十官之中，其非帝王可知」。呂氏春秋對於史皇的紀載，不是君守彼，而是勿躬篇。勿躬篇，乃呂氏春秋審分覽之一，他於敘述黃帝史臣二十官之間，是說「史皇作圖」，言詞雖簡，意念肯定。惟梁氏對於史皇諸說的辨正，一似缺乏信心，前後矛盾。他的前文是肯定倉頡即史皇，他的後文引據，卻是黃帝的史官史皇，這顯然是意志游移，自我否定。尤其於路史的古帝之解，取用後世人臣同姓同名材料，以爲反證之資，更至牽強而乏力。我以爲路史作者的泥古，一爲誤於三皇的稱號，一爲誤於周初訂製的謚法。周謚法云：「靖民則法曰皇，故大名受大法，細民受細法」。不知詩有獻之寫祖，書有皇后湯王几，皇爲尊大之稱，並不一定限於帝王。由此可知史皇不是倉頡，亦不能解爲古帝。不過他是不是史臣，還得看呂覽書的價值而定。呂覽作者，在戰國末期，營營官位，品格卑劣。如是以齊書立說，其不足取法，概可想見。但史遷作呂不韋傳，於呂氏春秋，推許之重，可以說在周秦二代，是沒有人堪與比肩抗衡的。史遷說：呂氏春秋書成，布咸陽市門，懸千金其上，延諸侯游士賓客，有能增省一字者，予千金」。也許這是呂氏思想作人的轉變時期，亦正足以表明史遷筆下的公正而不阿世。可是呂覽的一字不能增省，不唯加強了史皇作圖一事的不可動搖，也似乎增長了若畫記的繪畫起於史皇的可靠性。（六）

迷賢

挽楊千里先生

黃天石

早歲風華動上京。不將詞筆貿才名。傷心天寫攝千里。歎息雖龍誤半生。忍死何曾忘漢臘。垂危可奈陷秦坑。更誰能續江南賦。鬱結塞雲鎖廢城。

挽朱子範教授

追和贈元韻　前人

流轉頻年席未溫。詞華幾見古同尊。濤才折福賓犬妒。亂世埋憂倘帝恩。竟負湖山虛後約。徒聞鼙鼓託窓言。迢遙海峽魂何許。落木西風冷墓門。

附遺作

朱子範

三十年來覆夢溫。天涯會共話清尊。還將文字酬肝胆。忍以人才付怨恩。山水有情留後約。春風多恨欲無言。懸知明日分攜處。酒上樓頭溝海門。

梁任公遺文

馬國維

此文爲新會梁啓超（任公），在少年時（大抵在十九歲至二十歲之間），應學海堂月課之作，緣先君潛甫公在光緒十八九年間，肄業學海堂，與任公雅善。在先公遺篋中，存任公手扎及時藝（八股文）文，多至三四十篇。此文亦在其中。惜署梁啓昌名。余少時即見此文。盧欣賞其文字之瑋麗，但未知作者爲何人。蓋啓後詢知吾叔特甫茂才，始知是任公手筆。盧昌雖任公介弟，無此傑作也。宣統三年，余在廣雅書院肄業，即以此文詢諸徐信符先生（徐亦學海堂專課生）。徐謂此文信是任公手筆，因彼亦存此文鈔本，並在其所編之文學講義中，引用其一部文字云云。今徵之清代學術概論，任公自言「啓超年十三，與其友陳千秋同學於學海堂，治戴、段、王之學，千秋所以輔益之良厚，越三年而康有爲以布衣上書，被放歸，舉國目爲怪。千秋啓超好奇，相將謁之，一見大服，遂執業爲弟子」。又二年而千秋卒，啓超益獨力自任。」是則作此文時已非在山堂肄業也。（當時山堂月課，分經、史、理學、詞章四科，按月朔望，即標題目懸於大堂中，任學者自由選作，學者作文，祇須在山堂購試卷（白紙，無間格，四摺八頁，每卷二分錢）即可投遞。一人用不同名字，可作數篇。取錄之文，共分三種：一上取，二中取，三取錄，上取之文，可獲膏火獎，由二兩至五兩，（庫平兒，當時伙食，每月兩二錢）不等，中取亦可獲一兩或數錢。此文鈐有硃印「上取獎銀五兩」數字，任公作此文時，純是寶利主義。故署其介弟名也。又山堂中有多人在此抄錄貼堂文章，以售諸士子參考。大抵千字值銀二分。

余錄此文，不足以損益任公學術分毫。此爲其少年之作，彼本人亦不存稿，惟余以此典雅瑰瑋之作，粵中士人見此尚稀，不忍其湮沒在陰，又以其備用區區四千字，而絲韵文體已略能囊括無遺。而言必有物，字必有興，非讀破萬卷書，無從着筆。至收筆一大段，批評各家文體。夾敘夾議。讀論公平。一洗八主出奴之見。至四言詩二十首尤清麗可誦。戊戌多香偶馬國維記。（一）

自由人

THE FREEMAN

（第八三二期）

中華民國僑務委員會登記證僑新字第一〇二號
中華郵政登記認爲第一類新聞紙類
（半週刊 星期三、六出版）

每份港幣壹毫

台北市零售價台幣壹元

督印人：陳文[illegible]

地址：香港高士威道廿號四樓
20 CAUSEWAY RD. 3RD. FL. HONG KONG
TEL. 771726

承印者：東南印務出版社
地址：高士打道六十四號
台灣總經理處
台北市西寧南路壹壹號二樓
電話：三〇四三六
台郵政劃撥儲金戶九二五二
海外總經銷：友聯書報發行公司
香港：德輔道中二十六號A二樓

從米高揚咀臉看冷戰

林伯雅

蘇聯最富外交經驗而被西方稱爲超級售貨員的米高揚，表面上「似乎」祗擅於蘇式伏特加外交而不嫻於西式的鷄尾酒會。他到美後在踏進白宮前，在美國「資本家」的盛宴中，都是休休然「其如有容」，但自出了白宮以後，則一變其笑臉迎人的作風，發出咄咄逼人的語調，爲的是什麼？這自彬彬有禮的西方主人看來，原是一個非常不禮貌的表現；而在這位特殊客人的心目中，自然另有看法——把美國看成「美國人」和「美國政府」兩個對手。他在離美之前說：「美國人民希望和平及更多的貿易，但美國政府對於冷戰問題不肯讓步」；又一再說「美國人民和工商界領袖都厭倦冷戰，但美國政府則打算繼續進行」。這樣把「美國人民和工商界」與「美國政府」分爲兩截的說法，已超越普通的外交詞令，而變爲一個拉攏羣衆的煽動演詞。這好似蘇聯的代表正在和美國政府向美國人民競選拉票。這是一種外交怪現象。但這種「蘇聯風」，年來已見怪不怪了。

最初一次而不是最後

這是萬變不離中心的冷戰攻勢，蘇聯就一向以此作風取得主動地位，獲致預期的結果，尤其自「板門店」「韓戰和談」以來，是如此。美國就一向面對這種攻勢而節節敗退。此次美國當局，原也似有意與蘇聯這位售貨員討價還價的，杜爾斯對於蘇聯用以試探美國的傾向所特製柏林問題，曾露出「應用自由選舉方式統一德國，但原則上其他合理的途徑，未嘗不可以考慮」的口風，一度引起自由世界敏感者的疑慮；也許以後因爲看清了米高揚的面孔，才重申原有堅決的立場。

自日內瓦極峯會議後，艾森豪在冷戰中與蘇聯高級官員會談，此爲第一次，但恐將不是最後一次——雖然這開始的結果並不佳。截至近頃，美方又傳出尼克遜可能官式訪俄的消息了。

「防守的」與「動性的」

史蒂文生平素的言論，儘管許多不能令人同意，但這次對於米高揚訪美的說法，最切當不過。他說：「美國冷戰運動，已走向『純粹防守的低潮』，以『動性的』步伐走在前面，到了美國則『遲緩的』在推進」。但在今天看到了米氏變化多的面孔，我們更可以「蘇俄在美的冷戰，又已由緩和而趨于急促，變過了一個花式，依然不變的，是蘇俄冷戰的「主動性」。有了冷戰主動性，花樣還是可以隨意變化：讓美國永遠跟着走。這一次打進了白宮，還可再來一次，二次、三次，如果美國自艾森豪上台後政策的趨勢——由「解放」到「圍堵」，到「嚇阻」的趨勢——依然像「精神上癱瘓症」似的癱瘓下去。

因此，我們也可說蘇聯冷戰並沒有完全失敗，米高揚踏進了白宮，雖不能動搖白宮的立場，卻已在美國人面前一再宣揚其「善意」了。

此行也不虛

自冷戰本身看，米高揚此行仍是不虛的，就是說，蘇聯巨頭已居然直接闖進自由世界的大本營，出售其政治貨色——不論是否推銷了一些。這從自由世界看來，是西方冷戰趨勢走下坡；自美國看來，至少是冷戰技術的失敗；自然，自蘇聯看，不能不說是又一次冷戰的成功。

這位以普通身份訪美的「渡假」旅客，實際享受到克宮第二號人物所能享受的一切待遇，更且利用「美帝」的電台，電視機，書刊，報紙，來灌他的「善意」和「合理的」意見。有一位美記者在電視中向他問得好：「如果尼克遜訪蘇，將在蘇聯獲得同樣的盡量發表嗎？」他答：「將予以發表，但將不如此詳盡，因爲蘇聯報紙刊不了那麼多」，並謂：「我們也沒有這麼多攝影記者呢。」

笑臉的變化

但是，爲什麼他於笑臉攻勢後，不來一個臨去秋波，卻來扮一個討人厭的鬼臉呢？從米氏的談話，顯然可以理會，他是要以笑臉向着美國人民及工商領袖，而以鬼臉向着白宮和美國務院的。冷戰的目的，自然是企圖造成一個所謂「美國人民所不支持的政府」，使美國人民從他笑臉中所生的幻想，蒙上從一種恐怖心理，可能會拿着選票向白宮施壓力，使與蘇聯談判「和平」。

米高揚在美國得到了什麼？

半週述評

米高揚在美國所謂「私人渡假」的兩週訪問，已告結束。米在蘇聯可以夠得上說是不倒翁，其地位確實相當重要，因此在他決定訪美以前，即曾引起世人的種種揣測：一、謀取美蘇間對柏林問題的接近，以便進一步求得德國問題的全盤解決；二、打開美蘇貿易的僵局；三、爲赫魯曉夫訪美鋪路，並進一步求得所謂高峯會議的實現；四、其他。

米與杜爾斯及艾森豪總統晤談的結果，美官方並無任何公報發表，但看米在臨別離開美國以前，對柏林問題發出以武力的狂言；同時他還與中共表示一致，要求美國退出台灣；都可反證米此行除得到一番客氣的招待以外，實一無所得。

做生意本來是米高揚的本行；美國一部分短視的工商界人士，也可能多少中了一點『米湯』的毒；但在美蘇關係無法根本改善的現狀下，說美國少數工商界私人可以採取任何脫離國策的行動，這畢竟是不可能的事。

艾森豪和杜爾斯這次的態度相當妥善而堅定，不但可以袪英法與西德之疑，即其他一切遭受共黨集團壓迫的國家，也可引以爲慰。可是，美國今天的責任乃在以積極的行動領導一切反共的國家，單謀自身臨時對一人一事的應付不犯重大的錯誤，這顯然是不夠的。

據我看，經過米高揚這次訪美以後，共產集團的反美活動，還要繼續並加強的展開。

米高揚的吸引力

蘇俄向美國發動這次新攻勢，所用主要的本錢就是米高揚這米記商標，加上蘇聯又一次製造的柏林事件。

本來美國人對這位蘇聯超級售貨員發生興趣，不自今日始。遠在一九二七年，他曾經告訴過美國人說：「自從英蘇破裂後，與美國接觸愈來愈密，蘇聯要購買美國的出品如採礦機器，電器用具，農業機器之類將逐年增加」。這些話，美國商人是不會忘懷的；一九三六年，他又曾以糧食部長身份到過美國，介紹了美國的雪糕，熱狗，罐頭，凍品之類回去，美國人更是引以爲榮。

至於美國當軸呢？最初對他也未嘗無動于中。因爲單看金錢面上，蘇聯在第二次大戰期間曾欠下美國一筆巨額債務，而這項債務乃是根據米高揚所參與其事的租借計劃而來的，而米氏此次又曾表示準備向蘇聯建議先還三億美金，以示誠意。而且事實上美國想將這筆債務撈回，又勢非賴美蘇貿易不可。

影響在那裏

所以米記商標在美國不是陌生的。他以克宮第二號人物之尊而用平民身份訪美，似乎是在準備走其拿手好戲的羣衆路綫。美國輿論雖然並不忽略在匈牙利事件中，米高揚曾食過對聯合國保證匈牙利撤退的諾言而發生屠殺匈人事件，然而一談到現實，他們面對這位神秘性的貨賓，畢竟是不由自己的，縱然在翻臉以後，也是如此。

因此米高揚訪美的結果，一些美國國際專家認爲「其影響在蘇俄比在美國大」，但從上面分析，我卻相信其影響一般美國人比影響白宮更大。

力替東德中共宣傳

如果說米高揚訪美失敗，那只是指米氏的冷戰攻勢，未能攻破白宮的立場，解決這一次冷戰所要解決的問題。但是柏林問題！就是赫魯曉夫也早知不能在白宮解決的，只是要米氏先去開一條美蘇雙邊談判之路而已。只要看米氏臨行前的露骨表示，可想見其對於柏林問題及「台灣問題」的意見，只不過利用美國電台，替東德及中共作政治宣傳而已。否則他對於一切問題都堅持原有立場，怎麼會有解決辦法？他對柏林問題堅持單獨將西柏林改爲自由市，同時東西雙方將其駐軍沿易北河各撤退五百哩。而以東西聯邦爲達成德國統一的途徑。但他並未會緊緊把握杜爾斯所露「當然其他合理的途徑也可以考慮」的讓步口風。其次對「台灣問題」，他不外要向美國人露骨表示蘇聯支持中共而已。他說「美軍駐台，中共已表現其很大自制力了，且容忍到使他『詫異』」，因此他建議美軍撤至菲律賓」。理由雖然不堪一駁，但這又不啻是在替中共宣傳了。

蘇聯冷戰的基調

可見柏林問題，祇是蘇聯這次新冷戰所用的工具而已。雙邊談判，或高峯會議，可能是次一個目的。紐約時報對此，認爲是基于下面一個假定：「赫魯曉夫深信世界最大的緊張及主要的利益衝突，其來源係在於美國與蘇聯間的關係。他曾經一再說過，如果那兩個大國能夠解決他們的歧見，其它國家將會接納它們的協議並予以歡迎的。」這個是蘇聯單方的想法；基此，要解決問題——當然包括德國問題的金馬問題——裁軍，貿易等問題——非先逼美國讓步不可。而美國「實力談判」的實質，又早已爲蘇聯看透了，不可怕。就是，目的在[illegible]談判，永不會動用實力。從米高揚的訪美去看，蘇聯冷戰攻勢的基調，可以從這一個假定去分析，而其攻勢的變化則只是[illegible]而已。

不要把大陸反人民公社估計得太高

左舜生

「人民公社」遭遇了人民種種的反抗，而且受到了國際的嘲笑與非難，中共似乎已有了較高的警覺。

最近共方除作出種種的解釋以外，實際也有了多少的改變。

我們必須明白：中共盡量騷擾人民的基本政策是不會變動的，但一旦覺悟到於他們的政權確有不利，他們的手段卻是層出不窮的。

現在他們除大城市決定緩辦以外，即在鄉村已經辦了的，也定出了許多妥協的辦法，看樣子似乎比以前和緩了不少。

十年以前，我曾看過中國北方一部分的農村，其農民的苦況，實不是我這個生長在湖南，久居在江浙和四川的人所能想像。中國人民本來是苦透了，中共最近的若干年，不過更多給一點苦頭給他們嘗嘗就是了。中國多數人民惟一的希望，只要求勉強能活下去，至於鞭策他們多作一點工，甚至把他們當奴隸一般看待，他們卻也不在乎。換言之，過去中國在帝王和軍閥官僚的時代，何嘗不是天天都在奴役人民？只要偶然能給他們一點小恩小惠，他們便可以歡聲雷動，並不懂得要如何把他們的生活作基本的改善。中國歷史上那些被人民歌頌的帝王乃至軍閥、官僚等等，在本質上本來一樣都不是好東西，但他們能玩弄一種較高的手法，居然可以博得人民的擁護，所謂『盜亦有道』，便正是爲這殺人說的，共產黨，本來是集帝王，軍閥，官僚，強盜的大成；再加上他們嚴密的組織和分布全國的武力與特務，而握在他們手裏那根絞殺人民的繩子，又可以時緊時鬆；更加上那些可以領導人民造反的人物，又早已被他們屠殺，馴服殆盡；您說大陸人民爲了反抗目前所受的種種痛苦，便可以自動形成一個像樣子的革命力量，一舉把中共的政權推翻，我看這只是一種太大膽也太天真的假定。老實說，除非國際有大變化能給予共產集團一個致命的打擊，或我們自有一枝像樣子的武力攻上大陸，中國可憐的人民是翻來不了的。

咄咄怪事

自由談

憑子先生

俄共頭目米高揚這次訪問美國的使命，至少有一項是圓滿地完成了。那就是替赫魯曉夫聲明限期六個月解決柏林問題的窘迫場面，鋪設了下台的地步，使赫魯曉夫在聯共代表大會中不致喪失聲譽，妨害其壟斷異己，爭取獨裁權力的既定計劃！——因爲美國對柏林問題的態度已告軟化，答應跟俄帝談判全德國統一問題，並不介懷於赫魯曉夫那種「最後通牒」的無理威脅了。

不特此也，美國還更進一步對俄帝表示友好心情，聲稱在俄帝的聯共代表大會未結束以前，不向克里姆林宮提出德國統一問題的新建議，說是以免有使赫魯曉夫居於被動地位的不良影響。這眞是愛敵人如自己，體貼入微，不愧爲耶穌精神啊！

俄共集團對於自由世界的冷戰策略，是拚命製造機會或口實，藉以困擾、分化敵國，唯恐弗及，如一九五六年英法進兵蘇彝士運河之際，俄帝乘美國正在舉行大選的機會，實施飛彈恐嚇外交魔術，迫那競選連任總統的艾森豪驚惶失色，不惜跟英法反目，而以不供給石油的手段，强迫英法息兵罷戰，即其最顯著的例證。相反地，俄共集團內部發生動亂時，西方列強不特袖手旁觀，不敢有所表示，而且處處替敵方設想，深恐增加敵國的困難，妨礙了「和平共存」的友好關係，如對東德，匈牙利，以及中國大陸上的人民反共抗俄事變，西方列强都是採取「事不干己不勞心」的態度，有機會亦不利用。

另一方面，西方國家的政治家卻隨時強調「心理作戰」的重要性，致大家注意運用「攻心爲上」的冷戰策略，這不是笑話一大堆嗎？

對熱戰表示談虎色變，對冷戰又專替敵人謀便利，解困難。似此領導方法，若說自由世界終將制勝俄共集團，像我這類「落後地區」的人，實在莫名其妙，而不能不認爲咄咄怪事也！

台灣通訊

李萬居質詢周至柔

諸葛小舍

省議員李萬居于本月十五日在臨時省議會第三屆第四次大會省政總質詢中，向省主席周至柔問了洋洋萬餘言的廿二個問題。李氏質詢內容從中美聯合公報談到民營報紙的被歧視，包括了當前一般政治、經濟、軍事、司法、黨務、文化、社會各方面的措施。

首三問：從「政治反攻」到「為共匪鋪路」！

李氏的第一問首先指出：根據中美聯合公報發表，今後不憑藉武力反攻，自然只有依靠所謂「政治反攻」；但「政治反攻」的先決條件，就要「收攬民心」，而且要從台灣做起。於是李氏在第二問中指出要真正實行三民主義，「其中民權和民生兩部，一在提高民權，以天下為公；一在改善人民生活，使全體老百姓趨於康樂的境地」。「這兩個主義如果能夠真做到，不但全台灣民心可以悅服，整個大陸的同胞也會提高抗暴的勇氣和力量」；接著李氏在第三問中，認為談談民主自由並沒有什麼可怕的；可是，「常常會被政府方面看為洪水猛獸那樣可怕，黨政軍方面所經營報刊和官方的一般輿論機構訓指為是『思想走私』，是『為共匪鋪路』，是『大逆不道』」。他問周主席這觀念是不是錯誤的。

四至七問：「司法配合國策」，「亂戴帽子」！

關於法治方面的質詢，從第四問到第七問，李議員指責「司法配合國策」的怪現象，他舉出「新出版法」中規定的「報紙可由行政機關自由裁量而處以停刊」和最近發生的「奉命不上訴」案件，以及軍事機關常在扣押非軍人的平民為例，說明司法不能獨立，橫被干涉。繼續請當局不要「亂戴帽子」，他說：「祇要黨政軍當局對於某些人看不順眼或不高興的話，隨便就可給你扣上一頂大帽子，使你透不過氣來。被扣上紅帽子的，就成為匪諜的罪嫌；明明有正當職業的人，頃刻變成流氓；給你戴上白帽子的，則以『莫須有』的罪名，隨便懲辦；如果戴綠帽子也有罪的話，也許綠帽子也會滿天飛吧」。李氏認為流氓應該取締；但切不可冤枉好人。在第六問中，李氏呼籲不要剝奪憲法規定的人民請願權。第七問中，他懷疑政府將近十整年長期間的戒嚴，是不是藉此來剝奪人民集會結社的自由。

研究地方自治，怎能視為「是陰謀造反？」

李氏質詢「中國地方自治研究會」何以不准籌組？「是陰謀造反？」他對政府引用訓政時期頒行的「非常時期人民團體組織法」作為不准籌組的藉口，那法令是否繼續有效表示懷疑；假使有效的話，他說：「讓我舉幾個例子來說明這個藉口不能自圓其說。（一）在抗戰期間，同在重慶，有個中國政學會，又有一個中國警察學術研究會；（二）在今日的台灣，有所謂中國憲法學會，中國憲政學會和中國憲法研究會三個人民團體並存，這些都是同性質同級的人民團體，為什麼又可以准許他們組織呢？此外，各姓宗親會也都可以組織，並沒有聽說被批駁的。」他說明「研究會」的組織目的，祇是想建議選政當局改正不合法不公平的選舉作風。「絕非如黨政當局一部分人士根據一些虛構不確實的情報，誣認某些人有陰謀，要造反，配合匪的政策來跟政府搗亂。如果真有陰謀，要造反，為什麼要公開向政府申請登記呢？」他抨擊國民黨執政三十年，始終不離一黨專政，排擠友黨黨員，甚至連他們的子弟在學校讀書也受歧視。

貴在實踐

·尹震·

公營事業與民爭利，沿海農民生活窮苦

有關經濟民生方面，李氏指責經濟生產事業，「始終丟不了統制的觀念」，所有公營機構，處處與民爭利。最近鐵路、公路即將漲價自百分之卅至百分之四十，他認為漲幅太大，他憂慮將影響人民生活。據李氏提出數字說明：全年中央與地方預算的總和，平均每人要負擔一千八百元，他要求政府迅速設法減輕人民負擔；同時，他還指出雲林、嘉義、台南三縣沿海農民生活的窮苦，例如：「不但沒有米飯吃，有些人甚至連『蕃薯簽乾』都沒得吃。」因此，他進一步建議政府：儘速解除人口出境的限制，以緩和本省人口的壓力，並要求建築全面開禁，解除房荒。

痛訴公論報受迫害，員工已多人被拘捕

在軍事方面，李氏請周主席建議中央：「在不妨礙國防安全的情勢下，儘可能把軍力減縮，「使許多青年的技能和力量用於各種生產和建設」。

李氏特別提出他所創辦的「公論報」受迫害的情形。他說：省干關和學校，無理禁止訂閱公論報，業務任意被壓迫和干擾，從業人員被無理拘禁及判刑者，數年來有該報編輯部李萬祥、編輯倪景濤、總編輯倪師壇、編輯陳秀夫、記者黃星照、江瀾及張光燄等；該報東勢營業主任劉枝及嘉義辦事處副主任余金龍，均以流氓罪拘捕，前者送小琉球海島中拘禁，後者則被處二年半管訓。李氏激動地向周主席提出嚴正的抗議！

中央研究院之經費，僅得省訓練團之半數

最後李氏對於當前學術文化的荒涼情形，感慨萬千！他指出很不容易找到幾本較好的有價值的書，「這些文明傳布的機關，在那裏呢？」最使李氏奇怪的是：「台灣省訓練團一年支出預算約四百萬元，而中央研究院僅得不到二百萬。」李氏繼復指責台灣銀行對民營報業的借款，「歷次違抗主席命令，故意拖延達一年之久」，在另一方面，兩家黨報沒有任何擔保，借款就是一百萬或一百六十萬不等」，他問周主席：「台灣銀行是黨營的嗎？」

周主席認為專挑壞的講

李氏所提質詢，周主席認為「專挑壞的講」，但在廿二問中，周主席只對農民生活問題當場答復。他說李氏所說雲林沿海一帶鄉村，「雖然多是吃蕃薯乾的，但他們家裏並不窮，有些是因為經濟條件，有些把貧戶米賣了換蕃薯吃，有些因為習慣吃，根本不喜歡吃，到雲林的時候，還沒聽說有許多餓飯的飢民」。

（元月十八日於台北）

對修憲問題的意見

——大法官史尚寬氏——

蔣總統反對修改憲法，暗示不再競選下屆總統後，國內外民間輿論一致熱誠的擁護，惟官方與黨方報紙未有表示。而台北方面，也仍有擬主修改憲法之活動，因而仍使人感到疑慮。

不過，現任大法官史尚寬氏於本月十五日在聯合報就修改憲法問題發表專欄文章，其結論與左舜生先生的看法不謀而合。

史氏的文章，指出修憲程序中最成問題者，為代表總額之解釋，他認為『憲法上所定代表人數』應依其規定目的之所在與憲法上之其他規定比照，並依據與憲法有同等效力之規定以為解釋，方為允當。」

「（一）依憲法實施之準備程序第八條（規定）：『所謂「總額」係指本屆國民大會所應選出之名額，即應選名額。』該條文係與憲法有同等效力，其所謂總額亦以憲法第一百二十八條之規定所定『代表總額』為依據解釋。其次，依總統選舉罷免法第一項第二款（規定）：向係解釋為代表法定名額之過半數，即至少應有一千五百廿八人。又依同法第九條第一項第一款（規定）：『所謂代表總額，亦係指法定名額而言』。又其次，依立法院組織法第五條（規定）：立法委員應選出名額為七百七十三人，實際選出人數為七百六十八人，總額五分之一乃以選出名額為其計算標準，即至少須有一百五十六人之出席。復依司法院大法官會議法第十三條（規定）：所謂『大法官總額』，亦係指法定名額十七人而言，並不以現在職者十五人為計算標準。」

「（二）憲法有『總額』、『全體』及既無『總額』亦無『全體』限制之三種形式。關於『總額』已如上述，關於『全體』之意義，例如憲法第一百條規定：監察委員應選出人數為二百二十三人，實際選出人數為一百八十人，所謂全體人數，即係指實際選出之人數而言，故彈劾案之提出，以監委九十一人之決議為已足，（民國四十一年一月十一日監察院以九十三人之贊成，通過彈劾副總統李宗仁違法失職案，即係以此額為計算標準）。

有人主張由立法院提案修憲，再由國民大會複決。史氏指出憲法第一七四條第二款規定之人數，應指法定名額而言。應有立法委員四分之一（為一百九十三人）四分之三的出席，（為五百八十人）四分之三的決議，（為四百三十五人）組織法第五條之規定，該條明白規定『須有立法委員總額五分之一之出席，始能開會』，自應依此以為解釋。至於國民大會複決修憲程序之修憲複決權與修憲創制權同之理，而且由立法院擬定憲法修正案由國民大會複決，必須兩方面協同合意，始可修改憲法，已足昭示慎重」。

至於目前有無修憲之必要，史氏認為「憲法並非不可修改，然大加修改，則尚非其時，故如可不修改，以不修改為是，如必須修改，則以少修改為是。」

實則目前修憲的法定人數不足，為勢難為之。史氏在該文的結論中又說：「總之，我國憲法有待於修改，為不可否認之事實，然在目前尚非其時。」

·劍梁·　一月十五日於台北

復旦在台復校經過

（台北通訊）

創立已歷五十三年的復旦大學，在我國教育史上，有過很輝煌的記錄。中共竊據大陸後，已名存而實亡。

民國四十三年，旅台復旦同學會計劃復校，經一年的努力，復校基金已籌得百萬元以上。到了四十六年多，中壢地方各界，歡迎該校在平鎮鄉宋屋村復校，平鎮鄉將所屬第八公墓墓地撥贈該校使用，中壢鎮又捐贈基金五萬元。於是復旦校友乃推定人選，籌組董事會，請創辦人于右任為名譽董事長，程天放、吳南軒二校友為名譽董事，溫崇信、林繼庸、余井塘、樊際昌、許紹棣、趙棨鈺、程滄波、王撫洲、陳保泰、徐茂之、余若陶等校友為董事。又公推溫崇信為董事長。

去年三月開始建築校舍。七月董事會改推溫崇信為校長，林繼庸為董事長。八月奉准立案。第一期建校工程完成後，八月廿五日開始招生，九月廿日正式註冊上課。於是復校工作遂告初步完成。至該校大學部自改為國立後，須呈經教育部核准始能恢復。奉關國策，困難甚多，同時，恢復大學，所用經費更鉅，自有待該校校友及熱心教育人士之繼續努力矣。

過去一段光輝歷史

於此，我們不妨簡單追述該校過去創立，及其發展之歷史，以見先賢創業之不易。而該校今日能在台恢復亦為可喜之事也。

復旦大學創立於民國紀元前六年，當時因震旦學院聘籍師，滿外人措施，於是由師良（相伯）率領震旦離校學生發起自行建校，並定名為復旦公學，校址在上海吳淞，初設文、理二科，學生僅百餘人，首任校長即為馬相伯，教務長為李登輝（騰飛）。監察院長于右任亦為創辦人之一。越二年（一九〇七）嚴復繼任校長，旋改校長為監督。又一年，夏敬觀任監督，一九一〇年，馬相伯復任監督。

民國元年，該校由南京臨時政府批准立案，並撥上海徐家匯李公祠為校舍，仍推馬相伯為校長。民二，馬氏以年老體衰辭職，改推教務長李登輝繼任校長，並請王寵惠等組校董會，力謀發展。

民國六年改稱大學，設文、理、商三科，大學與附中學生人數近六百人。翌年，在該校設行「平民周刊」及試辦「國民合作儲蓄銀行」，倡導合作事業，故復旦實為中國合作事業之最先提倡者。民九，李校長自南洋募得鉅款歸來，即在上海江灣購地，擴建校舍，大學部遂於民國十一年遷江灣上課，李公祠則作為附中校址。嗣後又開辦復旦實驗中學暨大學預科。民國十六年創行男女同學制，開教育平等之先例。再一年，大學部分文、理、法、商四學院，校舍增建，規模宏大，在校大學生已達二千二百餘人。抗戰軍興，該校隨政府西遷入川，與大夏大學聯合，後與大夏分手，重建於四川重慶北碚夏壩。民國三十年，該校改為國立。勝利復員，該校仍東遷返回江灣，學生三千餘人，卅五年招生，投考者逾一萬二千餘人，打破全國各大學之紀錄。

該校復員以後，重慶舊校址改設相輝學院，以紀念馬、李二校長。復旦中學則有江灣實中、重慶附中、廣州附中、安徽屯溪附中五校。卅六年十一月，李校長辭職。李校長一生服務復旦，四十年如一日，實為「復旦精神」之淵源。卅八年五月，該校陷入共黨之手，至今猶存復旦之名，早已亡其實矣。

（一月十五日）

竹幕幽秘

柏林問題

自從去年十一月蘇聯提出柏林問題以後，世界輿論一致的在注視其發展。今年一月十日，蘇聯又提出了所謂對德和約草案。但聲明這不是最後通牒，希望西方能讓步並提反建議以資談判。可是中共在一月十三日「人民日報」社論上却表示：「爲了欺騙世界的輿論，西方國家假惺惺地提出要跟蘇聯政府在討論解決德國問題和歐洲安全問題的更廣泛的範圍內討論柏林問題。」而這「假惺惺地」一語，實是雙關的。

貸款阿爾巴尼亞

一月十六日，中共與阿爾巴尼亞簽訂了兩項協定：一、一九六一年到一九六五年長期貿易協定；二、一九六一年到一九六五年的五千五百萬盧布的長期貸款協定。

中共對阿爾巴尼亞的第一次長期貸款協定，是一九五四年十二月簽訂的，這個貸款的數字迄今尚未發表，惟據一九五八年世界知識年鑒所載，確實在履行之中。這樣看來，這次長期貸款協定可能是一九五四年的那個貸款協定的延續。這種貸款固然表示着中共向東歐各國繼續擴大其勢力，但不能與它貸款給遠東共產國家的情況同日而語；因爲中阿之間，相隔甚遠，是否隨着貸款而派去專家，工程部隊去助建其援助之工程，這是可以懷疑的，迄今爲止，尚未見有這種報導。

加强對北歐活動

去年十二月，中共調回駐瑞典「大使」韓念就，派出董越千繼任之。今年一月十九日，中共又派出甘野陶繼陳辛仁爲駐芬蘭「大使」。北歐四國均已與中共建交，而今撤換其中之兩個，當是在加强那裏的外交陣容。尤其可以注意的是這個董越千，他原是「外交部的辦公廳主任」，其地位當不在王炳南、宦鄉、陳家康之下，這當更說明了中共對于北歐外交的重視。

今年一月八日至九日，北歐的丹麥、芬蘭、挪威和瑞典四國共產黨在斯德哥爾摩舉行會議，會議討論了歐洲政治局勢，加强北歐的鬥爭等問題。中共適于其時亦調整那裏的使節，看來是爲着配合那裏的共產國際的活動。

此外，在上述三項跡象中，不但說明中共繼續不斷的在干涉東歐國家的內政和外交，對于西歐各國共產黨似亦具有某種發言的力量。

蘇共以技援代經援

自去年八月以來，蘇聯援助中共的方式已有某種程度的轉變，主要是着重于科學技術的援助，物質援助已退居次要地位；在蘇聯駐中共的大使館中，並且設置了科學參贊（現在是托特馬科夫），以與這種「加强中蘇科技援助」相配合。一月十七日所簽訂的「中蘇科學技術合作委員會第八屆會議議定書」，當又體現了蘇聯加强對中共的科技援助。

其實中共現在最缺的是錢和物資，但蘇聯却以技術援助置於第一位，毛澤東焉得不感到要吊頸一呢！

田心

英人怕核子戰

毓筠

英國的裁軍氣氛特別濃。有一羣良誠的非戰及和平主義者，使英國人注意到他們的非暴力與和平主義。在去年十二月廿日的下午，那在數年前曾于南非領導反叛的一位牧師，史葛特，在諾福克率領一羣，拿着標語牌的示威遊行者。當他們停立時，他靜默的禱告。

向火箭基地示威

其後他們帶他們到一塊有鐵絲網圍着的地區，那裏正在建立英國的火箭基地。這一羣示威遊行者在營門的大貨車出入口，橫臥在那裏，有些人輪流的到前面。他們預先通知有關方面他們的行動，而警察亦足以應付他們，他們就坐在地上要求停止建造。他們遭受拒絕，但再次又組織隊伍回來，警察將他們拖離。那天晚上，被捕的有四十六人，史葛特和其他二十一人當中有三個婦女，在聖誕節前一週，都在獄中嚐鐵窗風味。當地的人們對他們表示敵視，嘲笑他們，但當地的人，因爲大多數是從英國各地來的，解決地方生活問題，同情於示威巡行者。他們在獄中時，接到許多聖誕卡片和安慰信與禮物。

使有四分之一的人相信英國經過此種戰爭尚可存在。更少人相信西方能勝利。三分之一的人相信兩敗俱傷無勝利可言。

關心裁軍問題

現在英國人民關心裁軍及其他有關的問題，比政府當局更爲關切。「核子裁軍運動」，分發傳單，寫了許多口號。在「新聞紀事報」的民意測驗，表示英國人民最擔憂核彈的威脅。

特別是要求停止核子武器試驗，百分之七十六的人民希望立即實行停止試驗。關於此點，本週有一般人民是極强烈的情緒，是：「大阻嚇政策」是不適宜了。一旦發生大戰必用核子武器。

說到核子裁軍運動

從報紙民意測驗表示人民比保守黨甚至工黨還擁護。也許天氣和人民情緒有關，到了冬天，推窗一望只是濛濛一片茫茫，使人悲觀。最近有數十萬工人失業，這着實是保守黨最頭痛的聖誕節。保守黨和美國的外交策略，國際經濟，都讓人議論。英國許多報紙談論將核子裁軍問題作爲中心，但很有趣的要算是……

反核子戰者「廿地主義」的問題，他們談到去年夏天美國有一羣非武裝示威者，到威俄明州沙延附近的基地。剛巧那基地周圍是私人物業。政府和工人獲得此等物業主許可，而進入基地，但示威者未經許可而擅自經過其地，到成地出入口，橫臥在運輸車之前。當時示威巡行者本身也發生紛歧意見。有人說這是犯了侵入別人家宅土地罪，但有人謂這是非暴力的民衆政治運動，屬於『公民文明的不服從』，是情有可原的。但對於一阻礙建築工人進行工作一問題，又發生歧見了。有人說非暴力的阻礙工人的工作，也是不對的。你可以有權用口舌勸工人停止工作，但沒有權阻擾阻止他們工作。這雖然是在反核子戰爭的和平主義者的插曲，但在西方人的法治觀念的濃厚，也値得注意的。

（本文取材新德里一月十日出版的「思潮週刊」）

大陸文壇透視

黨員作家與非黨作家

或謂中共想進一步利用郭沫若推銷毛澤東思想，何必非讓他入黨不可呢？郭沫若所擔任的科學院長和文聯主席，不都是中共文化學術的最高領導人嗎？毛澤東的「矛盾論」「實踐論」和延安文藝講話，不已經由中國科學院哲學和文學研究所分別編入哲學史和文學史了嗎？毛澤東的詩詞不已經選入大學校與中學國文課，「名著選讀」教材，並掀起全國普遍學習運動了嗎？是的，這些都是的確是事實。而這些並不是郭沫若所提倡起來的，而是在去年郭沫若所主持的「科學規劃委員會」決定的，學習毛詩運動則是由「文藝報」所發動，郭沫若只不過做個應聲蟲而已。中共不讓他來提倡，他自己也不能出面提倡的主要原因，就是他不是黨員作家。

在大陸，非黨作家和黨員作家，前者說話，人人可以批評；後者說話，人人都要敬聽。……

是周揚提出「革命的現實主義與革命的浪漫主義相結合」的話來，他這個浪漫主義的作家，幾年來從不敢寫有浪漫氣氛的作品，四個字。茅盾所寫研究現代文學的書，曾被黨的青年作者李希凡攻擊得體無完膚，周揚所寫兩條路線的文藝大辯論那篇歌頌式的文章，立即獲得文藝界的擁護，但茅盾所寫的「夜讀偶記」，詳細分析論中外文學的主要流派，倒極有價値，「文藝報」連載以後，老舍的「茶館」經過批判以後，現在也都不敢動筆。巴金的作品現仍在批判中，將被完全否定。

對非黨作家來說，他們的作品都遭受過批判，他們的言論則從未受到重視。頃幾年郭沫若翻譯的「屈原集」曾……

推銷毛的思想似乎只是個開頭，單就學習毛詩運動來說就一點也不熱烈。中共要「借重」郭沫若，就不能不讓他此後說話能有分量而發生作用了。

×××

瘟君夢

岳騫

第一回　消息自天來　風波從地起　人捐秋扇　夢冷新華

郭沫若知道頂不下去了，站起來拿着帽子，低頭說道：「既然主席有事，我就告退了。」這時毛澤東臉色由灰泛紅，由紅轉到蒼白，手裏夾着一根紙烟，只是抖，已經送不進嘴裏去，郭沫若的話，根本就未聽到。陳伯達比較鎮靜些，等郭沫若出走後，按鈴把田伯英叫進來，去到後面邀來藍蘋，扶着毛澤東坐下，半晌毛澤東神智略爲清醒些，回頭看見田伯英說道：「替我點一支烟來。」

「你手上不是夾着一枝烟，又要一支做什麼？」毛澤東也感覺剛才太失態，揮手叫田伯英退出去，低聲問陳伯達：「究竟怎麼一回事？」

陳伯達搖着頭：「我也不知道，只是劉曉來的電報，說是本年度有關蘇聯借款談判，全部失敗，並且還要索還積欠利息，希望財政人員早日打主意。」

毛澤東道：「這就奇了，去年莫斯科之行，每次和赫老他們談話，都是你當翻譯的，我們要什麼有什麼？自動提出借款，幫助我們建設企業，怎麼現在會變了卦？是不是翻譯錯了。」

陳伯達道：「我們和駐蘇大使館是用的密電碼，本年度蘇聯可能會停止援助的消息，早幾天少奇同志就透露過，他是在尤金大使那裏得到的消息。」

毛澤東還是將信將疑，繼續問道：「既然他們不肯借款，又何必當初許得那樣圓滿。」

陳伯達長嘆口氣：「主席眞是聰明一世，懵懂一時，他們如不許下好處，在那次社會主義國家共產黨和工人黨內代表會議上你會全力支持他們嗎？」

一言驚醒夢中人，毛澤東連拍幾下大腿，說道：「對了，老子一生騙人，這回却被人騙了。那次會議上，南斯拉夫代表佛然退席，波蘭的戈慕卡，提倡各國自行發展共產主義，連匈牙利的加達爾都舉手贊成，許多人都看我的臉色，我若一舉手，那個議案就通過了，老赫帶着祈求的眼光向我求援，我馬上站起來反對戈慕卡，主張社會主義陣營應推蘇聯是個頭，這樣才把會場情緒穩定下來。」

陳伯達點點頭：「主席那次眞幫了赫老大忙，戈慕卡提案如通過，他會被馬倫可夫反黨集團推翻的。」

毛澤東嘆口氣：「還不止此事哩！戈慕卡那傢伙也不是善男信女，他圓睜怪眼問我：『蘇聯是頭，誰是尾巴？』我指下鼻尖，承認我是尾巴，他一怒離開會場，結果我們就鬧翻了，一年以前約我去華沙訪問，到此也就吹了。」

毛澤東正在向下說，田伯英進來報告：「少奇，小平和幾位領導同志來見。」未等毛澤東開口，劉少奇已昂然走進來。（四）

國際動態拾零

△本月將召集之聯共大會，集中在如何在南美建立人民陣綫。其目的在將美國注意力，從柏林移回南美。

△中共擬選宋慶齡爲人民政府主席之理由：一、爲孫中山仍爲中國人所信仰之傀儡；二、她是宋美齡之姊，可以製造國共和談空氣；三、她對共黨圈內之國際派與國內派，均無關係，不至影響兩派勢力之消長。

△歐洲各國，打算聯合起來，共同放射一顆人造衛星。火箭部分，由英國人負責，其他部分之設計與建造，則由法荷西德，分別担任。

△聯共大會將決定，使印共開始公開地反對尼赫魯。印共負責組織的人們，常在印京新德里，開細胞會議。在最近兩年內，常發出警覺與活潑的警告，採取滲透的策略。

△許多觀察家，認英國大選，將在本年五月舉行，是不再改變的事。惟美國駐英外交家，以爲尚未十分確定，其機會僅爲三與二之比。

△艾森豪縮減預算至七百七十億的反浪費政策，使擁有大多數之民主黨，暫時處於自衞地位。初步祗好待民意的反應，始能提出其所謂浪費的預算，使總統不得不放棄其否決權。

陶然。

美國的既定政策　擊倒米高揚

披了僞裝的羊皮到美國訪問的米高揚，終於在離開美國的前夕作狼嗥了！

在這以前，人們都以爲米高揚的訪美是蘇聯外交上的一大成功。現在，眞相大白，米高揚之所以咒詛華府當局，是由於白宮堅持既定對蘇政策不變。在較早的時候，人們也會担心，美國會在某種情況下對蘇讓步，甚至會「出賣盟友」，現在大家了解這對蘇貿易政策也不會改變。米高揚就像是劉老老玩大觀園，空手來空手去。

照米高揚的看法，這些對美國影響最大的是西德的阿登諾——一個戰敗國的領袖，在外交上戰勝了他。

米高揚曾在一九三六年到過美國，那次他在美國買回了製冰其林的機器，使蘇聯第一次懂得用機器來製造冰其林。現在，儘管他讚美國比過去更富有，但是美國却拒絕了他的賒貸購買機器的要求。

在經濟上無所得，在外交上無所得，在對西德問題上無所得，於是他挑戰似地說要以武力來對付武力。

米高揚這次訪美有個最大陰謀，就是想利用美國來强化赫魯曉夫的地位。如果德國問題能得到滿意的答案，赫魯曉夫就可在這次黨的大會上更站得穩些。現在，失望的不祗是米高揚，該是赫魯曉夫，他將如何來證明其外交政策是正確的呢？而且美國也並未因蘇聯有了「宇宙火箭」而有所讓步。蘇聯內部反黨集團的力量還是不可小視的，美國能夠堅持既定政策，不僅有以報盟友，也足以對克里姆林宮內產生無比的影響力哩。（言）

程滄波先生來函

編者先生：本年一月三日自由人第二版署名杏杏投寄，「自立晚報改組」新聞內，涉及鄙人將任總主筆一節，絕無事實根據。茲特鄭重聲明，姑如杏杏君稿中所紀，自立晚報改組果能成功，鄙人亦絕無意在該報担任任何職務或名義也。專此敬頌，撰安，程滄波敬上（一月十七日）

釋未集

名節

曲齋

李密陳情事表云：「臣少事僞朝，歷職郎署，本圖宦達，不矜名節」。此所說名節二字最爲自然。蓋以爲一個人，旣曾在舊王朝做官，若不肯出而仕新王朝，則是重視名節，否則就是「本圖宦達，不矜名節。」先前我們對一個夫死不肯改嫁的婦人，謂之曰節婦，其義正復相同。

歐陽修撰五代史，將人臣的列傳，繫于朝代名號之下，如梁臣傳、唐臣傳、晉臣傳是也。至于歷事數朝的，如馮道之倫，乃一律編之入于雜傳。夫雜者，蓋無所而不可著也，歐陽修自稱其書義例本諸孔子之作春秋，大抵有取于太史公所云：『推此類以繩當世貶損之義，後有王者，舉而開之，春秋之義行，則天下亂臣賊子懼焉』。但世間也儘有在春秋以外之名節，因春秋對亂臣賊子的貶損，必須根據名份，若其人本來無此名份，如男子之不仕進，女子之未嫁人，春秋之義雖在，亦無由施其貶損矣。

與孔子並時的長沮、桀溺、接輿、荷蓧丈人之倫，孔子對之，似乎沒有作過什麼積極的批評。因此我們推想，所謂名節，實際有其道德的與藝術的兩類，世衰道微，歷史進入黑暗的時候，春秋之義，不復存在，但其間往往還繼續着幾個既無名份可守，却又皎然自拔于流俗的人物，如殷周之際有夷齊；秦漢之間有四皓；新莽篡漢有嚴光；三國分立有管甯；晉宋遞遭有栗里徵士；蒙古入主有思肖畫師，論其行跡，實在做不出什麼積極的事功，但歷史之所以能夠由黑暗轉到光明，就一直都依靠這種人物的流風遺韻，在人心中潛移默化。孟子以爲：「聞伯夷、柳下惠之風者，頑夫廉，懦夫有立志。」實在一點也不誇大。

在今天，我們不寄望中國可以產生像蘇武或文天祥那一類人物，道德的堤防，往往易于給生死榮辱所衝決，也往往易于爲便詞巧說所文飾，但我們不能不寄望于出現一些管甯或鄭所南那樣的人物，這種藝術的情趣，可能愈艱苦，反愈顯其精光，又超然于生死榮辱之外。

孔子曰：「國無道，其默足以容。」說的其實就正是這一類人啊！

夢囈集

朱韻成

一、生我的婦人

夜，霧在周遭瀰漫。路、街燈從霧中出現，也隱沒在霧中。星星躲去了，黑暗混淆着黑暗，黑暗伸進了黑暗。

我悄悄地漫步在夜的黑空氣裏，在那寧穆安詳的氛圍，感到了充滿的幸福，該是深夜了！除我以外，再沒有別的行人。寂寂地，我守着默默的身影，在地上縮短、伸長……。

便是那樣漫不經心的，我來到這一幢石房的門前。那是一幢很古老的石房了，我想；雖然在夜霧裏，它祇是一片死去的漆黑。

「咿啊！……」推門，裏面是創世紀前的黑暗。

良久，我看見一對閃爍着微光的眼睛。

「誰？」我大聲問，聲音在洞泄泛着，撞擊了四壁，回聲返盪地，造成噓噓的，曳長的低鳴……。

「你的母親！」我彷彿看見那對怪眼在眨着。

「我的母親？我的母親？哈哈，哈哈哈哈！」我莫名所以的狂笑，四壁也微顫着，抖下一些微塵來：「我母親早就死了，她早就死了；你這個女人，還是少跟我說鬼話罷！」

「她並沒有死！」

想不到她的語氣竟如是的肯定。

「……」

「她沒有死，」那對亮着微光的眼睛一閃一閃地，語氣是細膩嫋弱的：「她沒有死，她活着，痛苦地平凡地活着，後悔以往，前路又感到茫然。我不該遠離你而去的，爲的只是要尋求一己的幸福，却叫自己的兒子遺憾終身，而結果，人生不也像一個水面的泡影，幻滅得無影無蹤……。

「還記得那最後一次見面嗎？你還是一個多幼小無知的孩子啊！我說我要走了，到上海去。你却笑着問：上海好玩嗎？離這裏遠嗎？你還能時常來看我嗎？我那時就感到對不起你了。我流淚，你也流淚，我知道你是一定連自己爲甚麼要哭也不知道，不過得一趟我哭，你也會跟了哭罷了……。

「相信媽媽，這十多年來她也够苦的了！沒有媽媽不愛兒子的，我實在對不起你……。」

眼睛在漆黑中閃着，聲音逐漸的低下去，終於成了低沉的呢喃。

「走開罷，母親！」

我憤怒極了：「母親，我的母親，早就死了！如果我沒有死，也不過是生我的婦人罷了！——你以爲生一個孩子就有資格做他的母親嗎？——多少年來，我，我這顆柔弱的心靈，要自己面對種種的風雨，從來沒有母親來替我抵擋，替我醫治血流淌淌的傷口！……去罷，婦人！去罷！我的母親早就死了！死了！死了！哈哈哈哈哈哈！」

猛地一個翻身，我跑出石屋，在路上狂奔着，棄在身後一串婦人嚶嚶的啜泣聲。霧，漫着、漫着，吞噬着路、街燈，我有一種懸空的感覺，就好像我也被茫茫的夜霧，吞噬在宇宙無垠的寂寞裏……。

戊戌十月朔過鳳山游大貝湖

本際

斜陽戀遠山，衆鳥歸林噪。附身自轉車，行向貝湖道。人見雪滿頭，湖光映白鬢。湖水淸且淺，游魚互戲躍。遙憶西子湖，大小亦微吾。湖心在我心，湖鏡今何貌。借問西湖人，能否如吾好。沙門有無，復笑半空飄。蘇堤與白堤，吟唱冷悄悄。薔薇我佛言，一切唯心造。傳誦吟此篇，鑑約秋虫叫。入夕無生造，心光自孤照。

風雨樓繪畫叢談

迷陽

圖官與畫官

史皇作圖，可不可以解爲史皇作畫，又可不可以訓爲畫官呢！我以爲這都是很有問題的？看呂氏春秋作者的心意，作圖的任務，原爲政治上的一種措施；所以他的最後結論是，「此二十官者，聖人之所以治天下也」。以圖來治理天下，這明明是圖官，決不能解爲畫官的。圖和畫官，在中國雖有制度的規模裏，時間不相連，歷史不相干，職務不相同，亦即是說；圖官的起源較早，畫官的起源較晚，圖官的連續性較長，畫官的連續性較短，圖官的職掌，爲圖籍，畫官的職掌，爲圖畫。如果會有什麼誤會的話，那只有國之一字了？這世界，國竊而匕首見者是國，國謀不軌者也是國。誰讓我們的畫史，在千年以來，也爲國之一字所誤，這從何說起哩！

畫官之設，始於後漢，而終於南宋。蒙元人入主中國，便廢置不用了。史稱漢宣帝起自民間，即位後，勵精圖治，於是一時循良，人才蔚出。宣帝爲了崇德報功，首於麒麟閣上，法形署官，以彰功臣，此後兩漢繪畫，蔚然成風。故尚書省內，亦爲胡粉圖壁，繪畫古賢列士。所以宋有徵說：「漢興以來，小善小德，而圖形立廟者多矣。」乃於黃門內，亦有獎勸之意。到了東漢明帝，繪畫更趨發達，云：「漢明帝，雅好圖畫，別作畫室」。魏陳思王的畫讚可以爲證。晉唐無畫官，而有畫師，畫師無官署，而創設畫室署長，專司其事。這當然是畫官創設的開始。閻立本爲唐代最有名的畫家，但是他在太宗朝的地位，不過是畫師閻立本而已。繪畫到了趙宋，成就很大，這不是說他有畫院，也有畫官的關係。而是說宋代錄用畫人，相當嚴格。宣和朝，初置御前畫院的時候，院無畫官，而有畫工。政和中，畫工的地位，漸漸提高了；所有畫工，不經「詩句命題」的考試，是會棄置不用的。南宋於高宗朝和議以後，復置御前畫院，設祗候，待詔醫官。（七）

集體朗誦與死人

宗袤

一個人死後的哀榮往往比他生前的遭遇要多得多。主要的原因不外是人死後，活的人便利用死人作幌子，大行其道。

這幾年死了幾個青年作家——何劍、楊喚、劉非烈等，生前的著作並不如死後那樣有價值，死的原因，除楊喚外，都是因爲無錢治病。這樣，使我發生了一些感想：大約人類本富於同情心的緣故，所以都希望能獲得同情心。如果沒有對象，那就只好先逼死一兩個人，然後再用什麼追悼會，歌誦幾聲天才。

何劍是劇作家，楊喚是詩人，劉非烈是廣播劇作家，這三位我都是素味生平，也不會去參加他們的追悼會。只是追悼楊喚的一次作品朗誦會，我在場旁聽。

到場的詩人很多。因爲是作品朗誦，於是每位詩人都登台。到以後，忽然有男女數詩人一齊出場，我大大吃一驚，這時候，他（她）們走到麥克風前，拿了本冊子，我想這就是唱詩歌，悼歌或是什麼的，然而出口的却是一個個字，一句句詩，這很是令我耳目一新。集體朗誦，還是頭一遭見聞。但恨自己孤陋寡聞，後來想，大概就是詩的共鳴作用了。

半年前，又鬧了一件死人的事。死的人却不是今人，而是古人。而且不是平常人，是傾城傾國的楊貴妃。如果沒有記錯的話，我想是蘇雪林和郭嗣汾二位先生的筆爭。起因是蘇先生作了「遊戲性」的「翻案」文章，說楊玉環晚年進了勾欄院，郭先生又把楊玉環從勾欄院拉了出來。彼此根據什麼呢？一篇長恨歌而已。從一首詩中找全部的史實，當真是玄之又玄，不是一般人所能參悟的。

除非有一天死人全由棺材裏站起來，否則死人的事是永遠不會澄清的。

「你有沒有心呢？」

記不起那是甚麼時候、甚麼地方，我站在亂葬岡之上。秋日的黃昏是悲涼的，風呼嘯着在枯草間奔走，遠方的落日，正把殷紅色的陽光，向着蒼茫的地平線沉降……。

岡頭盡是一盞一盞的墓穴，其間有朽敗了的棺木和零散的白骨。

我也攪不清楚自己爲甚麼對這些死亡的景色無限喜愛。

腳旁一隻髑髏被風雨吹打成灰斑斑的，在暮色裏散發着寒光。我伸手下去，捧起它，向它做一個無名的微笑：

「朋友，你好嗎？」

「哦哦，我？還不錯，還不錯。」聲音是空洞的，有如來自另一個窟間。

「請問貴姓大名。」

我問，一點也不驚訝。

「哦哦，我？我忘了。名字這東西實在够蹩扭的。」

「你死了多久了？」

「哦哦，我？——時間有甚麼意義呢？」

「你生時做些甚麼呢？」

「哦哦，我？我忘了，也不過是些無聊的爭名奪利，徵歌逐舞罷了。」

「你很有錢？」

「哦哦，是的，那時我有俗世很多的財產，可是我的心空虛極了。」

「你活着時快樂嗎？」

「快樂？哦哦，是的，我也很快樂過，不過苦總比樂多。」

「現在呢？」

「甚麼？你是問我現在快樂不快樂嗎？」

我點了點頭。

「唉，塵世的人哪，有生命的便是盲目的，甚麼是快樂呢？甚麼又是悲傷呢？我沒有沸騰的熱血，感覺不到國仇家難；我沒有眼淚，去悼那擾擾攘攘塵世間的不如意而空流；我沒有能笑的紅唇，去笑那短暫的歡樂。一切都是短促的，唯有這宇宙，這亙古不變的宇宙才是眞實的……。」

「你有沒有心呢？」

「心？——我的心早就給蟲吃掉了。」

「那我很抱歉，不能體服你對快樂的看法，因爲我還有一顆火辣辣的，年青的心！我有淚，那淚是該爲快樂而流，也該爲悲哀而流；我有笑，也該爲快樂和悲哀而笑。生命是好的，即使是多麼的短促。」

於是我把髑髏擲下了，踏着亂葬岡；天黑了，幾顆疏星在暗色的穹蒼上閃着。一陣秋風吹過，我彷彿還送來那髑髏一聲深長的歎息：「有生命的便是盲目的啊！……」

梁任公遺文

文品有序

爲宇宙皆文也。曜緯之亂繆，星雲之淵變，雷虹之爲燦，電霄之迅怪，風霜之慘勁，露雨之滋濕，天之文也。山林之畏佳，岩壑之嶙折，淵石之峻峭，原隰之曠遠，陵堤之逶迤，江河之蜿蟺，潮濤之砰擊，地之文也。紳笏之撿揚，巾舟之閒雅，布裁之淡薄，梁鏞之腹洞，粉黛之驪治，關梁之愁苦，鼙鼓之喧闐，霓羽之哀豔，人之文也。豹象之蹴踏，雞虫之瑣細，魚龍之瀰漫，鶯燕之嬌媚，蘭桂之幽靜，桃李之妍麗，松筍之挺勁，物之文也。自然境界，明晦大千，靡不攬納萬變，包羅衆長。覃思冥奧，形爲文證，成爲家數，斯文士之極則，抑賢達之法軌矣。降及後世，或纏凌雲之氣，或懷勃鬱之思，或表瑚璉之量，或瀾瀁濃之音，雖體態不同，氣格殊別，而各挾一技，造極所長，皆足以陵厲中原，播芳他誦。詳其流別，可得言焉。溯夫結繩嬗政，覘迹視跡，一畫既啓，大易爲彰。屈平宋玉之言，成爲辭賦之宗；昭明揚和，並爲偶儷之法。尤推斯音，韓門闢其新傳，固無勞於撫山。若乃蚊腳鳥篆之首，歐陽公集古之編；赤文綠字，薛尚功款識之作。召侯鼎之四百三字，叢書東宮；鹽鐵論之百四十文，多至二十多勞。丕顯崇祖，考父敬恭之雅誦，莫不字字珠璣，言言金玉。如清廟之瑟，自有遺音；比荊山之珍，不勞彫琢。降而殷周敦彝之器，開三語而用韻，體較平近；叶四言而成文，瑯邪秦頌，並衍傳衣，皆其別子。是曰金石之文，其流一也。至於郭璞諸道，成梁惠之七篇；開陵書之卅卷，山木秋水，寓莊之所寄言；說難孤憤，韓非之所抒怨；白馬非馬，著能施辨，名家之玄旨。則觸手皆珍，遊多實之山，則拾璣亦拾。或千秋之鴻軌，匪一人之私言。逮乎淮南呂氏，裡擷闕聞；王符仲長，抗論時政。雖復枝葉之繁，根本稍弱，而殷憤之作，尚無戾於古賢，立言之途，猶自託於不朽。是曰著述之文，其流二也。百二十國之寶書，七十一章之汲冢，實文史之嚆矢，乃紀事之先河。於是世本國語，紬於金匱之藏；馬記班書，與自闕爲之府。荀悅（漢紀）袁宏（後漢紀）之編年，司馬（通鑑）紀事本末（章冲）（左傳紀事本末），陸賈楚漢春秋、樂資（山陽載記）僞載記之宗。戴逵（竹林名士傳）王粲（漢末英雄傳）開小錄之體。汝南（周斐汝南先賢傳）說郡國之炳靈，（揚雄）（陳壽）益都耆舊傳世傳。（股敬）述世德之詳。凡茲二體六家，悉有劉子元五志三科，干令升著其條例。將受嗤於通人，固知區其門目，甯未諳於文例。歐宋纂書，全屬於能就。是曰敍事之文，其流三也。若乃齊燕廣陵之對策，明堂辭祭之詔書，成都之即位祀天，長安之遷都告廟，以至望主賢臣之頌，顯秦夷新之文。賈長沙痛哭，萬言曲水置；董江都大人三策，此世傳彈劾之章。巴蜀豫州，代有檄移之作。斯並顧紫之製方，傳燮進之禪。表謝章詩書高才，同造幽深之封越。曹植博學，司馬之目，是曰應制之文，其流四也。紀於招魂，鵩鳥顯達，子虛上林，具於天問。紀綽依傾夫大壞，雖小道之可觀，亦大材之爲用。七發、公子七文大夫，並耳目窮其人欲。郭江木海，王藻上燕樂，枚發樂序。竇其屠劃，或酬值於千金；揣其為文，然亦志浩傳。乃蘊精於書載，是以搜羅宏富，採擷英治，莫不奇木，皆山經之所未詳；金閣玉門，亦黃圖之所無載。班固碩學，親為著書；楊雄雅才，莘甫雜字。是曰典之文，其流五也。（七）

自

THE FREEMAN
（第八二四期）
中華民國僑務委員會
核發登記證台教新字第一零二號
中華郵政台字第五〇〇號
執照登記爲第一類新聞紙類
（半週刊每星期三　六出版）
每份港幣壹毫
台北市價台幣貳元
督印人：陳文蔚
地址：香港高士威道二十號四樓
20 CAUSEWAY RD. 3RD. FL. HONG KONG
TEL. 771726
承印者：東南印務出版社
地址：高士打道六十四號
台灣總經理處
台北市西寧南路壹壹零號二樓
電話：三〇三四六
台郵劃撥金戶九二五二
海外總經銷：友聯書報發行公司
香港：德輔道中二十六號A二樓

王氏委員會以半載時光，完成八十八個行政改革建議案，尚能針對欵竅，誠爲巨觀。惟改革首在能造成一有利環境，讓「表現效果之壓力」能夠發生作用，乃一勞永逸之計。若就此打破官僚風氣，使作官與做事有一分野，作官並無可貴，惟做事乃受尊重，而推委拖延作風自是絕跡，乃見其功。倘此次舉措順利完成自由中國不難從此脫離落後國家形態。

行政改革與經濟發展

陳式銳

衆所矚目底「總統府臨時行政改革委員會」所建議的改革方案，終於元月十六日由前該會主任委員王雲五對記者招待會宣佈其梗概，十七日台北各報均已刊載；關於財經部分，凡由台北徵信新聞於二十日發表了「探源」，頗得其詳細內容。據王氏稱：八十八建議案，經於去年十二月十日奉總統核閱，分別決定處理辦法，計交行政院優先籌劃實施者卅五案，交考試院研辦者二案，其他次要五十案則交行政院逐案酌核辦理，一案暫從緩議。行政院奉令後，已指派副院長王雲五，政務委員王世杰、余井塘、蔡培火、蔣經國，及正副秘書長陳雪屏、鄧留璉八人組織小組，以王氏爲召集人，負責督導實施。

落後地區的經濟發展

我常常說，未發達國家談經濟，每不能忽略政治因素，它以公共行政不健全之故，非但不足以促進經濟的發展；反之，且不斷地予以阻力。拉丁美洲、非洲、中東等落後地區的國家，其例予甚多。第一個現象，便是頭重腳輕，印度的部長之下的主管，固各有它的權責，但以大部分時間用以向部長作不必要底報告或請示，乃取得原屬其職務內的「使命」，它的主動完全消失；伊拉克的農業部以過分集權，使其部屬毫無主動的餘地，甚至出差也要先獲批准；古巴也同一情況，地方殊少有主動底機會；土耳其的中央層工作，逐漸爲細小問題所煩擾，結果各部長所提出於部長會議者，政策與事務混淆不清。其次，便是缺乏配合，此係由權力集中而來；蓋在此一狀態之下，下級只顧及它的上司，橫底關係自被忽略。這些國家曾爲匡救此弊，進而成立新機構，希望在原有機關之外獲得新行動；惟其結果，僅加重官僚集團的衝突，徒增上級的困難而已。哥倫比亞的每一類工作幾乎都有繁複底機構，農業一門，就有二十多個單位，彼此又無適當底配合；墨西哥的交通運輸，在發展設備方面，資源的浪費達於相當程度，而鐵路又成爲經濟生長的障礙，就因爲不配合；錫蘭的引用外國技術援助，不是重疊，就是誤用，亦爲不配合所致。

英國經濟改革的歷史

再看英國於工業革命的前夕，她的社會，一仍舊屬於中世紀型態。人間的不平等，一般人視爲上帝的意旨；這一觀念，支配着整個社會。當時政治，握於英王、地主、及商人之手；在政壇上尚沒有近代民主政治的實質，因爲五百人中才有一選舉權，那時候，郡邑的政權，幾乎全操於當地貴族之手；郡邑的財產大部屬於貴族，或在其支配之下；資產階級爲達到某種目的，賄賂公開行使。後來，由於「工業革命」帶來了經濟的進步，英國的政治隨之逐步改變，直到她的行政成爲典型底民主政治；至此，公共行政都以人民的利益爲其服務的前提，亦即個人的價值確定了。英國的政治，正因爲個人受到尊重，所以經濟雖在不健全底行政之下，尚能脫穎而用，達到了繁榮之境。斯密亞丹氏在其名著「原富」之中有言：「每個人的一致、有恆、不斷努力以改善其狀況，亦即公共、國家、乃至私人富裕所由來的原理，常充分有力而足以維持事物的自然發展以趨向改良，儘管有着政府的浪費及行政的錯誤。他正如動物生命的未知原則，每能恢復其健康與活力，雖然不僅有疾病，而且有醫生的錯誤藥方」。

表現效果的壓力

由英國的實例，我們領會了她所以在不健全底公共行政之下，經濟可以發展，其故在其以個人爲基礎底民主政治；當時雖有浪費或「誤方」，究在人民利益的前提下，經濟進步的自然力量仍足以不斷地推動。再言之，在民主政治之下，存在着一個「表現效果之壓力」（Pressure to show result(s)）。拿美國來說，民主黨及共和黨彼此政權的交替，每反應於當時經濟的榮枯，而觀其是否大選之先，農民、工人團體，以及各種集團的壓力，合攏起來便是一種無形底力量，它可使執政黨上台，也可使執政黨失去政權；因此之故，它經常可以迫使公共行政產生「效果」。今日未開發國家所以處處遭遇着經濟發展的困難，在許多原因之中，缺乏「表現效果之壓力」乃爲其主因。明乎此，經濟發展的進度，與政治的進步有了正比底關係；所以我們要發展經濟，也不能不希望有政治的改善。

望不要虎頭蛇尾

自由中國在客觀困難之下，朝野一致傾向改革，不能不視爲進步的現象。我們在經濟方面，多年來無時不談改革，當局亦時作局部底改變與改善；但以未能配合政治的全面革新，所收效果至爲有限。王氏委員會以半載時光，完成八十八個行政改革建議案，誠可說是針對欵竅。今後之行政院成立小組督導實施，頗如過去一般虎頭蛇尾之虞。我之所以不憚煩地指出落後地區國家經濟發展的困難，意在表明行政改革的重要；倘此次措施順利完成，則自由中國當開始一新頁，從此脫離落後國家的形態，亦是此時代的一大事。惟我在此特別指出者，改革首在能造成一個有利環境，讓「表現效果之壓力」能夠發生作用，乃是一勞永逸之計，尤所厚望。在建制中，若就此打破官僚風氣，使作官與做事有一分野，作官並無可貴，惟做事乃受尊重，而推委拖延作風自是絕跡，乃見其功。至於該會的財經建議案本身，其有關工業、財稅、金融、外匯、貿易等，得便我當另論之。

（元月二十日）

半週述評

蘇共廿一屆代表大會

蘇共第廿一屆代表大會，已於廿七日開幕，詳情雖尚未盡悉，就已知之情況觀察，可資評述者，仍有下述諸端：

蘇共自鞭屍斯大林以來，內有不斷的權力鬥爭，外有東歐衛星國家之叛亂；一度由鞭屍而復合的南斯拉夫，復因匈牙利革命之被紅軍武裝鎮壓，而再度分裂；與中共之關係，亦因彼此互爭亞洲共黨國家之領導權，及中共採行「人民公社」而不睦。赫、米集團遂欲以結好西方，而圖安內，重樹威信，鎮撫其它附屬國家；循此方針，並在得個重要階段，放射「人造衛星」與「宇宙火箭」，兼且提出七年計劃，表示決心改善人民生活，窺其意向，顯係赫、米集團，欲有以穩定其統治地位。

不過從另一角度觀察，米高揚訪美，顯已失敗，美國不僅無所懾於「宇宙火箭」，對德國問題，亦未作任何讓步，復以美國無意對蘇除作援助，則七年計劃之遠景，亦難看好。共黨國家內部，因意識形態方面之分歧，各種修正主義雜陳紛立，與南斯拉夫固難望復永重收，而與中共之關係，亦非短期內可得調整。因此，若以爲蘇共廿一屆代表大會，能解決共產國際之內外問題，不啻是痴人說夢。

不能再忽視日本之動向

「大使級會議」，本是中共用以與美國建立外交事務關係之手段，此種方式，雖兩者之間皆否認是正常關係，但中共樂此不疲者，蓋有實際利益可得。自由中國方面，雖也曾對之一再加以抨擊，但美國亦仍「獨行其是」，不予理會。

今則，日本官方亦竟表示願與中共從事「大使級會議」，以謀締結「政府與政府」的貿易協定。日本外相藤山並且公開表示，除不討論承認中共之問題外，將以「更具紳縮性的態度，面對問題」，更謂，通過「大使級會議」，將可促成政府與政府間之協議。

日本對中共之關係，初時僅只限於私人與之往還，但中共則要求非建立政治關係，絕不擴大與日本之貿易，甚至以停止對日本輸出，爲打擊日本經濟之手段。而日本政黨之間，亦以對大陸關係之消長，作爲政爭主要武器之一，此問題即在自民黨內部，亦已成爲各派系之間紛爭之一項因素。今岸信介雖獲蟬聯總裁，黨內反岸派雖一時難以得逞，惟在應付社會黨方面，因該黨數年來一向與中共保有聯系，自民黨自不能不有以謀對付之策。藤山對一郎放寬，抑係出自民黨之決定，均值得台北方面注意，實不宜再繼續持觀望之態度了！

向「王雲五報告」喝采

根據台北方面之報導，被目爲中國「胡佛委員會」的負責人王雲五氏，爲「改進司法，保障人權」，提出了八十萬字的「王雲五報告」。就已知之初步消息看，王氏的報告，實在是近年來自由中國政治上之一大貢獻！

對於該項報告中除司法部仍歸屬行政院一項，暫不置評外，對於「刑事補償法」與取消「國家總動員法」來頒佈命令，司法軍法嚴格劃分，司法官工作上應受特殊保障等條，確是值得欽佩的。

多年來，中國司法之未能免受政治之干涉，已爲所詬病，而若干人士之習慣於對司法強作解釋，更嚴重地影響了司法之獨立。今王氏復將報告，已經總統批准爲「完全照辦」，「優先施行」，則吾人能不爲司法獨立，人權之獲保障而額手稱慶？但願能貫徹實行，有始有終。

李金曄

美洲獨裁者的命運

過去五年，拉丁美洲有七個獨裁者，先後垮台，名單如下：

（一）瓜地馬拉　一九五四年六月廿日，經過十二日的內戰，親共的Guzman垮台。

（二）阿根廷　一九五五年十一月十九日貝隆總統下野。

（三）尼加拉瓜　一九五六年十一月廿九日，總統Somoza被暗殺，現在他的兒子做總統。

（四）海地　一九五六年十二月十二日總統Magloire出亡。

（五）哥林比亞　一九五七年五月十日總統Pinilla被革命勢力罷走。

（六）委尼蘇拉　一九五八年一月廿三日，總統Jimenez，抵抗革命失敗，而流亡。

（七）古巴　一九五九年一月一日總統Batista，被鬬兩年的革命力量驅走。

自由談

談利用

「不要給人利用了」，這是一般知識分子普遍具有的警覺心理，而以從事政治生活的人尤然。實則人類無論智愚賢不肖，總是有意無意地在「利用」情況之中活動着，誰也不能說是被誰利用了。

蠅起草莽間，號召社會上的智勇辯力之士，東征西討，奪取政權，位居至尊的英雄豪傑，好像天下人都是被他利用了，祇有他個人沒有給別人利用過。可是，仔細觀察現實情況，他給人利用的地方卻最多。且不說挾天子以令諸侯那類明目張膽的利用勾當，許多攀龍附鳳的人物，若不是利用他來取得富貴功名，誰願意以忠貞之士自居呢？所謂爲國爲民云云，吾斯之未能信也！

至於一般社會大衆的生活情況，無一不是含有互相利用的成份在內。士爲知己者死，女爲悅己者容，彼此如果沒有可資欣羨依戀的因素，談何容易！從客觀的義理說，亦不免互有利用之處。梅蘭芳在中年以後，生活已可解決，原不想粉墨登場了。然一些相從甚久的配角與琴師，即感到失業的威脅，迫使並非繼續獻藝不可，這更是十足的給人利用，明知其然，而不得不然。許多達官顯宦人物在政壇上終老不肯退休，情形殆與梅伶相同，給人利用而已。

人生未有不被利用的，問題只在自己要善於自處。首先須在良心上能夠自安，覺得俯仰無愧；其次是要保持「君子惡居下流」的人生觀，一切言行莫令人感到肉麻髮指。別人說我是給人利用了，我泰然不以爲意，而且認爲究竟是誰利用了誰，只有將來歷史家纔可以裁判呢！

凡有一技之長的知識分子，就不須害怕給人利用，最怕是不善於自處，糟蹋了利用價值，那才是人生莫大的悲哀！

馮子先生

台灣通訊

胎死腹中的「公務員調查辦法」

○劍聲○

政府宣佈重要的手段爲「政治反攻」以後，國內外人也就特別重視政府的政治措施。但最近政府又有一大措施，却引起人們的疑慮。司法行政部調查局依照公務人員任用法第三條第一項及「戡亂時期保密防諜實施辦法」第十條所擬定的「公務人員安全調查實施辦法」，未經行政院會議通過即轉送立法院查照，該項辦法既無法律上的根據，立法委員乃主張交法制與司法兩委員會審查。

按該辦法是根據公務人員任用法第三條第一項及戡亂時期保密防諜實施辦法第十條之規定所擬定。

但查公務人員任用法第三條第一項，已明白規定「公務人員任用時應注意其對國家之忠誠」，又公務人員任用法施行細則第四條復說明：任用人員之是否忠誠，應由任用機關於任用該公務人員前，切實調查……。今則司法行政部調查局，捨上法不用，而「戡亂時期保密防諜實施辦法」並非現行法律，而竟遽之以擬定「公務人員安全調查實施辦法」，所以該辦法也是非法的。

復查司法行政部調查局組織條例；第二十二條：「司法行政部調查局爲實施全國性調查保防業務，於省（市）縣（市）及重要地區，設置調查保防機構……」。今調查局竟延伸爲「……：由各該機關安全機構負責辦理。」此不但限于「重要地區」而竟適用到「各該機關」尤其是「公務員對本機關公務人員安全調查事項如被徵詢有隨時提供資料之義務」的規定，更屬違反憲法第八條的保障人權：如此則該局調查可以不依法定程序「徵詢」，可以不依法處理而能執行司法警察官的職權了；更可以不受檢察官的指揮而可偵查犯罪人了。如此則刑事訴訟法二○八條與二○九條的條文可以不要！全國各級法院檢察官可廢除，因爲調查人員可以代行使職權啊！果其如此，則「基本人權」將毫無保障了。

中央法規制定標準法第八條有「各機關將發布與法律有關之規程規則細則或辦法全文即送立法院」的規定，所以立法院接到「辦法」草案時即表示驚異，經由李公權等立委在法制司法委員會聯席會議中，提出抨擊後；台北報界，會以頭條新聞刊載首頁。其中有謂「司法大廈三千多人大起恐慌，因爲須接受調查局人員的安全調查啊！」（大華晚報等）

該項「辦法」在立法委員抨擊與民間輿論與報界指責下，行政院於本月十三日向立法院收回「公務人員安全調查實施辦法」，總算尊重了一點輿論。（一月廿一日）

星洲政局的暗流

○谷風○

（星洲通訊）星馬兩國政府最近毅然採取的清共措施，實在是及時而且必要的。人們早已看出：中共的書籍、商品和銀行是傳播細菌的主要根源。特別是新加坡，外表上看來似乎是一隻完美的蘋果，但其內部早已被紅色蛀蟲咬得千孔百創了。

馬共實際上是中共的支店，在法令之下不能合法存在，故其活動只有通過滲透與顛覆之一途。其既定政策是利用適宜政黨，利用深得人心的課題如獨立、民族主義，工人權利等等。這些問題既可使「羣衆被組織起來」，又能提供共黨奪取政權的機會。新加坡人民行動黨在一九五四年成立時就受到共黨支持，共黨並利用了一九五五年大選操縱了該黨。許多馬共份子被調至重要崗位，滲入人民行動黨內，使該黨與有共黨參加的工會發生緊密聯系。這些以人民行動黨黨員身份活動的共黨份子，都已奉命與地下組織斷絕一切關係，並毀滅一切足以連累自己的秘密文件，完全注意進行公開與合法的政治工作。

共黨滲透人民行動黨的主要工具，是該黨中央文化教育委員會，該委員會出版的「行動快報」，簡直就是宣傳共產主義的小冊子。這委員會與各地支部的專門學辦會有共黨性質的「文化宣傳」活動。活動方式有聯歡會、野餐會、跳舞小組等。另一由共黨份子控制的人民行動黨機構「教育宣傳組」，還通過組織研究會以研究學辦報等「文化活動」方式宣傳共產主義毒素。每屆各紀念日和重要慶典共黨控制下的人民行動黨各地方支部的文化宣傳組或委員會更公然舉行共黨氣味濃厚的宣傳活動。一九五七年四月十四日，新加坡人民歡迎由倫敦歸來的默迪卡代表團時，人民行動黨集結一隊極權的人員，於是日赴市議會廳前大草場，大呼口號與唱歌，大唱共黨歌詞，氣氛極爲囂張，爲共黨張目。

人民行動黨身爲新加坡合法政黨，黨內也不乏有一些眞正的民族主義份子，如甘受共黨操縱，實乃愚不可及之事。目前人民行動黨所屬學生、農民、婦女與所謂「文化」團體均已大部份受馬共份子滲透控制，成爲共黨御用工具了。

馬共之利用人民行動黨，僅爲其所謂「無產階級革命」之一個步驟而已。人民行動黨主要由職員、小資產階級、青年學生及知識份子組成，一如中國大陸之所謂「民主黨派」，一旦共黨執政，這些「同路人」立將受到共黨的清算。

馬共在一九五五年三月出版的秘密刊物「武學」中曾說：「……武裝鬥爭是殖民地人民爭取自由，獨立和解放的唯一正確道路。事實上，我們的革命統一戰線政策，是不能和武裝鬥爭機械割裂開來的。」一九五六年十二月二十五日出版的馬共柔佛北區秘密刊物更向人民行動黨發出「指示」，指出其途徑之錯誤。該刊說：「……吾人認爲除武裝鬥爭之外，各城市之羣衆運動及羣衆鬥爭亦有其極大之用處。因此政黨與各階層人民應由各不同的角度，利用不同的方法以執行反殖民主義鬥爭，並獲得協調與扶助，以建立一强有力的國家解放運動，而不應「自相衝突」。」這已明顯說明：共黨企圖利用人民行動黨奪取新加坡的政權。

政府已經表示：「……不顧新加坡人民安全而爭權奪位，並企圖將外來不受歡迎之主義硬欲使當地人民加以接受之不良份子，政府則決意採取『解放』行動，將其鏟除，『解放』新加坡，免受共害」（新加坡政府一九五七年八月二十三日白皮書）。以說明政府之剷共決心。

但今年四、五月間新加坡將舉行大選，而宣佈自治，可以肯定，共黨將利用其控制之人民行動黨奪取政權。據一般觀察家估計：未來的新加坡將出現一個聯合政府，因爲人民行動黨雖然無法通過大選在議會中佔取多數席位。這種看法固然樂觀，但在共黨力圖「合法滲透」的情況下，新加坡的未來政局正潛伏着暗流呢！（完）

自由的尺度

○尹震○

對印尼應有的報復

（本報訊）青年黨領袖之一李璜（幼椿）先生，近年以經營商業，常到南洋各地旅行，對於海外僑情，多所了解，尤其對印尼僑情，更多接觸，頃在聯合評論發表一文，闡述如何解救印尼僑胞的苦難！以及印尼之所以敢於對我僑胞橫加壓迫，一方面也由於國民政府太軟弱了，一方面係受中共的扇動。他又說：「南洋僑胞大多數是愛護中華民國，因而普遍反共，而且老華僑多數都是傾向國民黨的，在青年少年中固有左傾的，在昔年時，都曾與同盟會中的先烈先賢有過關係，「辦義胸」，至今不忘，因而父召其子，兄召其弟，對於孫中山先生及其黨，始終是抱着同情的。──這的確是今日國民黨當局應先所貼留的一注資本，也的確是反共復國的後盾力量，該如何能不去保存而設法援救印尼僑胞的苦難！」

於是李氏提出具體主張，認爲對印尼政府壓迫僑胞可以採用三種報復手段。他說：「報復手段，有下列三事，可以考慮，實施：

一、印尼的自身經濟，不是關門，便能自給自足的。他必須以其土產的椰干、咖啡等出口，來換取紗布，以及日用製成品的入口，這種輸出與輸入一向是靠香港、新加坡，及英屬其他殖民地的中國人爲之經營。這些地方的中國人固然自有國籍問題，而與印尼交往，同時印尼人也是由於中國人的經營而得着便宜不少。一旦東南亞的中國人全部能排印尼，政府立刻便要手忙腳亂，經濟陷於窘狀。

二、美國人民確是有人道主義的觀念的，我們應該把印尼政府這種慘無人道，傾共媚共，不惜以種族主義排華的行爲，有系統的向美國去普遍宣傳，以影響其民間輿論，使之發生力量。美國政府雖長年給印尼政府以金錢物資幫助印尼，然而如果美國民間輿論譁然，則美國政府自會翻然改圖，至少要對蘇加諾那種殘暴，加以警告與壓力的。

三、印尼反蘇加諾的革命勢力並未消滅，在印尼境內各島到處潛伏，力量不小。印尼現政府既已一口咬定，說是國民黨會幫助印尼革命分子，反對其政權，而把所有印尼僑胞幾乎都認爲是國民黨分子，又何必還在那裏忍受，請看菲律濱普還的加以鼓勵，那嗎國民黨當局政府就應不在乎，要掩護反蘇加諾的印尼革命領袖，就公開加以收容的暗中予以助力。難道自由中國政府就連菲律濱都不如嗎？」（一月十九日）

讀者來函：

教科書竟被用作貪污

編輯先生：

台灣自光復以來，對於國民學校教科書，向由省政府教育廳根據國立編譯館所編之「國定本」教科書，大量印刷，免費供應國民學校學生，這可鼓勵義務教育的發展，原是一件値得令人欣慰的事。可是自民國四十三年以後，由於政府機關大量委託印刷商人印製教科書，便發生一種所謂「回扣」問題，印刷商欲包攬這筆生意，便不顧一切，自願提高「回扣」或暗下賄賂以求生意到手。因此在這種利引誘下，暗下就有官商勾結，收黑錢，要「回扣」之事。所謂實際情形，是「明一成」、「暗一成」。所謂「明一成」便是教科書印刷招標時，多數印刷商人，都來標價，而是得標的只有一家，那些未能得標的商家，可向得標的商家取損失費，得標的人便依照他們的「不成文法」規定拿出總數一成來，由各家均分，並且在酒家大吃大玩一次，這幾年差不多已成慣例。因此所謂招標估價，完全是做個幌子，以敷衍審計法規上的規定罷了。所謂「暗一成」，便是送給官廳的。這種黑幕，多年來一直在暗中進行。查台灣省現有國民學校學生近一百五十萬人，以每人每學期需用課本四册，每册成本一元計算，每一學期的教科書印刷費爲六百萬元，明一成爲六十萬元，暗一成也是六十萬元。一年有春秋兩季，都要印教科書，所以每年就有一百二十萬元了。

這種官商勾結，集體作弊的內幕。是否仍在繼續進行，不敢斷言。即使現在沒有了也應加以澈查。我們要提出來的：

第一、如此官商勾結，集體貪污，每年數目達百餘萬元之鉅。自四十三年已開始，政府迄未負責查明嚴辦？

第二、官員向商人取回扣，即等於故意提高印價，浪費公帑？負責官員自應嚴受處分！

總之：這是台灣教育界的不幸事條，澈查實爲當前最重要的一件大事。敬請惠予披露，不勝感荷。順頌

撰安！

宋希平敬上

（元月二十日）

來函照刊

頃閱本月十七日，貴報第二版所載石翁仲先生一文中，涉及本人部份，顯與事實不符。查該橋興建由台北淡水河橋建設委員會主辦，直屬於省政府，會內設有正副主委，委員，下轄工程處，並無設計主委名義，本人亦未担任是項職務。關於工程計劃預算，皆包概由委員會暨工程處辦理，本人當時既未參預其事，內容如何毫無所知。原文指本人担任設計主委及承包商從而預知數量各節均非事實。素仰貴報主持正義立言公正，敬煩惠予披露，藉明眞相，以正聽聞，無任感盼。此致

自由人報社

林則彬敬啓

四八年一月廿四日

詞辯：

白俄與「白華」

上週香港法庭爲了前行政院院長孔祥熙與星島日報一場官司，又出現了「白華」二字，便不由又聯想到「白俄」。

白俄比白華早三十年，這是俄共執政之後的產物。而「白華」一詞，初是中共用來攻訐海外反共人士的。

不過白華究竟與白俄有些不同。

普通所謂白俄，是指被俄共淸算出來的俄國皇族和逃亡在外國的俄國人。但是白俄之中，也不盡同一類。有些是極端的保皇黨，也有中間派保皇黨，制憲派保皇黨。革命時期，又出現了所謂民主份子，共和份子，聯邦份子，社會主義份子等，與保皇黨派是對立的。可是到了俄共上台之後，這些「非共」人物一律被趕出國境，而成爲白俄的一羣。

「白華」，如果就用這名詞，照目前情形，似乎只有一種，即被中共迫害的，然而據孔祥熙的官司看，白華似乎有不同。孔祥熙的兒子孔令侃在法庭解釋說：白華含有藐視之意，即指一個人不受其本國之需要者；彼認爲白華一詞，係解釋爲台灣所不要，而非解釋爲大陸所不要。

孔家對白華作如是之解釋，眞有點太那個了！

•應雄•

毛澤東何以不訪蘇

一度盛傳毛澤東將訪蘇，但二十三日莫斯科的消息已傳出毛不會去蘇聯，現在事實也證明，後說是正確的。

持前項一說的理由，認爲毛去是向赫魯曉夫解釋公社。其實中共目前在鑽牛角尖，而蘇聯則在向右傾的修正主義方向發展，這是兩個水火不相容的行爲，決不是經過解釋就可以了的。若果，毛眞去參加蘇共第二十一次黨代表大會，那麼，蘇聯免不了正面衝突，甚或可能聯合國際共黨的領袖以反對中共，一齊向中共開砲，阻止中共再向修正主義相反方面發展。要不然，則是毛接受蘇共中央的批評，準備解散人民公社。這樣的兩種形勢，是無法調和的，無法折衷的。因此，毛澤東就只能中止赴蘇了。

由於毛澤東未能赴蘇，也可見北平與莫斯科間之衝突，短期內實尙難以致協調哩！

從豬肉消耗看增產

據南方日報報導，去年廣東全省消費了生豬三二〇萬頭。按廣東省人口約三千五百萬，亦即每人在一九五八年約消費了〇·〇九頭豬，以每頭豬八十斤計，則每人在一九五八年吃了豬肉七·二斤。本月十三日香港憲報公佈，去年香港消費了生豬一〇三萬頭，以本港人口二百五十萬平均之，每人在去年約消費了豬〇·四一二頭，亦以每頭八十斤計，則每人在去年消費了豬肉三十二斤。七·二比三十二，就是社會主義統治下的廣東人與殖民主義統治下的香港人消費水平的現實比較。有人在大喊要比英趕美，要比香港資本主義，這裏列出上述數字先來比一比。

「學術鳴放？」

北平中共市委學習了黨中央決議以後，作出決定要堅持學術上的鳴放，繼之，一月十四日「人民日報」學術動態欄中刊出「新結構革新內容的消息，據說其目的也是「貫徹黨的百花齊放，百家爭鳴」，作者，這該是一則好消息。略一思索，卻又認爲不盡然：

一、馬寅初，馮友蘭等尙在被批判之中，誰還願意再作「靶子」嘗試？

二、爲了批判這「土地報酬遞減律」，硬是把幾千畝已經成長好了的禾苗擠在一畝田裏，再優栽花一般的供灌施肥，最後宣佈一畝田的產量幾萬斤，我們總試驗田已經否定了土地報酬遞減律。以如此強橫的，不科學的事例，來否定科學，誰能信服？

三、「鳴放」成爲「陽謀」的記憶猶新，知識分子焉又不懷戒心的！

信，既可毀之於一旦，重建，自也非易事。

•田心•

剖析一個熱門新聞：宋慶齡會繼承毛澤東嗎？

•江峯•

自從中共中央八屆六中會決定毛澤東不作下屆「國家主席」後，關於誰繼任的問題，有各式各樣的揣測，意見紛紜。有的說是朱德，有的說是劉少奇，更有的說是周恩來；最近，美國「新聞周刊」及法新社又傳出將由宋慶齡繼任的消息。究竟應該怎樣去理解這個問題呢？這是要加研究和討論的。

關於朱德，劉少奇和周恩來三人中誰最有可能取毛澤東的地位而代之呢？這裏，我們不準備去談它，我們只準備來談一談宋慶齡有沒有可能的問題，因爲這是目前大家所注意的問題。

我的意見是，宋慶齡沒有「條件」繼任主席。

宋慶齡是什麼身份的人，這是誰都知道的，但是，這一點卻常被許多人忽略了，其實這是忽略不得的。

無疑的，宋慶齡早在中共奪取大陸政權之前，已是中共的「同路人」，雖然她是孫中山先生的夫人，但中共也正是看中她的這個虛名，故緊緊地掌握住她，利用她爲政治上的工具。中共奪取了政權之後，中共政府分配給她「中央人民政府副主席」，這不是偶然的，也不是沒有作用的。不過，她只是一個點綴「聯合政府」門面的、有職無權的人物而已。一九五四年，她又扮演全國人民代表大會常務委員會的副委員長，中共也並沒有給她多一點的實權。

宋慶齡並不是共產黨員，她在中共眼裏只不過是一個擁護中共的資產階級的人，要不是她是孫中山先生的夫人，她本人又曾經做過一些工作，中共就是有意召開，也還不知中共會怎樣對待她。一個資產階級出身的人，在中共看來有「階級局限性」，由於她們這樣的出身，在政治上有軟弱性和反動性的一面，她們沒有徹底反對資產階級的勇氣，甚至還有「反革命」的危險呢！（事實也是一樣）。這種論調在任何一本共黨的「經典」著作中，都能找出來。中共怎能將「國家主席」給宋慶齡。

再者，中國共產黨的領導地位，是「憲法」上規定的，不要說黨外人士不能担任領導「國家」的「主席」，就是「國務院」的十二個副總理也沒有一個是民主人士呢！就拿中共的政府機關、工廠和企業部門來說吧，那裏雖然安置了許多民主人士在工作，但是他們所担任的都是極不重要的工作和次要的領導職位。「憲法」中肯定了共產黨在國家政治生活中的統治地位，黨的政策方針當然首先要由黨員來執行。事實告訴我們，上至劉少奇，下至一農村的農業生產合作社的社長、生產隊長，沒有一個不是共產黨員！

有人說，中共之所以要推出宋慶齡來當「國家主席」，是爲了便利與中華民國談判，可是，這種說法只有出諸洋記者之口，不值識者一笑。

又說選宋慶齡爲主席候選人是抗拒中共唯一強人劉少奇之方法。因爲劉少奇任候選人遭遇強烈的反對。這一說法，不是完全沒有根據的，中共爲了挽救內部爭權奪利、互相傾軋的危機，如果推出一個非黨人士上台當然是一個辦法；並且可以藉此緩和廣大人民對黨的嚴重不滿情緒，把人民羣衆欺騙和麻醉下去。中共中央如果聰明的話，這一着棋未必不可行。

但，事情恐怕也不是我們所想像的這樣簡單。

大家都記得，前年「大鳴、大放」期間，以章伯鈞、羅隆基爲首的「右派分子」，就是因爲企圖推翻共產黨一黨專政，要以資產階級的領導代替共產黨的領導，以絕對民主代替「民主集中」，他們提出不該在政權之外再搞一套黨的系統，請共產黨下台、輪流執政等主張，結果也還是碰得頭破血流，成爲毛澤東「陽謀」下的犧牲品。

要共產黨統治集團的頭子，從千百萬人民的枯骨堆起來的寶座上走下來，讓非黨人士登上去，試想共產黨能答應嗎？因此，不能不說「新聞周刊」刊登這樣純屬臆測性的消息，實在是太過離譜了。

國際動態拾零

△美空軍放射之阿脫拉斯飛彈，不特可以對地面之任何地點，而且可以拍攝其在空中攝取之地面照相，至地面傳遞所得，頗類于半盲者之視覺。

△米高揚訪問美國之前，國務卿曾集中檔案，調查其一九三六年在美時所晤見之美國人。發現一九三六年十月十二日，他曾晤見前國務卿赫爾，但未紀載談話內容。

△共和黨之自由派欲使洛克斐勒出任黨之領袖，而共和黨之保守派反對。他們是支持尼克遜的，所以共和黨內部之矛盾，迄未減輕。

△敵方之蘇聯氣象火箭，能否擾亂其方向，使失却瞄準力量？現爲美國防計劃所亟欲研究的問題，至今尙無確定答案，則尙未及知。

△有人預言，在下屆聯大會席上，馬週可夫將被訴犯證據確鑿之叛國罪，並將立即拘捕，該往審判。

△日內瓦原子停試委員會議席上，蘇聯原子科學家勃拉哥雷夫（Blagonravov）謂本年五月，蘇聯將開始建造太空站，可放射至二千百英里高空，載運藥員五人，其狀似潛水艇，長度一千英尺，直徑二百八十英尺。西方科學家未肯置信，因蘇聯現有之火箭，無如此巨大之力量。

•陶然。

文壇透視

周揚力捧郭沫若

七叔

周揚的無能和小器，恰像梁山泊中白衣秀士王倫。論本領，無論詩歌散文小說戲劇，他至今還沒有拿出一本貨色。中共文人這幾年大都有「文集」「選集」的出版，但周揚獨無。黨員作家之中本領上勝過他的都被他先後打倒，尙未被打倒的只有乖乖地供他驅使，而他決不讓他們出頭。另處領導層的四位非黨作家，茅盾和巴金一向對周揚並不恭維。周揚和魯迅的仇深似海，魯迅生前巴和他有不共戴天之概。巴金前因主持上海文化生活社，與魯迅關係甚密，周揚曾借徐懋庸駡巴金是破壞革命的安那其主義者。茅盾也比較接近魯迅，當年中共決定解散「左聯」，周揚叫茅盾轉告魯迅，茅盾知道魯迅不願意，沒有去說。周揚提出「國防文學」口號時，曾和茅盾直接「交鋒」了一次，雙方文章俱在，裂痕迄未彌縫。只有郭沫若和老舍對周揚敬若神明，其諂媚醜態實不亞於湯勤之對嚴嵩。但老舍過去曾和林語堂、劉半農、周作人、老向、何容這些提倡幽默小品而被中共視爲反動的「論語」「宇宙風」派「同流合污」，因此「身家並不潔白」。郭沫若則不然，他「打」過茅盾，更「打」過魯迅，魯迅生前他倆未曾見過面，當年法國羅曼羅蘭託在法的敬隱漁轉致魯迅的信，敬隱漁屬創造社，因把信寄給郭沫若轉，但郭沫若把信押住沒有轉。所以這幾年來，周揚力捧的是郭沫若一人。恩怨分明，錙銖必較，周郭皆如此，可謂沆瀣一氣。

鳴放時，在總政治部文化部打倒部長陳沂的陳其通、烏蘭汰等曾在「人民日報」發表了反對的意見，接着就由周揚用「答客問」的方式予以公開申斥。但不旋踵鳴放改爲反右派，周揚等於給刮了一次鬍子。因此周揚以後就找到郭沫若作他的代言人，遇着文藝上有什麼需要聲明的事件，即由郭沫若出頭。去年毛澤東提出要收集新民歌，「人民日報」發出「大規模地收集全國民歌」的社論後，緊跟着就又刊出「郭沫若同志關於大規模收集民歌問題答『民間文學』編輯部問」的文字，可算很好的例子。

關於周揚力捧郭沫若的事情，這裏只提出兩件較近的事：一是周揚在「紅旗」創刊號上曾說：「五四以來的新詩打碎了舊詩格律的鐐銬，實現了詩體的大解放，產生了不少優秀的革命詩人，郭沫若就是其中最傑出的代表。」如此恭維的，在中共作家中尙無第二人。二是去年夏間，周揚在北平召集文藝界座談民歌收集問題，當衆提議「請郭老做現代的孔夫子，掛帥編選民歌。」郭沫若則說：「周揚同志要我當孔夫子，在這樣的大時代，我不敢當孔夫子，倒想當半個屈原。」如此肉麻，實不知人間有羞恥事。

瘟君夢

第一回：消息自天來　風波從地起

八捐秋扇　夢冷新華

毛澤東看見劉少奇背後還有鄧小平、陳雲、李先念、李富春、譚震林、彭眞、康生、薄一波、陸定一等人，曉得又有新的事體，此時他眞沒有精神應付，回頭向監嶺說道：「我頭昏的很，想休息一下，你扶我到裏邊躺一時。」說過也未和劉少奇等人打招呼，站起來歪歪斜斜在監嶺扶持下走進去。

劉少奇嘴角掛着冷笑。陸定一悄悄說道：「老席近來身體好差，不知什麼緣故。」

劉少奇「哼」了一聲，大聲說：「還不是酒色過度」。

彭眞點點頭：「不僅酒色，還要加上一個烟字，他抽烟實在可怕，上次伏老來訪，當面警告他不要再抽烟，他對着伏老不敢抽，轉過臉又偷着抽，這樣抽法，不用說腸子是肉做的，就算是無縫鋼管也能薰壞。」

說到這裏，朱德、賀龍、周恩來、張聞天、董必武、林伯渠都來了。

朱德看見大家都在聊天，奇怪問道：「怎麼回事，少奇同志不是說召開政治局會議嗎？」

劉少奇點點頭：「是要召開政治局會議，祇是大家來到，老歪又裝病到後面去了，我們都在等他。」

大家聽到劉少奇稱呼老歪，哄然大笑起來。只有賀龍不懂，瞪着眼問道：「爲什麼把毛老總叫成老歪？」

大家你看我，我看你，沒人肯張口解釋。賀龍過去揪着陸定一，大聲說：「你是宣傳部長，你一定知道原因」。

陸定一看下劉少奇，劉少奇揚揚眉毛：「你講給他聽好了，怕什麼？」

陸定一推開賀龍的手，笑着說道：「大家背地稱呼主席作老歪，並沒有惡意，因爲去年他去莫斯科慶祝偉大的十月革命四十周年，曾經當着全世界的共產黨代表，尊蘇聯是社會主義國家的頭，蘇共是全世界共產黨的頭，試想蘇聯既然是個頭，咱們豈不都是尾巴，他自然是個大尾巴了。」

賀龍還是不懂，又追問道：「尾巴也沒有關係，作蘇聯的尾巴還是光榮的，你們爲什麼叫他老歪呢？」

陸定一不敢回答，只是睜眼看劉少奇。

劉少奇擺手說：「賀龍同志，你過來，你寫一個毛字我看看。」

賀龍翻眼問道：「怎麼樣，副主席要考我是吧！」

劉少奇笑道：「沒有這個意思，我只要你寫個毛字看看。」

賀龍不知劉少奇什麼意思，用手蘸茶在檯上寫了一個毛字。劉少奇指着笑道：「你看毛字的尾巴是不是向上歪的，所以叫他做歪尾巴。」

賀龍笑道：「少奇同志，你應該是個正尾巴了」。（五）

岳騫

新書評介

李商隱評論

顧翊羣著

詩人李商隱，他的爲人，是頗受世人批評的。顧氏此書，不僅對李商隱的作品，予以甚高的估價，即對於他的爲人，也力排過去的惡詆，而詳爲引證，以明無辜。顧氏說：『李商隱爲一志行純潔，性情誠懇，才學豐富，而遭際非時之作家。生前指斥官寺，諷刺帝王，終遭小人之忌，坎坷以死，悒鬱而終，可與屈子少陵同光』。他推崇義山，可謂備至。

本書分三篇，上篇論述商隱身世。中篇論述商隱的戀愛結婚與悼亡經過。下篇，討論義山爲人及其作品評價。下篇引用現代心理學家弗洛特的學說，從心理分析的理論以研究商隱的一生，尤爲顧氏得意之作。

附「中國詩的將來」一文，及「讀詩譜」，均爲顧氏近年旅美，從事文學研究之心得，殊非凡響。卷首有李照隱夫婦繪像各一幀，亦栩栩有生意。

全書一册，以四號楷書排印，一百九十餘頁，約六萬言。台北「中華詩苑」出版，本報代售，每册定價台幣二十元。（文節）

釋未集

當人們要鼓勵革命的時候，便往往說中國民族是一個保守的民族，若就中國人對歷史的熱心，則此種說法亦不是毫無根據的，雖然革命家所指未必即是此點。

如所週知，中國有一部二十四史，平常都以爲，一部二十四史，不知從何說起，那不過是說它卷帙浩繁，其實二十四史，僅僅是欽定的官史，此外不在二十四史以內的私修諸史，如歷代的編年史，紀事本末史，補史，注史，大略計算，恐怕就會超出二十四史的分量十倍以上。

寫歷史，對史料的去取，人物的褒貶，爲詞此事，無一不煞費經營，而且爲了工作過於繁重之故，往往不能及身而成，其實是最爲費力而不討好的工作，唐代古文家韓愈，先前原也有志於撰寫一部歷史，他寫給崔立之的信自言其抱負說：「求國家之遺事，考賢人哲士之終始，作唐之一經，垂於無窮，誅奸諛於既死，發潛德之幽光」，可見他的興趣是很濃厚的，但到他做了史館修撰時，這種興趣忽然又消失了，他在答劉秀才一書中，列舉歷代的史家，儘管他的名山絕業十分輝煌，但自身的遭遇，却是沒有一個佔了便宜的，據他說：自孔子以下，左丘明，司馬遷，班固，陳壽，王隱，習鑿齒，崔浩，范曄，魏收，不是刑辱，失明，斷足，就是誅戮，夭死，或貶廢，故他說：「夫爲史

歷史

者，不有人禍，必有天刑，豈可不畏懼而輕爲之哉」。但儘管韓愈如此說，後世熱心歷史的士大夫仍代有其人，有些人竟是窮老盡氣，以數十年的歲月，仰屋拈毫，獨力自成一史的也大不乏人。據清人沈德符的敝帚軒賸語云，明柯維騏，因致力將宋遼金三史改編，爲專思慮，竟至于自宮。其用力之精勤，實在到了無法理解的程度，因自身既非史官，又沒有出版商爭着買稿，方之于現在的大作家們，這種做法，其實是個天大的笨伯。

史禍最烈的，自然該數清代的明史案，因莊廷鑨得朱國楨明史稿本，延人重加修輯，補入天啓崇禎兩朝事蹟，爲怨家所舉發，除廷鑨已死，發塚戮屍之外，並誅其弟子，就是列名參校的許多名士，都受株連，死于此案的知名之士共七十餘人，但清代的史學家反而最有成就，專制的兇燄，並不能使執筆的書生低頭，他們也許已沒有齊太史或晉董狐那樣的光輝，但他們實事求是的精神，以視前代史家，實在是毫無遜色的。

中國人愛好和平，有一種從現實上求得滿足的人生見解，有他容忍的一面，也有他倔強的一面，順着這一點天賦，他可以跟更困難的遭遇週旋，也有足夠的經驗與智慧，求得歷史的轉捩，中國人有過許多災難，經過許多戰鬥，這些災難與戰鬥，都寫在歷史上，中國人之熱心於歷史，並不爲個人的榮利，他們祗深信：歷史可給我們以保證，我們不會迷失或墮落。

曲齋

頑固

兆祥

現實小說

太太近來很用功，牀上躺着看書，下廚房也看書，連上廁所也拿着本書跑。

如此，幾個小和尚把家裏鬧得像個狗窩。

終於我忍不住問她了：

「怎麼又把四書五經翻出來看了？」

「什麼四書五經的？」

「那你看的是什麼書？那麼用功？」

她抬起頭來，瞟了我一眼，趕緊又低下頭去，眞是連一秒都捨不得浪費掉，我悻悻的說：「有空看看家，打掃打掃，別儘看些無聊的書。」

「什麼無聊書？」她瞪起眼把書向我一揚：「這是本得文藝獎金的巨作，你看清沒有？」

看她那煞像那麼回事的樣子，我感到有點好笑。

「怎麼？又看不起？你會寫嗎？」

她近來老愛刺激我，好像這樣才更顯得男女平等點，我生氣的說：「這有什麼了不起，一本愛情小說，誰不會編，只要看人有沒有空閒而已，得獎？哼，我們貴國的獎就是那麼一回事。主要的人情，活動……」我頓了頓：「是有價值的書，諾貝爾獎金委員會不會不知道的。」

「你呀，」她指斷我：「誰都看不起，不知道自己可有些什麼本領，從前沒老莫沒出息，現在你看看。」

她翻起白眼來，同時摔過來一本雜誌：

「胡適博士還跟他合拍照片呢？」

她的思想實在極好笑，就正如在報上刊登「我的朋友胡適」一樣極幼稚，我打開雜誌一看，照片內果然有胡適博士和老莫。但，四週還有許多人。似乎是正準備要開什麼會的樣子，許多人圍着在閒談，照片裏，老莫剛好從胡博士的背後爭扎着穿過來，向前走，於是，給人拍了張照，這就讓老莫利用上了，我說：

「他如果說是和胡適博士合拍的話，那麼他起碼還當站得端端正正的，是吧？」

她反擊我：

「你知道什麼？」

「大家都說他頂了不起，爲了提倡什麼戰鬥文藝，把東西都賣光了。」

我對她底淺薄與老實感到沒有辦法：

「叫口號，投機取巧，出風頭，爭名譽，誰不會做，把東西賣光了？你知道他現在賺了多少錢，每月有上萬的收入呢。」

「怎麼？」

「他利用一班青年想成作家的心理，辦了一所什麼函授學校……」

「你胡損人。」

「不跟你說了。」我講：「請你把那本什麼白的，黃的書放下，這好好的燒一次飯吧，這世界的顏色太多，什麼紅的，灰的，已把人攪得頭昏眼漲的了，如果你感到有空，不如去看一次電影，又省時間又省錢。」

她不高興的看了看錶，站了起來：

「我說不過你。」

又接着故意嘆了口氣：

「我眞替你感到可惜，有這麼好的才幹，竟然埋沒在軍隊裏，當一名小丘八。」說到這裏，她忽然又嘆了一聲說：

「我聽孫太太說，現在做事，尤其是軍隊裏，都規定了任期的了，幾年一任的，你們主任幾時任期滿，也讓你這副主任扶正過來？」

她老是這樣天眞。

我說：

「幾年一任不過是官樣文章，就是有，還不是打牌換位，你換我，我換你的，幾時輪到我們？」

「你既了解可就得服貼點，別這也看不起，那也看不起的。」

我感觸地：

「能服貼，你早有下女侍候了。」

「你呀，頑固。」

她學胡博士的口吻，對我一指，可惜我不是大教授，沒這份風雅，不過頑固倒是眞的，而且我很珍惜它，因爲那樣才可使我留下一個榜樣給我的子孫，使他們能分辨出什麼是人格，什麼是正氣。

談今日中國書法

·楊有釗·

中國書法，流傳幾千年，時到今天而眞正可以傳記的書法家，並不太多，故這幾年來，我經常注意到它今日的代表人及其發展。

書法在過去的流傳，作個人紀念性質遠較於藝術的意義爲多，而今天的書法亦如現代繪畫一樣，使人具有整個審美的態度了。

現代繪畫裏，西洋就有極力擺脫物體形像的束縛，打破舊有的審美觀念，專以色彩的和諧與綫條的跳越來顯示作者的內在精神。同理，中國的書法之所以能成爲藝術的最大因素，也即是它能以各種不同的形綫，意識，直接寄託作者的生命，羅器了作者的情，所以一幅好的書法，姑不論欣賞者識與不識其爲何字與何意義，祗須略具藝術修養，便對其綫條結構與乎作者的精神即能得到情感的共鳴。

故古人有：「文如其人，畫如其人，字如其人」之說，但他們並不了解這種新科學的美學心理的理論。我國近代學者，康有爲對於字，他也有十個審美的態度，「一，魄力雄厚，二，氣象渾穆，三，筆法跳越，四。點畫峻厚，五，意態奇逸，六，精神飛舞，七，興趣酣足，八，骨法洞達，九，血肉豐美，十，結構天成」。我們看他所說除了第十項，其前九項皆是形象美感外，其前九項皆是精神內在的美感，他雖然沒有把九項美感用科學的心理作有系統的分析，但是他那簡煉的理論，與現代繪畫在基本上是同一的。

論到目前我國的書法家，仍是墨守成規的較多，還有些人用舌頭，拳頭，指頭來播弄技巧，吸引群衆，而他們是否知道書法是一種寄託情志的藝術呢，則就不得而知了，至於功力，氣魄，才華，都達到混合造化的境界，而又能得到時人熱愛的，我以爲應首要推于右任與發蕩平，于右老的字在中國已經風靡了幾十年，尤以這幾年在台灣，大街小巷都看得到，早建立一個中心，成爲了一個流派，（因爲習于字的很多），看他早年的作品，是豪放中氣嚴勁，老年的，却轉入雄渾中氣柔和，骨肉都很豐美。但右老的字若分剖看，不如整體看，因爲右老的字是把筆劃減到極少極少，簡明爽朗，因爲其具有一種革命的性格，故開創性多於傳統性，這是他的長處，也是他的短處，右老在今天，他的字之得人的熱愛，雖然多少也有點因他的現實地位所使然，但儘管怎樣，右老的字是美的，是成功的。

在很多展覽會中，發蕩平的字，也是最能吸引觀衆的一個，此老的字，似沒有右老的那麼爲一般人所熟悉，然以藝術最理智的看法，他應當是今日的佼佼者。前此不久，梁寒操等辦的中美人士美術展覽中，他的一幅草書與于右老的相併掛在中山堂該場第一室的左角，相比率之下，可以互見精神。我之愛發蕩平字，以他有悠美的傳統性與那種渾厚穩峻的豪放綫條。故自由中國美術展覽會主持人何鐵華說他的是中國眞正的正統草書。

風雨樓繪畫叢談

但畫官的名稱至此已不復爲後人所知了。宋代畫品，眼界較寬，藝術性較濃；所以格古要論云：「宋畫院衆工，凡作一畫，必先呈稿，然後上眞。所畫山水人物，花木鳥獸，種種臻妙」。凡此都是畫官起源發展的經過，它和圖官，自然是大異其趣的。

圖官的較早見於典籍者，爲周禮一書。周禮說：「職方氏掌天下之地圖，主四方之職貢」。職方氏者，官也。自秦並天下，創爲郡縣，職方氏可能已隨着改觀。漢繼秦制，固無此官，惟蕭何收圖，典冊猶在。漢有司空長史掌水土，其與土地有關，是無可爲疑的。隋唐置有職方郎中。明清置有職方清吏，民國建立，亦於內政部，置有職方司。此其圖籍相蹤，桴鼓以應，即使職掌或有大小廣狹之不同，但於周代制度，當亦名異而實同的。大致周人的設置職方氏，可能有兩個較大的原因；一爲周初建國，所有臣服的諸侯，約在一千八百國左右「其於分疆畫界，協和上下，那一定是相當麻煩，煞費着心的。二爲建國以後，有關分封土地，肥瘦懸殊，大小不等，因而彼此相煎，互爭雄長，土地變動既大，職貢也成問題了。天眞的先秦諸子百家，與我們這一代的文人，同樣的有其懸案而感喟！荀子說：圖籍不知其義。左傳說：王子朝奉周之典籍以奔楚。國語說：省其典籍刑法。其實聽者的昏庸自若也。惟其他們把土地戶籍看得那末重，所以圖官之於畫官，分量輕重，就大不相同了。尤其在黃帝開國的時候，圖官在二十官之中，他是第一等的要角。

不要以爲五千年前的黃帝是無識無知，他能夠從野蠻社會中建立起他的文明政權，還是靠他有迫力有作爲，才能運用得起二十個專門人才，做得條條有理，頭頭是道哩。據班固的漢書地理志云：

昔在黃帝，作舟車以濟不通。旁行天下，方治萬里，畫野分州，得百里之國萬區，是故易稱先王以建萬邦，親諸侯。書曰，協和萬邦，此之謂也。

，黃帝的建國，不是繁重一語所能盡其艱鉅的。因爲一萬如果我們不以懷疑的態度去處理這個記載的話；那末個成市的建築，和一萬個疆域的畫分。一萬里道路的建設，和一萬個國家的安排。在人力，技術，供應，工具，時間上，都是浩大而驚人的舉措。而黃帝二十官之中，除了史皇，沒有任何一個人職責，有多少相似之處。所以史皇作圖，應是圖官，而非畫官，所以繪畫之始，起於史皇的理論，決不可信。（八）

述賢

梁任公遺文　文品

有序

蕭統操選。不遺詩書之序。劉勰論文。兼詳經藝之體。發篇聖言。厥獻尤矣。若乃董生閉戶。成繁露竹林之篇。匡鼎解頤。抗四廟閫郊之議。康成六藝之論。五經然否。思敷暢於鄭子元之遺說。經典敘錄。陸元朗之邈談。宜籍助於文筆。是以高密拙於辭訓。受譏通人。假邱吶於辯才。禍及後學。故知陳范抗疏。休文之操矛。致大道之捍城。俱六經之鼓吹。是曰說經之文。其流六也。賈傅過秦。叔皮王命。是元首六代。士衡五等。達莊蒙叟生之作。安邊絕交之篇。例固殊於史家。體亦異於著述。唐宋以還。斯道益彰。原道原命之目。說理說性之文。論學書則充棟汗牛。太極通書之說則連篇累牘。格致語錄。雖厭聞而必進。語錄一篇。有某在而猶讀。以及防河之策。和戎之謀。正統之爭。孔孟之說。距有戰和之議。從武斷之喙。人恣一地之爭。敵積理之獨富。豈持論之無頗。是以正蒙訂頑之辭。晦翁僅名曰私議。橫渠是說。文曰解字。論著十四卷。叔師志其卷帙。太冲之賦。其流七也。長述其篇。淚流撥於士章句。十六篇。安昭明之集。侍編善長於水經之注。景純山海之會。孝穆玉之集。詠公羊之嗜。夫少逸凡茲八父。國。邵公之雅守之臣。征南左傳。其流八。談遺言。具有太史公之不自傳。向校上六藝略之文。也。若乃銘陰之作。蔡伯喈其欽心。（顧亭林說）文雖大雅所之。尚其德文。林之一集。韓退之墓誌。弗累亦父之書。朱子碑。傳是以季子墓。西京世史尼。有荀思關於潛徽。當首譜於昔聞。銘。陰更有搜側金。石宜訪之例。宇以之碑。及西嶽爲華山爲。眞。館柳州文學之筆。頭陀寺同工異曲之篇。酬水識招。源。是曰碑誌之文。其流九也。（迺異誌，既非史體，故別出之）與周秦金石刻文。江南三月。文亦草長鶯飛。永和九年。流觴曲水。

南皮沈李。魏文之所復遊。廣陵觀濤。枚叔之所曾賦。出桑羅女。宋大夫之東家。凌波洛神。陳思王之靈西。鮑明遠之登岸。星飯水宿。吳叔序之游桐廬。息心忘反。凡茲巾車所經。托之簡讀。依依如畫。麗麗動人。非惟正始之音。實乃詩人之旨。雖復子厚游山之記。將及百篇。東坡汎舟之行。既成兩賦。既有神於臥游。更無慊於疊美。是曰託興之文。其流十也。至乃王孫不歸人。瀰人暮。淒淒芳草之魂。淒淒不露中。秋蕭。搖落新秋之氣。斯惟楚歌。實開淒調。千卿足下。弦望何時。伯之君侯。恰似如許。長松儷雁。閑子思夫。山君之銘。秋菊春蘭。劉孝標追酬之書。令嫻隨腸斷。金陵瓦解。暮年之驚。孝穆與僕射之紙。華亭鶴唳。故宮之荒涼。何似斯琴之悲。思歡。光讀看影含啼。觸帳裏之間愁。滴鏡合之香淚。爲疾。是曰言情之文。其流十一也。宋玉大小言之賦。東方答客難之書。實衍萬言之風。遂開設辭之例。設餅炎旨。組表牛文。代修竹以彈禪。繼江神而讀遊戲。棋下勸進之表。處士十賫之文。佛所謂以游戲爲神通。莊生所謂以支離爲莊語。文士之積習。亦大道之支賊。是曰弄筆之文。其流十二。（中）

·馬國維抄錄·

自由人
THE FREEMAN
（第八二七期）
每份港幣壹毫
台北市每份售價台幣貳元
地址：香港高士打道六十四號三樓
20 CAUSEWAY RD. 3RD. FL. HONG KONG
TEL. 771726
承印者：東南印務出版社
地址：高士打道六十四號
台灣總經理處
台北市西寧南路壹壹零號二樓
電話：三〇三四六
台郵撥儲金戶九二五二
海外總經銷：友聯書報發行公司
香港：彌敦道中二十六號A二樓

式微中的國際共產黨

·李金曄·

十年前，當中國大陸陷入鐵幕時，國際共產黨的態勢，可說是正「如日之中天」，氣焰之囂張，誠令人不敢逼視。但也從那時起，整個國際共產黨開始式微了。

十年後的現階段，儘管蘇聯以「宇宙火箭」在科學成就上稍有超過美國；中共以實行「人民公社」推行「大躍進」，誇言以「十五年趕上英國」，但不論是政治形態或經濟生活，却在在暴露出國際共產黨統治國家的落後與虛弱。若再深一層觀察，此種落後的虛弱狀態，勢將導致其繼續朝向式微之途發展。

四十餘年來的演變

在基本的理論上，共產主義社會，祗是一種引人憧憬幻想的空想天堂。一九一七年俄國大革命後，這種空幻底社會理想主義，雖得了試驗的機會，可是當時列寧也並未敢於完全本着理論朝着空想天堂之路發展。一九二一年三月，在聯共第十次代表大會上，通過了列寧的提案（「從餘糧收集制過渡到糧食稅，過渡到新經濟政策。」）使俄共得以從天怒人怨的戰時軍事共產主義的泥淖中自拔出來。嗣後的經濟政策，實際上只是較之資本主義初期更壟斷，更獨佔，更具剝削性底極權「國家資本主義」。迨到斯大林獲得統治權後，在實際政治方面，更墮落到鉀化封建的獨裁形態。

蘇聯的「壯大」，以及它後來的對外擴張，主要動力，也就是為於它對國內人民施行殘暴的政治鎮壓，和高度剝削的經濟政策。這一套統治模式，即成為後日蘇聯統治附庸，以及附庸國家政治、經濟結構的範例；甚至即使是蘇聯共黨四十多年來的錯誤，也成為附庸國家們師承的內容。中共之實行「人民公社」，即為最好的例證！

斯大林主義——即他執政期內所形成的那套較諸列寧更殘酷，更霸道的一系列統治方式與策略，到今日雖已成為國際共黨內部意識形態上最大的爭論焦點，但不僅中共毛澤東在統治上繼續堅持該項路綫，即使赫魯曉夫也並未予以放棄。赫氏之鞭屍，顯然不過是欲經由踐踏斯大林的屍體，爬上死者的寶座；而斯大林主義，在統治蘇聯和統率全球共黨方面，却仍不失為最佳的方法。

因此，從一九一七年以來，儘管共產黨在空間和時間上得到了發展，在理論上實無異自行宣佈破產，證明共產主義社會之在人類出現，乃是絕不可能的事實。肯定地說，若今日中共的「人民公社」化的社會形態，或蘇聯的社會經濟結構，即是共產主義化底社會，那末已證實這絕不是自由人類所能接受的生活方式。

同時歷史亦證明，共產政權不能一日放棄極權獨裁的統治方式，除非被奴役的人民起而自行解放自己。

新修正主義的抬頭

今後的共產黨，除了有極小的可能，稍稍放寬某些消費限制，（能性）令被奴役的人民得以獲短暫喘息外，仍無可能予人民以較多自由；內部的基本矛盾，因此無法消除；黨內鬥爭，也因為統治階級各依討好人民以求穩定其統治權，在放鬆與收緊的兩條路綫上，鬥爭更將劇烈，助長各式新修正主義的抬頭，此則構成為共產黨式微底主觀因素。在我看，各式新修正主義的抬頭，自有其歷史發展底規律，已經非任何國家共產黨的領袖所能饒適避過的了。

從外在的因素看，國際共產黨未來的問題，不僅是其對外擴張之被遏止，更重要的是它正面臨着在各地區有被分別撲滅的危險。如果自由世界能勝利地擴清共黨活動，那麼鐵幕內的共產政權，勢將窒息而亡，是毫無疑問的。

西方國家工人唾棄它

由於共產鐵幕內實際政治所表現的猙猛，與經濟生活之貧困，使工業發達國家的工人，對共產主義和共產黨失去信心。毛澤東最近於一月十日在北京發表演說，謂「美國共產黨顯然處於極大的孤立地位，但是你們的鬥爭是很有意義的，將來一定會結出豐碩的果實。」此話無異是一慣自由陶醉的夢幻，除富安定，對共產主義的……有事實根據的。實則工業發達的國家，經濟，正不斷地朝向改良，於促進社會福利事業的實施，使利，普及人民大衆，試問共產黨何由發展。多少年來，共產黨在這些國家裏，它不過是一個沒有國會議席，或僅有極少數議席的合法政黨，不但談不上鬥爭作用，反而成為寬容的民主政治底點綴品。在西歐地區，意共和法共已先後一蹶不振，蓋既不能運用集權來控制工人組織，工人又有自由選擇政治信仰的自由，則其被唾棄，也是極自然的事。

在亞非地區改採守勢

在所謂「待開發」地區，即亞非地區，共產黨近二年來正走着下坡路。過去在中東和遠東，它主要的策略是聯合或滲透民族主義運動，以抵制西歐的殖民主義、國運用民族主義運動，以驅逐殖民地利益。現在西方既已先後從上述地區放棄了傳統的殖民地利益，且站在平等互惠的立場輔助其復興，則彼此亦已化敵為友，對於新殖民地主義的入侵，自必起而抗拒。納薩、尼赫魯固已起了大轉變，而諸如緬甸、印尼等已有新的傾向；至於東南亞其它國家如泰、越、馬來亞等，反共的形勢益趨穩定，就目前的情況言，國際共產黨在亞洲地區已無繼續進展的可能。是新的形勢，迫使它非採取守勢不可。

黑色的非洲，已經覺醒。非洲新生的黑人領袖，多數是受西方的現代高等教育的，他們對民主政治與共黨政治有極深刻的比較認識。一九六〇年的十月，基本上所有的殖民地皆可獲得獨立。黑色非洲將全面自由解放。

這些新興國家，未來在歐洲大國的政治輔導，和美國的經濟援助之下，發展和繁榮是可預見的，共產黨雖然虎視眈眈，實難以插手其間。從另一角度說，試問美國自戰後迄今，直接投資和經由國際復興開發銀行的貸款，總數已約達四十億美元，豈能容共產主義滲透活動，而毫無防範。

「落後地區」，原是共產黨滋長的溫床，但就現階段情況言，歷史已經改變了它的面貌。這主要得歸功於西歐大國放棄了殖民地利益。

中南美洲已趨穩定

在中南美洲地區，從一九五四年六月以來，已先後有七個獨裁者倒台。這地區在共黨眼裏，是美國的後門，它動亂不安，對美國當然有極大影響，可是現在也由於各國政治趨於民主化了，情勢也逐漸穩定下來。

由於近四十年來共產黨徒的作亂，人們對於革命，心懷驚悸，故一聞某一國家發生了流血革命，即誤認為必為共黨所領導，往往將眞正的出於武裝鬥爭底民族獨立運動或民主政治運動，皆混淆視為是共黨作亂。本年一月古巴的革命一度為人誤解，即為一例。

中南美的動亂，基本並非是共黨主動，也更非是出於「共黨同路人」所為，若以驚悸的心情看中南美洲的政情，無疑是患了嚴重的恐共病。當然，這也並非說中南美洲已完全沒有共黨的活動了。

政治落後才是大患

綜上所述，可見國際共產黨，不論是在鐵幕內或鐵幕外，現階段正處於退潮時期。從十年來的演變，也讓我們明白：經濟的落後還不是對共黨滋長壯大的最有利條件，可怕的還是政治的落後！此即說，凡是一個未能實行民主政治，沒有行政效率，或貪污成風的國家，才眞正具備了共黨滋長的條件。如果是既經濟落後，而復又政治落後，那末，這樣的國家就自然成為共黨顛覆下的犧牲了！

半週述評

赫魯歇夫冷戰新策動

赫魯歇夫不愧是一位冷戰能手，他經常能目光四射，機抒自出，保持着主動的運用。即如最近，他以全神貫注第廿一屆聯共大會之際，決未輕忽以柏林——德國問題為中心的冷戰。適在杜爾斯國務卿啓程赴歐彌縫西方對俄立場歧見的前夜，一面令駐英代辦歸申訪問英外相勞合，一面他自己延見西德大使克勞爾。現在我們知道：前者是邀請英首相麥米蘭訪俄，做為對於赫魯歇夫布爾加寧兩年前訪英一舉的回拜；後者則赫氏對該西德使節表示蘇俄並不反對自由選舉，但須西德政府與東德直接安排。這裏杜爾斯尚未成行，赫魯歇夫已棋先一着，搶前佈置。這位老共酋眞不愧已獲麥契維利權術的嫡傳。

麥相訪俄之行

在西方陣容中，英國始終是最弱一環。論政治機智與外交技巧，英人遠比美國高明，論實力在自由世界中不列顛王國也僅亞於美國，遠非法國或西德可比。但那種現實主義的觀念與苟安自私的心理却是不治之症。即如此次麥相訪蘇之議甫經傳出，即有一位工黨議員要求麥相與俄人談判一項安排，使倫敦與莫斯科可免於飛彈毀滅。這位議員自然不足以左右唐寧街政策，但無疑正有不少英人與他具有同感。英國外交一向除維護帝國本身利益而外，根本缺少理想與遠景，一切都只是隨機應付。從柏林問題發生以來，主張不妨以蘇俄代理人的身份顧東德而與之周旋，認為可以不一定堅持自由選舉原則，並反對在柏林再度遭受封鎖時施行空運或以武力護運者，都是英國，並使美當局立場也受到若干影響。此次蘇俄邀請麥相訪蘇，顯即針對西方此一弱點進攻。米高揚美國之行雖未能分化美國與其西歐三盟國關係，總引起英法西德若干疑慮，這也是杜爾斯此次訪歐原因之一。現在蘇俄轉而向英國下手，可能比米高揚之行更易奏功。

自由選舉問題

德國人民自由選舉一向是西方在德法問題上對付蘇俄的基本政策，俄人自然極不情願讓德共政權喪失在選舉之前，但也並非絕對不能接受，特別是當東德政權為德人所共棄之際。國際間早已流傳過一項消息，說克里姆林宮為避免在東德爆發一次匈牙利式的鉅變，可能同意自由選舉的原則。可是俄人的習性，假如其被迫不能不放棄若干權益，一定要使對方也做相當退讓做為交換，如果可能，甚至想博取額外的利潤。如裁軍問題就是如此。肯南不愧對於蘇俄具有眞知灼見，他日前對美參院外委會裁軍小組說：不相信蘇俄首領們會發動另一次大戰，但為了柏林問題，却不惜運用到戰爭的邊緣。這也就是說假使西方缺少不惜一戰的決心與準備，決難在柏林問題上獲得上風。

這次俄方突對西德表示並不反對自由選舉，但要西德與東德自行安排，又是一石兩鳥政策。一方面最近美英都有不堅持自由選舉的表示，引起西德疑懼，俄人即乘機加以分化。另一方面在西德內部，除阿登諾爾總理外，不乏主張選舉與東德直接周旋的人，赫魯歇夫此項表示又會引起西德內部對政府的壓力。

為了協調西方內部意見，杜爾斯不能不僕僕於華府倫敦巴黎波恩之間，蘇俄的機變百出，却使杜氏此行相形黯然。西方一天不能掌握主動，便注定要繼續隨着克宮的調子跳舞。

。李秋生。

自由談

不治之症

美國務長官杜勒斯指述蘇俄從來就不尊重聯合國憲章的概念，既不視為共同的法律，亦不認為統一的力量，以致聯合國的作用存在膽「雙重標準」，甚末問題亦無法解決，主張另行建立一種代替機構。說來理由充足，娓娓動聽。

使聯合國構成「雙重標準」現象的唯一因素，就是大國享有否決權，此係羅斯福總統當年創建聯合國的得意傑作。他認為過去「國際聯盟」之所以失敗，是由於大國與小國皆立於同樣地位，具有同樣權力，因而每逢重大問題發生時，大國多不肯熱心協力，負責處理。懲前毖後，乃特設「否決權」，歸幾個大國獨享之。他很天眞地相信蘇俄必與西方列強合作，維護世界和平。誰知作繭自縛，這否決權恰恰給俄帝以搗亂聯合國的犀利武器，而聯合國乃變成了宣傳台，有如一座鬧劇場，徒亂人意，一事無成。

若要重振聯合國的威信，祗有修改憲章，取消大國否決權之一法，別無他途。但西方列強一來留戀着這項特權，不忍放棄，二來害怕因此激怒俄帝，觸發世界大戰，那還了得！至於杜爾斯聲言另尋代替機構，更是學諺所謂「謂美擱第線」，隨便信口瞎聊而已。另行建立新的世界政府，除非將俄共集團擯諸門外，不怕引起意外的後果，雖走近「戰爭邊緣」，亦不在乎，否則還是徹徹相尋，白費心機的。

西方列強在聯合國內即常常同床異夢，英國且認為祗要允許中共加入聯合國，世界和平即可立而待哩！杜爾斯的主張，先在英美之間就難以獲致協議，遑論其他的國家？聯合國只好像肺癆病人的生命力，慢慢地趨於死亡，無藥可醫了。

馮子先生

改憲程序的一點商榷

不要以爲透過立法院及少數國代，便可巧妙地推翻當年國大代表的多數決議。

憲法的修改問題，最近又引起關心憲法的人所注意。由於憲法的修改與否，便又引起修憲程序問題。按我憲法第一七四條規定：「憲法之修改，應依左列程序之一爲之：一、由國民大會代表總額五分之一之提議，三分之二之出席，及出席代表四分之三之決議，得修改之。二、由立法院立法委員四分之一之提議，四分之三之出席及出席委員四分之三之決議，擬定憲法修正案，提請國民大會複決。此項憲法修正案，應於國民大會開會前半年公告之。」是則憲法修改之程序，已明定於文字，應了無疑義。但是新近竟有人認爲：第一七四條第二款之所謂「提請國民大會複決」，其複決之手續，只須國民大會代表過半數之出席和過半數之通過，便算已足。這種說法，筆者不敢苟同，眞正研究憲法學的人，恐亦不同意此種見解。我國憲法是剛性憲法，剛性憲法之異於柔性憲法者，即其修改手續異於一般法律。考世界各國法例，剛性憲法之修改，或不經由一般立法機關；或雖經由一般立法機關而修改之手續特難。今我國憲法既明定國民大會修改憲法須有代表總額三分之二之出席和出席代表四分之三之決議，何獨在其「複決」立法院所擬定之憲法修正案時，祇須過半數之出席和過半數之通過？如此說來，設若某修正案，在國民大會因無代表三分之二之出席，或縱有三分之二之出席而不獲出席代表四分之三之決議以致未能通過，轉而走第二條路綫，先由立法院依照第一七四條第二款之手續擬定修正案，再交由國民大會以過半數的出席過半數的決議而通過修改，則不啻是國民大會代表總額的四分之一（半數的半數等於全部的四分之一）與立法院聯合起來，便可推翻國民大會代表的多數意見，便可使第一七四條第一款置於無用之地。這樣，我們的憲法尊嚴便將蕩然無存了！想非制憲者當初之本意。果若依此解釋，則憲法的修改程序太過容易，自必有損於憲法之固定性，其後果也更不堪設想了！

○汪大華。

選舉監察問題探討

○諸葛小會。

此次選監會規程的修改，顯欲將該會置於省府控制之下。這樣一來，今後一切選舉將由政府自辦、自監、自選、自督了！

台灣省地方自治規程案，自臨時省議會分函各縣市議會徵詢意見以後，現在已近尾聲。各縣市議會發表意見，除「公論報」閒有刊載外，黨報及官報多未提及。據聞省議會即將於下月開臨時會議予以審議，這個關係全省人民權利義務的重大事件，勢將迅速完成「立法程序」。

筆者曾於八二期「自由人」就「台灣省自治法規解釋問題」略作報導，現再就「選舉監察」問題略抒所見。

首先必須指出：台灣省選舉監察制度的確立，是「過渡時期」的產物，也是一種試驗性質。歐美先進民主國家，因爲具有高度民主與法治精神及良好的政黨政治環境，他們辦理選舉，有關選舉監察的任務，是分別由政府及政黨共同負責。如美國之以解決選舉糾紛案件的權力授予選舉監督或選舉委員會，而以在察看選舉[illegible]於主持投開票所之設立。台灣省自實行地方自治選舉即有監察機構[illegible]實行的價值，這要相當時間的試驗才能斷定，這裏暫不提及。

過去與現在的選監會組織規程之比較

過去台灣省選舉監察委員會組織規程，和其他有關法規同樣曾作不斷修改，除組成份子人數略有增減，並將原有指定之機關團體名稱改爲概括的所謂「有關機關團體」外，基本上並無若何變更；但比次修改有幾點是值得注意的：（一）原來選舉監察委員會，是一個提供「公正意見」的機關，在本質上它是超然的，可是此次修改草案，監察委員會明文規定要受省政府之監督。（二）過去的監察委員會，僅負選舉監察的任務，這次修改加入了「罷免監察」的職權。（三）過去監察委員會曾制定有縣市監察小組監察人員的遴聘辦法及工作簡則二種規章，此次把這等規章併入「規程」，並改爲「台灣省選舉罷免監察委員會組織規程」。（以下簡稱選監會）

如「受省府之監督」，民主必然褪色！

從發揚民主精神的基本觀念上說，無疑的，這次選監會規程的修改，單以第二條規定須「受省政府之監督」一項而言，已證明「民主在褪色了」。筆者不擬在規程的條文上推敲，僅就關係規程的立法精神及其可能產生的效果作一簡單的探討；而在整個規程中最爲凸出的中心問題：一爲選監會的地位問題；另一爲選監會組成份子的問題。選監會能否擔負「選舉公正合法」的任務，來符合它的立法精神，這兩個問題正是癥結所在。

政府在選舉期間，設立監察機構，是爲了希望選舉的公正合法性獲得人民的信賴而昭大信於社會。因此，較爲妥切的說法，選監會應該是代表人民的；可是，過去選監會的組織，有着它的基本矛盾性：政府是辦理選舉的，而選監會監察辦理選舉事務乃其工作對象之一；但選監會的委員，却由政府「聘任」。這樣看來，選監會又好像是代表政府的。所以事實上選監會是雖具代表政府也代表人民的雙重代表性，同時既不對政府負責也不必對民間負責的一個機構；雖然如此，儘管選監會在法理上的地位頗有問題，但過去的監察機構，雖沒有強制性的支配力，却帶有充分的威信意義，足以對選舉糾紛案件發生決定性的影響，在理論上，它還是個準獨立的、超然的機構；可是此次選監會規程的修改，倒把選監會直接歸由省政府控制，換句話說，選監會的地位，經過這一修改變成了純粹代表政府的機構了。這樣一來，今後一切的選舉，將由政府自辦、自監、自選、自督了，還是民主嗎？

監選會成員如不能廣泛公正聘請勢將成爲一黨包辦

其次，選監會的組成份子，根據規程第二條規定，是由省政府就有關「機關團體」及「公正人士」聘任的。先說「機關團體」，根據目前執政黨控制各機關團體的情形來說，省政府就有關機關團體中所聘任的，都是清一色的國民黨員，據筆者所知，雖然也有「象徵性」的民青兩黨籍的人士各一人參加；但自民青兩黨先後鬧「家務」之後，由於分裂糾紛局面所影響，早於數年前即已聲明不參加政府；何況民社黨於第三屆縣市長及省議員選舉期間，曾聯合青年黨向國民黨提出要求共同選舉與共同監察未被接納之後，即公開登報聲明不參加選舉。故在有關機關團體中，雖也有民青兩黨籍的人士參加，乃由政府聘任，是其個人行爲，與民青兩黨無關至爲明顯。至於所謂「公正人士」云者，也絕大多數是國民黨員。退一步說，即使在「公正人士」中也有「象徵性」的「二無黨」人士參加；但是由一個人或少數人來決定選擇所謂「公正人士」，是否符合民主政治的原則與精神？實是大有疑問的，最後勢必又將難逃一黨包辦之譏評！

選監會工作應由各政黨共同負責始合民主精神

民主政治重制衡法則。在過去第三屆縣市長及省議員選舉前夕，民青兩黨鑒於過去選舉的種種黑幕，曾聯合向國民黨要求共同辦理選舉與共同監察選舉，結果未獲接納；最近王雲五氏所領導的行政改革委員會，也有「改進台灣省各種地方選舉」建議案，在該建議案中的第三點，曾有「規定省選舉監察委員會委員，及縣市監察小組委員，由上級機關遴聘，其屬同一黨籍者，不得超過半數。……」的建議。筆者認爲選監會工作，應該由各政黨共同負責，才是符合民主的常軌。民主國家的政黨，實際上也可說是一個競選的組織，政黨所致力爭取的是在選舉中獲勝，爲了獲得選票，他要尊重選民的意見，更要在實際行爲表現上，給予選民良好的印象，所以由各政黨共同來監察選舉（無黨無派的候選人，當然也有權利監察選舉，僅是技術上的問題），而且主要的監察工作在於各投開票所），既可減少選舉的糾紛案件，且可獲得民間社會的信賴，這才能保障選舉的公正與合法。（元月廿九日於台北）

馬尼拉通訊

菲律賓的今天

從加西亞執政一周年說起

○李岷。

（馬尼拉通訊）菲總統加西亞（此地華僑音譯牙西亞）入主馬拉干馬宮（Malagayan Paleao）至今已一年出頭了。在其執政一年中整個菲律賓國家面臨了許多難題，這些難題困惑了這個建國剛滿十三年的年青的共和國。「十三」這個「不吉的數字」會不會眞的給菲律賓帶來厄運呢？實在頗難置喙。然而如果此際就要總結加西亞執政一年來的成就，也未免言之過早。不過從許多事實看來，也不能說他沒有絲毫成就。在菲島財政和經濟難關重重時，能維持現狀而不致使全國陷入經濟的總崩潰，已經是不容易的了。

第一件重大的事就是非共勢力的衰退，菲律賓政府軍事政治雙管齊下的結果，使許多共黨份子脫離了菲共隊伍。菲共頭子沙烏洛雖然設法竄入印尼大使館要求政治庇護，但在菲政府堅決要求引渡下，印尼政府也被迫訓令大使館把沙烏洛交出。然而這事件也同時顯示了菲國軍警方面的官僚主義。怎能讓通緝中的共酋潛入首都而不自覺呢？

在外交事務方面，菲律賓的態度已日益明顯，就是決定參加亞非國家集團。雖然當局避免公開提出「亞洲是亞洲人的亞洲」，但一般趨勢已說明菲律賓將要疏遠西方。最近外長賽隆諾答覆記者詢問時曾說：「亞洲爲亞洲人所享」的概念已非政策問題，而是明顯且不可否認的事實。就中共砲轟金門期間，加西亞宣佈不介入政策一點，亦可窺其端倪了。然而菲國也不是執行那種印度式的「中立主義」，近來菲律賓與日本及馬來亞加強聯系，也說明菲律賓今後的政策是：以亞洲人自主的身份來主動地抗拒共產主義。爲加強菲國與友邦的關係加西亞總統進行了菲國外交史上少見的國外訪問活動。他先後訪問了美日兩國，而這兩國今後對菲律賓具有相當重要的影響。

然而儘管在政治和外交上有了些微成就，菲律賓在一九五九年中仍然是困難重重的。財經問題正威脅着菲律賓。

加西亞雖然執行了「節約計劃」，但效果有限得很，其動機是因爲米糧供應不足，物價上漲，生產萎縮，但這個節約計劃也不受人民歡迎，在最初六個月內即已遭到強烈的反對。計劃實施的結果，反使政府虧空了七千五百萬元。目前菲律賓國家預算正走向四億八千六百萬元赤字的道路，經濟危機似乎就在眼前。內閣小組迫得採取削減各項開支的措施。但國防部首先反對削減軍費，因這將使共黨及不法匪徒死灰復燃。加西亞本人也不贊同削減教育經費。

主管當局雖然聲稱去年米產豐收，但米糧却不夠供應，竟用椰乾向香港交換中共出產的大米，致引起軒然大波。後來由於調節得宜，稻米豐產的事實才被人信服，米價大降之後，各日用品的零售價格也下降了。這是唯一的喜訊。

然而最影響效率的，莫過於總統府與國會的不協調了。這種不協調的現象嚴重地影響了菲國的一切行政措施和基本政策。

與經濟危機同樣威脅菲律賓者，是官吏的貪污舞弊。身任文官長的巴爾薩竟名列貪污調查的白皮書的黑名單之內。這事件使在野的自由黨幾乎搞垮了國民黨執政的現內閣。

加西亞總統跟報界的關係也不很好，就任僅數月就受報界攻擊。加西亞及其他外交官員大批出國訪問，訂購總統豪華遊艇等事，也使他大受人們攻擊。

在這種情況下，執政的國民黨本身已趨分裂。更值得令人注意的是：菲國軍方對目前的國家情況十分不滿，故有人傳出可能發生軍事政變的消息。國會且已發動一個旨在推翻國防部長描牙示的運動。後雖經他力闢軍事政變的謠言，但空穴焉能來風，並非事出無因的。

許多亞非國家的軍人少壯派，眼見國內困難重重，國外又有共黨時刻威脅，爲救國計，紛紛舉行「苦鐵打」（Coupdetat），奪取了政權。繼巴基斯坦、緬甸、泰國、蘇丹等國之後，現又傳聞寮國、印尼和菲島可能發生類似事件。菲律賓共和國國運今後如何，這就要看加西亞總統的意志和手腕了。（一月卅一日寄）

輿論界向懲委會喝彩

公論報主張徹底根追「令」出何人！

○劍聲。

（台灣航訊）關於公務員懲戒委員會對延案作了撤職處分的決定，馬上引起全國人民及輿論界的喝彩。

徵信新聞的短評說：「公務員懲戒委員會對本案處理的值得喝彩，乃在於明知延案已予不起訴處分，而且延憲諒的新職業已發表；依然『執法如山』，『守法不阿』，諸委員眞當得起『我心如秤』的稱譽。官場上本有官官相衛的劣習，而今懲戒會表現了春秋大義，對於今後的司法風紀，政治作風乃至於世道人心都有振衰與疲之功，或可望少有人再『行徑直同兒戲，情節無異枉法』了。」該報並建議將它選爲本年度表揚好人好事運動的示範。

聯合報社論說：「正當司法風紀，爲人垢病，而國人每每慨嘆於是非賞罰模糊之秋，今竟有職司公務人員懲戒之國家高級審議機構，不同於流俗，不阿於私好，而以客觀態度，判別是非，以大公至正態度，行施賞罰，觀感所及，將可以使海內外人士相信，我們的政治仍深濟着高度的法治精神。」該報社論並謂「檢察官黃向堅那種守法精神眞是難能可貴了。」

民族晚報另一篇社論說：「延憲諒此一兒戲枉法之舉，開司法史上空前未有之惡例，如不予以糾正，影響司法風紀與司法制度者至大，公務兒戲處之，命令使犯法規，今將不視爲希罕，寬容延憲諒一人事小，法治尊嚴與司法人員聲譽價值何在？」於是，它認爲懲戒會的決定，「是整頓司法風紀的一大里程碑。」

公論報社論認爲「延憲諒懲戒處分消息不脛而走，致勞懲戒會書記官長顧汝勳以『發言人』身份於審議通過該案之次日，又發表談話說是尚未完成法定程序，並且要徹查透露此消息之人，可見這其間還可能會橫生枝節，但我們相信總不致收回成命，或者重付審議，弄出更大的笑話來的。」社論指出「『必須以輿論的力量，徹底根追』延憲諒『奉命』之『令』究竟出自何人」。「決不能因爲越掏越臭而就停止罷手的」。（一月廿八日寄於台灣）

竹幕幽秘

納薩反共

去年十二月，敘、黎共產黨中央委員會決定分別成立黎巴嫩共產黨和敘利亞共產黨，以便于在阿聯的敘利亞區活動。是月二十三日，納薩立即採取行動，封閉敘利亞共產黨機關報「光明報」；同時，並發表談話，猛烈抨擊敘共企圖分裂阿聯，指敘共為「統一的敵人」，「阿剌伯民族主義的敵人」。並組織一個委員會，由副總統胡拉尼負責，以監督和克服敘共埃共的分裂阿聯統一的行動。十二月底，阿聯廣泛地展開搜捕共黨的工作，封閉四家替共黨印宣傳品的印刷所，據說單在埃及地區就有一百多人入獄。

這次赫魯曉夫在蘇共的第二十一次代表大會的報告中，否認納薩的指責，意味着他在譴責納薩的無中生有；但認為意識形態的分歧，不應妨礙「兩國友好關係的發展」。

這一事件開始時，有人以驚奇態度視之；本欄已早指出納薩的本質是反共的，他的這種行動可說是必然的。現在又有人在猜測，蘇聯與阿聯的經濟關係的斷絕，這種說法，又是過甚其辭。若予以正確的估價，則納薩的這次行動，可促使各新興國家的警覺。

尼赫魯被責

去年十二月，駐中共的蘇聯大使尤金，以科學院院士資格寫了一篇「基本方法」的文章，批評印度所走的道路並非社會主義，並指尼赫魯為改良主義者。上月尼氏舉行的記者招待會上有人詢及其對於尤金文章的意見，他以外交辭令答覆：政治意義不大。但他意味深長地，重申印度的目標是建立社會主義社會。不用說，這裏面，還是有文章的。

尼氏過去幾年的行動，固然有被人指為投機之處，但他的本質也是反共的。他目前正以佛教的精神推行社會主義，努力於兩個五年計劃，若果能因此而解決印度的窮困，則可說為東南亞國家樹立一個安定的楷模，可能成為未來反共的新據點。尤金文章的指責，當說明其已懷有這種恐懼。至於說指責的效果，則亦徒然使中立國家提高警覺而已。

古巴獨裁者被打倒

古巴獨裁者巴蒂斯塔被民族英雄卡斯特羅推翻一事，現在被中共吊來掀起反美運動，雖然如此，我們覺得還是應該給予這樣公平的評價：利用獨裁者來反共或作某種既得利益的維護，是十分可恥且靠不住的；這裏頗予指出，卡斯特羅是個強烈的民族主義者，並非共產黨，共產黨儘管叫囂，若無其他因素參入，必然徒勞無功。

本欄早一晌時曾提出反共三原則，即：反共不維護殖民主義；反共不反對中立集團；反共不維護封建獨裁。想不到這麼快就可找到實例。這些事倒是值得某些人引為教訓深思的。

。田心。

對中共豈應多作空談

空談祇有增加可怕的不良影響

。舒華章。

我以為指言中共因實行「人民公社」而必告崩潰的說法，與害怕中共兇暴勢力坐大的看法，可說是最易聽見的一種論調。[illegible]立論正好說明了時人對中共政權的看法未免有點含糊其詞。

就看美國總統的話為例吧。他曾在美記者協會餐席上表示：（一）中共的目標，主義和方法如不改變，北平勢必形成工業的軍事的強大力量，美國就非戒備不可；（二）但是，他希望自由的狂瀾將掀起亞洲大陸人民的激變，而且這該是幾年間的事，否則便要出現一個非加以處理不可的問題了。第一點顯然暗示中共對整個自由世界的威脅；第二點仍免不了但願北平政權多行不義必自斃的消極意態。這國堵政策也不敢大刀闊斧蠻幹到底。因此毛澤東狂呼打倒紙老虎，並非純屬叫囂，與赫魯在克里姆林宮中放言終將埋葬資本主義的口號，卻有一貫的狂妄行動支持。這反映出自由世界結合的陣線，在應付侵略者中央突破，或聲東擊西的詭計時，總是比較脆弱的！

假如自由人士認為解救被奴役者畢竟不是貪生怕死者所能辦得到的，那麼，何以祇聽見預言亞洲大陸上暴政將亡的喋喋不休，還沒有聽說如何切實援助那些英勇的中國人，讓他們提早促成更大規模的革命運動，就不能讓中共的軍事控制力，在工業實力擴張之下，更加穩固地扼着老百姓的喉頭？

針對着中共人民公社所證的，快要拖垮北平政權的論調雖有一個好處，卻也有三大不良的影響。好處在於鼓舞反共的人心，在連年喪頹消沉之下，又多了一種新事象的刺激，再行堅定反共到底的意念，無論如何，這種論調總值得大家多說些的，但仍有一個限制，猶如人吃東西，乃至吃補品，那種限制倒是很明確的。不良影響有三：（甲）老在放言敵人必敗，慢慢消失了準確的觀測力；（乙）對敵情的估量是根據行動的必需而進行的，並非純屬估量為已足；（丙）不論是自由中國，抑或是其他反共國家，如果祇盼望中共由於推行公社陰謀而告崩潰，卻不敢或運於振作起來，恐力解救被奴役者，那麼，指陳敵人必亡，豈不是成為自欺欺人之談？

這裏提出兩點，希望獲得解答。第一，如果中共的軍力有增無已，則被奴役者所受的迫害也越大，當然反抗力也越大的。問題卻在有增無已的兇勢是否將要吞噬了中共附近各地區而將波及[illegible]有受到徹底有效的制止？抑或整個自由世界把[illegible]赤區的反抗，在比例上超越共黨[illegible]的軍事潛力的增長？

第二，另一情勢就是在洲際飛彈威脅之下，誰也不敢發動大規模的戰爭，卻在默許下，進行局部的角逐，與同時進行冷戰或熱化戰，[illegible]正義與邪惡交戰的方式。如果共黨認定這是有利它的總決戰，則有害於自由世界，被迫處於長期挨打地位。

假如第一個問題得不到滿意的解答，第二個疑問根兒就沒有解答的必要，理由是共區內的人力，物力和兩者軍事化的程度，係以對外進侵為依歸的，外間既無決心搖撼共黨，使赤區的人民轉向，則赤色勢力的共區向外擴張，必然形成熱脹冷縮的定局，否定不了的。可惜過往哲學家也忽視了這問題。

國際動態拾零

△據說蘇聯之新階級，包括軍人與科學家，均反對戰爭，並主張停止冷戰。

△納薩與伊拉克總理加森交惡，伊拉克欲與敘比亞同盟，使其脫離阿剌伯聯邦，且任共黨滲透其政府。納薩與西方日趨接近，尤其對英國，表示願締結新約。

△南韓李承晚，禁閉反對黨議員，與將市長改由任命而不再經由選舉各節，為美國所不滿。美國代付南韓軍餉，每年四億美元，所以艾森豪或杜爾斯將親自出面制止。

△蘇聯駐法大使，以法軍撤退柏林的照會，遞給戴高樂時，戴氏答道，「希望將我意轉還赫魯曉夫，我們已經在柏林，我們要繼續下去。」

△夏季美國將在莫斯科開展覽會，預算為三千六百萬，與蘇聯之交換條件，為蘇聯亦可在紐約開展覽會。美國以為蘇聯之新階級，喜歡美國生活，故此舉在宣傳上有必要，現已招請八十至四十位俄文流利之美國人，前往佈置。

△美國此次國會議員選舉，凡其競選演說主張增加國防，尤其火箭預算者，一概當選。所以本屆議員，對白宮所提之國防預算，將大為增加，而援外經費，均欲減少。

。陶然。

大陸文壇速寫

七邨

瘋人狂吹法

既是「說謊」和「胡謅」，便難稱其為現實主義的作品了。於是便在「大躍進」時由毛澤東掛起了「革命的現實主義和革命的浪漫主義相結合」的新招牌來。「社會主義現實主義」是蘇聯的，他不敢明言廢棄，卻巧妙地說這個新口號是舊口號的補充和發展。從前說高爾基的「母親」是「社會主義現實主義」的作品，現在又把它說成是「革命的現實主義和革命的浪漫主義相結合」的作品，豈非湯換而藥未變的騙人把戲？

鳴放時右派文人曾引魯迅「敢說、敢想、敢做」的話來鼓勵人們敢於揭發大陸瘡疤，不想大躍進時中共又檢拾右派分子的唾餘，用這「三敢」來鼓起人民的衝天幹勁，進一步榨取勞力。毛澤東就在這時懸掛新招牌，郭沫若首先雙手贊成，說毛的十九首舊詩詞，就是這種結合的典型作品。毛澤東那種信口吹牛的誇大狂，如「安得倚天抽寶劍，把汝裁為三截」（念奴嬌詠崑崙），便立刻傳染開來，郭沫若接着在「人民日報」發表了「跨上火箭篇」，有個湖北的黨書記寫了「幹！幹！拚命的幹！一腳要把地踏穿！」的歌謠來提倡，於是整個大陸風起雲湧，全寫起像瘋子說瘋話般的民歌來。中共又提倡「多面手」，無論工人農民戰士在工作着的時候，就能隨口溜出一首詩。去年下半年展開的「采風」運動，據說一個縣就收集了兩千首。郭沫若說這些民歌都是「革命的現實主義和革命的浪漫主義相結合」的作品，便和周揚編選了一冊「紅旗歌謠」，就要出版了。

據中共文藝領導層一致推許的民歌，完全是些大吹法螺的瘋話。上有好者下必有甚焉者也，經過毛郭等人這麼一提倡，誰不爭着鸚鵡學舌？像「天上沒有玉皇，地上沒有龍王，我就是玉皇，我就是龍王，喝令三山五嶽開道，我來了！」「合作化，力量大，天不怕，地不怕，一山能挖[illegible]，呼風喚雨都由咱[illegible]長出好莊稼！」「[illegible]趕起山巒。說聲[illegible]戰，山改面！」這種詩太多了。「到處都是新李杜，到處都有新屈原，荷馬但丁不稀罕，莎士比亞凡幾千。」由「誇張」變成「吹牛」，從前詩人如瘋人，如今大陸上卻多的是瘋人了。

瘟君夢

岳騫

第一回：消息自天來　人捐秋扇　風波從地起　夢冷新華

一九五四年中共政權改組後，董必武升為最高法院院長，其實也是一個點綴性的衙門，因為所有案件，都被公安部辦理了。最高法院本無事可作，但地位卻相當高，和國務院平行。至於林伯渠因「中央人民政府」撤銷，秘書長也取消了，改任人代會常委會副委員長，這項官銜共有十三人，雖然他是黨員，但是黨員也有六人，大權實際握在副委員長兼秘書長彭真手裏，「林老」不過是坐冷板凳，所以在現階段，「林老」似乎沒有「董老」得意。可是「林老」卻有一個特殊優越條件，非「董老」所及，就是他參加過「長征」，雖然只是坐在籐椅上讓人家抬了「長征」，但這項資本「董老」卻沒有，那時董老正在莫斯科吃俄國大餐哩！因為有這段經過，所以「林老」在「五老」中始終高踞首位，「董老」也就千方百計地想非打垮他不可。

說到兩人為人，到也是地醜德齊，中共高級幹部背後稱「林老」為活曹操，「董老」為老狐狸，平常鬥爭總是活曹操佔上風的時候多，不料這次卻被老狐狸抓着辮子。

實在說，剛才活曹操唸到「有朝一日失冰山」時，劉少奇，彭真固然不知「冰山」怎解，周恩來也模糊的很。現在看到他們兩人的神氣，知道一定有了問題，劉少奇就借老狐狸快說，老狐狸得意揚揚，先咳一聲，[illegible]說，湖廢先作驚人之筆，說道：「林老剛才說的冰山，是誹謗蘇聯的。」

此言一出，四座震驚，劉少奇驚問：「怎樣誹謗，坦白講出來。」

「活曹操」這時的臉色，比在戲台上還要白，身子微微有些顫料。

突然有人推門進來，卻是陳毅。陳毅進門打個哈哈：「原來大家都在這，我該受罰。」

老狐狸一看陳毅進來，搶着說道：「陳副總理，你來的正好，你是有名的儒將，對比別人誠得好，請你把冰山解釋給我們聽。」

活曹操一見老狐狸拖住陳毅，趕快眉毛、眼睛、嘴唇一齊動，忙不迭的向陳毅打招呼。

陳毅在風月場中玩慣了，看遍了女人的各種表情，所以活曹操一揚眉毛，他就懂了。知道林老陷入窘境，當時裝蕭胡塗，向老狐狸說道：「冰山兩字很好解，在南極，北極都有萬年不化的老冰，結成千似高山，習慣上就叫做冰山。」

老狐狸連連搖首：「我不同你談南極北極，我是問你中國的冰山。」

陳毅笑道：「中國冰山只有新疆，西藏有，我沒去過。」（八）

遭受批判的大陸學者

A 自然科學部門

一、醫學、微生物學

吳光，中國醫學科學院寄生蟲病研究所教授。

張錫鈞，中國醫學科學院協和醫院耳鼻喉科主任。

黃禎祥，中國醫學科學院病毒系主任。

馮蘭洲，中國醫學科學院教授，中國微生物學會副理事長，上海寄生蟲病研究所所長。

蘇德隆，上海第一醫學院公共衛生系主任。

孫克基，上海婦孺醫院院長。

高鏡朗，上海第二醫學院兒科主任。

鍾惠瀾，北京醫學院附屬人民醫院院長，中華醫學會副會長。

謝毓晉，武漢生物製品研究所所長。

畢華德，北京醫學院眼科主任。

湯飛凡，衛生部北京生物製品研究所所長、中國微生物學理事長（因拒絕參加勞動改造而自殺身亡）

張子鶴，上海十一醫院中醫研究室副主任。

張世明，湖北醫學院教授。

齊仲桓，衛生部部長助理，衛生部黨組成員。

楊永年，武漢生物製品研究所所長。（被判處死刑緩期執行）

二、心理學

彭飛，北京師範大學教育系主任、心理學教研組主任。

章志光，北京師範大學教育心理學教研室講師。

張厚粲，北京師範大學心理學教研室主講教師。

朱智賢，北京師範大學心理學教授（待續）

讀者、作者、編者

編者先生：一月廿八日貴刊第二版林彬局長的「來函照刊」，認為本人文章所載林局長為「中央大樓」設計主委一節與事實不符，本人乃係根據一月九日「聯合報」第三版的新聞報導，絕非有意偏差，但未見林局長對「聯合報」更正；同時該消息由台北市議會專案小組調查，亦未見該小組有所更正。故該消息當係正確者，惟恐讀者不明眞象，請借貴刊一角地盤予披露，以明作者態度是幸！敬頌

編安

弟石翁仲拜上

（一月廿八日夜）

釋未集

藝術

曲齋

儘管人們把香港看作一個講生意的地方，而香港人卻自有其風雅的一面。就我們所知，一年裏除特別有幾天被指定叫做藝術節的日子之外，天天有詩人們的雅集，聯句，詩鐘；還有書家、藝術攝影家們的展覽會；作家的筆會。據人說：香港本來有遠東足球王國之稱，將來很可能又多一條頭銜，就是藝術王國。

只可惜自己到底太庸俗，雖然活在藝術氣氛如此濃厚的土地上，卻不曾沾光到一點化育，自慚對藝術仍一無所知。這就只好說：「自是君身有俗骨，世人那得知其故」了。

去年，機會終於來了，因爲我所訂閱的一份晚報，舉行過一種藝術攝影活動，爲他們的活動告終，跟着報上就刊出了大量的佳作，其中一幅，題名是「荒村歸牧」一類的字句，因爲我原生長在鄉下，自然只配欣賞這一類了，但那情形使我相當駭然，當我仔細看時，那一位牧牛女的笠子底下，披着一頭烈打希和美式的長髮，甲上蔻丹，唇邊口紅，牽着一匹大水牛，那畜牲彷彿對這位主人很陌生，露出一臉狐疑的神氣，像怕要牽去屠坊受宰一般。從此以後，我恍然了，所謂藝術，就是把大家都以爲美的東西，加進一點術上去的意思。在今天的香港，要大家都以爲美的，自然只有女明星了，都市中的雅人，又多半羨慕鄉村生活，於是選了新界，使一位女明星，在青山綠水邊，牽着一匹水牛，攝成照片。然後題上「荒村歸牧」一類的題名，一件作品就算成功了。於此得一公式如下：新界＋女明星＋水牛＝藝術。那作品唯一的缺點，就是那匹水牛不大合作，這又可見牠到底不識抬舉。

前些時，在報上看到書畫界名人溥心畬先生，在港大演講的講詞，他不像時下的畫家書家一樣，講什麼宗派或方法，只是苦着的勉勵青年人讀書。照他的見解：「惟有對中國傳統文化具有相當認識之後，才好執筆學書作畫，才有資格進入藝術之宮的大門」。昔人論趙子昂畫馬，只畫其神駿，杜甫題曹霸畫馬詩，有句曰：「一洗萬古凡馬空」。其論詩則曰「別裁僞體親風雅」。畫馬必洗去凡馬，然後始見其神駿；學詩必別出僞體，裁而去之，然後始近於風雅。神駿與風雅，實在就是六法中的氣韻，然而這恐怕只是學院中的見解而已。照我們粗淺的臆想，香港的藝術，恐怕還是新界加女明星加水牛的天下哩。

九龍南宋石刻記

簡又文。

一　訪古經過

去年，余因從事宋末二帝南遷蹤跡之研究，得讀嘉慶「新安縣志」（卷四，卷八）載有北佛堂石刻事，又得「新識誌」某女士（不識姓名）以其所錄九龍彭蒲圍「林姓族譜」（鈔本）見示，有助於余之研究甚多。惟原譜所錄文字謬誤甚多，文義莫解，且傳聞亦有歧異之處。乃思非身親至其地，細察諸石，不足以證實。因便以此意謀諸趙族宗親會理事長趙君聿修。趙君固宋室後裔，最近又與九龍有關，以此事與宋室史蹟有關，甚表贊同，且大動遊興，願一力促成。於是由趙君約定三次遊南北佛堂之擧。（去年五月廿六、七月七日）同遊者有文化學術新聞界及趙氏宗親共數十人。第二次，且特備拓碑工匠同往，拓得初拓本兩張，至足珍貴。因三訪石刻，讀碑逐字，及細拓本參，刻痕跡，及與諸友共研究，結果，乃得認識全文各字及解釋其意義。

二　石刻本身

在九龍之東，鯉魚門外，將軍澳東岸，有小半島名北佛堂者，其南岸山麓有廟在焉。（土人因之稱此地爲「大廟」。）由廟後登山坳過茂林約二百呎，即見有巨石聳立叢樹中，乘數小石上。巨石之本身，闊十呎，高厚均五呎（連小石共高約八呎）。其向海之南面甚平，上刻九行，行十二字，共一百八字，字闊四吋，高度不一，約三吋至九吋。文末明載立石之年，即南宋度宗咸淳十年甲戌（即西曆一二七四年）。故以「南宋石刻」稱之。

三　立石史蹟

宋時（年期未詳），閩人林長勝（字昌宗），落籍於九龍田犁之彭蒲圍，有子二人，長雲達（字有子），生松堅、柏堅，次雲高，亦有二子。經營海運爲生，常駛船來往沿海浙、閩、粵，南宋理宗初年（計時約在一二……），松堅、柏堅兄弟二人，在海上遇颶風，船破，飄泊至鯉魚門外佛堂門，卒沉沒。二人力挽船篷，披髮緊抱船上所祀之女神神位，鳧水至南佛堂（在北佛堂之南，隔海，即今之東龍島北岸），得慶生存。信爲神恩所致，由是即以船篷奉祀女神於石塔下。是爲最初簡陋之廟。（女神者，林氏先代女子，相傳爲「神女」，死後航海人多祀之。至清初未毀，又以爲「天后」。）其後又於北佛堂另創建新廟，即今俗稱「大廟」者是也。其後又立碑於廟側，詩有「古風」與「開山立廟」事，以見「族譜」所載。年丙寅（西曆一二六六）也。據「縣志」載：「北廟創于宋，有石刻碑，文字如碗大，然是古詩，漫滅，內有咸淳二年四字，尚可辨識」，當指此石刻也。越八年，道義宜修神廟，宏其規模。于是除自刻碑之外，再尋求當地鹽場主官嚴益彰撰之立石紀念者，則即咸淳十年甲戌（西曆一二七四）也。考林氏道義，字理中，妻陳氏，生子賢。（據「族譜」所載只此，餘未詳。）觀其能「開山立廟」，復能大事修繕而宏其規模，且擅古詩，耽風雅，好刻碑，更結交長官，請其書文立石，可推想其人爲一方富豪，大概出身文士，屬士紳階級而在地方上有體面，有勢力者。其後，北佛堂之「天后古廟」時有重修之舉，然歷來均屬道義人之產業，由林姓族人司香火。其廟于清初毀於「海氛」，林族遷彭蒲圍原居九龍蒲岡之蒲岡村，復分支于竹園村（均在今黃大仙區域內）以至于今。至一九三八年始由華民政務司那魯麟備函致該族，請照「華人廟宇則例」將廟宇割讓與政府，每年給回林族祭祀費五十元，至今不替（見林族所保存之原函。）

四　文字詮釋

由于歷史悠遠，風雨剝蝕，石刻文字多有漶漫難識，意義亦費解。年內，經我們三次往觀察，審定各字，集體研究，卒將所刻一百八字，一一認識，且了解其意義。茲復將全文分段錄出，加以標點，並略注解如下。

古汴嚴益彰，官是場，同三山何天覺，來游兩山。

「古汴」即河南開封。「場」即宋時廣東十三鹽場中東莞四鹽場之一——官富場。由此可見此場主官管治之地包括九龍半島與附近島嶼——連香港在內。（按「縣志」備載後來官富巡司所轄各地，足以證明此鹽場之主官也。）嚴益彰此時「三山」爲福州之別稱。「兩山」指南北佛堂；古人稱島嶼爲山，如大嶼是山。（上）（未完待續）

風雨樓繪畫叢談

書畫同源與八卦

書畫同源論，在畫史上，雖是一句不朽名言。但是它之所以風行千載，不墜歷葬者；可能得力於歷代畫家的理論闡揚，與乎實際證明。也可能得力於時代的盛衰變動，即以卵育它的自然發展。此中設想深遠，足資楷模之言，約有以下四者：

「夫畫者，古以言不能紀，而紀之於畫」。宋李澄叟語。

「畫者，可以盡書之不足，使畫可盡，而無事於書矣」。明宋濂語。

「石如飛白木如籀，寫竹還須八法通，若也有人能會此，須知書畫本來同」。元趙孟頫語。

「工畫如楷書，寫意如草聖」。明唐寅語。

畫以紀言，書以盡畫，其目光的敏銳，大有直趨書畫同源論而上。所以宋元以來，一時畫家的志趣昂揚，卓然不羣，迥非一般傍人門戶，與時俯仰之流，所能望其項背。及至以隸入竹，以楷尚蛇變，獨具醜華。但其書畫相互爲用的理想發展，不外乎棄其甜俗，去其邪惡，養其光明，而寫其元明精品，大率氣合萬卷，自成一家。所謂士夫似已不足以盡其意了。韻石齋筆談云：「觀子昂孤秀拔，嫣然宜人，如王孫芳草，欣欣向榮。觀子固則雲幹霜枝，亭亭獨立，如歲寒松柏，歷變不凋。寧爲子固，弗爲子昂」。繪事發微云：「古今畫家，無穴軒冕，品質必高；」李思訓不仕僞后，解組歸隱，獨居秘閣，自寫溪山。與仲圭不入城市，閉戶漁久斷炊，坦腹，悠然自得」。斯言擲地有聲，不無「河在」之痛！大致古今畫人的修養，極重民族氣節，他的潔身自好，以及繪畫上的獨特表現，無不對於當時的暴力政權，和侵略外患，樹立其精神反抗，以激勵化渾厚爲瀟灑，變剛勁爲柔和，以惲格評元代四家，謂其歌，有其中肯之處。凡此有嚴鋒之意。或亦取法而論倡者，始料所不及的。（十一）

述貞

「齊瓦哥醫生」譯本

。符兆祥。

巴斯特納克著、季予譯　中台書局印行

書刊介紹

季予兄是台灣的詩人，他的詩我向來是極崇拜的。近年來，報章雜誌上很少看到他的創作，原來他把嗜好轉到翻譯上去了，齊瓦哥醫生便是他許多譯作中之一。

齊瓦哥醫生一書，恐怕是近年來最轟動文壇的一本書了，自由人報曾簡單的把它的內容刊登過的。

並不是爲了這本書得了諾貝爾獎金，或因巴斯特納克拒絕到瑞典去領獎的政治因素，使這本書成了熱門貨，它實在是有其價值的，我認爲有價值的終歸是有價值的，不過，它的銷路之所以激增，不可否認，與以上的原因多少有點關係的。

季予這本譯書，恐怕是第一本中譯本，美中不足的，是本節譯本，雖然只是本節譯本，我想，總可使許多渴望一讀此書而無法讀到的讀者，聊慰心願了。

季予是詩人，爲此，他底譯筆是幽美的，這是本書最大的特色。

齊瓦哥一書所描述的，是從一九〇三年至一九二九年間蘇俄各階層的人民，在那時代裏如何生活，戀愛，戰鬥與死亡，它是暴露當時蘇俄人民生活的實況，和預示未來的發展。

齊瓦哥醫生是個孤兒，但，以前卻在莫斯科一個有教養的家庭裏長大，以及長大後的學校生活，他的婚姻，他的愛情，與他的遭遇，他是位曾爲沙皇，紅軍游擊隊效命過的軍醫，而死的時候，卻保留着永不能征服的自由思想，這是一個極大的諷刺，這是本節譯本，有許多地方好像予人有不連貫的感覺，不過，所略去的，祇是一些並不重要的細節。

總之，巴斯特納克在此書所表現的，並不在乎故事的情節如何，而是藉此暴露蘇俄當時的實況。

譯者尚很年青，而已有如此的成就，實在不能不使人驚佩的。

左拉的一生

每一部偉大的小說，無論這個作家是寫實的或是空想的，他的作品多少總是反映着一些那個時代的特性和一般的情形。可是巴爾札克和左拉的作品卻反映整個時代，反映當時代的各個層面；可惜巴爾札克僅活了五十一歲便逝世，未能完成他所計劃的「人間喜劇」；左拉幸而多活了十餘年，得以費廿多年光陰完成他畢生大傑作：「盧貢瑪加爾叢書」，使拿破崙第三時代整個法國中產社會的生活狀態，生動細緻地從他筆下活現出來。所以左拉的作品是代表一特定時代的文學，他的自然主義，不但改變了法國的文學路綫，而且在外國也發生很大的影響。

左拉於一八四〇年生於巴黎，少時境遇不好，一直到他在一個書店找到了一個店員的位置，始能與一般作家、記者、批評家接觸；又因受到書店主人的鼓勵，遂從事寫小說。「給尼農的故事」、「我所憎惡的」、「我的沙龍」等作品便是這時期的創作；因爲他在報刊上登了不少文章，其才華受到許多人的重視。「非加洛」日報史聘請他擔任文學批評，一直工作了四年，這期間左拉專心於文學的評論，對於浪漫派的作品大肆攻擊，用犀利的筆鋒，天天與異己者相廝殺，由於態度過於激烈，曾遭受到官方的阻止。這時候左拉還未到三十歲而已享譽文壇了。以後左拉又致力於長篇小說，一八六五年「克勞特的懺悔」誕生，繼後四年中每年都有一部長篇小說出版，到了一八六九年，更爲拮据，便開始寫巨著「盧貢瑪加爾叢書」。用畢生的精力，共費了廿二年，完成了廿卷。晚年又寫了「三名城」和「四福音書」。

左拉是一位愛好眞理不與任何有權利力的人相妥協者，他曾因爲自己的信仰和與頑固的軍人發生衝突，造成了一八九八年轟動一時的「德萊斐斯」大尉事件。爲了正義，左拉不惜犧牲自己的安寧，被官方通緝而逃亡於英國，可見他不僅是一位文學巨匠，也是一位富有正義的人物。一九〇二年的九月，有一天他坐在書房中正在寫他那部未完成的「正義」一書時，不幸中了煤毒而去逝。

在文學方面，左拉主張要脫離人爲的束縛，他根據科學的知識來分析人類的行爲，小說家不僅要寫美的與高貴的事實和情感，即醜的與猥褻的也是描寫的對象。所以在左拉的作品中，他所描寫的人物和情景，異常忠實和明確，充滿了社會的黑暗面。左拉以銳利的觀察來透視人世間的一切，並用科學的寫實手法，如他要描寫舊教徒，就親到寺院裏住一些時候；要描寫礦工，就下礦穴去體驗；要描寫自殺的痛苦了，不惜親自去嘗毒藥的滋味；爲了要知道這些妓女的生涯，也親自去狎妓。這些，直至現在，仍是文學史上的佳話。也可見左拉對於寫作態度的認眞。

左拉的藝術常爲世人所非難和誤解，可是無論如何，他已經成爲法國十九世紀自然主義的巨匠，至今我們從電影中看保羅茂尼斯所主演的「左拉光榮傳」，猶想見其人。

。黃俊東。

自由人

THE FREEMAN
（第八二八期）
中華民國僑務委員會
發登記證台新教字第一〇二號
中華郵政台字第五〇〇號
執照登記爲第一類新聞紙類
（半週刊每星期三　六出版）
每份港幣壹毫
台北市售價台幣貳元
督印人：陳文郁
地址：香港高士威道二十號四樓
20 CAUSEWAY RD. 3RD. FL.
HONG KONG
TEL. 771726
承印者：東南印務出版社
地址：高士打道六十四號
台灣總經理處
台北市西寧南路壹壹署號二樓
電話：五〇三四六
台郵撥儲金戶九二五二
海外總經銷：友聯書報發行公司
香港：德輔道中二十六號A二樓

朱文伯論：「新黨勢難出現」

（詳見第二版）

中國大患，爲貧與愚。前者經濟落後，後者智識落伍是也。由於前者，廣大人民尤其智識分子的能力，缺少發展的園地，遂使政界成爲大家唯一共赴的門路，變爲生於斯，食於斯，老死於斯，以致國家人民皆苦於此種既不能用又不能去的負担，社會失却了調劑的活力，而政治上又轉增無謂的紛爭，此其爲害之烈，國人多習而不察矣。由於後者，凡世界大勢所趨，現代潮流所向之者，在我國則常受阻礙，顧瞻時勢，努力圖之者，[illegible]表現者最多，此處不遑枚舉。然我國實地球上有數的富庶區域，我國民族智慧實可與世界上任何民族比較爭勝而不弱，其形成今日之狀態者，非天賦之不足，實人謀之不臧，倘全國上下，能夠共同奮發，一致向國家現代化之途邁進，必可於此世界上，立於強大國家之林。反之，當此世界文明日進，我國若不能急起直追，長此以往，勢必永遠沉淪落後，不待外誅，我已自我淘汰，言念及此，我們尤當知促進國家現代化之不可再誤也。

論發展科學

·甘家馨·

一個基本觀念

國家現代化理想的實現，經緯萬端，而發展科學，乃其重大基本條件之一，自不待言。站在發展經濟，克服經濟落後的立場說，科學技術，組織及設備，爲先決問題，否則，捧着金飯碗討飯吃，從有廣大豐富的資源，並不能解除貧窮的痛苦。今西方國家，動輒爲人落後，四處以供給技術援助爲號召，科學技術之重要性，於此，不辯而自明矣。站在充實智識的立場說，科學的啓導與鍛鍊，對於數十年來淺嘗脆弱的中國思想界，尤其針對一味慕做抄襲若干外來左右偏激貽害已深的政治思想及其淺薄口號，實爲當務之急；倘對種種邪惡思想，尤其對於共產主義，不能予以科學的反擊與考驗，徒事所謂以主義對主義，以組織對組織，則扶得東來西又倒，國家基礎將永遠停滯於動搖不穩的狀態中。乃就世界大勢說，科學已成爲今天世界冷戰中的最大基本武器，事實上，未來世界誰爲科學上的勝利，將是決定性的條件。進而言之，科學將是每一個民族國家生存的基礎，任何一國家一民族，若無發達的科學，將無獨立生存的地位可言。其人民無論如何衆多，其經濟條件無論如何豐富，結果皆不免受他人的支配，此種趨勢，今已日益明顯，從另一方面說，在以科學爲中心的重要競賽中，科學被利用以改善人類生活的迹象，亦日趨熱烈，展望未來，任何一個民族國家，在科學上對於增進人類福利，均應有所貢獻，纔足以立於天地之間，而對世界事務，方有應得發言地位；準是以言，無論爲現在或未來的世界，發展科學，亦均爲刻不容緩之圖。

幾個重要原則

近數月來，台北關於發展科學的消息，不斷傳出。在此以前，曾有清華研究所從事原子研究計劃的推進，月前，美國有撥款二千萬元以爲促進我國發展科學之用的報導，本月一日，中央研究院與教育部並已正式聯合成立「國家長期發展科學委員會」，行政院通過了「國家長期發展科學計劃綱領」，凡此步驟，顯示國家發展科學，確在步步前進中，站在上述觀點重視發展科學的立場說，此自爲國人矚目的現象。關於以上的發展，其大部分的原因，當然端於我國近年來有好位旅美成功的科學家馳譽國際，以致朝野對科學興趣增加，蔚爲一科學運動；其次，鑒世界各國間科學競賽發達，發展科學必要覺悟，自亦是重要的因素。然無論其動機爲何，吾人對此事皆予以大的期待，希望此種科學運動，能夠獲致相當的成功，不會再蹈過去雷聲大雨點小的覆轍。

雖然，五十年來，我國類此運動，曾倡行多次，自同光維新以至國民政府在大陸時代的科學文化運動，其間所有規劃，有許多不可謂不詳，所有行動，有許多不可謂不積極，然其成效，都未能達到預期的理想，此則應引以爲警惕者。過去何以事倍而功半？檢討起來，其所涉及的範圍，殊爲廣泛；要約言之，現代化的觀念不能百分之百的確立，科學化的基本原則不能完完全全的把握，由是充其量祇知道富國強兵，或則發爲中體西用之說，致國家現代化的計劃，永無堅固的基礎可恃，此殆爲歲月蹉跎的主要原因。以上所云，倘若無誤，則國家今後欲發展科學，必須針對以往的缺點，樹立一種完善的作風，如此始有成功的希望，而以下四點，尤爲重要的原則，願注意及之。

人文社會科學並重

一、在熱烈發展自然科學的當前趨勢中，對於人文社會科學，應同時並重，不可偏廢。中國非美國，美國人文社會科學不吃香的現象，一般有識之士，正在不以爲然，我國不容摹倣之。即就反共問題說，中國傳統文化，乃其基本武器，此種武器實重於強大兵備，若不能發揚效用，雖有堅甲利兵，未必即能使共產魔道消滅無遺。再說今日之世界形勢，共產黨所以致有今日者，並不是科學軍備勝利的結果，其思想宣傳之發生作用，實爲重要原因，故自由世界當前所應努力者非僅爲軍備戰科學戰，而實爲政治戰哲學戰，準是言之，人文社會科學的重要性，豈容輕視。

無自由民主無科學

二、在發展西方科學的運動中，應不忘西方政治哲學，此殆未來成敗的關鍵，亦即過去的歷史教訓。西方科學何以能產生發展，一言以蔽之，自由思想及民主政治的制度，乃其成長的溫床。一片黃沙，無從發育綠草，同樣的情形，倘無思想自由及良好的社會環境與民主的政治生活，科學殊無邏輯發達的可能，殆可斷言。最近返國講學的科學家李元燏博士，曾謂自由民主的進步，實較科學更爲重要，此言可三復思之。數十年來，我國提倡現代化所以未竟全功者，主要原因即爲忽視西方立國治國的大經大法，以爲不足採取，而徒致力於科學技術的摹倣，結果，根本不立，枝葉終於發育不全，此種情形，前人慨嘆屢矣。職是之故，今欲發展科學，朝野上下，必須同時擷取西方政治哲學精神，大胆信仰自由思想及民主制度的價值，俾本末兼備，齊頭並進，不致再有舍本逐末之病矣。

不應故意造成鴻溝

三、指導青年學生，信仰自然科學或人文科學，應分別情形，善爲啓迪，不可操切從事。一般來說，我國無論自然或人文科學，均須加強，而在某種程度上，現在比較多注意自然科學，亦自有其特殊的意義，但不可出以誘惑性或強迫性的言論辦法，致有害於甚本方針。故把握分寸，殊爲重要。譬如最近所傳對留自然科學之學生，免除軍役之說，此種差別待遇辦法，倘果實施，是不啻在自然科學與人文科學之間，故意造成軒輊分明的鴻溝，利害如何，不可不熟慮之。至如胡適之先生自嘆早歲不該改行學文之說，對於文科學生，又未免有洩氣的作用也。

廣開門戶培養人材

四、培養人材，應廣開門戶，不可有「幹部思想」，疆界觀念。科學組織，爲打破人事派系，共赴共同理想的典型團體，各分子間的關係，完全以學術爲樞紐；此種精神，若能發揚光大之，不特學術賴以昌明進步，即一般青年品格，學人士風，亦得以日臻於高尚之境，故應善爲珍視之。然在事實上，過去教育學術方面，不幸亦多無謂分歧，或各以留學國爲背景，此疆彼界，或以國內學校爲門戶，不能通力合作，凡此皆不免於派系色彩，有害於科學發展的速度，深爲識者所詬病，至若以訓練思想，養幹部之非驢非馬或官辦訓練，則尤不待多說矣。今在台灣，過去一切派系應已消滅，而各國科學進展各有優點，世界上已無一國可以包辦一切，亦無任何民族敢於輕視他人，故重視外國學術背景，亦應有其限度，因此種種，我國現在正好趁此團結全國人才，排除過去所謂親美親德親日等的意識，不分畛域，共同建立獨立的科學基礎，唯其如此，此次國家發展科學的計劃，始可特別表現其歷史的意義。

半週述評

爆竹聲中

世界冷戰老不停息，有如新年的爆竹一樣，但人情冷暖，其間正表現人性邪正的兩面，這兩面是背道而馳的。宇宙火箭升空，爆竹聲紅遍地，似乎也表現社會停進的兩面，但這兩面却可併行不悖。

大陸公社裏

「拜年」，儘你說是封建意識，但這「封建意識」，恐怕在大陸上公社中的人心理，比自由世界的人更濃厚，因爲溫暖的人情，在愈冷酷的社會中，愈顯得需要逼切，尤其在公社中二十以上的人，想當如此；除非世界眞的能達到大同階段，這種雜湊「大家庭」裏的「好處」，絕不是有人情味的人所能領略的；即使二十以下的年青一代，當他們懂得人情味的時候，也當是如此。在那裏，當是「一般年景，兩樣心情」，外人也容易感覺到的。

香港人情

香港新年濟貧運動，幾日間湊了三十餘萬元，分給六萬六千個水陸窮苦人家，每家可得「封包」五元。在冷戰氣氛籠罩下的世界中，更其在人情薄如紙的香港社會中，這可說最能表現人情的一件事。

金門戰壕上

金門戰士蹲在戰壕上過年，原是非常值得同情的。國防部於年頭歲尾下令自己亥年零時起停火三天，原也是合乎常情的。但該項命令說「如果中共在該次停火期內仍然發炮轟擊，則此項命令自動地宣佈取銷」。所以這項命令同時又不免令人感到有點異乎常理。因爲如果平時中共不攻擊，我們何嘗又不是停火。我們自然的感觸是：爲甚麼年年歲歲，主動的形勢，老是操在人家手上？而這一項命令却強調這個弱點！

如此年頭

·林伯雅·

老作風

無怪社會習俗雜移，自由中國政治上一些老作風，也老是改不掉。在這個年頭，報上最熱門的是明星一類人物的行蹤，但又不是新春娛樂節目，而是帶有濃厚的政治風。我們不否認這個年頭一個明星的羣衆影響力，比一個名教授或學者還要大，但似乎也不可過於讓自尊自重的各階層人物過於相形見「拙」！

站在正義立場，一切爲自由中國爭取羣衆的努力都應表示欽佩，但是有不少作風，却又令人不敢恭維。這差不多已成了一個刻板的原則，就是，一個人之爭取，似乎必須具備幾種條件：第一、他必須有本錢（包括有個人活動力，有羣衆號召力等）；第二、必須有被中共拉攏的資格，同時又有被中共利用宣傳的作用等等。換句話說，他必須是問題人物，自冷戰的技術言，似乎是一項天經地義的；但自一般人的心理分析，其效果却大有疑問，因爲這作風，也會使「非問題人物」變爲「問題人物」。

蘇式戲碼

赫魯曉夫於大駡艾森豪爲「鮮血販子」之後，馬上又變一個口吻邀請艾氏訪蘇。這與不久以前米高揚訪美時由笑臉變成鬼臉，可謂異曲同工。世界政治舞台上的主角似乎永久是俄國；而蘇式的戲碼，又慣例是先削去對方的尊嚴，再給你一些「面子」。可憐自由世界的領袖們也成了戲中的三腳頭人物。

自由節目

杜爾斯之歐洲春遊，所收到的「政治封包」是：從倫敦會談，獲取了「麥米倫訪蘇」的態度及五月四日未來四外長會議的安排；從巴黎會談，獲得戴高樂對「西方必須保持通達西柏林之通路，不接受蘇聯所謀以東德政權代替在柏林蘇軍的佔領地位的任何舉動」的諾言；從波恩會談，獲得阿丹諾關於柏林問題及德國統一問題的原則上的意見。杜爾斯是這幾天的忙人，忙在彌縫蘇聯冷戰下西方所發生的歧見。

小啓：馬五先生因事，自由談暫停一期。

編輯部啓

新黨勢難出現

——中國地方自治研究會不獲批准立案經過——

年來不斷有人主張組織反對黨或在野黨，到底這主張是否有實現的可能呢？在二月九日出版的祖國周刊，有一篇朱文伯氏的文章，題爲「新黨還沒有形成的可能」，他對此問題的答覆認爲尚不可能。朱氏是青年黨員，曾經做過台灣省政府委員，現任國大代表，主編民主潮什誌。（本報訊）

政治性學術團體

他的文章是將最近「中國地方自治研究會」請求政府立案被政府拒絕批准的前後經過，說明在目前的政治環境下，新政黨是無法出現的。該文首先說明「中國地方自治研究會」的性質，『不是一個政黨，也沒有可能形成政黨的意圖，甚至連政治組織都說不上，祗是多少含有些政治意味的學術研究團體』。『組成份子，包括各黨各派，無黨無派』。『發起人中，也有在朝的國民黨籍省縣市議員』。該會的組織在前年夏天發動，向政府請求登記則在去年七月中。

這個研究會爲甚麼要發動組織呢？朱氏說是因爲『去年三月台灣辦理第三屆省臨時議會議員及各縣市長選舉，會不斷由政府與執政黨一手包辦』。要求參加選務，被政府拒絕後，選舉結果又『輿情譁然』，於是『在野黨無黨派的候選人，無論當選落選，又在台北集會檢討』。認爲『必須在選舉法規方面加以合理修訂』，又『值政府宣示準備全般修正地方自治法規』，因此『逐年檢討會議當時決定籌組地方自治研究會，共策進行』。

跟着朱氏敍述他簽名參加該會發起人的動機及經過。他說他以『一個退役軍人，退職官員，民意代表，政黨幹部，和台灣朋友很和洽的坐在一起，研究地方自治的理論與實際問題』，『應該可以給政府與人民外省人與本省人一種深刻印象，就是說一般人下意識的所謂彼此間的鴻溝，實際是不存在的』。他又說，『我們始終在想縮短政府與人民觀念上的距離，以加強復國中興大業的政治號召力量。』

請求立案竟被拒絕

關於該研究會的請求立案，朱氏說是去年七月十六日由八十個發起人連名備文向台北市政府正式申請登記的。但『市政府卻說該會乃全省性組織，市政府未便受理，將申請案原件退回，囑向省政府社會處申請』。因此該會『又於八月四日再向省府社會處申請』。然而一等再等，到十一月二十五日以後，才接到社會處的復文，原文如下：『查本案經本處呈奉內政部（74）內銘字第一二〇號令，略以合端等發起組織中國地方自治研究會一案，核與非常時期人民團體組織法第八條之規定不合，未便准予籌組。』

朱氏對於省社會處這一個批復，認爲理由極不充分。他說，『非常時期人民團體組織法，是民國卅一年國民政府公布的。』『中國實行憲政，到現在已經十一年，行憲以前所頒違反憲法原則的法律，是不應該還適用的。』

沒有理由的拒絕

他更進一步說，『如果同一地區同一性質的人民團體祗能有一個，現在自由中國轄境以內，無論農工商學，任何職業行業，乃至九流三教，一切人民團體，都控制在執政黨人掌握之中，人民要想自動組織一個任何團體，在內政部那樣解釋之下，不是變成沒有可能了嗎？事實上，現在台灣研究憲法的團體，就我所知道的，就有憲法研究會，中國憲政學會等三個組織。回教團體佛教團體，都不止一個，此外性質相類似的學術團體更多。爲什麼那些團體可以組織，地方自治研究會就不可以呢？和地方自治研究會性質有點相像，在台灣確有一個台灣地方自治協會，但這是半官性質的組織，和護林協會，譬民協會，保健協會，學生家長會之類，是協助政府推行政令的。和地方自治研究會性質並不相同。[illegible]的法令，來強詞搪塞一下，理由是不能成立的』。

拒絕政策的背景

朱氏在理論上對省社會處的復文，加以痛駁以後，又再敘述政府對此事的高壓政策。和原發起人之不願意走極端的態度，他說，『治安機關一再發出警告，在未得政府准許以前，一切集會結社，將依戒嚴法令嚴加懲處，要求一般人民「不要受不肖份子的誘惑參加非法組織」。這些文告雖都沒有明指地方自治研究會，但「項莊舞劍，意在沛公」，敏感的人都會看得出』。

爲甚麼政府要採這樣的政策呢？朱氏說『政府與執政黨何嘗不知道這些發起人的日常言論行動是反共產的，決扯不上什麼「勾結第三勢力」，「配合匪的政策」，來「反黨反政府」。他們也知道這些人所企求的，祗是選舉公平守法，民主自治的尺度放寬些。就因爲政府當局內心不肯實行眞正的民主自治，別人有此企求，就視爲大逆不道，但又不能明說，祗有瞎扯胡拉，上瞞下欺，混淆黑白是非』。『國民黨負責人爲了提高黨權發揮黨權，祗好硬起頭皮，一意不講理，不顧青、民兩黨自由發展，更不許地方自治研究會以及其他不能掌握的類似團體有活動的餘地了』。

在野黨難出現

根據以上這一件事，於是朱氏認爲在目前的政治環境下，新政黨是不能夠出現的。他說：『今天青、民兩黨在台灣，祗是給別人派用裝潢門面。過來人才知道組織在野黨又酸又苦的味道，我更增加一層發起中國地方自治研究會的經驗，所以敢說：「新的在野黨還沒有形成的可能」』。

朱氏是青年黨人，他的話不免有主觀成份。但眞正的民主政治不是一黨政治。因此，他在這篇文章所提出的事實，是値得大家注意的。政府和國民黨對此也應該注意，最好對事實能有所說明，以釋羣疑。（二月五日）

爲被拒入台內銷的報刊請命

據知道，扶助僑僑文化事業，獎勵僑辦反共報刊出版，這是國府當局的政策，可是就實情看，說的是一套，做的好像另有一套。就單內銷台灣的報刊爲例，有許多赤膽至沾染左傾彩色的報刊卻能搖搖擺擺進入台灣，而許多純正的反共報刊卻被擯斥門外。例如本港某大報經常有赤色文虫所寫的怪文出現，委曲婉轉替毛澤東的殺人罪行做解釋，而轉彎抹角對反共救國政令誹謗，而這份大報卻是暢旺入台的僑報之一；另一份大報，有一副刊編輯根本就是赤色份子，中共在港的統戰活動他都參加，所有統戰文件也都簽名，但這份大報也一樣內銷。相反的一些堅決反共的自由報刊，申請數年卻不獲准入台，例如中國學生周報，是海外唯一的反共青年學生刊物，發行遍東南亞僑僑地區，僅本港發行即有二萬份以上，海外數十萬僑生通過這份刊物，維繫着反共意識，這樣一份對反共文化有貢獻的刊物，就始終不予批准內銷。這不能不令人懷疑掌管審核報入口的官員，是不是太欠缺判斷的常識與能力，抑或是別具用心！另外一個是「銀河畫報」，這也是在香港印行的唯一報導台灣影劇消息的電影畫報，也是銷行最廣的一份反共電影畫報。申請入口也已經年，迄未獲准。而另外兩份相類的電影畫報，從來不刊登台灣影劇報導，並且有時還雜入一些左派影劇消息，可是早經入台暢行無阻了。

此外，被拒於台灣門外堅決反共的自由刊物，還有許多，例如「聯合評論」，「自由陣綫」等等，也都是無法入台的。這究竟是怎麼回事呢？能否請有關當局裁奪加以說明。

。章文。

國際動態拾零

△八十三歲之阿特勒，因西方不肯退出柏林，終不得不提出調和方案，連帶將德國統一問題一併解決，故勸人不必悲觀。蘇聯建議二十八國對德和平會議，地點將在華沙或捷京，東西德合組聯邦，使其中立化，有如奧國和約簽字後一年以內佔領軍須退出，東西德地位均等，中共亦將參加。

△英美德法主張，德國須得根據選舉之單一國。四國且給蘇聯以保證，不至再受德國的侵略。惟自由選舉之憧憬，即爲共產政體之結束，赫魯曉夫深恐因以引起東歐衛星國之離心力，已由米高揚告知美國。

△米高揚與杜勒斯第一次談話九十多分鐘，謂美國人僅就柏林問題本身想。蘇聯則須顧到忠于共產主義之東德。猶美國之維護其盟國。

△米高揚訪美，引起中共之不滿。赫魯曉夫于上年七月，曾經允諾，美國未承認中共之前，不與美國直接交涉。

△中共被迫美國妥協之辦法，即爲重新炮轟金馬。可能最近將來，中共將重新威脅台灣海峽。

△美國一九六〇年的新預算，將爲七百七十億。因爲該年度收入的最樂觀估計不過如此，不如是即無法使收支平衡。減去之四十億中，有十億爲軍事預算。

。陶然。

台灣的合作農場

。林嘯崧。

（台灣通訊）合作農場在台灣是一種新興事業，是農民聯合經營農業生產業務的組織，其特徵有三：一、是土地使用歸於合作社，由場員集體耕作。二、是參加合作農場的場員必須提供勞動力，從事集體經營。三、經營所得按照場員所提供的勞動量作比例分配。

合作農場的種類，就投資的經營方式可分公營和私營兩種，公營是由政府利用公地徵集場員，參加會耕，然後就其經營得失，分配盈餘，這種方式多用于移民墾殖。私營是由農民自動自發所組成，無論自耕農佃農或半自耕農均可參加。就耕地產權而言，有自耕農佃農半自耕農三種合作農場，就合作成分而言，有集體與合耕兩種，集體農場是共黨奴役農民的生產方式，無需贅辭。至於合耕農場則是在農場經營過程中，從生產以至運銷，均採合作方式，亦即是台灣試行的合作農場方式。

台灣自光復以來，合作農場組織現已遍及全省，根據台省公地放領辦法中規定：「公有土地一律放租合作農場使用」。農民爲了取得公有土地耕作，因此組織了合作農場。其目的在實行集體生產，改進農業經營制度及生產技術，以改善農村生活，發展農村經濟。其組織情形即依據民國三十五年二月二十五日經行政院所公佈「設置合作農場辦法」而設置。並參照「合作社法」「合作社法施行細則」以及「農場登記規則」等章則辦理。台省現有的合作農場，大多數都沒有實行合耕合營，而是分耕合營的，照理都不應稱爲合作農場，但從每個農場的組織章程看來，都具有朝向合耕目標前進的。所謂合耕就是應用合作的原則和方法，從事耕種或經營與耕種有關的許多事項，凡稱爲合作農場的，必然是實行合耕。台省合作農場倡設於民國三十六年，至今具有相當規模的約有一百三十餘個農場，因爲合耕制度，倡行時間很短，尚無一定規範可循。因此現行的合作農場，各場都有各場的合作內容，並未定型。

在一百三十餘個合作農場，均分佈於台省二十二縣市之中，這些農場平均每個農場場地面積不過九十二、八甲地，比較大的是雲林彰化台中桃園各縣，但平均都未超過一百五十甲地，只有台南市擁有一百七十一、七甲，屏東縣平均擁有二百二十六、二甲，可見一般合作農場農地面積均不夠大，倘要利用機械耕作，尚須繼續擴展其土地面積。

根據「台灣省設置合作農場實施規則」規定將合作農場，按其合作程度分爲甲乙兩種，甲種合作農場是一種合耕合營的共同生產方式，生產所得，按勞分配，即是各盡所能，各取所值，關於作物種類，勞動管理，工作報酬，皆有一定的標準，以分工合作，增進工作效率。至於乙種合作農場則係實行部份合作的農業經營方式，即是分耕合營的生產制度，土地各自耕種，肥料種子農具的購買以及信用運銷等業務則共同經營，僅爲供給生產用具或處理農產品的合作行爲，因爲實行分耕可以發揮農民自願的耕作力量，保存家庭農場的優點，因爲實行合營可以加強合作意識，增進農民經濟利益。其所採取的步驟第一步是分耕合營，第二步才是合耕合營，以達到現代化的農業經營爲農業生產的終極目標。

總之台灣的合作農場其共同特點：第一合作農場是團體的自耕農。第二合作農場是團體的大農制。第三合作農場是生產的經濟單位。由上所述，台灣的合作農場主要在於恢復土地生產，促進土地利用，因爲台省實施耕者有其田的結果，土地分割零碎，生產單位更爲狹小，就台省農業人口與耕地總面積而言，平均每一個農民僅有耕地面積〇、二一公頃（合三、二市畝），每農戶耕地平均不過一、三四公頃（合二十市畝）所以農業人口過剩，耕地不足，其補救方法便是鼓勵農民交換土地，以合作農場方式增加農業生產。以實現農業機械化，然而農業機械化並非是一蹴可幾，尚需各方面的努力與推進。（四十八年二月八日於台中市。）

國校教科書印製情形

—台教廳來函—

敬啓者頃閱貴刊一月二十八日第二版讀者宋希平君投書所稱本廳自民國四十三年以來辦理印製國校教科書情形各點，與事實完全不符，查本廳印製國民學校教科書，自卅九年起即遵照省府39府綜丁八五五三五號令規定部分交付公營印刷廠印製，部分公開招標。招標時由審計處、國立編譯館、省政府及本廳主計室分派代表到場監標，底價亦係臨時會商議定，參加投標廠商，每期均有數十家之多，以四十七年春季爲例，參加投標廠商計有三十三家，經三次投標，復經議減至底價以內，始行決標，結果由中華、尚德等十二家廠商得標。可見宋君文內所稱「得標的只有一家」以及「官商勾結」「包攬這筆生意」等語，毫無事實根據。

本廳辦理國校教科書印製事宜向極慎重，自劉眞廳長於四十六年八月接任後，對此尤爲注意，曾督責承辦人員切實認眞辦理，故先後印製國校教科書三期，每期所費價款均較市價爲低，以四十七年秋季爲例，印刷費用共計節省五十餘萬元，足資證明。

又劉廳長認爲本廳係教育行政機關，承辦教科書招標議價等事項，頗爲不宜，且自省府疏遷中部後，與台北廠商接洽，尤多困難，故於去年十月簽呈省府周主席批准該項業務嗣後交由省營台灣書店依照政府法令規定辦理，本廳僅負監督之責。爲恐外界不明眞相，特函奉達，敬請查照惠予披露爲荷。

此致

香港自由人報社

台灣省政府教育廳秘書室啓（元月廿九日）

蘇氏報告

蘇共第二十一次代表大會的重心是赫魯曉夫的報告，而這篇報告的內容則又以七年計劃爲中心。按蘇聯在一九五六年第二十次代表大會時曾經制定一九五六——一九六〇年的第六個五年計劃；何今，何以故？一言以蔽之，是欲在經濟發展上「超越」所有的西方國家，增加共產主義對於自由世界的吸引力，從而加强進行赤化世界。提出這個七年計劃的條件是：（一）工業與農業改組的完成；（二）反黨集團的被全面擊敗；（三）國際局勢已有和緩的可能。

據赫氏報告全文來看，他將竭盡全力完成這個七年計劃，其內外政策將在這一方針指導之下來制訂。

內外政策

在對內政策方面，赫氏將竭盡全力利用一切可以利用的因素，從事其預定的經濟發展計劃，但有一新的傾向，即不似過去之緊張，調整物質生活來刺激之，但也有規限，即不超越出「社會主義」，「集體所有制」之外。於此可以見蘇聯的對內政策在某些方面將逐漸放鬆與增加物質供應，期通過七年計劃的建設，達到共產主義，「全民所有制」。作這樣轉變之後，是否會加速轉向自發性資本主義底經濟路線，以致引起混亂呢？好像蘇共已不及計較這些了。

赫氏對於共產主義的「按需分配」已有了新的解釋，他說這個需是必需品以外的個人需要不在此列。蘇共中央第一步將完成七年計劃來超越所有西方國家的經濟發展，第二步再來個八年計劃，預計在十五年後將宣佈進入共產主義社會，也就是說其必需品可以「按需分配」了。如果照他這種說法，則自由世界的某些工業先進國家，從物質條件來說，現在就可以宣佈進入共產主義了。於此亦可見蘇聯在生產上的落後。

至於在對外政策方面，蘇聯將會作出某些讓步，以求得和平建設的環境，但不致于會讓步到損害其既得利益。

中共蘇聯新歧見

赫氏的報告中給我們一些他對於中共歧見的新啓示，藉其啓示可知其歧見已發展到：變方對於如何過渡到共產主義的方式方法的不同方面。概括言之，蘇聯認爲由社會主義階段進到共產主義階段，是以發展生產使達兩個階段銜近與配合；中共曾經提到階段論者，就是指的過渡形式的過渡。中共則自稱爲：既是階段論者，又是不斷革命論者，具體言之，即：在社會主義還沒有到共產主義的中間，要經過共產主義楔入於社會主義的階段，使共產主義不斷的增長，從而也消減社會主義，全面的轉入共產主義。赫氏的報告中批評：軍事化分配制度，無視物質刺激的人。這些當是針對中共的人民公社而言的。他們硬說沒有歧見，其實，分明是謊言而已。

○田心○

大躍後中共展開入黨運動

估計將爭取新血百萬人入黨　對知識分子控制將更爲加強

自去年九月以來，中共在大陸上從中央到地方，積極從事展開一項入黨運動。就已有資料估計這次入黨運動的總指標，當不會下於一百萬人。

據中共各報陸續已經透露的，若干地區入黨的具體進展情況如下：

廣東省——十二月底止，據不完全統計，全省已有一〇、三八一人入黨。

四川——十二月中旬止，僅渠山、南充、瀘州等專區統計，新黨員已達一萬以上。

浙江——十一月底止，全省接受的新黨員已達四萬六千名。

河北——到十二月上旬止，已有三萬多人入黨。

北平——到十二月下旬止，已有二千多人入黨。

廣西——到十一月底止，已有九、四六六人入黨。

山東——到十二月中旬止，僅壽張一個縣已有四千八百多人入黨。

中央機關——至十二月下旬止，已有三千三百多人入黨。

軍隊——僅福建前線駐於廈門的某部，至十二月上旬止，已有三百六十多人入黨。

現在，這一個入黨運動還未終結，上述數字亦不夠完整，但是，可以作爲估計這次中共要求入黨的目標。照廣東的人口與目前已經入黨人數的比例來看全面的情況，這次被接受入黨的將不會少於一百萬人。

按在一九五七年九月，中共的黨員總數共一、二七〇多萬，分佈在各地區與各階層，作爲統治中國「六億」人民的骨幹，平均每個黨員約統治五十人左右，這五十人中除了未成年與老弱的以外，具有反抗能力的約計三十人，再輔之以青年團員與積極份子，構成了中共統治人民的最基層單位。照前述約數估計全國有一、二七〇餘萬黨員已經足夠，因此，在去年春天中共中央發出一項指示，認爲：「今後主要應該是按照黨章規定的標準更加提高黨員的質量，而不是大量地增加黨員的數量」。在去年九月以前，中共各級黨組織就以這一方針來對待入黨問題。但是，在九月以後，中共何以改變了這一方針呢？這應該具有下述三項主要原因：

一、自一九五七年五月開始整風以來，有大量的反黨分子被清除出黨，必須予以填補。例如：到去年十月底止，以山東整風爲例，就整掉了幹部四萬人，被清除出黨的數字當還要大得多，是故上述山東省壽張一個縣就有四千八百多人入黨補充。其他各地區的整風雖沒有山東那樣激烈，但都有不同程度的整肅，這些被整肅了的黨員，當急需填補，以鞏固其基層統治。

二、去年九月，中共猛烈展開人民公社運動；這種人民公社，其特色就是組織軍事化，行動戰鬥化，生活集體化，要全國人民渡其牛馬似的奴隸生活，怎能不引起反對；但是它畢竟已把全國農戶的百分之九十九納入於二萬六千多個人民公社之中。人們一定會懷疑，中共何以會有這種魔力能使中國人民如此的俯首貼耳？在人民公社組織的過程中，除了通過整風來强迫入社以外，展開入黨運動在這方面當亦發生了主要作用。因爲在中共的統治區，一切都是「政治掛帥」，每個人的政治地位決定了他的一切；在各個被分散控制而無力反抗的情況下，爲了改善本身的生活環境，他只有盡量爭取政治地位的一條出路；這條出路的起點就是入黨，因之在中共區內就有許多人在期待要求入黨，他們稱這種要求爲「共產主義積極性」。共產黨的統治者就利用這種「積極性」來鞏固其統治地位與擴大各種運動。在搞人民公社運動的過程中，自亦需利用這種「積極性」，這就是人民公社與入黨運動能夠結合起來的道理，亦是中共在去年九月以前不換受大批入黨，而在九月以後要大搞入黨運動的第二個主要原因。

由上可知，這許多人之有共產主義的「極積性」，並不是自願的，而是被迫的，其要求入黨當亦非出於自願，而是被迫的。

三、此外，自一九五七年六月掀起反右派以來，中共即利用羣衆對於共產主義的「積極性」來搞整風運動、大躍進運動，在一九五八年九月，這些運動已告一段落，對於這些運動中出力的積極分子亦應作一總結性的處理，將其中之一部分接受入黨，以使他們的「積極性」不致於完全落空，這是去年九月展開入黨運動的第三項主要原因。

至於這次入黨的分子是極廣泛的，有青年、婦女、工程師、技術員、科學家、社會活動家和學徒、行政幹部、保育員、民族和華僑；有漢族、少數民族和華僑，就入黨面的廣泛性和根據上述分析，可知中共這種需要，當反映了黨內全面的不安，有必要找些新積極份子來助其鞏固。

中共特別擴大宣傳科學院長郭沫若、地質部長李四光、衛生部長李德全、科學院力學研究所長錢學森這四個人的入黨，這四個人的郭沫若、李四光、錢學森在學術上自有其地位，這也反映出中共對於爭取知識分子特別感覺到迫切（爲什麼？本版現在陸續發表高級知識分子被清算整肅的名單，可供參考。）也就是說，中共在知識分子中的統治力量還很薄弱，這就特別的不容忽視吧！（完）

大陸文壇透視

推荐大陸幾首好民歌

七叔

在衆多大陸出版的刊物上所發表的數不清的民歌中，我像從沙裏澄金般發現了幾首好民歌，值得推荐給讀者欣賞。第一首題爲「煉鋼未歸」，是一個學生寫的：

上課鈴已響，不見老師回，學生去催問，煉鋼還未歸。（見十二月號文藝月報）

這詩總只四句，的確是一首佳作，它充分反映出因教師被迫煉鋼陷全班學生於失學的慘象，不失爲當前大陸學校的寫眞。第二首是向太陽挑戰的民歌：

太陽太陽我問你：敢不敢來比一比？我們出工老半天，你睡懶覺還遲起。我們摸黑才回來，你早收工在地裏。太陽太陽我問你：敢不敢來比一比？

郭沫若在「紅旗」第三期上曾引了這首詩，力予讚揚，說「天上的太陽有下山的時候，人間的太陽永遠沒有下山的時候。看來，天上的太陽在比賽中是要落伍了。」其實這是他的胡說，詩中很幽默地諷刺了現在大陸農工的工時太長，日未出而作，日已落而不息，詩人忍住自己的勞累，向太陽開一個玩笑，正是意內言外的痛苦之音。再有二首是十二月號「北京文藝」刊出的，一爲：

你獻勞榮我獻鐵，耐火鋼磚有辦法；國有難大家辦，分毫不讓國家扭。

這詩說出中共煉鋼不但要人民獻出無償的勞力，還得獻出煉鋼的原料和燃料，中共是不花一個子兒的。奴工還要管飯，中共卻要他們「倒貼」！一爲：

叫我往東我往東，但求無過，不求有功，大洗往革新技術合理化，那是沒事瞎嚷嚷！

中共說這是諷刺羣衆中那些「存有中游思想」的人，其實正反映了人民從事强迫勞動的敷衍態度和其中的反感，把中共的號召當做「嘻嘻嗟嗟」！十二月號的「處女地」有這樣一首民歌：

有心請客家中坐，家裏門上掛着鎖。有心買瓶白乾酒，可惜沒客陪客喝。

這詩不用解釋，倘他還沒說出「可惜紙米沒處借」來！十四號「作品」中有一首歌頌豐收紅苕的詩，最後四句是：「三十頭黃牛拉下山，七十頭毛驢馱過坡，拉過山，馱過河，馱進北京給主席解口渴！」「主席的口福大！嚇人，他吞進如許人民的血汗結晶！」

瘟君夢

岳騫

第一回：消息自天來　風波從地起　人捐秋扇　夢冷新華

老狐狸大喝一聲：「不要開玩笑，這是少奇同志問的。」陳毅聽到老狐狸搬出劉少奇來，心裏大不高興，表面上卻不敢頂撞劉少奇。於是丟掉老狐狸，轉過臉來向着劉少奇笑道：「究竟怎麼回事」。

劉少奇對於一批軍人，最討厭的是陳毅，最忌的是林彪。因爲林彪有蘇聯軍事撐腰，[illegible]，在克里姆林宮的天平上，林彪和劉少奇的身價相等，假若非在這兩顆礙眼中留一個的話，林彪的希望還大過劉少奇，所以劉少奇非常忌他，自從高崗死後，已把林彪列爲第一個假想敵。

至於陳毅，劉少奇嫌他太浪漫了，沒有一點馬克思、列寧的習氣，[illegible]

湊巧印尼的總統蘇加諾到北平訪問，蘇加諾也和毛澤東一樣，有寡人之疾，走動都要帶着太太，到了北平之後，招待蘇加諾時，中共大員傷了腦筋，因爲這批人都不願把愛人帶到公開地方。當時劉少奇就想到周恩來，當着大衆向周恩來說道：「你是總理兼外長，你應負責招待，你把鄧穎超同志帶去作陪好了。」周恩來苦笑道：「我家那個老虎，你們曉得，如何上得檯面，見了大場面就講不出話來。」

劉少奇笑道：「那你乾脆就帶着小[illegible]去好了」。[illegible]

劉少奇繼續翻着頭，沒人搭話，停了一時，周恩來忽然說道：「有了，派他去好了。」（九）

遭受批判的大陸學者

A　自然科學部門

一　醫學、微生物學、心理學

（續上期）

[illegible]

三　其他

[illegible]

B　社會科學部門

一　經濟學

馬寅初，北京大學校長。

[illegible]

二　民族學、社會學

[illegible]

費孝通，前國務院專家局副局長。（待續）

釋耒集

民初在北平出版的現代評論週刊，是一種談政治學術的刊物。據傳聞，他們中間有一種規約，就是參加的人，必須有安定的職業，而且必須不要做官的。前者表示他們將不藉寫作沽名；後者以別于當時一般官僚的言論。這表示民初一部份知識分子的胸襟與氣度，實在頗有其不可及的地方。

一種刊物，被人壟斷起來當自己的衣食飯碗，那不僅對學術無益；而且是害處頗大的。歷來官學容易式微，大抵都因爲容易成爲家天下的緣故。漢初十四博士的經學是官學，有博士弟子，各家之間，隱然敵國，但後來鄭康成的經說一出，官學就倒了。北宋時王安石爲相令士子制義以王氏經說爲準，也到底敵不過後起的四書集注。我們不能說十四博士的經學與王荆公的三經新義沒有學術上的價值，其所以式微的原因，不在于講之者的抱殘守缺，而在于講之者的封建割據——封建割據的結果，往往就是抱殘守缺。

職業

曲齋

中國歷史上的文人，沒有一個是賣稿爲生的。就是新文學運動以後，在文學上有相當成就的文人，如徐志摩、郁達夫、魯迅兄弟、朱自淸等人，也都不是靠寫稿以維持其生計的人。將來會如何，我們無法預知，但我們不能不承認中國已往的文人，確實具有一種不求與世苟合的節概。

今天落到我們，論格子，計字數，爭版位，論等級，實在已經不大像樣了！故我們雖不能預知將來中國的文壇會跳出一些什麼花樣，却可以推想，如果文壇上，只剩餘幾個或一大羣以攜文學爲職業的作家，則不獨歷史上文人那種俯視一切的傲骨會掃地無餘，就是徐志摩、朱自淸他們那種介然自別于流俗的胸襟，也將不免成爲絕響。

以一張報紙而論，編輯、採訪、發行、校對，可以其工作爲職業，爲衣食飯碗，但在文學副刊上寫稿的先生們却不宜以其工作爲職業，爲衣食飯碗。文藝週刊不同于社會新聞，可以天天都有，可以任意渲染，用「發財理想」的廣告方式，去叫筆伯們「花錢購買」。養蜂的人，也須給予一段時間，以後可以釀出蜂蜜，若天天擠取，其結果必定逼迫蜜蜂都死光，于是如果市場缺貨時，就只好拿一些醜陋的糖水來充數。正如一個以賣稿爲生的文人，他寫出來的，不是創作，而是在那裏製造社會新聞而已。

今日香港某些報紙的副刊，都是採取包辦的制度，就像標投地段一樣，誰讓一分一厘，誰要做領主，讓他出名，投稿人每千字十五元的，月終結帳，取其百份之百的職業化！我們實在不能希望報紙會負起其文化工作的使命，就是希望報紙結出文化的果實，也不免倚于無知。

孔子曰：「行有餘力，則以學文。」我希望有志于文學的朋友們，不必急于做作家，在香港更不宜以賣文爲渡日的職業。眞要從事寫作時，應先找一份文學以外可以維持飽暖的職業，然後再說。

心籟集（二）
救救月亮

李素

中國人確是仁愛和平的民族，雖然首先發明火藥，却只用來製玩具供人娛樂。過年過節，或遇喜事慶典，便燃爆竹，射火箭，放烟花，以聲光和幻象增加熱鬧歡樂的氣氛，這是多麼高明美妙的享受。單這一點也足以證明我們擁有最高度的精神文明了。

不是麼？火藥一傳到外國就變了樣，馬上給用來做殺人的利器，並且製法日新月異，由槍砲以至飛彈，儘以能多殺人爲目的，自從十九世紀初英人康格雷夫發明現代火箭以後，經許多科學家研究改良，第二次世界大戰時，德國已能用飛彈攻擊英倫；進步到今天已快登峯造極了。結果是：人類在地球上打打鬥鬥，你爭我奪還不算，還想進一步去征服太空。尤其是美蘇兩國，直在狂熱地競賽，爭奪一太空霸權。今天你放一飛彈，明天我射一火箭，再接再厲地鬧得烏煙瘴氣。什麼探險者，旅伴，宇宙火箭，雷神，主神，勝利女神，太陽神，擎天神等等……眞弄得神魂顛倒。其實多發射幾個人造衛星或行星我倒不在乎，不反對。我最痛恨的是聽到若干年後便可登陸月球的兒訊。

雖然有些有錢人已在歡欣鼓舞，急切地期待旅行月球，也有些投機家異想天開預先招攬生意，叫人訂購遊覽票呢！但在我看來，誰若是登陸月球，誰就是造下滔天罪孽的惡魔！

聽哪！綵雲飄忽，「素月流天……升清質之悠悠，降澄輝之藹藹。」聽哪！碧天如水，「明月何皎皎」，「明月照高樓。」聽哪！「海上生明月，天涯共此時。」「共看明月應垂淚，一夜鄉心五處同！」「舉杯邀明月，對影成三人。」「但願人長久，千里共嬋娟。」

千古以來，月亮就是宇宙心靈的至美，是眞善溫柔的表徵；是人類眼中的神奇，心裏的靈光；是詩人文士的知己、良伴、愛侶。她跟全人類分嘗喜怒哀樂。她溝通及聯繫了多少人的感情，給予多少人以安慰和希望，啓發多少人的優美的想像，無盡的靈感，因而產生無數不朽的篇章。

不管她如弦，如鈎，如眉，或如冰鑑，如明鏡。也不管是「雲破月來花弄影」，或「朦朧淡月雲來去」，或「蘆花千里霜月白」，或「澄江一道月分明」，或「楊柳岸、曉風殘月」，或「波心蕩、冷月無聲」，都無一不美。若想細加描述，我怕十本書也寫不完呢。

月的美，美在可望而不可即的崇高與神秘，美在她的光影的變化，圓缺的循環；何止萬朵千姿喲！她不單能吸引海潮，對人類心靈也具有無比的提升的力量。當你對她凝望，她那瀟洒的純潔與清明，自然會冲洗和美化你的塵心。正如李白所說的一樣：「俱懷逸興壯思飛，欲上青天覽日月。」是的，人類充滿苦和塵垢的心靈，委實需要一種提升的力量，一種美的淘洗。就讓我們永遠保有「欲上青天覽日月」的情緒吧。但只須永遠「欲上」，關望而不必眞的飛上去。因爲美的印象和想像是應該永遠保存的。天文學家常把攝得的月球照片發表，我看見那桑桑的火山洞口，就已經討厭他們多事，破壞了我對月亮的美感的一部分，使我覺得那上面只是一片荒漠，加上許多瘡疤，不再是有丹桂和玉兔的仙境了。假如人類有一天眞正到達月球，啊，廣寒宮就會給他們拆掉，嫦娥也不知將逃亡到什麼星球去了！這難道不值得傷心？古人眞比我幸福，能享受和保有那麼美好的神話與思像。

我固然知道月亮不會爲了有人登陸而減少一絲光輝，但我担心的是她的貞善純潔將受到損害。因爲有人的地方就有污穢和罪惡，即使以神聖作標榜的尼庵、僧寺、教堂都沒有例外。這個地球已經沒有一片乾淨的土地，難道仍嫌糟蹋不够，還要帶血腥和罪惡去玷污月球？據報章的報導，人們登陸月球的目的在於建立發射飛彈的基地，以求控制地球，有利於在未來的戰爭中得到勝利。

這眞是月亮曠古的厄運，也是創造主莫大的悲哀。

我只有虔誠地祈求：野心家們，政治家們，科學家們，投機家們和有錢的玩家們，盡量展緩登陸月球的努力，却先集中你們的智慧、精神、時間、金錢、物力，用全力去征服地球上人類的飢餓、貧窮、罪惡和愚昧，然後才帶着善良與快樂去征服太空！

我更嚮往中外古今的詩人文士的靈魂，請你們攜手結成大羅網，救護你們所歌頌，所深愛的月亮，讓她永遠在夜空裏高懸光明美麗的象徵，還引萬民仰望，提升、照亮、美化他們苦難的心靈！

唉，這只是弱者的狂想，該不會有人附和的，嘿，有呢！蘇東坡先生不是正在唱他的水調歌頭嗎？你聽：

「明月幾時有？把酒問青天。不知天上宮闕，今夕是何年？我欲乘風歸去，又恐瓊樓玉宇，高處不勝寒。起舞弄清影，何似在人間……」

偶感

成舍我

縱橫萬里半坵墟，痛惜中原付刼餘。
報國愧言吾有筆，安貧敢歎出無車。
最難論事同新貴，只合幽居理故書。
羣盜未夷雙鬢白，閑搜惡草細鋤除。

蝶戀花 題方啓東青山草廬詞

饒宗頤

三十二峯歌嘯地。城角啼烏，往事隨流水。今古無端休着意。看雲海上須同醉。
眼見成蹊桃與李。莫漫傷春，琢句拋鉛淚。伏櫪暮年心未已。更闌猶聽鷄聲起。

蝶戀花 前題

王韶生

鐵板銅琶歌曲子。曲曲新聲，刪盡淒涼意。飄泊東南羈旅際。靈襟更寫湖山翠。
晚上看羊尋遠計。剩水殘峯，總是傷心地。誰把唾壺今擊碎。仰天狂叫雲飛起。

風雨樓讀書叢談

述頤

名畫記對於書畫同源的倡導，一則引據於呂覽；他說：「書有傳意，畫有見形，書畫同體而未分。」再則引據於周官；他說：「周官教國子以六書，其三曰象形，則畫之意，書畫異名而同體。」可是文字的制造，以兩漢典籍爲最昌明，亦以兩漢典籍爲最混亂。淮南子謂史皇產而能書，藝文志又以爲史皇作畫，鶡冠子謂倉頡造書，王充論衡又說倉頡作字畫。字與畫，同體而不同體，倉頡與史皇，可分而不可分，讀漢代典籍，不免令人目迷五色了。史皇之說已見前論，不再費詞。倉頡始見荀子解蔽，但是荀子言倉頡，是說：「故好書者，衆矣。而倉頡獨傳者一也」。好書者，能不能解爲書家！固在兩可之間。但倉頡以此獨傳，決不能釋爲造字，明甚。宋人鄭杓作衍極，以古今文字變化，非出於一人之智；故曰：「史倉不能無所本」。造即荀子之說的飾謀歟？且以呂覽的「倉頡作書」而言，如訓爲書家，其理又何嘗不可通。否則，一定以「作」字爲創造之義，爲創造也。那就無怪於兩漢學者的意見相左，莫衷一是了。

六書出於周官，周官的發現，乃西漢河間獻王，得之山巖屋壁中。後人以六書之名，不見於新莽以前諸書，故疑周官爲兩漢僞帙，六書爲劉向父子之學。考六書，始見劉歆七略，而大昌於說文解字，藝文志，周官解詁。後此鄭玄馬融諸儒，其有關六書之注釋者，也無不一派相承，本諸劉歆。周官云：

「保氏掌諫王惡，而養國子以道，乃教之六藝：一曰五禮，二曰六樂，三曰五射，四曰五馭，五曰六書，六曰九數。」

劉歆七略云：

「凡經皆古文，凡書有六本；謂象形，象事，象意，象聲，轉注，假借，是也」。

許慎說文敘云：

「保氏教國子先以六書；一曰指示，二曰象形，三曰形聲，四曰會意，五曰轉注，六曰假借」。

鄭玄周禮注云：

「六書；象形，會意，轉注，處事，假借，諧聲也。」（十二）

九龍南宋石刻記

簡又文

（續上期）

攷：南堂石塔，建於大中祥符五年。

「南堂」即南佛堂，今稱東龍島。「大中祥符」爲北宋眞宗年號，五年即西曆一〇一二，距今九百四十七年矣。「石塔」遺蹟，今不可考。惟海濱山巔有巨石疊立，旁有大石多塊，似由上滾下，以余忖測，當年殆由人工移石疊高，置于山峯，使成尖塔形，即稱爲「石塔」，非以磚瓦建造，「石塔」或以碎石砌成之多級浮屠也。（在當時此處荒僻之地，交通及經濟條件所不許可。）其後有「古石塔」之稱，復簡稱「古塔」云。（據某丈林記得自故老傳聞。）林松堅兄弟于此脫險後，即在石塔下建廟酬神，迨其子道義創立新廟于北堂後，南堂海濱另建洪聖大王廟（今仍在）。昔宋帝昰于景炎二年（西曆一二七七）六月，由官富移蹕此次，至八月始赴淺灣（即今荃灣）。南堂建塔爲嚴氏考記之第一事。

次：三山鄭廣清，堞石刊木，一新兩堂。

「次」二讀，爲時間上轉接詞。「堞石刊木」，即壘石斫木之義。鄭氏修繕兩堂，使之煥然一新也。此爲嚴氏所考記之第二事。

續：永嘉滕了覺繼之。

首二字剝落殊甚，漫漶難識。經我們多人用指尖摩娑刻鑿痕迹，詳細討論，思索推究，乃有斷論。我終于斷定上字爲「續」。蓋其左旁從「系」爲確定的，右旁從「蕾」，古文「睦」字，首目，其下「貝」字省去，簡寫作「繙」，仍讀如「續」。「系」部各字，惟此字形似石刻之字，且亦惟此字文義方順而可解，故有此斷定。下字爲「永」。此字亦經衆友摩娑研究，逾一旬鐘，乃有此斷定。詩人鄭水心君近作有「十指摩娑疑一字」之句，即指此也。「續」，亦一讀，承上文「次」字，爲時間上另一轉接詞。「永嘉」，宋浙江溫州永嘉郡，今永嘉縣。滕（姓）了覺（名）繼起重修兩堂。此爲嚴氏所考記之第三事。

北堂古碑，乃泉人辛道朴鼎飄於戊申，莫攷年號。

「泉」，宋福建泉州清源郡，清改泉州府，今晉江縣。此碑由辛氏建於戊申，惟年代不可稽考，當時仍在，今已佚。此與我們現今所研究之南宋石刻非同一物。亦非林道義兩山建廟時所立刻有古詩兩今亦已佚之石碑也。故我們今日應分辨南宋石刻與此兩石碑，毋使其名稱，庶免淆亂。此爲嚴氏所考記之第四事。

今：三山念法明，士人林道義繼之。

「今」亦一讀，承上文「次」、「續」。念（姓）法明（名）與九龍本土人林道義繼修兩堂。此即指道義於咸淳二年丙寅（西曆一二六六）之開山立廟（詳見上文），是爲嚴氏考記之第五事。

道義又能宏其規，求再立石以咸淳甲戌六月十五書。

立廟後八年，道義重修之，規模比前益大，于前刻詩碑之外，今「再請」嚴氏長官書文立此石刻以紀其盛。度宗咸淳十年甲戌，即西曆一二七四。「戌」，譌文。此爲嚴氏所考記之第六事。連石刻首句「自紀遊跡」，即此石刻一百八字所紀共七事矣。

五　石刻價值

此南宋石刻，自非述功頌德之豐碑，其性質僅爲紀遊敘事之摩崖題識。然從幾方面看來，均有極高度之價值。在考古學上，此爲港九具有確實年期之最古的勝蹟。（按：九龍李鄭屋村古墓年期迄未能確定；青山韓碑，學者疑問頗多；宋皇台史蹟則後此三年。）具有六百八十五年之歷史，實爲港九文化史中的光彩。從文學上觀之，全篇行文健鍊，字句奇雋，敘事該要，有典而遠之妙，洵屬上乘之作。論其書法，則翰逸神飛，莊重遒勁，有「古肥」之姿，娬媚之態，近乎蘇體，爲典型宋人寫書。從藝術上言，則鐫刻甚工，刀痕深入，得深功妙勢，故歷時雖久而大致完整。

自由人
THE FREEMAN
（第八二五期）
中華民國僑務委員會
頒發登記證台教新字第一零二號
中華郵政台字第五〇〇號
執照登記爲第一類新聞紙類
（半週刊每星期三　六出版）
每份港幣壹毫
台北市售價台幣貳元
督印人：陳文蔚
地址：香港高士威道二十號四樓
20 CAUSEWAY RD. 3RD. FL.
HONG KONG
TEL. 771726
承印者：東南印務出版社
地址：高士打道六十四號
台灣總經理處
台北市西寧南路壹零壹號二樓
電話：三〇三四六
台郵撥儲金戶九二五二
海外總經銷：友聯書報發行公司
香港：德輔道中二十六號A二樓

宇宙火箭發射之後

伍憲子

原子武器出現之後，破壞力已足以威脅戰爭，故美蘇雙方皆避免熱戰，而趨於冷戰，原子武器皆想備而不用，且美國既有八千哩越洲飛彈，如此，則何須爭宇宙火箭，至於蘇俄，人民所需要者麵包，不需要宇宙火箭。今局勢越來越混沌，地球人類之痛苦日深，大家不下決心，謀解決，惟竭澤而漁以擴張軍備，撐面子爭領太空，以爲大智，其實大愚！

近數年來，美國與蘇俄軍備競賽，至爭領太空，自去年十二月宇宙火箭發射之後，更引起世界人士對美蘇間之多方揣測，我亦不免因此而發生無限感想，乃寫此篇。

「正德、利用、厚生」

我首先要聲明一句，我並非反對科學，而且是崇拜科學，尤其是自然科學，最近之進步，眞是一日千里，人類之聰明才力，能向此發洩，當然是人類之益。但益之範圍，非常廣泛，聰明人不應捨近而圖遠。爲學之法，當有次序，科學亦不能外是，我國傳統文化有一句名言「正德、利用、厚生」，此話通於科學。蓋生者，人類之生，用者，人類之用，總言之，所利者人類，所厚者亦人類，然其主要點則在正德，惟能正德，而後能利用厚生，故科學不單純是知識問題。可惜談科學者，祇側重知識，撇棄正德，近代四方犯此病，近代中國高呼科學口號，亦犯此病，雖有所成就，祇是知識之躍進。當然，利用厚生，在技術方面，需要知識，然運用此知識，當有一物焉，在知識之上，以爲之導。西方人士近亦有此感覺，以爲知識與道德，不能平流並進，而且距離漸遠，背道而馳，知識向天升，道德沉入地，造成一個紛亂不安之世界。許多憂時之士，不得已又回轉頭來，乞救於上帝，想請科學家以靈魂，然不幸得很，上帝與科學之距離太遠，兩個境界不能混合，依舊是上帝之事，由上帝管之，該撒之事，仍由該撒自了。科學家既不與上帝合，結果又爲該撒用，於是進一步更想管上帝之事，頻年以來，征服太空之議起，而人造衛星，而阿脫拉斯飛彈，而宇宙火箭，談者色舞眉飛，科學進步，誠足驚人。然利用厚生，人類之受益處何在，我們不能不平心細察之。

地球與星球

我們是人類，我們應放開眼光，替人類打算，人類不應有種族之分，亦不應有國家之見，自應一視同仁。我們是地球人，我們應踏實地步，先把地球上許多災禍，設法消弭之，使地球上之人皆得安寧，方盡我們責任。今地球上人類之災，不可勝紀，我們尚無法拯救，日常耳目所接觸，某處地震山崩，損失重大，科學果萬能，有形質之地殼，急當設計補救，比之渺茫之太空，或較容易征服，何以科學家不肯一動腦筋。又如某處鬧大水災，汪洋巨浸，此關於山洪河流，科學家應當有法醫治，何以又熟視無覩。又如某處旱魃爲虐，赤地千里，植物皆槁，鑠石流金，人工造雨，屢施而無效，應當再進一步，以顯科學之能。其他，類是之事尚多。大霧蔽天，對面咫尺不見，海空雖闊，南針失能，航空之機，航海之船，皆慄慄危懼，胡爲不能使之通濾霧成坦途。颶風忽起，平海生濤，萬噸之船，輕如秋葉，大陸則拔木飛砂，摧毀房屋，繁盛之市，頓呈荒涼，胡爲不能壓颶風伯之威，擋祝融之來，小姐之駕，更恣無忌憚，今大都之市，消防之局，人工設備不爲不周，然有時過燼餘而痛心，訪難胞而流涕，與其謀救濟於災後，何如弭大劫於未然，星星之火，勿使燎原，科學家急當努力。他如熱浪之侵，寒流之襲，雖屬短期，亦感威脅，冷氣之機，暖火之爐，只及於富家，不及於大衆，只及於廣廈，不及於街頭，胡爲不平其寒熱之源。調以清和之候，是亦科學家所當努力。以上種種，都是我們地球上的人類所需要解決之問題。不談科學萬能，征服太空則已，苟談到此，我們就不應忘記地球，忘記人類，而傾注太空，而傾注別個星球之生物。

勿徒迷惘于太空競賽

不幸得很，今美蘇竟疲精弊神，爭作太空之競賽，太空船之計劃，像煞有介事，許多天眞爛漫者，計日以待乘搭太空船，遊月宮、會嫦娥仙女。中共有郭沫若，曾以太陽頌史太林，今聞蘇俄火箭探月宮，歡喜若狂，說不久之將來，嫦娥與吳剛老人可攜手下凡塵，到莫斯科觀光。但不知此願望能見諸事實否。科學之造步，到底如何，現在算進步，抑尚幼稚，此問題値得研究。以地球上，地水火風之劫，今之科學家尚搖頭歎息，束手無策，謂之進步，恐說不通。然今火箭竟能探月球，謂之幼稚，亦恐不符事實。然而太空之神秘，又豈科學家所能推測。最現實之共產黨郭沫若，就幻想月宮嫦娥，到莫斯科遊覽，則安知佛典中之諸天，不會實現，半空中好鬥之阿修羅，不會聯盟而阻科學家之侵略，月球防軍或亦有原子武器，不許太空船之任意闖入也。本屆地球物理學年報告，頗担心於星際物質，所謂宇宙塵，其全部質量，相當於銀河系全部質量，即八百五十萬萬個太陽質量，此在太空中可爲太空船之傷害。而有大氣圈的表層，許多猛烈射綫，亦足爲太空船之傷害。此則近代科學家所研究，比佛典諸天之好鬥阿修羅，較爲徵實，而太空船載人類到月球之受阻礙，其說亦較爲徵實。就令進一步，太空船可以載人類平安抵達月球，能享受者亦只是特殊階級之人，而不是普羅階級。試觀我們區區地球，限乎其小，然種族界限之嚴，政治冰炭之隔，一方而鐵幕封閉，一方而移民條例歧視有色人種。安知月球人之度量，不比我們地球人尤狹隘，到時前路不通，豈非白費心機。故我們科學家不如專心致志，切切實實，爲我們地球人類着想，正德、利用、厚生，似不必捨近圖遠。

豈能入月球逃避現實

或者以爲太空之征服，並非爲人民，純是爲軍事。然在我們觀之，軍事亦無須此。因爲原子武器出現之後，破壞之力已够，久已威脅戰爭，故雙方皆避免熱戰，而趨於冷戰，原子武器皆想備而不用，更希望成功停止核子試驗之會議，何須爭宇宙火箭。如此，則地球上戰爭，與太空無涉，美國既有八千哩越洲飛彈，足以應付地球上戰爭而有餘。再進一步，競賽征服太空，以爲戰爭之威脅，無乃多事。然而我實不解地球上之科學家竟捨近圖遠，尤其是蘇俄，忘記蘇俄人民所需要者麵包，不需要宇宙火箭。美國人民之生活，當然舒適，與蘇俄人民不可同日語，然經年屢月竭國家財力於軍備競賽，亦非國家之福。最近艾森豪在新年國會咨文中，痛惜軍事之浪費，謂一枚飛彈，時費三千五百萬美元，潛水艇一艘，五千萬元，飛機的價値比同樣重量的黃金更昂貴，今之謂每年花費了四百億元之軍備，而又不能不關係戰爭，武器過時將變成廢式，此浪費實不可以計算。照此看來，美國當局心理之矛盾，可見一斑。然而矛盾仍繼續不已，我們試細察現在世界紛亂之局面，實埋頭實驗室之科學家，不能解決，亦非現代之政治家眼光只在一張選票者所能解決。今局勢越來越混沌，地球人類之痛苦日深，大家不下決心，謀解決，惟竭澤而漁以擴張軍備，撐面子爭領太空，以爲大智，其實大愚。大亂非陰謀所能平，大亂非詐謀所能定，可惜混沌世界現代之民主政治，只是能解人政治，不足以應當前之劇變。今大地將沉，方舟欲毀，正是試待及溺之時，此現實豈入月球所能逃避。誰悟道者，是在了解人性之大政治家，企予望之。

一週述評

俄共的代表大會

俄共的第二十一次代表大會已于日前開始舉行，這次大會的主要議題，是討論赫魯曉夫的七年計劃——一九五九至一九六五年的蘇聯經濟建設計劃。並將進一步展開對布爾加寧和莫洛托夫等「反黨集團」的清算鬥爭。因之這次會議雖沒有一九五六年二月的第二十次大會之清算史大林那樣的富于刺激，但其對蘇聯今後局勢，對世界冷戰局勢却有重要影響。

根據赫魯曉夫在大會上的報告：目前蘇聯的主要任務，是建立共產主義的物質技術基礎，加強蘇聯的經濟威力和國防力量，因此七年計劃中，規定生鐵產量要達到六千五百萬噸到七千萬噸，鋼產量要達到八千六百萬噸到九千一百萬噸，鋼材要達到六千五百萬噸到七千萬噸，預定完成七年計劃時，蘇聯的某些主要工業產品將超過美國現在的水平，另一些產品將接近美國現在的水平。赫魯曉夫強調：「當蘇聯變成世界上第一個工業強國，社會主義國家的總生產量超過世界產量的半數以上時，國際局勢將發生根本的變化」。

生產力方面，蘇聯能否趕上美國或超過美國，暫不置論，但其注重發展重工業，製定實力政策，以企圖壓倒美國，稱霸世界的野心則甚顯然。因之七年計劃，基本上是一個備戰的計劃，他們目前的所謂「和平建議」，不過是這種備戰的掩護而已。

在赫魯曉夫的權位已告鞏固的現階段，這些計劃自然會順利通過的。但由此將使世界局勢更趨緊張，同時也將降低蘇聯人民生活。由于加強對重工業的投資，要提高工業生產量，勢必加重人民的勞動強度，與減少日用消費品的出產。所以今後一長期內，蘇聯人民生活必更爲困苦。這也是赫魯曉夫開出「改善人民生活」的支票所難于兌現的問題。

中俄共的關係

當俄共召開代表大會時，外電曾傳說毛澤東將前往參加，而結果則由周恩來率領康生、李雪峯、劉甯一等幾個不甚重要的人物出席，這與一九五七年十一月莫斯科召開十二國共黨會議時，由毛澤東率領的代表團的龐大陣容相比，實瞠乎其後。因此又引起人們對於俄毛關係的猜測。

然在赫魯曉夫的政治報告中，則強調蘇俄與中共沒有任何分歧，他說：「我們對兄弟的中國共產黨的一切完全同意，儘管他建設社會主義的方法在許多方面和我們的方法不同」。因爲「主要之點是，在反對資本主義，爭取工人階級解放，爭取建成社會主義鬥爭中的勝利和加強階級團結這一點上，共產黨人是不能有分歧和不同理解的」。而周恩來在俄共大會上的致詞，也仍然誇張「人民公社」的正確，說這是在中國條件下發展社會主義的最好形式。

赫周二人的講詞，雖不免有外交詞令在內，但俄毛關係之不致于破裂，則是可以想見的。

美國的態度

在蘇聯備戰和中共對金馬還有戰軍威脅之時，美總統艾森豪已認識到減少遠東武裝防衛力量的危險性。他在國會報告說：遠東沒有安全與和平，世界即不能有持續的進步。指出共黨在遠東的軍事力量的增長，足以威脅鄰近各自由國家的地位。因此，美決保持遠東軍事基地和駐軍，並強化遠東自由國家的部隊。這是對米高揚的活動的間接答覆，也說明美當局對當前局勢有深一層的瞭解。

金達凱

自由談

漏網新聞

馬五先生

月前接得住在上海的親戚寄來一封信，拆開一看，是報告上海方面最近的生活情況，其中頗有犯諱之處，居然未被檢查檢扣，眞是「漏網新聞」，値得向讀者談談。

寫信的人是一位年近六旬的女性，她說：最近幾個月來，上海市面上買不到一枚雞蛋，原因是鄉間農民早已不願意飼養雞鴨，自「人民公社」制開始推行時，大家索性把僅有的雞種亦宰來吃了！蔬菜是有賣的，但須在黎明六點鐘的時候，就跑到菜市場去排隊鵠立，冒着凜冽的寒風或冷雨，運氣好的可以買到半斤。如果去遲一步，排在隊後，準是白白地罰站幾小時，空手而回，因爲供不應求也。她以年老受不了排隊之苦，只好天天到「國營公司」買罐頭食品，總是那幾樣——鳳尾魚，鹹菜，豆豉之類——吃久了大倒其胃口。她又說：近來上海亦買不到一塊肥皂，洗衣服苦死了。除非是黨的工作同志，誰也不願意再僱用人——有錢的亦復如此，爲的是要避免意外的煩惱。

最後，她談到「人民公社」生活，說是據鄉間來人講：人們家裏除却保有一隻燒開水用的茶壺以外，甚末器具亦變成「全民所有」了。她覺得這樣倒乾脆，「反正是活一天算一天，要生活器具幹嗎？」我所認爲犯大忌諱的漏網新聞，就是她這最後幾句話！

綜觀全篇文字，有若干言外之意，是讓我自行推測的。如說有錢人亦不敢僱用人的內容，就是害怕用人替共幹作密探，把自己的一舉一動，一言一行都密報給「街政府」或「派出所」去，給共幹「掌握材料」，隨時弄出禍事來！

上海是毛共利用爲國際觀光者的「看板」所在地，且尚未推行「人民公社」制，而一般民衆的生活乃淒涼愁苦，若是其他各地區的同胞遭遇甚末日子，可想而知了。

論司法權不應割裂審檢不可分家

司法是整個的怎能審檢分家

黃少游

民主國家法治之重心在司法獨立。所謂司法就其最重要者而言，固不僅審判而已，舉凡檢察、監所、法官訓練、任免、考核與監督等等均屬之，換言之，即凡司法行政事務所當管之業務概屬於司法機構範圍以內之事。

依我國政制爲五權分立，司法行政部應隸屬司法院已爲全國公論所重視。惟最近傳聞此次中央行政改革委員會所擬改革司法方案中之建議並未作此主張。而只是主張將高等以下法院之審判權交還司法院，其餘司法各機關仍留於行政院，余以爲此種改革，殊不足消弭以後司法之紛擾。請申言之：

一、國家司法之作用在「懲治犯罪」及「刑期無刑」，因爲要「懲治犯罪」，所以不能不有「審（判）檢（察）」之權；因爲要「刑期無刑」，所以不能不有「獄（看守）所」的設置；同時，因爲具有審檢之權，所以不能不有各種司法官的訓練（推檢、書記官）以求其合理。此外尚有監所的設置，所以不能不有監獄行政及一切有關社會安全的措施與配合。一句話說，司法是整個的，自身有其體系的；猶之醫院，有診斷（檢查與處方）治療（醫療與護理）。

是站在政院立場所作之司法改革

二、吾國審檢兩權，雖時重時輕，時有不同（如北京政府時代檢察廳與審判廳平等對立；國府時代審判廳改稱法院，各法院配置檢察官辦理檢察事務，不另設機關，其後，各級法院事實上已有檢察處之名但於法並無據），但自來同屬於一個法體系或一個主管機關（司法部或司法行政部）北京政府時代如此，國民政府時代亦然（內除二十一年一月至二十三年九月及三十二年一月至現在因司法行政部直轄於行政院，這一時期，法院隸屬於司法院，高等法院以下之檢察機構及最高檢察署以下之檢察機構屬於行政院下之司法行政部掌管之一特殊情形）今審檢雖僅分家，檢察機關屬於司法院，且無異將整個司法權，更明顯的予以割裂。反吾國四五十年來優良之傳統，且無異將整個司法權，更明顯的予以割裂。如此之司法改革其實完全站在行政院立場之司法改革，其對司法審判本身亦不免治絲益棼。（按審檢兩方之不協調向爲多年來法界人士所詬病，今後分家之後各立門戶，各有其主，將益見其不協調。）

審檢分家易生磨擦　經費獨立等同浪費

三、吾國審（判）檢（察）向本一家，故其資格相同，任用相同，待遇及保障一切均相同（見法院組織法第六章第三十三條至第四十三條）且在習慣上留序，法官初只能任檢察官經若干年，然後始能調任法院刑庭推事然後再任民庭推事，至此其法官地位已不同於前，若果爲各級法院民事庭第一庭長，其地位僅次於院長。今審檢分家，隸屬機關既不同，其性質亦不同（一爲事依法律評判是非之司法院；一爲事

「佛法無邊」　・尹震・

台灣通訊

公務員懲戒委員會決定：撤職處分延憲諒

章垚

公務員懲戒委員會對台灣的前台中地方法院首席檢察官延憲諒，終於將懲戒委員會議決予以撤職處分，並停止任用一年。這個公平合理，予人以強烈的深刻印象。關於「奉令不上訴」案，本報前已有詳細報導，自此案發生後，社會輿論譁然，嚴重影響整個司法界的清譽。最高法院檢察署乃將此案移交新竹地方法院檢察處偵查在其涉嫌僞造文書之刑責。嗣以「證據不足」，而予不起訴處分；延憲諒且更奉調屏東地方法院任首席檢察官。於是更予人以司法界無是非公道之感覺。輿論評述更見激烈。遂在去年十二月二十四日，司法行政部遂將該案依公務員懲戒法第二條，第十一條但書，移請公務員懲戒委員會審議。這可算是司法行政部以「奉令不上訴」遭勸補救的明察措施。

公務員懲戒委員會對此案前天於廿三日通過了決議，其決議對延憲諒的批示「奉令不上訴」原意應解「指責檢察官應奉我的命令不上訴」，甚至以爲是上級的意思，我以爲他不至再違抗。」直接的指出乃屬「……也解文意」。結語並謂：「誠及「飾詞巧辯，殊不近情。」其行徑直同兒戲，被付懲戒人處理本案經過，其行徑直同兒戲，影響所及，至深且鉅，倘不有適當懲處，將何以整飭司法風紀，維護法律尊嚴。」至此對延憲諒終算作出了一個合理的處分。

延憲諒奉調屏東地院後，曾賦七絕一首，詩曰：「五斗能教幾日餐，莫尋煩惱又圖官，小園辟靜無塵擾，倦鳥歸巢夢亦安。」覘其詞大有奉官歸隱之意，似乎對這次的撤職處分早有了預感，實則像他這樣的官吏，最好還是早點去務農吧！（四八、一、廿五日台北）

如此改革非司法獨立　司法部應歸還司法院

五、司法行政部若不改隸司法院，則我國司法仍然不能說是已獨立於行政之外，仍然要受行政的影響和干涉，甚且語爲行政的附屬亦不爲過，其最著者，如經司法院最高法院判決確定的死刑犯，依照現行刑事訴訟法第四百六十四條規定：「論知死刑之判決確定後檢察官應速將該卷宗送交司法行政最高官署。」第四百六十五條規定：「死刑應經司法行政最高官署（即現在的司法行政部）令准，於令到三日內執行之」，若果司法行政最高官署令准，則雖經司法院最高法院之確定判決也不能執行。這算什麼司法獨立？因爲死刑最后的決定權或核定權，是屬於行政院的司法行政部呀！

六、現在司法倘分割爲二，一爲司法院所掌管的「司法審判」；一爲行政院所掌管的「司法行政」，不用說普通的老百姓弄不清楚，縱是普通知識分子也會莫名其妙。因爲「立法行政」、「考試行政」、「監察行政」等等「行政」爲什麼不主張改革改到行政院裏去？而且這些「行政」，較之「司法行政」更富有「行政」的色彩。「司法行政」實在說來比較其他行政專門，處處要講法，要依法，而且它要獨立於一切「政爭」與「政潮」之外，才能夠保持其安定獨立和司法的尊嚴。它與普通的行政機關底性質不同，普通行政機關的主旨在爲人民服務，所以對待人民該要輕鬆要和悅；而它在代表國家執法故對待人民則要嚴肅與公正，因爲行政與司法兩者性質根本不同。所以司法行政部應該歸還司法院（按司法行政部原屬於司法院）。

改革應澈底

七、若果今後審檢分家，司法權仍然割裂，則今後司法不能達到眞正改革之目的或必更趨於腐敗。我國爲五權憲法政制之國家，既非美國之總統制，亦非一般國家之所謂內閣制，故一切改革應本國父遺教的基本精神。（元月十日於台北）

台灣通訊

談台北影院「黃牛」問題

並請欣賞警察局長之妙語

・凌人・

自從新正台北市新生戲院因「黃牛」搶購戲票與觀衆起了糾紛，發生動刀傷人事件後，引起社會矚目，雖然官方有一套粉飾的解說，但終難以令人折服。於是，沉寂已久的影院「黃牛」問題，一時復甚囂於塵。中國廣播公司記者曾爲此問題向台北市警察局潘局長，台北市影劇業公會上官理事長，以及一位「黃牛同志」作了一次錄音訪問。

從收音機中聽了潘局長等的高見後，令人覺得仍都是一些老生常談，根本談不上「治本」之道。而這類「官式」談話，自然也是目前官場上的通病！茲就筆者從各方所見所聞之眞實情況，略作討論。

「黃牛」本是社會畸形病態發展下的產品，其中包含了失業問題，流氓與社會的存在問題，法律問題，警察機關能力問題，與低能敷衍的政治措施有不可分的關係。從事影院「黃牛」職業的人們大致有下述幾種：小流氓、失業遊民，太保青年，退伍軍人，婦女及小孩，其中部份太保青年及婦女孩童「黃牛」都係大流氓「黃牛」老闆的夥計，他們的資本由老闆供給，地盤由老闆劃分指定，按每天的收入分配其收益，有的固無定所的甚至還供應住宿。這是有形的黃牛組織，其他的人雖自己拿出本錢來幹這行當，然亦受當地流氓的控制，無形中也有那不成文的規定，接受他們的條件，否則，你根本就不能插足分一杯羹。

這類影劇「黃牛」，搶購戲票，在一轉手間以賺取暴利。他們在戲院規定半小時前排隊售票的條件下，不惜以最長的時間，去排在最前綫；尤其是碰到好的片子，便來個人海攻勢，把持住售票窗口，使眞正的觀衆無法插足，不得不接受「黃牛」敲剝。

此外，則有一種以逸待勞的潛伏性的「黃牛」，那就是戲院附近的咖啡店、茶室的老闆和女招待，有人說他們直接和戲院方面有聯絡，也有的說是與「黃牛」還互通聲氣，他們可以隨時代客人「服務」，包辦戲票，其價格多不比外面「黃牛」爲高，但若享受這等便利，至少需破費一杯茶資。另外則又有一類高級「黃牛」，他們在電影街附近，租有一只電話作聯絡，專做大公館闊老爺、太太們的生意，這批人專向汽車階級進攻，一逕連絡上，此後只需撥電話吩咐，票子可准時專人派送到府。

這類「黃牛」，除偶然碰上警察先生們的趕逐外，多數時候則是採取不聞不問的態度。因此，常常不免引起了一般人誤解警察和「黃牛」們也有關係。

至於潘局長的意見中，指出因管區警察時常調換，致對管區戲院內活動的「黃牛」不易辨認，惟恐鬧出誤會，以及抓到「黃牛」並無合法處理的法律根據，不太好採取積極措施；及潘局長倘提到戲院因有「黃牛」，而可以提高百分之四十的收入（減少半票的售出）等語，聽來令人有妙語如珠之感，眞是「幽默」的好章句！換言之，如果照潘局長之意見，一方面固是難以有效撲滅，另方面還可以增加戲院收入，則難怪黃牛要橫行霸道了！其實這種問題難以解決嗎？其誰能信？

從陳兼院長廢除免試升學說起

（台灣通訊）教育即生活，生活即教育，生活的意義是活的，積極的，它是生命之所繫，人生之所寄托。北方人稱工作爲生活，江南人稱工作爲作活，彼此見面時，不是說：「我要作活」，就是說：「忙生活」，或「忙不了的活」，或「忙不了的生活」。教育與生活合一，有怎樣的生活，便有怎樣的教育，在生活中求教育，故教育亦是動的，活的，富有積極的意義的。今日人事日繁，百業分工，爲了加強專業訓練，於是教育與生活分家，久而久之，教育轉變成有閒階級的粉飾，死讀書，兀兀窮年，不辨菽麥，手無提雞之力，於是教育裝點斯文。撫怪子路要說：「有人民焉，有社稷焉，何必讀書，然後爲學」了。我國教育標榜的宗旨，原在使教育與生活合一。故有識之士，提倡「教學做合一」，在做上教，做上學，以「做」爲出發點。「做」即是生活，換句話說：就是在生活上教，在生活上學，以生活爲教育的中心。這也自古有之，原無什麼奧妙新奇。自民國十八年以來，教育宗旨雖強調「人民生活」，「國民生計」，「社會生存」，「民族生命」，但教育界人士除在教材教法上有若干革新外，仍是：家庭父母對兒童的學業分數，大多稱寸論兩；社會人士重視學人，尊敬老師，而對其學問道德，是否健全？則漫不留評，有誰以生活教育加以重視呢？說到近年來的台灣教育，在量的方面，久已達到了飽和點，而在質的方面，距離理想太遠，最大原因是「人謀不臧」，自陳副總統重長政院，及周至柔換長台政，似在重視生活教育，更動了教育部、廳二長，梅、劉二氏力除積弊，已有起色，惟於「免試升學」一項，雖然多方實難，猶未作最後決定，於是陳兼院長於元月廿日，他六三生辰之前，輕車從，南下視察，大家以爲他係避壽，其實他是藉此到中南部實地考察各生產機關及高雄和新竹兩校學生免試升初中的利弊的。他回台北以後，第一道命令便是，飭由教育部廢除免試升學，以蘇民困。這是賢明的措施。但筆者認爲教育部主管，也應多往下看，多往下跑，但不可事先通知各校當局，才能看明眞相，否則事同形式，也就失其作用了。此例甚多，不必列舉（四八、一、二三、寄自中壢）

・金甫・

蘇共第二十一次大會

竹幕幽秘

蘇共第二十一次代表大會開幕了，主題只有一個，即通過赫魯曉夫所提出的七年計劃。該計劃有一系列的「自由化」的措施，其中之一即本欄已經指出過的農產品的自由售買制。十二月的「共產黨人」雜誌硬說這個七年計劃是通向共產主義的，那麼其發展將是循社會主義——資本主義——而違共產主義。這樣的道路，當然已越出共產主義經典。因此，馬林可夫反黨集團根據馬列理論反對這種道路，而赫米集團則斥之爲墨守成規，是教條主義的道理。但也無異自承是修正主義了。

周恩來到莫斯科

上期本欄已經指出，中共蘇聯間的歧見，已經不是解釋所能使其統一，在思想意識方面，他們間的問題已經發展到究竟誰是反動者這一問題上去了。

前些時的跡象，東歐國家中有保加利亞，與阿爾巴尼亞同意採取中共的道路的，最近消息傳來，似已遭到蘇聯的壓制；遠東共產國家中亦皆心存觀望，搖擺不定，不敢正面冒險反對赫魯曉夫，於此，可見在共產國際中，中共是相當孤單的。要是赫氏趁機追擊中共可無疑問的得勝；在這種形勢之下，周恩來就作了毛澤東的替身。

此次外國記者最後獲准參加該次大會，實屬創舉，或許這是蘇共無意與任何附庸公然反目的緣故。只要蘇聯不太過份，事實上中共還是要死死地「釘住」爲「頭」的「老大哥」的。因爲毛的目的是要稱霸於世界，自也輕易不肯與任何共產國家反目的。

新緊張局勢

這幾天，大陸又在搞新反美運動，其實與其說是中共支持古巴革命領袖卡斯特羅，還不如說是中共不滿意蘇聯對美國的政策，欲藉此突如其來的運動，來掩蓋蘇共第二十一次代表大會的聲勢。也似乎是毛澤東在恐嚇赫魯曉夫；若果赫氏要利用共產國際中的優勢來打擊中共，那麼它準備再在遠東攪風攪雨！使局勢緊張起來，這是赫魯曉夫現在所不願見的。因此，中共的這項反美運動，何嘗不能說它是「醉翁之意不在酒」呢？

另外，與這個新反美運動掀起的同時，中共的記者又在南斯拉夫採取行動，抗議南共的侮辱，這當又是局勢緊張的另一方面，用來警告蘇共第二十一次大會，不能對南共採取妥協的態度。

看來，毛澤東還是採取了「先下手爲強」的手法！

·田心·

「遊客」問題之「解決」

（馬尼拉通訊）　李岷

世界上的遊客，再也沒有像菲律賓的中國籍「遊客」那樣奇特的了。這些「遊客」，大半是由大陸逃菲的難民，或港、台赴菲遊覽不思離菲的「逾期遊客」。

這個「遊客」問題，自大陸陷共後即行發生，至今已懸擱九年了。「遊客」總數據估計有二千七百人。現在這逾期遊客案已將近解決了。中菲兩國政府談判的焦點，乃如何在技術上解決與執行雙方獲致協議的原則性問題。

陳之邁大使與菲外長賽蘭諾經過了九個月的談判——斷續舉行非正式與正式談判，終於取得關於這問題的默契。

去年十一月二十八日，雙方發表了一個聯合公報，申明中菲兩國政府經已就逾期遊客問題達成觀點上的默契。

這項默契的基本原則是——爲維護菲律賓共和國法律的尊嚴，二千七百名華籍「逾期遊客」不能「賴着不走」，應先離菲；但基於人道立場，菲政府將准許行爲良好的遊客重臨菲島，且其中特別良善的將獲准在菲之永久居留權。

此原則即所謂「分類解決逾期遊客方案」，是菲外長賽蘭諾所提出的。

按照這個方案，二千七百名遊客將被分爲七類，被列爲善良遊客者可以下列身份重返菲島——

一、以菲公民之父母或菲公民之子女身份返菲；

二、以在菲有永久居留權之外僑的直系親屬身份返菲；

三、以菲居民身份來菲；

四、以學生身份來菲；

五、以預聘雇員身份來菲；

六、以投資商人身份來菲。

這個方案同時也建議恢復每年五十名華籍移民份額，以容納返菲遊客之取得永久居留權。

賽蘭諾在草擬該方案之前曾邀外交部政治司長先與軍部、司法部、移民局等有關方面商談，以徵求意見。這方案基本上是綜合上述各方面意見而擬就者。草案擬就後，外長曾事先取得國會領袖與總統之支持，才提出與陳大使商談。

雙方的談判方式是先由陳大使與菲外部政治司長作技術性之商談，在雙方觀點一致後，方由陳大使與菲外長進行正式的高層談判。終於獲致「默契」。

但令人大惑不解的是：聯合公報發表後不久，外電報導台北外交當局竟否認中菲政府就遊客問題所獲致的協議。這事使菲外長極爲困惑，因請陳大使解釋。

陳之邁於去年十二月十三日再度與賽蘭諾晤談結果，又再度發表聯合公報。公報仍重複了上次默契的內容與原則。

後菲外長向報界宣佈，表示經已獲得台北外部覆函證明中國方面在原則上同意該解決方案，但執行細則有待商榷。

事後陳之邁向華報透露：他將於本年元月二日返台述職，親向外部及立法機關說明談判詳情，並再請示。人們對陳大使與台外部之間的簡情形多視爲怪事。菲外長亦要求陳之邁返菲後能取得台灣當局的較爲肯定的保證，以便順利執行。

賽蘭諾指出遊客案細則尚有三大難題有待雙方解決：

一、遊客離菲時間，個別或分批，每批應相隔多少時間；

二、組設遊客資格審查委員會的職員問題；

三、應在馬尼拉或台北進行遊客身份審查。

陳氏現堅持審查委員會應有中國大使館代表參加，以及遊客離菲之前，必須先行辦妥重返菲島手續。

目前菲島華僑界因未悉解決遊客問題之談判經過及方案詳情，故未有激烈反應。然而此次談判所獲致的默契，對中國方面而言，並不可謂是成功者。若按照遊客須先離菲之條件，則遊客離菲再返菲之繁複手續，一切在菲解決豈更方便？

大陸文壇透視（七）

罪惡的產兒

郭沫若的入黨雖然現在距中共公布之期才只一個月，可是事實上中共決定給他這種殊榮，恐怕要提前半年。單看郭沫若這大半年來的得意忘形，已可知個中消息。

這裏單表一件具體的事例，去年中共十一國慶，他做了一首長詩，刊於「人民日報」，完全是彈詞式的「七字唱」——此爲近來何其芳、卞之琳所提倡的新格律詩。他在詩中說，馬克思、恩格斯、列寧、史大林都從雲霄上跳下來了，四人公推列寧爲代表，向毛澤東致賀並慰勞。中國的洪秀全、楊秀清、林則徐，還有中山先生也都出現了。意思是全來參加「大典」。毛澤東並且把台灣的事告訴給中山先生，中山先生允爲到台灣去說服「他們」。雖然他這是用的所謂「暢想」的浪漫主義的創作方法，但在中共這樣一個大吉慶的日子，竟有一些死去的鬼魂來道賀，使毛澤東「活見鬼」，總是不大吉利的吧。然而他卻不會這樣想，他正以此自炫其才華，認爲這是集古今中外吹牛拍馬之大成的構思呢！

如果他不是這樣無恥，終身專門致力於文學的話，他們可能有非凡的造就。憑他的天才和文學修養，在新文學運動第一個十年的作品，無論詩文戲劇，都可爲浪漫主義的代表。可惜他很早即爲中共所收買，他的才氣和技能，全成了罪惡的工具。「解放」前他在香港「華商報」所寫的「洪波曲」，如今又在「人民文學」連載出來，等於再在大陸上放播一次魔[illegible]的聲音。別人蓋棺才能論定，郭沫若卻用不着等待他的蓋棺了，我覺得那位胡風分子的阿壠（陳守梅，尚在中共獄中）說得最好，他說郭沫若是「近百年中國文化的罪惡的產兒」。

現在他因入黨更加抖起來了，以後的日子，當亦更有些趾高氣揚的[illegible]狂表演吧。不過黨內作家，像周[illegible]下那些嘍囉們，是否能擁戴這位新出家的新上司；黨外作家，像在中共文藝領導層的茅盾、老[illegible]金等人，是否能看得上這位諂[illegible]的得意者，都還是很大的疑問。他不識天高地厚，妄自尊大，[illegible]揚那樣歷史和還借，卻敢於做那種大刀闊斧地翦除異己的行[illegible]，不是等於自掘墳墓？我仍願借[illegible]話，移贈「郭老」：「一面是[illegible]，一面是高台，跌下來時就嗚呼[illegible]。」

·陶然·

國際動態拾零

△伊拉克總理加森，欲赦免曾經服務于王朝的政要。其已判死刑者，至少有五人被赦。

△米高揚雖與各國駐美大使會晤一次，但並未以他與艾森豪與杜爾斯談話之內容，絲毫透露給他們。

△聯合國秘書長哈馬紹，飛行各處，就地解決各國間之糾紛。最近方從中東歸來，又將飛赴高棉解決高棉與泰國之邊境衝突問題。

△繼古巴革命之後，海地又在醞釀政變。海地少數叛軍，在深山作游擊戰，已經多月。以古巴革命之成功而受到鼓勵，聲勢業已大增。

△美國下年度預算，艾森豪決定將其削減至七百七十億，否則赤字增加，有通貨膨脹的危險。民主黨國會則堅持：農民補助，不景氣區域補助，增設各地噴射機場三項預算須增加。艾森豪仍反對，謂不惜用否決權來維持原提之預算案。

△國防經費，將爲四百五十八億，占總預算百分之五十九，然較上年度已少了三億一千五百萬。農產補助爲六十億，退伍軍人部金五十一億，國債利息八十億，援外款項二十一億，較上年度少去二億。這些預算民主黨議員認爲可以商量而不堅持。

瘟君夢

岳騫

第一回　消息自天來　人捐秋扇　風波從地起　夢冷新華

劉少奇未料賀龍敢同他開玩笑，當時又拿不下臉來發脾氣，一時僵住了。

這一羣人中，康生也是失意人物，看到劉少奇如此把持毛澤東，心裏大爲不滿，當時借題發揮向賀龍說道：「賀鬍，你雖然最近習字，奇字和正字是相反的，古語說出奇制勝，說奇兵，都是不由正道的意思。」

康生這個說法，鄧小平插上一嘴，說道：「康生同志最近實在大有進步，不但研究西廂記，還進一步又研究起文字學，大概將來也許會得個博士學位。」

康生對劉少奇還有些敬畏，看到鄧小平眼就紅了。因爲康生是七屆政治局委員，鄧小平祇是一名中委，以後因爲鬥爭高崗有功，扶搖直上，現在是政治局常委、總書記，康生卻反而變成了政治局候補委員，一升一降，相差甚遠。康生始終以爲自己的位子是鄧小平擠掉的，你不開口我也要提到你，說到你的平字，最後一筆又直又長又尖，正是一條標準尾巴。有一天至下台，這個位子非你坐不可。」鄧小平不料康生使出絕招，這一拳正打中要害。原來劉少奇最忌的就是聽說誰繼承毛澤東，過去高崗就因爲背上這個罪名遭到清算，目前鄧小平的地位又升到很高的位置，即使稱爲少年沒有野心，劉少奇也不能不防，現在康生一句話說出，不由得劉少奇保標，鄧小平本意出馬護劉少奇，不料被康生一句話挑起劉少奇的疑忌，變成引火燒身，一時不知怎樣說好，祇是兩眼怒瞪康生。

老不死林伯渠看見情形鬧到這樣，覺得他們該派用場了，當時以和事老姿態說道：「不用爭了，比起老大哥來，咱們都是尾巴，你們且聽我念一首打油詩。」說道，撰寫三節長聲，高聲唱道：

「歪正都是尾巴，休惑本來相關，有朝一日失冰山，倒樹猢猻四散。」

剛念到這裏，周恩來先數聲笑起來，朱德近來也學做詩，聽了林伯渠的詩，雖然不全懂，也冒充內行隨着鼓掌，劉少奇、彭真根本不懂什麼意思，他自己左摸一把，右摸一把，好似戲台上「戰宛城」裏面的曹操，祇是少一頂烏紗帽，不由得也笑起來。

哄然大笑中，聽到一個人冷冷說道：「林老學問真不可及，冰山兩個字用得妙了。」大家一看，說話的原是董必武。（六）

新亞書院藝術專修科
招選正式生及選課生

新亞書院藝術專修科之成立，乃本港高等教育之創舉，迄今已屆兩年。第一屆畢業生已考試完畢，聞此批畢業生幾乎全部被轉入藝術系繼續進修。該科所修科目，是學科與術科並重，在學科方面，修讀素描、水彩、油畫、中國畫、圖案、雕塑，使學生能成爲一個真正之藝術專家，計必修及選修學科有大學國文、英文、中國通史、中國藝術史、西洋美術史、藝術概論、歷代文選、詩詞選、哲學概論、中國、西洋通史，中國哲學史等，各科皆由我國知名教授所擔任，爲國內外有名之專家，實是培養藝術家或藝術教育者最佳之學府。該科擬八十九次行政會議決，招收一九五九年春季新生，凡高中畢業或高二修業期滿，曾自修一年者，得報名投考，如無上列資格而有志研究繪畫者，不拘年齡性別，皆得爲選課生，徵考國畫或西畫一課，聞新生報考者，甚爲踴躍。

釋耒集

意氣之爭

曲齋

我國歷史上，王安石變法是一件大事；由於他要堅持變法，又造成了宋代政治上的黨爭。陸游詩：「大事竟爲朋黨誤，遺民空嘆歲時遒」，顯然已將南宋的積弱，歸咎于那時的黨爭了。

記得幼年時讀古文，先生教蘇明允的辨姦論，如所週知：三十年前在鄉間教學的老儒，十九帶一點理學氣，而又都是司馬溫公的信徒，硬指蘇明允所說不近人情的大奸慝，就是那位「囚首喪面而談詩書」的王介甫，講起來，必定氣得頸筋通紅，在我們幼稚的心靈中，也不免對王安石存了一點成見。如今年事漸長，雄心也老去了，仔細想起那時的黨爭，竟連我的先生所佩服的舊黨首領司馬溫公，其實也不免于有點兒意氣用事。

按安石的推行新法，大體上說是失敗的，但其中一項，却是很合理而又有相當效果的，就是免役法。免役法之前，叫差役法，原是五代時沿襲下來的弊政，宋初沒有革除，至神宗時流弊已極，它迫許多富室，因是而破家，大大的削弱了社會的元氣。安石以免役法代之，原是最受人民歡迎的一種改革，但到哲宗元祐，司馬光入相，儘去新法，竟連免役法也罷了。當時蘇軾也反對此舉。但司馬光到底沒有接納他的意見。時安石罷政閑居，知道了這個消息，只冷然地說：「這也不能保留麼？」司馬光爲史學家，自謂于前史粗嘗盡力，因欲明歷代治亂興衰之跡，故撰爲通鑑一書，生平又以品行端醇，議論溫粹著稱，却仍不免于黨同伐異，可見政治的漩渦裏，實在骯髒得很。

一個醉心歐化的人，以爲用刀叉比用筷子文明，這原是沒有道理可說的，但一隻雞蛋，用刀叉吃，不一定會增加一點營養價值，却是誰也知道的事情。不過醉心歐化的人，却是不肯作這樣的思想的，其實也只是一種無知而已。

小說的發展與方向

尤崇洵

西洋小說的隆盛，是十八世紀初期以後的事。關於這，我們可以說一是由於知識份子的增加，以鄉會集合爲中心的戲劇，無法再予廣大的人羣以拘束，因有被取代的事實；一是由於散文的應用，較韻文強有力而自由的緣故。

爲了敍述的方便，批評家才把文藝思潮予以分類，標榜出某種主義，揭示出某個派別。而事實上，時代的作者只是繼承過去的表現技巧，而忠於當時生活的反映了罷。

在亞里士多德還沒有寫作詩學前，索弗克烈士和亞里斯多芬已開始了喜劇與悲劇的創作。而且，別的人從他們的劇本中找尋到寶貴的理論。同樣，布依略沒有寫成他詩學前，古典主義大作家已經連續產生幾輩，而馬爾白等的作品，也成了典範的礦山。到後來，古典主義進到浪漫主義，也是如此。這是說：文藝思潮，只是怎樣表現人性的一種斟酌。

古典主義苛求態度的嚴正，理性的光大，但因爲流於皮相的，廣淺的表現，致有浪漫主義的反動。史湯達爾「紅與黑」中的無賴，雨果「巴黎聖母院」的醜的人，梅里美「可命巴」的野獸之花，都是針對古典主義所作的反抗代表。而對他們作了崇敬的歌頌，戴上至尊的冠冕，唱出情感的讚詞。這說明了自然美醜與藝術美醜的區別；古典主義推崇的「類型」——即其所利用之自然美，終歸於平凡陳腐。

沛得以爲浪漫主義的特色有三：一是在珍奇的事物上求美，二是在不可思議的事情上求美，三是熱愛美。除此之外，繆塞却抽象地解釋浪漫主義，指其不是貫末爾三一律的蔑視，不是喜劇悲劇的揉合，也不是世間任何事物，而是淌淚的星兒、嗚咽的風，喁語着的長夜，意外的滂沱，令人憔悴的冥想，同時是滿、是圓、是直徑、是棱錐體、是東方。雖然這樣，我們却不能否認文藝思潮本身就是令人不可捉摸的東西。

「紅與黑」成爲「包法利夫人」的先驅，而作者福樓拜——這位寫實大師——本身却具有相當濃厚的浪漫氣質。但由於浪漫派末流的過份主觀，同時其所剪裁的材料，不過是心象的幻形，因而有了對「真」追求的發生，採用歸納的態度，處理作品。不使作品中有作者的意見與情緒存在。而着重於人物的性格。

這正與左拉所努力的自然主義相類。不過，事實上這種歷史紀錄的重複與科學紀錄的重複的自然主義，實際也是主觀的個人意思之一端。

至此，我們回顧一下在演變過程中所描寫的對象，發現到作家筆下的人物由宮廷、貴族、平民，以至於下層民衆。到了現世紀，又進入個人本位與團體本位的二大極端。同時，人物的刻劃也由宿命論進入性格說，再進爲心理的描寫。紀德以下，着手於意識外的領域，歸間的感覺，以致寫出不能爲心理學家解釋的事例。

當然，我們更不能忽略了時代背境的影響；產業革命賦予的刺激，戰爭帶來的喘息，引起了人們的興趣。但是，不論任何的派別與主張，作家們都是在對於人性光明的希冀這一點上，作着努力。不使物欲蒙蔽了良知。

教條與口號窒息了文藝的生命。所以，在小說創作上，作家首先當致力於人性的復活，完成人性之道。（四十八年一月）

沁園春

鍾應梅

戊戌冬至後數日，余遷居沙田甕寓西南之小罅中。佳竹在庭，青山入戶。主人與鄰居皆客人，其俗易安，而鄉心難免。寫此，簡同事諸公。

望遠登樓，又一陽生，小桃巳花。愛南州尙暖，東皇猶駐，庭柯萌茁，嫩綠偏加。箭嶺天高，薑峯雲染，美景而今路轉賒。情何限，歎縱橫魑魅，澒洞塵沙。

思歸夢繞山家。問何歲重乘江上槎。喜中邦餘化，鄉音無改，仍留禮俗，一樣風華。竹影姍姍，潮聲細細，收拾雄心學種瓜。君來也，有清泉活火，好試新茶。

注：箭嶺，薑峯，爲梅縣西部名山。余家在焉。

風雨樓讀書叢談

述賢

圖官的推斷，對於繪畫起自史皇一說，至少有着正面的否定證明。不過在黃帝建國階段中，要是不可能找出第二個繪畫作者時；則史皇製畫，仍有他的存在價值，是不言而喻的。事情相隔五千多年，雖說難在上世邈遠，古迹渺茫。所以我們的前輩疑古者，一如子列子，他就有幾句很風趣的名言說：「三皇之世，若存若亡，五帝之世，若覺若夢，三王之世，若隱若顯」。是雖玄之又玄，不能說沒有他的驪響理想。好在有存有亡，有覺有顯，果能探賾而索隱者，自亦無害於汰沙礫而選擇的。

黃帝之畫蹟

司馬遷作五帝本紀讚，認爲漢儒狃於尙書，又「百家言黃帝，其文不雅馴」；因而他就極其感慨的說：「學者多稱五帝，尙矣」。事實上黃帝在西漢朝受到的冷待，還可能有「黃老之術」的思想衝突問題在內。單就漢武帝尙儒術一事而言，便可以想到史遷以刑餘之身，有不能不留神於此，而多所顧忌之苦衷。然而黃帝與老聃，年代相差數千年，地位不相侔，文野不相類。莊子一書，獨於黃帝，又多不屑之詞。如此而可以相提並列，目爲黃老之術，豈不毫釐相差，謬於千里？所以凡有關黃帝繪畫之跡於方士道家之說，我都不擬加以引用。

黃帝之治，據我所見到的諸子百家書中，有蹟可尋者；大致爲周易，左傳，呂覽，大戴禮，水經注，風俗通義，竹書紀年，孔子家語諸書。除呂覽的史皇作圖，已見前文分析外。爲求易於逐類比較起見，特彙而分述如后：

「黃帝以雲紀，故爲雲官而雲名」。語見左傳。

「黃帝黼黻，衣大帶黻裳，乘龍扆雲」。語見大戴禮。

「昔黃帝鴐象車，交龍畢方並轄」。語見風俗通義。

「黃帝垂衣裳，作爲黼黻」。語見孔子家語。

「黃帝堯舜垂衣裳而天下治，蓋取諸乾坤」。語見周易。

「龍馬出河，龜書出洛，赤文篆字，以授軒轅」。語見竹書紀年，水經注。（九）

阿根廷來鴻

——蕭立坤聖誕節賀詞——

這是我們最近才收到的，蕭立坤先生從阿根廷寄來的一九五八年聖誕節的賀函。他說，我們現在遠離了是非動亂的漩渦，愉快而興盛。又說，我們對於前途充滿信心與安全之感。這是海外流亡知識分子中少有的得意之詞。原函是用英文寫的，特爲譯載如左：（編者）

遠方的親愛朋友：

一九五八年的聖誕節快到了，這將是我等到阿根廷後的第七個周年。於此，我等敬謹祝賀各位親友的和平康樂。

我等是阿根廷共和國第二大城勞沙里奧的惟一中國家庭。自從一九五六年開始，我等即始終居住在該城中心的一所大宅之內。

老祖母鍾氏生於一八七八年，今年已經八十歲，健康逾恆，終日六孫繞膝，含貽不倦。

立坤今年已經四十三歲，在布安諾斯愛麗斯從事工業工程顧問的工作，每禮拜六和禮拜日回到家中團聚。

主婦唐珊，今年四十歲，她是六個小孩子的母親，兼做會計出納的工作，終日忙碌不堪。她相信『收入多支出少』是保證將來的唯一良策。

嘉勞斯十六歲了，身高體長，在國立工業學校讀三年級。他是同級學生中成績最優的一個，也常到工廠中做實習工作。

朱利亞十四歲，第利亞十二歲，兩姊妹都是身裁欣長的小姑娘。今年便要畢業於同一的初級學校，也同是一班中的成績最優者。第利亞是個藝術家，朱利亞却是她父親的秘書。

老四，朱安，十歲，最喜歡機械，不喜歡舞文弄墨，也不喜歡讀書。

彼彼，五歲，生於阿根廷，因爲他是個小孩子，父親對他頗爲放任。他却喜歡寫字，讀書，計數。

歌麗達，我們最嬌小的女孩子，四歲，她幾乎是全家的老闆，也是全家最疼愛的小東西。

通常每禮拜六日是我們一家人最忙碌工作的一日，因爲我們有一種癖好的工作，喜歡做供應英文書籍或什誌給各國立大學，分送的工作，大多數靠郵遞，自不免十分遲緩。我們不知道能否收回價款，我們出了不少錢，也費了不少時間，希望慢慢能夠有收穫。

這便是一九五八年蕭家的情形，六年前，我們自己靠自己的力量，從東方移殖到西方來。現在遠離一切是非動亂的漩渦，愉快而興盛，沿着生疏的道路前進，但是，在上帝的引導之下，仍然充滿信心與安全之感。

明年，我們仍將寫信給你們，盼望得到你們的訊息，無疑你們的訊息一定會和我們的一樣，或者比我們更好。

（蕭家全家簽名略）

一九五八年十月十日

勞莎里奧

梁任公遺文　文品（有序）

凡此諸端。原委俱詳。大小幷舉。文章流別。大略具矣。要而論之。周人之文。如夏彝商鼎。古藻斕斑。秦人之文。如渾金璞玉。昭質[illegible]。西漢之文。如長江大河。[illegible]

[illegible]

——馬國維抄錄。

自由人
THE FREEMAN
（第八六二期）
中華民國僑務委員會登記證僑字第一二一號
中華郵政台字第五〇〇〇號執照登記爲第一類新聞紙類
（每逢星期三六出版）
每份港幣壹毫
台北市售價台幣貳元
督印人：陳文謙
地址：香港高士威道二十號四樓
20 CAUSEWAY RD. 3RD. FL. HONG KONG
TEL. 771726
承印者：南華印務出版社
地址：高士打道六十號
台灣總經銷處：台北市西寧南路壹零叄號二樓
電話：三三〇四六
海外總代理：友聯發行公司

共產政權的下一代

毛以亨

除去一切外加之糖衣，一直剝取其本質的核心，則知共產政權所以強大之理由，全爲向無產階級剝削其剩餘價值。所謂共產政權之基礎，在無產階級者，猶之地主利益之基礎在農民，資本家利益之基礎在工人。共產政權，則兼有地主與資本家之特權，將農工變爲奴役。僅維其生存，而將其剩餘價值，歸共產政權控制，以從事于再投資。所謂五年或七年計劃，就是榨取剩餘價值而再投資之計劃，而以將來生活改善之空頭支票，爲奴役們上社會主義天堂之報酬。

一、共產政權的本質

中共要人曾說，西方國家以金鈔爲發行紙幣之準備金，而中共之人民銀行，則以六億人之勞動力爲其儲備金。吾人要問何以中共能以勞動力爲儲備金，而自由國家不能？其惟一之答復，爲西方國家對勞動者剩餘價值之榨取，大大少于共產政權，不足以供儲備之用。大概工業盈產利潤，合其資金百分之二三十，共產國家勞動者僅得百分之三，其餘百分之廿七歸國家。

共產政權所用以榨取剩餘價值之工具，爲專政而把握權力。故政治權力爲共產黨永遠不肯放手之利器，非如資產階級之可隨便放棄，祇要把握其財產權即得。內爲在資本主義制度之下，工人有自由工作權，其工作爲協議式的自願，非如共產主義制度下之須以政治權力去強迫。共產黨人非不知奴工之工作效率不高，且多浪費，然以剩餘價值來抵補，仍有大剩可圖。日本人讚揚最近中共煉鋼與成立人民公社，浪費加倍之成本。而中共養了三百萬軍隊，千餘萬黨幹部與官僚，吾人初認爲非中國人民所能負担，但中共繼續以剩餘價值來抵補，仍覺綽有餘裕。所謂蘇聯七年計劃後，生產力便趕上美國，中共生產力，五年或十五年可趕上英國，亦無非憑剩餘價值之榨取，而從事于再投資之計算，自然不是憑空來吹牛。

共產政權之惟一要點，在保此權力而不失，並且以重工業爲主之工業化運動，爲加強其權力，擴大其奴隸帝國領域的工具。力量祇會日益強大，永遠倒不下去，而西方國家，祇有日益衰弱。至於馬克思主張黨內民主，共產政權主張黨內獨裁；馬克思主張各派社會主義者殊途同歸，共產政權主張蘇聯共黨爲惟一之領導者；馬克思反對剩餘價值之剝削，共產政權主張祇要不歸資本家剝削，而歸共產剝削即得。凡此皆合于共黨之辯證邏輯，就不會不是馬克思主義。所以馬克思曾說，「祇有馬克斯纔不爲馬克思主義，」共產黨人常引用這句話的。

不過我所懷疑的，十九世紀資本家之剝削制度，始終不能長久維持下去。則較其剝削得更利害的共產政權，亦何能長久維持下去？雖則共產政權控制力量較強，然終敵不過廣大羣衆求生存與進一步求改善生活之反抗。現在反抗力量之未能一致，由于欺人之糖衣作祟，大家對之仍作望梅止渴的幻想。但，奴隸們已在呼求搶地的求援，而許多人亦以救民水火爲己任。共同的反共意識，已於痛苦的經驗中覺悟到了。其尤甚者，共產政權的下一代，過的資產階段之第一流生活。已形成資產階級意識，共產黨人而不肯過共產黨的生活，便是離開共產主義，不能眞正以身作則，爲其自掘墳墓的開始。

二、下一代之意識變化

依蘇聯共黨之發展型態言，共黨對於社會主義之實行，最初就不澈底，而存着充分的資本主義的氣息。勞動者祇各盡所能，而不能各取所需，否則國家所榨取之剩餘價值必將大爲降低，這是違反社會主義原則的。生產工具亦不完全歸公，仍許小工業之存在，而私人土地可保留六英畝，私人儲蓄以不超過一百萬金盧布即五十萬美金爲限，其與馬克思原則，生產工具，悉數歸公，亦不完全符合。其所推行的國策，列寧稱之爲國家資本主義，史太林稱之爲新經濟政策。蘇聯憲法，是不作工不能得食的，所以婦女亦非做工不可。然要人家屬，照例可以不作工，而且僱用男僕女傭甚多，其享受過於英法之貴婦。其子女皆坐汽車上學，米高揚四個子女，各有汽車一架。性病蔓延，離婚時間，甚至學校不敢不給要人子女以高分。濱班阿飛學生，用度不足，則從事搶劫，而警察不敢逮捕。蘇聯之所得稅祇千分之十三，並沒有遺產稅。其腐化程度，已超過任何資本主義國家。一九三〇年以前，公務員待遇分爲十一級，從一百十元到二百二十五元。然此不過名義上之薪水，大部費用均以辦公費名目支出。現在有十五萬公務員，年薪在二萬美金以上，而工人每年工資，平均計算，祇有八百五十美金。這是回到中世紀與十八世紀的英國生活了。

蘇聯除公務員外，對所謂優秀分子，亦予以資產階級之優良待遇，其高級者有一百五十萬人，低級者有三百萬人。工廠經理，工程師，作家，藝術家，大學教授，科學家均所謂優秀分子。而此中出了不少百萬富翁，蓋其待遇比高過美國。尤其原子科學家，薪水七倍於其他科學家，男僕女傭成羣結隊，大大超過了科學家所必需，祇是用爲炫耀與宣傳而已。

此外加上軍隊之校官以上，每月支薪一千美金，黨書記與中級官吏，亦復如是，合計之當在一千萬人以上，已構成如吉拉斯所稱之新階級。既然過的超越美國之資產生活，思想亦趨於自由，且反對黨部之干涉，尤其在工業技術方面。他們漸放棄其職業教育，而趨重於通才教育，十五歲以上青年必須作工之限制，已無形取消。且以學習西方文化，模倣西方生活爲事。而羨慕到西方去旅行，尤其羨慕個人之安全，而反對整肅，則傾向西方文化之程度，其狂熱爲何如？

三、結論

問題在資產階級之生活既要對之革命，何以許其領導階級享受此類生活而謂是特權？這些特權階級有賴於工業革命時代之資本家，然剩餘價值是不能長此獨占下去的，不是分給勞工以此類生活之享受，則勞工勢非再革共產黨人的命不可。早遲共產社會總會失敗的，而代之者必爲民主社會主義的社會。

半週述評

克里姆林之戰

蘇共第二十一次大會正在進行，克里姆林宮正在一項生死的劇戰中。基本上，赫魯曉夫已經相當鞏固了他對蘇共的控制；但，從一月間蘇共公佈去年十二月間蘇共中央關于「反黨集團」的紀錄，與眞理報對這個集團反覆的譴責，以及有關莫洛托夫個人的種種流言，一切跡象皆證明，赫魯曉夫目前雖然暫時把他的敵人打倒，並沒有一拳把他的敵人打死，並沒有徹底消滅他的敵人。

粉碎「反黨集團」

赫魯曉夫當然心裏早已明白，史達林死後，在蘇共中央所強調的「集體領導」云云全是自欺欺人的，在共產極權制度之下，如果誰不徹底消滅他的敵人，則，縱然有一時的勝利也全是靠不住的。

所以，這次蘇共大會上，赫魯曉夫要對他的敵人進行決定性的打擊，粉碎「反黨集團」的幽靈，這是可以斷言的。

赫魯曉夫怎樣安排這一幕鬧劇呢？他將對他的敵人「集中打擊，個別擊破」。

分別各個擊破

在蘇共所謂「反黨集團」中，主要是以布爾加甯，莫洛托夫，馬倫可夫爲代表的。

布爾加甯正表示「坦白」與承認過去「誤入歧途」，出賣他的舊日的伙伴，羅織「反黨集團」的種種罪名，布爾加甯正被安排爲這樣一個丑角。

莫洛托夫是目前蘇共碩果僅存的老布爾雪維克，如果他能夠「低頭認罪」，對於鞏固赫魯曉夫的統治，無疑一定大有幫助。所以，蘇共大會正愼重地處理莫洛托夫的問題。

馬倫可夫陰影

去年十二月蘇共中央的會議決定了這次大會對付「反黨集團」的全部策略，在前述的那份紀錄中：布爾加甯被指斥爲「沉默地站在反黨集團一邊」；莫洛托夫，卡岡諾維奇等人在農業政策上是「保守主義者」；而馬倫可夫「在一九五二年時向史達林提出捏造的數字，謊稱小麥問題已解決。」他是一個「能做出任何壞事的陰謀家。」

「反黨集團」雖然屢遭打擊，百足之虫，死而不僵，馬倫可夫的陰影，無疑是一個重要的因素。

長期整肅工作

一月二十五日人民日報有一篇專文談到蘇共二十次到二十一次大會「光輝的三年」，說：「在這三年中，「蘇聯政府撤消了一百四十一個工業部，有五萬六千多工業幹部被精簡。」「經濟領導幹部貫徹了大批下放。」」人民日報這篇文章給我們提供了明確的兩個事實：一、在蘇共的黨內鬥爭中，馬倫可夫過去所領導的經理階級是一個有組織的力量。二、赫魯曉夫早已進行了全面的對馬倫可夫份子的整肅工作。

機會主義得勝

目前克里姆林宮內部的這場大戰，赫魯曉夫的繼續獲勝大致是沒有問題的。主要的關鍵是：目前的國際共產主義運動內部的爭執，不是馬克思主義的原則問題，不是誰是誰非的問題，咬文嚼字的教條主義者在今天的國際共產主義運動中之不走運，而油腔滑調的機會主義者則大爲抬頭。

一個當年以跳烏克蘭舞取悅于史達林的赫魯曉夫，今天在蘇共暫時的得勢，不正是很自然的嗎？

司馬璐

自由談

要鎗的立委

報載：有一位兼營律師業務的立法委員劉某，在台北市一間飲食店內放射手鎗，爲的是追索「重要文件」。一身兼負立法司法職責的民意代表與人權保護者，隨便在大庭廣衆之中對人開鎗射擊，可謂奇聞怪事也矣！

我們對於這項花邊新聞，發生兩點感想：一是立法委員和律師，是否具有自由攜帶武器的法定特權？他所持以追索重要文件的那支手槍，究竟經過了依法登記手續沒有？二是所謂「重要文件」的內容，牠是關係國計民生問題的立法院機密文件呢？抑係律師替人包攬詞訟而爲不可告人的訟案證據？二者必居其一，否則決不致鬧出開槍追索的嚴重行爲來啊！

不過，開槍理由無論屬於上述情節的那一種，都是此風不可長的。如果立法委員在議會中辯論議案，或者律師在法庭上辯護訟案時，亦以手槍從事，那還成甚末體統呢？因此，我們不屑探究劉立委開槍的原因及其是非曲直所在，祇想知道這種在公共場所隨便開槍的行爲是否違背法紀？對社會安寧秩序有無妨害？即使他的武器乃係合法的持有物，又是否遭遇非使用以自衛不可的嚴重情勢？據說，治安機關已在查究中，希望將來能夠把事實眞象公開宣佈，昭告社會大衆，並將全案移送法院究辦，以儆紀綱。

由於這樁轟動聽聞的稀奇事件，我相信那位兼作律師的立法委員，其法律知識有限得很，他的律師資格一定是根據舊時官派立法委員那項自封的特權——作過三年立委即具有當然的律師資格——而取得的。不懂教育法則的濫竽充任教師，是爲「賊夫人之子弟」，不懂法律的民意代表妄作律師，豈非誤盡天下蒼生，而又丟盡立法委員的臉面乎？只就劉兼律師而言立委，自封爲律師的特權也就應該及早取消了吧？

馬五先生

豈應兼得？

尹震

移民巴西問題

淦克超

自一月十日前後，陳副總統和御任的巴西駐華大使談到我國移民巴西問題，那位大使會表示巴西是歡迎我國移民的，此消息並經中央各報以大字披露，因而成爲自由中國的若干人士所注意的問題之一。照陳副總統所說，此問題尙在研究中；可見距實行之期尙遠。一月廿二日的中央報又載有南韓擬移民巴西的計劃；似有「所見略同」之證。那麼，這問題應不妨加以研討。

老實說，若干年來，自由中國的人們是不願公開討論移民問題的，更不要說實施方面。原因很簡單。自由中國所「淬厲以須」，「念茲在茲」的，是反攻大陸；如果要移民，恐不免分散人力，以致妨礙反攻。有此一層考慮，誰也不便輕于啓齒，更不便形之筆墨了。

不過近年來在半官式的會談，非正式的座談中，筆者至少三次聽到過大使級以上的人物談到這問題，他們都是異口同聲的贊成移民，却不敢作公開表示或建議。這在我國的做官技術立場言，是無可厚非的。這問題總算正式由陳副總統公開提出討論了；那麼。對這問題應該如何看法呢？

筆者認爲討論此問題應先確定我們對于國際局勢的看法。國際局勢的看法有兩種：一種是象棋式的，一種是圍棋式的。所謂象棋式的就是一般的或通常的看法：把世界分爲自由世界和共產世界之楚漢對峙狀態，壁壘分明。這種正宗的看法固然很流行，可是不全符合事實。因爲共產侵略之推進並非從「楚河漢界」那裏過河的。反之，這局勢倒像圍棋一般，黑白棋子鬥的場面不限于一處，事實上有若干戰場之開闢；如果祗注意到某一處，而未注意到另一處，恐不免要吃虧的。

幾年來的演變，當前的事態，都是很明白的，評論家亦用不着實政府「今歲不戰，明年不征」。台灣海峽之膠着狀態事實，金門之斷續的炮火，和海空的小規模遭遇戰，並未改變此種事實。但台灣海峽僅係自由世界對共產世界之一戰場，[illegible]制勝之關鍵不僅在金馬一點[illegible]而在全面力量之優越。

自由中國年近來的若干進步，固爲中外人士所不容否認，而在反攻準備方面，據[illegible]佈的，亦是「萬事具備」了，可是東風幾時來到，則無人能確說。[illegible]須注意的當前不僅限于軍事方面，亦須注意到經濟方面，更須有較長期的經濟打算。

台灣一島有九百餘萬的人口，每年[illegible]。固然開發山地，發展海洋漁業，乃至工農各業之有計劃的發展，均有賴于經濟計劃執行的得宜；但移民事業亦爲[illegible]之一。否則經濟的發展，難免被人口增加所抵消，印度便是一個顯例。

談到移民，我們不妨參考近年日本的移民辦法。日本和巴西的約定是每年移民五萬人。東京有專辦移民的政府事務機構，每批的移民都是經過考驗合格的農、工業技術人員，醫生、護士，教員等應有盡有，並每戶借予一筆美金，以爲開發資本。在巴西的日本移民總數已達三十餘萬，設有機構招待新去的移民，使有賓至如歸之感。

日本對南美之移民目的地並不限于巴西，對巴拉圭亦頗積極。一九五六年，日本曾以廉價向巴拉圭購得土地一萬五千英畝，首批就移往一千五百家。巴拉圭亦是很肥沃的國家，據會訪該國的沈昌煥次長的報告，一根手杖插在巴拉圭的土壤中，亦會長成一株樹，此雖係笑話，亦足徵該國土壤之肥沃。

我國今後如果要從事移民，東南亞已有客滿之患，論風土人情，似乎只有南美一帶較爲適宜，尤以巴西的幅員等于美國本土再加上一個特克薩斯州，而人口僅六千萬。我國過去百餘年的移民都是人自爲政，決不適合于今日的情勢，而必須有現代移民之準備條件。

於此筆者還記得兩年前，政府的有關部門曾鼓勵人民移往南沙羣島，並登廣告公開登記。結果前往登記者不少。有關部門曾召集登記者開會若干次，發言者亦不少。結果則是一無所成。

移民巴西或其他南美國家似是一件值得鼓勵的事，但如何實施，首須政府有決心，有計劃，從遠大處着想。

一個有意義的展覽會

「人民公社」匪行資料展覽

（合灣通訊）此間各界慶祝「一．二三」自由日五週年紀念大會時，開始展出於台北市省立博物館的匪共人民「公社」罪行資料展覽，是一個很有意義的展覽會，十天以來，每日前往參觀的市民不下萬人，尤以學生爲最多，這自然是一個很好的社會教育方式。筆者近年來對於大陸推行人民公社制度的研究工作不懈，且曾數度爲文刊之報刊。同時，所集有關「人民公社」資料亦不少，因亦抽暇前往參觀一次，其內容大概分爲三大部分，即：第一，表解部份，共計一〇六張，計分八類：（一）對俄帝與共匪的重要認識，（二）「人民公社」的歷史背景，（三）「人民公社」的基本意圖，（四）「人民公社」的組織概況，（五）「人民公社」的實施內容，（六）「人民公社」的人民生活情形，（七）「人民公社」引起的反抗，（八）大陸同胞反共革命的新形勢，第二，圖畫部份，共計七十七幅，計分四類：（一）勞動！生產！戰鬥！（二）饑餓！飢餓！反抗！（三）謊言！神話！鬼論！（四）幻景！騙局！地獄！並附以（一）由土改鬥爭到「人民公社」，（二）由「人民公社」到共産社會。第三，照片部份，計七十三幀，分爲五類：（一）「人民公社」下的人民，（二）「人民公社」下的兒童與學生，（三）「人民公社」下的婦女與僑眷，（四）「人民公社」下的全民練兵，（五）「人民公社」下的全民煉鋼，總計圖表及照片二五六張。

筆者參觀後的感覺是：表解一目瞭然，圖畫技術不够高明，照片太少，且多係從Time News Weekly等英美報刊中所攝取之照片，雖已放大，仍感模糊不清，原始資料太少，如能廣爲徵集，分別在台北博物館、台中、台南、高雄、花蓮等縣市立圖書館闢室長期展出，其效果是很大的。

·楊力行。

談陳誠內閣之整頓政風。馬周。

陳氏對整頓政風是有決心的，有辦法的，但却不可忽略大刀闊斧之下，有些真小人變作了僞君子。

（台北通訊）陳兼院長於四十七年七月間第二次上台，其情形和四十二年第一次入閣大有不同，以副總統兼任行政院院長，聲望固已崇高，而在前此三四年事任副總統期間，主持光復大陸設計研究委員會和國大代表們有了進一步的接觸，對於民意的歸趨也有了進一步的了解。而且閣員的陣容，不限於國民黨已有的幹部，而延攬了一部份在學術界教育界有地位的人士。

在陳誠入閣不久，金門的砲聲響了。在砲戰之初，陳氏毅然達成保衛金馬的任務。其後中美聯合公報發表以後，各方反應不甚良好，儘管陳氏一直保持沉默，使人意味到這一責任應不應該由責任內閣負起來？爲什麼聯合公報不由行政院院長簽名發表，而要總統直接去談判，在一班國際外交慣例上實在不易解釋。根據陳氏平時對於國家政治的看法是主張「自力更生」的，儘管近來不乏有人對於「自力更生」的主張已經失去信心，可是陳氏仍堅主不要事事依賴別人。在他第一次內閣任內，他曾做了一些事，如三七五減租，實施地方自治，嚴格管理外滙金融市場，台灣幣制的改革等等。這次入閣以後的課題較四年前又更見困難，內政問題既要從頭做起，外交問題更是荊棘重重，這些都是橫在眼前的最大課題：自力更生，是天經地義的大道，但是究將如何自力？如何更生呢？

陳誠內閣在中美聯合公報發表以後，以扭轉政治風氣爲第一要義：看來像是從小處着手，其實是整頓政風的要義，他經獎勵「一個整飭社會風氣的辦法，主張守時，節約，屏除虛文，不要鋪張婚喪祝壽，要嚴肅私人生活等。但是結果呢？人事迎送如故，祝壽如故，不守時如故，不節約如故……雖然長官們嘴上不斷大打官腔。於是大家不做僞小人，却成了僞君子，都成了鄉愿，尤其那些反共抗俄克難實踐的官員，生活與私德更令人齒冷！甚且倡議「個人私生活與公務無關」，以文過飾非。

行政院本身的政治風氣，較之以往，嚴肅多了！不論在中央，在地方，過去公務員那種憑行進酒家的風氣，正在積極扭轉中，行政院對於公務員進酒家，正在不遺餘力地徹手調查中。高雄縣政府即已首次接奉行政院秘書處層轉高雄縣公教人員進入酒家名單一份，飭通知其主管注意糾正。

其次，陳氏對於教育風氣原也有整頓的決心，在一月三日行政院的院會發表一段整頓教育風氣的談話，已見台港各報，當時大家都替台灣省教育會理事長游彌堅捏了一把汗，但事將一月，未見下文。大概陳氏另有想法吧。在一月二十三日的此間報紙上披露了一段新聞，行政院爲了接受地方意見，將試辦了三年的初中免試升學下令停辦，這倒是一件大快人心的事，在今天戰爭威脅迄未解除，經濟情況尚未好轉，侈談免試升學也好，侈談延長義務教育也好，甚而說消滅惡性補習也好，但歷年增加教育經費達數百萬元，大部由老百姓攤派負担，而且與時俱增，無怪乎新竹縣和高雄市的地方人士一再呼籲停辦，行政院乃有此一令。

我們希望值此行政改革聲中，中央能大刀闊斧地整肅官常，更要緊的是清潔歷年積下的壞習氣，否則即使行政改革成功，而人事風氣不够健全，也難望竟全效的。

從中壢兩案論教育整風

陳集

（合灣通訊）近來台灣教育當局似乎頗有革[illegible]繼張其昀之後，是相當吃[illegible]教育是一方新猷外，其他[illegible]下令停辦的免試升學，都[illegible]後。且免試升學試辦區高[illegible]之深，又不知如何善其後[illegible]政，事實上已無法劃分[illegible]，非得打成一片是無由有所建樹的。

但教育當爲百年大計，不必急功近利，須得放長線，以圖久安。所以我以爲今日教育上的大事，最重要的莫過於整肅教育風紀。倘而人事不滅，不論什麼計劃，好制度，都僅止乎白紙黑字的空談。而今日台灣教育風紀之敗壞，已到了無以復加的程度，其嚴重性較之惡性補習，殆過之而無不及。我現在舉最近發生的兩事爲例，希望政府提高警覺。

其一是××學院教授李偉器的招會詐財，涉嫌以購置房屋開設補習班爲由，倒會詐財九十六萬餘元，案經被害人聯名向警務處刑事大隊提出告訴，經傳訊李夫婦後，認有共同詐財罪嫌。李夫婦經傳訊後交保，案由警方移送台北地檢處偵辦中。李本人於被警方傳訊時，雖把責任完全推到他的太太身上，但因被害人握有甚多有力證據，如李親筆所寫的會款結算單及會款收據等，均使他無法推卸責任。（見一月二十一日聯合報）

另一是省立××中學某教務主任串通前某省立中學一位教員詐騙投考大專落第秀才黃×××等三青年五萬元，說是替他們三人向某學院購買學籍，結果如石沉大海。黃等曾於去冬十二月十日找彼等攤牌。某教務主任承認僅拿到六千元，願意將所得全部交還，結果當三青年應約前往時，反被包圍於校長室中，校長竟又以電話報告警察分局，指控三青年妨害公務。三青年乃具狀向新竹地檢處告訴，結果彼等又找另一同事作假證，新竹地檢處便據此證宣佈犯罪證據不足裁定不起訴。三青年不服，再向治安機關告訴，彼告屢傳不到，三青年反被治安機關扣送台北地檢處偵訊中。據經辦人員對記者說，黃等均現役年齡，除非有大專在學證明書可以緩召，否則即不能免除兵役，內情複雜，某教務主任與教員及校長，關係似不簡單。（以上大意見一月十三日徵信新聞）

教育行政當局與監察院對報上新聞，不會沒有見到，不曉得有沒有進行調查？尤其是直屬的教育廳，對此更應提高警惕，教育從業人員而橫遭汚辱，教育廳有維護他們而澄清視聽之必要措施。過去教育廳對於這方面的處理，使人高深莫測。如以前省立××職業學校的校長桃色案爲例，教育廳把校長調任而不了之，使社會人士未明孰是孰非，陷入五里霧中。

教育事業是先覺覺人，自立立人的神聖工作，教育從業員之間而無是非曲直之辨，將何以爲民示範。

人代會延期

一九五八年六月二十九日，「人代常委會」舉行第九十八次會議，決定第二屆「人代」第一次會議在一九五九年一月召開，全國「人民代表」要在一九五八年十月底以前選出。理由是爲了適應全國工農業生產大躍進的情況，便于及時制定經濟計劃和預算。

今年一月二十三日「人代常委會」第一零三次會議又決定第二屆「人代」第一次會議改在一九五九年四月召開。這個決定沒有說明理由，僅說是根據「國務院」的建議。

一個國家的經濟計劃和預算在年初加以制定，這是對的，那末去年六月作出的第一次延期是適當的。問題當在何以又要第二次延期呢？我覺得其原因該是：（一）迄目前止，尚有新疆、福建、廣西三省的代表未曾選出。（二）去年十一月間所召開的六中全會，強調「冲天幹勁與科學分析」，中共雖然已宣佈其若干主要產品的生產情況與今年指標，這種情況距離事實有多遠，恐怕連他們自己都不清楚；現在既要講求「科學分析」，那麼至少要把它弄清楚才可以制定次一年度的計劃與預算。不久以前的六中全會決議中又要求各地在去年十二月至今年四月間進行整社，其二屆「人代」第一次會議推遲的時間恰巧與此吻合，這可能是在等待整頓的結果，俾在「人代」會議作一法律性的決定。因爲到現在止，人民公社雖然組織起來了，但未有一項行政性的命令可以依據，法律更談不到了。至于說是在爭執那個國家主席之說，在我看是毫無意義的，因爲那是一個高級儀仗隊的頭兒。

陳毅抬頭

在中共和東德發表的聯合聲明中，代表中共政權簽字的是代「總理」陳毅，這確實出乎尋常的；因此，在東京來的消息說現總理周恩來將任國家主席，陳毅將繼之而任「總理」。儘管這一消息說是有來源的，但仍值得懷疑。周是一個外交人才，要是他當了這個主席，就不能像以前一般的隨便亂跑；而陳毅的勢力確實在增長，但距離「總理」的地位，似乎還很遠。從黨的地位來說他未曾升上政治局常委，若以政治局委員的名次來說，除了常委以外他的前面也還有林伯渠，董必武、彭眞、羅榮桓。所謂「國務院總理」雖說只是一個執行機構的首腦，以陳毅這種黨內的地位，恐怕不襯。此事的另一方面所反映的，是陳雲的沒落，這是本欄已早說過了的，並無新鮮的意義。

○田心○

展望東南亞國家的團結運動
新「亞細利亞」的醞釀

。蘇文民。

東南亞並不需要出現一位納蘇才能團結一致。黑色非洲新興國家的聯合，是個範例。新的「亞細利亞」之實現，似乎也只能通過類似的道路。這條道路十分明顯：以武力對抗共產主義，取得民族獨立，主動的利用現代資本主義的優點，以繁榮經濟。

最近馬來亞首相東姑阿都拉曼倡議組織東南亞文化經濟聯盟，這事具有重大的歷史意義。因此，如果把亞洲民族團結起來以求共存的趨勢都看作是日本「大東亞共榮圈」的翻版，則無異是一種錯覺，會有這種看法的大概都是那些頑固的殖民主義者。他們甚至幼稚可笑到，曾經在一九四五年把印尼共和國說成是日本佔領軍製造的傀儡。

其實東亞或東南亞團結以求「共存共榮」的概念並非大和民族所首創。遠在二十年代，印尼有一位政治家即曾提出。他就是陳馬六甲（Tan Malaka），當時他是印尼共產黨（P.K.I.）的[illegible]之一，後脫黨。現在印尼的斯大林派共黨——艾迪（Aidit）份子一把他遺下的黨羽稱爲托派。陳馬六甲當時認爲：亞洲（特別是東南亞）與澳洲（即大洋洲）應該是一個文化、經濟以至政治上的有機的共同整體，並且必須進一步組成一個聯邦。他把這個理想中的大聯邦稱爲「亞細利亞」（Aslia），意即「亞澳洲」，他創造的這個新詞是「亞細亞」（Asia）首音節與「澳大利亞」（Australia）末音節的聯合。當時聯共（布）黨中央會指責他這種計劃，說這是不現實的空想，甚至是「反動」的。

但是，不論任何亞洲政黨，不論任何亞洲國家，亞洲人團結起來的思想幾乎是人同此心，心同此理。亞洲民族主義者說，這道理太簡單了，大家都窮，過去都是被壓迫的殖民地，現在又面臨着紅色帝國主義的侵略威脅，那麼爲何不聯合起來共同爭取獨立和捍衛自由呢？

十九世紀末葉和二十世紀初期，亞洲民族主義者的任務是反對帝國主義，俾擺脫殖民地附屬國的地位以取得民族獨立；故其時首當其衝者是資本主義，而共產主義則化裝成爲被壓迫民族的同情者和解放者，欺騙了許多亞洲人。

自二次大戰結束後，形勢一變。西方殖民宗主國基本上（自願或被迫地）放棄了東方的殖民地，亞非澳三洲「殖民洲」上空出現了民族獨立的曙光。但隨着兩個世界和兩個平行市場的出現，新的暗影又籠罩了這些地區——這就是共產主義——新式的帝國主義和殖民主義。[illegible]歐洲和近東，前者的民族文化和國家經濟已經高度發展與鞏固，後者有着十分強烈的宗教意識與民族主義，因而蘇聯的擴張政策受到了堅強的抵抗，其擴張已經達到極限。伊、波、埃、敘……：都亮了紅燈。它們告訴蘇聯：「站住！不准再往前越過一步了」。然而中共面臨地區的情況就完全不同。東南亞和南亞國家，國小兵微，經濟文化均極落後，予中共侵略者可乘之機。現在這些地區已有許多國家領袖意識到這一問題的嚴重性，因而團結以至聯合的聲浪漸次出現，這無疑是可喜的現象。具有民族覺悟的亞洲民族主義者，已深知共產主義——特別是中共式的共產主義——，就是帝國主義加殖民政策加奴隸制度的總和。這顯然絕非他們所能接受。

但東南亞、遠東和南亞現在缺乏一個政治、經濟和軍事力量佔領導地位的大國，來担綱團結各小國以對抗中共侵略的任務。日本原有資格，但它在上一次大戰中給予亞洲國家的印象不佳，因此由它來担任這個主角，並不合適。其次是印度，但它在地理上偏處東南亞洲西端，同時印度似乎目前亦無担任領導的興趣。第三位是印尼，地廣人多，本極有條件，但其現政府乃親共者，故無此可能。即使它有興趣，也不脫「大印尼主義」（Indonesia Raya）的圈子，首先將受到同族非星馬三國的反對。

唯一可行的辦法是東南亞各國自已聯合起來，先組織一個「邦聯」（國家聯盟），而不是聯邦。這就要分兩個階段來進行：首先是南洋群島各國的聯合，包括馬來亞、新加坡、印尼、菲律賓、北婆羅洲（沙勝越和汶萊在內）五國。這些國家有馬來民族的共同基礎，團結應無問題，以目前情況而言，似乎馬菲二國要起主要作用。第二範疇是印度支那半島各國的聯合，包括泰國、緬甸、南越、寮國和東埔寨五國。這些國家多屬佛教國，而且經濟、文化和地理上是不可分割的整體。目前似乎泰緬兩國要起作用。在這兩個東南亞國家羣之中，只有印尼和東埔寨較難參加，然而相信這不過是暫時現象而已。

「亞細利亞」的理想並非無實現之可能性。若要共同的經濟繁榮和政治安定，其唯一的道路就是團結和聯合。現在各國的條件基本上均已具備：共黨勢力漸被消滅，堅強的反共政府多已成立。然而團結談何容易？西歐國家在大敵當前之際，尚且爭吵不休，東南亞這些小國麻煩必定更多，狹隘偏激的民族心理是這個團結的大障碍。

亞洲特別是東南亞的團結事業，不能由這地區以外的國家越俎代庖。目前東南亞一些國家的政治領袖已經初步瞭解這個問題，正主動積極地醞釀一個經濟文化聯盟，因此，馬來亞首相東姑阿都拉曼的倡議是極有價值的，如果他的建議能被東南亞多數國家所接受，這地區就將展開歷史的新頁了。

大陸文壇透視·七
說謊文學和胡謅文學

自延安時代到「解放」初期的中共作品，可以總名之爲「秧歌文學」。茅盾就是因爲曾說過秧歌是中國新生的藝術，才進一步爲中共拉攏。所以當時軍閥左翼文人中拍上頭來的，以胡風罵他是「捕撈頭的」肯擁。這種文學就算迎有「一面歷史」，曾得到第二三等史大林文藝獎金之「太陽照在桑乾河上」和「暴風驟雨」包括在內，也說不上像秧歌舞那樣簡單、但淺。周立波的特色。如果說這樣的作品是文學藝術，那眞要爲文學藝術叫苦！

「解放」後，像當年新文學運動初期一些文人把西洋文學中的寫實主義、自然主義、浪漫主義、象徵主義販運到中國來一樣，中共也把蘇聯文學所標榜的「社會主義現實主義」移植到大陸。從此土風土調的秧歌逐一變而爲洋腔洋調的秧歌腔，便自我誇耀爲「社會主義現實主義」的文學。這類作品因爲描寫的是社會主義的現實，所以與一直佔有未到完全社會主義的大陸現實，迥乎不同。作品中所反映的不是像毛澤東所說大陸人民的「一窮二白」的現實，而是幻想中出來的人人豐衣足食快樂幸福的蜃樓海市。在港九的人不難從中共作品，也可以從中共影片上看到，中共新聞紀錄片「迷人的假期」上演，就有大陸的「中國絲綢」的絲綢衣裳，三五成羣的男女都穿着華麗的鏡頭。有誰能相信這是大陸出來遊山遊景？大陸上眞正的現實是大陸的現實，是誰也知道的每年每人配給一丈二尺白粗布（且曾一度減爲八尺），做一身單衣也不够。這樣的文學，就是中共詩人艾青所說的「把饑荒寫成花朵、把膿包寫成蓓蕾」的文學，我無以名之，姑且師取去年被指爲右派的文人黃秋耘所說「沒有眞正的藝術，剩下來不過是美麗的謊言」之語意，稱它爲「說謊文學」。

另有一種文學是描寫未來的美麗遠景的。照「社會主義現實主義」的說法，是依據馬列主義的社會發展規律來推斷，寫出所謂「胆敢的預見」。於是這類作品便大胆地寫着中共在夢囈，農民花幾年之後便有很高的物質享受：住的是樓上樓下，電燈電話；吃的是山珍海味；穿的是綾羅呢絨；到那時大家盡情吃喝玩樂，再也不用勞動了。去年自從田漢寫出「十三陵暢想曲」，便一窩風似産生了一堆「暢想未來」的作品，這可以名之爲「胡謅文學」。

國際動態

拾零

△美國聯合參謀長端甯，謂直至現在止，蘇聯尚無一顆可供發射的越洲飛彈，這是他在參議院外交委員會作證。但有些民主黨委員，則認爲是自我陶醉的想法。

△據美國情報當局綜合各方消息的分析，則謂蘇聯今年年底，將有五十顆越洲飛彈。而美國是時，少到僅有一打左右。

△米高揚將任蘇聯外交部長，以代葛羅米柯。葛氏是以「不」著名的外交家。果如此，蘇聯在外交之態度上，將有變更，至少是表面上將暫時改變。但傳聞雖屬如此，還要看其和平攻勢，能否勝利而定。

△東德科學家透露，蘇聯第一架原子能飛機，將於數星期內試飛。其放射原子彈之快速軍艦，亦將在波羅的海試航。該艦長四百英尺，每小時可航行一百五十里。

△在最近之廿一屆聯共大會上，莫洛托夫不肯如布加甯之向大會認錯，且亦不自承有反黨行動。莫氏表示不願參加大會，這是史太林時代所沒有的現象。

△中共決定出席下週廿一屆聯共大會之目的，爲加重史太林派分量，以反對柏林問題對西方之妥協。以蒙古與中共之政變，都毅然整肅，而退出政府。因此北京與莫斯科間之暗潮，重新尖銳化。

·陶然·

瘟君夢

岳騫

第一回：消息自天來　人捐秋扇
　　　　風波從地起　夢冷新華

林柏渠這一首「西江月」歪詞剛念一半，看見大家一齊鼓掌，十分得意，不料董必武一開口，頓時把興頭打退，只是怔怔地看着他。董必武笑道：「林老，你不認識我嗎？只是看我作什麼？」

林伯渠看到「老狐狸」一臉奸笑，並道這次要栽到他手裏，唯一希望就是別當着劉少奇、彭眞、鄧小平一批人講出來，散會後再單獨和他談判，事情還不至於擴大。

那知董必武也就因爲正抓住林伯渠的毛病，如何肯放鬆，勢必要在劉少奇等人面前說出，才能把他打下去，出了二十幾年的惡氣。

說起林董兩人的鬥爭，也是中共內部一項矛盾。原來中共高級頭目，有五個人，通常被稱作「五老」，就是林伯渠、董必武、吳玉章、謝覺哉、徐特立。

五人中間以徐特立年事最高，已經八十歲，因爲老邁龍鍾，多年來只掛一個中央委員空名，不再問事。謝覺哉要算是「五老」中最受冷落的一位，中共七屆中委會，他只是一名候補中委，比其他四老低了一級。雖然自中共政權成立以來，就担任着「內務部長」，也是一個冷衙門。原來中共政權組織和民主國家不同，民主國家內政部長是部長之首，地位僅次於總理，內政之後才是外交，財政等部。但是中共組織不同，中共內務部之外，還有一個公安部，有關警察，戶政都被公安部分去。內務部只是主管全國的行政區劃，權力只能比上中華民國內政部一個方域司，所以人數編制也最少，只有六百多人，其他的部最多的一個有五千人，其次四千人的有三個，三千人的有四個，最少的也都在千人以上，只有內務部最小。八屆中委會，「謝老」雖然當選中委，名次也很低，差點又淪爲候補。

至於吳玉章，比較徐、謝要風光些，担任人民大學校長，又主管文字改革事宜，但也只是尊而不親，一切決策大計，還輪不到他來過問。

這「三老」也都安份，自知人老珠黃不値錢，也不作鬥爭打算，只求太平飯能吃到老死，也就算了。

只有林、董二老，未知老之已至，不服倚老賣老，還自以爲似湖南辣椒一樣，越老越紅，在政治局內持權弄勢，撒嬌爭寵，都希望把對方打下去，變成政治局中「一老」，更可翻雲覆雨，爲所欲爲。

九年來，兩人地位始終在伯仲之間，大體說來，林伯渠名高於實，董必武實勝於名。當中共政權成立之初，董必武任政務院副總理，林伯渠任中央人民政府秘書長，當然是林伯渠少勝一籌。（七）

釋耒集

人類發明了照像，使一部份人獲得了意外的滿足，例如商業用的廣告，法庭用的罪證，軍事參謀本部用的戰略參考資料之類，有了照片，實在方便得多。但這些牽涉的範圍太廣，我們不論，我們要說的，只是個人的肖像一道。古時范蠡鑄金，凌煙閣圖繪功臣形像，那種條件不是隨便可得的，退而思其次，就只能覓一畫師，繪一幅行樂圖，再找個會作詩的熟人，題贊一番，替自己的一生，留下一點紀念，可見人之未能忘情，此亦一例也。

先前，我對于讀過他的著作的前輩先生，如康有爲、梁任公、王國維、嚴幾道、林琴南，以至于稍後的胡適之、王雲五這些人，一直想看看他們的照片，但很失望，因爲這些先生們都不會在他們的著作印上甚什肖像。十年前來了香港，那時香港的書業像患貧血病一樣，實在找不出什麼書，因而偶然也抽買一些近人的著作看看，聊以消遣，很意外，多數都印着照片，有些還倩人題上詩，或附着跟同人、弟子之類的集體照，表示他的名山事業，已都有了傳人。但也很失望，凡屬這一類著作，都是沒有什麼看頭的。荀子曰：「學莫便于近其人」。讀其著作，其實不啻是向這個人學習一樣，爲了表示他衷心的向往，因而在不能親近其人之餘，不免想

照片

看看他的照片，此亦人情之常。因此我常常想，爲什麼許多出版商沒有想到這一點呢？但又轉念，即使出版商想到了，也須先得那位著者的同意才行。可見這並不是出版商的問題。那末，目前這些印在封面上的先生們，是自己有意站出來方便別人景仰的了，司馬遷曾說過：「文史星曆，主上倡優畜之」。這使我想起了中國士大夫捧角兒的習氣，那個角自己知道有人要捧了，于是在唱做剛要煞科的當兒，向台下狠狠一下眼色，于是爆雷一樣的掌聲，喝采聲，轟然而來，然後完滿收場，各得其所。香港是一個商業的港口，忽然聚上幾個著作家在這裏，祗是一種特殊的情形，「入其國，其教可知也」。這是講生意經的地方，大家都懂得：有勝于無，多勝于少；而且鷓鴣菜、十靈丹之類，莫不印上發明人的肖像，相習成風，所以雖賢者亦不免焉！

近時在報上看到一個小學生參加論文比賽得獎的照片，領獎時印一次，排名公佈那天又印一次，回到學校，開會慶祝再印一次，而且好幾種報紙都印了。這小學生的兩旁，還站着兩位大約是他的先生之類，可能是爲了盡心指導之故，所以也應該分享一份光榮吧？

我也知道宣傳可以使一個人成名，但如果那位小學生眞的懂得如此安排，就不免于太過早熟了。

曲齋

心穎集（一）

弱者

李素

「弱者，你的名字是女人。」（Frailty, thy Name is Woman）。這是莎士比亞透過他的戲劇人物說的話，久已成爲許多人引用的西洋名言了。我國的孔夫子也說過：「惟女子與小人爲難養也。」至於稱女子爲弱質，更是由來已久。以前我一想起這一類的字句，總覺得男人只憑偏見來武斷，頗有點兒狂妄，兼有存心侮辱及誹謗女性之嫌，簡直值得跟他們打一場官司呢。假如莎翁現在還活着，我猜總會有女人上法院去告他一狀。

可是，積累了多年的經驗與深思，尤其是最近遇到許多事，都使我自嘆懦弱無能，所以我開始佩服莎士比亞，並認爲他這句話確是至理。身爲男子的他，對女人竟有如此透徹的認識和批判，可見他研究人性眞正到了家，我只好轉而崇敬他的偉大。

我是女人，現在是平心靜氣地承認我的名字是弱者。也許以前我偶然在心裏承認過，卻似乎從未公開。爲什麼？因爲從小到大我都受着逆境的磨折，由於壓力越大則反抗力越大，故很自然地便磨成了一副倔強的性格。我常常都自以爲正義凜凜，烈烈地和命運搏鬥着的，這當然就從來是以強者自居的啦。每逢受了委屈，或遇到挫敗和打擊時，望着別人的冷眼或白眼，我嘴裏雖不說什麼，心中那股憤火卻向天靈蓋上直冒。偶然，我碰上了運氣，在學業或工作上略有些微愜心的進展時，我便會以英雄得意的姿態，昂起頭，肩有點兒橫，目也帶怒地在想：「你們就很了不起麼？哼，等着瞧這頂天立地的我！」

那時的我，年少氣盛，遇事總好逞強，死要面子，幹什麼事都挺起腰板，硬撐；到頭來還往往是自己吃虧，吃苦。現在回想，却差點兒從心底笑出聲來。我那種斤斤較量，劍拔弩張的神情，只是自我安慰的所謂精神勝利，是阿Q的作風吧了。現在才從經驗與見識裏領悟：凡是愛逞強的，都是有許多缺點的最自卑的人物。不是麼？

不過，當年儘管是幼稚和淺薄，却像平地上的小松樹，頗有着拳自喜，壯志凌雲的風姿。現在呢，侷促在斗大的環境裏，爲生活奔忙；雖然人窮而志未短，無奈英雄到了末路，已是無可諱言的事實。現在的我，倒彷彿是高山上的老松，敵不過高空的氣壓，祗得低頭垂手，僅只有老氣橫秋，再沒有昂首參天的豪氣了。我怎能不承認自己是弱者？儘管如此，但「江山易改」，倔強的本性還沒有連根拔除。叛逆的靈魂常常出竅，腦袋裏擠滿許多狂想，日益膨脹，快要把弱質的軀殼爆裂了。

我想起了封神榜，西遊記，鏡花緣，是許仲琳，吳承恩，李汝珍的狂想所開的花朶。唐宋傳奇中許多神怪，仙俠及才子佳人的故事，也大都是失意的落拓文人的狂想。世上還有數不完的帶點狂味如「唐吉訶德」之類的文學作品，也都是作者爲了獲得心靈的滿足與歡快而寫下來的。我也願把我的狂想寫下來，且我不是文人，只是個弱者，因此我的狂想也一樣柔弱幼稚，瑣屑零碎，缺乏氣魄，不會開花結果，祗是若斷若續的心聲，也許低微得僅有我自己聽得見。

儘管它低微不低微，且讓我打開心靈的閘門給狂想添上羽翼，讓它飛出弱質的樊籠吧。

近年來台灣的雜文和武俠小說

獨行俠

台灣報紙副刊天天與人見面，印像最深的莫過於雜文和武俠小說。雜文類乎新聞短評，我們可以說它是「言志」和「載道」的，而年來「新武俠」之泛濫，已成了一種矛盾。雖然矛盾却又調和在一版副刊之內，實在跡近可笑。在報紙商業化的立場看來，根本不算一回事，如果在社會教育方面看來，却又是非同小可了。

雜文雖只那麼一個小方塊，可是威力却不小，有人形容它爲「匕首」；它應該有針砭時代，警惕人心的責任；也應該是言之滲滲，聞者足戒的。有些人也許認爲雜文容易寫，因爲它既不求韻律的諧調，復不講形式如何的限制。我覺得外貌愈簡單者愈難，雜文也是如此。一個寫雜文的人，一要人情練達、閱歷廣深，二要中外古今的博知，三要有使用中外語文的能力。非此三者俱備不足以有「一針見血」的雜文出現，也許台灣的雜文家另有高見。以台港兩地而言，我留有印象的是馬五先生、南宮先生等，昔時「中央日報」的茹茵，或因其語文的火候到家，平淡中有餘味；「新生報」的鳳兮，於平舖中偶現奇峯似的，出現一點火辣語；「聯合報」的何凡，則平舖而且直敘，清楚明白得「一覽無遺」，甚或有一二是「流水賬」的格調；但以上諸家有一脈相通之處「欲說還休」，其實只限於觸及「政治」者如此。其次，新生報有短評性質的「新論衞」，限於「政治評論」，它是衞道的，官報自不許超出「官方之道」。聯合報亦有短評性質的「黑白集」，它是匕首，但不限於一端。所衞者乃「人道」「民主自由」道」，民營報紙，也正是它應有的風格，因爲此二者不署名的，據說多人輪流執筆，我覺得常有高於上述諸家之妙文可讀。

去年「新出版法」通過以後，各報擴版增加副刊，從官報到民營的最大特色，是「新武俠小說」，諸如「江湖八俠列傳」、「荒江劍俠」等等，本來武俠小說久已被擊於白文小說之流，今有其出頭之日，不管借屍還魂，甚或還魂在[illegible]，由於官報之倡「武俠風」，以致一般報紙份之增加，[illegible]者，[illegible]趣味，而引誘讀者，[illegible]。出版之「碧血劍」、「射鵰英雄傳」、「一燈大師」、「神鵰擺尾」、「降龍十八掌」、「亢龍有悔」等，且已銷行十萬冊。

本來武俠小說之多，官方出版「武俠小說」是依法，民間翻印當然也是依法了，如此看來，台灣文化界當有被「武俠風」所瀰漫之一日了。

政府前有「文化清潔運動」，後有「拒讀黃黑色書刊運動」，「新出版法」也是以整治黃色爲對象的；黃色固然是「誨淫」，而武俠也免不了是「誨盜」。

前一二年發現很多太保太妹，政府急治安一致實行廣泛搜查，[illegible]影片爲罪因，而發現西部武打影片和香港的武打，武俠小說是中國武打，西洋武打與中國武打也不過五十步與百步之別而已。

據各區中等學校校外生活指導委員會所稱，又有很多太保組織，如什麼小百獸，七俠，十三俠，十三妹，小金刀，十二金刀……，雖未發現如昔日「飛簷走壁」、「峨嵋山學道」的少年出走，但是時代不同名稱更易，又何不是「新武俠小說」之賜？

轉引太史公先生之妙文，以明眞象：

「……說着冷不防，『身子一閃，[illegible]向外一縮道，和尙疾忙一拳打去，「你打算吻手嗎？」』

……『喩彧唷一串連響，又是一柄魚叉飛來。』無異是一幫太保火併的縮影。」

民報且不說，官報豈有不衞「政治之道」、「教育之道」？雜文家袖手旁觀，却[illegible]提倡「武俠風」，製造「太保太妹」，教育行政至感棘手，[illegible]機關特別專設小組，治安人員[illegible]「太保太妹」組織，我不得不說，此誠咄咄怪事矣！

（四十八年一月廿六日於台北）

風雨樓繪畫叢談

何謂扆雲？何謂黼黻？何謂交龍畢方？說文訓扆爲屏風，釋名訓扆爲障扆。周制，天子屏風，是用畫斧爲之。故尚書云：「狄設黼扆」。東軒筆錄云：「天子負斧扆，南面而立，故稱君位曰「扆扆」」。黃帝是以畫爲紀的，他的座後屏風，可能就是畫翼繪成。交龍和畢方，都是旗幟的標誌，交龍爲雙龍，畢方爲怪獸。覲禮記云：「天子載大旂，象日月，升龍降龍」。鄭玄注周禮司常云：「諸侯畫交龍，一象其升朝，一象其下復」。依此類推，黃帝的車乘上，更可能懸有二旗；一爲畫畢方，一爲畫交龍。故曰，「乘畜扆雲」。「交龍畢方並轄」。黼黻之義，在舜帝十二章，是爲下裳；在周代天子九章，則爲上黻下裳，其間惟一不變的特質，是上繪而下繡。所以詩終南云：「君子至止，黻衣繡裳。」所以左傳亦云：「火龍黼黻，昭其文也，五色比象，昭其物也」。大致三代的道德傳統，相當重視遵行古道；前如堯舜，後如孔子，他們的嘉言懿行，可資爲證者，是累見不一見的。例如堯典有云：「若稽古，帝堯。曰，放勳欽明文思安安」。又舜典云：「若稽古，帝舜。曰，重華協于帝」。於此可知黃帝的黼黻衣裳，不但是一種有繪有繡的法服，它於堯舜禹湯文武之間，還有連續相因世代相傳的道德束縛。且周易以黃帝堯舜垂衣裳而天下治，是取諸乾坤；則其理想，還得表彰萬物，施用於垂衣裳，在洪荒之世，有關表彰萬物，如不取[illegible]，無法找到另一適當工具可知。然則黃帝的繪畫與刺繡，其理想方面，大可歸納爲四端；一爲繪，二爲繡，三爲明萬物，四爲定尊卑。所以爾雅稱畫爲形，廣雅稱畫爲類，釋名稱畫爲挂，說文稱畫爲畛，想來都是於彩色地含義的。[illegible]

[illegible]是否，歷史上是一個爭辯不休，難於解決的問題，有認爲出自伏羲，有認爲出自帝堯，有認爲出自帝舜的。[illegible]，或不無有其相互引用之處。亦即是說，[illegible]史皇爲多，而黃帝之爲畫家，亦未必非畫官，亦非繪畫起始人，是極可相信的結論。不過繪畫的創始，是不是還另有其人呢？（十）

迷陽

閒話晚曼殊的詩

・陸珍年・

曼殊大師一生身世凄涼，落拓不羈，且性格多愁，含悲飲恨，斷喪身心，於一九一八年五月病歿上海廣慈醫院，年三十五歲。葬於西子湖畔。大師滅度後，弔輓他的詩人很多，我現錄下幾首，以見世人對大師之懷緬：

黃懺華輓曼殊上人云：「結束風華若未眞，多情文字最傷神，此身大有難忘處，天下聰明慣誤人。」自古多才易爲累，多情易爲紛，曼殊落葉哀蟬的身世，能不令人同情嗎！柳亞子爲大師生前好友，並爲之編纂全集以爲紀念。他的「和曼殊本事詩」，在大師滅度後作，今錄三首，都是依曼殊本事詩的韻而寫的：「事到難言唯有淚，人間無着況於詩。伊誰精鐵鑄千錯，[illegible]未嫁時。」「最難廉潔故人疾，何會神女愛行雲？悲歡離合從頭數，遺盡腰肢蝶裙。」「懺悲忍愛無情甚，我有狂言一問卿，是色是空無二相，何須抵死謂蒼耶？」

維摩居士的高超，高唐神女的寂寞，合起來豈不正是個曼殊？柳亞子眞是瞭解大師啊！

王德鐘亦有詩弔云：「隔江烟雨晚霏霏，縱有靈魂不是歸，[illegible]更誰同夜獨吹簫？」

曼殊瘞骨在西湖畔的一座小山上，往來憑悼他的人很多。[illegible]殊上人墓」云：「[illegible]花媚，殘塔搖風柔草芳，鄰以小青君復處，[illegible]殘陽。」

劉大白「訪曼殊塔」詩：「[illegible]有詩文，誰遣名僧作名妓？西冷橋畔雨蕭蕭。」

還有一首陳翔冰的新詩也是弔曼殊的，今錄下：

昨宵夢到西冷荒郊，

一片情癡，一個懺愼，

爾上啼痕夜半的寒鴉，

詩骨扶杖胭脂淚染袈裟。

曼殊！曼殊！不須和淚看碧波，

孤山梅雪反映你生前坎坷！

燕子孤征繞海涯，蕉葉瀟瀟，

而今！而今！紅葉不歸[illegible]，

疏鐘日暮，誰慰寂寥？

[illegible]你白馬投荒時的懷抱，

[illegible]會繞海涯而哀號，和尙也沒有扶手杖的[illegible]

曼殊，而是一個孤子，曼殊不是[illegible]

在前者亦是其中之一，他的詩我首首都要讀，都能背，我的書桌上有一幀大師的小照，身披袈裟，手持捻珠，面目清秀，人如其文。我曾題二十八字於小照之下，今錄之，以塡文尾餘白。

胭脂和淚染袈裟，今日櫻橋落落花，詞客悲荒君與我，同將流浪作生涯。

自由人

THE FREEMAN
（第八二九期）
中華民國僑務委員會登記證僑台新字第一二號
中華郵政台字第一○○五號執照登記為第一類新聞紙類
半週刊 每逢星期三星期六出版
每份港幣壹毫
台北市售價台幣貳元
督印人：陳訓畬
地址：香港高士威道廿二號三樓
20 CAUSEWAY RD. 3RD. FL. HONG KONG
TEL. 771726
承印者：東南印務出版社
地址：香港打扙道四十六號
台灣總經理處：台北市西寧南路三六號二樓
電話：三三○四六
郵政劃撥儲金戶九二五二號
海外總經銷：友聯書報發行公司 香港彌敦道六十二號八樓

海外的民主運動

（詳見第二版）

中俄共關係的新階段

·鄭竹園·

這次俄共舉行第二十一次黨大會，中共特派周恩來率領代表團前往參加，西方觀察家均認為此乃中共與俄共關係的惡化。我個人的看法，則認為這是中共對俄共的妥協，由於這一妥協，可能縮短雙方的距離，而使中共更靠緊俄共。

「公社」引起的磨擦

中共與俄共間的關係，就總的形勢說，一直都保持高度的合作，但說它們間毫無矛盾，乃屬不合事實。毛澤東與赫魯曉夫間的齟齬，最先發生於對待史達林事件的態度，最近又發生於人民公社問題。

去年九月以後在大陸上瘋狂推行的人民公社，俄共最高領導階層雖未公開表示反對，但其不滿之情，已溢於表。其重要跡象，有下列二端：第一、從去年九月到年底為止，除「真理報」轉載過中共中央政治局會議關於人民公社的決議外，並無發表任何文字，評述或讚揚公社。去年十一月七日，俄共駐北平大使尤金，在慶祝十月革命紀念會上的演說，只提及大躍進，而不提人民公社。甚至在今年元月召開的廿一次黨大會冗長報告中，赫魯曉夫亦無一字提及人民公社，只說「中國共產黨在社會主義建設中採取許多獨特形式」。可是俄共領導人，根本不承認人民公社可以成為過渡到共產主義社會的基本形式。

第二、美參議員亨富萊在「生活」什誌上所發表的訪蘇報告中，透露赫魯曉夫曾指公社是「落伍的和反動的」，赫魯曉夫並指出「在革命之後，我們曾經試行那個制度，結果行不通」。「公社制」根據「各盡所能和各取所需的原則，而這些原則乃行不通者，內容沒有刺激，將無法進步」。相信這些紀載，相當可信，證明赫魯曉夫對毛澤東這一冒進措施，乃表示反對。有人認為中共係接受俄共的意旨推行公社，這是不切實際的無稽之談。

中共的退讓行動

俄共對中共領導人企圖在短期內即由社會主義躍進入共產主義的瘋狂行動，不但深表不滿，相信還不斷施以壓力。這種壓力，使中共在維持公社制與背離俄共領導之間被迫抉擇一途。為避免公開決裂，中共領導階層在經過將近四十天的討論後，才決定修正公社的若干政策，而毛澤東亦便在這一情勢下，宣告引退。武漢六中全會的決議，去年十二月十日對公社的理論及政策，已作全面修改，其主要轉變，包括（一）宣佈城市停止建立公社。據中共廣州市委第一書記王德最近宣稱，廣州市最低限度在二年內不搞公社；（二）容許農民繼續保有房屋，零星果樹和小家禽，在牧區，容許牧民保有一定牲畜，容許社員各個人交通及飲食的需要；（三）在生活集體化中實行所謂「大集體小自由」原則，給予農民較大的機動性；（四）宣佈按勞計酬的工資制，在今後相當長期內仍將是分配的主要形式。

除上舉各項的轉變外，中共八屆六中全會並一再強調「人民公社仍是集體所有制，而不是全民所有制」，「要在全面實現社會主義的全民所有制，從現在起，將需要經歷十五年、二十年或者更多一些的時間」。這一宣告，不但否定初期所謂「人民公社五、六年，即可由集體所有制過入全民所有制」的說法，而且是接受赫魯曉夫最近的報告。赫魯曉夫最近的報告已明白指出二點：（一）社會主義發展到共產主義，是一個歷史過程，不能任意破壞或越過。在沒有創造必須的經濟條件，以及人們沒有養成按照共產主義精神生活和工作習慣時，過早過渡到共產主義，「只能使積累起來的資金全都吃光，並使經濟進一步發展和擴大再生產成為不可能」。（二）只有在社會的物質生產高度發展的基礎上，才可能加速社會主義成為共產主義，不能草率地實行還沒有成熟的東西。赫魯曉夫這二點，顯然在教訓中共及各國共產黨，不能擅自「抓頭」，希冀超越蘇聯而搶先走入共產主義社會。

周恩來俄京輸誠

由於中共接受俄共的勸告，修改公社政策，毛赫間的齟齬已宣告和緩，為進一步搞好關係，以便乞取經援，使其即年計劃獲得「物質上的保證」，因而周恩來乃奉命飛蘇。

這次中共的選派周恩來出席，主要原因有二：（一）是一九五二年俄共第十九次大會時係由劉少奇代表出席，一九五六年第二十次大會時，係由朱德代表出席，甚於輪流出席的原則，這次應該輪到周恩來。（二）是一九五六年波匈事變發生後，周恩來在一九五七年初，曾受克里姆林邀請，問布達佩斯及華沙，替赫魯曉夫作說客。事以後，赫魯曉夫曾送周恩來一架座機，可見赫周之間，關係極佳。在中共黨內，周恩來最善於玩弄調解手腕，這次為了消解毛赫間的歧見，最適當的人選仍推周恩來。

周恩來在俄共黨大會上的發言中，對公社制只重申中共六中全會的決議，聲稱十五年，二十年後才能談共產主義，而一再強調以蘇聯為首的大團結。這一輸誠的表現，已獲得俄酋的歡心，因而赫魯曉夫亦採取安撫行動，以示消除舊嫌。

中共更靠緊俄共

為了消除歧見，俄共在最近採取二項行動：其一、是莫斯科出版的「新時代」雜誌，在一月份上發表一篇評述中共大躍進的專文，其中有一節論及大陸農村的公社制，並給予若干肯定性的敘述，說明俄共對修改後的公社，已比較上沒有初期的深惡痛絕。其二、是二月七日周恩來與赫魯曉夫在莫斯科簽訂「進一步擴大中蘇經濟和技術合作的協定」。規定在一九五九年到一九六七年間，蘇聯幫助中共建設冶金、化學、煤炭、石油、機器製造、電機製造、無線電技術、建築材料等七十八個大型工業企業和電站。蘇聯供應的設備及技術援助，總值約為五十億盧布（合美金十二億五千萬元），由中共作現行貿易協定，輸出商品作為償付。

這二項的新行動，都表示俄共對中共已不咎既往，預料隨着赫魯曉夫統治地位的鞏固，中共對俄共的關係，將逐漸恢復史達林時期的情形。毛澤東與赫魯曉夫比高低的企圖，看來已註定要放棄。而西方世界企求中共脫離俄共，亦同樣是一種幻想而已。（二月十一日）

半週述評

『應付共產黨要現實』

「應付共產黨，必須要現實」。這是美國助理國務卿墨菲最近講演的話。

從對共產黨以幻想期望其改變，到要以現實來應付它，竟耗去了約十五年時間！

美國對蘇政策，雖已有了轉變，但當美國當權者要以現實強硬對付蘇聯時，莫斯科的政策也同時轉而「軟化」了。

莫斯科現在的策略是，正以「退一步」來俟機「進二步」。「退一步」是策略，「進二步」是目的。「退一步」是為了應付西方的強硬；這一步極可能「退」得很大，時間會拖得很長，赫魯曉夫不僅在言論上會抑止對西方的攻擊，在實際的國際事務關係上，也可能會作某些讓步，以待西方之陶醉與麻痺。

因此，如果美國國務院的對蘇政策，從今以後能不自我滿足於目前的現實，那是一個好的轉變；否則，又怎能令人樂觀呢？

麥美倫訪蘇是不現實的

赫魯曉夫「退一步」的第一手，是爭取英首相麥美倫訪蘇。繼之他又在廿一次黨代表大會閉幕時，聲言邀請艾森豪訪蘇。白宮雖然仍慣言應付；但麥美倫却是已決定了行期。

麥美倫訪蘇，在下議院裏曾經得到一致的鼓掌，二日前倫敦並傳出消息，謂赫魯曉夫將提出締結「英蘇互不侵犯條約」。而且還將廣泛地討論在歐亞兩洲分設「和平地帶」的問題。

這些極具「現實意義」的消息，就所謂「世界和平」的觀點看，應該承認它有消極的價值；但是若照墨菲所論對蘇的現實政策看，該是最不現實的發展。如果再從一個被共黨奴役國家的人民立場看，又怎能禁止我們不憤怒！分割「和平地帶」底最真切的畫面，就是讓已被奴役的人民永遠關在鐵幕裏！

國府面臨現實考驗

當然令我們憤怒的事還不止此。台北的消息說，美國軍援考察團此行的任務是在勸說國府裁軍。從杜爾斯曾勸說撤減金馬防軍的例證看，這消息的可靠性是頗高的。

國府究將如何處之呢？現在，我們祗知道當局的態度是反要求加速獲得軍援；將來，談判結束的真正內容又如何呢？恐非局外人所能得知。

從守勢的觀點說，如果只是為了保守台灣，現在的軍力自是過剩的，何況台灣海峽尚有第七艦隊協助拱衛，而且裁減之後，尚能使緊張的財經問題，得一喘息。故即使美國無此建議，當局也應切實考慮的。

但若從反攻大陸的觀點看，恁誰都能從常識上知道目前的軍力是不夠的。

我們究應接受美國的建議呢？還是直截了當的拒絕它！

接受裁軍抑拒絕裁軍

如果，國府果斷的拒絕裁軍建議，那末必須要同時能在財政和經濟問題上拿出可行有效的辦法來。並且也要在政治上能同時發揮高度的作用，要切實而積極地展開反攻的行動。否則長期的拖延，將益使財經問題惡化，豈能不加正視。

如果接受美國裁軍的建議，這正恰好表明國府在事實上（至少是暫時的）已放棄了反攻的決心。勢將對民心士氣有嚴重影響，無待諱言。但對解決當前財經問題的緊張，却可能是有所裨益的。故肝衡客觀國際形勢，若明知不容我獨力反攻，為長遠的利益計，酌量裁軍也未嘗不是好事，但也要當局有勇氣有決心，面對國內大局，作大刀闊斧的政治改革和政治號召，以挽救民心士氣的消沉。當局若真能實踐政治改革並號召國人共赴國難，以恢宏之氣魄團結各黨各派反共人士，相信對所謂政治反攻必能產生積極作用，這自也不失為退而結網的上策。

因此，在我看，為應付當前的問題，當局也應該現實一點才好。

當然，現實一點，並不意味無原則無條件的接受裁軍，更非鼓勵長期地株守在台灣。

·李金曄·

自由談

知難行易

美國助理國務長官墨菲說：「我們對付共產黨要現實地對付，按照他們的真面目去對付，而非依我們的希望去對付」。這話很合理，也很漂亮，但問題就在是否瞭解共黨的真面目？

在第二次世界大戰期間，中美兩國聯盟併肩作戰，美國有不少的文武人員和新聞記者在中國服務，行動且比中國人更自由──他們可以隨時赴延安共黨區域去採訪，對於中共的真面目，應該瞭解得很清楚了。然而，當年的美國政府，却認定毛共乃是與蘇俄無關的土地改良主義者，根據這項認識以製訂對華外交政策，希望毛共能與美國親善合作實行美式的民主政治。誤己誤人，貽禍至今為烈！

自毛共竊據大陸後，繼之以韓、越戰役，俄共集團的真面目昭然顯露，誰也看得很透闢了。然而，英美政府當局初期相信毛共將蛻變為「狄托主義者」，多方撫綏姑息，自作多情；現在又認為俄帝與毛共爭奪領導地位，日益反目，甚至預料俄帝將因毛共挾其人口大量激增而向西伯利亞移民的威脅，轉頭跟美國合作以對付毛共，這種想入非非的說法，美國駐聯合國首席代表洛奇且對人侃侃而談，儼然有介事。再看美國朝野人士對俄共頭目米高揚訪美時的言行表演，如醉如狂，信以為真，連墨菲先生亦讚不絕口，恭維米酋的眼光與判斷力十分高明哩！

上述美國對付共黨的情形，究竟是按照共黨真面目而然的呢？抑係僅憑自己一廂情願的希望所致？事實俱在，毋待解釋了。平日對於敵人的本質沒有深刻的研究瞭解，對於敵情亦只有皮相的觀察，而又不相信別人所提供的意見和資料，我慢自是，有如粵語所謂「叻唔切」。遇着專以詐騙起家，擅長玩弄魔術的共產黨，乃處處表示被動應付的境況，只有勉強招架的工夫，毫無還手之能力，這就是「現實地應付」之道嗎？國父知難行易之說，信有徵也。

馬五先生

海外的民主運動

三項起碼條件　四種實際工作　五項具體主張

（本報訊）近十年來在海外從事民主運動的知識份子，至今沒有統一的組織，也沒有統一的主張。本月九日在香港出版的「聯合」周刊，有篇論海外民主運動的文章，似可作爲海外民主運動大部份，至少一部份人士的意見。

海外民主運動的形勢

該刊第一篇文字題爲「海外中國民主運動展望」，作者很感慨的說：「六十年來的中國民主運動者，一批一批的，[illegible]在海外大聲疾呼，影響國內外的輿論和政情，以至造成政局的[illegible]改變。」作者[illegible]說：「我們堅信今日大陸上有很多民主運動的信仰者和追隨者，但這些人的活動可能性[illegible]……我們只能停留在希望他們繼續醞釀，不斷醞釀的階段。」我判自由中國，作者說：「當前的台灣，除了形式上的要求[illegible]民主化，實際上[illegible]……」[illegible]

未來新中國的藍圖

第二篇文字，題爲「高舉民主中國運動的大旗」，比較第一篇有更具體的主張。作者於力陳台灣今日之民主化外，又提出他心目中的未來新中國的藍圖。後認爲「反共的人亦未必就是民主主義者」[illegible]……作者認爲民主中國，應建立起碼的三個條件：（一）政治民主化，（二）經濟公有化（既不是集權的國有，官有，也不是少數人的私有，而是多數人所有的公有制），（三）增育健全個人的自由教育及倫理觀念。於此[illegible]

政黨平等 自由競爭

作者說：「中國政治要走向民主，第一要廢除私有武力。」「實現軍隊國家化，應包括使軍隊成爲純粹的國家的保衞的公器，警察成爲純粹維持治安的公器，特務成爲純粹反間諜的公器。」作者認爲「黨化教育，是以一黨的私見，給兒童與青年以心靈的枷鎖，使迷信主義，盲從領袖。」故民主政治[illegible]確立教育自由[illegible]，「必須[illegible]黨化教育[illegible]，使教育脫離政治控制。」「關於政黨平等，執政黨以外[illegible]……執政黨不得佔有政權[illegible]」……各黨在選民的裁判之下公平競賽。」

民主運動四項工作

作者以爲「民主中國運動在進程上可分爲兩階段，第一步是台灣的民主化；第二步是大陸的民主化。」但作者認爲『對於台灣所要求的，要恪遵憲法，實行民主。』『大陸上的共政權，則是中華民族的叛徒，需集中一切可能的力量，來推翻打倒它。』最後作者主張海外民主運動，應該展開四項工作：『（一）啓發與組合歐美留學生的復國運動。今天散布在歐美日本澳洲的中國留學生起碼有三萬人，如能啓發之，團結之，對今後中國必有重大影響。（二）海外民主力量的團結運動。（三）在華僑社會繼續擴展自由文化運動。（四）盡一切可能的方法對大陸內部的民主運動加以支持與呼應』。（二月十日）

從一件冤獄看 刑警蔑視人權

·朱墨冰·

治安人員非刑逼供，在以前，及目前大陸上常有所聞，可恨而不足怪；可恨可怪的是，在歷次宣稱改革中的自由中國，竟有如此現象。果如是，則所謂政治改革，政治反攻，將何以取信於民。

陸軍軍官少校官家良，而涉嫌八德血案被押，拘禁逾十月之久，積遭「酷刑」迫供，致殘成重傷而殘廢。被害人經向國防部及中央黨部、立監兩院、陳副總統、張羣秘書長、及台北律師公會及報界和其他有關機關提出控訴刑總馮丹白等多人非法拘禁，其間曾「受過九天的疲勞審問，三天的刑殿打」，其中包括「鞭、錐、腳踹、灌辣湯、食草灰、橫豎、甲、通電、吞木焦、懸空吊等等」聞所未聞的酷刑，令人有人間何世之感！（中央日報十一月十六日）

被害人官家良在其陳情書中：有謂「去（四六）年六月三日突被刑警總隊誣指，以八德血案涉嫌，深夜扣捕至台北大張黎——前保安部分所，秘設刑庭，不分皂白，先以逾時九晝夜之疲勞逼供，後即用布蒙雙眼，拖至一行刑之黑暗室，首問招不招，我答事出冤枉，從何而招，該辦案人員馮丹白即汚言凌辱謂：慢說你是一個少校，就算你是總統兒子來了此地，不招也得要招，這裏是來得出不得的地方，接着即用刑逼供，並強要我跪下受刑：：而辦案刑警莫、膺、林、丁（不詳其名）即將我踢倒，並聲道：你們軍人，平時耀武揚威，以爲不可一世，瞧不起警察，今天讓警察給點顏色、手段你看看吧！不要說一個少校，就算是少將上將到了我們手裏，也休想活命，有本事你出去呼冤，再來較量，到底誰高誰低，如是連續三晝夜之毒刑拷打：：該刑警又謂：打死了你，等於打死一個螞蟻，最多塡一張死亡證書，說你是病死或畏罪自殺，似此目無法紀，仇視革命軍人，草菅人命之偵訊，首人權兩字蕩然無存，最後彼等欲置我於死地，以達成其交差目的，即用穆萬森之假口供給我看，並說：他不會冤枉你的，千萬人他不咬單咬你，該是你的死運到臨了吧！此時刑警即用殺鷄做猴手法，將穆萬森手足攣拷，拖拖豬狗似的拉至草坪拷打，以示恫嚇威脅，又不准對質，最後，將慘絕人寰之刑具陳列室內反復用刑，其時自知置身刑警魔掌毒刑之下，絕難生還，故祇求一死，以解受刑痛苦，惟處此求生不能求死不得之環境，血肉之軀，再難忍耐，只得被迫依照辦案人員捏造之事實，一字一淚脅從繕寫自白書及簽署。……當晚即由刑警用車押送至台北市外科診斷，並勸手術調治期間規定每日津貼十元之營養費，亦被看押刑警吞蝕。迄（同年）七月十日下午九時又派車矇眼押我（官家良）至刑總三樓，由馮丹白、朱爲焱、莫膺會同軍團政四科崔某等會訊，由馮丹白問我：：我當時將辦案刑警如何用刑逼供實情哭訴：：由一丁刑警繼續加刑，先反銬我兩手辱罵。翌晨，一林刑警又用長鐵銬將我懸吊室內，使雙足離地，再度逼我：：要我承認原供後，始予免處吊刑。第三晚，馮丹白又偕同譖敬文少校來六張黎逼供：：即取出刑具，再行脅逼須承認原供：：馮丹白等又以傳訊若主案主葉震，詢以有否本案冤仇。葉答：不僅與官某無冤仇，且素昧平生。接着復訊穆萬森爲何亂咬官某叔姪？穆答：全出於刑警軍刑教唆。案情演變到此，刑總遭受各方交相責難，於是在七月底釋放官修齊。按理，我（官家良）與官修齊同案被害人，亦應同時釋放；然刑警人員以我身爲現役校級軍官，無辜遭受酷刑，遭受凌辱，不無顧慮，以致不敢同時釋放。乃於四十七年三月三日另以企圖殺陸豪之『莫須有』罪名，移送保安司令部起訴，幸蒙：予以不起訴處分開釋。」

治安人員用不人道方法酷刑逼供，在以往及目前大陸常有所聞，可恨而不足怪，可怪可恨的是，在歷次宣稱改革中的自由中國，竟有如此現象，殊堪令人髮指，雖然輿論界羣起攻之，（例如中央日報、大華晚報、自由中國、聯合報等報刊均有正義的評論）；果如是，則中華民國憲法第八條對人權之保障及蔣總統的六大自由的號召與政府的政治反攻的措施，豈不成具文與空言嗎？

黃少谷訪西追記

○王竹人○

（馬德里航訊）去年十一月間，我國外交部長黃少谷率領的一個訪問團，特地前往羅馬參加教皇的加冕典禮，這不僅是我國近年的外交中，確是一個創舉，而且特使團此行，不僅加強了中華民國與教廷之間的睦誼，同時也爭取到了世界其他天主教國家對我國的好感和友誼；又使自由世界對我國當前處境更切的瞭解與同情。黃氏此行，意義是很大的。

十一月十一日，黃外長一行自羅馬抵達馬德里，作爲時三天的訪問。我駐西使館雖一再聲稱是「私人訪問」，但由於西班牙政府對黃氏的隆重款待（黃氏的坐車，亦由西國大元帥佛朗哥元帥的座車開道），以及佛朗哥元帥的接見，並授予一枚大綬文職優功大十字勛章，加上西國各報一致對黃氏表示極端重視；此間「至上日報」稱：「黃氏一行雖爲私人訪問，但與其他各國外長的官式訪問，其重要性並無二致。」「該報强調說：「黃氏的來訪，可說是一位獲得最高榮譽的人。」」

黃氏訪西三天中的「花絮」，報告一二，追記如下：

十一月十三日，黃氏抽暇前往中國學生之家」——新成立的「中國學生之家」參觀，除會晤全體中國留學生外，並接受該學院院長所贈的「榮譽校友」榮銜，（按：「榮譽校友」是西班牙學院制度中最高的榮譽。）黃氏於佩上一條彩色綬帶時，笑着對觀衆表示說：「假如我現在再年青三十年，我一定拒絕做榮譽校友，而要向學院院長申請做一個普通的學員，到這個設備完善的學校來，與大家一起讀書！」在場的人，無不對黃氏此種幽默風趣，表示讚賞。幽默對於一個外交家來說，是不可或缺的。往往在某些嚴肅的場台，幽默會產生意外的奇效。黃氏來此訪問三天，留給我們的印象是：誠摯親切，輕鬆幽默。難怪西班牙報紙稱譽黃氏是「一個了不起的標準外交家」了。

在黃氏訪西的最後一天，特地由于焌吉大使陪同前赴馬德里西南古城多來鐸（Toledo）遊覽。主要是爲了參觀西班牙內戰時的戰堡——亞爾加薩堡。這是在廿三年前，英勇的西班牙軍隊，奮力抵抗共黨軍隊攻擊的堡壘。黃氏於參觀該堡後，特向當年防守戰堡的反共英雄莫士卡多將軍獻花致敬。並表示：「中國的金門與西班牙的亞爾加薩堡，其抵禦共黨的精神，是共相輝映的。在世界反共歷史上是同爲名垂不朽的。亞爾加薩堡可說是西班牙的金門。」（二月二日寄自馬德里）

關于「中國之友賈瑪黎的存亡」

▲中國回教協會有確訊報導▼

查四十七年十二月廿四日貴報第八一四期第三版刊載吳崧先生「沉痛哀悼中國之友賈瑪黎先生」一文，語意心長，至深感佩。並向本會有所呼籲一節，自極重視，曾經分電黎巴嫩及約旦各有關方面就近查詢眞像，茲接獲約旦方面復稱：該項消息初出以色列電台傳出，嗣由伊拉克否認，約旦官方亦未能正式證實。又據黎巴嫩方面告以「賈氏原判死刑，後又赦爲廿年徒刑，現仍在獄中」等語。故經綜合判斷，賈氏業已遇害之說，尚難證實，自未便遽行追悼。惟本會對賈氏命運夙極關懷，已與有關機關密取聯繫，隨時注視其發展中。至伊拉克國王及王儲艾不都伊拉等遇難後，本會即曾爲之舉行祈禱，以示哀悼。有關賈案調查結果，已在本會會報發表，特再函請予披露，以備關心本案人士參考，無任感荷。此致

自由人報社

中國回教協會（四十八年二月二日）

國際動態拾零

○陶然○

△艾森豪不再減稅，反要提出增稅法案[illegible]轟炸區域內，即飛彈計劃，非提前完成[illegible]。其目的在對抗民主黨之浪費預算，使其不至超過七百七十億。

△美國將離開不再受不放棄戰爭不先開砲之諾言的拘束，這是爲蘇俄所迫不得不如此的。背後策動者爲空軍戰略家，而國務院則始終反對。

△葡萄牙拒絕英國大使館提出質詢，繼而英駐葡大使館請國外相勞合。

△美國在巴基斯坦境上，建立火箭基地，[illegible]

△東柏林消息，美國空軍當局中程飛彈，[illegible]

△[illegible]已撤退沿海居民，[illegible]雲，開入福建。

△去夏台峽戰，中共所有軍隊，均作戰時準備。且自遼東半島至閩粵，沿海一千五百英里地帶，約有重兵駐守，深恐國軍沿海登岸，故作萬一之準備。

台南點滴

（二月六日於台北）

[illegible]

假使政府一方面口口聲聲保障人權，一方面對這種摧殘人權的行爲都不聞不問，則最好將憲法第二章第八條條文，[illegible]，以免人民[illegible]。我們[illegible]何以取信於人民[illegible]

竹幕幽秘

新援助與新歧見

二月七日，周恩來在莫斯科與赫魯曉夫簽訂了一項關于雙方進行合作於一九五九到六七年間在中國建設冶金、化學、煤炭、石油、機器製造、電機製造、無綫電技術，建築材料等七十八個大型工業企業和電站的協定；其可以注意之點是：

一、這是去年八月與十一月蘇聯援助中共協定的補充。按去年八月與十一月蘇聯援助中共協定，項目計四十七個，協定的時間範圍是中共的第二個五年計劃期內，即一九五八——六二年；而此次援助項目爲七十八個，協定的時間範圍是一九五九——六七年，亦即包括中共第二個五年計劃中之五九——六二的四年，再加第三個五年計劃的六三——六七的五年，共計九年。我們若以每年的平均援助項目數量來比較看來第二個五年計劃中的援助項目數量多過第三個五年計劃中的數量。二、規定在協定時間範圍內將由蘇聯供應總值共爲五十億盧布的設備和技術，中共將以商品來償還（中央社誤將之說成爲貸款。）——說明這種援助實際是某一方面的長期貿易規劃，五十億盧布平均到九年中，每年祇得五．五億盧布，當中共需要大量設備建設的時節，五．五億盧布的設備供應實在微不足道。五．五億盧布折合人民幣約二．八億，而中共在一九五八年的基建投資額是人民幣二二〇億，其比例僅得百分之一強。如果以此來論斷中共蘇聯間的關係已經好轉，似乎不足以構成爲有力依據。相反的還周恩來這樣的地位，只簽訂這樣的補充協定，正說明兩者之間的糾紛方興未艾；因爲去年八月與十一月的協定，中共簽訂者是「第一機械工業部副部長」汪道涵，將周汪兩人的地位作比較，將協定與補充協定作比較，就能明白這只是用宣傳以掩飾歧見而已。

中共對港澳

中共對於港澳一貫的是「既聯合，又鬥爭」的統戰政策，去年五月以來，出盡了百寶，猛烈進行全面的鬥爭，諸如在港澳內部掀起各種運動，貿易攻勢，在邊境叫囂等等；現在，據陶鑄的談話來看，不用說已正式轉換爲全面的聯合。這種轉換說穿了僅祇在統一戰綫中的聯合與鬥爭政策的轉換，其與台灣海峽停停打打的行動，如出一轍。

中共與北越

前一晌時，胡志明曾對合衆國際社記者發表談話，說明在「目前，我們不准備建立人民公社」，由此，而被某些論者解釋爲胡反對人民公社，這是不正確的；因爲北越農業合作化尚未完成，當然目前不能建立人民公社，其中並未含有反對之意。最近胡氏去蘇來回均停留于北平，與金日成的情況大有區別，這足以說明北越對中共還是特別密切的。

○田心○

介紹「風暴十年」

作者：周鯨文　印行者：時代批評社

·張鵬·

「君自故鄉來，應知故鄉事。」我是抱着這樣的心情讀「風暴十年」的。當我讀完了這本書後，我唯一的印象是，只有身歷其境而過來人才能寫得這樣客觀、眞實。

「風暴十年」全書共十四章，三十八萬多字，在反共的著作中是屬於大部頭的作品，這類文字一般說來容易流入枯燥無味的境地，但作者卻寫得非常生動，不落俗套。例如作者在第二章第二節中寫民主黨派對共產黨認識不淸，想以什麼「共商國是」的「正常的想法」去和共產黨打交道時，結果一罪名是『分庭抗禮』，『鬧獨立性』。作者寫道：「我們愚蠢的認爲還是民主時代，革命是大家有份，爭持本黨的獨立，並不算什麼過份。誰想到共產黨就是王朝，誰能開始就那樣落後的想以共產黨比作王朝。結果，你不懂得，不明白，就得人家用棒子打，一直打到大家承認共產黨王朝是不許『分庭抗禮』的，共產黨以外，不許有獨立的組織。」

這就具體地將今日大陸上所謂民主黨派的處境如實的寫出，以作者的話來說，那些民主黨派只不過是一些「聽[illegible]們擺弄」的行尸走肉，本身是起不了作用的。

在第三章第二節中，作者扼要地解剖了中共口頭上所說的共產主義。他說：「共產黨得了天下，必須積極推進到共產主義社會才正符合這一少數人特權階級的最大利益。舊王朝，一人得了天下，人民各安其業，只把一部份財物以賦稅的方式交給皇帝，他用這些財物過着奢侈的生活，用這個財物維持軍隊、政治機構和法庭來保衛他的政權。這個是很簡單的。共產黨不但氣魄很大，而且胃口很大，他們不想作這小氣魄的事，他們眞正要實行「普天之下，莫非王土；率土之濱，莫非王臣」。一切權力操在黨，一切社會財富，不管是土地森林、礦山、銀行、企業、和一切可以生產的工具，全歸國家所有。誰是國家？工人階級的代表共產黨。共產黨佔有這天上地下人間的一切，歷史上的王國還有比這個更富有更強大的嗎？」一針見血地將共產黨人掛羊頭賣狗肉的眞實本質揭露無遺。

作者除了將中共的本質作深刻的解剖外，還將毛澤東個人的嘴臉作有力的刻劃。他在第十一章中將毛澤東在政協會議上對待梁漱溟的兇惡形相完全發露出來。他這樣描寫道：「梁漱溟遞了個紙條給毛澤東要求十分鐘的發言得到允許。在衆目集視之中，他又態度很鎭靜的走上了發言台，他開口就說：『我的發言，一則是考驗我自己，一則是考驗共產黨的雅量。』還未說到幾句話，毛澤東在主席台上忍不住了，把桌上的擴音器移到自己面前，和梁漱溟打起嘴仗來。

毛澤東說：『你覺得很美，比西施，楊貴妃還美，我看臭得很！』梁漱溟愕然了！無法說下去了！會場空氣爲之緊張。

毛澤東用手指着梁漱溟，接着又說：『台灣廣播說你有節氣，有硬骨頭！我看你有臭氣，有臭骨頭！』」

這樣生動的描寫，不過是整個篇章中的最小部份。「風暴十年」的作者以他親身的體會，對中共政權作了一些深刻入微的觀察與分析，這對關心中國局勢，研究中共問題的人，是一部很有幫助的書。

中共軍隊不滿人民公社

自中共在農村推行人民公社化後，軍隊當中亦引起了許多嚴重問題，對於人民公社化運動，亦普遍發生懷疑和不滿。爲此中共召開「中國人民解放軍全軍政治工作會議」，會議由去年十二月廿六日開始，至今年一月十二日結束。一共十八天。

會議主要的在討論如何學習「關於人民公社若干問題的決議」和幹部教育、軍隊進行工農業生產、參加社會主義建設、民主工作等問題。

會議強調：「必須全軍深入學習『關於人民公社若干問題的決議』，並要接合實際閱讀有關的馬克斯列甯主義著作。務使幹部經過學習之後，對當前和未來發展階段中的許多帶根本性的問題，有個明確的概念。進一步理解黨的總路綫的正確性。」這反映出在軍隊幹部對於人民公社、對黨的許多根本性的問題，都有嚴重的懷疑和不滿情緒。雖然如此，中共仍將通過教育與控制，以促使軍隊直接參加工農業生產。因非如此，即不足以解決工農業的勞力缺乏的問題，和加強民兵組織，以鎭壓農民的反抗情緒。因此，會議要求：「全軍要更加有計劃有組織地參加社會主義建設。」

這次會議是中共解放軍總政治部所主持。參加會議的有該部主任譚政、副主任蕭華、甘泗淇、劉志堅和各軍種、各兵種、各院校的政治委員或政治部主任，以及部分軍、師、團各級政治工作幹部。毛澤東並親自接見了這些參加會議的人員。（賽）

大陸文壇透視

七叔

第一部紅色的著作

中共的大專學校，對於中國文學史這一門課程，十年來一直沒有教材。過去的一些文學史著作，就連現在大陸執教的人寫的，也都不能使用。陸侃如的「中國詩史」、劉大杰的「中國文學發展史」、鄭振鐸的「俗文學史」和「插圖文學史」，雖然在「解放」後都已改過重印，仍然遭受了批判。李長之、林庚照馬列主義觀點新編的「史稿」，更加不能用作教材。中共高教部在頭幾年曾飭令一般老教授專家編撰，但一直沒有一人敢再動筆。

去年下半年各大學熱火朝天地搞教學改革運動，一些老教授給學生質問得閉口無言，於是學生成了教授的老師，教授得翻過來向學生學習。據說北大中文系五五級的三十多個學生，只用了三十多天工夫，已經編寫了一部七十餘萬字的中國文學史，稱爲第一部紅色的著作，在扉頁上題着「獻給親愛的黨」。以後就以這部書作爲教材。

這部書大概才出版，但海外還未見到。從光明日報文學遺產編輯部在上月所招開的座談會報導中，約略可知此書的內容大略。據說這部書的編纂，是由學校的黨總支部來領導的，完全用的新觀點，否定了一些作品，又新肯定了一些作品。把民間文學提爲正統，文人作品倒是支派。作家共分兩大批：一爲現實主義作家，一爲反現實主義作家。一部中國文學史，就是這兩大批作家的鬥爭史。凡民間文學皆好，作家的好壞，以視他向民間文學學習程度的深淺而定。廢止「詩經」的名稱，改爲「周民歌」。六朝樂府中的「西曲」「吳歌」之所以全是情歌，由於乃統治階級所采集。敦煌發現的「目蓮救母」變文寫卷，說可與但丁的「神曲」媲美。批評「論語」時說：「從中只能看到心平氣和的說教，幾乎看不到感情的激動和奔放。」貶抑了曹植和陶淵明的地位，說他們的作品只知「抒個人之情」。最要不得的反現實主義的作家是王維、孟浩然、李清照、謝朓等。正史中「五行志」裏有些歌謠都錄進去，說是最好的詩歌。明清的于謙、戚繼光、俞大猷、陳子龍、夏完淳、屈大均等，都成了大詩人。此外有人指出，書中關於明淸的劇作家，有些名字都弄錯了，清代的洪昇竟放在明代的湯顯祖以前來說。明初五大傳奇，「白兔記」「幽閨記」「殺狗記」倒是現實主義作品，而高明的「琵琶記」，反給否定了。

果如光明日報所報導，則此書可謂「空前」得太要命了，此其所以爲「第一部紅色著作」歟？

瘟君夢

第一回：消息自天來　風波從地起

人捐秋扇　夢冷新華

劉少奇問道：「派誰去」？

周恩來笑道：「派陳毅同志去好了。他的女人多，但是卻沒有正式愛人，不會打架，再說他也長於應對，絕不會失儀，致辱國體」。

劉少奇想想也對，派人到招待所把陳毅找來，要他帶着愛人去招待蘇加諾，陳毅竟，一口應承下來，到了第二天毛澤東「國宴」時，中共頭目都是孤家寡人，只有陳毅昂然帶着張茜進去，當翻譯給介紹時，既不好說是張同志，又不能按照中文字面譯成愛人，只好直譯爲陳副總理夫人。

蘇加諾夫人走了半個大陸，見了無數的高級共官，只是未見過夫人，第一次看見了張茜，好似沙漠發現了綠洲，親熱異常，陳毅那次的總招待，表現得非常成功，不久毛澤東居然任命他當了外交部長，張茜也就正式成了陳副總理兼外交部長的夫人，陳毅雖然照樣胡鬧，但是這個包袱卻丟不掉了。

劉少奇自己當然也不是正人君子，也是到處亂搞女人，但在表面上卻裝得十分正經，所以他就不滿陳毅的花花公子作風。

現在劉少奇看見陳毅插上嘴，不想再多說，也曉得林伯渠未必敢有意誹謗蘇聯，就打算把事情結束了，只輕輕的一句：「沒有什麼，林老作詩，用了什麼冰山，董老說是誹謗蘇聯，恰好你走進來，董老就叫問你。」

陳毅笑道：「說到作詩，我不外行，詩人筆下有時是難免有點誇張的，這不一定就會關聯到別的問題上去，不應該隨便附會。」

「陳毅同志，作詩你當然不外行，同時你也是一個忠誠的詩人，記得一九四七年你被打得落花流水，隻身躲在麥田裏，國民黨軍四處搜索，就在那時，你還詠了『好向泉台募舊部，旌旗十萬斬閻羅』的絕命詩，詩倒很壯，但是太唯心了吧！」

陳毅一聽這幾句話不對，當時收起笑容，正色問道：「你說我這首詩唯心，你是檢討我吧？不否認，咱們那一個人作的詩唯物呢？不妨翻開大家詩集看一看，別人比我唯心更厲害。可是你在一九四二年在重慶寫的『寄延安詩』四首，居然有『休明』，你當時說『休明』是不是指國民政府，評歌頌的對象又是誰，今天也請你檢討一下。」

董老狐狸本來不善辯論，一時噎住了，吶吶說道：「咱們扯到哪裏去了？我只問你，林老所說的冰山，是不是指的蘇聯？」（十）

岳騫

遭受批判的大陸學者

B　社會科學部門

（續上期）

三　語言學

高名凱，北京大學中文系教授。

王力（王了一），北京大學中文系教授。

朱德熙，北京大學中文系教授。

周祖謨，北京大學中文系教授。

袁家驊，北京大學中文系教授。

岑家祥，北京大學中文系教授。

呂叔湘，北京大學中文系教授。

黎錦熙，北京大學中文系教授。

張世祿，北京大學中文系教授。

四　史學

王達津，南開大學中文系教授。

陳寅恪，中山大學歷史系教授。

岑仲勉，中國科學院歷史研究所教授。

吳楓，中國科學院歷史研究所教授。

李長之，北京師範大學中文系教授。

楊人楩，北京大學歷史系教授。

齊思和，北京大學歷史系教授。

蒙文通，四川大學歷史系教授。

徐中舒，四川大學歷史系教授。

朱謙之，北京大學歷史系歷史專門化教授。

孟志孫，南開大學中文系教授。

孫祚民，山東大學歷史系教授。

楊向奎，山東大學歷史系教授。

李泡，中國科學院歷史研究所教授。

周谷城，復旦大學教授、中國史學會上海分會主席。

顧頡剛，中國科學院歷史研究所研究員。

張佾年，中國科學院歷史研究所教授。

五　考據學、文學史

游國恩，北京大學中文系教授。

魏建功，北京大學中文系教授。

陳寂，中山大學中文系教授。

王瑤，北京大學中文系教授。

王季思，中山大學中文系教授。

林庚，北京大學中文系教授。

劉大杰，北京大學中文系教授。

蔣孔陽，北京大學中文系教授。

許政揚，南開大學中文系教授。（續待）

釋耒集

三十年前，在一種雜誌上看過一幅安徒生的漫畫，由于那種古樸的幽默，深刻的表現，故至今記憶猶新。畫面一共分成四節，先是一個老頭子，發覺自己的一張椅子，其中一隻椅脚短些，於是動腦筋改造它，便拿起鋸子，把那隻較長的三隻椅脚截平，讓它可以安穩的站着，但因爲他的操作過猛，失之鹵莽，鋸完之後，才發覺先前較短的一隻，現在反而長出來了，老頭子光起火來又鋸這較長的一隻，仍然差了些，到最後，所有的椅脚都鋸到跟那一塊坐板齊平，無可再鋸了，他祇好坐着平放在地面上的一塊木板上，對着那一堆截出來的椅子的肢體發呆。

這情形，頗使我想了一般之所謂革命。先前，我曾看過法國的名畫「街頭戰」，畫中是一位穿紅衣的袒胸的女神，拿着紅旗，向前衝去，下面則是舉起了武器，瘋狂了的羣衆，這是法國大革命的象徵畫。當然那種情形會使人神往，以爲後來路易十六，就是被這些羣衆送上斷頭台的。多麼浪漫，多麼神奇呀！但事實告訴我們，所謂革命，並不是那末簡單的一個，大叫口號，男女拉着手，高唱進行曲便可以成功的。

革命

革命須要流血，那是必然的了，但到底還不失爲英雄，並且有被渲染成先烈的可能。但革命必須嘗試飢餓，寒冷，住樂去牛邊形將倒塌的房子，婦女要香暗的油燈下補襪子，天天爲供之糧食就心。就算成功了，也是十年，二十年，恢復不來先前的安定，就像那老頭子，只好坐在地上的一片木板上，對着一大堆枯骨出神，他也許是在那裏懺悔，然而無濟於事了。

我曾經到過[illegible]的青年軍，抗日初期，[illegible]、雲南，兩廣的學生，立刻投[illegible]下書本，立刻[illegible]練期間，他們穿[illegible]作是宣傳，繪畫[illegible]，唱歌，慰勞傷[illegible]錯。但戰爭一還[illegible]，夏天穿着棉衣，冬天穿單衣，吃[illegible]

[illegible]就最適當不過了。

曲齋

「蕩寇志」與女性

王世昭

施耐菴寫水滸傳只到七十一回，可謂留有餘不盡之意，其結局如何？自然讓讀者自己去猜測，神龍見首不見尾，惟耐菴先生得小說家三昧。羅貫中爲了滿足庸俗人大團圓的願望，所以爲之續貂，命之名曰「後水滸」，其中頗多不能自圓其說，以視耐菴先生，眞不可以道里計矣。秋居多暇，乃檢蕩寇志重讀，覺俞仲華先生殊亦不愧才子。其創作亦七十一回，最末一回謂之「結子」，筆力雖趕不上耐菴先生，但視羅貫中，則高出萬倍矣。

我讀蕩寇志，覺其「前言」一篇爲全書之綱領。其言入情入理，可點可圈。蓋以小說家言，而不違歷史之原意敷衍故事，遂成可傳可誦，可歌可泣之大文章。其成功亞於施耐菴，而其立議高於李汝珍。獨惜近代寫小說史的人，往往把它忽略在一邊。若論大陸方面，則避之惟恐弗及，蓋梁山泊一百零八人的結局，都於此書見之也。

這部書開章明義直斥宋江等一百零八人爲盜賊，盜賊自應不得善終，但亦有例外，關勝，武松，魯智深，林冲，安道全五個人卻是得保首領而沒。

當然，關勝是關夫子之後，武松是勇烈的好男子，魯智深雖是莽和尚，但卻與佛家有緣。林冲逼上梁山，實在非其本意。至於安道全是一個醫生，醫生雖做賊，總算是善良的。可是俞仲華寫梁山諸賊，獨於五人特垂青眼，另有最大的原因。誠如郭箴一於中國小說史中說：「清人俞萬春（？——一八四九）字仲華，別號忽來道人，山陰人。嘗從父官粵，從征猺民之變，有功議敍。後行醫杭州，晚年皈依道釋。」所以在蕩寇志中，關勝死於傷寒，武松死於力詘，魯智深死於瘋癲，林冲死於嘔血，安道全死於色疾，蓋與作者之信仰與職業，固大有關聯也。

不過，道之中又分正道與邪道，如陳希眞之道是正道，高廉高封之道是邪道。爲了邪不勝正，故邪者終至於敗亡。在梁山泊兩領中，公孫勝是正道，朱武是邪道，朱武敗亡自在意中。但公孫勝以正道亦終不免，蓋還本師採眞人之訓，且既爲盜賊，即是邪氣滿身，故雖正亦邪，自應磔於東市。

水滸中寫女性，多暴露醜惡的一方面，如潘金蓮，如閻婆惜，如王婆，如潘巧雲，皆淫婦典型。如扈三娘，本是貌美如花，但卻心柔似水，終亦不免誤配王矮虎。孫二娘是賊婆，顧大嫂是悍婦，林冲娘子雖無下落，終亦不免家散人亡，都似命中註定，女人是要不得的。但俞仲華先生，卻於蕩寇志中，落力寫陳麗卿，劉慧娘，汪恭人，徐青娘，賈夫人諸女性。而陳麗卿的武勇，劉慧娘的明慧，尤爲突出，不啻爲被抑在男性中心之下的婦女，吐出一口悶氣。

暮遠樓詩二首

敬題儀徵劉先生遺像

禮樂南行知幾春。每因疑義識通津。瓣香敬向先生拜。三百年來第一人。

無錫錢君鍾書，字默存，近著宋詩選註，服其深秀，書之云爾。

萬馬雲屯日易昏。西行始信太行尊。奇才寥落知誰輩。愧對江南錢默存。

伍俶

九龍南宋石刻記

（續上期）　簡又文

綜上以觀，則譽爲足以美古之「三絕碑」，亦無不可，誠南宋金石之瑰寶也。至從學術上觀點，其爲香港人所特別注重而提供史料資用者，以文內有「北堂石塔」，[illegible]

昔者，李陽冰寢處一碑下，數日不能去；歐陽詢駐馬觀索[illegible]，去而復還，留宿其下三日；成爲千秋佳話。于今我們三訪此南宋石刻，興猶未艾，敢云追蹤古人之風雅，但於欣賞金石藝術之外，實懷有集合羣力以保全古蹟，研究學術，發揚香港文化之志趣焉。頃悉香港政府及鄉言，並願爲保存及光大此勝蹟計，彙爲便利社會人士遊覽觀賞設想，已著手草擬規模宏大之建設計劃，逐步實施於北佛堂。行見一座饒有歷史文化意義之公園出現，儻亦爲旅港人士所樂聞者歟！

一九五九年一月卅日于香港大學東方文化研究院。（完）

更正：八二八期本文上格第32行「此次」應改作「丈此」，中間格29行鄭洪心詩句「十指」應改作「十手」。下格第15行「立石以」下脫一「紀」字。

從香皂談猪到踐子

陸夢麐

有朋自國外回來，多半帶點洋貨送人，我承朋友們不棄，愧受[illegible]皂，却因此[illegible]點感觸。

[illegible]一個國家的[illegible]否，是否可[illegible]看出來，因[illegible]，就很少[illegible]瑪麗香皂回[illegible]們的瑪麗香[illegible]是外國原料，一料[illegible]都是國貨，[illegible]是人的錢。就[illegible]我們自己就[illegible]。以小司[illegible]道理用在爲[illegible]是一樣，跟[illegible]不夠的。[illegible]我記得北平花漢冲的「猪胰子」也有過留洋的光榮。清朝時代的外國大使，回國的時候莫不給太太多帶幾塊猪胰子，就是民國以來，在北平的外賓對花漢冲的猪胰子也有似巴黎香水那樣的愛好。就是因爲這種猪胰子雖是土法製作，但是確有去雀斑，白皮膚的功效。那時似乎沒有什麼廣告術，作買賣全憑信用和事實。

花漢冲在北平是老字號，元明清三朝宮內后妃們的脂粉一手承包，可算是中國的化粧品大王了，豬胰子是一種圓形混有香料與藥物的肥皂，用來洗臉可令皮膚白皙去雀斑，洋式香皂是不會有這種功效的。但是新陳代謝，今日使用化粧品的人不復知道猪胰子了。即使在一二十年前，北平的人們也只有「落伍」的才還用它。就因不善宣傳所致。國粹的失傳，崇洋的心理固是一個原因，往往也失之於「秘方」的陋習。但是古代沒有專利的保障，「秘方」究竟是發明家們本能的自衛。

風雨樓讀書叢談

以象歸文，又以象言字，劉氏七略之於六書，顯屬迎述周易，應無疑問。許鄭諸家，均爲劉歆再傳弟子，雖其字義之間，或名同有別，或次序有差，大體來說，並不背於師承。所以六書之說，在漢代學術上，地位確其乘高於易之故。周易說：「夫象，聖人有以見天下之賾，而擬諸其形容，象其物宜，是故謂之象」。又說：「易者，象也。象也者，像也」。

故周官六書，實由劉歆之學而昌明。劉歆之學，亦因周易而始有依據。使無劉歆，決無六書；使無周易，也決無劉學。是六書訓義，以許氏說文爲最精，亦以說文引用於周易者爲最博，而尤以倉頡造字之論爲最矛盾。蓋許氏說文敍的主要依據；一則取之繫辭，再則取之象辭，三則取之夬卦。而有關文字的分析，許氏則說：「倉頡之初作書，蓋依類象形，故謂之文。其後形聲相益，故謂之字。文者，物象之本。字者，言孳乳而寖多也」許氏用周易的原理以辨明文字的造因，固爲漢學傳統，涑義不可謂不高。可是許氏又用周易詞義，以充實倉頡「造字」，便覺比擬不類，而取材失當了。倉頡與周易之間，無論思想與年代，都有風馬牛不相及之別；既不可能取物象於周易，亦不可能知其必取物象於文字的。且周易的精義所在，是推衍八卦，八卦的理想所在，是法象萬物。當秦代焚書之際，誤其爲卜筮典册，存而不燬，這是無知的問題。由漢學者，博大高深，淵源有自，究亦局於文字，豈未嘗窺其全牛歟？必不然，形聲相益，既謂之字。則依類象形，而不是畫？必曰，字言孳乳而寖多，物象之本亦爲字？是亦理屈而辭窮了。張彥遠名畫記，謂象形，則畫之意。於六書，爲新發現。於周易，可謂得其旨要。不過他的書畫同源論，有其可取之處，亦有其不可取之處的。（十三）

迷頑

「天燈」和「鷄轉」

——憶魯西年俗

張文普

「每逢佳節倍思親」，尤以在這鐵幕深垂，家鄉淪落的年頭爲甚。

大張莊——我的故鄉，是魯西馬頰河西岸沙漠地帶裏一個古老的村莊，因爲以出產「棉花」和「花生」著名，取其兩花併茂之意，乃有「花花王國」之稱。

在魯西一帶人民生活貧苦，但是這個「花花王國」的人，却非常富有；好像黃河白害，而富於一套似的。

我的故鄉最講究過年，一到臘月，即整日鑼鼓喧天，同時家家戶戶，在門口豎立起美麗別緻的「天燈」和「鷄轉」（像電綫桿似的高約兩三丈不等）。在桿子的周圍紮滿了碧綠的松柏。

據說，「天燈」是象徵光明，「鷄轉」是象徵風調雨順的。所以夜晚燈火滿天；風起「鷄轉」嘩嘩作響，別有一番景象，乃是花花王國的一種特殊風俗，在別的地方是很少看見的。

由臘月初八「吃臘八飯」，二十四日「過小年」送灶王，一直要忙到大年除夕才停止；因爲習俗是從大年初一到正月十五，是不燒煙火的。所以，在過年之前，家家都要儲備足夠吃半個月的大量食物如饅頭、包子、餃、麵餅、糕餅、棗糕之類。

在這段時間裏，展開了一切鄉間藝術的歡樂節目，如高蹺、武耍獅子（耍的刀鎗劍戟）、玩龍燈、耍獅子、跑旱船，以及大賽馬小賽馬，五花八門，無奇不有。直到正月十五元宵節才告一段落。

自從大陸陷匪，天堂般的故鄉變成了地獄！中共認爲這是魯西的一塊毒瘤，對它先開了刀：首先是清算鬥爭和三反五反；繼而組織集體農業和合社；現在又實行所謂「人民公社」了。

最近，忽然接到二哥的一封來信說：「文普！我們已經逃出魔窟，來到日本東京……在魯西組織的人民公社，已激起人民普遍反抗！同時，魯西的游擊部隊亦正在四處活躍。如過去抗戰時候，在咱們縣裏那個拉游擊隊起家，當上游擊司令，有外號叫「魯西王」的和他以前的一些幹部，就是魯西現在一支神出鬼沒龐大的游擊隊。我們只要反攻的號角一響，就會振臂而起的……」我讀了這封信以後，魯西「花花王國」的新年景象，尤其是「天燈」和「鷄轉」，又似活現在我眼前。

逸語

陳永昌

人若要得，必先要給；要聚，必先散；要快樂，必先使人快樂；要愛，必先愛人。

我們蘊藏着的天才和能力，必須藉着運用纔發揮無餘，我們的力量是潛在着的，甚至有時連自己也不知道，只是到了克服苦難，或於攀登高山的時候才發現出來。

許多時候，連自己也不知道何謂同情心和愛心，也懷疑自己有無這樣的恩賜，但是等到我們實在去撫乾寡婦的眼淚，和解決孤兒的苦情才曉得呢。我們常常發現在要教訓別人的時候，自己反得了教訓。

有許多人曾在病榻上學得了寶貴的功課，就是這個道理。當我們煞有介事的去教導人時，常會面紅耳赤，爲了自己感到淺薄。在我們與軟弱的人對談時，自己反而更深刻的認識神的存在，更清楚的知道神的旨意。

在我們爲別人工作的時候，也能增加自己的安慰。我們要使他們快樂，而那安慰反使我們的心暢快起來。正像冰天雪裏兩位遊客一般，這個用力扶着那個的手，免得他凍死，誰知這樣一來，自己的血液反而大大的流動起來，因而溫活了自己的生命。

自由人

THE FREEMAN

（第八三〇期）

中華民國僑務委員會發給登記證台教新字第一零二號
中華郵政台字第五〇〇號執照登記為第一類新聞紙類
（半週刊每星期三、六出版）

每份港幣壹毫
台北市售價台幣貳元

督印人：陳文華
地址：香港高士威道二十四號四樓
20 CAUSEWAY RD. 3RD. FL. HONG KONG
TEL. 771726

承印者：東南印務出版社
地址：高士打道六十四號

台灣總經理處
台北市西寧南路壹壹零號二樓
電話：三〇三四六
台郵劃撥金戶九二五二

海外總經銷：友聯書報發行公司
香港：德輔道中二十六號A二樓

鼓勵大胆而危險的新思想

現在是原子時代，飛彈時代，也是太空時代。美與蘇聯今天正在這些方面作着激烈的競爭，其他國家亦正蹣跚的跟在後面。為了這種競爭，各國正在竭盡所能，把最大的力量和最優秀的人才都集中在這上面。結果這種競爭帶來了一種空前的科學研究大比賽，也影響到教育制度，人事制度及其他方面的改進。於是自由世界一反過去對知識份子的輕視，開始對科學家，專家，及一切具有新思想新頭腦的人們予以刮目相看。

一、

過去人們以為世界命運決定於力量，現在才認識到智慧比力量更重要。就以力量來說，假若沒有比他人更高一級的智慧作力量的後盾，任何在實力方面的短暫優勢都是無法永久保持的。所以現時美國在總統府白宮內也設有一個直轄的科學顧問委員會，國會裏面甚至有人建議設立一個科學部，專責聯邦政府的科學事宜，其他如科學家的參與外交決策，或代表政府出席重要國際會議，更屬司空見慣，其目的就在動員這些人的頭腦和思想，使美國能在這種重大的競爭中能保持領導地位。

二、

但，這種作法就能圓滿解決最根本的問題嗎？在此方面我曾看到很多人的說法，不過沒有一個人的說法比「美國人造衛星之父」布勞恩（WERNHER VON BRAUN）博士的說法對我留下更深的印象。這位出生德國而現主持美國飛彈及太空計劃的科學家，曾於一九五八年七月十二日在芝加哥獅子會發表過一篇發人深省的演講。布勞恩博士在這篇演講中先說：「發展導向飛彈及人造衛星所牽涉到的許多科學上及技術上的問題，唯有許許多多專家的密切分工合作才能獲得解決」。接着他說：「寂寞的蛋頭（Egghead即知識份子）對講究分工的美國有重大的貢獻。例如愛因斯坦和艾迪生這些蛋頭對於人類福祉的貢獻，比過去及現在文化中的任何其他人為多。社會不可忘其了鼓勵這些有創造性的人——專心致志而寂寞的人」。最後他說：「要凌駕蘇聯，我們必須多多鼓勵心理上的叛徒——具有大胆而危險的新思想的人」。布勞恩博士這篇演講的主要意思，就是美國要在科學研究，保持國力強大及社會發展方面永遠領導世界，就不能只重視科學家及一切有頭腦有思想的人，優厚其待遇，提高其社會地位，而最重要的，還要有思想上最徹底的解放，使有思想的人們能擺脫一切傳統上和心理上的壓迫，充份發揮其想像，為這個世界提供出我們今日所不知道的創造性發展。尤其所謂鼓勵具有大胆而危險的新思想的人一點，我深深覺得對今日這個世界是一付對症良藥。以布勞恩博士過去的背景和出身，他竟然在這樣一個問題上作此主張，想來他絕不會是毫無感觸而無病呻吟的。

三、

我不瞭解自然科學界的情形，但就社會科學和思維科學方面的狀況來說，我覺得這個世界是在停滯中。現在世界所感恐懼的馬克思主義和安那琪主義，人們認為已經不夠科學不夠新；可是世人拿來反對和抵抗這兩種主義的思想，恐怕也不見得比這兩個主義更科學更新。馬克思主義和安那琪主義的過時是一種事實，同樣，一切反共反安那琪思想的過時也是一種事實。馬克思主義和安那琪主義是十九世紀的產物，而現在所有的反對這二者的思想，則是十八世紀，十七世紀，甚至更古老世紀的產物。我不相信馬克思主義和安那琪主義是人類政治思想的最後境界，也不相信人類在今後幾百年，幾千年，幾萬年的歷史演進中，就長期生活或停滯於目前這種現狀和人們現已所預言過的那種社會秩序中。相反的，我相信數百年以後的人類社會將既不是目前這種資本主義式的，也不是目前這種共產主義式的，而是一種今天我們所完全不知道的社會。那麼我們今天何以不去想像一下這些新的東西？何以最近一百年來人類的思想只在各種修正主義的巢臼中打轉而缺乏有氣魄的創造性發現？

四、

據我個人的瞭解，近一百年來人類頭腦及思想的凍結，主要是由於三種因素在作梗。即（一）教條式「主義」的窒息；（二）由馬克思主義的刺激所帶來的保守主義，復古主義及近代專制統治的反動；（三）基於對一切新改革新思想的恐懼，拒絕想像一切新東西。不論任何「主義」，實際上只具有某一時間，和某一空間的的適宜性，絕沒有永恆的意義；可是近代「主義」論者，莫不堅持它們的主義可放諸四海而皆準，行之百世而不惑的說法。於是主義的教條化脫離現實，以及其他武力傳教，強迫減干涉他人思想等罪行，便隨之發生。從歷史眼光看，馬克思主義是對近代社會的一個反動，為了不滿資本主義社會的現狀，毫無保留的反對一切傳統。而資本主義的思想者同樣也陷入了保守主義與復古主義的反動，無條件的反對和厭惡馬克思主義的思想。結果，馬克思主義在其統治地區內，變成了一種教條，在資本主義統治地區內，反共思想也大都變成了「倒車」。而這種教條主義「開倒車」的復古運動，又表現於社會科學，哲學，同樣表現於自然科學。

五、

人類歷史猶如長江大河，逝者如斯夫，不捨晝夜的向前進。我們要想在這種歷史浪潮中適者生存，不被淘汰，就要永遠前進，絕不能後退。要前進，我們就得隨時解除被環境和歷史所加諸於我們的思想上的桎梏，要發揮我們的想像力，要施展我們的創造天才，要以海闊魚躍，天高鳥飛的精神，要以聖賢不足法，人言不足畏，成例不足取的氣魄，以全新的頭腦思考這個世界的大問題，為人類社會創造新法則，提供新方程式，開創新的地平綫。換言之，要前進，就得鼓勵大胆而危險的思想，足以毀滅所有舊法則舊傳統的思想。要鼓勵大胆而危險的新思想就得先從改革教育制度着手。而今天世界各國的教育制度，除了最小數幾個國家外，實際都不是在發掘人的想像力，和培養人的獨立的判斷能力，而是在把人訓練成哈巴狗一樣的低級動物。所以結果這個世界產生了太多的奴才，而真正的叛徒却沒有幾個。實際今天這個世界所急需者，正如布勞恩博士所說，是一種心理上的叛徒，是一種具有大胆而危險的新思想的人，只有這種人，最後證明才對人類社會發生最大的貢獻。最後我願重複一下布勞恩博士的意思：我寧願看到一個人成為叛徒，不願看到一個人成為奴才。

宋文明

不倒定律

尹震。

半週述評

杜爾斯的病

美國國務卿杜爾斯在入院割治疝症之後，又發現有惡性腺癌，短期內痊癒無望，或將從此退出政壇。這不僅是杜氏個人的不幸，也是美國政府當前的損失。同時也引起自由世界普遍深刻的關懷。

杜氏是美國建國史上四十餘位國務卿中，負担工作最繁重的一人。自一九五三年一月出任國務卿以來，折衝奔走，六年之間，曾旅行五十萬九千九百餘哩。以古稀之年，自不勝此繁劇。因之這次的抱病，一部份當是過度辛勞的結果。

在杜氏主持國務院期間，雖然未能有效地實踐他的「打擊政策」的諾言，甚且錯過許多有利機會，致世界局勢未能好轉。但他的維護自由的決心與對抗奴役的基本態度，却阻遏了共黨的擴展。同時，他又是美國政壇上瞭解共黨最深刻的一人，據說在病榻仍在閱讀關于研究共產主義的書籍，並將該書推荐給艾森豪看。可見他是時刻注意共黨活動和求提高對共黨的認識的。因之他之離開國務院，無疑地是美國和自由世界的一項損失。

目前杜氏雖未正式提出辭職，但其國務卿職務自繼續担任。據華府消息，傳說中的繼任人選，有下列數人：助理國務卿赫特，助理國務卿狄隆，駐聯合國常任代表洛奇，曾任艾森豪參謀長現任美紅十字會主席之格魯論室，前任紐約州長杜威，和前任助理國務卿小胡佛等。誰人中選，或在上述諸人之外產生，數週內當有分曉。

自一般而言，美國務卿個人之政治見解，對美政策自有重大影響。但從目前實際情形觀察，杜爾斯的外交政策方針，仍將是美國政策及國會與一般大衆思想的基礎。紐約時報二月十五日的社論也表示美國保衛世界自由及民主的政策，不會因杜爾斯患病而改變。該報說：「我們的既定國策，是無黨派性的，它將長久存在」。這也代表一般美國人士的見解。

多事的日本

因遣僑返北韓的問題，南韓政府與日本的關係又告惡化，韓國且有出動海空軍的準備。此事現正由美國居中調解中，料不致擴大。

在另方面，由於日政府之謀求與中共打開貿易僵局，與中共進行貿易試探，甚且有與中共舉行「大使級」談判的論調，因而引起自由中國的憤慨與抗議。而在中共方面則仍藉此打擊日執政黨，影響四月間日議院選舉。因此廖承志代表中共發言說，只要岸信介繼續執政一天，中共與日本的關係，沒有改善之望。中共負責國際貿易的蕭方洲也對日訪問中共的貿易代表宿谷榮一強硬表示：日本態度如不改變，則中共永不與日本貿易。中共所要求的「改變」，就是要日本在政治上倒進共產集團的懷抱，承認中共偽政權。若如此，則日本又將自絕於自由世界。

拋開中共的政治作用不談，即使與日本達成貿易協議，對日也是沒有好處的。因為中共所需要的工業機械，主要是購自蘇聯與東歐，而且今年由於償付蘇聯物資的加多，與「人民公社」造成城鄉經濟的混亂，迫使中共對其他國家的輸出大為減少，除取消輸往英國的棉花和棉紗合同外，二月七日又取消與芬蘭所訂輸出砂糖的合同。據法新社北平電訊，中共履行國際貿易義務上所遭遇的困難，將不限於取消與芬蘭和英國的合同，今後還要取消若干與其它國家的合同。因之對日本自不會有什麼好的結果。

金達凱

玩法為求治之本

轟動一時的台北法官所謂「奉命不准上訴」案，經監察院糾舉，交由「公務員懲戒委員會」將當事人予以停止任用一年的處分後，似已表現雨過天晴的景色，不成問題了。實則那位因「奉命不准上訴」而遭受懲戒的法官，只是替罪的羔羊而已。究竟他是奉誰人之命？監察院不可不察究，最高法院更不能漠視無睹，否則皆難免於法紀蕩然之譏，為輿論所不許的。據說，公務員懲戒委員會因為對外發表了懲戒案的決議主文，而引起監察委員的質詢，這倒是多餘的事。過去的官吏懲戒委員會在大陸時，隨便接受外面用三分郵票寄來的彈劾官吏文件，即「依法懲戒」，原案尚未經主管懲戒事宜的機構審核是否成立，便已在報紙上刊佈的情形，不一而足，從未聞有人基於法制觀念，認為這是蹂躪人權的非法行為。如今懲戒委員會僅將決議定案的主文對外宣佈，有何不可呢？

國人絕叫「司法獨立」的口號已歷四十餘年，結果抹煞法治精神的，盡係知法犯法之輩，法制儘管完備，他們不妨整個地負之以趨，如司法行政部之時而隸屬司法院，時又改隸行政院，即其最顯著的例證，而始作俑者乃為大漢奸汪精衛也。司法行政部創立之初，名正言順地屬於司法院管轄，民國廿三四年間，羅文幹曾以司法行政部長兼任外交部長職務，對於汪行政院長的外交政策，多表異議，汪即免去羅氏兼職，然羅仍以司法行政部長地位，參列中央政治會議，反對汪氏的外交政策如故。如是乎，汪乃藉口「行政」二字，建議將司法行政部改隸行政院，目的就在排斥羅氏。從此以後，司法行政部即成了司法院與行政院之間的政治皮球，踢來踢去，莫明其妙，所謂「司法獨立」與「法治精神」云云，殆為自我諷刺的瞎扯淡了。近聞政府實行行政改革方案，要將司法行政部的職權劃裂，一半兒屬行政院，一半兒屬司法院，眞是原子時代的奇聞怪事也。

「開會為服務之本，請示為負責之本」，這是我替現在一般文武官吏訂下的兩項守則，意有未盡，請再加一項曰：「玩法為求治之本」，何如？

馮子先生

中國文化問題

顧翊羣 陳伯莊

顧季高（翊羣）先生近將他覆「現代學術季刊」編者陳伯莊先生的函稿寄給本刊，並附短札云：『科學在上論（Scientism）將美國害了，不宜再害中國，弟非反對科學但反對用科學以湮滅人性者。美國左派現在所趨方向與蘇聯正同，可嘆也』。該函所討論者即此一問題。茲將顧氏原函及陳氏覆函一併刊出，藉供留心文化問題者的參考。——編者——

顧翊羣覆陳伯莊

伯莊先生道鑒：

今端主編現代學術季刊，拜讀之餘，深佩執事與海光諸先生用心之苦，著力之勤，其慎重精嚴尤爲國內罕見，無任欽服。弟過去只知執事爲經濟學專家，而不知爲博學，只知鄭先生爲政論專家，而不知其對現代語意學造詣之深，祗知海光先生辦自由中國雜誌之苦心孤詣，而不知其對邏輯，尤其對邏輯貢獻哲學宗派造詣之精深也。這期季刊六期大致翻閱後，發現諸君子所專力者，爲介紹今日美國諸社會科學家向統一行爲科學方面之努力，其重心即爲自科學以來之實效論，以及羅素以來之邏輯實證論。弟對自然主義久所涉獵，對其應用於演化論人口論等方面，向未懷疑，然若干年來，因對美國現狀與世局，耳濡目染頗多，弟子濫用而發生流弊，又對羅素一派學者之不問是非，力主對蘇聯求妥協，而有反感。在未讀貴刊前，已對理想主義如柏格森及唐君毅先生等欽仰。去歲初，因草擬中西文化問題論稿，而遊心於佛洛特宗派之著作，其後研究及海森堡羅素許德舒鏡丁格Schrodinger等之著作，而讀現代物理學家之胸襟博大寬容。復見現代人文社會學家如奧台格Ortega y Gasset，思想家如赫胥黎Aldous Huxley（近著Brave New World Revisited爲不可不讀之書），對西方文化之悲觀，與經濟學者米塞斯、海約克、羅伯克Ropke等見解相去不遠。深感惟保存人類自由思想，純持科學與技術之文明，殊不足以抵抗人性之共產制度（因後者亦講科學與技術），必須將宗教哲學與倫理乃至若干優良傳統與科學技術融會貫通，然後此混凝體乃有力量與中共以及未來惡非南宗之狂熱Fanatic Hordes相頡頏，人類心有所歸，庶乎有昭蘇希望。弟此種淺見係讀書多年所得，讀張唐徐牟四先生宣言的，已有此見解。讀張君勱與錢賓四先生及張書頭，而寫出血淚……若與洪現淵求美之學者如……優裕，雖難求苟……爲保守主義者如……elin等人，以及倫理教訓之學者……和，若不可能，……理。影響……從政而有人心者如諾曼，杜勒斯之類，動輒遭受猛烈攻擊，江陵綏被迫下台，弟對美國憂之深，弱之股，故不覺言之切。所草稿下談龍錄（本刊曾在去歲下半年分期刊出——編者）係個人發揮鄙見，非對任何中國學者指摘，尤非與貴刊宗旨故意背道而馳。弟在讀見貴刊前，早已受米塞斯海約克以及著「組織人The Organization Man」之懷特Whyte等影響，對「唯科學論 Scientism」有反感。拜讀貴刊後，覺現代學術不如尊函所示之統於一尊。例如杜威之實效論，羅素久已批評。杜威之方法論，諾司羅普亦曾有所討論，見Northrop's Logic in Sciences and Humanities一書。杜威之新教育主張，爲其弟子推行全國，並把持教育界多年，近來反對聲浪高唱入雲，至於Logical Positivism之時髦性，亦經減退，雖理想主義派（唯心論者）人數不多，然形而上派勢力仍大。（請看自然派胡克Hook新編之American Philosophers at Work一書）他如存在主義者海列門Heinemann賈斯伯Jaspers新士林派魏爾翠生Wilhelmsen等人，批評邏輯實證論異常嚴厲，均未可以其不合理則而一筆抹殺。即以知識論而言，伊等亦自有一套。示壓提及「惡紫奪朱」，似有董仲舒孔學而罷斥百家之嫌。如能將各派主張兼容並蓄，廣爲介紹剖析，而討論其得失，必引起讀者之歡迎。又美國心理學趨勢最近二年有變化，行爲主義勢力下降，觀察及內省方法抬頭。至於凱因斯主義近來面目已非，貴刊對于Haberler, Hayek, Ropke, Viner, Hazlitt諸人之著作，似亦可予以介紹，使後學得窺見諸家之學，而各就性之所近，從事深造也。總之，弟對執事等創辦此學術性刊物，以及克文兄胡秋原兄暨人生雜誌王道先生等，各就本身立場，爲正義而奮鬥，衷心欽佩。但個人思考所得，亦不願捨己從人，如陳相之於許行，執事與海光先生等如肯顧爲唐太宗，弟亦當不揣謭陋，努力趨向於魏徵之途，聊貢鄙夫一得之見也。手此敬上，即頌

著綏

弟顧翊羣頓首 一月廿一日

陳伯莊覆函

季高先生道右：（一）（二）略（三）前函有「惡紫奪朱」語，致引我兄誤會，敬再述鄙見如次：

共產黨自稱其主義爲眞理；其實只是意識羅基ideology（此詞殷海光兄譯意理學，弟不同意，取音譯。）之一種。意識羅基祇是如何實現某些社會價值的一種見解。不能僭稱眞理（同於知識）。（三民主義也是一種意識羅基。）我們讚同某一種意識羅基，因爲覺得它毛病少；反對某一種意識羅基，因爲覺得它毛病百出。我們隨所贊同的意識羅基的指向而有所計劃與行動，這時候我們也只能把我們的政策看作一種假設——付諸實施的假設 a working hypothesis。弟的立場只是如此。換言之，我們要嚴分知識與非知識之辨。旨在採取自爲一致的立場，毫無攻擊別人的意思。季刊所介紹的以「知識」爲限，不介紹ideology，也不介紹metaphysics。意思並不是鄙棄ideology和metaphysics，各人自己選擇也自己所愛好的ideology和metaphysics，但不應稱ideology或metaphysics爲知識耳。所以絕對沒有思想統於一尊的獨斷意識存於其間也。

弟個人所愛好的ideology自然是民主自由，metaphysics則徘徊於whitehead，莊子，禪宗三者之間，三者都欣賞愛好。（四）關於杜威，杜威的metaphysics是不顯著的。杜威的主要書爲Experience and Nature，次之則The Quest for Certainty，及Logic: The Theory of Inquiry。又The Library of Living Philosophers第一集杜威集中他的總答覆Experience, Knowledge and Value，這些著作才能代表杜威眞相。在該L.L.P.第一集中，羅素有一文批評他的邏輯，而杜威在E.K. and V.中做了答復。從這些書裏可以看見杜威怎樣熱心到Value和道德問題。不過獨斷的宗教家必然反對杜威思想，因杜威不從宗教出發而討論道德也。

（五）尊函稱「必須將宗教哲學倫理乃至若干優良傳統與科學技術融合貫通，然後此混凝體乃有力量與蘇聯中共以及未來惡非南宗之狂熱羣相頡頏，人類前途庶乎有中心思想」，令我十分佩服。當前的最大問題，所謂「Cleavage」如何做致一新一個長期的等待，因爲現最大的問題。各宗教家各盡力於新綜合之嘗試，而實際上客觀地表示了解決之方。我們各盡所能，p.t) for a general, or greater acceptance，各盡其心之所安，不已。（下略）

弟陳伯莊頓首 二月二日

「奉命不上訴」的謎底

（台北通訊）轟動一時的「奉命不上訴」案，是否「奉命」呢？究竟奉誰之「命」呢？這個謎底已經輿論界揭曉了。

二月一日出版的自由中國半月刊，雷震氏在「各級法院應不應隸屬於司法院？」一文中，他以「例證」方式和「統計」方法將「奉命不上訴」案的內幕，和盤托出。其中有謂「谷鳳翔在『奉命不上訴』案揭發後，曾特（國民黨台灣省黨部主任委員任覺五爲李國楨說情曾兩度函請司法行政部長谷鳳翔設法不予上訴。）此函報告行政院陳院長。故陳院長特於去年十二月十日邀請監察委員及立法委員的國民黨部委員的國民黨中央常委宴聚時，曾公開說明監察委員此次未通過陳大慶委員之彈劾案，是一件極不明智之舉。」該文發表後，民間人士頗爲震驚。

雷氏撰文的原意是強調憲法八十條與七十七條的精神，同時主張修正刑訴法四百六十四條及四百六十五條條文，和「黨化教育」必須立即取消，「青年救國團」必須立予撤銷。否則，憲法第八十條等於具文了。最後，他又認爲法官和檢察官本身必須健全，要有「富貴不能淫，威武不能屈」的精神，則司法之獨立，才有達成之希望。而提高司法人員的待遇亦爲最重要的。俾足仰事俯蓄之資。至於審判公平與人心向背，關係甚大，因此，雷氏認爲收拾人民的心必須做到兩件事：「一是審判公平，平反冤獄；一是捐稅不苛不擾。」

（二月五日於台北）

·墨冰·

新聞隨筆

民富·「黨富」·國富

目前閩台灣某大官報社論，有「大陸淪陷前夕財經情形混亂的慘痛教訓，我們今天每個人記憶猶新，也時時值得我們警惕。」之句，讀後不免心悸不已，使人不期而然回憶起十年前南京新街口和上海南京路外灘的銀元市場，那種混亂雖不致於在台灣重演，但生活在台灣的人們時時記取這種歷史教訓，卻是可貴的。

那篇社論也承認了祇要能夠「把握住正確的財經政策，在執行方面加以嚴密的注意與不斷改善」，「國民經濟，顯然還有極爲寬闊的發展餘地。」因此，認爲強調「國庫負擔過重，致造成通貨的變性膨脹，從而促成物價上漲……」的論斷是「不正確的」。對於這樣的論述，可謂與筆者「不謀而合」。誠然，那些祇看到困難，看不見「希望」的人，特別強調國庫負擔，通貨膨脹，物價上漲，實在未免太不樂觀了。

不過也有幾個小問題，是不太令人易懂的。例如在同一社論中說，「解決財經問題的基本原則」是「開源節流」，加強生產建設，促進台灣的工業化。一旦工業化達到相當水準時，財經的情況自然會全部好轉。並且還說，目前台灣人力未能盡量利用，游資充斥未能導入正規，這些都是生產事業的資本。

但是同一社論中又引了經濟部長楊繼曾氏的話，楊氏認爲「現在台灣工業方面有兩項基本困難：原料不足與資金缺乏」。

官方的輿論是把困難描繪成爲財經前途樂觀的因素，而有官守的部長則直言不諱工業方面的具體的困難，有待「合理解決」，並謂須同時設法改正有礙工商發展的法令。

其實，台灣的財經狀況是可以改觀的，其所以有「變性」的通貨膨脹，物價上漲，及國庫負擔過重，都是人爲因素所造成，而這種因素之出來，泰半是出於那些不切實際的法令。

而這些法令卻又是專爲限制「民富」的發展，是爲保障「黨富」的譁存。因此，雖明知民富而後才能國富，但由於「黨富」優先於民富，結果以至民既不富，國也富不了！有謂開源節流應並重，但就區區來看，要挽救台灣財政經濟，首重節流，那些與法無據的，專以消耗納稅人血汗的機構，如果不先裁撤，即使開源，怕也難以挹注呢！

·金葉·

台南點滴

△議會與行政之間的關係，應該是相輔相成的，但今日台灣省各縣市府與議會之間則頗不諧調，則已爲人共知之「實」。究其主要原因，在於市府縣府之預算，經過議會審議後，往往只須送請省府核定，議會的審議形同虛設，使議會有不少議員憤慨表示，此種現象，實已使議會形同虛設。

議會的作用之一，本在代表人民看守住國庫，不使浪費，也不能以一紙公文推翻議會決議案，也就難怪議員們表示，這樣的議會，又有何存在之必要與價值。

△本市士紳張寄齡，於民國四十五年將高雄縣和順里九千坪土地，捐獻高雄縣政府作爲建造房屋而加以重建，得經易名爲「壽齡」里。復次，張氏爲「壽齡」建設政府將費興學運動，去年再將高雄縣境內土地二千坪捐作籌辦高雄縣文賢國民學校建教室，並在台南市店房一棟，捐建第五萬元。該校爲紀念張氏，更名爲「壽齡」國民學校。縣府已呈請獎狀獎中。張氏住於台南市，行善於高雄縣，與「選舉」無關，乃那些慷慨的有錢者，是截然不同的。

·晶增勳·

國際動態拾零

△蘇聯認馬遜可夫，朱可夫，與狄托通訊，將其都列爲修正派。

△杜爾斯訪歐，期使西方服從「唯一條件」，其經倫敦巴黎以及波昂，由投票，結果一致，期使英法共同表示團結，表面上不背改變既定國策，而骨子裏則預備國際以武力後讓步。

△美國防部原子設計研究會，預備本年春夏之間，放射幾枚傳播衛星，年底放射觀察天氣的衛星。本年將開始建造具有百萬磅衝擊力的火箭。

△艾森豪將在電視上對民衆演講，說明美國與蘇聯的火箭，及其他武器，作一比較。以表示美國在軍備上並不落後，即洩漏若干秘密，亦所不恤。

△原子飛機的建造，已在急速進行中。以平時需要不斷作海洋巡邏，而防潛水艇與運輸艦之支持，乃已撥款四千五百萬，期於一九六二年將其完成。

△美國火箭之所以落後，因爲現在僅有第一代的阿特拉式，需要基地，又需要第二代的飛彈，如狄坦與完成研究階段。放射極快，保護極易，價廉，可深藏地下數百尺且無須基地。

·陶然·

關門開會

本月之三、四、五日，「人代常委會」接連的召開了第一〇四、一〇五、一〇六次會議；聽取了「商業部」長程子華關於「商業工作」的報告，「冶金工業部」長王鶴壽關於鋼鐵生產的報告，「化學工業部」長彭濤關於化學工業生產的報告，「煤炭工業部」長張霖之關於煤炭生產的報告。

在過去，「人代常委會」大多是十天半月召開一次，很少像這次一般的連續在三天中召開三次會議，顯得此番不平常。這三次會議的報導略而不詳，其內容之簡略，僅如上述，這似乎在內中還有不可告人的秘密。

此外，似乎又顯示了，毛的反對派在藉口「科學分析」要求檢查去年大躍進的實際情況；這也就是說「秋後算賬派」開始露形了。

緊張，依舊緊張！

第三期「紅旗」雜誌社論，提出了「十分指標，十二分措施，二十四分幹勁」的口號，二月二日「人民日報」社論則要求「把大躍進的戰鼓敲得更響」；不用說，這又是緊張年；看來毛澤東非迫得人民流盡汗血是不肯歇手的。不過話得說回來，毛氏要是不緊下勁來，政權就會立刻垮台，這也有他的不可告人的苦衷存在。一九五五年春，鬆了一次勁，立即有大批農業社解散；一九五七年夏，第二次鬆勁，到處上街示威，鬧退社；這些歷史教訓迫使毛澤東一味盲撞，不敢鬆勁，這到也是真的。問題到在於中國的這種經濟情況，若要趕上西方先進國家，縱有這股幹勁，也不知何年何月才能達到，雖然去年年底稍鬆了一下，馬上就能扭轉過？來，但這樣逼下去，總有一天會扭不轉來，到那時，恐怕就會發生全國性的匈牙利事件了。

若與上節連系起來，一方面說明扭不轉來的因素已經露了形，另方面說明毛還有力量壓服反對派。

比例失調

毛的這種緊張作法，我們可以用赫魯曉夫最近的講話評論之，他說：「在製定七年計劃的時候會經考慮到，要使這個計劃不需要過分緊張就能夠完成。為什麼這樣作？因為一項很緊張的計劃不能排除個別部門完成計劃的情況，某些經濟部門可能得不到必要數量的原料、材料和設備，這就可能使企業停工待料，從而帶來生產能力開工不足，工人停工待料以及由此而產生的一切後果。這是經濟學家稱之為比例失調的現象。」赫氏的這一段話，固然不一定批評中共，這位老大哥的話對於社會主義建設經驗積累的當，我們將這樣的原則放之於所有共黨國家，大概是皆準的；據此，而說中共的這種緊張情況，將產生極度的比例失調，當也不致於過份！目前中共燃業部門的分配緊張，工業部門的原料材料特別是焦煤，礦石供應緊張，當是這種比例失調的徵象；「人代常委會」議「關門」舉行，原因大概就在這裏。

○田心○

「大躍進」中的小插曲
蘭新鐵路鋪軌工程遲緩不前

去年梢中共對外宣稱鐵路基本建設方面獲得了「輝煌的成就」。並特別提出與蘇聯土西鐵路聯接的蘭新鐵路（在中國境內稱蘭新鐵路，在新疆省出阿拉山口進入蘇聯國境，接於蘇聯土西鐵路的阿克斗卡車站，故全線又稱蘭阿鐵路），說「蘭新鐵路一九五八年雖然只鋪軌一百四十公里，到達新疆的天湖。」實則「從大湖到小草湖三百多公里」不過僅基本上完成了「路基、橋樑」的工程。並未鋪軌。

蘭新鐵路鋪軌工程的進展之所以遲緩，原因相當複雜，無法從一個孤立的現象中使得解答。必須追溯過去中共對於該路工程所透露的各種情況，仔細加以分析判斷，才能可以得出合理的答案。

下列四則是有關修建蘭新鐵路原訂計劃資料：

一、去年二月間中共發表了一九五八年國民經濟計劃，提出在年底，蘭新鐵路要鋪軌到哈密。

二、一九五八年三月二十六日「人民日報」：「根據鐵道部第一工程局最近的躍進計劃，蘭新鐵路的鋪軌工程，到年底將越過哈密，可以鋪軌到七角井附近。」

三、同年五月四日「人民日報」：「蘭新鐵路（五月）二日開始從峽東車站繼續向西鋪軌。

四、同年五月十七日，北平「工人日報」：「今年蘭新鐵路要修過哈密一百五十六公里到新疆的三間房車站」。

上述四則消息，說明中共加緊修建蘭新鐵路原準備在一九五八年內從峽東車站開始鋪軌到七角井附近的三間房車站，全綫共長約四百六十多公里。但這個計劃，截至目前為止，並未如期完成，該路鋪軌工程僅完成了一百四十公里，其餘三百多公里的計劃都落空了。

計劃中的工程沒有如期完成本來不算一個重要問題。但以蘭新鐵路的情況來說，問題就不如此簡單了。

根據一九五八年九月十二日「新疆日報」報導：負責修建蘭新鐵路的中共鐵道部第一工程局計劃處處長吳天佑，於八月二十日巡視蘭新鐵路綫工地時，對該報記者表示：「哈密至紅柳河的路基工程已基本竣工，現在只是修修補補的掃尾工程了，如果不是發生了鐵軌供應不上的情況（這情況是前幾天臨時發生的，該報原註），國慶節以前（即去年十月前）鋪軌至哈密是完全沒有問題的。」

這消息反映出，去年蘭新鐵路的建設計劃之所以未能完成是完全受到「鐵軌供應不上」的影響。鐵軌供應不上，不外兩種原因，一是鐵軌缺乏，其次是運輸困難，不能如期運到。但這兩個問題均非絕對的困難。

我們認為，一九五八年，中共鐵路建設鋪軌的總長度，既能超出原計劃八百公里。那麼蘭新鐵路這一條通往蘇聯的主要幹綫，九年來中共都把它當重點工程建設，假使中共仍然一心要加緊該路的建設速度的話，增產了那麼多的鋼鐵，中共不會不將其中一部份優先支援蘭新鐵路的；就是受運輸阻塞的影響，那最多也不過是短時間的困難，也不可能拖延了幾個月仍然不能解決的道理。

上述的兩個技術問題，均不足以說明蘭新鐵路不能按照原訂計劃完成鋪軌工程的一事實。因此，我們不得不在政治方面探求其中原因。蘭新鐵路工程進行在少數民族地區，而少數民族的反對和破壞行動，中共已經公開承認，假如中共不顧一切加速蘭新鐵路的建設，勢必造成更嚴重的紛擾，不過這些紛擾可能影響建設速度，可能造成鐵路建設長期拖延的主要因素。主要的是中（共）蘇關係對於修建蘭新鐵路可能發生的影響。自從赫魯曉夫上台後，中共與蘇聯的[illegible]但始終未能達到真的友好狀態。新疆地區雖然[illegible]往在蘇聯勢力範圍[illegible]能都是一種應付姿態而已。

（賓）

遭受批判的大陸學者

B 社會科學部門

鄭振鐸，北京大學中文系教授。

朱光潛，北京大學中文系教授。

黃海章，中山大學中文系教授。

六 圖書館學

劉國鈞，武漢大學圖書館學教授。

杜友定，武漢大學圖書館學教授。

皮高品，武漢大學圖書館學教授。

徐家麟，武漢大學圖書館學教授。

C 哲學

馮友蘭，北京大學哲學系教授。

鄭昕，北京大學哲學系教授。

賀麟，北京大學哲學系教授。

陳修齋，北京大學哲學系教授。

D 其他

周元亮（中國藝術家協會成員）、李紅（中國藝術家協會成員）、陸侃如（山東大學中文教授）、鍾敬文（北京大學中文系教授）、唐圭璋（南京師範學院中文系教授）、錢仁康（中央音樂學院教授）、蔣一葦（社會學）、陳[illegible]、趙務（哲學）、[illegible]（詞學）、徐士年（詞學）、黃藥眠（美學）、[illegible]（文學史）、[illegible]（文藝思想）、[illegible]（經濟學）、[illegible]（美學）、[illegible]（考據學）、張恨水（文藝思想）、周來祥（文學史）、[illegible]

大陸文壇透視

七歐

不知「鳳姐」今何在

在反右派中被鬥垮了的丁玲，中共文藝圈內一向在背後稱她為「鳳姐」，但不知這個鳳姐所指是梅龍鎮上賣酒的李大姐，還是大觀園中當家做主的王熙鳳。若照她在延安時的被中共儒要賞識，當屬前者；若照「解放」後她在北平的頤指氣使，就應該是指的後者了。

當一九四二年毛澤東發表延安講話鬥爭王實味的時候，丁玲就有些危險，她所寫的那篇有名的「三八節有感」，其「反動」程度並不在王實味的「野百合花」之下。但王實味把頭顱丟了，她卻越發竄紅起來。無他，那時她只卅四歲，風韻依然，有人為之撐腰而已。「解放」之後，她的「太陽照在桑乾河上」得到史大林文藝獎金二等獎（這在中共是最高的榮譽，周立波的「暴風驟雨」、賀敬之的「白毛女」是三等獎），一身兼任中共中央文藝處長、全國作協副主席、文藝報主編、人民文學副主編、文學講習所主任等要職，聲勢顯赫，炙手可熱，茅盾、周揚都不在她的眼裏。那辰光，就具有點兒璉二奶奶的威風了。

想不到運會轉變，物極則反，自一九五三年起就日趨沒落，到一九五七反右派時，她竟成了反黨集團的首領！可奇的是她在舉行了二十七次的鬥爭會上，竟然始終未曾屈服，並且在頭三次會議，她還「向黨瘋狂進攻」，她的黨徒李又然指著周揚大駡：「即使我饒恕了你，歷史決不會饒恕你！人民決不會饒恕你！」她這種倔強性格的表現，自不愧為女中丈夫！

最初聽說她在「作協大樓」擦地板，稍後聽說又被送到冰天雪地的北大荒去勞動，如今又是一年了，不知尚在人世否耶？前年在中共報刊上見過她的照片，儼然一位肥胖臃腫的老太婆，如果僥倖存活，當亦不復這樣臃腫了吧？

今年中共人民文學出版社要重印一千種過去的文學作品，作為「國慶」十週年時的獻禮，書目中有蕭紅的「生死場」、「八月的鄉村」，有周立波的「暴風驟雨」，而無丁玲的「桑乾河上」，令人不勝有人琴俱杳之感。當年丁玲在滬被捕時，魯迅有詩弔之曰：「如磐夜氣壓重樓，剪柳春風導九秋。瑤瑟凝塵清怨絕，可憐無女耀高丘！」迅翁若在，今又不知如何感慨。

瘟君夢

岳騫

第一回：消息自天來　人揭秋扇　風波從地起　夢冷新華

陳毅看到老狐狸軟化了，也覺得饒人處且饒人，自己與老狐狸並無寃仇，當時換了付笑臉向孔說道：「董老，詩詞用語不能拘泥的，你譬如古人稱讚漂亮女人說秀色可餐，你說人肉怎能吃，豈不成大笑話。」

這句話算是雅俗共賞，連賀龍都聽懂了，又哄然大笑起來。

陳毅接著說道：「喂，禿頭，咱們認識多少年了。」

朱德被陳毅這麼一問，一時莫明其妙，笑著答道：「一點不，若是從延安到北京算起，已經三十八年了。」

陳毅接著道：「一點不錯，相識三十幾年，我發現你一件最大長處，你知道不知道。」

朱德經這麼一問，登時眉開眼笑，指著自己鼻子說道：「我的長處？」

陳毅含著笑點點頭，態度非常嚴肅。

「我的長處太多了，我承認最重要的，能夠指揮百萬大軍，戰略戰術，無堅不摧，除去歷史上的孫武、吳起、克勞塞維茲、史大林及咱們的毛主席，朱老總之外，我想這是古今有名的將領。」說著連連搖手：「好了，你別說到別的地方去吧！你以為這是在華東軍區開幹部會議嗎？」

陳毅笑道：「這一件最大長處，放下不提，再說第二件，我看文韜武略之才，縱橫捭闔之策，上馬殺敵，下馬草露布，許多人稱我為解放軍中的風流儒將，我覺得當仁不讓，大概老總你的長處，也是這一件。」

陳毅笑道：「對了，我就是指的這一件道，但是風流兩字是當之無愧，你最大長處就是三句話離不掉女人。」

這一句話說得入木三分，在座的人都哄然大笑起來，[illegible]劉少奇也[illegible]來，把剛才[illegible]了。老狐狸指著陳毅說道：「你這個元帥[illegible]加個花國元帥的封號，大概你玩過的女人也許比帶的兵還多。」

陳毅連連搖頭：「那有這樣多，董老未免太誇獎了。」

周恩來笑道：「這那像政治局會議，簡直是延安窯洞中的軍中晚會。」

陳毅說道：「是呀！可惜少了幾位女政工同志來慰勞一下。」

這句話[illegible]，就在這時忽然裏面[illegible]一聲，毛澤東出來了。（十二）

徵求關於曼殊的書刊

編輯先生：頃讀陸珍年先生在自由人第八二六期所寫「閒話曼殊的詩」，至為欣感，因為我也是愛讀蘇曼殊上人詩文者之一，所以對此「革命和尚」的身世了解也較深切，惜手邊無書，十多年前所購置的「蘇曼殊全集」一部五冊，竟留在大陸未能攜出，找遍台北的舊書店都無，茲請假自由人一角，代為徵求「蘇曼殊全集」，蔣百里著「國防論」，王芸生編「六十年來中國與日本」，周佛海著「三民主義之理論的體系」，生活書店出版之「世界文庫」及胡適之主編之「獨立評論」雙週刊，民國二十八、九年在貴陽出版之「防空半月刊」，如有願讓者，請投函台北市泉州街二十八號曾收（電話：四二六〇八），當即趨洽，或函洽，借閱亦可，勞神後謝！即頌

年祺

楊力行拜上（二月五日於台北）

代郵

鍾鏘（菩梵）兄：

久失連絡，請示尊址。

（朱夜）

心籟集（三）

萬里雄風

○李素○

我一向喜歡詩，喜歡詩中的悲壯，或高超，或豪放，或幽麗……那澄激不清的各種美妙迷人的境界，使我心性淨化，靈魂像長了翅膀，再再超昇。也喜歡那多朵多姿的想像，包羅萬有；喜歡那變化多端，仙骨妙曲般的璧頭；更喜歡那錯綜複雜，銷魂蝕骨的感情。讀詩就像聽見了神祕的心籟，只要是好詩，無論是讀或寫，都使我感到無窮的歡悅，並認爲是人生無上的享受。因此我不辭附庸風雅，想學做一個詩人，但我憑什麼資格來學習呢？「李白斗酒詩百篇」，而我不會喝酒，這年頭也不容易買得起斗酒。杜甫「下筆如有神」，我却資質愚鈍，也沒時間，並未「讀書破萬卷」。陶淵明有將蕪的田園，可以「採菊東籬下」，李後主有「無限江山」，可以拱手送了別人，然後讓自己嘆息「故國不堪回首月明中」。我呢？什麼都沒有。我想學辛稼軒「醉裏挑燈看劍」，可惜自己不是女將，而且私藏利器是犯法的。學龔定盦「捲簾梳洗望黃河」吧，無奈黃河又遙遠得望不見。假如我能騎了驢子的得得地走出去，也許可以像賈浪仙一樣，在驢背上想出「鳥宿池邊樹，僧敲月下門」這樣的佳句。但我連一頭小毛驢也沒有。我能憑什麼來學做詩人，寫出不朽的詩章？

幸虧我記得英國作家及文學批評家威廉．赫茲列特，在「論英國詩人」那篇演講詞裏說過：「詩是想像及情感的語言。……詩是普通的語言，是心與自然及言語本體的混合：……無論什麼只要有美感，或能力，或諧和，就會影響的邊際，花的生長「把芳香的葉兒向空中展開」以它的美貢獻給太陽，「這就是詩，」……當一個嬰兒初萌芽，或捉迷藏，或追逐的玩，人的巨人傑克還故事時，實際上就是個詩人；當他第一次用花冠給愛人加冕的時候。」赫茲列特再舉了一大串什麼鄉下人，學徒，守財奴，野蠻人，奴隸，暴君等，都列爲詩人。這使我忽然心雄氣壯起來。那末，我這三教九流以外的弱者也該是詩人了？可是以上的都是無字的詩人，我却是想學做寫詩的詩人呀！從何處下手？

嚇，愁什麼？赫茲列特又這樣說的：「詩是自然的做造，但想像與情感都是人性的一部分。」我還人性中固有的想像與情感，用語言去描模自然，再加上我認爲必要的藝術手法及諧和的音節，不就是詩了嗎？然而這有什麼難？說來容易。要模倣自然，先得有自然作模型，作範本。現在天天走在車塵滾滾的馬路上，樹都沒多見一棵。傍晚回到家裏也只見四堵高牆，連僅有的騎樓也給鐵窗封閉了，無從探頭出去暢望長天。即使是豆腐干那麼小的天空也會有電光星光呀。更糟的是，對門是個第四五流的戲院，常是人聲鼎沸，吵得心煩意亂，所以連情緒也懶得理了。生活如此凡俗和枯燥，怪不得詩神遠避，心中找不出一個點兒詩意，靈感已漸漸消歇以至於零了。

回想遙遠的學生時代，生活在柳影湖光裏，春日繁花滿眼，心怡神醉；夏夜綠樹生風，涼沁肌膚；深秋有千山紅葉，臨冬有萬樹瓊瑤。還有朝霞夕照，明月清風，虫鳴鳥唱，蜂飛蝶舞。總之，隨時隨地都可以躺在大自然的懷中撒嬌，浴在它的慈輝裏啜飲詩的乳泉。一有餘暇就忙着登山臨水。古城內外，遠郊近廓的景物和勝蹟都看膩了時。還藉勞軍的機會上秦皇島，去嘗嘗塞北苦寒的滋味，也登居庸關去展望長城的萬里雄風。或到周口店考古，或到蘆溝橋憑吊，或騎驢走山徑，尋幽探勝，到古寺裏投宿，靜聽午夜鐘聲。那時候的生活便是詩，怪不得寫起詩詞來竟是不學而能，而且比現在寫得像樣呢。現在——現在我怎麼樣才能重尋詩的生活？我是懶人，決不願學「二句三年得，一吟雙淚流，」無論坐着、走着、吃着、睡着都不停地苦吟的賈島。也不想學「每日旦出，騎弱馬，從小奚奴，背古錦囊」去尋詩覓句的李賀，我只想常投身於自然的懷抱——詩的溫床，沉酣於宇宙的玄秘裏，在朦朧的夢境中讓天籟觸發靈感，引動心絃，使情思洋溢，像松濤，像海浪，像花吐芬芳那麼自然地噴湧「靈魂的音樂」——詩。

我在「夢部」裏說過，「男人能做的事，女人也會做；女人能孕育孩子，男人却不能。」所以我生平是頗以自己是女性而自豪的。假如我偶然會羨慕男人，想做男人，那便是當我覺得行動受到束縛，或痛恨自己太懦怯的時候了。

旅港八九年來，每逢月色清明的靜夜，我總想獨自攀登太平山頂，兀立蒼茫，眞個披星戴月，領略一下超塵拔俗的孤清。或者走進一座廣闊的墳場，讓躑躅葉臨風嘆息，聽草虫帶露哀鳴；而我默坐在墓塚的中間，在幽明難辨的情景裏，沉思生死的玄奧。或者背着手徘徊於海岸邊，望遠山，對漁火，跟晚潮互訴心曲。又或者在清晨三四點鐘左右，走出門外，像更夫般巡視長街，獨迎黎明；聽市中短暫的靜寂，萬籟過後的淒涼，萬古興亡的意[illegible]。然而我明白[illegible]者，百分之百[illegible]不要說晚上，[illegible]日之下我都不[illegible]，我怕相識者[illegible]路人會投我以[illegible]視及憐憫的目光[illegible]當作瘋婦。我[illegible]會我自尋短見[illegible]自殺，或者設[illegible]蕩、阻街，和[illegible]做小偷等等的[illegible]如因此給拉上[illegible]豈不冤哉枉也[illegible]

在現世代的習俗裏，做女人的確處處有太多的不方便。假如我想把頭髮剪短，把兒子幾年前的學校制服穿起來假扮男人，那麼，不論白天或晚上，獨自去遊山玩水，就不會顯得太怪和引人注意了。

可笑的是，就算穿上男裝又有什麼用？我還是個弱者，[illegible]呀！雖然[illegible]女人終於[illegible]生，[illegible]羣[illegible]傳角處或黑暗中隱出個[illegible]大漢。我怕山精木怪，野狐惡犬，猛獸毒蛇，以至於蟑螂老鼠[illegible]越出軌。[illegible]不說了吧，總說[illegible]

既然沒有機會、時間和膽量去親近自然，以便吸取創作的靈感，生活又那麼平凡，[illegible]是弱者，却仍不肯自己承認束手無策。[illegible]天下事呢？我只須讓自己安坐斗室中，閉上眼睛，拋開一切，打開心靈的門[illegible]飛出[illegible]太空，神遊八方，何止[illegible]只要[illegible]語言創造新的[illegible]美[illegible]多大，就有多大，要多美，就有多美。

一日不見君三章（錄舊作）

許紹棣

一日不見君，令我鄙吝生，柴門聞剝啄，顛倒我衣裳，出門何所見？但睹明月光，望雲空佇立，引領結中腸。

中腸鬱以紆，擣擣我心悲；思欲共攜手，同心與我違，平路自伊阻，咫尺若天涯。願言不可得，何以慰相思！

相思不相見，何以敍我情！良會未可常，日月長于征，如何輕別離！譬若參與商，願得常促膝，慷慨話平生！

次韻酬井塘見贈

許紹棣

非吾徒，紛紛得意譏我迂，感君視我非陋夫，自憐天地閉塞吾道孤，人間何處着腐儒！成名豎子與世常支吾，平生不屑問榮枯，頗喜自甘生清腴，不知不慍何嘆吁，與神同在甚康娛，書生結習未能除，有時歌哭臨中衢。如公術我不如，晚來孤僻猶如初，聞公浴德隱宦途，嚶鳴還望時相呼。

釋耒集

稍留

知中國學術有漢宋之分，漢儒釋心名物訓詁，偏重考據，故又稱考據之學；宋儒獨主發明聖賢精義，偏重義理，故又稱理學。清代乾嘉學者，讀書於尚創復，厭講宋元以來儒者所稱之義理，鄙之爲空疏，自號東漢學之門戶，稍發宗宋學之方，[illegible]漢學。[illegible]之論，如[illegible]曰：「[illegible]」[illegible]人也，吾何以非之，[illegible]其精者，韻無不能有加[illegible]其遺者，蓋顧仲（子路）冉（冉有）[illegible]

[illegible]又曰：「是故有天地，有萬物，不可無聖人，天下無無本之枝，壹于內者失之矣，[illegible]」[illegible]獨指宋學，實謂二者並非之也。道光鴉片戰爭以後，中國世運遭遇一次大變，學者憂心于內憂外患，[illegible]

義理與考據

曲齋

[illegible]進，與不讀書等，此風氣急宜挽回。

清儒之論，原本顧亭林先生遺說，仍主通經在于致用，與顧之講明學者同調，至抉論乾嘉學者致力考據之原因及其得失，則以章太炎先生，檢論清儒所言最切要，其言曰：「愚民，故經世先王之志衰，多忌，故詩歌文史楛，家有智慧，大湊于說經，而其術近工眇踔善，遂以紓死」。後者仍循乾嘉學者治學之道，以考據爲宗者，實際上僅爲盲從而已。依陳澧見解，人之讀書，原在講明義理，考據只爲讀書之功力，並非讀書之目的，拘于家法門戶之見，互相詆譏，有時其實異常可笑，例如今文學家，不信左氏傳，[illegible]借毀氏春秋引觀周篇：「孔子將修春秋，與左丘明乘如周，觀書于周史，歸而修春秋，丘明爲傳，共爲表裏」。之語，爲之攻駁，謂左氏別爲一人，非與孔子同時之丘明，又以司馬遷報任安書云：「左丘失明，厥有國語」，故曰左氏爲左丘而非左丘明，又云：「齊論無左丘明恥之」一章，故左丘明亦不必與孔子同時」。舍正史之說不採，但憑單文孤證，硬將左丘明分割爲二人，一爲左丘氏，一爲左丘明，其言雖辨，究何補于學術乎？大抵一以考據自矜，則讀書務在吹毛求疵，心目中早無義理存在，其埋頭故紙堆中，不過搖撏古人缺失，以成其個人之博雅而已。

清人所編滿朝先正事略，載姚姬傳先生告翁覃溪語云：「諸君皆欲讀人間未見書，某則讀人所常見書耳」。求義理，正當於常見書中求之，短書雜說，人未經見，則考據家資以爲博雅之干矛而已。

虎與蛇

虎被人視爲兇獸，所以有「苛政猛於虎也」的話，可見除了人自己可怕外，再次就是虎。虎是殘暴的，但在人們的心目中，虎也是威猛的，一談及虎即「色變」。卻一方面又懾伏在「虎威」之下，仰而崇之，奉爲神明，於是人類的形容詞叢中，便增加了許多字眼：曰「虎將」，曰「虎膽」，曰「虎賁」，曰「虎威」。

虎常是坐林巒，倚靠山，對着人間萬象，眈眈而視，牠沒有理性，沒有情感，一有機會可乘，便以人命如芻狗，所謂「民胞物與」，但虎淡然不之顧，然而虎殺人見血，而蛇則更甚於虎。

蛇，一身錦繡衣冠，一派溫文爾雅姿態，看起來是位翩翩紳士。但，錦色繡紋之中，包藏着人的毒，逶婉柔滑之身，藏着殺人的恨，七步便可以取人命。然而人們在認識之前，可以爲它是不毒的，在認識之後，才會覺悟其可惡可怕。所以人們呼那些兩面討好之徒爲「兩頭蛇」。這些傢伙能從中謀沾利的刁滑營私，在人世中把善惡模棱兩可，創造了大部分的不幸和災難。

在十二生肖中，蛇應列爲首惡，牠可以和虎做朋友，再和小白兔親善，然後把小白兔犧牲給虎做小餐。

虎吃人見血，像土匪強盜，蛇却是殺人不見血的無形劊子手，實在是集惡的大成，令人難以防患。陳宗敏。

風雨樓瑣語叢談

近代文字學者，普遍公認的一個原理，是畫先於字。此義頗允，惟宋人亦有先言之者，宋韓拙云，「書本畫也，畫先而書次之」。大致先民社會的文化發展，是言語表示意思之不足，才有結繩。結繩之不足，才有圖畫。圖畫之不足，才有文字。其間由經驗而增長智慧，由需要而選擇物宜，是完全追隨於自然的發展，而循序漸進以求生存的。故周易曾有上古結繩而治，後世聖人易之以書契的說法。書契，字與畫也。在沒有發現畫先於字的積極證據以前；至少書畫同源，是源於八卦。繪畫之始，是始於伏羲的。儘管伏羲和八卦，在中國歷史上，都是些問題人物，惟其是問題人物，才有辨明的價值，才會得到正確的答案，這是我的想法。

懷疑伏羲和八卦的學者不少，爲了不致繁複起見，我提出的例子，只有兩個；其一是近人陳彬龢氏，曾在他的中國文字與書法上說：「黃帝之事，尚書不載，似不足信。黃帝以上，溯及神羲，亦難稽考，不過得之傳聞」。陳氏的根據，是否出自史記，再加引伸，不得而知。史記云：「學者多稱五帝，尚矣。然尚書獨載堯以來」；是爲引用漢儒觀感，並非史遷本意。且尚書有云：「蚩尤惟始作亂，延及于平民」。何莫非黃帝至伏羲之見於諸子者；如周官，三統曆，呂覽，尚書，周易等諸書。陳氏如果忠於治學，當不致如此輕於下筆，而謂[illegible]是歷史學者徐亮之先生，曾對我說：「甲骨文並無發現，似有問題，可能還有更高依據，亦未[illegible]現，亦猶周易之不載夏商[illegible]一書之爲信史，其宗整且[illegible]周易自亦可信的。按周易[illegible]孔子。孔子對於古史的態度，[illegible]也極其謹嚴。所以他在論語上說：「殷因於夏禮，所損益可知也。周因於殷禮，所損[illegible]禮，吾能言之，杞不足徵也。殷禮，吾能言之，宋不足徵也。文獻不足故也。足則吾能徵之矣」。（十四）

述聞

己亥新歲書懷

蔡俊光

桃李逢陽喜著花。映階萌[illegible]又朝霞。攘歲曾登[illegible]生相。淡蕩春光處士家。酒盡一樽憐草木。晝空十載嘆魚車。[illegible]遊有聖何爲[illegible]（今年台[illegible]孟子，[illegible]居深山之中與木石居與鹿豕遊）海角逢君且信[illegible]。

自由人
THE FREEMAN
（第八三一期）
中華民國僑務委員會領發登記證台教新字第一〇二號
中華郵政台字第五〇〇號執照登記為第一類新聞紙類
（半週刊每星期三六出版）
每份港幣壹毫
台北市售價台幣貳元
督印人：陳文華
地址：香港高士威道二十號四樓
20 CAUSEWAY RD. 3RD. FL. HONG KONG
TEL. 771726
承印者：東南印務出版社
地址：高士打道六十四號
台灣總經理處
台北市西寧南路壹零壹號二樓
電話：三〇三四六
台郵撥儲金戶九二五二
海外總經銷：友聯書報發行公司
香港：德輔道中二十六號A二樓

論如何改組聯合國

衛挺生

現時臥病醫院的美國務卿杜爾斯，於本月一日，對紐約律師公會演說，關於聯合國的目前情勢，作極沉痛而又極切實的批評。他說：『共產國家於聯合國內玩弄「雙重標準」，使聯合國會員國現有迫切需要，對此多加譴責，少加容忍。共黨國家從未眞正接受聯合國憲章之概念，對有關放棄用武之規條如此，對有關秉公法治之條例亦然。實際言之，聯合國憲章之主張與共產主義，乃如油水一般，不能調合在聯合國內，共黨國家利用會員國地位，取得從事宣傳與搗亂之有利機會，在安理會內，則使用否決權，使非所喜之議案不能通過。對蘇俄集團國家在聯合國內所採行動下產生之雙重標準，聯合國會員國有多加譴責，少加容忍之迫切需要，應使共黨國家感覺所持態度遭大家反對之壓力。余擬鄭重言之，聯合國與世界在有限度之雙重標準下雖可不致受害，卻不能於永在之雙重標準下得免。因此，聯合國除如原定目標成爲主張秉公法治之和平組織外，否則，將如聯合國發起者之宣佈，必須另設辦法。』

杜氏此番議論，實際上等於宣布非設法改組聯合國不可。否則必不能成爲主張秉公法治之和平組織，亦即非陷於國際聯盟之同一命運不可。杜氏之所謂「另設辦法」，到底有無腹稿不得而知。然近年來，關心聯合國之前途者，固已有不少討論，亦有不少具體主張。例如數年前，倫敦之世界立法人員協會，即已擬具頗爲詳備之計劃，本文作者曾參加立法人員協會，並於本年一月廿五日致艾森豪總統函，論如何改組聯合國。此函在杜爾斯發表上述演說之前，雖所論或不免持論過高，不一定能見諸實行，惟自問尚不失爲一種具體意見，且不僅爲作者個人意見也。茲將原函錄下，以供研討之助。（編者）

上年（八月廿二）在中共砲轟金門前，陳（啓天）蔣（勻田）二君與鄙人合上之揣函所言事，幸合於閣下日後之決策而於後來良好之效果。而西柏林冷戰，乃該黨又一項之嘗試。民主各國在美國領導中，已示以堅强武力，乃最適宜之答復。必如此始可以維持和平而防止戰爭。惟在無有效的國際公法下，隨時可以產生國際緊張事件。任何紅色可以照他自己所選擇的方式與時機製造之。（而在美國四年一度全國注意國內問題時最爲危險。）美國與世界各國不得由被動地位應付之，即所謂『按照紅色的樂調而舞蹈』。凡有時極端的危險。例如金門戰與，民主國家中唯美國獨出應付。而同時國民輿論又多不贊成積極的政策。

加大聯合國組織

今在閣下國情咨文中所云「將盡力在聯合國程序上求一補充辦法，使國際間問題之解決，得以法律代武力。」此誠世界每人所日夜禱祝的最高建設性的國際政略。美國極容易改去其被動的領導地位而變成積極的使任何紅色每次受着審判。然爲之有道。是在加大聯合國的組織與權力，如次：

（一）擴大聯合國大會的組織及權力，使其能對於國際糾紛及國際福利問題有立法權。

（二）擴大海牙聯合國國際法院的組織及權力，使其對於任何國際緊張事件或國際衝突事件，有司法管轄權，而能爲強制執行的裁判。

（三）建立聯合國警察武力，使其有實力制止任何強暴國家，而能強制執行國際法院的判決案。

（四）在聯合國的嚴格監督下，完全解除各國對國際的武裝，而使每一國僅保有足夠維持國內地方秩序的警察組織。

（五）擴大聯合國秘書處的組織與聯合國秘書長的職權，使其成爲聯合國行政院與行政首長。而得——（甲）執行聯合國立法機關所立之有關國際福利之法案。（乙）執行聯合國司法機關所判決之國際糾紛訴訟案。（丙）號令聯合國之警察武力。（丁）監督解除各國對國際之武裝。

如此擴大組織增加權力，實即建立一美國聯邦型的世界聯合國政府，亦即不啻將美國聯邦憲法改大，寫爲「世界聯合國憲法」。各國對內仍有最高無上的統治權。但一切事項而有超越國內範圍情形，立即入聯合管轄範圍。任何紅會白會而製造任何事件，立即受聯合國政府之處理，而以擾亂世界和平受制裁或處罰。

關於此問題之研究，英國議院某議員等會在倫敦發起一世界立法人員協會，經歷數年討論，而有詳備之計劃。英首相麥米蘭及法前首相戴高樂均曾口頭稱贊。其計劃大體公善。但其計劃僅是計劃，仍有待於美國總統之提出於聯合國大會通過，方能見諸施行。

蘇聯不利於自外

聯合國之組織及其權力經如此擴大後，美國仍爲領導者。因其爲聯合國中最強大富裕之分子。（其地位可與畢士麥所組織之德意志帝國聯邦中之普魯士情形相彷。）如蘇聯及其衛星國家參加其組織，則其行動立受憲法之限制。如其不參加，則其每一行動將受強固世界集體之反對。斯大林時，蘇聯曾一度退席，但不久即後悔而速返。蓋蘇聯不利于自外。因被完全解除對國際之武裝，所以任何主義不能恃武力，而只得藉文字與成績作爲宣傳。言論出版之自由，不利於共產主義之傳播。但若社會主義下而確有良好健全的制度或辦法，固不能阻後代之採用。倘確無價值，亦將自然淘汰。美國現已採用有良好健全的社會主義辦法而有相當成效者。例如「社會保險」制度。

第二次世界大戰，閣下曾領導民主世界得軍事勝利。現今世界亦唯閣下爲能領導全世界獲得永久和平的勝利。此乃閣下絕好機會，而亦天命閣下成此不朽事業。閣下的不朽將成爲人類的天賜，因而永享康樂。

總統先生，爲任職餘二年，可使成爲人類歷史上最大的新紀元，專待閣下之能如此決定。機會已到門前。

永久和平大道

再者，美國在閣下睿智的領導下，已領導全世界各國改變毀滅性的原子能爲建設性的和平用途，現今正需閣下以最大努力，導全世界走出人類相互毀滅的戰爭迷途，而走入永久和平的平寬美麗大道。其關鍵全在建立一最高權威，以消除互相敵視的武裝對壘，而使解除武裝各本哲理爲社會政治經濟的進步而競賽之兩派國家，同在聯合國的主持公道下的各國各自自由選擇其所愛好的主義與辦法。」

（完）

幸與不幸

機關報　民言報

。尹震。

冷戰已進入爭取德日的階段

半週述評

大致遠在五年以前，我曾在本刊提出一看來不太重要，而實際相當重要的警告，我說冷戰，即會可能引致一時一地的紛擾，甚至構成局部的戰爭，但畢竟構成世界全面性的第三次大戰的，惟有在歐洲以全力爭取德國，在亞洲以全力爭取日本的時候，我當時根據的理由是這樣的：德國和日本都是兩次大戰的主角，第一次大戰中的日本不太嚴重其重要，但二次大戰則以日本爲戎首，其爲害之烈，也與德國相當，但二次大戰他們雖同歸失敗，可是在戰事一經結束之後，他們便已漸步入復興的大道，儘管德國不幸分裂爲二，日本所失去的領土也不算少，但因爲他們的國民質素優良，教育普及，科學與工業的基礎堅實而深厚，再加上政治的領導者得人（吉田茂與艾德諾同爲了不起的人物），單以日本來說，她更得當中美兩國異乎尋常的寬大待遇。當我作這一推測的時候，去戰爭的結束還不到十年，但他們的復興工作，卻已有了驚人的進步，再加上最近的五年，就德日工業的發展而論，他們已不失爲東西的兩强了。

德國地處中歐，易於侵略別人，也易於爲人所攻擊，正中國所謂四戰之地；日本接近中國大陸，事實上已經是美國太平洋防線主要的一環；就過去所表現的而論，他們的海陸空軍都是異常的優秀而勇敢，假定他們有了適當的防衛武力，則對中國沿海，確相當有力；他們今天雖各已擁有相當的武力，但還沒有進行原子武器的製造，這也不是他們所不能，而只是時機未到。過去德國是歐洲的大患，中國則曾成爲日本侵略的對象，今天的蘇聯和中共對德日不能不大有戒心，以人情論，這是半點也不奇怪的事。

以最近十餘年的情況而論，民主集團對德日所下的工夫，遠較共產集團爲深，可是今天還有小半個德國在蘇聯的卵翼之下，最近蘇聯乃更進一步，必求得『兩個德國』的確立；日本在形式上雖然統一，可是以他們的左傾青年與政客之多，加以一部分工商界人士的短視，精神上實已趨於分裂。假定民主集團應付失宜，德日領導層的人物又搖擺不定，將來兩大集團爭取他們的結果究竟如何，目前實尚難預測。

目前雙方對於爭取德日的形勢，共方對德自以蘇聯當衝，東歐國家爲輔，而中共只能遙爲呼應，民主一方，則步調上仍欠整齊；對日則以中共爲主，而蘇聯則居於發縱指示的地位；最近半年，中共對岸內閣已攻擊不遺餘力，必欲打倒之而後快；而日本對自由中國及南韓，關係也不圓滿，更加上日本社會黨又急於取得政權，不惜對中共眉來眼去，就大體說來，形勢卻是相當險惡的啊！

日本對南韓與自由中國的關係惡化

在日本最初戰敗的一階段，我們頗感到日本對各方確實是恭順有加；其少數有識之士，似乎也有了一種較深刻的反省。可是經過了這十四年的歲月，因爲他們的國勢已日趨穩定，而得自各方的不虞之譽，也似乎足以令他們陷於一種自我陶醉的深淵；於是他們的故態復萌」。以我們的實感來說，就說他們根本沒有把自由中國和南韓看在眼中，大致也不算是過分。

即以最近決定遣返北韓一部分韓僑這件事而論，即令日方亦自有其相當的理由，可是事前竟不與南韓磋商，此即無異事實上承認『兩個韓國』，其給予南韓一種精神的打擊，確實是難於令人忍受，南韓以決然態度加以反抗，是值得我們同情的。

日本商人頗意向中國大陸輸出若干的商品，日本的工業界頗意向大陸取得若干的原料，即令對於日本未來的利害不可知，但自由中國僅以勸告爲止，並未採取其他行動。沒有想到日本竟又異想天開，居然要爲一個單純的貿易問題，準備與中共舉行所謂『大使級談判』，這明明白白是追隨美國與中共長期談判的一種姿態，但求美國不說話，而對自由中國則置之不理，這種『事大主義』的無聊，確實是令人齒冷的。我現在仍願坦率的奉告日本：就算日本今天又已經是亞洲第一强國，但對中韓兩國依然不宜忽視，殷鑑不遠，日本總還是謹慎一點的好。

。左舜生。

自由談

悻悻然面有德色

南韓政府堅決反對日本遣送韓僑赴北韓之舉，聲稱將使用武力以制止這項非人道的罪惡行爲。日本方面對此倘無反響，而美國卻沉不住氣，揚言不容許南韓使用美援的武器以與日本搆釁，好像是贊成日本替偽共黨忙增殖奴役勞動力量，不亦怪哉！

若說是爲着息事寧人，不欲自由陣營中有鬩牆相砍的情形發生，則以美國的地位和能力，對日韓兩國從事斡旋調解，必有大效無疑，何必講這類失態而令人深感刺激的話呢？

接受美援的自由國家，不能使用美製武器以對付自由世界的友邦，如南韓之對付日本，這道理講得通，吾無間言。然美國又不讓自由國家利用美援的武器以攻擊共黨暴力，甚至受到共軍進攻，亦祇能採取消極的防衛措施，不得出擊，如自由中國之對付毛共進犯台灣海峽，即其明證，這就莫名其妙了！

美國以自由世界的救主自任，很義勇而慷慨地跟各個自由國家簽訂互助協定，供給軍事裝備，鼓勵大家竭力反共抗俄，決不妥協。可是，互助協定的作用變成了接受美援的枷鎖，不能自由對共黨展開軍事鬥爭，而美援的武器更不能隨便使用，一是皆以美國利益爲主，稍不如意，即聲言「停止美援」，而不爲別人的生存利益設想。如此這般，自難怪中立主義之處行，而俄帝所謂不附政治條件的援外宣傳，尤其振振有詞了。

我希望美國表現泱泱大國的世界盟主風度，對接受美援的友邦，非萬不得已時，少說些停止美援，以及不許隨便使用美製武器的話。這種悻悻然面有德色的小丈夫氣概，除了喪失自己的聲譽，徒然引起別人不必要的反感以外，毫無裨益可言的。

馬五先生

張君勱論台灣局勢

美國絕對不考慮放棄台灣的立場。然若中共有足夠攻略台灣的實力而又肯放棄其野心，那麼美國考慮承認中共政權也不是沒有可能吧！

（本報訊）二月一日出版的再生雜誌，刊載張君勱氏去年底在日本東亞研究會所發表的有關中國問題的意見，其中有關台灣局勢部份原文如下：

觀察台灣的情勢，恰像清初的鄭成功所處的情況。不過現在與那時代有很大的不同。鄭成功的背後，當時是沒有強國的支持；現在台灣卻有強大的美國支援。從而，中共政權挾其實力足以攻略台灣麼？這是難以令人相信的。

復次，美國對台灣問題的想法是把日本、冲繩、菲列濱，聯成一氣，爲美國在太平洋防衛線上的據點，台灣是其中防衛的一環。從而，美國絕對不考慮放棄防衛台灣的立場。然若中共有足够攻略台灣的實力，而又肯放棄其野心，那麼，美國考慮承認中共政權也不是沒有可能吧。

自由世界爲防止中共的軍力向外擴展計，一方保持台灣防衛的一環；一方對中共政權擬予承認，理論上怎樣說也說不過去。現在美國的對華政策在改變的開始中，便發現矛盾的窘狀了。這雖然是在美國人想像中的根據仍是想像，但已足令我們危懼了。中國海外僑胞多數希望光復大陸，以復興中華民國。因此，他們——我也包括在內——期望保衛此一據點的台灣。美國爲着它本身的計劃實施，單求防衛台灣的安全保障而不防守台灣，這樣，在實際上是沒有實現的可能。總之，將來的趨勢是以自由中國的根據地而挽救自由中國的人民，便須實際參加防衛台灣的必要。無論何人，對中共政權欲予承認者，同時對自由民主人士們是一種很大的打擊，至少有正義感的人們，可藉大多數中國人或外國人喜歡自由中國的事實，而對那些欲承認中共政權的人指摘爲缺乏道義的涼血動物。

漫談美國教育

——美國來鴻之十——

•謝扶雅•

> 美國高等教育，正大光明，不是黨教育，不是軍國教育，更不是奴才教育！民主氣圍氣中的教育首先爲學術的獨立與尊嚴。本年度華府送給各大學科學獎學金達六千萬美元，但大學方面對於國防部令凡領受此項獎學金者須作效忠宣誓一節，已由哈佛，耶魯，普林斯頓三大學校長分別致函抗議！於此，可概見美國大學的教育思想了。

這幾年來，艾森豪總統常發出強調教育的呼聲，認爲教育比之核子武器更關重要。不錯，教育總是更基本的，也是最徹底地解決問題的鎖鑰。就本世紀來說，美國教育已跳了三大步。前兩大步都是受了世界大戰的刺激而促成，最近的一大步則是迫於蘇聯此次所放的太空火箭。在始初，美國的國民教育也如世界文明各國一樣，全國強迫的義務教育爲完成小學畢業。在第一次大戰中，兵士什九都是小學程度，自不免發生教育資格太差的弊病。所以不久提高義務教育至中學畢業。因此在第二次大戰中，軍隊幾乎普遍爲中學畢業生外，兼有一部分爲大學生。大戰結束後，聯邦政府酬給退役軍士享受高等教育全費。

蘇製恒星帶來刺激

豈料歷史的巨輪，由原子時代躍入推進至太空時代，蘇聯於一九五七年十月四日搶先放射了一枚月球火箭，激起美國教育界一大波瀾，疾呼充實中學程度（現在各州都在運動提高中學教員待遇，加重其責任），以提高大學學術水準。一般家長已不認其子女受高級教育爲額外（因中學以下皆公費，高級教育則須自費）。升學的統計數字，年有加增。我們大陸侈言人民公社制度下舉國皆兵；美國則更可能達到每一個「丘八」無不是大學生。然而美國教育的目標畢竟不在訓練國民「殺敵致果」，而在適應太空時代的創造要求。這一次教育「大躍進」運動係是受了蘇聯的刺激爲大。目前一位太空專家在國會作證，說美國目下衛星火箭技術，比蘇聯落後自十二個月至二十個月。所以如照蘇聯現狀停頓不前，等候美國追來，美國也至少要一年才能趕上。如蘇聯仍照過去比率邁進，則美國恐需五年以後，才可希望與之並駕齊驅。這位專家又說，按照本年一月二日蘇聯所放的那枚一噸半重的「恒星」火箭，可以推知蘇聯要用飛彈射擊美國任何城市無不隨心所欲。這對美國確是一最嚴重的問題。

美蘇教育旨趣之分野

不過蘇俄的根本前提，蘇聯所領導的共產集團和美國所領導的民主集團是絕對地南轅北轍的。美國志在「造人」，而他們一心一意要「造武器」。這就是「愛」和「恨」的分野了。民主教育的基石是學校的「教育愛」。美國現在之在叫囂提高教育水準，無非爲——就「量」方面而言，每一個公民都可以有享受最新最高級教育的機會；在「質」方面而言，即爲昌明學術，開拓人類知識，而爲世界造福而已。蘇聯榨取平民的血汗，以供火箭武器的試驗及構製。美國則要傳播太空知識於人人。這，在消極方面，固具有自衛的作用；但在積極方面，主要仍爲推動世界文明。所以我國近年港台等地許多青年希望到美國來讀大學，甚至中學未畢業的就要來，我不願加以責怪（本來國民政府教育部規定須國內大學畢業後，才可來讀研究院，就原則來說，誠然不錯）。因爲美國高等教育的旨趣，正大光明，不是軍國民教育，更不是奴才教育。至美國好一點的大學讀書亦殊不易。現在我願報導一些他們所需要的入學條件，聊供我國青年——尤其是香港六七千以上高中及英文書院畢業生升學志願者的參考。

「統一招生」的辦法

這裏也有所謂「統一招生」的制度，全國像樣一點的大學，尤其是東部一帶的，都加入這「聯合入學試委員會」（College Entrance Examination Board）。該入學試於每年三月第二個星期六，普遍在各地舉行（香港恐亦有的，可到美領事館查問。這好像倫敦大學入學試每年六月在港舉行那樣）。這種入學試由三主要科構成（一）英文（二）數學（三）任選自然或社會科學一門。程度如何，可看歷年試題彙覽。最近出版的是Brownstein and Weiner合編的（How to Prepare for College Entrance Examination）發行所爲：Barrons Education Series, Inc, Great Neck, New York。包括最近五年各科試題及所謂「入學指南」在內，售價美金一元九角八分。有志欲入美國大學者，手此一冊，保你如願以償。

學術的獨立與尊嚴

民主氣圍氣中的教育首先爲學術的獨立與尊嚴。儘管美國政府爲獎勵科學人才，設置巨額獎學金（本年度國防部送給各大學科學獎學金達六千萬美元），但最近大學方面對於國防部令凡領受此項獎學金者須作效忠宣誓（loyal oath）一節，由哈佛，耶魯，普林斯頓三個大學校長分別致函國防部長，提出抗議：（一）不信任大學生，（二）不尊重青年人格。單就這一點，可以概見他們的教育思想了。學術獨立乃是教育的根本。過去我國清華大學所以著名，只因辦得「教授治校」。楊正道即從該校出身。如以「國立」或「省立」而必使受控制於中央政府或地方政府，不啻是破壞教育本身。而支配教育，更是醜惡之極了。聽說星加坡南洋大學，要受命於那捐款的財主佬，豈不可悲！美國尤以私立大學爲最發達進步，這是由於實業家爭相捐資之故。上月哈佛大學即得了一筆無名氏的巨額捐款（記得是五千萬美金）。這一類無條件的公益獻捐，斥資興學，早已造成通習，比比皆然。「遺子滿贏金，何如教一經」。他們均以享承上代遺產爲奇恥，父母亦從不留給成年兒女以資財，妨害其獨立創業的雄心，我嘗訝中國人的佳諺「生不帶來，死不帶去」，而從不見有誰實行捐給社會善舉，尤其是下一代教育的神聖事業。例如香港近年成立不少學院，若得紳商善士多多慷慨解囊，亦不難充實師資設備及獎學金，而致青年學子無路可走，無書可讀。豈有單靠學費收入而可辦大學，且侈言自養自給矣乎？若藉辦學而賺錢，則更是教育的罪人敗類了。（一九五九年二月六日）

國際動態拾零

△戴高樂接任總統前，先任內閣總理，曾頒佈改良法案二百三十種，自國防至勞工教育無所不包。但內部新危機已經形成，一月十二，電氣煤氣工人，要求增加工資者有一千人之示威運動，共黨與非共黨工人是一致的！阿爾及利亞叛徒二六七人，被六千法軍殺害後，國會中阿爾及利亞議員七十人，本是擁護戴高樂的，現在已發出抗議之共同宣言了。

△英國下屆選舉，將在五月舉行。工黨利用電視作宣傳，其經費爲二百萬磅，超過上屆十倍，因爲每次看到電視者有一萬人，而往聽演說者，每次不過千人。工黨政策爲：一、獨立而不依附美國的外交，以爭取和平；較多的國有計劃以博取激進派的選票；較少的市有計劃，以博有房屋之小資產階級歡心。工黨與保守黨，各以爲可得三十席的多數。

△倫敦消息，蘇聯並沒有如所報導之波百中型火箭，向中東，北非與歐洲各盟軍基地瞄準。牠祗有若干分散各地之基地，是否皆有火箭，則未能斷定。

△繼阿脫拉斯。狄坦越洲飛彈之後，將有用固體液料之 Minuteman 新型越洲飛彈，計劃於一九六二年成立五十大隊，較預定時間早一年。

△伊拉克一百五十名軍官，將到捷克。受共產集團之新軍器使用的訓練。

• 陶然 •

公營事業機關爲何虧本

台一北一通一訊

• 仲偉庭 •

台灣近年公營事業機構都是虧本的，沒有盈餘，究其原因不外管理不善以及吃閒飯不做事的人員太多，以致造成工商業欣欣向榮，公營事業趨于萎縮的怪現象。我試擇其所在，可舉下列各例說明：

一、據聞農林公司茶廠有塊茶田，平均每年產茶可值五萬餘元，但最近數年來不但沒有增加反而減少收穫，其原因是在那裏管理茶田者只是每年死板板的在那裏看看茶田，並沒有植補新茶苗，因此茶田裏的茶叢只有枯萎沒有新生，而失去了新陳代謝的作用，這是一定虧本的原因。

二、電力公司虧本內投資建築火力發電廠水力發電廠太多的因果造成。

三、招商局，台航公司因國際運價降低，因木材鋼鐵漲價的關係所致。

四、電信局虧本的原因是起於講人情拉關係，怎樣講呢？例如在台北裝一部電話需要一萬五千元運費，還要用人事關係才可裝到，而香港只需一百七十元港幣就可裝成，日本只需六千元日幣除三千元公債可買外，其實三千元日幣即能裝安一部電話，也不需要人事關係，更沒有電話用戶次數限制，這樣看來台灣電信局理應賺錢，爲什麼還要虧本呢？其因有二：（一）替民意代表裝設郊外專線太多，每條專線需幾百根電桿幾萬碼銅線，平均都需幾十萬台幣，而這些代表裝電話目的是爲了賺錢，過手即轉讓別人，（二）替主管單位有關係的首長親友裝得多，這類裝電話的用戶都是商人。電信局爲前者代表們裝電話是請他們在議場質詢時免開尊口，爲後者有關係的人裝電話是請他們在會計年度編預算時少作挑剔。因爲是把公家的錢當私人腰包所以虧本。

五、台糖公司因國際糖價下落而虧蝕，但最近因外匯單一匯率調整理應賺錢，爲什麼虧本呢？其原因係該公司百餘個吃飯不上班的顧問太多，以致蝕本。

總之公營產業就是管理不善與閒員太多才把產業機構拖垮了。回顧基隆造船公司原先也是蝕本，爲什麼租給殷台公司不到三年而且賺錢，目前竟能承造船隻三萬噸，主要原因是人家不用閒員。今後若要使公營產業機構盈餘賺錢，最好開放民營，仿照歐美。產業單位交給民營由政府監督指揮才能起死回生。

新觀念與知識分子

新一聞一隨一筆

在台灣新生報刊出的「美國采風錄」裏，有一節談到近年來美國社會的趨勢，文中的一段指出，美國社會「鼓勵年青人多負責任」，並且具體地舉出例證，有不少大公司與銀行，都起用年齡三十多歲的職員，担任董事與副總經理等職。去年白宮並任用三十七歲的科學家，担任負責科學研究的國防部副部長職務。該文報導說：這項改變是因爲美國社會認爲年輕人活力大，有進取心，同時有接受新觀念的能力。美國現在既處於一個急變的世界中，就不得不多多起用年輕人了。

這一個大報上的撤欄，不知道台灣當政的大人先生們有幾人是看過了，看了之後不知又有何感想。

本來在一個民主國家中，人材的新陳代謝，有其一定的規律，年輕人只要有活力，有進取心，在公平競爭之下，自不難出人頭地。而年輕人之所以能接受新觀念者，主要還是因爲那個社會舊觀念並無牢不可破的勢力，否則新觀念又何由產生。試以厲行黨化教育，和教條主義的國家爲例言，新觀念固被認爲是離經叛道，而富有活力和進取心的年輕人，亦每每被視爲是「危險份子」，這是因爲有新觀念，有活力和進取心的年輕人不甘於做奴才的緣故。同時，這也就說明了，祇有在容許新觀念生長的民主國家中，才能陶冶出上乘的人材，而在黨化教育和教條主義盛行的國家中，即使有最好的人材也只有枯萎凋零，難望有出頭見天的日子！這也更證明了爲什麼許多在國內的優秀的知識分子，寧願一生不得志、受窮、受氣和鬱鬱以終，而今日大多數年輕的知識分子，又心甘情願到國外去，擦地板、洗碟子、開電梯！無他，因爲那是個允許公平競爭的社會，他們心理上至少會覺得不必要這樣的精神干擾，何況還能安心地讀書研究，學以致用，出人頭地呢！

人們常常談到人材外流的嚴重性，如果外流只是爲了深造，是無問題的，若是爲了對自己國家的厭倦，那末，這令人我們不禁要問，又是怎樣厭倦的環境造成的呢？

• 金葉 •

個人迷信

竹幕秘聞

二月二日人民日報轉載羅馬尼亞在蘇共第二十一次代表大會的講詞時，將「個人崇拜」改譯爲「個人迷信」，其下並有說明，當非俄文改易，而是中共當局授意「人民日報」作這種變更。

「迷信」與「崇拜」的意義，有着巨大的差別，這是無需解釋的。那麼爲什麼作這種改譯呢？這似乎是在替毛澤東的個人崇拜創造條件。

這種改譯意味着史太林的製造個人崇拜，是叫人迷信，應予糾正；而毛澤東的製造個人崇拜則是十分準確的，必須擁予推行。

可惜歷史家對於一個人的論斷，決不根據這種個人的自我頌揚；在史太林的生前，國內何嘗有人敢說他犯有個人崇拜的錯誤呢？最緊要的，是在權力不及之地區與時間內，有人頌揚才有價值，對於一個人的貶褒，至於蓋棺論定就是由此出發，看來毛澤東生前的這種努力畢竟還是枉然的。

幹部下放

今年的幹部下放又開始了，山東已下放了二萬四千名，湖南已下放五千名，甘肅的天水等四個專區已下放五千六百名，江蘇宜興一縣已下放三百二十一名。這批下放幹部的具體工作是幫助整社，對其本身的意義則是勞動鍛鍊與密切領導和羣衆的關係。「人民公社」的確實需要一批狠心的人去鎮壓才能鞏固，但勞動鍛鍊的結果，可能只會使這些幹部們消極，因爲幹部們平常只坐在辦公室中看中央規定的宣傳刊物，以爲「人民公社」何等的美好，一到實際接觸便會覺到並不是這麼一會事，那不產生消極思想才怪呢？

好比居住在港澳的某些人，只看左派報紙的宣傳，懷着憧憬的心情回鄉過年，回來以後，十個就有九個搖頭歎息了。中共的幹部也同樣是人，大概也同樣的會發生反作用。

加緊收購

上年十二月十七日，「財政部長」李先念所主持的會議上，要求各省加緊收購農產品，並限定在農曆春節以前完成收購計劃；二月三日（即農曆十二月二十六日）「人民日報」還在鼓勵加緊收購；現在，春節已經過去兩週，依然還未有完成計劃的消息，看來這個收購計劃是落空了，大躍進增產之說，恐怕也只不過是紙上的數字而已。

蘭新鐵路

自二月十五日起，據說可自上海坐火車直達新疆的天湖，不能否認這是通到新疆的第一條鐵路。可是按照計劃，這條鐵路在一九五九年底要通到新疆的邊境與蘇聯鐵路接軌的。而天湖距離哈密還遠，到蘇聯邊境少說也還有一千公里，我眞替它担心，這個計劃如何來完成？此外，似乎還反映這樣的意向！不必趕修這條鐵路，因爲蘇聯的援助，其來也，慢！。田心。

從建國原則談到印尼革命軍

（雅加達通訊）

。伊敏。

全印尼人民，不分種族、政黨、職業與宗教的區別，對於印尼建國的五大原則——「班渣西拉」（Pantja sila），看來目前仍都是贊同的。就連被印尼朱安達政府目爲「叛軍」的革命軍，也並未公然提出反對。印尼革命軍認爲他們所反對的只是「巴提斯達（Batista）式」的官僚和政客，這些官僚政客早已經背棄了「一九四五年精神」（Semangat 1945），從他們身上，再也嗅不出當年那種革命氣息了。據印尼革命軍人士說，印尼目前情況與拉丁美洲各國人民革命成功以前的局勢十分相似。現在甚至有人把印尼革命軍的年青領袖蘇穆阿爾（Ventje Sumual）將軍稱爲「印尼的加斯特羅」。

「班渣西拉」本是蘇加諾總統提出的，包含五大原則：上帝至上；民族主義；民主主義；人道主義；社會公義。印尼是否需要像「班渣西拉」這樣的「建國指導精神」那是另一個問題，最使印尼人民沉不住氣的是：這個「班渣西拉」並未被眞正的施行，它似乎一直作爲印尼國徽「神鷹」（Garuha）身上盾牌的裝飾品而已。

蘇加諾總統學習了孫中山先生的三民主義，創造了建國五基，然而可悲的是：「主義都是好的，就是沒有眞正實行的人！」

人們可以從「班渣西拉」施行的程度綜合印尼革命軍提出的主張看出印尼人民不滿的根本原因何在。雖然印尼革命政府（P.R.R.I.）的政綱此間人士並不太清楚，但，「班渣西拉」的成績卻是有目共睹的。

首先從「上帝至上」來講，印尼是個回教徒佔壓倒多數的國家，雖然在憲法（UUD）上並未明定爲回教國，但事實上是個回教國。回教的教義和其他大多數宗教一樣，是崇奉上帝和神的，這種觀點在「事俗」事務上表現爲反對共產主義。然至可惜印尼並未像埃及那樣，對那些侮辱和背叛「阿拉」（Allah 回教的上帝）的唯物論者展開有效的鬥爭。相反的，卻讓那些否認阿拉的人們在清眞寺土上橫行不法。

其次從民族主義來講，這方面要包括對外民族獨立和對內種族平等的建國意義。然而印尼雖然在聯合國中參加了亞非中立集團，事實上並未眞正地中立；人們用印尼來與阿聯來相比，就很容易發現這個問題。這是不是因爲印尼沒有一個企圖分裂的敍利亞共產黨呢？答案是莫斯科還沒有命令艾迪（Aidit）這樣作。在「必要」的時候，連北京也會在印尼的爪哇以外的島嶼掀起一個「少數民族解放獨立運動」。就目前來說，印尼的「民族主義」的矛頭似乎並不對着西伊里安，而是用來對付那批沒有任何反抗能力的爲數估人口總數百份之二的一個少數民族——印尼籍華裔。

第三從民主主義來講，這更用不着多加討論，「指導的民主」經已解答了全部的問題。

第四是人道主義，人們可以很容易地從幾次「排×」和對同族的相互屠殺中找到可悲的答案。

最後一個是社會公義。這一原則在國徽上以稻穗和棉花的圖案來表示：「豐衣足食」。但獨立十四年以來，這個最基本的問題並未解決。高層領導人方面現在似乎熱中於「社會主義國家」那種大工業建設，但不幸他們忘了印尼不是一個極權國家，不能用「勞動改造」方式增加工業財富。印尼人民需要的是稻米和棉布，而尚非「工業生產比值大於農業」或「重工業大於輕工業」的極權經濟。

印尼許多過去爲獨立流過血的軍人，特別是那些「少壯派」軍官和中下級士兵，目前對國家的情況十分不滿，他們也許希望在印尼也出現一個奈溫將軍呢！但無論如何，印尼共和國蘇加諾總統對印尼獨立的功績是不可被抹殺的，他是一個民族英雄，他與納蘇蒂安將軍現在共同掌握着印尼的船舵。然而，東南亞的海中是充滿礁石的：人們熱誠地希望他們，特別是年青有爲的納蘇蒂安將軍回憶起一九四八年九月十七日夜間在茉莉芬所發生的事件，不要讓阿拉的叛逆竊取了「默兆加」的果實！

福建發現漢城遺址

（龍溪訊）福建省崇安縣城南七十華里的城村，在最近發現一座漢代古城的遺址和大量文物。遺址在城村南面的高約十至二十公尺的平坦山丘上，範圍包括八個山崗，縱橫達二華里，還發現有連綿的斷續城牆。城內發現有大量粗大的[illegible]的硬陶片，還發現一種板瓦和印有各種花紋的筒瓦、板瓦背面印有篆文。在瓦片集中的山崗平台上有一近方形的石柱，另外還獲得有片段的石斧和石礎。（賓）

大陸工商界人士也抗拒思想改造

社會主義這碗飯眞難吃

（本報訊）大陸附共黨派「民主建國會」中央委員會和大陸的「工商聯執行委員會」最近召開了聯席會議。

據上海新聞日報特派記者一月廿四日的報導，工商界的思想反共情緒，主要是反抗強迫勞動和思想改造。

報導說：「工商業者在形勢的推動下，承認必需接受改造參加勞動。」「這是積極的一面。」「但是也有怕疼畏難，對勞動抵觸的另一面。有的說：『人家說嘗到了勞動的甜頭，我卻嚐不出甜的味道！』『苦則有之，光榮何來』；『我是黃連樹下彈琴，苦中作樂』，在發言中，許多人承認一遇困難就有灰溜溜的情緒，有人表面上幹勁還不差，實際上卻有抵觸，淒涼地形容自己是：『滿面塵埃烟灰色，兩鬢蒼蒼十指黑』。有人慨嘆『混了半輩子，現在還要學拉車』，說什麼『我年四十幾，改造又何必，不如回家去，從此長休息』。昆明有位工商業者在大會發言時，談到他脫鞋下田在農村參加勞動時的心情是『強作歡笑，心中懊惱』，等到在田裏跌了一交弄得混身污泥時，他更產生了『社會主義這碗飯眞難吃』的想法。」

在發言中，又有人認爲既然一切資產都已交給中共，已脫離了剝削，就應『摘』去『資產階級』的帽子。可是中共回答他們說：「目前多數工商業者在政治立場上還存在着兩面性，因而客觀上還存在着資產階級分子的身份，假若硬要把『帽子』『摘』掉，就會混淆階級界線，就不利於純潔和鞏固工人階級的隊伍。」

在中共「階級對立」的理論之下，大陸的工商業者不知還要經受多少的折磨！

大陸文壇透視

也默

再談丁玲

魯迅當年對女作家特別愛護，即從與其同居之許廣平固無論矣，即從未謀面之金淑姿小姐，有人出版她生前情書，他都慨然答應爲之作序，寫出那樣香豔哀婉、駢四儷六的序文。其餘如陳學昭，留法以前就住在上海魯迅的寓中；如死在香港的蕭紅（張迺瑩），初到上海時，魯迅自己掏腰包給她印「生死場」。在「現代評論」上寫「西瀅閒話」的陳通伯，本是他的死對頭，但魯迅爲良友公司選「新文學大系」中的小說集時，還選入了陳通伯太太凌叔華女士的作品，並在「導言」中對她頗有譽辭。創造社也是他的大敵，但在「創造週報」發表小說的淦女士（即陸侃如的太太馮沅君），他對她的「卷葹集」推崇備至。這一切都是證明。

但是在女作家中最爲他賞識的還屬丁玲。丁玲在「小說周報」發表她的處女作「夢珂」時，才只二十歲。此後一連寫出的幾個短篇，如「莎菲女士日記」「韋護」等，都洋溢着一種關不住的少女的熱情，文字質朴而眞摯，在當時文壇上的確很爲人所屬目。「左聯」時代那幾種文學刊物，以她所主編的「北斗」最好，魯迅特別幫助，供給文稿經常不斷。在那時和魯迅交往最密的，只有她和柔石（趙平復）。馮雪峯的黨性很濃，魯迅有時敬而遠之；胡風、巴金和他交往，那是後來的事。周揚、夏衍、田漢等人，他倒討厭他們。

和柔石一同被殺的，共五個「左聯」的中共黨員，其中就有丁玲的丈夫胡也頻。魯迅雖然寫了「爲了忘卻的紀念」哀悼他們，但特爲柔石寫了小傳。丁玲被捕解往南京，魯迅誤聞她已死，從他悼詩中那句「可憐無女耀高丘」，可見他對丁玲的情誼。一九三三年他爲「文學」雜誌第二期寫了篇「我的種痘」，無意中又想到柔石和丁玲，他說：「整整的五十年，從地球年齡來計算，眞是微乎其微，然而從人類歷史上說，却已經是半世紀，柔石丁玲他們，就活不到這麼久。」可見他對於這兩人念念不忘。誰知丁玲那時未死，否則她的書也會重印出來作爲十一「國慶」十週年的獻禮了。柔石如果現在還活着，就恐怕比丁玲更慘了！

中共捧的只是魯迅的靈牌，魯迅生前所器重的以及比較接近魯迅的作家，在今日大陸上數數還有幾人？

瘟君夢

岳騫

第一回：消息自天來　風波從地起

人捐秋扇　夢冷新華

毛澤東一出來，登時止住笑聲，賀龍顧不得新縫起的「元帥」制服，慌忙用兩個袖子去揩眼淚鼻涕。

毛澤東慢吞吞地走到位子上坐下，燃着一根紙烟，猛吸一口就去了三分之一，漫不經意問道：「你們都來了，有什麼事嗎？」

未等別人開口，劉少奇搶着說：「聽說劉曉大使有一封急電，不曉得什麼事，大家來看看，主席有什麼指示沒有。」

朱德聽了劉少奇的話，愕然看下周恩來，周恩來當然明白朱德的意思，暗想劉少奇這小子眞壞，撥通知說是召開政治局會議，大家到齊了又說來看看什麼事，老歪不知內情，一定以爲大家都站在劉少奇這邊，不知道兩方面都被他騙了。

朱德看下周恩來，希望周恩來當時提出抗議，揭穿劉少奇的底牌，對於劉少奇這場逼宮的手法，就可予以打擊。

不過，周恩來並沒有這個膽量，尤其是好戲剛開場，尚不知結局鹿死誰手，也不願現在就捲入漩渦，存着明哲保身的念頭，只是裝糊塗不開口。

在中共黨內，周恩來是坐着第三把交椅的，周恩來不開口，大家也就只好隨着附和了。

毛澤東看見全場一片沉寂，果然懷疑全體政治局委員都被劉少奇團在一起，不由得暗暗驚心。

當時裝成若無其事的態度，慢條斯理的說：「沒有什麼？劉曉來電報，報告本年度談判借款及蘇聯援助一五六項工農業設備移交問題，蘇聯方面表示本身有困難，恐怕不能按照我方所提的要求，所以劉曉來電報，要我們自行撙節一下。本來向朋友借錢，要顧及朋友的困難，如若別人眞沒有，那也就不必勉強了。」

毛澤東說到這裏，又故意打個哈哈。

劉少奇覺得好笑，心裏說：「你不要裝強打精神，要下了半天就要現原形了。」

劉少奇回頭向彭眞掃了一眼，彭眞站起來說道：「現在已經三月底了，我們的預算還未編好，就是等蘇聯本年度借款數字決定後，才能成立，現在既然劉曉有電報，最好請主席指示一個原則，好編預算。」

彭眞講話時，毛澤東又燃着一支紙烟，留心地聽，等到彭眞說完，毛澤東皺下眉頭：「這件事情並未作最後決定，目前還在談判中，怎麼列預算呢。」

鄧小平插嘴道：「即使借款問題尚未最後決定，但是我們也該有個準備。」

毛澤東把烟頭向痰盂一丟，憤然說道：「那就召開政治局會議好了。」

（十二）

上海市民吃菜皮

（本報訊）大陸城市的副食品供應緊張，已屬衆所週知之事。上海市菜場爲了扭轉這一情形，採取了揀菜皮以滿足需要的方法。

據上海新聞日報一月二十四日刊登消息說：「邑廟區各小菜場攤販最近在區服務部門的領導下，在順昌路菜場召開了現場會議。結果決定了派專人揀食菜皮。辦法推廣後，八仙橋、大境路、吉安路、寧海東路等其他菜場，也都派了專人在菜場拾取菜皮。現在他們每天把拾來的菜皮，經過挑選，拿出來增加供應。僅十九、二十日兩天中全區各個菜場就拾回了菜皮七千三百多斤。」

戲劇節後談話劇

章垂

二月十五日是自由中國十六屆戲劇節，節雖過了，但我對台灣目前話劇壇的衰微，仍想作一個忠實的檢討。在抗戰時期，話劇劇運可以說曾經達過頂高潮，每一個在重慶停留過的人，誰都會有此感覺。「屈原」，「重慶屋簷下」，「黃金潮」，「清宮豔史」等劇，曾瘋魔了整個山城。當時空運來的美國電影名片很多，可是人們喜愛話劇對時代反映的迅速，生動與親切，是電影無法比擬的，那時話劇的光彩，迄今仍永遠存留在我們的懷念中。自從政府遷台後，對話劇界有過不斷的鼓勵與輔導，四十二年曾撥出「新世界戲院」，專供各劇團公演話劇之用，同時還訂定了週轉資金等切合實際的協助；可是好景不常，有若干劇團領得了週轉資金，卻無劇可以演出，這可悲的事實，使當局的熱忱冷淡下去。結果，新世界戲院仍然放映電影，這可說是話劇界自己不爭氣。

許多人說目前話劇界的衰微原因有三：沒有好劇本，沒有好演員好導演，沒有好經理人，這也許是有部份理由的。一、劇本問題，好劇本不是一時能產生的，當目前台灣文藝界還在沉悶之中，小說還在提倡武俠與掌固，散文以掌故為尚，你能苛求產生好劇本嗎？出版界正把二三十年前幼稚得可憐的劇本在翻印排演，與其作這種背時的作法，倒不如把外國名著改編來得適合些。二、演員和導演問題，台灣不是沒有好演員，而是需要培養與發掘，像穆虹、梅多尼、張茜西、藍天虹、井淼等，過去都有過很好的成就，但因缺少培養，遂使這批演員有的轉入電影界，有的歸隱。「十步之內，必有芳草。」新演員的出現，是在發掘者的努力如何？導演亦是需要發掘與長期的培養的。三、經理人問題，一個好經理人，不僅要對話劇有愛好和熱忱，甚且要有雄厚的資力，有管理才能，同時更要了解演員，既不能太市儈氣，更不能少市儈氣。我認為台灣目前話劇界的衰微，不在劇本、演員、導演，而在經理人，過去若干經理人，都是靠組織劇團為名義斂錢，或懷有其它的企圖，那真是話劇界的敗類。

目前台灣話劇團隊，真是寥若晨星，知名的僅有教育部中華話劇隊，最近曾公演過「離亂世家」（王生善導演）富醫劇社，現正公演「咖啡女郎」（井淼導演），幼獅劇團，最近曾演出王平陵著的「幸福的泉源」（石錦導演）楓葉與長風劇社，去年底公演過「風塵千秋」（王波影、夏祖輝導演）過去龍芳領導的中國劇藝社，計劃恢復活動，現正與省教育廳教育實驗劇團洽商合作，聞演員擁有梅多尼、井淼、張茜西、羅頻、張方霞等十餘人，將來準備排演張道藩的「狄四娘」，趙之誠的「花好月圓」，與張永祥的「與我同行」等。

「話劇是電影的搖籃」，世界各國優秀的電影演員，都是由話劇界培養出來的，希望話劇界能先扶植話劇，再談發揚電影，這是我對本年戲劇節的期望。（四十八年二月十六日寫）

黌宮小趣

學年考試還有兩個月便到，大學裏頓呈一片緊張，教授們為替我們分憂，上課時不斷地問長問短，要我們不要怕發問。

一天，一個教授講解完畢，滿懷高興地說：「你們不管有何困難，只要提出來，我是願意替你們解決的。」

一個同學爽直地問：「我有經濟困難，能不能替我解決呢？」另一個又問：「我在情場遭遇莫大的困難，能不能給我妙計呢？」

「這等困難我也有，方法倒沒有，不然我早結婚了。」教授微笑回答。

永昌

釋未集

驚世駭俗之論

曲齋

一個朋友家裏失火，損失的情形尚不大明白，立刻去一封信道賀，並且說：如果氐燒到「蕩焉泯焉而悉無有，則吾所以尤賀者也」。這大抵就是所謂驚世駭俗之論了。

賀人失火事，見柳河東集：賀進士王參元失火書。柳宗元，按韓退之柳子厚墓誌所稱，他竟肯自請代劉禹錫出刺播州，可見他是個急人之急，以節義自許的人，當然不致于跟他的朋友開玩笑，甚或幸災樂禍。其實唐代士大夫的社會，因黨派的傾軋，自然而然還成一種極不自然的廉介風尚，不敢無故稱人之善，尤不敢稱富人之善，而王參元在未受火燒之前，不幸正是個富人，所以柳宗元雖為御史，尚書郎，十年之間，從來不敢對皇帝或丞相進言，問題是怕旁邊的政敵，說他得了「重賂」，除非有一天，自己要推薦的對象，忽然變成不折不扣的無產階級，否則即使具有如何了不起的才幹，也只好一輩子守着田園過日子，別要想飛黃騰達了。

中國士大夫，原也有內舉不避親的一種節概，故柳宗元亦自以為他的不敢進言，為一種慚德，可見風會所趨，雖賢者亦不免焉。

每年年終，英國女皇都照例舉行一次贈勳典禮，連殖民地的香港在內，必定有幾位曾經效忠于女皇陛下的臣民獲得其應得的勛銜，名字是MBE或OBE，以意忖度，可能跟滿清時代的巴圖魯之類的名號相當，凡屬獲得此類勛銜的人，先前本來就已經是名流了，所以他們的宗族鄉黨，自然引為一種殊榮，於是例行宴會祝賀，同鄉會，宗親會，幸而有人沾受了浩蕩的皇恩，都要忙碌一番。

古今異勢，假如今天有一位香港的名流，碰上一場火災，把他的所有，燒得精光，他即使曾有過什麼特殊貢獻，恐怕也不易獲得任何所謂勛銜了，其實此時此地，貧窮即屬一種罪惡，不被遞解出境，就應該算為殊遇了，誰又肯替你向倫敦活動爭取那一串字母呢？由此可見柳宗元賀他的朋友失火，實在並非驚世駭俗，反而是人之常情了。太史公曰：「人貌榮名，豈有既乎」？依我們料想，王參元接到了柳宗元的信，一定是毫無反感，覺得柳宗元的設想實在週到，而且這一場火，對於自己，實在有百利而無一害，大可以破涕為笑了。

有人說：凡喜作驚世駭俗之論的人，如其不是才子，便是白癡，現存的許多古人的文集，其中都少不了有些這一類言論，否則他的文集便無法存留下來，使人讚之，可以一唱三嘆，深佩其確為才子，時下有些報紙，有些學校期期印校刊，常出號外，喜發獨有新聞或常新詩人趕着印詩集送人，大抵均屬此類，至于其為才子或白癡，或其論之否足以驚世駭俗，則是今天所無由論定的。

春節放假有感

今年春節經總統核准放假兩天，堂堂正正，好讓大家快快活活，痛痛快快的休假，猶記得民國四十二（三）年春節放假還是偷偷摸摸的「黑市假」，辦公室祇留幾個人擺樣子，其時美軍顧問團長蔡斯曾以電話郭寄嶠詢問是否正式放假，不放假的話，顧問團是要辦公的，據說郭立即向陳院長請示，院長向總統請示，自此才把「黑市暗盤」改正為「明盤」了，當此春節佳日，實亦「放假佳話」也。（六）

風雨樓論易叢談

述賢

因此，我們可以很肯定的說；由於文獻的可徵，所以孔子才會贊周易。更由於文王周公推衍八卦之可信，所以孔子才會作易繫。況文王周公，是有名的古代聖人。他的一言一行，應該不會和他的傳世道德，或有差異。凡此有力的證明，都是周易給人的一種信念，至於它和繪畫的關係，也許與說文有相同之點，而不是一致的解析。

周易的推衍八卦，雖有吉凶禍福之理；但目為卜筮之書，那就大錯特錯了。從爻象卦象到繫辭，它的內容，可能包括了四個特點；一為七個朝代的治天下歷史。二為八個卦象的創造故事。三為天人之學的自然發展。四為河圖洛書的不可並為一談。大致它和繪畫有關者，是八卦中的夬卦和離卦。夬卦說：

「上古結繩而治，後世聖人易之以書契，百官以治，萬民以察，蓋取諸夬」。離卦說：

「古者，包犧氏之王天下也，仰則觀象於天，俯則觀法於地，觀鳥獸之文，與地之宜，近取諸身，遠取諸物，於是始作八卦。以通神明之德，以類萬物之情，作結繩而為網罟，以佃以漁，蓋取諸離」。

夬者，決也。離者，麗也。夬卦的意思，是用書契來決斷萬事；而萬事之所指，則為整頓吏治，安定萬民。離卦的意思，則是用八卦來昭明萬物；而萬物之所指，則是取象於天，取法於地，或觀於鳥獸，土地，人類。生物等的活動狀況。此中惟一重要的分別，是書契為斷事，八卦為象形，書契的作用狹，八卦的作用廣。又周易云：

「觀變於陰陽而立卦」，又說：「易者，象也。象也者，像也」。又說：「八卦成，列象在其中矣」。又說：「夫象，聖人有以見天下之賾，而擬諸其形容，象其物宜，是故謂之象」。又說：「在天成象，在地成形，變化見矣」。

象字之義，其釋較寬，其用最博。所謂易為卦，為像卦，其實皆為繪畫。故書契，可解為字，亦可解為畫。但八卦，可解為畫，決不可能改為字。宋朱熹訓周易云：「經者，伏羲之畫也」。他把字的地位，已從此中棄而不用。是不為無因的。又周易云：

「書不盡言，言不盡意，然則，聖人之意，其可見乎」。又說：「聖人立象以盡意，設卦以盡情偽，繫辭焉以盡其言，變而通之以盡利」。（十五）

海

尤宗洵

在古老的傳說裏，大海的泡沫孕育着許多美麗的故事；有高張的掛帆，陳舊的檣桿，神奇的海島，和海面上的藍天捲起着的巨浪，咆哮的驚濤，吞噬着寧謐的海面，而這一切平靜後，只餘罩着枯竭的寂寞了。像遼遠，從戰役的變亂中發掘出來，帶着沮喪緘默于終古不拔的岩石前。

終于，在陰沫的海風吹拂下，大海復甦了。腥紅的夕陽投擲着無數的長劍，向沙灘劈刺過來，海面激起了浪花，奔向近來。鬱鬱一層層增厚着的幽靜，蓋上了平鋪着貝殼的所在。

在蓋底荒漠中，時而有點點的白帆一一因為渺小，像是蹇頹着。而每一片帆，或許都曾被寫下一頁的故事！

設想：或是黃昏，或是黎明，在沙灘上，立着一個木然的人，遙望着海天深處，為了對一片白帆的期待。海風飄起，激盪着浪花，而期待仍然飄渺，或是果真出現了白帆，而當靠近時，發現是別家的船，木然的人開口了：

「還沒有消息麼？」

甲板上的漁人，咬着捲煙，歉然地搖頭，而一陣較風，射向聳畔。

于是，又一條漁船靠岸；而答覆仍然是搖頭。

于是，大海又容納下一些卑微的期待。

德潛之亡後叔謨兩載半又弱一個詩以紀哀

成汝

化鶴歸華表，騎鯨拾玉鱗，徐陳勞並逝，芝蕙歎俱殘。折木相逢始，春申互別難。匆匆逾卅載，歷歷正多端。昔值玄黃戰，橫飛赤白丸。吾居差僻靜，千里共眠餐。休奕同投宿，危城慶苟安。尋思驚歲月，補缺有悲歡。自是居郎久，何嘗把劍彈。迴樓嫌老大，做舍喜團欒。豈意濟頹廢，翻教痛倒瀾。霧深迷草里，雲暗隔千巒。友惲蘇純直，人憐范叔寒。端因偏左衽，未免類南冠。困苦終罹病，瘞磨竟盍棺。抽詩逾裘借，鈔本趣雕刊。渴字無雙應，論文失子桓。幽明如有路，更寄故人看。

「女的師大好」！「男的臺大好」？

紹棻

「女的師大好，男的台大好」。台灣當今的大學生活中，正不成文法的正流行一句口頭語：不過，我對這句口頭語，卻另有看法。其始作俑者為誰，固無法考證。

師大是製造中學師資的大「工廠」，學生受的是「師表型」的教育，跳舞打牌等等「社交」皆在禁止之列。而且師大有公費待遇，易招來清寒子弟。「師大窮」是向來的傳統。至於台大，則是自由學術研究之宮，為了「文藝復興」，當然要採取「放任政策」，以免束縛「精神靈感」！至若抽烟打牌，跳舞喝酒那是小意思，不過台大沒有公費待遇，繳不起學費，就無法登入大雅之堂。所以一般說來，其家庭環境迴要比師大的強得多。師大的前途只有一條—當「合法教員」。而台大的前途則是五花八門，任君抉擇。職是之故，一般「社會賢達」，「商店老板」，「小姐公子」們，莫不景仰台大的派頭，而輕視師大的「窮沒出息」。

輿論如此，為什麼師大女生還能「眾望所歸」呢？此中自有道理。「寒門」「閨秀」雖不識綺羅香，但「格調高」，實非那些只顧「挺胸凸臀」，「燙髮蓋長」的「時代女性」所能比擬。更何況師大女生並非都是貧窮之士，加之「師表型」教育，總成「舉止謹重，言談大方，服務熱忱」的心理健康女性。如此這般，就難怪人人要高呼「女的師大好」了，這且不去說它。

至若「男的台大好」，就有其客觀事實。然而，所謂「未敢苟同也」，無非因為國立大學的「面子」堂皇，「名字」響亮；學生家境優越，衣着入時，交際活躍，其實引起人們的青睞，其實我們師大男的，自也不甘自暴自卑！首先就以「出路」來說吧：師大畢業，工作固定，職業保障，絕無「失業」之憾，而台大畢業，在今天這社會，如無深厚靠山，實在不敢保證人人都能「躊躇滿志」。尤其在時下流行「惡性補習」的風氣下，當教員，縱然不欲「惡性」，也自會有人心甘情願地找上門來。如此這般，怎還對窮老師投以白眼呢？更何況能「得天下英才而教育之」，當春風化雨，桃李滿天下時，師父亦有光焉。此又豈台大學生所能比擬。再以「體格」來說吧：師大男同學享受公費待遇，在軍事管理之下，三餐伙食定量，油水按照「營養量表」分配。飲食有方，起居有定，作息有序，自易養成鋼筋鐵骨，固不可以文弱書生視之也。余一師大生也，豈敢以此自詡，實不欲有以自卑耳。

自由人

THE FREEMAN

（第八二三期）

每份港幣壹毫

20 CAUSEWAY RD. 3RD. FL. HONG KONG

TEL. 771726

左舜生　分析中共『反美援蔣』詭計（詳見第二版）

論共黨內部分歧

司馬璐

共產黨人一向認爲，黨內的鬥爭是絕對的，長期的，不斷的。托洛茨基曾經一再申述馬克思的「不斷革命」論，這一理論曾經被史大林斥爲反動，現在又由中共反覆引用。列寧早期說過，共產黨人即使在取得政權以後，在他們的黨內也易於爲「資產階級的意識所浸蝕」。史大林甚至說，在共產黨的隊伍中，「資產階級的意識」不斷易於傳播，而且易於取得統治的地位（見史大林著：「略論黨內的意見分歧」）所以在基本上，共產黨人並不掩飾他們必須進行殘酷的血淋淋的黨內的鬥爭。

理論上如此，當然是爲了便於製造排除黨內異己的口實，共黨黨內的分歧與鬥爭，在基本上可以說，是與所謂「資產階級的意識」無關的。

共黨的黨內分歧和鬥爭是不可避免的

事實上，共黨黨內的鬥爭最主要的因素是權力的爭奪，根據共產黨人的說法，共產主義的理論不是教條，而是實踐的武器。所以，理論是爲實踐服務的東西，換言之，誰在行動上掌握較大較多的權力，共產主義的理論即爲誰而服務，馬克思主義之所以被稱爲能夠「辯證」，「靈活運用」，「放之四海而皆準」，其「妙」在此。

因此，在共產黨人中，所謂黨內的理論鬥爭，所謂路綫的分歧，最後取捨的標準是權力的盛衰，黨的組織是掌握權力的機器，誰掌握「組織」這個機器，誰的發言就成爲權威的「理論」。

共產黨人既認爲，他們在理論上是可以適應新的情況加以「發展」的，因此，他們認爲有理由批評那些「教條主義者」和「保守主義者」；既然組織與權力是理論的權威決定的因素，因此，在共黨內部的理論鬥爭中，最後必然要展開權力的攤牌，結果被打擊的一方可能被指斥爲「修正主義」者，或被冠上其他種種罪名，而勝利者的一方不管他怎樣胡說，總是自稱爲正統的馬克思主義者。

列寧說：「對於無產階級的革命鬥爭來說，主要的和決定性的事情，就是黨的領導。」「總是毫無例外的掌握一切鬥爭形式」。「時刻準備以一種鬥爭形式來最迅速的最突然地代替另一種鬥爭形式。」這幾句話向被認爲共產黨人策略運用的主要規則，換言之，這一規則實際就是，「爲了黨的領導」是可以不擇手段的，因此，他們對黨外的鬥爭如此，對黨內的鬥爭亦然。

共產黨人利用組織和權力，對黨內黨外的鬥爭，都採用「最迅速的最突然的」「鬥爭形式」，在共黨的內部來說，每一同志必須經常保持警惕，機動應變，防同志如防敵人，否則隨時有被冠以罪名加以整肅遭受殺身之禍的。

共產集團的分歧和鬥爭也是不可避免的

如前所述，在理論和事實上，黨內的分歧，在共產制度的本身來說，是不可避免的，黨內的鬥爭，在共產黨人的領導上，又是一貫加以鼓勵的，在一個國家共產黨組織的內部是如此，在整個共黨集團內部，宗主國與附庸國之間的分歧和鬥爭，也就毫不令人奇怪了。

我們還要指出，共產集團內部的分歧和鬥爭，宗主國與附庸國之間的分歧和鬥爭，除了上述的基本因素以外，還有以下一些主要的因素：

第一，對於異族征服者——蘇聯帝國主義者的憤怒與仇恨，對於宗主國操縱本國經濟命脈，掠奪本國物資，蘇聯顧問的橫暴，以及對俄國人在本國的暴行感到不能忍受等等。在附庸國家內的共產黨，這種意識往往是民族共產主義（鐵托主義）初期的萌芽。

第二，在共產集團，附庸國的共黨內部人事與權力的重心，往往受到宗主國共黨領導層權力轉移的影響。一般的情況是，宗主國某一個有權力的領導者失勢，或者死掉，附庸國的新的領導層必須趕快適應新的主子，否則就可能與宗主國之間脫節，或則進行洗黨。例如史大林及貝利亞的死，對於許多個國家的共黨內部人事上的影響，是這一情況最典型的例子。

第三，在共產集團內部，宗主國爲了鞏固它對附庸黨的控制權，它是經常在各國共產黨內部製造矛盾的，蘇聯過去往往同時直接操縱各國共黨中央的兩個或多個核心。以中共爲例，蘇聯曾經同時直接操縱陳獨秀，瞿秋白之間，李立三與陳紹禹之間。在南共與蘇聯鬧翻後，鐵托也曾提到過當時蘇聯在南共黨內組織過另一個以楚耶維克與海伯勒爲核心的「反黨集團」。

中共與蘇聯有分歧，但目前尚無分裂跡象

關於中共與蘇聯之間的關係，有兩種極端相反的說法：有一些人過於誇大中共與蘇聯之間的矛盾；另外一些人則根本不承認中共與蘇聯之間是有分歧的。

前一說法大抵是一些西方國家的所謂「專家」，他們過於誇大中共與蘇聯之間的矛盾，往往因爲他們主觀上有一個幻想，他們的看法是國際共產主義運動中只有出現一個鐵托，另一個鐵托當然應該就是中共了。

後一說法多數來自台灣的官方宣傳，他們不承認中共與蘇聯之間的分歧，却又太把共產黨人的教條宣傳看得太老實了。

我不同意以上這兩者的極端相反的說法。如前所述，首先我們可以肯定，在國際共產主義運動內部，矛盾是必然的。分歧是必然的，鬥爭是必然的，整個的是必然的；但是，共產集團內部的分歧雖然是不可避免的，却不一定產生鐵托主義。

我們必須指出，南斯拉夫產生鐵托主義，具有它的特殊的歷史的條件：在二次大戰中，南斯拉夫共產黨人是在與外國侵略者的鬥爭中發展與壯大的，因此一般的南共幹部，具有較高的民族覺悟。而其它各國共產黨人，他們終日醉心於階級鬥爭與土地革命，以內戰起家，以同胞爲敵，他們之間在氣質上過不相同。南斯拉夫人民經過民族主義的鍛鍊，既不願受治於外國人，當然亦不願受治於另一異族統治者，所以在南共黨內，民族主義者能夠戰勝國際主義者。

這裏，我們還願意指出另一個事實，起初——南共內部對於蘇聯對南斯拉夫人民的蹂躪以及種種無理要求，或則敢怒而不敢言；或者仍然有人抬出「無產階級國際主義」的大帽子主張對黨內的民族主義傾向加以壓制，直到蘇聯公開指斥南共主要領導者蘭科維奇，吉拉斯，加台爾，維勒碧特等人是西方國家的「間諜」，南共領導層的統治地位在根本上受到威脅時，——他們才毅然地對莫斯科公開宣告反抗，但其後，鐵托又將南共領導層中最激烈的反蘇份子吉拉斯開除出黨，證身獄中，這原因正如吉拉斯所說的，蘇聯的罪惡是共產制度的產物，一個共產黨員如果有澈底的民族覺悟，最後必然要從根本上否定共產主義。吉拉斯走了這一步，鐵托未走這一步，鐵托所代表的「新階級」，雖然反抗了莫斯科，却不願放棄他們在本國壓制人民的「既得利益」。

事實給予我們的啓示

以上的事實又給予我們一個啓示，當初南共與莫斯科的反目，在南共的領導層來說，是被逼出來的，而不是主動出此的。

明乎此，鐵托主義這幾年來徘徊於兩大之間，採取所謂中立主義的政策，其背景是由以上的事實所決定的。我們努力擴大敵人內部的分歧，包括鼓勵各國共產黨人中的鐵托主義者反抗莫斯科，無疑是必要的，但是，我們要提醒大家注意：匈牙利事變以後，在一些附庸國中的共黨領導層，他們發現他們在國內奴役人民的統治是和莫斯科的支持不能分開的；在整個共產集團普遍發生困難的今天，莫斯科的鐵腕以及對蘇聯的依附，對於附庸國的共黨統治層也被認爲是必要的。

這不是說，共產集團的分歧和鬥爭可以減少，恰恰相反，敵人內部的矛盾正在擴大與增加。但是，就目前來說，除非自由世界有大胆的行動，鼓勵鐵幕內部的人民，否則，新的鐵托主義在附庸國的抬頭，一時是比較困難的。因此，目前的中共與蘇聯分裂之說，無論從理論與事實上，我們一時還很難找出有力的證據。

週評

獅子與熊擁抱

[illegible]麥美倫在克里姆林宮宴會席上，告訴赫魯曉夫說，他自己好比一隻獅子與熊擁抱，並不致於折斷自己的肋骨。這段話充分表示[illegible]足，非有智謀和文小心謹慎，是很難不自折肋骨的。[illegible]保守黨[illegible]蘇彝士運河事件，英國慘遭失敗，正是受命於艱難之際。然而幾年來，對外對內，麥美倫都已經把頹勢挽回了。他這一次訪蘇，不僅是保守黨在國內地位的一個考驗，而是西方集團與蘇聯集團互爭雄長的一個考驗。西柏林問題，乃至於其他重要的東西爭執，能否得到妥協，或趨和緩，自然與麥氏此行有關。以麥氏過去幾年的成就言，似不至於輕易上蘇俄惡魔的圈套。

近幾年來，蘇俄在國際事務中，所玩的把戲，萬變不離其宗。始終在離間西方，實施各個擊破之策。米高揚訪美，其志在此。歡迎麥氏訪蘇，亦復如是。此次麥氏在到莫斯科前後，曾一再聲明，訪蘇乃試探意見，並非談判。又預定訪蘇之後，將到巴黎，邦城，華盛頓，報告訪蘇觀感。於此，我們似可放心，麥美倫不會變成張伯倫。不會爲口蜜腹劍的笑面虎赫魯曉夫所誑騙的。

杜爾斯的偉大

以西柏林爲中心的東西冷戰，正到了密鑼緊鼓的時候，西方的一員大將杜爾斯忽然病倒了。這對於西方陣勢不能不說是一個打擊。於是美國有人着急了，嚷着要趕快物色一個新的國務卿，然而艾總統却始終寄望於杜氏的早日康復。英首相麥美倫說，世人還沒有充分認識杜爾斯的偉大。到了缺少了他而感到威脅時，才眞感到他的偉大了。麥氏此言，不惟是杜氏的知己，也說明了杜氏的偉大。然而，我們要知道民主政治對於「爲政在人」的道理是可爲而不可恃的。杜氏在短時間內，如果能夠康復視事，自然是大家朝夕祝禱的幸事，萬一病魔未除，也決不會因此而使外交政策和壇坫折衝受到根本影響的。現在有人把西方的折衝重任寄其一部份於麥美倫。另一方面，美國的外交人才除杜氏外也不是再無他人的。民主政治的可貴在此，人的因素雖然重要，然而並不是「人存政舉，人亡政息」的。惟有專制極權的國家，才會把個人的去留看得特別重要。

中東的新局勢

陳克文

塞浦路斯四年動亂局面的解決，使該島成爲獨立國。這與其說是英國聲威的低減，不如說是英國脫離泥淖的聰明政策。而且，中東因此而獲得穩定，西方的團結亦可因此而減少許多障礙，仍然對於大英帝國有益無損。塞島獨立後，英國可在島上保留基地，仍將成爲大英帝國的一員，則更不待說了。此外另一可注意的中東局勢，即埃及總統納塞，在二月廿一日埃敘合併的周年紀念演說，極力主張中立，排斥外國干涉。同時蘇俄的言論，却極力攻擊狄托，說他企圖『使中東某些政治領袖立場混亂』，顯然對納塞與狄托所倡的中立主義表示不滿。納塞之逐漸擺脫蘇俄勢力，加上最近伊朗之拒絕蘇俄威脅，均爲今後中東局勢較能長期安定的重要趨勢。

自由談

談對日外交政策

馬五先生

日本人在「甲午中日之戰」以前，每稱中國爲「唐國」或「天國」，呼中國人爲「唐人」或「天朝人」，備極敬至；迨甲午戰後，即改稱中國爲「支那」，呼中國人爲「支那人」或「清國奴」，侮辱亦備至了。這就是日本民族性的典型氣質，誰也知道的。世界上的一切民族，無論其傳統文化精神如何，都不免具有怕強欺弱的勢利性，但以日本人表現得淋漓盡緻，嘆觀止矣，這也是舉世周知的事實。

所以，現在中國大陸上的毛共政權儘管公開視日本爲敵國（俄毛同盟條約明白規定以日本爲共同敵人），罵日本人「有眼不識泰山」，隨時對日本加以侮辱備至的言行，然日人安之若素，還要低聲下氣地向毛共陪笑臉，獻殷勤。目前日本的朝野人士中，凡是竭力主張向毛共低頭妥協，且常以個人或團體名義潛往中國大陸活動要好者，除却一二日共份子以外，那一個不是二十餘年前對中國侮辱備至的帝國主義餘孽呢？同時，日本人對於韓國政府那種強硬而帶點橫蠻態度的反日政策，亦就逆來順受，滿不在乎！

即此可以充分證明日本人服硬不服軟的民族性依然如昔，毫無異樣，他們對於國運艱屯的中華民國政府瞧不起，乃是「江山易改，本性難移」的應有現象。我們只是自作多情，對他們講親善合作，表示不念舊惡，以德報怨的風度，在外交上認爲不能容忍的問題，充其量亦不過是提出警告或抗議而已，這有甚末用場？日本如果不是尚在美國勢力控制中，而眞正在有完全獨立自主的地位，那纔怪呢！老實說，它如不正式承認毛共政權，我們若不打回大陸，光復河山，即使向日本人降志辱身，曲意聯歡，亦係徒勞無益的事，否則你讓它一陣，它還是甘之如飴，川諺所謂「踩倒爬」，實係形容日本民族性的絕妙好詞。因此，我們的對日外交政策，確有改絃更張，速向大韓民國看齊之必要。

「反美援蔣」
左舜生分析中共詭計

（本報訊）二月廿日「聯合評論」左舜生氏的一篇文章，題爲短論三則，其中一則，題爲「中共最近對台灣的陰謀詭計」，對中共最近分析得極爲詳盡。他的結論是要「大家提高警覺，不要再上共黨的當」。原文如下：

自從去年中共砲擊金馬以後，這半年來，他們的宣傳方針和技術顯然是十分矛盾，而且是十分幼稚的。他們至現在爲止，他們已經知道硬幹的可能性很小，不得已乃掉轉來軟幹。所謂軟幹的主要重點之一，便是以所謂『民族大義』來挑撥台灣與美方的惡感，他們的最得意之作，乃是一口咬定美方一定要逼蔣下台。照他們目前的做法，好像世界上最不樂意蔣先生這個政權存在的便是美國，最愛護蔣先生的乃莫如中國共產黨。這一種大轉舞台的戲法，我們無以名之，名之曰「反美援蔣」！

他們說美國要逼蔣裁兵，唯有中國共產黨才樂於蔣先生擁有一支強大的軍隊。

他們在事實上已停止砲擊金馬，但他們決不是對美屈服，而是希望台灣隨時得有補充金馬的便利，而使金馬守得非常牢固。在中共想來，不問台灣也罷，金馬也罷，總之是美國的囊中物，只要台灣能反美，民族大義可得到正當的發揮，他們與蔣之間便無事不可商量的。

單以這些去挑撥美台的惡感還不夠。他們知道蔣先生一向對民主不大放心，對於運用民主更不熟練，於是他們便把一切民主人士都算成美國的一夥，美國從外面逼，民主人士從裏面逼，其目的無非要把蔣先生這個政權摧垮。同時，他們還知道台灣士著與外省人士多少不免有些主客之見，於是他們針對這一漏洞，也來大下工夫，凡台灣人有意任何對政府不滿的表示，他們總認定是得着美國的支持，甚至還一個廖文毅留在東京，他們也認定這是美國委托日本所幹的勾當，並進一步即在保留廖所代表的一小撮運蛋，留到將來另派用場。同時，他們也知道，台灣曾有近五十年的日治時代，在今天的台灣人中，仍與日本保持相當關係的，可能不止是絕無僅有；就在日本人中至今未能忘情於台灣的，也還是大有其人；於是他們又可把美國人和日本人拉在一塊，所謂台灣共管，便說是美日在那裏一拉一唱，這樣，便不只可挑撥台灣對美國的惡感，同時還可挑撥台灣對日本的惡感。總而言之，中共今天這一惡毒的設計，乃是要把台灣一切對內對外的關係，一刀一刀的斬斷，唯一的得「台灣人」一路不通，然後才能開談判，中共纔是求統一，便別無其他的路子可走，如此，才可達到他們所謂和平解放台灣的目的。

自然，天下人不盡都是傻瓜，像中共所要的這一套把戲，乃至連條靴子也不用來遮蓋遮蓋，難道真會有人爲他們的手法所迷惑？可是話仍得說回頭：台灣幼稚而衝動的分子並不是絕對沒有，過去也不是沒有上演過公然反美的活劇；一部分當權的國民黨，我們也不好說他們絕無蔑視民主人士和歧視台灣本地人的事實，至於若干美國人衝動而幼稚，一部分日本人所懷的鬼胎，說中共絕對無可利用之處，事實上也正不盡然，大家還得提高警覺，不要再上共產黨的當啊！」

新聞隨筆

振衰起敝，以興邦國
——讀陳辭修氏施政報告有感

陳揆在立法院所作的施政報告，詳盡有力，既大胆地指出了困難，也明朗地確立了希望，更不諱疾忌醫，該是年來政府當局最成功的一篇報告。

報告中積極地顯示了要發掘缺點，改正缺點，解決問題，決不推拖敷衍，這實在是令人鬨而興奮的。

不過問題是，各級行政單位中，迄今仍存在着的推拖敷衍積習，又究竟是改正了多少，而可解決尚未解決的問題案件，究又有多少，實在是一大問題。

我們相信陳院長是有決心改革的人，但是在現在的各級行政官員中，又有多少人像陳氏那樣同具決心和信心的呢？我們也相信陳氏是一位大勇知恥的智者，問題是又有多少官員能像陳氏那樣呢？

我們也相信，行政改革是可行而比較有效的辦法，可是這是需要上下一體力行的，不是祇靠少數幾位學者或一二位居高位的人倡導可以奏效。

另一方面還有那些不屬於行政系統內，却有賴國庫支持的機關，是不是也應該對陳氏的報告作相應的改革呢？實際上因爲這些幕後的機關其權力，其地位，往往凌駕正式行政機關之上，如果它們也能把黨的副總裁的施政報告多多析議，多多配合，想來對實際政治會更有裨益吧。經過這次「壯士斷腕」的改革後，自由中國在政治上纔能振衰起敝，以興邦國！

．金葉．

談「四害」「五毒」警政

．朱墨冰．

台灣通訊

美國前總統胡佛在就職演說時，有謂「如果我們的政府官員只選擇他們所贊成的法律去執行……我們整個自治政體便將趨崩潰。」我不懂爲什麼一個主張應在有組織的社會中用法治的人，在他自己有藐視法律的行爲後還會感到安全。自由中國警察行政系統的紊亂，是民主國家聞所未聞的。

台灣人民談「警」色變，各級民意代表在施政質詢中，將警政列入「四害」或「五毒」之行列，足見大家對「警察」的印象如何了。

指揮系統政出多門

先就警政系統言，省警務處係屬省主席指揮監督，兼受內政部指導監督；縣市警局則受縣市長指揮監督，兼受省警務處指導監督。就保安系統言：關於治安業務；省警務處與刑事及保安警[illegible]

各山地警分局[illegible]之指揮。就軍事系統言：[illegible]「團管區指揮」須兼受[illegible]地區，須兼受防[illegible]揮；在轄區跨兩軍事區域，則同時受兩個守備區指揮；偶動員，又須受[illegible]指揮；在戒嚴時，警務處與縣市[illegible]受戒嚴司令部[illegible]部指揮。就民[防系統言]：須受各縣市警局及民[防][illegible]，就保防系統[言][illegible]業務，則分別受國家安[illegible]

就司法系統言：[illegible]犯、拘提人犯、[illegible]等，均受當地法院[illegible]之指揮。[illegible]察權責之擴大與濫行了。

軍事指揮與法無據

例如，軍事機關所訂指揮警察之規定，係國防部制定頒行，未經立法程序，實與警察法第七條相抵觸。其對人民採行管制措施之指揮，超越法定系統，如總統府[illegible]民事範圍。如禁行乙種車輛，暨西門町戲院區劃爲交通管制區等，即爲前台北衛戍司令部越權逕行指揮，因台北市警局所決定，而招致輿論指摘，暨立委省縣市議員的質詢，行政院、省政府及台北市政府反而啞子吃黃蓮有苦說不出。

出版物管制應依法辦理

又如書報雜誌等出版之管制與處分，依出版法規定，由內政部及主管新聞官署辦理。但書報雜誌管制與處分，係前保安司令部審查會報所決定，以會報紀錄命令警察機關執行，於法無據。關於走私套匯漏稅等有關經濟案件之查緝，保安司令部除逕行執行外，並隨時直接命令指揮當地各級警察偵辦，殊爲奇特現象。又如山地治安指揮所，有考核山地警察的人事權，且規定山地分駐所行文時必須以正本呈山地治安指揮所，副本呈報其隸屬單位，似此不特系統紊亂，抑且主客倒置。

警察兼理職務太多

警察法明文規定警察主要任務爲：「依法維持公共秩序，保護社會安全，防止一切危害」。至於警察輔助任務則爲「促進人民福利」。但事實上，警察輔助任務多於主要任務。經常兼職有九大類，四十七種；如果再加上臨時性及區域性之兼職列入，則有六十種之多。同時，協辦業務，如緝私有獎金，如協助稅捐記功，如法院傳票不送記過等諸般措施，造成主辦業務職權旁落，而與警察業務無關者則完成任務，於是影響本身業務，致被社會譏爲「威迫利誘」。

法定職掌不容侵越

目前必須劃清憲警權責。據聞：行政改革會主張修正刑事訴訟法有關條文（按：該法二〇八條及二〇九條）暨憲兵勤務令：第一條及第七條，以免憲警權責與任務混淆不清，以解癥結，而杜糾紛。國家設置機關，各有法定職掌，不容侵越。

・況本省現尚未移置於軍事管制之下，平時警察工作，自應依其行政系統，分由各級政府，負指揮監督之全責。今後警察之任務，無論其爲主要或輔助，均應以「依法」爲要件。凡非法而有據者，則不在警察任務範圍以內。任何機關，如果需要警察協助，則必須依據警察法施行細則第二條第二項及第十條第一項第六款但書後半段之規定：「關以經內政部同意之他種行政命令有規定者」爲限。而非其他中央或省轄市政府所得以行政命令規定者。如是，則這個政府方合乎人民心目的民主法治的政府，這也是「政治反攻大陸」的主要途徑之一呀！

（二月十四日於台北）

國際動態拾零

△阿爾及利亞叛黨，有急進緩進兩派，以突尼斯政要之介，將組成聯合陣綫，以與法國交涉停火。

△東德科學家，聲稱蘇聯將製造新式噴射機，在上空時可使原子逐漸分解爲能量。美國科學家以爲在理論上，殊有可能。

△麥美倫訪蘇，要求赫魯曉夫發出正式邀請，請英女皇與菲立浦親王，于艾森豪訪蘇時，一同前往。而艾氏麥氏與赫氏，則開巨頭會議。

△廿一屆聯共大會後，赫魯曉夫與周恩來協議，蘇聯代中共建立七十八個大廠，包括化工，冶金，電氣工程，約值十億金盧布左右。而中共以遵循蘇聯政治路綫爲條件，包括逐漸取消人民公社，代以蘇聯之集體農場，與工業之地方分權化。赫魯曉夫否認曾對堪富利批評中共，而中蘇分裂之想法，予以幻滅。

△艾森豪提出三十九億之援外預算，兩黨人士多反對，有主張減去十億，以應民主黨改革內政之需。至艾森豪所提七百七十億之總預算，則仍與維持，不使增加。衆議院議長雷朋，要求艾森豪提前對國會演說，闡明援外意義，以資補救。

○陶然○

日本貿易商社合併後的新貌
三井三菱財閥經已復活　綜合性企業聯合將出現

（本報東京航訊）自去年下半期以來，日本的財團即在進行合併工作，從二月十五日起第一物產公司和三井物產公司合併，成立新三井物產公司，日本又出現一幅新的財閥勢力分佈形勢。新產生的「三井物產」，由舊三井物產的社長（董事）會會長新關八洲太郎任社長，資本金共有十九億日圓，約合一千六百四十萬美元，雖不算太大；但在日本卻一馬領先。其次是一九五四年合併失去三菱財閥系各商社而成立的「三菱商事公司」資本金爲五十億日圓。這兩家各自成爲三井系或三菱系所有企業體系的核心，承繼戰前鼎鼎大名的兩大財閥的衣鉢，在戰後日本被佔領時期，日本的財閥被聯軍最高統帥部命令解散，分成多數單獨而弱小的廠家或商社。但其相互間非正式的聯繫，並未因此斷絕。自從「三菱商事公司」成立以後，一切三菱系製造廠家的製品都由該公司經手辦理推銷。

所以至目前爲止，三菱是日本戰後最大的企業聯合。三井系目睹三菱統一後氣燄蒸蒸日上，自也不甘落伍。自一九五二年來「三井物產」和「第一物產」早已開始洽談合併，到現在才如願以償，中間經過七八年之久，可謂「大器晚成」。因此合併前的矛盾，多已經過一番整理，今後反能減少內部之牽制。而新社屬於三井系的製造廠家，共有十五家，以此契機加強聯繫，也將形成企業聯合

自不待說。按日本進出口貿易每年由三井三菱兩系商社經手的至一萬億日圓之鉅；這數目約佔全日本貿易商總交易額的百份之三十。新關社長宣稱：「戰前三井物產的交易額是與日本國家預算額相同，今後，新『三井物產』的目標，想要做到國家預算額的一半。」日本今年的國家預算是一萬四千億日圓，新關此項談話，就是表示要在年內較從前多做二三千億日圓的生意，可見新三井物產的雄心與魄力。

戰後日本貿易界除了三井三菱外還有丸紅飯田和伊藤忠兩家，號稱四大商社。丸紅飯田和伊藤忠歷史較淺規模較小，（前者資本三十二億日圓，後者三十六億日圓），雖沒有像三井三菱的雄厚傳統，不過也在極力設法與其他廠家取得特殊聯繫，以阻止三井三菱兩家壟斷貿易。據傳丸紅飯田與日立製作廠、日產化學廠、昭和電工廠等已簽訂業務提攜合約；伊藤忠則與川崎製鐵廠、古河電工廠已締安了合作條件。

在上述「四強」以外，尚有江商公司、日綿公司、住友公司等次一級的大貿易商，爲了生存，也在想盡方法儘可能拉攏多數製造廠家成立綜合性的企業聯合以資對抗。新三井物產公司的成立不僅將要觸發日本貿易界極其激烈的競爭；外國貿易商今後遭遇着幾道銅牆鐵壁的阻障，想要分取日本貿易一杯羹，則更難乎其難了。

（新亞洲稿）

台北輿論抨擊日本驕橫外交

．健生．

對於日本的驕橫外交，此間官方雖未置評，但是民間人士均猛力加以抨擊。最近，日本政府擬與中共舉行「大使級談判」，商討一些有關政治經濟問題，我政府獲悉後，已正式提出抗議，籌謀對策；繼之，韓國政府因日本不顧國際道義，遽然採取片面行動，就旅日韓僑遣送回韓共，所以，日韓因之而交惡。日本外交政策的朝三暮四，短視投機，幾造成了中韓兩國與日本不和的趨勢，此固然非日本之福，亦是自由亞洲的不幸。台北民間輿論一致予以指責。民營報紙如「公論報」「聯合報」等報最近的社論，均有所抨擊，「公論報」二月十五日社論對「日本遣送韓僑赴共區事件」，評爲「取媚共產集團的荒謬決定」。「這不僅激怒了大韓民國……阻止其遣送工作，而且自由國家也爲之側目；……其違反人道原則，問題姑置不論，連國與國間最起碼的信守道義，亦已不復存在。準此而言，日本另外醞釀與匪舉行『大使級』談判，以求恢復大陸貿易，自亦不足深怪了。」該報指責「日本政府，無視大韓民國的抗議，『自由世界輿論的指摘』，認爲是「荒謬的決定」」該報認爲制止此荒謬行爲，「要仰賴於國際輿論的力量」以及「需要美國運用其對日本的影響力，從中『勸導』。」該報指責如果美國官方向韓國施用壓力，來阻止韓國反對日本遣僑工作，那種『反阻止』的計劃，不僅錯誤，而且違反人道。聯合報同月十六日在題爲「我們看日韓爭端」的社論中說：「希望日本當局對遣僑一舉，能夠慎重考慮，並謀與韓國在談判中，尋求合理解決之道。否則，「縱然美國正施以壓力阻止韓國採取軍事行動，但以李承晚總統的剛強個性，復以李氏對此問題所作『不惜任何代價』的表示，即令不採取軍事行動，尚有若干其他的措施，均可以迫使日韓關係惡化到不可收拾。如無限期的拒絕遣返刻拘留於釜山的日本漁民，加強禁止日本漁民在離韓國六十浬的『李承晚綫』以內捕漁，甚至切步驟之類，都足以用爲報復日本的武器，誠如此即日韓關係只有愈趨惡壞了。」

竹簾幽秘

對越援助

本月十八日中共與北越簽訂了七個文件，包括：中共給予北越經濟技術援助協定和議定書，中共對北越技術援助議定書，中共給予北越無償援助人民幣一億元的換文，中共一九五九年援助北越議定書，中共北越一九五九年互供貨物和付款協定，中共和北越一九六〇——六二年的長期貿易協定。這幾個文件中規定中共給北越三億人民幣的長期貸款和一億無償援助，以助建北越的新建鋼鐵廠、煤礦、造船廠、電站、紡織廠、化肥廠、鐵路等，用機器，紡織和糖紙廠等四十九個工業、交通企業。對於這些項目中，中共將供應設計資料，成套設備，派遣專家和技術人員，將接受北越實習生到中共實習。

從上述情況看來，北越之投中共控制是最緊密的，可以算得十足附屬的附庸。這種援助一方面是俄瞼出打腫臉充胖子，另方面是強迫建設預支人民的勞力血汗。

茂名石油

據說茂名在建設一個石油聯合企業，其原料是油母頁岩（即煤礦），並非液態性的原油，這種頁岩所煉出的石油，成本既高而品質又低，過去叫這種石油爲人造石油。液態燃料類當的國家不願去挑選這種煉油工業，中共當時的準備最高六十萬噸。撫順油母頁岩礦藏之當居全國第一，當非茂名所能比呢？一旦以證之，對于石油的需要孔殷。按中共的石油產量一九五七年爲一百四十五萬噸，一九五八年爲二百五十萬噸，增約百分之七十三，石油之消耗量增成一適當比例，一九五八年機床增約三倍，我們且不必說原來的石油產量能夠不夠用，即此一端已足以說明中共的石油增產是跟不上其需要，像茂名這樣的食油頁岩，也要大力發展，這說明是其工業中要的薄弱的一環。因此另外，當反映了西北，四川的幾個油礦開採困難，要不然也不至於在茂名亂搞人造石油了。

馬祖海戰

本月十九日，馬祖島西北面國軍艦隊曾與共軍發生海戰，按照中共對台灣的政策來看，在此時節不應當有這種海戰發生，若非偶然的遭遇，則該有其國際上的目的。如果中共的這種行動是有其目的，那麼其對象又該是蘇聯；因爲本月二十一日是英首相麥米倫出發訪蘇之期，蘇聯若能把握時機稍作讓步，則西方與蘇聯間的緊張情勢可能會漸緩和，中共不是不希望局勢緩和而是恐怕蘇聯讓步，因此先在台灣海峽製造緊張局勢以警告蘇聯亦非不可能。假如此，則麥米倫訪蘇前後幾天，台峽的戒備不可鬆弛。

。田心。

春節後鐵幕歸來

。風行。

友人返鄉渡春節，回港談及鐵幕內之近況，純屬客觀之實情，茲摘錄數則以饗讀友。

△鐵幕後的人，受共黨嚴密監視組織，及控制下，比以前馴服了，氣質也變了。我（指友人）到了廣州火車站後，乘三輪車到五豪口，下步後，應給車伕人民幣三角五分，剛巧我身有零錢，便給車伕一元紙幣，他在無可奈何中，他情願只收二角。那五角不要他找續就此了結。我內心很感到驚異，明明他還在無可奈何中。

△廣州市來人說，三輪車夫的收入比較一般人算是上等的，每天可收入三四元，年鄉間公社給一元，除了吃飯，每月只可賺十餘元。

說：這些工友們常常開會，互相批評，或要扭自己錯的，尤其是在廣州常與外來客人接觸的，更加要小心注意。

返鄉（鶴山）事前得知船上已完全無食物出賣，船上人員只有五十人，但打得井井有條。那天船行得慢，到時正有人因此依時吃過飯，船上又無供人客吃體食之準備。船上有人客一百二三十人，真沒有粮食，連碗碟和叉子都不能買，於是船主宣佈停船，讓他派人到附近鄉間的公社購買一點米菜回船煮熟，每人吃一碗飯，每碗飯一元，不管是否隨時經常如此，抑或偶然，但的確獲得很有條理。

職員、船上職員，或旅館人客是批評，如客人總是來看人名，如客人說好，就可給他名字下插上小紅旗。

△回到鶴山古勞鄉假期，年初一初二休息。剛好遇到公社放春節假，如有機會回家及會面，便歌總唱起了。初三他們又紛紛離開兄弟，父子，夫妻，工人作任務各不同，地點亦不同，異。遠的不能歸家，因而會見機會甚少。

勞動種類，簡繁易難，各有不同，故分級一級最易，以難重而遞增級數。因老幼健壯與能力而評定屬某級。公社的副食，每人每餐給值一分錢的魚，加上一點青菜。現在可以自掏荷包用錢添食。

據說軍人家屬很優待，可以不在公社進食。退伍軍人的工作也屬輕易的。

現在成立公社的地方，所有家中一切物件，都是屬於公社的了，——其實人也屬公社了——，更不用說物了。你可以使用，但不能賣。公社隨時可以將你的東西拿去使用。

因爲要鋼鐵生產大躍進，一切窗門鐵枝都拆了，現只見一把菜刀和鍋鑊是鐵器。

△現鄉下建鍊鐵（不是鍊鋼，祇是燒礦石成生鐵，）高爐用磚砌成，因受不起熱力，往往崩塌傷人。現在多用木柴燒鑛。多黑烟，因此四處如烽烟四起，天下大亂。山上的樹木也漸光了。據說近鶴山處已發見煤礦，正徵集大批人去挖煤。

四鄉燒出的生鐵沒有鐵路或公路用車運輸，故動用女人挑鐵出來。然後從鐵路運輸到有鍊鋼廠的地方去。收買公社生鐵，每噸二十七元。

據說經常有蘇聯技師來視察煉鐵。

△初二那天，召集回鄉華僑去開會，其實去聽共幹的訓話和宣傳。後來又去看展覽會，裏面陳設一些機器和生產數字圖表。

在鄉間和親友談起生活，十九都是訴苦，肚皮受他控制，插翅也難飛逃！

有些親戚對我訴苦，說極凄涼處，竟哭起來了。那又有什麼辦法。他們都說今生無望了。

弟弟來商量，我也沒有辦法。除非出到澳門，才可想方法到香港。家人已算比許多人較幸運了。凡有親人在香港的，常有外滙及衣物鞋襪油類接濟。

家人說母親月前病危，當時擬往購棺木。誰知長生店只有一副粗陋棺木，索價人民幣一百四十元。幸母親終獲痊癒。否則家人不知如何負此重担。現在大陸人死了大多數買不起棺材，都是自尋木板釘成，草草收殮的。

返港時，到深圳見有些人忘記將回鄉的『介紹書』給鄉間當局蓋章。到了深圳不准放行，要折回鄉下蓋章。那時他囊中的錢也將用完了，進退兩難，幸好旁人湊夠川資，讓他能夠回鄉。

上海市民要積大糞！北平學生對糞生感情？

（本報訊）二月三日，中共上海市委會召集了各區委書記、各部委負責人的會議，討論向月四日上海市新聞日報專欄：「據二全市全年需要支援郊區農田的肥料爲一百六十六萬擔，必須要據每人幼嬰兒都動手，大搞積肥。」因此決定：「以二月份一個月的時間在市區開展一個轟轟烈烈的積肥運動」。均要在全市一百萬人口計，每人平均要負擔二十七擔之多。試想，但城市居民從何處去找二千七百多萬擔肥料？但中共卻一定要上海市人民完成，並組成了「積肥運動指揮部」，以副市長、黨委書記及警備司令部負責人宋日仲、華東、陳行庚、徐德建、王章先等任正副指揮。並出動了上萬個幹部去督促。

（又訊）被中共「下放」的大學生陳扉匪（北京農業大學）二月一日在光明日報上以「我們對大糞有感情了」爲題，發表文章說：「我們到西郊下放以後，分配我去挖大糞。我們把大糞從幾尺深的坑裏掏上來，然後再用小車拉走。有時碰上糞刮風大，往上挖大糞時糞沫子就要被風吹得滿身都是。心裏很有些不自在。兩個月過去了，我們青年分配去給小麥灌大糞。有一次大糞凝聚在桶底，怎麼也混合不起來，挑糞的人都收工了，不能看著糞湯攪不起來。我捲起袖子，伸手到桶裏，攪動起來。這時一點也不覺得大糞是臭的。現在我們已對大糞發生了感情了」這誠然是言不由衷的妙文！

大陸文壇透視

文藝理論三大派

七[illegible]

去去大陸開會有個新風氣，就是全國性的會議從北平移到地方上開，叫做現場會議。也像共黨中央在鄭州、武漢舉行一樣，文化部副部長錢俊瑞在南昌另開工作會議，茅盾同作協黨組副書記郭小川到長春參加文藝界大會，而周揚亦在天津主持文藝理論工作會議。

這裏單表從七月卅一日到八月六日的文藝理論工作會議，周揚作了「建立中國自己的馬克思主義的文藝理論和批評」的報告，意味着今後的文藝理論要脫離蘇聯的教條，另創一格，實在值得注意。他透露出大陸當前有三大派文藝理論如下：

第一派是促進派，馬列主義的，特點爲創造性的運用馬列觀點，研究並總結本國文藝實踐的經驗，按照整個社會主義革命和建設的需要，促進社會主義文學藝術創作和理論批評的發展。第二派是保守派，教條主義的，特點爲背誦馬列主義條文和硬搬外國經驗，而不結合中國實際，看不見生活中的新事物，看不見羣衆的創造，不敢大胆鼓勵新的東西。第三派是促退派，也是反動派，修正主義的，特點爲對社會主義的羣衆新文學看不起，百般挑剔，十分冷淡，只喜歡資產階級的一套，覺得好的很、美的很，整個世界觀和審美觀念，浸透了資產階級的偏見，看中國人不美，看外國人就美，工人農民不美，知識分子就美。

自然，他所提倡的是第一派，二三兩派均在打倒之列。只可惜第一派還未建立起來，二三兩派却是中共文藝兩條起伏消長的主流。公式化的作品，是教條主義的產物，攻擊這種作品，便出現了修正主義。作品不流於公式，便又有了資產階級的思想，只得再拾出教條來批判，於是又產生了公式化的文藝。這種惡性循環，十年來一直繼續發作。現在周揚所謂建立中國自己的馬列文藝理論，是要「創造性的運用馬列主義」，那就是毛澤東所提出來的「革命的現實主義和革命的浪漫主義相結合」那句新口號了。蘇聯文藝雖是教條，倒還有法捷耶夫的「毀滅」、蕭霍洛夫的「靜靜的頓河」，中共作品自然無法和它們相比，但若脫離這種教條，那就必然又恢復到延安時代的秧歌文藝頭，所以去年陝西有首民歌：「鐵龍王見了二尺半，一下挖到水晶殿，龍王見了就打顫，就作揖，就許願：繳水，繳水，我照辦！」便成了全大陸推崇的好詩！

瘟君夢

岳[illegible]

第一回：消息自天來　人捐秋扇　風波從地起　夢冷新華

毛澤東說出召開政治局會議，劉少奇大爲開心，他剛才私自通知召開政治局會議，到此算是過了明路。

毛澤東坐在太師椅上習慣地取出一支「三個五」在檯上頓了幾頓，剛銜進口，陳毅趕過去掏出打火機替他燃着。毛澤東一口氣就吸掉了五分之一，劉少奇不由得想到彭眞所說賜予是無縫鋼管也能窯斷的話，心裏感到一絲快慰。

毛澤東抽了一隻紙烟，精神比較好轉，燃着第二隻紙烟後，身子向後一仰，兩條腿交叉放在檯子上，太師變成了一個小孩子騎的木馬，祇有兩隻腿着地，前搖後幌。毛澤東這種表情，政治局委員都很熟悉，他們知道毛澤東又要發表高見了。

果然，毛澤東搖了一陣，慢慢靜下來，斜眼看着劉少奇問道：「你看到劉曉電報沒有？」

劉少奇點點頭：「見到了，不過電報上很籠統，祇說借款談判失敗，未說明失敗原因。」

毛澤東獰笑一聲：「是呀！所以我要問你，什麼原因你該知道。」

劉少奇覺得這句話的壓力太大，又不敢當面挺撞，低下頭來一言不發。

活曹操想起剛才爲了「冰山」的事，和劉少奇的一段過節尚未解釋開，想乘機向劉少奇示惠，免得劉少奇將來攻擊他誹謗蘇聯。

當時陪着笑臉說道：「劉曉電報剛來到，主席還不明白究竟，其他同志當當更不懂，現在就是要開會商量一下，看看究竟有無挽救辦法。」

毛澤東冷笑一聲：「林老，在陝北整風時候，我就說過，我們的黨被欽差大臣害苦了，可是整來整去，總不完欽差大臣，一批去了，一批又生出來，好似一塊種韭菜的地，割了一刀還有一刀。」

劉少奇知道他句句是罵的自己，當着許多政治局委員面前，實在受不了，就想發作，一抬起來，鄧小平看出苗頭，在旁邊偷偷踢了他一脚，劉少奇纔驚，又免強忍下去。

朱德看見局勢鬧到這樣，不願再惡化，慢吞吞地說道：「借款事，上次主席在莫斯科已經談好了，爲什麼突然變卦，這件事我們國家整個前途，那位同志若是聽到了，應該坦白說出來，好在會議上商量對策。」

劉少奇明白朱德是要他說，可是他總不願打頭陣，就示意鄧小平講，鄧矮子低下頭，劉少奇又看彭眞，彭眞比較胆大，站起說道：「據我聽到消息，這次借款失敗，就和主席在莫斯科活動有關」（十三）

唐詩三百首的七大罪狀

中共摧殘古典文學作品的工作，最近已輪到了「唐詩三百首」的頭上。二月一日的光明日報上發表了一篇「唐詩三百首」的文章，說：「唐詩三百首所選的詩，按照毛主席指示我們的政治標準第一、藝術標準第二的來衡量，是爲封建統治服務的一部書。」其「罪狀」計：

（一）一般的抒情詩和寫贈答，大多是描寫作家個人的鄉愁客怨，送別贈答，懷古述懷等，與人民的思想感情距離很大。

（二）描寫無聊生活的香艷詩，是一種形式主義、唯美主義的文學。

（三）歌頌封建貴族階級腐朽生活的宮詞。

（四）歌頌隱士生活的田園山水詩，內容遠離社會現實，作者對現實鬥爭抱着漠不關心的態度。

（五）封建統治者炫耀自己文治武功的作品。

（六）爲統治階級歌功頌德的廻制詩，是向統治者獻媚的作品。

（七）思想消極頹廢，逃避現實的作品，絲毫不能激發人們對現實革命的態度，正是封建統治者所歡迎。（資）

釋耒集

古老與反動（上）

曲齋

報載美議員塔富利訪蘇，和蘇聯總理赫魯曉夫作過長談，討論到中共的人民公社時，赫氏說：「是既古老而又反動的，我們在十月革命成功後立即試過，但發現行不通」。其實凡古老的東西皆反動，而且皆行不通。孔子曰：「生今之世，返古之道，災及其身者也」。如今由國際共黨的頭子講出來，人們會特別感覺其新鮮吧了。

中共的人民公社，我所知不多，祇原則上知道他把「人民」集中起來管理，用最少的消費，要求最大的工作效果而已。查類似的方法，早在戰國時代的秦國便實行過，商君書農戰篇曰：「是以明君修政作壹，去無用，止浮學事淫之民，壹之農，然後國家可富，而民力可摶也」。又曰：「故惟明君知好言之不可以強兵闢土也，惟聖人之治國作壹，摶之于農而已。」所謂摶民力，其實就是集中管理的意思，作壹是專務一事，例如鍊鋼就拚命鍊鋼，掘煤就拚命掘煤，種田就拚命種田，打仗就拚命打仗，捉麻雀老鼠就拚命捉麻雀老鼠是也。至於去無用，止浮學事淫，就是說廢去一切無謂的浮文與消費，諸如祖先的祭祀，父母的孝養，朋友親戚的酬酢，男婚女嫁的儀式，歲時伏臘的歡娛之類，均應一切鏟除，把每個人都變成赤條條，然後集中擄取他們的勞力。

商君提出這樣的主張時，還對秦孝公保證說：「國作壹一歲者，十歲強，作壹十歲者，百歲強，作壹百歲者，千歲強。……故不待賞賜而民親上，不待爵祿而民從事，不待刑罰而民致死」。這些話也跟中共宣傳他們工作效率時的口吻如出一轍，我們本能地相信，中共業已實現了這所說的一部份，人民天天在叫親愛的毛主席是親上，不敢反抗是從事，至于致死，那則尤其是勢所必然的了。大盜不操戈矛，多數人民不是都爭着要效死麼？要用刑罰，就太粗淺了。

從士大夫雅好藏畫談到 劉慕曾遺藏書畫展

·萬香堂·

最近國立歷史博物館開了一次劉慕曾遺藏書畫展覽會，展期計有一月之長，一月十五日我曾在新生報發表了一篇短簡的介紹文，現在我是寫觀後的餘感。

我覺得歷代古書畫之所以得安全保留無恙，多賴士大夫有珍藏之雅好，如吳荷屋、高江邨均爲其表表者，劉氏數十年從政，減衣縮食，先後購藏歷代名作，凡二百餘件，古澤雅馨，早已名世，而劉氏不幸於前歲仙逝，名作蒙塵，至爲可慮。因此余勸其哲嗣賢甫君，於新年之便，公開展覽，藉以宣揚民族藝術。

中國古代向無藝術理論家，更無美術學者等之標明，有之即爲畫家而兼長理論者，及長於欣賞鑑術之收藏家而已；前者如唐毓東、黃左田、黃燮安等是，後者如「江村消夏錄」「墨緣彙觀」等之著者是，收藏家不僅精於鑒賞，且富有資財購畫，故作品一經其品題無不身價百倍，其在畫壇之影響力至爲巨大，清代名收藏家安麓村說：「南北同志人士，往往謂余能鑒別，有以書法名繪就政於余者，間有執贗求教於余者」，收藏家之影響力可見一斑，而「三萬六千頃湖中畫船錄」著者更將歷代名家皆加賞品，其權威可知了。

劉氏專長法政及古文之學，雖爲大府記室（行政院機要處主任）而毫無官架惡習，常見其穿一身中裝，或藍布長袍留連於書店、畫坊、展場之間，此蓋然乃書畫陶冶之效。查劉氏愛好書畫爲期甚早，而致力於收藏者約在三十五年在東北任職之時，第一批收進者多爲清室官吏釋藏之物，故極爲精彩，惜乎均爲清代之物，後經歷年減衣縮食收進元明兩代者甚多，始有今日之偉觀，選合收進者亦甚佳，惟亦多爲清畫，然經此次之展覽後，又可得到一個結論，即爲收藏古畫，不必好高騖遠，清代之畫豈就遜於明代？明代之畫豈就遜於元代？崇尚遠古之觀念，實由因襲主義而來，我們今日爲促進民族文化運動，豈宜再因襲落伍觀念呢！

劉氏遺藏二百餘件中，使我觀後不忘者乃元代無名氏的「人馬圖」，張雨的「幾山眺水」，明代的文徵明的「溪亭山水」，及采雪居的佛像，並有題詩云「靜看空日影遲，寂然早示西來意，樓心無地絕塵思，不待蒲團坐破時」，這是很特色的。清代的楊晉的「松鶴壽齡」，錢杜的「梅花」，王忘庵的「水仙花」，金拱的「鴛鴦」，沈宗敬的「山水」，附詩云「秋葉落時秋欄閒，誰將冷眼看秋山，幾番顦顇元人座，未遂迂疎飲墨關」可謂妙極。金農的「人馬」，附有羅振玉的題詞云「存墨博學宏詞，盡馬逢伯樂而鳴，士遇知己則伸滔滔者，天下之大，眞賞能有幾人，正如先生之畫古趣盎然，不同凡響，眞賞又能有幾人哉！」這亦足使人感慨萬千吧！書法方面，亦極爲富美，如鄧石如、陳鴻壽之四屏，陳澧、樊山等之對聯，王守仁、董其昌、王鐸、冒襄、王澍、黃慎、姜宸英等之立軸，無不爲上乘的作品，尙有一大批精妙的書畫小品（如冊頁扇面之類），均爲讀書人心愛之物呢！

士大夫收藏書畫之雅好，應該多多提倡的，比諸跳舞的嗜好高明多了，現在公敎人員生活十分刻苦，談不上收購書畫，但無錢的時候，購點複製品（印刷品），玩玩也是很好的啊！

與鄉人談公社有感

·白時東。

人民奴役竟稱公。萬衆流離道路中。野宿驚寒迎曉月。短衣無繫戰霜風。

虧負

·慕容羽軍。

第一天

「親愛的，再見！」

「再見！」

「再見，是不是明天中午再見？」

「明天再算吧！」

「好像有什麼心事似的，是不？」

「……」

「嗯！這麼冷，小貓也走出門來，當心冷壞這個小東西。」

「我最討厭牠，每天晚上都鑽進被窩來，白天舐着我的腳背，要不是家裏有鼠，哼……」

「噢！小姐，你眞的沒有女孩子的氣質，怎麼老是討厭小動物？」

「我就沒有這一份情感，讀小學低年級時，那些小白兔說，小貓說，小狗說……一大套，我可討厭到甯可不及格。」

「呵！一說下去又拖長了，不談小貓吧！至少，你在門口站得久了也會着涼呢，天氣這麼冷，再見吧！」

「再見！」

「我眞糟，是不是明天我再來看你，還是我接你出去散散步？」

「明天再說吧！難道不可以利用一下電話嗎？」

「好的，再見，明天我給你電話。」

第二天

「今天撥了三次電話，終於約到了你，你到那兒去了？」

「我在家。」

「怎麼不見你來接電話？」

「我不想接聽。」

「爲什麼？是不是我的電話來遲了？」

「不！」

「是不是我說了什麼衝撞了你？」

「不！」

「噢！你不舒服？」

「不！」

「到底爲了什麼？我的小姐。」

「不爲什麼。」

「你總好像有些心事。」

「是的，有一點事情令我不快。」

「是關於我們的？」

「也許有一點點關係。」

「到底是什麼？」

「家裏的小貓不見了。」

「昨天晚上不是在你的身邊？」

「是的，送你到門口時曾經見過牠，我一直沒有留意。」

「這有什麼關係？」

「本來是沒有什麼關係，不過，妹妹掛念牠，今天找了一天。」

「終於找不到了？」

「自然是找不到了。」

「你不是討厭牠嗎？怎麼忽然又慈悲起來了？」

「是的，我的性格就是從不統一的。」

「愛憎就這麼容易改變？」

「嗯！我不想說了。」

「怎麼？你又是這副嘴臉，我有點怕。」

「……」

「爲什麼不說了？」

「有什麼好說？」

「唉！我們之間就老是這樣子，有問題發生，你就是沉默。」

（一）

書淫

·恬辛。

「書淫」一詞，出自晉書。大凡愛書愛到可以名之曰「淫」的，其人也著實有點可敬了。至於那些好罵人「書呆子」或更其不敬一點的詞兒的，八成準是生來嫉書如仇之輩了。

愛書也有許多型。有人是愛書的本身，譬如一位古董收集家或集郵專家，便是這類人的同道。自然古來藏書家多半都有相當學養；可是「爲藏書而藏書」的人，也並非沒有。然而，即使再不恭維，至少他們要比守財奴們高級，大致書雖亦有賤如草紙者，但終不失爲「精神食糧」之一種罷。

正牌的「書淫」可應該是博古通今的，而其求知慾必然達到無涘無涯的地步。用「皓首窮經」四字，也不算譏他們「高攀」。可是若果其爲人也「淫」得到家，他才不理會人家說甚麼呢！有種人視而不見，聽而不聞，食而不知其味，除了書，什麼都覺得不夠勁。這正是「書淫」的正宗典型。

亂世，人心蠢動，風氣浮靡，如不能發聾振聵、力挽狂瀾，乃退而讀書自修，即或以書淫見譏，殆亦聊勝於爭競熱中之徒多矣。

台灣今昔三怕

·秀瓊。

從毒蛇，馬拉利亞（瘧疾）和殺人，看台灣今昔，可謂台灣三怕。

台灣蛇的種類特別多，許多奇怪的大蛇，現在只能在深山窮谷中遇見，但是在三百年前，卻簡直是司空見慣的，李麒光（第一任諸羅知縣）的「台灣雜記」說起他在台灣所聽到的關于蛇的故事：「台灣多蛇而內山尤大，曾有一蛇緣草坡兩層，蛇食捕旋捲半里，番人用槍標之，中其[illegible]，草地皆平而蛇死，番人取其皮，闊五六尺，長三丈，又有一蛇，能起地比人，人見之，即眼土擲起，呼曰我高，蛇即翻身仰臥，舒足盈千，人必散髮示之，呼曰我多，蛇遂將足伏地，人即取衣帶盡斷之，呼曰我去矣，蛇遂死。」這簡直是齊東野人的話了。

毒蛇如雨傘蛇，飯匙頭，百步蛇，赤尾鮎，電殼花，尤其寶釘蛇最爲可怕，身體黑色，長僅尺許或五六寸，體扁，有四隻足頭好像猴一樣，腦後有一條金綫，延到背脊上，能浮水，人被咬的一定死。過去調查，在昭和七年被害者，五百二十六人中死者二九人，昭和八年被害者四百十七人，死者二十七人，昭和九年被害者四百十八人，死者三十九人。

台灣是亞熱帶，冬天永不見雪，樹木一年到頭蒼翠欲滴木葉不枯落，加以腐水滿地，易于蚊虫的繁殖生長，實在是理想的地方而山地林木蒼密，尤爲瘧蚊淵藪所在，故番人發此疾最多，本島次之，內地人極少，依調查女性患者之數較男性多十倍，幼年較少，二十歲以上者漸增。一八七四年日本征台軍在南登陸，士兵死于瘧疾者幾佔一大半，最高統帥北白川宮能久親王亦因患瘧疾而亡。

因人口激增，社會也隨着發生急劇的變化，人與人間充滿着冷淡，破壞，仇視的鬭爭，殺人案件層出不窮，而至手段慘酷，如門慘案，張昌年的被殺，屍首被分屍案以及其他種種的殺害行爲，每日打開報紙，幾乎無日無之。使人有「今昔同感」。

南北佛堂訪古詩錄

趙聿修館又文南君招遊鯉魚門北堂訪南宋石刻賦呈和正

·鄭水心。

北堂廟後實遺碑，開徑尋碑展印新。十字摩挲疑一字，萬靈呵護見全身。文如子厚何傷簡，書近東坡別有神。絕勝宋臺移斷碣，亭亭應許立千春。

水心詞長與余同遊北堂訪古賦詩以紀敬步原韻奉和二章（戊戌除夕）

·簡又文。

南天金石敢言貧。（廣東夙蒙「南天金石貧」之譏。）幾度游觀與尙新。大宋一碑眞幼婦，盛唐三絕似前身。（李華爲元德秀碑，顏眞卿書，李陽冰篆額，世號「三絕碑」。）從知古塔名龍島（宋帝昺由官富次古塔，即南佛堂，原稱一古石塔，今名東龍島。）始識滿田誕女神（詳后）。同感趙侯追遠意，流風廣被物皆春。

片石嵯峨堪共語（庾信言，「惟寒山片石堪共語」。）海隅風氣此翻新。（九龍，宋時屬官富場，後代改爲官富巡司。）固有靈山學學身。（晏子「夫靈山固以石爲身」。爾雅釋山「大石之形學學然」。）百字碑傳千載事。兩堂廟祀四朝神。（大廟女神，本朔山建廟者林道義等，鑽五代閩王時都巡檢林愿之六女，原稱靈惠夫人，宋封天妃，明封聖妃，清康熙封天后，廟初在南佛堂，後另建新者于北堂，南堂廟今圮。）扶輪文教非吾獨，興國書元賴好春。

冬日北佛堂訪宋人石刻方泊大廟風濤掀舟衣履盡濕曛於廟外日暮催歸終不得一摹原石悵然有賦（戊戌歲除）

·吳天任。

沉陸頻年作海行，鯉門東出水雲橫。多難變天週變。數千提攜路再經。好事偶逢成勝地。已往瞻殘銘。同時異代眞難識。落日瀟瀟謾小停。

考得南宋石刻續字漫作（己亥元旦試筆）

·簡又文。

續字右邊實太（余六切音育）下頭去見即鬻字（莫六切，即古鬻字）。左旁余始見（形如綵）。斷是省文無蘭。

北堂訪古

·呂燦銘。

潮醉靜照鴉慈悲。鯉舟搖蕩洞庭風。鯉魚門外潮千尺。長共殘碑夕照紅。

更正：第八二九期「九龍南宋石刻記」第六行「北堂石塔」應作「南堂」。

小啓：風雨樓繪畫叢談，作者因事稿未到，暫停一期。又上期該欄內文第二段第一行「但日爲卜筮之書」，但字之下漏植「完全」二字，手民之誤特此更正。

自由人

THE FREEMAN

（第八三三期）

中華民國僑務委員會登記證台僑字第一二號
中華郵政台字第五〇〇號
執照登記為第一類新聞紙類
（半週刊每星期三六出版）
每份港幣壹毫
台北市售價台幣貳元
督印人：陳文畬
地址：香港高士威道二十號四樓
20 CAUSEWAY RD. 3RD. FL. HONG KONG
TEL. 771726
承印者：東南印務出版社
地址：高士打道六十四號
台灣總經理處
台北市西寧南路營造號二樓
電話：三〇三四六
台郵劃撥儲金戶九二五二
海外總經銷：友聯書報發行公司
香港：德輔道中二十六號A二樓

現代經濟問題

·顧翊羣·

顧翊羣先生這一篇討論現代經濟問題的文章，包括（一）國際經濟合作問題，（二）經濟循環問題（又括經濟生長，全部就業，經濟安定等問題），（三）經濟落後國家的發展問題，（四）冷戰或局部戰時經濟問題。顧氏認爲這些問題是有聯帶關係，不容嚴格劃分的。他的中心目的在闡明現代自由民主的工業先進國家，雖然在經濟合作方面頗著成效，但各國本身經濟問題，仍有待於解決。至於經濟落後國家自然更是困難重重。人口增加與通貨膨脹的大威脅仍然日趨嚴重。他的結論：是『但激經濟技術，而無道德實踐，任何努力均難奏效』。茲篇所錄，係未討論上述四大問題以前的緒論文章，先行發表於左。其餘各篇將陸續在本刊分期發表。顧氏的學養，爲讀者所稔知，闡論精闢，潛實詞也。（編者）

在討論現代經濟問題以前，讓我們先提出一個問題，向讀者請教。

原始社會主義的失敗

從前老子主張，至治之極，鄰國相望，雞犬之聲相聞，人民老死不相往來。陶淵明說：避秦的桃花源裏人不與外界接觸，而黃髮垂髫均有自得之色。盧梭痛惡文明，主張回到自然。康瑪（Thomas More）的烏托邦。他們的主張，均經證明不過是紙上談談。美國的開先清教徒來，會先後設立普利茅斯（Plymouth Colony），詹姆士城（Jamestown Settlement）以及烏列達（Oneida Community）等原始式的社會主義居留區，大家營共同生活，但以後來此等計劃，均經失敗，而仍恢復自由式的私有財產與市場經濟？是什麼理由？

關於老子，陶淵明、康樓等人的理想社會，我想不能實現的理由有兩點：第一，此種社會最初地廣人稀，物資需要不大，本身生產勉強可以供應，孤立社會在理論上可以成立。其後人口增加，本地物產不足供應，遂不得不向外採辦。第二，與外界接觸並實行貿易之後，他們發現分工合作的功效，因之努力生產他們本地區成本低廉的商品，向外出售，並購進他們所不能生產的商品，而放棄孤立。這可證明政治經濟不過是經濟現實。至於美國殖民區所以[illegible]之外，還有一個基本因素，就是區內人民[illegible]小我，[illegible]

不能持久，以致「各取所需」者越來越多，「各盡所能」者越來越少。他們與現代共產黨不同，不受奴隸式的束縛，所以結果各居留區終歸解散，而李茂斯居留區自從實行私人自由經濟之後，糧食生產增加，於是在一六二一年冬開始[illegible]感謝上帝賜恩惠。其後[illegible]一七八九年通令全國，每年十一月最後的星期四日，作[illegible]舉行。

人民公社必然沒落

古今中外有心人認爲社會主義可以把天國在地上實現的，從柏拉圖及周秦諸子以來，以至王莽，馬克斯，康南海等人，不計其數，結果無例外的難以實行，或實行後歸失敗。「明日又明日」一書，其第八十四頁至第九十頁所述失敗的烏托邦，那是敘述二十世紀美國一個由平等合作社會的失敗史。這個團體在一九一四年成立於加利佛尼亞州，失敗後[illegible]終歸解散。

[illegible]

由平等合作社會的失敗史。這個團體在一九一四年成立於加利佛尼亞[illegible]

第一是世界人口上升，[illegible]許多[illegible]路，顯示[illegible]途，第二是自由國家[illegible]份子日光[illegible]，[illegible]們自[illegible]對共黨[illegible]硬，心[illegible]會生[illegible]死，企望妥協。最後可嘆的是第三，近年好多國的政治領袖們，爲了防止經濟恐慌，謀取人民福利，而實施一種經濟政策，不能斜正而反無意中助長種種不健全的趨勢，替共產黨人造機會。我講這一套，當然有點過火，但不是全無理由。現在人口上升通貨膨脹兩大勢力正在加速抬頭，逼使人類的人性下降，而獸性上升，與衰國滅同。[illegible]宋明末年的趨勢相[illegible]宋最[illegible]道理

人，離了義乃爲君子」。這種話當然對他們有[illegible]的盜德淪喪，但可證明一點，即是大錯已成時，正人君子徒然代人受過，無法挽救。

我們常常慨嘆西方缺乏躬行實踐的君子，主張我國道學先生去美國講學。現在又說理學自當無補國事，似有矛盾。然我的意思是說，正心誠意是一切行爲的基本，但當理想家人之事，民生經濟之學也不可不講求。我國過去有[illegible]的政治家也不絕書，但對民生[illegible]有真正認識，如陸贄、劉晏、范仲淹、司馬光、張東坡、吳居正之流，則不算多。西方國家在理論[illegible]其政治家大多兼具以上[illegible]

赫魯歇夫的「偷雞」術

半週述評

要表演[illegible]打撲克牌的[illegible]偷雞，主張[illegible]談判。這就是[illegible]然而，英國[illegible]

俄共頭子赫魯歇夫片面撕毀英、美、法、俄四國簽訂的波茨坦協定，宣稱自動解除柏林佔領狀態，要把東柏林的交通管理權移交給東德政府，任何方面有攻擊東德共黨的情事發生，即等於進攻「蘇俄」集團國家，聲言「我必出兵」，好說蘇聯勢必打仗，[illegible]美英法[illegible]

相迫不及待地赴莫斯科訪問，而詢赫魯究竟要怎樣才可以「和平共存」？赫魯雪夫施展出手段，使麥美蘭大感失望，喻笑皆非。這不是俄共之強，而是西方國家那種畏戰病態心理所招致的後果。

艾克居然反『累斯』

赫魯歇夫一再偷雞得手，趾高氣揚，竟激惱了美國「和平總統」艾森豪，破天荒的反了『累斯』，可謂得未曾有的奇觀異采。

艾克以堅決的詞意告訴赫魯：美國和西方友邦對於柏林的佔領權利絕不會退讓絲毫，而且沒有談判餘地，如果因此而發生戰爭，或首決非西方國家，師出有名，一點餘便。所謂「[illegible]」，並非兒戲的事，沒有確切的安排與保證，美國是不感興趣的。至於簽訂甚麼「歐洲互不侵犯公約」之說，凡是影響聯合國憲章的國家，則無需乎精靈雞似的邪龍而是的遊戲了，[illegible]錯誤的說法，錯誤的[illegible]

麥美蘭可以壯壯膽量

七年來罕有言論，赫魯的偷雞術，這次可要失手了！艾克這手反累斯，不特可使麥美蘭壯壯膽量，在莫斯科郊外別墅中跟赫魯玩政治撲克時，不致被對方全部「梭哈」，弄得如粵語所謂「冇晒收」，而且可使赫魯的「二仟底」當堂現醜！

共產黨人有他們的一套辯證法則，丟醜失格滿不在乎。因此，我敢斷定赫魯歇夫聽聽艾克的堅強答復後，必然表示軟化，而以笑臉對麥美蘭，說是「誤言戲之耳」，諸事皆可從長計議的。

越是怕鬼，鬼怪就越多，所謂「高明之家，鬼瞰其室」是也。西方列強如其不是由於惰性鼓嚴而形成恐共畏戰病，俄共又何敢肆無忌憚地動則以核子大戰來恫嚇呢？英美人每說美國的外交手腕不夠靈敏，如果根本自怕戰，外交手腕亦論怎樣靈敏，也祇有姑息妥協，自誤誤人而已。

·雷嘯岑·

經濟在不斷變動中

[illegible]越豬，似乎越[illegible]問題萬丈了。我們現在討論的是經濟問題，不是談道德問題。不過經濟與道德息息相關的。最初經濟學是

我真恐怕不是的。[illegible]一九五九[illegible]後詩有[illegible]所以毛氏獲先[illegible]的政府主[illegible]而改主幕[illegible]毛氏向來自命[illegible]理論[illegible]權威者，[illegible]勝出時間來埋[illegible]好寫中共過去[illegible]加宣揚，而對[illegible]化[illegible]必

然性予以渲染，一面與中共幹部打氣，一面替赫魯曉夫歡呼共產理論的領導地位。人類選擇在過去當受不正確的理論之影響而大動盪，野心家像毛氏之類豈有不要書鼓吹邪說之理。我們常時感覺王莽、曹操諸人遺留的著作太少，所以對毛氏寫書是因爲從「史官」的角度來歡迎與檢討的。

道德哲學的一部份，其後才自立專科。然而所有經濟大師所教的經理，大多與價值判斷有關係。例如，分工合作，對外貿易，雙方有利，所謂新分配對人民經濟有益。政府須防止獨佔之實現等等，都屬於價值判斷。凱因斯的老友爺的「政治經濟的範圍與方法」一書，[illegible]經濟學分爲純經濟科學與規範科學。前者[illegible]「是什麼」，後者講「應當怎做」。近數的經濟學者都想建立一個純理的經濟科學，有的用純粹理論，有的用數學和統計，做出許多模型。有名的「靜態」「均衡」的觀念是從十九世紀物理科學中借用，此後「經濟循環」「動態均衡」「經濟生長與停滯」，尤其是「自動調節機能」等概念，則是從生物科學中借來的。現代工業社會最顯明的現象爲有龐大的組織，最先在企業界出現，其後勞工與農民亦組織勢動團體，與農業組合，與工業組合[illegible]

抗體，而過度攻守的範圍與權力越來越大。現代經濟與各國政府的機能組織與[illegible]相比擬，而各之曰「行爲單位」或「行爲系統」，但須知道它是一種比擬，而不是真正相同的。因爲任何有機體會[illegible]自行繁殖，同時具有[illegible]行為[illegible]而社會團體[illegible]人[illegible]個人的組合，與組織與人的關係，並非[illegible]。但是現代科學管理方法，會計制度，乃至交通及通信的技術和設備，均不斷進步，所以組織容易由小變大，而大組織中的個人也容易失去個性，受機內操縱，有類於機體的細胞。所以時髦的經濟學者喜歡用「生態學」的演進過程」（Ecological Succession Process）來比擬社會文化演進的過程。生態的均衡，一種「持久而時時在變動之中的」，所以社會也是不斷在變動之中，如果不[illegible]過去的中國一樣，則成爲漢生（Hanson）所描寫的經濟停滯了。

更正：本刊八三一期「論如何組織聯合國」一文，廿二行末多植「本文」二字及廿七行末多植（編者）二字。應刪去。又同期「半週述評」第一段第五行內「即會」爲「即令」之誤。

自由談

言論自由與理性

·王先生·

任何人不會反對言論自由，更贊成民主政治。但自由與民主生活亦不是漫無標準的，除了公共秩序之外，最重要的條件就是符合理性。

抹煞了理性的言論，不特不能引起社會大眾的同情共鳴，而且很可能招致自暴自棄的後果。譬如有人在刊物上發表抨擊自由中國政府言論，說是爲甚麼不組織東北亞反共同盟，爲甚麼不參加東南亞公約，認爲這就是政府無能而使別人瞧不起的所以然。如此的言論自由，跟理性相去十萬八千里，稍有常識的人，誰不嗤之以鼻呢？

民主政治當然容許反對意見，也需要有反對黨存在。可是，反對亦必須遵循理性的軌範，不宜甚至爲反對而反對的心情，一是皆以攻訐爲本。英美那些反對黨派，對於政府當局的一切措施，並不一律否定，而歸爲毫無是處，有時候且表示贊許之意。尤其是關係整個國家的禍福與榮譽問題，皆能撇除小我的成見，顧全大我利益。這樣的反對言論，自然具有權威，這樣的反對黨派，自然受人尊重。一種站在反對立場的刊物，如其對政府等以攻擊反對言論爲能事，而其立言的動機是出諸正直，表現着勢不兩立的決絕態度，這猶少亦與理性不符合吧？

近來在海外發行的共黨報紙，得以攫取台灣與香港的反共刊物上攻擊自由中國政府的偏激言論，資爲反美的宣傳口實，企圖造成內部離間活動的目的。目擊此情，實深憂慮，因而希望大家稍爲顧全大我利益，在發揮言論自由權的時候，多多注意理性，不要給敵人利用而弄成「親者痛，仇者快」的結果才好！

祖國周刊銷台受阻

（本報訊）海外報刊及書籍入台的檢查問題，儘近年來，最受批評的問題，最近香港出版的祖國周刊，又因此事而寫了一篇「懇告台北當局」的文章。祖國周刊本來是在四十四年三月經過政府核准，可以內銷的刊物。但因為從去年十二月一日起，爲現在將近三個月，該刊已不能與台灣的讀者見面，「一連被檢扣了十幾期，補寄也不能寄到」，所以該刊在二月廿三日出版的一篇社論上發表了這樣一篇文章。

該社論說「本刊的姊妹刊物「中國學生周報」自民國四十一年七月創刊並申請內銷，另「銀河畫報」自民國四十七年三月創刊並申請內銷，前者祇是學生課外讀物，後者祇是一般娛樂刊物，至今都全未獲得批准，今後是否能獲批准，仍然大成問題。又說『本刊經常遭受台灣當局檢扣，在檢扣機關的權力之下，本刊的台灣讀者，過去十期之中可見到四期或五期，即使被扣的各期，一部份也還能在補寄之後收到。自去年十二月起，一連被檢扣了十幾期，補寄的也不復能寄到，本刊業已完全不能進入台灣了！』

該刊還說，該社論詳述該社平日如何作分析報導中共實況的工作。而且該刊每一期都以三分之一以上的篇幅刊載中共問題的文章，又每年編印一次中共問題的特大號。台灣官辦及黨辦的研究機構每年亦多索購這特大號，作爲參考。

該社論說：我們『對於政府做過不少的批評和建議；但未逾越下列的原則：（一）維護中華民國的法統；（二）根據憲法來督促政府實行民主；（三）對政府及執政黨的批評必以事實爲根據。從來沒有發表過一篇捕風捉影、詆譭謾罵的言論。我們始終抱着擇善固執、忠言善道的態度說話，並且以此與海外言論界相勉勵。但是我們這番善意的用心並沒有得到當權人士的了解，反倒屢遭到含血噴人的誣蔑。我們知道國家的[illegible]報復，我們決不因此而動氣，而命運不容我們逞小憤而動私怨。可是現在「祖國」已三個月不准入台了。』

最後該社論推測，當局爲甚麼要這樣檢扣該刊，他們認爲有兩個可能：（一）阻止本刊入台，是治安機關的單獨行動，內政部與國家安全委員會並不知情，予以追究。（二）是政府預定的步驟。表面准許入口，暗中指使治安機關檢扣。於是該刊提出要求說「果真如此，中國的政治就太可悲哭了。我們希望政府當局宣佈撤銷本刊的內銷許可證，切勿爲此而自壞聲譽。」（二月廿五日）

一九五九年是菲島經濟的破產年

·李岷·

（菲島通訊）菲律賓面臨經濟危機！這句話並非危言聳聽。菲島經濟學家和財政界人士已經發出了苦悶的呼聲，甚至有人作了不祥的預言。如果一九五八年被命名爲節約年，則一九五九年似乎將是「破產年」了！不僅自由黨人有這種看法，就連執政的菲島國民黨人也不諱言這種經濟危機的暗影。

外滙基金嚴重枯竭

去年十一月衆院小組即已供認政府的財政狀況至爲惡劣。中央銀行總裁卡斯蒂洛（Castillo）也在同時期內宣佈菲國外滙基金日漸枯竭，並已降至嚴重低點。

菲律賓的普通老百姓對於政府的金融政策和外滙情況並不太過關心。他們只知道當政者的財經措施如何影響他們的食衣問題；菲島人民的經濟命運自已支配的時代已經過去，他們被稅務、關稅、法例、物價、執照等等問題搞得神魂不安。

目前菲島經濟動蕩的實際情況大抵如此——乃至香烟價格，以及職業、孩子入學或住屋等切身利益的問題。因此菲島有人怨嘆說：「我們雖然歌頌自由企業的偉大神蹟，但實際上卻生活在如此受統制的經濟中；甚至中央銀行總裁偶感不適，某些工廠就會因缺乏原料而關門大吉」。這的確是值得菲國首要注意的問題。現在

通貨膨脹外債甚鉅

全國貨幣流通額已超過十六億元，通貨膨脹，披索貶值已不可避免。除一九五二年以外，菲政府預算均出現赤字，而且這紅綫是不斷上昇的，對菲國來說，這是十分可怕的。一九五六年度赤字爲三億一千四百萬元，去年即昇至五億元，故公債發行額即達十九億元之鉅。

使情形愈加惡化的是，那些天文數字債卷的流通，是和銀行系統信用擴大相輔而行的。這樣就使全菲的通貨總額由一九四九年的十億元增至十六億元。

按菲律賓本身的生產絕不能完全滿足消費者的需求，但大量輸入外國商品（甚至有大米！）的結果使得菲國的經濟趨於崩潰。以至今日菲國市場上只能採用美元作爲通貨。

菲國所借外債的數額也十分驚人。至去年年底止，菲尚負美債一億五千三百廿三萬美元而未能償清。

官吏貪污管制成虛文

在國際貿易方面，自從一九四五年起，對外貿易就一直是入超的，故在十年內，菲外滙準備金由一九四八年之四億二千萬元降至現在的一億三千萬元。菲政府早在一九四九年十二月即已預見此點，並實施了外滙及入口管制以阻遏美金之外溢，但由於菲國行政效率之低下，官吏之貪污等原因，管制徒具虛文，其情形與大陸陷共前夕的經濟混亂情況極爲相似。

似乎菲國財經當局根本全是外行，他們只懂輸入外國必需品，並未考慮到應用這筆龐大的外滙來發展菲國經濟。[illegible]

菲律賓當局似乎未曾明瞭：國家經濟的動蕩是共產主義滋生的溫床，單純的政軍措施是[illegible]情況安定，人民生活過得去的條件下，才能杜絕共產主義。

粉飾菲化排華偏見

菲國財經當局採取的政策是極不完善的，他們只會用「頭痛醫頭」的消極辦法來應付危機，而不用治本的辦法。

治本的辦法並不是沒有。菲律賓當局首先應該消除排華的偏見，取消無理同時有害菲島經濟的「菲化案」，主動地尋求華僑經濟的幫助。同時菲島當局亦應充份利用香港華資與由印尼撤出的華資，作爲菲島經濟的興奮劑。借用日本貸款當然也是個辦法。但菲島當局不要忘記一個事實——華僑經濟是與菲島內土地發生關係上，因此利用華僑經濟勢力中的積極因素而發展菲島的產業（特別是工農業），是十分必要且合理的！

如果菲律賓政府當局不能採取那種澈底的措施，那麼，很有可能，一九五九年將是可怕的「經濟破產年」。（二月廿三日）（完）

台南點滴

[illegible]代相爭[illegible]新生地插曲[illegible]所有權。蔡斗南有權有勢[illegible]員勾結瓜分。輿論譁然，省議會與嘉義縣議會均曾成立專案小組調查，省府近又派出第二批十一位大員調查小組，由民政廳長連震東領，專程南下調查。台南市議會議員準備甚多資料等待調查小組開會檢討，而未見該調查小組與會，據南市議會議員小組某議員說：省府大員初曾與會，又未親往實地調查，事後對新聞記者發表談話，謂「情形沒有外傳的嚴重」。該案南市負責調查議員，提出以下四大疑問：一、新府公告人民申領海埔新生地，時間係四十七年二月十一日，而同年十二月一日即有批准與[illegible]

△台南縣南部海埔新生地開發，省府爲促進土地利用，使沿海漁民、農民能獲得所需土地，增加其生產，與人民就業機會。但辦理申請登記結果，[illegible]受害者申請[illegible]先申請者得不到土地[illegible]請者批交乙，乙所申請者批交甲？四、依十六條規定，由縣、市政府登記審查合格再轉省核可，而其中甚多逕自省核可者？

△台南市四十年落成的「實踐堂」，負債近廿萬元，[illegible]本月一日起，以台幣六千元一月租出改爲電影院，承租人係[illegible]出租得如此[illegible]只有一個「堂」[illegible]，「實踐堂」應爲民衆婚喪慶典與集會之用，今如此，實違原意。

電影明星白光，月前自港來台，隨「揆財神」影片登台與勞軍，備受好評。該片在南「延平」，「世界」兩家大戲院同時跑片，從首至尾場場客滿，突破兩家戲院票房紀錄。白光號召力畢竟不凡。（二月十八日）

昌增勳

國際動態拾零

△美共和黨要人，以艾森豪在國會祗國與民主黨上院外交委員會主席約翰孫及下院議長雷朋於洽，此係安特生所拉攏，而冷落了共和黨人，殊爲憤慨。

△民主黨在一九六〇年之總統預選人，以肯尼地，薛明頓，約翰孫，堪富利最有希望。薛明頓曾任杜魯門之空軍部長，爲杜氏所支持，且以其主張火箭須趕過蘇聯，尤爲民衆所擁護，至史蒂文孫，須待此四人堅持不下，至第四五輪投票時，始能提出。

△米高揚訪美時，工會領袖都反對他，惟商人則殷勤招待。杜爾斯謂工人重視民族利益，過於商人。

△國會安全委員會，對共產黨及其同路人在美發行之報紙雜誌，展開全面審查，發覺多受衞星國駐美大使館之指導與津貼，頗有戒心。

△國防部專家，提出長約千字的報告，謂蘇聯之七年計劃欲使軍器與消費品同時增進，殊不可能。惟國防部長麥克萊恐他人誤其爲有精衣作用，拒不以此意向國會報告。

△北韓北越之專家，本爲蘇聯及東歐衞星國家人員，現多將其解雇，代以中共人員。而外蒙顧問，本爲中共所派，現已易以蘇聯專家。對於此事赫魯曉夫與周恩來曾有交涉，大概可說成協議。

△西方觀察家，以毛澤東仍有蟬聯當選主席之可能。祗要周恩來能完成使命，得蘇聯諒解，可以無適當繼任人選爲藉口，選毛聯任。

·陶然·

多災多難的台肥六廠

·章垚·

（台灣通訊）國營台灣肥料公司第六廠（簡稱台肥六廠）號稱遠東最大尿素肥料工廠，自四十一年二月開始籌備，迄今已逾六年，耗資達美金三千萬元，在試車階段，迭生故障，前日（十四日）又發生氣管爆炸，險乎釀成巨災。觀此可見雄踞北基道上南港之廠房巍峨、機器坦克林立、員工一千餘人之遠東最大工廠，僅具美觀之模型而已。台肥公司素以研究工廠管理著稱，出版企業叢書二十餘種，此次建廠之多災多難，使彼等自傲之學養，將面臨實際考驗矣。

台灣由於耕地面積狹小與土壤之缺肥，故欲求農業增產，有賴於化學肥料之施用，目下台肥自行生產氮肥磷肥年產僅三十萬一千噸，距離需要甚遠，故每年耗費外滙達二千萬美元，爲政府一大負担；經濟行政當局，因有台肥六廠之籌設。惟台肥公司原有工廠，均爲接收日人經營而加以修建擴充者，以產氮肥磷肥爲主；嗣經專家考查戰後世界新興肥料之製造，均採用尿素，以尿素設廠費用雖與氮磷肥廠相等，而較便利，且原料焦炭，不必仰求國外，以經濟論，當以尿素爲最有利，台肥六廠乃決定此新型之尿素工廠。

設廠經過

該廠自四十一年二月，前台灣區生產事業管理委員會派湯元吉（前台肥公司總經理）負責主持籌辦設計，經湯氏編成計劃，申請美援，並獲美國技術之支持；惟湯氏原設計建廠費二千萬美元，至目前實際已動用三千萬美元。設廠所在地以台北縣與基隆市毗連之南港鎮，爲原料、燃料、運輸及人工來源最理想之區，該廠年需焦炭五萬五千公噸，燃煤七萬六千公噸，電力[illegible]，水每日廿八萬公噸，該地區均能供應裕如，不虞匱乏。

預算的決定

至製造技術及機器設備問題，台肥六廠經會同美國顧問工程師及美援技術處長沈觀鼎商定分別至日本、瑞士、法國各尿素工廠（各國製尿方法不同）實地比較考察後，認爲瑞士工廠所採Inventa法，較爲合適。機器由美國碳氫化合物研究公司，僱聘Hri負責。全部設計及採購費六七六、〇〇〇美元，尿素製造特許費二四六、五〇〇美元，另設備費八、九二七、九〇〇美元，至建廠之基本設備如鍋爐、變壓器、泵浦、馬達等則另向專業製造工廠購置，承辦後復以物價上漲，海洋運費上漲等理由，增加預算三、八四一、〇〇〇美元。

設計錯誤引起責難

在Hri公司之承製機器，依照合約，應於四十六年四月安裝完成，後因美方違約稽延至去年三月始安裝竣事。迨試車時，初即發現煤氣壓縮機中煤氣不純，含有大量膠質，經修改後，至去年九月，復遇煤氣壓縮機主軸之折斷，其他Ge透平機之軸承設計錯誤，Strato設計之空氣膨脹機發生故障等，壓加改正，迄未滿意，雖於去年五月二十三日試車，會一度製成產品尿素二十八公噸，惟翌日即因氣體收回部份之氣氣壓縮機發生故障，未能再作試車。至去年十二月監察院提出責難於先，立法院質詢繼起，將該廠真相宣佈後，國人對此遠東最大之肥料廠之驕傲，始感惘然。

癥結在那裏

目前該廠之癥結，在試車歷時近年，機器故障迭見，遲遲不能達成完善，以參加生產行列。最近政院對立委周南提出之質詢追究責任諸問題，曾就台肥六廠的招標，增加預算，及試車困難責任等問題，提出書面答復。惟國人對該廠尚有若干疑點，願該公司有以解釋。

一、投標時與Hri競標者有華昌公司，提出之報價間係包括整個設計及監造等費，而Hri報價即頗含混，雙方報價基點並非相同，決標根據何在？而Hri得標後復增加預算達三、八四一、〇〇〇美元，自難爲公平合理，不知依據何種理由作此決定。

二、該廠一切製造設計，原係依照瑞士尿素工廠，在製造原則上不應有問題，目前障礙，完全爲Hri公司之技術經驗問題，經辦人於Hri投標前，是否會對該公司過去之信譽與經驗，予以調查考慮。

三、目前試車一再稽延，開工遙遙無期，而員工一千餘人，每月淨賠管理費達三百餘萬元，損失不貲，責任屬於何方，迄未見台肥公司表明，提出賠償要求，不知另有內情否？（二月十六日）

老撾事件

一九五四年日內瓦會議以後，印支半島上的共產黨改變了策略，在越南、老撾，與柬埔寨均設立了一個國際監察委員會，以監督日內瓦會議協定的執行。由於形勢的轉變，老撾的國際監察委員會於去年七月通過決議：「無限期停止活動」，通知當年日內瓦會議的兩位主席蘇英兩國。今年一月三十一日，英國外長致函老撾國際監察委員會同意上述決定。

老撾首相爲着其本身加强反共的需要，於二月十一日發表聲明，謂爲不再受日內瓦協定的約束。這是寮國擺脫反共陣綫上的一項有力措施，老撾亦將爲這一陣綫上的新生力量。

二月十八日，中共「外長」陳毅發表聲明，認爲上述老撾行動，是「破壞日內瓦協議的嚴重行爲，也是美帝國主義對印度支那的侵略陰謀的一部份」。陳毅的話似乎是指日內瓦協定這說無時效限制，係國它作爲干涉他國內政的合法依據。另值注意者是二月十九日陳毅致函蘇英外長，反對停止老撾國際監察委員會的活動。蘇聯對此，迄未作任何表示，看來兩者間對於此事有一致見

台灣海峽

去年九月，台海正緊張的當兒，蘇聯及所有的附庸國家都先後表示全力支持中共在台峽的行動。其中赫魯曉夫致美艾森豪威爾的一封信，遭艾森豪威爾退回，這是蘇美關係最尖銳的時期。

赫氏在蘇共第二十一次代表大會的總結發言中說：「不很久以前，蘇聯政府和美國政府都互換了有關台灣海峽的信件。」……「現在這些事件已經成爲往事。」這似乎說，中共如再有類似行動，蘇聯將暫不予支持了。

赫魯曉夫答宋慶齡

在二月十四日「人民日報」上，中共透過宋慶齡的文章寫道：「可以預料到，那些帝國主義者和堅持舊秩序的人們是難以接受這一生活現實的。有些人（其中有我們的好朋友）認爲我們這樣揭露帝國主義，特別是美帝國主義的時候，就有點過火，他們認爲我們是低估美帝國主義戰爭的危險，我們未免有點幼稚。」二月十七日赫氏在阿拉木圖的演說中，似乎在答覆這一問題，他說：「現在不使用武力來解決問題，使用現代武器的戰爭將給一切國家帶來巨大的犧牲和破壞，不論它們的地理位置如何。這對人類來說，是巨大的災難。我們對這一點了解得十分清楚。」這裏似乎說明了：㊀中共比蘇聯好戰；㊁蘇聯希望保持着秩序；㊂蘇聯怕兩敗俱傷；㊃結合前述兩節則反映出中共蘇聯在對外政策方面，分道揚鑣。

。田心。

中共黨內鬥爭激烈

李先念權力獲顯著膨脹

陳雲的權力在削弱，李先念的權力在擴大，這是一九五八年以來中共中央幾個巨頭中最可注意的新發展。

在一九五七年底，陳雲的主要職務是：中共中央委員會副主席、政治局委員、政治局常委、國務院副總理，兼商業部長。這一連串職務之中，以中共中央委員會副主席的地位最高，在國務院排名第一的副總理；其主管中共的分工是在財政與經濟，亦即是中共財政經濟政策的制訂人，所有黨與行政部門陳雲領導。

一九五八年二月，中共政府改組，商業部改稱第一商業部，城市服務部改稱爲第二商業部，陳雲仍兼任第一商業部部長。

陳李權力之消長

一九五八年九月，與此同時，中共召開第十五次最高國務會議，第一商業部與第二商業部合併，陳雲不再兼任商業部長，由國務院副總理兼財政部長李先念在會上作關於財政和商業的報告。過去財政和商業的報告是陳雲作的，因爲李先念只是財政部長，商業方面的工作是由地位比他高的陳雲主持，這一變動說明了李先念的權力已越過了陳雲，取代了陳的實際地位。

陳之權力再削減

稍後的一九五八年十一月，中共政府新設一個國家基本建設委員會，陳雲兼任這個委員會主任。

在國務院中的財經機構計有：國家計劃委員會，國家經濟委員會，國家建設委員會，財政部，糧食部，商業部，對外貿易部，冶金工業部，化學工業部，第一機械工業部，第二機械工業部，煤炭工業部，石油工業部，地質部，建築工程部，紡織工業部，輕工業部，鐵道部，交通部，郵電部，農業部，林業部，水利電力部，農墾部，再加新設的國家基本建設委員會，合共計二十四個單位，在這二十四個單位中以國家計劃委員會、國家經濟委員會（主管年度計劃）、財政部、商業部：因爲這機構的特殊重要，過去在人事的配置上亦有其特出之處：副總理陳雲兼任商業部長，副總理李富春兼任國家計劃委員會主任，副總理李先念兼任財政部長，副總理薄一波兼任國家經濟委員會主任。國家基本建設委員會雖不能說全沒有其重要性，但與國家計劃委員會、國家經濟委員會、財政部、商業部比較起來，即差甚遠。在一九五八年二月以前曾有過一個國家建設委員會，與目前的國家基本建設委員會，兩相比較，前者的主管範圍可能比後者還要大些；而當時的國家建設委員會主任是王鶴壽，他在黨內地位僅只中央委員，現在，國家基本建設委員會的主管範圍比以前的國家建設委員會小了，反而由一個中央委員會副主席陳雲來負責，顯得其地位與職務之不稱；這當也反映着陳雲的權力在削弱。

一九五八年十二月，中共召開「全國財貿部門黨的基層組織工作會議」，主持人是李先念；照理這一會議也是應該由陳雲來主持，現在由李先念來主持，當又說明了李氏已取代了陳雲的實際權力。

陳毅代總理又一旁證

一九五九年二月，周恩來率代表團赴莫斯科參加蘇共第二十一次代表大會，其離職期間的總理職務，由陳毅代理。這是不平常的事，因爲在十二個副總理中，只有陳雲與林彪（病）是中央委員會副主席，從副總理的排名上來說，第一個是陳雲，所以過去周恩來多次出國，其總理職務均由陳雲代理，這是順理成章的。而這次卻由一個比陳雲地位低得多的陳毅來代理，顯得事情之失常，此事當也反映了陳雲的勢力在衰落。

綜合起前述一連串的事實，似可作出這樣的結論：陳雲的權力被削弱，接管其權力者是李先念；這一種權力交替的時間是去年九月。

對大躍進陳雲不起勁

按去年中共在財經方面的主要工作是大躍進，而陳雲在這方面的表現卻是懶洋洋的，雖然他並無直接言論來反對躍進，但從其行動的表現來看，則並不積極。李先念在這方面的表現則與陳雲大不相同，在其原根據地湖北省使省委第一書記王任重搞試驗田，後來又推廣至於全國各部門；在河南省主持潘復生等鬥爭「右派」，積極的爲大躍進創造條件。李先念的這種做法當迎合了野心勃勃的毛澤東的心理。上述陳李之對於大躍進態度的不同，看來就是他們權力降升的主要原因。

陳雲權力被削弱的時間，適爲中共猛烈發展人民公社的同時，若非偶然的巧合，則亦與他反對這種「猛烈發展」有關。

（大陸社稿）

遼寧省疫疾流行

（本報訊）遼寧全省麻疹流行十分猖獗，據一月十一日「遼寧日報」載稱：「入冬以來，我省各市縣都有麻疹流行。另外，小兒肺炎，百日咳，猩紅熱等，各地都有不同程度的流行，流行性的感冒也開始發生。」並謂這些疾病正擴大蔓延中。（特別是麻疹肺炎）

由於醫藥缺乏，病症在擴大蔓延以後，又無法供給必需的醫藥與特效藥品，於是遼省人委會「採取了」「要求各級領導政治掛帥，加强領導，」「運用一切宣傳形式和力量進行廣泛宣傳，使羣衆認識到防病和保護健康。」這似乎是說政治宣傳可醫百病！（資）

大陸文壇透視　七彩

「魯迅全集」今已不全

中共的人民文學出版社，重印「魯迅全集」，從大前年開始，直到去年底把第十卷印出，今春才出齊，算來整整費了三個整年的工夫。

「魯迅全集」的舊版，本是民國二十七年由「魯迅先生紀念委員會」編印的。中共這次重印，從舊版中翻譯魯迅的翻譯和編校的古代作品，只加了一些註釋，何至於花三年的時間？實在不易明白。但你若從去年出版的第六卷看到現在才開始發賣的第十卷，你會恍然大悟：原來中共對原有的文字和註釋很費心機，而且還不得不加上一些註釋使其合於中共的需要，私人通信的存廢問題，也很傷中共的腦筋。

我還沒有足夠的時間，拿中共的新版和舊版校對，只粗粗涉獵了一下，就看出了兩點：一是無法删掉的文字，就在註釋中顛倒黑白，如第六卷中的「且介亭雜文末編」，裏面魯迅那篇有名的「答徐懋庸並關於抗日統一戰綫問題」萬言長文，這是衆所周知的魯迅與周揚交惡達到巔峯的鐵證，中共無法删掉，便在註釋中替周揚洗刷，把責任全推到徐懋庸和馮雪峯二人身上，且看中共如何註釋：「徐懋庸給魯迅寫那封信，完全是他個人的錯誤行動，當時處於地下狀態的中國共產黨在上海文化界的組織事前並不知道。魯迅當時在病中，他的答覆是馮雪峯執筆擬稿的，他在這篇文章中對於當時領導『左聯』工作的一些黨員作家採取了宗派主義的態度，做了一些不符合事實的指責。由於當時環境關係，魯迅在定稿時不可能對那些事實進行調查和對證。」現在更加無法證實了，魯迅死了二十多年，徐懋庸和馮雪峯都於前年被判定反黨受了處分。也就因爲這兩人沒有發言權了，中共才於去年這樣註釋出版的。其次是有些「礙眼」的文字，索性删掉，如「魯迅書簡」中魯迅給胡風的那些信，新版全數删去，一封也不留；魯迅死前寫給楊霽雲、王冶秋的那幾封反對周揚等人的信，也都不存在了。

中共如此對待「魯迅全集」，又豈是尊崇他們的「死聖人」之道呢？

瘟君夢

第一回：消息自天來　風波從地起

人捐秋扇　夢冷新華

毛澤東聽到這句話，登時把兩條腿抽回來，太師椅吧嗒一聲，四隻腿落了地。毛澤東轉過身指着彭眞問道：「你的消息，從那裏聽來，什麼事和我有關。」

彭眞雖然放了一砲，但是看見毛澤東一臉殺氣，也有些膽寒，只是直眼望着劉少奇。

劉少奇知道非他自己出馬不可了，當時接着說道：「這個消息，我也聽到，是尤金大使告訴我的，據他說赫老因爲主席干涉他的內政，所以把借款問題擱置了。」

聽說赫魯曉夫怪毛干涉內政，毛澤東登時呆了，一臉迷惘的神氣，看着劉少奇。

劉少奇知道毛澤東的脾氣，一上來惡狠狠三板斧，砍過之後，力氣已經用完，你講什麼？他也就安心聽了。於是又接着說道：「我也詳細問過尤金大使，尤金大使說，主席怎樣干涉他們的內政，尤金大使說，主席支持反黨集團，尤其是莫洛托夫，引起了蘇共中委會的普遍憤怒，赫老只好暫時停止借款談判了。」

毛澤東好似被雷打昏了一樣，登時目瞪口呆，剛才那一付兇神惡煞的樣子，已經消逝得無影無蹤。

這時變成了一面倒的形勢，全體政治局委員包括賀龍在內，都注視毛澤東，雖然沒人講話，可是大家心裏都是一個想法，你居然去干涉老大哥的內政，未免太不知進退了。

只有陳伯達看到毛澤東的窘態，知道他又氣胡塗了。當時挺身而出，解釋道：「主席每次晉謁赫老，伏老時，都是我任翻譯，從來未涉及他們內政的事，是不是消息傳錯了。」

劉少奇冷笑一聲：「怎麼會傳錯，據我有一次赫老召宴，主席提出意見，懇求赫老起用莫洛托夫，不要再整肅反黨集團。這些話當然是干涉內政，怎怪赫老發怒呢？」

劉少奇和陳伯達爭論，毛澤東怔怔的聽，直到紙烟燒着手指頭，才如作夢一樣醒過來。聽到劉少奇句句袒護蘇聯，不由得氣又向上撞，轉過臉來，對着朱德，周恩來說道：「我簡直氣瘋了，現在才想起來，事情是這樣的，那一次赫老請我吃飯，陪客只有伏老和担任翻譯現任蘇聯駐日大使的費德林、赫老當時向我解釋前年蘇共二十屆大會清算史大林，確是一件不得已的事，假若不是那樣作，蘇聯國內可能發生類似匈牙利的事件。以後想起史大林對黨的貢獻，實在覺得不安。我當時就說，過去的事算了，與其哀悼死者，到不如對活人好一些，他也連連點頭，頗以爲然。」

彭眞笑道：「主席提到莫洛托夫沒有呢？」（十四）

岳騫

清華水利系六教授　勞造

武大何定傑下鄉務農

（本報訊）據二月十四日的「光明日報」報導清華大學水利系又有六位教授遭受思想改造，他們是：張任，水利系主任；夏震寰，水利系副主任；陳梁生，土力學教授；陳福東，施工學教授；施嘉煬，教研組主任；李丕濟，水力學教授。

按：這六位老學者，是在一年前被中共清華大學黨組驅遣到密雲水庫工地上從事勞動改造的。

又據二月十三日「光明日報」報導武漢大學生物系教授何定傑，因爲提倡米丘林學派不力，而在去年被中共武漢大學黨委提出作爲批判學術思想的典型。何定傑的罪名是：「在一九五七年青島遺傳學會議上，爲莫爾根派的優勢所嚇倒，不敢以米丘林派自居。講話躲躲閃閃，不敢堅持無產階級的科學路綫，且有被軟化，被征服的傾向。」

在批判鬥爭中，中共叫何老教授親自去實踐米丘林學說－－下鄉務農，與農民同生產同生活。一年來，何定傑在備受迫害之餘，說出了「萬批評我如嚴父」的話，中共才認爲滿意，將他遣回學校。

按：中共自竊據政權以來，就在生物學界中提倡米丘林學說，批判莫爾根學說約十年。但時至今日，莫爾根學說反而越來越得到大陸上學者的支持。（資）

釋耒集

古老與反動（下）

曲齋

商君相秦孝公，施用農戰之術，秦遂富強，為戰國雄君，此後六世而統一了六國，默爾已。

秦惠文王雖然殺了商君，但商君所行的一套，依然不變的，而且日益變成強大，終而統一了六國，這是距離商君死後一百多年，卻給一羣手無寸鐵的戍卒，揭竿一呼，把一個空前龐大的帝國推翻了，始皇帝焚書，想杜絕反抗的思想，而劉邦卻是個不曾讀書的亭長；收天下兵器，鑄為金人，陳勝吳廣可以揭竿，不仗兵器。智者千慮，亦有一失，清人朱彝尊有題就引七絕一首，以為始皇早死，是他的造化，否則他不免親自看見敗亡，其詩云：

徐市樓船竟不還，祖龍旋已葬驪山；殘田倘放長生草，眼見諸侯盡入關。

佛、諸侯，亦未嘗不是商君立法之效，思孝公死，惠文王立，即車裂商君，而已亦不免喟然嘆曰：「嗟乎為法之敝，一至此哉」。史稱商君一日臨渭而論囚七百餘人，渭水盡赤，號哭之聲，動于天地，蓄怨積仇，比于丘山。」則其所以自謀者，又何其拙邪？

中共的歷史家，一致相信古代為奴隸社會的臆說，今日公社制度的情形，恰巧就是他們所描繪的奴隸社會的翻版，赫魯曉夫稱之曰古老，可見是恰如其份的，因其古老，故又斷言其行不通，他不幸而及其身，其實只是他的幽……

教堂

。尤崇洵。

現一寶一小一說

陳太太掏把飯碗放下，五歲的小寶又哭了起來。

『這孩子就是的，』她嘴裏說著，卻不會理會小寶，自己把碗收拾好；剛想拿去洗，陽臺的金太太拉著嗓子喊了：

『我的陳太太呀！怎麼還沒準備好呀，快來不及啦！』

『來哦，來哦，』她把碗往桌上一放，隔著一張被小寶撕得破爛的紙門，對屋裏的陳先生說：『你先洗洗吧，我得走了。』

然後匆匆的理了理衣裳，推開了不靈便的竹門，便出去了。只剩下零亂的屋子和小寶的啼哭在夜色的籠罩裏。

路燈很暗，照得這條小巷顯得更不景氣了。崎嶇的路面，映著路旁黑壓壓木屋的影。

『今天可能遲了呢！』金太太似有抱怨的意思。

『那可真對不起！』

陳太太答應著，至於心裏是不是有『對不起』，則沒有人知道。這時，路燈很暗，照不清她們的面孔，所以表情如何，也就不得而知了。但彼此沉默許久。

『我本來想把那件毛衣織完，早點拿工錢，又怕妳等到那邊姊妹們會說閒話。』金太太說到『姊妹』二字，似乎有些不能嚼，便端端陳太太。然而她透過窗外到這些，卻一心惦念著小寶。

教堂裏人已多了，牧師已經開始佈道了，她們溜進去和幾個轉過頭來的『姊妹』打了招呼，便悄悄坐在後面。

『我聽朱太太說，她要上天主教堂去了。』金太太低聲說。

『怎麼？』陳太太偏過頭問。

『聽說那裏奶粉好！』

『哦？』

這時，牧師在台上用手指著一張白綾紙，開始教『兄弟姊妹』們唱歌。陳太太是近視眼，看不清紙上的歌詞，然而『主啊』『天父』『浪子』『罪人』……這幾個字眼，她一下就能辨認出來。

歌聲很大，所以她們不講了。唱完一段，陳太太低聲說：

『奶粉的質一定比這裏好得多！我告訴妳，在鄉下，農人都把奶粉餵豬哩！』

『可不是，別笑鄉下人，有時比我們要強呢！奶粉還看不上眼。』

這時，進來兩個『兄弟』，衣著都很體面。他們坐在陳太太金太太後面。一個說：『……宋牧師跟威爾遜牧師很熟，而威爾遜牧師和史密斯先生是密友啊！』然後椅子響了一陣。

另一個回答：『對，去年聽說威爾遜幫了不少人出國深造，所以今年小犬常到那裏補習，我也到這裏和宋牧師走走……』

這時歌聲又起了，先是『兄弟』唱，再是『姊妹』唱，然後『兄弟姊妹』合唱。唱完，大家很忙的擦汗，有的吸一口氣。背後兩個人的聲又起了：

『你知道不知道宋牧師底細？』

『不知道，你可曉得？』

『嗯，知道一點』，語調很得意也很謙遜……

『怎麼樣的？』

『他以前是美國總統……手下的一個職員，後來因為……』說到『因為』聲音忽然小了，接著又大聲說：『失業以後，他就開始信教了；終於得救了，得救了。這是那天我和總經理談話時告訴我的。』

『哦！』這是半信半疑的一聲。

『嗯！』這一聲則非常肯定，很有『只此一家別無分行』的氣概。

以後都不說什麼了。陳太太聽了心裏有些感觸，她想到小寶的將來，十幾年後能夠……麼？

後台上的牧師——現在可以知道是宋牧師了——又領導……告。

『主啊！讓我們今夜在這裏感謝你，讚美你……』

『譯，唉！』『兄弟姊妹』們不約而同地嘆氣。……

最後：『阿門！』『阿門！』『兄弟姊妹』一齊抬了頭。散會了，『兄弟姊妹』們圍著宋牧師等等，終於談到主對人的愛等等，牧師說：『主會對任何人永遠寬恕，只要他懺悔……比賈弟兄……』

『對呀！賈弟兄……天怎麼沒見到……』……

他們亦……的賈弟兄是一個看守教堂的……子，是一個……，他自己說，在還沒見過主前……。所以人們對他很尊重。

牧師忽然很嚴肅起來……可能帶著……憤的神情……說：『賈弟兄不該這樣，他違背了神，他做了不光明的事了……神也要寬恕他啊！你寬恕他吧！』

『怎麼？他……』

『他把奉獻箱的錢拿了，結果送到警察局去了。』

『什麼？拿奉獻……』『兄弟姊妹』們議論……模樣的，流露有些議憤。

『寬恕他，寬恕他，迷途的羔羊。』宋牧師面部顯出苦痛。

『阿門！』陳太太沒仔細聽他們說話，她又想到小寶，生怕正在……哭；又想到奶粉……鋼琴等等，他……將來小寶大了要是……出國深造……便脫口而出。

歸途中，陳太太和金太太有一項決議：他們向朱太太看齊，要改變信仰了。

路燈，顯得更暗，在夜色裏，似乎他們的身影也溶入黑暗中了。

于右老書題南園詩集 賦謝

。林瀚年。

家有楹書不算窮。附牆風雅愧雕蟲。城南宴樂詩書志。大筆淋漓氣吐虹。樹上梅花微笑瑞。海東日暖正春融。息晨得句酬元老。縹緲三原世世崇。

北佛堂訪古詩錄（續）

。樸子餘。

北佛堂石碑

[illegible]……戊申……物。我疑異物人……在殿氏……於景炎二年六……。以上均根……『自由人』第……八二七——八二九期。）至今已歷七百載。江山歷改碑纍然。

趙聿修蘭又文兩先生召遊北堂訪南宋石刻 敬步水心詞長原句

・陳崇興・

集宋碣對殘碑……。個子爲文良史筆。戲公立石宰官身。……灘共辨箇指字。呵護全憑大願神。最是趙侯能題述。山陬勝概四時春。

『科學文粹』

李元慶編譯・台灣大中國圖書公司印行

。孫旗。

新書評介

在此廿世紀——『太空世紀』，生在科學落後地區的我們，對於科學知識的渴求，當可說是一種普遍現象了。台北各報所刊關於『科學新知』之譯介，本書譯者李元慶可以說出了不少力量。他的作風是盡力避免枯燥乏味的文字，同時盡量以輕鬆趣味的筆法，更多用故事方式來敘述。

現李氏特編譯『科學文粹』行世。這部書的科學新知，共分四類：一、知識性；二、趣味性；三、勵志性；四、娛樂性。取材共分十類，第一、人類的偉大；第二、宇宙奧秘；第三、探險、發明、運動、體育；第四、偵探、治安、防諜；第五、生理、衛生、醫藥；第六、靈感、幻夢、夢遊；第七、電影、廣播；第八、舞蹈、攝影、戲劇；第九、發明、創造、試驗；第十、智慧測驗。共計第一、二篇，其旨趣無非在發揚青年最新的科學知識，培養青年對科學發生興趣，從事正當娛樂，鼓勵青年研究並從事科學發明工作。對於一般人無疑是一部科學資料。如果一個人遇到各方面的困難問題，大概在這部書裏都可找到解決的方法。

這部書是譯者根據美國科學、教育的研究報告，大雜誌、美國出版的新聞、文摘、雜誌、畫報、電視、電影、戲劇、雜誌等，如最普通常見的Life, Look, Newsweek, Colliers, Readers Digest等著名期刊，共收有七十餘種。

由於人們的生活事務，日趨繁忙，根本沒有太多的時間讀長篇大論的文章，這部書的分量相當的簡潔，只要化數分鐘即可看完。譯者的文筆相當的簡潔流暢，但於說明輕鬆，並不妨礙閱讀。說它是生活指南，可供中學生作課外讀物用，更可以使一般人讀後……也或者不算過份了。（四十八年一月廿八日於台北市）

爵賓

・慕容羽軍・

「……」

「我希望你同往平時一般，我值是受不了。」

「……」

「噢！一定是被獅老的沸調偏了你的心……我們找個地方玩玩嗎？去忘掉這些事。」

「……」

「為什麼老是不說話？」

「我們去紅寶石聽古典音樂，好嗎？」

「古典和現代都聽不下去了。」

「為什麼？」

「不為什麼。」

「你又生氣了。」

「……」

「你想到那兒去玩玩？」

「行夠了，腿也酸了。」

「那末，『噗啡座』去蹺蹺腳。」

「那兒都不想去了。」

「你到底想怎麼樣？」

「想回家。」

「真的不去散散心？」

「再見，什麼都沒有情趣了。」

「好！再見，我也想不到旁的辦法令你開解一下子。」

第三天

「今天這提琴協奏是我特地點唱的，這樂室的唱片很適合你的興趣。」

「你以為你很瞭解我的興趣？」

「憑時間和良心可以說明我是瞭解你的。」

「不，我發覺你對我的瞭解：不，我們的情感越來越遠了。」

「何以見得？」

「總之，我現在發覺了這是事實。」

「似乎你在變了。」

「你是說我在性格不統一的上面變了？」

「我不敢說這一方面的，但是，這兩天你倒的變了，光拿你對我的態度就可以辨明了。」

「這麼一說，我們之間的距離是太遠了。」

「不，絕不，小姐，我希望你別這麼想，我沒有變，我的情感沒有變，我對你的一切也不會變。」

「但是這麼說，但是……別說啦！你聽，這唱片的音色多麼嚴肅而偉大！一個人！一個人應該面對宗教，去陶冶靈魂。」

「唉！你又提起了前天的事了。」

「是的，我沒有你沒有共通的人性。」

「小姐，我不想辯護方面，我就記得小時候飼養白貓、白兔、愛花貓，還是那個天天拜到遠遠的地方，我想我一樣對牠很熟悉；還有，我那條棕色的狗兒，我讓手足給牠咬，但是，牠從不咬傷的嘴了我一下子，然後用舌尖舐過咬過的地方，唔！至今，我還愛對著水族箱細觀透明多彩的熱帶魚，那桂林相思雀、瓊島鵪鶉……我都熱愛着，我始終都以為我還有寬心，還依戀著夢……」

「好了，好了，夠了，平凡的依戀，你以為這樣做是很偉大的嗎？」

「你又誤會了，我就不想怎樣去求得偉大，你常常說你是人本主義者，一切以人為本位，我正走着我軌跡，我不求偉大，只求適當，我是這麼想，我就這麼做！」

「哦！你是說我在求取偉大了。」

「小姐，我不想跟你談這些問題，我想要求你，別再沉鬱了。」

「你要求我有什麼用？我給讀笑到夠了。」

「怎麼？我讀笑你？我不曾這麼想過，也不曾這麼做過。」

「怎麼沒有？不見了小貓那天，你說我忽然慈悲起來，這不就是調笑。」

「不見得，我的小姐，我從不想談這些了，現在你又提起，我說句不中聽的話，貓兒跑了，這天氣，不給人收容也吃了也會冷死了哩！」

「所以，我就覺得內心十分不安。」

「這些有什麼不安？拿人來說，生出來也總會死的，左傳裏說：晉獻文子建了新房子，有一位來賓祝頌著：喜慶和喪事在這兒慶祝，喪事也在這兒辦理，這就十全十美了，晉獻文子十分欣賞這句頌辭，許多人都批評這句話『善頌善禱』，人也這麼樣，一隻貓又算得甚麼？」

「你倒是！」

「唔！又生氣了，為什麼？」

「我說你倒沒有人性，唉！這是我的偏僻。」

「為什麼？」

（二）

自由人

THE FREEMAN

（第八三四期）

中華民國僑務委員會頒發登記證台新字第一零二號
中華郵政台字第五〇〇號執照登記爲第一類新聞紙類
（半週刊每星期三、六出版）

每份港幣壹毫
台北市售價台幣貳元
督印人：陳文郁
地址：香港高士威道廿二號四樓
20 CAUSEWAY RD. 3RD. FL. HONG KONG
TEL. 771726
承印者：東南印務出版社
地址：高士打道六十四號
台灣總經理處
台北市西寧南路壹壹壹號二樓
電話：三〇三四六
台郵撥儲金戶九二五二
海外總經銷：友聯書報發行公司
香港：彌敦道中二十六號A二樓

讀陳院長施政報告

——談財經問題與措施——

陳式銳

立法院第廿三次會期第一次會議於二月二十日舉行，行政院陳兼院長提出施政報告，在結論中，陳氏警覺於未來底考驗，指出：「在政治、軍事、經濟與社會文化各方面必須有勇氣面對問題，發掘缺點，有決心來解決問題，改正缺點；決不可推拖敷衍，使可解決的問題變成不可解決的問題，使可改正的缺點變成不可改正的缺點。……更要有一種積極精神，不斷的求改革，求創造，爲復國立基礎，爲建國立規模」（二月廿一日台北各報）。

在當前財經方面，陳氏再分（一）促進經濟的正常化，（二）增加農業生產，發展對外貿易，（三）平衡收支，健全財政，（四）美援運用四項，加以闡明。陳氏所指不正常底經濟現象，舉出複式匯率所造成之不合理情形及游資與高利貸的妨礙經濟發展；再進，他以爲農工生產與發展對外貿易是「推進台灣經濟的雙輪」，而發展對外貿易尤爲「我們生存之道」。陳氏謂，就當前實況來看，最重要的工作，仍爲增加儲蓄，促進投資。去年的實際資本形成，仍較計劃數字爲小，農工投資額與四十六年度相近。今後要改進投資，必須更進一步鼓勵國民儲蓄，導引社會游資，切實改善投資環境，充分利用僑資外資」。（同上）。

僑資外資問題向未解決

陳氏所提方針，至爲正確，且在研訂整套計劃，尤引爲慰。特在研討之中，有把握事實眞象的必要，才能對症下藥，有關鼓勵儲蓄、引導游資，待後另評，談到充分利用僑資外資，爲一現實問題，向未解決。過去曾一度有不少僑資來台，主要在獲得特別優待，尤其可以特准進口管制物資；利之所在，趨之若鶩，大有假僑資辦之概。造優惠取消，僑資回國就「陷停頓狀態」。外資僑資來台，與整個投資環境有關，而匯入匯率的偏低，爲第一道阻礙；華僑銀行的發起人股款新台幣二千萬元，已初步募足，但股本的匯入就發生問題，現正由行政院副院長王雲五召集有關單位研究中。良以官價一美元匯率三六．〇八元，與黑市五〇元之差距一四元，投資人如得不到相當底處置，以損失之故勢將不願匯撥股款，則該行將無法成立了。至於對外貿易，既是「我們生存之道」，政府除已簡化進出口手續，實施單一匯率，實施加工出口退稅，修改外銷品貸款辦法，免除出口港工捐，開拓國際市場，加強對外貿易關係與商務活動；「今後當繼續採行鼓勵對外貿易的必要措施，掃除妨礙對外貿易的各種阻礙，使對外貿易獲得更好的發展。在發展對外貿易方面，今後公民營企業要特別注意商品的標準化，建立良好的商業信用；而對於出口商品的檢驗工作，尤須確實改進加強」（同上）。這些說法，既基於正確底認識，自是努力的途徑；特以今年國際糖價看跌，影響台灣外匯收入殊甚，爲推動經濟的「雙輪」，應加速作切實有效底措施，方不爲時間所否定。

通貨膨脹可慮

談經濟的正常化，主要在制度、政策、與行政；當局實施「單一匯率」，我個人但瞭解其爲「一連串改革辦法中的一項目」，且只是官價匯率單一化，並不就此解決問題。況在通貨膨脹之下，黑市金鈔又盤旋於五十元大關，單一匯率三六．〇八元，對出口勢將引起匯率偏低問題的復活；此一匯率能否維持下去，外貿會主委尹仲容去年十一月三十日已對記者說：「假使是天天拚命發鈔票，任何人都沒有辦法」。十一月廿一日實施「單一匯率」，當月的發行二、〇二六百萬元（一〇〇），十二月的發行二、三二八百萬元（一一四．九），一月的發行二、四〇四百萬元（一一八．六），兩月來就增加一八．六%，這一不利趨勢是不可忽視了。

陳兼院長說：「去年底，金鈔黑市價格之波動，證明我們的財政金融尚有弱點」（同上），實至坦率之言；但以波動的最明顯因素「可能是由於政府爲挽救一部份工商倒風，各行庫創造信用的能力超過我們的估計，一時造成通貨膨脹」（仝上），尚有研究之處。查去年一年，各行庫存款增加二七．四%，放款僅增一九．五%，未見信用膨脹；且難以相信行庫的放款，會大部漏入投機市場，致使金鈔價格波動。實際上，此一波動起於游資作祟，而以增加發行助其勢。明乎此，「金鈔黑市價格逐漸回跌」，並非「加強信用管理」（即緊縮信用政策）之功，乃是標售飾金及改變辦法所收之效。且金鈔黑市的回跌（亦未回到原來水準），並不就此解決問題，蓋游資本身仍未就範。

納游資於正軌

基此觀點，游資的納入正軌，乃是目前經濟正常化的主要課題之一；蓋個國之後，游資視高利貸爲長途，只要有正當出路，沒有不走之理，公司債搶購可明證。不過當局去年雖「採取多種措施，鼓勵國民儲蓄，發行公司債，降低銀行利率，導引游資於生產建設之途」（同上）；但公司債金額究屬有限，正因「降低銀行利率」，而致一月開辦之「儲蓄存款」未獲效果，迄未能「導引游資於生產建設之途」，「鼓勵國民儲蓄」更談不到。到二月六日，行庫存款才增加三億五千萬元，大多由一年期以上優利存款轉存，新增儲存甚少；最大問題，恐不能吸住原來十三、四億元之優利存款。原因是優利存款有三月期、六月期、一年期、二年期四種，其中六月期以下者佔一半以上；而六月期原月息一．三五%，今則降爲一．〇五%，一年期原月息一．六五%（折年息二〇%），今則降爲年息一七%，所以優利存款大多不願轉作儲存。大同公司債月息二．二%，保證公司債折月息一．六五%，其所以暢銷，因其有流動性，持有人隨時可變取現金應用；儲存既缺乏流動性，利率又低，益以發行不斷增加，深受貶值威脅，其不能吸進游資，係自然之理。而游資一日存在，無時不覺欲而動，過去股票，結匯證，乃至金鈔之波動，盡受其所侵襲；今後一有機會，它亦無不乘機作亂，是爲一值得正視之問題（參閱拙作「看金融游資之入正軌」，載二月十五日財政經濟月刊）。

收支如何可以平衡

至提到「財政收支」，我們必須力求接近平衡，保持幣值物價的穩定，維護經濟的正常發展，決不可再走惡性通貨膨脹的路。……平衡財政收支，當仍不外開源節流」（同上）。此一爲歷次行政院長或財政部長的說詞，亦爲向來沒有做到之事；今日最重要者是稅制稅法的改進，稅務的整頓，才能把財政導入近代化，也才能預期經濟正常的發展。爲奠立永久基礎，尚待實成財政部拿出「積極精神」，加以「改革」與「創造」。而美援，自由中國財政與經濟的助力甚大，今後既「逐漸改以貸款方式，其用途偏重於協助受援國家的經濟建設」（同上），則我們今後亟「資本技術可以借助於美國，但消費物資決不可長期依恃美國」（同上），那末我們朝野應及時對此有所適應，尤以財政的關係爲重要，不可不特加注意。

總之，陳兼院長的施政報告，其財經部份實出一個新面貌；他許以「今後隨着經濟的正常化，我們必須繼續擴大企業自由，鼓勵民營企業，廢除或修正一切不必要的管制或限制」（同上），想爲大家所歡迎。惟在財政金融等方面，以其積習過深，而其影響太大，特別提出檢討；基於陳氏「有勇氣面對問題，發掘缺點」之激勵，乃提出以上諸端，以供商榷，希望自由中國之經濟早入繁榮之境（二月廿三日）。

字週述評

蘇聯的苦酒

麥美倫訪問蘇聯，我希望世人要多從積極的一面，估計其意義與影響。試想，如果不是這次麥美倫訪蘇，英國人一時恐怕還不能覺悟到，不但氣候是冰凍的，而且，伏特加也一樣是冰凍的。

蘇聯人的酒，不僅是冰凍的，而且是難以下嚥的苦酒，有些人不親自嘗過這種苦酒是不肯相信的，這難道不是「積極的一面」嗎？

威脅和待客

蘇聯究竟有沒有誠意和西方國家坐下來「和平協商」解決問題？我們相信英國人在蘇聯的觀察能力和麥美倫先生的智慧，他們應該能得答案的。蘇聯無禮的缺少起碼的「國際禮貌」，他們一面「招待貴賓」，另一方面，赫魯曉夫竟對西方國家用威脅的態度大聲恫嚇，來爲英國在盟國的壓力下，改變了對蘇聯妥協的態度。

請問英國紳士，這杯苦酒豈不眞是難以下嚥？

意外和容忍

蘇聯一向橫蠻無禮（同時無理）的態度，並不令人奇怪；可驚的是英國紳士容忍的功夫，難怪布特勒對牛津大學的學生說：「以余之閱歷所得，余以爲任何發展均非意外。」

我們是不是可以這樣說，今天廣大的英國人已經對蘇聯的橫蠻感到「意外」和難以容忍了？

一個像英國這樣具有深厚文化基礎的民族，如果眞的唾面自甘，接受侮辱，那是不可想像的。

德國的願望

今天歐洲問題的焦點是柏林問題。蘇聯企圖利用東柏林「移交」東德傀儡政權的藉口，造成西方國家承認東德政權的事實。

德國在二次大戰後的分裂狀態當然是不合理的，違反德國人民的願望的，蘇聯的政策是繼續和加深這種分裂。西德主張通過自由選舉達成統一，當然是解決德國問題唯一合理的途徑。

西德領袖表示，他們對於任何東西方的談判，都表示悲觀。

殘酷的事實

德國人民的立場，反對一切東西方的妥協出現。在德國問題上，道義或是非，太顯而易見了。如果有起碼的政治常識，也能判斷，何必要來個勞什子的「高峯會議」？

事實不是再淸楚不過嗎？東西方的談判或妥協，如果要接受蘇聯的條件，出賣德國，就是出賣道義原則。麥美倫先生這次蘇聯之行，卻正好面臨了這個殘酷的事實：蘇聯在德國問題上是絕不讓步的。

清醒與明智

所以，這杯伏特加，是冰凍的，又是一杯苦酒——酒易使人一時昏迷，也可能使人有意想不到的清醒與明智。

路透社波恩的消息說：許多德國人認爲麥美倫此行，證明蘇聯並無妥協之希望，此事對於西方貢獻甚大。

如果蘇聯的苦酒，使我們的西方紳士獲得「意想不到的」功效，更「清醒與明智」，那眞是對自由世界「貢獻甚大」了。

司馬璐

自由談

紳士與流氓

我在上期本刊「時事述評」中，曾肯定地推斷：俄酋赫魯歇夫必向美總統艾森豪對德國問題的強硬聲明，表示軟化。現在事實證明確係如此。赫酋不但是對英首相麥米蘭這位「國賓」的態度，由冷淡揶揄而變爲熱忱禮遇，並且表示他那篇關於德國問題的強橫演說，不過是爲着競選關係的一種對內言論，其意若曰：前言戲之耳，不足爲憑的。這是典型的流氓無賴作風，也就是俄式共產主義者的先天本質，非如此，即不成其爲共黨頭子了。

可笑的不是赫酋這種譸張爲幻的流氓氣質，而是西方政治人物那種惰性發作的阿Q精神。麥米蘭訪問莫斯科的最大作用，是要利用美國務長官杜勒斯抱病的機會，在國際政壇上搶鏡頭，造聲譽，藉以奠立對內取得未來選舉勝利的基礎。所以，他這次在莫斯科訪問期間，縱使忍辱含垢，亦不願以失敗的姿態，空手而歸。所以，他在莫斯科已發出贊成俄帝所提「高層會議」建議的消息，說要勸告美國與西德不再堅持先開「外長會議」的主張，同時英工黨領袖蓋斯凱爾亦作桴鼓之應。顯而易見，將來英美之間又因此而發生歧見，給敵人以施展其分化離間魔術的罅隙。紳士遇着流氓，總是上當吃虧的，加以私心自用，企圖換流氓的關係以見寵於時，結果即非糟糕不可！

記得四五年前，聯合國在巴黎集會時，當地流氓會要求預會的各國紳士政客們「站開去」，讓他們來對付大流氓頭子史達林，自有辦法。事屬滑稽，卻有至理。西方一般紳士派的政客，既不瞭解共黨的本質及其作風，而又滿懷惰性觀念與優越感，自由世界希望他們來領導反共運動，爭得最後勝利，至少區區就沒有這種信心啊！

馮子先生

欠稅困惑了財經界

·萬民慶·

據統計台灣歷年欠稅案件，纍積二百餘萬件，爲執行王雲五氏之行政改革方案，政府有意整理該積欠稅問題，引起工商界一片議論。稅務要點不外稅法、稅率、稽征三者，稅法自然宜簡不宜繁，繁則變成擾民，稅負則宜輕不宜重，重則民不堪負，稽征則要方便而不麻煩，麻煩則商民多感不便；究竟「欠稅」由來，是否實在商民？抑係各方面義務或的，眞正問題的解決又當如何？

台灣通訊

有關當局的主張

先由台灣省財政廳長陳漢平氏的改革主張說起，他認爲欠稅完全是由商民一方面的，所以認爲此欠稅辦法適期不繳稅金，加罰最少一月最多兩月的滯納金已失功效，欠稅人故意拖欠不繳，惟有依照欠稅日期加收利息，才能收補助催繳稅款的作用。這項新措施，因爲尚在研究中，也因爲賦於納稅義務人一方面，所以工商界以及財稅界一些人頗不以爲然，提出許多關於稅務較爲客觀的改革意見。

首先財稅界有人指出陳氏的主張，既無理論根據，又未經正常的立法程序，更非切要之圖。第一、新措施不過是加重處罰，修改罰則而已。收稅加收利息，不啻政府官定利率補類加多，究以何種利率爲適宜？第二、欠稅的滯納案發生原因不外三端：1.稅率太重，英美稅率先得人民代表的議會通過允許而後增加，而台灣是財政官署自行增加，不問納稅義務人能否負担，尤其稅率與稅負不能脫節。四十六年夏間前財政部長徐柏園氏例舉英國30%，美國28%，日本22%，中共100%，而台灣才20%，所以國民稅負並不苛重。在理論上數字上是合理的，而在實際國民收入能力上，實在大有問題。其次是稅目太多，如住戶的住屋有戶稅、房捐、地價稅及防衛稅；一般工商業行號，則有營業稅、營利事業所得稅、綜合所得稅、印花稅、戶稅、防衛捐等等，致令商民勢非借償繳稅不可。2.稽征手續太繁，已經簡化過的申報表項目之多，非一天時間不能一一塡明，納稅義務人因不勝其繁而擱置不問。3.公庫少以至繳稅不便；財政廳自民國四十一年至四十四年的統計，全省欠稅案共二百三十八萬七千九百二十一件，總金額共二億七千多萬元，其中最多的是戶稅與田賦代金欠稅案，最少的是所得稅欠稅案，且所估金額爲最大；又以新台幣一〇〇元以下者，估百分之八十。第三、小額欠稅的納稅義務人純係繳納不便，並不是負担能力。公庫太少，因致有數十元稅捐沒有窮鄉僻壤的人往返不便，多設公庫或繳納處所，主動催征，始可解決小額欠稅案。

代表工商界的意見

台灣省商會聯合會理事長謝成源氏的意見，是代表工商界納稅義務人對於欠稅的來龍去脈的申訴，且提出切要辦法。他認爲政府不應以加重處罰納稅義務人爲增加稅收的上策，應使納稅義務人澈底了解稅法、課征稅捐的公平合理，而自動繳納稅捐，完成納稅義務。即是說應從改善現行稅法、稅率及執行方法着手。據會計師說目前稅法以三十二開本印刷，足有一尺厚，非一般工商界人士所能完全了解者。謝氏提示：一、法人戶稅與發展經濟建設原則不合，爲不公平不合理的稅捐，應予廢止。如對公司組織的生產工具增課法人戶稅，而對合夥者則予以豁免（即合夥的生產工具並不課戶稅），實不公平，且妨碍生產建設原則，應予以廢除。二，資產重估價辦法，盼早日公佈實施，以確定資產現價，鞏固工商信用而利週轉，但盼免征重估稅而利推行。三，所得稅法獎勵工商減免稅法條件不合理。法意本來良善，惟執行太嚴，不合理，不公平，如不代扣繳薪資所得稅即取消免稅，此一規定太苛。而大如台灣鳳梨公司，爲國家爭取巨額外滙，反不合免稅資格，豈能謂公平合理？四、所得稅法亟待修正：1.營業稅額應改爲一年二次，現行辦法一年二[illegible]……合併一次課征綜合所得稅，將公司的改爲「法人稅」，大可簡稽征手續。五、違章案件行政及司法處理程序紛歧，[illegible]予改善。行政上補稅計算內容常[illegible]裁定數不合。以法官輪流辦案，[illegible]完全了解稅務法[illegible]無專才辦理，稅務會計方面缺乏知識，以致同案異罰，宜速成立稅務法庭，處理違章案件；並希望在法規之前，商人申辯，以期合理解決。六、速定稅務程序法規：因爲稅務事項無一定處理程序與標準，政出紛歧，令民困惑；宜就各稅種申請處理事項，詳定程序法規，官民共守，以杜時弊。

行政改革會的建議

[illegible]行政改委會爲催繳稅款的措施，亦建議：1.增設公庫代理機構，洽定各地郵[illegible]稅款，便利繳納，[illegible]強催繳，以減少[illegible]件。3.司法機關[illegible]稅務法庭，合理撥[illegible]經費，訂定標準[illegible]稅款罰鍰及滯納[illegible]役取執行費用，[illegible]執行效率。

我以爲

[illegible]後，我認爲稅收[illegible]雞生蛋，要蛋先[illegible]先餵雞，繁榮工商[illegible]業機會多，國民就[illegible]到所得稅，否則徒事加重處罰，亦無何實效可言；其次稅率高低，應以納稅義務人能夠負担爲原則，否則欠稅案勢必越積越多，稅法盡量簡化，申請、繳納手續亦須簡化，否則納稅義務人常停業而專門辦理繳稅，稅捐者實乃擾民以時了；多設繳納處所，以資便民繳納，否則繳稅使納稅義務人廢時失業；稽征人員宜多爲納稅義務人服務，多加宣傳。至於征稅加收利息方案，使納稅義務人誤解爲自願負担利息，不必計較滯納時間；再者如果利率低於銀行利率或黑市利率，嚴似嚴重處分的罰款；如果太低，較高利貸爲低，將容易把繳納稅款拖長，以代替向高利貸求借。甚至較銀行放款利率爲低，將越使欠稅人拖長欠稅期間，是以征收滯納稅利息辦法非治本而是治標的，是官意而非民意，對納稅義務人仇視多於愛護。民主國家的稅捐東在民意爲主官意爲輔，才能對於稅制有所通盤改革。欠稅不過是一環節而已。（四十八年二月廿三日夜於台北）

·陶然·

公賣局強制配銷

（台北通訊）台灣烟酒公賣局爲了配合財政上的需要，所以近又出產長枝新樂園及長枝雙喜，變金馬牌濾嘴香烟三種，因爲「減料」而品質低劣價錢高昂致不爲消費者歡迎，後該局實行強制配銷，引起社會人士不滿，輿論的抨擊，該局爲使長枝烟暢銷起見，特將原有的雙喜、新樂園留庫府藏，迫使癮君子就範。

長枝香烟平均要達百分之十五，據說每年在預算外的收入在二億元左右。公賣局無異變相的漲價，增加消費者負担。據該局統計每人每年負担二百七十三元多。這是四十四年度的統計。如果照目前情形而言，則不止此數了。

長枝烟及金馬牌烟絲欠佳，使人情願改抽紅樂園或不吸。全省配銷所停配短枝香烟已十餘天，後果實足以影響公庫收入，所使私烟死灰復燃或有黑市買賣之弊端發生。

公賣局的獨家生意，初時講究裝璜，新牌香烟供不應求，惜好景不常，現在却要強制配銷，當非初料所及，究其原因，雖未偸工却已減料，結果算盤是打錯了。

·張健生·

雅靜安樞機其人其事

·張子明·

梵蒂岡教廷傳信部署理部長雅靜安樞機，現已由曼谷飛抵台訪問，受我政府以國賓之禮歡迎。雅靜安樞機，這次是以教宗特使身份赴越南主持在西貢舉行的敬禮聖母大會，會後訪問泰國、自由中國、日本及韓國，並視察各教區的天主教教務。

他現年四十六歲，生於小[illegible]……小同鄉，十一歲時即離家出走，[illegible]品學兼優，[illegible]年他晉升司鐸，其時不過二十[illegible]內獲得神學與法學兩科博士學位。[illegible]底弗利斯副本堂司鐸兩年，[illegible]馬，任亞美尼亞學院副校長，一九三四[illegible]學院與神學院執教。一九三[illegible]五年七月十一日又發表爲[illegible]選任亞美尼亞區主教，駐節於[illegible]他是一九四六年晉升樞機[illegible]他便奉命署理部務，以至今日[illegible]去年教皇庇護十二病逝，[illegible]領袖，在當時，雅靜安樞機也是[illegible]他的學問非常淵博，精通[illegible]亞文、俄文、義文、法文及英文[illegible]教廷智囊之一；同時爲研究中[illegible]目前雅樞機在梵蒂岡教廷[illegible]職部委員。

國際動態拾零

△杜爾斯病，各方所支持之繼任人爲格爾繆，但艾森豪不同意，以二位軍人掌握國家全權，爲民主政治之大忌。艾氏曾對其親信說：「他是我的同行呀！」又說，「我教了他，使他不至担任眞正艱巨的工作。」

△艾森豪爲縮減預算，將奮鬥到底，在記者招待會上，有多次演說。其經濟顧問蘇尼（Saulnier），亦將從後台跑至前台，下週在新聞俱樂部演說，論通貨膨脹。艾總統並將否決國會民主黨領袖約翰遜之房屋津貼與建造民航機場提案，以表示其堅持緊縮政策，絕不投降。

△在美國軸鐳出產，每年爲一百萬噸，可製二萬顆原子彈，其威力大於投擲廣島者二倍。去年多用以製小型原子武器，故其數量，加倍生產。

△美國將有超音速無聲轟炸機問世，本年四月即可付諸生產。波音與馬丁飛機公司競獻計劃，惟究歸何家承造，須待六月間決定。

△中共四月間召開之人代會，將改組以，以合於蘇聯者爲標準。周恩來得蘇聯支持，聲望將大超，其權力亦將加強。

△遠東西德合併爲邦聯之後，蘇聯將主張大陸與台灣，亦將合組邦聯。台灣有獨立主權，蔣總統亦將繼續秉政，惟須與美國斷絕關係。這是其在遠東冷戰的基本態度。

台茶今後的出路

·林嘯崧·

台灣特產談

茶葉是台灣的特產之一，每年產量高達至四千萬磅以上，其中百分之八十是專供外銷之用，爲換取大量外滙的重要商品。台茶對外銷數量多寡，常視國際市場行情而定，目前外銷情形已不若以往聲譽，係綠茶，外滙收入亦隨之降低，就國外市況而言，包種茶及烏龍茶銷售情形尙稱良好，而紅茶銷售情形則極不理想。但紅茶卻爲省產茶葉中年產量最高之一種，以精製紅茶的外銷成績來看，去年上半年輸出之紅茶數量，據茶葉輸出公會統計，正鼎茶共銷四五一萬磅，較去年同期所輸出之六六〇萬磅，共減少了二一〇萬磅，似此情形，茶農所遭受之影響，至爲重大，許多製茶業者，尤感覺焦灼不安，究其原因，略有下列數端：一、近年來世界茶產增多，國際市場競銷劇烈，與台茶競爭的茶產國家如印尼、南非、伊朗、巴西、阿根廷及馬來等茶產地區，其紅茶產量均一年比一年增多，在品質方面，較之台茶條件不相上下，使台茶遭遇勁敵。二，自外滙貿易改率後，因製茶原料價格提高，致生產費用增加，成本高過國際市場價格，爲了利潤關係，惟有提高售價，而提高售價的結果，致使國際市場反而不能，底致茶葉出口商採取觀望態度。三，台茶生產成本高於國外，每百斤成本增至壹三三〇元，而出口僅能售價一〇五五元，因之每百台斤即須虧損二七四元，故在價格方面，台茶亦無法在國際市場上大量銷售。職是之故，台省製茶業者，爲了節省加工費用，每有粗放製作的情形，致使品質低落，銷路受阻。四，南美智利是台灣紅茶最主要的市場，最近智利調整外滙貿易辦法，規定進口茶葉保證金，由百分之五十增至百分之一百，一般進口商要準備兩倍的資金，以致影響茶葉的輸入，智利每年進口台灣紅茶達二、三百萬磅，他們買茶有了困難，台灣賣茶的困難也就無法避免了。

台茶外銷初期，原以紅茶爲主，包種茶及烏龍茶次之，自爪哇錫蘭等地之紅茶大量傾銷後，台灣紅茶所受打擊頗大，難復舊觀，現在台茶已改變生產計劃，加意製造綠茶，以供應北非、歐美及南洋等地與我有貿易關係之國家需要，拓展台茶銷售地區，建立永久市場，至於如何恢復以往在國際市場之聲譽，筆者認爲應儘量改進品質，設法減低生產成本，酌情削低售價以及有計劃的大量推銷等各方面之努力，否則台茶前途將不堪設想。台灣自民國四十二年公佈「公營事業轉移民營」後，農林公司全部售予民營，台茶業務原係隸屬農林公司，因此政府在責任範圍內，僅居於輔導立場，儘量協助發展，年來農林公司之經營，未能儘如理想，業務趨於不景氣，與政府之未予積極扶持關係很大。今後仍有待政府極力獎勵改良品質，並提高製茶技術，增進單位面積產量，以減低生產成本；貸予業者生產資金，使其週轉靈便。其重要項目略有下述各點：一，新墾之茶園，分別給予開墾津貼。二，廉價配給茶農肥料及生活必需物資。三，採購新式製茶機器，整理茶廠，改良製茶技術。四，供應優良茶苗，指導茶農植栽事項。五，便利運輸，獎掖外銷，爭取海外市場。六，加強檢驗制度，保障國際聲譽。其他如減免茶葉出口稅及改善結滙優待及舉辦各項茶葉貸款，包括茶葉採摘製造以至出口，其中所歷全部生產過程之週轉資金。例如（一）對茶農予以長期擴展茶園之貸款。（二）對製茶廠予以製茶及採購設備之貸款。（三）對出口商予以打包及貨運之貸款。各項推進發展，均須臻於完善而徹底，然後在施行過程中，才能卓著績效。而台茶外銷之路，才會有光明遠景。

章漢夫訪印

在印度議會責問中共軍隊侵其邊境聲中，中共的外交部副部長章漢夫到達了新德里訪問，不用說，章的這次訪問，企圖來緩和中共與印度間私底下的緊張局勢。按目前的東南亞，經過去年下半年以來的幾個國家的政變，已使中共處於極端不利的狀態中。若中共繼續施行其恐嚇政策，則連老牌中立主義者尼赫魯的態度，也會轉變。在這種情況之下，章漢夫到印度訪問，當有着拉住印度中立的作用。假使中共印度邊境間的糾紛一似尼赫魯在議會中答覆一般的簡單，那麼中共入侵的部隊可能會暫時的退出。

日本對中共

日本政府對於中共據說採取了這樣的政策！因爲社會黨高喊要與中共貿易獲得了一部份日本人民的擁護，於是執政黨爲了奪取這方面的領導權，也喊要與中共貿易，要與中共舉行大使級談判，而其基本目的則並非欲使貿易實現，而是爭取選票以鞏固政權。我們覺得這種政治手段並非正派，徒然助長國內人民的對於中共貿易的希望，徒使中共的貿易要挾增加份量。中共的廖承志，雷任民的講話，說明中共正在擴大利用由日本黨自己造成的貿易壓力，來壓迫岸氏政權。

種子與收穫

大陸上有人這樣的說：「小麥豐收了沒有麵吃，糧食增產了還要吃甘薯，大躍進露出破綻。」二月十七日「人民日報」發表的譚震林的文章中即引述了上述的話，並且提出了反駁。他說：「由於今年普遍推廣密植，用種量大大增加，光說種子就比去年多留一倍多，占到了增產部分的一半左右。」按去年的糧食產量據說比前年增加一倍，即七千五百億斤，其中有四分之一是薯類即一、八七〇億斤，非薯類的糧食該有五、六三〇億斤。照他們的說法五、六三〇億斤的一半是增產的，以譚震林的話來計算，該留起種非薯類糧食產量的四分之一作爲種子，亦即一、四〇〇多億斤。

按今年中共糧食計劃產量是一萬〇五百億斤，在這個計劃中我們也假定四分之一是薯類，那麼非薯類的糧食產量計劃是七、九〇〇億斤左右。若果如此，則其種子量與收獲量的比例是一、四〇〇比七、九〇〇，亦即一比五．六多一點，換句話說，種一粒種子，經過辛苦的耕耘與施肥，可以收獲六粒不到一點。這樣的密植究竟該算高產還是浪費？譚震林的話是否還有掩飾大躍進虛假的成份在內，這些我們讀者們自己去考慮。

田心

大西南農村近貌

農民反抗中共政策　幹部採取消極態度　生活口糧一減再減　部份地區冬旱嚴重

（本報綜合報導）

四川省的農村正呈現着普遍的不安。中共的農村政策也正遭受到四川農民的激烈反抗。一月七日的四川日報專爲此事發表了社論，批判農民對「少種、多產、多收」的方針表示懷疑，農民「在不實施黨的方針上，異常堅決。」而農民更嚴重的是，對於中共的提高產量、多收的方針擴大化，以轉移「對黨的信任」。

其實四川省農民之所以反抗不僅是主觀的要求，亦是客觀的形勢所趨，例如中共幹部之作風惡劣，使農民對之憎厭，中共四川省委，在一月九日的第九次全會中，即檢討承認了由於惡劣作風，所引起對立矛盾。另一方面，下放在公社裏的幹部，鬧情緒也是一大原因，根本懷疑中共中央的農業領導政策。據二月四日中共「人民日報」說：中共四川省內江專區地委書記劉海泉，新近深入農村和農民廣泛接觸以後，回來對記者說：「有不少幹部存在着鬆勁現象，思想趕不上形勢發展，他們最突出的表現是對一九五九年更大的躍進畏縮不前。」

這裏反映出所謂一九五八年的「大豐收」，不過是謊言，否則幹部的信心不該動搖。又一九五九年的農業生產，如眞存在着「有利條件」，則身臨其境的幹部也決無「看不淸」的道理。

於此我們再可看一看，去年大豐收後的實際收購情況。

事實是去年中共收購任務根本未曾完成。據一月十二日的四川日報上所載「國務院」負責人的談話稱：「一九五八年度的農產品收購計劃，截至去年年底止，全國糧食收購計劃完成百分之七十五點九二，棉花完成計劃的百分之七十七點九，烤烟完成計劃的百分之八十一點七。有些品種完成得更不好，如油料截至去年十二月底止，只完成計劃的百分之三十五左右，還低於一九五七年同期的收購量；黃麻的收購計劃也沒有完成。在地區上，有一部份地區已經完成或接近完成全年收購計劃，有的地區還相差很遠。總結來說，整個農產品收購計劃，自去年九月份以來進展都比較遲緩，收購量也下降。」從中共中央一級機構反映出來的實情，可以窺見四川省去年的豐收，當然也是虛報的，則又何怪乎農民與幹部皆喪失「對黨的信心」呢？

由於此，中共四川黨委已經下令組織檢查團下公社進行檢查。檢查團人數龐大，據一月十日四川日報消息，僅樂山縣一個縣，就由中共樂山縣委組織了「萬人檢查團」。但是也顯然失效了。因爲四川日報承認說：「在整頓思想中遇到了不少保守思想和鬆勁情緒，有的老農更和社主任打賭，認爲無法改變這種情形。」

同日四川日報又透露了樂山縣有旱情。

貴州省的農村情況又如何呢？一句話，農民的口糧被大大地削減了！

北京大公報二月三日透露：「去年十一月，中共貴州省委發出指示，要求各地對糧食統銷工作全面地、細緻地、徹底地進行整頓，以緊縮過多的供應量。在檢查整頓中，進行了核實人口、堅持憑糧票、糧證供應，還對廣大羣衆進行了思想教育。」

在貴州省的糧食統銷工作的整頓期間，中共提出了一個莫名其妙的口號——「吃飽吃好吃省」。既吃飽又怎能吃省呢？中共的目的不外還是要人民縮緊褲帶、少供應糧食。同日北京大公報說：「經過整頓，銅仁專區去年十二月份銷量比上月下降百六十五萬斤；黃平縣黃安江鐵廠每月可減少糧食銷量八萬三千餘斤。」

銅仁專區有多少人口不詳，但一個縣辦的鐵廠一個月的糧食供應量竟削減了八萬三千餘斤，所謂整頓的目的是很明顯的了。

雲南省的情況看來更不如貴州。一月八日「雲南日報」刊出的消息說：晉寧縣龍街人民公社，全社六十八個農村食堂，三個水庫民工食堂，二十個礦工食堂，因爲一度放寬用糧標準，每人每日平均吃糧達二斤左右。但據該報說，「若照這樣吃下去，大春就接不上小春。」（按：小春指小麥、蠶豆等夏季收穫作物。大春指稻和其他秋季收穫作物）最近，該社製訂了「用糧計劃」，一共包括兩個部分：第一「全社統一製出各種勞力的用糧標準，按人數定量煮飯。其中，水庫民工、廠礦工人及民兵突擊隊，由於都是全勞動力，勞動強度較大，食糧標準定得高些；其他社員大小口一律要按農忙農閑的區別，分別定得較低些。」即農忙時給你吃飽，農閑時就須束緊肚皮少吃些。其實，在今天的大陸根本就沒有什麼「農閑」。如果爲了減低口糧而硬劃分出「農閑」，可能除「搶種」、「搶收」等「晝夜苦戰」外，其餘勞動時間恐怕都要算作「農閑」了。其次一種「保證」的辦法是「粗細摻搭的辦法」。該報說：「根據公社的實際情況，目前摻紅蘿卜、紅薯，到春大準備摻麥，夏季摻小春、洋芋。」

就今年的天時看，雲南今年的收成也有問題。因爲雲南省入冬以後，久旱不雨，使小春（麥豆等作物）作物受到嚴重損害。據一月十二日「雲南日報」報導：元江縣全縣五千多畝小春出現不同程度的旱象。其中有百分之三十較爲嚴重，幼苗枯萎發黃，不能進行加工施肥。而該報又反映：在旱象出現以後，幹部和農民羣衆普遍重視不夠」。

農民又爲什麼要重視呢？長期以來，他們是在半飢餓狀態中！

四川省，本是牧國富甲全國的一省，而整個大西南對抗戰曾經作了無比的貢獻，在當時支持長期抗戰的情況下，農民的生活實際上也好過今日中共的統治，則可見目前大西南農村情況之緊張了。

（大陸社供應資料）

福建工商業界勞改　家屬們亦難以倖免

（本報訊）中共福建省委員會，最近展開對工商界人士的迫害，號召「挖掉資本主義毒根、加速社會主義改造」。

自從中共中央召開了民主建國會中央委員會、全國工商聯執行委員會的聯席會議之後，中共對工商界的壓力又逐漸加強了。原因是因爲工商界人士厭倦「改造」。

據廈門日報一月六日報導中共廈門市委員會統戰部長施耀說：「在反右派鬥爭和向黨交心的時候，很多人不得不在運動中表示願意繼續接受社會主義改造。但是運動過去，本市工商業者及其家屬仍有相當一部份人對接受改造的態度還不夠堅定，出現了一種不願意繼續接受改造的厭倦情緒。」

施耀對付工商界人士抗拒「改造」的方法是「讓他們到工廠或郊區公社去勞動生產」，並謂「對工商業者的家屬，也應如此。」

大陸工商業者不但財產全被沒收，本身要「在勞動中改造自己」，現在甚至連家屬也不能倖免。（資）

大陸文壇透視

馮雪峯與魯迅全集

七[illegible]

馮雪峯在中共黨員作家中成名最早，在茅盾、老舍、巴金等人發表他們的處女作之前，他已以湖畔詩社四詩人之一有聲文壇，他和魯迅相處最久，當年在「左聯」時代，魯迅和茅盾都要讓他幾分的。魯迅與瞿秋白、魯迅與茅盾之初次相識，同是經過他的介紹。魯迅死後，他寫過一本「回憶魯迅」，關於魯迅在上海十年的生活，記述的頗爲詳盡，因此中共甚至蘇聯都公認爲他是研究魯迅的專家。然而在「左聯」時他就與周揚有了磨擦，互不相下，所以在「解放」後他一直不能爬上高位。民國四十三年他因俞平伯紅樓夢研究事件，曾被周揚的親信袁水柏抨擊，結果被迫坦白，承認「犯罪」了事。四十四年文藝報改組，他被踢下主編寶座。接着鬥爭胡風事起，他也隨着大衆打落水狗。四十五年他接任人民文學出版社社長，中共指定他和陳涌、唐弢三人負責重印「魯迅全集」事，首卷即於當年十月出版，直到前年反右派以前出到第五卷。但他在反右派中卻被誣陷在丁陳反黨集團裏被清算了，跟着徐懋庸也列入反黨份子了。郭沫若曾說，「解除他們的武裝」，等於剝奪了他們的發言權，封閉了他們的嘴。於是隔了一年，到去年四月，「魯迅全集」第六卷才印出，在「答徐懋庸並關於抗日統一戰綫」一文的後面，中共才加上那幾句顚倒黑白的註釋（具見上期本欄）。

從上面所敍事實中，可以看出：中共所以在俞平伯紅樓夢研究事件發生時，沒有把馮雪峯鬥垮，原是給他留了一條自新之路，借重他這位魯迅研究專家的招牌，叫他在重印「魯迅全集」時，設法刪掉或竄改魯迅那些不利中共的文字。如果馮雪峯能夠昧起良心來幹，像中共現在對待「魯迅全集」那樣，或者他和徐懋庸都不致在反右派中被鬥垮也未可知。然而過去，事實已經說明，馮雪峯的天良未泯，他不肯照着中共意旨如此對待魯迅——如果馮雪峯肯回話，「魯迅全集」第六卷絕對不會遲了一年才出版，應該跟着第五卷之後就出版了。可是就因爲他不肯，才成了反黨份子，並且是丁陳集團裏的中堅份子！同時和他同工的陳涌也被鬥垮了，只剩下一個唐弢，這一定是盡天良肯受中共指使加上顚倒黑白的註釋的傢伙！此事雖小，然疾風勁草，馮雪峯和陳涌亦有以也夫！

瘟君夢

岳騫

第一回：消息自天來　風波從地起

人捐秋扇　夢冷新華

毛澤東瞇眼看下彭眞，點頭道：「當時確曾提到莫洛托夫，那還是他先提起的。在吃飯時，赫魯曉夫同志向我解釋他們淸除反黨份子的經過，他自己說這些反黨份子和三十年代的叛國份子季諾維埃夫，加米涅夫和杜卡契夫斯基元帥那批人不同。反黨份子只是反對黨的正確領導路綫，本身仍是一個共產黨員，一個蘇聯公民，叛國份子卻是帝國主義間諜，要顚覆國家，消滅黨，所以對於反黨份子只是貶抑他們的地位，仍然給他們工作，保留他們的黨籍，對於叛國份子則非殺不可，所以史大林要除去季諾維埃夫等人，最近蘇共中央也必須要處死貝利亞。」

毛澤東喝了一口開水，又繼續說道：「接着赫老就提到莫洛托夫，說他對黨的貢獻重大，所以對他也特別優待，派去蒙古共和國作大使。」

赫老說到這裏，轉過來詢問我對這件事的看法，我告訴他，觀點上我們完全一致的，我在早些日子發表如何處理人民內部矛盾一文，曾經說明敵我矛盾已經消滅，目前只是人民內部的矛盾，不能用流血方式處理的，赫老也點頭贊成，並且還說他處理反黨集團的辦法，就是受到我那篇文字的影響。」

毛澤東越說越高興，劉少奇和鄧小平相覷而笑，陳雲微皺雙眉，周恩來低頭不語，只有賀龍咧開大嘴饞笑。

朱德插嘴道：「這些話都是赫老說的，怎麼會扯到主席干涉他們內政上去。」

毛澤東擺擺手：「你聽我說完，下面還有哩！當時赫老又問我是否贊同派莫洛托夫出使蒙古。我覺得大家既然親如家人，就該推心置腹，說些敷衍話究竟是不應該的，所以我當時就開門見山告訴他，這樣處置是不妥的，任何人都知道蘇聯和外蒙的關係，試問莫洛托夫派到那裏去有什麼事好作，帝國主義國家豈不認爲這是有心開莫洛托夫的玩笑。

赫老當時反問我，假若莫洛托夫事件發生在中國，將如何處理，我坦率告訴他，如若莫洛托夫在中國，我一定派他當外交部長。我並舉出陳紹禹和李立三爲證，這兩人也是反黨份子，但是我們政府成立時，他們分別担任了法制委員會主任，勞動部部長。」

周恩來猛然抬頭問了一句：「當時赫老怎樣說呢？」

毛澤東搖搖頭：「赫老沒有表情，伏老卻連連點頭，表示極端贊許，我也勸赫老寬待馬倫可夫和卡岡諾維支，每人都應該給他一個適當位置。」

劉少奇冷笑一聲：「主席，你這不是干涉人家內政是什麼呢？」

（十五）

釋耒集

一九五〇年春天，大陸易手了才一年，我的家庭被列爲地主，（實際我的田還不足二十畝）退租退押，把平日必需的衣物都賣光了，正打算響應一點號召，離開家鄉，我家的一位世交，曾在黃旭初做主席的政府下任過好幾次縣長，碰到我們，遇見了，他勸我不必離開，理由很簡單，說中共得了政權，正要大量人才來治國，不久機會就會來的。我對於他的這番說話，一面覺得他對縣長生涯的依戀，而一面又覺得他實在太天真，竟不惜冒險等待。

這事常常使我想起了一些往事。因爲在我所認識的朋友中間，在先前的政府底下，他們幾乎都可以做縣長爲職業似的。買田宅，若奴婢，做得人家尊敬，也不見得比一般十分興趣。有些因爲自知大陸住不下，知今來了香港，他們的謀食本領，反而是極其拙劣的。因此我又想：做官和做人，原來就是判然不同的，孟子說：「有大人之事，有小人之事。」又說：「勞心者治人，勞力者治於人」，大人是勞心的，他只懂得治人，一旦降爲小人之後，既無可治之人，又不能適應於給人治的生涯，就不免顯得有些狼狽了。陸游詩：「世間豈有閑人，最下方爲窮鬼代耕」。他們原是天生讀書食祿的啊！

或者[illegible]裏，再靜候新的任命，一點意求苟免，也沒有，事實上則是百分之一百的亡了。來日事正未可料，而過去的失敗，實不能說不是失敗在一批庸夫的手上。

人才

曲齋

抗日戰爭，我們勝利的原子彈，或許是戰勝國，復員之後，上下都只求苟安，做官的，更少了有知道須要振作的人，大家都以爲太平了，[illegible]當共軍南下來時，[illegible]

日常看看台灣的壯版，我的知識十分幼稚，彷彿都是些熟見的名字，正如先前在家鄉時所見的新位先生，或是國大代表，提及海外的反共義士，胡適之的左翼先生，人際共很份量的，只有人才零落，竟然到了頗使人短氣。[illegible]於有所藏，先前各省的大吏，自己訓練一批行政的幹部，造成清一色的局面，那些[illegible]，李承巳結得十分嫻熟，於是顯而樂之，還以爲[illegible]，因而天真一點的，竟[illegible]照樣要官，就值正值得嗚呼一下哩！

閒話台灣的民族舞蹈

·仲偉庭·

舞蹈不但是一種綜合藝術，而且是一種富有力美合羣的教育，所以「秧歌王朝」會靠它作用的價值，就把舊朝農村的舞蹈拿來改編成爲服務的「批秧歌」用以破壞國民的美感與倫理觀念。

台灣文化界於今年八月創設民族舞蹈推行委員會，一面整理中國的古舞和民間現有的舞蹈，使其「再生」，一面發掘民族舞蹈的創造新舞，使其「新生」。研究推行數以還，對中國舞蹈收良不無成就。但其中最感困難的，因限於人力財力；[illegible]有很多一知半解的人就假借了「民族舞蹈」名義而大做其投機取巧的舞蹈生意，因此使致舞蹈研究所[illegible]將中國民族舞蹈以東洋舞的玩藝兒硬套在中國的民族舞蹈[illegible]

[illegible]開設舞蹈班者，[illegible]舞蹈家，因此反使真有舞蹈造詣的無發展餘地。

芭蕾舞，台北就有芭蕾舞研究所[illegible]究所林立，但能夠水準以上的不多。芭蕾舞是特別能表現人體美的一種藝術，尤其是「阿拉伯式」最能表現人體藝術之美的姿勢；「十字式」舞姿是由各種基[illegible]

[illegible]永不能恢復[illegible]損害，足失舞蹈本能，所以芭蕾舞不能代表芭蕾[illegible]它只是芭蕾舞中[illegible]的一種，古典芭蕾舞由於基本功訓練很艱難[illegible]現在正確，以及它能高度表現動律的舞蹈[illegible]人體自然美[illegible]能流傳久遠，以迄於今[illegible]普及各國，而成爲世界性的舞蹈。現在台灣的[illegible]芭蕾舞人才，大部份[illegible]此也沒有像樣的[illegible]又無理論基礎，怎能教出好學生來[illegible]民族舞，芭蕾舞都是[illegible]值，更不能欣賞藝術[illegible]

風氣，所以有人說台灣舞蹈盛行的原因，不是爲舞蹈推行而舞蹈，而是[illegible]推行了舞蹈[illegible]民族舞蹈[illegible]有宮廷舞、祭祀舞[illegible]的舞形，有待發掘研究的[illegible]

熱烈，由於愛好過於狂熱，教育趨於速成，使人有些驚奇，又覺得杞憂。這一現象無疑是造成舞蹈的泛濫，並不是進步的現象。藝術是永恆的，文化是民族共存的。現在舞蹈，當然她的不能自覺，表現民族生活的就不能表現民族情感，更不能喚起民族靈魂。希望台灣的舞蹈家們不要各自爲政以斂財而推行舞蹈，應以發揚民族固有舞蹈，創造適合時代含有闡揚表達中國文化的舞蹈爲己任。這些才能不使民族舞蹈走入末路。

興寧先賢叢書第一冊評介

·陳槃·

興寧先賢叢書[illegible]（[illegible]香林）所輯，近一，出版第一冊，凡三種：（一）宋鄉賢羅學士遺事考（[illegible]）；（二）明鄉賢王御史考（同上）；（三）粉榆[illegible]事[illegible]（[illegible]）。

羅孟郊字[illegible]南，號休休。宣和六年成進士，紹興十八年以翰林。嘗就太學博士，是時蔡京擅權，值欽宗即位，孟郊合太學生陳東等，上書數蔡京、童貫、王黼、梁師成、李彥、朱勔罪，謂之六賊，請即誅之，欽宗尋正王朱等罪。金人南侵，欽宗欲罷李綱以謝金人，孟郊復令陳東等及都民數萬，伏闕上書，請留李綱當國。秦檜秉政，謀與金和，孟郊[illegible]各以書通[illegible]，王庶[illegible]力詆和議，孟郊坐是貶興國軍。[illegible]三省，從政郎[illegible]等[illegible]

[illegible]尚書，數辭甘棠山，喪祭如制[illegible]東郭。王天與字性之，明正德九年進士，知江西寧都縣，[illegible]惠政皆碑。[illegible]時[illegible]左溪[illegible]劉[illegible]掠盜[illegible]

[illegible]

有功討賊，[illegible]明史王守仁傳及史紀[illegible]徽，[illegible]本末[illegible]等[illegible]胡氏[illegible]校[illegible]類[illegible]

[illegible]

[illegible]，附記：右書由香港[illegible]九龍[illegible]四十一號[illegible]定價港幣五圓。

何鐵華谷川父女畫集序

藝術爲人類心靈之結晶，其[illegible]創作之媒介，用以表[illegible]情，貢獻人類一種[illegible]藝術之任務也。故[illegible]須激勵或調適人類[illegible]藝術功能之極致，乃在指示人如何[illegible]此短暫[illegible]，以發[illegible]造福人[illegible]最高理想之境域焉。

何鐵華先生[illegible]學，已逾三十[illegible]熟，實兼中西畫法[illegible]古意之精博，復[illegible]後期印象派以迄今新興諸派之新奇，皆融會而貫通之。其於藝術理論，蓋從博覽羣籍，周遊名山大川，以生活經驗而體會人生哲理者。故其畫能不失固有民族精神，發揮獨特個性，而自創一格，以覺迥然清新之感，有異凡響也。其技巧[illegible]而揉捐，意境深遠而含蓄，爲時代新精神之表現，且寄厚爲東方宗教之意味。亦閒爲漫畫，即擺脫昔人窠臼，鎔中西藝術於一爐，可稱獨出機杼，其題材特殊，構造細緻，而筆墨淋漓，氣韻生動，所繪[illegible]有幽邃渺邈之意境表現其中，其三十餘年之辛勤經歷之成就，非徒然也。

鐵華女公子谷川則年僅二十餘，天資獨厚，復得家學淵源，其所作中西畫，純出自然而富於幻想力，賦色濃妍，運筆活潑。少女心情與溫文性格之表現，亦顯具高雅之風格。妙年有此造詣，亦殊非易得者。

今鐵華父女從其近年來得心佳構數十幀，印爲一集以問世，屬爲之序，爰寫數語，以介紹於觀者。

·梁寒操·

虧負

·慕容羽軍·

（續上期）

「假如那天晚上送你出來，我順手把貓兒抱了回去，那不是沒有我的責任了嗎？要是給人宰了、吃了……」

「好好的你爲什麼落淚？」

「要是給人宰了，吃了……？」

「我看，你應該信佛教，或[illegible]生」。

「哼！你……」

「噢！算我說錯了，別落淚，請你心平氣和的聽我一句話，我們每天不是吃肉的嗎？豬、牛、雞鴨……都還不是倒到肚子裏，還有什麼虧負？」

「哼，你，你，你……你倒沒有共通的人性。」

「好小姐，安靜一點，都是我的不好，撩起了你的傷感。」

「我有傷感！你覺得奇怪了吧！」

「是的，我一向都覺得你沒有傷感，你心腸硬得像男子，我一直不曾見過你爲小動物動過情感。」

「哼！你，你……你我好像距離太遠了。」

「對不起，我又說多了，也許，我是一個沒有愛憎、或者是愛憎不分明的人，這件失貓案我卻動不起感情。」

「你是不是說你愛憎不分明唔！你是在懷疑我們的情感了，好吧！最好是我們就讓它結束吧！」

「唉！又是我的錯誤。」

「你有什麼錯誤？」

「沒有，你爲什麼動氣？」

「我是有了虧負，你卻懵懵懂懂。」

「好吧！是我的誤會，我再不敢了。」

「有虧負的人，一生都要負心靈的担子的。」

「是，小姐。」

「唉！我的担子……我有三條重担。」

「不說它好不好？忘記它……你聽，現在是奏舒伯特小夜曲，悠美得很。」

「不，還是憶懷……我怎麼可以忘記？」

「那末，你說，那三條担子，我願意誠地和你分担。」

「那是……不，我不要誰分担……那是——我妹妹的死。」

「還有第一條担子，嗯！我也有虧負，我不該在和你上墳的那一天，在她的墳前吻你，這是莊穆的玷辱。我懺悔！」

「唔！你……第二條担子，是那[illegible]的死。」

「唉！[illegible]，我就把[illegible]抱了回家[illegible]

[illegible]

「[illegible]」

「你以爲你背上有幾條心靈的担子？」

「一、二、三、四，[illegible]我只有[illegible]，比你少一條。」

「呵！對！對的，我願意服從你的[illegible]」

「這樂曲真不寧靜，我想，沒有[illegible]，沒有影的地方，[illegible]最後一條担子。」

「好！你明白了，這是我的最大的錯誤，你說，這是貝多芬的第八交響樂。」

「唔！你的手，快戴上手套吧！凍得很！」

「不，我不想戴手套，[illegible]沒有辦法冷卻這感覺？」

（三—完）

自由人

THE FREEMAN

（第八三五期）

中華民國僑務委員會
登記證台字第一第二號
中華郵政台字第五〇〇〇號
執照登記為第一類新聞紙類
（半週刊每星期三六出版）
每份港幣壹毫
台北市售價台幣貳元
督印人：陳文蔚
地址：香港高士威道二十號四樓
20 CAUSEWAY RD. 3RD. FL.
HONG KONG
TEL. 771726
承印者：東南印務出版社
地址：高士打道六十四號
台灣總經理處
台北市西寧南路[illegible]公司二樓
電話：三〇三四六
台郵劃撥儲金戶九二五二
海外總經銷：友聯書報發行公司
香港：彌敦道中二十六號A二樓

紀念本刊的第八週年

左舜生

像我們這樣一份每週出四開兩張的小報，居然已支持了八年，本來無論人力方面，經濟方面，隨時都感到相當的困難，可是我們有支持到了今天的這一事實，大凡幹過這一類工作的人都很明白，原算不得一件什麼了不起的艱鉅事業，可是說如何容易，却也並不見得。第一要有恆；第二要不怕麻煩；第三，至少要有三五個或七八個朋友，常常見面，相互砥礪，相互鼓勵；第四，尤其要緊的，乃是我們必須有一個堅定不移的宗旨！

老實奉告同情我們的讀者：如果依照我們一切不如意極的條件，我們早應關門，其所以能堅持至今，便全賴我們死死抱定這一絕對不肯放鬆的宗旨。

請問你們的宗旨是什麼？

很簡單，也很甘脆：

我們絕對反共！我們斷然爭取民主！我們也斷然不肯把反共與爭民主分開！更說得明白一點：我們認定反共而不爭民主太無意義，反共而又反民主太糊塗。

不錯，我很了解，你們為了反共與爭民主所耗費的時間，多的已經是大半生，少的也是二十年三十年不等；可是你們越反共，共產黨的聲勢越大；你們越爭民主，反民主的氣燄越高；難道你們絕不氣餒？

不，請放心，我們從來沒有把反共與爭民主這一工作看得十分簡易，我們也從來沒有妄想的過過我們這一擊的舉手之力，便可能把這一工作做到十分圓滿。

先就反共說，在這四十多年的時間，我們已經看見無數的前輩，為了這一目標，盡了他們最善的努力；共產黨入侵世界上，尤其在中國，所構成的一切罪狀，所表現的一切醜惡，其所以那暴露無遺，而使我們這一輩斷然定下不與這類惡魔共戴一天的決心，便都是那些前輩的心血所凝成的偉績、現在他們已一個一個毫無懈心的[illegible]凋謝，而把他們未完的工作全部交給了我們；我們是他們的後繼者！我們的人數越來越多，我們的決心越久越大，回頭一看我們的後面，隨我們接力的更是漫山遍野的加速起來；他們的態度比我們更沉着，步伐比我們更整齊，心志比我們更堅定，更皎潔，等到我們氣竭力竭的時候，我們儘可毫無顧慮的安然倒下，他們自自然然會把我們的未完工作全部的承受下來，繼續前進。時間永遠都在我們這一邊，我們擔什麼？

再說爭民主，這本來是整個人類永遠寫不完篇的一首史詩。單就中國說，我們已經花了六十年以上的時間和精力全部用在這一主題上面。我們更應該感謝我們的前輩：他們的血和淚，已為我們留下了寶貴的遺產；他們[illegible]

[illegible]

回顧與檢討

編者

[illegible]

談行政改革

陳　先生

[illegible]

……權，還我河山，寧有倖理乎？……

王本清源之計，改造機構固然必要，更換[illegible]……皆屬無關宏旨了。

[illegible]

麥相訪俄的得失

半週述評

[illegible]

中歐非武裝區問題

[illegible]

西方內部的歧見

李秋生

[illegible]

[illegible]

本刊八年以來，就[illegible]

……消極從跟着維持奮門下去；也許由于時勢演變的需要，言論上自然的識的風，無形中走進一個新的階段，但是我們的編輯方針有間是正確的。這也是本乎我們八年前所立的基本立場。不過我們要再三申明的是，這個基本立場與態度，並不祇是編者少數人的立場和態度，而是一般的相識與不相識的自由人的共同立場，這是本刊同人之所以「不問收穫但問耕耘」，樂于窮幹下去的推動力，亦即是本刊能夠獲得讀者共同維持八年下去的原因。我們更相信，我們本着這立場奮鬥下去，才能滿足讀者的要求，否則我們就沒有理由再硬幹下去了。因此，我們對于內容性質上，編輯方針上儘可能不同，而這個基本態度與立場是絕不改變的。

八年時日，回顧前塵，我們收穫如何不敢說，我們的耕耘却已盡了最大的努力，如果說有一點收穫，這更應該感謝八年來愛護本報的讀者與作者，今後更希望進一步的合作！

「吃光」「用完」話美援

。朱墨冰。

美援運用之最大意義，即在藉美援使我國經濟得以自立發展，如何促進投資，鼓勵儲蓄，增加出口等。以言投資之促進，則當前預算制及信用制度，均有待改進。以言儲蓄之鼓勵，則與改革租稅，息息相關。以言增加輸出，尤寄望於外匯率之穩定。

尹仲容的報告

據尹仲容氏在記者會上報告，自三十九年至四十七年美援運用概況，其中物資援助方面，有原棉、小麥、黃豆、肥料、牛油、菸葉等進口物資總值為美金五億七千二百六十萬元，美援進口佔到百分六十四點一，約三億六千七百二十萬。估實際美援撥款利用者百分四十七點六六；換句話說：將近半數的美援，未用於經濟發展臻於自立，完全用於因人口的增加而穿光和喫光。

浪費外匯甚鉅

同時，歷年浪費外匯的數字亦頗龐大。就四十六年度各機關派往國外考察訪問及個人旅行所耗外匯竟達一百六十八萬四千美元之鉅，而各機關及個人之自備外匯尚不在內。就各機關及公營事業機構採購材料而言，國產不用，崇尚外貨，在同年內浪費美金達四百八十七萬五千元之譜，這不僅浪費外匯，對於本省工業生產，亦有莫大之影響。其他浪費者，刊於官文書者尚有八百多萬元。如果歷年累積起來，不是驚人駭聞嗎？

通貨膨脹廿多億

而美援貸款：即國營事業的資金，就單一匯率計，在一億一千萬元（台幣四十餘億）以上。如果這些貸款有益於經濟發展，倒無話可說。國營事業沒有解決財政的赤字，反而促進台幣增加額外發行二十多億，致使幣值貶落，通貨膨脹。其唯一的功效是容納十餘萬人的就業。可是歷年的盈餘，公積金、所得稅、資產折舊均變為投資轉投資，數達美金十億元左右。這龐大的投資，國庫與財政未得幫助，於是乃轉嫁於百分之五十弱的民營工商界及農民來負擔政府每年的預算支出，租稅繁重，因此影響民間的儲蓄。

對外貿易有待拓展

台灣所處之地理位置與現實經濟環境，必先使輸出總有把握，站穩國際市場，然後增加生產，才能配合適當。近年貿易總值，雖有增進，悉賴美援彌縫鉅額之入超，對美援之依賴反日益加大，不能謂為真正穩定之進步現象，亦非足以刺激生產之正常發展貿易之道。故今後必須擴展貿易區域與開拓多邊貿易之途徑，均需友邦之經濟合作。經濟合作之關鍵，則緊於轉變方向之初，能獲得支持力量。此力量寄望於遠東區域國際清算機構建立。現在遠東各國雖然經濟基礎迴異，政治路線紛歧，需要各別，利害不同，但是各國有一共同需要；即必待擴大輸出市場，方能提高國內之生產水準。因為各國貨幣不能穩定，故不易達成此一目標。貨幣不穩定的原因，係因於缺少外匯。遂使高估其貨幣之外價，與國際客觀之相對價值水準，發生距離，愈久而愈遠。我國在亞洲處於如此之國際環境中，自亦不免受牽連而難獨力展佈。因而，乃仰賴於易貨貿易之彌縫。易貨貿易為雙邊協定，如中日貿易協定，佔我國輸出貿易總額半數以上；在我國，如有起伏，則大受影響；在日本，因所佔比例甚微，其得與失，關係不大。以致我方常受其挾制，故而多方遷就。為今之計，應由雙邊貿易改為多角貿易，方為上策。就美援政策言，亦宜以開闢受援國之三角貿易，方為正途。如果此舉成功，則亞洲區域之國際清算機構之建立，實不可少。日前只有美國有促成之影響力，故較易耳。錄聞：行政改革會建議；依據中美雙邊協定，協議國際清算議定書，而達成多角貿易的，促進我國經濟發展，而臻於自立。

國民所得實已下降（李國鼎秘書長宣佈）

：台灣國民所得在四十一年，為台幣一百卅億元，至四十七年已達到約三百廿億元，增加百分之一百四十五。在同期內，個人所得由一千四百九十五元，（除去百分之三點五的人口增加）增至三千零三十六元，達百分之一百零三。但未說明貨幣貶值及生活指數的高漲，這究係有意抑或無意的遺漏，姑且不論。但就台北市長黃啓瑞於四十六年八月十九日在紀念週上報告稱：台北市民四十五年的納稅負担為每年每人平均一千一百四十三元；四十六年為一千三百四十元。準此而論；則三千多元的國民所得，若除去納稅負担則祇有一千七百元左右的淨所得，而人民的生活真的改善嗎？如自三十八年六月間幣制改革後，至四十年發行增加三倍，自四十一年至去年，發行又增加七倍半。同期間，官價外匯增加七倍，如按照市價五十元等於美金一元計，則台幣已貶值十倍。若按照物價上漲，也有九倍了。（詳立法院公報及省議會公報）可見幣值不斷貶低，通貨繼續膨脹，國民所得因而無形地下降，人民的生活亦較清苦。綜觀上述各情，就整個財經情況以論，若這幾年能把美援運用得當，則用不着行政改革會擬議方案，以致臨時抱佛腳了。（三月四日於台北）

立法院密會何其多

立法院邇來「密會」之風熾；例如該院之廿三期會議，總數日開在海埔灘匯之經過會議，行政院邀集工商界人士茶敘，皆多在秘密方式中進行，且有拒絕記者旁聽者，確令人不無見外之感。因知稱密會議似已蔚成一時風尙，今若有人倡「密會救國」論者，恐怕大家亦「我欲無言」！

季鸞

小論「觀光事業」
——豈能視觀光事業如接財神

。季鸞。

「觀光事業」近又紛紛抬頭，而北近一窩蜂者，則又令人感嘆。猶記某一時期，舉國上下掀起一股如火如荼的「觀光熱」，從中央到鄉鎮公所，皆發展觀光事業，開了總動員；大有「萬事皆等閒，唯有觀光高」之概。過頭了，神智失常，一時竟在立法院裡稱觀光為賺錢工業，實令人感嘆。觀光事業也就如煙消雲散，不也大家所關心，如用價值的升降，殆將使其重新的抬頭，使大家好容易渡過了一般豪華的客輪過境，有關方面一夜鼓動大家「接財神」，在基隆碼頭設置接待所，調用大批大學生充任接待員，乃至基隆到台北的公路兩旁民房，都要加以粉刷油漆，煥然一新，除掉沒有擺出香案之外，一切以迎神方式出之。殊不知洋財神並不豪華而不豪，個個是錙銖必計的人物，只採購一些廉價之物，弄得因「接財神」反而大蝕其本，空歡喜了一場。近有美國豪華客輪「史坦登」號載「高級」遊客五百餘人，將於本月廿五日航經基隆，預定停泊二天，船上旅客亦將登岸遊覽。有關方面認為「時來運轉」，又要舉行特別會議，當然，屆時當前一幕「接財神」活劇上演。惟前「錯」之鑑，豈能忘之？

一錯多年的財務罰鍰獎金案

〔台灣通訊〕台灣省財政廳奉命財務罰鍰提成分配獎金錯失，以致國庫蒙受損失，財政廳正分別處分各縣市稅捐處長及經辦人員，及籌措巨款抵補國庫。惟錯失的責任誰屬，已引起一般人的注意了。

緣自四十三年五月行政院修正財務罰鍰提出百分之四十作獎金，百分之六十繳庫。省財政廳奉文後轉屬各縣市稅捐處辦理，但公文措詞含混，獎金分配比率漏逸，而各稅捐處多仍沿舊規辦理，百分之五十解庫，百分之五十提作獎金；其中財政廳佔百分之廿，檢舉人百分之十，另百分之二十代價一百分，分配法院及各級協助機關之出力人員與稅捐處職員。如此一來國庫損失百分之十，數月前審計部派員至台北市稅捐處檢查會計憑證時發現此一「毛病」，但一錯四、五年，真可謂財政廳之難得糊塗了。

財政廳發覺後，首先處分十九個縣市稅捐處各級負責人員，計在二百九十餘名之衆，各記大過一次。其錯失責任不在各稅捐處人員，何以竟無一怨言呢？同時記過處分年終獎金同時取消，誠是賠了夫人又折兵哩！財政廳曾召這些人員到廳進行說服，要大家忍受處分共體時艱。財政廳第一科主辦人員予以開革處分。

但是全省稅捐處僅苗栗、台南兩縣稅捐處倖免於罪，四十三年五月苗栗稅捐處長王啓煒奉文後，提請財政廳核示提獎分配標準，所以苗栗稅捐處是依照行政院修正辦法處理罰鍰提獎者，王啓煒調台南縣稅捐處長，自然依照修正辦法處理，繼任苗栗稅捐處長也依照辦理。

如依苗栗、台南兩縣稅捐處的情形而論，此一罰鍰提獎辦法之錯失，責任全在財政廳，各縣市稅捐處不知者何罪呢？財政廳當時獲苗栗縣稅捐處請示罰鍰提獎標準，何以不抄副本給全省各縣市稅捐處？甚至也不刊於「台灣省政府公報」，依公文處理慣例而言，此一行為當係違法無疑。是否財政廳將次多享國庫之一成，就永遠不知錯誤呢？而財政廳並不追究問題，只知記過各縣市稅捐處人員，這種辦法應該不大公平啊？

從被記過的二百九十餘人無一怨言看來，作官者是以大吃小的，稅務人員為了賺錢作官，只得代人受過，這樣一來，今年內還可以功抵過，年終獎金照領，否則丟官餓飯不是好受的了。所以這二百多稅官不但接受記過，且允予幫助財政廳抵補國庫，今年度領的財務罰鍰獎金停發。如此則全省上萬的稅務人員一年不領獎金，為數有說三百餘萬，有說三千餘萬元。據說去年底僅台北市破獲的幾起紗廠大漏稅案，全部罰鍰獎金將暫不發放，加之各縣市零星湊數，提解國庫彌補缺額，很快就可還清了。財政廳處理有方。不過歸結此一獎金案將來受譴責的還是財政廳長陳漢平，錯失的根因，不是廳長領導無方又該是誰呢？這樣與挪用公款相類的糊塗案，中國財經史上不是應該大大寫一筆的嗎？（四十八年二月廿八日夜於台北）

・石頭人・

從法治談楊子公司破產案

（台北通訊）以政治反攻為主要途徑的自由中國，有一些反其道而行的措施與事實，我們是不能不坦率指出的。如楊子木材公司破產案，即其一例。該公司如果不是因遭受非法的破產宣告，則不致停工將近三載，進而影響政府的稅收，勞務加工輸出的外匯收入，及不良的政治影響。就法律言；該公司負責人曾於四十六年十二月十一日申請調解，而合銀等於同月十六日向法院申請破產，結果，主審推事提前於二十四日開庭，翌日擬就長達四千餘字的裁定書，宣佈破產，第三天即正式派定破產管理人六名，其中妙不可言的是原告中農供銷公司的法定代理人律師仲肇湘（現任立委，研究院輔導組副組長）被派為管理人。三行局申請破產裁定遲於該公司申請調解五天，而開庭日期却早於該公司四天，一夜之間，即能將該公司的賬目查得「一清二楚」？較財政部專家的兩週查賬且縮短十三天，並且將裁定書亦同時擬成，無怪人們譏為「奉命裁定破產」！

楊子公司的申請調解，原訂同年同月二十八日開庭，因為裁定破產在先，於是無庭可開了，但是被害人當庭提起抗告之訴，因為債額尚未確定。案由高院民庭推事馬光漢審理，開庭十九次，為時十一個月之多，後來因馬推事有病而發生變故？

據合銀總經理王鐘，中信局董事長何墨林，中農總經理黃通等答復立法院質詢作證時說：楊子木材公司積欠三行局本息為新台幣一千零三十四萬元。但是黃通承認中農給該公司不是貸款，而是出資合營，且認為合約所定利息一月四分，確是太高。又據主管金融機構的財政部的會議紀錄所載：該公司欠債為一千一百九十九萬多元，且認定逾期息不得計算。司法當局竟捨棄上述證據，否定了高市政府估價的認定，甚至中農投資合營的美金部份，不僅以四分計息，且同時，在加上美金利息後，又以現時的三十六元多的官價將美金本息折成新台幣計算，如果此一判例確定，則為世界司法史上的創舉。據聞：監察院委員正在着手提案糾正法院「違法」。立法院委員將提出嚴厲質詢司法行政部。立監兩院不是同情楊子公司，而是基於司法機關所為的不合法理。如果行政當局不予改正，正會和「奉命不上訴」案一樣失去人心。（二月二十六日於台北）

・健生・

民意代表的電話！

現在有很多等而下之的民意代表，為了肥私不顧一切在政府方面找財發，近有幾位代表為欲變相發財，就叫電信局在台北郊外裝一專線電話，但不久暗中又轉讓別人，在其中可獲優厚酬金。但在政府立場來說，裝一條專線要花兩百多根電線桿，連線需要十餘萬元，但他轉讓別人最多也不過可獲三萬元，在另一方面來說，他既是民意代表，是非裝不可的，因為怕他在會場中彈劾。這也是民意代表生財之道，豈不恥乎。（民）

國際動態拾零

△日皇將於同盟國勝利日退位，他自己覺得總是二次世界大戰中的人物。待皇太子婚後，大約在一九六〇年，即將繼任皇位，期以造成和平與民主之新氣象。

△蘇軍再開進匈牙利，駐防於鄉間各處。因為匈國農民，仍然反對集體化計劃，故不得不重用壓力。

△南斯拉夫將開第四十屆共黨大會，時期在本年四月。屆時狄托將否認蘇聯之理論上領導地位，尤其對中共之指斥，將用以前所未有過的粗暴語言。

△美國將回到兩黨外交政策，以加強艾森豪總統對柏林危機與其他外交問題之權威。民主黨議員，本嫌杜爾斯政策過於嚴峻，現知其有伸縮性，故亦不再攻擊。

△共黨將在南美大肆活動，聯共廿一屆大會，南美亦有代表參加，這是以前所無的。發言人稱南美為爆發的火山，應取得彼支持之優先權。美國則亟籌對策，艾森豪之訪問墨西哥，乃其對策之一。

△美陸軍部主張發展尼克防空飛彈，以其能打下蘇聯之越洲飛彈。但空軍反對，以為最好之防禦，莫如攻擊。國防部乃將尼克飛彈停在研究階段上，俟有成果再大量生產。

・陶然・

大員出巡

最近一次劉少奇、周恩來接見日共代表團時，毛澤東又未露面。此外，董必武到了河南，鄧小平、彭眞、李富春等在參加上海市委工作會議；朱德、林彪、葉劍英、王震、陳正人等則在參加廣東第一屆代表大會第三次會議。去年發表的大概還要多些，這些官兒們出巡的目的，一般的來說，該是鼓動大躍進，整頓人民公社，維持秩序。在人民公社整頓工作之中，首要的就是要維持這個人民食堂不致垮台。那怕以一個特務成天監視一個人吧，可以斷言，這種破壞家庭的集體化生活還是要垮台的，因為特務也是人，就要過家庭生活，沒有誰能夠例外。恐怕大員們出來巡視，恐怕也挽回不了的，要知道家庭中的作用固然不可忽視，但要說家庭中的文化與精神生活，則也是大錯。毛澤東就中了這個以經濟為社會基礎的馬列理論的毒了。

人民食堂要垮台

最近的報紙透露，廣東各地人民食堂已經引起了很多人的不滿，擬近於垮台的邊緣。（編者按：人民公社的食堂，其具體情況可參看本期同版頭條文章）

本來嘛，照中國的生活水準來說，集體的吃飯未必就比分開在各個家庭中吃省錢，再加上家庭精神生活單位的破壞，更使人覺得這份伙食的難吃。

假如這人民食堂真的垮台了，不用說，人民公社內容又將減低一級，這一種內容的降低恐怕不僅止於食堂而已，可能還將破壞它的整個集體生活制度。因為既然許可恢復各個家庭的小灶，那末孩子到托兒所，老年人到老人院的辦法也就更不濟了，從而亦可以看到家庭生活制度有可能恢復。

分配制度與勞動力

以家庭為單位的生活制度，該是私有制的基本之所在，若果家庭生活制度恢復了，那末，去年所定下的人民公社中的一套分配制度，也將隨之為有。這一套分配制度一垮台，則人民公社中的消費的部份將增長，積累的部份將減少，亦即中共所能榨取的部份減低。

人民公社的生活集體化，有可以集中人力，任意調配做一些規模較大的工作的意義；若果家庭生活制度恢復了，勞動力的集中必然要多費一些時間，最大的問題恐怕還是婦女勞動力的不能不有一部分消耗在家務工作上，不用說，這樣將減少可以使用的勞動力數字。

這樣一說，人民食堂的能夠維持下去與否，將是人民公社的內容能夠維持與否的測驗，照我看，這個人民食堂最多也只能維持到年底。（田心）

廣東人民公社實況！

（本報綜合報導）上月六日晚上，正是農曆十二月廿九日，廣東省惠來縣覽表鄉長（即人民公社覽表營營長，中共黨員）吳率領了公社運輸營副營長吳馬五，婦女會主任吳玉蘭及廿七個民兵，十七個婦女和廿二個兒童，乘「惠覽〇〇九五〇一號」運輸船逃抵香港，揭露該縣人民公社之實際情況，並控訴共黨奴役農民之暴行如下：

汕頭地委在潮汕成立一個師部，領導潮安、潮陽、揭陽、普甯、豐順、饒平、惠來、澄海、大埔、梅縣、蕉嶺、平遠、興甯、五華、海豐、陸豐和紫金二十多個縣的二十多個團。（按：人民公社係照軍隊編制組成）

每個團設團長一人，副團長二人；政委一人，副政委若干人。團部就是縣的人民公社的主腦機關。

每縣組成若干個營，一個營不超過一萬五千人，設營長一人，副營長二人，政治教導員一人。營長和副營長是農村幹部担任，他們是勞動生產的領導者。政治教導員是由團部派下來的過去的區委書記甚至縣委，他們就是一個營的最高統治者。

營之下分成十多個連，就以覽表鄉這個營來說吧，該營就設有一個漁業連，一個鹽場連和十二個農業連，連有連長一人，副連長二人，政治指導員一人。

每個營設有一個地方保衛委員會，簡稱「地保」。設主任一人，副主任二人，委員二十四人。地保主任和委員名義由農民幹部担任，實際大權操縱在公安局派來的公安人員的手上。地保會組織就是控制公社社員和幹部的特務機關，它的任務就是「肅清反革命」。

每個連有三排，排設排長一人，副排長二人。排就是最小的生產單位了。

每一個營設有一個簡陋的公共食堂，幾個托兒所，一個名存實亡的養老院。

公共食堂規定每人每餐吃七兩米和十二兩熟蕃薯，幾條青菜和一兩塊鹹魚，有時沒有菜只得吃鹽水。幾十個逃港的農民說：「我們已經三個多月沒有聞到肉味了。」

所謂公共食堂，其實只是一個只准在窗口領飯，不准進去坐着吃的一座大祠堂，碗筷都要自己帶去。社員每天晚上九點鐘收工後，就得摸着黑路，跑到幾里路外的公共食堂去領飯，如果碰到天下雨，路滑天又冷，人們不是摔碎了碗就是丟了筷，又得跑回宿舍找碗筷。公社規定小孩和嬰兒一律要交給「國家」撫養，不管你願意不願意。中共幹部公開向社員們說：「孩子是國家的，不是你的私有財產！」托兒所和幼兒園的工作人員並且教唆小孩們不要認自己父母，每當凌晨六時集合開工和晚上九時收工的時候，托兒所和幼兒園的門口就站滿人羣，做母親的流着眼淚要看一看自己的孩子。工作人員為了「孩子的心身不受影響」，竟的一聲，把大門關起來，把孩子和母親活生生隔離。

人民公社成立之初，中共向羣衆宣傳說養老院像人間的天堂。事實上這是騙人的把戲。吳生開這個營在最初的確曾經把九十多個失去勞動力的人集中在敬老院，但是棉被和床板都是自己帶去的，祇有在頭五天裏，每天每人吃一斤米，五分錢菜，以後便各散東西，回到各個連吃「大鍋飯」去了。

去年十二月底，這是惠來縣的人民陷入大恐怖的時候，隨着公社的成立，接着來個一年一度的征兵運動。覽表鄉要征二十名二十歲的青年人去當兵。中共事先並沒有向人民做什麼政治宣傳，就將內定好了的名單公佈了。這時候，全鄉陷入極度的混亂中，做母親的看到榜上有自己孩子的名字，立即就跑到民兵隊長那裏去，她們流着眼淚跪在民兵隊長的面前，哀求說：「請你做做好心啊！我只有這麼一個孩子，讓我們母子活在一起吧。」民兵隊長說：「這是上級的命令，不干我事。」於是二十個青年，就被中共拉去當了兵。

目前，惠來縣正在集中一切人力物力在修建一個名叫石榴潭的水庫。這個水庫是從去年七月開始建築的，到目前為止，已經到了「決戰」關頭。因此，一切農耕作都陷於停頓狀態。被驅使到水庫工地上奴役的農民從早晨六點鐘開始做到晚上九點鐘才收工，每人每天要挑四百担泥，沉重的勞動把每個人的肩膊都磨出了血。中共統治者還號召人民要「放衛星」，即每次要挑四百斤泥，許多人因為受不了沉重的奴役，不是吐血就是病倒了。可是中共的黨是不顧人民的死活的，若是病還是要人繼續在進行，為了消滅人民的反抗，幹部採取了高壓政策，被認為消極怠工或者破壞勞動紀律的人，頭上被戴上大紙帽，身上被貼上大字報、被驅上街遊行。

不但如此，而且採取鬥爭和肉刑來對待無罪的農民。一個坑湖（鄉）營的姓蔡農民因為患了病不但請假不准，而且還惹來鬥爭的折磨，中共幹部說他無病裝病，有意擾亂人心，把他拿出來要羣衆鬥爭，提起鬥爭的情形，逃港的農民就心有餘悸。他們說，如果是白天開鬥爭會，被鬥的人頭上罩一隻麻包袋，這一來，羣衆就在幹部的鼓動下毆打被鬥的人，如果是晚上開鬥爭會，就把燈熄滅，使羣衆在黑暗中毆打被鬥的人。那個姓蔡的農民因為受不了這種非人的折磨，在一個半夜裏上吊自殺。逃港的農民悲憤地說：「想不到幾年前鬥爭地主、虐殺地主的殘暴手段，今天會施用於農民身上。」

中共加緊迫害回教徒　阿訇滿拉都被驅煉鐵

中共強迫教徒離開宗教活動而去從事體力勞動，是消滅宗教的措施之一。一九五九年第一期中共所出版的「民族畫報」中，新疆日報記者林豐著文透露說：「在中共烏魯木齊市委書記劉鶴同志領導下，烏魯木齊市組成了八道灣鋼鐵師。」在這個「鋼鐵師」中，就有白髮蒼蒼的阿訇和滿拉。中共將「煉鐵又煉人，鐵紅人更紅」的口號加在這些被迫害的阿訇和滿拉的身上。

附圖為阿訇和滿拉被迫勞動時情形。原載一九五九年第一期中共民族畫報。（大陸社稿）

大陸文壇透視

却說田漢　七弓

記得在本欄曾有兩次提到田漢，却給排字朋友排成了田風，這並非張冠李戴，倒是胡謅田著了。好在中共文人中，根本就沒有田風其人，讀者或者也能猜想到是田漢的吧。

沈雁冰在卅年前主持「小說月報」的時候，在文藝理論上極力主張反映人生社會的寫實文學，同時著文推贊法國自然主義大師左拉的作品；等到他化名茅盾發表「蝕」的三部曲以後，那種盡量暴露黑暗的作風，顯然說明了他是左拉的忠實信徒，所以文藝界中都說他是中國的左拉，他自己對這一稱謂並不反對。魯迅生前，左派文人一致捧他為中國的高爾基，但他却並不肯受這樣的捧。別人硬給「加冕」，當與自吹自擂者異趣，還倒說得過去，何況魯迅還拒絕那頂不大合適的帽子呢。

田漢和郭沫若就不同了，他倆在東京留學時就自命不凡，那時他們在文壇上還沒有什麼表現，郭沫若便想做中國的哥德，田漢便想做中國的席勒，這是他們和那位「中國的鮑得萊爾」郁達夫，相偕回國辦創造社的主要動機。郭田兩人做成了哥德和席勒沒有，似乎還無人給他們加冕，但總算後來一個以詩人名、一個以戲劇家名了，不能不說是哥德和席勒的同行。想不到去年田漢在寫完了「關漢卿」之後，和郭沫若通信，重提起東京的舊話，竟然自己把帽子戴上了。白髮老翁，還這樣毫不知羞，就太肉麻一些，無怪魯迅一生，始終看不起這位「戲劇家」。

在創造社時，那位外行假充內行的「批評家」成仿吾，對於那時的一些比較著名的文學作品，不分青紅皂白，手持板斧，披頭蓋臉地亂殺亂砍，一時人都稱他是「黑旋風李逵」。田漢就因為和「黑旋風」大吵大鬧，才一怒退出創造社，自辦南國社。我們不能抹殺事實，田漢和他的南國社在中國話劇運動史上，的確佔有重要地位，追本溯源，這倒應該歸功於「黑旋風」的一激呢。

左聯時他是周揚的追隨者，抗戰時他一直抱着他的老搭擋郭沫若的腿，「解放」後他以黨員作家的身份榮任中共劇壇的領袖。可惜的是，在劇作家中黨員比較多一點，像夏衍、宋之的（已死）、陳白塵、賀敬之、曹禺（久病）、歐陽予倩、張駿祥等，就都比他紅，而在中共的社會主義現實主義的招牌下，他那種濃烈浪漫氣氛的，粗製濫造的急就章之劇本，就一直不敢再獻醜，於是頂頂大名的田老大，便成了一塊剝落了油漆而黯然無光的招牌了。

瘟君夢　岳騫

第一回：消息自天來　風波從地起　入捐秋扇　夢冷新華

毛澤東聽了這句話，登時推開椅子跳起來，指着劉少奇說道：「我僅僅作一個善意的建議，就算干涉內政，可是一九四五年我們黨召開七全大會時，中委已經全部選出，突然莫斯科來封電報，要選出李立三為中央委員，當時選舉事是你主辦的，你還應該記得，李立三得了一張票沒有？結果還是照樣當選了中委。聯共那次算不算干涉我們的內政。」

毛澤東越說越氣，揀起檯上剩的半截紙烟，點着火一口吸光，烟蒂丟進痰盂，轉過臉又指着周恩來說道：「從我們建國以來，蘇聯干涉我們內政的事究竟有多少樁，你應該比我清楚，這且不去說他。就拿最近的一樁事來說，去年波蘭總理西倫凱維茲同志到北京來訪問，當面邀我訪波，蘇聯大使尤金也表示贊成，本來沒有問題了，可是去年底我到莫斯科開會時，原打算便道去波訪問，赫魯曉夫却不讓我去，理由是戈穆卡正和狄托勾結，我現在去不太方便，結果祇好算了。這不僅干涉我們的內政外交，還干涉我的行動自由，當年日本人對汪精衛也沒有管得這樣緊」。

劉少奇看見毛澤東發了如此大的脾氣，拼[illegible]若水，不敢再插嘴，也只有低下頭靜聽。毛澤東的肝火升上來了，不肯干休，回頭指着陳毅說道：「還有賀子珍那件事，你最清楚，他們事先不打招呼，派一架專機由海參威直飛上海。本來蘇聯飛機在我們天空任意飛行，已經不必談什麼侵犯主權了。可是他們突然把賀子珍送回來，應該讓我知道的，但是却未通知我，賀子珍到了上海，我才曉得，江青同志也曉得了，同我鬧得死去活來，那些日子我不但無心去看資治通鑑，連詩三百首都撕掉了，詩也作不成了，百官都無心處理國家大事。蘇聯這種行動，不僅是干涉內政，壓根就是挑撥我的家務，想利用女人逼死我。」

毛澤東說到這裏，虛火上升，只是喘氣，大家看見情形如此嚴重，都有點不知所措，陳伯達過去低聲說：「主席休息下，會議明天再開吧！」說過要按鈴喊人，毛澤東擺擺手，陳伯達又退回位子上坐下。

毛澤東喘了一陣，強自擠出一絲笑容，向大家說道：「幸虧我的神通大，我趕快派陳毅同志回到上海，勸服賀子珍千萬不可到北京來。因為陳毅同志和她有親戚，說話比較方便，終於把她勸住，送到西湖去休養，不然他趕到北京，和江青同志見了面，一定有一場惡鬥，那時懷仁堂也許會變成死人堂呢？」

大家聽毛澤東說陳毅和賀子珍有親戚，不禁都掩口笑起來。（十六）

釋耒集

讀書

人生于世，讀書之論，又得隨意讀書，自為一種享受，古人讀書方式，有別具風格者，實在耐人尋味。如云「秋夏讀書，多春射獵」之名言；「紅袖添香夜讀書」之韻事；「讀萬卷書行萬里路」之豪邁；「雪夜閉門讀禁書」之孤憤；「讀聖賢書，所學何事」之氣概；「學不求甚解」之閒適；「既耕亦已種，時還讀我書」之勤奮；「讀書但觀大略」之高雅；……凡此等等，似均有一種怡然自得之趣。至于「書中自有顏如玉」之引誘，[illegible]研者，[illegible]傳取名利之風[illegible]世，於是[illegible]藏之名山，傳諸其人，[illegible]

如一種心思智力之投資，類於商人之持籌握算以謀貨財而已。利指科名，國家有科舉，設問求官士子，讀書人乃日以埋頭攝摩，勞心焦思，以期一朝得爵，老於做官，生涯飛黃騰達，村夫子，受句讀，娶妻鬻子，如此讀書則伏案之頃，心旌搖搖，時時在患得患失之中，自亦無趣味可言。失科名已，而嚮述則人均不易

虛情，近人論讀書，大要可有兩類，一主精讀，一主博涉，主精讀者，以為半部論語可以治天下，何求其多？主博涉者，以為開卷有益，故不論經史、詩文、醫藥、占卜、養雞、種樹之書，不妨恣意瀏覽，[illegible]余則以為[illegible]，則實取博涉，非[illegible]大略如此而已，[illegible]意求精，反往往失其本旨，轉不若隨意閱讀，按其性分選擇，日積月累，則不求其成而自成矣。

余又以為，人可以不為英雄，不作富翁，不爭名士，不必文章壽世，亦不必美人垂青，但不可以不讀書。人，撇去名利之念隨意讀書，則讀書有百利而無一弊，坐擁書城，南面王不易，閒處近於詩賦，但陶情養性，以寒齋育情自甘，則凡有讀書者或偏為之，故雖不得為博士，而終為於俗人，能寫作圖題佳事，但絕不可勉強著作，至確有所得時，自亦可以當仁不讓。

昔人譏明末講理學名士之「束書不觀，游談無根」為空疏，其實是枉淡無味，陸九淵云：「我雖不識一字，還我堂堂地做個人」。我不知其有何深意，但轉念既不識一字矣，固已不能讀書，何足深責？若識字而束書不觀，則當年何若從師入學以求識字乎？然此所謂望盡云者，亦只不過聊以壯膽之大言而已。

曲齋

當代世界十大畫家之一　趙無極的畫

·莊世和·

趙無極原籍江蘇，民國十年生於北平，十五歲入杭州國立藝專學畫，十九歲畢業於上海美專，二十一歲任助教，二十七歲任國立藝專講師。民國三十七年赴巴黎，曾遊歷意、荷、瑞、比、德、英、西等國。巴黎「五月沙龍」的基本會員，四十四年獲 Carnegie 的國際現代畫獎。旅居巴黎十年，曾在巴黎及歐美各大都市舉行畫展十餘次，展出之畫，頗受各國美術館及[illegible]收藏。因此我們想了解世界文化思想，新派畫，必須認識趙無極。

趙無極的畫，大家都說：「看不懂！」這位當代世界十大畫家之一的作品，沒有辦法給我國國民了解，倒是一件憾事。假若趙無極沒有出國深造，或是不存在的話，也許今日不在海外，他的名聲，[illegible]今日我國畫壇[illegible]不了解而又不想容納[illegible]常受到[illegible]派的抨擊[illegible]趙無極的畫在歐美大受歡迎，但來到臺灣卻冷場了。所以上一次他回到香港，而不想到臺灣來開畫展[illegible]約常排期展出者。現已經出版之個人書籍六種，世界各地報章雜誌對其畫藝之評論，不可勝數，現在世界各大博物館，畫廊收藏其作品者，計有巴黎現代博物館，米蘭美術館，三藩市博物館，Victor and Albert博物館，Pittsburgh Carnegie 研究所，Tel Aviv博物館，維也納Albertina博物館，巴西Rio Di Janeiro博物館，美國Minneapolis Walker Center博物館等。

趙無極的畫，可以分兩個時期，一是重慶時代，一是杭州時代。前期：他受畢卡梭（pablo picasso）、格利（J. Gris）、佛拉芒克（Vla minck）、克斯琳（Kisling）等近代歐洲名畫家的影響，作風不定，畫因大都從看畫集中得來的，所以便從技巧上求發展，因此缺乏創造之氣質。後期：抗戰勝利後於杭州繼續任教，那時和林風眠交往甚密，當時林風眠發覺趙無極的畫底弱點，叫他臨摹文藝復興期的大畫家作品，而來後者林風眠的「中西藝術合流」去研究，用現代觀點來把古景的長處容納揉合在一起，便向我國古畫探索，於是他常用中國畫變鉤筆鋒的細線在畫中，大胆地用力把油彩塗在畫布上。這時候的畫風漸有內容了，漸漸脫離畢卡梭、馬蒂斯的影響，走向中國味的畫風，是自我的表現。直到三十七年，那年他決意去巴黎觀摩，看看世界畫壇的潮流和趨向。趙無極到了巴黎，即開始從立體、表現、超現實畫派研究，但他的觀念和畫都沒有受西歐美術的影響，已有個性的確立，得自我的思想與主張去作畫。因此他的畫反而極傾向中國畫，這也具備一個中國畫家所必須覺醒的。他把中國畫的空間、氣韻、東方藝術中的細緻及神秘與象徵的表現，融合到油畫中去。這時他畫了許多富於詩意的畫。如「歸去來兮」、「意大利懷古」、「光明都會」、「珍珠市」、「幽麗文城」等。最近趙無極的畫又一轉變，已經抽象（Abstract）了。就是在抽象畫派中的另一派——「抒情抽象」裏埋頭、思索、努力創作，發揮出自我的畫，創造自己的一派，換句話說，趙無極是畫家中的最聰明的一位畫家，他把中國畫處理到油畫布上加以抽象照顧而引起歐美人的注意和興趣。

偶立

·黃純仁·

偶立對蒼茫，煩勞得小康。日曬花有態，天淨鳥飛長。萬物我皆備，一身誰為忙。反觀蝸足樂，隨興既昌昌。

讀散原詩 用中華新韻

不在江西詩社間，海藏他日稱散原。讀來每覺意無窮，擲去還疑句有傳。一代樣名猶爾爾，千秋小技竟難難。回頭却見庭花笑：誰為文章鑄肺肝！

超出

超出古人成一淚，此事遠在天之涯。巡簷又見梅花發，今歲開非去歲花。

模仿與創作

·崇淘·

為了渴求寫實主義的技巧，莫泊桑做了福樓拜的弟子。當時，福樓拜便命他描寫一百張不同的面孔與動作。十九世紀中葉，法國的畫壇發生了古典主義與現實主義追求之間的分裂。為要取得一個真，率直，「眞摯」是這些繪畫革命之鑰匙——誠實，莫奈、西斯萊、畢沙羅的畫家曾請西爾，波爾學校。杜美埃的一幅石板畫，內有兩個畫家正作畫，底下有一行字：「一人對自然寫生，另一人摹寫前者。」印象派畫家，表面上似乎正陷于這種錯誤，而事實不然。他們除了對古老作品研究外，並觀察自然。塞尚可以一連幾天站在米開朗基羅的畫前，莫奈在年青時便認識古爾佩，皮薩羅曾私淑柯洛，哥耶的「五月三日之處刑」直接影響了馬奈的「馬克西美利安的槍斃」。由這些事實的陳迹，我們不難知道模仿與創造的關係是怎樣的密切。創作不是舊有的否定，更不是烏煙瘴氣的破壞。模仿是創作的初步。模仿常有毅力與決心，如莫泊桑之於福樓拜，又如馬奈為完全擺脫古典觀念，甚至拋棄年青時會吸引他的黑色色調。要能模仿，始有創作。故而模仿不屬一己之作。模仿須為全部的摹寫，而創作則由模仿與觀察之揉合。無論作風和形式上的抄襲，都可謂之模仿。但模仿却絕不是卑下的，因為這個世界，沒有一事不是繼往開來，相互影響的。

夢屢集　人吃人是罪過嗎？

·朱韻成·

我祇記得我們打敗了，敗得很慘，至於我們在甚麼地方和甚麼打敗，我可記不起了，甚至連我怎麼會穿上這麼件鬼軍服，也都忘了。該是熱帶的夏天罷？炎陽狠命的咬嚙著我的皮膚，我的衣裳撕得破破爛爛，渾身一股難聞的氣味。

看看天，一抹藍色動盪許多小斑圈兒。看前面，綠綠的動盪些短樹。這些東西對我都還無意義，我的意識不能連結外在的事物，而構成一種思想。

終於，我倒了下來。

死大概是最好的歸宿罷？我想……但思考和記憶，幻想混雜著，我覺得自己早就死過許多遍了。

……死？——唔，哈哈，嘻！

「喂，」誰在叫？好像在前面，又像在後面，又像在……。

「起來，朋友。」

我覺得被人扶了起來。睜眼，藍的、綠的，中間有一堆黑的在動。接著甚麼東西塞到嘴裏來，我本能的嚼著，吞下去。接著又是一塊。

「認得我嗎？」誰問。——我看了一陣，還看不清楚。

「你大概有許久沒有吃東西了罷？」誰問。我不知道他說的東西是甚麼，要是那東西是山螞蟻，草根，樹葉，我可吃了不少。

「噢，你給我吃的是甚麼？」我乏力極了，問。

「肉。」

「甚麼肉？」

「人肉！」

「甚麼？」我嚷道，以為自己要吐了，但却沒有絲毫想吐的徵兆。「你這個——哎，我寧死都不要吃人肉。」

「哈哈，現在你還講道德嗎？」

我點點頭。

「你以為餓了吃人是罪過嗎？」

「狼不吃狼，而人吃人，將受天誅……。」

「哦哦，好個人道主義者！人吃人有甚麼奇怪！就是你們那些一天到晚喊著人道博愛的人在吃人，你們也用嘴吃，你們互相噬咬著，用陰謀、欺騙、剝削……一點一滴地吸盡弱者的血，食盡弱者的肉！還要裝成悲憫的樣子，說：朋友，你竟死了嗎？……」

「你說謊！」

「我說謊？你說我說謊？可憐的孩子！……起來，我們走罷，我這裏還有些肉，可以支持幾天。」

我站了起來，長長的噓了口氣！

台灣文壇點滴

聧耿

為文學而文學

中央研究院院士，並且尚在台灣大學教課的勞榦教授，於二月十八日前往日月潭，對救國團在該地舉辦的文史年會發表演講，他認為文學只可以為文學而文學，不能有其他的動機和目的，文學是求眞、求善、求美的，若把文學用作工具或是一種手段，那就失掉了文學本身的神聖意義與價值。他同時也對共產黨所標榜的「普羅文學」大肆抨擊，他說中共要把文學置於政治之下，為政治服務，把文學作為宣傳的一種武器，是最為荒謬絕倫的事。此種觀念，斯時此地，眞可謂空谷足音，彌足珍貴。

文藝界十年

政府遷台瞬屆十年，十年之間，文壇界出版了難以計算的文藝書籍，蘊育了許許多多的男女作家，在「量」的方面而言，的確值得慶賀，嘆為觀止；可是在「質」的方面呢？事實是殘酷的，它告訴我們，時至今日，[illegible]作家與成熟的作品，並不太多，很多[illegible]作品的讀者都急於要知道，在這偉大的千載難逢的大時代裏，應該有數不盡的[illegible]淚，可歌可泣的題材，可供描述和創作，[illegible]文藝界相反地竟會表現得如此令人失望[illegible]這個，還不值文藝作家們檢討檢討嗎？

花

·尤·

花，紅的白的開了一陣，然後終歸謝了。雅士們開始忙著。花開，要歌頌；花落，要追悼，或者，效林黛玉之葬花：「嗚嗚——儂今葬花人笑癡，他年葬儂知是誰……」

然而花並不在乎這些，枯萎算得什麼，次年不是一樣開麼？而且不論肥瘦，管他春花秋菊，照樣開，於是雅士們又忙了。

這樣忙來忙去，由古到今，由中到外，沒有人厭膩，相反的，忙的人漸漸多了。

不但人忙，昆虫也忙，蜂蝶翁浪聚集於花朵，所不同者，牠們是求生，而人是為了風雅。

提到花，人們總不免要想到女人，用花形容女人，中外都有。好像是一個外國的「古聖先賢」說過一句銘言，大意是：第一個用花形容女人的是天才，第二個則是庸才了。

用花譬喻女人，而今朔浩漸成了，君不見，工廠之花，機關有花，學校有校花，選的雖是世界小姐，也近乎花。既風習，俗又何妨從此又因為花忙了。

張有為及其剪紙畫

·孫旗·

北美館三樓展覽，予藝術界以一新耳目。

民間藝術，往往是代表一國的民族精神風貌，所以對於其國人也往往倍感親切。我國於藝術界在國畫、西畫上的追求，幾至湮沒不彰了民間藝術流忽。我國農年鄉村人家往往剪紙作窗花，或者端陽節剪鍾馗像張貼，這種以剪紙來代替筆劃的畫，就表現了民間藝術特有的風格。

〈樹木花草〉

倡導民間藝術的張有為，目前將北剪紙畫（Cutting Paper）在合[illegible]這種剪紙畫，以古拙為其特有的風格，其趣味與木刻的刀味相似，從前的剪紙取材多為民間的農民日常生活，而現在則可擴大到都市生活，也可以剪得出雜的畫面，改變其古拙而有細緻的繪畫美（如圖：樹木花草）由於倡導者張有為運用了繪畫技巧，所以使人有一種新款的感覺。其剪紙畫計有古典類——如「昭君出塞」、「小放牛」等；台灣生活類如「寶島豐收」、「阿里山歌」等歌謠插畫；時代類如「裝小姐」、「鐵血戰士」等人物。

張有為原為國畫家，此次展出「人物」兩幅非賣品，完全是文人畫正宗；並且他也是漫畫家，以其藝術造詣，合湊於剪紙畫天地。所以實為民間藝術開拓一片新天地。（四十八年二月十九日台北）

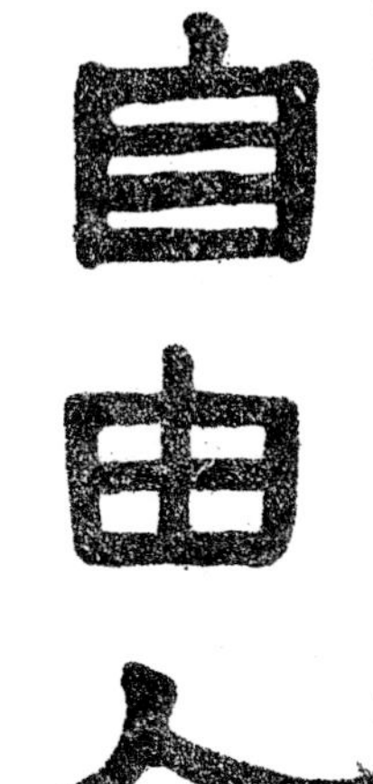

THE FREEMAN
（第八三六期）
中華民國僑務委員會登記證
中華郵政台字第五〇〇〇號執照登記爲第一類新聞紙類
（半週刊 每星期三六出版）
每份港幣壹毫
台北每份新台幣貳元
督印人：陳文華
地址：香港高士打道六十六號四樓
20 CAUSEWAY RD. 3RD. FL. HONG KONG
TEL. 771726
承印者：東南印務出版社
地址：打士道六十六號四樓
台灣總經理處：台北市西寧南路…號二樓
電話：三〇四三六
台郵劃撥儲金戶第九二五二
海外總經銷：友聯書報發行公司
香港：彌敦道中二十六號A二樓

左舜生論陳懷琪事件 （詳見第二版）

剖析毛赫之間的矛盾

王厚生

一九五八年爲毛澤東的倒霉年，當然也爲中共的倒霉年。中共砲轟金門，結果是一場失敗，宣傳破產，聲譽掃地。中共在大陸上又搞人民公社，激起農民羣衆的反抗，刺激城市居民的騷動。於是，中共在武漢召開八屆六中全會，修訂人民公社的推行辦法，毛澤東也同時被迫不再連任下屆中共政權的「主席」。

蘇聯不支持中共一些立場

砲轟金門一役，中共顯爲未得蘇聯的大力支持。老實說，蘇聯即使全力支持，中共也得付出很高的代價，大炮、坦克和飛機，蘇聯絕非無償的供給中共。「抗美援朝」時，中共除賠老百姓的人命外，還得付蘇聯所供給的軍火貸款，可爲證明。

蘇聯拒絕支持中共人民公社，[illegible]是赫魯曉夫對美國參議員韓富瑞所說的話，後來，雖使中共和毛澤東太痛心，企圖食言，說了話不承認。人民公社運動是落伍反動的組織，確是實情，但中共何以不在推行公社化之前，先與「老大哥」商量一下，以致招來赫魯曉夫的尾隨？這是一個值得注意的疑問。在赫魯曉夫方面，何以不循外交途徑，勸阻中共推行公社制度，而竟以謠傳的方式出之？這是另一個可以注意的問題。

尤可注意者，赫魯曉夫對美國參議員韓富瑞指責中共，還似可看出赫魯曉夫對毛澤東個人的不滿。[illegible]不行。這也是蘇聯常見的事。

[illegible]，或者說解除了毛澤東的中共主席，不會[illegible]毛之權力在中共內部有多大，他在中共內部是[illegible]然是聽他的，這決定了毛澤東和赫魯曉夫二人不好再見面。所以，中共代表團列席蘇共第二十一屆代表大會，只得改由周恩來率領。爲什麼不叫劉少奇去？因爲各方面都說劉少奇獲蘇聯支持，正與毛澤東進行領導權的爭戰，讓文如劉少奇，即劉謀纂奪的嫌疑更大更顯。避嫌疑之外，毛澤東也確實嫉忌劉少奇的作風，被迫不許下屆「國家主席」，尤懷恨在心。

中共與蘇聯間還不致決裂

不過，中共內部和中共與蘇聯的問題儘管有岐見，正如美國的史蒂文生氏所說，還不致於發生決裂。周恩來在蘇共代表大會上的發言，道出決裂對二方面都不利的情形。周說：「蘇聯和中國是社會主義的兄弟之邦。馬克思列寧主義把我們兩國和所有社會主義國家緊密地團結在一起。我們兩國人民是經過長期考驗的最親密的朋友。我們的命運是共同的，我們的利害是一致的，我們兩國人民的親密友誼永遠是牢不可破的」。

兩國方面有了矛盾，但因命運和利害相同，未便決裂。最後，還是中共向蘇聯屈服，毛澤東向赫魯曉夫屈服。這種屈服的事實，可從幾點看出：

周恩來在蘇共代表大會上的講話，說了赫魯曉夫領導正確的話，同時又支持赫魯曉夫「反黨集團」的鬥爭行動。周說：「自從蘇聯共產黨第二十次代表大會以來，蘇聯人民在以赫魯曉夫同志爲首的蘇聯共產黨中央委員會的正確領導下，在各方面都取得了偉大的勝利，包括反對反黨集團和鞏固黨的團結方面的勝利。」中共也屈服，至少再不把人民公社當作「向共產主義的重大步驟」。周說：「中國共產黨八屆六中全會對人民公社作了很高的評價，認爲它是在中國條件下發展社會主義的最好形式：我們準備在十五年、二十年或者更多一些的時間內把中國建設成爲一個具有高度發展的現代工業、現代農業和現代科學文化的社會主義國家。」

周恩來是以毛澤東代表中共中央的賀詞做他發言的結尾的，這表示周恩來的發言，得到中共中央和毛澤東的完全同意。既然同意，則外界所謂毛澤東與莫洛托夫勾結、企圖打擊赫魯曉夫的謠傳，便一掃而空。至少是毛澤東已回心轉意，不與「赫老」爲難了。赫魯曉夫爲酬答中共的屈服和擁護，所以於二月七日在莫斯科與周恩來簽訂了一項關於「在一九五九到一九六七年間在『中華人民共和國』建設冶金、化學、煤炭、石油、機器製造、電機製造、無線電技術、建築材料等七十八個大型工業企業和電站的協定」。（按：協定規定，由蘇聯供應的設備，設計和其他各種技術援助的總值共爲五十億盧布左右。中共方面將根據中蘇現行貿易協定，向蘇聯供應商品以償付蘇聯供應設備和各種技術設備[illegible]

從幾方面看毛赫間的矛盾

[illegible]期，中共準備以十五年、二十年或更多一點的時間將大陸建成「社會主義社會」，而赫魯曉夫的七年計劃却是要進入共產主義社會，[illegible]赫魯曉夫在他發言中自不能完全沒有批評[illegible]中國共產黨[illegible]建設中[illegible]形式。[illegible]中國[illegible]的全面[illegible]方面和[illegible]」而且說：「不能匆忙草率行事，還沒有成熟的東西。這會歪曲和敗壞我們的事業。但是也不能滿足已經達到的成就，因爲這會造成停滯。」

雖然，從表面上，假因中共的屈服，而使中共和蘇聯的矛盾減輕了。實際上，恐怕不是這樣，矛盾還是存在着的，這從以下幾方面見之。

一、周恩來在發言中說「中共八屆六中全會對人民公社作了很高的評價，認爲它是在中國條件下發展社會主義的最好形式」。這是毛澤東反駁赫魯曉夫的自辯，表示對赫的批評不接受。同時，將「中共八屆六中全會」的招牌抬來，表示人民公社不是某一個人的主張，而是全黨的主張，赫自然不好再多說話，何况人民公社是「發展社會主義的最好形式」，最後這句話必使赫魯曉夫欣慰。

二、周恩來在發言中說「以美國爲首的帝國主義者和南斯拉夫現代修正主義者不惜採取一切卑鄙手段，挑撥和破壞中蘇兩國之間的團結」。赫魯曉夫對美國和南斯拉夫的攻擊還不到這樣的激烈程度。赫雖說南斯拉夫不對，但仍說「我們將努力同南斯拉夫合作」。赫雖說美國的「侵略政策」爲遠東緊張局勢的主要根源，但在大會閉幕那天（二月五日）的總結發言中，赫却在口頭上邀請了美國艾克總統訪蘇。

三、關於赫魯曉夫談到科學共產主義的若干重要問題，其詳細內容如何，新華社一概略而不提，但赫魯曉夫所謂「社會主義國家成功地利用社會主義制度中具有的可能性，將在或大或小的程度上同時過渡到共產主義社會的高級階段」，中共大爲高興，曾在二月五日的社論（題爲「向共產主義前進的大會」）中稱之爲「創造性的論斷」。

總而言之，蘇聯今天是對美國，南斯拉夫[illegible]，而中共是對美國和南斯拉夫強攻，對蘇聯屈服。

半週述評

勿再跳搖擺舞了

麥美倫之赴蘇，竟以擔當西方與盟國間對柏林危機的居間新角色自居，那表示了西方佈局的錯亂。就英國言，英國是居于僅次于美國的西方領袖地位，如果他調人，就不啻放棄其領導地位，然而英國却往往而對美蘇間的矛盾，神往于其以往的領導光榮。姑不論英國目前的條件是否足以領導西方，而其採取的政治態度，根本就自我否認了，自西方之立場來，麥氏不僅是在扮演尼赫魯慣演的脚色，而且彼自爲走上張伯倫的舊路。歷史事實都證明這兩種脚色祇成爲世界舞台的丑角。麥氏之主張「西方政策應有足夠彈性」，可說是與他們異曲同工的。英國若打一次外交勝仗，固可望逐漸恢復其領導地位，然其所採態度，就根本沒有打一次外交勝仗的可能。我們希望麥氏在與戴高樂、艾森豪會晤之會，再勿以調人自居，才能使赫魯曉夫考慮改變其態度，今天如果蘇聯接納西方先開四外長會議的建議是已表示讓步，那也祇是無關重要的讓步；但如果西方直接或間接默認東德勢力的存在，甚或同意撤兵，那簡直是西方的屈服了。麥氏不該再在赫魯曉夫面前跳搖擺舞了。

從莫斯科到萊比錫

赫魯曉夫于麥赫會晤後，即赴東柏林，暗示有與波、捷領袖會商蘇聯與東德單獨締訂和約之計劃，並在萊錫比發表強硬演說，謂萬一戰爭爆發，西方將被毀滅，聲言倘不獲西方讓步，也要與東德單獨締約。其目的無非是爲東德壯胆，同時對西方示威。不知以和事老身份自居的麥美倫首相聽了作何感想。有人謂赫魯曉夫的手段高強，其實應該說，那是由于他的對手示弱。

白宮之會

在宣布三月十九日華盛頓將安排艾麥之會時，白宮舉行了一連串高級會議。艾森豪除與副總統尼克遜代理國務卿赫特，國防部長麥凱洛等舉行特別會議，討論柏林局勢及更廣泛的德國問題，又另邀國會兩黨領袖，商討同一主題，參議院民主黨領袖詹遜及共和黨領袖杜克遜，衆議院長雷朋及共和黨領袖何立克，均表示支持艾克的強硬政策；美國務院且重申四強在柏林權利不容蘇聯片面廢止。這應視爲西方領導陣容內值得重視的一項表示。看來麥美倫未來華盛頓之行，所要求的「對蘇的彈性政策」，是不會發生作用的吧！

伊拉克再起革命

去年秋以前被傾覆親西方政權的伊拉克，又再度發生革命了。雖然新政權能否確立，性質將是否親西方，此刻尚未可過于樂觀，但由此可見中東各國的政治傾向，是非常微妙複雜，而仍在不時變動中，而西方　做法，在　足以影響其趨勢。故西方此刻對柏林危機所採態度，不應視成一個孤立問題處理，而應視作世界局勢關鍵的一部分，是不容退縮示弱的。

爲何台峽被看成冷門

蔣總統七日發表聲明，強調金門的重要性不亞于柏林，金門若落在中共手中，西方在遠東的防線即告崩潰，中共若繼續盤據大陸四五年，更有機會在中國大陸造成第一批原子彈。然而西方政治家，始終把金門甚至台灣看成政治上的冷門。探源原因之一由于西方始終祇把蘇聯看成敵手，而忽視十年來，甚至四五年後中共可能有比蘇聯對西方威脅更大的危機；一由于台灣局勢，在行動上的表現，始終（至少爲至目前）以固守爲限度，尚未有一項足以刺激西方，而令人刮目相看的作爲。恐怕再過四五年，這形勢也是不能靠演變而改善的，因此中國人，甚至亞洲人都在期望亞洲的領導者能有一個足以改變新局勢的做法。

憲法與反攻

台灣又有人在喊「以憲法爲武器，實行反攻復國」的口號，我們不完全明白其內容涵義，但據立院中的質詢說是「依憲法產生的立法院，是代表全國國民行使立法權，立法院有決定反攻的權，如果立法院決定要光復大陸，政府是不能推卸責任的」。我們也不明白，立院難道迄今還未作光復大陸的決定嗎？立院如需要代表民意，早就應該有此決定。不讓過去許多時機溜掉了。談今後吧，政府如不能負起反攻的責任呢？立院又將如何決議呢？憲法不是反攻武器，而是國家的根本大法，依憲法政府當有保障國家領土完整的職責，反攻復土，是用不着什麼決議的，問題在代表民意機關如立法院，如何監督政府負起其職責耳。

．林伯雅．

自由談

小題大做

馮子先生

因爲蘇共頭子赫魯曉夫在東柏林批評德國女子比英國婦女漂亮，英倫新聞界大爲憤慨，主張對蘇俄宣戰，要砍掉赫酋的頭。衝冠一怒爲紅顏，這似乎不是紳士風度，未免有些失態吧？

赫酋之言，本是開玩笑的瞎扯淡，與政治外交問題無關，亦具有幽默感。英國人素來懂得幽默之道，何以這次竟表現着小題大做的悻悻然態度，而公然說出「宣戰」這種煞風景的話呢？思之思之，這或許是對女王陛下表示忠誠的意念，此外即難以索解了。

赫魯曉夫以其粗野的性質，隨時嘲諷英美帝國主義者，說是「要埋葬你們」，英國人並不以爲意，而且赫酋是在政治外交上對西方表示橫蠻無理的言行，英國輿論界即特別主張容忍遷就，不惜唾面自乾，以期避免有觸發戰爭的危險。就如最近英首相麥米蘭訪問莫斯科，亦飽受了赫酋的奚落侮慢，然英倫輿論界並未發生多大的反感，還說麥氏此行是成功的！

國恥可以忍受，婦女容貌的妍媸問題却斤斤計較，不肯示弱，何其舍本逐末乃爾耶？固然，英倫「見聞報」這項阿Q作風，亦是開玩笑而已。但出以怒目金剛的面色，且要跟俄國女人比美，無論如何亦難免失態之譏。英國知識份子如果將這種爲女人抱不平的匹夫之勇，擴充爲反抗共產極權侵略主義，爭取人類自由生存的鬥爭精神，赫魯曉夫必不致蔑視英國婦女，更不敢隨便指斥英美是帝國主義，而北平的毛共在蘇彝士運河事變時，又何致於把紙製棺材送到英國使館去呢？自侮而後人侮之，英國人應該三復此義也。

陳懷琪控告雷震案
——到底是怎麼一回事——

（本報訊）台北陳懷琪控訴「自由中國」雷震一案，此間星島日報曾有兩次報導。該報的第二次報導，該案還是在法院偵查期間，至對該案的評論，在香港的報刊中，恐怕只以三月六日的「華僑評論」周刊爲第一次了。該周刊在這一期載了左舜生先生的一篇文章，題爲「略論最近台北爆發的陳懷琪事件」。

該文首先敍述「自由中國」半月刊在台北所處的地位危險，而且由來已久。左氏說，最近台北治安機關曾發佈上級，說已有「證明『自由中國』社有匪諜滲入」，請將該社主編人加以逮捕。後來因上級不准，故未實行。

跟着該文敍述陳懷琪事件的由來，說與「自由中國」半月刊今年一月十六日所刊載的一篇社論，要求「取消軍隊黨部」有關。左氏對陳懷琪的署名及「僞造文書」兩點，提出他的意見，他認爲這一事件，可以看出「國民黨在軍隊中設有黨部，並設有宣傳罪魁的講習班」。他說，這「是不是與憲法的規定相抵觸？」

左氏又說，陳懷琪在中央日報所發表的文章，寫得非常簡潔老到。不像是「不會寫文章」的。又說他的文章中有「從無偏差思想」的字眼，這字眼，「乃是共產黨書報中的常用語」，他懷疑這位陳先生是常涉獵共產黨的書報的人。最後左氏對於陳懷琪是否要用很多隨從秘書，以後治安機關將來如何處理該案，都提疑問的口氣？（三月七日）

行政改革會關於地方選舉的建議
○○朱墨冰

（台北通訊）行政改革委員會在「調整台灣省地方基層組織案」中，關於市區公所組織之調整，主張：「省轄市之區長，仍由民選。區公所組織，亦仍維持現狀。」不過，「松山等，應改設鄉鎮公所，比照一般鄉鎮公所組織，省轄市公所之組織。」（按：五省轄市長由民選改爲市政府委派）因此，省府在「地方自治法規修正草案」中，對省轄市區長，究竟民選？抑或由市政府委派呢？未置可否！民選區長選民雲東會被省議員抨擊，最後，連民只以「革命行事」答覆，致此間輿論譁然。

該會建議「改進台灣省各種地方選舉案」中，有幾點主張：「一、一人候選或同額候選，在法制上應予防止。選舉法規中，應增列一條：候選人登記期滿，如登記候選名額與應行選出名額相同或不足時，應延長登記期間。逾此延長登記期間，候選人數與應選名額相同時，選民所投之票，應改爲表示贊成或反對。必須贊成票多於反對票，始得當選。」由「讓賢」而造成「一人競選」，一人候選不必「競」則一票即可當選，此種不合理現象，已爲時賢所詬病，因而該會建議選舉人能投反對票，即在防止各方面使用種種方法，造成候選人只有一人之現象。該會並建議規定各種地方選舉候選人的資格，「由中央約集各政黨，商請其對於所支持競選之各該黨籍候選人，自動規定其資格，俾提高其素質」云云。假如依照該規定：候選人必須高考或專科學校畢業，或公職或自由職業三年以上，或任校長教員或曾任少校軍官者，始有候選人資格，則那些連國語也說不全者，且曾效忠「天皇」而又「忠黨」者之流的民意代表，將不復出現於省議會。同時，又主張「規定選舉監察委員會委員及縣市監察小組委員，由上級機關遴聘。其屬同一黨籍者，不得超過半數。」「至候選人資格之撤消罷免，應劃歸選舉監督。」往昔爲選舉監察委員名額的問題，在野的民青兩黨曾拒絕國民黨的提名而指責政府及執政黨沒有誠意。此一建議；執政的國民黨，是否採納，頗爲此間在野人士所關注。最後，並主張「取消（省）縣市議員候選人簽署制度，改用申請制。」

行政改革會在「改進行政院對台灣省臨時省議會決議案核定程序案」及「增進台灣省議會與政府聯繫案」兩案中，「凡爲台灣省立法範圍，如爲台灣省政府提交臨時省議會之議案，省府應將立法草案，預先與有關中央部會商洽。將中央意見，儘量容納於草案之中。如立法草案，係由省議員提出……如決議案精神內容與中央部會有重大出入者，可由省政府提請覆議，以資救濟。如出入甚小或無關宏旨者，應予容納，不必瑣屑改正。如所關較大，或與中央法規抵觸者，經行政院改正時……令由省政府，轉達臨時省議會知照。凡屬中央立法範圍……宜於擬訂立法草案前，先邀集臨時省議會正副議長，担任主管組召集人之省議員等，舉行座談會，徵詢意見，以資參考。」該者主張省縣市政府應尊重省縣市議會的職權，「省政府如認爲（某）項單行規章不當，或有窒礙難行之處，應依法提經省議會覆議，不得逕報行政院修正。」又「縣市議會，依法制訂各種單行規章，台灣省政府不得以行政命令變更或撤銷之。」因爲過去上級政府常以「不當」爲理由，而隨意刪改省縣市議會的議決案，如建議政府改革事項，而答以「備存參考」，這種「還轄上級政府核定，以圖控制。故有時不免引起地方人士之反感，且有背離民主政治之常軌」。

台北重視日使更迭
○季鸞○

中日兩國之友誼，可說一直是在一種「不正常」的狀態中，自由中國朝野人士對日本所推行的對華「兩岸外交」，歸諸政策，是表非常的遺憾，由於兩國之所謂「匪日大使級」談判，更使中日兩國誼進入另一個「暗潮」，我政府對此亦曾數度向日本政府提出抗議，而日政府之態度，乃是曖昧不見明朗，其結局是頗爲人担憂的。中日兩國自二次大戰後，中經十五年的長期隔離，辛勤培植，稍具合作之花，一經摧殘，殆將因此而斷送於中途。這對自由中國固然是很不利的，而日本本身在論外交之政策，雖然應該把握現實，適應時勢的潮流，但如因貪圖所謂商利，而不克自持，乃至不能權衡利害，不能估計得失，不能辨別友敵，殆如一條航行於大海的船隻，不分船頭船尾，前後兩頭皆張上帆，分向兩個不同的方向行駛，形成自我的矛盾與牽制，終必寸步難行，任何一面的「掙扎」都無法到達，更遑論「兩岸」？

日本兩黨中，執政的自民黨一向以傾於西方的，與自由中國一直建有很好的友誼，在野的社會黨，時時鼓吹與中共以期換中共以自重，與自由中國唱反調。此種執政黨與在野黨在外交上各行其是，形成國策上的分歧，已非一國之福。但在野黨的別出心裁，另闢蹊徑，充其量只能以一「民間」的姿態出現，仍不足代表政府，代表國家，對於國家的基本立場以及準此而與他國所建立的正式邦交，尚不至構成重大的根本性的影響。但近來，岸首相所領導的自民黨中流派，竟甘心追隨社會黨之後，步其後塵，拾其牙慧，公然以政府的立場，準備派遣一個代表團前往大陸，策劃與中共進行「民間貿易」，以謀建立商務關係。自民黨與社會黨竟在與中共通商這件事上舉行競賽，在中共面前展開爭風吃醋的獻媚姿態，聽任中共品頭論足，極盡挑剔之能事。這不僅有損自民黨的黨格，乃至有損日本的國格，將在日本外交史上將是不很光采的一頁。

正在中日邦交發生如此波折，籠罩如此陰霾的時期，日本駐華大使堀內謙介以年高請辭，聞其出缺將由井口貞夫繼任。

由於駐華大使之適於此時更迭，故一般咸認爲能淡重重的中日邦交，打開一綫新曙光。

這位年青少壯巳內定駐華的大使，年僅五十九歲，是前日本駐華大使芳澤謙吉的東床快婿。井口貞夫戰前在我國担任駐上海總領事等職，戰後任日本駐美國大使有年，並曾担任日本外務省次官（相當於我國外交部次長），現任日本電波搭會社副社長。

井口貞夫上月間曾以中日合作策進會日方委員的身份來華參加中日合作策進會，並曾被推爲文化座談會的日方召集人。這位未來的日本駐華大使，以往對中日合作不無貢獻。特別是中日文化方面的合作。他在日本時並曾促請日本新聞界過去少稱我們爲中華民國，而多稱爲「台灣」或「國府」。自井口貞夫勸說之後，日本新聞界已經改變了態度。

上次井口貞夫在台北參加中日合作策進會時，對記者表示其對國際共產主義的看法，他認爲自由世界與共產世界絕不能和平共存。有人問他，日本是不是採行兩面外交的政策？他說：日本的外交政策是反共的，而且非常堅定的反共。他表示：據他個人所知，從他識後担任駐美大使到現在，日本的外交政策一直未變。

井口貞夫此種論調，頗爲各方重視。由其出使自由中國，台灣政治圈中，又有了新的希望。

馬來亞的教育問題
·關懷·
◁吉隆坡通訊▷

根據馬來亞報載，本邦至少有一萬七千餘年齡在十四、五歲的兒童，今年不能升學。他們不但不能升入初中，就連留在原有班級念書的機會也沒有了。因爲他們已經超過了「法定學齡」。他們若想再讀書，只能進入深造班或其他各類私立補習學校及某些學校主辦的補習班和下午班。

自一九五六年新教育法令頒佈後，即在馬來亞聯合邦引起了不少批評和爭論。該法案不但爲各方人士所矚目，且被各黨派利用作爲競選的政爭題材。

聯合邦全國教師會秘書林德會就此事說：「教育兒童是政府的責任，馬來亞可說是兒童沒有機會升學的唯一國家」，這話雖說得過份了些，但也反映了人們感慨之情。其實本邦兒童也並非全無升學機會，問題是政府教育當局有否努力興辦工藝學校、深造班、特種訓練班及普通補習班。

馬華教育中央委員會秘書林連玉在去年十二月廿七日曾致全馬各華文中學董事長及校長的一封公開信，該函中說：「……本委會除將與教育當局商談探求補救辦法外，深望各華文中學儘可能開設額外班級，或補習班級，使小學升中學獲得C級或D級的學生亦能有求學之機會……」此外霹靂州馬華公會會長曾智強也發表了同樣的言論，全馬各地幾無處無人掀起同樣的呼籲。大家一致的口號是：「救救孩子！」那些呼聲雖完全來自華人，但這一嚴重問題，不單純是華人學童的，而是全馬華、巫、印各民族學童所面臨的難題。在這裏，並不存在某一民族的母語文化和該族學童的升學障礙問題；總之，是馬來亞全國性的教育危機。

馬來亞教育當局在基本上忽視了一個重要環節，就是基層教育，因此遂使本邦教育陷於萬千年齡十四、五歲的學童面臨失學的威脅，給馬來亞的家長們帶來了無窮煩惱，也給國家的未來建設人材造成一大損失。

當然馬來亞教育當局，是肯定了目前的政策，認爲在若干年後，會有良好的效果，但是就目前的失學情況看，這樣的政策顯然弊多利少。因爲現在免費教育制度尚未實現，而且也缺乏師資，無統一的教學方針，各種職業學校十分短缺，這些實況，皆反映出這個政策是失敗的。

就目前而言，似乎唯一解決的辦法是多設以母語教育爲基礎的各類專業學校，以補正規學校的不足。使不能升學的學童能學得一門專長，積極方面可造福地方與國家，消極方面亦可免除學童徬徨失學之不安心理。增加社會之不安因素，並非是單純華裔的問題。一月十日吉隆坡曾有二百多名印度男女學童及家長，集中在自治市教育局前，手持標語請願，要求當局恢復他們的學校，使他們得以繼續就讀於其母語學校，並高呼「學校萬歲」口號。這些學生都是收入低微的勞工子弟。

持平而論，聯合邦目前中小學教育問題的處理，是需要冷靜慎重的。因爲馬來亞是個多民族國家，如因「母語教育」而引起像錫蘭泰米爾語族和新哈那斯語族那樣的種族糾紛，甚或演化成爲政治糾紛，那是對聯邦絕對不利的！

在另一方面，馬來亞也並不算是一個文化和教育已經發達的國家，應該常注意基層教育，而不應使將重盡置於高等教育上，使中有能免日後教育上脫節之虞。

人們認爲，馬來亞不妨參照其他多民族國家那樣，讓法語和英語法語學校同時發展。這種補救方式對於一個由多民族構成的國家來說，是實際而有益的。（三月一日）

整頓風氣訂綱要 不怕得罪任何人

△台灣省政府鑒於本省各機關人員因循敷衍，浮濫之惡習，缺乏奮發蓬勃之朝氣，且時有推拖泄沓，貪污瀆職之劣行。頃特依照八項原則，擬訂「台灣省政府整飭政治風氣推行綱要」一種。同時，行政院陳院長在立法院會議席上，答覆質詢時，也表示此點，並強調說：「政府刷新政治風氣的決心，對任何重大案件決不徇情，不怕得罪任何人」。（天生）

國際動態拾零

△艾森豪在決民主黨國會預算浪費以後，將親自出席兩院聯席會議，以說明理由。節約鬥爭，艾氏是要將他的立場，不獲國會同情，將以電視對全國廣播。

△杜勒斯如去職，杜威成爲繼任之希望甚微。第一，艾森豪表示，最近無對杜威感到不愉快。第二，杜威是偏於洛克斐洛的，艾氏對洛克斐洛與尼克遜在一九六〇年對共和黨總統選人之爭，不願作左右袒。

△美國務院繼續向莫斯科申請第二次世界大戰期間之借款，共一百一十億美元。七年以前蘇聯曾允作象徵式之償還，以三億元清帳。現在未高揚要額個一乾二淨。

△尼克遜對洛杉磯之共和黨人作四小時半之談話，謂現在就選舉以前三個月。否則無人肯聽，聽者甚爲勤奮。

△衆議院議長雷朋，反對選大會在洛杉磯舉行。雖則洛杉磯，亦屬得不償失，因爲極東代得人須耗費一千美元。

△美國已在亞拉斯加北部三千英里以內有效的雷達，以偵察蘇聯在其極北的火箭試驗。而蘇聯在其極北的火箭試驗，則已由美國在土耳其之雷達站收聽。故蘇聯任何火箭秘密，俱瞞不過美國。

○陶然○

採辦參考書籍啓事

茲擬採辦台灣出版之1.國學、2.教育、3.經濟、4.銀行、5.物理、6.化學、7.社會科學，此數種教員及學生參考書籍，台省各出版社如有此類書籍批發者，請將目錄及最惠條件通知本社經理部轉，以便研究採辦。

竹幕幽秘

人與武器

去年狄托說毛澤東是戰爭販子，仗着人多，說什麼死了三億還有三億，依然是個強國。去年九月二十一日人民日報社論：「美國強盜滾出台灣去」裏有同樣的論點：「美國將軍們也許以爲他們手中有原子武器。可是，這又算得什麼呢？我們當然知道原子武器有巨大的破壞力，然而決定戰爭勝負的不是武器而是人，原子武器決不能征服六萬萬不屈的人民。」似乎是說，原子武器抵禦不了人海戰術！

這樣的論點，最近可能已遭蘇聯的反駁，蘇聯元帥克．阿．麥列次科夫爲蘇聯建軍四十一週年而作，刊在二月二十三日人民日報上的文章中說：「特別重要的是要估計到，在有可能使用大規模殺傷武器、火箭、噴氣武器和運用新型空軍和其他新戰鬥工具的情況下，作戰條件有了根本的變化。戰爭中起很大作用的將是這些因素：武裝力量的技術水平和士氣，部隊的戰鬥訓練和技能，最高總指揮和統帥的軍事藝術，軍官的戰術訓練也將具有十分重要的意義。」縱或這篇文章不是故意來駁斥中共的論點的，但無論如何總可以說它們間的戰術思想是有着巨大的差異的。

無原子武器區

最近中共接二連三的擁護赫魯曉夫于第二十一次代表大會提出的，在太平洋建立無原子武器區的建議。若從前節來看，中共的這種熱心于太平洋建立無原子武器區是具有這種陰謀的：祇要把殺傷力最大的原子武器禁止了，它的人海戰術就可以減少一種鉅大的威脅，從而可以在太平洋地區惹事生非。

韋漢夫訪開羅

早在一九五七年十二月，周恩來就有訪問開羅之意；隨後又有不止一次的同樣傳聞，終未獲成行。這次韋漢夫偷偷摸摸地從印度還到了開羅，大概總可以代替周氏做一部份工作。

按目前中共對外的總政策是猛烈支持反殖民主義運動，強硬反對帝國主義。去年中共在外交方面的進展最可注意的是：與柬埔寨，也門正式換交使節，與伊拉克、摩洛哥建交。這四個國家中有三個是在中東非洲的新獨立國家，可見它的這種外交進展是上述的外交政策施行的結果。非洲與中東的民族主義運動正在蓬勃發展之中，若果中共能善爲運用，則此等新成立的國家將與之建交。這種新興國家對於中共實際上可能沒有什麼補助，但若它們能在聯合國支持中共，則否決其加入的可能性將逐漸降低；此外，當還有削弱西方大國的意義。而中東非洲民族運動的後方基地是開羅，韋漢夫到那裏一走就可以接觸到各地的民族主義份子，預先安排其關係，當是韋氏的主要目的。

○田心○

中國著名的建築家　梁啟超之子梁思成勞改經過

（本報訊）北平清華大學建築系主任梁思成（梁啟超的兒子）最近撰文表露了他參加人民公社生活了五個月的情形，並追述大陸建築師爲中共「改造」的過程。

大陸的建築家們，在中共的「思想改造」之下啼笑皆非，動輒得咎的情形爲梁思成的文章所揭露。文章說：「在黨要干涉建築的時候，許多建築師們都認爲黨不懂建築，黨不能領導建築。有些建築師竟狂妄到同黨的領導同志進行鬥爭，要『教育』他們學會懂得什麼是建築！要給北京的建築『定晉』。爲了保存天安門廣場明朝留下來的比例謹嚴的封蔽的格局，對於三座門的拆除就懷着嚴重的抵觸情緒，思想搞不通；對於拆除城牆也反對。」

一九五五年，中共開始批判建築思想。梁思成本人也是在那時候受到激烈鬥爭的一個。在此以前，中共強調建築物的「民族形式」，因此建築師就在中共的意圖下造出了大量宮殿式的、廟宇式的建築物（人民稱之爲「大屋頂」），但後來這種建築形式遭到蘇聯專家的否定，中共遂又稱之爲「復古主義」而大加批判。

在批判了建築思想之後，建築工程師的境遇就像「養媳婦」一樣：「建築師們承認了黨的領導了。我們的確也做了不少努力。但有些建築師批判了大屋頂就去搞方匣子，批判了鋪張浪費就犧牲了美觀乃至犧牲了適用去追求經濟；主觀願望是想貫徹黨的政策、方針的。儘管我們有這樣的主觀願望，但是由於我們受了自己腦子裏許多框框的限制，總不能全面地正確地掌握黨的方針政策。所以，在這些努力中，我們都感到煩悶，感到黨的政策限制了我們，束縛了我們，感到我們的藝術，不管是大屋頂或方匣子，都不受歡迎，沒有知音，『四面楚歌』，很不自由。」

建築藝術受到中共橫蠻地干涉，使建築學家的精神苦悶到了極點，中共對他們的回答就是叫他們去「體驗勞動人民的感情」，於是梁思成就被下放在公社裏生活了五個月。現在，據說梁思成居然已能體認，下放勞改是「建築事業的靈魂」了！（本文取材於二月十六日的「光明日報」）

青年墾荒　所得不及生產十分之一

中國青年報二月十五日透露了雲南青年墾荒隊的艱苦生活，該報說：

「三年前的春天，雲南省在全國各地組織青年志願墾荒隊的鼓舞下，先後在昆明和其他城市組織了二十一支墾荒隊，共三千三百七十五人。那時，他們奔赴漠無人烟的邊疆，他們沒有地，就自己開，沒有房子，就自己蓋，白天勞動，晚上還要學習。三年來，他們在黨的領導下，用自己勤勞的雙手，在過去長期荒蕪的土地上，生產出大量的糧食、棉花、甘蔗、咖啡、橡膠等作物。有五個農場不僅做到了自給自足，而且給國家上繳了利潤。在德宏自治州芒市壩子上的一支青年墾荒隊，經過兩年艱苦戰鬥以後，在一九五八年獲得了總產值五十多萬元，平均每人爲國家創造了三千元以上的財富。」

在荒地耕種而得到那麼多的收益，則墾荒青年的辛勞可知，可是，他們的待遇呢？據報導說：「去年隊員們每人每月平均工資約二十五元左右。」這是他們唯一的收獲。估他們全部的勞動收入不到十分之一，其他部份全被剝削了。（賓）

上海博士金筆廠經理湯蒂因勞動改造經過

上海工商界知名人士，原上海博士金筆廠經理湯蒂因女士，去年被中共下放到上海附近的北新涇人民公社勞動，半年來備受虐待，最近才被遣返上海。

北京出版的「新工商」半月刊一九五九年第二期發表了這個消息，並附有湯蒂因的一篇文章。在中共的威脅下，她仍只好承認半年的勞動改造並未能「徹底改變立場問題」。

文章說：「在黨的領導下，我下放農村進行勞動鍛鍊已經半年多了。從農村中，過是迎太陽送月亮，不分白晝黑夜地苦戰，但是人在農村，心在上海，所謂『回上海像射箭，到鄉下像背縴』。對勞動也是『揀輕不揀重，揀醜不揀髒』；對於墾地、挑糞之類的勞動就不想做，分配到採豆摘棉花就高興些。碰到工地遠，要走十幾里泥濘的道路時，就強調我腳[illegible]的毛病；墾地墾到手起泡時，就丟下鋤頭嘆息；爲了怕曬太陽，頭上還老包頭巾；晚上還常常摸摸手掌上的血泡和老繭傷心。經過半年多來與農民同吃、同住同勞動，更證明資產階級脫胎換骨的改造是艱巨的，一定要通過更長期的勞動。」

從湯蒂因的文章中，可以看出中共對大陸工商界人士的殘酷的折磨手段。大陸工商界人士要「脫胎換骨」，還不知要經受幾多折磨呢。（賓）

大陸文壇透視

田老大賣老

七弦

田漢的創作慾一向旺盛，寫起來挺快，只是匆匆急就成章，有時前後情節矛盾，句子欠通，信筆所之，往往走板。然而在榮任中共劇壇領袖之後，因爲說話寫文章都得先打好暈綫，被迫得封住了口，靈感無從宣洩出來，這種痛苦很難受得了，一九五六年他以「人代」身份到西南考察時，便把所見一些舊藝人的飢寒現狀，寫了一篇替他們傾訴的文章。他談到歐陽予倩的老師，老病潦倒，竟在中共照顧藝人的宣傳中餓死了；有一位湘劇名演員，是二十餘歲色藝雙絕的小姐，曾於全國戲劇會演中得過一等獎的，卻每日演戲的收入只有兩角錢，沒有菜吃，只得用損害喉嚨的辣椒下飯，他去訪問她時，她哭了。一九五七年鬥爭吳祖光時，雖然由他主持，但在他的發言中，對這位以「神童」著稱的小吳，流露出了小資產階級的溫情，這兩件事都足他的「借酒消愁」，如果擱在別人身上，在反右派那種瘋狂的環境裏早已吃不消了，然而他卻風平浪靜地渡過去，不能不佩服他的根子粗，因爲在後面給他作主的，赫然周揚和郭沫若也。

不過似乎他也捏着一把汗的。一九五七年凡在「天罡星」之列的文人，都先後出了文集，郭、茅不必說，巴金、洪深、葉聖陶都有，但他和老舍缺如。這行情他不能看不出來，所以在去年大躍進，作協叫會訂創作指標時，他就賣起老命來了，說在一年內要寫十個話劇本，接着爲了帶頭向其他的劇作者挑戰，又說再追加上十個影劇本。結果他開的支票到年終並未完全兌現，只寫了「關漢卿」及「十三陵水庫暢想曲」兩個話劇和改編了「西廂記」一本京劇，算是打了一個一五扣。但這總比茅盾、巴金強得多了，他倆都說要寫一個長篇和三個中篇小說的，到年終卻是「一毛不拔」！

「關漢卿」是應景的歷史劇，顧忌較少，所以他跑到西山，關在廟裏，只費了一個月就寫出來了。劇中暴露了許多元代統治者的罪行，他或者不會存心借古諷今吧，但使人極易從元代的統治聯想到現在中共的統治，更極易猜擬到是田漢有意地含沙射影。好在既是爲紀念——去年共產國家紀念世界名人，關漢卿也在被紀念之內——而寫的，演過去也就算了，更無人再追問。

自從毛提出浪漫主義之後，郭、田這兩位中國的哥德和席勒，自然感到有「起死回生」的快樂，於是田漢就又跑到北平郊外工地上，寫出了「十三陵水庫暢想曲」，此後「今古同台」的劇本遂充斥了大陸的劇壇。

瘟君夢

第一回：消息自天來　風波從地起　人捐秋扇　夢冷新華

陳毅雖然臉皮厚，也泛出一絲紅意。原來在井崗山落草時期，毛澤東率隊到永新縣去打糧，掠了賀子珍和賀懿一雙姊妹花。賀子珍被毛澤東留下，賀懿就配給毛澤東的介弟毛澤覃。不料一次作戰時，毛澤覃被國軍擊斃，賀懿就變成了風流寡婦，成爲許多人追逐的對象，不久陳毅捷足先登，接收了去，於是陳毅就變成毛澤東的連襟，這一項裙帶關係，對於當時毛澤東在井崗山的地位，又鞏固了許多。不過經過了二十多年，已經人事全非，賀子珍成了長門怨的陳皇后，賀懿早沒有下落，陳毅也把那段露水姻緣忘得一乾二淨。當賀子珍被蘇聯派專機送回上海時，陳毅奉命匆忙趕回去，賀子珍見了他，不由得觸起前情，確實大哭了一場。好在陳毅應付女人的本領，比較指揮軍隊要高明得多，看見賀子珍哭，他也陪着搥胸頓足的大哭，賀子珍罵毛澤東沒良心，他也陪着罵，賀子珍說毛澤東不該把他送去莫斯科，陳毅就怪毛澤東當「解放」後爲什麼不讓他當「華東軍政委員會」的主席，女人本來容易騙，陳毅使出幾度散手，果然說服了賀子珍，乖乖地去西湖休養去了。陳毅立下這場功勞，大嘗毛澤東嘉許，以後出任外交部長，亦不無與此有關。

毛澤東說過賀子珍的事，轉過臉又向彭真說道：「還有一件事是你知道的，去年伏老來訪時，不知誰打的小報告，說我每天要抽一百多隻香烟，伏老[illegible]這回事，可是伏老硬性規定我不准抽過二十支，這是什麼行動？干涉[illegible]肚裏去，變成了干涉腸胃，我並未表示什麼不滿哪！」

毛澤東說到這裏，大家都覺得太過火了，老狐狸出頭勸道：「主席冷靜一下，不必太激動，要說伏老勸主席減少抽烟，那是[illegible]，出於同志愛，原無可厚非。」

老狐狸這幾句話，[illegible]

[illegible]麼就算干涉內政呢？至於我的烟癮大，並不是最近的事，長征[illegible]斷絕，我幾乎死了，[illegible]「博古牌」的烟紙捲起來吸，[illegible]，所以我寫的自[illegible]到前面，不過這[illegible]，因爲那時你還[illegible]

老狐狸半生[illegible]現在經毛澤東[illegible]出，頓時面紅耳赤，坐立不安。（十七）

岳騫

在天津海河工地勞改的華僑學生

（本報訊）歸國就學的華僑學生，第一個課題就是要參加生產勞動。據一月廿四日在北京出版的「僑務報」刊載天津師範大學中文系一年級僑生蔡中泰的一篇報導文章中說：有十多名剛考進天津師範大學中文系的歸國華僑學生，現在正在天津海河工地上勞動。在勞動中，這些僑生們都弄得「肩膀紅腫，手脚起泡，腰酸背痛。」但是他們沒有休息，「繼續堅持以勞動改造自己」。「肩起泡壓下去，手起泡擦下去，脚起泡踏下去」，「要爭取早日成爲又紅又專的社會主義建設者。」

有一位個子不高的歸僑女生金慕嶶，去年剛從日本歸國，她在海外從來沒有參加過勞動，現在也在天津海河工地上拾石頭。據該刊說：她「總是揀輕的扛」，但是「鬆軟的肩膀腫了，腰酸背痛，勞動沒有兩天就病倒了。」她病好以後，「又馬上投入了緊張的戰鬥中。」

爲什麼不能多吃一點？

歸僑僑眷責問中共

（本報訊）「北京」出版的第一期「僑務報」刊載中共華僑事務委員會副主任方方，去年十二月出席廣州舉行的僑務工作會議後在僑鄉參觀時的講話中透露：幾年來，僑眷、歸僑對於生活必需物資供應的短少，表示十分不滿。

據方方說：對於生活必需品供應不足，反應最強烈的地區「一是四邑，尤其是台山，另一個是晉江的石獅。」當供應緊張時，僑眷、歸僑們會紛紛起質問：「你們要不要僑滙呀？爲什麼這樣出口了豬肉、出口了油，不給我們多吃點呀？」方方也承認：這是「幾年中僑委會最感頭痛的問題。」

釋耒集

小說

◦曲齋◦

近世學者孫會梁任公先生，曾謂自言其情感豐富，就其生平若干著作觀之，可謂信然。因爲其情感豐富，故長于宣傳，能開一代之風氣，然亦因其情感豐富，故持論偏激，不足以陶鑄一代之人才，遂終如彗星之光燄，雖極炫目，旋即消滅。清末之際，梁先生憤激於人心之麻木，又一面受西洋文學思想之影響，思欲改良小說以救中國，撰小說與羣治之關係一文，以爲小說有不可思議之力，爲最上乘之文學，足以支配人道。彼以淵博之學識，奔放之文思，又以常帶情感之筆端揮灑之，雜引儒書及佛典成語，浩瀚恣肆，遂使拘儒瞪目結舌，實則中國傳統文學見解，絕不重視小說，梁先生斷無不知之理，迹梁先生意，實以正經文學，淵古而質木，不足爲大衆所歡迎，乃以改良小說爲號召，藉使小說附庸蔚爲大國而已，不知以中國文字之體式，及中國文人之傳統，轉而以立言詔後世之態度以寫小說，則小說亦終不爲大衆所歡迎，班孟堅未必有若何成見，其以爲小說之無足觀，亦事實如此而已，任公先生嘗自撰小說矣，輒淺嘗便止，以自己所不屑爲之事而登高疾呼，實與鄭知幾好論撰史而不能自成一史同病也。

近見台灣出版之大陸雜誌，刊胡適之先生說史一文，引論語「吾猶及見史之闕文也，有馬借人乘之，今亡矣夫」及「文勝質則史之語」，解文爲藻飾之義，史之闕文，爲未經文飾之史，必如「夏五月，鄭伯克段于鄢」之類，始爲古史眞實面目。依此以言，故國語、左傳、國策，情節如此複雜，詞筆如此生動，均屬文勝質之類，而司馬遷撰史記輒取材於此類書籍，故後世正史，其史料之來源，均非絕對精純，實與後世之講史平話同調。胡先生以善造新說著稱，早年曾撰諸子不出於王官一文，以班固爲妄人，現又將論語包注漢書顏注，謂文即文字，闕文即文字脫漏之解詁推翻，創爲文飾之新解，使歷史上又增多若干妄人，其於學術上之貢獻，或不宜妄談，惟胡先生實白話文宗師，往者亦嘗編著白話文學史，幾於非白話即不算文學，但吾國典籍，十九皆古文所寫，以胡先生一人之力，若欲舉而推翻擯棄之，正恐不易爲功，故其書亦終未編成，今胡先生年事漸高，日前演講一個人生觀時，取證多據孔子論語，是其當年氣方剛，鋒芒已稍稍內斂，其所以寫爲說史一文，意明正史取材，不乏小說資料，不爲欲將史籍之地位與平話講史拉平，如此則義例，史意、史法、馬、班、陳、范所師法者，均一切知道聽塗說者之所造矣。如此則班固彼要文，以春秋爲六藝之一，而小說家則附於百家之末，又爲識者之一證矣。

綜合而論言之，梁先生在提高小說地位，使倚之于正史，胡先生則在於抑低正史地位，使倚于平話講史，其偏激處均在于過份重視小說，小說如何演進，不易論斷，而足以維持世教，正人倫而美風俗之小說，今固無有也，將來能有之否？則非吾人之所敢知矣。

點唱節目

短一篇一小一說

◦兆祥◦

一回到宿舍，便聽到房裏亂哄哄的怪叫聲，不知又發生了什麼事，趁着王老五那麼興奮，我三步變兩步的跑了進去，一邊心急地大叫：

「有什麼消息？」

「老李寄給瑪麗蓮夢露的信，有了回信！」小張回答我。

「給我看，」我搶過去。

「還有，」朱正邦要。大家一怔，他陰陽怪氣地說：

「自由中國美麗的動物，張仲文給我來了一封求愛的信。」

白希堯唉了他一口說：

「缺德鬼……」

「怎麼缺德，准你隨便損人，我不可以？」

「我幾時損過？」小白頂他。

他們倆人，是一天不吵一次不會安逸的，比高雄律師公會吵得還熱鬧。

「還沒有，連總統都給你損過了。」

「幾時？幾時？」

白希堯看大家都注視他，理直氣壯的問朱正邦：

「沒有？你說再沒有比總統會罵人的了，你說，你唸過他長篇訓詞，說天下可以拿來駡人的話，他老人家都：」

「好了好了，」我說：「說來說去他並沒有損過張仲文，這不就結了？」我給他們打岔。

「以前張仲文窮死了，也沒誰借過一文錢給她，現在人家紅了，吃乾醋了，還損人的心理呀。」

白希堯在一邊說風涼話。

「紅？還不是賣弄性感，低級。」

「那人家還有性感可賣弄呀？你呢？先生，你有什麼比她更賣錢的？」

「我？……」朱正邦一下噎住了。

「好了，別吵，請大家聽我的宣佈」我一看，講話的是有名的猶太，唐文，我說：

「怎麼，你這吝嗇鬼，難道還會有什麼喜事宣佈？你不怕請客？」

「對錶，」他打斷我的話，舉起左手，大家都不明所以，卻也看了看自己的錶。

「幾點了？」他問。

「差三分七點正，」白希堯說。

「好，」他說：「老羅，請把你的收音機打開，轉到鳳鳴廣播電台。」

他又叫我，我說：「神經病，」

「去，」他一色莊重地說。

我過去照他的話做了。

「請諸位洗耳恭聽。」

不知他葫蘆裏賣的什麼藥，我們都把耳朵豎得高高地。

只聽到電台裏，那位比李麗華還能作的小姐說：

「……下一個節目，是台北通雲街廿一號陳美蓮小姐點給台南市衛民街九號唐文先生聽的，『聽我細訴』。」

大家張大了嘴，哄的一聲，圍到唐文那裏，挺起他嚷道：

「好大的胆子，幾時進了規定，快報告來。」

你一句，我一句，大家心理都有一種說不出的滋味，因爲大家都打了半輩子的光棍，因此，當初的時候，我們這房裏的王老五，訂了個君子協定，這協定在這裏不好說，現在他竟公然破壞，比俄帝還胆大，這就難怪大家心裏不舒服了，最後，在衆怒難犯之下，唐文只好把他的艷遇報告出來。

事情是這樣，上星期老唐因公上台北去，在車上無意間認識一位小姐，踩了一腳，於是，那位小姐紅着臉向他賠不是，因此而交談，分別時又交換通訊處，前天，陳美蓮忽然來了張明信片，要唐文在今日下午七時，收聽鳳鳴電台，她給他點唱的節目。

這愛情倒新鮮，倒有趣。

過了三天，唐文點了一首「明月千里寄相思」，回贈她。

又三天，陳美蓮小姐給唐文先生點了首「夢裏相思」。

再三天，唐文爲陳美蓮小姐點了首「給我一個吻」。

我們都怪唐文大胆了些，恐怕觸犯了陳小姐。

誰知，過了三天，我們都心情緊張的守着收音機，聽陳美蓮的反應如何。

結果，陳美蓮點了一首「我愛你」。

於是，唐文也點了一首「我想你、我愛你、我要你」。

……

一個月過後，世界上有許多事變得很厲害，那邊中東大頭剛吵，這邊金門砲戰又來，國際間壞話說盡，好話講完，一切仍亂七八糟，倒是唐文與陳美蓮之間的事，經過我們這批諸葛亮的策劃，一帆風順，唐文預備明天到台北陳家談「生意」了。

願天下有情人都成眷屬，雖說我們都對唐文妒嫉，但，仍熱心地把宿舍裏頂好的行頭借給他。

臨走，老朱把戀愛手册裏比較實用的，用宣紙，用毛筆端端正正的寫下來，交給唐文，以備不時之需。

唐文是載了我們滿懷希望去的。

誰知正沒過三天，唐文垂頭喪氣的回來了，我們都吃了一驚：

「怎麼？」

「別提了。」

「怎麼嘛，要命，」心急的白希堯叫道。

「十萬，她家向我一開口就十萬。」

「十萬？」我們瞪大了眼。

「我陪她去一天，陪她玩了一下午，又買東西送她家，第二天錢就快光了……」

「怎麼這麼快，我們五個人一個月的薪水呢。」我說。

「這麼快？她要買這個，她媽媽要買那個，偏她的哥哥姐姐、弟弟妹妹又特別多。所以我便跟她提出結婚的事，她媽先在我的戶口聽到我是一個小公務員，臉色就慢慢變重了，向我開口要十萬……上帝。」

小唐傷心的往床上躺下來了。

一個月過後，我無意轉了轉收音機，忽又聽到陳美蓮小姐的芳名，我耐心的聽那位電台小姐報告：

「台北市通雲街廿一號陳美蓮小姐點給高雄七賢三路，中華電器行劉經理聽的，『媽媽要我嫁』。」

我看了唐文一眼，他無力的噢了一聲，跌倒在床上。

「起來，別那樣。」朱正邦說：「起來，我請你看電影。」

「什麼片子。」我心急地問。

「一部王牌台語巨片，叫『明知失戀眞痛苦』，」

「你這缺德鬼。」唐文又噢了一聲。

論王右軍的書學（上）

◦王世昭◦

王右軍的書學，初以父曠、與衛夫人爲師。達後上窺秦漢，中友時賢，專攻碑版，遂爲百代宗師。唐以下作者，無一個及之，世人謂之書聖。書聖學書，始於七歲。到了十二歲，見其父曠枕中有藏書曰筆論者，遂竊而讀之，然都不了了。爲了時至父所，父怪而問之，乃語羲之曰：「待汝成人，吾當授汝！」羲之拜請曰：「願早授之，使得成人，已爲暮學。」曠遂語大意，功以日進。衛夫人一見語太常王策曰：「此小兒必見用筆訣也，近觀其書，便有老成之智，此子必蔽吾名矣！」其爲人所欽賞如此。

既渡江，北游名山，見李斯曹喜書；又之許下，見鍾繇梁鵠書；之洛下見蔡邕石經三體書；又從兄洽處見張昶華嶽碑；遂改本師所學，以從事於衆碑。其名於同時人中亦首屈一指。

史稱：羲之書初不勝庾翼郗愔，嘗以章草答庾亮。亮以示翼，翼深歎伏。因與羲之書云：「吾昔有伯英章草十紙，過江顛狽，遂乃亡失。常歎妙跡永絕，忽見足下答家兄書，煥若神明，頓還舊觀。」其爲時人所推仰又如此。

羲之的法書，在當時的價值怎樣？據說：羲之在蕺山，見一老姥賣竹扇，因爲各書五字，姥有慍色。羲之語之曰：「但言王右軍書，字扇百錢易耳。」姥如其言，歸息都盡。一日，姥持扇再來求書，羲之笑不答。又一日詣門生家，因棐几滑淨，遂書之。眞草相半，後爲生父刮去，生驚懊累日。

又羲之爲右軍將軍會稽內史時，山陰有一道士養好鵝，羲之觀而悅之，求市。道士云：「爲寫道德經，當舉羣相贈耳。」羲之欣然命筆，書畢，籠鵝而歸，其風趣如此。

世說新語云：「謝君問王子敬『君書何如君家尊？』答云：『固自不同！』公曰：『外人論殊不爾！』王曰：『外人那得知？』」

朱子範病逝台北詩以哭之

◦伍憲子◦

三年別後子猶龍。意外聞喪似夢中。家學夙傳朱舜水。將才空憶鄭成功。勞編字課瘦精力。保有金甌損病容。亂世歸魂何處去。海潮無浪送東風。

楊毅新婚

◦伍憲子◦

麥浪神州未泮冰。思家兒女欲休兵。鄉德誠能在戶。莫許秦晉得有城。復國明倫人繫念。歸妻隆禮士多情。盧閨風韻尋常事。喜聽雞鳴未旦聲。

這就是藝術家

◦南銘◦

有許多人開口閉口就談藝術，一般人也往往對藝術盲目的崇拜，都以爲自己，處處是在用藝術的眼光來欣賞一切。

記得有這麼一個故事：

有一個鄉下人，辛苦半輩子才積了幾個錢，想到城市裏去玩一趟，到了城市又怕被朋友笑他土頭土腦，結果他只好去求教一位曾經進過大城市的本鄉人，究竟要如何才不會丟臉，這位仁兄就告訴他兩個方法：一是逢人開笑臉，裝出無所謂的樣子。另外就是遇到新奇而又不懂的東西時裝出很懂的樣子點點頭，假如有人問你，你就說這個是藝術的結晶表示自己懂得藝術。

這位鄉佬佬就領教了這兩個方法。他的朋友陪了他逛了一天的大街，他看到新奇不懂的東西，都裝出一付很懂的樣子點了點頭笑了笑，晚上回到下榻處，他的朋友問他對這城市的觀感如何，他表示：「這都是世界人類了不起的藝術結晶」。他的朋友很詫異的問他：「原來你還很懂得藝術，最近正好有一個畫展，明天我可帶你去看看」，他糊裏糊塗的點了點頭。第二天在展覽場，這位鄉下佬面對一幅幅的抽象畫簡直是莫明奇妙，但他也裝出很懂的樣子連連點頭，他的那位朋友問他對於這些畫批評如何，他說：「這些都是偉大的藝術結晶」，這位朋友也只有自嘆不如了。

拿這故事來反映目前這社會一般所謂懂得藝術懂得藝術生活的人，再恰當也不過的了。

從世界藝壇趨勢談非形象繪畫

◦莊世和●

不久以前，我寫了「甚麼才是新興繪畫」，刊于第八一三期的「自由人」報，經過了一個月之後，在一月二十六日的台灣「聯合報」上看到蕭勤先生寫的「另藝術與我國傳統藝術的關係」一文，讀後頗感詫異。此後有許多關懷藝術的朋友紛紛來信詢問。因之，隨便草此以釋明其「疑惑」。

根據近代美術史稱：自從立體主義發生以後，有許多流派的藝術產生，其中，有從形象的主題解放出來的「非形象的美術」，這種稱爲「抽象派」，又稱「構成派」。抽象藝術有二大主流；一是由馬蒂和秀拉出發，通過立體主義，在俄國與荷蘭發展的幾何學的構成主義底藝術。二是由高更和羅勒斯出發，經過康丁斯基，而後通過超現實主義的一部份的抽象主義底美術。前者傾向於知的、構造的、建築形態的、幾何學的、直線的、其論理性的依存於嚴格，可謂古典的，後者傾向於直觀的、感性的、有機的、生理形態的、曲線的、看其神秘性、自發性、非合理性的強調，但是非常浪漫的。蕭先生所說的另藝術（按美術史沒有這個名稱），就是第二藝術，看其主張，確實也是屬於抽象派的一支派了。

第二次世界大戰後的藝術運動的情勢，還未發見有新的流派，目前在世界各國最興旺的還是「抽象派」與「具象派」（又稱「新寫實派」）的兩大壁派，其他都是屬於這兩大壁派的支派而已。這兩大壁派都具有世界性的發展，如抽象派有國際性的「抽象、創造之羣」，具象派有「國際具象派協會」。

爲了我國藝術文化的發展，也不妨當家討論藝術運動的諸問題，只怕有些人們不斷研究美術史的事跡及考驗，以「盲從」與「偏見」，來自我陶醉自我實驗。大家都曉得浮沙中是建立不起寶塔的。俗語說：「事實勝於雄辯」。我不願再嚕嗦了。

自由人
THE FREEMAN
（第八三七期）
中華民國僑務委員會登記證僑台字第一第三二號
中華郵政台字第五〇〇〇號執照登記爲第一類新聞紙類
半週刊（星期三六出版）
每份港幣壹毫
台北市售價台幣貳元
督印人：陳文
地址：香港告羅士打道二十號三樓
20 CAUSEWAY RD. 3RD. FL. HONG KONG
TEL. 771726
承印者：東南印務出版社
台灣總經理處：台北市西寧南路
台灣郵政劃撥儲金戶
海外總發行：香港

復國政策與新軍事制度

張六師

最近有關我國的新聞，無過於由柏林事件而引起的台峽情勢。白宮方面與美輿論也同樣估計到共黨在遠東的可慮行動，而提高警覺。甚至明白說出目前世界可能引起的衝突，在西方爲柏林，在東方爲金馬。

爲此隨時即將與強敵拚死活的局面下，我國的軍事準備，究竟已到了什麼程度，雖非我們局外人所知，但凡是今天的中國人——不分海內海外，都寤寐不忘打回老家——復國，是人同此心的。

不可長靠第七艦隊

去年金門砲戰後，產生對中美公報的許多混亂言論。我們旁觀者[illegible]。但事實上，我們由當局看來，不是不知道今天軍隊的待遇與生活之苦，與一般工商人員的收入相比，是不能同日而語的。然而還要堅持下去，則非中決策有原因的。如果說由政府以至人民，都認爲今天在台灣可以過長期性的偏安日子，則第七艦隊之在海峽，自然失去大陸一千萬人口，而台灣以六十萬軍隊，也都是多餘的。

問題就是在此，擁有如此大批軍隊，除訓練與改善裝備外，等於投閒置散，無所用之。其結果不僅有傷士氣，且等於浪費，人的聰明，孰不如我，何以一定要如此做呢？在海外，我們說中共的一切備戰措施上看，任何人均知，中共不會甘於三旬，把人民公社推行，而且還準備這場大戰。目前，他們更知，如果冒險侵犯金馬，有着不是大戰的可能性，並不是第七艦隊的兵船，也是他們更明白，大戰一起，蘇俄作戰，而和由中華民國陸軍，和由這支陸軍所帶的自由火，而引起的千千萬萬的大陸反共人民的起義。否則還如彼知己，何以他們會比我們處於此戰事中。他們如果立的情勢，以第七艦隊是會長期以爲守護，永久代替我們守衛之地，這也是太欠思考。世界上那有一個國家會替另一國長期代作防衛的？中美條約的期間，其活動性如何，難道大家至今還不知？美國不惜與中共坐下來談兩三年，不是爲的要中共「不使用武力」麼？不是很明顯的可以隨時撤退第七艦隊麼？而幕後的醞釀，不是只要中共承諾「不使用武力來改變領土」，甚至還可以取得美國的承認與進入聯合國。自然最後是實現「兩個中國」，乃至於重提台灣「法理問題」吧。

西方對台灣局勢有成見

局勢如此明顯，而西方許多國家——包含美國，都有一種認爲中華民國自身決無打回大陸的成見，（最大理由是地小兵少的公算）。他們不明瞭中國的歷史，人情，文化，和大陸民心自無足怪。但作爲中國人的我們——尤其是知識份子，是應了解中國的。否則爲叫北伐的死難軍民，和抗日的無名英雄，與辛亥的革命志士含冤痛哭了。（當時國際上有幾人相信會勝利成功的）。大陸未實行人民公社前，一般人只看出中共早失民心，是靠槍桿與特務鎮壓，維持政權。在實行人民公社後，才證明槍桿子與特務都靠不住有把握了，於是才用全面集中，整個管制，集體編制調動，澈底軍事化的手法來防制革命變亂與加強生產奴役。可是所發生的相反結果，竟致迫使毛酋不得不聲明下台，其內部情況的嚴重程度，可想而知。

過去，由於金馬的屹立中共臥榻之側，以致逼使他們不能不留置三十萬以上正規軍在沿海各地，六十萬以上預備軍在第二線。加以密軍的威脅，深入到西北，西南，使他們常常大叫「是可忍孰不可忍」！可是金門砲戰後，共黨心上的一塊大石放下了，我們內部「裁兵」之說，也即甚囂塵上。好似大家有了美國，便天下太平，可以平安地過過美式生活了。可是不要忘記，美國預算的軍事比率，本年已達到百分之五十一了。別人是太平繁榮的國家，無當面的敵國，無逼近的外患。我們是正在流離顛沛，探戈求生，不勝利，即消滅，是不可能跑到美國取得如黑人一樣的公民權的啊！（否則猶太人便不必需要復國了）。

裁軍與我們的國策

近日共黨報紙，正在利用我們的民主制度，登載由美返國立委主張裁兵的文字，大作宣傳。時至今日，我們還在這些問題上兜圈子。這現象至少是我們的國策和軍事政策還未爲人民所透澈了解——所以民意代表有此主張。在太平時期，此爲不成問題的問題，今天高唱「和平」調子的美蘇英法各國，不是還在開「裁軍」會議嗎？但他們的軍兵裁了多少？他們的軍費減了多少？不是他們的聰明不如人，而是實逼處此，不得不爾。於是這便是國策問題與制度問題了。

我們面對當前的大敵，友邦的艦隊是在等待如果和敵人大使級談判有結果，他們要走，不是我們留得住的。萬一不幸大戰爆發，世界戰略的重點，便不在台峽，他們還是要走，仍然是我們挽留不下來的。在此情勢下，我們對於台澎的防衛不靠自己還靠誰？可是問題在中華民國是以永久，長期保衛台澎爲國策麼？

如果「是」，則只保留警察與若干民兵便已足夠了，就是替人守基地也不一定需要自己如此多陸、海、空軍的。否則中美防衛條約既是指防衛台澎而有，中共來攻，中美自然聯防作戰，中共承諾「不用武力」，則條約便失意義（指站在美方立場說）。都與中國人光復失地的勘亂剿匪戰爭，是不相衝突的。然則今日的問題，便只剩下軍事制度與實際行動兩個問題而已。

軍事制度與實際行動

軍事制度的改善，可以推進現代化新軍的實力，減少不必要的靡費開支，在美國如此，英法俄……瑞士都是如此。中國今日是既需要精兵——不僅在裝備方面精，而更須在精神與意志和技術方面也要精；同時還需要多的精兵，因爲中國的領土太大；未來無論大陸反共與抵抗反共的軍隊數量也龐大。美國今天的五角原子師，已經又進一步要增加砲兵火力一倍和相當數量兵員了，足見人力在戰爭中的地位，無論科學怎樣進步，仍是必須人來支配的。

所謂「政治反攻」，應該不是不需要軍隊的。因爲政治反攻的作用，是在爭取人心，今日大陸人心（除少數死硬受麻醉與相當數量在控制下的人力外），已很少不是欲與共黨偕亡的了。人心反共應無太大問題，問題仍在如何反攻（軍事的）？與反攻後如何辦（政治的）？不打開鐵獄缺口，如何表現政治設施？要打開缺口，仍然需要先有軍心士氣，與反共抗俄的人心，政治意識，還有什麼疑問？但失敗在沒有軍事外援。但應付大陸的軍事支援，是需要粉碎敵人的反攻，是需要大量精兵的，爲了提高我們的士氣，應該改善軍隊——尤其是職業性中下層軍官的待遇，才能充實其理想精兵。爲適應登陸後的建軍需要，我們應有多量的好軍官與精兵，便不能無計劃的裁兵。但影響財政改革的是軍費，我們所以今天我們需要一個新的軍事制度，來解決這個矛盾。

自由人報服務部

代購代售書報文具
手續簡捷取費低廉
印備簡章　函索奉寄

半週述評

爲陳懷琪事件說幾句話

最近，海外的輿論正潛伏着一股激流，這股激流是由於陳懷琪投書事件所形成的。理由很簡單，什麼尚未一致而不可收拾，理由很簡單，祇是爲了需要靜靜地再觀察一下台北當局的下一步驟如何而定。

陳懷琪投書事件，目前已經進入法律偵訊階段，如果在未曾開庭前欲求補救，是尚有充分時間，解鈴尚需繫鈴人，祇要當局不必堅持將此事件更形複雜化。如果從法律的觀點上說，自由中國半月刊未必即敗訴，即使敗訴，但也只是個人損害賠償的責任。如果一定要說該案與政治因素混合牽纏，那末海外的輿論的容忍限度，也就很難說了。我們還是希望「緊急會議」能善體下情，顧全「政治反攻」的大局與團結的形勢，切勿操之過急才好。

美國的政策仍然堅定

美國有沒有外交政策？在對蘇政策方面，美國究竟採取何種態度？這兩個問題是令人經常關心的。因爲有些人常常指說美國無一定的對外政策，於是就認爲蘇聯的外交政策，是十分堅定而強硬的了。其實，持此種觀點是相當錯誤的。我們怎麼能夠將美國不願意放第一槍的意願，說成是美國沒有堅定的對外政策呢？日來白宮方面一再強調不從台灣海峽退卻，並一直保持着最高的警覺性。在柏林問題上，艾森豪的態度，也可說是夠肯定明顯的了。戰爭如果在歐洲大陸地面進行，蘇聯自然佔有壓倒優勢，但艾森豪已聲言，如被迫，不惜與蘇聯在地面作戰。

英美對歐政策無基本分歧

在東方人看來，麥美倫訪蘇是羞辱多過榮譽，但英國朝野卻一致認爲他此行是成功的。下院議員且向他詢問會否將擬議中的英蘇和約建議，擴大成爲使西方所有國家與蘇聯簽訂一項某種形式的安全協議。於此可見如何避免戰爭爆發，已成爲今日歐洲問題的中心。歐洲問題的解決，看來是訴諸武力的可能性小，而提交會議談判的成份居多。但無可否認，要能打，有打的準備，才能促成有效的談判，於此可見，英美間之政策並非不可協調。

西方不協調的是對華政策

美國與西方盟國間惟一不甚協調的，還是對華政策，也即是說若干西方國家不能完全贊成美國堅持承認中華民國，拒絕中共入聯合國，以及繼續對中共施行的管制貿易。

美國助理國務卿羅柏遜之匆匆飛往加拿大，其重心工作即在溝通加拿大朝野之間對此問題之見解，而他向加拿大人民所作的廣播，較早的消息透露，也是專對同一問題而發的。指出這一事例，也在便於說明，美國的對華政策，在可見的將來，大抵不會有顯著的改變。

中東的緊張局勢

伊拉克再度爆發革命，這說明民族主義分子力量的抬頭，也即是民族主義與共產國際間的鬥爭正始展開了。

納薩在這樣的情勢下，不顧一切地指斥卡遜政府是聽命於外國人的賣國賊，雖或者是未免偏激過火，但至少可以證明卡遜政府中潛伏着而且掌握實權的共產國際分子爲數不少，也足見莫斯科過去是早就蓄意在阿拉伯民族中製造兩個左傾的民族領袖，供其驅使。但是當納薩的勢力膨脹遇到阻礙時，伊拉克的再革命就順理成章地爆發了。

。李金曄。

自由談

毛共的因間詭計

毛共對中華民國政府施展「政治瓦解」的統戰魔術，自從他們所謂「只講辯證，不講信用」的反右派「陽謀」揭穿以後，已不發生絲毫作用了。屹立在台灣的中華民國政府，始終是架在毛共頸上的一把利刃，既不能憑實力予以拔除，時有喪生的危險，而「和談」的要求又沒人理睬，智窮力竭，如何是好呢？

他們心生一計，乃襲取古人伐謀伐交的「因間」策略，使用造謠惑衆方法，以期造成敵人內部由混亂而趨於潰敗的結果。試看毛共對台灣海峽「自動」宣佈停火以來，即一面拚命宣傳美國要出賣中華民國，要推翻自由中國政府，要把台灣據爲己有；一面將台灣和海外華僑社會中凡有不滿現狀，倡導民主政治生活的言論，一概指爲接受美國的教唆與組織，從事「反蔣」運動；同時又以鱷魚流淚的姿態，對自由中國政府當局表示同情；經常繪影繪聲地暄嚷不歇。目的就在挑動執政人物的反美情緒，因而對於提倡民主自由的人士，視爲「親美份子」，實行整肅——最好是互相敵對鬥爭，演出對外反美，對內「反蔣」的悲劇，讓毛共坐收「和平解放台灣」之功！

毛共這套「因間」詭計，毫無隱諱地表現得清清楚楚，一目了然。我們的朝野人士，未必無所警覺吧？敵人既要製造我們的內亂，大家就應該本諸相忍爲國的心情。在言行上稍加檢點，凡足以使敵人據爲造謠釀亂口實的言論和行動，必須愼思明辨，好自爲之。如其逞快一時，罔顧利害，即不啻無意之間替敵人格盡了「上兵」的義務。孫子曰：「上兵伐謀，其次伐交」。上兵者，內奸之別名，亦即敵人施展「因間」策略的良好工具也。小不忍，則亂大謀，可不懼哉！

馬五先生

自由中國半月刊被控案側聞

首次不公開偵訊歷時二點四十分，但佇立司法大廈走廊慰問與訪問雷震者達二百餘人，各方對本案之重視於此可見一斑。據聞國民黨於上週宣傳會報中，極力支持陳懷琪，會中雖有相反意見，却未被採納！如本案控方勝訴，成爲判例，今後台灣的報刊，隨時都有被「關門大吉」的可能！

（台北航訊）自由中國半月刊發行人雷震，被陸軍中校陳懷琪控訴涉嫌「僞造文書」，「誹謗名譽」，及「爲叛徒作有利宣傳」（叛亂罪）（按：懲治叛亂條例第七條；以文字、圖畫、演說爲有利於叛徒之宣傳者，處七年以上有期徒刑。）一案，本月三日台北地方法院地檢處謝俊峯檢察官開庭偵查，雷氏由其夫人宋英等陪同準時出庭應訊，歷時二點四十分，司法大廈走廊擠滿了大專學生、軍人，以及市民與中外記者兩百人左右，因爲偵查庭禁止旁聽，所以大家一直等到退庭，包圍雷氏詢問與訪問，這是出乎各方面意外的，故有關方面亦表示重視。

自由中國雜誌於本年一月十六日，該刊第廿卷第二期於是日刊出署名陳懷琪的讀者投書一文，題爲「革命軍人爲何要以『狗』自居」，陳懷琪於同月卅日以更正函一封，寄交該刊，謂該文爲假冒其本人姓名、軍籍、經歷與學歷，捏造事實等理由，要求更正。該刊以該函「不成其爲更正函，沒有全文發表的義務」，故僅在該刊第廿卷第四期「給讀者報告」一文，寫出簡明聲明。陳懷琪表示不滿，延至二月十八，十九兩日，連續在中央、新生、聯合各報，刊登「陳懷琪警告自由中國雜誌啓事」。該刊亦於同月二十日在聯合及公論報，刊登啓事，又於同月二十二日在中央日報刊登同樣啓事，以爲答覆陳懷琪。本月一日，該刊第二十卷第五期社論第三篇：又刊登「關於陳懷琪投書事件的簡報」加以說明。因而引起各界人士的注意。各種不同的意見亦不脛而走。

國民黨於上週宣傳會報中，傳聞會中有人提出極力支持陳懷琪，會中有人提出相反的意見，並未被採納。會議的經過，立刻傳遍全省。茲綜合各方的看法與推測如下：有人認爲；這是繼高雄市警局長李通綱控告省議員李源棧「誹謗案」之後的又一傑作，假定本案成立成爲判例，則自由中國的報章雜誌，隨時都有被「關門大吉」的可能。如果本案一經公開審判，則其後果比李通綱控告李源棧案更爲嚴重。有人推測當局可能如同去年出版法一樣，不顧一切，非使自由中國雜誌關門與雷震成爲「階下囚」不可，不過又有人以爲當局「實行以政治爲反攻大陸的主要途徑」，或不致冒然而爲，致引起全國的不利反響。然則此案結果如何，只有經過時間與空間的考驗，方能證實。不過我們總希望政府當局冷靜考慮一下。（三月四日）

·墨冰·

民主社會主義運動

（本報訊）香港有一本「聯聲」月刊是政治性質的雜誌，在已出版了兩年，在今年的新年號，有一篇文章題爲「回憶過去，展望未來」。足以說明該刊的政治主張。這篇文章說，「民主社會主義必然成爲未來人類社會的主宰。因爲這個主義的特質，一切以人民的利益爲利益，人民的需要爲需要。既要實現政治平等，也要達到經濟自由」。又說「中國問題是世界問題的一部份，中國問題的解決亦視世界問題之能否解決爲斷。當民主社會主義的國際運動勝利之日，即是中國問題獲得合理解決之時」。因此，我們可以說這一個刊物的政治主張，是鼓吹「民主社會主義」的。

反對有政黨的存在

說到，有關具體問題的意見或主張，也可以從最近這兩期的該刊（廿三，廿四期）文字中，窺見其一斑。例如廿三期一篇論政黨存廢問題。該刊是贊成不要再有政黨存在的。該文的結論說，「在今日，政黨的存在，已成爲社會不安的因素，更是時代的一股逆流。人類若到了一個新世紀，必然要建一種新觀點，新秩序，決不會再容有政黨存留的時間和空間了」。爲甚麼不要有政黨存在呢？該文說：「任何一種政黨，都具有排他性，要長期掌握政權，包辦政治。」「政黨是製造是非的集團，是散播謠言的電台，是滋生仇恨的淵藪，是一種權利的結合，是一種變像的黑社會組織」「任何國家的任何政黨，其黨員人數總遠不及全體人民的總和，偏偏要以少數的黨員包辦全體人民的事，還是一種不合理的行爲」「國家內的眞正人才，不一定甘願入黨，每個政黨內的活動人物，更不一定盡是眞正人才」，「政黨反而成爲阻塞人才爲國家力求表現的機會，更構成排除異已犧牲人才的許多罪惡」。「國家有了政黨，政府首長的意志與國家的內政外交各種重大決定，都要受政黨的支配，並不是人民的共同意向」。

不修不選的主張

對於修憲問題，該刊這兩期的文字都提出完全相同的主張。廿三期「建立新的法理」一文，與廿四期「關於台灣修憲之爭」一文，均主張「不修」「不選」。所謂「不修」便是不修改憲法，「不選」便是不再選總統。這篇文章說：「現任總統與副總統和一切民意代表的責任，是要確實看守這一部民主的『中華民國憲法』。現在的台灣民主政府，是一個看守政府，在看守期間，也應該注意時移勢易的國內和國際的一切變化，所以要由台灣和海外的民主人士及社會賢達，與現任民意代表共同組織一個類似過去參政會的『國是會議』，去協助政府，共策復國大業。一俟國內的和平秩序恢復後，有了自由選舉的新環境，再實行全國大規模的各項選舉，然後大家來辦理新舊交替。至於修憲與不修憲，以及如何修憲？這都是新的國民大會的責任所在了」。「我們認爲這種意見，是面面俱到的最好辦法，而且除了這個辦法之外，一切都是徒事紛擾，於事無補」。參加這一個「民主社會主義」運動的人，到底有多少？除了這一本月刊外還有沒有其他活動，我們都不大清楚。然而這總是近年來在海外從事政治活動的一派，是可斷言的。（三月十日）

日本政壇趣話　藤山挨打小記

·觀·

藤山外相最近爲了「日中貿易」「遣送韓僑」兩大事件成了最受人注目的人物，這一位搞貿易出身的公子哥，原先是反共的，可是自從踏入仕途，深得「好官我自爲之」的三昧，那管得什麼反共不反共呢！

上月廿五日五時半左右因「遣送韓僑」一事曾與大日本愛國黨黨首赤尾敏在外務省發生衝突；藤山竟跌倒在地，藤山的秘書官說是赤尾用手推及藤山的肩頭，因而跌倒；惟在旁警察則說是赤尾之手並未觸及藤山之肩，而是藤山自己跌倒的。報上並登出四幅相片，並無赤尾之手觸及藤山之肩的一幕，倒是藤山被人從地上扶起滿臉浮起苦笑的一幕最爲有趣，警視廳方面以赤尾之「暴行」無法確認，表示送交「法院」一事頗爲困難。據說此一暴力與侮辱大臣罪之起訴與否，還得要受害人藤山提出控告，否則是不了了之了。岸信介要除三害，未料及「暴力」竟加之於其首腦閣僚之身，亦云慘矣。按赤尾係反共份子，絕對擁護皇室的忠誠人物，手下能大打出手的徒子徒孫不可以數計，彼主張恢復紀元節，爲此曾赴高松宮殿下住宅指斥其反對紀元節之論點，高松乃日皇昭和之弟，以其歷史學家的地位，根據史學觀點堅持反對恢復紀元節，幸在日警衛嚴密的防衛下，赤尾未得進入高松寓所，否則又將是一場好打。（三月八日於東京）

政府要厲行分層負責了

（台北通訊）目前政府各部會間，正厲行分層負責，據說在公文數量方面，去年下半年已較上半年均減少了百分之十。

分層負責，這原是處事之程序，並非新的政治理論發明，祗因過去許多年，各級主管無不好「作之君，作之師」，不該管的事也要管，以表他的察察爲明，於是而下一級的主管，就習非成是，懶得負起責任了。如今既然各個上級機關，認爲包攬的事情太多太繁了，爲此釐訂改革方案，要下級主管分勞分責，這個反璞歸眞的觀念之改變，自然難得一時收效。此所以自俞任而陳任，我們的行政院與各部會之間的關係，今天尚待專案小組繼續研究也。

不過，儘管一邊做，一邊研究，只要在上者有這一份決心，假以時日，必然逐漸可以習是成治，蔚爲風氣。問題乃在，行政院與各部會之間關係的分層負責，並不包括各部會與各部會之間的各別負責，也未包括各部會內部各單位之間的各別負責。今天我們另有一種習非成是的現象是：任何問題發生了，原應由某個部會處理的，那個應行負責部會，都好邀約有關單位，開上一次聯席會議。原應由某個部會某一個單位處理的，那個應行負責單位，偏好來一套所謂會簽手續。這種做法，從好的方面說，是交換意見，集思廣益，彼此了解。從壞的方面說，在開會或會簽過程中，只要有參加者之一，提出或寫上不同或相反的意見，這件公事必然被延擱時日。縱然那種不同或相反的意見，未必有採取價值，也得呈請上級，予以最後決定。分層負責，於是也打了一個大折扣。

因此，我們樂聞行政院分層負責之認眞厲行。但分層負責是行政上之縱的關係，縱的關係之改進，方能拔本塞源，眞正做到分層負責，這個橫的關係，便是各別負責。不悉有關當局已注意及此否？

·季鶯·

海埔新生地案的發展

·尚義·

（台灣通訊）關於海埔新生地的開發，本報迭有報導。這善舉却不幸在政治上掀起了軒然大波，鬧成政府施政上的巨大新聞。

所謂海埔地，即廣東人俗稱爲「沙田」。在台灣經查有五〇、五七一公頃，善加利用，據估計年可增加十四億新台幣的生產，容納國民卅萬人就業，政府共規劃成四十二個墾區，爲配合國軍中退除役官兵的就業計劃，將北部宜於農耕的二二、五六八公頃劃定給退除役官兵輔導委員會自行規劃開墾，其餘南部二八、〇〇三公頃因地質之不同，分別劃爲農耕區，農漁混合區，漁業區，統交省政府民政廳所屬地政局辦理，其中漁業區約八千公頃決定儘先放墾。

自「台灣省海埔新生土地開發辦法」的公布，直至去年十二月地政局將約六百五十個申請人分別核定與駁回之後，才掀起風潮。

秘密的發現

先是一月十二日台南市議員吳頂專對記者們揭發說：四十七年十二月十六日他在台南市延平旅社的一間房間檢得一付十三張信紙般的「合約書」，首頁是三位省議員與三位地政局人員議訂的六條合約，主要意旨是說：由他們的親友等九十五人出名申請台南市，台南縣，高雄縣共計一千七百餘公頃的海埔地，只後政府核准開發時依照總面積按九份比例分配，決無異議，經營方式，另行洽商云云。後面附着九十五人出名申請之十二筆土地地區番號，面積，人名，住址等，用鋼筆書寫，但未蓋章，簽字。次日全省各大報，尤其是民營的，都用五六欄的地位，「官民勾結」等大字標題刊出。即刻轟動社會，認爲在進步的法治的自由中國竟還會有如此無法無天的醜事，是台南市議會首先組織了專案小組澈查究竟，省議會，內政部，監察院陸續派大員分別南下調查。

合約書中三位省議員除已先後向台南地方法院控告揭發人吳頂專僞造文書，損害名譽的罪名外。在各墾區內五六千的漁民，也激烈地反對地政局的措施，他們自稱在部份海埔地上蓄蚵養殖，有百年以上歷史，這些地區是「海埔既成地」，如將這些土地改租他人，則他們生活，就要發生嚴重問題。

案情的發展

主管機關地政局既有一部份人涉嫌到合約書上，還未洗清，恰巧又在處理技術上，自不免有點將事件擴大。

省政府對此事的決定（一）已有糾紛之地區，暫行停辦，（二）凡經[illegible]明有違法，將來依法撤銷，省議會亦要求省府修改辦法。

[illegible]

何不考慮一下利用外援呢？（四八·三·六）

一點參考意見

海埔地的開發，在西德荷蘭等國，十三世紀以來就已經直接進行有計劃的排水開發工作，日本是海埔地開發最大利用的國家，五分之一的國土是海埔地變成的，也都由政府先從[illegible]水利設資，[illegible]

國際動態拾零

△原子深水炸彈，裝在誠雷艇之五英寸小砲，美國已完成此設計，用以對付蘇聯潛艇，凡在五方英里以內範圍，均爲有效，同時裝置深水雷達，可發現水底潛艇之蹤跡。

△泛美航機在太平洋飛行，須升高至三萬九千英尺以上，因恐多次原子爆炸之後，輻射性已增加至可對旅客有害的程度了。

△塞島之大主教麥克勞斯（Makarios）爲獨立以後將出任第一任總統。[illegible]已改變態度，以參加大西洋公約國，爲取得美援之交換條件。希臘恐怖黨領袖格里佛斯（Grivas）亦不反對，他想做大西洋公約國之該島駐軍司令。

△北京深恐東西妥協，停止冷戰，故在蘇聯貸款與軍事中蘇友誼之後，兩國邦交迄未好轉。中共蓄欲維持國際緊張局勢，爲驅策其人民繼續奴工生產的藉詞。

△中共對青年團大舉整肅，藉以產生未來領袖，組成強硬的核心。過去青年團反對公社制度，故非嚴整改造，從理論上與組織上加強其管制[illegible]。

·陶然·

酸葡萄

中共外交部于本月四日交給英國政府一份照會，作爲代表中共自己及北韓政府對英國政府去年十二月四日來照的答覆。按英國政府十二月四日的照會是代表聯合國軍各國政府的，同時還附去了一份聯合國的決議，因此該照會是答覆聯合國軍各國政府與聯合國的。中共照會的要點是：一、硬說聯合國軍各國政府沒有「謀求和平解決朝鮮問題的絲毫誠意」；二、認爲「聯合國軍各國政府特別是美國政府必須對朝鮮問題的不能迅速和平解決負責，並且承担朝鮮局勢的惡化和由此引起的一切後果」；三、指責「來照把美國操縱下通過的所謂聯合國決議轉來，更是荒謬之至。」說「聯合國被置于朝鮮交戰一方的地位，它早已失去了公平合理地處理朝鮮問題的資格和道義力量」。其措詞的狠惡，似乎有不惜再挑起朝鮮戰爭的模樣。算了吧！要搞緊張局勢在台灣海峽搞吧，朝鮮戰場上恐怕不容隨便搞的，西方各國政府現在已騙不了嚇不倒的了。這裏還要注意一點，即它公然承認其與聯合國爲敵，這似乎是因爲進不了聯合國吃不到葡萄，而說葡萄是酸的意味。

撥冷水

麥克米倫訪蘇的過程中，雖具有若干曲折，但至臨行時節，蘇聯的態度已經轉變。這當然不是說，東西緊張局勢馬上就可緩和，而是已經嗅到了蘇聯確有使冷戰解凍的氣味。三月二日赫魯曉夫在最後宴別麥氏時說：「自從我們經過交談並互相闡明態度以後，你們和我們現在都對這件事（指消除冷戰）有了更好的準備。」又說：「在交談中，我們已經把我們認爲應該如何解決德國問題的想法說出來了」。三月五日人民日報發表「是解決德國問題的時候了」的社論，雖然它也說支持蘇聯的同意召開外長會議來解決德國問題的建議，可是它卻認爲與西方外長舉行談判，「除了把德國問題引入無休止的爭論之外，還會有什麼結果呢？」社論又談到麥氏訪蘇，認爲「這當然不能指望他的訪問有助于解決有關方面的重大問題」。由這兩方面的言論來對照，中共似乎在撥冷水，害怕西方的冷戰解凍。

對於聯合國

前面說過，中共公然承認與聯合國爲敵，說它是被美國所操縱的；但是蘇聯卻口口聲聲要根據聯合國憲章來解決國際問題。三月四日蘇聯發表的「蘇英互不侵犯條約草案」中就有這樣的一條！「確認有決心在國際關係中遵循聯合國憲章的宗旨和原則」。它們之間對于聯合國具有不同的看法已是很顯然的了。

·田心·

著名古典文學考據家孫楷第又遭迫害

（本報訊）中國著名的古典文學考據家，文學目錄學家孫楷第先生，在中共佔領大陸之後，因爲目睹各方面的學者蒙受迫害的慘況，所以一直沉默着。除了在北京大學中國文學系任教外，孫先生只在古典文學的目錄和古小說的考據上有些著作。但是雖然孫先生沉默着，中共並沒有放過他。對孫楷第先生的批判鬥爭的序幕已揭開了。一個多月以前，光明日報就曾發表過文章對孫先生的思想進行批判，但語氣還相當「客氣」。可是到了二月二十二日，光明日報「文學遺產」專頁第二四八期上，對孫先生集中的火力已兇猛得多了。

對文學界知名人士的迫害，中共大多是通過「文學遺產」來發難的。如此看來，孫楷第先生也難逃噩運了。

孫楷第明知在中共統治之下，會動輒得咎，所以他在最近爲李笠翁的小說「十二樓」所作的序中特別聲明說：「我壓根兒不是文學家或文學批評家，只是把古作家之性情事迹以及遭逢的身世，把古作家的著作內容與時代社會以及個人的關係加以考核整理，作一個近於事實的報告。目的在於貢獻給近代研究文學的人或者作文學批評的人，幫助他們的鑒賞或品題。」並自己承認是一個「沒有觀點的考據家」。

但是中共勞頭就毫無事實根據地說：「這就像活人沒有靈魂一樣。」

光明日報發表羅織了孫楷第先生的「罪狀」，首先是說他「以爲士大夫的生活趣味，治學態度能夠決定文學的發展和衰敗，某種文體的幸運與否是由士大夫的生活方式決定的。」因此是「主觀唯心的」。

中共惡狠狠地要孫楷第先生好好地想一想，爲什麼「解放後，經過歷次政治運動、思想改造、政治理論學習，而舊的觀點仍是原封未動。」

其次說他欣賞文學作品的態度有問題，中共說他「所欣賞的不僅是些封建的資產階級的糟粕較多的作品，而且還欣賞一些頹廢的、風格較低的東西，」中共惡意的將這種文學觀點上的問題提到思想意識的範圍中來，光明日報說：「這不僅是文學觀點和評價作品的標準的問題，而且是孫楷第思想意識的反映。實際上孫楷第所欣賞、稱道的只不過是封建主、資本家殘酷的、卑劣的人性和自私的、低級的感情而已。早在太平天國革命時期，這些都成了革命的內容，孫楷第生活在今天，還在謳歌那種靡爛腐朽的生活。可見他的錯誤觀點已經不能說是時代的局限性了。」

但是「欲加之罪何患無詞」，孫先生的「錯誤」已不能用「時代的局限性」來解釋，而被提成故意的與中共作對的「反動意識」了！

接着光明日報又加給他一條罪狀：「對黨的批評，絕不服」。因爲孫先生在眼見同樣的學者飽受迫害之餘，知識份子正直的心靈使他感到中共的憎惡，因此他在「十二樓序」一文中寫道：「如果一位考證家批評我的考證方法不密，或者考證的結果有錯誤，我實在感激。不棄的話，我願謝罪，奉璧北面而爲弟子。如果一位文學批評家拋開考證不管，以他的文字品評古人見解，挑剔我的文字或者偶然涉及批評的一部分文字，我只有唯唯諾諾，敬謝不敏。」

在這段話中，他將大陸學者的苦難處境暴露無遺，果然招來了中共的辱罵：「這是孫楷第所一貫的對待批評的態度，這種態度在過去也許情有可原，但在今天，如果仍然抱着這種態度卻是很危險的。我們覺得有責任提醒他，當煩瑣考證炫耀自己的博學，宣傳資產階級唯心主義觀點的時代已經一去不復返了。今天擺在他面前的，不是不做批評家，多做考證工作，盡量不涉及觀點的問題，而是立場、思想感情、學術觀點、政治方法一整套的東西，必須根本改變。」

最後，中共還給他加上了一條「莫須有」的罪名，說孫先生的這種「白、專」思想已影響了青年一代，中共承認了他的學問和治學方向對青年人有巨大的吸引力，因此「有的青年因受孫先生的影響，走上了白專的道路。」中共要孫楷第先生負責，說他在教育方針上「與黨對抗」。

中共就是這樣地將一個個學者羅織成罪，孫楷第先生將會遭到什麼樣的結果，現在還不得而知。但從中共已公佈的「罪狀」來看，問題是極嚴重的。（大陸社供稿）

僑生寒假被迫勞動

（本報訊）據二月廿三日的中國青年報報導稱：「北京市歸國華僑學生中等補習學校的同學，寒假期的勞動中思想上增加了收穫。假期剛一開始，同學們就參加了修建首都迎賓館的義務勞動。」

在消息之側，中國青年報又以特寫報導了該校僑生林吉祥的日記：「我從來沒有參加過這樣的勞動，不知是什麼滋味？不知體力是否能行？早上六點就起床了，我們的勞動主要是將突出在地面的凍土運走，有的鏟土，有的推車，有的抬土，我參加了推車組。在嚴寒的冬天裏，每人把棉衣毛衣脫了，汗仍然滿面流着。有的同學手起泡還繼續幹。今天平均每人挖了一點零一立方米的凍土。」

從未參加過勞動的僑生，被迫在嚴寒的天氣中一天挖了一立方米多的凍土，被迫從事這種強力的勞動，豈是僑生離大陸前所能想到的？（賁）

大陸文壇透視

何謂「今古同台」

田漢的「十三陵水庫暢想曲」是以中共發動十萬群衆勞動力建修北平近郊明陵遺址的水庫爲題材的。話劇和另外別人據以改編的電影，上演時都失敗了。原因是內容空虛，沒有故事的情節，場面都是些男女老少在工地上抬土鏟石，吃窩窩頭，喝白開水，連續工作三十六小時不眠不休，比賽挑戰，紅旗英雄之類，你說能有什麼看頭。值得說說的，倒是田漢在創作方法上，創出了一個新花樣，就是「今古同台」。

何謂今古同台？田漢在劇中加入了兩個古代的場面：一個是元世祖忽必烈和他的大臣們，商議開濬「通惠河」；一個是明成祖朱棣和他的大臣們，商議修築長陵。田漢的用意：元代是河，明代是墳，現在是水庫了；[illegible]的對比，就像一般中共文藝作品那樣：「解放」前如何壞，「解放」後如何好。爲了開河，引來了水；爲了修墳，發生了水患；如今築水庫，今後就根絕水災，全是永利了。用意固然不錯，但古人今人同在一個台上出現，有的人總覺得不倫不類的吧。

誰知自從田漢這麼一開始「作俑」，便很快風行開來了，你也今古同台，我也今古同台，幾乎成了當前大陸戲劇舞台上唯一的特色。更有神話劇也今古同台，於是成了人神同台，戲台上出現了一色的人神交戰的場面。中共有個歌謠說：「[illegible]」，於是就出現了「打敗玉帝」、「擒住龍王」、「車乾天河」等等的劇目。還有天上的神仙也羨慕人間，想到人世來。但是神仙想返人世卻不容易，主要是因爲受到了代表天上的封建統治勢力的天帝之阻撓，這就必須地上的人去幫忙，替他們推倒「反動天宮」的天帝。有個劇叫「人民」扮做紅色衛星闖天宮」，由兩個「人民」扮做紅色衛星的化身，雲遊到天宮，解決了一連串從前孫悟空解決不了不平事件，像奎木狼調戲嫦娥，玉皇祖護奎木狼，要殺死嫦娥；嫦娥想回人間，去和吳剛、玉兔話別，但天帝不准，以致哭哭啼啼，於是這兩個衛星就把天帝打倒了。還有一個戲叫「牛郎織女笑顏開」，牛郎織女被天帝隔在天河兩邊，無法相聚，於是有一羣農民昇到天上，車乾了天河的水，打倒了天上的統治者，使牛郎織女得到團圓。這就胡鬧得太沒有譜兒了。

瘟君夢

第一回：消息自天來人捐秋扇　風波從地起夢冷新華

周恩來看見毛澤東牢騷發完了，要鬧的人也鬧完了，知道可以談問題了，就示意李富春起來打破僵局。在所有政治局委員、候補委員中，李富春是比較中立而忠實擁護毛澤東的，李富春的內兄蔡和森是毛澤東的總角之交，蔡和森的老婆向警予又是共黨烈士，這對夫婦生前曾經幫過毛澤東的大忙，所以毛澤東對於李富春和蔡暢一對夫妻從來視同家人。周恩來很看這個僵局非李富春起來打破不可，就向他丟個眼色。

果然，李富春站起來說道：「關於今天會議，主席已經講了許多，只是尚未討論到基本問題，究竟蘇聯貸款事，應該如何解決，希望主席能有個指示。」

李富春說過，大家都睜眼看毛澤東，只有老狐狸劉少奇碰一個釘，低頭不語，活曹操摸摸着三綹長鬚在沉思，賀龍雖然不懂得開會談什麼，但是看到大家的表情嚴肅，也不敢笑急得只是搓手。毛澤東向全場掃射一眼，看着周恩來問道：「假若本年度沒有蘇聯援助，我們能否自足自給。」

周恩來皺皺眉頭：「財經問題，我向來不過問，還是請陳雲同志答覆吧！」

陳雲站起來說道：「財經方面也是分工，我不過總攬其成，還要請幾位同志分別報告一下，不過就我所知道的，也無法自給，因爲從「建國」以來，我們和蘇聯的經濟已聯成一個體系，每年他們援助軍火、機械，我們償還糧食及日用品，假若今年援助停止了，我們這些出產馬上要找銷路也是困難。」

李先念站起來說道：「我們從「建國」以來，財政上年年都有赤字，過去是靠發行公債，沒收地主財物，和資本家合營等辦法彌補，可是到了今年，能用的辦法全用光了，當農村實行合作化，城市實行公私合營之後，已沒有地主和資本家存在，大家都窮了，公債也無法發行，今年的赤字只有靠蘇聯彌補，如若蘇聯不肯貸款，我眞不知怎樣應付了。」

李先念剛說完，李富春又站起來說道：「最大的問題，還是蘇聯前後援助我們的二百二十一項工程，全部完成的不到十項，如若蘇聯斷絕了援助，一律要停頓下來，整個經濟體系非大紊亂不可。」

毛澤東看見政治局內一面倒的情形，不由得大爲光火，當時一拍桌子，喝道：「散會好了，一切我自有辦法。」

大家陸續走出來，劉少奇俯身向鄧小平說道：「看情形老歪的位子坐不久了。」鄧矮子仰面回他一個會心的微笑。正是：好將冷眼觀螃蟹，看爾橫行到幾時。

（十八）

——第一回完，全文未完——

岳騫

上海青年厭惡八股

（本報訊）根据「中國青年報」最近之報導說：上海市所舉辦的「魯迅獎章讀書運動」，即將結束。經過整整八個月的發動，全市有五十萬人參加這個運動，平均每人讀了五本紅色書籍。這個「讀書運動」，由於黨的領導，並經「推荐好書」以後，改變了青年業餘學習中的「忽視政治」、「厚古薄今」、「重外輕中」的傾向，使過去迷戀「壞書」的青年，也紛紛讀起方志敏「獄中紀實」、青春之歌、林海雪原、苦菜花等紅色文藝書籍來了。

中共以「讀書運動」來干涉青年閱讀書籍的自由，並以「推荐好書」的手法控制青年閱讀書籍的範圍，可見大陸青年對於紅色「八股」非常厭倦，若沒有「運動」的壓力，絕對無人問津。（賁）

釋未集

家法與義法

曲齋

章實齋以爲著作衰而文集興，今試取諸家文集，讀其序跋或題詞，罔不云其所自淵源于六藝者，夫六藝何也，而范蔚宗後漢書，乃分儒林文苑爲兩傳，緣自昔儒生說經，必本家法，然後可以免於俗學之譏，而樂於說經者又輒謂吾以明道而已，而文士不然，大抵不能拘繫于家法之羅網，而思馳騁于文辭，又慮其離于道也，故又必曰：我之文所以載道也。嘗讀曾國藩與吳南屏書，特稱述閒適之作，並自云：「常好讀陶公及韋、白、蘇、陸閒適之詩，觀其搏攬物態，逸趣橫生，栩栩焉神愉而體輕，令人欲棄百事而從之遊，而惜古文家少此恬適之一種，獨子厚山水記，破空而遊，並物我而納諸大適之域，非他家所可及」。曾氏所稱之古文家，要不外指唐宋韓柳歐蘇以下諸人，但韓柳均能詩，蘇軾則無所不能，王安石亦博洽，歐公且偶爲俳體之小詞，即歸震川文，亦復搖曳生姿，似仍有若干閒適之趣。獨方望溪以後，面目始漸嚴肅，以凡爲古文者均豪傑之士，又以「古文與詩賦異道，魏晉以後，姦僉汚邪之人，而詩賦爲衆所稱者有矣。……若古文則本經術，而依於事物之理，非中有所得，不可以爲僞，故自劉歆承父之學，議禮稽經而外，未聞姦僉汚邪之人，而古文爲世所傳述者」。故主張「古文中不可入語錄中語，魏晉六朝人藻麗俳語，漢賦中板重字法，詩歌中雋語，南北史佻巧語」。凡有所作，必有關人倫與風化，必寓六義之精華。將古文之範圍，愈縮愈小，使人侷促窒息，實則漸而致與文藝絕緣，阮伯元四六叢話序，指韓柳歐蘇之文，屬子史一派，雖沿經傳而來，實與文藝異趣，不爲無見，若桐城方姚以下，則無怪曾國藩且慨嘆古文家之不能閒適也。

滄浪詩話云：「詩道本於妙悟」，余則以爲散文亦不可忽，夫道猶五穀也，其功在于養人，因重五穀而植之畦閑之內，以供欣賞，則徒見其迂陋而已。文章家感物興情，抒寫懷抱，勁氣存一立言以詔後世之念頭於方寸之間，而周公，後孔子，神氣凜然，汗出如漿，則閒適之情，消歇盡矣。尚憶抗日時在桂林，至一暴發戶人家訪友，其家爲文飾淺薄之根基，藉令彰其家教，於一桌子上嵌麻雀牌一副，排列成文曰：「子孫切勿賭」，而其子孫實日日以另一副麻雀牌，賭于此桌子之上，道與性情，本不相遠，刻意爲之，無乃類此乎？

夫家法嚴則經術蕪，義法密則古文醜，六經四史，固爲學問道德所自出，而風雲月露，未必即爲傷風敗俗之尤物，鳴琴之治，醇酒之政，其道雖譎而不正，莊子曰：「道在稊稗」，若遇荒年，又安見其不如五穀乎？

梁任公的文章風格

·歸舟·

蘇東坡有送章惇秀才失解西歸詩，開頭兩句爲：「舊書不厭百回讀，熟讀深思子自知」。好的書，特別是經典之作，當然值得百回讀，慢慢去咀嚼消化。惟歷來能令人百讀不厭的書，却是極少。任公著作之能保持永久流傳的價值，百讀不厭，是由於其獨特的風格。

任公之文「條理明晰，筆鋒常帶感情，對于讀者，別有一種魔力焉」。我們要研究他的風格，就必須先明瞭其筆鋒爲什麼常常帶感情，而發揮動人的魔力。據他自己說是由於「夙不喜桐城派古文，幼年爲文，學晚漢魏晉尙矜鍊，至是自解放，務爲平易暢達，時雜以俚語韻語及外國語文，縱筆所至不檢束，學者競效之，號新文體」，這當然是他創造新文體的幾個因素，然却不會是全部的因素。我認爲造成其獨特的風格者，主要是下列兩個因素：

一、高度的愛國熱情。

二、先「矜鍊」後「解放」再雜以韻語。

任公是一眞正的，甚至可以說是狂熱的愛國者，這一點相信不會有人否認的。他的文章處處流露着愛國的熱情，如他論國家思想時謂：「人非父母無自生，非國家無自存」。又謂：「今天下之可憂者，莫中國若；天下之可愛者，亦莫中國若。吾愈益憂之，則愈益愛之；愈益愛之，則愈益憂之；既欲哭之，又欲歌之。吾哭矣，誰與踊者？吾歌矣，誰與和者？」往往能夠理中帶情，情中有理。這是梁氏風格的一面。

在文字的運用方面，誰都知道他涉獵的古籍很多，甚至通史記也能夠記誦十之八九，所以能夠「尙矜鍊」。就是以後爲了求「平易暢達」而「解放」，也能夠做到「解放」而不「鬆懈」。任公所提到的「俚語」，我認爲對於其文體和風格並無多大關係，而且今天看來，他所用的俚語與時下的比較，還是十分典雅，如他在痛詆國人有天下思想而無國家思想時，認爲國人但知有己，而無家國，所以會「有能富我者，吾願爲之吮癰；有能貴我者，吾願爲之叩頭」，這都處於俗而不野，固無增益於其文體，亦無損於其嚴謹的風格。今人欲擬文士何永佶小有才識，行文喜用俚語。他寫的政論有時不無可取的見解，就是由於他用的俚語太多太野，澈底地破壞了文章的嚴肅性，致讀者僅把他的文字當作遊戲文章或「怪論」來看。任公雖喜用俚語，却無這樣的毛病。

韻語用得多，用得恰切，是任公文字的最大特色，也是他的文字成功的主因。如「惟茲國家，吾儕父母兮！無父何怙！無母何恃兮？煢煢淒淒，誰憐取兮？時運一去吾其已兮！思之，思之兮！及今其猶未沫兮。」就是一個典型的例子，能夠同時說理，同時表達其感情，以感動讀者，其對于讀者的「魔力」，也多半是從他所運用的韻語中產生。梁氏著作之能一直流傳下來，使人百讀不厭，而且幾乎篇篇可誦，這要算是根本的原因。左舜生先生論白話文學認爲：「近三十年來用白話寫的中國文學，無論是詩歌或散文，確也有了若干頗優秀的作品，但大抵只便於閱覽，而不宜於誦讀……假定一種文藝作品而無法做到使人樂於默誦，或用反的使人感到『一覽無餘』，還是不是現代白話文學創作的一種缺陷？」（「自由人」七〇六期）左先生沒有說明白話文爲什麼會不宜於誦讀，我認爲主因是白話文講求「口語化」，先天的受了形式的限制，只能平鋪直敍，所以會「一覽無餘」，更不易表達作者個人的情感，如果要像用文言和韻語那樣去表達作者的感情，就會變成「無病呻吟」或「裝腔作勢」，我們試拿一些「古文今譯」來一讀，即可明白個中道理，可見我們在口語上，是不習慣於作這樣的表達。白話文如果要開闢一條新路，似乎應該在「矜鍊」上多下功夫，再適當的運用韻語，這種韻語不一定要套用文言中的舊東西，大可以推陳出新，創造一種基於白話文的新韻語，做到像明代袁中道所謂：「各逞其奇而互窮其變，然後人人有一段眞面目溢露楮墨之間；即方圓黑白相反，純疵錯出，而皆各有所長以垂之不朽。」這是梁啓超風格所給我們的一大啓示。（寫于占美加）

讀俄人帕斯透納克近著詩有感試予意譯工拙所不計也

（帕爲反共詩人近著小說得諾貝爾獎金不敢接受也）

·顧詠余·

我如喪家畜，迷途在窮谷。何處是眞人？自由與華燭。背後追且噓，路斷勢蹋蹙。陰林傍湖濱，松杉墜腐木。斯地萬事隔，險夷同堪足。反弱爲自省，我曾何慾鞠？我豈殺人賊？我豈暴徒僕？舉世競囂囂，云爲吾促逐。吾自愛吾土，蒼翠如仙睦。去去勿再道，我今近鬼籙。一念所不渝，明時將來復。精誠善感召，邪惡終慴服。

毛澤東與曹操

中共要「替曹操恢復名譽」，其實不過是爲毛澤東搭粉而已！

·裕·

郭沫若在一月前忽然對曹操大說好話之後，中共另一御用歷史學家翦伯贊也讚揚起曹操來了。二月十九日的光明日報「史學」雙周刊中，以極大篇幅刊載了翦伯贊的一篇文章，題爲「替曹操恢復名譽」。

文章說曹操是傑出的政治家、軍事家和詩人。下面是原文的幾段：

「說曹操是三國時第一流的政治家並不是因爲他善於運用機會把自己提升到顯要的政治地位，而是說他一貫地把統一中國當作自己的政治使命，雖然他沒有完成統一的任務，但是他結束了漢末以來長期存在的豪族混戰局面」

「說他是三國時第一流的軍事家，也不是說他曾經著過十幾萬字的兵書，善於紙上談兵，而是說他能夠運用當時豪族之間的矛盾，選擇適當的時機，去打擊他的敵人，使大大小小的豪族，一個跟着一個倒在他的面前。」

「曹操不是一個職業詩人，但說他是三國時第一流的詩人，我想他是當之無愧的。史載他『登高必賦』，又說他的詩『被之管弦，皆成樂章』。從現在保留下來的曹操的少數的詩篇，可以看出他的詩，蒼涼雄健，才氣縱橫，就是他的天才的兒子曹植也是望塵莫及的。」

「曹操不僅是一個天才的詩人，而且是詩人最好的明友。在他的周圍集合了一些當代有名的詩人、文學家，包括辱駡過他的祖宗的陳琳在內。由於曹操的提倡，所以在大動亂的建安年間，出現了一個文學的繁榮時代。」

從這三段文章來看，中共爲何指使一些「歷史學家」來歌頌曹操是很明顯的了。因爲那個慣用權謀，消滅異己，由流竄陝北到坐大而又喜歡舞文弄墨作幾首歪詩的毛澤東，簡直和被歌頌的曹操一模一樣！

中共替曹操平反的另一原因，是因爲政治上的原因。因爲中共自竊據大陸後，僭改國號，自立國旗，大陸人民雖然在淫威之下敢怒而不敢言，但是一個活生生的由孫中山先生所締創的中華民國和青天白日滿地紅國旗都是活在人民的心頭的，絕大部份人民，始終不能從心底裏接受中共就是中國這一概念，所以中共要藉此機會反「正統觀念」。

翦伯贊的文章接着說：「撩去曹操臉上的白粉（按：指京劇中曹操的臉譜），並不是一件容易事，因爲搽在曹操臉上的白粉，不是一般的白粉，它是封建正統主義歷史觀在歷史劇中體現，如果不從思想上消滅封建正統主義歷史觀，曹操臉上的白粉是擦不掉的。」

政治目的被提出來了─消滅「封建正統主義的歷史觀」。但人民是不是會因此改變自己的觀念呢？在人民心目中，曹操始終是奸賊，而中共也終究不能代表中國。退一萬步來說，即使說曹操是個奸賊，但他却不是個賣國賊，毛澤東即算是個當代的「風流人物」，但是他却是個道地的賣國賊，如果以他來比曹操，無異說格調更低了。

鳳西樓繪畫叢談

（上續八三一期）

周易的基本思想，是在垂教。垂教所採用的方法：一爲書，二爲言，三爲象，四爲卦。本節引據的兩段繫辭，對於書與言，言與意，意與象的相互關係，分析最爲詳明；是說書的作用，在於表達語言，語言的作用，在於表達意思，到了意思無從表達時，象是可以盡其能事的。雖然，象在周易中的意義較廣，訓釋較繁。故此之所謂象；依「在天成象，在地成形」說，它是圖。依「擬諸其形容，象其物宜」說，它是形。圖形即圖畫，畫即是象，這是信而有徵的。大致伏羲畫卦前後，可能在結繩時代的末期，亦即爲繪畫時代的早期。因此，他的結繩而爲網罟，便具備着結繩的遺風。而他的法天象地以畫八卦，也有着繪畫的遺意。總上以觀，則中國繪畫的創造，僅就周易推衍八卦而言，大可獲得以下兩個很好的結論：

繪畫之始，始於八卦。繪畫創造，創自伏羲。

結繩之治以後，是爲繪畫之治。結繩與繪畫的交替時期，是爲伏羲之世。

畫意畫史與畫法之辨

周易的相延爲卜筮之書，其來已久。除古史不論外，在繪畫上，還可發現一個不可多得的古時畫意。由於這畫意關連着正本清源，也關連着中國民族的自信心，所以值得重視的，是畫史方面。値得闡揚的，是文化方面。這畫意是說：

繪畫的發展，乃中國人民的自由創作。故其原始精神，完全基於人民大衆的生活需要。

任何歷史的一切社會要求，莫不以人民生活爲發展重心。離開了人民生活的豐衣足食，安居樂業，社會只有進入墮落，歷史也會失其光輝。可是周易指出的歷史規律，是先有結繩，後有書契；因而我的推而廣之，是依次於言語，結繩。繪畫，文字。意思所在，固爲求取畫先於字，象即是畫的證明。但象在周易上的實際應用，却係「以制器者尙其象」。因象制器，以器法象，此爲字義訓詁，且不必論。果使古代制器，皆本於畫；可是制器的享譽於上古者，如伏羲，神農，黃帝，堯舜，無一而非帝王，這顯與人民的自由創作者，極不相符。且書契於夬卦的象意，亦僅爲「百官以治，萬民以察」。則其爲歷代王朝的統治形式，又何與於中國人民的生活要求呢？

述賢

論王右軍的書學（下）

·王世昭·

羲之生前書之見於記載者曰：蘭亭敘，即永和修禊所書者也。曰：道德經，即與道士換鵝者也。曰：黃庭經，即見於羊欣筆陣圖所記者也。曰樂毅論，書以賜官奴（子敬字）者也。曰遺教經，佛典也。餘或碑或帖，多見於石刻中。而其最佳者，後人謂行書蘭亭第一，眞書樂毅論第一，前者傳其家，後者爲王獻之所獨有。

後人學王書，各得其一體者，若虞世南得其美韻，而失其俊邁；歐陽詢得其力，而失其溫秀；褚遂良得其意，而失於變化；薛稷得其淸，而失於儉拘；顏眞卿得其筋，而失於粗魯；柳公權得其骨，而失於生獷；徐浩得其肉，而失於俗；李邕得其氣，而失於體格；張旭得其法，而失於狂；獨獻之俱得之，而失於驚急，無蘊藉態度。由此而觀，宋以下之蘇黃米蔡諸公，固無論矣。

宋王堯臣見唐摹蘭亭敘，以王維錦裝六幅，李主翎毛一軸，徐熙梨花大折枝三件與蘇耆子孫易之，其爲人重視可想。至於石刻，如是定武者，宋初爲二十星，或易以相當書畫。而褚書之有「僧」字者，爲梁徐僧權褟本，價亦不菲也。

王書之在中國，上追秦漢，下開百代，於晉同時人中，無能出其右者，其傳授系統如右：

蔡邕—蔡文姬—鍾繇—衛夫人—王羲之—王獻之—羊欣—王僧虔—蕭子雲—智永—虞世南—歐陽詢—陸柬之—陸彥遠—張旭—李陽冰—徐浩，鄔彤，彤授懷素，顏眞卿，柳公權，韋玩，崔邈等，遂源遠而流長矣。故天下之言書者，無不折中於右軍，豈不大哉！豈不大哉！

自由人

THE FREEMAN

（第八三八期）

中華民國僑務委員會頒發登記證台數新字第一零二號
中華郵政台字第五〇〇號
執照登記爲第一類新聞紙類
（半週刊每星期三　六出版）
每份港幣壹毫
台北市售價台幣貳元
督印人：陳文華
地址：香港高士威道二十四號四樓
20 CAUSEWAY RD. 3RD. FL. HONG KONG
TEL. 771726
承印者：東南印務出版社
地址：高士打道六十四號
台灣總經理處
台北市西寧南路壹壹零號二樓
電話：三〇三四六
台郵劃撥儲金戶九二五二
海外總經銷：友聯書報發行公司
香港：彌敦道中二十六號A二樓

經濟循環問題

兼論美國目前的經濟

。顧翊羣。

我們知道現代經濟特徵，在勃興生長。從老克拉克（J.B. Clark）與熊彼得起，乃至新凱因斯派新制度派等學者，議論雖不盡同，但有幾個基本前提，大家都能同意。

近代學派都同意的幾個前提

例如：第一，經濟進步與人口增加有關，但實際所得上升速度，應超過人口上升速度，以便人民生活程度之提高。第二，生產之進步，由於技術之改進，但技術改進是間歇式的，不是循一定之速度而出現的，於是經濟生長也有間歇現象，此點熊彼得特加注重。第三，在舊式的價值的經濟，從事生產者同時即是消費者，生產過程不需迂迴，供需容易調節以維持均衡，所以賽氏法則（Say's Law）所說「供給其本身創造需要」之理論大體上可以成立。但在高度工業化而信用制度發達的國家，有效需要不一定能隨時與供給相適合，因之會發生波動現象。此點凱因斯特爲注重。第四，自從一九二九年大恐慌之後，許多學者不論是否屬凱因斯派，大都主張政府採用安定經濟政策，例如失業保險，公共工程，安全制度，信用政策，及其他財政與金融措施，以求減低恐慌之程度，及縮短調節之時期。此種措施得到「內部裝置安定器」的名稱，其概念也是從自然科學借用。

經濟循環的原因

關於經濟循環發生的原因，除去以上凱因斯的有效需求不足說之外，還有種種理論，有的說太陽黑點的週期變動影響地面氣候，於是農業生產發生變動。有的說企業者當時在樂觀與悲觀兩種心理之間動盪，於是引起循環現象，或貨幣與信用制度之不健全，有的認爲物價硬化，有的歸咎過度生產，有的謂消費不足爲循環的原因，最近學者則大多認工資變動上漲危險甚大。總之大多數學者

如何減輕循環現象

政府合理對策能否使經濟循環管制，使其將來不發生一九二九年大恐慌的嚴重情況，甚至將經濟循環現象予以制止，我個人學問有限，不敢下一定論。但我承認近年英美採取種種措施，會使經濟循環的程度減輕，[illegible]

一個循環可能有一種主因，而有多種副因。並且人民知所警惕以後，政府採取適當手段，所以下一次恐慌之原因不會相同。至於凱因斯派理論則在西方祇有極少數學者相信，我們不必花費時間來討論。

[illegible]，貨物成本過高，而引起惡果。最近儒伯克教授在普林斯頓大學講演，指出歐洲諸國福利工作過分，使人民未得其利反遭其害，並譏號稱福利工作之父的拜佛利基爵士（Sir William Beveridge）近來亦高喊生活費高昂，他的養老金購買力下降，使他無法存活，爲自食其果。

至於停止經濟循環，祇有在經濟停滯狀況之下或有可能。在現代經濟繼續生長狀況之下，如果強欲制止循環現象，反非所宜。因爲除舊布新是自然之理，鋼鐵代替銅爲武器，汽車替代馬車與轎子，飛機的業務奪去火車輪船勢所必然，所以我們不相信經濟循環能被完全克服而不抬頭。

左派的經濟理論

目前各工業前進國的頭痛的事情，是大規模的組織，如大企業公司，大工人團體，以及農業組合之類。他們經濟權力象可影響立法與政府政策。從古到今，抵抗特權勢力者，有賴於正直的智識份子。此等人在朝則特立獨行，不與任何勢力勾結，在野則口誅筆伐，爲全民長久的利益而奮鬥。此種人就是所謂自由思想者，中國的讀書人所謂儒行解釋此點最爲透闢。近三十年來西方各國社會主義集權思想的人物，打進各教育文化機關，及以上所說的大規模組織，高喊他們是自由主義者，而將眞正自由信仰者戴上種種帽子，例如反動派保守黨死硬派等等名稱。此等集權思想者最顯著的特徵，爲主張全能政府，以及認爲道德倫理無絕對標準，同時堅持與國際共產共存共榮，使得各國優良傳統逐漸喪失，文化水準下降。我想古時鄧析少正卯之類即是此種人物。現在國際經濟學者中有遠見者如梅約克，儒柏克，儒也夫（Rueff）等人，組織拜勒雲山學會（Mont Pe-lerin Society）希望挽狂瀾於既倒，但成就不大。儒柏克所著「我們時代的社會危機」一書，將近二百年來不良現象反覆申述，發人深省。他在該會最近一篇講演，指出僞自由人士經由全面就業福利國家等響亮口號，將西方自由社會脫胎換骨名存實亡。最危險的結果即是造成長期通貨膨脹，尤以工資不斷上升爲然。他的結論與摩爾頓哈伯勒（Haberler）以及羅伯森（Robertson）等昔大同小異。約可伯孫歷年言論集最近方出版，就被他的舊友巴洛克（Balogh）撰文痛闢，因爲巴氏是英國工黨的經濟理論家，向來主張全面管制，而出政府大力促進國內經濟擴張，是擁護助長政策的辯護人。

美國經濟的隱憂

美國現在政府當局認識健全貨幣之重要，所以最近選舉雖然共和黨失敗，但艾克總統仍提下一財政年度預算頗緊縮，而聯邦準備局主席馬丁紐約聯邦準備銀行總裁海氏等，亦高喊慢性膨脹將引起惡性膨脹與新凱因斯派哈佛教授斯立超志（Slichter）之「溫和膨脹有利無害論」，適成對比。後者與紐約商報主筆盧狄克（Ludicke）爲此問題已經打了數年筆墨官司。近來更是短兵相接，爭得面紅耳赤。此數年之中，美金購買力逐漸下降，直至今日尚無回升之望。我個人贊成盧氏不信斯氏的話。現在新國會集會，其中受大組織卵翼之左派政客居多數，艾氏下年度預算之七百七十億元數字，恐怕國會將予改大，因爲操縱輿論的左派僞自由人士勢力甚巨。此不僅是美國之隱憂，也是人類前途之暗影。我們知道中國大陸失陷主因是通貨膨脹，所以我們亦盼望艾總統與馬丁等主張可以貫澈，使美元購買力安定，然後自由世界抗共大業方有成功希望。

美國近數年來國民總生產數字上升太慢，從一九四八年到現在，每年增加率平均約合百分之二點六，遠在蘇聯之後。凱塞琳（Keyserling）更說艾氏主政六年之間此增加率祇有一點五，所以他及哈佛若干教授主張政府負責，支付教育及公共建設，社會福利等巨額經費，民主黨議員主張增加國防與衛星火箭及援助印度等經費，均頗合理。因爲此等支出可刺激經濟，而增加國民總生產，實在是一舉兩得的措施。如仍抱舊式觀念，不免是時代落伍者。不過以上各種支出，如果不引起美元購買力下降，當然不必批評，但如引致財政收支不平衡，及社會資金移入股票投機，或流往他處以謀實資金，則遲早有經濟衰落的現象，使自由陣線連帶受其影響，此是不容不顧慮的。

一些阻止經濟衰落的論調

有人以爲民主黨智囊團如蓋爾勃萊斯凱塞琳等人，自有妙計阻止經濟的衰落。縱使後者實現也有凱因斯的法寶可以運用。須知羅斯福總統上台後，從一九三三年至一九三九年先後七年，雖實行新政，但經濟依舊停滯，失業者減少有限。直至第二次大戰起後美國經濟纔開始好轉。二次大戰勝利後，美國先因貨物缺乏有效需要過巨，以致不發生恐慌而各業繁榮。其後又靠對外援助使出口旺盛，繼有大規模國防之重建，以及韓國戰事等因素，使得各種工業活躍。但從一九三九年到一九五二年美元購買力則跌去一半，現在一元僅及一九三九年角二分錢的購買力，最近會計學權威者派登（Paton）教授曾研究美元購買力下降，對工業流動資金（非固定資產與存貨）的影響。發現從一九四〇年至一九五二年全美各公司淨流動資金（短期資金減去短期負債）的購買力損失元，等於一百二十萬萬萬元。他因之建議於各公司年終帳目公布時，加一副表以表示短期資金因美元購買力變化而有損益的情形，使得我們聯想到軍閥時代工商業者高呼「虛盈實稅」將資本暗中消耗的故事。

半週述評

麥米倫的迷惘

英首相麥米倫自莫斯科演出一幕「獨腳戲」後，雖然曾受到赫魯曉夫的冷淡待遇，並以緊閉談判之門，但以富於忍耐性與安協性的英人，仍未絕望，仍然他們於「打開東西談判僵局」的興趣。因此，麥氏自本月三日返英後，即奔走於巴黎、波昂、渥太華之間，先後與戴高樂、阿登諾、及加拿大當局晤談，[illegible]

[illegible]英美高峯會議前的國民營表一項關於柏林局勢的報告，重申美國決心維護西方在柏林的權利，指明其雖不拒絕和蘇聯談判各項問題，但準備在必要時用武力來保護在柏林的地位。同時美國務卿杜勒斯在十五日的電視中也說，蘇聯所「眞正要做到的是要把我們趕走，結束西方的任何勢力和佔取西柏林市。此舉無異使生活於自由中的二百萬德國人民，淪於蘇聯的統治，這是我們殊難接納的事情。」在此世界局勢面臨重要關頭，我們一方面希望麥米倫不要爲了一己的利益，爲了爭取十月間英國大選的選票，而對蘇作過份的讓步。另方面也希望美國不要僅口頭強硬而行動軟弱，只有行動上的強硬，才是挽救柏林危機的唯一有效辦法。

北非的隱憂

由於西方國家沒有明確堅定的政策，同時由於對於民族和種族問題未能改變陳腐的觀念，以致不僅在亞洲的對共鬥爭中退處下風，而在非洲也逐漸增加不利的因素。據十四日紐約時報專欄刊載的一篇關於北非局勢的報導反映，西方的對外政策，特別是美國的對外政策實有檢討改進的必要。

據該項報導說，共產主義在北非的宣傳工作已有顯著成效，從伊拉克以至摩洛哥，莫斯科及北平的工作人員已打擊了西方的聲望，達到其政治上的深入滲透。除突尼西亞外，整個北非都可看到蘇俄與中共勢力的增長。該文作者認爲這是「當代中不解之謎之一」。然而這只是他們「當局者謎」，在我們看來，一點不是謎，而且是美國對外政策失敗的癥結。假定美國不改變民族優越感，不改變對種族的歧視，不在宣傳工作中力求改進的話，則不僅非洲的局勢日非，即美國的後院——拉丁美洲也難保不日趨惡化。最近毛澤東接見智利、阿根廷等十二國的共黨領袖，說明中共正在打美洲的主意。

日社會黨的歧途

在日共總書記宮本顯治與中共發表聯合聲明後，日社會亦組織代表團訪問大陸。該代表團團長淺沼稻次郎到達北平發表談話：「我們社會黨在今年一月召開中央委員會擴大會議，決定把廢除日美安全條約和恢復日中（共）邦交作爲一九五九年活動的方針和重點」。他甚至說出「美帝國主義是中日兩國人民共同的敵人」，我們爲反對帝國主義而鬥爭。」這種違反日本國策的話，一方面引起日本國內的不滿，一方面也說明日社會黨之遺樂于被中共利用，將此作爲政治資本，以企圖奪取自民黨的政權。

金達凱

自由談

談對日外交問題

據說，中華民國駐日本大使將要換人了。關於繼任的人選，社會上揣測紛紜，不悉眞象如何。在現階段中，對我們反共救國前途關係重要的友邦，除美國以外，只有日本而已。可是，日本現時對我們的外交行爲，却比一般泛泛之交的自由國家更爲不堪承教。這雖說是由於日本民族性的先天本質所使然，但我們的人謀不臧，亦復無可諉卸吧？

戰後十餘年，我們對日本的外交工作，可謂一塌糊塗。在盟軍佔領期間，我們派駐日本的使節，把東京看成華盛頓，除了跟盟軍總部來往之外，別無其他意念，使署的大小人員，尋不出一兩個懂得日本情形的高級幹部，當然談不上對日本社會從事外交活動的問題，有之，就是私人丟醜辱國的勾當，使別人齒冷而鄙視不遑。迨中日正式媾和，改派大使後，情形殊無二致。日方派遣芳澤謙吉，幗內謂介老外交家出使我國，至少表面上尚像煞有介事，而實際上亦能夠發生些許作用，我們在東京的使者，却相去遠矣！自侮而後人侮之，難怪別人瞧不起我們啊！

目前的對日外交，如果祇在敷衍現狀，則大使人選亦應以物色如芳澤，幗內類型的比較妥當，這類人，我們有的是。若想創進一外交」的績效，即須以我們的第一流外交人才承其乏，並且還要增益使館的經費，澈底刷新陣營，整飭紀綱，自大使以至於各級幹部，最低限度亦得對東方文化和日本立國之道，及其社會結構等項，略具常識有所理解。光是會說幾句「也是」「諸一是皆以「唯美」主義爲本的人物，無論是新的舊的，都不應濫竽充數。對內用人講派系已經是魔道了，對外交人才如其亦不能破此惡疾，那就是國家活該倒霉，還有甚末可說的呢？

馬五先生

寄售進口辦法的檢討

各行業對新訂貿易政策提出意見

台灣通訊

。萬民慶。

我國貿易政策，近年採取管制外匯與進口輸入。惟最近自外商建議開放潤滑油寄售方式進口後，外貿會即將擴大範圍實施進口寄售範圍，似有管制外匯放任輸入之意。其法意之良善乃在於淘汰劣商，使正當貿易商的資金調度靈活，減少負担，減輕進口成本，增加物資供應量，減低物價，減少消費者的負担。對於這項新措施，經濟界、工業界、貿易商界人士，認爲事關國民經濟，宜採有條件開放政策，並且愼重執行。

檢討潤滑油寄售進口辦法

潤滑油寄售進口辦法，乃由外商向外貿易會建議，實行者，對於操縱壟斷、報價、保稅倉庫等規定極嚴。所以擴大實施寄售方式進口的規定亦嚴。所謂寄售進口是貨運到後，提貨出售後再行結匯，在台外商代理商無須負担資金與利息，等於做無資本的生意；外商進口競爭下使進口貨物在市場上自動降低價格，優惠於消費者，外貿會可以解決貿易商頭寸的困難。但是外商必然向在台代理商索取保證金，如某美國煤油公司向在台代理商要求四十萬台元的保證金，始肯先將貨品運來寄售。擴大寄售方式進口，外商勢必仍須要求保證金的。則代理商之保證金將被凍結，亦加重了利息負担。其結果眞正受惠的仍是外商。

貿易商方面的意見

反對開放寄售方式進口的貿易商，認爲初期外商不敢壟斷市場，各方競爭下，將淘汰在台代理商，特建議D・P進口辦法，即是貨到後付款結匯再提貨。開放寄售方式進口最值得考慮者，乃是保稅倉庫和保險問題，外商鑒於台海戰爭隨時可能爆發，險，必須貨到後要求保兵險，兵險乃保險費之最高者，勢必增加貨物成本。寄售方式進口時以一批貨以五個月的利息，以銀行利率相差一成，對貨價降低大有作用。

尹仲容看好新辦法理由

至於開放寄售進口後，各國外商勢必將貨源源進口，而外貨壟斷國內市場影響工業一節，尹仲容氏加以否認，他說開放寄售進口，應該先要顧慮到兩點：那就是對國家有何不利，對消費者有何不利？不能專顧貿易商一方面。他並且說，實施寄售進口的物資，每期進口外匯仍可申請，就不致使國外廠商獨占市場。就新措施方面，他說：在以前未實施外匯管制時，進口貿易大多以寄售方式進口，因此可以減低成本，有益於國家外匯調度，尤其貨到後再慢慢結匯，減少商人利息負担。他對於代理商交保證金增加成本引致市價高漲一節，不表贊同，他認爲市價一定是要下跌的。

工商界的意見認爲要有條件

工商界對於貿易新措施，認爲寄售方式進口必須有適當條件，始能有助於國內的工業發展。如果外國製品藉此名目源源流入市場，形成外貨滿天飛，國內工業勢將無法維持。另一方面，如果外匯貿易仍持嚴格限制，也不致有無限制外貨之寄售進口而言的。所以多持悲觀態度。如果工業原料方面採取寄售進口則可受歡迎，因之可以減輕工業廠爲採購及儲備原料所需之資金負担，再減輕財務支出之負担。資金缺乏及財務負担，尤以利息負担，爲工業界的重大困難。工業界也盼貿易當局能開放工業原料寄售進口，特別注意於勞務加工出口新需的工業原料之進口，當可發達國內工業。

經濟界提出四項具體意見

經濟界認爲，應當適當的，有條件的開放，以國民經濟爲重點：進口成本要有四端：一、原幣成本：進口按美元合三六・三八元台幣，加結匯證價、運費、保險費；二、關稅及其他稅捐；三、銀行手續費：以結匯額百分之一計算；四、利息：由結購進口貨品到達時間計算利息。新措施減少第四項之資金利息負担時間上，比T・C及D・P等購貨方式較晚。但就國民經濟立場而言，新措施值得改進者，約有四點：第一、寄售進口物資辦法，應是有條件的擴大範圍，限於經建及民生必需品應先予以開放，運用有限外匯，有計劃的分配，消費性物資宜減少，一則鼓勵消費，一則外匯收支不平衡。第二、擴大寄售進口物資。第三、寄售進口物資辦法成功，首需改善倉儲設施，否則難有成功之望。第四、推行寄售進口辦法，亟應建立徵信制度，如以「王婆賣瓜，自賣自誇」宣傳「可靠信用」，實在與事無補。

新措施的主要關鍵

總結貿易商寄售方式進口措施，關鍵在於外商對於我國代理商的信用；其次是國際經濟建設方面，應鼓勵國內工業，以工業原料D・P進口，則此項新措施可能達到原意之良善效果。（四十八年三月九日於台北）

計程汽車與三輪車之爭

台北通訊

。汪遠樓。

計程汽車在香港人看來，毫不新奇，而在台灣却成爲新奇的交通工具。台北市中山北路的「台灣計程汽車公司」爲泰國華僑所投資，自任董事長，另聘余伯麟先生爲副總經理，經政府核准之計程汽車共一百卅輛，首批廿輛，於本年三月開始駛行，其餘的將於日內辦妥手續後加入服務。

「無照」三輪車，結果因爲該「三輪車工友多係退役軍人，當時有某退役之少將「無照」三輪車工友在台北「中山堂」集會，向台北市警局提出抗議，也即參加「三輪車業同業工會」，如此，「無照」三輪車均發給牌照，安派車場，九十萬人口的台北市一個駛，總是台北市警察局的「一個心病」。因此，台灣計程汽車公司之計程汽車無形中投合了警察局的「心理」，因爲計程汽車駛程一公里平均僅收費六元，就將來無形中取締三輪車。

自計程汽車公司開張的二、三日來，生意是興隆的，自在意料之中，內因爲有些市民的新奇心理，以乘三輪車當然是愉快的」。可是，已發生計程汽車與三輪車司機的糾紛，三輪車工友認爲計程汽車是搶他們的生意，該公司表示不與三輪車夫爭拉顧客，由顧客自行選擇所乘車輛。警察局則表示，乘客有權選擇自己所乘交通工具，一定嚴加取締這類糾紛，今後如有這種情形。然而，雖然計程汽車事實上總是順乘的。

計程汽車在收費上，但眞正乘出租汽車階級，倒不是一般市民。因爲台北市及近郊幾十家出租汽車行不斷提高租費，現在計程汽車市內收費僅及其半，出租汽車市內單程行駛不論遠近概收四十元，路上多停一家人家還要加錢。現在最表現爭生意的了。計程汽車對於出租汽車對於一般市民而言，如果與三輪車比較還是貴得多。有人說，三輪車工友有些技術不熟練，乘客無安全感，坐計程汽車則有安全感，其實這種只是推理，事實上三輪車翻車並沒有汽車肇事的多。並且有人說計程汽車對於整頓市內交通秩序，總是一種都市進步的象徵。

現在對於計程汽車持疑懼心理的人，是該公司及司機怕事，其次是警察及交通機關主管部門負責人，因爲在營業上，計程汽車可能不斷發生糾紛，至少幾十家出租汽車行是不服氣的，要他們壓低收費，當有困難，還有上萬的三輪車工友，將來的態度，均不可逆料，我們可以想像得到，如果讓上萬的三輪車工友面對失業危機，他們將來的去處就費人思慮了。

最後，我看計程汽車的未來發展：一、以香港與台灣兩地區比較言，儘管計程汽車能通行於香港，但不一定通行於台灣，香港根本無三輪車，而台灣三輪車普遍到各街各巷都有，比香港人乘計程汽車尤爲便利；港九地勢多起伏，而台灣居民多居平地，三輪車不能上山坡，所以香港三輪車不通行。二、台灣計程汽車公司爲民營，該車如果也經常行駛台北市郊附近鄉鎮，則勢必影響省公路局汽車之乘客，也無形中影響收入，據判斷公路汽車或者要減少各路行車班次；三、計程汽車在短程行駛，不僅比較三輪車也貴，當市民好奇心滿足後，是否一定要選擇乘坐計程汽車，都是問題；四、以台北市區面積而言，即使一百卅輛計程汽車全部加入行駛，恐怕還不能如現在三輪車之普遍，其方便如不能如三輪車，則市民自然不會選擇計程汽車了。

「貿易」攻勢與政治鬥爭

。觀。

（東京通訊）日方現正將「日中貿易」作爲政治上的宣傳，自民黨與社會黨都想搶先在這一方面獲得「中共」的青睞，希望以「解決日中貿易」一事作爲未來政爭的本錢。據說日本通產省大臣高崎達之助因與周恩來相識，高崎頗以此爲「榮」；更巧在二個月以前周曾送了一樣「禮品」給高崎，故高崎受寵若驚，遂首先倡議「日中貿易」之死結應予打開，面晤蘇俄駐日大使費德連科促其斡旋與周會就此問題直接談判，可是未能成功，一方河野一郎自命在鳩山內閣一手完成「日蘇復交」爲得意傑作，亦極力主張由自民黨幹事長福田寫一封信去中共求情，於是乃有了進一步藤山外相發表「與中共大使級會談」的呼籲，但是中共一直冷淡，看情形，中共是想以此問題難倒「自民黨」，必待由社會黨書記長淺沼領導的「訪中代表團」到達北平後，不急不忙的提出恢復貿易的條件，以便使日本政爭內此一問題更趨白熱化，淺沼現正預計在三月中率團赴北平求情。

不過自民黨的反主流派中堅池田、三木一致認爲「日中貿易」這一建議實足暴露日本之弱點，乃是一針見血之言，請注意上月廿六日方的「外交關係」閣僚會談，其中對「日中關係」一點曾有論及，惟黨方反主流池田、三木、主流河野三人均未出席，就以往自民黨重要決策絕少不了此三位大員，所以一般輿論認爲此一「外交關係會談」是沒有任何具體性的決定的。一言以蔽之，日本與中共俱都以此「日中貿易」爲皮球，各有其企圖，若求其眞的能在「貿易」上獲得甚麼，我敢說在最短的期間內是難以有顯著的進展的。

台北方面對此似有重要，憂慮到中日兩國的友好邦交，我們當然要說「我們反對日本所謂的日匪大使級會談」，駐日沈大使已向外務省提交書面抗議，而日方則一再表示不考慮承認中共以安定我方的憂慮。換言之，所謂「日匪貿易」日本是一定要去極力促成恢復的，我們今天所應考慮的是眞的有一天「日中貿易」恢復了該怎麼辦？不要再像以前等到日方議會正式通過修改指紋法而爲「日匪貿易」鋪路後再來抗議那是已經無能爲力了，最近紐西蘭首相納西訪日，一下飛機就說：我們並沒有完全忘記太平洋戰爭；我想到是我們恐怕已全然記不清了，可憐，我們還要一再表示維持「友好」關係之「日中貿易」應該是試金石了吧！（三月十日寄）

做官與做事

「五斗米」隨筆

。干勾。

俗語說得好：「賺錢不出力，出力不賺錢」。如今還可添上一聯那就是：「做官不肯幹，肯幹不做官」。儘管各個機關單位都是每天忙個不停，但忙的範圍只限於一些或者可說所有的低級人員，他們不斷的埋頭苦幹，說說笑笑，結果所得的薪級不過是勉強維持小家庭而已，而年終考績還必須經主管官筆下超生才能爬上一小級，準此若想爬上高層，實在是難於上青天一般。於是小職員們喘息了，半驕了，然而反過來看，却又有甚麼可爭取的呢？少不得要自己向職業屈服，認命吧！消極地過下去，也會有少數人不甘於認命者，在百忙之中力求進取，於是乎不惜夙夜匪懈，最嘆書本，找參考材料，有那麼一些是學問根基的，再加上自己的鴻運，終於是一登龍門，身價十倍，有了這項好資歷，中上階層的主管官便不成問題，起碼也總能有三四名小職員可以統轄，當然上行下效，這是一定而不可移之定律，從前所身受者自當還施之於別人，好容易有了這樣的前程，正式算上一員官，若不擺點官架子可不辜負了這一生？也會叫人看不起的。何況自己已經埋頭苦幹過了，也該輪着享些清閒之福才對，過去自己的上司不是要日以繼夜的爲主要工作嗎？其他做官的樂，少不得依樣畫葫蘆，過過做官的癮，更不致叫人笑做外行。這才者所爲而自己又何樂而不爲呢？如此互爲因果，所謂國家大事其成效我們是不難窺見一斑了，而主政者竟似絲毫不曾覺察及此，但只一味以資歷爲原則，以有好資歷者爲人才，固然資歷即學問是無可諱言的，然而是否就是眞的人才固需待考，而縱有滿腹經綸他不肯拿出來用，捨不得用來眞正的爲政府做事，可不也是枉然？如今的中國是如此多難，想來總不僅是需要人才而更還需要工作的效率，我們似乎不能再自欺欺人，也自誤誤人了，看着那些不做事單做官而還不斷在靠官的中高級官員們的不勞而獲情形，怎能使那些小職員們不灰心？怎能使那些彷彿永無超生餘地的低級員工肯苦幹？少不得大家都模糊眼前光罷了，即或是政府繼續不斷在培植出若干人才，那也不過是多增加些做官的而已，對於國家人民的利益實在是太微乎其微了，我們應當如何來改善這一個重大的弊端呢？這是當局所不可忽視的問題啊！

國際動態拾零

。陶然。

△杜勒斯已告訴艾森豪，國務卿一職，可以代理國務卿赫德擔任。一面對赫德說，他自己於本月中旬，即可完全工作，至少在半年以內，健康不致再有問題。

△美國國防部長麥克萊，因其夫人身體不好，決定在本年年底辭職，將回到本鄉辛西納脫，麥克萊出任該處某肥皂公司董事長。但如國際危機未緩和，他將遵艾森豪的勸告，留任相當時期。

△國務院與國防部高級職員，重新提出請狄托赴美的安排。至狄托本人，是願意去的。

△美國軍事總預算，本爲四百另九億，現衆院撥款委員會，擬再增加五億，三軍競相提出其新用途，以爭取此款。

△艾森豪總統與其閣員，皆函其朋友，使支持其七百七十億之平衡預算，以反對民主黨之浪費預算。

△共黨將於五月初旬，召開正式和約大會，提出共黨集團對東德的和約。出席者除蘇聯高級官員外，尚有中共與東歐各衛星國家之代表。蘇聯且對芬蘭與亞非中立國家，施用壓力，使其在和約上簽字。

△據波蘭消息，倘柏林情形惡化，朱可夫將復出，任紅軍總司令，以證明蘇聯內部之團結。朱可夫兩次被貶，兩次復職，一在二次大戰時期，一在史太林死後。

「人代」與「政協」

竹幕幽秘

第二屆「全國人代第一次會議」和「政協第三屆全國委員會第一次會議」已于三月十七日公佈決定四月十七日同時召開。觀其情形，似將聯合舉行。

「二屆人代第一次會議」的主要議程是：一、聽取政府工作報告；二、決定一九五九年度國民經濟計劃；三、審查和批准一九五八年決算和一九五九年預算；四、選舉和決定國家領導人員。

對于這次「政協」的任務則未曾說明。若果是與「人代會」聯合舉行，那麽「政協全國委員」在這次聯席會議上可能只有發言權而無表決權。假使在這種情況下聯合召開，那麽是不合理的。因爲中共對于它自己制訂的「憲法」根本未曾尊重過，以上述「人代」與「政協」於四月十七日召開的通知來說，就是「人代常委」和「政協全國委員會常委」聯席會議所決定的，中共「憲法」上並無這種聯席會議的規定。

周恩來地位抬高

按「人代會」原爲劉少奇所控制的，「政協」則是周恩來所掌握的；而「政協」只是一個特殊的人民團體，並不如「人代會」一般的有任何直接處理政務的權力，現在，若聯合舉行會議，雖不能說「政協」已與「人代會」具有同等權力，但至少說他們已具有「人民代表」[illegible]的權力；這一種情況似說明「人代會」的權力是相對的削弱了，而「政協」權力卻提高了；若以個人權力來說，則似反映着周恩來權力的提高，劉少奇勢力的削弱。

胡志明訪印尼

胡志明於二月二十七日至三月八日訪問了印尼，並發表了聯合公報；三月七日胡志明並在雅加達對記者發表談話；將胡的談話與聯合公報比較，可以發現胡的訪問印尼並未完全達到目的。在這方面，至少我們可以說明下述兩項提議未被蘇加諾接受：一，對於支持蘇聯所提出的在遠東與太平洋區域建立無原子區的建議；二，對於老撾的執行日內瓦協定問題。按在聯合公報中只提到萬隆會議十項原則和和平共處原則，及老撾問題；前者可能因目前的遠東國家特別是日本的反原子武器運動；後者可以[illegible]老撾與越南[illegible]，以便中越共便於滲入老撾。胡志明的訪問印尼，是希望上述兩項問題獲得印尼支持的；而今，在這兩個主要問題上，蘇加諾未予以支持，儘管中越共對於胡氏訪印尼的後果如何擴大渲染，看來並不成功。○田心。

今日西藏

一有風吹草動　即成四面楚歌

（本報綜合報導）西藏，由於地理環境之特殊，內部情況，一向鮮爲外人所知，自中共佔據大陸以後，對於西藏之統治，亦因環境特殊情況，在各項措施上所採取的政策，步驟亦十分謹慎，不過種種懷柔政策，並未能消除藏族人民的警惕，和緩藏民之反抗思想與行動，中共在西藏雖駐留大量武裝部隊，但始終未能使藏民馴服，今天中共在西藏地區，到處埋伏着危機，正如黑夜行人，一有風吹草動，即成四面楚歌。

近據各通訊社的報導：中共在西藏北部，大量調動軍隊，其中包括幾個裝甲師，以應付當前西藏的形勢。[illegible]

另據一項自拉薩的消息說：「由西藏各地護教的徒衆所組織的抗暴護教義勇軍，正在許多地點待命，準備與中共軍隊展開一次更大規模的抗暴鬥爭。」此次抗暴運動之所以迅速展開的最大原因，據消息說：係「青海方面，殺害了活佛和喇嘛，其中有卜拂寺的主持度康活佛，現任主持嘉樣參，和在西康什有喇嘛二百餘人，曲和日地方佛門弟子約[illegible]，頭領丁又嘉，墨林和白馬洛地方的大喇嘛那，他被共幹以滾水灌頂；西康方面被殺害的有喇嘛五[illegible]，最近集中押略則從事勞動改造。」因此，「西藏及毗鄰西藏之西康之反共部隊正準備協調對中共展開大規模作戰。」

據西藏最近傳說，中共中央政府已要求達賴喇嘛前往北京，但西藏方面人士，均反對此行。以上各項消息，均[illegible]有關西藏以及毗鄰西藏地區的抗暴情況，要判斷這些消息的正確性，那末，多了解一點西藏[illegible]

[illegible]五個銀元。行前並受到警告，車子在進入西藏以後，隨時會遭到游擊[illegible]人到西藏地方政府處理，判有期徒刑或無期徒刑，甚至拿去槍斃，這都是當地的宗、谿主管（宗等於縣，主管叫宗本，谿等於鄉，主管叫谿本）。每個人都要學幾句簡單的藏語，第一句是「徒介切」，意思是「謝謝你」。第二句是「安多拉本、馬拉古雜雜」，意即「我與你做朋友」。

「離西寧以後第六日上午到達藏北軍鎮唐古拉山口，原擬繼續西行，到黑河宿營，但接到駐當地機關的情報，在唐古拉山以西，發現了『反動武裝』藏民的游擊隊，估計約在二千人左右。於是便停下來，用無綫電向拉薩的西藏軍區報告情況。並請西藏軍區司令部及中共西藏工作委員會指示行止。全隊進入緊張狀態，人不離槍，槍不離隊，人不離車，人不離車。

「在唐古拉山市看見路旁的市場，見藏袍們在民營商店或地攤上進行交易，全部使用銀幣，市上一片叮叮噹噹的銀幣聲。更奇怪的是在地攤上赫然看到殺人武器；這種攤位很多，分門別類的擺賣老式七九步槍、中正式步槍，手槍有德造快慢機，日造昭和十四年式，美造航空曲尺，另用各種不同的盒子裝着各式的子彈。

「晚上，拉薩來電報，軍區司令指示車隊明天繼續前進，行時有九架雙引擎的偵察戰鬥機保護。車行二小時，離唐古拉山約四十哩，飛機已發現目標。車隊向前推進了二百公尺，剛要到達一處斜坡轉彎處，發現公路已經被破壞了卅多碼，步槍如傾盆大雨，輕重機槍的子彈，如雨點般的瀉下。至十一時結束，共二小時的戰鬥，車隊死亡六十四人，輕重傷七十三人，死亡的都剝去符號，記下姓名，在公路旁挖了一個大坑埋葬了。事後獲悉，這次突襲車隊的游擊隊，是一個曾任西藏地方部隊的誤職『代本』所指揮（如團長）。」

中共今天在西藏的處境，引作者在黑河到拉薩途中聽到中共護運營長的一段談話中，可以了解，據這位陳營長說：「過去日本人佔領了我們中國許多大城市，但農村卻無法佔領，而且三個兩個武裝人員不敢下鄉，淪陷區雖有維持會和漢奸政府，但他們和中國游擊隊都是互通聲氣，壞在日本人不通中國文字，不懂中國語言，而今日，我們在西藏，也如同日本人在中國一樣，藏語懂得幾句，藏文一字不識，[illegible]」

[illegible]

大陸青年的「三冷」

（本報訊）二月廿七日「中國青年報」短評稱：「大陸青年人有『三冷』。」短評稱：「一日冷靜之冷，沒有革命熱情，心腸冷冰冰。[illegible]從來不肯實幹，只坐在那裏[illegible]。一種是冷淡之冷，有些人本來政治覺悟不高，對社會主義事業不很熱心，他們認爲辦事情不可太積極，幹勁不可太足，一切『慢慢來』，[illegible]他們只看見社會主義建設事業中[illegible]，而看不見有利的條件。」[illegible]「[illegible]這種人是不懷好意的。[illegible]種人是冷酷的人。我們對那些[illegible]的人必須保持警惕，不但要把他們同冷淡的冷區別開來，也要同冷淡的[illegible]對社會主義建設採取冷淡態度[illegible]了不少了，我們很懂得，他們對[illegible]主義倒是狂熱的」[illegible]短評最後說：「這『三冷』是社會主義建設的大敵。」

大陸文壇透視

茅盾的矛盾

七彩

最近在人民日報上看到茅盾的一篇論小說的民族形式的文章，當然也是奉命而作；不過以這樣一位完全歐化的小說作者來論民族形式，的確太不相宜。這題目如果讓張恨水、陳愼言等人來寫，或者還能說出一點道理，要讓茅盾來寫就說不出什麽來了。所以他用全文的三分之二的篇幅大談詩歌，最後轉到小說上，卻把西洋的倒敍、藏敍也說成了民族形式，而毫無理論的根據。想不到當年這位倚馬千言的洋場才子，竟然寫出這樣文不對題又不知所云的文章，不能不說是咄咄怪事。

前年中共人民文學出版社印行「茅盾文集」的時候，叫他一面把舊作删改，一面再於每篇小說之後寫一篇「後記」。在他的處女作「蝕」的後記裏，曾提到「茅盾」筆名之由來。這件事的確是當時一件秘密，不經他自己說出，恐怕無人能知道。當二十幾年前「幻滅」初次在「小說月報」上與讀者見面時，人們能夠猜想出茅盾不會是新進作家，但卻絕對不知道就是長於寫文藝論文的沈雁冰。他寫過「魯迅論」「冰心論」「葉紹鈞論」「王魯彥論」等有名一時的論當代作家的文字，可是一直沒有寫過小說。他說，當時他寫完了「幻滅」要送到「小說月報」去發表時，因爲他正在被通緝，不敢寫眞姓名，寫眞姓名就勢必連累商務印書館，於是便署上了「矛盾」二字作爲筆名。「矛盾」二字也並非隨便拈來，而是正代表着他當時的矛盾心情。他嚮往革命，因而參加了革命，但革命軍打到武漢，他的希望幻滅了。雖然幻滅，但還不死心，想再從對革命信念的動搖中繼續向前追求。誰知追求的結果，仍然是幻滅的悲哀。這是「蝕」的三部曲的主題，也是他在上海亭子間閉戶寫小說時的矛盾的心境。那時「小說月報」的編者已經不是鄭振鐸，[illegible]已換爲葉紹鈞。葉以爲「矛盾」二字不像個眞名，便沒經得到沈雁冰的同意，就在「矛」上給他加了一個草頭，用「茅盾」二字發表了。原因是古來家姓上沒有姓矛的，卻有姓茅的。小說發表後，使他一鳴驚人，茅盾和「幻滅」「動搖」「追求」一同馳名遐邇，日子長了，人都知道茅盾即是沈雁冰，但一直不明白他爲什麽取名「茅盾」。經他現在一說，原來如此！大可注意的，是他接着提到，自從那時以後，他的心中的矛盾，到現在還沒有解決，換句話說，就是他仍在矛盾之中。現在他已是六十多歲的年紀，滿肚子積鬱，十年來未曾再利用小說傾吐半點，耳聞目覩又皆不能忍受，他的心中豈只矛盾而已哉？

瘟君夢

岳騫

第二回：蒼生塗炭　密室定奇謀　巴山留遺恨　弱絮隨風

大家陸續散去，只剩下林伯渠坐在那裏未走，毛澤東長吁一口氣，看着林伯渠說道：「林老，今天情形你看到了，台灣還未反攻，我們自己窩裏先亂了，假若有一天國民黨眞打回來，黨內不知道要出多少張國燾，孔荷寵哩！」

林伯渠搖搖頭：「那到不至於，他們黨的心還沒有，不過是找機會向上爬，想爬到第一把交椅上去就是了。」

毛澤東恨恨說道：「想坐第一把交椅也要等我死呀！性子這樣急，想乘機推倒我！哼！我毛澤東不是這樣好欺負的，咱們走着瞧好了。眞惹惱了老子，說不定再來一次高饒事件哩！」

林伯渠笑道：「那到也不必，這些人野心還不大，略微給點顏色看看，自然就服貼了。基本問題到是今年的財政赤字及工業建設，沒有了蘇聯援助如何解決，到是一件困難的事。」

毛澤東一聽到財政赤字，不由得又軟下來，呆了一晌，反問林伯渠道：「林老，你知道我對經濟問題是個門外漢，所以我也從不過問錢的事。可是我總有一點不懂的地方。過去我們在延安，那一小塊地區，土地又那麼貧瘠，養了幾十萬幹部，軍隊，經濟方面也沒發生過什麼恐慌，財政上更未有過赤字，現在已經富有四海，怎麽反而時常鬧窮，這是什麽道理！」

林伯渠聽了毛澤東的話，並未馬上回答，只是拈髯微笑。

毛澤東看有些不高興的拍下大腿，連說：「是了，是了，那時是你任財政部長，邊區政府主席，所以才整理得井井有條，現在這批小子太不濟事了，明天我就在政治局提出，財經問題仍由你負全責好了。」

林伯渠聽到毛澤東要他負責財政，不由得打個寒噤，右手也不敢再撫鬍子，馬上站下來，搖搖頭說道：「這件事我不敢負責，主席千萬別提出來，我也拿不出辦法。」

毛澤東十分詫異，問道：「你過去有辦法，爲何現在沒有辦法了？」

林伯渠笑道：「時代不同，形勢都變了，那時我們的財政收入，今天已經不存在了，「第一，那時我們可以用[illegible]，利用軍隊[illegible]，「第二，那時我們可以打土豪，增加了巨大的收入，而且得到的非常容易，[illegible]金白銀，都變成了政府的庫存。「第三，國民政府每月發下的十八集團軍餉，也是一筆巨大收入，而絲毫不用開支，因爲我們的軍餉都是就地籌款，隊伍走到那裏吃到那裏。」（十九）

釋耒集

韓非曰：世之顯學，儒墨也。

，以儒墨並爲顯學而並攻之者法家也。民初之際，梁任公先生曾撰墨子學說一書乃揚墨而抑儒，主墨翟優于仲尼，且謂：今欲救中國，厥爲墨學。主要理由在于墨子能刻苦主實利、重節用而生財。莊子曰：『墨者多以裘褐爲衣，以跂蹻爲服，日夜不休，以自苦爲極。不能如此，不足爲墨』。故必勤若至于『腓無胈，脛無毛，沐甚風，櫛甚雨』。而結果則爲『其生也勤，其死也薄』。以古例今，則中國共產黨，乃眞能實行墨子之道者。

前于一月十八日，見星島日報通訊稱：中共通令全國公社，個人生活自由，應與生產並重。並酌量准社員自煮自食。如所週知：論生活，人皆求能舒適，論生產，則又皆求其豐富，所謂樂其樂而利其利也。生財有大道，儒家亦未嘗諱言。而目的則必使可以養生送死無憾。此一通訊之背後，實無異謂公社制度，已令人民但能服從中共之生產計畫而無個人生活自由之可言。吾人試爲設想，從事生產之目的果何在乎？若一已之生存，其意義不過僅爲從事生產，則其生命之意義，不過『以自苦爲極而已，雖枯槁不舍也。』然則任公先生以墨學救中國之論，亦徒爲驚世駭俗之言而已。

生活與生產

梁先生又言：『楚漢之爭，百學俱絕，而叔孫通媕阿取容，緣飾儒術以媚人主』，其說與譚嗣同仁學所云：『二千年來之儒學均荀學也』。及夏曾佑云『儒墨之爭，爲資帝嵩尤戰後之第一大事』，其不慨于儒學之情，如出一口，可見清末民初時，士思自奮，往往倡爲異論以聳人聽聞，而反對孔子，遂亦爲一種時髦論調，不知儒術果足以媚人主，則始皇所坑者何以不爲墨子之徒？墨學之果足以救中國，則今之朱毛，賢於墨翟多矣。

墨子主節用生財之言曰：『王公大人，早朝晏退，聽獄治政，此其分事也，士君子竭股肱之力，亶其思慮之智，內治官府，外收斂關市山林川澤之利，以實倉廩府庫，此其分事也。農夫早出暮入，耕稼樹藝，多聚升粟，此其分事也。婦人夙興夜寐，紡績織紝，多治麻絲葛緒綑布縿，此其分事也』。其計算之週密，固亦不讓共產黨，其全不提及人民應有起碼之享受，亦一如共產黨，與一面教人勒緊肚皮，一面從事大力生產之號召，可謂若合符節，不知『樂歲終身苦，兇年不免于死亡』，則終不免于因憂勞煩苦而潰決，則暴亂之作，可以計日而待也。賈生曰：『人懷自危之心。親處窮苦之實，咸不安其位，故易動也，是以陳涉不用湯武之賢，不藉公侯之尊，奮臂于大澤，而天下響應者，其民危也』。此雖儒生之論，去梁先生之見，疑若有間矣。

曲齋

台灣文壇

文壇「六寶」

台灣的報刊以及浩如烟海的文藝作品，形似勃茂，內容實在如何，姑依寥爵評定的「六寶」代表文壇，且說其特色好了。

一寶：春情。盡量把性的挑動部份，加以煽惑的描繪。如：「表嫂摟着我的××，吃齋吞得。……」這是正統文學家的傑作，其他此類作品的專家者流，更不必說了！

二寶：販賣擺式，擺式是案頭清供、裝飾品，沒有內在美只有形式美，頗似花瓶。「小品散文」不外「雲呀，月呀，花呀，樹呀，雞呀，狗呀，丈夫呀，孩子呀，和油鹽柴米的日常呀，清遊雅集的快樂呀，」擺弄文字的「小把戲」是也。

三寶：販賣古董。一是死語言藉屍還魂的古詩詞，一是復蹈念舊題材死灰復燃的章回、武俠小說的泛濫。

四寶：販賣資歷。行文之前把自己的資歷當作器術價值來看，炫耀自己的歷史。

五寶：販賣傳奇。專門賣弄技巧，引讀者入奇怪境界的「傳奇故事」，甚囂塵上。

六寶：鬼話。用死語言或活人看不懂的話，寫出來的作品，以新詩爲最，如：「又像：深邃的癡痛的某處，許多未名的存在都圍繞着構成的核。」把人看不懂的鬼話，裝進活人的作品。

「誨盜」的戰鬥

一向富有道德色彩的國人，認爲色情文學是「誨淫」，描寫鷄鳴狗盜的文學是「誨盜」，武俠小說大概也算是「誨盜」了。一些大報提倡「戰鬥文藝」，我們希望以身作則，不要爲了爭報份，把「戰鬥文藝」帶向「誨盜」文藝上去。

○司馬牛○

正與常

•謹讓•

很多人都會把『正』與『常』混爲一談，說某人正常，某人不正常，乃有所謂『一履十跌，則跌者恥，一跌十履，則履者恥。』之說，其實，這是很立不住脚的一種說法。

農人在田間工作，都是要赤脚的，（農業機械化國家當例外）時大家都赤着脚，你要穿上一雙皮鞋下田，自然你是不正常，如果是在跳舞廳，大家都穿皮鞋，你偏要赤脚，那自然也是不正常；但是，如果農人請你去吃飯，農人平時是赤脚慣了的，他們吃飯時也是赤脚，你穿着鞋去赴請，儕身於很多赤脚農夫中間，你能說這是『恥』嗎？

這是『正』與『常』的問題，恥與不恥應以事理來決定，不能以多寡來衡量，例如，我們大家都知道共產主義不是好主義，假如你插在十個共產黨徒中間，你竟然要感到『恥』嗎？不，絕不，你應該感到光榮和驕傲，因爲那十個共產黨徒是病態的，而你是正常的。

不知是不是由於社會風氣的影響，近年來很多人反把恥辱當榮譽，把榮譽當恥辱。這話是怎麼說起呢？我舉兩個實例來說。

我有一個朋友，本來是很純潔，很樸實的，後來他進入一家公司服務，那家公司頗爲洋化，每週有舞會，他獨不跳，祇看看書，看看電影，本來他是對的；可是不久他竟然改變了，狂熱的學跳舞，他說：『別人都會跳舞，就是我不會，多難以爲情』以後他的書本就放下了。此外，他卡其布的中山裝也卸下了，跟大家（公司同仁）一樣拿一個月的薪水做一套西服，穿在身上，而他反認爲合潮流，是對的。

另一個朋友，是一個公務員，據一般人說他『古怪』『孤僻』，他『怪僻』在什麼地方呢？例如，他服務的機關首長榮調了，別人都要熱心忙着送舊迎新，而他一概不參加，他的理由是別的小職員調走並沒有人歡送，過年過節，別人送禮，他不送，別人打牌，他看書，別人西服革履，他是破西裝上衣一件，相反的，他常常捐點錢給窮苦學生，和給小朋友們買糖菓。

前一位朋友在環境中處得好，已經兩度榮升。而後一位朋友十年前是課員，十年後仍是課員，因此同事的和上司都說他神經不大正常。

究竟誰正常，誰不正常呢？我覺得應該分開說，前一位朋友是『常』的；但並不算『正』，而後一位朋友呢？『正』不『常』；但是他『正』。

悼畫家梁鼎銘

○子明○

著名畫家梁鼎銘氏，於三月一日下午因腦溢血症逝世於台大醫院，這是我國藝術界一大損失。

梁氏廣東順德縣人，現年六十二歲。他與其介弟又銘和中銘，被譽爲我國畫壇三傑，三人的作品也廣泛地被各階層的讀者所熱烈歡迎。

梁氏五六歲時，即顯露繪畫天才。自十四歲起開始正式學畫中堂，成績常出人頭地。十六歲時，又拜師學習西洋畫，自此，他的畫風便開始自成一格，無論山水人物，祇要一觸到他的筆下，他都能得心應手，左右逢源。

嗣後，他受革命浪潮的激盪，投身於黃埔軍官學校，接受革命教育。在校攻讀期間，因品學出衆，尤以繪畫方面被學校驚爲天才，爲當時之校長——當今的蔣總統——所器重。

梁氏於黃埔畢業後奉派主編「革命畫報」，這本十六開三十二頁的半月畫刊，在當時的革命宣傳上，盡了不小啓發作用。大約是民國十九年，他因爲主編「革命畫報」，受當局資助他出國考察，達一年之久，足跡遍歐洲大陸。

梁氏作畫與他的爲人一樣，步步踏實，事事認眞。故在創作的態度上非常謹嚴。他又對我國數千年來歷史上的民族自衞戰爭，和聖賢英豪仁人志士的節義史實，極爲熟悉。並常喜以此爲題材，繪成彩畫。他用油畫和國畫創作過民族英雄的畫傳，北伐，剿匪，抗戰的史畫，以及親赴金門馬祖前線實地描繪之油畫及水彩畫。在他的一生中，出版過多種畫册。

梁氏現任國防部政工幹部學校美術組主任，是一個名符其實的愛國藝術家。平時生活簡樸，澹泊自甘，從不熱中名利。所以有人說他的一生就是一幅幽深淡遠的畫，令人永遠懷念。

吟松

○林瀚年○

空山松籟雜泉聲。翠蓋籠烟悅晚晴。
勁節傲霜春不老。應知宇宙有餘情。

風雨樓繪畫叢談

事實上前於伏羲者，有大事結大繩，小事結小繩的結繩之治。用結繩而可以治理天下，則結繩爲制器，擬作出之人民，何待深論。如曰，此無象意，則得之矣。後於伏羲者，有制器的帝王，有非帝王的制器，故周易說：「上古穴居而野處，後世聖人易之以宮室，上棟下宇，以待風雨。」又說：「神農氏作，斲木爲耜，揉木爲耒，耒耜之利，以教天下」。是帝王因制器而得以領導天下，聖人因制器而未得以領導天下，無論出自上世人民的尊稱，抑或出自後世史家的推崇，其無損於人民身份的自由創作者，諒爲情理之常。且穴居而野處，茹毛而飲血，既居而不安，又食而不飽；則宮室耒耜的便利，不但在垂教於天下，亦爲造福於人民。故周易說：「形而上者，謂之道。形而下者，謂之器。化而裁之，謂之變。推而行之，謂之通。舉而措之天下，謂之事業」。還在照應人民精神生活，物質生活者，可謂設想周到了。

因爲制器的取法於象，象又取法於天地萬物，其展轉持續之道，皆爲生生不息的眞理；所以繪畫的大衆化，生活化，乃無不歸依於自然。所以畫以意境爲高，意以神韻爲上。它在民族文化上，是代表着人類善良的一面。

畫家寫作，必談古意，而古意的含義，卻欠明確。可能它在時間因素裏；或爲畫法，或爲畫意，或爲筆意；或爲時代風尚，或爲個人造詣。舉凡丹青，水墨，體裁，形式，皆無所不包，亦有見仁見智之不同。比如宋人王晉卿論三古之畫，是以晉宋爲高古，唐世爲中古，五代爲近古，至秦漢以上，都付闕如。他的意思所在，是說「畫跡未見，莫能定其優劣」。然則，談古意者，其終於晉宋乎？王氏畫宗李成，富於收藏，而交遊又爲當時書畫大家的老米大蘇。米芾論畫，不取奢麗，其思想淵源，大致出自南齊謝赫的「明勸戒，著升沉」；則王氏平居交往鑑賞之間，或亦不免囿於謝赫的「不廣其源」之說歟？否則，論畫以目見，自是繪畫傳統。而分裂歷史以立論，便致名實不符了。（十七）

述頑

婦女節后感

○虹○

僑婦心聲

三八婦女節又過了，猶記去年此日由我領導着海外一部份婦女開慶祝會時的情況，値使我慚愧萬分，我既不懂國文又不會國語，而在座的婦女們除少數是我們的同胞外，多數則是當地的外國婦人，她們一年一度被請來參加這個慶祝的茶會，可以說並不感覺有甚麼特殊趣味的，那也不過是來湊湊熱鬧吃點茶點而已，因爲她們並不了解這個日子對於她們本身有多少意義，尤其是幾位偏促一隅的華僑婦女們，更是毫無趣味可言，她們都和我一般的不懂國文和國語，她們也不了解婦女節的意思，雖然前些年都是有這慶祝的小茶會的，但僅不過總是這同一類型的形式而已，彷彿是例行公事了。那幾位由政府派來辦僑務的太太們，實際上也是茶會的眞正主持者，用着生硬的當地外國語祇管和一些外國的所謂名流貴婦應酬招待，尤其是那位僑務主管夫人從來也不屑於理睬我們這些僑婦的，所以讓我出名領導者，大概是爲攝影好看吧或者是美其名說是眞正在爲我們僑民而舉行的茶會吧！總之我很清楚我不過僅僅是一個傀儡罷了，一張編好的演講詞，用當地國語寫出，也必須我立起來當衆宣讀一遍，當我結結巴巴的讀完之後，到是聽到一片掌聲，但我自己竟絲毫不知所云，固然我的學問尚不够了解那較深奧的文稿，一方面也是讓一種羞愧將心靈與智慧均暫時蒙蔽。於是我有一種被人所欺而也欺了別人的難受。

爲甚麼呢？難道這樣就表示了我們婦女的地位的崇高了嗎？舉行一個茶會，請幾位貴婦，要我們僑婦人襯襯場子這就是政府派來海外的工作人員太太們所做的主要工作嗎？這也就表現了她們確實已是廿世紀的婦女嗎？我感到非常的迷惑！我竟然不覺得這節日有任何值得慶祝的地方了。（三八夜于菲島）

大地勝遊記

羅香林著

新書評介

羅香林先生以史學家之筆，寫其生平遊蹤所至之見聞，成爲此書，自與普通文人遊記不同。本書以文物史蹟的調查考證爲主要對象，巖壑烟霞之登臨嘯傲，乃其餘事。對於典章制度之源流，先民進化之軌跡，本書提供了不少專門而正確的論斷。史地而外，有關於民族學的，有關於語言學的，亦有關於宗教學的，所涉範圍甚廣。

以寫作或遊歷時間言，本書資料始於民國廿一年至四十五年，中間凡經廿餘年。以遊蹤所至之地域言，自香港以至於粵、桂、湘、滇、川、蘇、山東，遍及大江黃河流域。羅氏自言，『遊者友也，寓友於造化者也。遊乎高山，即與高山爲師友？遊乎流水，即與流水爲良朋。人於名師益友，既必道其言行，則與造化者爲師爲友，而能不記其勝概乎？此余大地勝遊記所爲作也。』本書旨趣，於此可以窺見其一斑。

全書一册一百八十面，都十餘萬言，卷首附風景名勝圖片十餘面。香港亞洲出版社出版，本年一月初版，每册定價港幣二元五角。（文華）

自由人

THE FREEMAN

（第八三九期）

中華民國內政部登記證台誌字第一零二號
中華郵政台字第五〇〇〇號執照登記為第一類新聞紙類
（半週刊每期三毫出版）
每份港幣壹毫
台北市價目新台幣壹元
督印人：文　季
地址：香港高士威道二十號四樓
20 CAUSEWAY RD. 3RD. FL. HONG KONG
TEL. 771726
承印者：東南印務出版社
地址：高士打道六十四號
台灣總經理處
台北市西寧南路壹零號二樓
電話：三〇三四六
台灣郵政劃撥儲金戶九二五二
海外總經銷：友聯書報發行公司
香港：德輔道中二十六號A二樓

我對世界和平之看法

以和平面目求和平必不能和平
以不和平求和平或者可得和平

伍憲子

（一）蘇俄目的在世界革命無和平之心

我所謂以和平求和平，不一定要戰爭，但不能不決心備戰。我們要認識蘇俄之共產主義，其目的在世界革命，其手段是擾亂世界和平，分化西方民主國家，故其用心不在眞和平，但必要做成假和平。蘇俄最懂戰爭，但亦深知西方長期戰爭，更深知西方但求苟安，故以假和平為手段，挑起西方苟安心理。又使其日在備戰之中，不得安寧，又想爭霸，不能團結。可惜西方民主國家，不明白蘇俄之心，以為蘇俄不敢決戰，就是有意和平，此則失之毫厘，謬以千里。殊不知蘇俄不敢決戰，是實情，好講和平，是虛偽，我們必須窺透其虛偽之心，切不可作幻想，受其誘惑。可憐十年來，西方國家竟墮入蘇俄之圈套，日擾出和平口號，與之週旋，蘇俄即得勝，而西方則任其擺佈，蘇俄奏樂，而西方跳舞，到處被動，全失去自由意志，此由於智謀不足，與苟安心理作祟。所以做成十年來之僵局，今後應下決心，勿再上當。

（二）民主國家不能長期備戰

西方民主國家，與共產主義國家不同。共產主義國家是獨裁政權，其中央組織，名義上雖集體，其實集體是形式，獨裁是精神，有時集體雖似沆瀣一氣，依然是集體獨裁。各共產國家，只有政府地位，絕無人民地位，人民盡為奴役，無抵抗能力，故財政集中於政府，拚命備戰，人民雖極辛苦，不能不抵受。西方則不然，畢資本主義之氣氛，人民狃於自由，慣於民主，其舒適之生活，養成苟安心理，不特畏戰，而且不能捱苦。但自大戰結束以來，為防備蘇俄之故，不得已擴充軍備。加以援外法案，人民之捐付與日加增，以美國現在之情形，雖然美國國庫之力，在世界上向稱雄厚，然以一國而應付全世界，其力終有竭蹶之時。蘇俄之用心，就是使美國疲於備戰，使慣於享受之資本家不能經年累月，負財政之重累。又因援外法案之增加，或容資之故，而不能忍受。加以與國之間，因商業之糾紛，而屢出問題。故備戰日久，國人易起厭心。與久受壓制之人民比較，彼等尚可以辛苦負荷。而民主國家之人民，不免騷動矣。所以長期備戰，而不戰，或者以為因財政之故，共產國家不能支，而不知民主國家之人民，更不能耐也。

（三）和平共存是民主國家之毒藥

眞正的和平共存，在現在冷戰之局面下，必不可得。現在之冷戰，是戰和平之假面具，不是真求和平。因為蘇俄不能戰爭，不欲戰爭，而且亦不必戰爭，只以和平攻勢，困擾民主國家。明知民主國家不利於長期備戰，故使之欲戰不能，欲和又不得，於戰爭與和平之外，別闢一途徑，以和平共存為口號，以談判為手段。今日談判，明日又談判，在談判空氣中，蘇俄可以着着勝利，只要將局面拖延，民主國家就處失敗之勢。譬如美國與中共，在日內瓦開大使級會議，經年累月談判，只有利於中共之宣傳，無形中美國就受大損失。最近米高揚之訪美，亦是蘇俄佔勝利，美國接受招待之，美國已自處於失敗。反之，麥美倫之訪蘇，亦是蘇俄佔勝利，英國無形中已自處於失敗。因為此種形勢，皆有利於共產黨之宣傳，皆不利於民主國家之宣傳，一言蔽之，談判就是毒藥。原本談判之目的，為求和平，但以現在之民主國家，與蘇俄共產黨，是兩條不相容的道路，斷非談判方式所能強之合。蘇俄之倡和平共存，假意談判，其用意全在拖，拖則蘇俄有利。民主國家假令贊成談判，即是墮其陰謀詭計之術中。無論其立場如何定，如艾森豪所云，絕不退讓一步，但事實上與之談判，即等於退讓十步矣。此無他，服了和平共存之毒藥故也。

（四）敵我不分是民主國家失敗之原因

和平共存之說，必彼此以友相待而後可。但蘇俄之待英美等國家，其目的欲其覆亡，縱不覆亡，亦望其擾亂。蓋其世界革命之手段，在顛覆資本主義國家，不達到此目的不止。蘇俄既不以友道待英美等國，無時無刻不以敵人待之。可憐西方國家，所謂民主領袖，對此眼前顯淺之事實，竟不能分辨，認敵如友。自二次大戰以來，西方國家可算不負蘇俄，但蘇俄偏偏欺負西方國家。杜工部「茅屋為秋風所破」詩云，「南村羣童欺我老無力，忍能對面為盜賊，公然抱茅入竹去，長吁短嘆呼不得」，我嘗誦此詩，默察今日西方國家與蘇俄交涉之情形，蘇俄眞是南村羣童，欺負西方國家老邁無能，公然抱茅入竹去也。而西方國家並長吁短嘆亦辦不到，以恕道待之，以朋友處之。自二次大戰結束，屢次受蘇俄之欺騙，曾不覺悟，至今猶日在夢中，想望和平。夫和平，友誼可以望和平也，友誼可以望和平。無奈蘇俄之對西方國家，則是敵，而非友。譬警署警官，與歹徒開和平大會，日飲恭積之酒，夜跳狐步之舞，稱朋道友，交誼至欣，人情之味極濃厚，警官或者樂省事，但歹徒則惟有捧腹笑耳。此西方外交十餘年來所以着着失敗，皆因認不清敵與友所致也。

（五）前事不忘後事之師

數十年來，西方國家之對蘇俄，始終認識不清。當二次大戰時，德日兩國皆呈敗徵，西方國家如有遠見者，當安撫德日。但不料其憎恨之心太深，復仇之念太重，必要打垮德日而後已。因此之故，就授蘇俄莫大機會，既不能留德日以阻蘇俄之侵，為助德日之復興，反予西方國家以重累，狐埋狐猾，自尋煩惱，白費工夫，此是西方政治家缺乏之智慧。二次大戰時，蘇俄受西方援助之恩，大戰結束，反恩將仇報，排美反英，擠西方國家入荊棘之途，以至弄成今日之局面，故西方國家應有覺悟。我們以為世界和平，是人人之所望，但不能以和平求和平，應當以不和平求和平。蓋以和平求和平，是蘇俄之陰謀，和平終不可得。惟以不和平求和平，亦不至失敗。我們之所謂以不和平求和平，並非要即時發動戰爭，只要主持正義，不假侵略者以顏色，不與侵略者同坐一堂，共開談判。即使侵略者誘惑以最美麗之言詞，然祗是言詞，不是行動，吾人斷不取信，亦不存幻想。如此，即侵略者淡然無味。我們應提出事實，一件一件，一條一條，要侵略者予以事實證覆，否則戰爭有所不惜。如此說法，大有力量。若如艾森豪所云，吾人絕不退讓一步，但吾人亦不預備用兵，無異自取消其力量之說。蓋既[illegible]中蘇俄之下懷，與所談判，更是服了[illegible]所謂不退讓一步之空言，以蘇俄之詭詐，西方苟安之心理，早已知之，不退讓一步之空言，亦早已明知之。如此，則彼此僵持在談判之中，再歷三年、五年，和平亦不可得，此在緊張之氣氛中，彼此皆忙於軍備，彼此難受。而蘇俄之民，在淫威之下，不能透氣，欲反抗而不可得，竭人民之力以擴張軍備，尚可勉強支持。慣享自由之人民，則恐共病由此而生，而想投降之心理，不能自持，即易被蘇俄所乘，此西方國家之大憂也。好講和平者，希望和平共存者，其深思之，慎無以談判會議騙局，自毀前途也。

半週述評

麥美倫的奔波

麥美倫首相奔走于莫斯科——巴黎——波恩——渥太華——華盛頓道上，這位政治家，我們對於他對「世界和平」的努力無疑是表示尊重的。目前，我們至少承認他對我們這個時代的貢獻是：

第一、在某種意義上，西方對蘇外交戰，麥美倫表現出若干靈活的戰法；

第二、在某種意義上，麥美倫直接向蘇聯人民宣揚了西方的「福音」；

第三、在某種意義上，麥美倫調整了西方盟友意見，加強了西方的團結。

西方基本一致

全世界的目光在注視着艾森豪總統與麥美倫首相的會談。我們的敵人日日夜夜咒咀自由世界分裂，我們肯定，自由世界的團結正在加強中。麥美倫抵達渥太華時說，「只有團結一致中，我們才能獲得力量。」艾森豪總統關于「柏林問題」的聲明，提出「堅定的」與「彈性」的政策；麥美倫在渥太華也說，「將堅定的原則和談判的準備聯合起來。」因此，我們可以肯定，在基本上西方對俄鬥爭的政策是一致的。

「彈性」「談判」之間

為了自由世界的團結，我們對於西方國家在對俄策略上的步調漸趨一致感到欣慰。自然，無論「彈性」也好，「談判」也好，作為一個中國人，我們直接深受過共黨的災難，我們相信我們對共黨的認識，遠較西方國家一般人士為深，因而，我們對於西方國家這些看法有些保留的。

但是，我們今天用我們對共黨理解的尺度去苛求一般西方人士，顯然是不可能的。歷史上不少悲劇，本來是應該和可能避免的，然而結果却無可如何地再重複一次；有時不就是所謂「彈性」與「談判」因循所犯的錯誤嗎？

政治家的苦惱

二次大戰，如果我們不經過「慕尼黑」與「珍珠港」，人類是不是可以少受一點災難呢？答覆當然是肯定的。

「慕尼黑」與「珍珠港」都是歷史悲劇，但是，忠實的歷史家會承認這個事實：「慕尼黑」以後的歐洲，許多人在屈辱中感到悲憤，感到義憤填膺，「戰爭情緒」加速成熟了。「珍珠港」，對於美國人來說，有慘痛的回憶，但是當時如果不是這一幕，許多美國人會斬斷對日本人的幻想嗎？

這個歷史的又是現實的悲劇，我相信我們當代許許多多政治家都要為它苦惱的。

不樂觀不悲觀

當然，我們不是斷言今天會有一個「慕尼黑」或者「珍珠港」出現；也不是說，自由世界一定要經過「慕尼黑」或者「珍珠港」這些災難，才能普遍的覺醒。但是，人類普遍的弱點，健忘，墮性，苟安心理，却使我們時時刻刻有這種警惕。

對於目前的局勢，用愛登諾的話說：既不樂觀，也不悲觀。但是，我願再補充一句，如果我們善用目前西方團結的有利條件，更加堅定，更有決心，無疑我們一定是應該樂觀的。

司馬璐

採辦參攷書籍啓事

茲擬採辦台灣出版之1.國學、2.教育、3.經濟、4.銀行、5.物理、6.化學、7.社會科學，此數種教員及學生參考書籍，台省各出版社如有此類書籍批發者，請將目錄及最惠條件通知本社經理部轉，以便研究採辦。

自由談

談領導地位

自從美國務長官杜勒斯臥病，英首相麥米蘭到莫斯科訪問歸來以後，英倫輿論界即強調麥米蘭已取得西方國家應付俄帝的外交領導地位，而指艾森豪總統對柏林駐軍以及德國統一問題的強硬表示，用意是要奪回領導權。這種見解很新鮮，也很耐人尋味。

無論是担當國際的或者一國的政治領導任務，都是受罪吃虧的事，除却捱罵招怨，茹苦含辛之外，還得具備着兩大必要的條件：一是為大衆利益服務的無我精神，決不許可有犧牲別人以成全自己的自私自利行為；二是要強而不暴，富而行仁，既有軍事實力以庇護大衆的集體安全，又有經濟能力以協助其貧乏之的生活需要。像二次大戰時期美國以「民主國家兵工廠」自居，實施租借法案，使各個友邦皆能盡力抗戰，資為奧援，而美軍亦劍及履及，攻打頭陣。戰後仍以共同安全法案，實行援外計劃，給各友邦以所需的軍經援助，一旦遭受俄帝的暴力威脅，即以不惜一戰的義勇精神，為集體安全而唯力是視。這樣的領導方法，庶幾乎實至名歸，允符衆望。當今之世，捨美國誰能有此資格呢？

英國的外交技能確乎高明，可惜既沒有為自由世界保障安全的軍事實力，又缺乏博施濟衆的經濟能力，光是爭取外交領導地位，而以苟安一時的妥協主義作領導方針，必要時犧牲一些集體安全的利益，亦所弗顧，這怎能建立領導的信譽，使人心悅誠服，唯命是聽？

領袖人人想做，各有能力不同，所謂有伊尹之志則可，無伊尹之志則篡也！國際間的領導人物如此，一國的領導者亦復如此。國際間的領導地位要憑智慧和能力循序創進而求做領袖，而又不能為大衆謀福利，且把自身的利益置於衆人利益之上，這是粵語所謂「精仔」，領袖決非精仔所能勝任的啊！

馮五先生

台灣農業貸金的今昔

黎之

台灣通訊

台灣經濟的基礎仍然在於農業生產，由於人口增加，可耕地面積的限制，便趨向單位面積產量的提高和邊際土地的利用，所以需要充份的資金來配合，但是農貸機關對於資金的供給，事實上並不十分充裕。財政金融當局計劃設立一個統籌農業金融的中心機構，將由台省財政廳主持，將目前極為紊亂的農業金融業務，加以統一有效地運用各種來源、性質不同的農貸，以裨益於增產政策。

過去行政機關或業務機關兼辦農貸，仰仗台灣銀行透支額，按需要情形撥貸；惟自今年起，台銀不再增加公營事業機構透支額度，則糧食局、台糖公司可撥供農貸資金將受到限制，財政廳乃有農業金融系統設立中心機構之舉。

目前辦理農貸的機構

目前辦理農貸的機構，屬於農業金融機構者，為：土地銀行、合作金庫、農會信用部；屬於推行政策或按照生產計劃兼辦農貸機構者，為糖業公司、菸酒公賣局、物資局、農復會；與農業金融間特有關係辦理農貸的機構者，為各商業銀行、合會儲蓄公司、信用合作社。各農貸機構辦理農貸，依性質分為：一、依照固定計劃舉辦者；二、一般性的貸款。每年貸款共計新台幣十五億到二十億元之間。行政機關及業務機關舉辦農貸，包括實物與現金，目的在控制生產原料的供應。一般性貸款，多數供農業社團及農民生活必需的短期週轉需要，貸款數略小於前者。目前農貸方式，歸納為四：一、貸出現金收回現金；二、貸出現金收回實物；三、貸出實物收回現金；四、貸出實物收回實物。金融機構大部份貸出現金收回現金，糧食局貸出現金收回實物。金融機構各種農貸的利率與期限，利率逐漸的低，期限逐年加長，如：土地銀行年利五厘，期限十年。各金融機構一般農業生產貸款，利率較銀行利率為低，期限六個月至三年。行政機構兼辦農貸，利率極微，甚或免息，期限按收穫季節。如：「台糖」以月息九厘單利計算。糧食局現金以百分之〇、〇四日息，實物農貸按百分之〇、五至百分之十月息計算；黃麻貸款無息。菸酒公賣局實物農貸免息，現金農貸由合作庫及土銀辦理，依其所訂利率規定計算。農復會貸予行會及農會的利率年利六厘。計屬於農業機構辦理農貸者如：

一、土銀九項貸款，包括一、農田水利貸款，年息六厘至月息一分五厘，期限五年；二、實物生產農貸，月息一分四厘，期限依金額大小決定長短。三、菸農貸款及其他特種貸款，月息一分五厘，每年八月貸放，次年三月清償；四、農會放款，作各地農會營運業務資金；五、漁業貸款，作漁民整修漁船器材及生產資金週轉之用；六、扶植自耕農購地貸款，利息五厘，貸給購地資金六成，期限十年；七、土地改良貸款，月息一分五厘，期限三年；八、農產運銷、加工、貯押貸款；九、普通農業放款。

二、合作金庫，運用存款，裨益農漁業的貸款有五大類，包括一、農業生產資金貸款；二、漁業生產貸款；三、農產品運銷資金貸款；四、農業加工資金貸款；五、低利貸款，逐年增加，四十二年至四十七年，每年由六、五〇〇千元至五〇、四一八千元。

屬於推行政策兼辦農貸者如：按照生產計劃兼辦農貸者如：配合糖政獎勵蔗農的貸款，如糧食局的貸款（以生產資金貸款額最大，歷年貸款額最高為五千七百萬至最低為三千一百萬元），如物資局的肥料貸款（每公頃三千元，每年一次，每一蔗農不得超過三千元，無息，於黃麻收購期內，按定價收回黃麻實物）；如：菸酒公賣局的貸款菸葉；如農復會實施農貸計劃。

蔣夢麟氏的興革意見

情形，關於以往台灣農貸機構紛亂衆多，其缺點是少有完整體系或制度；農貸資金有欠充裕，未作有效運用；農會信用部及組織人事不健全，殊不足適應農貸業務。農復會委員蔣夢麟氏對此指出興革意見，其要點：一、決定整個農貸政策；二、決定整個農貸的中心機構，有統籌農貸資金分配、調度，擬訂制度；三、審議金融機構資金的內容及執行技術；四、規定金融機構業務分工聯繫之配合。二、農貸業務由農業金融機構辦理，今後當本分工原則；三、農貸應直接用於生產，行庫農貸貸金應酌情擴充一般性農貸；四、增籌資金，充作農業生產貸款專款；五、農貸須有切實可行有效的辦法；六、貸款利率不必特別過低，應有較合理的利率，償還期限適應農業生產的週期，使農民有能力分期由生產收益中償還借款；七、基層機構辦理轉貸，行庫在借放款利息間規定適當合理的利率差額，使之得報償其勞務成本且略有盈餘，俾能服務的逐漸累積資金；八、農會信用部之組織、人事、業務，應單獨部署，使其信用資金與其他資金分開。並應考慮農業倉庫制度的建立，及研究籌辦農業保險。發展農業生產，則統一農業金融機構，也當是台灣農業經濟特性中列為現行財經的一大課題了。（四十八年三月十日於台灣）

菲保安司令甘布准將的新猷

（馬尼拉通訊）

・李岷・

原任菲律賓第二保安軍區司令依沙安尼・甘布准將於去年十二月卅一日被擢升為菲律賓共和國保安總司令。他就職時宣誓將使一九五九年的菲島國家安全獲得較可靠的保證。

他的責任無疑是艱巨的，他將面臨這許多急待解決的問題：政府中貪污舞弊事件層出不窮，不法商人操縱的走私活動日漸猖獗，社會上嫖抽賭飲的墮落風氣不可收拾，各地盜匪份子公然橫行，少年罪犯事件與日俱增，以及陰謀死灰復燃的虎克黨（Hukpalahap 即菲共）等等。

就職之日，他就宣佈他要繼前任保安司令古律士之後，努力解決那些嚴重危害菲國國家安全和經濟發展的問題。

他決計刷新保安司令部，提高工作效率，召開了保安部高級軍官會議，進行全面改組保安部，決定在本年元月十日調動四十多個地方的保安分區司令和保安官員。同時他下令執行下列這些新的措施：一、擴大罪犯調查科的執法範圍，將清除歸併於該科，由科長伊伯遜中校全權負責，此項清選工作包括取締妓院、烟窟和賭場；二、全面對破壞國家經濟的奸商展開取締運動，下令保安署務局與海關聯合搜查隊工作繼續進行，同時設法使這種聯合搜查隊擴展到整個菲律賓；三、呈請國防部增派三千名陸軍士兵到保安部，由保安部訓練後，派至各地參加維持治安的工作；四、嚴厲取締菲南後門（按指菲島南部與印尼及北婆羅洲相接近的地區）的走私活動，增派巡邏部隊到蘇祿（Sulu）省，監視回教徒摩洛人（Moros）的活動。

這些工作方針公佈後，甘布又與菲衆議長羅慕洛士討論如何制止南島（按即棉蘭老島及蘇祿群島）的走私活動。

從甘布的這一連串行動，人們可以看出，今年保安部將集中全力來取締走私和經濟破壞份子，以穩定經濟局勢。

留菲華僑泰半從事工商業，所以每當菲政府談及經濟問題時，必定提及華僑，這次也不例外。甘布准將曾應拉俞央中華商會之請向該會演講時，就呼籲華僑商人負起協助菲政府對付經濟破壞份子的責任，合力檢舉僑界中的破壞份子，以保障其他正當華僑商人的利益和地位。

為了使華僑安心，甘布保證保安部維護每一個正當華僑的合法權益。如任何方面有歧視外僑的行為，華僑可以向保安隊投訴以伸張正義。

同時甘布並報告了保安厘務局和海關聯合搜查隊自去年六月間成立以來搜查違法商人的成績：在十八次搜查中，為政府收入了一百二十五萬元，包括厘務稅、海關稅和入口特種稅等等。

甘布強調，這個聯合搜查隊並不專門對付華僑，也同時要搜查菲人和印度人的商棧。他的話是對的。

人們都知道，菲國經濟情況之惡劣，均與華僑有密切關係，華僑商人應一變過去那種只顧撈錢而不顧菲島社會事業的惡習，否則將難免受到菲人的排斥。不過目前菲政府對華僑也還沒有作到完全保障合法權益、不予歧視、不予排斥的地步，這個責任是雙方都有的。

根據聯合搜查隊紀錄，匿稅最多的卻是一家菲人擁有的公司；同時根據總統府海關舞弊調查委員會主席加仁那宛的海關調查工作報告中，也指出舞弊事件多由那些有權勢的人在進行。在目前的情形下，人們都知道，除了中國之外，菲律賓可列入亞洲的首名「貪污國家」。這種貪污之風使泰國、印尼、日本等遠東國家遭致命打擊。行政效率不能提高，共黨主義威脅不能消除……。巴基斯坦強人阿尤布汗將軍秉政之後，正以鐵腕大力消滅貪污現象，收效至大。當然，我們還不能期望甘布准將能像阿尤布汗將軍那樣的作用，但希望前者至少可以運用他的保安職權來消滅貪污舞弊、剷滅盜匪共黨，並建立新的社會秩序。（三月六日）

台灣通訊

祿足、嚴核、峻法，為杜貪風之本

近年來，凡是重大的貪污案件——如轟動一時的「中興新村舞弊案」，以及最近的「海埔新生地放領舞弊案」等——都是官商勾結與人民爭利，曾因此引起社會輿論譁然，各級民意代表猛力抨擊；監察院提案糾正，法院提起公訴。然而貪者自貪，毫無顧忌，其故何在？國人所一致認為政府應採取治本之措施：改善公教人員待遇，健全人事制度。認為祿足養廉，升遷有序，則不必貪污；管理嚴密，稽核有方，則不能貪污；嚴刑以待，有罪必罰，則不敢貪污。

欲根治貪污事件，不能不究其導致之原因，若捨本而齊末，雖嚴刑峻法，亦將有時而窮。政府當局對懲治貪污，澄清吏治，亦曾多所致力，但現行懲罰貪污，亦多從輕處分。據司法當局統計：自三十七年起，貪污事件在增加中，至四十二年，約增二倍左右。四十三年六月間廢止懲治貪污條例後，而瀆職罪與侵佔罪案件亦年有增加，其觸犯刑章者多為中下級公務員。尚有以事不關己者未加舉發，以及檢察官不告不追，法院不訴不理者亦不勝枚舉。更何況法院審判貪污案件在量刑論處，故多從輕。就三十九年至四十三年五月底，因貪污而處死刑者祗有一人，處無期刑者八人。這量刑論處從輕，無異給貪污者一大鼓勵，所以有人主張對處罰貪污者用重典，甚至主張修改刑法以杜貪風。並且必須建立「明是非」與「嚴功過」的權責行政制度，俾能收激濁揚清本弊兼治之效。調整軍公人員待遇，並其每月薪俸所得足以養活家人，方能鼓勵其服務情緒，杜絕邪念。因此在目前，應先行酌增眷屬補助費及子女教育費，以安定公務人員的生活。

據聞：行政院為此特設立專案小組研究，研究出具體辦法，並限三個月內提出報告。其研究的範圍：開闢或增加財源，專供改善軍公教人員之待遇。節約或停止不必要之支出，改供軍公教人員待遇之用，並研究撥對於改善軍公教人員待遇之利用。如果傳說不錯，則辦法確能面對現實。

現行公務人員考績法，等第太多，手續繁複，且不切合實際；故須簡化等第與手續，而着重於最優最劣人員之考核，嚴行獎懲；對於奉公守法，循規辦事之公教人員，照例晉級。至於平時有特殊重大功過者，不能俟年終合併考核，應另定獎懲辦法。俾使工作不力，品行不端違紀者，予以免職而發生淘汰作用，藉以整飭綱紀。被淘汰者以最優人員遞補，始能發生汰劣獎優之效。「總考」與「階」之制度，必須廢止，因為此制對守法者晉升，有失之太嚴，而阻礙其上進之機會。如欲使公務員發揮服務精神，即應對守法者能按年晉級，而示獎勵。並應常設「人事評議會」，由成績優者主持，負責評議所在機關工作人員之功過、獎征、及考績事項。往昔各級機關考績委員會，係年終臨時設置，事畢即解散。而且其委員中不無有個人恩怨之存在，因而有欠公平，故糾紛時起。若待遇改善，賞罰嚴明，而仍有貪污不肖之徒，應嚴令司法機關從重用刑。同時，獎勵具名檢舉，務使枉法者不得逍遙法外。受徒刑宣告之公務員，可將判決書副本送考銓機關登記，再由考銓機關通知全國各級機關，以防犯者蠍蔽而得倖進。

若是上述各節如能實施，則以後對貪污事當可望逐漸減少。（三月十二日於台北）

・朱墨冰・

柏林成了蘇聯的試探品

・衣革・

莫斯科企圖利用未來柏林危機的加深，來一次最認真的試探，好讓判斷西方有沒有在必要時下核子摧毀力的恐怖之下，出以一戰的決心。試探的結果，覺引起整個西方陣營之騷動。赫氏自然出以心理戰的第一拳，已經把西方數強的首府打的臉青唇白。他為了證實那一拳的實效，又提出高層會議來，看看對手的態度怎樣。果然，不出他的意料，起碼英國會對蘇聯府施壓力，要求從若干妥協的表現中，取得俄人的歡心。如舉例，最好看看英人對限制歐洲軍備計劃所涉運到中歐非武裝區的辦法，是如何屈從莫斯科的心願的可憐了。

那個計劃原係由俄人指使波外長提出，而其提出此議的背景在於美國已決裝備軍以核子武器；而且西德議會幾經辯論，終於通過了德軍可配備核子武器，以利達成德人在北大西洋公約組織中的義務。這種威力如果加以解除，便得把用非武裝之計；把德國擁有這種武器的可能性消袪了，則整個歐陸的核子防共作用，幾乎消去一半，怪不得那個計劃顯把東德，西德乃至波蘭和捷克，都列入受軍備限制的範圍內。

英首相麥美倫赴莫斯科時表現了具有危險性的妥協趨向，就在實質同類此計劃可供今後商量與研究上啊！無論如何，這是可憐的一項表示。赫氏拿這個反應證實了他前此以結束西柏林的佔領地位去威脅西方的計謀，既足以掀起英美法的極度不安，又迫令英人乘美國務長官臥病之際，積極活動，對莫斯科逐步退讓，自係形成西方分化的因素之一。因此，他便肯定祇認為硬一步，硬兩步，越加能夠惹起自由世界的緊張，再在極緊張之餘，憧憬反而有加而已。

這個計謀被許多人士認為俄人恫嚇欺騙的一種活動，卻不顧深究它更深一層的作用。這又中了赫氏的毒計！這一計並沒有和其他的計謀分離。試以飛彈為例。他迭次聲言用它來毀滅倫敦、巴黎乃至整個美國；而英法最丟臉的一次是在俄人要向英法扔那種飛彈的威脅言詞發出後，才自蘇彝士退兵的。越洲飛彈的趨勢，依照美方說話聽來，迄仍未見達成，由莫斯科引領在前的危機恐怕不在飛彈本身的運用，而在人心欠穩定。這就是莫斯科最近又在強調和平競賽也非打垮資本主義社會不可的言詞何以喊來挺響亮之所在！

我們無論如何不容忽視俄共利用大背景去爭取小利益的奇謀。在經驗上，它深知如此積累下去的所得，由心理的變動，一定能夠掀起時間與空間的激烈變化，物力的變動，支配到自由世界物質方面的變，又由人力與強邦之間確定地出現了嚴重的裂痕，或者美國人心稍呈畏縮，那就不是俄人老是拾取小利之時，萬一西方而係下大注之日，它要繼續試探，這幾天特別注視英首相赴華府之行，在共黨心目中，依然沒有離開試探意態去觀察英美團結的程度的，雖然自由世界常忽略了克里姆林試探復試探的新花樣。

（一九五九年三月十六日）

竹幕幽秘

大陸各黨派地位問題

「長期共存，互相監督」是中共於一九五六年下半年對其它黨派提出來的，後經章伯鈞加以具體化，提出了「兩院制」，鳴放期間各民主黨派亦因此而出了不少冤氣。但是好景不常，中共感覺到其政權發生了動搖，於是轉爲反右派，毛澤東硬把六項標准加進于其原來的「關於正確處理人民內部矛盾的問題」的講話中，把這些民主黨派整得七零八落。於是人們就提出了這樣的疑問：「長期共存」有沒有必要，互相監督有沒有可能。三月六日光明日報的「中共中央統戰部副部長張執一的一篇文章：「怎樣理解長期共存，互相監督」，解答了這一問題，結論是有此必要，有此可能。

對中共有三大作用

張的文章說明必要保留「共存」、「監督」的原因有三項：一、歷史原因！一說定民主黨派曾經同共產黨合作過，並且有過一定的成績；這樣，爲着顧住共產黨的信用就要共存下去。而且這種國際信用的影響，不僅只是國內的，而且還有國際的；說這樣可以在國際上打破那些可同共產黨人合作的黨派的一切不必要的疑慮，從而團結起來以對付共同的敵人。說穿了這就是世界革命中的「招牌作用」。二、現實原因！目前與將來，人民內部仍然有着矛盾與差別，那末就需要民主黨派聯系和代表這部份人民，以便鼓勵先進，教育落後，不斷進行改造工作。說穿了這是政治控制中的「耳目作用」。三、工作方面！可以幫助貫徹共產黨的和平改造政策，因此這些民主黨派亦可作爲「團結、教育、改造」的工具。說穿了這是改造中的「工具作用」。因爲民主黨派在現階段還有在世界革命中的「招牌作用」，政治控制中的「耳目作用」，改造中的「工具作用」，於是要讓民主黨派共存下去。

文章說：資產階級在政治上經濟上本來就是軟弱的，經過改造，內部已經起了分化，其影響與陣地已經縮小，再加階級力量對比懸殊，他們的立場感受共產黨愈接近；他們同共產黨間的被領導與領導的關係，已被肯定與認識，在這一關係下的監督，即「取長補短」，「有什麼監督什麼」的監督；有補處于強壓下的雞毛蒜皮的監督，當然有其可能性。

實質影響如何？

這篇文章倒是非常坦白的，它說資產階級參加政權，只是担任行政職務，並非「分領導權」。又說與民主黨派互相監督並非「分庭抗禮」，「輪流坐莊」。「長期共存，互相監督」的能否實現，「關鍵在于民主黨派能否不斷進行改造」；換句話說就是能否放棄自己的立場向共產黨靠攏。

最後，我覺得這篇文章對於懷有對共產黨某種憧憬的人，具有清醒作用，我建議主持宣傳的部門，以應在國際與國內大量的轉印分發，以擴大其影響。

田心

瘟君夢

第二回：密室定奇謀　蒼生塗炭　巴山留遺恨　弱絮隨風

毛澤東笑道：「現在還不是一樣，我們特貨經過加工製造之後，光銷美國，去年一年賺陳雲報告達美金一億一千萬，可買米格十七式戰鬥機一百架，十五米的大砲八百尊，還能買些什麼武器，陳雲說了一大堆，我都記不得了，你怎麼不知道呢？」

林伯渠點點頭，「這些情形我都知道，但是我們現在的局面大了，一億一千萬美金，若是在延安時，到算一筆大數目，現在有什麼用，就算全用去買軍火吧！也不夠一年消耗的。」

毛澤東又沉默了。

林伯渠接着說道：「拿打土豪來說吧！過去打來的黃金白銀隨實用不完，長征時，從江西運了一大批金磚到延安，直到解放還未用完。可是建國以來，雖然把打土豪的方法，改爲公債，捐獻，五反，公私合營到國營，把資本家及小資產階級全部打垮了，比起當初捉到土豪拿錢贖的辦法，總算澈底的多，但是打來的錢呢？轉手就光了。」

毛澤東越聽越不是路，直是搖手，林伯渠哪住口，毛澤東就搶着問道：「原因在那裏呢？我要問你的就是這一點。」

林伯渠笑道：「這個很簡單，我們的幹部增加了，一千多萬黨員，六百萬軍隊，幾百萬行政幹部，商業幹部，民主人士。那一個人不要政府養活，從前是全國人民養活黨，現在黨要養活全國人民。人民死活我們可以不管，幹部的生活非管不可，不但管吃管穿，還要薪水。這樣幾千萬張口，讓他們去啃喜馬拉雅山，相信不到一年就啃平了。」

毛澤東在椅子上再也坐不住了，急得背脊只冒涼氣，跳起來說道：「林老，照你這樣說，早下台讓別人幹吧！我們政府注定要被經濟拖垮了，我不操這份心了。我到不如趁早下台讓別人幹吧！更省得這幾個小子一年四季盯着主席位子眼紅。」

林伯渠笑了，右手又摸着鬍子，緩緩說道：「主席讀的詩詞比誰都多，記不記得清人一句詩：鳥入青雲倦亦飛。」

毛澤東聽到談詩，不再以門外漢自居了，連說：「記得，記得。」實際這句詩什麼意思他也不懂，更不知道出處，只是眼光光看着林伯渠。

林伯渠曉得他冒充內行，也不點破他，接着說道：「這句詩比擬現在的局勢最合適了。主席不妨算一算，以蘇聯爲首的十幾個人民民主國家，有沒有那一個領袖退休過，難道說沒有一個人和主席現在一樣想法嗎？可是沒有辦法，下不得馬呀！」

最後一句話觸動毛澤東的心事，抬頭看看牆上懸的徐悲鴻的八駿圖，低低唱道：「驥難留得餘生在，省識餘生更苦。」（廿）

岳騫

福建濱海區的農民生活

（本報訊）中共福建省委員會已下令福建全省公社「組織所有能夠參加勞動生產的人和輔助勞力（按：指老弱殘廢的人），投入春耕春播的戰鬥。」

據二月十九日的廈門日報社論稱：「這場春耕是一場激烈的戰鬥。」

社論要農民「突擊」、「奮戰」，要公社實行「責任包乾制」。

在中共如此的命令下，農民只有日以繼夜地勞動了。

同日該報消息稱：「同安縣東方公社在大鬧春耕生產中，廣大社員冒着風雨，起早摸黑地奮戰田間。同安火箭公社安樂大隊社員在風雨中堅持溶田。」

中共甚至叫沿海前綫的農民冒着砲火去田裏勞作，二月十九日廈門日報報導：「海防最前綫的前埔站的前埔村，對面就是金門島，這裏的鬥爭十分尖銳，炮戰十分激烈，但社員們在黨委的鼓勵下，三五成羣地冒着大砲和炮火，填彈坑和準備溶田下種。」

二月十四日廈門日報消息：「同安縣火箭公社峯尾大隊自十一歲的兒童起到成年人，有百分之九十五的人冒雨參加各種生產活動。」

二月二十五日廈門日報消息：「灌口公社所有大隊這幾天百分之百的冒雨出動突擊溶田。旗山大隊黃庄生產隊有二十三個婦女在連日大雨中突擊運肥。」

中共通過了人民公社的組織形式，將農民推入悲慘的深淵，看看社員勞動的情形，不是可以知道了嗎？

大陸文壇透視

三起三落的老二牌

七玄

茅盾與中共的關係，從「左聯」成立至今，在幾近三十年的時間內，已經經歷了三起三落的滄桑之變。但在三次抬頭的時候，總是屈居第二牌，永遠沒有坐上第一把交椅。「左聯」時代，人所共知，被中共所利用的黨外作家，頭牌是魯迅。因爲魯迅表現得有聲有色，爲中共作先鋒官，領頭和梁實秋、杜衡、施蟄存、胡秋原、王平陵等作戰，鋒芒太露了；相形之下，就顯得這位二牌人物無聲無臭。所以至今談起「左聯」，人人皆知有魯迅，而不知有茅盾。實際上茅盾在當時「左聯」中的地位，在中共眼中的「價值」，僅僅次於魯迅。

在新文學運動第一個十年中，文壇上有三大派別，郭沫若的「創造社」、魯迅的「語絲社」、「莽原社」、「未名社」，和茅盾的「文學研究會」，可稱鼎足。然而無論論成就、論歷史、論人數、論影響，「文學研究會」都佔壓倒的優勢。茅盾既是該會的領導人物，又一身而兼理論批評家、翻譯家、小說家，一時聲譽之隆，幾凌駕郭、魯而上之。這樣的人，中共如何不積極爭取？也像對待魯迅一樣，中共之對茅盾，仍用先打後拉的手段，即由錢杏邨出名，給了茅盾當頭一棒，說他「蝕」的三部曲是[illegible]小資產階級的[illegible]，於是[illegible]茅盾大肆攻擊。[illegible]到東京[illegible]他們「一點點耳食來的社會科學常識是不夠的」[illegible]備好一個[illegible]們「成見很深」，甚至說他們[illegible]他是「[illegible]」[illegible]驚的狂妄舉動[illegible]政府主管文化部門爭取茅盾和魯迅的最佳機會，可惜沒有在這一方面努力，輕輕失掉了他們，一九三〇年春中共組織「左聯」，時就把他倆「擁戴」成一正一副的領袖。[illegible]寫出了「子夜」，[illegible]

[illegible]六年「左聯」解散時，魯迅與周揚決裂，茅盾又站到了魯迅的一邊，參與胡風所提「民族革命戰爭的大眾文學」口號的事前商討，並出名撰文攻擊周揚所提「國防文學」口號。（請參閱「自由人」第[illegible]期所載拙作[illegible]）此後茅盾在中共文藝團內的地位又跌落下來，直到他寫出「腐蝕」，[illegible]獲得第二次抬頭的機會。

福建共幹中有反對派

（本報訊）中共福建省委員會於一月十六日召開了全省各地委、市委、縣委負責人會議，省委第一書記葉飛就今年大躍進問題作了報告。

二月二十日廈門日報刊載了葉飛報告的摘要，他在報告中無可奈何地承認了「有一些幹部」和羣眾對「大躍進」的反對情緒，[illegible]「羣眾不起來」的主要原因[illegible]

報告稱：「算帳派和觀潮派，他們抓住缺點，散佈流言，擴大困難挫折，懷疑大躍進，也有不少幹部和羣眾受到觀潮派和算帳派的影響，對今年的大躍進認識不足，信心不足，幹勁不足，[illegible]」葉飛更狠狠地要求「鎮壓這些人，他們不是什麼別的，而是根本的立場問題，因此必需對他們進行嚴厲的鬥爭和有力的反擊。針對上述的思想情況，要[illegible]」

今年的躍進，必需實行[illegible]思想先行，首先在思想上來一個大躍進。」

中共要以「躍進」之名，而奴役人民，這股抗拒的暗流將會發生更大的影響。

星斯天集中勞動

（本報訊）中共強迫勞動，取消了星期休息。據三月[illegible]日「北京晚報」新聞分析，[illegible]據三月一日（星期日）的該晚報報導：「昨天，工人、幹部和中小學生五千多人組織了大規模義務勞動，[illegible]」

同日該報消息稱：「昨天東城區東單辦事處組織一四九二人參加勞動積肥，共積肥四萬七千斤」。

「羅培爾・歐文」自序（節錄）

・樓桐孫・

羅培爾・歐文和查理・傅理一，與其說是經濟學家，實毋寧說是社會學家；與其說是社會主義者，又毋寧說是共產主義者。[illegible]

[illegible]病，社會主義矣」。[illegible]本書所論述的歐文主義，是一種互助合作的高度社會主義，保留政府（歐、傅同），保留私產（特別是傅），保留生產及交換的自由（歐、傅同），舉凡社會中人與人的關係，一皆以道德爲基準，與近今蘇俄帝國主義型的共產主義絕不相侔。[illegible]

[illegible]誤之處亦必所在多有，這是應請讀者原諒和指正的。民國四十六年光復節樓桐孫[illegible]

釋耒集

覆史戲隋文帝子齊王攸處，僚佐請為立碑，帝曰：「欲求名，一卷史書足矣，若不能，徒為後人作鎮石耳。」按隋文帝，似無其他盛德足為後世稱述者，而此語實為超邁，三國志太史慈傳，孔融為北海相，以黃巾冠暴，出屯昌都，為賊管亥所圍，遣慈突圍向平原相劉備乞援，時孔北海已有高名，劉備則殊寂寞，然容謂慈曰：孔北海知世間有劉備耶？即遣精兵三千人隨慈赴援，又唐語林補遺卷第五載：宋璟劾張昌宗等反狀，武后不應，李邕立階下大言曰：「璟所陳社稷大事，陛下當聽。」后色解，即可璟奏，邕出，或讓曰：「子位卑（邕時為左拾遺），一忤旨，禍不測，」邕曰：「不如是，名亦不傳」。

劉備亂世英傑，李邕太平才子，均不免汲汲于名譽，今按其事，則劉備因孔融所知而沾沾自喜，而李邕則思傳其名，遂致于甘蹈不測之禍，方諸孔子所說：「君子患無能也，不患人之不已知也」，間亦有間矣。猶憶民國初建時，最吃香者為革命黨志士，聞廣東竟有人于名紙上印上溫生才拜兄弟，或第七十三名烈士等去頭銜之笑談，則可謂于今猶烈矣。十年前初到香港，覺香港街道命名，以中文讀之，似均相當特，如史塔士，奶路臣之類，詢諸港通，則十九均殖民地官員之姓也，此風於北伐後，已為國內所行，大城市之公園馬路，不曰中山，即曰中正，[illegible]之為德鄰，成鐵生，幼時曾讀蘇先生喜雨亭記，其中有句曰：「漢武得鼎以名其年，叔孫勝敵以名其子」，此等用意，自不難了解，而其為名心所繩，則古今中外一也。

今世俗又有一類專事刊佈過氣要人逸事之報紙或雜誌，大率以白頭宮女自況，諸如如何諫阻袁項城之稱帝，如何勸阻汪[illegible]之投敵，[illegible]以示其公忠謀國者；又或言如何師事章太炎，如何旋于蔣李之間，[illegible]等等，但一試翻考其人之姓名，[illegible]，其實亦相當于溫生才結拜兄弟之類而已。

名　心

蟲者偶喜讀前人懷古詩，覺此類作品，往往發人深省，足以蕩滌狂熱之病，令人消盡名心，尚記元人林弼秦皇廟一首云：

蠶食雄風遂逝波，荒祠寂寂奈前阿，
三神山下仙舟遠，萬里城邊戰骨多。
東魯尚存周禮樂，西秦空壯漢山河。
早知二世無多祚，崖石書功不用磨。

始皇東巡，于泰岱，嶧瑯，會稽諸山，刻石紀功，自謂子孫帝王，萬世之業，一而燔滅六國及百家之言，以愚黔首，乃料不到亡秦者竟為目不識丁之賤隸陳勝與吳廣，依此而論，則隋文帝所云云，轉愈覺其難能也。

曲齋

心籟集（四）

不朽的代價（上）

◎李素◎

前天翻閱日報，都看見畫展的消息和刊出的許多名作。難得昨天偶然看見了幾幅人像，畫家是誰我現在已記不清，卻使我想起了達文西的傑作夢娜麗莎的畫像，也想起我以前寫給夢娜麗莎的那首「不朽的微笑」。連帶的又想到了不朽的代價。反正狂想是不管合不合理的，說說何妨？

據左傳所載，穆叔答范宣子問「死而不朽」的意思時說：「大上有立德，其次有立功，其次有立言，雖久不廢，此之謂不朽。」可見立德立功立言，是古人心目中的三不朽。

古今來多少聖賢智哲，豪傑英雄，文人學士，或有亮節高風，德澤施於萬民；或因抗敵除暴，拯民於水火，建樹了豐功偉績；或有新發明，新事業，增進人羣的幸福；又或者有嘉言宏論，佳句妙文，可以做天下人的法則，和啟迪頑懦，安慰苦痛的人們。總之，他們都對人類有貢獻，各有成就，因而影響久遠，名垂萬世，也就是我們所稱為不朽的人物。

然而夢娜麗莎只是意國洪羅倫斯城一個普通商人的妻子，並沒有什麼大德豐功至言足以永垂後世。但她卻竟然以那麼輕輕的一朵美妙的微笑，而進入不朽的境域裏。這簡直是千載的奇遇啦！

因為無論那一個時代，那一個地方，都並不缺乏美貌的女子；偏是她運氣好，遇上了名畫家達文西，於是相得益彰，互相補足，互相完成而共垂不朽。他們所立的是什麼呢？該說是立美吧？

美之為美是包含了真和善的。聽哪：多純淨、溫柔、智慧、神秘、深邃、優美的微笑啊！當你在深深地注視她時，你的心靈也受她感染，也跟她純淨、溫柔、智慧、神秘、深邃、優美起來了。美是無為的品德，無形的功績，無字無聲的語言；不求立德立功立言，卻像薰風，像靈泉，自然具有提升及淘洗的力量，使人性超拔和淨化。

達文西還有「最後的晚餐」，及其他名畫傳世。他以畢生的時間，精神，力量，技巧，甚而靈魂，貢獻給藝術，[illegible]。夢娜麗莎除了天生的美貌和天賜的機緣以外，還付出了什麼代價？值是一絲微笑和若干小時的靜坐！

雖然，這一絲微笑是內在與外表的美的結合，其純真自然的流露不是毫無修養、慣於「作狀」的泥美人所能的；但比起以艱辛的努力，甚而以生命去換取不朽，畢竟比較輕鬆容易多了。那麼，是否可以說美的本身（包括天賦與人為），就是無價的代價呢？

至於我國的屈原，文天祥，及其他許多「殺身成仁」，「舍生取義」的忠臣烈士，卻是以悽慘或悲壯的死來成就他們的不朽。其中付出最大代價[illegible]。他本來可以不死而竟死，不是被殺而是自殺。他的死不是守節殉難，不為沽名釣譽，不為擺脫[illegible]；而只是為表白耿耿忠忱，希望能感動國君，以拯救國家民族的困厄。這事蹟的本身已經是無限的壯烈。這種無我的超功利精神也的確偉大無倫。我們可以說他的人格美的本身也是無比的代價。

文天祥在宋端宗時，「募兵勤王」，力圖恢復。兵敗，被執，不屈，作正氣歌以見志，遂就死。」他和屈原都是以生命及高貴的人格美，換取了不朽。而且兩人同是在死前曾以血淚去創作文學，抒寫心聲。到現在以至千百代以後，人們讀到離騷和正氣歌，都會覺得他們的音容依然存在，就像活着的朋友一樣親切。誰能不被他們的悽惋，壯烈、崇高、純潔的情緒所感動呢？「人生自古誰無死？留取丹心照汗青。」他們的生命已經獲得鄭重的不朽。（未完）

誰教誰？

最近自由中國文藝界中的戲劇圈子裏，忽然發生了「誰教誰」？的爭論，問題的起因是目前企圖顯學戲劇的男女青年很多，而且近年來已有幾所學校設有戲劇或性質相近的科系，於是內中有人以為就目前這批搞戲劇的人來說，他（她）們本身尚待充實之處尚多，如果讓他（她）們去傳道，實在是「座無尼父為師少」。然而，其間有一部份人士的意見恰恰與上述相反，認為「三個臭皮匠，賽似諸葛亮」，此刻從事實際戲劇工作者不能以本身經驗去教育有志戲劇生活的青年，難道去請外行人來「越俎代庖」不成？何況過去戲劇界的一些稍有成就者，也非平步青雲，一蹴而就，經由「教學相長」而知者大有人在。大概甚於同行是冤家的關係，一時衆說紛紜，竟形成了紛爭的局面。

◎耿耿◎

水晶簾

◎胡慶育◎

余回台北，鐵華適在香江，比有書來，謂正從「歡喜之鄉」閱閱。國人之寄居香江者，披閱散章，喜而成詠。

[illegible]花開風軟。見說高齋，[illegible]彩毫親染。傾向迂儒談六法，故[illegible]，奈匆匆，卸罷征裝，能為青[illegible]。道香江墨客，留得中原風雅[illegible]，陡生深戀。待歸來，路事重提[illegible]獨花共賞。

風雨樓繪畫叢談

繪畫有撰述，是以晉代顧愷之的魏晉勝流畫贊為最早，但從而成書者，則首推南齊謝赫的古畫品錄。由於古畫品錄的六法，是畫壇上的千古不易之理，所以它的理論思想，一語一詞，都被認為是畫家，鑑賞家，收藏家的絕對準繩。謝氏生不逢時，[illegible]的歷史觀念，繪畫思想，都有濃厚的時代色彩。他從「千載寂寥，披圖可鑒」的理論觀點，是「明勸戒，著升沉，」又從繪畫的「出自神仙，莫之聞見」的傳說裏，確定品評的原理，是「不廢其源」。如果說社會的混亂，佛教的盛行，對於繪畫都有影響力的話，這就是一個很顯明的例子了。而這時代的戰亂頻仍，繪畫所受到的感染，只是一種局部的發展。而「不廢其源」的原則，對於繪畫的整個藝術史，影響就相當大了。因此之故，我對於中國繪畫的理想，是把它分為三種不同的歷史過程。大致三代以前，是在利天下。漢隋之間，是在明教化。唐宋以後，則進於藝術了。構成這一傳世的特有風格，是經過文野的激盪，也經過盛衰的洗禮的。

不過在世變中，它是始終保持着適應大衆生活的本來面目。

畫家談畫史，歷代不乏其人，可惜他們都斤斤於繪畫的創造；有時思想距離的相去之遠，是會超出一般人想像以外。如宋人郭熙的林泉高致說：「今之古文，篆籀蟲魚，皆有象形之體，即象形之法也」。而明人李開先的中麓畫品則說：「畫非小道，禹貢職方，山川[illegible]，器用制度，草木蟲魚，非畫何考」。又楊慎的丹鉛總錄云：「畫家以顧陸張吳為四祖，余以為失評，當以顧陸張吳為四祖」。而清人姚際恒的好古堂書畫記則說：「伏羲畫卦，書之始也，舜帝十二章，畫之始也」。郭氏之所指，似為倉頡，李氏之所指，似為夏禹，楊氏之所指，則為晉宋，姚氏之所指，則為帝舜。論佐據，遼不如「畫始於遠」的言之成理。論淵博，則比之於「史皇作圖」者，有天壤之別了。以繪畫的歷程，誤為繪畫的創造，以繪畫的製造，又誤為繪畫的發萌。這是歷代論畫者的最大錯誤，亦即是繪畫無畫史的最大缺點。（十八）

述贊

康南海的韻事

道南

康有為，你別以為他是康聖人，就以為他是莊嚴得像大成殿上那一副垂拱而立的泥塑木像面孔一樣，他倒是一個很懂得做人風趣的人呢！

在他的故鄉中，現在還流傳着一宗趣事。據說，當年時他在私塾裏讀書的時候，讀四書至「敢問夫子烏乎長？」常自讀自適曰：「馬鞭長，頂屋樑！」雖是細聲誦讀，卻也語驚鄰座。經過塾師幾頓戒尺，他還是烏乎長馬鞭長的讀着。

後來，他長大了，雖然不能不莊重，以維持其士大夫的尊嚴，但他卻不是一副死板板的面孔，有時仍是詼諧百出，妙趣橫生。

當戊戌政變失敗之後，他逃去美洲，和一位華僑小姐何旃理邂逅，結果一見鍾情，結是萬里烟塵一綫牽。那時他已是半百老人了，而何小姐呢，才是二九年華。之後，康南海遊列國，為他作舌人，便是他這位英文造詣很深的愛姬。他本有太太住下。他為了要安慰何女士，曾特地引經據典的寫了一篇洋洋灑灑的大文，題曰「妾辯」。後來，何女士[illegible]病逝，他[illegible]，在西湖[illegible]之後，才漸漸地把她忘懷。

他對於[illegible]，認為是「禮法所許可」，「名教所許可」的。在他的「妾辯」一文中他自白的指出：「諸侯一娶九女，大夫一妻二妾」，[illegible]。不過這是舊社會的說法，如今看來便不成話了。他的一生著作中，[illegible]

偶然的牢騷

◎高豫◎

近來因為生活環境不同了，所以時時冷靜的看看周圍。然而卻又不免發牢騷了。一些本來不知道的事，這回又了然了，而知道後，只是又增加一些不必要的「憤慨」的情緒。——不過，終於又釋然了。

以前人激人做文章要用伏筆，其實伏筆和「陰謀」有大關係，如果說是所謂「人情練達即文章」，而把伏筆擬處世上，那麼便個個人鈎心鬥角，[illegible]

外，又知道許多[illegible]把私人恩怨寫於紙上，[illegible]一番；如果[illegible]一番！如果與自己有嫌隙的，便指雞罵狗。總之，一枝筆，在某些人手中確實是「利器」。然而，最令人不齒的是：卻滿口的仁義道德。

人多自作聰明，所以時時喜歡[illegible]，如果遭人指責，[illegible]便先發制人，罵人。這實在何顏自詡是立於[illegible]之上的高士呢！

「[illegible]叩不鳴」是君子之道，[illegible]

[illegible]另外，對一些得意忘形的醜態，[illegible]。小人得志，[illegible]，連「憤慨」之情緒也起不來了——然而，相反地，覺得可憐了。

關公愛戴高帽

◎陳宗敏◎

我讀三國，每笑張飛莽撞，以為雲長智略較勝[illegible]

[illegible]別受獎賞。其時雲長另守荊州，命子關平入蜀向劉備[illegible]馬超武藝過人，要入川來與之比武」。劉備[illegible]，孔明[illegible]書曰：「亮聞將軍欲與馬超分別高下，以亮度之，孟超雖雄烈過人，亦乃黥布彭越之徒耳，當與翼德並驅爭先，猶未及美髯公之絕倫超羣也。今公受任守荊州，不為不重，倘一入川，若荊州有失，罪莫大矣，惟冀明照」。雲長覽畢，自綽其髯笑曰：「孔明知吾心也」。將書遍示賓客，遂無入川之意。

自由人

THE FREEMAN

（第八四〇期）

中華民國僑務委員會
頒發登記證台僑新字第一零二號
中華郵政台字第五〇〇號
執照登記爲第一類新聞紙類
（半週刊每星期三、六出版）

每份港幣壹毫
台北市售價台幣貳元
督印人：陳文華
地址：香港高士威道二十號四樓
20 CAUSEWAY RD. 3RD. FL.
HONG KONG
TEL. 771726
承印者：東南印務出版社
地址：高士打道六十四號
台灣總經理處
台北市西寧南路壹壹零號二樓
電話：三〇三四六
台郵劃撥儲金戶九二五二
海外總經銷：友聯書報發行公司
香港：德輔道中二十六號A二樓

展望對日外交

甘家馨

態度曖昧，手段微妙的日本對中共活動，最近因社會黨之傾巢訪問北平及其在北平所發出之荒謬言論，和日本政府又表示願與中共恢復貿易談判，再度出現高潮，而爲各方所注意。日本朝野此種行動，在事實上將有何種後果，目前尙不易揣度，然無論如何，此種情形，極足使我們對於對日外交的重要性，再度認識提高警覺，那不待言。

對日外交的重要性

進一步說，類似以上的現實情勢，尙還不足以使當前對日外交的重要性，完全顯出，而現實之外，展望前途，更有許多重大因素，對自由中國甚有決定性的影響，此則更當嚴肅正視者，其中以下列三點，最爲顯明，試略言之：

第一，日本的國際地位，正在不斷的恢復，其言論政策，可在世界上發生相當重大的影響。尤其關於亞洲問題，西方有許多國家，認爲日本在亞洲業已恢復中心的乃至領導的地位，因此，日本關於亞洲事情的意見主張，殊有參考重視的價值，不能漠視。這裏所說的言論政策，不單是指政府的外交行動而言，即日本輿論的立場，對西方輿論亦甚有影響。

第二，日本是共產帝國在亞洲所欲吞噬的最大目的物，其性質和西德之在歐洲完全相同，故必欲得之而後已。但另一方面，日本是在亞洲對中共野心具有左右其擴展地位的唯一國家，祇要日本的自由和反共政策一日存在，則中共統一亞洲的野心迷夢，便永遠不能實現，此於自由中國，則爲必須竭全力以爭取者。進一步說，亞洲倘失却自由的日本，則不成其爲自由亞洲，無自由的亞洲，則自由中國的前途，寧堪設想？

第三，日本在聯合國，現在雖然還未獲到很高的法律地位，但在政治上，因上述關係，其對蘇政策的行動，大可影響各會員國的態度立場，則爲不容諱言的事實。基於此種原因，日本倘有利於中共的政策行動，則自由中國的國際地位，勢將隨之動搖，譬如，日本承認中共，支持其入聯合國，即自由中國即面臨嚴重無比的打擊，殆可斷言。

中日外交關係的現狀

對日外交在自由中國的國際關係上，既具有如此重要性，故在理論上，我們勢非設法和日本保持一種密切的關係不可，無論政府外交或國民外交皆然。但是，中日外交關係的態勢，現在實情如何呢？我們試略加展望，不能不引爲憂慮。

在日本方面，在朝黨形式上和自由中國訂立了和平條約和商約，歷屆保守黨內閣，皆維持着對我外交關係，迄未稍變。然事實上，歷屆保守黨內閣，始終不離開一項傳統的法術，那就是表面敷衍，實際另有打算，這可說是自命善耍外交手法的日本老政客的一貫作風。在這個傳統作風之下，他們一面敷衍我們，一面不得罪中共，並且時常在找尋接近的時機，至其他仗義執言，支持反共的言論，更不待言。這種情形，在去年和中共貿易簽訂貿易協定，允許中共若干外交特權和准其懸掛僞國旗，及以後對自由中國所採的名爲讓步實爲敷衍的姿態，表現得最爲清楚，其他不多列舉。固然，日本在朝黨此種騎牆敷衍的作法，在其內政上或亦有不得不然的苦衷，但其動機如何，非我們注意的問題，我們所注意者，祇是實際的行動。又在保守黨方面，亦不能說絕對沒有與自由中國誠心爲友的領袖，例如已故的緒方竹虎便是一位有遠見的政治家，不是患政治近視病者，但爲數究屬寥寥。

至於日本在野各方面，親共的聲勢，可說是風靡一時了，社會黨已全被左翼勢力挾持，無保留地擁護中共，高級知識分子，及報紙雜誌大多數都是替中共助威捧場，中共的出版物，被譯成日文發行，滿坑滿谷。反過來說，他們根本不承認中日和約，否認台灣政府是一個代表中國的政府，反對和我們建立邦交，亦即根本否定我們的存在。這種情形，當然是短視現實，缺乏眼光理想的日本民族性的反映，然不論其本質如何，對自由中國總是一種澈底的敵意。

至於自由中國，在對日外交上，年來雖努力推進，對於日本的願望和要求，亦嘗儘量容納遷就，但畢竟未能建立理想的兩國外交關係。我們無從促進日韓關係，不能推進中日韓三國合作，甚至在日韓之間，左右爲難。顧此失彼，或曾有過開罪一方之處。我們對日本，還有種種頗欠嚴謹與深刻的表示，例如關於日本對中共通商等問題，勸諷警告云云，另一是常謂中國戰後處理日本，以德報怨，儼以日本恩人自居，凡此都是不夠切實，不夠風度，易使對方發生不快與反感的膚淺行爲。

綜上以觀，我們對日關係，距離理想尙遠，已灼然可見。況且坦白的說，就是這種現狀，亦並非純因自由中國本身的力量和條件所達致，此外如日本內部矛盾，國際形勢尙於自由世界有利，以及美國的立場尙堅定等，都是形成中日現有關係的支柱，這是我們應該加以承認的。

隨時變化危機重重

依上所說，我們對現存的中日關係，不能滿意，毋待申論。然這種令人不滿的關係，還是危機重重，亦即還有隨時變化的可能，這是我們更當警惕的。

最危險的是，倘日本社會黨一旦當權，則必實行一切親共的政策，那將是我們最惡劣局勢的來臨。當然，這個假定未必會成爲事實，社會黨無論如何作困獸鬥，很難上台執政，不過它在選舉上確佔上風，此對我們總是危險的。

其次，中共對日本現雖口頭強硬，但此種狡計，究竟能維持多久，殊爲疑問。倘有一天，色厲內荏的中共，給日本以若干甜頭，則日本的外交態度，非無某種適應環境的改變的可能，此亦一種隨時可以爆發的危機。

至於國際的形勢，尤其是美國的立場，對於日本的外交決策，當然亦爲一種重大的影響力。具體來說，倘國際形勢的演變，對中共有利，或美國的立場，稍示軟弱，則日本的外交轉變，將爲指顧間事，屆時我欲維持現狀，恐亦不可得了。

改善局勢的原則

由於對日外交是如上所述的重要，兩國現有關係既不夠理想，而變化危險因素又隨時存在，是故不談前途陶醉現實則已，否則，過去一切因循坐誤的作風，應該提緊消滅，代之以積極的計劃與行動，以改善局勢。至於具體的步驟，這裏不及多論，但下列原則是必須強調的：

在內政上必須確有向上有爲的發展，顯示我們反共事業必有前途，以爭取其信心，此是根本大計，亦即針對對方利害觀念現實主義的要圖。

在對日活動上，應擴大觀綫，爭取日本輿論支持及社會同情，須知日本戰後的外交，民意的影響，所關甚大，不似我們政府的獨斷獨行。

關於政策和宣傳方針的制訂，應洞明對方立場的基礎，採取切合事理的態度，調協相互的利害關係。例如關於日本對中共通商問題，在基本原則上，我們當然反對，然對日本經濟出路問題，亦應理解，如此在交涉上始有適當態度表現，使對方能接納忠言，並在實質上採取步驟以正視其問題，尤爲必要。

最後，對日外交陣容的刷新，亦屬洵迫切。中日關係密切，不可以一般外交看待，然中國對日的外交陣容，則極不夠水準，尤其最後派往日本外交官，可謂一代不如一代，即如最近派新大使，各方亦週感不滿，頗多惶惑。職業外交家雖有缺點，然究有經驗技術，亦資利用，故外交官進退秩序，不容一概忽視；然近來外交人才之任免，問題頗多，影響外交甚大，此對關係重大之日本，今後尤不可不特別注意。（完）

政治原則與政治技術

半週述評

自從去年十月二十三日中美聯合公報發表以後，政府在事實上已經把武力反攻大陸的希望暫予放棄，而強調了所謂『政治反攻』。於是一般平日接受了政府『隨時可以反攻』而又不明白中美關係內容以及近十年間所謂『準備』實際情況的人們，乃感到非常的失望。甚至蔣廷黻代表在聯合國根據公報中『不憑藉武力』一語所作的解釋，也引起了在美國一部分僑報的譏諷責備。

其實這種失望與責備都是近於多餘：以十年來台灣的政治條件，經濟條件，乃至軍事條件，即令美方不加以任何束縛，反攻的可能性也依然很小；何況『有美萬事足』的心理已中毒頗深，美國依據她的國策要對台灣加以束縛，台灣就想擺脫又如何可能呢？

本來，政治反攻是很對的，可是政治反攻的先決條件：第一要停止一黨專政，第二要糾正一切不合憲法的種種措施，第三要先求得國民黨內的團結，其次台灣一千萬人的團結，再進一步海外一千四百萬人的團結。這幾點辦不到，則所謂政治改革，便只能以若干枝枝節節的政治技術爲限，決不會涉及政治的原則。

老實說，今天海外所爭的乃是政治原則而非政治技術；不從原則上樹立新的信心，而徒然從技術上去考慮，這是所謂捨本逐末，一個政治反攻的規模是終於建立不起來的。

什麼是我們的政治原則？很簡單，便是在當前的實際情況之下，儘可能的實施民主憲政，這一點不能切實做到，不要說今天國際無法反攻，即令反攻就見諸行動，大陸上的百姓，尤其是一般智識分子，會不會熱烈的予以歡迎，也還是大大的問題。

西藏的反共運動

在過去的若干年，我們本來有過兩度可以試行反攻的機會：一度是韓戰打得難解難分的時候，一度是大陸上大鳴大放鬧得如火如荼的時候。這裏的所謂『試行反攻，』乃是說反攻的規模不必太大，成功的期待不必太切，質言之，便祇是一種反攻的嘗試而已，可是連這一點政府也並沒有表現它一種嘗試的勇氣。

我們承認今天在台灣依然有不少的人天天都在祈求反攻的提早實現，可是說台灣便沒有一部分人已經是安於現狀在那裏得過且過，却也無法予以保證。

現在西藏大規模的反共運動，已經繼續相當的時間了，政府的態度又怎樣呢？

據蒙藏委員會委員長李永新說：『西藏的反共起義，其規模較匈牙利革命爲大，情勢亦更緊張。』他還說：『自由世界決不能讓西藏的自由戰士，遭受匈牙利自由戰士同樣的命運。』（見本月二十三日香港時報）

假定這個話是出自一個外國人之口，我們眞不能不感激他的仗義執言；不幸這個話乃是出自自由中國蒙藏委員會的委員長之口，却不能不令人感慨萬千！

政府的負責當局不早已說過『只要大陸有類似匈牙利的革命起來，自由中國便不能袖手』的話嗎？何況它的規模比匈牙利更大呢？今天的匈牙利人並沒有在他們的本土以外儼然還有一個獨立政府的存在，同時他們也沒有擁有六十萬人乃至六千人六百人的陸海空軍，把援助匈牙利自由戰士的責任向『自由世界』一推，這是說得去的；但自由中國有什麼理由可以諉卸這個責任呢？

我們充分了解，也充分肯定，不要說遠在西藏的反共運動政府不能予以任何援助，即令今天在福建，在浙江，有一個類似西藏的運動起來，政府也將是一籌莫展，這個道理很簡單：今天自由中國的政府死不肯改革，在本質上早已不敢令人相信是一個可能反攻的政府了。

左舜生

談用人問題

自由談

馮五先生

古今來，任何一個在政治上具有實際領導地位的人，沒有不希望建功立業，福國利民的，也沒有不願意網羅天下才智之士，相助爲理，共襄盛舉的。但歷史事實所表現的結果，總是治世少而亂世多，成功的領導人物，寥寥可數，此中最重要的因素，就是用人問題。古人曾有「知人則哲，惟帝其難」之歎，這是眞心話，可圈可點。

談到用人問題，毋一個居於政治領導地位者，皆能闡述一大篇的至理名言，令人贊歎傾服無懈可擊，然實際上却滿不是那末回事，其故安在呢？根本乃在知識學問上。知識卓越的，蓋於天下爲公的理念和信心，認爲天下無不可用之人，只要因才器使，棄短取長，則滔滔者盡係忠實幹部，無所謂可靠不可靠之說，曾國藩相信他所用的人「不忍欺我」，就是這種道理。知識平庸的，縱使有心向上，然以識見不廣，膽量不大之故，每由自卑感而滋生疑懼心情，而以私人關係爲用人的唯一標準，深怕別人靠不住。如是乎，派系觀念大作，所謂「人事關係」云云，指的就是「所識窮乏」以及隨侍親信和裙帶血緣這類關係而已。他們不能理解兩項道理：一是任何人決不會居心要對領導者拆爛污，幫倒忙，非把事業搞垮不可的，其所以發生弊害，甚至弄成背叛的情形，還是用人者自己缺乏鑑別人才與認識人才的能，隨便亂來，不得其法。二是凡屬有才幹者，必有他的自尊心理，不屑逢迎，決不會降志辱身以乞取富貴，你請他來幫忙，如果不尊重他的人格，抹煞了理性，他是有所不爲的。反過來，他又可以赴湯蹈火，無所顧惜！

要知人善任，必先具有知人的智識，這與收藏金石古玩一樣，自己沒有鑑別的能力，所收購的盡是些假貨，其不傾家蕩產，貽譏世人者，鮮矣！

採辦參攷書籍啓事

茲擬採辦台灣出版之1.國學、2.教育、3.經濟、4.銀行、5.物理、6.化學、7.社會科學，比較精彩適合大學生參考書籍，合省各出版社如有此類書籍批發者，請開目錄及最惠條件通知本社經理部轉，以便研究採辦。

僑胞不滿袁大使

社寧

（西貢通訊）袁子健大使返國述職之日，西貢機場送行的人數寥寥，與兩年前他到任時歡迎者的人山人海，恰成對照。

我可以說，不是僑胞冷落大使，而是袁大使冷落僑胞在先。當報端透露袁大使應召返國述職消息後，此間僑社即盛傳：袁氏這番歸去可能丟掉烏紗帽，我駐越大使館面對這突如其來的謠諑，雖一再闢謠，謠言依然不脛而走。

袁大使不得人心，確是事實，但一般預料謠言儘管滿天飛，恐怕止於謠言而已。因爲他們也知道官海浮沉，原就不是依照正軌的。但，這一個謠諑，卻不能不說是一種民意強烈表現。

前後判若兩人

官場正如商場，早晚時價不同！兩年前，袁子健在一般旅越僑胞心目中，是一個外交英雄，他在河內總領事任內，高懸國旗出入槍林彈雨中，從事救僑護僑工作，他那種勇敢精神和卓越業蹟，僑胞記憶猶新。當中越關係罩上陰影，瀕於破裂之際，中樞派袁氏赴越，一般僑胞咸認爲明智之舉，面臨困厄的旅越僑胞，曾寄以莫大的期望。但兩年來袁大使在越南任所的表現，十分令人失望。他榮登大使寶座後，英雄姿態變成了官僚作風，前後判若兩人。

僑胞面臨「禁營」與「國籍」風暴，遭受一連串的迫害，他似乎熟視無睹，而且在寄往台北的報告中，也不免粉飾太平，誇張中越友誼增進。這眞是傷透了僑胞的心！

僑胞開始表不滿

前年五月，西貢僑青三度往我駐越使館請願，搗毀桌椅門窗，便開始表露了僑胞的不滿和抗議。

今天越南華僑的「國籍」事件，已不再成爲問題，某些官員引以爲慰，欣然色喜，但這並不是表示中越國籍紛爭已迎刃而解，而是「不了了之」的殘局。我旅越僑胞爲着現實生活與居留問題，也只祇可奈何而已。據估計，旅越華僑百份之九十五已轉入越籍。由於越方對中籍保留華僑籍者限制甚嚴，條件苛刻，現在碩果僅存的少數人士，將來格於形勢也恐難免。未來發展，殊爲可慮。

華僑因此就與使館結下仇嫌，且與時俱增。認爲他們今天的下場，是拜無能外交官之賜。

青天白日旗減少了

中越邦交增加，雙方使館升格，這是可慶的事，某些官員也因此「水漲船高」，加官進爵，彈冠相慶。可是一般僑胞的心情，不免冷卻。

往年每屆雙十國慶，西貢街頭到處飄揚青天白日滿地紅國旗，但去年起，已顯減少，今年可能更少。這情形看來，多麼觸目驚心，勾起太多感慨！然而袁大使似乎熟視無睹。祇要大使館仍有一面國旗迎風飄揚，他便認爲滿意了。

「陰森的古廟」

我駐越大使館升格後，中越關係好轉的消息，不時見諸報端，據說，爲應付日益繁多的館務，秘書，主事之流源源調到西貢來。儘管駐貢大使館的編制人事不斷擴充加強，但到大使館洽商公務的僑胞卻越來越少了。這是一個可悲的事實。假如不是大門旗竿上插着一面國旗，過路的人看見那座門可羅雀的大廈，眞要懷疑那是一座陰森的古廟呢！

使館與僑民之間

一個國家的駐外機構——堂堂大使館，被僑民深惡痛絕，這眞是一件反常的事。據說，自從前年五月間僑青搗毀館事件發生，袁大使視大使館爲畏途，即開始在「官邸」辦公，一年來袁氏除偶爾參加友邦慶典或外交使團的酒會之類外，便很少與僑胞接觸。

一部份僑胞轉入越籍後，即把家中置備的青天白日滿地紅國旗送呈大使館保管，這顯示僑胞國籍雖換，內心仍思念祖國，我大使館官員卻大打官腔。不知又爲的是什麼？

僑報的評論

西貢「亞洲日報」近在社論中，批評我國外交政策，並籲請政府重新檢討外交陣容，一般旅越僑胞認爲，當袁子健大使返國述職時，該報發表此種若有所指的評論，意義深長，至堪玩味。

該報說：「對於外交運用上，尤應審察環境，把握時機，縱橫捭闔，不亢不卑，但見我們許多外交場面，不是失之於拖，便是失之於過，苟且，雖有可以活動餘地，亦徒落得事事固執己見，吃力而不討好。」這似是一針見血之論。

該報更率直指出：「我們的外交官，多數是對僑民則自高自大，對他人則自謙自卑。」該報認爲：「身爲外交人員，則應自尊而不自卑，亦不失其保護僑民之責。」而某些外交官動輒說：「僑務拖累外交」，該報斥爲「豈有此理」，說這就是推卸責任。

該報言外之音，指的便是袁大使。這篇評論，曾獲得一片彩聲。

僑胞今天期望，外交當局如果尊重僑情，應當機立斷，另派諳悉僑情的人員接任，否則筆者亦欲哭無淚了。（三月十八日）

不宜輕視社會科學教育

本報特稿

‧陳元章‧

自中央研究院及教育部提出「發展科學計劃綱領」以後，在教育界和輿論方面，有些人覺得該項計劃偏重自然科學而忽視社會科學（本報第二八四期社論「對發展科學計劃綱領的意見」），並要求不能忽視社會科學。據說在這些研究講座中，用於社會科學（包括人文）者，至多占百分之二十，毛子水先生解釋（見文星三卷五期）此比例的規定，是因爲可能，是可以諒解的。個人對八對二的比例，同樣是可以諒解的。政府將於各大學設研究講座六十名，自然科學方面至少占四十八名，社會科學方面至多占十二名，並以此爲研究講座待遇的比例，每月支五千元，等於一般教授的十倍以上。並非眞的並重，但如以上各節所述，則此問題並不太嚴重。

其實，自然科學與社會科學二者孰重，本是一個老問題。滿清末年的士大夫，即已認識了西方的堅甲利兵，以爲中國所需要者，乃是西方的科學，而忽略了其他方面。其後新文化運動，五四運動後，始了然於我們的政治制度以至文化思想都不如人，國家之需要社會科學，正不下於自然科學。大陸淪陷，共黨猖獗，並非他們的自然科學勝過我們，其故可深長思。

知用之不當，可能毀滅人類。蘇聯對于人造衛星及洲際飛彈的成就，我們不能否認其科學的價值，但赫魯雪夫以此爲武器，用來威脅自由世界，則就人類和平幸福言，我們寧可不要那些科學的發明。要之，科學可以造福，亦可以爲禍，而其爲福爲禍，端在人類之能否善爲利用。這就不是自然科學所能爲力，而須求之於以人類精神思想及人類爲對象的社會科學了。並且，自然科學不發達，至多是國家落伍。社會科學沒學好或走入歧途，則足使天下大亂。共產黨徒每好稱馬克斯主義爲科學的社會主義。倘使他們眞能用科學的態度去研究社會主義，則人類浩刼即可避免。

研究講座分配不當

我們目前正需要最優秀的甚至天才的青年去學習社會科學，其數量不必多，品質卻須優秀。然而多年以來，投考大學文法科的學生，成績比之考理工醫科的學生要差得多。現在發展國家科學的計劃更明顯地減少社會科學的比重，勢將應加降低文法科生的素質，其於國家前途的影響，實難估計。今日是一個思想鬥爭的時代，殊不宜過於輕視社會科學的教育。

其次，我們對於少數研究講座的分配辦法，也覺得不甚公當。第一、同在一學校服務而只有少數教授獲得五倍的特殊待遇，必將令多數教授感到過份的不平，因之少數倖運者亦未必能心安理得。現社會不公平的事已嫌太多，似不應在淸高的教育界也造成「既寡而又不均」的現象。第二、研究講座名額過少，將來遴選何種標準以定取捨？頗難思議，研究講座必須是拿得研究成績來，並能予國人以共見，確有利於國家科學的發展，否則祇爲六十個人解決生活問題，似無多大意義。第三，六十名講座名額如何方能公平分配於各大學，亦爲困難之事。若照各校現有教授名額比例攤分，那會失去獎勵科學研究的本旨；若集中於設備較佳的學校如台灣大學，又會加重其他學校的不平。

兩點具體建議

聽說中央研究院與教育部最近正在根據計劃綱領詳訂實施辦法，我們本諸上述淺見，試提兩點建議：

（一）理，工，醫各科的設備應儘量充實，所需協款應占百分之八十乃至更大的比例，但人員待遇爲另一問題，不宜於自然科學與社會科學之間再有比例懸殊的規定，而造成鴻溝，徒招物議。

（二）研究講座的辦法，除非能擴充相當名額，不宜貿然實行。如目的在鼓勵研究，最好將六十名每月五千元的講座待遇（全年可得三百六十萬元）移充研究獎金之用，並訂定一套給獎辦法。不分學校，純以個人所作貢獻爲得獎標準（例如自然科學憑實驗報告，社會科學憑論文著作）。無功不受祿，憑實績定去取，才是公平之道。如目的不全憑研究成績而更憑其他條件（比方說，資深望重）以改善一部份教授的待遇，則其對象應儘可能放寬。假令將教授們現有每月千元的待遇增加一倍，則一個研究講座的五千元足爲改善五人待遇之用，亦即是六十個名額可擴充爲三百個。嗣後逐年增加，或不難達到普遍改善的目的。（三月十九日）

台灣的水泥業

‧林嘯崧‧

（台灣通訊）最近台省水泥市場，一片混亂，黑市，搶購，頗爲社會輿情所不滿，並有倡議取消自由銷售方式之人士，主張仍由公營，以杜流弊，免得影響物價。

水泥原屬管制物資，自四十七年元月起，政府撤銷水泥管制，准由業者自由銷售，並規定每包水泥售價，以不超過新台幣四十二元爲原則，市價與廠價不應懸殊過甚。當時，於撤銷管制初期，市價始終在限價以內，延至六月，由於水泥外銷大量供應國外市場，國內市場遂呈供不應求現象，內銷黑市乃趁時而起，黑市價格，竟在六十元一包，雖經有關方面一再採取對策，予以取締，但終未見效。何以水泥價格，在管制時期，並無波動，及至開放自由經營後，竟一再上漲不已，這中間必有許多流弊。

一、民營企業係以營利爲目的，台灣水泥公司在民營股東接辦後，首先即控制了銷售，爭取其產品自銷，全省各地計設有代銷商一百餘處，藉以控制全省水泥市場，所有代銷商皆須向公司核定，凡屬公司董監事所推介者，無不優先批准，否則一律不予核可，各代銷商亦於就範之後，進而控制分銷數量，以期限制售價，於是各代銷商間，競爭至爲劇烈，造成水泥市場的黑市差價，以從中牟利，究其黑市起因實由於公司控制市場之後果。

二、水泥外銷，去年成交額共達三三四、一八九公噸，而實際出口水泥僅二六六、四六八公噸，名義上係由台灣貿易商行所代理，但外銷貿易商協臨公司即係台省水泥公司董事長林柏壽派人所經營，另外臨昌公司，亦爲其常務董事辜振甫所創設，故目前水泥內銷外銷，均爲公司有力董監事，予以分別控制。近數月來內銷水泥黑市猖獗不已，問題極爲嚴重，而公司反而大量裝運外銷，去年高雄廠十二月份生產水泥共爲三千餘公噸，而出口則達一四、二四三公噸，由此即可顯示公司控制市場，造成水泥內銷價格無法安定的道理。在爭取外匯聲中，水泥外銷出口，原是十分正確的，不過內銷水泥，不敷自用，以致形成搶購或無限制的抬高售價，則亦非善策。

三、年來軍用水泥配額亦頗有增加，而產量並未隨各方面的實際需要而增加。其次是省內各項必需用品價格亦微呈上漲趨勢，公司員工生活福利亦逐漸提高，無形中均在影響水泥成本。不過據有關方面統計，軍用水泥實際上去年的配額，反較前年爲少，決不致影響水泥產銷發生問題，至於水泥成本略有增加，亦不致使水泥價格猛升至如此高昂。果如上述則水泥內銷供不應求，發生黑市差價，純係公司方面只顧營利，有意控制水泥市場、壟斷市場價格所致。

總之水泥是工程建造的主要材料，爲社會不可或缺之物資，運銷國外，賺取外匯，固爲善舉，但因外銷而引起內銷問題，很顯然的這是由於生產數量不够，即應增設工廠，增加產量，以應市場需要，至於人爲不減，有意控制水泥市場，一任其抬高售價，從中漁利，亦非進取之道。站在以社會利益爲重立場，官商兩方對此宜予以注意改善！

病端叢集的稅政

‧墨冰‧

（台灣通訊）爲各級民意代表暨輿論所詬病的「稅吏」，名列「四害」之一。有一位監委批評目前的「稅風」，其警語，謂：「上酒家不如送禮，送禮不如套取」。誠道盡稅吏的弊端。故當前急務，莫若健全稅務行政制度。

就現行稅捐稽征處行政系統言；其組織及人事與經常費用，列入縣市預算；但其實際業務之指揮監督，人員之任免考核，以及業務費用等，均由省政府財政廳操其實權。各縣市稅捐稽徵處既屬縣市政府，而且其年度預算雖然由財政廳指令編列，但必須經過縣市議會作形式上的審議通過；所以又不能不對縣市議會負責，因而議員的質詢干涉與請託等情形，無法避免，且亦並不以地方稅爲限。於是稅捐處乃立於財政廳縣市長與縣市議會之間，成爲三姑之婦，處境困難，自不待言。爲今之計，各縣市稅捐處應隸屬於省財政廳，並視其所收稅別，分別受中央、省政府、縣市政府之監督，按各種稅收數額，比例分担其經費。其內部組織，不妨按工作性質，分清職掌，以加強各種不同租稅間之聯繫。財政廳不妨指定若干單位，先行試辦，如果有成效，再行推廣。又如現有之稽核員，應集中辦公，確立其獨立與超然之地位；催徵執行，違章處理及稅款劃解等工作，應集中人力，歸併一課辦理。

關於人事制度方面；現有稅務員的素質，良莠不齊，一般說來較爲低落，待遇又薄，升遷無望；考績考成，徒具形式；故商人得以施其利誘。此爲目前稅務行政上最大的問題。又因爲稅務機關因員額受凍結限制，一面基於事實需要，乃於正式編制之外，有臨時編制人員，另外尙有長期僱用人員，及臨時僱用人員，同一機關，待遇因名稱而異，況臨時僱用人員且多於正式人員名額，月薪祇有三、四百元，無實物配給，其素質如何能提高。如今若不從提高待遇，勵行考試任用制度與嚴格考核着手，不易挽回風氣。

積欠案件固多，但其主要因素不外乎：納稅人因繳稅不便，尤其僻遠鄉鎮的代理機構太少；次爲催繳不力，滯納案件雖有二百餘萬件，其中稅金在百元以下者，估百分之八十以上，也足以說明稅捐處因人力不足未能認眞催徵所致。而法院人員經費的不足，所以執行遲緩，致增加欠稅者觀望心理，亦爲重要原因。故總統府行政改革委員會建議；設立財務法庭，訂立稅務人員任用及考成單行法規，修正稅捐處組織法規，暨行政執行法等。以期提高稅吏素質，加強催徵，並使現行稅務機關制度合理化。誠屬必要。

德國問題

自去年十一月十日，赫魯曉夫在歡迎波蘭代表團的集會上提出了結束西柏林佔領的問題，接着又提出了簽訂對德和約的問題以來，世界人士均在注意其發展，因爲惟恐由此而爆發大戰，從那時起，蘇聯在這方面已有多次讓步，其顯著者是：十一月二十七日，由要求結束西柏林佔領迫使西方撤退將之改成爲自由市；三月二日，改變原來反對舉行四國外長會議的態度；三月五日，將原來提出管制權移交給東德的期限由五月二十七日延至七月；三月九日，同意西方三强可留一小部軍隊駐在西柏林；這些讓步雖然很遲緩，中間也夾雜着恫嚇，在某些讓步建議之中且有向前躍進一步的陰謀，但就總體來說，却是讓步的；同時還可以預見其將來還要作更多的讓步。究竟，爲什麼赫氏要在德國問題上作這樣地表演呢？而這種讓步又分明對於其國際地位有重大的影響。

蘇力求穩定東歐

德國問題發展到了今天，赫氏要解決德國問題的目的，已經明朗了：總的一句話是要鞏固東歐的陣脚。

二次大戰結束後已經十四年，但對德和約並未簽訂，雖然前已有過波茨坦協議，但那只不過是原則的議定，並無法律的效力，其後以迄今日，造成目前的現實情況，只能說是暫時的，還必需有更進一步的條約以固定之，諸如波德與德國的邊界問題等。其中以波蘭最爲着急，因爲二次大戰後得自德國的土地佔其全國面積的三分之一，所以蘇聯之提出這一問題是在波蘭代表團訪蘇時節，在這方面波蘭更可能是主動者。其次要穩定東德，到現在止，東德在國際上幾乎沒有地位，赫氏曾經公開的說，要以東德的制度來統一德國是無可能的，可見他們已經感覺到東德有被西德統一的危險。第三是西柏林之隣於東歐的作用，在共產黨看來是一個「毒瘤」。其所以被稱爲「毒瘤」的原因是那裏散播着西方的消息，發出的物質引誘足以動搖東歐人民對於共產主義的信心，因此揚言要割掉它。第四是對於西德武裝的恐懼，這是無需說的。綜合上述原因，可以理解，蘇聯在這個問題上確實不是攻擊的而是防禦的。

西方的對策

蘇聯提出德國問題，明知不可能依照其條件來解決，因此其採取的手段是一嚇二讓，要求西方提條件，作爲談判的基礎。西方呢？既不被嚇到亦不提條件，似乎在等待其讓步。我敢肯定這是一場外交戰而非射擊戰，拖到何時才能結束可真難說哩。不過從這一問題的發展過程來看，可以說共產國際在西方的頹勢已經表面化了。

●田心●

朱德林彪南下參加粵共黨員代表大會

會議反映中幹部中存在大量反抗份子

【本報訊】中共廣東省委員會於二月十七日到二十五日舉行了第一屆代表大會第三次會議。中共中央特派朱德、林彪等參加了這次會議。

會議的決議於三月一日始在廣州出版的南方日報上發表，決議中列舉了去年「大躍進」中的缺點和人民的反抗思想，並繼續提倡「苦戰」。

決議說：「有人由於一貫存在右傾保守思想，從來就不相信大躍進，去年是這樣，今年也是這樣。他們將大工作中的缺點，對大躍進散佈悲觀論調；還有一些人對實現今年的躍進缺乏信心，困難看得多，因此鋭氣不够充足。」其實這種所謂「右傾保守思想」正因爲人民在「苦戰」中生活條件越來越壞，廣泛地生根滋長了。

決議又特別解釋了副食品供應緊張的問題：自去年秋天人民公社成立以來，廣東全省的副食品供應就呈現緊張狀態，甚至連外銷香港澳門的副食品也突然減少。

在提到「本位主義」時，問題就更嚴重。決議說：「一部份地區和單位不執行調撥計劃，不履行協約合同，對重點企業支援不够；在人民公社內部則有一些生產隊和管理區在糧食，資金上打埋伏，不堅決執行公社對糧食、資金，副食品，勞動力的統一調撥，不堅決完成國家規定的商品生產任務等等。」無疑地，尤其在農村中，所謂「本位主義」正是勞動者爲了保衛自己的勞動所得而與統治者所作的巧妙的鬥爭之一。

由於農民的消極怠工的反抗，決議又對人民公社問題加強對農民控制一事，出了決定。決議稱：「爲了加強生產責任制，公社對管理區，管理區對生產隊當實行包產量、包投資、包措施、包上調產品的「四包」制度；生產隊在分別組織勞動力進行生產時，要實行定領導、定人員、定工地、定任務、定質量、定時間的「六定」制度，以便進行評比檢查、獎勵懲罰。」中共企圖通過層層的控制來使農民找不到機會消極對抗。除此以外，決議更企圖通過工資的誘惑來使農民積極勞動：「工資級別可適當增加，級別也可適當擴大，以刺激勞動積極性，限制落後份子。」

最後，決議承認不但在人民羣衆中存着反對份子，而且在幹部中也存在着大量的反抗者。決議說：「在我們的幹部隊伍中，確實有不純份子，必須從組織上加以整頓。對混進來的地、富、反、壞份子要堅決清除出去。」

中共廣東省代表大會的這一決議，反映了中共在大陸的統治，正遭到了越來越多的、越來越激烈的反抗，從決議中所暴露那麼多要「反」的思想、行動的現象來看，中共政權十年來並不是鞏固了，而是更動搖了。

青年反對成年累月苦幹　埋怨共黨不知實際情況

對於中共所搞的「苦戰」和「大躍進」，廣大青年是反對最激烈而又敢於公開發表意見的。北京出版的「中國青年」一九五九年第四期上，又刊出了一封青年人的長信。寫信者署名曾行，是江西某公社的生產大隊大隊長。該信原文中透露了人民公社社員在「苦戰」口號下的勞動情形及農民和公社幹部對此的反感。

該信稱：「去年秋天，爲了適應農村人民公社化運動的要求，領導上決定抽調一批幹部加強基層工作。就調我到公社裏，負責一個生產大隊的工作。」

在公社中，曾行遇到了困難，因爲「這裏的羣衆覺悟比較低，作起工作來加倍困難。」他把困難向領導上反映，領導只會鼓勵說：「應該設法克服困難。」有時領導上勸勉說：「下面就跑斷腿，此中辛苦只有身臨其境的人才能知道。」這段話反映了中共在公社工作上的混亂，上下幹部都拿不出辦法來解決困難，而互相埋怨。

該信接着敍述目前公社的情形稱：「目前公社常常向我們提出號召，要繼續鼓足幹勁、力爭上游，實行更大更全面的躍進。但只要坐下來想想擺在面前的各項任務，就很爲難。要解決矛盾、克服困難，只能一個一個地來，不能百廢俱興。十個指頭按跳蚤，結果一個也抓不住；而現在，又要抓又要並舉，又要結合，又要有更大的躍進，這就增加了更多的困難。」在這裏，這個生產大隊長反映了公社幹部對「躍進」的態度。

該大隊長繼續對中共不顧事實盲目下令的事大發牢騷：「很多在去年興辦的躍進事業都佔住了相當一部份勞力；而小麥生產的第一關——肥料也不足，去年幹部和社員已經把所有的破草房、破土牆、土坑、土灶等都拆了來積肥，現在想再挖，也沒有多少潛力了。我把這困難提出來，但上級又說潛力沒挖完，應該想辦法。工農業要並舉，還要搞農、林、牧、副、漁，現在的勞動力既調撥不開，而上面又提出要勞逸結合，口號要保證八小時睡眠，這倒是容易做着；」接着他更露骨地表示反對「苦戰」說：「我們成年累月地苦幹，而越幹困難越多，一波未平一波又起，沒有個盡頭。這是否自找麻煩？我想，在現在，和過去戰爭時期不同了，用不着天天那樣緊張，惶惶然不可終日，可以叫大家過過舒適的生活，可是，今天又有誰肯聽我這一套呢？」

長信最後還問「中國青年」說：「編輯同志，你們天天在宣傳大躍進，在叫別人鼓足幹勁，你們是否了解下面的實際困難？」寫這封信的是公社幹部，尚且叫苦連天，遑論一般農民的生活如何，更可想而知了。

「中國青年」的編者在按語中不得不承認道：「目前青年對自己所担負的任務，有畏難情緒，他們都叫苦連天。曾行同志的思想，不是個別人的問題，而是有代表性的。」「中國青年」又企圖通過討論這一問題而將青年人的反「苦戰」思想壓伏下去，要大陸各地青年積極表示意見。可以預料，一連串老生常談的大道理又將被搬出來，但是人們的思想是在實際中產生的，並不是大道理所能消弭的！（裕）

大陸文壇透視

抬頭市儈低頭

也歌

茅盾的「腐蝕」是以新四軍叛變失敗爲背景的一個長篇小說，他用一個女特務的日記，捏造當時的政府與日僞密謀消滅「異黨」的故事，因此大爲中共賞識，得到第二次抬頭的機會。這時中共利用的頭牌已由郭沫若替代了死去的魯迅，茅盾仍然是二牌。在這以前，他在武漢郭沫若的第三廳內竟無一枝可棲，不得不跑到香港幫薩空了辦「立報」，後受杜重遠之聘遠走新疆，適逢盛世才大刀闊斧地清除左派，又狼狽逃回。在這以後，抖起來了，從延安到重慶的喬冠華、何其芳又拉攏他到中共的文藝領導階層，所以胡風稱他爲「抬頭的市儈」。雖然以後他以「腐蝕」這一「資本」，得到蘇聯覇光，但中共認爲他在抗戰期間的表現仍不積極。他本是文藝理論家，在關於「民族形式」和「論主觀」的兩次中共內部文藝論爭中，在中共打擊梁實秋、沈從文、陳銓、朱光潛等人的論爭中，他却一言不發。郭沫若除了積極參加，無役不從外，還寫了六個歷史劇。他寫的一個「清明前後」劇本，則是「西望長安」的貨色。所以在抗戰結束以後，又有一個時期失寵。「解放」時，中共擺他爲文化部長，意在利用他的招牌「價值」，拉攏文學研究會的一般老會員，於是他又第三次抬頭。縱然頭牌仍然是郭沫若，但他也到了炙手可熱而氣燄萬丈的地步。部長之外，還兼着全國文聯副主席、全國作協主席、人民文學主編、譯文主編等要職，當時陸定一更在講話中特別推崇他。然而好景不長，從一九五四年起，他的身價已逐漸下跌。文聯的主席是副的，他當不了家；作協添置了書記處，又有黨組，他成了空牌位；兩個雜誌的主編早被別人奪了去；部長呢，先是副部長周揚獨攬大權，如今副部長更多了，錢俊瑞、夏衍、劉芝明都比他有權。從一九五七年以來，關於文藝上發號施令的是周揚和郭沫若，主持大計的是劉白羽（作協書記）、邵荃麟（作協黨組書記）和林默涵（中共中宣部文藝處長），兩者都沒有他的份兒。這樣一個空牌的文化部長，等於失去了他的存在的意義。如今唯一的用場，只是在大會上讀讀黨組擬好了的報告、奉命寫一點應景的文章，和恭迎外賓出國訪問而已。他之所以如此沒落，當非一日之害，他和周、郭過去都有芥蒂，他在鳴放時也說了幾句出軌的話，最重要的是以他這樣一個多產的快手，十年來未寫出一篇小說！他是文藝上的「人生派」，寫實主義者，「中國的左拉」，十年之久，中國之廣，大陸花樣之多，又何患無題材可寫，無靈感來臨？其茅盾之所以爲矛盾耶？

瘟君夢

第二回：密室定奇謀　蒼生塗炭　巴山留遺恨　弱絮隨風

林伯渠放下手，收起笑容，帶着教訓的口吻說道：「主席消極不得的，你今天的處境就是我剛才讀的那句詩，好比一隻鳥已經飛入雲端，再疲倦也要飛，因爲沒有地方落。一斂翅膀，只有掉到地上摔死。」

毛澤東嘆口氣：「飛到什麼時候爲止呢？總有摔死的時候。」

林伯渠搖搖頭：「那也不一定，橫竪死裏求生，總比束手待斃好得多。」

毛澤東嘆道：「林老，你還是未看清楚今天的癥結所在，過去我們和國民黨鬥爭，所以能屢次死裏逃生，主要因爲有蘇聯支持我們，現在冰山一倒，而對着當前的內憂外患，教我如何掙扎」

活曹操聽毛澤東也談到冰山一倒，不由倒抽一口冷氣，暗想自己剛才唸的打油詞，也許會成爲讖語了。當時打起精神說道：「主席不用担心，蘇聯的態度是經常變換的，說不定明天就可以變好，赫老親自來移樽就教呢？戈慕卡就是一個例子。」

毛澤東臉上泛起一絲笑容，說道：「但願託天的福，赫老能回心轉意就好了。不過那也要等待一個時間，目前的兩項困難，如何解決。」

活曹操縐下眉頭：「那兩項困難，沒辦法解決。」

「第一、黨內不團結，第二、經濟困難，這兩點都和蘇聯有關係，除非赫老肯釋前嫌，予以援手，目前都無法解決。」毛澤東說過又燃着一支紙烟。

林伯渠笑道：「這兩項困難，不必蘇聯援手，我們自己也能解決。反過來說只要我們能度過難關，蘇聯一定要轉過來向我們套交情，他不怕我們同戈慕卡，狄托聯合起來搗亂嗎？」

毛澤東聽說兩項困難能解決，登時精神來了，一口氣把大半支紙烟抽完，連聲問：「怎麼解決困難，林老又用到你的錦囊妙計了。」

林伯渠又摸摸三綹長鬚，笑着說：「第一個困難，其實主席估計重了，今天大局已定，不用說別人不敢有異心，就算有，黨權，軍權都在我們湖南人手中，怕什麼，祇要湖南人團結起來，就能控制黨，控制軍隊，誰敢反抗。」

毛澤東聽到活曹操說到這裏，不禁有點失望，緩緩說道：「林老，你不知道今天帶頭反對我的，正是湖南人呢？」

活曹操笑道：「我知道，不過他的力量和主席是分不開的，在主席領導下，湖南人自然都擁護他，一旦他和主席對立，湖南人仍然要站在主席這邊。」

毛澤東恍然大悟，連說：「是的，虧你提醒了我。可是第二項困難呢？（廿一）

岳騫

湖南農村疾病流行

入冬以後，大陸農村疾病流行，中共已將各醫學院和衛生學校的青年學生編隊派赴公社進行治療、預防工作，據三月十日中共「人民日報」報導的消息說：「湖南醫學院二千五百名師生，組成七十六個醫療隊，深入七十六個縣市的公社水利工地和生產勞動場所，積極進行防治。一個半月中，醫好四十一萬七千多個患病的社員。」

由於藥品缺乏，在「辰溪縣的三十多名醫務人員，還鼓勵羣衆建立土藥廠，選出四十個單方，六千多斤藥劑。」「担任臨湘縣詹家僑人民公社水泉大隊巡迴醫療的女醫生張世純，鼓勵羣衆挖了幾千斤管仲和其他土藥。」

釋耒集

我國歷史上，國力最強，而國祚最促者，當爲秦、隋；近世史家，均謂係役使民力過當之結果。據通言：「考蘇張之說，計秦及山東六國，戎卒尚踰五百餘萬，推人口數尚當千餘萬。秦兼諸侯，所殺三分居一，猶以餘力，北築長城四十餘萬，南戍五嶺五十餘萬，阿房驪山七十萬，三十年間，百姓死歿，相踵于路。」又：「隋帝大業二年，戶八百九十萬七千五百三十六，口四千六百一萬九千九百五十六，此隋之極盛也。承其全盛，遂恣荒淫，營建之初，即建洛邑，每月役丁二百萬人，導洛至河及淮，又引沁水達河，北通涿郡，築長城東西千餘里，皆征百萬餘人，丁男不充，以婦女兼役，而死者大半。及征吐谷渾，駐軍青海，遇雨雪，士卒死者十二三，又三徵東征遼澤，皆興百餘萬衆，饋運者倍之，又益之以盜賊，窮侈極奢，舉天下之人，十分九爲盜賊，身喪國滅，實自取之。」

秦始皇承六世之餘烈，當時天下雖耗竭，而秦獨富強，統一之後，[illegible]胡人不敢南下而牧馬，士不敢彎弓而報怨，可謂武功不誇[illegible]。隋文帝有天下，不曾動用刀兵，[illegible]洗濯之衣，[illegible]所食不過一肉，[illegible]故隋之國力[illegible]十四年，反隋較始皇爲短暫，即爲帝之窮奢，遠過於始皇也。所謂役使民力，大皆言之，不

民力

外戰爭與作，戰爭目的在宣威武，而與作則在逸樂嬉安，對人民口，號爲六億，承抗日戰爭耗竭之餘，未嘗有一日之休息，及介入韓戰，乃且不以極可悲之人海戰術以自豪，今日中國有人六億，即令死去三億，尚餘三億，用以嚇「一紙老虎」[illegible]

[illegible]役人民，動輒以萬計，而又限制其口糧，遷徙其居，[illegible]夫有生之樂失，則死之念生，陳勝吳廣，一聲散間四五十耳，魚腹帛書，狐鳴篝火之智，今日豈有[illegible]滅」，而竟以亡族者，[illegible]

[illegible]變之屬刑，亦兒戲而已。

[illegible]民飢則爲盜，不[illegible]于飢寒，乃出此下策耳，今則人無私產，盜已不足[illegible]如影隨形，是既[illegible]已，發則必與之[illegible]勢也。昔人論窮兵[illegible]不戢將自焚，[illegible]猶得于不用時而[illegible]舉中國六億人，均若牛馬犬豕之[illegible]理編制，無一非[illegible]戰，則其自焚之[illegible]兵書，有曰：「[illegible]早云爾。昔蘇軾[illegible]之後，故勝而僅存[illegible]之餘，故勝而遂[illegible]

曲齋

新詩往何處去？

•野火•

這幾年來，新詩確實是蓬蓬勃勃，大家都一窩蜂地去搞，出詩集啦，出詩刊啦……像一個文學新生的時代。如果說得不客氣一點，在新詩的國度里，卻是一個多事之秋；如果最好你就不要去觸動它，不然的話，甚至會對你鳴鼓而攻。

因此，這幾年來，新詩便成了一個神聖不可侵犯的，是生人勿近的暴君，誰也不敢去動它一動。[illegible]

詩是一種精鍊的文學形式，以最少的文字去表現最多的情感與思想，這是我對詩的一個主要的觀點。[illegible]

[illegible]

這兩個社的新詩人，如：郭沫若與徐志摩等人，都是東西南洋的留學生，他們受了一些歐美的洗禮，因此寫出來的詩便充滿了西洋底浪漫氣氛。不過新詩運[illegible]已經走上了歧途。這歧途一直延續到現在。當前自由中國的新詩雖然喊叫着什麼「新詩的再革命」，但如果我們小心地透視它的生命，我們可以看到它並不是一個嶄新的生命，而是仍然在走着過去的路子。就以紀弦所強調的「現代派」詩應該是「橫」的移植，而不應該是「縱」的繼承來說吧，也不過是繼續了初期「創造社」與「新月社」的路子，全盤洋化論。「現代派」的洋化，方面從事於新詩創作的新詩人雖然並不同於「現代派」的洋化，但卻沒有給新詩指出條康莊的大道來，各人走各人的路，在新詩的路上摸索。

不過，我總以爲：新詩應該是「縱」的繼承，同時也應該是「橫」的移植。因爲新詩事實上是繼承我國的舊詩而來的，而不是無根的。因此「現代派」詩人們縱然否定了「縱」的繼承，而強調「橫」的移植。但他們卻無法否定歷史發展的事實，又縱然他們有改變過去歷史的魔力，但[illegible]

我們的新詩如果完全脫離我們的底國土，它究竟應該殖根於何處呢？它究竟應該生長在什麼的土地上呢？

我以爲新詩應該是「縱」的繼承，那麼，它是否也應該是「橫」的移植？我的答案是肯定的。因爲新詩完全是在西洋文化薰陶底下誕生的。同時如果否定了「橫」的移植，便無形中否定了文學革命的基本精神。

現在的問題就是我們怎樣去把本土的與外來的精神和形式揉合在一起，如何去提鍊，創造出一個新的藝術生命來。這一個新的藝術生命——新詩——就有待於我們今後的新詩人去創造了。

虎與漏

•張文普•

聽說從前有一個老太婆，住在山腳下一間破屋裏，常常爲那間屋子的漏雨而苦惱；一天夜裏又在下雨，屋子裏嘩啦嘩啦的漏個不停，老太婆急的不禁叫道：「猛虎不怕，就怕這一漏！」這時恰巧有一隻老虎伏在門外，正在打主意進去吃她，聽了她這一叫，猛然一驚：「漏」是什麼野獸？這樣的厲害！

正好這時又來了一個小偷，穿着蓑衣，戴着雨笠，臉上塗着黑布，手裏拿着刀子，三分像人，七分像鬼，老虎望去，一個毛茸茸的龐然大物，說猩猩又不是，說野獸也不是，從未見過這樣的「怪物」！想這一定是「漏」來了！心裏早就驚慌，見了更加膽寒；和它的祖先在貴州見到驢子一樣，那裏還有勇氣去撲呢！它怕那個「怪物」發見，伏在那裏渾身發抖，一動也不敢動，直待那小偷打洞進屋去，它才一溜烟似的逃走。

老虎奔回山林一想：「漏」那個怪物真是兇狠！它多具兩手專會鑿洞，人正睡着的時候，它便偷偷的鑿洞進去吃人。人們可以關門防老虎，但是不能防「漏洞」，足見漏洞，比老虎還要厲害！以後還有人怕老虎吃嗎？從此老虎也就不再下山吃人了。

你以爲這是一個荒謬不經的故事嗎？說實在的，這世界上到處都有危害人類社會的漏洞！

藝術與生命

何鐵華其人其藝

。杜衡之。

藝術是生命的表現。一個藝術家爲表現生命，不但需有技巧、手法及懂得運用材料，而且他自己要有強而美的生命。沒有這樣的生命，縱能繪畫、彫塑或是歌唱，也只是雕虫小技、是工匠，而不是藝術家。另一方面，若有了這樣的生命，而沒有藝術的素養與技巧，也一樣成不了藝術家，而欠缺我所說的那種號稱藝術家的很多；具有完美的生命而藝術的磨練太不夠的也很多。何鐵華先生，有完美的藝術家的生命，也有熟練的藝術家的手法。凡是看了他的畫的人，都能從那光線、色調、線條，稍有欣賞能力的人，會在其中看到作者的生命，反之，上面，看到強的生命，一定能產鮮活堅，不見到他的畫，而先見到其人，也一定必有驚人覺生一個深刻的印象，那麼，得他在藝術上的創作。我是既見其人，又見其畫，所以我在這裏肯定地說：他是一個真正的藝術家。其次，我要特別指出：何氏不是象牙塔裏的藝術家，不而是生活在廣大人羣中間的藝術家。爲什麼呢？他看得透時代的脈息，把握着時代的巨流，而終於站在時代的前面，所以能在祖國號召新藝術運動；也因此他與更廣大的人類思想潮流是溶合的。他懂得自由對於創作之重要，他也懂得宮廷藝術已是歷史上的名詞。他始終是一個忠於良心，忠於藝術而不畏權勢，不慕名利的藝術工作者。我不够懂得他的藝術的深度，可是我和他在這廣大的人類思想的巨流上，是站在一起而彼此能說共同的語言。我相信他的藝術將有更輝煌的成就，因爲他走的路是對的。

風雨樓繪畫叢談

述賢

繪畫的發現，可能與結繩一樣，是人類本能的要求。所以早期的繪畫，在形式中，是符號，在功用上，是紀事。到了伏羲的八卦畫成以後，繪畫便產生了理想內容了。八卦的本身，雖說相當高深，可是照現代知識看來，它可能包括了自然界的四種現象；一是天的變化，二是地的生殖，三是鳥獸的動態，四是人類的行爲。而伏羲的想像力和智慧，最爲他人所不及的地方，是他把人類的生存，比照於天地萬物的生存。由於天地的自然發展，是四時行焉，百物生焉。故人類的自然發展，是求生存，不是爭生存。因此他才用繪畫來表彰萬物，才用繪畫來制器以利天下。表彰萬物爲教化的一面，制器以利天下，爲生活的另一面。所以周易繫辭說：「立天之道，曰陰與陽。立地之道，曰柔與剛。立人之道，曰仁與義」。這是中國繪畫的創造時期，也是中國文化的開始時期。自此之後，繪畫的迹象，雖從神農的制耒耜，黃帝的垂衣裳，堯舜的造舟楫，可以窺其大概。不過最充實的資料，則爲書契。

書契的意義，在歷代的引用慣例上，是爲文字。故典籍的紀載，則說書有八類，除龍書，穗書，龜書，雲書，鸞鳳書，科斗文，鐘鼎文而外，見於今世而又爲人所習用者，是爲鳥書的象形文。按許氏說文解字的六書，共爲九千餘字。而象形文在書中，據宋人鄭樵通志的考定，是說「六書略採象形文字，六百有八」。（十九）

三月五日爲余與玉仙結褵廿五周年彌率兒輩詣墳前獻花賦此誌哀

簡又文（己亥）

二十餘年割臂盟。悠悠死別苦吞聲。喪妻乃覺孤居賤。（時人悼亡詩有「妻多夫賤人常說，今我無妻賤更多」之句，讀之淚下。）弔影仍深一往情。兒女盡才卿棄我。閻閭無主我思卿。雖禁老淚肯山覆。痛絕人間是此華。

不朽的代價

心竊集（四）

。李素。

（下）

還有付出最高昂的代價的，大概要算南唐後主李煜了，雖然天賦他以詩人的氣質，卓越的才華，但這位「生於深宮之中，長於婦人之手」的南面王，寫寫：「……羅袖裛殘殷色可，杯深旋被香醪涴」，繡牀斜憑嬌無那，爛嚼紅茸，笑向檀郎唾，」和「剗襪步香階，手提金縷鞋」……；相信無限情，」這一類綺麗的詞，當然是夠細膩漂亮的，但未必經得起時間的考驗。恐怕只合跟其他凡庸的國主一樣，僅在史冊上留下乾燥無味的姓名，讓後代的學生們在準備歷史科考試時，加以咒詛吧了。

天幸他竟有機會扔掉一個國家，付出這無比高昂的代價，換來「一旦歸爲臣虜」的恥辱、恐悔、及若痛的經驗，因而產生了震撼心絃的傑作！終於又以血淚凝成的詞句觸怒太宗，由此犧牲了性命，遺恨千古，也遺下不朽的詩章，讓千百世以後的讀者爲他感嘆，唏噓。十載流亡，受盡了折磨，也受盡了冤氣的我們，現在重讀李後主亡國後所寫的詞，聽他那悲涼抑鬱的心聲，真覺得「別是一般滋味」。尤其是讀到：「人生愁恨何能免？銷魂獨我情何限！故國夢重歸，覺來雙淚垂。」「無限江山，別時容易見時難！……」「簾外雨潺潺，春意闌珊，羅衾不耐五更寒，夢裏不知身是客，一晌貪歡」，「往事已成空，還如一夢中」，「但愁人」。爲「同是天涯淪落人」而深深的已飄零，雖說是時代不同，然而超越時代，心靈異路，但復合唱無窮的哀鳴，我依然感到其心靈的共鳴。

因此我又想起了曹丕說的話：「蓋文章，經國之大業，不朽之盛事；年壽有時而盡，榮樂止乎其身；二者必至之常期，未若文章之無窮。是以古之作者，寄身於翰墨，見意於篇籍，不假良史之辭，不託飛馳之勢，而聲名自傳於後。」我常覺得以文章經國似乎頗有問題，因爲行政所需的是幹才，而寫文章的人，精於才大多又不善於文章，更不願意理會例行事務，勉強做去，往往兩敗俱傷。魏文帝和那位吉爾遜這類人物，竟不是常有的。所以他那句話也許會誤盡蒼生呢。至於文章之爲不朽，倒可以流傳到無窮之路事，可以立德、立功依舊同樣的可以理論，但德、功雖表現，都要靠文字的記載，才能爲後來的人所知。所以說「立德、立功、立言」，三者只有立言才是自己可以有把握的，而且德與功都成了事過境遷的史蹟，和德與功的抽象名詞。德，功和罪，也沒有萬世不易的標準。例如發動戰爭是德還是缺德，發明氫彈和火箭是功還是

罪，都很難說，而且只是一個相對的名詞。至於文章，美好的作品總是美好的，而且是自我的表現，不論作品是出自名家，或出自張三李四，管它名不名，都是佳作，品本身的價值，管它是誰的，還是不論作者一樣可以感動我們。寫作者固可以把他的名字、他的生平、他的一切都忘掉，我們讀者也可以忘記那作者是誰，只記得那作品。作品自己就是我們欣賞的對象。

尤其是「言爲心聲」，文章表現的是人性，而人性是可見、可聞、又可感的；人性可以從中感到，是人性又是不變的，永遠是常新的。所以好的文章能使人類的心靈相通，它能超越時空，像萬古而常新的神祕的指尖，撥動人們心靈的絃，奏出動人的交響樂，使讀者感到它的美妙，而產生共鳴。假如我能像李後主那樣有一座江山可以拋棄，又有他那樣的才華，我是否也樂得丟掉自己的江山，而換取那樣的絕妙好詞，作爲培養自己成爲偉大的詞家的代價？

自由人

THE FREEMAN

（第八一四期）

中華民國僑務委員會
頒發登記證台報新字第一零二號
中華郵政台字第五〇〇號
執照登記爲第一類新聞紙類
（半週刊每星期三六出版）
每份港幣壹毫
台北市售價台幣[illegible]元
督印人：陳文[illegible]
地址：香港高士威道廿二號四樓
20 CAUSEWAY RD. 3RD. FL. HONG KONG
TEL. 771726
承印者：東南印務出版社
地址：高士打道六十四號
台灣總經理處
台北市西寧南路壹零壹號二樓
電話：三〇三四六
台郵撥儲金戶九二五二
海外總經銷：友聯書報發行公司
香港：彌敦道中二十六號A二樓

恩克魯瑪與黑非洲的將來

·宋文明·

歷史事實已經證明，在短短三年間，非洲的民族獨立運動已發生了根本的變化。在兩三年以前，非洲的民族獨立運動完全在散漫無主狀態中，各自爲政，相互間根本缺乏有力的聯繫。可是兩三年以後的今天，非洲的民族獨立運動已變得非常有組織，有步驟，有計劃，在一個大團結的旗幟下向共同的目標前進。這一驚人的歷史性變化的到來，其主要原因並非在於其他，而是在於西非迦納的獨立以及迦納總理恩克魯瑪（KWAME NKRUMAH）這個人的指導。

恩克魯瑪其人

這一曾在美國林肯大學及賓州大學畢業，而又在倫敦長期苦心經營的迦納民族獨立領袖，如今不僅已成了迦納的國父和領導人物，而且正如尼赫魯是印度的象徵一樣，他也已變成了整個非洲獨立的象徵和靈魂。如果沒有恩克魯瑪這個人，迦納的獨立不會這樣早到來，即能及早獲得獨立，也不會給非洲提供這樣一個榜樣；同樣，假若沒有恩克魯瑪這個人，今日也絕不會有當前這種聲勢。現時黑非洲的一億八千萬人民，不論他們是否已獲得獨立，不論他們還在爲何一西歐殖民國所統治，它們都是以恩克魯瑪這一名字而歡呼，它們都從這一名字中得到無比的鼓勵，也從這裏得到奮鬥的精神，甚至即令非洲其他國家的某些政治人物對他的政策或作法有時雖不免有所異議，但對他對非洲民族獨立運動的貢獻，則莫不予以一致的讚賞。假若說今日領導自由世界的名字是艾森豪，領導黑人主義的名字是納瑟，那麼今日領導整個黑非洲的，領導那些哀哀無告的黑色人的名字，便是這個恩克魯瑪。

在他出現的前後

在今非洲政治舞台上，恩克魯瑪是一個重要的名字，但並不是唯一的名字。在恩克魯瑪還未成爲非洲民族獨立運動的公認領導者以前，像塞內革爾的桑高爾和象牙海岸的包格尼這兩位黑人元老政治家，在西非一帶聲望頗高，且爲歐洲人士所敬重。自恩克魯瑪出現非洲政治舞台以後，如尼亞薩蘭的班達博士，肯亞的姆包亞，剛果的堯樂，幾內亞的現任總統杜雷等，亦均爲非洲政壇一時之選。恩克魯瑪在這一歷史序列中所居的地位，便是承上啟下，接替了非洲民族獨立鬥爭中即將逝去的一個時代而開創了另一個新時代。可是至今日止，不論比恩克魯瑪年長的那些元老政治家，或與他同時代的新一代的民族運動領導人物，還沒有一個人對整個非洲民族的貢獻與影響，也還沒有一個人具有像恩克魯瑪一樣完備的政治領袖的條件。論政治經驗，恩克魯瑪遠比不上象牙海岸的包格尼和塞內革爾的桑高爾；論博學與演講的辯才及感人之深，恩克魯瑪遠不及尼亞薩蘭的班達；論思想的深邃，恩克魯瑪遠不如剛果的堯樂。論風度，恩克魯瑪不如肯亞的姆包亞；論組織才能，恩克魯瑪亦不如幾內亞的杜雷。他們雖各有所長，但以整個而論，恩克魯瑪從國際，從組織到內政，到外交，從眼光的遠大，到修養的豐富，到胸懷的光明磊落，絕非他人所能及。

假若再作一譬喻，肯亞的姆包亞，有點像美國汽車工會主席路透；幾內亞的陶里，有點像英國工黨左翼領袖貝凡；尼亞薩蘭的班達，有點像西德社會黨前任領袖舒瑪區；剛果的堯樂，有點像緬甸前任總理宇努；象牙海岸的包格尼，有點像英國工黨前任領袖艾德禮；而恩克魯瑪這個人，不論其性格、學養、氣度，及對非洲民族獨立運動的貢獻，都可說他是很像非洲的華盛頓，非洲的甘地，非洲的孫中山，也是非洲的尼赫魯。

他的影響何以如是其大

何以這位現年四十九歲的農民之子對整個非洲前途發生如此大的影響？這主要原因在於：（一），是由於他的國家所居的地位。迦納雖獨立未久，但卻是經由自身奮鬥而獲自由的非洲第一個眞正黑人國家。這一獨立給整個黑非洲帶來了遠大的希望，於是領導這一獨立的恩克魯瑪其人，也便成了衆望所歸的對象。（二），是由於他個人的出身與教育背景。他在美國接受了一套華盛頓、傑佛遜、林肯的遺訓；他在英國又熟讀了馬克思，費邊社會主義及凱因斯的作品；同時根據他最近在印度所說，他在美國讀書時代，就已對尼赫魯的著作及甘地行誼從衷心感到欽佩。這表示他學貫左右，充分瞭解這個時代和世界，絕不是單從迦納一角來看非洲。（三），是由於他政治氣度的開曠。他今日用英國社會黨人作他的法律顧問，由以色列技術專家爲他建立以國特有的基巴茲（KIBBUTZ）式的農莊，開羅大學畢業的埃及太太爲他講解可蘭經，用尼赫魯的原則來決定迦納的外交政策。這表示他是兼容並包，力求改進，絕不以任何偏見來局限他自己的政治視野。（四），最重要的，恩克魯瑪具有一顆愛非洲愛人民的心。他不爲自己，也不爲迦納，他是爲了整個非洲，爲了那些被歷史所唾棄，被世界所遺忘的落后的黑色人民。就這一點，已足夠使恩克魯瑪與非洲未來歷史同垂不朽。

黑非洲的今昔與未來

在一千年前，黑非洲是一塊被鎖錮的大地。在數百年前，非洲也祇是歐洲浪人與海盜們的探險勝地。僅僅在六七十年以前，非洲還是被西歐列強所任意宰割的對象。就在今天，在非洲中部深山高原，還有一大部份黑色人民住在樹上，山洞和曠野中。但黑非洲已經覺醒了。在迦納的獨立中，在恩克魯瑪的奮鬥中，在許許多多非洲政治領袖們的大聲疾呼中，我們已經察覺到了這一普遍的覺醒。現在這一正在覺醒的非洲，不僅要和歐洲的浪人與殖民主義作戰，而且要和非洲本身的落后作戰；不僅要和各種外力作對抗，而且亦要和非洲內部分裂與部族力量相對抗。所以今日恩克魯瑪所面對的非洲民族獨立運動的環境，遠比當年華盛頓、孫中山、甘地等所面對者更爲艱辛。恩克魯瑪曾說過：「我們不能忘記我們的獨立所帶給我們的特殊責任」，這表示他的奮鬥目標絕不在迦納的獨立與建國成功，而是在於整個非洲的獨立與建設成功。所以一九五八年四月，他召集了阿克拉會議，把所有非洲獨立國家團結在一起。去年十二月，他又召集全非人民大會，把所有非洲民族獨立運動團結在一起。他已着手把迦納和幾內亞兩國結合成一個聯邦，在全非人民大會中也又督促通過決議，要求在各獨立國家同意下，先行在非洲建立五個區域聯邦。因此不論非洲民族獨立運動如何艱辛，在恩克魯瑪領導之下，整個非洲的終將獲得全面獨立自由，而結成一個全洲範圍的黑人大聯邦，將是歷史的必然道路。

到那時，從塞內革爾到莫三鼻給，從索瑪利蘭到西南非洲，將變成一個國家，行使一種政治制度，飄揚着同一的國旗。那時，非洲是非洲人的非洲，它們是自己的主人，而不是任何人的奴隸。那時，歐洲人將會仍然留在非洲，但它們將不是統治者；現在這些人爲的疆界可能仍還存在，但它們已不是隔絕人民的籬笆；南非聯邦——這一歐洲殖民的軍事據點——將仍保持其現有領土，但它也只是黑非洲大陸上的一個以色列而已。

這一切都孕育在今天，孕育在恩克魯瑪的奮鬥中。在此本人願以最高敬禮，祝這位非洲巨人的奮鬥成功，並摘錄一句剛果共和國首任總理堯樂的動人的詩章來作這一非洲短文的結論：「明天在歌唱」。

半週述評

國府對藏局的責任

西藏最近的反共義擧，因消息隔絕，眞相難明。據外電所傳，三月廿五日以後，拉薩戰事已經停息。又倫敦泰晤士報廿六日消息，西藏曾在一周前宣布脫離中共的控制而獨立。以常識判斷，西藏人民在七八萬中共機械化武裝部隊壓迫之下，不易作有効的反抗，乃極自然之事。然我們應知，西藏的反共行動，並不始自今日，一九五一年中共勢力侵入藏境之後，七八年來，武裝反抗不斷出現，規模亦愈來愈大。過去，中共旣不能根本消滅藏民反抗，今後亦無法消滅。這是藏民爭取自由的要求，也是自由世界有關的。自由世界如果袖手旁觀，則匈牙利的命運必然降臨於西藏。這兩天，自由世界的輿論都對藏民表示同情，在精神上自可以增加藏民的鼓舞。然目前急待解決的爲反抗實力的如何支持。此其責任，應該落在國民政府的身上，最少國民政府所負責任爲最大。國民政府應該乘此時機從外交，宣傳，軍事各方面，集中力量對西藏同胞，劍及履及，切實援助。否則藏胞的反共失敗，實有攸歸，固不能輕輕以自由世界之支持不力爲理由，而掩飾政府之無能也。日來，海外僑胞與論已對國民政府責備甚烈。希望政府當局能充分發揮其責任感好自爲之。

麥美倫的得意論調

英首相麥美倫前赴美國，謁晤艾森豪總統，贊同與俄舉行高峯會議，以解決柏林危機歐洲安全問題，裁軍問題，停試核子武器等問題。於昨日返抵倫敦，發表談話，認爲不憑武力而憑談判以解決世界困難問題，已獲得各方面的贊同。又認爲解決這些困難的第一步已經實現，應該好好的走第二步。他的談話充滿樂觀氣氛。他在未離美之前，還表示過，十年來的冷戰局面，可以從此得一轉機。

同時，艾麥會談之後，蘇俄方面的反應，似乎也有了樂觀空氣。現在五月內舉行外長會議之後舉行高峯會議，這一切的程序問題，麥美倫所謂第一步工作者，已再沒有甚麼問題了。然而會議的實質問題是否也一樣可以變方容易獲得妥協呢？誰也不敢輕加判斷。

不過十年冷戰，東西同感痛苦，尤其是蘇俄，它在冷戰中，恐怕已經深深覺得「得不償失」，且內部之騷航不甯，與時俱增，更爲其經濟建設，政權鞏固之致命傷。在此情勢之下，還談判以結束或減輕世界局面之緊張，不是沒有可能的。麥美倫到莫斯科，邦城，巴黎，華盛頓走了一次，大概已經看出了這一形勢，所以回到倫敦後，會發出這樣難能謹愼而得意的論調來。

中東的新形勢

伊拉克總理卡森廿四日宣佈，伊拉克正式退出巴格達公約。在未宣佈此一決定之前，伊政府已正式批准蘇聯經濟援助公約，該協定於一周前在莫斯科簽署，包括蘇俄一項貸款，數目達五億五千萬盧布。此事很明顯表示，伊拉克之退出巴格達公約，實爲蘇俄勢力侵入中東心臟地帶之結果。近年來，蘇俄利用阿剌伯人的民族感情，企圖伸張其勢力於埃及，初時頗告成功，現以納塞反共，遂見失敗。今又利用卡森之狂妄，使伊拉克退出巴約。在赫魯曉夫或覺躊躇滿志，視爲失之東隅收之桑榆。然納塞之終不甘爲共黨利用，豈同屬阿剌伯民族之卡森遂能始終甘爲利用乎？將來之發展如何，似尚未可知。

不過，無論如何，阿剌伯民族之團結已由此而陷於分裂，中東地區之形勢亦將由此而益爲複雜。中東向爲歐洲列强角逐之場，有火藥庫之稱。今後此一形勢恐仍難有所改變。

陳克文

自由談

歐洲文化之沒落

英首相麥米蘭到俄國蹓躂了一趟回來之後，對於所謂高層會議，似乎着了迷，再三聲明無條件地贊成舉行這項會議。美總統艾森豪却再三表示必須外長會議有實質的成就，他纔願意參預高層會議。這算是英美之間的一點歧見，也可看作一段雙簧表演。

不過，麥米蘭之着迷，却是眞的，理由有兩點：一爲藉此製造保守黨的政治資本，爭取選民的向心力，以便乘機實行普選，使工黨的和平實業沒法獲致專利的行市，而保守黨即有繼續當政的勝算了。艾森豪之同意舉行高層會議，最大原因就是幫忙保守黨在內政上提高聲望，因而他始終表示並非無條件的人云亦云。二是顧慮到大英帝國的前途，戰爭對英國確係一大禍害，無論勝敗，只有使大英帝國趨於式微的後果而已。過去的兩次世界大戰，英國都是勝利者，但其遺佈於海外的殖民地，却越來越少，而國內的經濟生活乃越過越艱難，再經一次大戰後，其情形更將不堪設想，因爲英倫三島的日常生活必需品，大部分亦非仰給於海外不可啊！就後一理由而言，英國人極端害怕發生戰爭的心理，是可以諒解的。

問題是戰爭行爲究竟能否永遠消滅？這答案百分之百屬於否定的。因此，英國人不擇手段，不問是非以與俄帝言和，雖能苟安於一時，然其貽禍必更大，此太史公所謂積威約之勢之說也。我以爲這是歐洲固有文化自然衰竭沒落的應有現象，連法國亦無例外，今日的英法，已陷於昔日的希臘羅馬帝國命運中，勉强掙扎，苟延歲月，再也沒有重振復時聲光之可能了。將來能够復興歐洲文化，蔚成新生的自由力量者，其爲日耳曼民族乎？

馬五先生

西藏情勢與反攻

西藏的抗暴運動，已經晉入了重要的關頭，這一運動事實上並不限於在西藏境內，它已經因藏族在居住地理上的分散，和佛教在亞洲地區的潛力，其影響已輻射到川、康、滇、貴、蒙古及中國大陸以外所有信仰佛教的國家了！

西藏的抗暴運動，會不會發展成為中國大陸上的匈牙利事件呢？按照台北官方的評論，認為是較匈牙利反蘇事件更大，更重要，這樣的估價是有相當的確實性的，但是就目前的情況來說，還不能說它是匈牙利事件第二。但是，如果自由中國政府能在策略上善於利用這一情勢，西藏反暴運動能再持續一個相當長的時間，那末也可以樂觀地說，希望它在最短期內，能夠帶動擴大成為匈牙利事件在中國大陸的爆發。

在這方面，國府究竟應該如何做呢？是如何處理，才能使整個情勢為我所用呢？管見以為：

一、必須擴大國際宣傳，這種宣傳不只是對西方的，更重要的是對亞洲地區那些佛教國家和信仰佛教的民族。

二、宣傳不應完全着重在政治方面，更重要的是宗教性的活動，應該廣泛地發動自由中國佛教團體的對外活動。

三、國府應該迅速用一切可能運用的宣傳方法，向中共警告：必須停止對拉薩的轟炸，否則，國府當局應有決心將考慮對中國大陸作報復性的轟炸。

四、國府當局應該對這一事件，昭告全世界，自由中國有決心在必要時為響應西藏抗暴運動，在大陸上開闢第二戰場。

五、我們呼籲海外的中國人，不分種族，不分宗教信仰，用各種行動方式來支持西藏抗暴運動。

六、針對前項建議，我們應該發動海外的中國人捐款支持已逃出西藏刻正生活在藏印交界大吉嶺下的數萬藏族同胞。

。李金暉。

外交工作的隱憂

。白樓小吏。

台北特稿

今天的外交，殆已進入「會談」外交，「會議」外交，管他兩者會談，三者會談，其後必定發表一篇聯合聲明「自吹自擂」一番；而國際性的國際會議，一年要有數十起，聯合國當可為「會議外交」的典範，儘管在會場中辯論，投票表決，其實只是形式而已，「交易」早在「場外談妥」了，不用說，場外的交易，完全為技術上的問題，若非具有三寸不爛之舌之本領，使人傾倒的才氣及蜚聲國際間的聲譽的第一流人才，那是不足以應付當前國際間瞬息萬變的局面的，可是，這種人才在自由中國方面數得出的也不過三數人而已，以如此少的人才怎樣能應付多方面的需求呢？人才的缺乏，乃是由於適年戰亂，政府幾經播遷使然。說實在，政府從來就沒有注意到培植人才，羅致人才，豈獨外交界如此，請看我們駐外使館人員的編制似乎就沒有明確的規定，增一員固可。減一員亦行；說到各員的職掌更是拖泥帶水，要不是一件事幾個人作，要就是幾個人同作一樣的事；規章是各館各行其是，遇事沒有主張，大事小事都要請示；公使辦的事，參事也能辦，等而下之一秘，二秘，三秘，主事，雇員都能辦，據說這是戰時體制，實情不過如此，看來歷如何便發表如何官階，所以一等秘書調開，換補一位參事或是主事亦可，此乃缺額問題，豈不是因人而事嗎？像這樣「公文旅行外交」，「自說自話外交」，除非有奇蹟出現，否則「成果」只有從天上掉下來了，所以遇到要「談問題」「辦交涉」的時候不免就要捉襟見肘；第一通駐在國語言的「外交官」本就不多，第二精通的更是鳳毛麟角，幸好問題和交涉到不多見，差不多的事派一個通駐在國言語的雇員（註：雇員多在當地雇用，洋雇員當然通其本國語言，華籍雇員係土生華僑故亦通該地語言）去走一趟。雇員只是通語言，既無外交常識經驗，更乏辯才，不必問結果如何，這實在是一樁冒險的行動。點點頭，搖搖頭之間一件事也就算辦過。但求敷衍得過就行。所以說，「外交官」最起碼的條件是應該通駐在國語言，否則，昂藏七尺之軀，縱有滿腹經綸也無用武之地，怎不使他處處後退，常時縮頭。一年才一度的雙十國慶大典，不通駐在國語言的外交官當然無法與來賓交談，（只是寒暄，談不上宣傳反共），不通的館長可以帶一名隨員翻譯，總也有點素養，外交部如果能在這種場合之中派員出席觀禮一番，保險看清短處在那裏和縮頭縮腦的原因所在，不要說折衝壇坫之上，就是「周旋佳賓，談笑自如，態度謙和，儀表非凡」的外交人員亦屬不多覯啊！

這裏我可以舉一個實例，證明我們外交人員對駐在國缺少連絡，最近紐西蘭首相諾西氏於二月末到日本正式訪問，一行離日時並發表共同聲明，紐西蘭與我邦交始終友好，即在抗日戰爭中我亦派有外交人員駐在惠靈頓；此次紐首相訪日，消息早在日方報張批露，不用說，紐報紙自必競相刊佈，我駐在紐都人員竟不能乘機邀約諾西氏於訪日後赴台訪問，實在是坐失良機，紐國與我邦交友好而深久，如我邀約，彼似不會拒絕的。若果說我駐在人員待見報紙發表後始知諾氏訪日才去邀約，或因日程一時無法安排而為紐國婉謝，但亦足見我駐在人員與該國政府部門間無連絡可言了。

至於使館的內部例行公事譬如各種紀念會的主持領導，護照的簽發，僑教的管理亦都是蕭規曹隨，絕無新猷，甚至通公文也是今年照抄往年；護照簽發算是大事，照例請示外交部；僑教更為表面文章，談不上輔導，只要沒有思想不良學生即為唯一成績，行政收入是當地貨幣收入之後要折合美金，美金又要折合當地流通貨幣，折來折去浪費時間，莫此為甚，外交部何以不能實行印花票制度，統一行政收入以美元或英鎊為單位，稽核既易，節省物力人力必多，內部工作是多因牽比，仰即遲滯，公文牛步化，言之痛心。這就是因為沒有精確的「職掌」而形成的，外交部的內外互調如果是根據「年限」為調動要素而忽略了外館人員的工作職掌，老實說換來換去是「一代不如一代」，因為新接任人員根本不知其前任所作之工作，一切又生疏，若不通駐在國語言，那麼「摸索的時間」就不是一年半載之間就弄清的。

這且不談，今天與我們有密切關係的國家，亞洲數日本，因為日本態度曖昧，又彷彿患高熱之病人，時好時壞；西方當然是美國，想法天真，尚多疑慮；正因如此，我們派駐在這兩個國家裏的外交人員是特別要嚴格要求，駐在國語言不[illegible]僅是通，而是[illegible]駐美大使，葉公[illegible]聲壇坫，公使[illegible]秘書、隨員等[illegible]多為外交部新[illegible]聞葉氏正着手[illegible]館人與事，極有[illegible]革之決心，本[illegible]評，駐日沈大[illegible]外交家，日精通[illegible]通其他歐洲四[illegible]確為一流人才[illegible]微言所傷者，[illegible]

（台北通訊）公務人員保險自四十七年九月一日開辦迄今，剛剛五個多月，時間雖然甚短，對於公務員倒確實有些實惠，[illegible]事，往往在機關裏一紙通傳，上面寫某人有病住在某醫院，無法支付醫藥費用，希望大家幫忙，免死亡以後，不得不一施援助，如果不幸死亡，又得如法泡製一次，身為國家公務員，病不能醫療，死無法顧及了。自從公務人員保險開辦以後，公務員在健康或死亡上獲得一種保障，的確是一件德政。

公務員保險是否浪費？

。馬周。

先辦中央機關保險

此初公務人員開辦保險，先由中央機關公務人員做起，而且是全部保險包括死亡生育和醫療等。台灣省級公務人員雖也已開辦保險，但不包括醫療在內，據主管機關銓敘部的解釋，因為剛剛開始辦理此項業務，在試辦期間先從中央公務人員做起，慢慢再推行到省級機關去。事實上，台灣省公務人員保險，[illegible]由省級保險機關辦理，應有成效，中央開辦保險[illegible]

莫德惠割治疝氣

上面所說的話，果真是笑話嗎？事實上亦未盡然。我們可以主管公務人員保險業務最高的考試院院長莫德惠就是在公務員保險開辦不久以後，進入台灣大學附屬醫院割治老毛病疝氣，如果大家不健忘的話，[illegible]

國際動態拾零

[illegible]

。陶然。

是否浪費了呢

[illegible]

西藏抗暴

傳說中的西藏抗暴運動，終于獲得印度官方證實了；抗暴戰爭不特在山嶺之間進行，而且已蔓延到其首府拉薩。藏胞幾乎在徒手的情況下與擁有犀利武器的共軍搏鬥，其勇敢，壯烈，以視死如歸的精神來爭取自由，不禁使人起敬。

藏胞要在短期內驅出共軍，恐怕不是易事；共軍要想全面敉平抗暴運動，恐怕也難；那末可以預見駐于西藏的共軍的處境將更艱困，不安與飄動的局面將繼續下去。

外國的觀察家，往往以這樣的看法來評論中共：中國中央政府的政令能夠貫澈到每一角落的基層，是到中共政權統治中國以後才做到的。現在西藏抗暴行動第一次否定了這種說法。

西藏對於內地的交通困難，這當使在藏共軍的補給不易，但在另一方面，要想西藏的抗暴運動很快的蔓延到中土，也尚非易事。這當然不是說沒有影響，而是說這種影響傳入內地將是緩慢的，大概在青海、西康、四川邊區的藏族，不久或將會有規模較大的響應行動。

政治反攻如何？

本欄在去年底已經指出，大陸將有混亂的情況發生，要求政府拿出辦法來，現在西藏抗暴運動一發生，似乎尚未見有何具體行動以支持之；甚至連到這種消息也只是依靠外國電訊的報導，這是無論如何說不過去的。控制得最鬆弛的西藏地區猶且如此，掌握得更緊密的內地，恐怕更是絲毫無知了。這種的問題，我以爲不是在于軍事，而是在于政治。連我們住在香港的人，也嗅不到一點政治反攻的氣息，在鐵幕後面的當更對於國民政府這些年來所爲何事漠然無知了。要不是中共自己大喊「解放台灣」，恐怕在大陸上的人會忘記還有一個以反攻大陸爲基礎的政府存在呢？

吃垮它‧懶垮它‧組織起來打倒它！

儘管在這種束手無策的情況之下，我仍願貢獻一點書生之見，以供宣傳機構採納。首先，我覺得宣傳方向要針對實際，遙時高喊什麼主義，在現在的情況之下，大陸上的人是並不關心的了。他們只希望多吃一些，少勞動一些已是萬幸。我們應該針對于這種要求，提出口號：「吃垮它」！「懶垮它」！「組織起來打垮它」！這種口號要使它傳播開來，我想國府該還有辦法；要使它普及全國恐怕不易，但要使它在某一些地區個地區實現這個口號，則這個地區的經濟就混亂，要能在整個大陸普遍實現，則中共的經濟立即全面混亂然後再想辦法組織起來，不難來一次倒牙利事件。

•田心•

北京大火　傷亡不詳

【本報訊】三月十五人民日報社論中，透露了北京發生了一次十年來所未有的大火災。社論稱：「去年十二月六日，水利電力部北京修造廠一個組長烘電纜線圈的時候，由於違反了安全技術規程，造成了北京解放以來最大的一次火災，損失達七十萬元左右。」「工廠操作中的『安全技術規程』，早在去年『大躍進』開始時就被否定了的。中共號召『大破大立』，『打破一切常規』，任何事皆強調『衝天幹勁』。工人在如此號召之下，如果顧及安全技術規程，就會招來『右傾保守思想』的帽子。現在果然招來如此惡果。」人民日報並未透露這次大火災中的傷亡人數。（賓）

共匪大專教育低落　教授「與黨爭青年」

中共以「新師生關係」打擊教授

從去年秋末開始，中共繼宣佈了「生產勞動與教學相結合」的「新教育方針」後，又提出了「建立新的師生關係」的口號，並環繞這個口號進行了一連串的工作。

這個運動，主要是在高等學校中開展的。中共爲什麼要推行這個運動呢？簡言之，這是消滅知識份子、虐待知識份子的另一手法。不過這次手法較以前公開地由黨出面來鬥爭、批判更爲陰毒，因爲它通過了學校中的黨團學生，用學生——青年人——的名義來對老教授、老學者進行批判。中共的目的是在於消滅這些學者對青年人的思想影響，所以通過一部份職業學生來做這件事將會收到更大的效果。

中共統治大陸已近十年，其中也不知多少次折磨過知識份子。但是，有着優秀的鬥爭傳統的知識份子並沒有屈服，非但如此，而且在年青的一代中起着越來越大的影響作用。使得中共的一切措施難於在大學生中開展。中共也承認了這一點事實。如三月五日的「中國青年報」報導武漢大學化學系的學生「迷信教授，把教授看得高深莫測，對之恭恭敬敬，聽一句聽一句。」

二月二十二日光明日報在批判知名學者孫楷第先生時，竟問他道：「有的青年因受孫楷第的影響，走上了白專的道路，孫先生難道不要負責嗎？」

暴露得更徹底的是北京出版的「新建設」月刊一九五九年第一期，在說到北京師範大學學生的情形時稱：「許多人脫離政治，追隨資產階級專家，走着白專道路，政治上與黨若即若離，在不少人的心目中，教授比黨還高，聽專家的話甚於聽黨的話。」

這就是整個問題的癥結了。現在的大學生，在種種政治運動以及勞動中被逼得連讀書的時間都沒有。但學生總是要求知識的，於是對教授也就格外尊敬與接受教授的思想影響了。在這種情形下，雖然一般老教授已不敢在主觀上與中共爭衡，但是在客觀上却形成了「與黨爭青年」的事實。黨在青年人中的影響已越來越薄弱了。

所以中共才提出要建立「新的師生關係」。建立「新師生關係」的第一步是在學生中貶低學者，教授的威信，發動學生批判教授們的學術思想。據「新建設」半月刊報導，光是北京各大學中，被學生批判了的學者就有馮友蘭、馬寅初、王瑤、游國恩、林庚、王力、高名凱、朱德熙、鄭振鐸、劉大杰、朱光潛、黃藥眠、賀麟、呂叔湘等等。在批判這些知名學者的時候，學生「都得到各校黨委會、黨支部的大力支持」，在寫批判文章時都「一天作二十幾小時，有的人甚至一連三夜不睡覺」。批判是根據「馬克思列寧主義和毛主席的思想爲指導而進行的。」批判的口號是「不管是什麼樣的權威學者，都要給以毫不妥協的鬥爭。」結果，「青年人打破了迷信」，政治已『掛』上了『帥』」。（以上引號中文當見一九五九年第一期「新建設」）

第二步，打掉了學者的威信之後，就發動學生放棄教授的原有講義和教材，發動學生自編講義，強迫教授接受，並要教授「破舊立新」。凡提出，應該尊敬「紅專」的教授而不能尊敬「白專」的教授。

再接着就是在各報刊上大肆向青年人宣傳「學生不一定不如教師」的思想。三月五日「中國青年報」短評稱：「就師生關係而言，還存在着互相學習的關係。這個關係首先是建立在政治原則的基礎上。另外，教師在有些方面也會低於學生，如實際操作技能不如工農出身的學生。」

青年學生究竟比老知識份子容易駕馭些，所以中共就盡量利用學生批判教授，將教授們在學術上的成就貶低，使他們的學術思想成爲「與無產階級相抵觸的」，從而使學生遠遠離開他們，這樣就可以避免大學生接受教授們的影響了。

值得注意的是，中共近幾年來，派了不少軍人、幹部等所謂「工農」進入各高等學校，這批「學生」除了共產黨的一套名詞外，純是不學無術的傢伙。四川大學今年還特爲降低教學質量來遷就這些人，可知其爲數不少。這些人，在老教授的心目中是毫無培植的價值的，但他們在學校中却代表了黨。因此，在建立新關係的同時，又批判了「過去只把少數的學生看做是自己的學生，大多數都不算是學生」的認識。（二月二十八日光明日報）

在這種中共稱爲「民主的、教學相長的」新關係下，教授們的感受如何可想而知，中共也承認了這一點。

三月五日「中國青年報」稱：「有的教師認爲『教師作不下去了』，也有籠統地說『教師不如學生』。」又稱：「在批判教師和學生大編教材時，對同學的批評，感到極度難受，曾有人認爲『師生關係緊張』了。」在這種情形下，教授們心中無底，不知中共到底要求什麼，教學計劃也無法安排。「政治原則強」的「學生」又到處挑剔，所以大學中的教授也就聽憑學校黨委的指令，將學生編的講義來作爲教材，弄得高等學府烏烟瘴氣。

奇怪的是，中共如此提高學生的地位，並沒有博得全部大學生的好感。有良知的學生知道這樣亂搞會使自己學不到東西。因此，三月五日中國青年報說：「無論教師和學生都爲了實現這種關係，經過一番艱苦的努力。」這反映了教授與學生都對這種新關係感到厭惡。（大陸社稿）

人心已死‧躍進不前

（本報訊）三月五日「中國青年報」發表了中共重慶市委書記辛白戈的一篇文章，專就目前青年思想以及困難問題作了闡釋。自去年「大躍進」以來青年人的思想動搖最爲激烈，以致成爲中共最大的負担。「中國青年報」已不止一次地批判過青年的思想。這次這篇文章更直截地提出了這個問題。文章稱：「一般說，今天我們所遇到困難，雖然主要是在物質方面，但更大的原因是在人的方面。至今尚有同志對人的力量缺乏估計，認爲『潛力挖盡、幹勁到頂』。因此對大躍進總是信心不足。」

文章所指出的這個「困難」，實質上存在在所有大陸人民的心中，也是中共「躍進不成的主要原因。

大陸文壇透視

七叔

茅盾底事寫不出

去春邵荃麟在作協座談會上，宣佈「文學工作大躍進三十二條」草案的時候，曾代茅盾提出一年之創作規劃，要寫四部小說：一個長篇，三個中篇。然而一年已過，他這個規劃仍然只是規劃，連關于他寫小說的報導都無有。巴金的新作雖未問世，可是中共已透露過他要寫「家」「春」「秋」的續篇——「霧」了。如果茅盾想「躍進」一下的話，他的「虹」和「霜葉紅似二月花」都是未完之作，儘可續成的。去年出版的「茅盾文集」，他在「霜葉」的後記裏曾這樣說：假使我能多活幾年，我一定把它續完，不過此刻我還不敢肯定地開這樣的支票，因爲毫無把握——（大意如此，恕筆者未翻原書）。言下大有暮年蒼茫之感了。從此可見他在大躍進中仍然未曾動筆，邵荃麟代他提出的創作規劃，僅是中共借他作帶頭的幌子，當時他自己未必同意；要不爲什麼不像田漢、夏衍那樣，自己當衆宣佈呢？

在「左聯」時代，他雖未出風頭，可是還埋頭寫作；「解放」後這十年來，既不出風頭，也不寫作。郭沫若、周揚等一步步向上爬，茅盾正相反，却是日趨沒落。由於以往積壓的是非恩怨，郭、周不進一步公開向他算舊帳，已是天大面子，但暗地裏對他處處壓抑，則絕不能免。他這幾年來的表現，可從「與人無爭，與世無忤」八字盡之，就連歷年文藝整風的幾次軒然大波，他都對之非常冷淡，處在婆母小姑雙重高壓之下的媳婦，自然不得不爾。假若他在自由的環境內，面對如此劇烈變化的社會現實，他可以很容易地寫出幾部非凡的寫實小說來。然而中共需要的是歌頌社會主義的作品，閉上眼睛空想出來的小說；眞正活生生的現實，中共是不准暴露的。茅盾是個自然主義者，自然主義者的理論和創作，主要就在揭發社會的醜惡；因此中共所需要的作品，茅盾寫不出；茅盾可以寫出的東西，正爲中共所嚴厲禁止。這是十年來茅盾未能寫出一部小說以及個人躍進規劃落空的唯一原因。

茅盾寫不出小說的事實，却並不是「江郎才盡」，我們看他去年在「文藝報」上連載的「夜讀偶記」，那樣長篇大論地談中外古今文學的流派和演化，才華不減當年，可以證明他的創作衝動和慾望仍很旺盛。有旺盛的創作衝動和慾望而不得發洩，作爲一個像茅盾這樣的小說家說來，其心中之苦痛可知。茅盾身體素弱，看到他的老友王統照、鄭振鐸先後羽化，就無怪有不久於人世的感喟了。

瘟君夢

岳騫

第二回：密室定奇謀　蒼生塗炭　巴山留遺恨　弱絮隨風

活曹操大笑起來：「第二項困難，就是因爲沒有錢，沒有錢就從人民身上想法子，我們是人民政府，幾十年來專爲人民服務，到了困難時，人民自然要出力。」

毛澤東苦笑道：「這是口號，實際困難怎麼解決呢？」

「容易得很」。活曹操通通擴鬍子：「只要拿人不當人，什麼困難都能解決。不錯，我們有這麼多的幹部，軍隊，有喜馬拉雅山這麼大個饅頭都能吃掉，但是，不用怕，沒東西吃只是餓死人民，不會餓死軍隊，也不會餓死黨員幹部，怕什麼呢？」

毛澤東聽完這一套話，登時精神大振，站起來說道：「林老，你剛才把財政經濟說成死症，把我嚇得要讓位，現在你輕描淡寫一說，又沒問題了，不怪你是做八股文出身，起承轉合的工夫眞好。」

活曹操笑道：「我覺得主席天寶聰明，囫圇就能舉一反三的，不料主席緊張過度，神智一時就蔽塞了。」

毛澤東青裏泛灰的臉，微微露出一絲紅暈，勉強笑道：「多虧林老提醒了我，你請坐傍邊看我安排。」說過坐下，提筆寫了幾十個人名，按鈴叫田家英進來，吩咐打電話傳這批人到「主席官邸」開會。

林伯渠勸道：「今天鬧了大半天，主席圈該疲乏了，事情雖然急迫，也不急在這個半天，明天再開會好了。」

毛澤東搖搖頭：「不是這樣說，林老，第一你知道我的性子急，一件事不辦好，睡都睡不着，第二，也怕遲了有變化。開三天三夜的會，我的精神也支持得了，只要有烟抽就成了。」說過又笑起來。

田家英還在那裏站着。林伯渠接過毛澤東開的名單一看，見有彭德懷，賀龍，黃克誠，蕭勁光，羅榮桓，譚政，王震，張際春，劉亞樓，滕代遠，蕭克，王首道，蕭華，李維漢。

林伯渠笑道：「主席是不是召開湖南同鄉會」？

毛澤東也笑了，點點頭：「也可以這樣說」。

林伯渠問道：「那爲什麼不邀少奇同志呢」？

毛澤東伸伸舌頭：「我還敢找他，我被這小子害苦了，我一手把他拉起來，想不到他羽毛一豐滿，先想幹掉我。」

林伯渠說道：「那也就算了只是爲什麼不邀譚震林和李富春呢？他們也是湖南人呀！」

毛澤東恨道：「他兩個剛才和劉少奇一道來，開會時又站在他那方面講話，這樣湖南人我不要了。」

林伯渠正想說那有這回事，一抬頭看見譚震林和李富春一道來了。（廿二）

釋耒集

清議

依常識言，清議，當泛指一般清正的言論，但又不同於魏晉時流行之清言。大抵清言只在于俊逸高雅，而不必切指事情；清議則必切指事情，或竟相當激烈，然到底只是第三者的身份在說話，言者自身，絕對沒有打到你，我來幹的企圖。

清議對時政發生影響，首見于孟子，如百姓謳歌舜而不謳歌丹朱，此所謂謳歌，却正是一種清議。惟舜禹之事，頗涉邈遠，或不免近于無稽，見于史書所載，則子產治鄭時，即有不毀鄉校之事實，何以要毀鄉校，問題在于鄉校中的言論在譏評時政，臧否人物，但子產主張不必毀，反而說：是吾師也。這並非子產的雅量，而只是他的智巧，子產自來主張用猛，他不會覺得鄉校中那些手無寸鐵的師生們有何可畏，只是他們的言論，有時確也有可資採擇的地方。

但這種情形一到戰國就不同了。孟子滕文公章云：「諸侯放恣，處士橫議」，當周王室的威權日就式微之際，列國諸侯，放恣爲亂，布衣之士，以遊說之術于諸侯，如楊朱墨翟之徒，目的只在取得卿相，其言論多偏激不順于事理，故祗能說是橫議，以別於先前的清議。可見社會上，學校中，能保留一種清議，固然是統治人物的盛德，也未嘗不是人民的一種幸福。秦始皇焚滅百家，坑殺儒生術士，並非在禁絕清議，而是在禁絕橫議。漢治稍爲開明，故東漢太學生可以仰首伸眉，論列是非，但亦終不免有黨錮之禍。至於汝南許劭他們的月旦評，僅限於品藻人物，雖亦彷彿於春秋時的鄉校，而其影響，顯然已很微弱了。魏晉時曹丕司馬昭，陰賊險狠，士思自存，遂使黨錮流而爲清言，以玄談自適，雖有辯難，已不切于事理；但清議一事，究竟使人不易忘懷，南史宋武帝紀稱：「犯鄉論清議，贓汙淫盜，一皆蕩滌。」又范質詩：「周孔垂明教，齊梁尚清議」，可見魏晉以後，至南北朝，仍然有所謂清議。至于唐昭宗時黃巢殺絕清流；南宋慶元的禁絕偽學；以至明末的社黨重鉤，其實都是東漢黨錮的翻版。

近代歐美的政黨政治思想，傳入我國，巴力門的權力，大英帝國的憲政精神，使中朝士大夫如醉如狂。而西方人從政之道，頗與我國傳統異趣，大抵西方人從事政黨政治，多在工商界具有相當基礎之後，才能獲得其政黨之支持，近于大學所謂賢者以財發身的道理。中國士大夫則不然，生計充裕，生活上有深厚憑藉的人，多不願過問政治，甚或多與政治絕緣，因而搞政治無形中等於搶飯碗，因而凡屬政黨之言論，均容易予人以偏激不順于理之印象。欲如歐美執政黨，任其反對黨如何吹毛求疵，仍優容之之風氣，乃絕不可能，其偏激之甚者，遂不惜通番賣國，以求一逞。（如中共）唐甄潛書論除黨，其言曰：「天下之士，皆知由黨者不必得富貴，得富貴者不必由黨，人亦何樂于爲黨乎！」此雖指古之朋黨，而今日中國人之所謂黨，去古之朋黨，固不甚遠也。

曲齋

好狗不咬人

一天，到香港高等住宅區之一的羅便臣道訪友，因爲這個朋友和我一樣是窮要筆桿的，却因爲住在那個富有的親戚家的工人房，所以很少去看他，但是他既病了，做朋友的就不能不盡友道；及至爬上半山，雖港九全景一覽無餘，可也已是氣喘如牛，狼狽不堪了。

按過門鈴，照例得等那不懂禮貌的豪僕來開門，而這豪僕又照例是兇神惡煞地一聲：「搵邊個？」待言明來意之後，鐵門開處，却又見「惡犬」一頭迎面撲來，其勢之疾，不覺使我驚惶失措，可是說也奇怪，那畜生靈性頗高，居然來個「緊急剎車」，在我跟前站定了，亂嗅一番，看似兇惡，却並無亂咬一口之意，一場虛驚，不禁暗暗叫聲慚愧慚愧，自己竟然對狗兒無經驗，無認識。倒是那豪僕，見我驚魂甫定，又知道我還算個斯文人物，且是他主人親戚的朋友，於是半調侃地說：「先生，我呢隻狗，唔會亂咬人嘅，都唔知幾生性，好馴嘅」。

這時，我除了一連串的點頭之外，大氣也不敢透，祇有慶幸自己遇到了一條不咬人，不亂咬人的狗，否則遇上豪奴加惡狗，此行何堪設想。

至今想來，我還覺得那狗兒比那豪奴還要文明些，因爲它畢竟未曾對我惡聲惡氣，只是伸長了狗鼻子作一番例行的表演，於是我才懂得好狗，是不咬人的。

。小言。

藝壇好漢梁鼎銘

——謹以代輓詞——

‧萬香堂‧

數年未晤之梁鼎銘兄竟然於三一日去世了！我在報紙看到那壞消息，因在旅行中，未能親往追悼，深感疚負，謹寫本文以表輓思。

鼎銘先生廣東順德人，現年六十二歲，其父爲曾參加甲午之役的海前輩，後在滬經商，以上海爲家了。鼎銘原在上海學測量的，後因醉心西畫，乃棄測量而學畫，其師究屬何人，至今仍少人知道，因爲在四十五年前（他是十六歲習畫）在中國的西洋畫乃在啓蒙時期，劉海粟陳抱一等初時也憑自己的聰明嘗試，後來抱一兄赴日學成歸國，始加深了中國人的西畫道，我想當時鼎銘兄的從師，亦隨隨便便的，全靠他自己下苦功及天才了。

民國十三年時，鼎銘在上海已開始露頭角，已開過了個人畫展，並在英美烟草公司獲得繪圖的工作，翌年春他鼓起勇氣回到廣州開畫展，當時廣州藝壇雖無開「個展」的風氣，但集體的展出是常有的，且當時廣州市立美術學校的教員多乃留日（如胡根天何三峯等）留美（如譚華牧）的優秀作家，對西畫的欣賞標準很高，故他的「個展」是很費力的，當時他的藝術思想很新，展出作品中有兩件接近未來派的，因而引起畫壇的品評，同時其展出不久以前，在同一展場（惠愛東路某小學）曾展出意大利歸國畫家司徒×的作品，有人以二人之作爲題而作評較，在此情形之下，鼎銘是很需要同情者予以支援的，某天由高劍父兄出面約在惠如茶樓早茗暢敘，筆者就在這種場合下和他做了朋友。當時他是廿八歲，瘦長個子，穿着深青色西服，特別寒冷時加上一件深青大衣，白硬領中間結着法國式畫人所結大黑領花，日本式的小鬍子似乎已經蓄上了！眞是風度翩翩啊！

而筆者當時也是很年青，雖然自己不是在各報主持筆政，但因常不斷在各報刊發表過許多藝術理論文章，因而被人誤爲藝評專家，這實在慚愧的，又在我們多次茶敘中，我曾打他的氣，因爲在北伐的前夕，文藝思潮也正在洶湧，「文學研究會」與「創造社」的爭衡，「在象牙之塔」與「十字街頭」題材內容的問題，時一般畫家都陶醉於我的範疇，無人注意力於民族的問題，社會的問題，及革命的問題，[illegible]力勵心衝破環境（不管英美公司的工作及其他的約束）投筆從戎，繪宣傳畫，繪人物，他作個不平凡的[illegible]，我對淺見，認爲乃知音之論。未幾，我到四川，後來又到了香港，多少年來，在報章上看到鼎銘兄的佳作，但我們從沒通訊，直到大陸淪陷後彼此都來了台灣，在卅九年「中國美協」成立那天，我將一張小紙條托中銘傳給其令兄，過了幾天，一位瘦長的朋友坐着腳踏車到我家來，我們把握着手，同聲說：「時間過得很快，廿餘年不見了！」

以上，雖然是鼎銘兄早年歷史的片段，也是中國近卅年來時代的反映，足見一個作家的成就，完全是由大時代的急切問題孕育而成。鼎銘之所以爲鼎銘者，我們應注意他有決心，有立志堅決，故數十年來始終一貫，氣魄宏大，故人雖瘦弱，而其作品多大題材，故在不得志時仍不改其樂，發奮振作，故能致其弟成才，將其志願續大成，因此，我要說鼎銘不愧爲現代藝壇的好漢呢！

不過，我們雖然有當據的交情，但在台重晤後，不幸一度又發生誤會的歧見，幸而前幾其夫人去世時，我曾贈詩挽輓，又於近年中國的詩畫與馬一文以介紹，這些都是鼎銘生前曾經過的，想不到這是我對這三十年的老友的最後的表示啊！如今，人天路隔，欲見無從了，悲乎？（四八年三月十日）

何鐵華先生父女畫展序詩

‧趙少昂‧

鐵華先生與予相交三十載，幾度相逢，都在烽火之中。戰事告息，君返台灣，鑒於吾國藝術之不振，亟提倡創作，誘掖後學，並主編「新藝術雜誌」，著「新作之新路」「新興藝術運動」等書，頃偕其女公子谷川女士來港，合展於本港，一新吾人耳目，將聯袂東南亞各地，宣揚藝事。吾知其必載譽以歸也，爰書七絕爲贈：

總角之交已卅年。
相逢幾度話顛連。
喜看創作揚新路，
父女聲名海外傳。

風雨樓繪畫叢談

可見漢代以前，象形文字的流傳於秦漢者，爲數當不少，至六百有八了。說文對於古字的省略，是否出自删繁就簡，那就疑者有而知。如謂「隨體詰詘」有其可採與不可採之處。固知象形文在古代社會，變動甚大，雖一字之微，無慮十餘種寫法。但就日月山川，草木禽魚的形態看來，言造型，是取象於萬物。言筆路，是取準[illegible]，是用於寫生。言結構，是取協於綫條。於此表現，謂非繪畫，反覺不合。惟其如此，凡欲以考證於書法，求諸器物，不如求諸文字。而求諸文字，又不如求諸紀事之易與。如說網罟始自伏羲；則結繩而爲網罟，以佃以漁者是也。地圖創自黃帝，則方治萬里，畫野分州者是也。設色起自虞舜黼繡，則五服五章，五彩章施五色者是也。彫刻盛行於大禹，則畫九州，鑄九鼎者是也。由今以觀古，圖器，畫繪，設色，彫刻，無一而非繪畫。由古以觀今，古之聖哲，或即今之匠人歟？不過此中惟一不可假借的名分，斯爲「仁政」。仁政的道理很淺顯；即是一人勞動，天下共享。不是天下勞動，而特權階級，安富以尊榮！

繪畫在夏商兩代，地位漸漸低落。綜其原因，不外三端；第一是文字的發達，代替了繪畫的功用。第二是帝王的享樂，湮沒了繪畫的眞理。第三是神鬼的迷信，阻礙了繪畫的發展。據尙書五子之歌說：「內作色荒，外作禽荒，甘酒嗜音，峻宇彫牆，有一於此，未或不亡」。則夏帝太康的失德，直接影響於繪者，是流於裝飾。間接影響於繪畫者，是畫格降落。又尙書云：「夢帝賚予良弼，其代予言，乃審厥象，俾以形旁求於天下。說築傅巖之野，惟肖，爰立作相」。因夢畫象，因象求賢，又因肖立相；殷帝高宗的迷信，充分表明了殷朝社會的信仰風尙。所以殷墟出土的四象觚，依宋人博古圖說，是「飾以山雷，饕餮，蟠虺各形」。而殷墟出土的甲骨文，依清末的文字紀載，則爲卜筮之用的象形文。由此可知殷代畫法；有天象，有物象，有人象，有鬼象。鬼怪無形，是謂畫入魅道。（廿）

述贇

現實小說

證人

。梅魂。

星期五、十三號，狂雨。

我從大雨裏奔出門，奔進法院。別人打官司，我是證人。我找到××號法庭，仍見不到被告與原告人。我枯坐在冷板凳上一等，庭上正在向犯人拍驚堂木，我嚇得[illegible]。

[illegible]

證人。持着那張傳票，一個小時[illegible]好容易等到[illegible]「拍」地一下，法官[illegible]又坐等到一堂結束，還有兩堂[illegible]

「你這是作什麼？」「作什麼？呢，我是證人啦！」「我知道。」[illegible]「報到沒有？」「報到？」敢情你老兄沒打過官司？」「對不起，少見諒[illegible]」「那邊辦報到手續[illegible]」

[illegible]「時間到了」[illegible]「對啦，我們這一[illegible]」

自由人
THE FREEMAN
（第八四二期）
每份港幣壹毫
台北市每份台幣壹元
社址：香港高士打道二十號三樓
20 CAUSEWAY RD. 3RD. FL.
HONG KONG
TEL. 771726

支援西藏義軍開闢第二戰場

·張六師·

當此西藏同胞正對莫斯科的爪牙，作浴血苦戰之際，我們以最沉痛的心情，面對現實，舉出下列四大綱領，貢獻於全世界爭民主，自由提槍提筆的戰士之前。

一、我們首先要警告莫斯科，縮回赤色魔手，撤退伸入西藏的俄製飛機，大砲，坦克和所建造的飛彈與空軍基地；

二、我們要向入藏的中共軍政弟兄們招手，歡迎他們反正起義和西藏同胞併肩重建中華民國的民主新西藏；

三、我們要催促國民政府，把十年生聚教訓的成績拿出來開闢大陸第二戰場，以證明反攻復國的決心和誠意；

四、我們要提高警惕，嚴防新寵帝國主義對西藏搞「獨立」，繼外蒙，唐努烏梁維吾爾之後，瓜分中國的新陰謀。

西藏是中國領土主權的一部份

中華民國的神聖領土——西藏，和居住在上面的三百萬中國人民，與中國已有一千一百餘年的血肉，文化，宗教……和國防生存上不可分的歷史關係。這是自唐代以來，就已是一家的中國之一部。（它還有更早的歷史關係，此處暫不敍。）由於我們大家庭中兄弟之間，一向互相尊重自己的自由生活方式，故從不會使用過近代帝國主義者同化，分治，剝削，移民的殖民地政策。所以千年至今還讚習着各地區不同風俗習慣，和地方語言。於是就予今天帝國主義者以借口，要生吞活剝地對中國內部使用挑撥，離間，分化，自治的手法，來達到他們的新統治目的。

這種陰謀詭計，以蘇俄帝國主義者，在中國大陸表現得最深刻而惡毒。主因爲它除了在思想，意識，地區上要把中國的民族大家庭分散，以便分而治之之外，還用一套辯證理論，強使中國人當代理人掩護這種逐漸征服的罪行，在唐努烏梁海，在外蒙，在新疆……如此，在西藏亦不例外。在辛亥革命以前，帝國主義者對中國倡「瓜分論」——他們在大陸劃出勢力範圍，強迫中國政府，把劃定的區域簽訂「不得讓與他國」的條約。這和蘇俄今日指使中共分化六十多個「少數民族自治」，另製新文字，編新歷史，新創「大漢族主義」名詞的陰謀，如出一轍。（中國人向無「大漢族主義」的思想和觀念）。

西藏是中國領土主權的一部份，這原是近百年來各國所公認，而在法理上，它之不是蘇俄傀儡政權——「人民共和國」之領土，也是聯合國之所深知，但自倡瓜分論至今的國家，對它不忘情的國家，蘇俄之外，大有人在。

中華民國政府的天職

中華民國政府，今日雖偏處一隅，但它的唯一天職是光復整個中國大陸，就是拯救淪陷在鐵幕下被蘇俄佔去的亦在內。爲了拯救全中國，不致使這個「亞洲傀儡」和南進印度「亞洲的門戶」，中國人與英國人，印度人都有共同的責任。

西藏同胞在俄毛聯合壓力下的苦難，是和大陸同胞的遭遇有不可分的關係。世人多誤爲藏人反對漢人的統治，而不知今天的禍首，是正在莫斯科指導下的統治代理人，目前在西藏的漢回……各族人民反對的對象不是漢人，而是中國人，更是執行共產國際命令的毛、劉、朱、周等，和蘇聯的赤色傀儡政權。在他們的戰鬥行列中，早已包含有青海、甘肅、新疆、四川、西康、雲南；各省的反共力量在內，還有中共所公佈由台灣去的自由中國戰士。其意義決非僅屬於爭取宗教自由與經濟制度和生活自由而已，而是含有反共救國的民族大義的。

但是今天在中共的文告裏再三強調藏胞提出：「趕走漢人」的口號，「西藏獨立」，又稱藏胞曾說：「漢人可以嚇跑的」，「現在是驅漢自立的機會」，「叛匪只有兩萬人左右，其中多數被擊潰，裹脅參加，包含一部份由金沙江以東，原西康省區逃跑去的叛亂分子」。（廿八日新華社電）這就是中共利用民族意識鼓勵軍心的挑撥手法。他們必在一切支持西藏的人，名字上加「美帝」和「外國反動派」的帽子，就是沖淡共軍反俄的民族意識，才好穩住軍心和迫使共軍進攻西藏義軍。也才好使藏胞把反共反俄的觀念忘記而以漢人爲敵，如此必易達到國際共黨以漢制藏的目的。

我們以過去所簽的「十七條協議」證明，藏胞當初受騙時以爲中共是眞正中國人的政府，才承認中共對藏有「外交」「國防」的主權，也即是繼續承認「中國對西藏領土的宗主權」。但今天在共黨的莫斯科一邊倒，以「社會主義祖國蘇聯」爲完成世界革命後的「無產階級祖國」……以後，再加宗教、經濟、生活方式……的自由被剝削，所以才燃起了革命火焰。我們因此證明藏胞是有國家觀念與民族意識的，而與近傳「西藏獨立」，「民族自決」即是准許「獨立」的說法是不符的。

西藏在中國的法理地位，早在憲法中第四第五第一百二十條內明文規定。中華民國的領土不經國民大會的通過，誰也不能變更。三民主義的民族主義，早已闡明數千年來，中國國內各民族的自由平等權利，西藏與中國近三百多年的和睦一家，雖經帝國主義者的挑撥分化，從未變更，這是鐵的事實。目前，只有蘇俄在西藏正在建築秘密飛彈基地，在邊界遍置俄製大砲，蘇俄顧問，技術人員與「專家」在藏到處活動，已爲西方國家所揭穿。（見「倫敦快訊」記者唐納．惠司去年十二月十日的報導。）這就是中國人民與藏胞今後爭取自由獨立（對俄毛共黨獨立）的目標，其立場是與大陸各省同胞相同。在憲法中，今後全國各地民族應享有的自治權，也是和各省、市、縣相同的。

是責無旁貸的時候了

一週來，西藏義軍在和中共抗戰下，經過重大犧牲退出拉薩，但在這個世界高原的山嶺地上，而中共已投三十萬大軍，而在綿長的甘肅和川、康、藏山地交通綫上所消耗的鉅大人力物力，已形成中共最大的「失血管」，比之已有鐵路，海運河運的東南戰場——閩，浙，粵的消耗是不可同日而語的。

中華民國政府對恢復自己領土解救受難中同胞的神聖責任是無可推諉的。開闢金馬以外的第二戰場，當然應言出必行。但證之事實，好似還在「會議」中，而目前的空投與志願軍是不能發生決定性作用的。二十八日中共所公佈「繳獲山砲六門，迫擊砲二十七門，槍八千枝，機槍八十一挺，子彈一千萬發」，其口徑與種類與過去國軍用品同式，則所謂：「叛亂具受帝國主義蔣××幫策勵……在雅魯藏布江以南的叛亂根據地就有多次接受空投接濟，還有帝國主義和蔣××派遣的許多特務電台，進行活動」的話是把責任推在外面的。如今既已正式爆發戰爭了，爲了鞏固反共山區基地，不使首義者白白犧牲，和保護達賴安全；爲了擴大戰場，爭取羣衆義民的響應；爲了建立大陸新軍，直搗西北，截斷俄毛後方補給綫；爲了必要時正式將國府第二行都西遷大陸……都有劍及履及，下大決心從事之必要。

還要看友邦的臉色才行動嗎

駐在台灣的六十萬國軍和一百七十萬後備軍，不能坐視同胞流血，即應有動員的準備。（美國大學生在組志願軍了。）十年來台灣兵工廠所生產的陸軍輕裝備新武器應該足敷山嶺地區戰爭之用，（何必全賴美援）。美國既不可能借防衛台灣的條約來干涉中國的內政，中國也從未放棄自己的獨立自主權。道義上友邦能支持固好，在利害上他們仍如匈牙利事件時坐觀成敗，我們也不應勉強別人。至於各民主國家民間的道義支援，則應盡力爭取，這是外交上的技術問題。

目前中共對西南，華南，東南的戰略鐵路網，在人民公社實行後，正走向「退坡」的階段。這不是他們的人力不足，而是物資接應不上。但假以時日，不僅義軍將遭困難，大陸更少可登之地，彼時流血流汗的代價更大了，（友邦如有眼光魄力，當然以聯合力量開闢華北戰場爲最理想，但這是國際性的問題，必有賴「美援」了）。我們今天既然一切盡其在我，爲了今後外交上的不利形勢到來，是不可不有遠大眼光與準備的。不信，只看西藏戰事爆發後，由歐洲，美洲以迄亞洲的若干反共國家輿論，是在責備，希望美國、英國、印度、而少有提到中華民國，我們還不警覺麼？（三、二九日）

自由談

匪夷所思

當西藏人民正與毛共軍隊在拉薩展開激烈戰鬥之際，美國務院官員里普賽稱：「美國無意給予藏人以武器援助，亦不容許盟邦以美援武器轉給藏人」。表示美國對西藏人民的反共運動不但是嚴守中立，而且不容許中華民國，或其他接受美國軍援的盟邦如巴基斯坦等，把武器接濟西藏義軍，唯恐開罪了毛共，惹出是非來。

迨拉薩事變後，共軍鎮壓平息，國民五千人慘遭屠殺，西藏地方政府亦經毛共宣佈解散以後，美國務院又正式發表公報，對藏人表示「深切同情」，而指毛共爲「帝國主義的野蠻干預」。似此事後假慈悲的可恥情形，居然發生於號稱爲自由世界盟主的政府當局身上，眞是駭人聽聞的醜事，大可遺臭萬年，成爲歷史上永難滌除的污點！

美國這種「和平」作風，不僅是對西藏人民的反共運動爲然。一九五六年匈牙利人民轟轟烈烈地掀起反共抗俄鬥爭時，美國當局亦噤若寒蟬，不敢表示一點同情的意見，等到俄帝以大軍敉平匈人的革命行動，血洗布達佩斯以後，白宮當局又派大員赴奧匈邊境，[illegible]，嗚呼憑弔，表示無限同情，且以飛機送運一些亡命的匈牙利人士到美國去作難民哩！

我們決不會希望美國專爲他人作嫁衣裳，挺身替別國拔刀反共，而置本身利害於不顧，即在精神上有時候不能給友邦人民的反共運動以支持，亦未嘗不可諒解其苦衷。最令人莫名其妙的，就是不許接受美援的友邦以武器撥援本國人民的反共鬥爭，這是甚末道理呢？假使美國的援外政策，祇在教別國舍己從人，專爲美國的利益服務，而以逃到新大陸作難民爲最後目的，那別人亦就不必作繭自縛，爲嗟來之食，而從事於毫無自由意志和自主能力的反共[illegible]侵略運動了。

常聞美國政治家強調心理作戰之說，我不知道白宮當局對匈牙利與西藏人民反共鬥爭的領導言行，究竟是根據那一種心理戰術的邏輯而表現的？是誠匪夷所思也夫！是誠匪夷所思也夫！

馮五先生

半週述評

美國之聲

本月廿九日紐約時報發表文字向蘇俄提出兩點：一爲美國決不可能對蘇俄掀起一種侵略性戰爭，因爲美國民衆不致支持這種戰爭；二是美國不致率領任何十字軍以掃蕩共產主義，雖然蘇俄認爲共產主義與資本主義之間，終是敵對的，但美國對此點並不引爲憂慮。（見紐約廿九日電訊）

這兩點說法，可說是肺腑之言，也闡明了美國對外政策的指導原則，確切不移，毫無疑義。關於第一點，從過去的兩次世界大戰中，即可以證實美國祇是應戰而不求戰的，誰亦相信其爲老實話。關於第二點，美國當局對於處理自由世界各國發生任何反共問題，素來強調「符合美國利益」之說，從來不表示爲軍友邦利益的意念。事實上，美國不特是沒有率領十字軍以掃蕩共產主義的想法，而且禁止別國採取實力反共的行動，坐視俄共集團向外乘弱攻昧，蠶食擴張，漠然無所容於心。中國大陸以及越南的大部分土地與人民之淪於共黨魔掌中，即其明證也。

保障美國利益的方法

美國以自由世界盟主的氣概，實行援外計劃，凡是接受美援的自由國家。（除却北大西洋公約國之外）皆跟美國簽訂雙邊的安全互助條約，表示美國「兼善天下」的領導行爲。可是，在安全互助條約中，必須寫下一條絕對性的明文，即受援國在任何情況之下，如不取得美國同意，決不能自由從事反共的軍事行動，縱使將美援的一槍一彈接濟本國人民作反共之用，亦所不許的！

美國在傳統的國策上，不會自動地對共產國家掀起戰爭，在文化思想上，又相信可以跟共產主義和平共存，遂不啻根本否定了自由國家實行軍事反共鬥爭的可能性，而美國亦就基於自己的利益所在，對於安全互助條約的軍事義務，永無同意履行之日。所謂安全互助條約，乃成了保障美國利益的無上方法，猗歟盛哉，嘆觀止矣！

美國援外政策的目的

就紐約時報的論據仔細研究，我們可以這末說：美國援外政策的最主要目的，是在促進受援國家的生產力，維護自由世界的國際市場，使美國高度發展的工商企業得有出路，成爲尾閭，因而永遠保持着國力富強與人民生活繁榮的理想狀態。除非美共起來革命，或者俄共的越洲飛彈放射到新大陸來，美國無論如何亦不願意自由國家有軍事反共的動作。理由是認爲當事國沒有戰勝共黨的能力，縱有能力，亦必將招致俄帝介入參戰。這些情形，都有拖累美國下水的危險，殊與美國的利益大相違背。所以，紐約時報的言論，從美國利益的觀點設想，實在可圈可點，精當之至！

美國當前的心事

不過，美國現時亦有一種沉重的心事，未能釋然，那就是如何創造反飛彈的有效武器，藉以保障本土的絕對安全。在這一問題尚未尋得滿意的答案以前，即使放棄若干自由地區給俄帝控制，亦所弗惜的。這便是美國最近對柏林事件與德國統一問題，忽然表示退縮軟化之所以然。至於英國之畏懼戰事情形，更爲婦孺周知的事實，路透社急忙電將紐約時報這項言論傳播於世界，亦係爲要佈揚他們現行國策的妥當性，而以美國作擋箭牌。明乎此，世人對於今後所謂「外長會議」「高層會議」的結果，已可想見其概要，無所用其憂喜了。

·雷嘯岑·

台灣全省行政會議

·馬周·

台灣通訊

台灣省政府自三月廿日起召集全省各縣市長科局長五十八人，集中省政府疏遷後的新址中興新村舉行五天全省行政會議，參加此一會議的人來自各縣市者雖然只有五十餘人，而參加此一會議的總人數則為一百六十人，其組成份子為下列人員：（一）省府委員及省府直屬機關首長三十四人；（二）副首長十四人；（三）三級機關首長十八人；（四）各縣市長科局長五十八人；（五）各廳處科室主管，各縣市局咨詢人員共二十二人。台灣省共有二十一個縣市（五市十六縣），所出席的人不足半數，其餘省級機關人員卻佔了大部份，台灣省級機構之龐大，組織之繁雜，由此可以得到一個明顯的證明。

我國之有全國性，全省性甚至如專員區的行政會議，純係於抗日戰爭期間，由於大陸幅員廣闊，交通不便，尤其各省轄區遼闊，而集中意志，統一政令，又為戰時動員所迫切需要，才有此類一年或兩年一度分省分區行政會議的召集，在中央與省利用此一機會指示施政方針，瞭解地方情況，在地方利用此一機會、陳訴特殊困難，報告特殊政績，所以這種會議與一般會議的性質不同，因為這種會議的目的重在「會」，而不在「議」，精神的作用多，實際的結論少，[illegible]式，或為宣傳和號召以工具，台灣省自光復以來，規模比較大的一次會議，是在民國三十八年陳誠氏担任省政府主席任內，當時大陸局勢逆轉，[illegible]倉卒播遷之際，為了安定人心，而召集過一次。出席的不但包括全部縣市參議會的負責人，還包括[illegible]中等以上學校校長都包括在內，這次會議頗為成功，也奠定了台灣安定的基礎。

這次全省行政會議雖不若第一次規模壯大，但省政府對於會議的召集卻已籌備甚久，也已然費著心機。行政會議一直[illegible]完成後才舉行，[illegible]職員六十餘人，其人數幾與各縣市來出席會議的人數相當，足見省政府對於此一會議籌備的週到。

台灣省政府這次召集的行政會議上距陳誠氏集會相隔十年，在此十年的流水時間中，台灣的情形已經大大不同：陳誠氏召集行政會議是在戎馬倉皇之中，人心極為動盪不安，而這次集會在台灣「安定」的環境下，照正常情形說是可以「有為」的。陳氏集會之時台灣尚沒有全面推行地方自治，政府當局對政治都已全部實任，地方自治已經普遍，而推行的結果，好的或壞的影響，可使政治情形的今昔不同。有了這兩種不同的因素，則今日之會與十年前之會應該異其任務了。

基於周至柔主席在台灣省行政會議揭幕典禮上說明此次召集行政會議的意義，似乎包括下列三點：（一）當前省政為了面對每年遞增三十五萬以上人口的壓力，推展各項建設；（二）積極配合國策，充實一切力量，使本省成為強大的反共基地；（三）使省縣市間彼此瞭解，協調，溝通進而合作。基於上列召集會議的理由，周主席對於各縣市行政人員也提出了三點希望：（一）要使每一縣市成為三民主義的模範縣市；（二）任何施政措施要有長期的遠大計劃，決不可限於自己的任期之內；（三）努力開展建設，同心協力，和衷共濟，少為私見爭執，多為公益努力。（三月二十一日聯合報）

周氏更針對著民主政治指出：「目前代表人民監督政府的人是省市縣議會，鄉鎮代表大會，社會與論及清議。而人民應享的權利，為免於恐懼之自由，免於匱乏之自由，得受完美的教育，在穩定的社會環境中，能與別人公平競爭。」這段話確也是民主政治的起碼條件，也是地方自治的精意所在，但在今日台灣，「不虞匱乏」的人固然很多，但是不虞匱乏的人卻不太多，至於民意代表能有多少監督政府的權力，所謂輿論和清議，政府當局受其影響者又有多大力量，這些似乎應該在會中檢討一番。聯合報的社論說得好：「今天實施地方自治，政府是要在人民監督下，履行其對人民應盡的義務。我們深信，惟有政府中人有勇氣扭轉政府對人民權利義務的舊觀念，才能落實。然後政府一切施政，惟有大家認清今天的政治和社會情形不同於往昔，惟有希望省政首長眞有此項認識和號召。

報載，此次行政會議的內容，似乎與往昔不同，最近當局們並不諱言改革，中央在王雲五資季陸兩氏的規劃下力謀改革行政，台灣省政府也指派專人，延聘專家，研究省縣行政改革，這一次會議除了縣市政府的政績報告外，省政府主席將以年來究竟改革的成果，交由大會討論，以打破以往此類會議「會而不議」的形式，據傳此次省政府周主席交議者有九案之多：這九案，都是關係行政改革和地方建設教育等基本問題，如果以五天的時間去研究，且處不敷。好在對改革政治都有了一個基本觀念，祇要大家都有改革的精神，是不難收到成效的。否則如此大規模的會議，就會變為一個形式的表面的，那就不啻是一項浪費了。且看結果如何吧！

從台北輿論看「台省行政會議」

·張健生·

（台北通訊）為時五天的台灣省行政會議，業已結束。據說，會議所討論的「九項中心議題」，是奉命執行總統府行政改革委員會的建議案而召開的。據報載：與會者，大多數是無意見，所以六小時內即完成這些「會」而不「議」的偉大方案。

民間對這次會議，不甚重視，因為「議而不決，決而不行，行而不力」，一向是官場習見的現象。聯合報和公論報的社論，是這一看法的代表者：而「黑白集」以「中興在望」而諷刺之；「據說中興會堂不僅富麗堂皇，美輪美奐，而且裝有冷氣，隔音，以及電氣設置等設備，尤於燈光色調的調和，甚為考究，極具匠心。如此多彩多姿，卻只用去七百餘萬元，便能媲美於『民意之宮』的省議會，使其不再專美於前，深符民主政治的『制衡』原則，唯聞與會的縣市長，在其報告及提案中，力稱經費拮据，一致呼窮，似與會堂的豪華氣派不甚配合。進而有人強調整飭政風，必須打破形式主義，打破本位主義，祛除浮華虛偽，崇尚儉樸節約……如此論調出自如此會堂，更是心重語長，發人深省」。該報又在「檢討台省行政會議的收穫」的社論中，認為改革「政治風氣與行政效率」，必須從祛「私」去「偽」着手，因此「就必須根絕一切的虛偽心理與虛偽表現，讓大家都敢於面對現實，說眞話，都敢於[illegible]非的事，都不作不切實際的永遠是美滿的報告」，但是在『如此政治風氣之下』，誰敢去偽而存誠，誰肯去「自取其辱」，誰肯去「自破飯碗」呢！例如公論報評「論省與縣市機關的權責劃分」文中，指出「劃分自治事項與委辦事項」中的「事後監督」雖有根據，但是「事前監督」於法無據，而且是製造「『事權糾纏不清』，『招致人民不滿』，『仍依舊貫』的現行『地方行政制度』」。這樣的劃分，仍舊「換湯不換藥」，「是不能培育地方自發機能」的」。這是的論，但誰去改革改正呢？此類會議，如果結果仍是在「會」而不在「議」，目的只在宣傳而不在實踐」，則吾欲無言！（三月二十四日于寶島）

台北市「黑色咖啡館」

·神茶·

（台北航訊）此次台北市議會會期質詢警政業務時，曾有議員提出台北市色情泛濫問題，建議市警局加以切實整飭。指摘對象為西門町（台北市最熱鬧所在電影街附近方圓數十畝地帶）咖啡館，該議員慷慨陳詞，指稱此一地區之咖啡館，部份電燈低垂，霓燈隱蔽，「高明」在上，光彩難見，座中男女，乘暗室如晦之便，擁抱接吻，無所顧忌，招致一般鶯燕花草混跡其間，咖啡館主，居中撮合，公開勾搭，「私」出「外」交，「黑」市通行，娼妓營「私」，此道既成公開秘密，若取締為難，不如乾脆許作妓女戶視之，寬令改懸綠燈，以資識別。

警察當局當即表示決予加強注意取締。

台北新聞業報導此一消息，有將該種燈光幽暗之咖啡館，冠上一象徵形容詞，稱之為「黑」色咖啡館，使人顧字思義，會心領悟，名雖不雅，但亦曲盡傳神切景之能事。

據說警局刻亦正視此一現實，正在擬訂取締辦法，將予規定咖啡館燈光強度，以期改善「黑」色環境。某晚報就事論事，提出意見，以為僅令咖啡館改善燈光，並不足以遏制「色情」，促請警局當軍注意燈光以外之「色情」問題。

目前台北市咖啡館，其室內裝飾燈光，「明」「暗」各隨業者自由，並無「法令」加予限制。其深暗到夠資格稱上「黑色」的，約莫有近十家，西門町和太平町皆有這一類型之咖啡館。

究竟台北市有多少家咖啡館，曾被做「淫媒」生意，官方從未指名公佈，新聞報導亦無具體臚列，市面流傳，繪聲繪影，無「知」者僅憑揣測，有「識」者卻如數家珍。惟私娼出沒於咖啡館活動之事實，警方亦宣佈當予注意，但此種流娼，並非假咖啡館之「領域」賣淫，罪證難獲，取締時感棘手。

至於咖啡館違反警例，警方能予制裁可達何種程度，根據以往事實，違警咖啡館，予以嚴重處分者，祇有兩起；一係勸令有限期暫停營業處分，一係吊銷執照，勒令停業處分。

假如咖啡館確有兼營「色媒」勾當，而竟被警查獲有確切罪證，警方將予以如何處分？因無先例依據，遂無從說起，至於那些「有嫌」之咖啡館，今後命運如何？警方怎樣監視取締，以期澈底取締，目前尚未揭曉，只可等待下回分解了。

國際動態拾零

△剛果及非洲熱帶地區，有許多學生，到捷克大學讀書，費用完全由捷克政府供給，只要有搗亂技術，即認為畢業，遣派其回國，從事革命獨立運動，實際上是煽動更多叛亂。

△美參議院預算委員會開會，依專家出席作證意見，謂經費已足以應國防之需，增加軍隊，並不能改善國防。三軍首長同意，只須發展各種火箭，且在各基地上，增設地下放射的火箭即得。參議員辭明頓，在杜魯門總統任內曾任空軍部長，以國防經費預算不夠，攻擊政府。艾森豪將對全國作電視廣播，來說明一切。

△大西洋公約國，以艾森豪對柏林問題，不肯以地面部隊與蘇聯作戰，頗有煩言。但美法不斷減少其在歐洲防衛的兵員，迄無效果。無異使防衛歐洲責任，歸美國單獨負担，殊為美國所不願。

△納塞與伊拉克之加塞對立，一則漸漸反共，一則漸漸親共，美國迄今仍持中立態度。惟如納塞繼續反共，將給以美援，以資鼓勵。

·陶然·

美國外太空發展計劃

·旭軍譯·

現在『太空』（Space），與『外太空』（Outer Space）兩名詞未有明確的界說。科學家和法學家，都沒有找到令到大衆滿意的定義。美國衆院『航空與太空探險委員會』，最近宣佈目前國際極需要把『外太空』是什麼，和在那裏，給與明確的界說，各國才可以訂立協定。

含義混亂的原因，是地球的大氣層沒有明顯的界限。美國國家太空航空總署，也未有將此兩名詞分辨清楚，但長期的計劃，也限於調查月球太陽，與附近行星，以及太陽系以內的東西。目前看來，在日常的習慣，以附近地球大氣層的便用『太空』一詞，涉及其他行星，便用『外太空』一詞。這也是因為人們對太空的知識極有限。

美國在一九五八年，除『國家太空與航空總署』（NASA）以外，更設立『國家航空與太空理事會』（NASC）。由艾森豪威爾總統任主席，其他的成員為國務卿，國防部長，『國太航總署』署長，原子能委員會主席，及由總統指派四位，——一個是政府人員，三個是公民。此理事會為總統的太空事務顧問，及在國防部與『國太航總署』之間，作聯絡功夫。

美國的一九五九年與一九六〇年上半年的太空計劃，包含的範圍頗廣。

先說載人的太空飛行。僅有準備的試驗計劃，是『X十五』實驗飛機。雖然這不是眞正太空旅行工具，但讓人們飛行在一百哩高度，和以每小時三千六百哩的速度前進，獲得若干分鐘的太空飛行經驗，『X十五』是由大氣層航空，到太空旅行的過渡試驗。至多飛行一小時。但企圖研究太空飛行若干基礎問題，想獲得沒有重量時的經驗，與薄空氣中的控制，以及重返那密度較大的大氣層。

美國擬在明年計劃製造廿餘衛星作種新穎的科學試驗。例如製造一個衛星，載着一所謂『原子鐘』，去證實愛因斯坦的相對論的普通原則，此鐘用原子週波推動，其準確程度不超出一千億分之一秒的差誤。於是我們去證實愛因斯坦的理論，『此等鐘在太空，比在地球面上行得較快，因在太空之地心吸力磁場之力已減少。』

太空測探不能以一兩次的測量為準。因為有很多的資料，隨着時間起變化的。我們已知道若干的輻射場在某時間內，其強度和範圍也有變化。所以一次的測量是不夠的。

美國打算在今年夏天，放射一個直徑一百呎塑膠的圓球，到八百哩的高度，繞地球而行，用來試驗是否可藉着極短的無線電波，作全球的電訊交通。假如成功，此後的試驗，便可奠下播放電視到全球的基礎，因可用此反射作用的衛星作接替點。

美國現已有一項載人地球衛星的計劃，名為『水星計劃』。將人送入繞地球軌道，而讓他回返地球。然而還不會在一九五九年實現。

美政府已和麥當納爾飛機製造公司，訂合同，製造供此種試驗的透明膠套器。此套可保護人免受猛烈加速度所損害，及在返回大氣層時的高熱度所灼傷。

現已選擇了一百一十人作此試驗。他們都是從軍事飛行訓練學校畢業的，體格至佳，而且有工程和機械工程的學位。預計先選擇一人供第一個『水星計劃』的飛行膠套。

先用無人乘坐的膠套，從空中的飛機及氣球放射。所用的火箭是『紅寶石』式，其後用『擎天神』式。後來方用載有猿猴的膠套，此種試驗證明放射及回返可靠的，第一個太空人便可進入繞地球的軌道。經過放射後數分鐘，當火箭的速度達到每小時一萬八千哩時，此膠囊便脫離火箭進入軌道，離地球的高度，總在一百五十哩，環繞地球數周時，有小的噴射器，去推進。在裏面的人，可以從一小窗看到外太空。經過數小時後，作反向回返地球的工作了。反向噴射器的作用將使膠囊速度減低，從而高度亦減低，於是經過較密的空氣，亦令其減速度。不到十五分鐘其速度大約每小時只五百哩，此時用彼來製成的外蓋，將吸收空氣層與空氣相磨擦所生的熱。最後由一降落傘，使此膠囊和裏面的人安然降到地球上了。

美國外太空研究計劃，第一年預算計劃用費三億零一百萬元，第一九六〇年度，幾達五億元。但美國人可預期此種長遠的計劃，例如氣候的預測，成少數的實用，與改進交通所獲之利益，已遠超過付出的用費。（節譯自二月廿八日「週末晚報」）

蘇駐穗領館撤銷

三月二十六日香港大公報稱：蘇聯國[illegible]會在廣州開幕，參加者除中共廣東省的領導人以外，尚有蘇聯駐上海總領事雙考目克、波蘭駐廣州領事高里沙維克及捷克駐廣州領事茨基、北越駐廣州代表等。按蘇聯駐中共之領事館者，原有哈爾濱、旅大、烏魯木齊、上海與廣州等五處，派駐廣州之領事爲鄂洛夫，此事還記載于一九五八年七月出版之「世界知識」中。但從上述消息看來，蘇聯駐廣州之領事館似已被撤銷。蘇聯駐廣州領事館原爲蘇聯向東南亞發展之基地，按蘇駐中共的商務代表處廣州分處，對外文化協會廣州分會，而今居然撤銷了，這恐怕出於自動的，可能極小，但我並不以爲這是最近才撤銷的，而認爲它早在去年九月間莫斯科北京關係最緊張時撤銷的。雖然如此，尚有加以研究報導的必要。

關係已較好轉

中共蘇聯目前的關係已有好轉，可自下述事實說明之：

一、一九五八年十一月，蘇聯在駐中共大使館中設立科學參贊，以助中共的科學發展，現任參贊爲托特馬科夫。

二、布拉格出版的「和平和社會主義問題」本年第三期（此雜誌爲蘇聯及東歐共黨合辦的理論雜誌，是爲目前共產國際的唯一公開刊物），把中共六中全會「關於人民公社若干問題的決議」與蘇共第二十一次代表大會赫魯曉夫報告的決議一同編入此一刊物，此事實反映蘇聯對於中共的人民公社不像以前一般的堅決反對，已允其有在共產國際中傳播的機會。

三、一九五八年二月二十六日，中共蘇聯簽訂一九五九年貨物交換協定書的同時，並對一九五九年第四季度相互補充供應貨物簽訂協議，這一協議的追加貿易額計有六億多盧布。按去年第四季度，中共的物資供應異常緊張，當其時蘇聯不得不協議先行簽促的增加其貿易額，對中共來說等于雪中送炭。

四、蘇聯與東歐國家組成的八國經濟互助委員會最近決定擴展與遠東的航運和與中共的貿易，此事實又說明蘇聯在謀解決中共對外輸出的困難。

慎防狼狽爲奸

但從蘇共第二十一次代表大會上所反映的看，則與中共間確有許多歧見存在，如人民公社的理論，對外政策的強硬與否等。但從上述的事實來看，其表面惡化程度已經在逐漸消除中。可能是把這些歧見所在的問題作爲內政而不互相干涉，全力以對外。若果如此，則必須要當心它們在狼狽爲奸之下互相策應了。　田心

中山大學學生張貼反共的大字報

學生多人正遭被捕下落不明

（大陸社訊）據最近由廣州逃抵香港的廣東中山大學學生透露：

三月十二日早晨，在廣州中山大學的「民主牆」上，出現一張內容反共的大字報。這張大字報說：「一種學說當它一經提出就必須修正，或者根本錯誤時，它就必然過時，才不致貽誤人類，然而黨對『修正主義』，却採取最危險的態度，並且把它當作最可怕的敵人。我們不明白，黨爲什麼要這樣頑固地堅持着自己的錯誤而死不修正……。」

這張「大字報」出現以後，學生們擁擠在「大字報」前，議論紛紛。該校黨委得悉這種情況以後，立即下令把這張「大字報」揭去。但一波未平，一波又起。三月十四日早晨，學校每一幢宿舍的門口，都張貼着許多南斯拉夫總統鐵托訪問亞非時所作的關於蘇聯是新帝國主義的言論，特別值得注意的是，這些「言論」，均係油印品。

據說，廣州中山大學自發生這兩次事件以後，該校黨委非常緊張，並肯定：在中山大學裏面，必然存在有潛伏的「反革命」和「特務」分子。最近學生被捕的很多，已知的有：陳子雲（中文系三年級，共青團員）；左建明（中文系四年級）；路匡（歷史系二年級）；黃錫（歷史系三年級）；歐陽漢（歷史系三年級）；據逃抵香港的學生稱：這些被捕的學生，目前均下落不明，生死未卜。全校都充滿了恐怖氣氛。

中共決以人民公社消滅全國少數民族

三月十三日北京光明日報報導稱：「在人民公社成立後，狹隘的地域觀念和民族觀念逐步得到改變。加強了整體利益思想的教育，使少數民族習慣集體主義生活。例如內蒙古半農半牧區各民族聯合的人民公社裏，過去存在一些妨碍生產、勞動的風俗習慣，也改了很多。許多牧民的頭髮去掉了。有些回民也不再送小孩當喇嘛了。在回民的生產隊裏，對養猪也不加干涉。」

人民公社在少數民族地區的成立，中共已承認是消滅少數民族的一種手段。

中共正企圖通過人民公社的強制性，來使少數民族放棄原有的風俗習慣，從而從俗消滅之。於此可見此次西藏之反共運動，實係在此種高壓政策下逼迫引發的。

大陸文壇透視

郭沫若要和茅盾算舊帳

七紀

郭沫若和田漢從日本留學回來，組織創造社的時候，自命不凡地想壟斷新文壇，一面拿出法國哲學家V. Cousin在巴黎大學講學稿中的用語：「爲藝術而藝術」（L'Art for Arts Sake）作爲招牌，一面推出他的「牧羊哀話」和田漢的「三葉集」，以及郁達夫的「沉淪」，張資平的「沖積期化石」，企圖一舉打倒早成立半年的文學研究會。誰知竟遇到了沈雁冰這樣一個勁敵，給他當頭一喝，把他們這些浪漫大師的「爲藝術而藝術」的過時的理論攻擊得體無完膚。竟爲北大預科畢業生的沈雁冰所擊倒，實在令郭沫若耿耿於懷，二十餘年來未得甘心。北伐時，郭沫若是總政治部副主任，沈雁冰只是他部下的一個小職員，後來在武漢一度主編中央日報副刊，同人並未真接觸過。之後，茅盾寫出了「蝕」，在文壇上的聲譽已遠在郭沫若之上。到了中共搞政權，把茅盾擺在第二牌人物，郭沫若恨在心裏，却無計可施。抗戰發生，郭沫若又榮任總政部第三廳長，收容大批左翼文人，而獨不納茅盾。更想不到中共二次利用茅盾，蘇聯訪問，歡迎他到延安，又送至「解放」時，老郭又是乾瞪眼。郭沫若總算高出茅盾一頭，地位在茅之上，但茅的勢力亦並不弱，中共對茅亦頗看重。去年，毛澤東提出了「革命現實主義與革命浪漫主義相結合」的新口號之後，郭沫若始認爲有機可乘，試着要和茅盾算算二十年前的一筆舊帳。何以知之？有郭沫若自己的話爲證：「我個人特別感着心情舒暢的，是毛澤東同志詩詞的發表使浪漫主義精神高度地鼓舞了起來，浪漫主義恢復了名譽。比如我自己，在目前就敢於坦白地承認：我是一個浪漫主義者了。這是三十多年從事文藝工作以來所沒有的心情。當然，我依然不承認我是『爲藝術而藝術』，也有自行標榜現實主義的那樣的朋友從前確實說過這樣的話，但那樣的話就是不現實的。我在這裏這樣說，並不是要算舊帳，我們如果重新編寫『五四』以來的中國文藝發展史，我認爲我們應該採取科學的方法來正視現實，像胡風、馮雪峯等人所擺下的一手遮天的迷魂陣，是應該徹底粉碎的了。」（見「紅旗」第三期郭著「浪漫主義和現實主義」一文）雖未指名，但誰也看出是指的茅盾而言，甚至想把茅盾拖入胡風、馮雪峯一流，如此悻悻然的態度，直想咬人，如說：「你再來，敢嗎？」無怪茅盾要退避三舍了。

從明仁太子結婚看日本

左舜生

對日抗戰一經勝利，甚至就在重慶都郵街，晚上舉行遊行慶祝的時候，我自己的一個對日方針便已確定：即儘可能的給日本以寬大待遇，維護其皇室以作爲日本人精神團結的象徵，並期待其復興工作的順利進展。後來政府所採的方針，居然與我所見到的不約而同，這眞使我喜出望外。這並不如我的朋友何方先生最近所謂的「自作多情」，實在爲中國的前途打算，爲整個亞洲打算，乃至爲日本自身打算，都不能不有這樣一個態度。

戰後我去過日本兩次，（一九五三，一九五六）其目的即在觀察日本一般的情況，看它是不是與我所抱持的這一方針，發生了何種矛盾。不幸我這兩次去日本的時候，便遇著若干的朋友對我大潑其冷水，他們總以爲日本的赤化就在眼前，多數智識分子與青年的左傾，已到了不可收拾的程度，甚至有人說，您明天一早起來，便可看到東京一切公共建築的屋頂已遍懸紅旗也不一定！但經過我一番仔細的體驗，我對這般朋友的看法，終於無法苟同，而且我進一步還承認日本畢竟會成爲亞洲一個堅強的反共堡壘，還有我下面所舉的幾點事實爲證：

一、我深深的覺得多數的日本人，依然保持了他們優良的傳統，即一面認眞的進取，一面也認眞的保守，而在進取與保守之間，又能做到那樣的協調。換言之，即他們對於自己那一套固有的生活方式，依然懂得十分的珍愛，斷不會輕於放棄。

二、自從一九四七年五月日本這部現行的民主憲法施行以來，在大體上，他們確能全國一致的遵守，一切謹慎從事，未敢逾越範圍，決不像咱們中華民國那樣的掛羊頭賣『狗』肉。

三、日本的皇室，也確能在憲法範圍以內善於自處，其姿態確已做到如康有爲在清末之際所倡導的那種所謂『虛君共和』。

四、我眼見不少從外地到東京觀光的農民和小商人等等，他們對皇室的向心力依然很強，我理想上要維護日本皇室作爲多數的日本人精神團結的象徵這一點，他們確能不負我的期待。

五、戰後第二次我去日本，看見日本工商界的領導人物不少，他們那種沈着的態度與豐富的常識，確實令我認識；日本這十年來的復興工作，其成績能有這樣的優良，大致以這一般人的盡力爲多；尤其一般日本人生活的漸趨安定與富裕，當然與他們工商業的繁榮有着直接的關係。

六、他們近年對中國大陸的情況，已特別加以注意，毛澤東等的胡鬧，也確能促成他們的反共決心。至於他們一部分人希望和大陸做生意，這也如澳門的何某和香港的高某之類差不多，何足以摇撼日本的根本？社會黨要去大陸勾搭，這不過是他們取政權的方法之一，何況本不必予以重視：假定社會黨眞有登台的一天，他們便立即要發生分裂，那時候在他們中間一定是共與反共的分野，一定是非明朗化不可的。

最後說到明仁和正田美智子的婚姻，這在某一意義上，原不過一[illegible]（轉載聯合評論第三十二期）

瘟君夢

第二回：密室定奇謀　蒼生塗炭　巴山留遺恨　弱絮隨風

譚李一進來，毛澤東也很詫異，只是瞪着大眼看他倆。未等李富春開口，譚震林搶着說道：「今天這件事，我們上了少奇同志的當了，他打電話通知說是主席召開政治局會議，我慌忙趕到，看見大家都到了，還以爲眞的召開政治局會議呢？剛才散會後，恩來同志把內幕告訴我，我一想不對，這不是變成了我們聯合起來和主席過不去嗎？所以我就找到富春同志，把經過情形告訴他，他也很着急，拉着我一道回來。」

李富春接着說道：「剛才震林同志把情形告訴我之後，我越想越不對路，馬上拉着他一道來見主席，表明我們的態度，我們湖南人再反了，那還成話嗎？」

毛澤東得意地笑了，用手搔搔頭，回頭看看林伯渠，心裏想說還是你的計謀多，果然估中了。

林伯渠摸摸三綹長鬚，緩緩說道：「主席正要派人去找你們，不料你們來到了，現在就是要召集我們湖南人開會，相議鬥爭策略，不過，今天重要問題還在經濟，其他的人只能搖旗吶喊，眞正能擬出計劃的，也就我們三四個人，希望你們用心多想一下，馬上開會時可以提出一個計劃。」

正說着賀龍拉着彭德懷一路嚷着走進來，一看見毛澤東當時縮回去兩步，看到毛澤東今天脾氣又變好了，看着的神氣，笑着問道：「有什麼事這樣開心，說出來也讓大家笑笑。」

賀龍笑道：「聽說主席找我，有彭總，繞到他家裏，想同他一道來，那知道……」

剛說到這裏，彭德懷連連使眼色，禁止他說，賀龍搖頭笑道：「我一定要說，不坦白，還成嗎？」

毛澤東聽得好不開心，過去拍拍他的肩膀，讚道：「雲卿同志，你的話一點不錯，只管說。」

賀龍笑道：「我到他家，警衛員同志，彭總不在家，他們非常神秘，又說彭總不能見客，又說我是客，不用他們傳，只往裏闖，彭總正立正敬禮，對着馬列[illegible]」

聽到這裏，大家都引起興趣：「什麼事這麼隆重，是不是又要去打美帝了。」

賀龍搖搖頭：「比那個滋味[illegible]來在外面走私，被安修同志知道了，尋死覓活，又要用繩子勒死幾[illegible]總設關得神思恍惚，沒有辦法，只好[illegible]白書，交給安修同志，剛才開[illegible]去，又舉行一個宣誓的儀式，若[illegible]，聽說要罰一夜立正呢？」（廿三）

岳騫

釋未集

天堂

這也許是一種非常可笑的爭論，但不能說是毫無意義的爭論。

一月廿六日，在星島晚報上，曾刊佈過如下的一則倫敦通訊：「倫敦電：坎特布留大主教談話稱：史太林是粗暴而嚴峻的人物，因爲他要幹污穢的工作，所以要這樣，但上帝的眼是大眼，看到一切好與醜，知道一切即可以寬恕一切，所以我以爲，由天堂的觀點去看，史太林是安全的。」

這些話使我們想起了梁山泊上的花和尚，他爲打死鄭屠，由趙員外薦度在五台山爲僧，初上山時，他不肯參禪，每天晚上，別的僧人在做功課，他卻放倒頭便睡，又在佛殿旁邊撒屎拉矢，終於鬧到偷出山門，到鎮上喝酒，吃狗肉，醉了跑回寺裏打人，先前便有些僧衆不滿他的行徑，要長老驅逐他，但那位長老反而說他根基深厚，眼前入了魔障，久後必成證果。假如我們不存什麼偏見，很可能懷疑那長老爲收了趙員外的幾担禮物，因此一味護短，但花和尚後來是否得了證果，其情形也正如史太林的是否安全一樣，要辨論起來，其實都是相當可笑的。

在這一則電訊刊出不久之前，米高揚訪問美國，伸出血腥的魔掌同白宮的要人們握手言歡，在發表談話時曾多次提到他並未讀馬克斯著作之前，早就不信有上帝存在了。查宗教情緒，和上帝存在的觀念，並不限于一般教徒，佛經上說：「放下屠刀，立地成佛」，儒家的孟子也說：「雖有惡人，齊戒沐浴，則可以祀上帝。」可見大多數人均相信有上帝，並且均以爲上帝爲無比的寬大，但寬大並非等于糊塗，如這一位前進的主教所說：「知道一切即可以寬恕一切」。如果上帝只是如此糊塗的濫好人，那末上帝的有無，就眞正是無關宏旨了。

我本身不是教徒，也不知道英國的主教對新約聖經所取的態度如何？卻記得希伯來書第十一章，第六節有過這樣的說話：「人非有信，就不能得上帝的喜悅，因爲到上帝面前來的人，必須信有上帝，且信他賞賜那尋求他的人。」又路加福音第二十二章第八節也說：「我又告訴你們，凡在人面前認我的，人子在上帝的使者面前也必認他，在人面前不認我的，人子在上帝的使者面前也不認他。」這些話譯得相當曲折，其實很簡單，就是說，要到天堂，惟一的條件是信有上帝，並且須信仰上帝，否則就連耶穌這一關先通不過，那裏去見上帝呢？

共產黨人自詡爲絕對的無神論者，卻偏有上帝的信徒爲他們的死後担憂，委曲揑造說史太林安全住在天堂之上，我國的荀卿，批評田駢慎到之倫，飾邪說以文奸言，爲王道的罪人，我們對于像這樣糊塗的主教，也不免覺得他實在是耶穌的罪人。但凡已受洗的信徒，都是以容忍爲美德的，於是凡關教宗的言論，他們都會覺得那是不容懷疑的，因而使我覺得聖經中許多反抗暴力的故事，都不免是過于誇張的。

由齋

從文學立場談「齊瓦哥醫生」

·丁榮·

「齊瓦哥醫生」是一九五八年世界文壇最爲轟動的一部小說，尤其作者巴斯特那克遭受蘇俄政府的迫害，這部小說無異更有其偉大意義。這部書的要旨是知識份子在極權政治下的悲劇命運，反射了政治制度的病症；雖然人性在與物性的鬥爭中敗北，人性的光輝到底是照耀了人類的心靈。「明知其不可爲而爲之」的知識份子的精神，不僅是中國儒家的傳統精神，巴斯特那克簡直是提着頭和「齊瓦哥醫生」小說迎向極權政權了。値得讚識的是，巴斯特那克無異是人類的勇士，巴斯特那克是文學家而不是政治學家，所以在他的這部小說中，並非採取政治學家直接地批判極權政治的方法，如果把這部書認定有太濃厚的政治意味，當非巴斯特那克的本意；我們必須從文學立場來看，他是對於極權政制某一段歷史，以歷史見證人的資格，以齊瓦哥這樣一個沒有政治意圖的人，經歷的悲劇提出人類之靈的控訴；他僅是對於政治的哲學的觀念如「馬克思主義」「科學的社會主義」所構成的政治制度，加以批判，正如拉賓（Suzanne Labin）女士說：「宣佛並不以對於個人的瘋狂攻擊代替對於一個政權的嚴正指責爲足。」嚴格地說，一個作家並不研究政治技術，卻重視其制度及觀念，甚至在制度中生活的人的生命。這是我們閱讀「齊瓦哥醫生」値得重視的一個關鍵之所在。

這部小說所寫的時間包括自一九〇三年到一九二九年的二十六年俄國歷史，空間包括烏拉爾山區、莫斯科等地，都是巴斯特那克親身經歷過的，他所熟悉的。而這二十六年的蘇俄經歷了三次革命與一次大戰和一次內戰，社會政治劇烈變動的一個凸出的時代。以此構成這部小說的背景。

在這二十六年歷史的實際狀況中，作者盡了一個作家的職能，他以精密細緻的手法描寫每一件小事，而對於每一件大事卻不甚注意，只以明快的手法與簡約的文字作交代性的敍述而已。後者乃是歷史學家的重視之點，二三十萬字五百頁的小說一幅，用之於寫二十六年的歷史也不夠，在這裏作者替我們劃出歷史與小說的分際，以具體的小說表明歷史學家和文學家的職能之殊異所在。以歷史事件之記錄塡充長篇小說的篇幅者，允宜注意及之。

作者在二十六年的歷史舞台上，敍述四五個家族的悲劇命運，卻以齊瓦哥醫生和拉娜小姐作爲串結的主綫，每一個情節都有細緻的描寫，從自然環境，社會環境，每一條街，甚至一層房屋，一個院落，一個人的面貌、衣着、觀念、思想、情緒、動作，一幕幕地在讀者心目中勾畫出來，亦如置身劇場。

在歷史舞台上，作者描寫了「巴地山」暴動，十月革命後的社會不安，森林弟兄會與白軍的鬥爭，東戰場前綫的戰爭等大事件的構成小說經緯；在歷史舞台而的經緯中，作者描繪了人物們的生活與生命：齊瓦哥醫生自己，及其父親、妻女的不幸，妻子多尼亞及岳丈被蘇俄政府放逐到國外去，途中與情人拉娜（Larisa Antipova）相遇，她原爲律師柯馬羅夫斯基所姦污而強佔，柯馬羅夫斯基曾騙過齊瓦哥父親的金錢，被迫跳火車自殺；後來又騙了拉娜母親的愛情，脅制拉娜，一九二二年從齊瓦哥情人的拉娜騙到「遠東共和國」去。拉娜走後，其夫巴提波夫（Ertipova）曾以戰地司令於勝利後被鑑肅，亡命到瓦里幾諾找他的妻子，卻遇到齊瓦哥，大長自殺。其結構是爲首寫出的人物，在中間或結尾，每一人都有一個交代。尤其開頭是齊瓦哥之母的葬儀，這位少年捧面痛哭，悽然可哀；拉娜被柯馬羅夫斯基騙上馬車走後，他留在寂寞和恐怖的荒園，從廊上遙望馬車行過的道路，之後返莫斯科，妻離子散，讀多尼亞的生離死別的長信；及至齊瓦哥死時，拉娜脫出「遠東共和國」，逃至莫斯科，正可看到他的棺材，追悼的哀詞，無處不是搖撼讀者心弦的悽涼況味。

作者曾受象徵主義的影響，在這部小說中有浪漫的色調，象徵手法，但也有蘇俄「新現實主義」那種圓解性自然主義的特色，雖然結構緊密，惟過份細緻的描寫，也不無使讀者有繁瑣之感。由於作者曾是名詩人，其辭句有生命的安放在適當的位置，不期而然符合自然的韻律；巴斯特那克是用他的生命、思想、情感、崇高的人性，藉着手的傳寫，充盈了這部小說，自非用死的文字塡充的作品所可同日而語。

（四十八年二月十六日午於台北）

談伊索寓言

·陳永昌·

伊索（AESOP），希臘人，初在雅典爲奴，後被釋，遣往台爾弗，爲台爾弗人所殺，嘗作物語寓言，惟今日所傳者，大半爲後人所依託，非其原本也。伊索生於紀元前六一九年，歿於紀元前五六四年，享壽只五十五歲。所謂寓言，據「史記」：「莊周著書十餘萬言，大抵率寓言也，」按莊子書有「寓言篇」。

伊索寓言，雖顯淺幼稚，但其中所含哲理，實足吾人深省，姑不論是否全部爲伊索本人所作，距今二千五百多年前，希臘竟有如此聰明人，能不令人有今不如古之嘆息嗎？茲謹錄出家喻戶曉之伊索寓言數則，使各位住在此豺狼當道的世代，得以反省一下自己，觀察一下他人，把這些寓言，當作一面鏡子，照照自己，照照別人，照照這個大千世界，固無不可也，爰錄數則，以饗讀者。

「犬得肉，經溪橋之上，見影水中，以爲他犬也，水紋蕩漾，見其肉大逾己肉，乃自棄其肉，搏覷水中之影，將奪之，遂失其肉。」——貪心之害也。

「二人同行，遇熊於道，其一攀樹而登，竄匿以避熊，其一殆逼，仆於地，屛氣如尸，熊嗅其身，熊忌死人，久乃去，攀樹者下，笑語之曰，熊附君耳何語，對曰，熊戒我，勿與畏死者爲友，遇難不相扶攜，而先其身。」——患難知交情也。

「狼語羊曰，吾與爾何仇，動無消釋之日，且狗屢衞汝，吾甫即爾，而狗已嚎，爾若去衞遣狗，則吾亦善爾矣，羊悅，聽狼而謝狗，狗去，狼食羊。」——妄信小人之語也。

「猿跳舞於百獸之中，衆悅其能，立爲王，狐潛嫉之，寶肉獸陷，引猿蹈其機，語猿曰，吾覓得穴，實物滿中，留俟大王，苟得之，可儲爲國用，猿悅蹈機，見陷，大詈狐，狐曰，爾蠢蠢如此，乃欲王百獸。」——位高勢危也。

這些寓言，雖屬淺而易解，然針針見血，寫盡衆生相，想不到二千五百多年前的人類社會，已是弱肉強食，貪心詭詐。如今教育發達的文明世代，這些人類弱點，非但沒有改變，反之更花樣百出，能不令人勞嘆三聲嗎？

出殯

中華民族一定是個快樂的民族，如果一個外國人在街上看到出殯的行列，他一定會這樣想。

這個我自己也頗驚奇的：送殯的行列長長的，那些死者的兄弟夫婦子女等等在靈柩車後披麻帶孝、塊苫昏[illegible]似乎還和行列應有的悲哀情調很調和；於是，再下來便是些朋友同事之類了，大都默然向死者表示哀悼，但也有一路上高談闊論的，他們不在送殯，而是在逛街。

最令人驚奇的是領前的兩三隊樂隊，吹奏的樂章與旋律，在沒有覺清楚行列是甚麼性質的外國人聽來，一定會誤解作進行曲之類，很難在其中意味出一點悲傷痛惜。而且他們由於職業的關係，臉上毫無一點哀痛的表情。再綜湊路旁觀衆們那些看遊行表演般的表情會使那些不懂中國習慣的外國人看來，出殯是很快樂的，想道中國是很快樂的國家。

雖然習慣是習慣，似乎沒有甚麼値得美贊的地方；但我以爲習慣與國民教育水準很有相關之處。豈不是嗎？

○木人○

現代中國知識份子的悲哀

——青年節給知識青年的信

我們的國家和社會的病態，每一個開明的中國知識份子都能清楚地看到，卻很少人敢於把它指出來。就以我們的行政效率來說吧。我們的政府行政機關都堆滿冗員，如果裁減一半的人，不但可以減輕國家的經濟負担，而且更可以提高行政的效率。然而，我們的行政機構一半是行政機構，而一些卻是救濟所啊！

我們的社會所穩藏着的病態，只此一例，不是已經很夠了嗎？這是國家的病態，也是中國智識份子的悲哀。

在我們的國家中，做一個知識份子是很痛苦的，因爲沒有出路。每年都有一大批大學生畢業，也就是每年就有了一大批有爲的青年要失業。雖然我們的國家是一個世界著名的文盲國，自然大學生更是鳳毛麟角的了。照理物以罕爲貴的原則，然而事實上卻並不如此。一個人才，就算他是一個科學家吧，我們的國家能夠給他們些什麼工作呢？

我們沒有一間像樣的研究機構！我們沒有一間像樣的工廠！我們的人才在別人的國家里吐氣揚眉，回到祖國來卻變成了無用的廢物！這可不是一個悲哀？

其次就是說到我們知識份子本身。我們知識份子本身就是一個悲哀。因爲我們的知識份子是一個現代的人，但有不少是缺乏現代思想的人。我們的知識份子，在情感上是紳士的情感，享樂的情感。而思想與意識卻是封建的士大夫的思想與意識。就以我們的中國學生來說吧，他們在中學畢業後找工作，在思想與意識上就恥於做一個工人，而要求什麼什麼「高尚」的工作。可是如果他們一旦到外國去。在外國，他們就什麼都肯幹，什麼都願意幹。不論是擦鞋也好，洗碗也好，他們都肯幹，他們都願意幹。然而當他們一旦回到祖國時，他們底封建的士大夫思想與意識又再度抬頭，而擺出一副高貴的紳士面孔來了。我們的中等教育不是給別人培養人才，就是教育一大批大事不能幹，小事不願意幹的廢物！

當茲青年節，我們說些眞話，老實話，我們認爲是應該的。

（四八年三月廿三日於師大）

。野火。

小啓：風雨樓繪畫漫談續稿未到暫停一期。

六朝諸王書法

。王世昭。

王氏善書自二王父子始，繼及王珣王珉諸昆季。羲之之在當時，以章草著，獻之以小眞著，珣珉以行書著，各人皆擅一體，非必全能也。然欲創造，又非諸體兼善不爲功。故傳世之作，或眞，或草，或隸，或行，因小及大，又復以大見小，無不視爲拱璧。第以年代久遠，眞跡難遇，所以重之耳。

六朝王氏，多能書者，如王微，工行草，王僧虔工飛白及眞草，僧虔子慈，志，彬及姪儉，孫筠，皆學僧虔書。志尤善藁隸，彬善篆隸。又王僧孺，王融亦能書，孺嘗書以奉母，融嘗作六十體書，韋仲定增爲九十一種，謝善勛補其九法，合爲百體書，故書法百體之名不自今始。

書林紀事云：

「王微工書，尤善行草。嘗獨處一室，尋書玩古，遂足不履地。」

又云：

「王僧虔善書，初宋文帝見其書素扇，歎曰：『非唯迹逾子敬，方當器雅過之。』」

又云：

「王慈，僧虔之子，少與從弟儉共學書。謝鳳子詣慈，慈正學書，未即放筆。超宗曰：『卿書何如虔公？』慈曰：『慈書比大人，如鷄之比鳳』。超宗狼狽而退。」

又云：

「王志，僧虔子，善藁隸，當時以爲楷法。王彬，志弟也，習篆隸與志齊名。時人爲之語曰：『三眞六草，爲天下寶』。」（上）

自由人
THE FREEMAN
（第八四三期）
中華民國僑務委員會登記證
每份港幣壹毫
督印人：陳文
地址：香港告士打道二十號四樓
20 CAUSEWAY RD. 3RD. FL. HONG KONG
TEL. 771726
台郵撥儲金戶九二五二
海外總經銷：友聯書報發行公司
香港：彌敦道中二十六號A二樓

報刊進口與外匯
兼論其他經濟問題

陳式銳

「自由人」編者上月（二月廿一日）來信，談及「台灣外匯，似始終未得合理之處置，其病端果何在耶？因外匯改變，報費不得不增加，本刊在台銷路亦受影響，其他影響更可想而知矣」，余爲此事有意爲文論之。當時以另有問題在研究中，未得執筆，一擱就是一月。去年外匯貿易辦法兩度改變後，中外文來台報刊，一律漲價，銷量一致降低；余個人對外來報紙雜誌亦予削減，以輕負担。這一情況，關係「有效需求」問題，並不是對某一報刊缺乏或減低「需求」；其中且顯示當前外匯尚有問題，且不簡單，玆略論之。

精神食糧與外匯

查去年四月外匯貿易新方案實施之前，一般匯出的匯率一美元折合新台幣二四．七八元，僑報刊結匯率是一八．七八元，差額是六元；但比之一般進口商的匯率三二．二八元，則距差達一三．五〇元。此蓋以精神食糧，現代人公認其與物質食糧有同等底重要；當局亦體認此一觀點，乃予優惠，屬於政策性底措施。海外報刊，亦在此一「優惠」之下，維持其供應自由中國的精神需要，而台灣的外匯，在管制之下，官價匯率向來偏低（即高估新台幣的對外幣值）；且在發行不斷增加之下，其幣值繼續貶落，歷次的改變，與其謂爲改善，毋寧說是作貶值後匯率的調整，並不改變其偏低的趨勢。去年十一月的實施「單一匯率」，把甲種匯率取銷，其中有關物質食糧的優惠一律廢止，遑論精神食糧！外匯屬於金融範圍，而台灣的金融，殊非三言兩語所能盡。

貨幣爲交易的媒介，它且爲價值的標準，因亦爲「貯藏」價值的工具。在採用金屬貨幣時，因金屬自身有價值，尚無複雜底問題；到了以紙幣爲法幣的今日，問題就不簡單了。台灣由於種種原因，新台幣發行不斷增加，其他情形不作相應的變動，幣值自然趨向貶落；在這一場合之下，物價也自然上升，蓋其所「貯藏」的價值下降，其媒介的地位亦相應降低了。自對外匯兌觀之，新台幣對美元的比值，以官價言，不得不自五元而相繼提高至今日的三六．三八元；以黑市言，它且上升至五十元，可爲明證。而單一匯率三六．三八元，爲官價；它與黑市五十元比較，尚差近十四元。

放棄政策性的考慮

所謂外匯，係國與國間個人或機構彼此處理債務之手續或工具，亦即要求外國貨幣償付之權利。某甲對在外國底某乙負有債務，他就購買外匯以解除其債務；乙則以此匯票轉賣或在銀行支取本國貨幣。而各國匯票之買賣，同時依供求律構成了市場價格。戰後管制國家，有採行複式匯率者，基於政策的決定，或採高匯率，如爲鼓勵出口，給予較高比率之本國貨幣；或採低匯率，如爲維持某些進口品價格的穩定，收取較低比率之本國貨幣。台灣過去所採行的複式匯率，以匯率偏低之故，本質上屬於低匯率，無疑底是對出口不利，對進口且發生不少弊端；去年兩度改變，所懸目標，乃是針對於此。到了單一匯率階段，就放棄政策性底考慮，因此機器、原料、民生必需品的進口匯率提高，就影響到物價水準；對出口，匯率雖提高，但外銷品成本不無或多或少地上升，益以通貨膨脹而貶值，仍然離不開低匯率，出口是否得到好處，可想而知。對出口，雖爲低匯率，但卻是提高了底低匯率；在國民所得不同比例而提高之下，消費者當益荷負增加困難；在購買力限制之下，對消費品雖有需求，而這一需求是無效底。

知識界所受的影響

今日台灣市場的滯銷，外來報刊所受的影響，乃由其而形成。

低所得底消費者，其支出的考慮，第一是食，其次是衣，第三是住；有餘，才能顧到精神生活。恩格爾定律有言，收入越少底家庭，它所支付於飲食者越多；恩格爾氏由統計獲得結論，此類低所得者支付八〇％於「合理底」物質生活，其餘二〇％支付於「較高底」文化需要。但我還當指出：智識界的人士，一般是比較高所得者，他們所享受底精神生活，向來也較高；但是今日大學教授及中上級公務員所得不過新台幣一千餘元，他們負担一家衣食，已透不過氣來，那裏有二〇％支應文化需要？在此情況之下，文化項下支出於報刊者。原已懸於邊緣，其價格一旦提高，這一支出就由邊緣滑下去了。

明乎如上所述，「自由人」及其他由外地輸入的報刊，以其讀者多屬智識界，尤其是公教人員，看台灣物價的曲線，再想到他們多年不動的收入，它們所受到底影響不是可以得到解答嗎？但智識界以及一般人的精神食糧可以減少嗎？這一點，不能不涉到政策問題了。其次，在現行匯率之下，華僑銀行的海外股本不願匯入；因匯入一美元實得三六．〇八元，海外股東核算較黑市五十元將損失近十四元，再視國內股本就地繳交新台幣自是不平。而海外股本不匯入，數年來朝野所努力於增加此一金融新力量，不就功虧一簣嗎？見乎此，可知又是政策問題了。今年國際糖價下跌，台米輸日恐不易增加，外匯收入將大受影響，當局正多方設法以增加出口，但現行匯率（結匯證價又受限制）究竟能否達到鼓勵外銷的目的，前面已加以指出，自然又離不開外匯政策問題了。

經濟改革要全面着眼

總之，當局以增加發行而致通貨膨脹，它一方面引起金融外匯問題，另一方面又降低人民的購買力，破壞了整個經濟結構；就外匯一端，不就難窺見一般報刊減銷不過其中之一而已，而匯款的匯入，且影響到華僑銀行的設立，對外貿易亦不能例外。政治經濟，意即經管一國財富，它徵批紀以來討論生產、貿易、財政、無不涉及政府的財政、金融、及貿易政策；我們的政治，基於「管理衆人之事」的解釋，對於衆人生活所關切底問題自不致置之於度外。當局年來對經濟的改革，我不懷疑其誠意與決心，我以爲措施應全面着眼，而下手尤須針對癥結的所在，我們的「單一匯率」，我一向視其不足以解決外匯貿易問題，今之所言，聊充註解，亦以見當局以此而放棄政策性的考慮，終仍礙着不易解決底問題。就所提申論如此，未知高明之士以爲然乎？

（三月廿三日）

四週述評

中共最丟臉的事

無論中共的報紙說，「平定西藏叛亂」也罷，「對平西藏叛亂」也罷，總而言之，這回西藏事件，要算是中共最丟臉不過的事。

中共當年與西藏信誓旦旦的「十七條協議」；中共當年對邊疆民族宣傳說尊重他們的宗教信仰；共產黨人歷次宣稱的「民族自治」等等，他們今天將作何解釋？謊言經不起事實的考驗，狐狸終會是要露出牠的尾巴。

何等可恥的謊言，何等[illegible]的尾巴。

全世界的輿論一致譴責中共，但是，祇有從一個地方向北平的劊子手發出歡呼，那就是莫斯科！

東方終于覺醒了

最近在阿拉伯所發生的事，在西藏所發生的事，粉碎了共產黨人「東風壓倒西風」的口號。

共產集團並不代表「東風」，相反的，他們是東方的一股歪風；佛教和回教都發祥于東方，對東方文化具有深厚的影響，今天阿拉伯和西藏的反共，回教和佛教對共產黨人的宣戰，使歷史揭開了新的一頁，東方文化在世界上又要光芒萬丈了。

由于歷史的包袱，過去在反共鬥爭中，大半個東方在睡夢中，他們採取了中立主義，現在，東方終于覺醒了，反共鬥爭真正成爲全球範圍的了。

中共與印度關係

印度人民在援藏示威中高呼中共無恥和吊死周恩來，中共與印度的「友好關係」，經過這次的西藏事件，已受到致命的打擊。尼赫魯說，他的國家的政策，不能聽命於任何一個外國。中共以警告的口吻說平亂全係中國內政，任何外國不得干涉。」尼赫魯在接見西藏反共人民的代表團時，又公開表示了他的同情，並且告訴他們：「最後的勝利一定是屬于你們的。」

目前，印度人民對於尼赫魯的壓力正在加強，要求印度對中共採取強硬的政策。

匈牙利事件的異仝

有人以這次西藏事件與匈牙利事件相比，我們認爲，這兩者之間，有些相同，有些不盡相同。

相同的是：兩者皆是反共規模的全民性，全面性。

不同的是：匈牙利事件先由大城市發動，先由少數知識分子發動；而這次西藏事件一開始就是舉藏一致的。

不同的是：匈牙利有比較近代的經濟基礎，因此城市一失敗，革命即遭致決定性的失敗；而西藏爲一農業畜牧經濟，全境皆崎嶇巍峨山嶺，革命先由「農村包圍城市」，在農村生了根，因此，城市的挫折，其影響不是太大的。

持久的西藏鬥爭

從目前的情勢看，西藏人民的反共將一定是長期的，持久的。

根據報導，拉薩的藏胞，幾乎全體參加戰鬥，他們逐屋肉搏，這樣一個意志堅強的民族，永不會對敵人屈服的。

一個有無比信心的民族，加上地理和經濟的條件，能夠人自爲戰，不就決定了這是一個長期與持久的鬥爭嗎？

全世界，從自由中國直到中立的印度，都一致站在他們一邊，得道多助，西藏人民不是更看到他們的光明前途嗎？

值得我們警惕的是：對于達賴喇嘛——西藏人民信仰的中心，中共仍會估計到他的作用的，中共目前正全力阻止達賴喇嘛逃出；另外，他們既敢于捏造達賴喇嘛的親筆信，當然還可能有類似的陰謀。

司馬璐

自由談

惦念患難朋友

馬五先生

美國務院主持遠東外交事務的助理國務卿羅伯遜，忽然宣佈辭職，並且立即得到總統接准了。這位曾於二次大戰結束後，即隨同馬歇爾將軍在中國綜持北平「軍調小組」斡旋，對於共黨的本質與作風，具有深切認識的職業外交家，實係自由中國的患難朋友，突聞其倦勤，殊令人惋惜之至！

羅氏挂冠的表面理由，說是患頭痛與消化不良病症，可能與癌症有關；但以美國醫藥設備之完善，平日未必無法檢驗，而任其嚴重惡化？我們從來亦未聽說他有患病必須長期休養的消息，因而對於羅氏辭職的表面理由，不敢信以爲真。杜勒斯先生還將病情告假作長時間的療養，羅氏何以即須馬上去職呢？

我們知道羅伯遜在白宮的高級外交官員中，是一貫主張對中共不妥協的反共角色，[illegible]

有些國際性的民間文化團體，即已逐漸轉變作風，[illegible]

採辦參攷書籍啟事

茲擬採辦台灣用版之1.國學、2.教育、3.經濟4.銀行、5.物理、6.化學、7.社會科學，此數種教員及學生參考書籍，台省各出版社如有此類書籍批發者，請將目錄及最惠條件通知本社經理部轉，以便研究採辦。

讀者投書

留美學生對陳懷琪案的意見

頃悉芝加哥我國留美學生李以昇、汪康瑞、李大鵬、張天璽、趙文、廖建邦、錢文柏等簽署三月廿四日航郵寄出的信，他們為最近陳懷琪控告「自由中國」半月刊發行人雷震一案，表示意見，希望政府審慎處理，茲將原函刊布如左：——編者——

自由人編輯先生：我們是旅美的一羣留學生，有的來美已經十來年，有的是剛從台灣香港來的。但是，我們對國內政治卻同樣的關心。總希望自由祖國台灣能天天有進步，而走向民主自由的大道。

最近閱讀海外的報章雜誌，我們發現一件非常令人驚訝的事件，就是陳懷琪因投書而控告「自由中國」雜誌發行人雷震。我們在美的同學對這件事的發展十分關懷，我們大家曾客觀地討論分析這件事，認為此案發生原因可能有三：

（一）陳君實有不滿軍中的「三民主義講習班」，向「自由中國」雜誌投書（但未必是他親自繕寫的），後來受到壓力或恐懼而提出控訴；

（二）軍人「三民主義講習班」中實有人不滿，但不敢用自己之名，故寫了「陳懷琪」之名投書到「自由中國」；

（三）整個是一有計劃的政治圈套，追使「自由中國」雜誌上鈎，進而打擊，或消滅「自由中國」雜誌。

我們不論這件事的發生基本原因如何，我們總覺得言論自由是必須維護的。沒有言論自由，就沒有民主。我們時常閱讀「自由中國」，對於該刊十年來促進民主自由的努力，深為愛戴。同時，我們認為自由中國政府能夠容忍這一「直言」「敢說」的雜誌在台灣刊行，我們覺得在台灣的自由中國政府還是可敬可愛的。

美國許多人士，包括教授、同學，無論在私人談話，或是在課堂上，往往把台灣和佛朗哥的西班牙，狄托的南斯拉夫和李承晚的南韓相提並論，並且高唱反對支持不民主政權的論調。當然我們聽了很氣憤，並挺身而出替自由祖國辯護。我們提出台灣是民主的，並且有相當的言論自由，我們並引述「自由中國」雜誌對政府批評的文字作為證明。這是一個事實，所以，我們在每次和美國朋友的「論戰」中，我們都為自由祖國有些良好的收穫。

我們深深認為「自由中國」雜誌是台灣自由民主的象徵，這一象徵是不容毀掉的。這一象徵對於海外人心的維繫和自由中國政府的聲譽是極其重要的。我們希望台灣的政府慎審三思而後行。如果「自由中國」雜誌因陳案而遭受「封閉」或是將該刊發行人「下獄」，我們從今之後，也祇有對美國朋友「緘默其口」，同時我們更對台灣的民主自由大失望了。

一羣旅美中國留學生

李以昇　汪康瑞　李大鵬
張天璽　趙文　廖建邦　敬上
錢文柏

一九五九年三月廿四日

台灣通訊

充滿了矛盾衝突的臨貸資金辦法

春秋筆

行政院於去年七月十九日公布工廠營運資金臨時貸款辦法，當時由陳兼院長指定副院長王雲五邀集經濟部長楊繼曾，財政部長嚴家淦，內政部長田炯錦、外匯貿易委員會主任委員尹仲容、今省政府財政廳長陳漢平及台銀董事長張茲闓等共同開會研討訂定者。八個月以來，其績效與預期之距離甚大，尤其該辦法本身的矛盾及與法律之衝突，實在足可遺憾；更使一般民營工廠覺得「有法不如無」之感！

該辦法開始說明其規定，由經濟部長，財政部長，外貿會主委，省財政廳長，台銀董事長五人為工廠營運資金臨時貸款指導小組，以經濟部長為召集人，負責審核各民營工廠申請貸款案件；可是，目前首先不守法者乃是美援會、外貿會，美援會為棄放欠款，近則規定凡欠該會借款不依約償付本息者，外貿會不得核配工業原料外匯，申請臨時貸款之工廠亦然。

如此則令申請臨時貸款工廠為難，依該辦法規定「借款以用於週轉資金為限，不得償還舊有借款」；而美援會則規定「不償舊欠，停配工業原料外匯」。」但工業原料外匯，無異工廠命脈，尤其以資金困難者為最。工廠營運資金臨時貸款指導小組及美援會，外貿會均屬行政院，並且美援、外貿兩會負責人又均為指導小組委員，經濟部長兼美援、外貿兩會委員，機構雖然有異，而決策負責人員則屬於一體，矛盾現象紛呈，究竟叫申請臨貸之各民營工廠何去何從呢？

台灣工廠營運資金困難實佔多數，而真正向該小組申請臨貸者則屬少數，申請順利獲得貸款者尤其少數，即以獲得最多之大東工業公司而言，自獲准一千萬元貸款後，至今不過拿到四百萬元，其餘六百萬元尚在不可知之數。如果追究責任，當不在申請臨貸之工廠，當係該辦法本身與政府法令政策矛盾百出，急待有責之財經大員競日解決者，要有二端：

甲、工廠營運資金臨時貸款辦法與美援政策之矛盾：臨時貸款辦法第四款規定「貸款之運用，以作業務週轉金為限，不得用於償還原有借款或為新資本支出。」又依第五款「貸款期間如有盈餘，應依下列優先次序償付借款本息」的決定，其機構與機構之規定，矛盾現象不一而足。

乙、抵押權之設定與法律之衝突：工業界人士均已知悉，往日困於金融市場工業資金供不應求，工廠只有以動產或不動產向銀行申請抵押貸款，又多以七折八扣。銀行對於工廠資產估價標準固然很低，惟貸款最高額僅是以估定的資產七折計算，與銀行無關係者，連七成貸款也不足。工廠營運資金臨時貸款為優先償還之抵押貸款（該辦法之第五條規定），依照法律規定，同一資產設定兩個抵押權，係第一抵押權有優先處分抵押品之權利，該辦法卻規定將來處分抵押品時，所得價款須用於清償臨時貸款。簡言之，即各申請臨時貸款工廠，今所抵押之資產，須原有債權人放棄第一抵押權之權利，台銀始准核撥臨時貸款，當然很難獲得原債權人之同意。如大東工業公司的情形，即係如此。

該辦法在其性質上，僅一項行政命令而已；然命令與法律牴觸者，當然是無效了。參與研討訂定會議諸公當不乏法律專家，該辦法竟然如此矛盾、衝突，豈非遺憾？尤其蹉跎時日，使民營工廠資金週轉並無實惠，真可謂令民營工廠「歷次蹉跎嘆奈何」！如果是以民營工廠營運資金貸款辦法為宣傳政府扶植民營事業之招牌，則該辦法實在是有不如沒有，國家之專家者流有無責任呢？（四十八年三月廿六日於台北）

人物介紹

香雅各博士之生平（節錄）

簡又文

神學博士香雅各牧師（The Rev. James McClure Henry, D.D.）以一八八〇年生於廣州。其父為北美長老會遣派到粵工作之香便文牧師，與醫學博士哈巴牧師合力創辦嶺南大學（初名格致書院），於一八八八年正式開學，由哈博士任開校監督。至一八九一年，即由香便文牧師繼任。其時，嶺南與培英合併為一校，越年，香監督退休。我們可想知當時這一個年方十餘歲之小童，在校內生活、讀書、嬉戲，一如其他學生，遂成為一個地道的「嶺南人」。所以他的廣東方言說得非常流麗，直與本土人無異，至對於中國的風土人情歷史文化，自然熟知。這是他後來為嶺南，為中國，為他的祖國努力服務而大有成績的好條件。

年稍長，博士回美就學，於一九〇七年畢業，於紐約市協和神學院，得神學士學位，隨到北京任長老會牧師職，至一九〇九年，結婚後偕妻回到生于斯，長于斯的廣州任教育工作，更努力學習中文。由一九〇九至一四年，他在培英任教員及校長，其後兩年，他轉到在白鶴洞新辦之協和神學院任教。一九一七年，他回美在紐約協和神學院任助教。

自一九一九年始，他受聘為嶺南大學職員。初任校務執行秘書，曾兼任總務長，旋任副監督。至一九二四年春，繼晏文士博士為嶺南第六任監督，亦為最後一位之美國監督。未幾，香博士首先倡議嶺南大學完全遵行中華民國法令，于一九二六年將全校治權讓歸中國人接收自辦自管，另組中國董事會，向政府註冊，以原副監督鍾榮光博士為第一任中國校長（亦遵令由監督改稱校長），李應林博士副之。美方之董事會則改組為嶺南大學美國基金會。香博士改任美國基金會駐校總代表，兼任本校校務長（Provost）。

至一九三八年秋，日軍大舉南侵，廣州危急。香博士高瞻遠矚，先事來港與香港大學史羅士副監督相商：萬一日軍陷粵，嶺大被迫遷校，則將借用港大校舍為復員之計。既得港大方面慨允，嶺大於是有備無患，不虞輟學。十月廿一日，廣州失陷，嶺南大學即于十一月八日，在李應林校長主持之下，正式在香港復課。

斯時，全校員生既遷難香江，獨香博士偕麥且來教授等數人，自願留守，躬率工役百五十人，如常看管校舍校產。時，校址已成為人民避難處，一時難民多至八千人，大都為老弱婦孺。博士担任廣州區難民救濟委員會主任，且兼理廣州市其他四處避難所。有一時期，委員會每日須供給四萬人的糧食。美國紅十字會前後接濟米麥糧食一共一千五百至二千噸，皆由香博士指揮分配于難民。受其惠者凡數萬人。

至一九四三年三月，香博士等八人之留駐校內者，移居至廣州文員集中營。未幾，因有國際交換俘虜之舉，美人卅六名得被釋放回國。香博士與焉，卒于十二月安抵紐約。

俄而，美政府以博士擅粵語，識中文，且熟知華南風土人情，特徵用之于戰略部，旋奉派到廣東曲江，任第十四航空隊聯絡官。其服務成績大有助于中美邦交及聯合作戰。此為一九四四至四五年間事。

勝利後，香博士捲土重來，回任嶺南職，力助全校復員事。同時，聯合國主辦之廣東善後救濟分署成立，博士受聘為聯合國駐粵分區主任及廣東分署顧問，對于救濟物資之分配，與各方面之復員工作，多所襄助，勞績不少。至一九四七年，乃辭去一切職務，告老回美。時，已屆六十七高齡矣。

翌年，廣東省政府敦聘其為顧問，力請其回華。博士情不獲已，又回粵。九月，接受廣州「榮譽市民」之榮銜，其在粵服務五十年之功績，於此表揚矣。未幾，香博士復倦勤回美，于一九五八年冬，由佛州乘火車往紐約，赴嶺南基金會會議。不幸中途心臟病發，至康納迪吉州新倫敦鎮休養。次日——十二月十八，方與外孫下棋為戲，忽爾舊病復發，數分鐘內，即一瞑不起，春秋七十有八。

香雅各博士五十餘年來為嶺南，為中國，為人道，努力服務，成績昭著，人格偉大，在傳教士之中是值得我們之景敬的。

一九五九年三月為追思會寫

越南知用中學廿周年

（西貢航訊）這裏一間最有名的僑校越南知用中學創辦於民國廿八年春，到今年，已經滿了廿周年。該校準備於今年四月十日舉行廿周年的紀念慶祝。這不僅是該校創辦人的光榮，也是華僑社會和僑民教育一件值得大書特書的事情。

該校現有學生廿六班，中學十三班，小學十班，幼稚園三班。全校在校學生一千七百廿三人，教職員五十二人。圖書二萬五千餘册。各種儀器五百餘種。校舍佔地四千平方碼，新式建築物有禮堂一座，宿舍四間，課室十四間，其餘辦事處，會客室，圖書館，實驗室，教員室，衛生室，體育場等無不齊備，規模完善，在僑校中殊不多見。廿年來，該校高中畢業生六百餘人，師範畢業生卅餘人，初中畢業生近千人，高小及初小畢業生均近八千人。而越南僑生之到台北升學者，亦以該校人數為最多。前赴歐美留學者，達數十人。凡此均足以表現該校平日辦教有方，成績卓著。

該校創辦人，唐富言及黎昌仁兩先生，均為知用學社之社友，乃教育專家，以獻身文化為終身事業。本知用學社「求知致用」之精神，於顛沛流離，艱難萬狀之環境中，為我國文化事業發揚偉績於海外，尤為難能可貴。茲值該校創立廿周年，記者謹將該校創辦之經過及其現狀，再為擇要報導如次，俾留心僑教者知所注意焉。

民國廿八年春，時值七七事變，日寇南侵。知用學社社友唐富言、黎昌仁為宣揚祖國文化，發展越國僑教起見，先在香港組織校董會，旋即相偕赴越南籌備創辦知用中學。於是年三月抵越，得越國僑胞與知用學社社員之贊助，先在西貢租得萬益源廢倉一座為校舍，四月十日成立，並得當地政府批准立案。

（下轉第三版）

展望拉薩革命

竹簾幽影

秘

三月二十八日，中共終於發表了拉薩革命的經過。三月十日，達賴因恐被中共扣留，拒不赴會，使藏軍與中共軍隊開始直接衝突；十七日，達賴逃出了拉薩；二十日，中共軍方下令進攻；至二十三日，西藏革命軍不支退出拉薩；據傳達賴已到西藏邊境。根據該消息來估計，拉薩四日戰鬥傷亡總數當在一萬以上。現中共所能控制的據點僅祇拉薩、亞東、里河、太昭、昌都、日喀則等十餘個據點而已，據點以外的兩似已全部被藏人所控制。參加革命者以被中共開除的十八個西藏自治區籌備委員來分析，西藏政府方面佔十三人（原爲十六人，後一人病故），即未參加反抗者祇得兩人；昌都地區佔三人；其他方面佔二人，這當可看出這次革命的基礎是西藏政府。

中共政府的策略是：武力鎮壓，企再獲達賴作爲偶像，解散西藏政府，改組並將權力移到西藏自治區籌委會，着令較聽命于中共的班禪代理主委。綜觀其形勢，只要藏人不作主力決戰，保持機動實力，則中共在藏永無寧日。

戰略與戰術

筆者認爲這次拉薩革命是東方的匈牙利事件，從其戰鬥情況來說，尚屬適當。但其可見之點展開大不相同，其特點是：西藏多山，便于游擊；內地至西藏的交通綫不穩固，這是中共駐西藏部隊的致命傷；藏族散處于西藏以外者，尚有青海、甘肅、四川以及前西康等處，去年曾因農牧業合作化引起過激烈的反抗，今雖平復，由于拉薩革命的鼓勵，甚易揭竿再起。因此，在戰略上應該鼓勵，以一部向康青甘邊區前進，觸發西南西北區的藏族舉事，進而再引起大陸心臟地區革命。在戰術上應該避免速戰速決，以破壞交通綫、孤立據點斷絕其在藏駐軍的給養，爲主要行動要訣，若能維持這種游擊局面三數年，則中共軍將自動撤出。

拉薩革命的意義

拉薩革命的意義，在國內來說，是自中共佔大陸以來的最大規模的武裝革命行動，使得大陸人民認到了自由之火；從國際上來說，使得東南亞各國更進一步的認淸了中共的眞面目。

印度政府的怯弱態度，確使人氣忿，其實對於共產黨並不是什麼怯弱可以抗拒的。西方的反應，未像當年對匈牙利革命那樣的激烈，難道這又是有色人種的緣故。我們呼籲切實給予直接的援助，另外還應該鼓勵西方的輿論，給予外交上的援助。

·田心·

爲謀打開對中共關係　日本兩黨再度起磨擦

本月兩黨舉行聯合大會作公開辯論

·觀·

（本報東京航訊）三月廿七日日本國會衆院預算委員會會議中，社會黨淺沼總書記就「日中」關係打開一點提出質詢，執政黨之自民黨總裁岸信介予以駁斥，舌戰白熱化，曾有數起騷動，自民黨議員發起大聲說：「淺沼你說什麼？」「也知恥嗎？」但淺沼並不知恥仍繼續他的發問。

淺沼明確親共

淺沼於質詢中竟稱「中共」爲「獨立國」。此語一出，無異對其自我標榜之「中立化」已不攻自破，其言不値重視，岸信介於答復時則稱：台灣政府爲中國正統政府，並聲稱日政府爲了中共通商代表部指紋問題不惜修正指紋法案以證明政府方面對「中共友好」所作努力的表現。一點向淺沼反擊，岸又稱：以累積方式漸進而增好「日中」關係一點，諸如氣象協定，郵政協定；以及爲了打開貿易僵局之大使級會談等等皆足以證明政府所作之各種努力。至于去年五月「日中貿易」中斷則是「中共」片面的行爲，又稱西德與「中共」有貿易往來，但並無政治關係，淺沼之殺手鐧不過如此，就怕將來「狗急跳牆」，未來的日本國會可能有場因「舌戰」而掀起的「議員毆鬥」再度發生。

社會黨提不信任案

社會黨接着于二十八日在國會衆院院會提出「內閣不信任案」，結果反對票二五三票將社黨提案否決，議程中會場騷動亦有數起，尚未表演全武行，社會黨如此積極，乃是表現其所盡的一切努力向「中共」繳帳。

淺沼於四十六年四月率團赴平，今年又再度前去，不難看出淺沼與「中共」之間的「密約」；前年淺沼與毛澤東曾談二個半小時，今年在武漢又密談二小時以上，據消息靈通人士透露，此次會晤，毛曾發問，由淺沼逐一回答，內容因「中共」不允公開，所以是一個「謎」」。云云。筆者曾在本刊報導「指紋法案修正案」的影響，今日岸信介已親口承認此一法案之修正完全是爲「中共通商代表部」而爲，所以今後日本國會動向是値得我們注意的；因爲我與日本國有正常邦交；因爲我有衆多僑胞僑居彼邦，凡是有損于我僑民利益的法案，問題在日本國會討論的時候，我們必須予以密切注視。

兩黨將公開辯論

當茲我駐日新選任大使交替之際，日方態度尚無改變跡象，但日本態度之所以如此，純係「中共」不予牽就，（實在是蠻橫到底），將來的轉變如何未可逆料，我們應該有「操之在我」的作法，例如：日本的報紙報導稱「中共爲中國」，稱我則爲「國府」，這雖然是一小事，卻容易造成日本國民一種錯誤觀念，那就是「中共爲中國」。

爲「日中」問題一直爲日本政爭的焦點，但兩黨都欲就此一問題獲得國民的了解，今次兩黨聯合大會將在東京大阪，福岡等六大都市舉行，公開辯論說法，這是兩黨的一場生死門，也是日本國民了解國情重要的一課，聞該大會將於四月九日舉開。

中共女幹部厭惡政治

（本報訊）最近在北京出版的第五期「中國婦女」雜誌上，刊載一篇有關大陸女幹部機關「女幹部對政治理論學習」的情況。報導中說：「一些女幹部，剛參加工作的時候，什麼都覺得新鮮，覺得自己懂得少，如飢如渴地學理論，學政治，以後，覺得自己已經當了幹部，有了一定的政治理論水平，工作還得應付，討論時啦，談問題啦，也能說會道，於是感到有資本了，差不多了。」對於「學習」這一套就不再感興趣了。「常常是領導抓得緊，同志們督促得嚴，才學一點，從不主動。」有人說：「婦女學習是算盤球子，撥一下，動一動，即使『撥動』也是滿足於一知半解」。報導指出：「她們並不是不了解學習政治的重要性」，你如果問她，「她們馬上會反駁你：『嗨！一參加工作就知道了！聽都聽夠了』。」這些女幹部，結婚以後，眼光和心思又主要轉向孩子、丈夫、家務事上，把業餘時間過多地放到娛樂、社交和孩子、丈夫。」這些婦女幹部爲什麼會如此轉變，據說：「她們是容易滿足現狀，胸無大志，安於一知半解，不求上進。也就是說，這些女幹部沒有樹立爲社會主義共產主義事業奮鬥的大志。」其實表現出這種情況的，何止女幹部，絕大多數的幹部的思想大抵都是如此。一般人民更不用說。政治已經使整個大陸人民感到窒息的痛苦，中共這些幻想家，簡直是在和人性挑戰！

大陸文壇透視

七心

毛詩十九首

這裏說的「毛詩」並非漢毛公傳下來的「詩經」，而是大陸上去年用聚珍仿宋字體，照綫裝古書那種樣式出版的毛澤東所作舊詩詞。一九五七年，中共的全國作協創刊了一種「詩刊」，這個刊物的主編卻起用了非黨作家臧克家。臧本是已故文人王統照的親戚，爲了寫詩曾師事過聞一多，因此他的作風，也同卞之琳、何其芳、馮至等人差不多，都可以說是新月社格律詩派的嫡系後裔。自從一九三四年他那本「烙印」詩集出版後，得到茅盾、朱自清、聞一多等人的交口讚譽，使他一鳴驚人而蜚聲詩壇。他的作品格實無足稱，將爲拍屁等向上爬的技術之精巧，不在郭沫若、老舍之下。所以中共放着很多黨內詩人像田間、馮至、何其芳、袁水拍、柯仲平、蕭三、嚴辰、李季、賀敬之、卞之琳等不用，而叫他担任「詩刊」的主編。在他自己來說，當然是受寵若驚。於是他在創刊之前，就搜集了毛澤東的舊作詩詞八首，懷求毛的同意，要在第一期上登出。這事很得毛的歡心，毛又添了十首，共十八首，一起在「詩刊」發表，並且由臧注釋，接着出了單行本。該年五月毛又填了一首「蝶戀花」詞，單行本便又增爲十九首。去年毛又寫了二首「送瘟神」，應該是二十一首了，但新出的仿宋綫裝本並未收入新作，仍是十九首，這或者因爲「文選」中有「古詩十九首」，妄冀與古人媲美的吧。

這十九首舊詩詞，人耳熟能詳，這裏不必再說。儘管周揚、郭沫若、臧克家因此把毛澤東推尊爲空前的偉大詩人，但按照舊詩詞的規律來說，毛作的平仄韻腳卻都不合規矩。郭沫若就曾經說過，今人對毛詩詞只斤斤於平仄韻腳的不合規格，而不能見其大（見「紅旗」第三期郭文）。照說既然利用舊詩詞的形式，既然也稱七律、七絕或以詞牌標題，就應該符合舊詩詞的格律；如果平仄不對，韻律不協，不照詩韻詞譜而自己亂來，那怎能還稱做舊詩詞呢？舊詩詞有一定的句數字數，毛澤東或者認爲只照格式湊足了字數句數就成功，他哪裏知道並不如此容易呢？他的大作的發表，正足以說明他對舊詩詞完全無知，自暴其醜而已。當時「詩刊」曾載有他致臧克家的信，其中說到詩應以新詩爲主體，舊詩不宜提倡，因爲它束縛思想，[illegible]流傳云云。但是現在卻讓它流與開來，並且大加提倡，掀起了學習毛詩的運動，以毛詩爲新創作方法的典範，這個矛盾可謂無法使之統一。又，在「厚今薄古」的叫囂中，卻又印得如此古色古香，這不是自己尖銳地諷刺了自己嗎？

瘟君妻

岳騫

第二回：密室定奇謀　蒼生塗炭　巴山留遺恨　弱絮隨風

賀龍說過，大家哈哈大笑起來，毛澤東嘆口氣：「你太不濟事了，既然想走私，就不該被愛人知道，沒有擒龍手，何必下東海。」

林伯渠笑道：「這些事情，我們還要向主席學習，主席最近還去不去張公館。」

毛澤東笑道：「你的消息好靈通，這件事你聽誰講的。」

活曹操非常得意，反問一句：「主席料事如神，也不妨猜一猜我聽誰說的。」

毛澤東皺下眉頭：「別的有誰，還不是田家英那小子，除去他沒人知道。」

林伯渠搖頭的似貨郎鼓一樣，嘴裏念道：「非也，非也。」

「那你聽誰說的？」毛澤東有點着忙了。

林伯渠摸下鬍子，端詳毛澤東一陣，笑嘻嘻地說道：「我聽張文白說的，算是權威消息了吧！」

「張文白說的」！毛澤東又從椅子上跳下來：「張文白怎麼會向外說。」

「他爲什麼不能向外說，就憑這點裙帶關係，去年反右派再也反不到他的頭上去。他並且說主席已許了他的小姐，不久就把江青同志送去莫斯科學習，正式接她入宮呢？」

毛澤東搖搖頭：「我們眞要向張文白學習了，他的思想實在進步得快，換了我是他，也未必好意思向外人講呢？」

林伯渠和毛澤東一問一答，大家都聽懂了，李富春插嘴說道：「其實像彭總眞不該走私，安儀同志論才論貌都是第一等人才，就單年齡吧！也比你小了三十歲，你還好意思走私，眞是未免太說不過去了。」

李富春的話也許無意，活曹操聽了卻不免多心，原來活曹操這個愛人王小姐，是在陝北和他同居的，那年活曹操正是六十大慶，王小姐只有十六歲，兩人年齡算起來要差四十多，當時也有許多同志批評他老不正經，活曹操卻洋洋得意說「老而多情是壽徵」，果然一點不錯，馬上快活到八十歲了，就還像前年又找了一位二十歲的護士小姐伺候他，外邊就傳說林老又要換愛人了。現在活曹操聽到李富春批評彭德懷愛人年輕，不該走私，好似借題發揮諷他。當時冷笑一聲：「富春同志，依照你的辯證法，在政治局二十名委員中，只有你和恩來同志才有資格走私，其餘那一個人都比愛人大幾十歲，都該安份守己才是。」

未等李富春開口，活曹操閉着眼睛，拉着鬍子，喃喃自語道：「就怕有人想換個愛人未必敢呢？吃不到葡萄當然說葡萄酸了。」（廿四）

越南知用中學廿周年

（上接第二版）招得學生八十餘人。是年冬，因校舍附近新設娛樂場，環境不宜於教學，於是開始籌建新校。唐黎兩先生親自前往中北越及南越六省以及高棉等處，募集建校經費，以僑胞熱心贊助，籌款成績頗有可觀，於廿九年國慶之日，購得堤岸安東市阮維揚街地皮四千餘平方碼。是年十二月底興工建築校舍。卅年四月，課室先行落成，遷入上課，其餘各部份亦於七月間全部竣工。校舍瑰麗堂皇，且地處郊外，環境甚佳，宜於進修。

不幸，校舍落成僅及三日，（卅年七月廿九夜），即得當地政府通知，須徵用全部校舍，且限於翌日下午五時前，全部遷出。時在假期中，此一消息不啻晴天霹靂，然亦無可如何。於是在員生共同努力之下，星夜搬遷，黯然泣別。是年八月下旬，再在西貢市區十公里之平東地方租得舊屋十餘椽，九月一日繼續上課。

因距離市區太遠，全部中小學祇得學生一百四十餘人，翌年（卅一年）二月，由平東遷回西貢市區熟皮街，租屋十四間，中小學仍分六班，學生人數亦較多。惟處境更爲困難，蓋是時敵僞勢力已侵入越境，屢次派人到該校偵伺恫嚇，應付殊不易也。卅四年春，西貢受空襲最烈，該校爲學生安全計，乃將部份學生搬至永隆省上課。全校九班，僅得學生一百零八人。同年八月，日本投降。該校始由永隆遷回西貢堤岸熟皮街舊址。九月卅日，該校得盟軍核准，解徵校舍，於十月七日遷回阮維揚街原校舍上課。綜計自廿八年開辦至卅四年遷回原校舍，中間共歷七年，先後搬遷不下六次，精神與物力之損失，實難數計。苟非唐黎二先生與全校員生，抱着百折不撓之決心，不能以有今日也。

該校開辦之始，以開學太遲，僅得學生八十餘人，校舍被徵用後，遷至平東，學生僅一百四十八人，其後學生雖有增加，然時局動盪，數次遷移，又校舍解徵後，曾經大事修葺，所耗甚多，故歷年收支均不平衡，最高負債額竟達越幣廿三萬餘元之鉅。近年時局安定，學生增多，不僅債務已逐漸消還，且有餘力，提高教職員待遇，添建校舍，充實圖書儀器，使該校成爲僑校中之表表者。此不能不對唐黎二先生及該校全體員生之艱苦奮鬥精神，致其無限之敬仰也。（三月廿六日）

釋耒集

完人

曲齋

司馬遷史記，撰列傳七十，首伯夷，特舉其特立獨行，不與世苟合之德性。細按之，此實太史公爲人臣立德之本旨，其對于個視睥倪之人，除推尊孔子，僅于世家之外，類此者似頗草率，而特崇其風力，以傳頌者，游俠，滑稽，貨殖諸傳，此固有激而發，藉以抒其孤憤之懷，然亦足見完人之不易見，若以中才之資，與世俯仰，即或高風亮節而其行超，求其所以爲時賢稱許之士，即雖如太史公獨力之懷慷慨，固亦無能爲役也。孔子曰：不得中行而與之，必也狂狷乎。而[illegible]人，而獨求其粹以全，因其不能粹以全，故[illegible]免稍近于俗矣。

[illegible]，則其人于生死去就之際，何嘗違義？乃竟不能忘情于歌姬之一笑，大不謂然者也，故朱晦翁有詩譏之曰：「十年浮海一身輕，歸對梨渦倚有情，世上無如人欲險，幾人到此誤平生。」夫忘情，大德也，必聖人而後能致之，而聖人不世出，國家事必待聖人而後理，則萬古如長夜矣。[illegible]

「失諸周全之道，而求其偏至之方」，范蔚宗後漢書，乃特爲立獨行傳，蓋亦孔子不忘狂狷之微旨也。明代陶菴夢憶，其五異人傳序云：「人無癖不可與交，以其無深情也；人無疵不可與交，以其無眞氣也。」一往情深，小疵成癖，大則成癖。」嵇叔夜亦曰：「太上忘情，其次不及情，情之所鍾，正在我輩。」魏晉及晚明士大夫，持論多偏至，往往爲街道之士所擯斥，要亦往往爲[illegible]。[illegible]于南宋紹興和議既成，武臣見殺之際，上書請斬秦檜，坐罪長沙，故人置酒迎勞之，出歌姬佐觴，胡有詩曰：「君恩許歸此一醉，旁有梨頰生微渦。」夫敢于批人主之逆鱗，公然上書請殺[illegible]

言之也。抗戰期間，中央軍校內遷，始而廣西之桂平，繼而宜山，又遷而西至貴州之遵義，[illegible]校門之上，大書「頂天地正氣，法古今完人」之二語，[illegible]以完人律己，往往失之爲難人，以完人責人，則所得者或不免於甚人，陸游詩有云：「[illegible]，人才正貴越拘攣」，[illegible]，欲進理學以立事功，亦大惑之不解者也。

說鼠

（翠苹廬散筆）

。陸夢墨。

記得從前我住光棣宿舍的時候，受過老鼠不少的氣，夜來不是兩個碗釘嘴，就是天花板上跳曼波，吵得一夜不能安眠。第二天揉着睡眼上班，向誰訴苦誰都不相信光棣宿舍有老鼠。但是他們承認我會失眠，但原只不是老鼠、而是貓，貓兒叫春，我這個正在好逑的「君子」，就難免「輾轉反側」。但是我亦不敢强調說非是老鼠不可，因爲我想到京戲戰宛城中張繡的嬸兒，半夜爬起來捉老鼠，也是爲的想「大」白臉曹操。總之光棣失眠，就沒什麼好說的，說什麼人家貓裏都會朝女人身傳上。

成家立室之後，再談鼠患，別人相信了。因爲自古以來，老鼠已經成了我們家庭的一員。只要有「家」。似乎就不能沒有「鼠」。我們的家在鄉下，農家堆積的米穀甚多，老鼠們倶無凍餓之餒，所以也不甚咬嚙衣物。但其形狀甚怪，身體細長，像隻黃鼠狼，鼻子也長，和象的鼻子有幾分像似，不分白晝黑夜，即使是高朋滿座，牠們也在室內踱來走去，毫不畏人。經我們鑑定，大概是位客人，土鼠，大概生長在鄉下的關係，不免有些土。但其在牆角穿洞的本領確很大，白天堵上，夜晚便又挖開，實在令人東手無策。拙荊本來喜歡老鼠的，她養過紅眼白毛的小洋鼠，但對這種土鼠却厭惡之極，一方面厭牠的穿洞，另一方面是因爲牠生得醜，常在腳下嚇唬人。我建議把鄰家的貓借來，捉捉老鼠，她不贊成，因爲那隻貓生得尖嘴猴腮，長像也醜。黃曆上可以翻到這麼一卦，占曰：「鼠無故皆夜去，則邑有兵。」看來老鼠們很重視自己的生命，一有事，先跑的便是牠們。也幸虧老鼠不懂坐飛機，不然的話，美國要急切發明的，恐將不是火箭，而是棕子捕鼠器了。所以有幾隻老鼠，也不必埋怨，至少牠們使我們感覺還是太平的年月。

在我們家鄉，老太太們迷信，管老鼠不叫老鼠，而喚作「倉官」。不知出自何典？顧名思義，既是官兒，而又管倉庫，其缺之肥，自不待言。看來老太太們也有幾分幽默。要知這個官兒會把汚米有多少？據專家估計，只台灣一地，全省的野鼠要比人類多四倍，每年損失米穀要在二十萬噸左右，這數字豈不令人咋舌！

古時有位老和尚吟過這樣的詩：「愛鼠常留飯，憐蛾不點燈。」佛家慈悲，不好殺生，想來鼠是弱小動物，應該惹人憐憫的。但是在去年的報紙上，我清楚的記得有這麼一條新聞：「台中縣清水鎮北勢里居民楊秀娟嬰孩，十七日清晨在床上熟睡時，突遭老鼠襲擊，未幾被咬傷而告死亡……」花蓮的老鼠曾經把貓追的滿街跑，已經算是新聞了。台中的老鼠居然襲擊小孩，而且咬人致死，看起來人命關天，室內有鼠，也未可元龍高臥呢！

聽說香港的住戶，門前都也常有一隻捕鼠籠，我覺得這是善政，對於這些小小的穿窬之徒，總該來一個掃蕩，勿使牠盜我糧，食我穀，毀我物，嚙我書，甚至於傷我人。

祝齡牧師九秩開一大壽 集白沙子句奉賀

。顧又文。（舊作）

九九八十一。青天感興新。高堂開壽學。有酒醴賓。潯與流風遠。心將翰墨親。南山長不老。江海挹清芬。

唐代的變文

胡振海

變文，是我國文學重要的一環。但它却一直爲我們所忽略。

變文，是我國六朝到唐代間的民間文學，是佛教傳入我國之後，用各種易爲大衆接受的文體，從佛經翻譯過來的有關佛教的故事。是佛教徒用來傳教與宣傳佛教教義的民間文學。如維摩詰變文、地獄變文等是。不過，後來這種文體也有被應用到寫非佛教的歷史故事上面去。如王昭君變文等是。

變文的唯一特徵：它是詩與文的混合體。此種文體就是在文中常常插入詩，就像現在的文學青年們常常喜歡在一篇散文中插入一些詩歌一樣。

變文之所以是中國文學重要的一環，原因就是它對後世的文學有巨大的影響力。如唐代之傳奇小說，宋元之平話等都是直在它的影響下產生的。過去很多寫文學史的人，有關唐代以後的文學問題，大都沒有一個明白的解釋。自從公元一九〇七年，清代末年有一位匈牙利地理學家史坦因（Astir）到甘肅的敦煌千佛洞買去了二十四箱寫本和五箱圖書與古董。這裏面其中有我國唐代以就的民間文學抄本。這些都是我國古代文化史上的重要文獻，是我國的國寶。這件事情先後引起英法學者和我國政府的注意。

自從這些民間文學被發現以後，變文便顯示了它的面目。而過去中國文學上的許許多多疑難的問題，也就因了變文的被發現而獲得了若干解答。

台灣的廟宇

台灣廟宇之多，似乎是中國任何一省所望塵莫及的，我們在街上走就可以看到大街有大廟，就是一條短短的小街有時都可發現三座廟，甚至巷尾也有小廟。

全省廟宇據四十六年統計，已超過四千座，其中屬通俗及儒學神明寺廟約占半數，佛教道教佔四分之一强，雜教占四分之一弱。

土地神廟較小而最普遍供奉，無論城市村均有土地神祠之建立，土地神台灣叫做土地公，民間以其造福鄉村，德澤大衆，尊稱爲福德正神，全省有七百餘座，乃廟中爲數最多者，其次媽祖爲台灣人最愛祀的神，幾乎成爲家祀戶祝了，朝夕拜禱。省凡三百餘座。

媽祖一稱天上聖母，乃惟一的護航神，祐海上之安全。郁永河海上紀略云：「海惟媽祖最靈，即古天妃神也」，凡船舶遇難有禱必應」，台灣四面環海，對外交通全船航，且浮家泛宅打魚過活的人不少，故祀者也多，三百餘媽祖廟中，以北港朝天冠全省，信徒多香火盛。

。不同。

得失之間

短篇小說

。童真。

在溫暖的屋子裏，冬天總是關在門外的。

郭慕周逆着風，走了一陣夜路後，此刻正坐在朋友許佑賢家的客廳裏，好像一隻蜷縮在爐邊的貓，感到無比的舒適。身旁的几上放着一杯冒着熱氣的綠茶，耳邊響着的是舒伯特「小夜曲」的優美的旋律。他把頭枕在沙發的靠背上，靜靜地享受着，直到一曲終了，他才說：

「佑賢，你覺得這架收音機的性能怎樣？譬如說，他的選擇性，靈敏度以及忠實度，是不是超過其他同一類型的收音機？」

「吾，你老兄推薦的哪會有錯？很好，一切都很好。是你老兄特別叮囑過的吧。」許佑賢說。他常常不忘在閒談中夾上一兩句俏皮話。

郭慕周笑了——一種略帶幾分得意的笑。朋友的那架收音機是他服務的那家環球無綫電機廠的出品，而且還是他本人在半月前才代他的朋友買來的。猶如一個學生總喜歡別人誇獎他攻讀的那所學校一樣，現在，聽到朋友稱讚那架收音機，他自然不無快慰。誠然，他只是那家電機廠裏的一個出納員，對於廠方製造的收音機，不論在設計，裝配抑或校驗上，他都沒有費過一絲心，盡過一分勢，然而，好像一個生活在農場裏的人之諳于農作一樣，他對于收音機的裝修，由於四五年來的耳染目濡，也已能知其一二了。

這時，收音機已在播送莫札特的「里奎娜」。許佑賢忽然從對面的坐位上移到郭慕周身邊的那張沙發上來。郭慕周這才發覺他今天原是來看老朋友的，但事實上，他却把他冷落了，這是多麼不可饒恕的失禮。他微仰起臉，眼光就接觸到掛在對面牆上的那張女人的照片。他半側過身去，問：

「佑賢，我好久沒碰見邵麗了，她好吧？你們的事情到底進展得怎樣了？」

「謝謝你，她很好。我們大概不久就可以訂婚。不過近十天來，我因爲事情忙，一直都沒有去看她。」他說着，就嘗自點起一支煙來（他知道郭慕周是不抽煙的），雙眼注視着噴出來的煙圈，似在冥思什麼。

郭慕周望望朋友紅潤圓胖的臉，望望客廳裏精緻雅麗的陳設，再望望照片中年青嫵媚的邵麗，不由得不承認，他的朋友要比自己幸福得多。但也一樣是從高中出來，投到社會的萬花筒裏搖晃，顯示出來的兩種花樣——兩個人，竟然如此不同。他如今是個出納員，打着光棍，住在單身宿舍裏，而許佑賢呢，現在是一家百貨行的行東兼經理，有事業，有愛人，有一幢屬於自己的房子。（一）

風雨樓繪畫叢談

述賢

畫與禮教

鬼神的寫入繪畫，不會是無因而致。它與禮教有關，也可能與大禹的遺澤，有歷史因緣。孔子說：「禹，吾無間然矣；菲飲食，而致孝乎鬼神。惡衣服，而致美乎黻冕。卑宮室，而盡力乎溝洫」。是知大禹一生，除了爲中華民族，創造起農業社會的歷史規模而外；還能持身以孝，祭祀以敬，治事以力。則其盛德所被，便自然而然養成了孝與敬，勤與儉的禮教之治。禮教不外乎祭祀，祭祀不外乎神祇祖宗，而繪畫藉鬼神以昭示於天下者，又不外乎化民成俗。因此夏殷之世，違反祭祀，就是違反民意。反對鬼神，就是反對禮教。孔甲因此以亡夏，武乙因此以亂殷。而殷紂的不德，他受到周武的討伐，其罪狀之一，即爲不事祭祀。故子貢論殷紂，是說「紂之不善，不如是之甚也。是以君子惡居下流，天下之惡皆歸焉」。這是「正言若反」的道理罷？不然，權勢與公道，何至不如人心向背之有力！

周人繼殷而有天下，不惟禮教大明，繪事亦因以而逐漸發皇。這見於周代文物典章者，是繪畫的風尚和功用。見於周代諸子百家者，是繪畫的義理和情操。不過無論東周或西周，無論戰時或平時，兩周繪畫的特有風格，都是以理論思想爲基礎，始終隨着禮教的發展，而樹其定型。唯其繪事與禮教息息相關，故談周畫者，不可不知禮。

殷代的禮教，從夏代而來。周代的禮教，是從殷代而來。此中微有不同之處，是夏殷禮教，簡而約。周代禮教，周而博。所以孔子說：「周鑑於二代，郁郁乎文哉，吾從周」。周人治國之道有三：一爲禮，二爲樂，三爲征伐。但有周之東遷，王室陵夷，五伯不爲寅，七雄不爲尊，征伐不爲力，樂舞不爲用，所賴以維持八百年王朝於不墜者，惟禮教而已。所以孔子又說：「禮之用，和爲貴，先王之道，斯爲美」。以禮教繫天下之安危，這是周代政治的最大特色。而禮教備於周禮，繪畫見於人物；禮以節文，畫表分際。故周代的文物典章，唯圖與禮，可分而不可分。（廿一）

六朝諸王書法

。王世昭。

王志不特是位大書家，齊遊擊將軍徐希秀亦以書名，見志書，自謂不及，尊之爲書聖。

六朝書家可歸王氏系統者極多，其中以姻親關係，尤著者凡二人，其一羊欣，其二謝靈運。謝靈運之母劉氏，爲子敬之甥，故靈運能書，特多王法，幾不能辨，文帝以爲二寶。靈運與從叔混，族兄瞻俱有盛名，瞻嘗作喜霽詩，靈運爲書，混詠之，時人謂之三絕。

羊欣字敬元，善隸書。父不疑，初爲烏程令，欣年十二，王獻之極愛之，授以筆法，乃大進。時人爲之語云：「買王得羊，不失所望。」蓋羊欣之書風神怯瘦，不如大令之勁逸多姿也。

有個笑話，齊高帝善書，嘗對王僧虔說：「我書何如卿？」僧虔答：「臣正書第一，草書第二；陛下草書第二，正書第三，臣無第三，陛下無第一也。」雖是君臣笑謔，一語之不輕許人有如此者。（下）

自由人
THE FREEMAN
（第八四四期）
（半週刊逢星期三、六出版）
每份港幣壹毫
台北市價新台幣壹元
督印人：陳訓畬
地址：香港高士威道二十號四樓
20 CAUSEWAY RD. 3RD. FL. HONG KONG
TEL. 771726

西藏問題之回顧與前瞻

毛以亨

一、西藏之國際糾紛

西藏本為中國的藩屬；所謂藩屬者，依國際法之解釋，中國僅保有宗主權，而西藏仍為獨立或自治的國家。緬甸，安南這些藩屬都以喪失；前清為亡羊補牢計，乃將新疆，青海等處改為行省，復派兵進駐各地，凡兵力所到之處改為行省自極易易。對西藏雖曾派兵進駐，然為安撫藏人計，暫不改為行省而軍隊不久即復退出。藏族所居之四川西境，以四川省力量能夠達到，故改為西康省。這是前清四川總督趙爾豐的努力。辛亥革命，趙爾豐被殺，西藏亦獨立，從此中國兵即無在藏境者，有之自此次中共軍隊之開入始。

中共軍隊，開入藏境，萬不可看作中國人收復西藏，而實是蘇聯半世紀來拉攏達賴與英國爭西藏，此次假手中共，竟勝利了。在中國人方面，不僅失了西藏，而且失了整個中國，誰都知道中共是蘇聯的傀儡政權。中國人與西藏人，同為失去自己領土而淪落天涯的人，自應並肩作戰以光復故物。即與西藏協議，勝利許西藏以獨立，亦所不惜。我想至少西藏之獨立抑仍與中國保持關係，應由其人民投票公決。

民初蒙藏獨立，中國政府，屢思收復而未果，外蒙獨立，中國派兵進駐，而終於撤退，西藏則中國軍隊迄不能到。惟外蒙之獨立為公開的，西藏之獨立為秘密的。所謂秘密者，據葉公超告訴我，清末民初中英關于西藏問題訂有秘約，即為竊相容許其獨立。但此項密約，在總統府與外交部檔案中竟同時失蹤。其情形類于北洋軍閥對日借款條約之不完全相似。所以連參戰借款之準確數字，中國人始終算不出來。所以我深信為袁世凱與段祺瑞所抽去。因此西藏交涉，我們無法與英人辦理，因為英人可以條約為根據，而我們則還空說白話。外交部亦曾多方婉轉探聽此一密約內容，不特毫無所得，反使英人知道我們已無可以根據的條約，振振有詞，使我們沒有反駁之餘地。所以西藏問題，將與參戰借款一樣，外交上無法解決，祇剩以武力解決的一條路了。

一九四五年我曾參加出席泛亞會議，以會場上地圖，將西藏劃為獨立國，鄭彥棻主張退席，直至地圖修改後為止。事後尼赫魯曾告訴葉公超與我說，英國人方以印度交給他，他立即失去與印度有關之西藏，未免太難為情。他又說，他決不願中印外交之開端，即為有糾紛之西藏問題。這自然根據中英密約而言，尼赫魯對西藏問題是不肯放手的，但其不願因西藏而得罪中共，與以前之不願得罪我們有過之無不及。

二、現階段之演變

據大英百科全書與世界年鑑估計，藏族共三百餘萬人，分居于前後藏，西康，青海一帶，而居于前後藏者，僅一百餘萬人。其中半數以上之藏人，自已始終認為中國人，即統治後藏之班禪，亦曾由青海到北京，長期居駐過一時期。獨統治前藏之十三世達賴，先受英國人之蠱惑，利用藏印交通之便利，竟謀獨立，復勾結俄國，以自居奇，無非欲併吞後藏，壟食青海西康，以遂其統治三百餘萬藏民之大願。此次中共軍隊入藏，班禪以素接近中國而蒙擁，而現在之十四世達賴出生于青海，為自承為中國人之藏族，故雖有達賴王朝之國際糾紛，實與自由中國較為接近。

此次拉薩之戰，綜合各方報導，是青海，西康，後藏各處藏人，援助達賴的戰爭。達賴五千軍隊繳械後，康巴族三萬餘衆亦參加。而且中共從青海不從四川增兵，足見西康已有叛變，最近復由空運，則青海公路亦有問題了。此次可見報上認達賴為此次運動中心是錯誤的。而其真實狀態，是素來不同意的藏人，聯合起來，以從事反共運動。至促其一致之因，厥為中共之橫暴，不特違反藏人之宗教信仰，且違反其日常生活習慣太甚，使其活不下去所致。

美國新聞週刊對西藏事變之標題，為希馬拉雅山下的匈牙利事件，彰皇亦如此說，雖博得國際上之同情，但倘無外力之參加其失敗是註定的。不過以西藏幅員之廣，現在空投之便，游擊戰是不會立即消滅的。現在之理想補給綫，自然為印度之加林邦，但尼赫魯除予達賴以庇護之外，仍欲與中共保持友好關係，英國更不願于此時開罪蘇聯。不過以空投論，無論從緬北與巴基斯坦接濟藏人，僅三百英里，為半小時的空程。不過美軍空軍基地，不會公開容許自由中國飛機公開利用的，而台灣所得之美援，其用途受有限制，不容大量利用以接濟藏胞。偷偷摸摸的幹，自為美國人所容許，但無法支持游擊隊之長期抵抗下去。

三、今後方針

我們須正視的，西藏抗暴，是中國在大陸反共之一環，至少事實經過證明其如此。我們萬不可對西藏之獨立而懷疑顧慮，假使能達反共目的，即廣東人要獨立，我亦將舉雙手以贊成之。而此次在西康，青海之藏人，與達賴一致反共，已脫離赤白色帝國主義之羈絆。精神上已開始勝利，事實上在目前容有挫折，將來之勝利，是可預期的。何況此次之促成反共者，為來自青藏之領導人，則領導權已轉移了。

我欲正告國人者，西藏之領導階級，漸從喇嘛而移至受西方教育之一羣優秀份子手中。這羣人與尼赫魯同時受劍橋教育，我們應以現代知識與這班人周旋。若誤為劫持到達賴班禪與一羣喇嘛，即可解決西藏問題，這是中國人一貫的錯誤，自袁世凱至毛澤東皆無例外。達賴今日之地位，雖仍可象徵西藏，然如英皇之僅為象徵。倘若與英國交往，不謀于其內閣與民意，而選謀于英皇，豈非一大笑話。（四月六日）

半週述評

共黨與民族問題

共黨號稱最了解民族問題，列寧史達林尤以精研民族主義知名，實則只是利用落後民族或少數民族充當共黨工具，用共黨的辭句來說，就是把民族問題和共黨革命聯繫起來，共黨所關心者只是共黨統治者層的利益，決不是任何落後民族或少數民族的利益。美國與南非等地的種族歧視最為共黨所詬病，然而那至多只是隔離而已，且一向遭受本國有識之士抨擊，決沒有像蘇俄對於少數民族那樣殘酷摧殘。像伏爾加河的日爾曼自治共和國，克里米亞韃靼自治共和國，和喀爾馬克自治共和國，都是全部遭受清算放逐，從此湮滅於無形。至於高加索和中央亞細亞的各民族，則完全是克里姆林宮征服下的殖民地。一九五三年貝里亞之遭受清算，一部分原因是他企圖要提高若干少數民族的地位和權利（貝氏是史達林同鄉，喬治亞人）。

中共樣樣以俄為師，在國內民族上也是如此。近年中共劃成許多少數民族自治區，表面看來好像是維護各該民族利益，其實只為了便於中共統治，共黨如何肯賜予人民以自治權利。明乎此，則可以瞭然何以年來西部邊省不斷有民族性的變亂發生了。

西藏情形比較特殊而複雜，但有一點不容置疑，即中共在藏，完全以征服者的姿態出現。其開始進入藏地，是武力征服，到此次摧殘藏人起義，依舊依恃武力征服。在武力征服的背後就是那一套共產化的公式。那形式與半世紀以前西方帝國主義之征服亞非各地毫無二致。在西方屬領紛紛獲得自治或獨立的今日，中共居然還在大開倒車，若不受到堅強抵抗纔是怪事。

達賴脫險抵印

達賴喇嘛一行脫險抵印，獲得印度庇護居留，對於西藏僧俗，對於全世界佛教徒和自由人士，都是一大喜訊。達賴對中共說達賴被人劫持，其實誰都知道，達賴對中共的厭惡和反抗，並不自今日始，此次拉薩事變，是為了保衛達賴安全而起，其拒絕中共所設「宴會」與脫險出走，完全出於他的自願。眞正準備劫持達賴加以利用者是中共，只是中共狂妄心機，從演戲邀宴，到為造謠中傷，並調動傘兵堵截和噴射機追蹤，皆屬枉費心機。不管達賴對於藏局影響如何，他倒底逃脫了中共魔手。

如何支援藏人鬥爭

現在拉薩僧俗已遭慘烈摧殘，中共無疑存有對西藏澈底征服的企圖，事實上以當地種種特殊情形，即使中共擁有遠比班禪或阿旺晉美之流更得力的工具也未必有濟。全藏人民的繼續抗爭，可能使共黨臥不安枕，坐困在拉薩等幾個據點，到底無法把共黨逐出藏境。但如果藏人此度鬥爭能促成青康甘寧等地反共運動繼起，則中共勢不能不首先放棄西藏。

更重要的還是外間的助力。自由中國固然責無旁貸，但西藏對外交通必須通過印度，印度的尼赫魯政權却是「假絕大障礙」。鑒於日來印度民間與情激昂，則透過印度民間，可能做有效的運用。另一可能是經過巴基斯坦。

在一般國際間，不要小覷了聯合國的作用，只要這問題能列入安理會或聯大議程，即使結果只是一項空洞議案或組織調查團之類，其直接間接的功效仍不在小。問題只在如何地這問題提出聯合的方式。

李秋生

說容忍

●陳伯莊●

據說有兩口子在結婚之前，彼此相約，大事先生作主，小事由太太作主。結婚一年後，先生的朋友某甲知道他們家裏事事由太太作主，怪問其故。先生說，一年以來我家裏就沒有過一件大事。這是容忍的事實之一，而不是容忍的道理之一。「烏鳶之卵不毀，而後鳳凰集；誹謗之罪不誅，而後良言進。」是漢朝人勸皇帝納諫的名言；這可說是容忍的道理之一。

容忍之為事非一，要皆為不做氣頭上所要做的事。容忍之為理非一，要皆為覺得不容忍之為害大於容忍之為害。不做氣頭上所要做的事，其間必有勢扞格的情形之存在，不僅覺得不容忍之理虧。覺得不容忍之為害大於容忍之為害，不論其所謂「害」者為何，要皆為理智的打算，不僅無可奈何「又從而為之辭。」是以，容忍之為事，必有力之相衡拒的狀況存焉。容忍之為理，必有累積經驗的痛苦教訓存焉。

容忍之為事與為理，遍見於人與人相處的領域，遠大於政治所及的範圍。言容忍，必涉及意志，情感及理智。離開這三個心理因素而言，則容忍之跡象無他，「妥協」（Compromise）而已。妥協者乃容忍的客體觀，容忍者乃妥協的心理觀；然而此猶就人事領域而言也。所足異者，妥協之為事，不僅見於人事界，並且見於生物界 biological level。

「自定作用 homeostasis 所產生的調整，永遠不會完全的，也永遠不能期望其為完全的。正如機器一樣，專用者其用不全。凡泛用者其功不全。對甲事能做得十分完滿的，對乙事或不勝任。成為某種生理活動最適宜的溫度常非他種生理活動所宜。生於體內的器官，如其功能之發揮以較低於體溫為適者，演化的結果常使其生於體外面。各有其最宜溫度的生理歷程各不劃一。因此妥協遂成必需。合演化歷程中不相衝突，在競爭與不相經妥協而獲解決。既妥協自有其不完滿之處。在行為層次上或在生理層次上求獲適宜的完全，乃理想家的幻念而已。事實之所絕無。」——雙默森著的「自定作用和系統的比較」，見現代學術季刊第一卷第三期一二五頁。

凡存於有生系統中的構成份子，必對這有生系統有所貢獻，故不被淘汰而留存於生體之內。又因「衝突不能並存於個體之間與個體與個體之間，此亦存於個體之內，」——亦見上引文——故生物個體之內，仍有妥協之跡象存焉。然則妥協者其為一切有生界所必不可免之現象乎？成為妥協的心理觀之容忍，其為人生之大道乎？

雖然，我們不可為容忍大義所引起的道德感所蔽所瞞，而不進一步研究容忍的社會性質與功能。

假如無所爭，何來容忍？容忍云者，根本意涵着未息之爭。容忍只是中途小息之茶亭。容忍則維持現狀，鬥爭則要改變現狀。現狀不改變，則既無進化，亦無退化。乾坤不息，無中止於不進不退之可睡。

容忍非不爭也，爭而出於比較安全之道也。所以「必也射乎，揖讓而升，下而飲。」所以「仲尼不為已甚」。如放「虎兕出於柙」，則「龜玉」必「毀於櫝中。」說容忍（四月三日，台北）

政治的藝術性

政治是管理衆人之事，執政者處理國計民生事宜，雖不能使衆人個個心滿意足，皆大歡喜，亦得符合「為大多數人謀最大幸福」的政治原理原則，才算是成功的政治家。因此，搞政治實係一種高度的藝術工作，不是隨便對付或任性而行所能濟事的。

藝術的成就固然需要天才，而技巧亦係重要條件，政治問題尤其非講究技巧不可。試舉一個我所體驗的淺近例子以明之：某次雙十節前，香港政府忽然為着一項政治上的疑難事件，傳我前去問話，但那主管官員却和顏悅色地對我說道：「我們是請你來幫忙解決一項問題」，表示並非傳訊脅迫之意。當時我欣然把他所詢問的事情，很切實的予以解說，內心上並無絲毫芥蒂，眞是幫助他解決了問題。假使把我當作罪犯，頤指氣使，或者擺出一副「從實招來」的兇惡相，我的對答一定不同，而他所希望瞭解內容，確處理問題的目的，那就頗不容易達到了。

處理政治問題，如以軍事部勒的方法，則下命令，講服從，談威信，事無鉅細，皆以直切了當，我慢自專為主，絕不運用技巧，結果必然糟糕，至少亦事倍功半，枉費多少心力。這也就是軍人不大適宜於搞政治的基本原因吧？

政治上任何困難問題，只要有些藝術，運用技巧工夫，再又出之以誠懇的態度，則沒有不能獲得多數人諒解的。政治這玩藝本無絕對的是非可言，民主國家的民意代表，事實上何嘗完全是代表民意呢？衆人之所是，縱使違法亦了無可非議的事。所以，南韓總統李承晚每逢大選一次，即鬧一次政潮，甚至鬧出逮捕國會議員的現象，我總覺得他太缺乏藝術才和技巧，未免過於簡率從事，可惜得很啊！

馮子先生

再說「兩個中國」

——美國來鴻之十一——

謝扶雅

「兩個中國」——這一不祥而可憎厭的名詞，儘管我們中國人都不願聽，但重視現實的美國人，照我看來，再沒有比今日更對這個問題鄭重反復研究，並公開討論得緊鑼密鼓，吁嚙熱烈的了。

筆者已在上幾次通訊裏，屢常提到美國朝野上下對於所謂「兩個中國」的意見，現在想專就這個題目，更廣泛地作一報導，以期效於知己知彼，而謀周密的準備和萬全的應付。

至多還有兩年可拖

以下所述，都是參考近來各報章雜誌及當本上發表的文字，以及參加討論會和辯論會或個人談話所得的意見，絕非出於筆者偏揣摩。不過，在這報導當中，不及一一註明出處，還請讀者原諒。

儘管美國有傳統的孤立主義及孟羅主義，但自第二次世界大戰以後，現實的情勢已逼着美國非負起世界的責任不可。到了最近太空時代，則更是環球上的各國各族，惟有相依為命，休戚相關，如老子所想像的「雞犬之聲相聞，老死不相往來」。我們從前常說：中美兩國在太平洋兩岸遙遙相對。現在實際上從香港到三藩市坐飛機一天可達，怎能再用「遠洋」的字樣呢？日前某報紙上還登載說：「五年後可有飛機由三藩市經馬尼拉到台北，不過幾小時的路程！」不錯，美國對共產集團國家，一向採取圍堵政策，但圍堵不等於「絕交」，以高壓要求，決非斷絕關係呢？甚至對蘇俄，更沒有斷絕外交關係的大陸中共政權，美國也不能不在日內瓦與之談判，在華沙再談下去。況且中共加入聯合國的問題，照歷年的投票比率看，至多也只有兩年可拖。除非台灣在最短期內即能反攻復國，即使大陸不在內，聯合國化對大陸也[illegible]。雖則港台兩地的消息，頗多報導中共自推行人民公社以後，將激起更大規模的反抗，然而從美國所得的資料和分析，還絕[illegible]「中華人民共和國」，爲招牌喊得震天價響，掛齊招牌，爭取[illegible]的「承認」不可。

中和主日學討論班中，雖不觸及政治承認問題，但普遍地提到共產中國字樣，如「人民中國」，知反而不見「自由中國」。在各大學一覽中的中學生來源統計，無不明列某某來自中國（指大陸中國），某某來自香港。他們並沒有把「自由中國」學生看作是自「中華民國」來的，都正當的「中華民國」是自台灣來的。我們從「自由中國」寄出的郵件上，寫清除「台灣」外，還要再添上「中國」字樣。這就是所謂「現實」。甚至反中共最烈的現國務卿杜勒斯，在公開談話中，也不否認美國固已「承認」了中共。他說：「要是我們並不承認中共，豈有在日內瓦同他談判」。雖然他一再強調說，這亦可以看出美國要在華沙同他們談判之談，政府對一般要求承認中共政權問題之難於應付。

「天真」的美國人也在傷腦筋

另一方面更頭痛的問題是：中共始終堅持着一個主義的完整，台灣有什麼辦法使它承認「解放台灣」的口號呢？對這一問題的背後，他們具有兩種心理作用：第一，當然是美國的安全感。現在台灣海峽七艦隊巡弋台灣海峽，要是瘋狂的中共再挑[illegible]年，大陸人口由六億半至七億至八億，加以舉國皆兵，人海戰術，派以中（共）蘇軍事聯盟的關係，至少蘇聯的飛彈可以隨意所欲地射到美國各處。這種人類毀滅的大亂子，縱使上帝不擔保他們不會闖出來的。自古道：冤仇宜解不宜結，雖然雙方皆多談談，但彼此多來往，死硬對死硬，比鼓着氣要來得心理上平安一點，或者至少可以減少若干疑懼。第二，也許美國人的道德感或者宗教心腸確比別的民族高出一籌。名義上，他們總是個基督教國家。他們認得那邊大陸的人有六億半之多，實在都是無辜的。甚至連萬惡的共產黨徒在內，畢竟還都是上帝的兒女，受造物的「人」，總是可憐的，軟弱的。根本這個世界是良心不容的世界，而又必須共同生活，相忍爲安。誰又能夠，或誰又應該把另一羣人置之死地或關諸深牢呢？基督耶穌教訓我們要彼此饒恕，要愛仇敵，但事實上既然有這樣的一個國家民族——至少他現在已不再來打我——住在我的鄰右，我伸出手來——也許最初他不肯和我握手——，但如耐心些，寬量些，或者先從純學術性的會議，理論科學上的知識交換；藝術，戲劇，舞蹈，體育比賽之類，彼此接觸，參預。乃至先不直接往來，暫從第三國的會場中，兩國代表或可有晤敍的機會。如此慢慢展開，以求打通彼此間的情懷。甚至這一代，還不免大家芥蒂較深，下一代或者會好轉一點，再下一代……。中世紀的日耳曼民族入至羅馬，還不是終給教會感化啟發了嗎？『要之，我們還當積極着手作試探性的接觸。』

總而言之，現時美國人對大陸中共，對台灣兩方面的處置，態度，政策，以及技術，凡可以想到的，無不一一想到了；凡可以說出的，無不一一說出來了。我們不要責怪他們，毋寧應予體諒。有些地方他們自然不免「天真」，可是他們實在極度「認眞」。他們對這問題，的確在傷腦筋，絞心血。至於我們何以自處？筆者以爲：我們既有八年對日抗戰的經驗和教訓，這一次自必需要更長期，也更堅若的「抗戰」。然而最後的勝利，也仍畢竟屬於我們無疑。（五九．三．二七．寄自紐澤西州）

與論有督促政府改變政策傾向

所以近幾個月來美國一般輿論都有督促現政府改變外交政策（特別對華政策）的要求。儘管這裏有一百萬人簽名反對中共入聯合國的「百萬人委員會」，但一般宗教界和知識分子，大都人在思想上很不贊成共產主義，甚至斥它爲不道德，不宗教，但是即如美國第一所有名的紐約協和神學院教授卜納德（John C. Bennett），在去年十一月克利扶倫基督教大會中主持起草促請美國政府承認中共的宣言，並個人發表「倫理與外交政策」長文；最近又於[illegible]刊上星期四晚，他在本州蒙特克勒市與有名基督徒[illegible]督教大學基金會幹事[illegible]）開辯論會，互辯承認中共與不承認之利弊得失。各地教會的辯論[illegible]

（本報訊）西藏三月廿左右的反共抗暴運動爆發後，香港的自由民主報刊，發表了許多言論，最近四月上旬右列有幾篇比較重要的文章，我們要在這裏摘要介紹給「自由人」讀者。第一篇是「祖國周刊」的社論，題爲「西藏反抗運動與自由世界」，第二篇是「自由陣綫」的社論，題爲「向藏胞致敬」，第三篇是「時代批評」的社論，題爲「爲西藏之戰呼籲」。

遊擊地區二百縣

「祖國」的社論，於撮要敘述了西藏人民反抗行動値得注意的情況之後，跟着說明藏民反抗中共的原委。從一九五○年中共勢力侵入西藏，實行消滅藏民族傳統、宗教的政策，引起藏胞的反感，最近中共在軍事政治經濟上有了許多措施，但自食其言，從事侮辱佛財產，拘捕喇嘛，以「反動」、「反革命」罪名，殺害藏胞。無論僧俗，凡不順從中共者捕殺即四，遭此厄難之藏胞，不下一百萬人。此爲西藏烽火連天的原委，亦爲數百萬藏民爲求自由，謀生存，驚死反抗中共統治之血淚史。

跟着該社論又敍述藏胞反抗暴的規模，認爲規模之大數皆於匈牙利。藏胞的反抗，早在一九五一年即已發難，現在遊擊武裝所及之區域，不下二百餘縣（宗），地區廣闊，時間長久，決非匈牙利「革命」可比。故其對內對外之影響亦必很大。

香港僑胞應急起

最後，該周刊認爲「中共對藏族的壓迫，決無休止之理。縱能一時緩和，也是陰謀詭計。西藏人民的反抗，還要繼續長期苦鬥。」於是提出主張說：「因此，我們大聲疾呼，聯合國人權委員會、聯合國同志會、國際紅十字會、以及各宗教團體、文化自由大會、世界青年大會等，均應本人權、人道之立場，盡一切努力制止中共迫害西藏人民及其他少數民族與宗教徒，並應努力在精神上物質上救助被迫害的藏族。

火急援助藏胞反共抗暴

——香港輿論對台灣的期望——

香港是華僑文化經濟重心，各僑團、報刊、學校、宗教團體，多持主持正義維護人權之立場，對在死亡綫上掙扎反抗的藏胞，應本手足之誼，在精神物質上準備長期支援，並應促請在台灣的國民政府，迅速採取實際有效的行動。」

開闢第二戰場

「自由陣綫」的社論，首先批評印度尼赫魯對西藏反抗運動的態度，滿於「遲緩與不夠」，認爲『印度應該做開邊境，爲西藏的抗暴人民，留一綫生路』。

該社論進而討論台灣當局對藏局的行動，認爲到現在爲止，『沒有什麼有力與有效的行動表示』。台灣當局『如確有實際援助的企圖，最有力的表示，應該在大陸邊緣，特別是沿海及中泰，中緬交界的地方，發動更大規模的實際戰鬥，以牽制中共對西藏的軍事壓力。』更進而主張，『自由世界的許多機構，特別是聯合國，對於西藏逃出鐵幕的許多人民，應該採取十分火急的救濟及安置舉動。海外兩千多萬中國人，應該一致向鐵幕內外的藏胞，致最高的敬意與慰問。』

自由世界不應漠視

『時代批評』的社論說：『今日西藏之戰就是考驗自由世界的態度和決心。如果自由世界對西藏的反抗不給與大力支持，在亞洲又使共黨勢力肆無忌憚的泛濫於遠東各地。』於是該社論主張：

『一、聯合國應開大會支持抗暴的人民，譴責中共迫害人民，絞殺宗教；

二、美國應該表聲明支持抗暴的人民，並隨之以實際行動，如輸送軍火，和派遣志願軍；

三、台灣國民政府應繼續空投軍火、物資，空運一部軍隊到西藏；同時積極準備在東南沿海強行登陸；

四、印度、不丹、緬甸、阿富汗以及佛教國家政府應以護教的正大理由動員羣衆，支持西藏的佛教徒反共義舉；爲此不惜與中共絕交；

五、自由世界各國有組織的團體均應動員，在物質上及精神上支持西藏的反共義舉。』（四月二日）

台輿論再度促請召開國是會議

．張健生．

（台北通訊）聯合報在三月二十五六兩日，連續發表社論，主張召開國是會議；公論報在同月三十日也發表社論予以支持；出席聯合國代表蔣廷黻及一些立法委員國大代表，也表示同意這主張。

聯合報首篇社論以「爲維護法統應召開國是會議」爲題說：「中央級的民意代表……；終有一天，即使把候補人悉行補上，也將不足法定人數，不能充分行使憲法所賦予的充分職權。果如此，則憲政勢將殘缺不全，而民主體制亦將無以持續。爲維護中華民國的法統，中央級的民意代表遲早總有一天『改選』的。至於如何改選，各方意見頗爲「龐雜」，「本質上已經是一個純粹法理所不能應付的，非常性的問題，我們與其寄託希望於法理解決，無寧另行尋求政治解決的途徑。」：爲此我們主張，此一問題，值得並且應該召開一個能代表各方面的國是會議，來予以商討。」同時，且該報指出這是「反共救國會議之擴大」。進一步的說穿了主張修憲與反對修憲論者，「事實上都是爲了達成某一個政治目的」，修憲是爲了連任，如果爲了取得合法的連任，則必須修憲。假如是爲連任而修憲，則現行的中華民國憲法，就難免爲論者指爲「台灣憲法」了。

聯合報另外一篇社論：「我們何以主張召開國是會議」一文，補充意猶未盡的四點意見：一、「召開國是會議的意義與價值是以均衡的政治力量來解決憲法與憲政間的矛盾」。二、「國是會議是以維護憲法爲使命的會議，它不是修憲，而是尋求打開法理與現實間的矛盾所加以憲法的桎梏的方案。國是會議的協議，還是要遵循憲法的途徑來實現的。」三、「假如我們召開國是會議，能夠爲維護法統，解決當前憲法實施的困難，覺得有效的方案，我們便體現了上述憲法制定權的積極作用，也實現了憲法弁言中所揭櫫的目標。」四、「召開國是會議來解決政治問題，不只有利於突破憲法與憲政間的困局，也可以此促成海內外一切反共非共力量的大團結，而加強我們的政治號召，展開我們的政治反攻。」

公論報在同月三十日發表社論「論召開國是會議」響應；它說無論「國是會議也好，反共救國會議也好，只要是爲了團結朝野共赴國難的會議，總是愈早開愈好。」該報認爲「在召開國是會議以前，執政黨應先召開黨是會議，在謀朝野團結以前，先謀黨的團結。」因爲執政黨黨內有「不可否認的有些重要問題，黨內的意見似還相當紛歧。」該社論列舉證據說：如「去年二月二十三日，蔣總統雖在光復大陸設計委員會年會席上說：『自去年以來，國民大會有好些代表，曾經提出修改憲法的問題，自然還是各位代表的職權，個人不便有所干預，但我可以代表國民黨代表政府來說，我們不僅沒有修改憲法的意思，並且反對修改憲法。』官報黨報一反常例，對總統這樣一個聲明，竟沒有進一步加以闡揚，而第二天國大代表聯誼會，一部份國民黨籍的國大代表叫嚷修憲如故。今年一月十五日，國民黨籍的大法官史尚寬又在聯合報發表專論：蛛絲馬跡，不由人不懷疑到執政黨對修憲問題的『黨是』未能一致。」該報抨擊政府實施憲政不夠誠意，而影響朝野的團結，如果「政府能厲行民主憲政方面有本實表現……則朝野團結不成問題，如果滅些實質問題不提，甚至修改地方自治法規以期伸張官權，打擊『自由中國』雜誌，藉圖扼殺言論自由，變本加厲，一意孤行，召開會議，也不見得開得成，更不見得開得好，又何必勞民傷財多此一舉呢？」該報認爲執政「黨派不要『自由民主與團結』的，至少是怕談『自由民主與團結』的，它指出黨報「中央日報」將外長黃少谷在扶輪社中國港九埠際會議上的演說原題「自由民主與團結」刪去而改「台灣政經進步實況」爲標題。故「在執政黨內的意見未趨一致之前，輿論縱然大聲呼籲……實現的可能性是微乎其微的。」

蔣廷黻代表答復記者詢問時說：最近有報紙提出「召開國是會議」的主張，這是一則很好的消息。三年前我回國的時候，曾經表示過歡迎召開國是會議，今天我還是歡迎。

立委[illegible]提出兩點意見：如果政府有長期打算的話，無論何種型的會議，都可以解決問題。唯有把國家的利益，置於黨派及個人的利益上，國家才能長治久安。而以會議方式來商討國家百年大計，對國家是有益的。立委李公權也意這個看法，懷疑政府可能怕此時召開而影響到明年台灣地方選舉，造成民間的力量，使執政黨的議席減低。

民主潮半月刊的社長朱文伯，是屬於在野的青年黨的國大代表。他表示：青年黨是擁護召開國是會議的，故反對修憲，而同意國民黨主張召開的會議，共商國是。而且這類會議是必須召開總統的，因爲總統的任期是必須有合法的解決，不過民黨的內部與許多措施，也是使黨外人高深莫測的，如果「黨是」未一致而談「國是」，則是無從談起的。（三月三十日于台北）

印度與西藏

一九四七年印度獨立以後，承襲了英國在西藏的勢力。一九五〇年中共軍要進軍西藏，印度政府給中共政府一份照會，道出了它對西藏的基本政策，即：「西藏在中國宗主權範圍內的自治」。一九五一年五月，中共和西藏簽訂了所謂「和平協議十七條」，其中就有要給予西藏自治的一條。當時，或認為印度必已滿意，其實呢印度與中共所說的自治根本是兩回事。一九五一年十一月，中共軍入藏，逐步的加強對西藏的控制。一九五四年四月，中共與印度間簽訂關于「中國西藏地方和印度之間的通商和交通協定」，印度撤出在藏的一小隊武裝部隊，交出驛站、郵政、電報、電話等企業，將其原駐于拉薩的政治代表處改為總領事館，印度在藏的勢力才被完全逐出。同年六月，周恩來與尼赫魯發表所謂和平共處五項原則的公報。印度所以採取這種中立政策，無非是恐懼中共南侵的表面態度；骨子裏並未忘情於西藏的歷史性勢力。

暗中再插手

印度之對于西藏，表面上與骨子裏並不相符的跡象很多，譬如說，印度境內的葛林堡（或譯作加林邦），中共已經直接指出為西藏反共的指揮部，最近的消息傳來達賴已越境入印；毋庸置疑，印度是對西藏反共加以援手的。

根據拉薩革命後的中共公佈的文告的口氣，以及中共駐印大使館的公報來看，中共對于印度的態度似有轉趨強硬的可能。但于「新華社」發表達賴已越境入印消息的同一天，周恩來特別致電全印亞非團結會議主席，強調願共同維護五項原則的鞏固並增進友好，似無與印強硬之意。可以見到中共對于印度在避免因此而使關係惡化；印度對于西藏反共的援助也不會罷手。

我們的態度

藏印之間既然有着這種歷史關係，我覺得應該表明我們的態度：一、西藏人民目前的親印表現，完全是因為反共與宗教的關係，並不足以說明印藏之間有着特殊關係。二、在拉薩革命以後中共對于印度不採取強硬態度，並非印度的力量強大而有所可恃，而是因為中共在藏的泥足愈陷愈深；這也就是說，由于西藏人民反抗力強大，而使中共不敢對印度施行強壓；這種局勢若拖延下去，或可迫使中共退出西藏，而中共對印度的壓力亦將減輕。三、由此可見，此乃印藏之間互相援助，並不是印度的單方面施與。我們希望印度的有識之士，改變以前那種欲瓜代英國或藉中國多難而伸入西藏，以援助其反共的古老觀念。我們也很同情印度的中立苦衷，但在基本上還是在一條反共戰線上的，希望印度在可能範圍內擴大對于西藏反共的援助。但切忌帶有道義和宗教關係以外的奢望。

·田心·

為西藏革命呼籲

·章休·

西藏的革命爆發了。這事件的發展方興未艾，其影響將無可比擬的巨大。我們對它應該有幾點基本認識：

不是漢藏之戰

首先，這絕不是漢藏民族間的問題，如中共當局所宣傳者。漢藏兩大宗族自唐初迄今相處一千多年，一向融洽無間。中國文化博大涵容，任何地區，任何宗族，都可自由選擇他們的信仰和生活方式。且因西藏地處邊陲，交通不便，內地人在彼處居留者極少，民族間絕無磨擦。西藏同胞感情的內向，從來也未發生問題。從清末至民初，國家積弱，戰亂頻仍，且在強鄰不斷挑撥離間之下，西藏對祖國從未提出任何獨立要求。即中共竊據大陸之後，能以兵不血刃之勢，使藏局迅速趨於安定，亦未嘗非由于藏胞誤認了那替莫斯科執行政策的中共為真正代表中國政府的純潔情感內向的表示。目前的革命份子，除了藏胞以外還有回胞，他們的口號是：「打倒共產帝國主義！」「打倒周恩來！」更沒有仇殺漢人的事。這都證明中共的宣傳完全出於欺騙。

也非純起于宗教干涉

其次，也不是宗教問題。誠然，宗教信仰是共產主義的死敵，中共對一切宗教都務必消滅之而後已。但最少目前表面上還未干涉藏人的宗教信仰。藏人還可以崇奉他們的領袖，可以照舊舉行他們的宗教儀式，比起內地的天主教、基督教的遭遇已好得多了。達賴出走之後，中共還要利用班禪，都是中共未敢在藏深入干涉宗教的明證。藏人革命的動機，顯然不是起於宗教信仰。

是先噴發的火山缺口

世界人士應該清楚認識，西藏事件是整個中國政治的反映，西藏——革命是中國人民起來推翻中共統治的開端。西藏事件醞釀已經很久，而其爆發不早不遲，在中共實施「人民公社」的暴政發展至高峯之後，這是全國人民所再不能容忍的表示。中共其始雖對西藏特別懷柔，但暗赤化與奴役實在一天天的加緊。如建築康藏公路，曾驅二十萬藏民為奴工，死于飢渴和過度工作者過半數。繼大陸「人民公社」之後，又企圖在藏試行這一暴政，欲迫藏民離開他們的宗教和家庭去集體勞作，父不能有其子，夫不能有其妻，身體被奴役，財產被沒收，家庭被拆散，凡屬人類，誰能容忍？革命怒火早已蘊藏在大陸六億人心中，革命爆發的條件早已具備，所不同者，其他地區缺少像西藏一樣的優越的地理環境，如果將西藏高原的崇山峻嶺移到廣東廣西來，廣東人早革命了。如果有一樣的世界屋脊可資憑藉，他們也必同樣地起了反共旗幟無疑。今日的大陸，已經是一座火山，西藏僅是一個先噴發的缺口而已。

也是反共的燎原之火

世界人士應該清楚認識，西藏革命與匈牙利革命，其反極權反暴政，本質雖無不同，但兩者當前情勢和客觀環境卻大相異。一、匈牙利毗連民主國家，革命者以血肉與侵略者拼鬥，西藏人民卻有自己的武器；二、匈牙利陸交通中心，無險可守，只能在街巷與敵人肉搏，西藏則高據世界屋脊，敵人方面迢距遙遠，應援不易，而革命力量，補給可以隱藏，隨處可以在那裏展開游擊，必可制中共的死命。三、匈牙利人民孤立奮鬥，毫無援手，西藏人民一被撲滅即起的火燄，尚有大陸六億同胞，尚有海外千多萬僑胞，和擁有八百萬人民和枕戈待旦大軍的自由中國政府，還有亞洲一切佛教回教國家，還有自由世界的正義力量——。它不但有長期堅持下去的條件，而且絕對可能成為共產世界的燎原之火！

不僅是中國內政問題

但我們警告自由世界，再不能像對匈牙利事件一樣徒然作可恥的旁觀。須知西藏問題決不僅是中國的內政問題，印度固不能安枕，亞洲赤化又將更進一步。若又蹈過去為了恐懼大戰而犧牲弱小的覆轍，結果侵略者的氣燄愈來愈囂張，而大戰的危機也愈來愈緊迫。共產主義不僅是一種宗教的敵人，乃是一切宗教的敵人；中國共產黨不僅是中國人的魔鬼，也是全世界人的魔鬼。全世界不講人權則已，如要講人權，必須一致起來消滅共產統治，全世界如果不講人道則已，如要講人道，必須一致起來聲援西藏革命！全世界的宗教徒，全世界的文化人，全世界的自由人士，應以精神的力量，[illegible]

中共召開僑生代表大會

（本報訊）中共提倡「生產勞動和教學相結合」的新教育方針的目的，就是在於「興無滅資」。廣大僑生，更是首當其衝，此一年來僑生被迫從事各種勞動，苦不堪言，僑生中的反對思想也越來越多了。為了穩定僑生情緒，廣東教育廳、廣州市華僑事務局、共青團廣州市委、廣州市教育局四個單位聯合於三月十四日召開了有二百多名僑生代表參加的廣州市歸國僑生代表會議。會上，廣東教育廳長羅浚、中共廣州市統一戰線工作部長羅培元都講了話。三月十九日的光明日報並發表了這一消息。光明日報並說到了僑生勞動的情形，如廣東華僑中學學生楊仲文，「在某材樂器工廠工作十七點九土方；廣州市五中學生溫官業在珠江機械農場勞動的時候，擔床超過定額一倍多」等等。從這些介紹看，不難看出僑生被迫從事的是什麼樣的繁重的勞動。

大陸文壇透視 · 七

又恢復了戲曲改革

「解放」之初，對於一切舊的戲曲，除了一部分禁演者外，其餘必須改過方能上演。在文化部之下，既設有戲曲改進局，還設有戲曲研究院。一時戲曲改革成了風氣，把一些很有名的傳統戲曲，改得非驢非馬。像「水泊梁山」中就添上兄弟參軍、兒子檢舉父親和妻子控訴丈夫的大義滅親的故事，鎮壓反革命的殺人場面，「玉堂春」中就加進地主行兇、蘇三的父親賣女納租、王金龍壓迫農民等情節，結果是農民暴動，攻進太原城，殺了王公子搶出蘇三。「盤絲洞」中豬八戒唱「感謝毛澤東」，「借東風」中有關公顯聖一刀腰斬杜魯門，眞是無奇不有，舉不勝舉。因此老百姓都不願意看這種戲，以致戲曲演出時上座情況不好——上海共舞台只賣二成座，許多劇團賠累不堪。

一九五一年袁雪芬、范瑞娟的「東山越劇團」，到北平演出改編的「梁祝哀史」，演出後丁玲領着她們去見毛澤東，毛當面指示她們說，像這一類民間故事劇，還好好地保存原有的形式和精神。從此「梁祝」一劇才恢復了原形，而類似這種民間故事劇的戲，如「白蛇傳」「西廂記」等，也都獲准照舊本演出，民衆才有了戲看。但是日子長了，翻來覆去，老是這一類民間故事劇，人們都看得厭了——當時流行着這樣幾句話：「翻開報紙不用看，梁祝西廂白蛇傳，不斷橋秦香蓮，就是秋江百日緣。」於是在「鳴放」之前，文化部才不得已發出一切廢曲開禁的命令。

去年反右以後，中共在文化教育界中又掀起了所謂「厚今薄古」運動，主張「古」為「今」用——就是使「古」為「今」服務。但是有些人根據馬列主義提出了一個問題：古代那樣經濟基礎的上層建築（文化），只能為古代服務，如何能為現在這樣的經濟基礎服務？換句話說，也就是封建時代的文化如何能為社會主義的社會服務？中共為了解決這個問題，於是提出要用歷史唯物主義和辯證唯物主義批判古代的文化，棄去其不合於「今」用的「糟粕」，只保留其能為「今」用的「精華」。因此便主張重寫歷史，對古典文學重加批判，甚至五四以後的新文學作品如巴金這樣一向被視為「進步」作家的小說，也要另行用馬列觀點來估價。一切舊的傳統戲曲，自然也相應地必須加以改編。從去年冬到今春，已有歐陽予倩改編的「桃花扇」、田漢改編的「西廂記」、馬少波、翁偶虹等改編的「赤壁之戰」先後在北平演出。在秧歌文學重現的今日，再回到戲曲改革的老路，也倒是「事有必然」的。

瘟君夢

岳騫

第二回：密室定奇謀 蒼生塗炭 巴山留遺恨 弱絮隨風

李富春未料這樣隨便一句話得罪了活曹操，正想解釋，賀龍看到林伯渠那一付損像，忍不住說道：「林老，你眞是名不虛傳的活⋯⋯」

林伯渠眼一瞪，「活什麼」？

賀龍一時嘴滑，到此時才覺得不妥，一時接不上了。林伯渠笑道：「你說我是活曹操吧！其實曹操並不錯，我眞能比得上曹操，還是光榮呢？」

毛澤東點點頭：「一點也不錯，曹操是中國歷史上一個少見的人物，我生平最佩服的人除去歷史上眞要農民起義英雄黃巢、張獻忠、李自成之外，就是曹操，尤其是作詩，我完全是得曹操和黃巢的眞傳，所以才能把革命現實主義和浪漫主義相結合。」

毛澤東一邊說，林伯渠一邊撚髯微笑，接着說道：「主席你塡的那首浪淘沙詞，眞好，我到現在還記得。」說罷曼聲長吟道：「往事越千年，魏武揮鞭，東臨碣石有遺篇，蕭瑟秋風今又是，換了人間。」

譚震林笑道：「林老又吟詩了，小心被曹老聽去，又生是非。」

林伯渠哼了一聲：「他敢，這是主席塡的詞，我那有這種才華。」

賀龍悄悄和彭德懷說道：「怎麼曹操也有人爭着做，我這一點實在思想搞不通了。」

接着又聽毛澤東說道：「林老，想起在延安時，我們也曾替張獻忠和李自成兩位先進英雄修過專祠，以後又派人祭過黃巢，甚至如宋景詩，張宗禹的史跡也都組織調查團去實地考察過，祇有曹操卻從未加以表揚，未免太疏忽了。」

林伯渠摸摸鬍子，慢條斯理說道：「這件事我到早想起來了，不過我為了避嫌疑，未敢開口。」

毛澤東詫異道：「你避什麼嫌疑，你和曹操根本不在五同之內，別人還會攻擊你有溫情主義不成。」

林伯渠苦笑道：「我們卻犯了第六同，有些人背後喊我活曹操，我們算不算同名呢？假若我提出表揚曹操，一定會被人攻擊，別人也許不致於，董必武一定不饒我。」

李富春知道活曹操剛才受了老狐狸的氣，現在要反攻了。勾頭看下譚震林，兩人都笑了。

毛澤東未留意活曹操訴苦，沉吟一下，又問道：「林老，你估曹操是那裏人，將來專祠蓋在什麼地方。」

林伯渠未接腔，賀龍搶着說：「當然是湖南人，還用問。」

毛澤東想不到賀龍如此淵博，連忙問道：「你從那裏聽到的，他是湖南那一縣的人。」（廿五）

政府豈能再坐待反攻

我們呼籲海外二千萬中國同胞，我們決不能對藏胞死亡坐視不救，我們不但要對戰鬥中的藏胞致其崇敬，給予精神上的物質上的援助，還要向那入藏的受中共驅策的子弟招手，號召他們快快脫離蘇俄帝國主義的羈絆，像韓戰中的西萬壯士一樣返回自由！我們更呼籲自由人士鼓掌，同時監督政府嚴重注意這一世界現實——，緊緊把握這一對自由世界有利的現實！祖國政府，西藏是我們的領土，西藏人民是我們的同胞，拯救自己領土內的同胞，是我們神聖的義務，誰也不能干涉，誰也不能阻撓，我們應以絕大的勇毅，作自己的主張，決不能讓這革命的火燄歸于熄滅，決不能使久在水深火熱中的六億人民再行等待，再行失望！

曹操「翻案」進入第二步 連紂王秦始皇也是好人

中共通過了它的御用文人，為曹操翻案一事，現在進入第二階段。郭沫若在三月二十三日的人民日報上，又發表了一篇一萬餘字的長文，提出了非但要為曹操翻案，而且要為歷史上著名的暴君殷紂王、秦始皇翻案。這種露骨地「翻案」的目的，已越來越清楚了。它只是為了說明一個問題，即掩蓋中共的暴行。

郭沫若的文章中特別強調曹操和殷紂王、秦始皇雖然屠殺過不少無辜人民，「但總的來說，對國家民族還是有利的」。中共目前正把人民置於水深火熱之中，所以才不惜以大規模的翻案活動來為其罪行作辯護。（竇）

釋耒集

打倒權威

曲齋

戰國之世，百家學術，蠭出並作，儒、道、楊、墨，互相非難，孟子且云：楊墨之言盈天下，可見當時在學術上，尚無所謂權威也。儒術成爲權威，出于漢武帝之表彰，至東漢王充，作問孔篇，首先要打進孔子的殿堂，魏晉間的嵇康，得非湯武而薄周孔，其時類此者又實繁有徒，唐開元天寶間，劉知幾撰史通，倡疑古惑經之論，亦對孔子頗不客氣，此風至晚明，遂突然登峯造極；李卓吾曰：「夫六經語孟，非其史官過爲褒崇之詞，則其臣子極爲贊美之語，又不然，則其迂闊門徒，懵懵弟子，記憶師說，有頭無尾，得後遺前，隨其所見，筆之于書，後學不察，便謂出聖人之口也，決定目之爲經矣，孰知其大半非聖人之言乎？縱出聖人，要亦有爲而發，不過因病發藥，隨時處方……是豈可爲萬世之至論乎？」旗幟雖極鮮明，但僅攻六經語孟，對孔子似仍相當欽敬，故不容稱之爲聖人。及五四諸公，始呼之爲孔老二，若六經語孟，均擬一律投諸毛廁，其口號曰打倒孔家店，即凡與孔子有關者，均屬罪大惡極，均在打倒之列。

大抵權威是只能有一個的，提倡打倒，目的在于取而代之，秦亡之頃，項羽成了權威，劉邦打倒項羽，劉邦自然就成爲權威，漢末混亂，呂布、二袁、劉表、公孫瓚，一時都有成爲權威可能，曹操超而一一劃平之，於是曹操就成了權威，這是政治舞台上的活劇，情形至爲明顯。至于詩文，亦大率如此，唐武后朝，杜審言將死，謂宋之問，武平一曰：「我在久壓公等，今且死，但恨不得替人，」他生平很自負，嘗云：「吾之文章，合得屈宋作衙官，吾之書蹟，合得王羲之北面。」又王世貞所輯觴謔編載：「蘇軾謂晁美叔，朝廷若果見殺，微命亦何足惜，祗有一事，殺了我，好了你也。遂相與大笑而起。」若此等類，雖以嬉笑出之，然均不免隱然以權威自居，則已昭然若揭矣。

有一犢子，出生稍後于五四諸公的，當革命事業進行得如火如荼的時候，大約還只在小學裏念書，來不及加入隊伍，去放一把火，或擲一枚溜彈，或吶喊一陣，如今是戰場之上，烈燄全消，文苑之中，却出現了一批新的權威，其中有整理國故的，有介紹西洋哲學思想或文藝理論的，有翻譯標點古書的，有爲舊小說作序言，作考證的，有幽默大師，有新派詩人，有國語羅馬字注音符號的發明家，有用舊瓶裝新酒的劇曲作家，總而言之，所有的寶座，全坐滿了人，容不得人插足了。但另一邊的孔家店，其實並未完全倒下，有時竟也有些先前大喊打倒他的人，悄悄地溜進去夫子的宮牆之內，偷一兩件古董出來發賣，這也許紙是我們中國人的圓融處，原是不足爲怪的。不見辛亥革命後，溥儀先生的小朝廷，不就在故宮內維持過許久麼？

然而這種局面，也許終要激起新的革命志士，出來向這些新的權威問罪的，我們等着瞧吧，問題是這些新的權威，會不會還擊呢？如果他們雍容自若，就不免是大煞風景的，因爲如所週知，冷戰是打不出什麼結果的啊！

曲齋

經商與從政

●謹●

附近有兩家燒餅店，一家較近，一家稍遠；但是，我們總愛跑到遠的那一家去買。因爲比較起來，遠的那一家除了燒餅大小和近的那家彷彿外，裏面的酥要多些；吃起來味道就不同。

人都不是白癡，好壞很容易分別出來；因此，較遠的那家門庭若市，而且還要等；而近的一家，燒餅積得一大堆，很少有人光顧，除非是因爲趕急吃趕着出門，才不得已買他一次。

但是有一次，我突然發覺很多人都到近的一家來買了，我想不透是怎麼一回事，難道近的一家燒餅進步了不成？

一問之下，才清楚是怎麼一回事，原來有兩位顧客特別敏感，發現遠的那家燒餅小了一點，於是跟那家老闆講了，那家老闆不說是手高手低、或者是東西貴了，却說：『他家（指近的另一家）的大，你去他家買嘛！』那兩位顧客雖然明知另一家燒餅味道不大好；但是聽了這話，非常氣憤老闆的自大態度，寧可買近的一家了。

不久，近的一家顧客慢慢多起來，遠的一家却冷落了，因爲近的一家接受顧客的意見，把燒餅裏面的酥加多了，味道也不比遠的那家差，雖然較原來的小了些。

這是遠的那家老闆自討沒趣，他以爲他的燒餅做得比近的那家好，顧客多，却自傲起來，而且態度近乎蠻橫，如果他謙虛地說：『謝謝您，我們明天會做好一點；』或者說：『先生，最近麵粉油都漲價了！』可是他偏要這麼說，多麼愚笨！顧客雖然發覺燒餅小了一點，仍舊來光顧，當然他是取的味道，如果他再發現味道不好，用不着那老闆說，他早就去另一家買了，現在顧客既把他的感覺說出來，做買賣的該有所警惕才是，怎麼可以那樣回答顧客？

做買賣的不論大小，如果沒有顧客，買賣就做不成，對於顧客，不但要貨眞價實，而且態度要和藹，即使受到顧客的氣，也該忍着求諒解，對於顧客的意見更不該漠視，否則是自尋末路。顧客豈是花了錢來買氣受的？

爲政之道，其實也差不多，如常常讓納稅人看棺材板式的面孔，——老百姓的心，就自自然然地溜了！

，則又指不勝屈矣。

日月潭晚棹

吳石仙

扁舟輕似葉。載滿春光行。
水靜山垂影。雲開月怒明。
和風平地起。宿鳥繞枝鳴。
擊楫空懷古。悠悠今古情。

評：「碧血」！

○王世昭○

「碧血」一詩爲野馬君所作，詩見自由陣線第四五七期青年節特輯，是一篇可歌可誦，完美的自由詩。

五四文化運動之後，白話詩極風行，首揭大纛者爲胡適之的嘗試集，繼有汪靜之的蕙的風，徐志摩的翡冷翠之一夜，聞一多的死水，謝冰心的春水與繁星，朱湘的譯詩番石榴集，梁宗岱的譯詩水仙辭。此外，爲此努力的詩人，如：吳芳吉、劉大白、康白情、郭沫若、郁達夫、臧克家、饒孟侃、李金髮等。

其間，對於新體詩之能獨樹一幟的，第一是徐志摩，能自創一格，詩體也變化無方，音節亦極其自然，韻脚則打破隋唐宋元明清以還羈絆，清新婉約，徐氏兼而有之。其次爲朱湘，用字極謹嚴，韻脚極齊整，吐屬亦極其風雅。余曾於其番石榴一集中，發現其所用詩體多到三十餘種，打破三千年來所有紀錄，惜其生命不長，不然，其成就正未可限也。又次爲謝冰心，能依印度太戈爾抒情詩法作短章若干首，婉轉有致，詠大海尤其爲擊手傑作。此外值得一提的，爲梁宗岱，他運用臘的餘風，寫成象徵主義作品。郁達夫與饒孟侃則似乎接近廢派。說到郭沫若，雖譯了不少詩，但極其粗擴，當是才不足而力有餘，所以在創作上，他是沒有特殊成就的。

近幾年來，中國詩壇似乎起了新變化，這個變化，不是台灣也不是北平，而是超然獨立於二者之外的香港。

當代中國詩中最缺之的是什麼東西，我嘗說：是偉大的敍事詩。自北伐，抗戰，以至流亡，在這許多大時代裏，我們詩人應該有極豐富的收穫才是。

我願見二十世紀六十年代的香港，產生這類敍事詩人。

依我看，碧血雖不是長篇敍事詩，但已具長篇敍事詩的氣概。他不用外形韻律，而以內形韻律來表達詩的內在美，使讀者感覺到，近代史如繪，人物也逼生動，而這生動的人物不屬於個人，而是羣衆全體，倘能依此原則，加以檢討，擴大，從深厚方面去着想，在我的意識裏，這個題材可能成一篇非常美妙的長篇敍事詩。

台灣文壇點滴

「文學第幾？」

最近六卷一期的此間唯一純文學刊物「文學雜誌」上，載有作家彭歌的一篇題爲「文學第幾？」的作品，文內他一面以沉痛的心情，感慨的語氣申歎着我國文學園地的荒涼，另一面他又誠懇的相期文學界人士，『耕耘，不問收穫』，大家「不要懈氣，要爭氣」的埋頭苦幹一番。彭歌此一對文學界人士善意的呼籲，希望能夠使一池死水似的今日文壇，激盪起一些漣漪，最好在不久的將來，能一變「文學第幾？」的問題，爲我們的文學到底算得上「第幾文學？」的問題。

新詩步上了「鬼」道

我國文學領域內最爲人詬病的新詩，自從民國八年前後胡適先生登高一呼，首倡打破五七言的整齊格式，不拘平仄，廢除押韻，並一馬當先出版「嘗試集」以來，一直就像一列無軌列車似的，東闖西撞，到處橫行，迄今仍然還沒有走上一條正路，尤其如今我們的一些躱在「唯美的象牙之塔」裏的新詩人，成天作着那些「散步的魚」，「昨天昨天的昨天」，「紫色的希望，淡藍色的憂鬱」，甚至「1 2 3 4，4 3 2 1」如此這般令人莫明其妙的新詩，眞可說是步上了「鬼」道了。

杜甫風吹過寶島

少時貧不自振，奔走於吳越齊魯，最後竟潦倒客死湖南的社會派詩人杜甫，前時因爲「杜甫專家」洪煨蓮教授從美返台一行，給寶島帶來了一股狂熱的杜甫風，一時此間的學術界，以及報刊雜誌電台，無不大肆討論、研究杜甫的詩，頗有不讓洪氏在美專美之勢，假如杜甫死而有知，曉得他目前竟是如此走運時，想必他在九泉之下也會大有飄飄然的感覺，而對「我生何爲在窮谷」，要一笑置之了。

○耿耿○

短篇小說

得失之間

●童真●

他自己，彷彿是一塊給釘子釘死的木板，永遠要在老位置上呆下去；而許佑賢呢，却正向成功的坦路大步邁進。

想到這裏，郭慕周又問了一句：「佑賢，最近，你行裏的生意很好吧？」

佑賢祗含糊地應了一聲，兇猛地連吸了幾口烟，然後把剩下來的小半支「雙喜」捻熄在烟缸裏，過一會才說：

「老郭，我們那一班同學，在這裏，只有你我兩個了。」

「是的。」

「我們應該像兄弟那樣互助互愛。」

「當然，佑賢。你今天好端端的，怎麼說起這種話來了，莫非你有什麼困難不成？」

「你眞料事如神！」許佑賢說了，站起身去，把收音機關掉，再回來坐下。「你今天不來，我也要找你商量，不過，我在任何人面前，都沒有把這件事情洩露過，這是爲了我的名譽，我的前途。」

「當然，你可以信任我。」

「不瞞你說，這些日子來，你總知道銀行在抽緊銀根吧，這使我那家百貨行也陷于周轉不靈。如果再不設法補救，我看沒有幾天就要關門了。」

「啊，」郭慕周不由得大吃一驚。憑良心說，他是極願給朋友幫忙的，可是朋友的困難既是在經濟這方面，作爲一個窮光蛋的他，也便感到愛莫能助了。

「佑賢，我眞替你難過，你是明白我的境況的，我眞是心有餘而力不足……」

「老郭，我考慮過了，祇有你才有力量幫助我渡過這難關。」許佑賢截斷了他的話，懇求地望着他。郭慕周挺直了身子，難道他有點石成金的本領？老郭，你聽我說，你自己雖沒有錢，但你還有經手的款子呀！」

郭慕周一時聽不懂他的話。

「老郭，你是出納呀，」他把臉湊過去，壓低了聲音。「你廠裏的錢……」

郭慕周跳了起來，隨後又覺得這會使朋友過分難堪，急忙坐了下來；他一臉驚惶地說：

「你是說，佑賢，叫我挪用廠款，那……那是犯法的呀。」

「但這不會被他們發覺，我們又不是眞的侵佔，我們祗想移用一下。」許佑賢說。「祗幾天工夫，眞的，只短短幾天工夫，我們就可以把那筆款子歸還。」

（二）

奉題鐵華先生谷川小姐父女畫

●曾克耑●

董巨荊關跡已陳。多君畫苑能翻新。左家嬌女能傳學。南海明珠絕世珍。
自是羅胸有邱壑。居然落紙滿雲烟。殘山賸水鄉關路。一展新圖一憫然。

風雨樓繪畫叢談

述賢

周人對於自然界的生物和無生物，都是應用的刻畫於宮室，輿服，旗章，器用上；或爲標志，或爲裝潢，而不外於九禮。九禮者何！冠，婚，喪，祭，朝，聘，賓主，鄉飲酒，軍旅是也。這些似爲歷代畫家所不及料之迹，今依周代文物典章，舉例於次：

書益稷疏冕服九章：一龍，二山，三華蟲，四火，五宗彝，六藻，七米，八黼，九黻，以締爲繡。

周禮司尊彝：犧，象，著，大，壺，山，爲六尊。鷄，鳥，黃，虎，斝，爲六彝。

管子軍旗：日，月，龍，虎，鳥，蛇，鵰，狼，蜼，爲九章。

周禮司常：「日月爲常，交龍爲旂，通帛爲旜，雜帛爲物，熊虎爲旗，鳥隼爲旟，龜蛇爲旐，全羽爲旞，析羽爲旌。」

冕服的畫意，是取物之德。尊彝的畫意，是取物之用。軍旗的畫意，是取物之情。司常的畫意，是取物之威儀。威儀繫於政體，故九旗的注釋是說：「王建大常，諸侯建旂，孤卿建旜，大夫士建物，師都建旗，州里建旟，縣鄙建旐，道車載旞，斿車載旌」。大致九旗之制，代表人的方面，爲尊卑有序。代表政治方面，爲上下有別。至於日月之旗，自然是領導羣倫的帝王標識。所以周易說：「日月相推，而明生焉」。詩經亦說：「如月之恆，如日之升」。它象徵着政治的前途光明，也象徵着天子的方興未艾。

近代附會之說，莫過於鄂人聞亦多氏的「龍與圖騰」。他說：「歷代帝王都說是龍的化身，而以龍爲其符圖」。因而他又說：「古代幾個主要的華夏和夷狄民族，差不多都是龍圖騰的團族」。終於他又說：黃帝十二姓，祝融八姓，以及黑姓褒姓姒姓公孫，乃至姬周越王，西南苗猺，無非龍種。他引證之博，就連「畫龍不成反類狗」者，也引爲「龍即是狗」之證。其不驚世，不可得也！不過他的周代依據，則是周禮九常的「交龍爲旂」。以諸侯之旂，而誤爲「天子諸侯的標識」，模稜兩可，不免自欺以欺人。周代天子，是以日月爲旗，依照聞氏邏輯，則姬周爲龍種，亦爲日月種了？豈不荒唐！（廿二）

自由人
THE FREEMAN
（第八四五期）
中華民國僑務委員會
頒發登記證台教新字第一零二號
中華郵政台字第五〇〇號
執照登記爲第一類新聞紙類
（半週刊每星期三六出版）
每份港幣壹毫
台北市售價台幣貳元
督印人：陳文韜
地址：香港高士威道二十號四樓
20 CAUSEWAY RD. 3RD. FL. HONG KONG
TEL. 771726
承印者：東南印務出版社
地址：高士打道六十四號
台灣總經理處
台北市西寧南路壹壹零號二樓
電話：三〇三四六
台郵儲金戶九二五二
海外總經銷：友聯書報發行公司
香港：德輔道中二十六號A二樓

西藏抗暴的前途

李璜

半月以來，香港報紙裝滿了西藏抗暴的紀載，附以歷史故事，圖片說明，使人們對於中華民國這一屬土已有了相當明白的印象與了解；就是西方人，一向認這一神秘的世界屋脊的國度，突然石破天驚，有此壯舉，也莫不震異，競相探訪，美法英各通信社電訊也特別的多，將藏人活躍的情形，佛教信仰的力量，以及達賴喇嘛及其左右的英勇行動，都不斷的描寫出來，足以使我們號稱反共，而一向偷生苟活，其愈加慚愧，且足以使號稱領導自由世界，而只知開會敷衍場面，其實畏懼退守的政治家們，感到難以爲情。

至於中共頭子，毛澤東及其一羣，以爲打怕了美國「紙老虎」，壓住了大陸的億萬中國人，正在志得意滿，而忽然在西藏惹出亂子，地方情形既特殊，宗教意識又堅強，固然暴戾之氣是忍耐不下去，然而軍事力量又很難發揮得出來，所謂「張皇失措」，毛周此時的狼狽可想而知！這一下，中共卻碰上一根大釘子了！

西藏人的英勇抗暴舉動，固是如火如荼，而且悲壯之至！然而自由世界的人們，雖對之表示同情，但爲地勢所限，鞭長莫及，如何援助，大成問題。

在此，我不一定要責備自由中國的政府，如何的去救援西藏，我倒是希望政府不要太快的就宣傳康青如何的在響應，反使康青醞釀中的集合與援的散佈力量，立受打擊；我也不贊成提出聯合國或東南亞及哥倫坡等會議，因爲這是徒亂人意，而絲毫不發生作用的；我更不願意再去譴彈印度政府，因爲尼赫魯這一次的勇氣，已算難能了；我認爲西藏抗暴的前途，仍只有靠西藏人的自身奮鬥，但是奮鬥的前途又將如何呢？

共軍能與藏胞追逐嗎

日來各報競將西藏對中共的革命行動，拿來與前兩年匈牙利對俄共的革命情狀相比擬，但我認爲在意義上說，誠然是相同的：要人類所應有的自由生活，要民族所傳統的信仰尊嚴，而不甘屈服於軍事獨裁，一味緊迫之下過日子。但是西藏與匈牙利所處的地勢，習俗，與環境都不是相同的，換言之，匈牙利在地勢，習俗，及環境上都不及西藏比較容易固守，堅持，故西藏抗暴的前途，雖在外援上較匈牙利困難得多，而其前進的成績，必繫在時間上，在力量上，在拖垮中共上，要發生較大較強的作用來！

先說地勢。請一覽商務書館民二十二年出版的中華民國新地圖，就會知道，在這世界屋脊上[illegible]佈滿了大小雪山，西藏地圖上幾乎無處無白色的高山峻嶺，而動輒是萬呎以上高山之下，便是深谷，行路之艱難，在這次達賴喇嘛一行，已可想見！匈京布達佩斯所用的俄國坦克大砲能到此山中來嗎？以中國溫帶生長的士兵能在此山中與康藏人相追逐嗎？我是一個生在中國西陲的人，深知「出關」去，不是好玩的地方，（四川人叫從打箭爐往西爲出關，）我幼年又曾親見趙爾豐，繼之尹昌衡出關對康用兵，失敗歸來。民國三十年，我親自領導川康視察團，去巡視西康，宣傳抗日；一到雅安，要雇轎夫，出關往西，就不易雇。山之高，風之大，雪之麻煩，糧食之不易得，人人都怕！西康省人人都會唸這十二個字：「正二三，雪封山；四五六，水遍流；七八九，纔好走；十多臘，凍死爬！」我們到西康，出關並走不遠，莫德惠先生的轎夫眼睛便瞎了，不能抬；說是「雪盲」，人在雪地上，稍不當心，注視久之，便會雪盲的。而且不說「千里饋糧，士有飢色」，就是我們十幾個人，食住也够我們這團長去招呼！我記得黃炎培半夜起來打一尺多長的蜈蚣樣惡虫，嚇壞了他！從青海去西藏，聽說現在已築有公路，然而仍舊是「萬里冰封，千里雪飄」；玉關回首，且動鄉情，何況這地方還不只是月霜沙雪，而一夜無火烤，就要凍死人的啊！

對藏用兵的大困難

中共要在西藏大舉用兵，運兵與補給，駐紮與攻守，其困苦却不難想像，勢不可能；且廣大區域的康藏土著各族，並非集合在一地，去與中共打硬仗：這一區，那一區，處處襲擊，主易而客勞，不說是追逐，爬都够中共士兵去爬咧。何況藏人的習俗是原始部落生活，一切吃的，用的。以至烤火的木柴，不像內地到處有人家，到處都可以徵用，而都是被喇嘛或頭人統制着的，（日來報上這類紀載甚多，）要堅壁清野，使敵人進無所取，退無所據，一深入便陷死地，這地方的習俗與藏人的軍事能相配合，必然會做得澈底。中共到此，要打正規戰嗎，藏人不會集合攏來拚鬥；要打游擊戰嗎，則走路都很費事咧！

看中共如何拔出泥足

說到環境，則西藏的四境之外，都是佛教徒的地方，西南爲印度，尼泊爾，東北爲西康，青海，目前業已表現出與西藏佛教徒堅立於一條戰綫，對於中共毫不恐懼；而且康青各少數民族的反共抗暴，在數年以來，並未停止過，不過地處邊荒，消息不靈，此次西藏大舉抗暴，可以說，還是康巴族首先發難的。我覺得，這一點在革命環境上的呼應，藏人比匈牙利人還要幸運一些。因爲佛教徒特別重視他們的信仰的莊嚴，誰侵犯他們的宗教及其偶像，他們便一致的與誰拚命，誓死的要去打「聖戰」；他們既不會感到美國那裏還有個天堂，要想逃走去，而且美金與英鎊對他們也不大生出誘惑；他們是以「出世」爲宗旨，而不認爲私產與現實生活還勝過宗教信仰，而要爲現實生活去出賣朋友與敵人妥協的。

因此，中共要打，西藏是可以奉陪的；中共不斷的運兵去西藏，便必然不斷會陳屍於雪山黑水之間。中共現已陷入泥沼，泥腳如不即早自拔，毛周等便有滅頂之禍！我想中共如還懂得利害的話，不久會請求尼赫魯爲調人，乖乖的退出西藏罷。

（四八，四，七）

一週述評

先說我們自己

西藏反暴革命運動的發生，以及中共之無法如蘇俄對匈牙利事件一樣在短期內用武力鎮壓下去，確已成爲中共政權的致命傷。儘管西方國家也如對匈牙利事件一樣坐觀成敗，但如果喇嘛佛法無邊，能支持一個[illegible]期，[illegible]「既成事實」的西方國家觀念，[illegible]。此刻可以預料的是，我們自由中國對於這個[illegible]的大陸內部革命行動所予的支持，至目前爲止，祇是一些空洞的言論與支節的小動作。對於打破這個期待已久的時機，卻凍結在中美協防及其他國際束縛之下，而動彈不得，對於輿論所呼籲開闢第二戰場的主張，無所表現。如果說了無力反攻，我們倒不能苛責我們的當局，但當局卻早已表示並非無力反攻了，這是我們自己的基本政策問題，藏局繼續開展的今天，能不能激起考慮這一個政策問題呢？

再向東南西北看

至現在爲止，西方國家對西藏事件的反應雖然非常關切，但觀念上似乎只把它看成中國內部，甚至中共大陸內部問題，而在坐待其變化。艾森豪最近對柏林危機會一再表示其對俄不姑息的態度；北大西洋公約國秘書長，也廣播爲了保持柏林交通不惜全體公約國參戰。他們獨對影響力更大的西藏事件保持非常慎審的態度。

本月八日在威靈吞召開的東南亞公約組織理事會議東南亞的西藏問題的刺激，而給自由世界帶來新的希望，其先天帶來的弱點，並未因爲這次所受直接威脅整個，也只在慢條斯理地討論蘇聯與中共經濟攻勢，而于該公約五年前早就討論過的如何應付中共的軍事威脅問題，迄未見有若何緊急處理。由此可以推想，即使我們把西藏事件提到聯合國，也不見得有什麼奇蹟出現。

要打破自由世界這個坐觀成敗的觀念，我們需要採用像李承晚老人對韓國問題的靈動，至少要像阿登諾老人對德國問題的硬勁，而；單靠外交式文告之力，是無可爲力的。

尼赫魯的中立主義

此刻尼赫魯的處境是最感尷尬的。爲了唯恐開罪中共；爲了維持印藏政治及宗教關係，勢不能熟視無睹。在另一方面，自由世界尤其是東南亞感受威脅的一些國家，對他的所採打太極拳式的態度開始加以抨擊。目前藏境抗暴軍已宣佈設立西藏政府，準備長期作戰爭取全面獨立，中共又在準備加緊鎮壓，局勢演進下去，即使印度人民也要對尼氏不滿。尼赫魯一向自鳴得意的所謂中立主義，「萬隆精神」，正如倫敦郵報所說，是「在一夜之間消失」。這一個趨勢，可能使尼赫魯要走上納薩的路綫。這原是自由世界所樂觀其轉變的。但那還須看西藏革命力量的韌力如何，也即要看西方對西藏反暴勢力支持的程度如何了。尼氏迄今仍在爲保存其所謂中立的地位而掙扎。其實共產集團對尼赫魯的中立主義早已視爲兔死狗烹不再欣賞了。

尼赫魯與納薩

納薩雖已爲一部分親共的阿剌伯國家如伊拉克所反對，但已贏得大部分阿拉伯國家支持。其在把民族主義由親共帶到反共當中，已攪成了一個阿聯共和國，嶄然獨存。自阿拉伯民族主義言，那未嘗不是一種成功。尼赫魯呢？除了把自己的名字擠上國際舞台上外，印度獲得了一些什麼呢？這當是尼赫魯眼看納薩青出于藍而感到煩惱的。這是到了尼赫魯嚴肅考慮的時候了。

林伯雅。

論學術研究的新方向

殷懷遠

時不分古今，地無論中外，學術研究乃爲一切問題的基本。如謂軍事爲政治的延長，則決定政治者當爲文化力量，而決定文化力量之消長者，又厥爲學術研究的努力。一個學術研究如何始能有豐富的收穫，以成爲推動文化、政治、軍事的原動力，全視其學術研究的方向如何而定。梁任公嘗謂：「學術思想之在一國，猶人之有思想也」。數十年前任公此言蓋係有所感而發，惟亦僅就廣義而言；目前與民初比較，無論主觀客觀環境，皆有極大的變動。以前我們可以但求學術思想的蓬勃奮發；各抒所見，百論並陳，而愈見其沛發的生機。然今國族正處於存亡絕續之頭，爲達成反攻復國的目的，我們的學術界不但需要淬厲奮發的精神，而且更需要一個正確的方向，否則盲目耕耘，必致徒勞無功。

默察當前學術研究的方向，可以說仍是繼承着五四新文化運動的餘緒，在走了一段冤枉路之後，依然是朝着老方向走。新文化運動所產生的學術研究，表面上是用經驗主義的方法去「尋求事實」，實際上是有清三百年考證傳統的改頭換面，新瓶裝的依然是舊酒，所以也就不曾有顯著的成就。及至唯物史觀在我國學術界發生廣泛的影響之後，學術研究的方向又忽而一變。五四以來，一直至大陸全部淪共，我們可以看出脈絡分明的兩大學術思潮。其一爲由經驗主義所產生的個體伸延的要求，另一則爲唯物史觀爲武器的階級專斷。這兩大思潮的觀點和動機都有極大的距離，所以在方向上是截然有別。

個體伸延的研究方向，是以分析的方法去找尋事實，對象是原素，其性質是自足，着眼於形式，其欲望爲自由，意識則爲個人的。至於階級專斷的研究方向，則是以辯證的方法，去建立階級的立場，對象是因果，其性質是獨動，着重於利益，其欲望爲鬥爭，意識則爲階級的。

從以上這一個簡單比較，可知這兩大思潮有其本質上的不同，本應互相排斥，不能並立。唯這兩大思潮却有一共通之點，即前者以個體的立場，後者以階級的立場，均向整體去爭，整體於是成了兩者的共同獵物。對于整體而言，這兩大學術思潮同樣代表了一種強烈的離心運動。個體伸延與階級專斷雖曾有劇烈的角逐，然前者終非後者的敵手，後者更曾將前者併之而滙成更大的潮流。這種表現是：由個體伸延而產生出來的個人主義和自由主義，與唯物辯證的階級專斷，雖有本質上的不同，可是爲了達到向整體去爭的目的，兩者竟一變成了親密的戰友。從抗戰後期至大陸淪陷，個人主義、自由主義與唯物辯證者的言論，竟有難分彼此之勢，至於兩者在實際政治上結成同盟，更爲人所共知的歷史事實。所以，個體伸延的要求是有意或無意地，直接或間接地，幫忙了階級專斷達到其目標。這是我們從過去的學術思潮及歷史變化中，所得到的一點慘痛的認識。

整體崩裂以後，階級專斷的局面隨而出現的，首先受到打擊和抑制的，自然是個體，階級意識是絕對不能容許個人意識的存在。個體非但不能再作伸延的要求，而且個體的價值已給徹底的否定了。（下轉第二版）

自由談

自由人類之不幸

馬五先生

由於英國那位好談政治的退休軍人蒙哥馬利元帥要赴莫斯科訪問，美法與西德的政治界皆感覺詫異，認爲這是英國與西方國家在對俄外交政策上的一種裂痕，也是將來四強外長會議前途的一大陰影。實則事情並不如此嚴重。蒙哥馬利既無官守，亦無言責，他在政治上的影響力尚不及工黨的一名國會議員呢！

戰後英法各國的政治人物，內心上每潛存着一種自卑感與自大狂，既不佩服美國領導，又非仰賴於美國的軍經援助不可。因此，他們在對付俄帝的冷戰策略上，隨時基於自身的私利私慾，跟美國發生歧見，互相齟齬，表示其不屑屈居人下的氣概。如果美國不肯遷就，他們就裝出要與俄帝親近的樣子，由執政者或在野名流前往莫斯科訪問一下，播首弄姿，藉以要挾美國，而美國的民主黨人士，亦就會皇然喧嚷着「我們失去了偉大的盟邦支持」，認爲美國陷於孤立了，好像俄帝的飛彈今後只是用來專打美國人的，非趕忙拉住盟邦，美國即混不下去的樣兒，此外還有一些失意的政客官僚們（美國亦在內），不甘寂寞，久蟄思動，亦以躍到莫斯科去尋求一點政治資本爲目的，而美其名曰訪問。這都是「挾寇以自重」的下意識作祟，對自由世界成事不足，敗事有餘。

可歎美國的當政者居然被這類阿Q作風所困擾、驚嚇，依違[illegible]，除卻空談「嚇阻政策」之外，始終拿不出一種堅定的領導方法來，致令全部精力的十分之八，皆消耗在應付這些所謂「偉大的盟邦」之中。如是乎，自由世界就只好經常追隨俄帝所奏出的俚曲而胡亂跳舞，吵鬧不歇了。羅斯福之云亡，邱吉爾之告老，自由人類的命運，竟讓一般庸愚闢陋的二三流政治人物主管着，眞是不幸之至！

湯頭歌的風波

◦馬周◦

台灣通訊

由台灣中醫藥界聲背創辦的中國醫藥學院，於四十七年秋間在台中招生，因爲新建校舍落成較遲，直延遲到十一月間才開學。這是一所研究中國醫藥學理的學院，招收高中畢業生入學修習四年，其設立是經教育部核准的，要以科學方法來闡揚中國醫藥學理，倒還是中醫中藥界的創舉，這是張其昀部長離開教育部前不久的事，據說當時核准招生的名額是一百名。

招生的內幕究竟如何

那知道這所中國醫藥學院招生的結果，因爲投考者極爲踴躍，結果，除了正額一百名外，又多取了八十名備取，這些備取也能入院註冊，於是該院的學額較部定名額增加了一倍，這倒是此間私立學校普遍的現象，不足爲奇。那知就在該院開學的時候，台中市議會舉行大會，有一位議員提出質詢，指明中國醫藥學院當局招生舞弊，以捐助建校舍費的多寡作爲錄取的標準。捐助多的取入正額，捐助少的列爲備取，不捐助的就不取，同時在台中出版的報紙已有讀者投書請求該院仿照大學聯合招生，抄錄不錄取學生的成績以示大公，曾經一度鬧得烏烟瘴氣，並經教育部派該部督學劉英士馳往徹查，劉氏說：「備取學生不能算作正額，教育部未便核准其學籍。」至於舞弊部份則因「查無實據」也就沒有了下文。

醫師團體的人事內幕

就在這時候，台灣省中醫師公會理事長賴少魂（全國中醫師公會選出的國大代表）在台北各報刊登了長達萬言的啓事，對於中國醫藥學院的內幕揭發無遺，對於該院董事長兼院長覃勤（全國中醫師公會選出的立法委員）的一切不合法的舉動，毫不留情的無保留的公開指責，如果賴氏啓事中的事實有涉虛構，則久已應該成立誹謗罪了，原啓事，以超額招收學生言：每名捐建校舍費用五萬元，則百名學生應收入五百萬元，備取生的收入也至二三百元之譜。何以學生願意付出如此代價去讀這個新辦的學院呢？因爲有了學籍就可以緩召入營，於是指望妨害兵役，這些話在賴少魂的啓事中都曾言及，並說省中醫師公會集會結果，對於中國醫藥學院的弊端，已經呈請教育部派員赴各微查。不久，覃勤也在報端刊登啓事否認賴少魂所指陳的事實，若干省中醫師公會的理事也登啓事否認賴氏以省中醫師名義檢舉覃勤，又有一批各縣中醫師公會理事長登報擁護賴氏的主張，當時台北各報因爲中醫師的啓事戰，着實收入了一大筆廣告費。據覃勤一派中醫師的表示，賴少魂之所以反對覃勤，原因是中國醫藥學院沒有請賴少魂做董事，賴氏則認爲其動機是爲了中國醫藥的前途。經過了啓事戰以後，中國醫藥學院照樣開學上課，官方也沒有什麼處分，一切歸於平靜，似乎這一糾紛已經告一段落。

看主管官署如何處理

不意台灣省中醫師公會在三月廿四日由陳恭炎等召開第五屆第四次理事會議，當場把台灣省中醫師公會理事長賴少魂罷免了，並經理事涂全福當場提議：正式發表消息：嗣後賴少魂之行動爲私人的行動，與省中醫師公會無涉。由此，賴少魂被擠下省中醫師公會理事長的座位，不能再以省中醫師公會的名義和人力財力與覃勤抗衡了，可是賴少魂現並不就此罷休，又在四月三日的報上刊發啓事指社會處的措施非法，原來賴少魂在三月十五日召集會議流會，已「遵照社會處出席指導會議之科長黃宇元指示改期四月一日再行召集開會，並呈報省社會處及分函各理事知照在案。詎社會處又復核准陳恭炎等三月十二日發出定期三月二十四日之會議通知前後矛盾，一望而知，……非法之議決案，顯然不生效力。」可是陳恭炎等這次迅雷不及掩耳的集會，並通過了罷免案，省社會處也認爲「符合規定，迴予成立」，在目前賴少魂總算屈居下風，祗好看今後據理力爭的結果如何了！

賴少魂這次檢舉中國醫藥學院的動機如何，姑且置而不談，究竟中國醫藥學院對於各方所指陳事實，無論如何，有關機關迄未有所說明，我們以爲想把這一次湯頭歌的風波平息下去，向社會有一個是非的交代，非先把賴少魂所檢舉的事實弄清楚眞僞不可。

讀「僑胞不滿袁大使」有感

讀三月廿五日自由人「僑胞不滿袁大使」一篇西貢通訊，不禁百感交集。

我是僑旅越南回國升學的土生華僑學生，其中受人家欺負的滋味，曾經身受過。我不理解一年半以來在越南看到報章上所刊登之中越邦交——包括外交當局所公布的，却是那麼深厚融洽。受邀訪問回來的人，更是大談邇國越中友好的美麗報導。誰又想到旅越僑胞受到越化壓迫，內心痛苦，一絲也沒有減輕。外交當局一年半中越邦交消息，輕輕把鐵的事實遮去，而粉飾太平，實令人費解。

固然，今天我們基于客觀環境，不可能與友邦引起不愉快，然而，我們却不能只看到僑胞受越化的迫害，還「隔江猶唱後庭花」，請試想：一個僑胞把自己的國旗交還大使館時，內心又如何悲痛？及看到大使館不聞不問的態度，內心將又如何悲憤？不作客海外，不知那種愛國的苦心，辛酸的滋味，唱高調的，太對不起旅越僑胞了！

政府愛護僑民，不能只在口頭上和文字上。應該確切去保護僑民權益，勿以「客觀環境」四字，輕輕交代過去。政府若眞要僑胞熱愛祖國，就不能只看到一些觀光團來來往往，便以爲「四海歸心」便滿足。更不能只聽取一些派往海外視察大員的千篇一律的報告，因爲他們多數在海外，只是淺觸到僑胞，並未確切去深入僑社體察的。

多年積憤，讀到了上述的西貢報導後，以一吐爲快，同此感者，當不止筆者一人，幸當局注意及之。　衛南。

（編者按）本文作者附來堤岸福建中學當局轉奉越南國部長而諭之通知原函一件（內容乃通知男女學生須穿越南服裝參加升旗典禮）。作者並題該函爲「最後一課」之證據也。

論高峯會議

◦魯山人◦

高峯會議的喧嚷又達到高峯了，究竟開得成開不成，誰也不能預言，演變中的事實是這樣的：

去年年底蘇聯突然宣佈要結束戰後德國問題，如果英美法各國不同意她的主張，她將終止佔領柏林，並將與東德單獨締結和約，而且指定日期，在六個月以後她要實行她的主張。

蘇聯這項聲明，隱含着她要單方面廢止條約，日期的限定又顯然對於西方國家含有威脅意味。繼則蘇聯總理米高揚訪美，聲明六個月限期可以延長，然則國際間的緊張情勢，並未因此稍感鬆弛。最近英首相麥米倫訪蘇，與蘇聯當局商談的結果，同意東西雙方用談判方式解決德國問題。

三月二日蘇聯照會英、美、法三國，主張將來商討範圍限於柏林問題及對德和約問題。同月二十六日美、英、法分別予以答復。三十日蘇聯分別答復英、美、法，同意於五月十一日召開外長會議。美國在復文中說明，外長會議最少須將雙方歧見減縮，並商定具有建設性的建議以後，高峯會議的召開，始有意義。英國復稱，外長會議進展順利，英國即欲參加高峯會議。法國答道，高峯會議的召開還以外長會議的結果足使大局有利爲先決條件。關於日期問題，英、美均未確切言明，法國主張在適當時期舉行。至於商談的範圍，三國一致主張不限於柏林問題及對德和約問題。

高峯會議三年前在日內瓦已經舉行過一次了，此次如果開得成，並不是創舉。第一次高峯會議的主要事項也是對德問題。因爲會後蘇聯沒有履行當時通過的約言，所以對德問題，至今懸而未決。

國際外交非常複雜，並不是「閒話一句」可以解決得了的。把一國行政首長看成獨攬大權的專制皇帝，撇開外交職司，讓他們來親身處理，這本來就是很落後的想法；如果外交方面已有成就，請他們來聚會一次，杯酒言歡。那等於舉行一次祝賀談判成功的儀式，到也無害。

但是事實並非如此：去冬蘇聯發動柏林問題，照國際慣例，不，照人情照理性，根本就應當經由外交途徑；等到英、美、法反對她的專擅主張，各自聲明她們在法理上絕不受她單方廢約的約束，尤其關於柏林問題，她們不惜作最惡劣的準備，因而形成僵局，這不是有意製造糾紛嗎？

至於舉行會議的時間，以及會商的範圍，也是向例由各方面在事前商定，從來沒有由一方面用命令方式來指定的——要知道發請柬邀人宴會，還要事前向賓客約定時間，何況關係人家國家安危利害的問題？

第二次世界大戰表面上在一九四五年結束了，骨子裏國際間的矛盾，比戰時尤爲尖銳。美英法各國當時所以參戰，一則不能坐視弱小國家被強國所吞沒，二則同是人類，不忍看着弱小國家人民的人權被剝奪。當年的侵略國是戰敗了。但是戰勝國的蘇聯却乘機擴展佔領區域，東歐各國正在準備慶祝解放時，又被綑綁起來，綑綁得更緊更苦。其他的戰勝國——英、美、法等國——捫心自問，何以自解！

外長會議也好，高峯會議也好，東歐各國的問題應當給它一個合理的解決。如果說東歐各國人民願意受共產統治，爲什麼不拉起鐵幕，容許他們和外界往還？爲什麼不讓他們舉行一次投票表決？

德國問題却不同了，東德情形非外界所能知悉；而西德主權業經恢復，英、美、法的軍隊與其說它是佔領軍，無寧說它是北大洋公約國駐在軍，嚴格的照國際公法講，戰時佔領早已終止了；再看看東德人民成千成萬的逃往西德，民主式的德國統一只是時間問題罷了。無論從事實上或法理上觀察，高峯會議本身均無產生奇蹟的可能，如果把原子時代的國際問題，看成十五六世紀時代那樣簡單，那是落後的想法。還是經由外交途徑，多接觸些次數罷。如果外交都談不妥，還開什麼高峯會議呢！

論學術研究的新方向

殷懷遠

（上接第一版）是以五四以來學術界朝着個體伸延方向所作的努力，可以說是由於方向錯誤而失敗了。

對于歷史的教訓，我們惟以懺悔十年來的心情去接受。[illegible]反共學術界，非但無視於歷史的教訓，也忽略了主觀條件和客觀環境，所以蓬勃中帶着雜亂，依然有目標而沒有步驟，依然是走上個體伸延的舊路。部份從事學術研究和文化運動的人士，仍然認爲個體伸延的完成，不但可以使個體獲得滿足，而且可以促使整體復合的要求。近年來學術界更加熾烈，如果說十年來有什麼收穫的，那就是循着個體伸延的方向，而對個人主義和自由主義的闡釋，所用的方法，仍是一經驗主義的分析方面把歐美十七世紀以來的自由思想硬搬過來，再極意搜求中國原有的相似附是，而作出非東西的比附結論。另一方面則在現實的問題上作更大的不切實際的鬆弛要求，以求推翻整體，狂妄的階級斷絕，目前書店的架上塞滿了這一類的著作。

不過從現階段的學術界還是有其進步的一面。以前個體伸延[illegible]

[illegible]

愚人節司法界演出騙婚案

（台灣通訊）多事的台灣司法界，繼司法大廈懸屍、有台南地檢處檢察官受賄案與「奉命不上訴」案。日昨又發生一件哄動全省的檢察官騙婚案。這不獨是小說家的好資料，也是製片商的絕佳題材。

四月一日愚人節，這樁愚人自愚膽大包天的騙婚案，男主角是台南地方法院檢察處卅四歲檢察官孟劍平，女主角是新營鎮合賓旅社柯丁老闆廿六歲的小姐柯月娥。孟請了兩天病假，並以一張至台北火車票出示其夫人，告知公出台北。這天預定上午十時依台灣鄉俗，新郎應坐小包車至新娘家迎親，柯家等候至十一時通通打了四次長途電話，新郎始搭火車悄然抵達女家。這時柯家賀客見新郎仍是一束香港衫，及表情頗不正常感到驚異。十二點喜車與迎行的小包車十輛偕樂隊浩浩蕩蕩，抵達台南市大同路洞房。正在大擺喜筵時，突然來了兩位不速客，將酒席推翻三桌，並當場撕毀新娘面紗，僅以一記耳光給新娘作見面禮，告知我是孟劍平的太太。自餘賀客，見狀不妙，立刻鷄飛狗散，新娘亦狼狽避去。

警察聞訊有人搗毀喜筵，立派員警前往，見當事人是鼎鼎上司高等法院台南分院女推事劉惠霖，偕程院長及法警。劉與孟的糾紛，不是普通老百姓，感到束手之餘，唯有立報上峯。台南地檢處首席檢察官田濟黎立率另一檢察官驅車趕到現場，除親作調查外，並偕孟某離去。

孟與柯的相識，聽說是兩年前柯父曾因私酒案被控，孟偵辦該案與柯家認識而種下與柯女的情苗。（該私酒案未起訴）孟以無配偶身份證記載，示柯女而與柯女常通往來，並與其同居者，乃表姐（比他大四歲）至結婚時已大腹便便。據說劉早已知夫與柯有此關係，且曾得夫在其面前誓言，要保留彼此間的面子，故延至今天始揭穿。

劉推事對丈夫的不忠，表示痛心，她曾對人說：「孟劍平是她一手提拔，我既能提，也能毀」。孟三年前曾充台北地院及台中地院書記官，與劉結婚（戀愛）後，劉曾代其著書，且托人推荐，得以活動入司法訓練班受訓，結業後始升充檢察官。

這件執法玩法的案子，雖是屬於家庭糾紛，但對司法界的影響無疑是很大的。這關係乎到公務人員的操守問題，是否犯重婚罪與詐欺罪，偽造身份證（偽造文書）罪等。且看司法界對司法人員如何處理吧。（四月二日）

昌增勳

[illegible]……何日才是學術界大徹大悟之時呢？

西藏革命與毛澤東

中共統治西藏的過程大致可以分成下述三個階段：

一、一九五四年以前，中共致力于修通康藏，青藏兩條公路，統一在西藏的對外權力，對于西藏人民的控制是比較鬆弛的，這是一個收買人心的時期。

二、一九五四年十二月，兩條公路修通後，開始加緊其對藏人的壓制，成立所謂自治區，籌備委員會，要求西藏實行民主改革，這還是一九五六年上半年的事。當時，在內地加速進行農業合作化，居于四川、青海邊境的康巴人受不了這種壓制，開始向西藏境內逃亡，這也就是說西藏的邊緣部份在那時已經發生了動搖。一九五六年底，由于匈牙利革命的影響，中共的政策全面放寬，在西藏亦宣佈所謂「六年不改」的政策。

三、一九五七年六月，大陸由鳴放轉爲反右派，同年十月，在西藏亦提出了所謂「要反對大漢族主義，也要反對地方民族主義」的政策；次年五月，中共開始猛烈清算地方民族主義，西藏共幹在那裏也蠢然欲動；另外，中共又在西藏提出所謂要爲六年後民主改革創造條件，而開始在西藏採取行動，逼使反藏人覆誓要取消人頭稅制度；終于激起了藏人的全面反抗，逃亡于噶林堡的藏人也全部進入西藏參加反抗，最後演變至今日的不可收拾的局勢。

西藏革命與人代會

綜合前述，西藏革命的掀起以至于加劇，無疑是毛澤東的全面冒進政策所直接促成，若中共中央要檢討，那末，毛就逃避不了這種責任。

甚于毛澤東的自卑感而制訂出來的政策，往往出人意外。在當前中共舉步維艱的局勢中，只有兩條路：一是像以前一樣，不顧一切的再冒進，二是緩和；然就前述兩節的討論來看，大概是趨向于緩和，這種緩和將在本月所舉行的「人代會」中反映出來。

冲天幹勁·筋疲力竭

由於反共新形勢在大陸出現，本月二日「人民日報」刊出一篇評論，要求人民公社中的「消費與積累要「合理」」；不用說，在消費方面有着不「合理」的地方，大致以前是這樣的一個剝削比例：全部生產的百分之二十五——三十給與消費，其餘的百分之七十五——八十作爲積累；現在人民的反抗加強了，所以要求「合理」，看來，消費部分或許可以加多一些。

不久以前，中共的勞動部召開了一個勞動工資計劃會議，強調按勞分配，一反前幾個月的要求以供給制代替薪給制的說法。

今年初，上海市委第一書記柯慶施提出了「全國一盤棋」的說法，接着，中共中央副主席陳雲又寫了一篇以「條件論」爲基礎的文章；雖然這些文章中還強調「冲天幹勁」，看來，大陸已經到了筋疲力竭無法維持「冲天幹勁」的時候了。

·田心·

老舍將遭清算

瀋陽「文藝紅旗」向他的「茶館」開炮

（本報訊）中共迫害作家的程序，已輪到我國著名作家老舍（舒舍予）的身上了。

老舍在中共佔領大陸後，曾寫過不少對共產黨歌功頌德的作品，因此在歷次的鬥爭和清算中，他都還能安然避過。然而在中共的統治之下，作家動輒得咎，不歌頌黨是罪，歌頌得不力也是罪。老舍在年前發表了新寫三幕話劇「茶館」後，雖曾得到一個時期的好評，但中共官方卻一直沉默着未置評。

像老舍這樣有廣大讀者中有着深遠影響的作家，如果作品中有不利於中共的傾向，中共是絕不會放過的。果然，攻擊的第一炮射出了，刊登在瀋陽出版的「文藝紅旗」一月刊上，主要的目標是「茶館」一劇和老舍的創作思想方面，措詞之嚴厲爲一般第一篇的批評文章所罕見。

該文首先指出「茶館」是從滿清末年寫到抗日戰爭勝利爲止的反映社會現實生活的劇本。「沒有在這五十年大時代的動盪中表現出黨的領導力量」，文章稱：「『五四』前夕，馬克思列寧主義也開始在全國傳播，並且逐漸成爲領導鬥爭的盟主，但在『茶館』中，卻叫人不能感受到革命的氣氛。尤其是第三幕，抗戰勝利後是黨的地下組織領導革命鬥爭不僅沒有一刻停息，而且越來越擴大深入。作者（指老舍）是怎樣表現這種形勢的呢？——沒有明確的政治口號和目標，規避了黨的威力。我們認爲作者完全有可能來表現黨對革命鬥爭的領導的，但作者沒有這樣做。在作者的筆下，革命的勝利好像是輕而易舉的事情——可以不要黨的領導。」

僅僅這項罪名已經夠老舍受的了，但是中共更提出了老舍在作品中對「敵人」表示了同情。文章稱：「對資本家給予同情，對反動統治者的暴行揭露不足。」文章接着問：「這難道只是由於作者的旁觀者的態度嗎？」中共下出結論說：「歸根結底這還是跟作家的世界觀、階級立場和創作方法密切聯系着的。」

問題已被中共漸漸地提到政治問題上來了，中共羅織罪狀，加人以「莫須有」的罪名的手段使人不寒而慄。接着，該文轉入老舍的過去歷史，指出老舍一貫與黨脫離、與黨走兩條路的創作過程。

文章稱：「『茶館』中存在的問題，不是偶然的。如果回顧一下老舍的創作道路，就可以幫助我們理解這個問題。老舍早期離開火熱的階級鬥爭而從小資產階級的角度、以民主主義和人道主義的思想來從事創作。」

從民主主義和人道主義的思想出發從事創作也成了罪名！中共所需要的文學作品正是能掩蓋它血腥統治罪行的東西！

文章續稱：「一九三〇年老舍歸國，在新加坡觀望了一個時期，才回到祖國，這時他的生活圈子遠離開共產黨領導下的深入的農村革命與文化革命，基本立場更加與黨對立，竟寫出了嘲笑革命的作品『貓城記』！」

這是對老舍在算三十年前的陳賬了，老舍危矣！

文章指出，許多「反黨右派份子」就是這樣轉變而成的。文章接着指出：「老舍在解放以後雖有一部份較好的作品，但寫作的動機不是從無產階級立場與共產主義思想出發的，只不過是出於一種『感激的熱忱』而已。作者的小資產階級立場與人道主義思想，使作者離黨越來越遠。許多年來，老舍並未改變他以前的立場和思想。」

該文一再提出了人道主義思想，而加以猛烈抨擊，使人感到將來被清算的將不止老舍一人。凡描寫了人民的痛苦而對中共統治者略有微詞的作家，將都難逃此一批判鬥爭。老舍只不過因爲是較著名和較有代表性的，所以中共才首先向他開刀！

從老舍被批判中可以看出，除了中共的御用作家外，一般老作家雖然經過了十年來的迫害，所存無幾，但是鬥爭的苦難是尚未終止的。（大陸社供稿）

大陸文壇透視

從「借東風」到「赤壁之戰」

七矽

剛剛在港九映過的馬連良等主演的「借東風」，大家已從中看出中共是在藉三國的曹操來讚揚現在的曹操——毛澤東了。實則這部電影本是舊貨，內容也還沒有多大修改，那場極刺眼的「橫槊賦詩」，也是經久不演的舊本所有。現在北平正在上演新編的「赤壁之戰」，改動就比「借東風」多了，這個戲改編的主題思想，據說是要表現出曹操是個傑出的軍事家、政治家和詩人。

舊本「借東風」本包括在「群英會」內，過去京劇貼「群英會」就有「借東風」一場，主角正生一人去二腳——前魯肅後孔明。這是京劇中的名戲，一九五六年中共爲了套取外光景，利用馬連良、譚富英、蕭長華、葉盛蘭、袁世海這幾位頭牌，開始拍攝此戲，主要是輸送到海外來映。當時的戲名是「群英會」，分爲上下兩集，由吳祖光執導演筒。上集拍完後，吳祖光成了右派被鬥倒，因此便先把拍完的上集發行，就是我們在去年看到的「群英會」中，曹操率領着——十八騎殘兵敗將；而下集停了一段時期，改以中共劇校出身的岑范導演，另用「借東風」發行。那時還沒有「厚今薄古」運動，所以未曾多加改動。

當時京劇所演「群英會」已是一種刪節本，原本名爲「赤壁鏖兵」，包括「舌戰群儒」「激權激瑜」「臨江會」「群英會」「橫槊賦詩」「借東風」「燒戰船」「華容道」等八本戲。中共這次改編爲「赤壁之戰」，就是根據的原本「鏖兵」。在原本中，本是依據「三國演義」，強調諸葛亮的智謀，襯出周瑜的偏狹，和曹操的狂妄。「橫槊賦詩」一場雖然表現了曹操的英雄氣概，但連貫起後來的「華容道」來看，正是寫他的驕傲自大，取敗之由。在「華容道」一本戲中，向關羽叩頭求饒的情形，正和賞月賦詩時成一個尖銳的對比。中共的改編本，既是表揚曹操，當然不讓曹操出醜，所以就乾脆把最後一本戲完全刪掉了。從前京劇中，因爲「華容道」單獨演出，所以「群英會」中不演「橫槊賦詩」，現在中共既然添上「橫槊」而卻不演「華容」，用心已可想見。此外在全劇，竭力貶抑諸葛亮，舌戰群儒、周瑜也全刪掉。爲了美化曹操，新加了「窺江南」一場，除去了龐德獻連環計，把戰艦連在一塊，說是曹操主動地自己出的主意。劇協曾招開過座談會，有些人認爲改編本散漫而平淡，失去原本濃厚的戲劇性，有的地方發生了矛盾。據說這個戲還要再改，預備今年中共國慶時，向毛澤東獻禮。

如此故鄉歸不得

◁大陸來鴻▷

據收信人說：來信人年前曾在港做事，後以誤信「祖國建設」，冒然捨去自由，回到大陸去，幾年來杳無消息，而今忽然來信，可見其迷夢早已幻滅了。（編者）

××叔××弟：

早日曾由鄉間寄上一函，未知能否收到，深爲系念。我在三月廿一號返抵徐聞，已過了十餘天，在此短短十餘天內，各樣變化之速，不可終日！因爲大陸糧食奇缺，所以我們的日中口糧，已在四月二號起，由每餐八市兩米，減爲每餐六市兩，造成半飽狀態，饑餓難以成眠，而且肉類全無，每餐只有兩條鹹貓的咸魚仔，加以一些臭黃的豬菜，或通心蘿蔔等作薹料，這樣的生活，人們已缺乏營養，肌肉與氣力同時減退，談什麼大搞工業，農業大躍進呢？同時各種物資之缺乏，工廠、工地經常停工待料，說什麼大建設呢？說來矛盾重重。現在大陸物資之缺乏，火柴經常供不應求，香梘更絕市數月，人們初時取用藥梘，但藥梘賣光了，人們轉用較平的香梘，平的香梘買塞了。人們咬住牙根買的每件價值一元二角以上的香梘使用，現在香梘的存貨，只剩下每件二元的最高貴之香梘了，相信再遲一些時日，什麼梘均沒有了。布匹也是短少，糖類奇缺，市上沒有蔗糖賣了，最近連生糖都絕市了，餅仔絕市已經月餘。各地茶樓、飯店、逢餐，逢茶市者，早到可以買一些食物或飯類充飢，遲到就要望門興嘆！特別是徐聞的飯店，已無飯類供應已有兩日之久，我初回到徐城之時，只可得到一碟撈粉，聊作充飢，（撈粉是用一些糊粉淋在河粉上面，不用炒熟及加油料）。火水、生油限制甚嚴，民間甚難買到一些應用。廣州沒有柴燒，人家只用煤球，每次烤爐之足費半小時之久，方能生火煮飯，茶樓，飯店，一經賣光食物，立即閉門收市，未走的客人，叫他快的出門。廣州最難者，是搭三輪車，我由港到達廣州時，只是步行，適逢滂沱大雨，淋到全身皆濕。合山的交通更爲困難，由合城開往白沙的汽車，每天只開來回六次，狄海站是中站，人們若在中途候白沙的車到狄海時，若有無空位，方肯賣票，但賣票只賣往合城，如往榜塘，水西，圓山仔，或三八，東坑等，一律得不到應求，我在回狄海時，就是遇到這樣的命運，卒至用高價請人挑行李到中和路口，適逢本村有一位同鄉在處候客，以一元二角的代價，僱我回到榜塘，這是我們的鄉情。

我們村人吃的問題，最近不知如何演變，肯定比前日更爲悽慘了！在我回去所見所聞之時，我村（包括對面村在內）已無餘糧，乃派人到潮境白沙公社請求配給食米，據說：各道必須自籌自給，公社不能調配糧食，乃迅速籌款往三八糧站買米，但買米只限買一次，據說：我村的公糧沒有交足，下次不准買米，此時食堂之內，訂定每人每餐只限五市兩米，不足以番薯補充，先食番薯，後吃飯。現在正是插秧季節，幾時得到不熟，來日方長，人們生活苦矣！

（爲照來信人之囑，姓名略）

瘟君夢

岳騫

第二回：密室定奇謀　蒼生塗炭　巴山留遺恨　弱絮隨風

賀龍笑道：「我是瞎猜，假若曹操不是湖南人，主席和林老怎麼對他這樣好呢？」

毛澤東鼓掌大笑：「猜的有理，你近來思想實在大有進步了。你以後再多看看三國演義，留心還有那些人是湖南人，可以一齊提出來表揚。」說到這裏，田家英進來報告，邀請開會的人，都到齊了。毛澤東點點頭，馬上羅榮桓帶着大家一道走進來，

坐定之後，反而沉默起來，毛澤東拚命抽紙烟，沒人敢先開口。停了兩隻烟的時間，毛澤東猛然問道：「我的位子坐不穩了，你們知道不知道。」

大家相顧愕然，林伯渠也怔了一下。毛澤東點着一支紙烟，激動地說：「我爲什麼革命，說穿了還不是爲我們湖南人爭口氣，在國民黨時代，我們湖南人內不入閣，外不封疆，到處都是坐冷板凳。今天呢？把部長和省委第一書記省長加在一起統計，湖南人起碼要佔三分之一，我對得起湖南人吧！」

大家未開口，毛澤東又接着說：「就連章行嚴那老頑固，還知道詠『居然吾郡成豐沛』的詩哩！可是豐沛子弟居然有人起來和我搗蛋了，還有一點良心嗎？」

毛澤東頓了一頓，問道：「豐沛子弟的意思，大家懂吧！」

別人未開口，賀龍又搶着說：「我懂，我懂。」

賀龍先懂了，大家都有點奇怪，彭德懷歪頭看着他。問道：「你懂了，我到不懂，請你講給我聽聽。」

賀龍指着他的鼻子：「枉你貴爲國防部長，總不用心學文化，遇到文件要拿回去請教愛人，自然就要怕老婆，你看我老賀，兩個老婆想打那個打那個，誰都怕我。」

彭德懷擺擺手：「少說廢話，我是問你豐沛子弟怎麼解，你陳穀子，爛芝蔴拉上這一堆有什麼用？」

賀龍笑道：「這還不容易懂，主席是湖南人，咱們都是湖南人，是主席的親人，幫主席打天下。」

賀龍一邊說，毛澤東含笑點頭，頗爲欣賞，大家也都屏息靜聽。接着又聽他說道：「因爲天下是咱湖南人打下來的，所以好吃的，好穿的，好玩的，重要的工作，像國防部，總政治部，鐵道部，交通部，肥的地盤，像安徽省，廣東省，新疆省第一書記都儘咱們湖南人分配，咱們不是『分配子弟』是什麼？」

賀龍話快說完了，大家還在一本正經的聽，聽到最後一句，哄堂大笑起來，毛澤東正抽一口烟，還未咽下去，噗哧一笑，又從鼻子裏面鑽出來，一時眼淚鼻涕齊流，嗆的連連咳嗽。

活曹操笑道：怪不得你叫賀龍，原來你說話專門畫龍點睛。

（廿六）

釋耒集

西方精神

八十日環遊世界這一部電影，我看不到所謂藝術，但看到了一種西方人的精神。但我得首先聲明，我並非在寫影評，平心而論，那其實是一部沒有任何意義的影片。我之所論，是電影以外的問題。

少年在高等小學讀書時，就讀過梁啟超先生譯述的，巴律西的故事，那個為了實驗製造精巧的陶瓷而近于發狂的人物，總算留下過一點印象，也許我的血液中沒有那種破釜沉舟，不容失敗的成份，因此像那樣的人物，我只覺得其可怕。這也許就是東方和西方之所以分異的原因。至於是非，則是無從說起的。

那個倫敦銀行家羅格先生，為了同別人賭東道，要在八十日的時間裏，環繞地球一週，他那種執拗，好勝的神氣，十足地代表了英國人優越自是的風格，在他的旅程中最後的一程，由美國橫渡大西洋乘輪船直駛英倫的時候，到途中，他發現輪船出了毛病，他的計劃注定該失敗了，他于是把輪船買下來，不顧輪船平常開行的速率，叫水手拚命向前，但不久燃料告罄了，他又面臨了失敗的邊沿，但他終于不肯罷手，下令把船上所有可燒的東西，都一股腦投到煤爐中，充作燃料，最後，他到底成功了。這種不容失敗的精神，我們中國人並非絕對沒有，但多半在軍事冒險上偶一見之，像這樣絕不保留退路，而又祇是一場無聊的賭博，中國人是犯不着的，就因為中國人缺少了這種幹勁，所以從十九世紀以來，一直在吃大虧，處處表現得落後，而且懦弱不振，然而從另外一種角度看，也未嘗不是中國人的一種優點，這種優點是中國人容忍，慢慢咀嚼那失敗的苦果，因為我們能保留，誰也禁不住我們的再起。

然而可惜得很，西方人這種幹勁，終于給另一部份中國人接受過來了，早在韓國戰場上的人海戰術，黃河，淮水兩岸挑泥築壩的蠕陣，海南島的原野，和西北邊疆上的移民，長江大橋的搭架，成渝，鷹廈鐵路的構築，以致一家一戶煉鋼的高爐，傷殘流血，動輒以千萬計的行動，可說巴律西，和羅格先生，僅僅燒掉幾件傢具的做法，實在不可同年而語了。

六十年前，康有為先生擁護一個有位無權的青年皇帝，大嚷中國要速變，巨變，但終于敵不過部族政權背後的一股反動的力量，並沒有變出什麼成績，失敗之後，他寫了一部大同書，主張火葬的旁邊就是肥料公司，如今看來，已經不是夢想了。但我們可以說，這都是西方精神所引出的後果，時至今日，西方人顯然還保持着他們那一份優越感，我們很憂慮，這一份精神所帶來的，必將是人類最大的悲劇。

曲齋

試論本港應有一本美術刊物

黃俊東

香港一向被視為一個文化氣息比較淡薄的商業都市，可是近年來由於文化工作者努力把文化運動推展，文化的種子也漸漸地在荒涼的地方萌芽滋長起來，這正是一種可喜的現象。人類真正幸福的泉源，是基於文化事業的提高與普及，這除了有賴於學校的教育之外，便是書刊的出版了。可是在本港所出版的百多種報刊雜誌中，雖然林林總總，花樣繁多，卻沒有一份綜合性的美術刊物，就是有份量的美術書籍也很少，這是文化界與藝術壇中的一大憾事，因此這裏的美術思潮也就特別落後哩！

本港最著名的幾位西洋畫家中，除了三兩位之外，大多數畫家仍然採用十九世紀後期印象派的手法，甚至有一位所謂「著名畫家」則用十六七世紀時代的古典派寫實法，這些藝術的表現法在現代世界的美術思潮中早已被放棄了，這可見本港的美術思潮是比世界的美術思潮落後很多了。這都是由於缺乏關於美術思潮問題的研究和評論所致。

香港每年也開了不少美術展覽會，每次畫家舉行展覽的期間和前後，別的畫家或「名人」祇懂得寫文章介紹畫家的歷史及其「偉大的藝術」成就。而本意全作捧場，完全沒有評論到其缺點，最奇怪的是這類的文章都是千篇一律，大同小異；這樣試想怎麼能夠使藝術家的創作有進一步的發展呢？我們知道西洋畫派中如印象派，野獸派，達達派等許多派別的生產，都是由於評論家不客氣批評的結果。至於現代美術思潮的論述，在外國，單是關於論述代表一個主流的畢加索的專書已經有數百種之多，在我國卻連一本也沒有，何況譯本？更不必說論著了，甚而我國最有代表性的大畫家，如張大千也沒有一本關於他的論述的專書，齊白石也只有一部年譜，其也可想而知。因此這些問題是值得注意的。可惜這裏的出版家太注重生意眼了。

前二年有兩位畫家合譯了一本「藝術的意義」，可是一直找不到出版社為之出版，這情形怎麼不令到想做這類工作的人失望和灰心呢？香港也有一些美術會和美術專修學校，可惜他們的表現和提倡似乎太靜寂了，最近新亞書院又創辦了藝術系，是由以前在國內享有盛名的藝術教育家所主持，也許不久的將來，藝術種子便會開花結果了。香港被稱為「藝術的搖籃」，在目前無論如何，一本美術刊物應該出版的，就是月刊，季刊甚至年刊也是好的，當然一本有份量的刊物的出版不是容易的，它要顧及其銷路和稿件的來源；然而我深信這刊物是有前途的，以音樂界為對象的「樂友」，不是一個很好的例子嗎？只要藝術圈的熱心者與出版界合作，一定可以成功。這種刊物最需要和急切的工作是有系統地把中外美術史和思潮介紹出來，其次是當代世界美術的潮流的介紹，以及各名家作品的批評和分析，本港有修養的美術研究者也不少，祇要出版家和他們合作便可解決的，為什麼較大的出版社不主動地試辦這項有意義的工作呢？我曾將這個意見向某大出版社提供過，他們認為意見很對，祇是缺乏熱心於這方面的朋友來幫忙，可見有人很想辦這種刊物的，我希望美術界多多注意這一問題，更盼望不久的將來，一本綜合性的美術刊物能夠誕生。

呈當代禪密泰斗陳健民居士

周辭光

小住芝靈已十年。來參面壁龍師禪。
洞庭湖上三更月。太華峯頭十丈蓮。
從君乞取無生法。捧喝親聞亦勝緣。

奉和祥兄元均並謝譯書之勞。陳健民。

西竺衡陽越十年。座餘評點五家禪。
携穿羅奧水中月。勘破狂和火裏蓮。
相期共飲江西水。路殺凡開了此緣。

虛榮

○陸夢墨○

虛榮似乎是人類一種奇妙的心理。台灣的女孩子很多喜歡帶金鍊子，這是物質上的虛榮心。也有些人喜歡在公共場所手中故意握着一本英文書或雜誌什麼的，這是精神上的虛榮心。「光榮」自然是人人都喜歡的事，真正的光榮卻不是輕而易得的。像財富絕不是一根金鍊子能夠代表，正如學問不是本英文書可以代表。因此，這些幼稚的心理所引以為榮的，只是虛榮而已。

這兩種虛榮心，在女孩子來說，前者較易滿足，祗要嫁個有錢的丈夫便是。後者無論男女，都必需自己來努力，智慧與學問是無法贈與的東西，若自己的智力不夠，還分享別人的都不夠格。有一次我在一個理髮廳裏，看到一位很有風度的小姐翻閱一本英文的武俠小說，這西部武打若換了中文的七俠五義，我想她是絕不願在這場合端出來。只是文字不同，在她心目中就抬高了價值。我猜她就算看的懂，也是二把刀的洋文。真正有學問的人不會用西部武打出來炫耀，正如真正有錢的人，不用黃金手飾炫耀是一樣。

有一次我踏入一家照像館，不由得嚇了一跳。這家照像館的牆壁上掛着名公巨卿的放大照片，照像館掛照片並不稀奇，奇怪的是上面都有本人的簽字，上自國家的副元首，下至總司令，都親筆題了（照像館老板的名字）某某先生惠存等字樣。一時我還真以為這位老板的來頭不小，起碼也是位黨國元老。後來仔細一打聽，原來這位老板平時就放大了這些照片，借着攝影記者的身份，一旦有機會近身，便拿出來恭請題了名。像是自己與影中人有什麼瓜葛，高懸中堂，藉以分沾沾自喜，我猜不出老板想嚇唬誰？說穿了，這是「名」的虛榮心。（當然其中也有生意經）和拿英文書理髮的小姐大致是同一心理。

短篇小說

得失之間

・童真・

郭嘉周不作聲。

許佑賢又燃起一支烟，但沒有喫到嘴邊，只望着牠，彷彿他全部的希望都寄託在這點星火上面。「老郭，我知道，我本來不該央求你這樣做，但除了這，卻沒有別的辦法。你難道願意眼看你的朋友身敗名裂，把許多年來辛辛苦苦建立起來的事業毀于一旦？」

「佑賢，你真使我為難。如果我自已有錢該多好！」

「老郭，我說過，只要幾天工夫——大約八九天，我就可以把款子還你。你這樣做，對廠方既沒有損害，但卻救了我。多年的老朋友了，我想，你一定會幫我這個忙的。」他的聲音簡直變成哀鳴了。「如果你真能幫我渡過這一難關，我願把行裏每年的贏餘，提出百分之十來送給你，作為報酬。」

郭嘉周對於最後一個附帶條件，倒並不在意，他只考慮着許佑賢目前的處境，以及百貨行一旦倒閉之後他可能遇到的慘況；對於這個十多年來推心置腹的友人，他怎忍心袖手旁觀？他不覺動搖了。

「佑賢，你要多少？」

「五萬元。」

「讓我盡量去設法，兩三天內給你回音。」他起身告辭。

二、

郭嘉周回廠以後，對這件事實又考慮了一番。他是一個老實人，一向謹謹慎慎，規規矩矩。犯法不僅是跟牢獄的陰影聯在一起，而且更是他良知無法損荷的重負。即使他口袋裏儘有幾張零鈔的時候，他也從不對經手的大宗現款有過一絲邪念。然而，現在卻不相同，這並不是出于一已的私利，而是為了解救朋友的眉急。在這一大理由下，良知也可以卸下重荷了。

第四天晚上，郭嘉周帶了五萬元的現款去許佑賢的家。

許佑賢一看見他，忙把他讓進臥室裏，焦急地：「老郭，事情辦得怎樣了？」

「別急，帶來了。」他把自己那隻塞得胖鼓鼓的皮包遞給許佑賢。許佑賢一下子變成了另一個人，眉飛色舞起來。他向郭嘉周連連打躬作揖：「老郭，你真是我的恩人。」

「別說這種話了，」郭嘉周到底不能像朋友那樣輕鬆。看朋友關上門窗，把一紮一紮十元鈔拿出來，再放到書桌的抽屜裏去，不由得走過去叮嚀：

「佑賢，你託付我的事，我總算盡力替你辦到了，如今該輪到我來託付你了。」

「你老兄有什麼事要我効勞，即使赴湯蹈火，我也不辭。」

「唉，也不是什麼事，佑賢，我祇想對你說，為了你的名譽和前途，我冒了這麼大的險，現在，我已把自己的名譽和前途放在你的手裏了，希望你恪守信用，最遲在八九天內清還。」

「我知道，我知道，我怎會辜負你的好意？」

郭嘉周坐不多久就走了出來。冬天的夜裏，路上行人到底少得多了，只是店舖裏的收音機照樣在熱鬧地播送着音樂。郭嘉周一路走來，他想，在這許多收音機當中，一定有好些是他廠裏的出品。其實，他是很愛他服務的那家工廠的，然而，這次……

（三）

古伊甸今戰場的伊拉克

秀瓊

在歷史上常常提及的人類文明搖籃之一的美索不達米亞就是今日的伊拉克，這大約也是聖經上所傳說的伊甸園，這兒的首都巴格達城也是「天方夜譚」所說回教國王的宮殿所在地，伊拉克石油的出產雖能使它成為一個富國，可是經營之權卻操在他國手裏，所以人民依舊貧窮。

第一次世界大戰前，伊拉克是土耳其帝國的領土，到了一九一八年，英國軍隊擊敗了土耳其，才佔了這地方，可是過去在土耳其的統治下受過長久磨折的伊拉克人，不願再受英國壓迫，國聯才宣佈了伊拉克作為英國委任統治國，他們就暴動起來，殺害了幾個駐在當地的英國官吏，於是英國不得不改變方針，承認了他們所擁戴的歐列菲撒爾做伊拉克的國王，仗着他的賢明手腕，伊拉克于一九三二年，加入了國聯，成為一個擁有人口約有五百餘萬人的獨立國。

伊拉克的宗教主要是回教，分森尼派和十葉派，前者是大資本家和官吏所信奉，後者是種田人所信奉，教徒也很多；此外伊拉克的北部山嶺地帶還有一種拜鬼的宗教習俗流行於受迫害的庫爾特人（Kuras）中間，他們所頂禮的象徵是蛇和孔雀。

說到庫爾特人，我們得知道這是在歷史上跟阿拉伯人積了深仇大恨的，庫爾特人有一句諺語道：

「駱駝算不得畜生，阿拉伯人算不得人。」

阿拉伯人也有一句諺語云：

「世界上有三種惹厭的東西，庫爾特人，老鼠和蝗虫」。

在去年七月十四日，伊拉克發生政變，由一個親納塞爾的陸軍軍官執行叛亂，殺死國王和總理，匆匆建立起一個左翼的軍人政府；在最近不久，又發生另一次政變，這一次卻是傾向反共的，是要推翻這左翼的軍人政府的，伊拉克，昔之「伊甸樂園」，變為今日中東多事的戰土了。

西藏歌

・顧詠余・

其一

虞時三苗曾來格。緊居三危宏其生。（舜竄而三苗來格，見大禹謨）希臘古史亦有紀。奇獸淘金名螞蟻。（希羅多德斯據印度傳說，謂藏地有蟻獸，較小於犬，能掘地採金，現代西儒考正茲獸為土撥鼠，在西藏高原北部）漢時博望窮西極。摩騰身毒曾譜繹。唐世吐蕃最光大。親迎文成稱館甥。中朝文物來藏地。贊普佛宗始恢闡。（文成公主奉太宗命下嫁棄宗弄贊為西藏經史開一新紀元，公主虔奉佛法，故藏人至今信佛）厥後金城（中宗時）又下嫁。其子用兵竟與大唐爭。北進新疆南下五印度。所向克捷有威名。晚唐維州稱藩鎮，牛李爭議盈庭。比後國力浸衰中上史有缺。論於元代臣於清，康乾懷柔恩威能相濟。達賴班禪奉朔山呼鄉廷。中葉而後英俄覬覦伺。邊藩有術未應留。民國五族皆平等。藏人亦能効忠貞。吳沈二公真人傑。（禮卿前輩宗濂學兄抗戰前後均銜命奉使，藏人畏威懷德，至今不忘）輶軒所過僧俗簞漿相逢迎。乃知吾華文化偉大與悠久。足使近悅遠來洗刀兵。

其二

嗚呼神州板蕩天柱折。大盜竊國綱維絕。人性汩沒惟唯物。黎元囂囂難存活。胡漢蠲土爭尊。蛇蝎寬瀆愛踰越。藏人窮蹙拔摩羯。振臂一呼中腸熱。抗暴借亡懸激烈。掃除共黨樹大節。正義遙播杲陽出。長風渾洞雪王室。嚇毛賊之咸懍慄。猶願同胞為殺伐。雪山層冰崖谷滑。豺林前後相摩戛。民心不附兵不滅。況有義師在東渤。行看旌旗高舉黎庭搗其穴。規復禹域金甌不再缺。

自由人

THE FREEMAN

（第八四六期）

中華民國僑務委員會登記證僑新字第一零二號
中華郵政台字第五〇〇號
執照登記爲第一類新聞紙類
（半週刊每星期三六出版）

每份港幣壹毫
台北市館價台幣貳元

督印人：陳文蔚
地址：香港高士威道二十二號四樓
20 CAUSEWAY RD. 3RD. FL. HONG KONG
TEL. 771726

承印者：東南印務出版社
地址：高士打道六十四號
台灣總經理處
台北市西寧南路壹零號二樓
電話：三〇三四六
台北郵政儲金劃撥戶二九二五二
海外總經銷：友聯書報發行公司
香港：彌敦道六十二號A二樓

西藏抗暴與台灣

抗暴事實的簡述

關於西藏人民抗暴運動的事實，中共一直延到三月二十八日才加以公佈。

根據這一公佈，我們知道西藏人民的武裝抗暴是從三月十日開始，隔現在已經是一個月以上。西藏政府正式指揮軍隊向共軍進攻，則是三月十九，隔現在也已經是三個星期。

達賴的出走在三月十七以前，他現在連同他的隨從人員共八十人，已安全到達印度境內，印度政府且正式表示予以政治庇護。

三月十九在拉薩所發動的這一股抗暴力量，已經爲共軍所撲滅，一個新建的傀儡政權，則已在拉薩出現。在這一個傀儡政權中，包括有班禪喇嘛其人在內。

中共的兩條路子

根據上舉的事實，中共目前只有兩條路子可走：第一條路子是實施武裝鎮壓，即繼續對拉薩以外的抗暴力量予以肅清，以求得一勞永逸。

第二條路子是適可而止，暫時求得一種和平解決。

要走第一條路子，在西藏還保一個地區以共軍現有的條件，顯然很難；如果曠日持久，可能犧牲太大，得不償失，而且還可能引起其他的煩麻。要走第二條路子，班禪的作用不大，而達賴則已在印度的庇護之下。

防盜與捉賊　。尹震。

左舜生

很顯然尼赫魯已取得了較大的發言權，中共在勢不能不予以尊重，西藏至現在爲止，中共與印度之間，並沒有正式決裂；中共對達賴的態度也還大有保留；假定周恩來飛到新德里向尼赫魯請教，尼赫魯當然不會拒絕，而且還大有生意可談。不過據我推測，中共既已內定走和平的這條路，但在四月底以前，他們還不會採取行動；這在表面上他們是要表示滿不在乎，實際上則是大陸上有更急切的問題，必須先求得適當的解決。

以武力解決與和平解決兩者比較，中共毫無疑義的只能側重後者，而是爲了避免接受尼赫魯太高的討價，中共對武力解決的姿態依然不會放棄，且可能利用這二十天的時間來加強。我們懂得：中共對印度的顧慮，是怕尼赫魯運用西藏現狀，給他們以更多的困擾；而尼赫魯所最怕的，卻還是中共的實力。

我們現在應當切注意這一事件的第二幕，質言之，即注意中共與印度的鬥法，亦即周恩來與尼赫魯的鬥法。在這個鬥法期間，共方可能會有蘇聯的成分參加，印方可能會有英國的成分參加。

台灣應該猛省

照理論說，也就是照一般國民的希望說，無論如何，台灣對這件事是應該採取更有效的行動的。不過理論只是理論，事實還是事實，在一般國民的心目中，援助西藏人民抗暴而眞正有效的行動，便是發動台灣的武力反攻。但台灣不是沒有武力，但得不到美國的贊成與美國的支持，台灣如何能這樣做？事實上又如何能這樣做？十年以來，台灣與海外一切對政府抱有希望的人們，總期待政府不要永遠只做到一個爲美國在太平洋上站崗的衛士，而是希望在台灣眞能出現一個代表兩千萬人的獨立的民主的政府。美國今天可能以較大的本錢爲西德去犧牲，將來也可能以較大的本錢爲日本去犧牲，但要它爲現狀下的台灣來拚命，他們便不能不運回審愼。

假定這次西藏人民所流的血，能促起台灣當局對這一點加以猛省，他們的血便也算不是白流了！

蘇俄與西藏

・劉道南・

自西藏發動抗暴運動，各國輿論均有熱烈反應。祇有蘇俄比較沉寂，似在觀變。直接公開的消息則有僞理報於四月五日指摘英美組織西藏叛變，認爲「此次叛變祇是中共的問題」。間接的消息，則有獨立性的「印度時報」於同日指稱赫魯曉夫，可能出面干涉，以阻止印度與中共因西藏事件所發生之裂痕。

要了解蘇俄對西藏的陰謀，就要從外國勢力伸入西藏說起。最早是英國，英人自獲得印度後，便積極向西藏發展。在尼泊爾，不丹，錫金三國成爲英國藩屬，西藏屏障盡撤，門戶洞開。一八七六年中英煙台條約，英人取得入藏探訪的權利。一八八七年和一九〇四年曾兩次和西藏發生戰爭，並訂立條約。一九〇六年轉而與中國直接談判，訂立中英北京條約。一九一〇年二月，清廷派兵入藏平亂，達賴逃印度，受英人保護。

在英國勢力伸入西藏的同時，俄國也就處心積慮的插足其中。一八八四年清廷撤去帕米爾各卡的駐軍後，俄人遂乘機佔領。因英政府的抗議，一八九六年英俄兩國在倫敦訂瓜分帕米爾的條約，除極小部分歸阿富汗外，所併吞帕米爾的大部歸俄國。以後，俄國更進一步窺伺西藏，後因日俄戰爭，俄人無暇顧及，讓英人佔了先，但俄人並不死心。一九〇七年英俄協定第三條又牽涉到我在西藏的主權。一九一三年一月，[illegible]。因此，在一九四七年以後，共產國際即訓練一部份藏籍幹部向西藏內地滲透，並使中共極力擴張。故在中共奉命前進之前，曾大肆宣傳，要求中共「協助」剷除外國[illegible]。西藏是世界的屋脊，擁有世界最高的山峯，絕不是爲了恢復這塊地區，是中國領土的完整，而實在是爲了實現斯拉夫人征服世界的目標，西藏正躺在他們進軍地圖上，被塗上前進基地的標幟。

中共佔據了西藏，可利用滲透方式，近一步和尼泊爾，不丹，錫金，克什米爾，拉達克等處發生關係。中共對這些小國進行分化，因爲在那些小國人民心目中，所認爲的中國，仍然是康（熙）乾（隆）盛世，是他的宗主國——天朝。他們又何嘗曉得這一羣去西藏的漢人，原是斯拉夫人的分支呢？

蘇俄此時，不但從莫斯科到「北京」已經通行無阻，而且紅旗已經插在喜馬拉雅山上，假如西藏革命仍無法打破這一段路程，則由「北京」到加爾各答的路程，剩下的不過百分之一罷了。假如按照列寧所說，到加爾各答是世界革命的第一階段，那麼這一階段已完成百分之九十九了。且看尼赫魯怎麼辦吧？

談對日外交

自由談

中華民國駐日大使換了人，當不必多所評論，如果要想促進中日邦交，多少能夠達致一些實際的效用，只問能否求其在我。

[illegible]

馮[illegible]先生

半週述評

藏人將作戰到底

「藏人將作戰到底」，這是一位印度醫生最近訪問西藏後的結論。就已知的資料（包括從大陸來的報刊）分析，也可證實這結論是正確的。

西藏的反暴運動，還證實了宗教徒與共產主義之不兩立。過去人們只認識到反對共產主義是政治與經濟的問題是政治鬥爭；現在證明也是宗教的鬥爭，是宗教徒與共產主義者之間的鬥爭，是有神論者與無神論者之間的鬥爭。未來的發展，人類的總清算，將不是單純政治性的，而是佛教、回教和基督教大聯合形勢與共產主義集團的鬥爭！

達賴與納薩的轉變

過去十年，自中共竊據大陸以來，共產國際在對外策略上，曾一度與亞洲回教國家和佛教國家攜手，從埃及到印尼，這些國家都曾經成爲莫斯科的盟友，但也只是由於彼此利害上的需要，在反帝的共同要求之下結合，也可以說是共產國際利用亞洲的弱小民族來對抗白種人的殖民主義。現在這筆賬已經清算告一段落，白種人的優勢已逐步退出了亞洲地區，達賴的堅決反共，也正如納薩之轉變一樣，是合情合理的發展。

對達賴行蹤的看法

達賴離開了西藏，現正接受印度的庇護，就尼赫魯所處之地位言，他所能做的，所應做的，也只能至於此了。何能對他作更多的奢望。

台北的某些輿論曾一度表示希望達賴能到台北一行，這種希望本是極正確的，但是爲發展中的西藏反暴鬥爭來說，與其請達賴到台灣，不如讓他在印度住下的好。因爲，顯然他在印度，比在台北所能發揮的作用要更大些。

我作這樣的論說，一定會引起某些人的非議，但是如果冷靜地想想，我們固無理由對達賴的行蹤抱怨；即使對尼赫魯的評論，似乎也應該有一些分寸才好。

說老實話，若黃杰將軍所部今日仍在中越邊境，李彌將軍所部如仍在中緬邊境，相信這局勢對自由中國會更有利些的，可惜他們都早在幾年前就奉命撤回台灣了！

所以淺見以爲，達賴如果能在印度安身，不論是對藏局或對反攻的大局言，不會是絕對無利的吧。值此非常時代，看問題似乎把目光放得遠些更好。

「似成問題」的新聞自由

來自倫敦的消息說，國際報人協會在經過對遠東地區國家報紙的研究以後，認爲不僅共黨控制地區絕無新聞自由，其它國家新聞受管制之程度也各有不同。該項研究報告中稱「台灣的新聞自由似成問題，似乎又無問題」，該報告並且特別提出「修正出版法之主要動機，在於將總統特別堅持中華民國軍隊須受尊重，……新聞界必須放棄可能與此抵觸之部份自由」。（見四月十三日香港「工商日報」）

其實台灣的輿論界是百分之百的尊重軍人的，可是正因爲呼籲尊重軍人的地位，「自由中國」半月刊現正在涉訟中，此案雖因誤會而起，尚未結束，相信法律定會予以公正的裁判。

我們只希望台灣的新聞，在未來能得到完全的自由。

凡新聞自由不完整的國家，祇表示出民主政治有殘缺，也顯現出她不是一個現代的國家。

・李金曄・

從教職員福利基金談到家長會

◎蕭平◎

·台灣通訊·

台灣教育廳長劉眞在全省省立中學校長暨縣市教育科局長座談會致開會辭時強調說：「如欲培養優良學風，提高學生程度，必須先求教師的生活安定而能熱心教學。」於是在不增加政府預算與家長負担的原則下改善教師生活，他當場提出兩種增進教師福利的辦法，經大會通過並訂定具體的方案，決定自四十七年度第二學期開始付諸實施。

兩種辦法：其一是「台灣省省立中等學校教職員婚喪節約互助辦法」，乃以「為勵行戰時節約，發揚互助精神，改革社會風氣，安定同仁生活」為宗旨而訂定的；換句話說，就是給未婚的和年老的老師的一種保障。這一辦法後來改為自由參加方式，已在順利推進中，自無話說。

我現在要提的是另一辦法，即「全省公立中小學校教職員福利以安定生活辦法」，即最近為台中、屏東、桃園等部分縣，市議員所反對的（內容已見諸報章，本報亦有所報導）。

對此辦法首先發難的是屏東縣議員李某，以為抽家長會費的五分之一以充福利基金，由教育廳統籌運用，用途不詳，要求大家採取有效措施加以制止。於是議論紛紜：有謂此事未徵得家長會和民意機關的同意，在程序上為不合法；有謂教職員的福利事業家長會早有計劃且已部分實施，不勞教育廳多此一舉；有的則謂此事應交由縣市自己處理，用不着繳交省方統籌辦理的。結果，大會決議請教育科將具辦法送請研討，併令飭各校暫緩繳解五分之一的家長會費。接着，桃園縣和台中市的議會，也有人提出反對的。他們認為：家長會是一個獨立機構，不屬教育廳管轄，教育廳要募教職員福利基金，應由教育廳撥出一筆專款，不能用命令抽家長會的錢。身兼台中市立二中學生家長會長的市議員何某，反對最為激烈，指責教育廳的是項命令為不切實際，要求收回此一成命，俾免「政令而成廢紙」，大有不甘心之勢。

針對此事，教育廳長劉眞曾於本（四）月三日發表意見。他以為抽取家長會費的法令上之根據，乃依照四十七年修正省各級學校學生家長會設置辦法第十三條第一項規定：「家長會之經費，以用於充實學校設備及教導活動事項，或員生福利為限。」而此所訂辦法僅提取五分之一，為數極為有限。劉廳長更釋明家長會的主客關係，家長會費係由教育廳規定由學校代收的，對這筆會費，家長會可稱主人，但亦可稱客人。如因教職員福利基金提取家長會費五分之一謂係慷他人之慨，似乎不倫不類。他希望誤解的人能參考法令，弄清觀念。

我們以為由教育行政當局主辦教職員福利事業是絕對必要的，抽取家長會費作為教職員福利基金也無不合，這些都不值得討論。但我以為家長會這東西就是一個「不倫不類」的存在，是今日教育的一大陰影。大陸時代沒有學生家長會，但學校與學生家長之間相處得非常融洽，且能合作無間。家長對老師的恭敬與信賴，心口如一，決不在今日之下。學校裏有什麼義舉，需要什麼捐助，家長們也會挺身而起，決不後人。現在有了家長會的存在，似乎反使多數家長跟不上了。按「家長會」這一名詞，乃隨台灣光復而來，是蹈襲日據時代殖民政策的流風。家長會的重要任務之一，既是替學校找錢路，家長會的人選，非物色在地方上吃得開得轉的風雲人物不為功。家長會長於是漸漸地變成專走學府的「士紳」，漸漸地干涉學校行政，到後來更逐漸把考試，或學生升降級，都得走家長一一關係，甚至藉家長會為招搖之地。教育當局也曾一度有見及此，有過通令各校限制家長會對外行文的事。這種情形，在存心撈錢的校長固然是好得其所哉，[illegible]；但在稍知自愛的校長，家長會豈不是一大累贅。凡此種種，[illegible]以一概否，但亦[illegible]見。至於家長會的經常費，表面上是家長會的，而事實上由學校開支，學校當局只要對家長會負責，不必一一向教育廳報銷，一切收支，只有校長與家長會長知情能了。所以發生錯覺的賓主關係，抽取家長會費的一部分以充教職員福利基金，所以有人覺得肉痛，即肇因於此。但事實上家長會費既由教育廳規定，於開學註冊時由學校代收，在一般學生家長而言，實與學雜等費無異，同屬正規的負担。為了子女前途，家長們一學期多負担幾十元或五元是決不會吝惜的。但在教育從業員的我們來說，把他們的錢花得不明不白，縱使他們不說話，又於心何安？職是之故，我鄭重地向教育當局建議：下決心斷然解散各級學校的家長會，以杜流弊。並[illegible]一項目，正式列入收費三聯單內，由教育當局嚴格分配，規定其用途，讓每一個錢能發揮一個錢的作用，才對得起家長。我知道在今日的台灣而言，[illegible]也許會遭遇一次大風暴，但要推行一件新的政治措施，開頭時自難免遭遇重重困難，[illegible]擊肘就此罷休？今日的政治豈有澄清之一日？有[illegible]的雅量，固然謙虛，同時也需要有鄭大夫子產那股勁兒——任勞任怨的決心與魄力。我還得誠懇地敬告台灣的有識之士，[illegible]放大眼光，正視現實，決不可抱殘守缺，作繭自縛。[illegible]十餘年前，日據台灣時期的日本，天天在向民主自由的路上邁進，我們要不趕在他們的前頭，將何以對抗戰殉難的各位烈士呢。（四十八年四月六日，中壢）

關於西藏問題的兩封信

以下是詹世安先生和毛以亨先生對西藏問題交換意見的短札，想亦為讀者所注意，特為刊出如左。——編者——

致毛以亨先生：

讀四月八日大作「西藏問題之回顧與前瞻」，查前清並未建青海為省。青海成省，在民國十七年馮玉祥駐西北時。西康在民初為川邊特別區，以後改為省，亦非滿清所改。（大約與甯、青同時。）

「葉公超告訴我，清末民初中英關于西藏問題，訂有密約」。這個密約，是兩份？（即清末一份民初一份），還是一份？（即清末民初一份）。如果是一份，則袁世凱、段祺瑞並無抽去的必要。如果是兩份，則袁段只抽民初一份可耳！何必抽清末一份呢？你想對不對？

據我知道，民國卅七年以前，藏族分居于西藏、青海、甘肅、西康、四川的，約六百萬人。而居于西藏（前後）的，只有一百三五十萬人。除去試次革命的康巴族人，則西藏的藏族只有幾十萬人。大英百科全書的三百餘萬人實不可靠。

「我欲正告國人，西藏的領導階級，漸從喇嘛而移至受西方教育之一羣優秀份子手中。這羣人與尼赫魯同時受劍橋教育」。不知這羣人有多少？能否舉出一二人名廣見聞？所謂同時，是否同尼赫魯同班同學？

尚有一點，如果准許（或者贊成）西藏獨立了，那麼在甘、青、川、康的藏民如何處置呢？外蒙獨立了，外蒙問題解決了沒有？最近的香港，好多報紙稱拉薩為首都，我認為不合適的，請教是否合適？

詹世安　四月八日

詹世安先生：

依個人記憶所及，西康趙爾豐時代，改設特區在宣統二年。青海在民十六以前，屬于甘肅省。承指正甚感。

關于西藏密約事，是葉公超先生一九四五年在印度開泛亞會議時，對我們大家說的。私意疑即陳貽範簽字，未批准且因以被撤職之約。未知然否？

泛亞會議時，西藏代表有六人出席，其中有二位代表畢業于劍橋大學，與尼赫魯年齡彷彿，據說藏人留學英國者甚多。此二位代表姓名記不清，不過港大有泛亞會議各代表名單及其著作可查。

藏族三百五十萬，是依大英百科辭典，世界年鑑，與中共發表之統計（中共統計，我未見過，張六師先生告我如此）。執筆之先，左舜生先生告我藏族有七百萬人，與詹旨相符，但遍查各書不獲。文章發表後張六師先生告我，連青康之藏人算上，亦祗三百餘萬人。

祗要於反共有利，即西藏獨立，甚至[illegible]獨立，我皆不反對。民族自決不是一種辦法麼？我的意思，西藏問題外交途徑之解決已經絕望了，惟一訴諸武力來解決。而尤希望國人與之打成一片，以事實與實際行動來答覆此問題，來取消此密約。

風雨如晦，雞鳴不已，不料拙作竟能收拋磚引玉之效，不勝大願！

毛以亨　四月十日

我們在怎麼樣運用美援

·李·國·鼎·

本文作者李國鼎先生為美援運用委員會的現任秘書長，係看到三月七日本報刊載朱墨冰先生所撰「吃光用光話美援」一篇通訊後有所辯正與說明而作，爰將全文發表，讀者可一併參閱。（編者）

我們遷台十年多以來，在經濟方面有兩個最大的成就：一是阻遏住了惡性通貨膨脹，把經濟穩定下來了；一是經濟建設有長足進步，農工生產不斷提高，人民生活有顯著的改善。當然這是政府與民間共同努力的結果，但美援協助的功勞也不小。九年以來，我們所接受的美國經濟援助，已經實際撥款利用的約有七億七千餘萬美元，這一筆巨額援款，不論其援助的方式名稱如何，全部都用在經濟穩定和經濟建設這兩方面，無一文美援是用在這兩者以外的。

美國把他們對外的經濟援助，依其用途分為兩大類：一類是經濟援助，一類是技術協助。經濟援助兼用在經濟穩定與經濟建設兩方面，現在即依這種分類，就美援的運用情形，作一個簡單報導。

物資援助的貢獻

我們曾運用美援，進口大量的物資，包括原棉、小麥、牛油、肥料等工業原料，和各類工業交通器材，這些物資對台灣經濟有兩方面的貢獻：

第一、協助經濟的穩定：經濟穩定是經濟建設的先決要件，在通貨膨脹的情形之下，一切建設都談不上，在三十八年底我中央政府遷台[illegible]

第二、協助經濟建設：落後區域從事經濟建設常感資金缺乏，所謂資金，[illegible]購買原料，雇用工人的短期資金，[illegible]大量利用外資或外援進口機器設備，國內也必須有相當配合資金，來建造廠房，裝設機器，[illegible]便可用來解決部分[illegible]的困難。

以上運用美援進口物資所產生的兩種作用，都是台灣經濟所需要的，[illegible]

[illegible]

經建援款的分配

[illegible]

技術協助

落後區域從事經濟建設，有兩個最大的困難：一是資金缺乏；另一個是技術落後，因此，美援便在經建援助項下列有技術協助一項，目的在訓練技術人才，供經濟建設之用。[illegible]

美援與台灣的經濟進步

由於政府和民間的共同努力，加上美援的協助，台灣經濟的進步是驚人的，[illegible]

結語

以上對美援運用和台灣經濟進步情形的報告，都是根據事實的。我們歡迎海內外的同胞和友邦人士對台灣的經濟進步作實地考察和研究，至於那些根據不確實的情報，作違背常識的報導，則我們惟有希望讀者和輿論界本諸常識和良知去加以判別。

七中全會

上期本欄已經談到了次一階段的中共內外政策是趨向于緩和，七中全會公報所表現的雖然還強調着「衝天幹勁」，但此將再緩和是已無須疑問的了。當然這並不是無限制的緩和，而是在「冲天幹勁」精神下的再緩和。至于公報所提到的所謂政府領導人的候選人問題，在我的看法是：朱德將任政府主席，劉少奇與周恩來的職務似不會更動。除了本欄前已討論過了的一些原因以外，我覺得：在這種內外不安的情勢下，政府領導人更動得太多，是不相宜的，這可能是直接的原因。

為什麼緩和

中共的內部局勢如此的不安定，特別是拉薩革命以來的影響，形成了比一九五七年五月大鳴大放時節還要動盪的局面，因此許多觀察家認為，中共將再度施行高壓政策，清算動搖分子；但是，其可以預見的趨勢卻與此相反；何以故？這是一個值得追究的問題。

按在一九五五年下半年，中共一方面加速以農業合作化為中心的三大改造，另方面藉胡風事件猛烈的鎮壓反革命份子，這是一個內外政策都強硬的階段。至一九五六年初，召開了知識份子會議，隨後又喊出了「百花齊放，百家爭鳴」的口號，再經匈牙利事件的刺激，使得它的內外政策的緩和達到了頂點，這是一個緩和的階段。一九五七年六月，由于緩和政策施行的結果，使得其政權有動搖的可能，于是轉為反右派，其內外政策隨之而再強硬，一九五八年八月，在台峽製造緊張局勢，九月，進行人民公社運動，其政策的強硬又達到了頂點，這是一個再度強硬的階段。同年十一月的六中全會，強調「冲天幹勁」要與「科學分析」結合，其政策已有趨于緩和的跡象，這次七中全會再度緩和是前述趨勢的延伸，這是其政策要緩和的主觀要求。由於去年內外政策強硬的結果，使得大陸人民已不勝負荷，外交上形成了更孤立的情勢；不能不緩和其政策，這是其要緩和的客觀形勢。忽而強硬，忽而緩和的政策說明中共的政治並不穩定，貌似主動，實際卻是被動的。

何以慢慢緩和

既然說，主客觀條件迫使中共的內外政策非緩和不可，那末何不加速緩和？歷史上許多革命的爆發並不是在最緊張時節，而是正在開始放鬆的期間；中共目前的形勢正是處於這種明知緊又不可，鬆又不能的尷尬情勢之下，它只得一方面強調其「冲天幹勁」，另方面則緩緩的放鬆，採取一種似緊又比較鬆的政策。或者有人又會問，其緩和的程度是否會達到鳴放時期那樣，在我的看法是不會的，因為鳴放的經驗已教訓了它，不敢作這種嘗試。田心。

且看中共如何統治西藏

（本報特稿）西藏人民在達賴喇嘛與西藏地方政府的領導下，自三月十九日夜間，正式舉起反共武裝鬥爭的火炬以後，不數日，火已經燃遍了整個藏區，中共數萬大軍，投入戰鬥，但截至目前為止，其所能控制的亦僅有拉薩、江孜、帕里、碩東、嘉雄、黑河、澤當、太昭、林芝、扎木、丁青、昌都、察隅等幾個孤立據點。其他地區的情況，中共雖隻字不提，但從最近「人民日報」披露中共駐藏軍區司令員張國華、政治委員譚冠三等聯名佈告中說，要以「寬大政策」誘引反抗義軍一事，可以看出，抗暴義軍的力量不但未被「救平」，並已廣佈西藏各個地區，使中共無法再憑藉單純的武裝部隊以獲得任何有利的喘息機會。中共目前所佔領的各個據點雖一律成立了軍管會，置於軍事管制之下，獲得暫時的平靜。但周圍的烽火仍然在不斷的燃燒，危機四伏，暴風雨隨時可以再起。從目前這些形勢來看中共在西藏，除了擁兵自守，或整個撤出西藏地區以外，再想用欺騙手段，以籠絡藏民，是絕無可能的了。

維護宗教的十字軍

西藏人民的抗暴事件，原因並不單純，從本質上看，它不但是西藏人民反抗奴役迫害，反抗暴力統治，爭取人權的鬥爭，同時也是維護宗教的反共十字軍。因為中共的少數民族政策，名為實行「自治」，實則統治迫害，以「幫助」為藉口，實則運用種種分化手段，以最後達到強迫同化的目的。對於少數民族的宗教信仰與民族的傳統，亦竭力加以摧毀。這種名實不符的欺騙政策，數年來已經不斷地遭遇各少數民族的反抗。藏族是反抗中最有力的少數民族之一，故中共對藏族的處理，也特別顯得陰險狡猾。經過情況，簡要說來大體如下：

中共分化藏族的手法

中共先將西藏予以孤立分割。因為西藏是藏族的政治中心、宗教中心，惟與內陸交通阻隔，但與不丹、尼泊爾毗鄰，並有宗教上的聯繫，故不便遽然操刀。因此，中共把青海省內藏族，劃分成：「海南、果洛、海北、玉樹四個藏族自治區」，和「海西蒙藏哈薩克族自治州」。在甘肅則成立「甘南藏族自治州」。在青海前寧夏省境成立「黃南藏族自治州」。在川康境內成立「阿壩藏、甘孜兩個藏族自治州」。在雲南省內成立一個「迪慶藏族自治州」。這些與西藏切斷民族、文化關係的所謂「藏族自治州」，如將其土地面積加起來，幾乎比四個廣東省還要大。無形中大大削弱了西藏對內陸藏族的領導地位。

達賴權力被削減

對西藏內部，則中共佈置「分而治之」的局面，在行政上，將班禪喇嘛置於日喀則，讓其領導「堪布會議廳委員會」，以減弱達賴喇嘛統領全藏的權勢；另一方面，中共又在昌都地區成立所謂「解放委員會」，不僅將西藏與四川、西康、青海、甘肅、雲南各省藏族關係從中截斷，而且亦便於就近溝通中共的內外關係，在拉薩的西藏地方政府，名義雖存在，實則西藏已被分割為三塊地區。此外，中共又不斷「拉出」藏族年少無知的「積極分子」，誘至北平的民族學院「改造教育」，以培養其進一步鬪爭工具。因此，藏族領袖多與中共貌合神離，鬪爭衝突甚烈。幾經折衷，到一九五六年正式成立了「西藏自治區籌備委員會」，中共允諾，六年之內，西藏不實行社會主義；不沒收寺院、私人的土地財物；仍舊維持銀元及私營工商業，不消滅藏族武裝條件。但事實上中共並無意遵守諾言，仍積極佈置對西藏加緊統治。中共奴役藏族，在冰天雪地之中，趕修康藏公路等，草草竣事，以求及早通車；在軍事、政治、經濟上有了許多佈置以後，中共就開始食言積行，展開「社會改造」，實行階級分化，發動「清算鬪爭」，拘禁喇嘛，侵奪僧俗財產，動輒以「反革命」罪名，殺害藏胞生命。

藏族幹部良心不死

這時正值毛澤東在內陸強迫農民實行「農業合作化」，威逼私營工商業者，接受最後改造，同時也是中共在內地所訓練的藏族幹部，首批派返西藏服務的時候。這批藏族子弟，把內地慘不忍睹的見聞，詳告其親友教長。藏族父老，證之目前苦況，益憤行將到來之人間地獄，於是反抗怒火，油然自發；不僅達賴喇嘛所管轄的地區，連班禪所轄地區及昌都地區都發生反抗。西藏境內烽火一起，青海、甘肅、西康、四川、雲南境內藏族，遙通支援。故一九五六年底，迄一九五八年夏，中共出動了二十餘萬「解放軍」，在以上各地區大力鎮壓圍剿。武力鎮壓難於致勝之後，又改採「剿撫兼用」，以分別對待之狡計，企圖撲滅藏族反抗。首先，中共廣事宣傳，在藏族地區暫不實行社會主義，大量起用藏族幹部，以求緩和反抗，同時縮小打擊面，集中兵力對付康巴族（驍勇善戰，有西藏吉普賽之稱，為西藏反抗之主幹）。而且敷衍喇嘛，中立「頭人」，拉攏婦孺，同時中共並大量遷徙漢人入西藏，將藏族反抗之形勢，轉移成藏漢衝突，中共好藉機收得超然地位來作「和事佬」。

鬥爭大活佛失盡民心

再就中共的政策分析，目前它正向共產主義「躍進」，實行「人民公社」，消滅私有財產，摧毀家庭制度，強化中央集權，堅闢地方主義，改組少數民族社會，貫徹無神論，消滅宗教信仰；這都是中共向共產主義躍進中的鐵則，決不會放棄，短期內也無法將這些阻力障礙一一排除，勢必是長遠的鬥爭。故中共對藏族，乃至其他少數民族與宗教徒的逼迫，決無休止之理。去年中共在「甘南藏族自治州」推行人民公社運動中，除鬥爭了大批堅決反抗的「牧主」、「土官」、「頭人」以外，拉卜楞寺院大活佛嘉貝昂秀等亦被鬥爭（去年十一月十六日「甘肅日報」），這種種情況，都已預示西藏人民如不急起反抗，摧毀中共在西藏的統治，勢將遭遇同樣的命運。

遷徙漢人入藏引起衝突

同時，人民公社制度，不僅是澈底改變過去的社會經濟體系，在中共看來，它對於消滅少數民族，不同的傳統、風俗、習慣，乃至宗教，都有絕大的妙用。中共出版的第一期「民族團結」對此有極明白的說明：該刊說：「不同民族的成員在一個組織中共同勞動、共同生活、共同學習、共同娛樂的形成，將會逐漸地使各民族成員間的關係單純化為同一組織間的成員關係，即一般社員成員間的關係，從而使民族問題的範圍逐漸縮小以至於消滅。」由不同民族成員生活在同一組織之中，那麼他們不論在經濟生活、文化生活、語言文字以及風俗習慣上都將日益接近，逐漸趨於一致。使民族間的差別逐漸消失，最終實現民族融合的目的。」該刊又特別指出：「今後幾年內，國家將動員內地青年分批到這些邊疆少數民族地區去參加社會主義建設事業，因此，這些公社中的多數民族現象也將大量出現。」由此可見，中共大量遷徙漢人進入西藏，其用心已昭然若揭。這些情形，對照西藏人民、青藏族人民的遭遇，如不甘心接受奴役，放棄其民族傳統與宗教信仰，祇有舉起義旗與中共作生死的決鬥，再無其他道路可走。

大陸文壇透視

七彩

大力宣傳反英美

中共文藝中以反英美為主題的作品，本來不自今日始誕生，但現在特別多。去年九月中共文化部部長錢俊瑞在江西召開七省市文化工作現場會議時，就曾指出「大力進行時事宣傳」為當前文藝工作三項緊急任務之一，其中「時事宣傳」的內容，即是藉黎巴嫩、伊拉克的政變和砲轟金門兩事來反英美。最時興的羣衆文藝活動，叫做「街頭詩畫展」——在街頭牆壁上畫詩時，再由文藝幹部向百姓解說。這種詩畫展的內容，幾乎有一半是宣傳反英美的，據大陸報刊所載，像「老美帝國主義滾出去」「我們與阿拉伯人民在一起」這類的句子，[illegible]

[illegible]「我們是愛好和平的人民，我們支援阿拉伯人民的正義鬥爭，要英美帝國主義滾出去，要美國兵滾出黎巴嫩，滾！」

中共的名劇作家陳白塵去年寫了一個話劇本，題為「紙老虎現形記」，其主題即「通過對伊拉克革命的成功和中東人民、阿拉伯人民對帝國主義鬥爭的描寫，暴露出美帝國主義是紙老虎的原形。」這個劇現在仍然上演。據今年第三號「戲劇報」透露，開幕時的情景，是用「幾根稀稀疏疏的線條勾畫出了白宮的圖案」。[illegible]

[illegible]呀！」艾說，「我也佩服你呀！老[illegible]

[illegible]列」載有中共名詩[illegible]難戰獄」長詩，其[illegible]句就更加厲害，像[illegible]」「美國佬是強盜[illegible]」「杜勒斯[illegible]帝國老家」等等，[illegible]另一名詩人沙鷗也[illegible]夢囈」，刊於第三[illegible]」上。這種大力宣[illegible]，從中可以見出中[illegible]之深；可惜英美人[illegible]來成為狄托，主張[illegible]准許中共入聯合國者，豈非怪事。

瘟君夢

岳騫

第二回：密室定奇謀　蒼生塗炭　巴山留遺恨　弱絮隨風

賀龍越說越氣，擄起袖子罵道：「一些王八蛋看見咱們湖南人分配得太多了，就眼紅，想盡法子搗蛋，想趕走主席。哼！只要查出那個小子帶頭，我賀老大不打他個半死，就不是分配子弟了。」

剛才的笑聲還未停止，這一來更笑得厲害，譚震林倒在沙發裏，捧着肚子嚷呀！噢呀直喊。李富春本來有點肺病，笑得狠了，上氣不接下氣，喘得更甚。羅榮桓直挺挺的躺在長沙發裏，擺手叫王首道：「你來替我活動活動下腿，我抽筋了。」

毛澤東雖然滿意賀龍的忠誠，但是也笑得辛苦。只有彭德懷不笑，繃着木瓜臉繼續問道：「分配你解釋清楚了，子弟怎麼說呢？」

賀龍站起身來，指着彭德懷說道：「你連這句話都不懂，虧你還當國防部長，咱們湖南不是有兩句土話：上陣不離親兄弟，打仗還靠父子兵。放在這裏來說，咱們都是主席的子弟兵，好似主席的兒子一樣，也就如同主席是赫老的……」賀龍說到這裏，說不下去了，冷眼看着毛澤東，滿臉笑容頓時變成了愁雲慘霧，他也不敢多說，訕訕地回到自己位子上坐下。

活曹操摸摸鬍子：「笑話已經講過了，該說正經了，大家都在這裏，主席有什麼指示可以提出來。」

毛澤東先指着彭德懷問道：「假若有了問題，你以為軍隊方面是否靠得住，我們靠槍桿起家，什麼都是假的，只有武力才是真的。」

彭德懷想了一下，慢吞吞地說道：「應該沒有問題」。

毛澤東一瞪眼：「這是什麼話，我問你有沒有問題，軍隊是否靠得住，怎麼能回答模稜兩可的話。」

彭德懷不敢再開口，毛澤東哼了一聲！回頭看看黃克誠，問道：「部隊情形你比較清楚，你的看法如何。」

黃克誠站起來答道：「只要粟裕靠得住，就沒有問題。」

毛澤東皺皺眉頭：「粟裕，他敢有什麼野心麼？」

黃克誠陪着笑臉說道：「主席對任何事情，都看得明白，粟裕野心雖然沒有，但是，對於江西富田事變那件事，提起來仍然難過。還有方志敏之死，他比誰都清楚，那時他是方志敏的參謀長。」

黃克誠只說到這裏，毛澤東一揮手：「不用說了，我明白了，這個小子既然不安好心眼，短期我趕他滾蛋。」

原來毛澤東最怕提「富田事變」和「方志敏之死」，前者是他借題發揮，屠殺異己，後者是借刀殺人，利用國軍擒殺方志敏正法。這兩件事不用別人說，毛澤東自己也覺得不光采，尤其是他今天已經南面稱孤，當年的醜事更不願提起了。（廿七）

釋耒集

人的尊嚴

曲齋

人類自當其尊嚴受到損害，賀言之日孚而已，嗚呼自乾，只是一種無可奈何之說語，司馬遷自許為慷慨之士，而身受腐刑，下于蠶室，其報任少卿書論此極爲詳切曰：「太上不辱先，其次不辱身，其次不辱理色，其次不辱辭令，其次詘體受辱，其次易服受辱，其次關木索被箠楚受辱，其次剔毛髮嬰金鐵受辱，其次毀肌膚斷肢體受辱，最下腐刑極矣。」猶憶尖沙咀碼頭改建時，曾有人建議將入口之輪閘廢除以利交通，寬容即不幸而發生事件，藉以維持人的尊嚴，其理大抵偶生障礙，或守閘人之舉動失措，往往連渡海人無辜受一次夾掃之苦，此類事，香港人似均不欲措意。聞諸路傳言，在昔日治時代，凡港人進出，均須脫帽鞠躬，門驗蓋，易服受辱，固常世之受辱，之，即類似夾摑之事，爲不是道矣。

就余所知，港人最爲忿恚者，除郵票發售人外，則爲巴士之守閘員，以其最爲人所輕視受辱也。

報紙之宣傳，人民之暴遊，其事近于習見而行，而黑社會之存在自有也，實警究其原因，非警察之不力，亦由于人多失其尊嚴過甚之後果，今請試爲想像之：一小市民，一廛之居，升斗之食，何從而來乎？賣果菜、設池攤，擺糖、抹車、作木屐，閩無一而不須領牌照，又無一一不承託人情，打關節矣。自居常領身份證，出門乘輪渡海，上車下船，入郵局投函，又處處須伺察人之顏色，威儀前，偶然失慎，俯仰身世，如喪家之犬，如無主之魂，非鐵石人，則生趣盡矣，若此之時，何所而不可乎？于是市非豪猾，乃得爲人救命之神，收召徒侶，市恩私，隱然與法令爲敵，從而販鴉片，庇私娼，爲一元試片，或無牌按摩之替死鬼者有人矣；又從而聚衆鬧片，鑑佔地權，打衆勒索，執杖行刼者亦有人矣。而二三慈善家，乃欲以終年佈施五元之術，以爲亂源，又或有頒發棉衣，冷衣上大書捐贈人姓名，以行善而兼沽名譽，損人尊嚴爲特甚，又從而爲識者所嗤，賈生曰：「衆人之甘于爲亂者，其民危也」。太史公生于文景之後，位太史令，足迹遍海內，文章空自家，而只以窮刑之辱，遂致于崇貨殖，薦食鄙，作游俠列傳，爲褒獨犯者爲可羞，言仁義而身貧賤者爲可羞，夫豈偶然哉！

我觀六經之教，原于人情，春秋之嚴，止於殺亂而誅暴，不故爲使人不頗，今變察行，使其職權，謂爲維法，猶倘可說，任民當之事，不肯之胥役，擅威積以失人心，智者所不取也。

關於年輕人寫小說

兼評「亞洲短篇小說選第六集」

．孫旗．

日本作家菊池寬說：二十五歲以前的青年不宜於寫小說。這句話的意思就是說看人生社會生活的體驗如何來決定寫小說的作家。二十五歲以前的青年大多涉世未深；可是我們這時代的青年生在動亂與流離生活中，也就不能以年齡來限制了。

年輕人的情感真摯，思想純樸，能在個人生活經驗，選取題材，寫出來的小說當然有親切感人的優點。就我所讀過的年輕人的小說而言，他們的共同情形，是生活體驗不深，結構技巧不熟練，選取題材不純淨。因此，也就很容易減低他們作品的感人力量，而且大多成爲長篇小說濃縮的短篇小說。這裏，提供個人的意見，作爲年輕小說家們的參考。

第一點：所謂生活體驗。他們往往寫：他很痛苦。所謂痛苦，有多少種類的，失戀是痛苦，失望也有痛苦：：這些都有仔細研究與體驗的必要；其次是程度的問題，僅用一「很」字，還是形容詞的中級，高級是「最」字，究竟是「什麼樣」的痛苦，就全靠作者以具體的形象來表達。所以，年輕的小說家是要擴大生活體驗的範圍，向別人的體驗中去找。

第二點：所謂結構技巧，實際上沒有「技巧」而結構，的技巧，結構好是出於技巧，真正關係結構好的也就會好，故事的也頭直到結束。這裏讓我插進一句，短篇小說是擷取人生精彩的一段的橫切面，長篇小說是截取人生精彩的縱剖面，在範圍與容量上，長篇比短篇的時間長，空間多；而且任何爲都是以最小限的手段表現最大限的事物，所謂「一粒沙見宇宙，一朵花看人生。」所謂「見微知著」。胡適之先生說：短篇小說像人像剪影。任何寫實手法也寫不盡人間的眞實，藝術就比表現形象；形象比現實更能表實；有人說短篇小說是用最經濟的手段，我常將此形象爲藝術中的雕塑，試看人像雕塑，一點不多一點不少，例如人的手指，多一個不像人，少一個也不像人，推有不多不少的五個手指才是人。最好的短篇小說，應該像雕塑的「恰好」。所以寫成一篇小說，須看看有沒有多餘的部份，如果有必須忍痛割愛。

其次是所謂技巧，是技術之巧妙的意思，在談到技巧時，第一點是小說的重心在人物，因爲沒有人物也就不成其爲小說，作者的筆觸該時時刻刻繞着人物的活動而運行。短篇小說也就是人物生活的一段，在這一段中把人物性格最本質的部份表現出來。絕不允許寫上太多的與人物無關或不必要的景場；第二點是寫人物的活動處處活靈活現，而大多數年輕的小說家，只是說明，並不是描寫；譬如說，要描寫一個人的滑稽，如果寫：他很滑稽。至於怎樣的滑稽？滑稽的樣子，唯有仔細勾劃描寫。尤其引起讀者注意的地方，千萬不能只用幾句抽象的說明交代進去，讀者必然會失望的。

第三點、所謂取材，就是從作者生活經驗的素材中，選取出小說所必須的部份，除必要的以外，次要的不必要的都得拋棄，如果短篇中都是填滿了素材，你僅是說明交代也就成爲長篇了，那有篇幅用在描寫上面呢？譬如寫一個人，大可不必以他幾個月、幾年、十幾年、幾十年中提出必要的部份來寫，很多有名的短篇小說只以一個人的幾小時，一天甚至以描寫；所短篇小說的時間短、地方（空間）少、故事簡單，主題鮮明，恐怕這樣才符合要求吧？

「亞洲短篇小說第六集」，「第四面牆」寫一個老演員在時代中的悲哀，夫婦、母女、父女關係，其失敗處是十九年的時間，抗戰的後方，勝利後的故鄉，今日台灣幾個地方。「蘭花」寫一個年青人對蘭花的懷念，而關於主要的父的文字太多，蘭花不必要的文字太多，事情太瑣碎，沒有集中描寫。「永存的愛」寫一個孤兒敘述一位慈愛長者晚年的遭遇，而太富有哲理性的語言太多，且不類人物的身份。「駝子伯」寫一個醜陋的人見棄於社會的故事，表現只有「窮人該可憐窮人」，前面太多文字是多餘的，完全是一個故事。「大衣」寫一個學生孝順母親的故事，其情節是零碎而不緊湊。「長平哥」寫一個青年人長平，與表妹春芳、鄰女變喜之間的愛，運用四川口語但不純粹；似乎作者要表現樸素與樸厚，兩典型少女，惟春芳的悔改，則使主題沖淡而至於模糊。「父與女」寫父女不幸的遭遇，第[illegible]，全篇只是一[illegible]瑣碎的故事。「種子」寫一個兒子承父志的青年從軍前後的故事，抽象的敘述，毫無描寫，浮泛而不深刻。「綠芽」寫一個私生女由不幸的遭遇，到有幸的家庭的故事，第一段全是這個故事中的感情純樸且動人。「赤道線上的情調」寫一個僑居在印尼前後二十多年的變化，全篇十分之八是瑣碎地敘述，末段始有故事，實在說它不大像小說了。

十個短篇小說，大多是[illegible]地說，這裏的濃縮，我以爲讀者應該以寫長篇的手法來寫短篇小說，是應該有所改進的。

（寫於台北）

我們也要生存！

——給大人們的童話——

．野火．

半夜，給一種聲音吵醒。

「捉到一隻老鼠。買了老鼠籠回來，裝了幾天，今晚第一次發市。」

第二天早上，起牀。我看到一頭尖咀，駝背，長尾巴的老鼠被囚困在鐵籠里。牠不斷地在咬着一條鐵綫，企圖掙扎逃生。

「朋友，早晨。」我問候。

牠沒有回答。

「抵死啦、你這個壞東西，什麼都偷。能吃的，不能吃的，都偷。」

「唔，有什麼辦法呢？我們也要生存啦。」牠悠閑地也在回答。

於是我感到很憤怒：「嘿，你這個壞蛋，做強盜，偷別人的東西，還膽敢爲自己的犯罪逼辯？」

「犯罪？爲了生存，爲了生命不致死亡在饑餓底下，去偷這一點充飢的米粒，這樣就算是犯罪？……你們人類訂出來的法律眞奇怪，只爲一部份的動物的生存，只保障一部份的動物的生存………」

「噢！你這個壞蛋……」我氣得不能作聲。

「不是嗎？這個世界本來是屬於大家的；屬於全體動物界的。可是你們人類却霸佔這個世界的每一寸空間；並壟斷這個世界的糧食。侵佔別人應得的東西，剝奪別人的生存權利。」

「噢，你這個壞蛋，你這個可惡的東西…」我氣憤了，覺得這是對人類底尊嚴的一個嚴重的損害：

「死刑！」迷惘中，我自覺我自己是一個人類的高等法官；我自覺我自己的裁判很公正。

「沸水淋死牠………」

「燒死牠………」

「電死牠………」

「………………」

得失之間

．童真．

短篇小說

「不過，老七，我……她但沒有什麼損害，佑賢一直要我，也就可以混她了。」他替自己辯護。

八九個日子終于在郭慕周的忐忑不安中過去了，幸好哪方並沒有發現這件事。第九天晚上，郭慕周帶着空皮包去看許佑賢，他說過，還是在他家裏比較妥當。到了他家，看見郭嫘也在那裏。

「好啊，郭小姐，今天倒在這裏碰上你了。」郭慕周說。「你們談夠了沒有？我插進來，你們不會討厭吧？」

「差不多談夠了，所以我現在正想回去。」郭嫘微笑着說。她不但很美麗，而且溫柔忠厚。

許佑賢和郭慕周兩，都婉留她（其實，郭慕周是惟恐她不走），但她還是走了。於是客廳裏剩下了兩個人。郭慕周把那隻空皮包非常觸目地放到他朋友身旁的小几上。

「佑賢，限期到了。」

「什麼限期，老郭？」

郭慕周吃了一驚，愛恩，他或許是把日記錯了。「佑賢，當然是指那筆款子的限期啊！難道你行裏的事情太多，把你攪糊塗了？你當已經把那筆款子準備好了。」

「老郭，你說是什麼話？我怕是你自己攪糊塗了。」

郭慕周不啻聽到了一陣霹靂。這口吻？難道他……但他還是捺住性子，說：「別開玩笑了，佑賢。你行裏周轉不靈時，我借給你的那筆五萬元的現款，你答應今天還我的。」

許佑賢慢吞吞地呷了幾口茶，說：「你老兄別開玩笑，我行裏的生意一向很好，哪會借你的錢？就是借了你的錢，也得有張借據呀。借據在哪裏？」

郭慕周氣得直發抖。如果說，許佑賢有困難無法償還，他也可以原諒他；如果他因此坐牢，總還值得。然而現在，他遇到的竟是這樣一個忘恩負義的人！他竟把友情當作了欺騙的餌！

「許佑賢，我到今天才認識你。你當時苦苦哀求，現在翻臉不認：算我瞎了眼，錯看了人！」沒有別的打擊會比這更使他感得痛心，他拿過了空皮包，踉蹌地衝出了屋子。

三、

郭慕周心亂如麻地走在馬路上；夜[illegible]襲擊着他，光怪陸離的霓虹燈耽耽地逼視着他。收音機裏響亮地播送着歌曲，但在歌曲的餘音裏，他却似乎聽出了一種責備他的聲音。

「唉，我根本不該去幹這種事，我沒有站穩腳跟，怎不被人推倒？這也算給我一個重大的教訓。我應該受到懲罰。」（四）

風雨樓繪畫叢談

（上載八四四期）……麟鳳龜龍，周禮謂之四靈，龜識吉凶，龍利萬物，鳳知四時，麟喻於人，是狀其德性，用於畫繢，是貴其文章。因信仰鬼神，而信仰神物，這是神權社會的自然發展。所謂此爲「人的擬獸化」，彼爲「獸的擬人化」，則出語雖新，其餘今古思想風尚不相干何。魯人臧文仲，以畫棟彫欞之居，供奉大龜，孔子諷以「何如其知」？古人的教厚，正足以說明立言的諷諫。所以「孔子觀周，遂入太祖后稷之廟，堂右階之前，有金人焉，三緘其口，而銘其背曰：古之慎言人也。戒之哉，戒之哉。無多言，多言多敗。無多事，多事多患。勿謂何傷，其禍將長，勿謂何患，其禍將大」。他告誡弟子的話，是說「行身如此，豈以口過患哉」。孔子論畫，不離乎禮，也不離乎數。下面兩段紀事，更可以看出他對於繪畫的理解，極爲精到。「子夏問曰，巧笑倩兮，美目盼兮，素以爲絢兮，何謂也？子曰，繪事後素。曰，禮後乎？子曰，起予者，商也，始可與言詩也矣」。論語。

「孔子觀乎明堂，睹四門墉，有堯舜之容，桀紂之像，而各有善惡之狀，興廢之誡焉；又有周公相成王，抱之負斧扆，南面以朝諸侯之圖焉。孔子徘徊而望之，謂從者曰：此周公所以盛也。夫明鏡所以察形，往古所以知今，人主不務襲跡於其所以安存，而忽怠所以危亡，是猶未有以異乎卻走而求及前人也。」

子夏用繪事來比喻禮，則爲繪以忠信爲先，禮法猶彩色，以素爲質；卻於詩興畫之間，似未能盡其意。禮運說：「人藏其心，不可測度，美惡皆在其心，不見其色，欲一以窮之，舍禮何以哉！」因此我以爲本章的詩意，可以是一幅美人畫圖的歌詠。唯其能夠寫出人心，而可寧窮功能。於明堂，又從堯舜桀紂周公成王人像中，可以道出善惡盛衰的繪畫效力之強，足見他對繪畫的瞭解，想像力豐富，一個善畫人物的畫家。（廿三）

迷贄

自由人

THE FREEMAN

（第八四七期）

中華民國僑務委員會登記證僑台社新字第一〇二號
中華郵政台字第五〇〇號執照登記爲第一類新聞紙類
（半週刊每星期三六出版）

每份港幣壹毫
台北市價每份台幣壹元
督印人：[illegible]

地址：香港高士打道二十號四樓
20 CAUSEWAY RD. 3RD. FL. HONG KONG
TEL. 771726

承印者：南華印務出版社
地址：香港高士打道十六號四樓
台灣總經銷處：[illegible]
海外總經銷：友聯書報發行公司

納塞主義與阿拉伯獨立國

——分析莫蘇爾政變後的阿拉伯聯邦運動——

·宋文明·

本年三月八日在伊拉克北部莫蘇爾所發生的反巴格達政變，只是曇花一現，不數日即告平息。可是這一政變所帶給伊拉克及中東局勢的影響，却至今仍在擴[illegible]。這一政變一面使伊拉克內部兩派勢力的鬥爭表面化，一面也使伊拉克與阿拉伯共和國之間形成正面的衝突。除非伊拉克的卡塞姆政權能徹底迅速控制政局，否則，伊拉克內部親納塞勢力對伊現政權的鬥爭將無時或已。同時除非阿盟其他國家的調停獲得成功，能使伊拉克與納塞的阿聯國之間重新和好，否則，兩國間的關係亦難獲得改善。而後一情勢的演變，又將影響到前者。所以自莫蘇爾政變之後決定伊拉克內部政局及中東情勢者，就要看納塞與卡塞姆之間能否在經過一陣風暴式的互相攻訐以後，重在新的基礎上建立和好與聯合關係，中東局勢中的許多重要因素迫使納塞與卡塞姆不能分離得太遠，但也有若干因素仍在阻礙納塞與卡塞姆之間作過分接近。這一情勢在實際演進中究有何種曲折表現，恐只有時間才能作正確回答。

納塞對巴格達的指責

自莫蘇爾政變失敗之後，納塞對巴格達的卡塞姆政權的指責，主要集中於三個方面。即一是指責卡塞姆的容共政策，二是指責卡塞姆反猶太不力，三是指責伊拉克仍與西方作軍事勾結。這就是說，納塞爲了要挽回在伊拉克的頹勢，急欲推翻卡塞姆政權，不惜使用各種可能的宣傳藉口。甚至這些宣傳本身互相矛盾或有時給自己帶來不利的反響，亦在所不顧。三月十一日在大馬士革一次電臺反卡塞姆演講中，納塞竟然說：「當卡塞姆革命前的伊拉克政府驅逐共黨之際，敘利亞曾爲共黨所庇護。但當他們返回巴格達時，他們却表現心中的仇恨，他們以怨報德，這不是阿拉伯人的性格」。我覺得納塞的這種說法，把他加諸於卡塞姆身上的容共指責打了一個大折扣。他這種說法一面表示他這個人在政治上的天真與坦率，一面也看出他的不慎於言。由這一說法中任何人都很容易得到一種印象，即納塞的如此激烈攻擊卡塞姆，實際並非由於卡塞姆的容共，而是由於卡塞姆和卡塞姆領導下的這批人沒有接受阿聯國的領導，沒有遵照他的話去作。

卡塞姆政權與共黨

我們若平心靜氣來講，指責卡塞姆反猶不力是不合事實的，至少現在還缺乏這種證據。指責卡塞姆仍與西方作軍事勾結一點，也因卡塞姆的正式宣佈退出巴格達公約與要求英軍退出伊境哈巴尼亞基地而告消失。卡塞姆的容共，甚至在某種程度內已受共黨影響，則是事實；但若說現時卡塞姆的政權已爲共黨所控制，亦顯屬過分。至少在最重要兩點上，卡塞姆現時還仍未受到共黨的左右：[illegible]的許多親納塞領袖人物，包括阿里夫在內，現仍未執行，這表示卡塞姆仍要與納塞保持一線和好的機會。二是卡塞姆仍拒絕裝備共黨所控制的「人民抵抗同盟」，這表示卡塞姆絕不願任何實際武力落在共黨手中。假若伊拉克共黨得不到武力，又無國內經濟社會基礎，那麼不論共黨在今日伊拉克政局中如何活躍，它要想奪取伊拉克政權，恐怕在數年或十年以內不會有這種可能。所以納塞對卡塞姆政權的指責，雖罪名繁多，無所不包，但眞正原因顯然並不在這些方面。

納塞主義與伊拉克

自伊拉克「七月革命」成功，納塞對伊拉克的一心一意的想法，便是要伊拉克即參加他所倡組的阿拉伯聯邦。因爲一旦伊拉克果眞參加了這一聯邦，不但由此消除了一個十數年來與開羅分庭抗禮的阿拉伯第二重心，而且在政略上將控制整個阿拉伯世界，使約旦、沙地阿拉伯，科威特，[illegible]迅速參加聯邦成爲不可抗拒之事。但納塞這種好景沒有維持很久，伊拉克內部也因此問題而對這一[illegible]主義或大阿拉伯主義與伊拉克第一主義兩者間的鬥爭。伊拉克的最[illegible]推翻革命需要一種理想主義和熱情，但要解決國家困難，則又需要面對現實。從現實觀點來看，第一，伊拉克與阿拉伯聯合共和國之間的經濟發展是不平衡的，伊拉克富有石油收益，而阿聯國則較貧，而且伊拉克的石油收益大部已計劃使用於國家長期性建設之上，如伊拉克參加聯邦，在經濟上不僅沒有好處，反將受到損失。第二，伊拉克內部有相當數量的少數民族庫特人，它們以參加聯邦恐將損害到它們現有地位而予以堅決反對。第三，泛阿拉伯運動的心理基礎雖已成熟，而其政治與物質條件則尚未具備，當其他國家還未準備參加這一聯邦時，伊拉克亦不願作重大的自我犧牲。由於這種種原因，所以自伊拉克推翻皇室以來，伊拉克國內的大阿拉伯聯邦主義的急進派與伊拉克小我主義者之間，便開始一連串的鬥爭。最近莫蘇爾政變中數百人乃至數千人的犧牲性命，以及出現在伊拉克政壇上的種種表演，實在便都是間接直接爲這一大阿拉伯主義所付出的代價。

從歷史以及現實關係看大阿拉伯聯邦

從歷史觀點去看，一種大阿拉伯聯邦是無可抗拒的。再從現時國際關係去看，聯邦的出現，對穩定整個中東局勢只有利益，而不會有害處。但納塞在推進這一歷史性運動時，却犯了冒進，急躁，不顧事實與自我中心的錯誤。任何一個聯邦的成立，必須先要取得當事國的充分同意與[illegible]，必須使各個參與國家的本土利益與聯邦利益獲得平衡，必須使一聯邦的各成員立足於完全平等基礎之上。尤其必須經過必要的歷史階段，藉以逐漸促進各項聯合條件。阿拉伯國家不論其歷史背景及民族心理如何，要建立一共同聯邦，自亦必須如此。可是在納塞心目中的阿拉伯聯邦，却不是阿拉伯各國的共同自願聯合，也不立於平等地位[illegible]

阿拉伯地區紛爭的根由

總之，最近數年來的阿拉伯地區內部紛爭，如約旦與埃及衝突，突尼西亞與阿聯國衝突，黎巴嫩內戰，以及最近莫蘇爾變變，其根由都追因於大阿拉伯主義及其所引起的反動。現在要想消弭這種紛爭，也祇有對這一大阿拉伯主義採取一種更現實的態度，蘇聯[illegible]不應反對大阿拉伯聯邦，因這一聯邦將擴大中東的中立區，[illegible]

碧瑤會議的課題

半週述評

此次西藏的抗暴事件，自三月十日開始，到今天已有一個月零七天了，且有繼續延長和擴大趨勢，這說明中國人民之反抗暴力統治之精神與護宗教信仰自由精神的偉大。

從目前的情況來看，中共雖然控制了拉薩，但革命軍的主力仍然存在，在各重要城鎮郊區及山區的武裝反抗仍未結束，而且抗暴的火頭已燃燒到康藏和青藏邊境，在西康境內更有中共軍隊叛變，與革命勢力合流。因之西藏局勢將長期化，它不僅是中共的盲腸，也將是整個大陸全面抗暴的起點。同時也可看出，西藏問題不是種族間的問題，而是思想信仰，生活方式等等問題的矛盾與衝突，換言之，是中共暴政必然產生的惡果。

然而革命運動，是需要外界援助的。外援對革命的影響，在中外歷史上可找到不少的具體的事例。而此次西藏抗暴事件之發生，和達賴的出走，他們事先都會把外界的援助因素估計在內。但是一月來的事實說明，在自由世界中，除若干國家的民間團體會發出同情的呼籲外，其政治當局却袖手旁觀，甚至自由陣營的領導者的美國政府，亦無積極的表示。自由中國雖會容投接濟，然鞭長莫及，杯水車薪，難以發生決定性的作用。若長此以往，曠日持久，在中共的武力鎮壓與懷柔分化相結合的策略的運用下，西藏將難免不走上匈牙利的失敗的道路。美國駐遠東的高級外交與軍事人員現在碧瑤舉行會議，聞將西藏局勢列入議程，我們希望其對此問題有切實的討論和果斷的決定。

尼赫魯的態度

其次，值得注意的，是尼赫魯的態度問題。在較早時間會有尼赫魯勸說達賴返藏的傳說。現據路透社印度阿薩密十四日電訊報導，尼赫魯將於四月二十二日與移居莫蘇里的達賴會晤，晤談後，將與北平方面接觸。這雖是揣測，但實有其可能性。

由于歷史因素與地緣關係，印度對此次西藏革命自是同情的，尼赫魯之宣佈予達賴以政治庇護，即是此種同情的表現，但是印度是機會主義的國家，其外交政策是以現實利益爲基礎，如有利可圖，他們亦終爲中共所利用。中共迄今未抨擊達賴本人，亦未因印度之庇護達賴而抨擊尼赫魯，顯然是保留交易餘地，以進行幕後接觸的。

目前印度對西藏問題的基本態度，根據尼赫魯在國大黨國會小組會議中所表明的，是下列三項原則：（一）保衛印度邊界的安全。（二）與中共維持友好關係，但不作錯誤的事，以遷就中共。（三）維持西藏的自治。因之如果中共切實保證對印度邊界安全，而又允許給西藏以較大自治的話，則尼赫魯必勸說達賴回藏，以作爲交換條件的。因此，我們須防止他們的此項陰謀的實現。

杜爾斯辭職

美國國務卿杜爾斯因病情變化，終於辭職了。從艾森豪的遲遲決定與其宣佈時的黯然神情來看，可知這是不得已的事，也是美國政府的不幸的事。

人們所關心的，當然不是某一個人的出處進退，而是鑒于杜氏數年來在美國外交上的成績，對蘇政策的堅定，保障了世界部份地區的和平安全。因而担心杜氏辭職後，會對美國的現行政策發生影響。

但是當前世界局勢，已不容美政策有任何原則上的變更。事實上亦無法作原則上的變更。因之不管誰人繼任國務卿，自當繼續保持杜氏的堅定外交政策。前主管遠東事務的助理國務卿羅柏遜辭職時曾說：「如果我辭職會影響美國的遠東政策，則我寧死也不辭職的」，這雖是感情之言，但也可反映出美國朝野人心的趨向。

金達凱

政治上的假慈悲

自由談

美國國務長官——我不用「國務卿」這種非民主的封建名詞——杜爾斯因病辭職的消息傳出後，自由世界各國人士莫不表示惋惜，這是理有固然的。因爲杜氏堅決反抗共產帝國主義的一貫言行，確乎值得自由人類尊敬，素來對他寄予莫大的期望，忽聞其病莫能興，不得不辭去公職，而且在西方國家跟俄帝進行政治鬥爭最激劇的緊要關頭，眞有「斯人不出，於蒼生何」的感慨啊！

不過，英國政治界和輿論界人士，以及美國民主黨的先生們，對於杜氏之去職，竟表示着比較一般自由人類更爲傷感的態度，却教我有些莫名其妙了！記得過去杜氏爲着制止俄共集團在西歐與東亞的侵略擴張行爲，而主張強硬對付時，每以英國人攻訐杜氏最力，歧見亦最大，認爲杜爾斯極不適宜於主持美國的外交事務，暗示要各行其是的氣概，而美國民主黨的先生們即大呼「我們沒有盟邦支持，陷入孤立地位了」，有要求[illegible]與大西洋彼岸的盟邦一唱一和，[illegible]不利於白宮外交行動[illegible]。現在杜氏因病辭職了，[illegible]對俄帝實行妥協的現[illegible]由國家的外交領導地位[illegible]，美國民主黨亦深慶[illegible]，表面上雖不能不對[illegible]何必那末悲愴呢？

即此可見政治人物一時的毀譽，多係出於「有意之心」，殊不足道，非待後世歷史家來作一個[illegible]裁判不可。一個有爲有守的政治家，如其不具備「天命不足畏，祖宗不足法，人言不足恤」的勇氣，那是沒法幹出大事業的。杜爾斯六七年來在國際上沾沾於庸俗的毀譽得失，但受着國際與國內一般「有意之心」的人士批評困擾，迄未能展其抱負，如今聽到這些假慈悲的讚揚之聲，唯有付諸會心的微笑吧？

[illegible]

墨西哥會向右轉嗎？

本報駐墨記者趙嵐

【墨京航訊】墨西哥政府四月一日正式宣佈驅逐蘇俄駐墨大使館武官利米蘇夫及二等秘書魯維可夫出境，並限四十八小時內滾蛋。墨政府這種突然措施，不但令墨西哥的大批外籍共產國際特務手足無措，也引起全世界的極大注意和驚奇！

打擊共黨活動中心

墨西哥三十年以來，一向保持對共產份子活動絕不干預的「中立」態度，因此蘇俄就看中了這塊「冒險者的樂園」，漸漸地在墨西哥建立了對拉丁美洲共產活動的總指揮站，蘇俄駐墨大使館的外交人員已有一百二十餘人，其他用各種不同名義登記的或未登記的，有人說約四千人，但據估計至少在千人以上，由此可知墨西哥在拉丁美洲共產間諜活動中的重要性，現在墨政府忽然翻了臉，這個指揮塔的基地是開始動搖了，如果墨西哥政府今後繼續不放鬆的話，則眼看着這個指揮塔不久就要倒塌。

共黨顛覆的陰謀

第二次大戰後，墨國的政治與經濟都有長足的進步，中產階級人數激增，一般人民生活已趨安定富庶，這都是使蘇俄最感不安的，因為牠數十年來費了不少的心血在這「美帝」的後門建立了這個征服美洲的主要基地，希望利用窮困不滿等複雜情況，混水摸魚，完成赤化，然而墨國現有的政治、經濟趨勢，並不與之相合，甚且背道而馳，蘇俄不能再等，非親自動手不可，所以批准了一個頗費墨國現政府的計劃交由俄駐墨大使館執行。

這個計劃的主要部份就是俄國用金錢和「鬥爭技術」支持潛伏在墨國鐵路、電訊、電話、電力、和汽油等事業的墨共下橾，使他們在各種工會中取得領導權，時機一到，只要俄使館命令一下，整個墨國的動力就可以凍結，更加上在各大學、政府機關，和教員聯合會等的墨共潛伏力量，則不需流血，就可能推翻墨政府取得政權。

去年五月至十月墨國發生一連串的鐵路、汽油、電訊、電話等工人的罷工援亂以及教員學生的罷課等，風是一波未平，一波又起，墨政府明知乃蘇俄指揮墨共之行動，然以大選在即與新舊政府交替之時，只得容忍，今因俄共與墨共之活動愈來愈凶，故終於伸出互掌，予陰謀征服者以無情的打擊。

煽動罷工的失敗

去年七月墨國大選時，墨共受蘇俄主子的指使，支持現今總統馬德和，滿以為馬氏就任總統後，最低限度將保持過去墨政府對共產活動不加干涉的傳統立場，那曉得馬氏一切都以墨國利益為前題，本年二月邀請美總統來墨會談，後受了美國的借款與鐵路墨國工業計劃，並準備於五月間訪美，兩國的交情似乎打得火熱，俄共的間諜知道投錯了賭注，越看越不對，於是決定給一些顏色讓墨政府看看。

本年二月廿四日會在莫斯科受訓的墨全國鐵路總工會書記長威也蒙下令鐵路工人總罷工，至墨政府接受其所要求全體工人增薪百分之十六點六，撥款六千二百五十萬元供工人醫院及藥費，另三千萬元建築工人住宅等項為止，墨政府宣佈該項罷工為非法，並派軍隊接收鐵路，同時由勞資調解委員會進行調解，二月廿六日墨政府接受工會全部要求，僅增薪一項認為去年七月工人已每人增薪二百一十五元，現增薪百分之十六．六應包括該二百一十五元計算，經工會方面接受後雙方簽定合約工潮即告停止，豈料該工會書記長受俄諜指使存心製造紛亂，三月廿四日再下令鐵路總罷工，堅持政府接受條件全部工人加薪百分之十六．六，全國輿論均以鐵路總工會不顧國家利益，發起指責，墨政府忍無可忍，下令限二十四小時內復工，經過後墨大批軍警奉命出動逮捕罷工煽動者千餘人，包括總工會書記長威也蒙及他的大幫嘍囉，三月三十日墨國聯邦總檢察官亞利雅氏宣佈墨政府已發現一項危害墨國之陰謀，此次鐵路大罷工被捕未稱之八百人中已證實有一百五十名共產極端份子，墨國憲法雖保障政治思想自由，但彼等可能被控刑法第一八一條破壞國家經濟罪，如罪名成立則係叛國云云。

墨西哥的前途如何

墨政府這次大捕共黨煽動者發現了不少俄國及其他共產附庸國家大使館對墨鐵路工會書記長的證據，近數日墨京報章刊載鐵路總工會書記長威也蒙，一九四九年曾由俄國駐墨大使館資助往莫斯科受訓，兩年前尚無個人銀行存款及私產，現則有漂亮私宅一所，銀行存款數目也很可觀，此外墨政府還探在此次行動中截獲蘇聯大使館供給威也蒙的煽動費一百萬元等語。

墨西哥政府這次大規模逮捕墨共「工運」份子，和驅逐俄國駐墨外交官事件，如果說墨政府已經向右轉尚嫌太早，因為四月二日墨外交內政等部門首長對報界宣佈上述事件時都一律採用很宛轉溫和的口氣，口口聲聲說墨西哥要維持與[illegible]的友好關係，但是俄國會放棄對這個中南美共黨活動指揮站的基地的顛覆活動嗎？墨政府的容忍也是有限度的，將來或者有一天為自衛起見被迫向右轉，開步走也不定。

（四月六日）

日本人之中共觀與中共研究

．．何雨文．．

日本社會黨訪問中共代表團長淺沼稻次郎在北平發表聯共談話，竟然說到「美帝國主義是中日兩國人民共同敵人」。說得連日本政府也認為太過份，乃不得不發表更正聲明。為什麼有這種話出現呢？我覺得對於日本目前國內的政治空氣有加以了解的必要。

社會黨並非有愛於中共，社會黨代表團到北平所遭遇的接待，其親切非日共代表團所可比擬，淺沼稻次郎何等滿有感覺到。所以到此者，乃出於討好選民，滿足日本商人急切欲與中共通商的心理，乃口不擇言，事後，他也許會後悔的。

日本人到如今，還存着一種幻想，希望和中共通商而不牽涉政治問題。本年四月間，岸首相在國會開幕之日，就如此地表示，藤山外相也這樣表示過了通商之故，不惜舉行日本與中共之大使級會議。中共是政治重於通商，不滿足它政治要求，不會和日本進行正常貿易的。岸首相及自民黨諸巨頭無不了然，就是日本一般政治人物乃至社會黨也是清楚這種情形，明知不可能，但仍然要如此說，自民黨與社會黨乃五十步與百步之差，就是因為要討好選民，爭取選票。任何一個日本政治人物，假使上台之後，也不可能改變日本現行政策，因為日本今天還是不能脫離美國的。

我在本年二三月間到東京講學，與日本朝野人士接觸，所談以中共問題為主。我當時就發生了上面一個感想。

日本文化界是非常左傾的。為什麼呢？日本人頗多發生疑問。我曾向他們解釋：共產主義本是人類的一個幻想，有着美麗的憧憬，所以使人嚮往，但一接觸現實，就會感覺到此路不通，並非[illegible]的存在是依靠殘暴的統治，所以凡是共產黨統治過的地方，沒有人不反共的。日本人沒有吃過這種苦，所以還存在着對共產黨的幻想。

我在東京講學，右派人士提出了許多平日左派人士言之成理的中共事情，希望我能夠駁倒他們。我根據了資料，客觀地分析事情真相，他們認為這些話去對付左派言論很有力的反擊，幫助日本人真實了解中共。有一個日本人，他問我：「何以我們派去大陸的人，都說中共好？」我說，原因很多，有些人是中共特地請去的，有了某種默契，說話自然有問題。但有一些人，是因為程度不夠，所以忽略了大問題。有一位日本朋友，（就是那一天替我做翻譯的木村辰男先生）去過大陸兩次，有一次，他由北平返日經過香港時，對我說，他在深圳看見邊防人員大多為北方口音，但是在北平，三輪車夫是廣東人，連北平的街道還沒有弄清楚。他問我這是什麼原因？我告訴他這不少有關中共移民的事情，這是一件大事情，如果分別不出北方口音和廣東口音，就不會發現這個問題。

日本人的研究精神一向是很使人欽佩的，對於中共問題研究的狂熱，更使我們自嘆不如。目前在東京研究中共問題的右派團體，和我接觸過或者聽說過的，有二十四個之多，研究工作進行得很認真，一般地都做得很切實，剪報，索引，卡片和統計都做得有條有理。研究的成果，也有許多獨到的見解，可惜有許多隔閡，過分相信中共的報刊文字。還有一個大毛病，是研究是分散的，不能集中力量，故研究成果不大。

左派研究團體只有一個，便是中國研究所，規模很大，管理和做資料工作的人有百人左右，資料非常完備。這是中共的一個外圍機構，供給大量經費，更主要是供給研究資料，有許多右派人士，也願意做它們的研究員，為的是有取得研究資料的便利。中國研究所有各種出版物，它每年出版一冊「中國年鑑」，內容超過北平大公報出版的「人民手冊」，因為是日文的，所以成為日本人研究中共問題的主要參考資料，影響是不小的。

在東京買中共出版的書刊，非常方便，三家主要的書店，是大安，極東和內山。三家書店的主要顧客不同，大安是供給一般日本人的，極東是做國外生意的，中共往往通過東京這一點，將大量書刊銷往美國和許多西歐國家。

大安，內山對右派研究團體態度很好，除經常免費郵寄目錄，還可賒購書刊，因為右派作者讀的都是中共書刊，無形中受了影響，所撰寫的文字，往往無意中替中共說話。

反共非共書刊非常少，並不是沒有人要看，而是供應得太差。我在東京，接受了好多香港，替他們選擇了不少有些份量的反共非共書刊，杯水車薪，影響是有限的。

日本人讀書風氣很盛，沒有一個人不看報和雜誌的。而目前日本報紙很多作有利中共的言論。報紙和雜誌的作者，一般自然不研究中共問題的，他們參考左派或右派的有關中共文字。這些文字十之八九有利於中共，於是他們吸收了進去，再吐出來的，仍是有利於中共的言論。試問日本人在如此氣氛中，如何對中共沒有幻想呢？日本政界人物和有識之士也都見到，但無法可想，於是為了討好選民，就有許多我們認為可笑的事情做出來。

我們要爭取日本，要使日本不三心二意，斷絕了和中共打交道的念頭，最主要的一個努力：是要幫助日本人研究中共，更正日本人之中共觀。

尤金筆下的尼赫魯

。偉鵬。

莫斯科最近對尼赫魯發動前所未有的直接抨擊，毫無疑問這是國際共黨對中立主義者採取新政策的開端。

其實彼此互相指斥，其來有自。記得尼赫魯于一九五八年八月在「AICC經濟評論」上發表其對未來之印度的意見時，即曾在同年十二月份出版的「世界馬克思主義者評論報」所抨擊。尼赫魯認為資本主義和共產主義道路都不適合在印度實施，因為前者欠缺平等及社會公平，而後者簡直是「與接近暴行聯繫」。

這次再抨擊尼赫魯的文章，是由PA尤金執筆的。其所以值得重視，是因為尤金是現任蘇聯駐北京大使。他過去一向從事共產主義理論工作。

[illegible]彈，這篇文字本是在宣佈結束「史太林主義」時即已停止了的，然自一九五七年莫斯科大會之後又再度被提出。不過指辭較前主編COMINFORM雜誌時較為緩和。但是仍指尼赫魯是「英美帝國主義的代理人」，而甘地則為「民族解放運動第一叛徒」。尤金的文章認為只能在「帝國主義」陣營或「社會主義」陣營兩者之間擇其一，無論任何人蠻度脫離這兩陣營，便是帝國主義幫兇「前進」的障礙。

尤金在文內特別指出印度是不能採取「第三路線」的。他說社會主義是導向共產主義過渡階段，任何社會主義如非導向共產主義，便是錯誤的。

尤金為文之要旨是在說明「尼赫魯所扮演之歷史性民族解放戰鬥角色」已成歷史陳跡，而現在需要進入另一階段，在現階段內，做領袖的準則是：誰能領導「前進」，誰就配做領袖，更有趣的是今年一月在莫斯科舉行之第二十一屆蘇俄共黨大會中，赫魯曉夫亦引用這些論調，之後世界各地共產黨也突然開始熱烈地討論「民族解放危機」及現在缺乏「認識基本真理的高能領袖。」

使人關心的是一九四八年共產黨在印度所用的暴行是否會重演？印度共產黨領袖葛尼地夫，本是一個暴行的擁戴者，但上次未曾列席莫斯科共黨大會，因為印度政府拒絕發給護照。

對於尤金所說關于暴行的解釋是值得推敲的。尼赫魯證實共產主義是與暴行聯緊的。但尤金回辯的要點是「誰向誰施用暴行」？在尤金認為在印度所發生的並非暴行，並且反而指控尼赫魯打擊印共是「大屠殺」。

對于尤金這種荒[illegible]字，姑且不去說它，但那篇文章透露莫斯科和北京共產黨們[illegible]，他們是並不試圖去[illegible]的基本態度。在所有[illegible]中，即使簡單如和[illegible]絲毫價值的。因為共[illegible]具有兩面性而，可以[illegible]

最後尤金在文中[illegible]定代替資本主義」的[illegible]資本主義時代的殘餘。（本文摘譯自紐約之Intercontinental Press Service最近供應之材料。原作者為Karl Reyman）

國際動態拾零

△阿聯有一位駐聯合國代表，對其本國應繳之費，僅付一半。而將其數額改為全部付清，共得款二萬五千美金，事發後逃至歐洲。

△高峯會議地點，美國贊成在日內瓦或維也納，英國贊成在三藩市。而蘇聯則主張在紐約，加拿大則主張在魁北克。也許英美蘇三國會放棄其成見，而接納加拿大之建議。

△蘇聯在各地外交代表，向西方保證，謂在最近數月內，對柏林問題，蘇聯不至再有威脅，與東德單獨媾和之舉，可不會有。蘇聯駐捷大使，及駐聯合國代表，均強調蘇聯不願妨礙五月間外長會議之進行。

△艾森豪曾告麥米倫，謂他將在留任期間，不辭跋涉，以代杜勒斯之外交旅行。

△艾森豪不久將安排與古巴新總統會見。但不公開，理由是怕他藉此作宣傳，俾刺美之失敗派惡心。

△據三月間探測，蘇聯在北冰洋火箭之試驗，其航程為三千五百英里。

△美海軍當局，咸認阿拉斯加，與北非沿岸巖穴，為軍艦與潛水艇防止敵人原子突襲之隱蔽地點。惟若干將領，仍信散佈海上，為較好之逃避方法。

。陶然。

大躍進成強弩之末

四月九日人民日報社論說：第二季度是實現今年工業生產的決定性季度，這一仗怎樣打法？「可以有兩種方針，兩種打法。一種是全面鋪開，齊頭並進，把人力，物力，財力平均分給每一個行業，每一個部門。乍看起來這似乎是『全面躍進』，其實是分散力量，結果誰也不能躍進。另一種方針是集中力量，突破重點，把原材料特別是鋼材使用在重點上。」

前一種「打法」正是去年全民辦工業，全民煉鋼，齊頭並進的「打法」，結果搞了兩三百萬個土高爐，徒然消耗人力、物力，生產出來的鋼不能用，而且還分佔了原材料與維持費用。這一種「打法」，顯然已經受到了批判，全面大躍進看來已成強弩之末。

工業部會議無結果

中共中央工業工作部最近在上海召開了全國省，市，自治區黨委工業部長會議；據四月十日人民日報報導這次會議認爲：「在貫徹社會主義建設總路線，貫徹執行中央工業和地方工業同時並舉，中央工業和中小型企業同時並舉，洋法生產和土法生產同時並舉等一套兩條腿走路的方針中，現代化工業企業要發揮骨幹作用。」這是今年中共的工業發展的方針。由這一方針可以看出，其重點已置之于現代化工業。

表面上雖然還提到去年的「兩條腿大躍進」的方針，實際上似前節所述大概已只是空洞的政策轉變的「承轉」詞令而已。

下級提出的要求

去年十二月六中全會時節，毛澤東所倡的「兩條腿大躍進」方針已經有了動搖的跡象，因此，倡出所謂「冲天幹勁和科學分析相結合」的口號。到今年二月，情況更緊張，地方大概實在受不了，于是又叫上海市委第一書記柯慶施寫一篇「論全國一盤棋」的文章刊登于第四期「紅旗」雜誌上，要求中央集中領導，保證重點工業。接着，二月二十四日人民日報又發表一篇社論，强調「全國一盤棋」。三月一日，中共中央副主席陳雲寫了一篇題爲「當前基本建設工作中的幾個重大問題」的文章發表于第五期「紅旗」上，全面的以毛所極力反對的「條件論」來討論中共的經濟發展，對于去年提出的「兩條腿大躍進」方針雖未要求取消，但已提出「集中領導和大搞羣衆運動相結合的方針」。如今，則又發展到「現代化工業企業要發揮骨幹作用」的方針。從這一發展來看，分明是由下而上的要求，毛爲爭取主動而讓柯慶施來提出「全國一盤棋」的論調。雖然如此，毛似乎還迷信于他的那套羣衆運動辦工業的方法，四月十日的人民日報社論的題目就是：「現代化工業企業要繼續大搞羣衆運動」；毛固儘管爭持，恐也維持不久哩！

。田心。

西藏革命的前因後果

西藏革命的前因，基本上是思想衝突，由於幾年來中共的加強控制，更加速了這一革命的爆發。藏人要想獨力驅逐共軍固屬不易，中共要想完全蕩平藏人反抗亦難；對西藏本部來說，將使中共的泥足愈陷愈深；對全國來說，由於拉薩的星星之火已導引川、康、青、甘的藏人加強反抗；對國際來說，這次東方的匈牙利事件，使自由世界更認清了中共的兇殘面目，擴大了中共向外發展的阻礙。

【本報特稿】西藏是一個經濟不發達，政教合一的地區。而馬克思主義是基於資本主義發達以後所構成的空想，這一空想必須要有一定的對於工業發達的和幣已有概念的人才能接受。在西藏並無這種條件，所以，中共儘管在那裏已經佔領了八年，其思想滲透的效果微乎其微，甘心爲共產黨利用的人只佔少數；使得它在那裏的控制毫無基礎，其情況好像是第二次大戰時日軍在佔領區一般的孤立。共產黨是無神論者，而西藏人民却都是強烈的佛教徒，英國人在那裏經營了近一個世紀，也未能散播下西方宗教的種子，可見藏人的宗教信仰的強烈。在這樣的宗教氣氛濃厚的地區，中共要推行無神論，自然就形成了衝突。這是兩項中共與藏人之間不能調和的思想衝突，亦是中共在西藏的統治未會生根的基本原因。

一九五〇年共軍攻昌都，一九五一年十一月共軍進佔拉薩，這是中共統治西藏的開始。在以後的時間裏，中共的統治可以分成下述三個階段：

首四年控制較鬆弛

一九五一年十一月至一九五四年底，中共對於西藏的控制是比較鬆弛的；他們致力於兩項工作：一、加強內地與西藏間的道路，具體的表現是修築康藏、青康兩條公路，一九五四年十二月總算勉強的通車了。二、控制西藏的對外關係。西藏的對外通道和貿易一向是由於地理關係，依賴印度的。由於歷史關係，印度承襲了英國的餘勢而在西藏儼然具有特權，一九五一年五月，中共以高價搜購西藏土產，使印藏間的貿易停頓；一九五二年六月，又封閉印藏間交通；一九五四年四月，終於迫使印度簽訂「通商和交通協定」，放棄在藏特權。

在這一階段，中共亦曾迫令西藏政府採取措施進行所謂改革，併編藏軍，因藏人反對而暫停。因此，此時中共對藏政策基本上是以加強對內地關係與控制對外關係爲其重點，對於西藏內部工作並未認眞加緊。

農業合作化與匈牙利事件的影響

一九五五年初至一九五七年十月是第二階段。由於前一階段的兩項主要工作已經有了成果，於是從一九五五年開始加緊對於西藏的控制。首先成立所謂西藏自治區籌備委員會，企圖削弱原來的地方政府的權力，要求加緊改革，併編藏軍。此時，西藏遭遇到兩椿大事：一、大陸在一九五五年推行農業合作化，發展到了西藏邊境屬於川、康、青、甘各省的藏族地區，受到合作化禍害的藏人大量逃亡到西藏本部，其中另有一部份康巴人原在西康境內作反抗中共的活動，更加速影響西藏本部地區的動盪不安。二、一九五六年十月，匈牙利革命影響了中共的對藏政策，強調所謂反對大漢族主義。因此，他們在一九五六年底宣佈所謂「六年不改」，西藏的改革再度停頓了下來。

政策轉變引起革命

一九五七年六月至今是爲第三階段。這一階段由鳴放轉爲反右派，此一政策之轉變又迅即影響於對西藏的政策，提出了所謂「要反對地方民族主義」，也要反對大漢族主義」，「要爲六年以後的改革創造條件」等口號。一九五八年一月並開始進行其改革的第一樁事，此即：自治區籌委會所通過的「免去幹部、學員的人役稅和寬判罪犯本根却珠的決議」一觸及了西藏的基本制度；一九五八年五月，大陸加强清算地方民族主義，在西藏亦提出了「擴大反帝統一戰線」，「反對帝國主義份子和分裂份子」的口號，似對西藏的民族主義份子採取行動的模樣。另一方面，川、康、青、甘的藏族區又加緊合作化、公社化，迫得他們再度流亡反抗。此外，一九五八年六月，原逃亡在噶林堡的藏人亦號召全部回藏從事反共活動。至此，以西藏地方政府爲中心，聯合西藏本部以外藏人的一支巨大的反共洪流形成了。與此同時，中共當局，依舊要實行所謂改革，併編藏軍，於是使得中共與西藏關係更加尖銳化，在今年三月十日，終於爆發了革命；十七日，達賴離拉薩；十九日，拉薩城內發生猛烈戰鬥，血戰四日，革命軍退出拉薩；三十一日，達賴喇嘛逃入印度，請求政治庇護。

目下藏人控制了線與面　在共軍手中的只有點

表面上這次東方的匈牙利事件已是平復，實際上中共目前所能控制的地區僅有拉薩、日喀則、昌都、黑河等十餘據點而已；中共雖已抬出班禪來替代達賴作爲藏人的精神領袖，撤消西藏地方政府，以自治區籌委會代行職權，實際上西藏已經形成了這樣的狀態：誰與中共合作，誰就脫離了西藏人民的支持，班禪要在這種情況下發生精神領袖作用是不可能的；至於自治區籌委會在過去毫無基礎，其究竟能否代替西藏地方政府極堪懷疑。此外，大陸通西藏兩條公路迭經破壞，已不能順利暢通，在藏共軍疲於奔命，補給不繼；在這種長困久守補給艱難的情況之下，久之而迫使共軍撤出西藏亦非不可能。這次西藏革命與川、康、青、甘等省的藏人，有極大的關聯，那些地區由於此事之刺激已經在動盪。西藏革命之對於自由世界，特別是對於東南亞各國的影響巨大，自不待說，這種影響之後果則是使自由世界更認清中共的兇殘面目，從而使中共向外擴展發生困難。（大陸社供稿）

大陸文壇透視

再說紅文藝的反美熱

七灼

儘管在我們的友邦美國，有人對中共存着天眞的幻想，但在中共却一直以美國爲他的敵人；特別是從最近大陸出版的文藝刊物中，可以看到用反美爲主題的作品，非常普遍。上期我曾略舉了幾點證明，恐不足引起友邦人士的注意，茲再摘引數則於下。

「人民文學」一月號載有老舍所作春聯多副，第一副是：「中華巨龍乘風破浪力爭上游正昂首雲天齊歌躍進；美帝紙虎舞爪伸牙虛張聲勢看滿頭絞索自取滅亡。」同期還載有一篇「杜勒斯爲什麼要詛咒人民公社」的論文，說杜勒斯批評人民公社，是「毒蛇吐出了它的舌頭」；說他在克利夫蘭的「喊叫」，是「夜過墓場吹口哨以自壯」，「在全世界人民面前又一次丟醜」。該刊二月號載有陳殘雲作的「望金門」二首，詩中勸「將軍」要「放下槍來手拉手，同心對付美國狼！」該刊三月號載有犬馬作的「枉費心機」三首，有一首的序文是：「兩個黑人男孩被美國政府判處長期徒刑，罪名是他們在遊戲時，其中一個吻了一個白人女孩。」正文中有句云：「人權保障在哪裏？民主自由天知道！」

「文藝紅旗」二月號載有「剛果人民在怒吼」一首詩，其前三節云：「剛果是非洲一塊安定綠洲，可是剛果人民都不自由，比利時背後的美國主子，將這裏礦藏財寶一齊掠走。」「剛果是非洲一塊安定綠洲，這裏盛產核子原料的鈾，但都滿裝在美國原子庫裏，又拿來鎮壓這塊綠洲！」「全世界人民可曾記得？美國原子訛詐的本錢，正是因爲奪取了剛果的鈾，杜勒斯在狂叫剛果不能丟！」

「大陸電影」第四期載，去年年底長春電影廠與莫斯科電影廠在克里姆林宮合拍故事片「風從東方來」，主題是表現所謂「中蘇友誼」的，故事敍一個中國工人加入了蘇聯紅軍，曾在克里姆林宮守衛，見到過列寧，和一個蘇兵成爲密友，後來回到中國大陸，蘇兵幫助建設。中共派去的有女導演石聯星，她談到雙方演員怎樣「友好」時說：「如在『白石子』火車站拍外景，那是零下三十多度的天氣，飾演美國軍官的一位近六十歲的蘇聯演員，他穿着單薄的美國軍服在外景地堅持工作大七個小時，還熱情地向我表示說：『我雖然扮演敵人，但我是非常熱愛中國人民的！』」

看了這些例子，中共和蘇聯，全是教導人民要拿美國人當做敵人，在文藝作品中掀起反美熱潮，美人其醒諸！

瘟君夢

第二回：密室定奇謀　巴山留遺恨　蒼生塗炭　弱絮臨風

岳騫

黃克誠簡單幾句話，就把粟裕的總參謀長擠掉了。究竟粟裕是否說過這些話呢？據說粟裕即使有這個意思，也不會向黃克誠說，他兩人本來就有心病，遠在「皖南事變」新四軍被解散之後，毛澤東曾經下令把江北殘部重編爲「新四軍」，由陳毅任軍長，下轄七個師，第一師師長是粟裕，第三師師長是黃克誠，這時兩人就不十分投機，以後黃克誠被調出關，在林彪部下工作，一個在三野，一個在四野，本來井水不犯河水了，不料一九五四年中共政權改組，粟裕躍升總參謀長，黃克誠被任爲副國防部長兼副參謀總長，變成了粟裕的部下，冤家路狹又遇上了，粟裕自以爲是上級，遇事不免擺擺長官的架子，黃克誠自仗是湖南人，豐沛子弟，你粟裕算是什麼東西，一未生在湖南，二未參加過長征，也配騎在老子頭上，兩人明爭暗鬥，直鬧到朱德面前，朱德只有雙方勸解，他也沒有權力去責備誰，更談不到處分了，不料今晚被黃克誠抓住了機會，告了粟裕一狀，告得十分有力，粟裕還被蒙在鼓裏哩！

毛澤東問過黃克誠，轉過來又問蕭勁光：「海軍方面情形怎樣？」

蕭勁光這個人，作風和賀龍差不多，出身比賀龍還低，原是汨羅江上擺渡船的，後來沒有法生活，就去「革命」，到了大陸全部「解放」時，他已經升到四野十二兵團司令員，進駐長沙，「豐沛父老」死在他手下的盈千累萬，在中共軍官裏面也以驕橫出名，不但同位置擔的湖南省主席程潛，陳明仁多受盡他的欺侮，就連同是豐沛子弟王首道，任湖南主席也還是他逼跑的，大家都恨他，但是都奈何他不得，恰好到了一九五四年十月，中共政權大改組，要建立海軍成爲一個獨立單位，海軍司令員却物色不到適當人選，國軍投過來的第二艦隊司令林遵，重慶號艦長鄧兆祥，毛澤東不放心交給他們，靠得住的人，又沒一個是海軍出身，這時王首道已經內調任中共中央交通工業部部長，兼國務院第六辦公室主任，就向毛澤東建議，任命蕭勁光爲海軍司令員。

毛澤東當時十分詫異，問道：「蕭勁光怎麼懂得海軍。」

王首道笑道：「他划過多年渡船，水上生活總比較經驗多些，好在我國海軍正在萌芽時期，誰去也不易作出成績，讓他去練習一下也好，總比別人放心些。」

毛澤東一想實在有理，就任命了蕭勁光爲海軍司令員，命令下去之後，蕭勁光氣得暴跳如雷，但是又不敢不接受，只好遵命到北京去就職（廿八）

苦戰、躍進、瞌睡

「苦戰」和「躍進」的口號，不但已經使廣大人民厭倦透頂，而且連中共幹部也已經不感興趣了。

下面一封「讀者來信」，刊在三月二十六日上海新聞日報上，全文如下：

「一個星期六的下午，我參加了市食品公司召開的幹部躍進大會，聽取經理的報告。我想在這分秒必爭的大躍進中，領導上決定在休假日召開的大會，肯定是有這樣一個理解的。坐在我旁邊的兩位同志，他們在會前精神百倍，有說有笑，大打其「杜洛克」（按：一種撲克牌遊戲），當主持者喊大家坐好時，他們還是餘興未盡，不捨得甩掉牌。等到報告正式開始，他們不耐煩地擱着，這股勁，不知何處去了，一個乾脆靠着椅背睡了，一個是好幾十分鐘閉目搖頭。我真擔憂，不知道這兩個同志回去後怎樣討論，更不知道怎樣貫徹？」這就是幹部對「大躍進」的態度了。（資）

釋耒集

不久以前，在報上同日刊出過兩則新聞，其一是一個男子，出資代未婚妻到美國求學，學成之後，這位留學生鴻飛冥冥，不知去向，那男子正準備到天涯海角去尋她。其二也是一位男子，在新界的墓地上，擬守靑已死愛人的墳墓，不肯離去，以致勞動警察去干涉他。這些新聞的詳細內容，我們無由知道，僅就表面看，就已使人覺得一種無名的抑鬱，禮經曰：婚姻之禮廢，則夫婦之道苦，由今日以言，則吃人的却又不一定是禮教了。

女人

太史公史記外戚列傳序曰：「自古受命帝王，及繼體守文之君，非獨內德茂也，蓋亦有外戚之助焉，夏之興也以塗山，而桀之放也以妹喜；……夫婦之際，人道之大倫也，禮之用，唯婚姻爲兢兢，夫樂調而四時和，陰陽之變，萬物之統也，可不愼與！」後人論此，每略去其好者，而加強其壞者，把亡國亂君之禍，一切均歸之女人，街道之士，大抵還要附益上西施之亡吳，呂雉之弱漢，賈后召八王之亂，武，韋致唐祚之衰，最後直算到清代的那拉氏。細密一點，又更添上漢成帝的飛燕合德，陳後主的張麗華，唐明皇的楊玉環，以至宋高宗的二劉妃，眞不愧洋洋大觀，而女人之爲禍水，遂自然而然，成爲鐵一般的事實了。司馬遷之世，經師道學之說未出，其持論實不失爲公允，後世亦有思想較爲開明之人，但多半爲文學家或詩人，如白居易，杜牧，歐陽修，袁枚諸人詠史之作，其中涉及息夫人西子，楊妃等問題時，亦多作爲開脫之詞，但口吻漸近于輕薄，僅足供人詠嘆而止。及明末淸初，黃宗羲及唐甄，大抵均懲于明室之衰亡，對宦官宮妾之禍，言之最爲痛切，唐氏潛書論女御云：「女子微弱也，可與爲善，可與爲不善，非若閹臣之不可制，奸闇之不可親也，使妹喜，妲己，褒姒，生于文王之世，入于文王之宮，處窈窕之室，后妃率之以采芣苡，供祭享，琴瑟以悅之，鐘鼓以樂之，則三女子者，皆淑女也。」其說雖稍嫌腐，然較之以女子爲蛇蠍之理學家，則已見其難能而可貴。惟仍視女子爲弱者，未必能爲新女性之所許可也。

晚近之世，侈言男女平等，婚姻自由，而男子之不了解女子，與女子之不了解男子之情形，實際上毫無進步，故以戀愛始者，亦往往以決裂終，夫婦道苦，遠較盲婚時代爲尤甚，于是報章雜誌，爲迎合一般人心理，製爲御妻御夫之術，與數術之公式無異，諸如切勿忘記太太何時生日，或如何當衆讚美其烹飪，如何購贈可意之禮物等等，閨房之內，一若外交場合，以機智決勝負，從而掠取對方之情感，名義上爲室家，實際上如敵國，此而謂之術，不過如我國昔日士大夫，在風月場中玩弄妓女之伎倆耳，幸而有效，我亦不知其歡樂果何在，抑又將何以持續而終身也，總而言之，以弱者視女人，則女人未必可欺，以禍水視女人，則女人其實絕不可無，以絕不可無之物而思用術以御之，則亦不思之甚耳。

曲齋

謁蔡子民先生墓

余又蓀

四月十二日，旅港國立北京大學同學會發起前往華人永遠墳場，爲蔡故校長掃墓，我也參加了。

我早應該去的了。過去我讀過余天民兄的謁墓記和詩。前年內子孫丁，來港一次，匆匆未得前往，狄君武兄等曾問及謁墓否。此次來港，忽忽半載，久以未得前往，怏怏於懷。我很感謝北大同學會給我這樣的機會！

先生之墓，在香港仔半山偌大的墳場中，很難找到。墳場中有很多墓園，修得壯麗巍峨；先生之墓，僅豎石碑爲誌，上刻「蔡子民先生之墓」六字，紅色。淸明掃墓的人，滿山都是，多備有鷄鴨，醬燒烤豬之類的祭饌，爆竹之聲響遍山谷。北大同學會祭先生，則僅鮮花一束，水菓一色而已。先生生前喜飲性質溫和的紹興酒，祭墓時也沒有呢。

該會撰有公祭蔡故校長歌，辭曰：

漢有甌脫南溟荒，遼人歸之以通商，
破敎勸學非所長，魏如湖漢草不芳，
天遣文星墮炎方，倏然隕落南山陽，
佳城鬱鬱氣蒼蒼，讀書種子從玆昌，
自由之風公所揚，美育之名公所倡，
禮失求野何倀倀，居夷非厭終無傷，
歲歲春祠而秋嘗，獻花歌詩永不忘，
吾黨小子簡且狂，敬爲先生一瓣香。

祭畢，攝影而散。是日天氣晴和，大家「低回留之，不能去云」！

太史公讚孔子有云：「天下君王，至于賢人，衆矣！當時則榮，沒則已焉。孔子布衣，傳十餘世，學者宗之；……可謂至聖矣」。蔡先生於民國二十九年三月二十九日逝世於香港，快滿二十年了，社會人士並沒有忘掉他。他還像一個活在人間的大師。在時代的洪流中，時時激起巨浪。近二十年來，我們目覩了許多怪現象。有時甲派大捧蔡先生，於是乙派遂乘機而攻擊之。乙派忽而鼓吹蔡先生的思想時，甲派又變而詆毀之。更奇怪的，當這一派在講蔡先生的思想時，另一派更進而大吹特吹，彷彿要互長雄長似的。

這樣的毀譽，對蔡先生是沒有關係的。語云：「蓋棺論定」。蔡先生逝世快二十年了，社會上的議論，仍然是囫圇渾淪，尙非定論。因爲他一生的事業，牽涉方面太廣；他的思想，博大而精細。故對蔡先生的了解，很爲不易。但是，歷史的論斷是公道的，我們且看再過幾十年後的論斷。

近二十年來，始終如一，年年紀念蔡先生的，是國立中央研究院和國立北京大學同學會。無論會場外面的空氣如何，是晴曖還是風雪，年年總要舉行一次紀念大會。

二十九年四月，中央研究院和北京大學重慶同學會，發起追悼蔡先生大會於重慶美專校街。從此成爲定例，年年雙方聯合舉行紀念會。依照中國傳統的習慣，最初三年，於每年蔡先生的忌辰三月二十九日舉行。三年之後，改於誕辰一月十一日舉行。每年紀念會的內容，最初決定分爲兩項。一爲講演「蔡先生的生平」，一爲「學術講演」。

蔡先生的生平，以請蔡先生的朋友講爲主，吳稚暉先生彷彿就講過兩次。此外担任這個題目的講演人，有蔡先生的老學生，如蔣夢麟先生，以及早期的北大學生。及至到了台灣，因爲蔡先生的朋友凋謝，死的死了，難得請人；而且「生平事蹟」也差不多講完了。這項演講往往取消。

學術演講是由中央研究院聘請專家担任，担任講演者，有汪敬熙，李仲揆，吳正之，羅家倫，李濟之，李先聞，胡適之，錢思亮等。今年一月十一日在台灣担任此項講演者，似乎是陳省身。此項講演，規定要由中央研究院出版，以資紀念。

這項紀念會，是公開舉行，各界自由參加。三十二年以後，一月十一日又是司法節，司法界的人們，在這一天，許多都是參加這兩個會的。

跋紀翁寫黃克強先生蝶戀花本事

李樸生

東官莫紀彭先生以三月廿九，廣州起義選鋒隊分隊長之英雄，治學貫中西，于我孔孟精義及英國羅素哲學多心得，性淡泊，吳稚暉先生時，常侍左右，但注意時事，定閱紐約時報及生活周報等航空版，析世局如指掌。工詩，能文，擅大草。近年在台，古稀高齡，在斗室中，日必臨池，致力宣揚廣州起義諸先烈之潛德幽光，手寫趙伯先，林文爽，陳更生，李文甫諸先烈之詩聯，著李援傳，奕奕如史記傳列。而述黃克強先生蝶戀花本事，慷慨激昂，纏綿悱惻，尤動人；且有彭醇士題故人寫梅花白幅之額。

小薇，詩琪，先生之女孫，生于[illegible]山且寸埠，長者讀幼稚園，次尙在襁褓中，先生恐其將來不識中國文字爲藝術之一體，不知中國革命之事絕壯烈，特爲寫蝶戀花本事一卷，寄給婿孩女就近教之，其慮遠心長如此，與胡適之先生主張僑生不應讀中文者大異其趣。

各國文化皆有缺點，而中國文化則優點較多，可以對西方有補偏救弊之用，對共產有曲突徙薪之功，若無視其優點，以爲遺蠹棄之，以求全盤西化，實非通論，亦絕不可能。中共今日正毀中國文化以行人民公社，以求全盤共化，必失敗無疑。惟世變日亟，原子科學之進步，一日千里，他日兩孫長大，果能讀乃祖書，讀吾文，感興趣否？不可預料。如只以古蹟珍藏之，亦彌足紀念矣。（四十八年三月二十九日于台北）

永恆與不朽

木人

我們讚譽一個人，無過於說他將有不朽的名聲了；我們爲了向愛人表示愛情，往往說我們的情意是永恆不變的，矢志不移的。

其實甚麼是人類的不朽呢？埃及的金字塔嗎？拿破崙的征服嗎？抑或是荷馬的史詩呢？在基本的定義上說：不朽和永恆的存在是一樣的。金字塔終於有一天要消毀，拿破崙的征服早成過去，而荷馬的史詩最多也不過留傳到尙有人對它着迷，到人類的末日罷了——然而「永恆」和「不朽」便是這樣脆弱的嗎？

精神論者說精神是不死的，宗教家說靈魂是不死的，他們姑妄言之，我們也就姑妄聽之。至於精神與靈魂是否存在，還是不能證實的事。那些偉人們死了，只把他們的影子留下來給人在傳記與著述裏摸摸他的實體，年代愈久，誤解也就愈多，而湮沒的也就愈來愈甚。

你可相信上帝的存在，但當你看了天文雜誌，從那些億兆光年的空間看到人世的渺微來，卻要一定相信——縱是馴服地相信——上帝是婆婆媽媽的跟某一個人計較得失的話，就不得不感到有點可笑。所以英國哲學家羅素前幾年曾說：假使有上帝存在，他也沒有空和閒心來理人類的事的。

對人類來說，太陽的壽命眞可以看作無窮的，而事實上太陽的壽命在永恆中看來，又不是幾近於零嗎？對人類來說，太陽的總積值是不可限量的；而相對於整個銀河系，太陽又算得甚麼呢？在宇宙裏，銀河系不過是許多已知星雲的一個……愈往下想，愈覺得人類的渺小，簡直是渺小得太可憐了！

人類住在地球上，不過四五千年文化，還甚麼資格說起不朽呢？大概人類多多少少總有些虛榮心，把一些自以爲了不起的事情混進大宇宙的大生命去媲美罷？

自然，這些都是我一己的主觀，將來對時間空間有了新的了解後，可能發覺現在不全對的。不過那些野心家和無聊的徵逐主義者，看了這篇文章，也可以加反省，世上也可以少了不少污烟瘴氣的事了！

我的人生觀是：既然做了人，就得盡力把它做好！不要爲了「不朽」的虛榮而做人。讓那些想「不朽」的人做不朽的夢罷！現今的世界，是能執着現在的人的世界！

短篇小說

得失之間

童真

第二天，郭慕周向老闆說明他平時因爲狂吃濫賭，已經連續虧空了五萬元的廠款，現在無法彌補，只得自請處分。老闆和同事一聽到這，大都驚異不已，而且甚至有些不相信，然而廠裏短了現款，却是鐵的事實。

郭慕周非常冷靜地接受了法律的制裁，被判有期徒刑一年，褫奪公權三年。他心平氣和地走進牢獄裏去。他覺得有過失的人，都應該去贖罪，這也不過是贖罪的一種方式。他一天一天地等待着日子的過去，好像把一叠一叠的鈔票償還給債主，心中倒有一股朦朧的喜悅。他沒有親人，這實在使他輕鬆不少，因爲他不用担心有人在爲他難過。在他最初幾個月的禁囚生活中，他就覺察到那些罪犯，都在接受過親友的探訪之後，情緒總是特別地惡劣。可是他却想不到有一天，看守竟通知他，有個女客探望他。

他揣測着：是以前廠裏的女同事？還是一表千里的什麼姊妹？他跟着看守走了出來，隔着鐵欄，他瞧見了那個年輕的女郎，他不禁有點吃驚地說：

「啊，是你！邵小姐。」

邵璧伸過手來，非常友善地握握他的手。「我今天才知道你在這裏，郭先生，好幾個月來，我總是沒有碰到你，我問佑賢，他說不知道，想不到你竟出了事。」

郭慕周慘然笑着。顯然，她還不知道他之所以坐牢，全是她愛人一手促成的！他當然也無意告訴她。

「你已經知道我到這裏來的原因吧？」

「約略知道一點。我推測是你一時糊塗吧。郭先生，我依然相信你是一個好人，不消說，你仍是佑賢的朋友，也是我的朋友。」她安慰他。

「謝謝你，邵小姐。」郭慕周有點感動。他想她倒是一個心地善良的女郎，跟狼心狗肺的許佑賢完全相反。許佑賢何其幸運有這麼一個好心的愛人，而她又何其不幸有這麼一個壞心的愛人！

「你們訂婚了吧？」

「快了，佑賢最近實在忙。郭先生，你還不知道，這幾個月來，他又跟朋友合夥開了一家紡織廠。」

「噢。」

「郭先生，你出獄以後，如果找不到稱心的職業，就到佑賢的廠裏去幫忙好啦。我想，他是非常歡迎你去的。」

郭慕周浮起了一抹別人覺察不出的苦笑。他不願拂逆她的好意，說：「好，好，到那時再看情形吧。」

臨走時，邵璧遞給他一些水果，麵包和罐頭。「郭先生，你耐心等着吧；一年的時間不算長，很快就會過去的。」（五）

風雨樓讀書叢談

成王將崩的時候，命畢公召公，率諸侯以相康王，尙書顧命。顧命說：「王崩，越七日，癸酉。伯相命士須材，狄設黼扆，綴衣。東序西嚮，敷重底席，黻純，雕玉仍几」。孔子家語記成王的坐朝，是負斧扆而朝諸侯。禮記成王的靈堂，則爲狄設黼扆。按斧和黼，同義同音，故斧扆即黼扆，亦即屛風的畫有斧形圖案者。周代成王的葬禮和喪禮，何以都得列設斧的屛風？這顯然有特殊的涵義。依孔子龜山操的說法：「手無斧柯，奈龜山何」。則斧在周初的地位，可能即爲象徵政柄無疑。太皡以龍爲紀，少皡以鳳爲紀，黃帝以雲爲紀，周人以斧爲紀，這是自古帝王的建國傳統。

春秋戰國之間，學術思想大昌，而評畫的最爲精當者，莫如莊子，韓非子，呂不韋諸家。莊子之所論，是畫史的風度。韓子之所論，是畫家的技巧。呂氏之所論，是畫意的著憑。蓋爲周代繪事最活躍時期。

「宋元君將畫圖，衆史皆至，受揖而立，舐筆和墨，在外者半。有一史後至者，儃儃然不趨，受揖不立，因之舍。公使人視之，則解衣般礴，羸。君曰，可矣，是眞畫者也」。莊子外篇。

「客有爲齊王畫者，齊王問曰，畫孰難？曰犬馬難。孰易者？曰鬼魅易。夫犬馬，人所知也，旦暮罄於前，不可類之，故難。鬼神無形者，不罄於前，故易之也」。「客有爲周君畫莢者，三年而成，周君觀之，與髹莢同狀，周君大怒。畫莢者曰，築十版之牆，鑿八尺之牖，而以日始出時，加之其上而觀。周君爲之，望見其狀，盡成龍蛇禽獸車馬萬物之狀畢具」。韓非子外儲。

「周鼎著饕餮，有首無身，食人未咽，害及其身，以言報更也」。呂覽先識篇。

「周鼎著倕，而齕其指，先王有以見大巧之不可爲也」。呂覽離謂篇。

「周鼎著象，有竊曲狀，甚長，上下皆曲，以見極之敗也」。呂覽離俗篇。

「周鼎著象，爲其理之通也」。呂覽審分覽。（廿四）

述頻

自由人

THE FREEMAN
（第八四八期）
中華民國僑務委員會頒發登記證台教新字第一〇二號
中華郵政台字第五〇〇號
執照登記為第一類新聞紙類
（半週刊每星期三 六版出）
每份港幣壹毫
台北市售價台幣貳元
督印人：陳文華
地址：香港高士威道二十號四樓
20 CAUSEWAY RD. 3RD. FL.
HONG KONG
TEL. 771726
承印者：東南印務出版社
地址：高士打道六十四號
台灣總經理處
台北市西寧南路壹叁零號二樓
電話：三〇三四六
台郵劃撥儲金戶九二五二
海外總經銷：友聯書報發行公司
香港：德輔道中二十六號A二樓

國際經濟合作問題

顧翊群

一九四三年德日義等國開始打敗仗的時候，美國英國財政金融人員便準備戰後各國在貿易金融投資各方面合作的問題。於是有凱因斯的國際信用聯合會與懷特（Harry White）的國際貨幣基金計劃，向中國加拿大等若干國家提出。到一九四四年春決定七月間在布列敦森林開國際金融會議的時候，經商定祇討論貨幣基金計劃，以及國際復興開發銀行計劃。基金是一個資金與會員國貨幣的公庫，其業務爲於會員國對外收支有短期不平衡的時候，可以前來商請以本國貨幣換取他國貨幣，而担任於三至五年期間用黃金或美元將本國貨幣換回，其性質是短期融通的調節。銀行則對會員國所提之具體計劃作長期放款。討論結果尙算圓滿。但蘇聯在會議席上雖多刁難，雖在協定上簽字，其後終於不參加。

合作比鬥爭有利

一九四六年春天兩大機構成立。第二年國際貿易會議在古巴京城開會，其後各國國內種種意見太多，貿易機構無法組織，祇好在日內瓦設立關稅與貿易協定會議秘書處，設法求會員國之間關稅之酌量減低，以及進出口貿易管制之逐漸放鬆。基金與銀行成立之後，前數年銀行放款頗爲有聲有色，基金即無聲無臭的做點基本工夫。除去一九四七年幫助英法等國有點業務之外，基金歷年所著力的，是勸告各管制外匯的國家，將管制逐步放鬆，並隨時予以技術上及業務上的協助，以便利國際貿易之擴張。直到一九五六年約戈伯孫（Jacobsson）總裁任內，方纔一鳴驚人，而給予蘇彝士事變後的英國一筆十三萬萬美金的大幫忙，將英鎊信用保持。此後對法國，埃及，日本，巴基斯坦，乃至中南美等國均有協助，使得各該國所受一九五七年秋間美國經濟衰退的影響不致過分嚴重。一九五八年春天全世界都惶惶然懼怕經濟衰落蔓延化的時候，約氏獨謂情形可望好轉。現在已證明正確。他是瑞典人，又是威克塞爾（Wicksell）的大弟子。最近兩機關在印度開過年會後，美國理事所提增加各國攤額的議案，已責成執行幹事會討論，並經後者提出建議送請各國理事用通信投票決定。一俟各國立法程序完成後，大約本年年底基金總資產便可從目前的相等於九十萬萬美金增加至一百四十萬萬美金左右。國際銀行也準備增股一倍。所以從國際金融與投資兩方面來講，合作的成果還算不錯。我們知道國際地域分工合作，而現實比較成本理論，是經濟學的基本支柱。各國彼此合作比鬥爭有利的學說，是正統派大師們服膺的，社會主義者，以及馬克斯列寧等共產主義者的主要論據，。十九世紀有國際金本位之合理管制與運用，使得國際貿易與投資增加。所謂「自動調節作用」，爲正統派學者所津津樂道。二十世紀兩次大戰爭與恐慌之後，國際金本位崩潰。倘無基金與銀行以及關稅貿易協定之運用，則世界經濟當然不會如目前的發達。關於基金和銀行的成就與統計數字，請看二機構等的年報或其他出版品，現在不需列舉。

道德實踐與政策配合

[illegible]登諾，英國之麥美倫，意大利之歐宰第等）有宗教信仰及有學問根底。西德在戰後實行[illegible]間管制，物資缺乏。經濟部長歐哈特聽從[illegible]戈伯採與儒伯克（Röpke）教授之建議，[illegible]徹取消直接管制而從事安定貨幣。美國軍政府中左派學者大不以爲然。克萊將軍（General Clay）嚴命歐哈特收回成命，以改組西德政府爲要脅。歐氏答道：「命令已經發出，就是上帝也無法使我將其收回」，於是計劃從[illegible]實施，結果收到今日的成果。荷蘭自印尼獨立後，經濟頗爲困難，其政府與工會領袖協商，工會即首先認可減低工資以樹立楷模，數年之後經濟得到安定而與德國相伯仲。此外他國實行道德實踐與健全政策配合而生效之例證甚多。反之在美國方面，因大企業大勞工組織大農民組織在政治上之角力競賽，致客中正心誠意不專替一方利益說話的，有時不易登台。在台上者縱有學養，但因其責任在代表選民利益，不得不替此種利益講話。美國之企業趨向寡頭集中，工會領袖權力過巨，工資上漲超過生產力之上升速度，以及農產品過剩之如何處理，都是多年來未解決的頭痛問題。去歲黃金流出將近二十三萬萬元，本年度預算收支不敷估計爲一百二十萬萬元，下年度預算已提交國會，收支數字平衡，但因國防關係，支出勢須加大。雖然美國實力雄厚，美元信用不致動搖，但以上幾個問題，遲早須合理解決，則爲有經濟常識者之一致見解。

國際合作的前途

美國學者對國際經濟合作前途的看法。現在有兩派主張。一派認爲十年來對外援助太多，目前黃金大批流出，以後應當減少援外，而將國際貨幣基金與國際銀行之資金增加，責成此二機關逐漸担負國際間短期資金融通與長期投資的主要任務。另一派則謂現時美國等於十九世紀的英國，其責任爲大批向落後地區援助與投資，以及聽任黃金繼續外流，使得其他國家之準備金增加，纔可以使世界貿易總額繼續上升，美國也得到好處。所以對現狀不必憂慮。但雙方對美國不合理的措施，例如將高價收購之農產品向外廉價傾銷，以及外國成本低廉的五金石油等等被美政府設法減少進口，則大多不置一詞。

歐洲國家現在正開始實行「共同市場」（Common Market）計劃，氣象光昌。但「自由貿易區域」計劃，則因英國對「帝國優先」制度不肯放棄，與法國交涉經年尚未得結論。「共同市場」實行未滿一月，歐洲有見識的學者已評擊憂慮獨佔組織之抬頭，[illegible]徵收美煤進口稅，美國的企業家也因美國產品之成本上漲而心懷不滿，正在研究將一部工廠移往歐洲。總而言之，目前的國際經濟合作，因有國際機構[illegible]產生如金本位之自動調節作用，較諸一九三〇年代，雖頗有進步，然先進國家之間，仍有同床異夢之現象，步驟不完全協調。後進國家[illegible]原料與糧食的價格不利，[illegible]不滿，有時以接受蘇聯援助爲要挾，[illegible]最近歐洲專家報告，[illegible]們對國際經濟合作前途尚不能抱過分樂觀，至於政治問題如西柏林[illegible]方爭持之嚴重，更不須提及。

半週述評

魔鬼取得神的地位

中共今後將何以對待西藏呢？以現在的情勢看，大致不外對內增加高壓政策，並分化藏胞，企圖以藏制藏。對外希望印度不至積極援藏，更進而能爲中共緩作倀。此兩項政策，中共似均難成功。某外國電訊會反映印度一般輿論意見，認爲達賴乃佛教之教宗，其地位一若天主教之教皇，達賴之被共產主義驅出聖地，實爲「魔鬼已取得神的地位」，此其影響所及，決不同於普通的政治革命，世界佛教徒對共黨的長期聖戰恐將因此而生。佛戒殺生，歐洲式的卅年宗教戰爭，或不至發生於今日的亞洲。然而，甘地的長期不合作運動，從此逐漸在西藏開展，則將不是意料以外的事。中共的高壓與分化乃至於希望尼赫魯助紂爲虐，將因此而無法奏効。西藏抗暴與匈牙利革命，雖有其相似之處。但西藏的前途將較匈牙利遠爲光明。

一句等於一千句

[illegible]

朱德將沐猴而冠

中共籌備的所謂全國最高權力機關，「第二屆全國人民代表會議」，照他們的規定，應該在去年九月舉行的。但一改再改，改到了本月十七日。其原因，最重要的，自然是中共內部的矛盾太多，無法克服。現在雖然勉強開會，竟又碰到西藏抗暴事件的爆發，達賴那篇脫離魔掌經過的炸彈式聲明，又竟在會議的第一天發出，[illegible]給中共以重重的當頭一棒，這眞是不祥之兆。「人代會」的最大任務之一，是推選中共政權的主席，毛澤東大概是不會再幹了，繼任人選有許多推測，以現在看，大概是朱德的成份最多。滑稽之至，中共的政權要建築在槍桿之上。如此說實現，則軍人派更猖獗，大陸人民受災更若了。

對赫德的期望

杜爾斯因病辭美國國務卿，繼之者爲赫德，[illegible]戰況之際已遍及自由世界[illegible]集團，外交作戰最劇烈[illegible]前易帥，無怪艾森豪總[illegible]世界各首都亦特別爲此[illegible]近幾年來，杜爾斯特別[illegible]居領袖地位，他退出[illegible]此角色？抑或是赫德先[illegible]證明的。

其次，據說赫德先生有點[illegible]上場後，並不改變此一觀念，[illegible]一致。然而多年來赫德是杜氏[illegible]德的政策不會和杜氏相差遠距[illegible]。

陳克文

自由讀

領導反共的大道

據合衆社台北十九日電訊報導，謂「自由中國人士對於達賴喇嘛的正式聲明，表示着若干失望」，原因是「達賴的聲明中並未提到要向台灣乞取援助」；而達賴逃到印度時，我國行政元首曾有電報給達賴表示道賀關懷，亦未得到覆音云云。這消息自非虛構的，雖然所述「自由中國人士」的看法或許是少數人的意見。

我認爲抱有這種失望觀感的人，他對於反共思想根本就沒有搞通，說句不客氣的話，這是阿Q精神，太令人失望了！達賴今天所處的環境，是以政治難民身份託庇於一個親共畏共，對自由中國絕了交的鄰邦之下，爲了西藏人民爭取自由自治運動前途的利害得失，他怎能公開向中華民國政府表示效忠乞援的態度呢？就是對美國朝野人士聲援他的盛意，亦不得不出以含糊的感謝之詞。此係應付環境的政治策略，毫不足怪。至於我國元首給他的電報，百分之百不會遞到達賴面前，殆可斷言，他答復與否，原屬無關宏旨的事，胡爲乎沾沾於是耶？現階段自由中國對於大陸人民的反共鬥爭，應該不問張三李四，不管是親是仇，凡屬與共黨對立的，皆一律視同志，予以切實支援，只問耕耘，不問收穫，縱使有人揭出反共旗幟，而又自立政府，稱帝稱王，只要他不賣國，也不惜盡力援助，目前打倒共黨爲第一，其餘皆屬次要，這才是領導全國人民反共鬥爭的正確政策。中華民國政府如其一旦光復中原，還我河山，想藏人民不向心擁護嗎？光是在小地方著眼，講忠貞，論正統，爭體面，而不先求其在我，竭盡領導職責，以行動來贏立信譽與聲光，那有甚末神秘可言？當大陸淪陷之初，達賴的兄弟嘉樂頓珠曾到臺灣居留，我們如果妥予安排照顧，不使其遠走他鄉，今天對西藏事變的處理情形，又是兩樣了。此時此事，我們自儕缺乏政治遠見之不暇，再在末節上爭面子，非阿Q而何？

馬五先生

世紀末的鬥牛戲

西藏
匈牙利

尹震

旅美人物小新聞

（本報訊）最近新大陸歸客對本報記者談及彼旅美兩月期間所會晤之若干我國旅美政治人物近況，可為讀者報導者概述如左：

陳立夫　對現實政治，並不忘情。陳氏美國華僑社會中，頗傳陳氏近幾年的養鷄事業失敗多於成功。惟近半年將鷄蛋製為鹹蛋及皮蛋，頗著成效，尤其皮蛋的銷路甚好。

李宗仁　李氏夫婦及其長子，現僑居紐約附近之紐澤西城，地甚僻靜，寓所為兩層小屋，生活簡單。李氏現在用錄音帶，作「回憶錄」，錄音後寄港交其秘書某君加以整理，寫成文字。該項著作究何時脫稿，何時何處出版，現均未定。又李氏長子原在紐約經營餐館，以經營不善，業已倒閉。

李漢魂　李氏對政治似已不大感興趣，先在紐約郊區經營餐館，生意甚好，頗有盈餘。近復與西人合作，在紐約市中心，開設規模相當宏大之中國餐館一所。

唐惜分　前珠海書院院長唐惜分氏，赴美將近兩年，唐氏現任職三藩市「金山時報」，同時又在某僑校任教職，生活極感愉快。

張君勱　年逾七十之張君勱氏，精神仍甚充沛，去年周遊世界一周後，對發揚我國固有文化與反共工作，更為積極。張氏將於本年內作全美旅行演講，現正在分別接洽中。想不日即可開始旅行。（四月十三日）

信仰號與股台公司

——台灣通訊——

看股台公司所謂造船技術合作，我們中國人因此應有所自省。

一年半以前，為輿論所抨擊的股台公司，現在似乎是雨過天青了，這是因為三月六日該公司已為第一艘三萬六千噸的油輪信仰號，舉行了隆重的下水典禮。（實際上要到六月才可正式下水）那一天正是日暖風和，貴賓如雲，當年口誅筆伐孜孜為公的立監委諸公，也被邀觀禮，他們靜坐在觀禮台上，面對這艘巨輪的船首，大概也心平氣和，有無可非議之感！

不錯，台灣造船公司，從卅五年光復接收後，主持人周茂柏慘淡經營，一直到四十六年為止，不僅恢復日佔時期規模，而且廠房擴建，增添設備之富，與日本同型船廠有過之無不及，但是她經造的船舶卻尚無逾一千噸位以上的。主持人及政府經政當局為了「要造大船」的理想，才引起造船合作的計劃。平心而論，當時自由國家有若干經政當局到合船公司，為急求這個理想的實現，處處遷就，遂湧起了不實的風波。爾今，雖然各方面已大半諒解了，恐怕他們自己也不免暗暗慚愧。

信仰號雖然下水了，但並未證明股台公司業務前途的好景，反之各報均刊出了該公司將進行裁減員工，該公司內情究竟如何，頗堪尋味，就現狀來分析其「人才」和「技術」，決不是我們所需要的。我們本可在像般的自我人格下完成的工作，卻為別人無知而驕傲與輕視所代替了！本文特將所仰信號是怎樣造成的！

好在三萬六千噸的大船已造成靜靜躺在船塢裏，理想已成事實，我們原不必翻賬重提揚人清興，但鑑古而知今，檢討過去，作一個前船之鑑，也多少有點益處吧。

應該歸功予誰？

據當天的典禮報導中，曾強調這艘船的造成，參與工作的員工一千六百餘人貢獻極大，因為美國人員在廠工作的只有六人，而其中三人還是管理方面的，這倒是中國人莫大的榮譽，但是，反過來說，這一千六百餘中國員工，從前在政府經政機構管理下所做不到的事，現在做到了，那末這些貢獻到底還是應該歸功於六位美國人，美國的科學與管理是馳名當世的，這一襯托，更把中國人襯得黯淡無光。但據明瞭該廠現在真實情況方面的人所知，這六位美國人員包括總經理在內，既非技術人員，也非管理人才，除掉因意見不合而離職的以外，沒有一個受過水準以上的教育。據聯合報報導，公司成立到現在，連一個於法有據的勞資契約，也因此沒有簽訂。另據台船公司方面透露，股台公司對租賃合約的履行也沒有誠意，我們拋開美國有人才和無技術，而也有資本不足的例子看，知如拿這個例子看，合作造船之成功，乃是中美兩國的資本與技術，而創造此一奇蹟的勞力的源泉，既不是美國人，亦不是我們中國人，而自己沒有預算，也許有人要說：能已，造成之事，則亦屬可愛，誠然，但問題在我們本有才智而永作附庸罷了！

般格斯投資了多少？

我們得再略述一下。此一合作造船合約年租金美金十二萬元，原台灣造船公司的工廠設備包括船塢船台作價，最低估值約新台幣八千萬元，以平均折舊率百分之六計算，每年約五百萬元，這筆合約要維持營運的，雖然合約規定股台公司營業額超過五百萬美元時，付租金百分之三·七五，不過照二年來情形看，是不會達到這個數字的。此外，股台公司所應設備由美國般格斯公司負責，原是雙方都有利的輸入。股台公司由中國石油公司和美國般格斯公司合資組織，資本額是一百萬美元，他除了一架舊船和數十架全部機器外，全部餘額盡投入現金，也不過美金四五十萬，美國般格斯公司是一家二流的大船公司。

關於工廠設備與勞務，以不必說，先說資金，如上所述是不夠造這條油輪的，所以他向台灣銀行貸款，股台公司得自台灣銀行的一借款，據說是八百萬美元（一說為九百萬美元），這筆貸款以米發展局部分借款，二年後可收回九百九十萬美元，但在四十九年以前，該公司得以將貸款延期償付，於此我們可知以台灣銀行的財力作此投資，是無可懷疑之事。

不是無錢而是無胆！

我們當然也承認一個事實，即不論如何，他們就想以少數的錢，用別人的勞力和資金，別人的工廠設備造了大船，經濟部長楊繼曾曾對人說：「我們也須學一套造船不化錢的本領，」造船不化錢是不可能的，幾個鋼鐵材料不會從天掉下來，這話也似乎說明了誰在投資這一事實，但還得下個註解：此本領並無奧妙，妙在有用武之地，前面說過這幾個美國人既非人才，中國人也實在不是缺人才，今天新油輪之造成，事實上既是中國人自己的成果，其中因素似亦須略加分析。

投資是有錢的，故行政院之答語應改為：政府無意作此投資。我們更可知，當時從台灣造船公司董事長到經濟部長、行政院長，沒有一個人敢擔保說，絕對可以造大船，假使有這樣一個開端——把「自己造大船」這一主張去執行，將大受非議與不獲信任；另一方面，在原有行政機構下，也將遭遇許多本來不成問題的問題，舉例說：關稅優惠這一件事，這是台灣造船公司所不能得到的優惠權利，所以股台公司其可以獲得它的，在這樣情況下，「外國技術」才成為一個追求的目標了。

藍圖與技術人員問題

說到外國技術，我們不否認股台公司攜來的造船藍圖八百餘張，這是台灣造船公司前所未有的技術資料，其中主要圖有六百多張，由美國亨利造船設計公司根據美國股格斯公司二萬六千噸級油輪放大設計，代價是四十萬美元（請注意，此款由中國政府支付），但我們同樣支付如許錢，無疑也可以從歐美或日本獲得造船藍圖，即令我們技術人員不夠，我們可以高薪羅請一些不是濫竽充數的真正技術人員，也一樣可以解決技術上問題的。也許有人擔心台灣造船公司原來員工待遇不及現在，工作效率能提高嗎？其實是過慮，不說現在的股台公司工資率並沒有提高很多，（工資僅較前增加百分之四十左右，二年來物價指數也已升百分之十以上）即令是從前的待遇，上面要決定推行計劃時，下面會不樂觀其成嗎？這並非臆測，十年來台灣造船公司的情況便是明證，據所知，股台公司成立後，就有數位優秀的造船主管工程師相繼離去，他們卻都是在從前菲薄待遇下，極有功績的技術人員。

股台未來業務樂觀嗎？

像上面所分析的一些概況，我們可以從技術合作的情況比較正確義來和現在的情況，得一結論：我們需要「技術」與「合作」，但是有一個前提，合作者須有對等的質量值得我們學習，才有合作的價值，現在我們因為不相信自己而把工廠資金交給一些低能的外人居於主人的地位，去做我們原來可以做得到的事情，這能算是技術合作嗎？肇者草此文時，據四月八日台北各報載，股台公司要裁減員工了，據宣佈是「造船較閒時期」的「新陳代謝」，曾有人擔心恐怕還是業務不振。以前台船公司修船業務年達新台幣二千萬以上，現在幾乎只有十之一二，工廠固絕非為救濟失業而設，但拓展業務總是每一個工廠奉為圭臬之必，於此也可見主持人有無經營方針了。

非局外人得知的奧妙

另外，再述一些枝節，在這艘油輪舉行下水典禮前，該公司舉行一次記者招待會，據發表這條船的利潤大約三五十萬美元，目前該公司修船業務很少，大部分致力於油輪上，如是則一年半到二年之間獲得了這一點利潤，是够慘淡了，假如進口材料無關稅優惠的話，則這條船可能要蝕本，那我們不禁要問，這條船售價七百七十萬美元是貴還是便宜？我們可以做一比較，四十七年六月美國般格斯公司所造聯運號油輪下水，該輪載重二萬六千噸，售價九百萬美元，油輪的設備是大同小異的，所以我們根據噸位就可估計出這條三萬六千噸信仰號油輪在美國造價至少在一千萬美元以上，股台公司看中台灣低廉的人工，不遠千里而來，是極符合企業家的原則，但是他願意讓自己之概，以如此低價賣給通用油輪公司，其中奧妙，則非局外人所知，可能若非虛售，中油公司那台算的通油合約也不會訂成了。

另有奧妙盡在不言中

二十幾年以前，有一位阿當先生「譯」了一本名書——「上海——冒險家的樂園」——裏面描寫外國不得志的「英雄」，在上海大顯身手的情形，淋漓盡緻，而也把中國人不自知人的弱點描摹甚深，看來這病根至今未除。這裏抄另一段短訊，讀者細加猜詳，便更見其奧妙了，四十七年十二月十八日台北聯合報徵信新聞等一載：「一位不透露姓名之美國富翁，委託香港強寧遜公司向股台公司訂造一對姊妹型的遊艇，船身長七十呎裝置一八〇四匹馬力的新型發動機，船上設備豪華，其設計藍圖由訂造人事先擬就，造價若干及訂造人姓名均未透露。」這位訂造人之不透露姓名，當然不是怕露出富豪的鋒芒，究竟是怎樣一位人物？筆者只好套一句成語：「只在此山中，雲深不知處」了。（四八、四、十）

台灣的畜牧事業

○林啸崧○

台灣通訊

台省位於亞熱帶，四季如春，適於草類滋長，是畜牧事業發展最好條件，然而台灣的畜牧事業並不發達，實在可惜。

年來由於台省人口激增，謀生之道更有進步，許多新興事業，與日俱增，社會上若干有識之士，便極力倡導這項畜牧事業，認為推展起來，將是農村中最佳的副業，可以吸收部份過剩勞力，以從事於乳業生產，不過事業的著手進行，並非一蹴可幾，在實際過程中，必然會遭遇許多困阻，台灣的畜牧事業之所以至今毫無基礎可言，便是人材、技術、乳製品加工廠等，都是一時不易解決的，必須假以時日，計劃周密。目前每年耗費鉅額外匯進口奶粉、奶油等製品，以供一般消費者需要，這是一種財源上無法補償的漏巵。目前全省各地經營的牧場，因此原奶出品，品質未能達到標準，不受用戶歡迎，故銷路欠佳，影響該業發展，究其主要原因，略有下列各點：一、台省過去經營牧場不多，缺乏具有畜牧經驗的優秀人材。二、對能否適應當地環境之畜種及牧草，缺乏確切研究實驗。三、牧場鮮乳供應量極不穩定，無法設立規模較大之加工廠，而小型加工廠又多因陋就簡，難以達到標準，且往往有不法業者，製出劣質產品應市，因此一般人寧可食用價值較貴的泊來乳製品，亦不願購買國內的產品，這種情形，急待改善，據筆者之意應從下述各項逐一改善：第一設法引進國外優良種畜及牧草種子，育成最適合於台省畜牧之品種，加以推廣。第二養成大批畜牧技術人材，加以教育，最好吸收農村青年，及其農業專科學校畜牧系及獸醫系學生，擴充台大農院之畜牧系，使其盡量分往牧場或有關場所服務，俾能學有所用。第三導入國外資本及技術合作，經營大規模牧場及乳製品加工廠，目前美日等國畜牧事業均甚發達，如能與之交換技術，合作經營，將可收事半功倍之效。第四鼓勵農村普遍經營乳酪副業，年來台省人口激增，農村青年出路頗成問題，限於耕地有限，倡導農村增加農家收益，將不適用於耕種之零碎荒地，利用剩餘勞力，種植牧草，兼營乳酪副業，以繁榮農村經濟。

國際動態拾零

△蘇聯已預備又一次人造衛星試驗，可能載人至太空。預定在五月廿七日放射，此為蘇聯通迫四方佔領軍撤出柏林的最後日期。

△阿脫拉斯越洲火箭預算，國會可能將美政府提出的原預算加倍通過。原預算為編成九隊火箭隊，每隊十枝火箭，現擬再增十隊共十九隊。本年度須增加六至七億元，一九六二年始可完成。F一〇八，與狄坦越洲飛彈的預算將因而減少。

△美國現在發明一種防空方法，放射一種氣體可以測出敵方打下液體燃料的火箭。現在蘇聯火箭，與美國的阿脫拉斯火箭，但用液體燃料，自然可用此等新發明來應付，但對固體燃料之火箭，則毫無効力，故不能大量生產。

○陶然○

政協會議

政協第三屆全國委員會於本月十七日開幕了，十八日這批政協全國委員，正如本欄所早已指出的一般，列席于人代會議。

這次政協會議的特色之一，是若干右派份子選任了全國委員，雖不完全的統計已有李俊龍、陳銘樞、羅隆基、章伯鈞、費孝通、潘光旦、章乃器、黃琪翔、劉王立明、龍雲、宋雲彬、曾昭掄、黃紹竑等十三人。此外，還有兩個已在印度獲得政治庇護的人，即達賴喇嘛與邦達蒼饒。

這次政協會議的特色之二是比上屆增了三四二個名額，新華社把這種情況說成是表明這樣的事實：「隨着我國社會主義事業的迅速發展以及愛國統一戰線和反右派鬥爭取得重大勝利，我國的人民民主統一戰線更加鞏固和擴大了。」說經過鬥爭後把右派列入統一戰線中的人表面上是服了，到可算得是一項事實，但從達賴與邦達蒼饒逃去印度一點來看，說統一戰線已經鞏固了那就未免與事實太遠。

人代會議

本月十七日人代會議舉行預備會議，十八日正式開幕，會上將聽取政府工作報告，決定一九五九年度國民經濟計劃，審查和批准一九五八年決算和一九五九年預算，還要選舉和決定國家領導人員。去年二月人代會議時節，毛澤東正在大談矛盾論，說什麼平衡是暫時的，要突破舊平衡，在新的基礎上求新平衡。因此，在那次會議上所通過的經濟計劃，決算與預算都是含糊其詞；後來乃由于大躍進，搞得面目全非。

今年，情況大不相同了，毛的那套「經濟矛盾論」固然已經收起，國務院的八十七次會議上，且在預先討論一九五九年度國民經濟計劃這草案，一九五八年決算收支總表，一九五九年收支總表草案；由這一跡象來觀察，不致于再用去年那般含糊的辦法。這不特說明去年的大躍進失敗，而且也表現出了毛的矛盾論用于經濟發展方面的失敗。

兩個堡壘

統一戰綫在大陸內部遭遇到的有兩大堡壘，一個是知識份子堡壘，另一個是西藏的堡壘。這兩大堡壘具有不同的性質，前者是歸消了事物的發展具有更遠大理想的堡壘，後者則是要保衛其封建制度宗教信仰具有民族意識的堡壘。一九五七年鳴放時節，知識份子堡壘發生了威力，弄得中共手忙腳亂的搞出反右派；現在，則西藏的堡壘發生了威力，不得不動用大砲飛機。可見統一戰綫政策在這兩個堡壘之前已經宣告失效。據他們自己宣稱，這兩個堡壘都已經被攻破，事實上完全不是如此，我們可以拭目以待這兩個堡壘再度發生威力。○田心。

福建僑鄉近況

（本報特訊）福建省由於與台灣在軍事上處於正面對峙的狀態之下，共軍部隊在該省集結為數甚巨，因此中共的需索和壓迫也越強，以下數則報導均為極真實可靠的情況。

僑眷被奴役財產被掠奪

根據二月廿七日福州「僑鄉報」載稱：「僑鄉南安詩山五星公社自春耕開始，截至廿四日止，全社歸僑僑眷已落田一萬八千多畝，僅五天來就集資二十萬元，作為公社春耕資金。」從這樣的事實，不難發現歸僑僑眷財產不但被勒索殆盡，而且本人也不能為中共放過，要從事日夜的勞動。而勞動時的情形也是極慘的，據該報所舉實例稱：「在黨的號召下，一支萬人勁旅，正冒着寒冷的春雨，日夜奮戰田間。山城大陳僑鄉資珠，蓬島大陳僑眷吳桂香，剛參加勞動不久，這日來也捲起褲管，穿上雨衣，在冷水刺骨的田間中淺肥。」更動人心魄的事是「山頭大陳僑鄉服務員僑眷林淑勤，十天來搜集存款一千二百元。僑務陳長羅，參加動員會後，給家裏二百元十元投入春耕。僑眷洪榮宗收到南洋寄來二百元，便馬上拿來支援春耕。」

中共不但勒索僑眷的現金，連房子、傢具甚至公社托兒所用的毛巾都要僑眷拿出來。

儘管中共在這一連串的報導中，使用了「獻出」、「支援」等字眼，竭力想將這種掠奪僑眷的事實說成是僑眷「自願的」，但實際上的情形是僑眷的財產，人民公社可以隨便動用，而毫無保障。

歸僑僑眷要強迫造改

最近中共又通過各地「僑聯會」搞一個僑務工作挑戰競賽。在福州出版的「僑鄉報」二月十八日消息稱：「晉江縣僑聯在十六日向南安、永春、福清等縣發出了關於今年開展僑務工作競賽的創議書。」提出了如下條件：「一、組織採取各項措施，加強對僑眷、歸僑的政治思想教育。對其中的資產階級和知識份子，要採取各種有效的措施，使他們自我改造，改變他們的政治立場。二、大力發動歸僑僑眷進一步鼓足幹勁，參加生產勞動……三、積極鼓勵歸僑僑眷爭取僑匯。」

年老僑眷也難逃劫運

中共既然極力推行公社化，是否對年老的歸僑和僑眷，待遇要好些呢？並不。因為在僑鄉人民公社化後，也一律被算作「國家勞動力」，和青壯年一樣，使着他們被奴役的悲慘命運。三月一日福州出版的「僑鄉報」這樣說：「仙游縣園莊公社八十八歲的老僑眷[illegible]還領十多個[illegible]日夜[illegible]，編了一百二十二個。」[illegible]

從以上這三個各地僑務機構的工作競賽目標來看，中共今後對歸僑僑眷是採取人也要財也要的手法了。即：人要改造，要參加勞動供其奴役，還要不斷向國外吸取外匯貢獻給共產黨。

巴金再遭清算

從去年開始，中共即已展開對巴金的作品「家」、「春」、「秋」加以批判，批判工作不得不暫時停止。但最近，鬥爭的矛頭又指向巴金了！

北京出版的「文學知識」月刊一九五九年第三期刊載了批判其作品「愛情三部曲」中的主角陳眞，稱之為「能代表徹頭徹尾的個人主義者。」這實際上是對巴金個人思想及其成就的清算。

該刊惡意地說，陳眞「這個人物是作者所熱愛的，作者將自己的思想意識完全灌輸給這個主角了。」「他們對於革命並沒有認識，不知革命的根本目的，他們主張個人奮鬥，不要黨也不要羣衆。這正是一羣小資產階級[illegible]」因此得出結論說：「這種一切行動[illegible]社會，而是十足的個人主義者，對目前黨所教育青年人要走的路，是背道而馳的，因之也是極端有害的。」

在「極端有害」的罪名下，巴金危矣！儘管中共翻出了二十幾年前的陳帳來清算巴金，而所持的理由却又那樣地貧乏。（賓）

大陸文壇透視

七[illegible]

郭沫若新作「蔡文姬」

在戲劇上為曹操翻案，顯然已不成功。原因是曹操的白臉無法改掉。舊劇用白臉代表「奸」，用紅臉代表「忠」，自元代迄今早已成了定型。「赤壁之戰」雖然在改編本上增加了「貂江南」和「橫槊賦詩」兩場，把曹操美化成一世之雄，但在演出時却仍是從前那種奸雄的扮相。如果叫演曹操的不用他的臉譜出場，觀衆會懷疑他是演的曹操，可能誤會成他在演關公。因此藉改革戲曲來表揚曹操，中共已感此路不通了。

在為曹操翻案這件事上，誰都知道郭沫若是最賣力氣。他加入黨不久，自然要竭力表現他的「前進」。他除了在人民日報和光明日報發表論文之外，還寫出了一個話劇本「蔡文姬」，這個戲已在北平「人民藝術劇院」加緊排演中，最近就要公演。至今我還沒有看到這個劇本，據大陸報刊的透露，主題即在把曹操寫成一個正面人物，表現他「鋤豪強、抑兼併、興屯田、濟貧弱」等等俠義作為。我們都知道蔡文姬（琰）是當時名聞全國的大文豪蔡邕的姑娘，她本人也是能詩善歌的才女；曹操用重金從南匈奴把她贖回，也是事實。姑不問當時的動機為何，但他做的還是一件好事。劇本既然命名為「蔡文姬」，一定即在這件事上大事渲染，可能再增加上曹操作濟南相時摧殺豪強的事蹟，這樣，曹操便成為了不得的人物。話劇不用臉譜，觀衆看不見代表「奸」的扮相，曹操也不再是過去活在人們心目中的阿瞞了。至於這樣能否改變人們對曹操的觀念，以愚見看來，恐怕還大有問題。

壞人偶爾做過一二件好事，絕對掩蓋不了他做的更多的罪惡。試以戲言戲，明代大宦官劉瑾一生只做了一件好事，而是從冤獄中救出了傅朋和宋巧姣一對小夫妻，所以在京劇「法門寺」中，劉瑾也紅臉，但是劇中儘管對劉瑾表揚，却改變不了人們對劉瑾的觀念[illegible]

[illegible]力作的「蔡文姬」，豈非徒勞乎哉？

瘟君妻

岳騫

第二回：密室定奇謀　巴山留遺恨　蒼生添淚　驟雨飄風

[illegible]

（十九）

迫使僑眷向親人索外匯

[illegible]

驅使僑生上火線送死

「僑鄉報」二月十八日的報導[illegible]晉江第三中學[illegible]

（賓）

釋耒集

中國傳統的國防計劃，只一句極簡單的話，就是：「天子守在四夷」，唐明皇欲用宋璟爲相，提出條陳十事，如明皇原則上答允，他然後可以奉詔，其中一項，即爲「不倖邊功」。故白樂天詩曰：「君不見開元宰相宋開府「不倖邊功防黷武」，可見中國人對於「勤遠略」的帝皇，原是不大恭維的。『宋神宗初踐位，有意於平服燕薊，已與大臣定議，乃詣曹太后白其事，后曰：「儲蓄賜予備乎？鎧仗士卒精乎？」帝曰：「已辦之矣。」后曰：「事體至大，吉凶悔吝生乎動，得之不過南面受賀而已，萬一不諧，則生靈所係，未易言也，苟可取之，太祖太宗收復久矣』。（見明鄭瑄昨非庵日纂）近時中國人自編之歷史教科書，敘述帝王功業，照例必有一番武功，秦皇、漢武、唐太宗、明成祖無論矣，即清代之康熙乾隆，亦莫不皆然，實則病國害民，均迅于邊功，按黨灘漫鈔載：『自漢以來，中國材用耗於虜，惟東漢爲甚，段頌傳云：「永初諸羌反，十有四年，用二百四十億，永和之末，復經七年，用八十餘億，本傳三年之費，用五十四億，後平東羌，費四十四億」。又袁安封事云：「漢之故事，供給南單于費，歲値一億九十餘萬，西域歲七千四百八十萬，」向來議者以遺契丹之數多，而不知漢之費爲尤甚。』（按：澶淵之盟，宋歲輸遼銀十萬兩，絹二十萬匹，富弼使遼，歲增銀絹各十萬兩匹。）

近見報載：中共強調指責寮國縱容邊境之國民黨軍隊，從事活動，用以造成其進軍控制毗鄰小國之藉口，寮與中共，小大強弱，形勢懸絕，自中共統制大陸之後，旁通黷武之國，已終日惴惴恐不能自保，何致于勾結遥處一隅之台灣，以自招疾戾乎？此其用心，不言而明者也。計中共自有政權以來，以一而倒之姿態，緊黏蘇聯，其氣燄之盛，遂使秉持現實主義之强國爲之側目，而我中國人，亦頗有歡動其武力之强大，竟之聊以爲昔日東亞病夫之恥辱解嘲者，此類思想，原于儵姓之自修，西風殘葉，未忍離枝，抑亦人之恒情。不知十年以來，窮兵數百萬，外而支持韓戰，內而大事興作，財源耗竭，民力況瘁，邊疆一開，則持挺揭竿者接踵而起矣。

邊功

舊謂毛澤東沁園春詞，覺其於秦皇漢武，以至唐太宗，成吉思汗，均若不足以辱其一瞬者，則其不恤歷史之教訓，實亦有輕于一試之可能，自古君人國不顧生靈塗炭，以博南面受賀之虛榮者，固比比然也，昔金主完顏亮，不顧紹興十一年之和約，大舉南侵，金人鐵騎，南至今之江西，而南侵之前，曾作詩一有句曰：「立馬吳山第一峯」。一鼓頗使南宋君臣，爲之喪膽，而卒爲虞允文破之于采石，亮亦于回師時遇弒，金乃從此就衰，少陵有詩曰：「白骨新交戰，雲台舊拓邊」。所謂邊功，仔細思量，亦不過味同嚼蠟耳。

曲齋

從我國藝壇趨勢談現代繪畫

。莊世和。

第十六屆美術節又在熱鬧中過去了。今年的佳節，確實是空前亦新穎。那些例行公事不必說，在台北有舉行支援金馬前綫遊行，並舉行了「全國美術家捐獻作品支援金馬前綫義賣展」、「當代名家書畫展」、「國畫展」、「參加巴西國際藝展作品展」、「青雲展」等，在台中有「中部美展」、「全省教員美展」。此外，全國各地都有舉行「慶祝美展」，爲往年所未見的盛況。雖然作品的水準距離我們的理想實在甚遠，但較往年進步多了。

看幾年來的我國藝壇趨勢，已傾向着新時代的道路前，已呈現新生氣象。的確，當前已是廿世紀末了。我們應新時代的要求，必須揚棄保守觀念，趕上現代世界文化思潮，進取藝術至上的優粹的——這是現代的畫家應有的任務與使命！記得去年十三屆全省美展閉幕時，陳濟汾先生說了一句話：「如果在我們藝術者中，沒有人創造新藝術，那麼我們將永遠不會進步。假如我們一直都在畫着寫實派的畫，世界將不會有聯合國大樓這樣的建築物。西畫如此，國畫亦然。」這應該早就覺悟的。

自民國四十一年春「自由中國美術展覽會」正式積極地推展「新興藝術運動」以來，已有八載，其對全國藝壇的影響力及貢獻尤大。後於四十六年多以抽象畫爲主的「東方畫展」成立，又國立歷史博物館向各界徵募「極端新派畫」以參加巴西國際現代藝展，及年來的其他畫展中常有看到「現代畫」的展品，可說過去的偏見已僅僅地消除了。這種好現象眞是爲我國藝壇可賀可喜的事！由此可見，新派畫已被我國藝壇逐漸重視。可是還有些朋友們仍是搞不清楚「現代繪畫」的演進及認識。茲依據美術史略述于后以供愛好藝術的朋友們。

所謂「現代繪畫」乃指從一九〇〇年以後產生的許多主義——畫派而言。如一九〇五年之野獸主義（野獸派）、一九〇六年之表現主義（表現派），一九〇八年之立體主義（立體派）、一九〇九年之未來主義（未來派）、一九一六年之達達主義（達達派）、一九一七年之新古典主義（新古典派、又稱純粹派、自然派、純正派）、一九一九年之抽象主義（抽象派、又稱爲構成派）、一九二一年之超現實主義（超現實派）、第二次世界大戰以後的新寫實主義（具象派、又稱爲新寫實派）等。不過目前世界畫壇潮流的新趨向與展時髦的西洋畫著重「抽象」，而抽象派中又分爲幾種，計有幾何型，非現實型，發散型，抒情的和表現抽象的五大型。此次我國國畫大師張大千先生回國談話中，也說「抽象」是原來我們中國畫具有的主義及表現，從廿世紀以來西洋畫家受了東方畫的影響，急於打破原有的格局，一切講求抽象，但反而走入極端；因爲中國畫着重於美的表現，寫情寫意，並不以眞爲依歸。則西歐「抽象派」的理論和中國畫的「感情移入」「氣韻生動」互相媾通。尤以書法和金石最類似，祇是各種線條的構成，我們僅僅依着這些線條、留、勢力、粗細、濃淡、曲直的，便可辨別出牠的藝術的滋味。又如平劇中的騎馬、坐船、乘車、過橋、出城、上樓等等，都一切道具裝置絕對抽象化了。

但第二次世界大戰以後，人們受了戰禍的打擊，有一部份畫家已脫離「抽象觀念」，而來感覺着必須要有「形象的再認識」，便呼籲新寫實主義，而產生其藝術，具製作着寫實的具象表現的繪畫。但他們的寫實，並非經過傳統的法則的寫實，是於明瞭的作成主觀的各自立場的態度上，充分加上了野獸派及立體派底表現法的長處，並非照樣模做自然的，而是必要加上作者充分的省察力，以單純化或感情化的現實爲對象而表現各自的主觀。這是和以前的寫實不同的地方。

筆會淺水灣紀遊

。金達凱。

南國春深日影斜，
樓台歌管雜琵琶。
吟詩唯恐添愁意，
且爲紅妝映落花。註

註：是日爲同遊士女攝影多幅。

×短篇小說×

得失之間

。童真。

不錯，只要耐心等待，即使是在牢獄裏的日子，也會打發過去的。刑期屆滿之後，郭燕周還又生活在廣大的自由世界裏了。他此刻所要急于解決的事，當然是爲自己找個適當的工作。對于一個從牢獄裏出來的人，這是不太容易的。起先，他只有像打游擊似地，做些散工，從這裏轉到那裏。那幾天還是機關裏僱用的抄寫員，這幾天卻成了正在興建房屋的泥水匠的下手。後來，他終于在一家修理收音機的小店鋪裏去當技工，負責收音機的修理工作。

他當然沒有去看邵豔。對於許佑賢，他更願像除草似地，把他從自己的心裏連根拔掉。他祇一心一意地工作，暇時則還覽有關修理方面的書籍。果然不久，他的手藝便有了長足的進展；顧客們都樂于照顧他，連帶使店主也很優待他。有一天，他正在試聽一隻剛修好的收音機時，有個女客進來要買一個插子，那女客原來就是邵豔。

「呀，郭先生，你原來在這裏，怎麼不去看我們？」

他一邊關掉收音機，一邊告訴她說是實在忙不過來。

「嘿，知道你在這裏，我便可以時常來看你了。你知道佑賢前幾天剛去日本，如果我早一星期來這裏買插子就好了。」

「唔，眞不湊巧。」他言不由衷地回了一句。

「但是，不要緊，他去一兩個月就會回來的；他爲了他廠裏的事情去日本，郭先生。」她羞澀地放低了聲音。「我們已經訂了婚，等他一回來，我們就請你吃喜酒。」

「嗯，那好極了。」

「郭先生，佑賢好能幹，他跟朋友合夥開設的那家紡織廠也很發達，你經常在聽收音機，一定也聽到過新美廠出品的仙鶴牌襯衫、棉毛衫褲、衛生衫褲的廣告吧。」

邵豔坐了好一會才走。郭燕周重又旋開收音機的開關，不料衝入耳鼓的竟是新美廠的廣告。

「新美廠出品的仙鶴牌襯衫美觀大方，經濟耐用；仙鶴牌棉毛衫褲價廉物美，柔軟暖和；仙鶴牌……」郭燕周趕忙把指針轉到別的周波上去。許佑賢眞是一個道道地地把自己的幸福築在別人的痛苦上的人！

但他既然跟收音機結上了不解之緣，要完全擯斥這一個廣告之進入自己的耳裏，也似乎不可能。久而久之，他也終于習慣了這種襲擊，而另一方面使他不斷地記起許佑賢的，則是邵豔時常來看他。她起先跟他聊着一些細細瑣瑣的事情，但聊着聊着，她又提起了許佑賢。他最近來了信啦，他說東京的銀座好熱鬧啊，他正去觀光箱根和熱海的溫泉，日光的德川家廟，奈良的若草山和東大寺。（六）

春風又綠江南岸

秀瓊

風是既無形無影，又多變化，有時疾有時徐，有時大有時小而行蹤飄忽的東西。

自從吹而不寒的和風吹醒了大地以後，于是依佚蕩蕩的柔柳齊舒了他們貧瘠的眼，嬌顏媚人的夭桃，也含着紫的花，斗然的明艷欲流，而杏花村外帘兒飄，畫船笑相招。

古人謂：「春風取和煦之意，以喻恩惠，」它來了萬物甦生百花展翹開放，芳草綠茵照眼，所以如今把作育莘莘學子叫做春風化雨，桃李春風，說明了大家普遍受和益處，而「春風得意馬蹄疾」，「春風滿面」，那就顯示出躊躇滿志，受人歡迎了。「京口瓜州一水間，鐘山祇隔數重山，春風又綠江南岸，明月何時照我還」？這是何等具體的描寫。謝元暉亦有詠風詩一首云：「徘徊發紅萼，葳蕤動綠葹，垂楊低復舉，新萍合且離，步檐行袖靡，當戶思襟披，高響飄歌吹，相思子未知，時拂孤鸞鏡，星鬢視參差。」他所寫的也是春風。我們的感想呢，「春來了」「又一年」。

風雨樓繪畫叢談

遂賢

畫史之名，見於周人典籍者，似傾莊子一書有之。「史」是史官，起於黃帝，一在掌理文書，一在紀錄大事。所謂左史紀言，右史紀事者是也。周代官制，雖說是「六卿分職，各率其屬」。可是祝官和史官，卻不在六卿以內。由於祝官的職業，是「祝史正辭，信也」，故祝官又名祝史。不過周朝史官，向無姓氏，即有名的史佚，史實爲名籀，名佚的史官是能「直書君臣之善惡」，是「垂鑒戒」的；是不是因爲責任太大，因而不詳其姓氏，這是周代史官之謎。至於「天下之圖」，雖爲周籍戶籍之官，卻不及繪事，以畫不設官，顯爲周代而曰史，這確係繪畫的重要發現。

莊子的「宋元君將畫圖，衆史皆至」一事，給與我們的啓示者頗大。大致宋國的史官，不是兼掌繪事，一定設有畫史之官。而史官從事繪畫者，如此之象，足見戰國時代，畫家的地位不平常，繪畫的地位也不平常。史官是以品格清高見稱，所以儃儃然不趨，正足以表明他卓然不羣。畫家亦以風度超然見於時，所以解衣般礴，是眞畫者，勿寧說是灑脫不羈的典型，周代史官無姓氏，周代繪事祗畫人，史官而兼繪事，這可算最爲新奇！

亦惟韓非子的思想，最爲匠心獨出。他用現實和想像的題材，加以常見與不常見的想像，而據以兩宗像畫家，使畫家應稱素者，並非畫者的高下；所以他的以常人都熟識之物，見得不容易畫好……畫上的最大損失！韓非所寫的話，實際惜此種畫論，不是更高，設想更奇。精於畫者，而畫論較少，這在以孤例鳴，而是於刑名，他是……思想之同？那就很難了。

周朝繪畫，依循舊法……和金人，六尊，六彝，圖爲現代所謂器具，都是在周代歸入在繪畫以內，以與繪畫不……作」，事實上，周人工藝，作始甚……皆本於模仿，稱本。而模仿稱本之初形，又無不以繪畫之類也。呂覽論變說，是說「畫者見其……，以言規矩……敗，大巧不可爲」。……理，以勸戒之義」，與孔子於周，見孔子於明堂，四門……肖像者……相同。（廿五）

永生的死者

——悼金門殉職三將領

・金谷・

以死保障國家的生存，
以死，給英雄的古城
添上英雄的色彩。
浪濤嗚咽，
西風蕭瑟，
我們爲您們的壯烈行迹悲歌。
您們從戰爭的歲月裏長成，
用血和劍
捍衛多難的祖國。
盧溝橋畔，
長城內外，
推開無數的敵人，
而今，爲打擊敵人
終獻出堅貞的生命。
中原未復身先死，
我爲英雄淚滿襟。
然而您們是不死的，
在不沉的金門堡壘上，
永遠有人們的熱淚
和哀輓的詩篇。
而在自由的土地下長眠；
也比屈辱的偷生者
得到靈魂的安息。

自由人
THE FREEMAN
（第八四九期）
中華民國僑務委員會 發行登記證台字新一第一○二號
中華郵政台字第五○○號
執照登記爲第一類新聞紙類
（半週刊每星期三　六出版）
每份港幣壹毫
台北市售價台幣貳元
督印人：陳文華
地址：香港高士威道二十號四樓
20 CAUSEWAY RD. 3RD. FL. HONG KONG
TEL. 771726
承印者：東南印務出版社
地址：高士打道六十四號
台灣總經理處
台北市西寧南路壹號二樓
電話：三○三四六
台郵撥儲金戶九二五二
海外總經銷：友聯書報發行公司
香港總經銷：中二十六號A二樓

八千僑生的教育問題

李樸生

我們不必否認，從三十九年到四十一年間，華僑青年到大陸共匪區升學的不少。但自四十一年到現在四十八年，回台升學的僑生，由六十人增加爲八千人。如果入學考試放寬，可能打破一萬的數字。反之，回共匪區升學的，雖然不必考試，又有種種便利，却年年減少。

招收僑生，是自由中國和共黨在海外最具體的一種政治戰，僑生由六十人增加爲八千人，是自由中國的大勝利，杜爾斯國務卿去年初在舊金山的獅子會演說和去年底艾森豪總統的國會咨文，都曾舉述這一件事證明自由中國爲華僑所關心。

兩種測驗的分析

僑生來自海外不同的地區，政治的背景不同，風俗習慣也各不同，課程進度受當地政令的限制，更各不同，而都同在台灣的學校裏，自然五光十色，引起教育家研究的興趣。最近，我看到侯璠先生關于在台僑生與非僑生閱讀國語文能力的測驗比較，及趙慶麟先生的智力測驗比較，證明了非僑生的成績好。這是意料中的。我分析其原因，約有下列各種：

（一）在海外的課程（例如國文及數學等）及課程進度，受了當地法令的限制，不能趕得和國內的標準一樣高。

（二）入學時功課程度，已有若干距離，第一學年趕上不容易，第二學年有勉強趕上者，有因興趣而更趕不上者（如數學）。

（三）僑生回國上課，因有出境入境麻煩手續，往往遲到。加以台灣之輪船交通不便，（香港台灣間，每周只有一班船）僑生回國，也受限制。

（四）僑生以香港爲多，國語不好，而大專教授之國語，又多雜鄉音，有江浙國語，有陝西國語，有湖南國語，僑生國語本已不好，初時聽講不清。

（五）僑生在熱帶地區，學習用腦的功課，易感疲乏，且這些地區，原來又都是殖民地，文化水準低，文化氣氛差，良好教師缺乏，自然影響學生之學習成績。

（六）一般華僑社會，半桶水出身多，又注重工商業，父母皆忙於生計，家庭教育和社會環境都不如國內之便於溫習功課。所以非僑生比僑生的成績好，是正常的道理，不是奇怪！

但他們畢業後回到海外的地區（我國關於僑生升學的基本原則，是要他們畢業能夠回原僑居地貢獻其所學，服務於當地政府及僑社），由於有社會的基礎，大專畢業程度的人才不多，他們較易有發展的機會，比較將國內大專畢業生送到海外工作之成績亦多。故從教育的成本會計算，爲他們所化的經費，是值得的，何況是反共陣線一大場政治戰的壓倒勝利！

集中與分散的利弊

僑生既然程度參差，習慣不同，他們在國內，應該集中在一間學校上課呢？還是應該分散到各校上課呢？我是主張集中的；尤其是中學，僑生的年齡在同班裏比國內會大四五年，身裁也高大得多，但他們的功課却會趕不上小弟弟。加以中學課程本來太繁重，若老師不好好鼓勵，他們很容易有自卑感，索性放任自流。況且他們都要寄宿，關於康樂活動，補習功課及良好生活習慣的養成，訓導方面應特別注重。但以前國立華僑實驗中學辦得不好，主張分散的意見，現在佔了上風。我們不切實研究國立華僑實驗中學辦得不好的原因，以爲分散了便會使他們的功課提高，也是錯的。聞某女中全校有僑生一百一十九名，四十七年第一學期考試，及格的僅有二十名。高中有僑生二十名，考試及格僅有兩名。另一女中，初中部僑生四十六人，及格的有十一人。高中部有僑生十二人，全不及格。女孩子們從千里外回來讀書，不會懶惰，更不會游蕩不上課。何以考試成績這樣壞呢？主要原因是功課程度趕不上而漸漸失望，回國後，僑班課，使他們不懂，學校雖然有補習的辦法，但補習功課，不能與正式的功課打成一片，終不能得循序漸進之效。例如數學（所有學校的僑生，以數學爲最差。）僑生的程度已和正式的課程有一段距離，那便得不到循序漸進之效。

要有整套新計劃

因此，我主張教育當局應針對僑生和國內的各種不同，實事求是的來一個具體的研究。最少，現在有若干不適應的課程方面，應該有適應事實的調整，必要時可以調整學制，以符實驗之實。在大專課程方面，應有足夠的預備教育，課外活動與宿舍管理，都要加強輔導。而僑居地語文的學習及重要問題的研究，更是必要的措施。現在若干改進的措施，可能受到經費及人事的限制，但我們對于擺在眼前的問題，總得要有一個改進的方案。否則我們知道僑生國語文閱讀能力較差，智應把正式上課的時間數和補習的時間數，合加起來，重新劃分每一節的進度，以期減少每一節的進度，能夠學習；現在的補習功課與正式功課照規定的進度較低，有什麼意思？我教，僑生在堂上聽不懂，要像反芻類的常識，再吐出來嚼，人的腦不同牛的胃，功課也不是草料那樣容易硬吞，所以雖然有補習，仍是消化不良！

會商洽侯、趙兩先生再研究僑生在大專裏的成績。（大專僑生共有六千多人）例如（一）四年畢業，能依期的有若干人？（二）延長畢業的有若干人？原因何？（三）畢業的成績如何？（四）各科比較的成績如何？作改進的根據。

有八千僑生在國內直接受教育，是中國在海外的體制事，亦爲國際所重視，與僑胞父老所期望的，我們必須把僑生教育辦好，更進一步。我們今日多出一分精神，便是明日多得十分利益，反共陣營會增加一百分的力量！（四月十二日於台北）

半週述評

看政治猴兒戲

毛共正在北平表演的政治猴兒戲——所謂「全國人民代表會議」與「全國人民政治協商會議」，密鑼緊鼓，熱鬧之至。但劇情醜陋不堪，難看極了。

共酋周恩來、李富春、李先念在「人代會」所作的政治、經濟、財務三項報告，不下十萬字，我們粗心瀏覽一遍，亦需耗費三小時以上的時間。論其內容，三項報告的語意最多共有三四萬字即闡述無遺了。然共黨却搞成又長又臭的玩藝，教一千餘代表們，分成幾十組去審查，還不是開頑笑的事嗎？不用說，將來的審查報告，一律都是照原案通過，並且在會場上當衆還要加以「感謝毛主席的正確領導」，「擁護社會主義建設總路線」這類肉麻的合詞，而「新華社」再附註若干種「鼓掌」的形容詞句，予以公佈，這樣就叫作「人民民主政治」！亦是資本主義的「假民主」所不可同語的「眞民主」呢！

第二步便是這些又臭又長的報告，變成了「聖諭廣訓」，先由「政協會議」奉命研究恭維一番，再教各級黨政幹部從事學習，實際上誰也沒有看完這類文獻的精神，唯有全場一致贊成，或者鼓掌如儀，便算功德圓滿了。但共黨的宣傳機構，即大呼「人代會偉大的勝利」之聲不絕。

另一種鏡頭

「人代會」對於西藏問題討論甚烈，可是，發言者並無共黨份子，而是一些被共黨指爲「右派份子」，曾在天安門大街上抬着「交心公約」遊行，絕呼「把心交給黨」的口號，藉以偷生苟活的「民主人士」如李濟琛、沈鈞儒、黃炎培之流，在台上指手劃脚，大罵尼赫魯，斥其懷有「擴張野心」。此外就是那個被毛共玩弄於股掌之上的班禪喇嘛，隨着毛共的鑼鼓鞭影，跳腳謾言攻訐尼赫魯，而毛酋澤東坐在台上乃得鼓掌不已。這一幕醜劇充分表現着大陸上那般所謂「民主人士」的利用價值，殆與破舊的傀儡同一樣，只在需要時搬出來使用一下，絲毫不加重視。同樣地，發言攻訐尼赫魯，班禪說的，毛酋即身先士卒，大鼓其掌，李濟琛等「蒼髯老賊，皓首匹夫」之流，縱然在台上聲嘶力竭，表演逼眞，毛酋却漠然不以爲意」。這也證欺騙人類，階級，銖兩悉稱，不差累黍，所以連吃飯亦必劃分階級等差也！至於「政協會議」原先於法無據的，在地攤上擺出一下，聊資點綴，即想顯能，更無一顧的價值了。

會議的作用

在共產黨心目中，公開舉行會議的作用不外兩點：一則藉會議作鎖鍊，把黨外人士箝制而有之；二則作爲共黨實行「民主」的宣傳材料。至於眞正發生決策作用的會議，却決不公開，而且只有共黨份子參加的。

不過，就一般的會議作用而言，聚集人士於一堂，羣言龐雜，議論紛紛，要想長篇的功效，實乃是不可想像之事。凡需千數以上的人會中，凡是具有高見卓識的人，都懶得說話了，即或亦未必有用，結果只好讓少數主席團包辦一切，名爲多數取決的民主作風，實係少數人專斷獨裁而已。人多不見得就是眞民主，這是眞民主政治者應該注意的問題。

·雷嘯岑·

騎牆派的處境

。尹震。

自由談

難爲您了！

據說，自由中國教育部正在研究一種關係百年樹人問題的教育方案，即初中應否廢除英文課程是也。又據說，這種議案原係「行政改革委員會」的所謂「行政改革」的主要任務，還是如何改革現有那套臃腫龐大、效率不彰的行政機構及其處務規程，使行政機能發揮「新陳代謝」的進步精神。初中學生應否學習英文，這是涉及學術性、文化性問題，與「行政改革委員會」的職掌不相干。[illegible]

已乎？外國語文乃是一種治學求知的工具，如果認爲我們的科學落後，必須迎頭趕上，而以通曉外國文字爲捷徑，如果通曉外國文字的目的，不在作爲獵官捷徑，而在培育高深的學術技能，創造文化潛力。那末，學習外國語文就必須從青年時代扎好根基，初中不必學習英文之說，正確理由安在，殊令人莫名其妙。所謂外國文可以自修而通之說，非有傑出的天才，亦很困難，最末就是似是而非的半桶水程度而已。

很奇怪，住在台灣的人，平時跟本國人交談，亦以爲學生不必學習英文。這大概是閑得無聊的結果。隨便說說笑話，（這是湖南的諺語）而美其名曰「行政改革」吧？假似此等革新政治的想法與作法，教育部亦可不必多所研究，且可借用一句北方話作答：「難爲您了！」

馬五先生

邵鏡人啓事

鏡人近年，專心教書，不暇參加任何團體事業。頃見本港報載：蘇北同鄉會舉爲理事，並兼文教組務，愧無時間担任。尚祈諸同鄉鑒諒，爲幸！

手工藝品外銷無法打破困難

徒有推廣中心而無政府之大力協助

台灣通訊

。馬克。

雖然農業發達的產品有米、糖爲出口大宗，惟年來國際市場跌價，糖米輸出日益減少，發展手工藝品換取外匯收支，正其時候。據經濟部統計：台灣手工業品輸出鼎盛時代，業者達二十餘萬人，年輸出總值達三百萬美元，僅次於糖、米、茶、香蕉、鳳梨而已。

由於台灣人口激增，勞力過剩，發展手工業可以吸收勞力而可解決農村人口就業問題。先後邀請聯合國手工業專家魏立藤夫人及美國手工藝設計專家萊特氏指導，四十五年組織手工業推廣中心，辦理輔導推廣，四十六年台灣省政府邀請劉景山氏主持該中心爲財團法人組織，由美援項下撥助款項，省府出資相當美援相對基金十分之一，加強溝通國外市場及改良製品技術等工作。惟實行以來，尚未合於理想，諸多困難問題，急待解決。

推廣工作的兩大途徑

據劉景山氏表示，台灣手工業原料極豐，如竹、藤、苧蔴、藺草、大甲草、林投草、貝殼等，製品成本低廉；惟爲口輸出原料，關於業者資金、稅捐、運費等問題，迫待解決。他認爲手工業外銷前途之開始，必須先啓發業者「有利可圖」的信心，而後加以輔導，否則將無實效可言。現推廣中心正循兩大途徑推進工作：一、由美國萊特公司駐台技術團設計新樣品，造模定價，招攬外商承訂，計有新樣品五十二項，三百多類產品，總價一百五十餘萬美元；二、過去手工業產品多由政府利用各國博覽機會宣傳，現改爲招商與政府合辦。劉氏認爲手工業發展的增加多數農民就業機會，工藝品外銷所得外滙收入，以濟輸入之外滙支出。手工業起於漢、唐、宋、明等朝的雕刻、瓷器、錦繡、銅器，已爲各國珍藏，手工業品外銷等於宣傳民族文化。根據台銀的統計，近六年手工業品結滙輸出金額：四十二年一、二〇〇、三八三美元，四十三年一、二四二、五三九美元，四十四年二、三六五、二四三美元，四十五年二、五四七、三七二美元，四十六年二、六四七、四四二美元，四十七年三、四〇四、三三八美元，五年間增多三倍餘。

不利的因素

手工業推廣中心，指出三個不利因素：一、行商稅：稅捐機關認爲手工業未有設廠故無出廠稅，乃向出口商課以行商稅百分之六點八，徒然增加成本阻礙出口，如果免征行商稅，將來大量出口，外滙收入於政府之補助尤大；二、資金不足：由原料採購到業者利用之間，輾經過經紀人、小販、商人，業者以缺乏資金，原料銷售多爲中間人操縱，減少業者收入增加成本，進而成爲妨礙原料生產及影響成品推銷，形成惡性循環；該中心主張加強供銷組織供應資金，或以原料產銷合作社方式，解決產、製、銷三方面的困難；三、運費高：主要銷路爲美國，目前由外國航商對台之歧視，運費較高於至香港、日本票價甚多。該中心希望交通、經濟兩部加以注意並予以解決困難。

政府的輔導

關於政府對於手工業的輔導外銷，省物資局長張仁滔說：一、採取產製銷的輔導計劃，從原料、加工製造以及外銷；二、外銷的價格，應該要統一。由於初銷外國時價格相當高，國內廠商自相殺價，報價不統一，於惡性競爭下，結果也彼此均無法生存。該局已訂定輔導辦法：一、對廠商予以資金之輔助；二、對於手工業品原料貸款，只須廠商提出相當保證，即可給予台幣或美金之貸款，協助其採購原料；三、協助廠商推廣外銷。

外貿會主委尹仲容說：目前合理滙率使手工業產品外銷無滙率上之困難，如滙率未改革前，每一美元輸出僅獲台幣二六、三五元，現在滙可得三六、二八元。他認爲手工業產品外銷，其原料必須充裕供應，但製造須有原則，盡量利用機器製造，節省勞務，減低成本。

手工業者的意見

手工業者對於目前手工業推廣中心，提出數點：一、該中心所作事情，離開實際尚遠，去年帽子輸出金額二百餘萬美元，佔全年手工藝品輸出四百餘萬美元之半，四百餘萬美元只是保持過去各業出口成績而已，推廣中心之貢獻擴大外銷究有多少，不無疑問。該中心過去偏於少數樣品之製造，於擴大之美國市場如何推銷，卻未曾顧及。二、該中心的工作，應從實際，找市場、找進口商，研究其需要，以擴大顧客爲目標；三、由於輸出品容量大，運往歐洲費用，需謀合理解決；四、業者缺乏資金，如何供應；五、技術方面，應多培養熟練工人。

貿易界的意見

貿易界人士以帽胚產銷爲例，提出亟待解決的六大問題：一、簡化女工工資所得稅歸戶手續；二、減免外銷帽胚營利事業所得稅；三、營業稅取銷附征防衛捐；四、改善原料貸款及外銷貸款手續；五、准免繳進口原料關稅保證金；六、解決結滙證凍結問題。

一般而言

一般而言，既有揚倡機構而缺乏收購機構，產品無法調節；其次爲手工業品外銷報價不統一，破壞外銷及外市場信譽，國內廠商互爲不利；以不研究外國人之需要，故常受國外廠商操縱而無法應付。換言之，只有推廣中心而無政府之強力協助，發展手工業外銷以補救外滙收支，是不值得樂觀的。（四十八年三月十六日）

台省人口逾千萬

（台訊）據台省民政廳統計，台省人口總數已超過一千萬。此項數字係根據四十七年十二月底之戶籍登記統計而來。全省現住戶口總人數爲一千零三萬九千四百卅五人，其中男子爲五百十二萬一千零廿八人，女子爲四百九十一萬八千四百零七人。男子比女子多出二十萬零二千六百廿一人，人口最多縣份爲彰化縣，計八十三萬八千五百九十八人，人口最多之省轄市爲台北市，計八十一萬三千八百廿五人。全省鄉鎮市共三六〇單位，六、五七九村里，八七、六七〇鄰，一、八〇四、〇七三戶。（海外社）

旅加華僑近達五萬餘人

（雲高華訊）據估計：目前旅居加拿大之華僑人數，已接近五萬餘，此一數字係根據旅加原有華僑，及生育率、死亡率，以及近十二年來抵加之新華僑人數，綜合計算所得。

最近十二年來加華僑計民國三十六年一三七人，三十七年二〇七人，三十八年九一四人，三十九年一、七三一人，四十年二、六八九人，四十一年二、三二〇人，四十二年一、九三六人，四十三年一、九一〇人，四十四年二、五三五人，四十五年二、〇四四人，四十六年一、六六九人，四十七年二、六一五人，總計爲二萬零五百廿七人，大多數爲依新娘例入境之僑胞。（僑）

英國的核子阻嚇政策

。旭軍。

英核子武器問題的決策，對自由世界亦相當的重要，因爲它是北大西洋公約組織軍事行動的一個最重要問題。

由於英國在戰後，對於原子保密，發生了許多不愉快的事，例如[illegible]的洩漏原子秘密，及彭蒂柯夫之私逃蘇聯，美國人士皆認爲一九四六年的所謂麥克馬洪法案，是極需要的。[illegible]英國不斷的推進核子武器研究計劃，至十八個月以前，英國氫彈試驗成功。去年夏美國國會，認爲英國某些特別情形，不施用麥克馬洪法案。[illegible]英美相依賴，成了現實問題。英國實行獨立的核子阻嚇共黨政策，[illegible]本身耗費已大，[illegible]所以英美聯合計劃是必須的。但事實是冷酷的，美國漸漸感到難以用其核子報復力量去保護盟國。時事評論家，如阿爾索普，說美國[illegible]

[illegible]把[illegible]自由世界的傘，而應是保護北美洲最後防線。因此美國太忙於顧自己，而不及顧盟友。

[illegible]報說：本年二月九日，英國保守黨的每日郵報說：「美國不久便設立其洲際飛彈[illegible]」

[illegible]

有三個問題未解答的，（一）英國是否已經，或到明年，便自己擁有足夠的核子武器，能去實行眞正的阻嚇呢？一個著名的國防評論家，即『每日快報』的[illegible]，最近說：迄今爲止，英國唯有五個氫彈，[illegible]但英國的V式轟炸機，至多給予蘇聯損傷，而未能給予蘇聯致命的摧毀。第二個問題爲[illegible]有效阻嚇的跳板麼？並不是[illegible]

[illegible]英國原定一九六三年發展成一洲際彈道飛彈，名爲『藍紋』，其射程可超過二千五百哩。雖然是用液體燃料，發射時[illegible]比美國現在有的，較安全。

[illegible]不錯，分頭並進，保證共同應付敵人，是很好的事，但以一個國防預算僅及美國的十分之一的英國，以未來的戰略寄託於某一種武器，是十分吃力又不健全的措施。

英國海軍部卻反對製造『藍紋』飛彈，他們自然主張製造以海洋爲基地的飛彈——即潛艇飛彈，足以使蘇聯防不勝防，而遭受致命打擊。事實上，英國亦正在謀發展第一艘核子潛艇。但如果到了再修正麥馬洪法案後，英國便立即獲得美國給予裝置上之協助而成功。如英國單獨發展，至少約需十年之時間方可。

在今年夏初，蒙巴頓將軍將不再任海軍參謀長及艦隊總司令，而變爲聯合參謀主席。他在皇室及海軍有特殊地位，他是趨向於回復到眞正英美合作的人，但還須看美國是否眞能毅然以全力挑起協同保衞自由世界爲己任，而毫不退縮。如以能『固吾圉』爲滿足，則勢必誤己誤人了。

（本文取材自三月十九日出版的「記者雜誌」）

衛星各國的猶太人口

（文）

	戰前	戰後	一九五七年
保加利亞	四八、〇〇〇	四三、〇〇〇	五、〇〇〇
捷克	三六〇、〇〇〇	四五、〇〇〇	一五、〇〇〇
匈牙利	四三五、〇〇〇	一四〇、〇〇〇	八〇、〇〇〇
波蘭	三、三五〇、〇〇〇	五〇、〇〇〇	二五、〇〇〇
羅馬尼亞	七五七、〇〇〇	四〇〇、〇〇〇	二〇〇、〇〇〇

（註）戰前統計採自一九五三年出版的「蘇俄衛星國的猶太人」一書；戰後一九五七年統計採自一九五八年出版的「世界猶太共產黨」。

西藏人口問題

編者足下：本日自由人登載毛以亨，詹世安兩先生函，中有涉及弟處，茲補充拙見如下：

（一）弟所答毛以亨先生之藏族人口數字，是根據中共一、一九五二年人民手册爲三百七十餘萬。二、一九五三年五月四版之中共「新中國地理」內稱「青康藏人口約爲四百餘萬，藏族約爲三百七十萬，分佈此三區」。三、一九五五年三月中共所出版之「民族大家庭」，則稱藏族人口二七七萬。因當時係由一偶然之公共場所晤面，無法記憶詳細餘數故以此數相答。但當時亦說明中共此項數字未見得眞正可靠。（自一九五四年中共官方即根據其在一九五三年六月所謂正式人口調查之數字，公佈西藏人口爲一百二十七萬餘。但我斷定此數仍不會正確，理由甚多茲不贅）。大英百科全書與世界年鑑之數字，當係根據估計，亦未見得完全正確。

（二）關於毛以亨先生之「只要於反共有利，即西藏獨立，甚至滿蒙獨立，亦將舉雙手以贊成」之意見，則弟所不敢同意。但此係毛先生之自由，弟亦不反對。故當時弟告毛先生「此話如出自政府人員則不可」，因弟以爲所謂「獨立」是對中共而言，猶之辛亥革命，各省對清廷宣佈獨立之性質相同也。如係脫離中國而自成一「國家」，則與俄製蒙古人民共和國，日製「滿洲國」無異，吾人過去既不忍同種族宗教文化之千百年來和睦共處之滿蒙，淪爲斯拉夫民族之殖民地，何忍千餘年來大家庭中之西藏，淪爲俄英印之新殖民地？四月一日自由人之拙文，想毛詹兩先生均已過目也。

張六師拜

四月十五日

國際動態拾零

△若干蘇聯軍官，曾在匈牙利鎭壓叛變者，現被派至西藏，以助中共平亂。莫斯科提出此議後，中共立即接受。

△達賴逃亡計劃，自中共入藏十年以來，即已準備完成，而歷經改訂。印政府曾參預其事，蓋不得其助，達賴是逃不脫的，故中共之包圍拉薩印領館，不爲無因。

△外長會議，預定爲五星期，因待決問題甚多。英國將遵從美國之意見，外長會議，不一，高峯會議排出日程，而且對柏林與德國統一問題，要達到協議，始開高峯會議。

△法國右派主張阿爾及利亞與法國合併，反對戴高樂之緩和政策。預料北非一時當不獲安寧。

△南共四十週年大會上，狄托以赫魯曉夫之大罪證據其史太林時代的同僚爲錯誤，並謂莫斯科當局，已自承此失。

△蘇聯原子科學家會議，逃亡之英人潘特科夫任主席。決議蘇聯之原子發展，尤其在高峯會議以前，須趕上美國，萬不能落後。

△塞浦路島上之希臘人與土耳其人，暗鬥甚烈，均私運軍火入口，以備明爭。英海軍將恢復夜間巡邏，以阻私運。

△羅勃遜辭職，暗示美國對中共態度之將有變化。其繼任人柏遜，較爲緩和，美國專家，且以承認中共爲合於時宜的策略。

•陶然•

西藏的「民主改革」

竹幕秘

從周恩來在「人代會」的報告看來，對西藏「六年不改」的政策已經放棄了，所謂民主改革似已勢在必行。

在論述這件事的時候，首先，我們必須承認西藏目前的社會，還停留在封建社會的階段，是有加以改革的必要。但由於西藏地處邊塞，藏胞並不知外界的情況，因而他們又有甘願接受封建制度的感情。在此以前，中共曾經多次動手改革，都被這種感情所發生的力量所抗拒了。

其次，目前中共在西藏的統治，可以說毫無基礎，這可自由在一九五〇年十月以前的幾年中僅能吸收千餘個藏族黨員證明之。假若中共繼續這種情況延宕下去，那麼遲早有一天，最後，來據守的據點將愈來愈孤立。因此，中共必須展開其政治攻勢，這就是針對西藏封建社會的「民主改革」。

第三，中共在藏施行的這種「民主改革」，必然要以往各種運動一樣，需要有一定的基礎力量，以自下而上的壓力，方能使得效果。前面說過，中共在西藏並無這種政治基礎，其發動的「民主改革」必然遭受抵抗，若果中共以「民主改革」來推行其統治，也必然要使西藏的社會陷於混亂之中。

共黨的「民主改革」，若以人民公社，則可以有助於其統治之舉措。中共的「人民公社」則要採取怎樣的態度呢？一、中共要以「合作化」的形式來進行，但「不進行所謂軍事鎮壓」，不過，這是中共的一種欺騙手段而已。二、中共的「改革」，一定要根據藏胞的意願來進行。

我們知道，川、青、甘、康的藏族地區，已經實行過「民主改革」，「合作化」與「人民公社」運動，現在西藏活動的康巴軍便是由這些地區流去西藏的。由此可見，這些地區的藏胞對「民主改革」是如何反對。

以西藏仍有比中共在藏的官兵還多的藏軍，很難保證藏胞不會被激起來反抗。基於上述三點，我們覺得中共在西藏的「民主改革」，即使被推進，也不會有多大成功。

但中共在西藏已成騎虎之勢，不進則退，不得不如此硬幹一下，實質能有助於其統治耳。除此以外，我們盼望西藏革命軍能夠了解，以抗拒中共的封建來抗拒中共，決策。○田心。

中共二屆全代會透視

○何雨文○

一、延期召開之原因

中共二屆「全國人民代表大會」已於四月十七日召開，這個會議本來應該在去年九月一屆「全代會」滿期時召開，但已延期了半年。所以要延期之原因，可以歸納爲三點：

一、按照中共憲法規定，在全代會任期屆滿前二個月以前，完成下屆全代會代表選舉。可是到了去年九月，中共才完成了八個省市的代表選舉，自然召開不成會議。各省市代表選舉之所以不能及時完成，是因爲中共內部派系鬥爭。

二、去年八月以後，中共在各地創立人民公社，把情勢更弄得大糟，到了去年十二月中共六中全會時，毛澤東被迫辭去下屆主席，如果在一月按時舉行二屆「全代會」，於是被迫已經然混亂到極點的地步。所以二屆全代會第一次會議，要在整社工作完成之後，或接近結束階段才召開。

三、毛澤東的被迫辭去下屆主席後總選人，下屆主席人選及其與毛澤東主張實力來自蘇聯，下中共中央領導層，都要預先得到蘇聯的同意，也還有待於蘇聯的指示。周恩來於二月間赴莫斯科，參加蘇共二十一屆代表大會，其次也是跑去向克里姆林宮報告實情況和取得上述各項的指示。

二、代表是如何產生的？

不錯，「全代會」代表由各省、自治區、直轄市人民代表大會選出，是由縣市的選舉人民代表大會選出省市人民代表，再由省市人民代表大會選出全國人民代表，但事實上，中共的選舉系統是內部操縱的，名義上是由下而上逐級選舉，其實是由上而下指派。

位代表，也是由遞級低層人民代表選出的選舉，但這也是形式，更重要的，所有各級候選人選是由中共和各派黨員選出，經各級人民代表大會通過，其名單都完全由中共操縱。選舉時的候選人名額都有一定的規定數額，人選與名額都按照中共與各派系在黨內的實力比例來分配的，同時，名額的分配中共也要考慮到的需要，中共和各黨派是以推出候選人的辦法，把名單提出，在選舉時決定是否當選的。

如果中共二屆代表一二二六人，表名額比一屆多出六人，在選舉後開會前，已

病故四個，中共沒有補選，也沒有補選候補代表，所以現在實存代表只有一二二二人。

把這一二二二個代表全部名單，作一個檢討，我們可以發現出下列各點：

一、二屆代表總名額是一二二六人，本屆也是一二二六人，本屆沒有連任的有三四三人，新選的也是三四三人。新陳代謝的比例三三。

二、沒有連任的原因，一是因右派，反黨等原因而被撤換掉了；二是另有重要任務，所以調出，可以說是中共內部的新陳代謝作用。

三、自一九五四年一屆代表選出後，中共黨內後浪推前浪，或者舊時失意分子重獲抬頭。

四、華僑代表有三十個，大多數爲中共辦理華僑事務的主管，例如國務院華僑事務委員會主任何香凝，四個副主任：廖承志，方方，莊希泉，黃長水都是華僑代表，也許因名額的支配，另一個副主任李任仁改充廣西代表。此外還有中共中華全國歸國華僑聯合會主席陳嘉庚，副主席尤揚祖、王源興，莊明理，陳其瑗，蟻美厚，副秘書長洪絲絲都是華僑代表，另有一個

舊劇應「爲政治服務」？中共大搞「新舊結合」！

〔本報訊〕中共爲了改革舊劇，使舊劇也能「爲政治服務」，又提出了「新舊結合」的口號，使各種舊劇劇種和電影、話劇結合起來，演出現代劇，作爲它的宣傳工具。因爲舊劇的劇本都是不能「爲社會主義服務」的。北京出版的「戲曲音樂」雜誌今年第二期就荒謬的提出了「戲曲音樂必須配合政治運動，不能直接爲生產服務的戲劇，就不能爲社會主義服務什麼？（該劇）提到問道：「譬如『宇宙鋒』這個戲能爲社會主義服務什麼？表現了社會主義思想嗎？」「因此，有的中共戲曲幹部竟要趙艷容（該劇女主角）必需砂卵積肥、深翻土地或種試驗田。」該刊並稱，如果「劇目存在着迷信思想，就會違背黨的原則。」

中共這樣摧殘舊劇已遭到戲劇界廣大演員的反對。名演員俞振飛也在三月廿九日的上海文匯報上撰文說：「我已在舞台上混了四十多年，一些老師至少也都有三十年以上的舞台經驗，難道我們還搞不出名堂來麼？」但是，舊劇沒有「政治性」，俞振飛又有什麼辦法呢？

大陸文壇透視

七○

雙層頭銜的老舍

郭沫若

在瀋陽出版的「文藝紅旗」（原名爲「處女地」）第二期，初次看到有批判老舍作品的文章，作者是「瀋陽文藝」的「二十一」文章」，以全部分現代文學的名義於北京人民大學中文系現代文學教研室」。原就此文章，還無法推測共產黨是否就要開始清算這位文藝界上最賣力氣的「功狗」，因爲他新近作三幕話劇「紅大院」，正在北平上演而走紅不歇。但至少此文一出，對他的聲望是一個嚴重的打擊，以筆者看來，這可能是中共文藝領導階層內部傾軋的又一表現，而老舍的頭亦正是當前得意忘形的

我曾說過，中共把非黨作家擺在文藝領導階層，當作招牌利用的是郭沫若、茅盾、巴金、老舍四人，他們地位最高，老舍的地位步步向上爬，已成爲中共捧上的紅人，郭沫若逐漸失寵，巴金已無關輕重，老舍仍是這四把交椅中的巴金，茅盾也有「文藝紅旗」突有批判老舍的文字，透露了一把老舍坐第四把交椅——使我不能不「打爛燈」感慨兩位巴金的老舍了。

原名舒慶春字舍予的老舍是和茅盾、巴金抗戰之前，老舍是和茅盾、巴

金齊名的三大長篇小說家；他的作品的主要題材是都市中小市民的悲歡遭遇，由於他能運用純熟的北平方言，再出之以油腔滑調，也頗受中年人的歡迎。過去所寫全是小說，抗戰時有所轉變，兼寫起新詩和話劇來，「解放」後更放棄詩和小說，專致力於話劇和快板、相聲之類的寫作。擺在文藝領導層的四個非黨作家，至今以他的寫作最爲努力：茅盾未寫，巴金寫得極少，郭除了一些歌謠式的新詩和近作「蔡文姬」一個劇本外也沒有什麼，獨有老舍，他先後寫出了「龍鬚溝」「方珍珠」「春華秋實」「一家代表」「西望長安」「茶館」「紅大院」「女店員」等八個劇本，和「無名高地有了名」一部小說，此外改編的舊劇及相聲快板、零篇散文數量亦復不少，所以我說他最爲賣力。

他是一九五〇年由美國回國的，美國對他的招待，換得他一到北平就對美國惡毒的咒罵，因此他才得追補上「文聯」的常務委員。五一年他寫出了「龍鬚溝」，得到中共北平市的人民政府頒賜給他「人民藝術家」的榮譽獎狀，周揚並會寫專文讚揚他，號召作家們向他學習，說他有「卓越的運用語言的能力」。他自己也想不到，利用北平一個臭水溝——龍鬚溝作題材寫出來的「劇秦美新」的作品，竟然同時獲得「人民藝術家」和「語言大師」兩個崇高頭銜，這眞可以傲視儕輩了。於是他趾高氣揚，在中共爾要面前跳來跳去，恰像專門說些俏皮話兒以博漢武帝一粲的東方朔

副主席郭棣活代表廣東。這些人可以代表華僑嗎？自然是與華僑漢不相關的。

五、「民主黨派」也者，自然少不了那批經過交心，改造等過程的角色，但也起了新陳代謝作用。

七、爲了點綴全代會，代表的來自各方面，所以有戲劇演員和電影明星，如梅蘭芳，周信芳，常香玉，白楊等。那些勞模和戰鬥英雄向來估百分比很少，都是在需要宣傳時的曇花一現。

三、「全代會」做些什麼事

這樣一個雜湊的一二二二個代表，其被中共指派爲代表之原因不一，但有一個總的目的，就是要供中共利用作爲宣傳工具。他們在會議中除了鼓掌，擁護之外，沒有別的事情。在會議之前，可以到各地去視察，代中共搜集民間輿情，報告給中共，作決策的參考。在會議之後，「全代會」代表也要到各地去傳達中共所公布的政策，代表的選舉與委派一樣，只是手續不同而已。例如錢學森爲江蘇無錫縣人，他是中共科學院動力研究所長，工作地點也不在廣東，但因爲調配關係，中共派他被選任二

屆全代會廣東代表，而錢學森自己也不會要選他爲代表，而廣東人民的意思怎樣？不會例子，在一二二二個代表中，很容易找到類似情形。

雖然，「全代會」是如此滑稽的產生，然而「全代會」的職權，依照中共憲法的規定是「最高國家權力機關」，它的職權包括：選舉中共政府主席及副主席，修改憲法，制訂法律，決定經濟計劃，批准預決算，決定和戰問題等。它和一般國家的國會一樣。但是，它實際上完全不是這樣。在過

去，它只選出了中共政府主席和軍事領導人員，並沒有通過預算，例如改變了中國人民生活方式的全面推翻了私有制，改革的人民公社，就沒有提交過「全代會」第一次會議之前，中共七日至十七日中全會，以及八屆七中全會，所有中共政府通過的月二日至十七日和三月間通過的照樣通過。「全代會」所決定和決策，只是遵照中共中央的全權力機關在「最高國家權力機關」，所謂的「國家」都在它的存在，只是爲了「通過」，「通過」，就是它唯一的任務。

爲什麼中共要如此費手腳呢？只是爲了表示中共政府主席及重要領導人員也是出於全國人民的公意。因爲中共還要修飾「民主」

瘟君夢

蒼生塗炭

第二回：密室定奇謀　巴山留遺恨　弱絮隨風

本來毛澤東逐個詢問時，劉亞樓坐在傍邊，兩手抱着頭，像有無限心事，現在眼見問過了羅瑞卿，知道下一個就輪到他了，當時放下手，挺起胸膊，準備毛澤東詢問，果然毛澤東問道：「亞樓同志，空軍方面情形如何？」

劉亞樓站起來搖搖頭：「我不敢吹牛，欺騙主席，空軍方面實在沒有把握。」

「你怎麼搞的」。毛澤東變了臉。

劉亞樓十分沉靜，緩緩答道：「主席清楚得很，空軍方面本身組成時就相當複雜，最初是靠國民黨方面投過來一批人員組成，以後佳木斯空軍學校出來一批，全是老大哥一手培植出來，朝鮮戰役，就發現了他們襲擊僚機的事件，假若有了什麼舉動，他們的可靠程度，我眞不敢說。」

毛澤東緊皺雙眉，看看林伯渠。活曹操摸下鬍子，細聲答道：「今天的問題，經濟重於軍事，陸軍又重於海空軍，主席不必爲這件事操心，還是研究一下經濟問題吧！」

毛澤東哦了一聲，抬頭看看李富春和譚震林，問道：「目前經濟難關，你們想出什麼挽救辦法沒有？」

譚李兩人面面相覷，停了半晌，還是譚震林先開口說道：「農村方面的困難在於糧食不足，農民不和政府合作，這樣似乎還容易，只是工業方面比較困難大些。」說罷林說過看看李富春。

李富春接着說道：「剛才開政治局會議時，我已經說過了，我們的工業機器上一根螺絲釘，都要向蘇聯去買，所以蘇聯斷絕援助，困難就多了。」

毛澤東點點頭：「這也是實情，不過我們要想辦法克服，那裏有困難，就從那裏解決，農村方面，要教育農民增產，同時要減低配售食糧，逐步的來，最好要引向農民多吃雜糧，漸漸改吃番薯，以至吃草根，樹皮，觀音粉都可以。」

毛澤東又向下說，農業經濟主任，一點兒不必擔心，要他們改吃番薯，恐怕有困難。告訴他們，番薯營養好的很，我們家鄉吃番薯，自然就樂意吃了。「人參價同番薯一樣营養，主席每年不用人去長白山挖人參了，只要多吃些番薯不就成了。」

毛澤東瞟了賀龍一眼：「你知道什麼？我吃人參是爲了領導人民吃番薯，等於我吃人參，表示大家同甘共苦，這就是唯物辯證法，矛盾中求統一，你懂不懂？」（卅）

岳塞

釋未集

法律與公道

曲齋

表面觀之，法律原該爲維持公道而設，若法律而與公道背馳，則失其所以爲法律矣。日前于友人案頭，發見紐約出版之華文報紙多種，均紛紛刊載居美僑胞，爲援助本港星島日報，因刊載涉及孔祥熙名譽之社論，被本港法庭判處罰款，僑胞激于義憤，自願捐款代該報償付此項罰金之消息，星島日報之歷史，余所知不多，不擬深論，但絕不致于無力償付此區區之罰金。單以此一事而論，則知僑胞所爭者，公道而已，因彼等不出之以言論之叫囂，而甯願以其平日洗衣抹碟之所入，爲一遠在萬里外之報紙償付敗訴罰金，則其平日對於此居住於彌爾街之過氣貪官，口誅腹誹，拊心切齒之情，槩可見矣。居美僑胞，中國人也，推而論之，則居于香港之中國人之所以緘默者，特以居于香港耳，使此案而爲美國法庭所判決，則居于香港之中國人，亦必與今日居美之中國人相同，亦人之恒情也，凡此等中國人，未必對星島日報有何厚愛，其助星島日報者，所以示其不滿孔祥熙耳。星島日報，償付此項罰金並無任何困難，而人乃相率而助之，其目的固別有在也。天涯海角，均有中國人，地異而心同，公道不可泯也。

「昔唐朱泚逼樊系草詔，詔成；明日仰藥死。明永樂令樓璉草詔，草歸遂巡自縊死，忠義自在天壤，人心不死也。北宋長安石工安民，不肯於元祐黨碑上鐫司馬君實名字，九江石工，不肯鐫東坡山谷名字，公道自在天壤，人心不死也，南宋周大理聞岳飛下獄而去職，明林祭酒，以陸監上書而掛冠，名教自在天壤，人心不死也。晉司馬孚因弟昭弒君而痛哭，唐朱全昱因弟溫謀逆而大罵，名份自在天壤，人心不死也。」（見兩般秋雨盦隨筆）此類事實，歷代史不絕書，其中有朝廷達官，有權奸昆弟，亦有市井小民，其行爲均爲維護公道于不廢，足以使亂臣賊子寒心，所謂春秋之義者，實庶幾近之矣。

民國以來，大軍閥如孫傳芳，張宗昌，在位之日，威福自恣，濫殺無辜，及解兵柄，或居租界，或避空門，希望保其首領，乃終不免爲仇人之子女，一擊而死，租界之法律，空門之玄理，與人心中之公道，實渺不相涉，梵天帝釋，或耶穌基督之天堂雖極寬大，究亦不能容一血汚狼藉之靈魂也。執此以論法律，則其所以表彰公道之作用，實極有限，至其瑣屑深文之處，反往往爲淵以驅魚，立法本旨，甯在此乎？吾不得而知之矣。

台灣文壇　有多少「家」？

·公孫丑·

以純文藝團體而言，有三協：「文協」、「作協」、「婦協」，合計最少在五千人以上，以一千萬人口來說，台灣文壇可謂[illegible]盛哉！究竟有多少文藝作品，實在無法統計，文藝作家兼運動家的葛賢甯，最近在「文藝批評與文藝運動」一文中，就「作家」與「批評家」立言，無異是哀多於樂的。

他說一篇作品的發表，要受三種批評：第一、是作家自己作品的批評，──作家完成作品，何者滿意？何者不滿？需要自己來檢討；第二、是讀者們的批評──讀者不必都會寫批評，但文藝作品之好壞，常被其分別得清清楚楚；第三、是文藝批評家的批評──文藝批評家的批評，却不被作家接受，推究原因有二：

甲、在作家方面的原因有三──1、他或她根本不懂創作法則，「塗鴉」一類的作品，經不起批評，故最怕別人批評；2、狂妄型的作家，目空一切，由於未知而自認偉大。他或她根本瞧不起批評家；3、固執型的作家，創作上自以爲是，「執迷不悟」。

乙、在文藝批評家方面的原因亦有三──1、他的批評也不懂創作法則，謂「外行話」；2、以檢查員的眼光，從浮面找缺點；3、用主觀看各種作品，有不公允的批評。

我們必要調和二「家」間的矛盾，作家貴有民主態度與精神：容忍異己，承認異己的存在。批評家貴有民主態度與精神，要能代表讀者作純客觀公正的批評，去除個人偏狹的觀念。

尚不止此，葛氏認爲十年來的台灣文藝運動，無異是一張白紙，充滿了混亂沌漓的現象了。現在讀者也攪不清頭腦，凡寫一首詩文或小說、歌、畫、攝影，都是「文藝作家」了。但不知那些人算正「作家」？那些人算目前有希望但非眞正「家」，文藝界自身既攪不清楚，遑論他人？

對於作家，葛氏說：今日文藝界的作品，也可分爲小學、中學、大學三個等級。究竟那一部文藝作品算是小學、中學、大學呢？恐怕他自己也無法說了。

我讀了葛先生的大論，覺得所有的文藝報刊編輯也有責任，他們崇拜偶像，所以作家先要出名，成了偶像，供編輯們去崇拜；因此成名，作品在文壇上通行無阻，稿費來源不斷，名利雙收；有沒有作品都無關緊要了，還談什麼作品的好不好呢？所以，很多的「名作家」，如果以其作品來說，也是太多不敢恭維。這樣，文壇也就永遠讓「文句不通」的「名家」作品充斥於書肆了。偉大的自由中國，是一個偉大的文藝空白時代呢！

（四十八年四月十四日於台北）

·劉泗英·

己亥上巳，香港國際筆會，中國分會同樂會，修禊淺水灣，得大事末，可嘆觀止。我和君左元朗南生閬禊集，分韻得八齊，簡懷園原均，兼呈座上諸君子。

南灣海角水雲低，猛憶南泉十里堤：春草池塘巴雨夢，黃紗氈幕藏烟迷；（時達賴奔印，藏亂擴大），香江觴詠添燈謎，閬苑笙歌雜鳥啼！座有蘭言起投筆，羣賢咸與右軍齊。

談參加亞洲影展

·凌人·

一年一度的亞洲影展，今年即將在菲律賓舉行了，台灣電影界一向對參加此種影展是抱定「甯濫毋缺」的精神的，所以每年不管自己的片子如何，總是例行應景的推出一兩部，派出一隊人馬，至於拿個大鴨蛋回來，也是從來不計較的。所以過去便會有過「養女湖」影片的出醜、丟人。電影官老爺們的互推責任。因此有人用諷諷的口氣說應該設一個「最佳勇氣獎」給他們。去年影展，張小燕僥倖弄了一個最佳童星獎回來以後，電影官老爺們似乎心滿意足的了。今年呢，因爲電影官已經調換，大家抱着新的期望，提供了不少意見，歸納起來有如下幾點：第一、如無夠水準的片子，甯可不參加。第二、如決定參加，所提出的片子，必須爲在國內有最佳成績表現，而爲大衆所公認者。第三、應多提出幾部片子，廣徵影劇界人士的意見，必要時可作一次投票決定。

乃當參加影展的片名透露出來後，使大家吃了一驚，原來，一部是張小燕主演的「苦女流浪記」，一部是正在電影廠棚中拍攝的「懸崖」。（該片一直爲參加影展而趕拍，迄目前始殺青，並未上演，該片又同時與「蕩婦與聖女」一片參加法國坎城國際影展。）對於前一部片子，還能令人明白[illegible]，但後一部片，不知究竟是用何種理由來決定的，片子已由少數人決定了，陪同去的人選也已決定了，[illegible]請「勿把杭州作汴州」，你們此去，是參加影展呀！

△　△　△

台灣文壇點滴

白話文煞費思考？

日前台北某大報記者，前往台灣大學文學研究所，訪問現在該所一年級從事文學研究的琉球籍研究生新川千[illegible]，請他略抒對於中國文學的感想，新川千之當時除對該記者，表示他是如何如何的喜愛中國詩詞之外，並透露「我讀中國文言文較之白話文容易，白話文常使我煞費思考」，這是新川千之[illegible]坦白的談話，但是令人聽了無限感慨。事實的[illegible]出奇，一個能夠閱讀艱澀的中國文言文的人，竟然對閱讀白話文感到不容易，那麼我們的文字爲什麼要白話呢？

冷落的詩人行列

在年前，胡適之先生因爲看不慣一般青年學生也趨於功利主義思想之作祟，大家[illegible]，一擁而[illegible]理、工、醫科等實用學科的不正常現象，曾經發表感慨，假如一個富有詩的天才的青年，只爲了要出路好，[illegible]，結果在[illegible]多了一個五等的[illegible]，在文學界可能少了一個一等的詩人，[illegible]

·耿耿·

風雨樓繪畫叢談

迂頑

結語

近代四十年間，由於民國初年西洋畫法的開始被接受，相同中國畫受到西洋畫的影響，相當之大。

西洋畫的兩個主要原理，色彩和線條。爲了色彩和線條，[illegible]西洋畫家會分爲古典、寫實、唯美、自然、浪漫、寫實主義等各派，這在西洋美術史上是兩種理論的極端。那三派重視線條而不重色彩，它的理論基礎是藝術有藝術的獨立價值，所以爲藝術而藝術，後四派是重色彩，它的理論基礎是人生爲目的，凡無益於人生的藝術，都不算是藝術，它們亦被稱爲人生派。[illegible]宋元各朝的畫法極爲近似，這派亦與三千年前古代畫理頗爲相同。可是以線條色彩來劃分派別，其爭論之點自不相同。[illegible]那樣精微。[illegible]別，不過它的繪別是在於設色。[illegible]和善惡之誠。然而，現代一部份是用西洋畫法去寫中國畫，[illegible]

中國繪畫才有六七千年的理論積累，經過六法，六要，六長，三病，十二忌，[illegible]白描，乃至以墨入畫，[illegible]不可不知道中國的畫史，更不可不知道中國現代畫論，[illegible]想來一般畫者最近的希望，能在於怎樣改變中國畫，怎樣學習中國畫？抑或在於中西繪畫的優劣，中西畫法的異同，乃至中西畫法的歷史演變，如果我們可能的話，在將來我願寫些我的一得之見。（廿六、完）

短篇小說

得失之間

·童眞·

京都的金閣寺和銀閣寺，[illegible]閣的富士山……好，他不久就要回來啦。」

邵璧露[illegible]那些小小的店堂內，也跟學那些歌星明星的腔調，哼哼一曲兩曲歌。然而，許佑還沒有回來。

「他事情沒有辦好，還要耽些日子！」邵璧露對郭慕周說，「不過，[illegible]」

許多日子來，他連訊息都沒有寄來，[illegible]說話了，臉色也一天比一天憂傷。有時，在店堂內坐上好久，一句話也不說。

「邵小姐，許佑還沒有信嗎？」郭慕周同情地探問她。

「沒有，我很擔心，可會發生什麼意外？例如生病，車禍……」她恐懼地。

「不會的。」郭慕周說。他想，假如當真是車禍或者害病，怕的是那些對她更壞的意外，「小姐，你也不要整天惦着這件事，影響了健康。」

「我會嚐盡苦不了這種日子！」

「找一個事情做做，在外面散散心。邵小姐，我相信這些日子過去你會有什麼訊息的。[illegible]要這樣，勸你？」

邵璧露低下頭，[illegible]身子：「謝謝你，郭先生，我願我去試試看。」

[illegible]郭慕周[illegible]璧露於「暖心痴等待」這一點並沒有嘗試成功。邵璧露有幾次提到許佑時，眼睛就發紅。有一天，她終于忍不住在他面前發作起來，[illegible]他從許佑的朋友那裏得到了消息：他再申請延長居留日本三個月的原因，是由于他戀上了一個日本舞女。

「一個舞女，」她洗着淚怨懟地說，「爲了一個舞女，他竟可背棄了我！」

「邵小姐，你平靜一點。」

「你想的到嗎──你想的到他會這樣嗎？郭先生。我跟他已經相戀了好幾年了，我一直都相信他，我從來沒有想到他會變心！我待他多好，愛他多深，但他都忘了。」

你想的到嗎？郭慕周想：你想的到嗎？我跟他已是十幾年的老朋友了，我從未懷疑過他，我爲他冒險犯難，但他卻昧着良心賴了債！

「邵小姐，這眞不敢叫人相信，不過，我卻以爲一個要變心的男人，倒會瘋迪早些變心──千萬不要等到他做爲你的丈夫時再變心。」

「唉，郭先生，你的話不錯，但這到底使我太傷心了，我不知怎樣安排自己？」

「忘掉他，從心裏拔掉他！」他斬釘截鐵地說，又像對自己說。「重新開始新的生活。」

她收斂眼淚，迷茫地望着他，然後，站起來，向外走去。

「邵小姐，」郭慕周喊住她，「我有一段往事想給你做個借鑑，不，或者說，我有一件事想告訴你。以前，我以爲牠會給你添上痛苦，如今，我卻以爲牠會給你減輕痛苦。」

她走回來坐下。郭慕周本就坐在工作檯旁──檯上放了一架拆開了的標準牌收音機，一些零件和修理器械──邵璧露則坐在他的斜對面。他呆呆地望了收音機好一會，這才開口說：

「邵小姐，你瞧，這架收音機就是我從前服務的那家電機廠的出品。我其實是很愛那個工廠的，就像現在，我熱愛這爿店、這個工作一樣。」

她不言語。

「我也愛名譽。我說這話，或許會使你發笑：那末，那次我爲什麼會盜用廠款？對，我今天要告訴你的，就是這一點。」

她略略把臉探向前些。

（七）

自由人
THE FREEMAN
（第八五〇期）
中華民國內政部登記證台誌字第一零二號
中華郵政登記認爲第一類新聞紙類
（半週刊每星期三六出版）
每份港幣壹毫
台北市零售價台幣貳元
社址：香港高士威道二十二號四樓
20 CAUSEWAY RD. 3RD. FL. HONG KONG
TEL. 771726
承印者：南興印務公司
台灣總經理處
海外總經銷：友聯書報發行公司

回顧拉薩之戰

黃震遐

七月拉薩之戰，倉卒起義的西藏抗暴革命軍被共軍擊敗，使西藏革命運動中遭挫折。關於這一次戰鬥的經驗教訓，各方尚少提及。目前檢討西藏問題的分析甚多，西藏的抗暴運動亦正在青康西藏的其他地區繼續發展，給了中共許多麻煩。可是拉薩一戰過早失敗的影響，卻有重要的意義。

拉薩之戰和匈牙利的布達配斯脫一戰有許多地方不同。拉薩靠近印度邊境，得地利之便，應可獲得國際上的積極支援，在拉薩南方的羅卡山區中，拉薩的革命勢力應可與另一枝實力雄厚的康巴族密切聯系，合圍拉薩。增強攻擊的力量。第三，革命軍應可首先攻佔拉薩附近的共軍機場，根絕共軍空運增援，最後，革命軍似極不宜正面攻擊拉薩城內共軍的堅固據點，而應加以長圍，斷絕共軍的水源，迫其投降。當然，革命軍要改取較完整的戰略，可能會受共軍空軍大規模的轟炸，也不一定能夠獲得國際上的外來支援。但是革命軍如能做到把拉薩地區的少數共軍完全孤立包圍起來，同時達賴如能暫留山南的康巴總部担任總指揮，而不過早地投奔印度。則西藏問題所能引起的世界性反應，必有不同，至少可以獲得部份志願軍的參加。鑒於此，我們必須批判西藏革命當局所選擇的戰略方式，有很大的錯誤。這些錯誤是值得檢討的。

拉薩處於鐵幕的邊緣地帶，南通印度。空程距離邊區僅六百哩。擁有難得的地利之便。拉薩如能堅持一個時期，當與匈京的情形不同，一定可以獲得空中支援。一九四四年十一月，國軍預備第七師在新疆邊疆的伊寧被蘇俄策動的暴衆長期包圍，由於蘇俄暗中自阿剌木圖接濟叛軍作戰，同時，切斷伊甯迪化間的交通，預七師守軍卒被消滅，新二軍的增援部隊亦被阻退，終於造成伊塔阿三區的獨立。此為「革命」發生在國境邊緣地帶而暗中獲得外力支援的成功例子。反過來看，這個例子很像拉薩。據「時代批評」關飛先生（甫自西藏來港）的西藏論文所載，拉薩的共軍僅有五十二師一師人，革命軍如能首先切斷機場，阻其空援，然後等待南山的康巴兵力趕到進攻，共軍五十二師的食水是不能維持很久的（當時大概已經沒有雪了）。拉薩革命實在有一個寶貴的機會。

參加拉薩抗暴的革命力量，似有地方武力幾個代本（團），三大寺的僧軍數千，少數提前入城的康巴族，和臨時武裝起來的數千民衆。這些雜牌兵力，很難統一作戰。一方面康巴族的主力，可能被阻於藏布江之綫，不能及時趕到，三大寺的僧軍則不願離寺出戰，致被各個擊破，試爲造成失敗的原因。但從拉薩識門以後共軍仍不敢離城出擊這點看，這些缺點可能仍不是具有決定性的。總之，拉薩失敗的軍事教訓，和布達配斯的不同。應該引起更多的注意，辛亥革命是由黃花崗，十月革命是由三月革命得來的。

赫毛矛盾的新估價

金思愷

不承認赫魯曉夫與毛澤東之間有矛盾，是錯誤的；同樣，一發現他們間有矛盾就斷言即將分裂的見解，也不一定的準確。追蹤其矛盾的發展，固然重要，但對于這種矛盾的適當估價，更爲重要，目前還在一心希望赫毛分裂的觀察家，原因就在于不曾認眞去作這種估價。這裏就這個問題作一簡略的討論，以供讀者參考。

矛盾的發展

一九五六年十月匈牙利革命以後，中共爲防止這種革命的再爆發，在國內搞大鳴大放，在國際反對大國主義；大鳴大放與集中制違背，反對大國主義則與國際主義相違反，若一任其發展，不特中共將變質，而且還會使共產國際分崩離析；因此赫魯曉夫反對毛的這種「右」的作法，形成了赫毛那時的主要矛盾。這個主要矛盾的特色是赫以「左」的立場反對毛的「右」的做法。一九五七年六月，大鳴大放失敗轉而反右派，毛的國內政策開始「左」傾；一九五八年五月，加強反對修正主義，清算地方主義，與地方民族主義，使得其國際政策亦猛烈「左」傾，這種對國內外政策的「左」傾程度，較之赫氏還要偏激，在國內搞人民公社，比蘇聯集體農場制度更「左」，在國際批判南共修正主義比蘇聯還要猛烈，這些事實都是毛比赫「左」的表現。赫氏一心致力於經濟發展超過美國的努力，在國內實行其幾乎與南斯拉夫相接近的制度，在國際則力圖使局勢緩和，因此又不願跟着毛澤東走，形成了他們之間的新矛盾；這一新矛盾的特色是赫以「右」的立場反對毛的「左」的做法。

如上所述，赫毛間的矛盾發展，按其性質可在一九五七年六月作一劃分，在此以前是毛「右」赫「左」，在此以後則是毛「左」赫「右」，這兩個階段的矛盾，具有完全相反的特質，絕不能混為一談。

當然，不管其誰「左」誰「右」，矛盾總是存在的，有矛盾就有分裂的可能，或者會有人作出這種結論。但是，必須注意毛的清算地方主義，與地方民族主義的事實，這種事實若把它提高到國際方面，當是反對民族共產主義的表現；既然他反對民族共產主義，那末若說毛將主動的與赫分裂，就不合于邏輯。

民族形式與民族主義

中共在奪取政權的過程中，有別於蘇聯的若干方面都結合着民族的特點，這些特點該僅是民族形式，却不能與民族主義混爲一談。目前中共的人民公社運動，就因爲中國大陸具有「一窮二白」的特點結合起要求向共產主義過渡的主觀願望而搞出來的，照說這也具有一些民族形式。但是，這種人民公社運動，當不能說是民族主義的表現。

在中共發展的過程中，我們不能說它從未有過民族主義的表現。但是，它這種民族主義的表現轉瞬即逝，因此，我們只能說它是某一階段的政策，並不能作爲他們的基本思想來看待。

民族主義的思想，對赫毛間的矛盾來說，該是毛要求與蘇聯分裂的原動力，而今，毛的這種思想既然並不强烈，則基于民族的主動要求與蘇聯分裂的原動力也不會太大。

毛澤東的野心

既然說，毛的基于民族的主動要求與蘇聯分裂的原動力不大，那麼何以不服服貼貼的跟着蘇聯走，要不斷的搞出許多矛盾這是什麼緣故呢？那似乎該注意到表達他個人志向的那首「沁園春」詞，詞中說那個勢力遠及歐洲的成吉思汗，只識彎弓射大雕，可見他的畢生願望，不會只求統治中國大陸，而是想在他的手中完成共產主義世界革命。

匈牙利革命以後，東歐民族主義勃發，雖然蘇聯曾出動軍隊鎮壓，但畢竟對于東歐國家的統治放鬆了一點，這反映着蘇聯對于共產國際間的政策「右」了一些。但在此時節，中共却提出了比蘇聯還要「右」的反對大國主義的表現。當南共修正主義的綱領草案提出以後的一九五八年四月裏，不管蘇聯本身具有修正主義與否，但至少已經在表面上領導各共產國家抨擊着南共，表現其「左」的立場，在這當兒，中共却按兵不動；它却要延遲到五月裏，方才提出比蘇聯還要猛烈的攻擊南共的言論，表示它的立場比蘇聯更「左」。這種先後比蘇聯更「右」更「左」的行動，表現着毛對赫的競爭，這種競爭當隱含着爭取共產國際領導權的意圖。

若說矛盾甚因是爲共產國際的領導權，那麼他必然不願意看到共產國際的分裂；因爲即使爭得了一部份的領導權，對於另外一部份的領導權的爭取却增加了困難，像史太林對南共一般，畢其一生的努力恐怕也不會達到。

赫氏主動分裂

據某些觀察家的論斷，認爲若干年後蘇聯將要求與西方國家聯合來對抗中共的遜迫，這種論斷，當是從赫氏主動分裂着眼的。從眼前來看，毛氏確實在用極「左」的思想爲武器來壓迫蘇聯，但爲着了爭取共產國際領導權，却不致于迫得赫氏走投無路而到達主動與中共分裂的地步。

在共產國家之中，思想壓力確有其重要性，但以共產國家間的關係來說，畢竟還是要以實力爲後盾；中共蘇聯間的實力對比相差懸殊，眼前中共若想以實力來壓迫蘇聯的可能性幾乎沒有。從去年中共的經濟發展來看，其速度可能比蘇聯快些，但是要維持這種速度，必須要有去年的「冲天幹勁」以及要維持限制人民的消費在去年的程度上方能辦到，要繼續的這樣做，可以說是不可能的；今年的經濟發展速度的規劃已經比去年減低甚多，這就說明了這一點。中共的大躍進可以斷言其前途的曲折尚多，因此，中共將壓迫蘇聯至向西方求援的程度之說，是不符現實的。

結論

如上所述，似乎已可斷言赫毛之間的矛盾確實是存在的，但若說將導致它們的分裂，至少在現階段來說是不可能的。當然，歷史的發展是曲折的，共產國際本身的思想則在激劇的變化，中共的政策又是如此的不穩定，對於它們間關係作遠期的預測當是一種冒險，這些該是本問題以外的話。

半週述評

尼赫魯正受考驗

在中共報紙中，尼赫魯現在成了「反動派」和「擴張分子」。

尼赫魯會被中共的威脅嚇倒嗎？尼赫魯會冒天下的大不韙，與中共妥協嗎？我想目前他是沒有這個膽量的。

但是，今天中共却把尼赫魯的弱點看得很清楚，假如，尼赫魯的政權不改變投機取巧的本質，那麼，中共對尼赫魯的恐嚇仍然是有「鷄」可「偷」的。

所以，在這一情形之下，中共對印度的攻擊必然繼續加強。

在西藏事件發展的過程中，尼赫魯正接受印度人民和世界輿論對他的考驗。因而，同時也是對尼赫魯個人政治生命成敗的最大考驗。

中共要印度幫忙

當然，在另一方面，中共情不自禁，迫不及待，不留情面，不得不攻擊這位「和平共存」的「友好」，是由于中共有更大的弱點，西藏問題不能依靠軍事力量解決，早有事實證明。如果拖延的時間愈久，中共的困難必愈多，中共與西藏人民的仇恨也愈深。

中共口口聲聲說，印度不應該「干涉中國內政」，這個宣傳，其實是澈頭澈尾的說謊。

事實上，中共目前攻擊印度的手法，正是要把西藏與印度攤牌，造成印度「干涉中國內政」的事實——當前的西藏局勢，中共不迫尼赫魯「幫忙」和「干涉」，有什麼別的辦法呢？

但是，尼赫魯在目前國內外輿情壓力之下，敢于「幫忙」中共嗎？即使尼赫魯「幫忙」又能夠鎮得住西藏人民的憤怒的反抗烽火嗎？這都是不可能的。

一個死結的關係

因此，在西藏問題上，我們看到了中共與印度之間十分微妙的關係：

一方面，中共攻擊印度的「干涉」；一方面，中共期待印度的「干涉」。

一方面，中共在急；一方面，尼赫魯在拖。

一方面，中共和尼赫魯都想保持「友好」；一方面，中共與印度的關係，目前變成了一個死結。

尼赫魯爲什麼不拖呢？他接待了達賴，將國內外對中共的憤慨與情緒暫時應付過去，現在他有的是時間，以逸待勞，再和中共慢慢較量。如果說，尼赫魯慣于「討價還價」，這不正是一個最好的「投機」的機會。

可是，這一回，不可能有尼赫魯那樣的如意算盤了。

·司馬璐。

自由談

強於何有？

馬五先生

英國政府決定斥資四千七百萬英元以從事「射月球」的太空競賽，理由是要維持強大國家的地位，不甘示弱。

戰後英國的經濟貧困已極，因而捨命主張跟俄共集團和平共存，貿易通商，爲着攫取商業利潤，常常犧牲正義公道，一面以戰略物資供應共匪，一面將弱小民族國家作爲對俄共集團姑息妥協的犧牲品，同時經常發出反對戰爭之聲，那種害怕戰爭的心情，實已到了瘋狂的程度！至於核子武器這項消耗鉅資的事業，也許由於財力有限，只好讓美國人去孜孜汲汲，硬要打腫臉充胖子，表示強大國的架步，甚至於「射月球」這類玩藝兒，亦不肯後人，以四千七百萬英元的數字來說，英國商人想在中國大陸上賺得這筆貿易利潤，不知需要若干歲月，費盡幾許心血，還要犧牲多少不可告人的虧心之事呢！

發展原核子武器，以及放射人造衛星這些工作，都是基於備戰制勝的目的而然。英國既畏戰如虎，見着美國運輸機在柏林高空飛行，亦指爲有引起戰爭的「愚蠢」行爲，幹嗎又對於軍備競賽不惜悉索敝賦，教人民束緊褲帶，樂此不疲耶？若說這是號稱爲世界強國的必備條件，尤屬毫無意義。英國害怕戰爭的心理既然那末強烈而堅決，縱有最優越的現代武器，也不過擺樣子而已，即想嚇嚇俄帝一下係無用之長物，俄帝只是害怕美國人一旦「發茅」，用核子武器捧它。至於英國，如非是美國的強大軍力在英倫和西歐庇護着，俄帝心目中殆如上海人所說：「談阿弗要談！」英國要以核子武器來表示強國地位，充其量只能在自由世界人類之前，充充殼子，藉以對俄共集團搞搞妥協運動，強於何有哉？

初中應否取消英語課程？

余鳴時

（台北航訊）自從行政院王副院長雲五最近在出巡台灣中南部時，途次桃園曾公開提出初中取銷英語，增加國文課程，以提高學生國文程度的主張後，立即引起社會各方，尤其是教育文化界的廣泛注意；於是報紙和電台紛紛提出討論。

與論與教授的意見

其中以台北新生報爲最熱烈，連日以寶貴的篇幅，廣闢專欄，公開發表專家學者及社會人士的許多意見，可見大家對此一問題的重視。新生報並綜合各方意見，發表結論說：「一是認爲初中英語課程不宜取銷；二是認爲中學英語教學應加改進」。同時，台大、師大和政大英語教授會約農、梁實秋、英千里和沈亦珍及學生家長張有林等均強調說：「學一種外國語言，還是從年紀愈輕的時間學起愈好，如果初中廢止英語科目，後果值得考慮」。又說：「因爲學語文是要慢慢地打進去的，現代有所謂自然學語法，就是一種科學的方法」。更說：「不但初中要念英語，必要時，在高小五、六年級，也最好能加一部份英文課。至少可以斷言：如能在這階段增加一部份英文課——單字及簡單的發音原則的講授，對莘莘學子將來升學的幫助是很大的」。

舊學制時代的英文課

不久以前報上曾登載過：台北市某私立幼稚園及小學均有英文單字和發音的講授，教育主管機關獲悉後，立予下令糾正。有人說是矯枉過正。也有人說台北市中山北路的美國小學，所收學生華洋雜處，中英文併重，政府充耳不聞不問，未免厚此薄彼。更有人說：幼小學生在四至十歲之間是不宜讀英文的，應該禁止。見仁見智，各有千秋。其實處今日之日新又新的世界社會中，空間與時間均日見縮短，中外人士接觸頻繁，彼公認爲第一世界語的英文，其重要性不言可知。以筆者而論，過去在四二學制時代的高小兩年（等於今日國民小學五、六年級，也就是高年級）中，便讀完了周越然編的商務印書館印行的「英語模範讀本」兩厚册，等於今日初中三年和高中一年之四年的英文程度，於是，英文的良好基礎便奠定了，其後在高中和大學均不會感覺困難。因爲，孩子們年齡小，模仿性強，聲帶軟，容易學，記憶力高，可收事半功倍之效。英語如此，其他語言亦不例外，現在台灣的小孩，尤其是學生，無論台籍或內地各省籍，都會說流利的國語、台語、普通話和他（她）們的父母親屬的家鄉方言。至於年逾十五、六歲的青年（包括高中學生在內），要開始學一種語言，便比較困難得多了，這是鐵一般的事實，不可否認的。

由此可知學習語言問題的重心，完全在師資、教材與教學方法的良窳，及年齡和環境而了。目前教職員待遇較一般爲低，好的不願屈就窮教員，夾雜者有之，爲增加收入計，而兼課太多，長日東奔西跑，有時甫一下課即走，乃至時常因故缺課，或僅上半課，日間教課忙，晚上批改作業忙，人總是人，精力有限，疲勞竟日，不免上課時無精打彩，語無倫次；批改作業時，馬馬虎虎，甚至不予批改，僅大筆一揮「閱」字了事。考試時指示範圍，或事先公開試題，分數隨給，爲了討好學生及顧全本身榮譽計，不得不如此。試問師生間除上課外，很少接觸，既不能建立師生間的情感，學生有疑難時，又無發問請益的機會，學生程度如何會好，此其所以英文、數學和國文等程度普遍低下之最大原因。學生的程度並不會因初中廢除英文課就能提高的。

「自由中國」被控案續聞

（台北航訊）「自由中國」雜誌被控「誹謗」案後，又復受到省新聞處的警告，以該雜誌違反出版法第十三條及二十條。按照出版法三十八條二款「不依第十三條或二十條所規定之記載，記載不實者處三百元以下罰鍰」之條文，得爲行政處分。省新聞處雖尚未依法辦理，輿論認爲是「火上加油」之舉。

據悉：三月二十五日下午，台北地檢處檢察官謝俊峰，票傳自由中國雜誌發行人雷震及原告陰伯現，開四次偵查庭，傳訊達兩小時之久，[illegible]軍中有黨部與有何證據可以證明軍中有黨部等等，[illegible]。據告訴人陰伯現是自由中國雜誌雷震於三月九日向地檢處提出辯狀後突然增加的，他的官職是中校，任職於國軍三民主義講習班訓導主任。

現在，此間有人懷疑雷震會敗訴，自由中國雜誌的命運也難卜。自此案發生後，台北的新聞報人莫不小心翼翼！　問仁

越華文報聲援西藏抗暴

（西貢通訊）西藏人民最近紛紛揭竿而起，西貢華文報界一致評論，籲請自由世界給予這抗暴運動以迅速而有效的援助。

西貢華文「自由報」說：「西藏事件揭開了大陸人民暴起抗暴，推翻秧歌王朝的序幕，自由中國政府應迅予有效的支援，使西藏地區性的抗暴運動，擴大成爲全國性的反共鬥爭。」

「遠東日報」指出：「由於地理環境的關係，此次西藏的抗暴運動，假如有了適當的外援，必能擴大和延續下去。因爲西藏地廣人稀，交通不便，比諸大陸內地各省，非經過相當時候，實不易加以控制。更兼西藏人民誓死保持他們的生活方式，宗教自由和自治地位，此種狂熱的心理，亦不易加以征服。」並認爲「如果西藏的反共革命能夠堅持一個相當時期，則大陸內地各省的人民自必聞風而起，只要燎原之勢一成，國軍自可策動反攻，以收裏應外合之效。」因此該報呼籲自由中國與及其他的自由國家，應該加以切實的支援。

「世界日報」認爲拉薩之戰，已不僅是同族的反抗運動，由於此次衝突是從保護達賴安全而起，顯已逐漸形成全民反抗形勢。

「新聞日報」說：「匈牙利人民偉大壯烈的抗暴革命運動，最近又在我國邊區西藏重演了，其悲壯激烈情況，恐怕與匈牙利的反共革命不遑多讓。」該報最後大聲疾呼：「以有限的古老裝備的西藏人民，與擁有新式武器源源增援的共軍搏鬥，何異以卵擊石，其所恃者祇一股正氣與求生慾而已，我們忍看這百餘萬藏人，爲了正義與求生存而犧牲在共黨的暴力下嗎？（越自）

赫特往何處去？

•舒華章•

美總統提名赫特繼杜爾斯爲國務卿的消息傳出後，各方反響至佳。有兩件事情特別值得重視，那就是美民主黨人對赫特的態度，和英國報紙因杜爾斯引退而對艾森豪威爾和赫特的失去信心。[illegible]

英國報紙在杜爾斯的提名獲得參院批准之前，揚言艾氏既爲病夫，自難勝任鉅艱，現引用羅斯福總統戰時在巨頭會議時健康欠佳，爲其中史達林得計的主因之一，[illegible]主動地分訪莫斯科，巴黎，波恩和華盛頓後，直到今天，依然念念不忘高峯會議的召開，想藉倫敦的外交主動在今後國際周旋折衝之際，達成其確保西歐尤其英國的權益。因此表示一些姿態，以[illegible]注視英國對當前各大問題的意[illegible]示英國外交在今後的重要性。[illegible]果祇受一國外某種壓力，還易[illegible]受國內特別是在國會已穩佔優勢的反對，那就更吃不消了。以目下民主黨議員在國會的勢力，祇要一舉就能把重大議案推翻了的。因此艾氏任命赫特之前，遲疑復遲疑，就想確定一點——任命新國務卿不難，却要在保持兩黨外交合作的繼續，故在提名之前，先把在野黨的態度弄清楚，才好公開表露。而美國今後外交政策的動向，那就要看赫氏抵抗壓力的本領了。

試看杜爾斯前此對金門的言談，先後有不少矛盾的地方，他爲了討好民意，既說金馬必守，又說和共黨有商量，可見國務卿縱有大才能，在大形勢下，有時顯得捉襟見肘。不過跟着柏林危機再爆發，終于證實了杜氏當時認爲退不得的目光是夠敏銳的。

執行決策的外交當局貴能有目光有魄力，始足以面對不同主張的壓力。赫特走馬上任後，勢必碰到老難題之一即台峽危機是也。但最近他即須出國先開西方四國外長會議，繼與蘇俄外長會談，再進而商議高峯會議的召開。這些動的事象要親自出馬，都要當機立斷之處，初試新聲，即須受到重大的考驗了。

各方面依然認爲赫氏繼任是值得慶幸的人選，祇是看中了他處事每富伸縮性的優點，但這優點同時也是缺點，而英國方面則依然怕他受了杜氏的影響，其有堅定作風，會削弱其原來具有的伸縮性。因爲英人當前的外交特性，是妥協的是有伸縮的，亦即注重於如何促成美國與倫敦共同採取現實外交。在這方面，華府與英國每多歧見。

即使不是赫氏繼任，而由任何其他人士主持美國務院，其威望都是沒法子比得上杜爾斯的，也因此迫令在國會穩佔優勢的民主黨人於當前冷戰越形緊張當中，非聲言支持赫氏不可，亦惟有這樣做，才能夠發揮兩黨外交合作的積極作用。可惜目前美國外交政策不論在遠東或中東，表面看來尚稱堅定，實則暗伏着相當嚴重的觀望與等待的消極性。這種情況也成爲英國時刻企圖左右美國民意的客觀因素之一，怪不得赫氏這幾天談話言外之音，祇表示他將在技術上改進外交決策的執行，談不上加強自由世界對付共黨的外交措置。話也許言之過早，這樣看，他是有根據的。

關於台肥六廠問題

—敬復章垚先生—

台灣肥料公司

「自由人」本年二月廿八日第二版刊載章垚先生「多災多難的台肥六廠」一文，最後提出問題三則，要求台肥公司解釋，我們很感謝章先生對於六廠的關懷，茲僅逐項答復如下：

一、關於投標時報價基礎問題　按當時參加投標之工程公司共計三家，其報價情形如下：

	WAH CHANG	FOSTER WHEELER	H.R.I.
1.設計及採購服務費	七八〇、六五〇元	一、七五八、五〇〇元	六七六、〇〇〇元
2.氨製造特許費	一五〇、〇〇〇元	一七〇、〇〇〇元	〇
3.尿素製造特許費	四〇五、〇〇〇元	五三八、四五〇元	二四六、五〇〇元
4.監造費	一〇六、五三〇元	二六七、〇〇〇元	一四一、八二五元
5.設備費	九、一八一、九八五元	一〇、三四四、五二〇元	八、九二七、九〇〇元

以上各費，前三項是固定的，即不論建廠時期久暫，工作人員多少，設備費實需若干，均以此價承包，其中HRI爲最低標。第四項爲估計報價，即需隨派駐工地人員人數及工作時期久暫而調整，第五項則爲約估數字，因當時建廠設計尚未開始，一切有關細節尚未決定，工程公司對設備費用，只能約估，以供參考。

由此可見，當時各工程公司報價基礎是相同的。至於HRI得標後增加之預算三百八十餘萬元，什九係由於設備器材價格之上漲及海洋運費的調整，其餘額則爲建廠時期延長所增監造及督導開工人員的服務費。至於決標根據之三項費用，則並無增加。

以上各項預算之增加，均經ICA逐筆核准，其中HRI監造費部份，ICA及本公司並保留依仲裁方式或法律途徑予以追回之權。

二、關於HRI過去信譽與經驗決標前曾否調查考慮問題　這裏要首先提明的，是建造六廠的經費，除在本國所需當地費用外，都是出自美國政府。人家拿出偌大一筆錢來援助我們的工業建設，對於這筆款項的運用，自極審慎，所以不但建廠計劃需要該國援外機關——當時是國外業務總署（簡稱FOA，即現在的ICA）的核准，即招標決標也必須經過該署事先的考慮和最後的決定，纔能付諸實施。本計劃招標時，參加工程公司的名單，係先經美援技術顧問懷特公司的調查選擇和建議，再與該署討論後決定。而對HRI之技術經驗及公司信譽，亦經懷特公司詳加調查，並取得該署同意後始予決標。至於訂約，則係依照該署所定的規章，經過該署技術，法律，合約，主計等各主管部門與本公司及HRI等舉行聯席會議，逐條討論認爲合理，始予通過。種種手續，可謂已極盡審慎周詳之能事。至於後來因美國奇異電氣公司所製透平機及克拉克兄弟公司所製兩台氨氣壓縮機以及其他少數機件發生故障，以致影響試車，誠屬不幸！但此爲事先難以預見之事，嗣經逐步改進，已於本年二月廿四日開始生產尿素。基本障礙，可謂已告克服了。

三、關於責任問題　按台肥與HRI所簽工程合約，係按ICA核准之建廠方案，由台肥負責廠房建造，機器安裝，及在HRI督導下試車；而由HRI負責設計，採購，監造及督導試車。台肥所負建造該廠廠房及安裝機器等責任，已於去年三月間全部完成，並經HRI驗收，復函證明。至於目前之試車延期以及將來倘不能達到保證產量，自屬HRI之責任。

關於追究責任問題，正由我駐美大使館經濟參事及公司駐美代表稟承本國政府主管官署，會同ICA研究一切應採的法律步驟，絕不會漠視國家及公司本身利益的。

此外，尚須附帶一提的，是六廠建廠經費，美金部份包括設備，運費及技術服務費等一切在內，共計支出約美金一千七百餘萬元；新台幣部份包括當地器材採辦，土地購置，廠房建築，借款利息，各項稅捐等共計支出約二億九千萬元，其中只器材進口關稅及借款利息兩項，即佔約一億四千餘萬元，章君文內所說「實際已動用美金三千萬元」，與事實不符。該廠在目前的試車過程中，已證實所用方法確實可靠，將來正式開工後，每年可替國家節省肥料進口的外滙將近美金一千萬元之鉅，到時候，大家就會知道，它並不像章先生原文所說，「僅具美觀之模型」了。謹此奉答，希望章先生及海內外讀者亮督，並給予我們更多的支持和指導！

國際動態拾零

△四月三日，在柏林走廊上，蘇聯C九十七型飛機，在一萬尺高空，與美國運輸機，並行飛航，以資監視。

△美國爲維持其對柏林走廊有飛航權起見，高空飛航運輸，增加了百分之廿五以表示美國對柏林問題，有高度決心。絕不讓步。

△蘇聯在東北冰洋中程火箭實驗，本年共兩次，其第二次在四月間。

△艾森豪任命掛登爲共和黨主席，本遭該黨右派之反對，以艾氏之堅持，經參議員勃里奇之疏通，始能通過任命。

△艾森豪特改聘一位經濟顧問，專事整理國債。其人爲衛理福，曾任耶魯大學教授，及財政部之顧問。國債利息在一九六〇年預算上，爲七十億。

△古巴新總理加斯特羅訪問美國，公安當局不特須保護其個人，並須保護其衛隊。因其衛隊皆爲行動隊，與前任總理一派人之駐在美國者，結怨甚深，隨時可遇不測云。

△教皇代表與蘇聯正教代表在中東甚至在羅馬秘密會議，俾俄人得以參加教皇約翰廿三世所召集之偏機會議。但此事毫不樂觀，因正教並不承認教皇之最高權力，且克里姆宮亦反對此舉。

•陶然•

尼赫魯的美夢

自拉薩革命以來，印度總理尼赫魯發表了多次講話，要算以最近兩次講話比較切乎實際。

四月十三日，尼氏在北方邦哈德華地方的賈瓦拉漢爾大學發表演說，他認為：「西藏發生叛亂的原因是有些人傾向於堅決地希望堅持古老的傳統和制度，而另外一些人則希望進行新的。」「正確的政策是兩者結合的政策。」這是尼氏對于解決西藏問題的第一個觀點。

四月廿四日，尼氏又在馬德拉斯說出印度本身在對待西藏問題時的三項原則：一、注意本國的安全，二、維持與中共的友好政策，三、人們對於西藏人懷着同情。他希望中共「又承認中國對于西藏的宗主權」，但也希望中共「給予西藏以充份的自治」。這是尼氏對于解決西藏問題的第二個觀點。

尼氏就是希望中共給予西藏以充份自治，西藏政府則採行新舊結合的制度，來解決西藏問題。然後再進一步達賴喇嘛回藏。

美夢已粉碎

最近中共在「人代會」上猛烈抨擊印度，其抨擊的要點：指責帝國主義「分裂中國」，反對「西藏獨立」，指責「承認中國的宗主權，但是不許中國干涉西藏的內政」的主張，只是不許中國干涉西藏的內政；而「改革」迅即將協商實行。這兩項措施無疑的針對尼氏的解決西藏問題的兩個觀點而作的無協商的可能。由此看來，中共與印度間對於西藏問題前一晌的，中共之對於印度的沉默，當是因為尼氏還未表明其對於處理西藏問題的觀點的緣故；現在，尼氏既已表示了為中共所不能接受的實際態度，於是中共開始抨擊，使尼氏的美夢幻滅。

中共儘管是如此的抨擊印度，但我認為，它們也是不會因此而決裂的；因為中共到目前，還未舉行遊行示威等惡作劇以示反印，大概是在有所節制的。

尼氏的錯誤

我們並不認為尼氏對於處理西藏問題的觀點本身錯誤，而是他的出發點與執行後果方面具有錯誤。

尼氏所以提出這樣的觀點，最大的理由，我相信是甚於印度本身的安全，印度政府的安全，如是希望西藏能夠不放在裡面，而同情西藏人，雖讓他所說一般就算是同情西藏人，雖遭尼氏所說……？還有，所有的共產黨都是唯物主義者，它們的擴張是基於馬列主義世界革命，因為獨立處理一個什麼就可以不感覺其擴張威脅？若果中共根據尼氏的觀點來處理西藏問題，試問如何執行？難道中共會接受一個國際監督？這樣無補於實際的說話，徒增糾紛，這不是有識見的政治家所應為。〇田心〇

台山紅旗人民公社逃港僑眷談
中共奴役 剝削台山僑胞真相

（本報特稿）以整個大陸的僑鄉來說，廣東的台山縣是僑眷、歸僑最集中的一個區域，因此，中共對於台山縣的一切僑務工作也特別地加以注意，當然，其本意不是為了台山僑鄉人民的利益，而是以便於利用、剝削僑鄉人民。去年中共對台山地區僑務工作的剝削，又無力反抗。

中共在全國僑務工作會議召開後，召開了廣東省第三次全體僑務工作會議，由中共的「華僑事務委員會」的副主任方方領導出席這個會議，江門、台山四縣市政機構參加，其目的是要加強對於這個僑鄉地區僑眷、歸僑的管制工作。「調查」的主要地區就是台山。

中共在這個會議上決定了在人民公社化運動中有關僑務的政策。因為在人民公社運動開展以來，海內外僑胞對「人民公社」都極為恐懼，對一切生產資料、存款、衣服、家具等，都擔心被公社所沒收，僑匯和銀行存款，仍然是私人所有，中共保證他們的所有權，但事實上，這種諾言在台山公社化之後，不是都已成為一張廢紙嗎？因此，在台山「紅旗人民公社」逃港的僑眷們透露了中共的真面目。

首先，所謂「僑匯歸私人所有」的情形是：凡是僑眷有了海外的匯款，那政府或銀行人員是將之匯款直接送到受款人的手中，而是交給公社。再由公社幹部拿了匯款收據叫受信人簽字，並且一定要寫回信到，稱：「款已收到，以後可陸續寄來，人民政府保護僑匯……」等，以欺騙海外僑胞繼續匯取外匯。而實際上，這些僑匯都凍結在銀行中，雖然在名義上是歸私人所有，但私人是不能動用的。唯一的用途，是將之「捐獻」給人民公社。

紅旗人民公社的歸僑僑眷就經常受到這樣的勒索。如：紅旗人民公社中石橋管理區的僑匯委員會主任劉雷，強迫僑眷、歸僑伍偉瓊、伍留穩等人和其他僑眷，向人民公社「獻禮」，一天就得了一千三百餘元的人民幣。並將該社僑眷所存的港幣二千八百元，強迫繳歸人民公社作為支援購買發動機的「獻禮」。

又如：該縣的陳邊管理區的僑眷，一天之內繳送人民公社的僑匯存款，就有人民幣五千零七十八元之多。又以迅速實現機械化的口號，叫僑眷、歸僑「支援國家建設」，認捐購買拖拉機人民幣二千五百元的價款。紅旗人民公社更以「獻寶」為名，壓迫僑眷、歸僑將家中所存工業原料器材獻給人民公社。

如：該社的步沐管理區僑眷黃惠雲、雷翠娥和其他僑眷，把私有的縫衣車六架拿出來「獻」給人民公社，成立人民公社的縫衣小組。並規定她們代社員義務縫補衣服。

中共除了剝削、搜括僑眷、歸僑的財產以外，對於他們並一律地強迫參加勞動，甚至八十歲的老人也不能倖免，也要被中共驅使去作「體力所能及的勞動」。如南陽村僑戶十七戶，松江村七戶，都要他們個個出動。而僑眷蔡寶杰的女兒，不能勞動，也硬脅迫她參加勞動。

這位來到香港的僑眷說，現在歸僑僑眷在鄉下難以做人，因為中共將他們認作是「二世祖」，是直接和資本主義國家有聯系的人，各方面都受到歧視。

從中共的矛盾的政策上來看，也可以證實這位僑眷所說的話的真實性。中共一方面要歸僑僑眷「養成勞動的習慣，做一個自食其力的人」，另一方面却又要僑眷向海外僑胞要僑匯。試問，僑眷既已自食其力，再要僑匯有什麼用？還不是全都「獻」給中共嗎？這是中共自己所暴露的矛盾。中共雖然千方萬計地掩飾其掠奪僑眷和歸僑的事實，但總是隱瞞不過去的。

大陸文壇透視　七弦

「語言大師」撞板

中共用地方政府的名義給老舍加上「人民藝術家」的封號，用意在抬高他的招牌價值，和電影院戲院的門頭招牌一樣。……

老舍過去在中共盛時，並不曾把老舍放在眼裏，而郭沫若、茅盾等也不把他放在眼裏，只因為他是「非黨文學家」中的頭號人物，一面，郭沫若們把他推作「文學家」，一面，中共在他的「茶館」劇本演出之後，便把他捧作「語言大師」。從此，老舍就以「語言大師」之名聞於世。

……然而「人有千年旺，神鬼不敢欺」，老舍那樣的「榮譽」，竟然得不到像一個三十年的努力，竟然得不到像……

六月六日關於語言問題的社論撐了腰，那社論曾說：「我國現代語言比古代語言更為豐富，更富於表現力了。毛澤東同志和魯迅先生，是使用這種活潑、豐富、優美的語言的模範。」像如毛會，還儼然「模範」，何物老舍，竟稱「大師」，於是馮雪峯就當面指着老舍的鼻子，說他寫的那幾個劇本不通！這是後來五七年反右派鬥爭馮雪峯時老舍在大會上透露自己說出來的。其次是他的「方珍珠」在廣承志主持的「青年藝術劇院」演出之後，曾舉行討論，朗誦之後，大家認為「很壞」，使廣承志感到頭痛。一見路翎寫給胡風的私信，至於「春華秋實」一劇寫成後即發生了問題，曾遞轉到北平市長彭眞和國務院總理周恩來那裏審查，一直改寫、重寫了十幾次。這樣一來，他一直不敢動筆，尤其幾次文藝整風的軒然大波，更使他膽戰心驚，避之惟恐不及。好在馮、胡都先後被鬥垮了，主要反對他的黨員作家已不存在，他才舒了一口氣。

五六年他受了公安部長羅瑞卿的命令，以五五年捕獲的大騙子李萬銘為題材，寫出了「西望長安」，事件本身就夠可笑，再加上他的插科打諢，大力渲染，所以演出時居然轟動一時。繼於五七年又寫出了「茶館」。這兩個劇本，老舍都在含沙射影，諷刺中共，藉此一吐數年來之幽憤，五七年筆者曾寫「老舍變劇刺紅朝」一文，收在「大陸文壇風景畫」內，這裏不再贅述。（廿一）

中共仍不放過丁玲 她的作品又遭批判

已有三十多年中共黨齡的女作家丁玲，自從前年「鳴放」以後，突被中共公開指責為「右派反黨份子」，將她遣送到黑龍江省極北部去墾荒，以「勞動改造」來折磨這位知名女作家。丁玲雖被指責為「反黨份子」，但又因她曾獲得蘇聯頒發的「史太林文學獎金」，頗為尷尬，故遲遲對「太陽照在桑乾河上」一書難下手批判。

但，為了消滅丁玲在全國人民中的反黨的影響，必需批判此書自屬肯定。一九五九年第一期北京出版的「文學評論」雙月刊，有署名王燎熒的「作者（指丁玲）不能沒有寫出真實的農民形像，也沒有寫出過偉大的農民。」「作者寫鬥爭地主的農民，不是『抱拳頭』，就是『瞪眼睛』，每次出場都是『人似的』，簡直就像一個瘋子。」全書的結構沉悶，敘述過多而呆滯。」照這篇評論看來，這應該是一部一錢不值的「壞書」，如說當時的人是瘋子，那末當時提名的人和頒獎的人，其歇斯底里，就更苦於可憐的丁玲了！（裕）

瘟君夢

第二回：密室定奇謀 蒼生塗炭 巴山留遺恨 弱絮隨風

賀龍一聽到什麼唯物論，辯證法一類名詞，人就嚇軟了，坐在沙發上，不敢再開口。

林伯渠笑道：「目前只有這一條路可走，大家要協力同心渡過難關，尤其要把思想搞通，不要再談到人民怎麼樣，老實講中國沒有了共產黨，光是人民又有什麼用，好在中國人口這樣多，多死些也是解決經濟困難辦法之一。」

羅榮桓點點頭：「一點也不錯，理論一定要和實際相結合，國際上反動學者馬爾薩斯的人口論，說什麼人口增加是幾何級數，糧食增加是算術級數，指出這是世界上嚴重的問題，我看這本書的時候，我們還在瑞金，我曾經和幾位同志講過笑話，如若把馬爾薩斯懷到蘇區來實地考察一下，他回去一定要把他的大作燒掉，就以瑞金一個縣來說，原來也有十五六萬人，到了我們長征前夕，這五萬人都沒有了，這不是按幾何級數增加，變成了按幾何級數減少了，人口論到了蘇區豈不是就破產了。」

毛澤東非常欣賞羅榮桓的話，向空噴一口煙圈，緩緩說道：「榮桓同志，你這種計算方法是讀活書，讀來才有用，我所創的馬列主義中國化就是這個方向，老實講，我並未從頭到尾看過資本論，但是我知道馬列主義就是這麼一回事，我最怕聽人講老百姓餓死了怎麼辦，講這種話的人，就是讀書不化害了他，試想我們有六億人口，就算餓死一半吧！世界上除去印度，還是以我們的人口最多，怕什麼？」

林伯渠摸摸鬍子，繼續諷說道：「主席的道理精確極了，我現在才發現一個道理，我們在蘇區所以能安然渡過難關，人口減少也是助力之一，因為人民餓死了，才沒有人和我們爭糧食吃。」

譚震林站起來說道：「關於農業增產問題，主要在訂出一個指標來，要增加幾成，至於處理方面，我只是農村工作部副部長，還要和鄧子恢同志商量下才成。」

提起鄧子恢，毛澤東不由得氣又撞上來，厲聲說道：「和他商量作什麼？這個東西最沒有良心，我把他提到中央領導幹部，他居然帶頭反對我，我辛辛苦苦建立起來的農業合作社，他竟敢下命令解散，光是浙江省就解散了四萬五千多個，佔總額百分之八十，差一點全盤計劃被他打亂了，你說氣不氣死人。」

譚震林苦笑道：「他是我的上級，有關這樣重大的問題，我怎麼能不和他商量呢！」

毛澤東聽到這句話更惱，頭搖得同播浪鼓一樣，連聲說道：「不用理他，只管放手去作，有一天我會讓你變成他的上級。」（卅一）

岳騫

澳門海面緊張一幕
七口之家慶獲自由

澳門消息：四月十四日下午三時許，又有男女四人攜同小童三名，駕輕舟一葉，衝過了中共馬騮洲的封鎖綫，飛棹來本澳，在抵達媽閣海面時，突然給中共駐在灣仔的炮艇發覺，自後啣尾追來，尚幸距離很遠，小艇拚命划至離岸十碼之處，船上逃亡者乃抱了小童跳下海中泅遊埋岸，因當時炮艇已迫近，情形是十分緊張的。其時幸好駐在附近的水警輪也聞訊前來執行領海警戒，同時岸上觀衆，也高呼泅水的逃亡者游向附近海面船塢方面掩護，結果進入澳門領海的中共炮艇只得知難而退。

七個逃亡者上岸後，立即獲得附近魚欄及商戶七前救護，並且贈送衣服和麵包給他們禦寒和充飢，最後由水警帶返港務廳落案，據說：他們是一家人，來自中山八區的農戶之家。（賁）

釋耒集

不久之前，一昔年退處之達官，自新大陸歸抵香港，此間若干報紙，相與傳揚，謂其于某銀行揭款若干億，行將投資于本港工業云云。此消息確否，不可得而知之，但若干億之數字，措大聞之，固足動心，而昔日飢餓兵上戰場，學生教授，遊行以反飢餓，洋場十里之上海市，日日言打老虎之往事，遂不期重復顯現于若干人之腦際；今宗國淪亡，我輩遂成喪家之犬，纍纍然無所億計，而當年之達官，猶得優游卒歲，出其藏金，以操奇嬴，較諸歷史上之亡國，其親貴大臣，輒受巨禍，尤不可以同年而語，則實拜外國銀行之所賜耳。

歷史教訓

按明徐鼒小腆紀載：「甲申三月，流氛信逼，上授閣臣李建泰劍鉞，解蟒衣玉帶賜之，送之上馬，然所資之餉甚少，不數日寇至，建泰不敢當寇來之道，滑于旁縣避之，繼其直抵京師，遂有三月十九日亘古未有之變，……滿師入關，當寇敗之時，亂兵入宮擄掠，見內藏銀磚，一塊重五百兩者無數，其元寶大錠，滿貯庫中，約略計之，尚有百億，亘珠亦滿庫，亂兵以及袋盛之。又餉絀之際，曾貸之國丈嘉定伯周奎，奎吝嗇，又奇吝，平日不肯費一錢，不得已，諭以三萬金圖，後流賊破城，盡行獻出，凡計白金八十餘萬兩，黃金二十餘萬兩。」以今日之事論之，使當日而有外國銀行，及現代之交通工具，則思宗可以不必自縊于煤山，周奎所斂之金，亦當納期妥慎存于保險箱中，不致落于亂兵之手矣。居常無事，偶喜涉獵國史稗聞，間及稗官紀錄，乃深疑歷史事實之不足爲後人殷鑑。即司馬溫公，兢兢于興衰理亂之蹟，以編通鑑，亦徒然而已矣。

又明史李自成傳云：「賊無他伎倆，到處先用賊黨扮作客商，四處傳佈，說賊不殺人，不愛財，不奸淫，不搶掠，平買平賣，蠲免錢糧，且將富家銀錢，分賑窮民，頗愛斯文秀才，迎者先賞銀幣，嗣即考校，一等作府，二等作縣……于是不通秀才，皆望做官，無知窮民，皆望得錢，拖欠錢糧者，皆望蠲免，從保間民謠，有『開了大門迎闖王，闖王來時不納糧』，等語，因此賊計得售，賊胆益張。」今吾人之失國，雖曰事過情遷，若此所云種種，則莫不歷歷如昨日事，而我諸治史權威，日修言地下史料搜尋，耗其心力于爛煌殘篇之臨摹，殷墟朽骨之推究，其無補于大局，亦猶日日言危微精一，而置四海困窮于不顧之覆轍耳，嗟乎！新亭隕涕，期收泣于何年？吠畝私憂，爲愴神于往事，我思古人，躬自悼矣！

曲齋

心韻集（五）

蠢才

李素

現在的老年人和中年以上的人，誰都有過年青的時候。在回憶中，誰不追惜那朝氣蓬勃，活潑多姿，神采飛揚的黃金時代！得意的事固多，失意的事雖也不少，但不管是甜酸苦辣，總還是津津有味的。往事如煙，我並不惋惜任何逝去的歡樂。我所珍視的只是從人生經驗中獲得的教訓。

想當年志冲牛斗，自作聰明，雖曾快意一時，卻換來無限痛悔。因我年輕時最大的毛病，在自視過高，尤其是初進大學的時候，稍爲多走了些地方，見了些世面，接觸了些人物，修習了些學科，翻了幾本亂七八糟的書籍和雜誌，便以爲已盡天下之大觀，而沾沾自喜。

因自己愛好文藝，就常常學人舞文弄墨，恣無忌憚，想寫就寫，詩詞歌賦及其他文體我都敢於嘗試。糟糕的是偶然得到師長們的誇讚與鼓勵，和編輯先生們的賞識，加以自己虛榮心重，發表慾強，於是就常有我的所謂「文章」赫然出現於報章雜誌上。啊，作品有人看見，文家還有價呢！我那時眞有說不出的愉快。得意洋洋之餘，就更加心豪胆壯，目空一切了。再加上有人邀赴文學研究會，文化界座談會，詩歌欣賞會，什麼聯歡會等等，再給在座的人順口捧了兩句，那還了得，我當眞就儼然以作家自居啦！聽人說「後起之秀」或「青年作家」，還覺得老大不高興，心裏暗想：秀就秀吧，分什麼先起後起？哼，「江山代有才人出」，難道老朽一定會勝過青年！

我如此自命不凡，當然就忍不住把握任何機會，發表一點自以爲是的意見。看見別人思想與自己不同，便覺得怪不順眼，總想口頭或用文字指摘一下，批駁一番，才覺痛快；既以爲非如此不足以炫耀自己的眞知卓見，博學多才，又以爲把別人壓低便是抬高了自己。還可以逢人便誇說：「你們瞧，某某某這篇文章不通，某某某這種思想錯誤，可是都給我駁倒啦！」於是我趾高氣揚，彷彿自己已是天下文章泰斗，一代宗師！

其實呢，往往是無端自取其辱，沒有駁倒人家，反而暴露了自己的荒謬絕倫，根本還不夠資格看懂別人的文章，只會望文生義，瞎猜一通。因急於要顯本事，出鋒頭，便找着一兩個自己覺得不順眼的字句，死命的咬它一口。可哀的是，人家不痛不癢，吃虧的竟是自己。我現在回想，還覺冷汗涔涔，臉紅耳熱。我猜想當年準有不少讀者會在旁邊爲我笑掉了牙。啊，我的天，可憐我的幼稚，我的淺薄與狂妄吧。我不必太坦白，再說下去會更難爲情。

僥倖，命運果眞可憐我，給我機會離開偏促的環境，我擱下筆來，一擱數年，到更遠的地方去略開眼界。看了洋海是如何的淵深闊泳，看過眞正的學者們是多麼謙遜雍容，看別處的學子們是怎樣的沉甯如若，我這才深深愧悔往昔的浮躁囂張，痛改前非，於是開始轉變。尤其是近年來在國書館裏工作，更平添我無限的自卑感。面對那滿眼的書籍，眞比劉姥姥初進大觀園更感茫然與驚異。我跟數不清的舊書名和封面都是初次見面，更不必說內容了。我懂得什麼呢？當我讀完大學，我自以爲已經學了些什麼；研究院畢業時，我覺得自己是個迷途的旅人，老摸不着學術之門。現在更簡直是遙遙地站在知識寶庫外面的一個生客，原來我趨的是一輛倒車啊！

從書本上學來的不知是什麼東西，也不知怎麼樣去用，總之，我早就忘了個精光。倒是我憑肉眼仰望天空的日月星辰，俯視山河大地，似乎得到了一個最簡單的結論：宇宙間的一切，在錯綜複雜與千殊萬異中，各有軌迹可循，各安其份，並行不悖，各不相妨。所以在做人方面也不過是「和而不同」，各自特立獨行，而又互相尊重，無須盲從別人，更不必強人同己。其次是，我在人海中翻滾了幾十年，從生活經驗裏學到了唯一最有價值的知識只是：我淸楚地知道自己是個不學無術的蠢才。我之終於明白自己是蠢才，正如我放棄做強而自承是弱者同是我生命中的一種覺悟。我越來越自卑，這兩年來甚少拿出不成熟的習作來獻醜。近來承編輯先生的好意，約我寫點東西湊湊熱鬧，我才寫這「心韻集」供「自由人」補白。但我深知自己淺陋幼稚，劣性難除，常有狂想和謬論；大概文章也根本沒有寫通，致教人看不懂，致已往所引起的誤會已不止一次。故這一回爲預先設防計，特地在每一篇裏都聲明是蠢者的狂想。我既然自認是不正常或無理性的思想，則讀者當不至於跟我認眞。誰若是要在這裏找什麼有關宇宙觀人生觀的大道理，哲學、道德、政治之類，那是找錯了門兒；誰若是用正常的尺度來衡量，認眞咬住那一點加以批判和駁斥，那也等於跟狂人講理，徒勞無功，將是浪費筆墨。可是，我忘了這是火箭時代。空自設防，徒勞無功的正是我自己。這又一度證明我是蠢才。我忘了天道循環，「後之視今，亦猶今之視昔。」哈哈。

短篇小說

得失之間

·童真·

「如果一個人面臨的只是名譽和利慾，這倒容易選擇，可是，如果一個人面臨名譽以及友情——也可說是朋友的患難時，那就沒有這麼簡單了。那時候，我遇到的就是後者，我幾經考慮，覺得還是顧全朋友，其實在當時，我以爲即使那樣也並非就是留名譽于不顧呢！」

「我知道你是一個重視友情的人。」

「然而壞的是，我的對手却正是一個不重視友情的人，好像羊碰到狼，我是整個地墮入了他的陷阱。我把五萬元錢親手交到他的手上，但却像肉包子打狗——一去不回了。」

「他偷偷地去到別處，從此不再回來？」邵璧急切地問。

「不，如果眞是這樣，他倒還有一點廉恥之心，但他比這更壞。他仍留在那個地方，他就在我的面前，好像此刻我跟你一樣，面對着面，不過舌頭是沒有骨的，他一口賴得乾乾淨淨。是呀，我手頭哪會有憑據——當時，我總以爲什麼憑據都比不上寫在心版上的憑據更爲可靠。誰想得到他已丟失了心呀！」

「眞有這樣的朋友？」她純摯的心不禁爲之驚嘆不已。她望着他，雖沒說，但郭慕周却已明白她極想知道他的那個朋友究竟是誰。

「邵小姐，告訴你他是誰，要比告訴你這件事更會使你詫異，」他放緩了聲音。「他就是現在又背棄了你的許佑賢！你仔細想想，從我入獄時起，他可曾在你面前主動地提起過我？而我在你面前不也極少主動地提起過他？」

這，對邵璧，已不再是驚異，而是震慄與悲慟了。她看見她在愛與恨的感情之海裏掙扎，漸漸地，靠着她的勇氣，她泅到了彼岸。她掠掠頭髮，平靜地站起來，走前一步，緊緊地握住郭慕周的手：

「郭先生，這給我的打擊委實太大了，但你既能勇敢地走進牢獄，我也能堅強地闖出情網。謝謝你告訴了我這件事。你放心，我會重新開始新的生活。」

四、

郭慕周相信邵璧的最後一句話。邵璧雖然年輕，但並不脆弱；雖然淳樸，但並非無知，當她發覺她以前的感情只是一種浪費時，她也能採取快刀斬亂麻的手法，來個結束。她一邊寫信給許佑賢，告訴他跟他解除婚約，一邊尋找工作。不久，她經友人的介紹，在書店裏充當一個女店員。那家書店離郭慕周的修理店很近，他們早晚都能見面，間或，他們也一同去看一場電影，去喝一杯咖啡，兩人都覺得對方比自己更不幸，應該盡量給予安慰。這情形繼續下去，他們兩個只要一整天沒見面，就會使雙方惦念得什麼似的，直等到第二天他們碰面時才覺得安心。

有一天，當郭慕周修好了一隻收音機，靜靜地聽了許多遍郎呀，哥呀，妹呀的流行歌曲後，他忽然意識到這些日子中自己已在愛着邵璧了，而且還意識到她也在愛着他。愛並不是一定要像那種流行歌曲裏的那樣，大聲地喊出來才算數的，那種愛既無韻味，又極膚淺。愛是神秘的，朦朧的，一滴一滴地滲透到生命裏去。牠又是感情的果實，好像用漆包綫一圈一圈地繞成綫圈，插入鐵芯，變爲變壓器一樣。啊，當你在戀愛時，他想，你體內就有一架收音機，生活中每一個細小的節目都夠你欣賞、享受！

他又着手修理一架五燈的收音機。工作又何嘗不是一種享受呀。他用萬能電表測量了各級的電路、電流和電阻，終于給他發現是輸出變壓器斷了綫，他換上了一只新的，開機試聽，揚聲器裏放出來的是衛生衫褲、棉毛衫褲、毛綫呢絨一類的廣告。冬天又到了，郭慕周想，他出獄也已一年，他在這裏工作也快十個月了。平日在收音機旁邊，總覺得時間過去得並不快，十分鐘一個節目，十五分鐘一個節目，半個鐘點一個節目：時間一節一節地被劃分開來，像一節一節的車廂，如果把牠們連成一列，就覺得很長了。一年中有多少個節目呀，好像過不完似的。（八）

迎五十感懷

·田雨時·

（一）

「五十功名塵與土；八萬里路雲和月；莫等閒，白了少年頭！六代豪華春去也，更無消息；空悵惘！」——楔子集句

（二）

懷着孤臣孽子的心情，拖着創痛疲倦的身軀，入山唯恐不深，渡洋唯恐不遠。回首前塵如一夢——單槍獨馬，馳騁人間，懷着騎士的風度，詩人的胸懷，法家的思維，幾度登五嶽，足跡遍五洲，走盡了崎嶇的人生險路，打遍了牛頭馬面，魑魅魍魎，全憑這火山爆發似的情感，鋼鐵一般的意志，祗知眞理正義，嫉惡如仇！毋忘讀聖賢書，所學何事？總思頂天立地，俯仰無愧！那才不枉人世間空走一場。眞是半生憂患，飽經世變，每根白髮，都是受盡折磨的紀錄。

（三）

會做過戲班的班主、編導、演員，扮着不同的腳色；演過悲劇、喜劇和鬧劇，武行代打，許許多多悲歡離合的故事，忠孝節義的情節，堂皇雄壯的場面，有血、有淚、有氣節、有靈魂、有聲有色，過五關、斬六將，又算得了什麼好戲！曾博得廣大觀衆瘋狂的喝采，也曾倍嘗「幕徐徐落」後的人生之唏噓！世界沒有不終場的戲；正如人生沒有不散的筵席。白頭宮女話舊，都是過眼雲煙；過去的，還是深深地埋葬了罷！

（四）

這半世紀，是人類歷史空前瘋狂的世紀：新舊思想在衝突；玄學科學在激辯；文明野蠻在爭衡；自由極權在肉搏。從我誕生，以迄於今，無日不在嗅着砲火和血腥的氣息，參加過反軍閥，反帝國主義、反極權、各式各樣的戰爭，衝鋒陷陣，奮不顧身。如今，我是負傷歸來的戰士，但又何嘗不是從火綫上開小差的逃兵？痛定思痛，手撫着我這遍體鱗傷，決心從此閉戶，與世隔絕，甚而入寺爲僧，四大皆空。但，懷念故國，實有未盡，心有未安，這一矛盾，永在困擾着我這無法寧靜的心思！

（五）

在這國破家碎的年頭，祖宗留下的田園廬墓，早已殘於強盜賊騎的踐踏。但我飽負萬里，流浪在這海角天涯；風雨之夕，獨自蟄伏在亡母的墓前，得作片刻的追思，有如母子之對晤，予我以無比之啓示。半百之年，還能長夕定省於八旬老父的面前，夜深時，陪着老人家憶述幾十年前故鄉的舊話，溫暖那衰老的心腸，眞勝似萊老子的彩衣舞。人間何世？我獨得此！

（六）

都說這是如日方中之年，眼前發現了人生走過一半的里程碑，思往事，我知命；不怨天，不尤人。還望那未來，更在不可知之數，還甚說這切不識人的現實罷：世界改觀，山河色變；依然故我，勇邁未減。將以天地爲家，國族爲心，知我罪我，非所計，但求心安理得爲已足。我有赤子之心，我依然是個孩子，大有「誰謂我五十？我說我十五」的氣概！走筆至此，妻竟偷看，大呼：「你這老妖精，難道返老又還童？」連喊衆兒女：「快向爸爸叫哥哥！」這一切，都在點綴着這流亡中的新年樂，豈不分明又是秋天裏的春天，悲劇裏的喜劇？

（己亥元旦試筆於南極圈內——已酉）

THE FREEMAN
（第八五一期）
中華民國僑務委員會
登記證台教新字第一零二號
中華郵政台字第五〇〇號
執照登記為第一類新聞紙類
（半週刊每星期三六出版）
每份港幣壹毫
台北市售價台幣貳元
督印人：陳文華
地址：香港高士威道二十號四樓
20 CAUSEWAY RD. 3RD. FL.
HONG KONG
TEL. 771726
承印者：東南印務出版社
地址：高士打道六十四號
台灣總經理處
台北市西寧南路壹零壹號二樓
電話：三〇三四六
台郵館金戶九二五二
海外總經銷：友聯書報發行公司
香港：彌敦道中二十六號A二樓

嚴重的台灣人口問題

——響應蔣夢麟博士的呼籲——

陳式銳

中國農村復興委員會主任蔣夢麟氏近在記者招待會提出台灣人口問題，他說：「台灣現有人口一千萬，每年正以三．五%的增加率在增加，亦即每年淨增三十五萬人，約略等於一個高雄市現在的人口」。他且指出：「如以現在的出生率推算，台灣的人口十年以後，即將達一千五百萬人，不出二十年就會增加一倍」。而在供應方面，蔣氏以為這樣人口的增加，每年消費一個石門水庫所能增產的糧食，所以為資源與人口的合理平衡，除了儘量設法增加生產之外，應該節制人口。他以鄭重此一事，向記者如是說：「我現在要積極地倡節育運動，我已要求政府不要干涉我，如果一旦因我提倡這運動而闖下亂子，我會願政府來殺我的頭」，以示決心。（四月十四日台北各報）。

回憶四十五年九月十二日，我曾在「自由人」五七七期發表「台灣的計劃家庭問題」一文，作了類似底呼籲，並希望當時立法院對此項問題提出質詢，以促政府採取行動，到了當年十月十六日，自立晚報刊出一段新聞：「行政院長俞鴻鈞今日上午在立法院答覆立委何景寮質詢有關人口政策問題時稱：本省人口照年激增，已達過去的一倍，惟政府對於人口政策，並不提倡節育，而係就增加生產」。其着眼點，俞院長並強調表示：「解決本省人口問題，最根本最主要的途徑，還是早日反攻大陸」。覽乎此，可知政府既認識人口的激增，但不主張節制，只着眼於增加生產，反攻大陸。實際上，反攻大陸並不就可根本解決人口的增加率，而增加生產是否足以適應人口增加的需要，才是問題的所在。

兩年後沒有出口了

這一點，我們可在蔣氏同時發表底「讓我們面對日益迫切的台灣人口問題」一文中，獲得領會。就每年淨增三十五萬人言，衣、食、住、行三項，每年估計就需要新台幣七億五千四百萬元；以糧食，以耗資六千萬美元而需時六年底石門水庫，可增產糧食七萬二千公噸，就每年所需要五萬二千公噸，僅一年零四個月的人口就抵銷了。且台灣耕地面積，三十六年每公頃耕地負擔八個人的生活，四十五年增加到十一人；再展望今後農業的生產，就依每年增產五%推算，到民國五十年剛夠台灣人口消費，無可出口，再後就不足了。至於利用各種新技術，以提高單位面積的產量，究不能逃出土地報酬遞減律的支配，且一切增產的措施，又都需要很多財力。抑有進者，蔣氏指出台灣國民所得由民國四十一年至四十六年增加四三%，由於人口迅速增加的關係，個人所得才增加二〇%；另一方面，消費在同期間卻增加了六六%，它的三四%係由於人口增加所致（六六%對提高生活水準）。而這一國民所得及消費的提高，過去農工業的生產計劃，一半依靠美援的資助；而物資的進口，四〇%左右亦有賴於美援的支持，並非我們自己的力量所能招致。況且，「一個地區的年生產量，除供該地人口消費外，還有相當數量的剩餘，以為儲蓄及投資之用……如其生產盡耗於日常生活，則一旦意外或荒歉來臨，其境遇將非常危險。……所以我們必須及時面對問題，否則時間愈久，解決愈難」。

要注重子孫品質

蓋於此，可知單增加生產，並不足以適應需要。且蔣氏有言：「資源與人口之間也有一定比例，超過這一限度，生活水準必定降低……如果我們希望把台灣造成一個富庶康樂的地方，那我們必須正視這個問題。」蔣氏進而研究台灣的死亡率，他以台灣的粗死亡率雖不高過先進國家，但兒童的死亡率卻高於任何進步國家。台灣每對夫婦平均生育子女六人，生育三人以下底家庭，其子女的成活率達九〇%，十人以上者則降至六八%，實在是人力、生命、資源與經濟的一種浪費。他看到我國多數國民似乎只注重後代的繁殖，較少重視子孫的品質，殊不足以適應現代底社會。

非節育無以維生計

本年一月六日，我看到聯合國發表人口報告：以世界人口到本世紀末將超過六十億人多於現在數目的一倍。據估計：世界人口到一九六二年將達三十億人，一九九〇年五十億人；一九五七至一九五八年，世界人口增加九千萬人，約等於一個日本或兩個法國的人口。一九五〇年，世界人口的一半以上（五〇．一〇%）集中於加勒比安及亞洲（日本在外）諸國，二〇〇〇年將達三十五億六千萬人（五六．八%）。一九七五年，北美、溫帶南美、日本、歐洲、蘇俄、澳洲及新西蘭的人口估計將達十一億七千五百萬人，二〇〇〇年將為十五億人；同期間，非洲、中美、熱帶南美、亞洲（日本、蘇俄在外）、太平洋島嶼（澳洲及新西蘭在外），將由二十六億六千萬人增加到四十八億人。前者屬於先進國家，後者是落後國家，亦即受到人口壓迫底地區；由此我們體會到後者非節制人口的增加，將難以維持生計。

我又看到亞洲的日本，其所以人口問題獨立於亞洲之外。日本的則採取人口節制之故。日本的出生率，一九三六—三九年在三%以上，現在降到一．八%；十五至二十年內，她希望達到西歐的低出生與死亡率的水準。日本出生率的降低，蓋由其致力於節育；她於一九四八年立法准許墮胎，自此她的出生率由三．三七%下降至一．九四%（一九五六年）。雖然如此，她尚有六十萬人以上完全失業，無數人僅得部份工作；而在農村方面，且到處存在着隱藏失業。

落後地區的嚴重挑戰

明乎此，人口的激增，為落後地區所面臨底一個冷酷挑戰，日本領先採取對策且已收效；我們為什麼不為我們自己及後代作及時底打算，而坐令命運作無情底支配？印度年來正努力於經濟計劃的推行，但其效果為人口增加所抵銷，不也是實例嗎？陳兼院長於本年二月二十日曾對立法院指出「在政治、軍事、經濟與社會文化各方面必須有勇氣面[illegible]問題：決不可推拖敷衍，使可解決的問題變成不可解決的問題」；我謹在蔣氏登高一呼之下，再度提此一問題，以求朝野共同對人口政策加以確立。

而在政府未採取行動之前，我贊成蔣氏先對「中國家庭計劃協會」工作加以擴大，以成為一種社會運動。所謂「計劃家庭」（Planned Parenthood）就是一個家庭單位，就它可能養育子女的經濟能力，或母親的健康的關係，而限制它的子女數目；其法乃以避孕及墮胎雙邊地控制出生率，另一方面，某一家庭缺乏子女時，且可由醫術的協助而使其達到目的。在傳統觀念之下，此舉將不免視為反常；惟為幸福的遠景着想，我們應當有勇氣進入一條新闢的大道。（四月廿二日）

通路只有一條

姑息政策
強硬政策
美外交

尹震

半週述評

「人代會」幹了些什麼

中共人代會已告閉幕。在任何極權體制之下，這一類的議會機構原不過徒擁形式，開會如儀而已，但由於那些極權統治者相當重視這類議會機構，是人民的意旨，因而其決定，必須要經過這一類的機構通過公布。然而即就蘇俄的先例而言，最高蘇維埃通過的，不過是國家預算和經濟計劃之類而已。此外都無關痛癢。此次「人代會」的一要特點是西藏變亂的討論佔去會議大部分時間，並且破例召開政協聯合會議，使「代會」中有了發言權。前者顯示出西藏問題已成中共的致命打擊，因而在「人代會」中被列為最重要的討論主題；後者則是中共再度加強統戰運動，並放鬆了對右派分子的打擊與清算。這就是說中共在處於危疑震撼的情況下，不能不謀改弦更張，改變過去那種瘋狂激烈的路線。

「大躍進」與「公社」

在經濟方面，其所通過的「國家預算」和經濟計劃，以另一「大躍進」為中心，要把工業和農業產物的價值提高百分之四十。但像去年那樣高呼要把鋼鐵煤炭和糧棉產物增加一倍的狂熱，已不復可見，一些「發言，態度都審慎而遲緩。並且警告着說這任務並不容易達成，要人民繼續努力工作，並忍受消費品缺乏的痛苦。這固然是共黨常見的濫調，但也可見所謂「大躍進」者已遭遇重大阻力。另一可注意的事，是在會議中一味侈談「大躍進」，而絕少提及「公社」。在周恩來的政治報告也只略為提及，並未特別強調。從去年十二月以已，中共即在積極從事「整社」，今後是逐步放鬆呢還是再接再厲，從而擴大推行，是一項饒有興味的問題。

中共主席的更迭

公社問題與中共政權主席人選的更迭縱然有直接關聯，雖說主席一職並沒有了不起的作用，在任何共黨政權卻沒有自甘放棄一項重大榮位的事；馬倫科夫的一垮到底，早種因在史達林死後被迫把聯共總書記讓位給赫魯歇夫之際。毛澤東至今還保持着中共黨主席一職，從人代會閉會時和以後的種種表現，已證明毛澤東仍舊是中共第一號巨魁，實際權力仍緊握在他手中，而新膺選主席的劉少奇並未獲得應有的熱烈擁護。這些事實說明了此次中共主席職務的遞嬗，並不是十分自然而順利的，可能還是未來新權力鬥爭的開端。

藏局與自由世界

西藏抗暴人民仍在苦戰，中共有滅絕藏族以保持其控制世界屋脊的決心，自由世界卻絕少見義勇為的助力。誠然支援藏人抗暴，在技術上也許比援助匈牙利革命運動更難，但西藏事變所加於中共的打擊，卻可能比蘇俄在匈牙利的遭際更甚。讓柏林危機吸引住西方列強的全部注意力，在世界性的冷戰戰略上是絕大的失策。

現在印度和中共處境與其相互關係，都十分矛盾而微妙。雖然雙方至今並未放棄妥協的希望，但客觀形勢卻使雙方極難着手。過去西方曾為東方若干國家的居中偏左路線感到焦慮，現在中立主義已開始崩潰，這大賜良機卻會稍縱即逝。

李秋生

自由談

責善的答詞

有讀者來信，說我近來多是談的國際問題，對國內政治比較少所批判，似有避重就輕之意。我敬謹對答曰：非也！非也！

我既不希望搞政治，營求一官半職，老實講，致我去作現在的所謂「閣揆」，亦是不感興趣的；又沒有能力和門路，可以隨時出入國的營壘之下，裝成變料忠貞份子的面貌，乘機套取一些外匯，在海外度其「國家事，管他娘」的寫意生活；更未具備僑領資格，可以隨時被邀請回國觀光視察，因而向海外的國家金融機構貸款營商，公私兩便。俗言無欲則剛，我在報紙上寫文字，從來就不知道有所謂「顧忌」的事，愛談甚末問題，即暢所欲言，以求其心之所安，孰輕孰重，決不在我考慮之列。

然則近來何以又不多談內政問題呢？一來是關於內政問題的話已經說得太多了，而事實上並無絲毫影響，再說亦是白費心機，徒然使自己對現實狀況增加其失望悲觀乃至於憤懣的情緒，未免有乖養生之道。二來是失望悲觀之餘，率性置之不理。這心情有如我們對某一朋友然，在誠意地勸善規過之後，若對方依然不改其故態，就祇有對他絕望，懶得理會了。所以，社會上常見有提到某人時，即表示不願意說甚末的態度，這叫作沉默是最深切的抗議，也就是由熱情希望而變為意外失望的心理作用。

我很耽心，將來輿論界如果都表現着「莫談國事」的狀態，那就是衰世的象徵。到了這般田地，你再請求社會大衆直言急諫，批評施政得失，或者很誠懇地邀約大家來舉行國是會議，別人亦將敬謝不敏的。孔子曰：「邦有道，危言危行，邦無道，危行言遜」，有道與無道的分野，就看人們是否好談國事而言者無罪啊！

曉五先生

政府對大學生出路問題處理困難

△大專畢業生待遇分發，筆者以爲：停止辦理分發，就業非一學期可以決之，乃專業施行下去，並積極鼓勵大學生不要怕下鄉。

[illegible]……的畢業生，可暫懸政府的……德政也者，却成了政府的一大包袱，此中困難主要是僧多粥少，拜命各人如意分發到理想的工作。時下一般職方稽子的，可說有多測處處，均需能一派在台北，二爲行，待遇是待遇好，便是獎金多，外快多，……誰也不樂意去，所謂「人才下鄉」，一片喊氣聲。惟近來，政府因感到此一工作頗感困難，有停辦分發就業之說，如此處置，那今後……[illegible]

太極拳流行台灣　官場中人尤好之

△台灣流行太極拳，早爲各方……[illegible]……之術，借斤還……可見。太極拳強身，其流行自有其道理。不知何時起，能以小巧勝大……其流行到官場上，於是一些官兒們，或以太極的道理，運用到應付人事，或以太極的靜動相制來應付公事。總之，推拖積壓，永不生揣，兵來將擋，一個基本的原則，是避實就虛，時間沖淡一切。（泰雙）

馬祖行

楚軍

台灣通訊

許久以前，我就想到馬祖去看看，這一次，中國青年寫作協會組團去前綫訪問，我終於得到了一個機會。

這個訪問團團員包括畫家郭明橋、散文作家王藍如、宦建人、劉世綸、詩人覃子豪、及行人呂天行，以及我自己。

×月×夜晚八時，我們到基隆第十八號碼頭登上二六號軍艦出發，這艘軍艦是四年前由美國援移交給我國的，[illegible]……在台灣海峽中建立了許多功勳，……年九月十八日曾經擊沉共艦一艘，……但她在八二三砲戰中，……彩。

艦長張國生少校對我們說：「雖然我們經常出死入生，但却非常幸運，我們全體官兵×××人，經過多少戰役，從沒有一位受過傷。」

這一晚的航程是非常平靜的，使我想起乘坐長江輪船的那種安詳舒適。

第二天下午三時抵達馬祖，[illegible]……

[illegible]……

……爲了要順利展開我們對各部隊的訪問，我們必須（也是禮貌上）先拜訪這位壯健的指揮官。

[illegible]……而熱情的在他的大客廳……我們也告訴他說：「……[illegible]

……這裏的指揮官兼政務委員會主任委員，也兼國民黨馬祖區黨務，而實際推行政務秘書長兼黨部的書記長是由一位負責的。

這位書記長是個子的南京人，早年畢業於金陵大學，過去在西北地方做過十七年縣長，會自己說：「我想不到在此時還會建省僅有縣的一個連江縣」。

目前連江縣的轄區是東引、北竿、南竿（即馬祖本島）、東犬和西犬諸島，面積××．×××平方公里，現有居民一萬二千人，男多女少，職業是農民只佔百分之二十，漁民則佔百分八十。

我們去訪問過漁民的漁民，他們除了因爲地域的關係，住的房屋比較矮小潮濕以外，衣着食用都很好，一般已婚婦女，歡喜穿着陰丹士林布的褂兒，黑府綢褲，頭上仍然照舊式梳着巴巴髻，上邊簪插金簪和花朵，腕上戴着金鐲，有的指上還戴了好幾個金戒指。

從婦女們的裝飾與衣着上，可以測量出他們生活的平靜與富裕。

那裏國民教育甚爲普及，入學兒童的比率是百分之九十八點五。以前國民學校畢業生要到台灣升學，如今這裏創辦了一所馬祖中學，現有初中一二年級學生一〇五人（其中女生二〇人）。

這裏還有一家每日發行對開一張的馬祖日報，副刊幾乎完全是阿兵們的創作，過去許多人倡導兵寫兵，這裏倒是真的做到了這一點，水準也不壞，尤其是星期小說，比台北的某些大報所刊出的「人情」小說並無遜色。

到馬祖的第二天，我們決定將全力投入各部隊中去訪問，于是在早上濃密的霧中，吉普車在蜿蜒的山道上行馳。

在這裏，唯一用得着和敵人交鋒的是砲兵。有時我們並不需要對方用行動告訴我們目標所在，也可以從儀器中測知，但是我們受了守勢的監視與限制，挨打似乎是我們註定的命運，如果我們能被允許先發制人，至低的限度，對岸沿海已不是敵人所能控制得了的地區。

目前砲兵陣地上懸有三個戒條：一是：不是良好目標不打；二是：不是有效射程不打；三是：不收殲滅效果不打；我看還少了一條，那是：不挨打的時候不打。

所以有許多砲兵的戰士們都在言語間吐露了心曲。

「我們這種生活太平靜，只有對方鳴砲時，我們的生活才會掀起一點微波。」

在這裏比較活躍的戰士是兩棲部隊（即蛙人部隊），因爲他們可以深入敵後，像定海、閩江、馬尾、赤澳、北茭……他們都經常出沒其間，故難免不和敵人發生遭遇戰的，

我很幸運的見到一位叫王安轉戰士，他曾經在一次深入敵後的遭遇戰中，連中七槍，但是他仍然在十二小時裏泅游二萬三千餘公尺回到隊上。如果我沒有見到這位廣東人，並看到他身上那七顆發亮的疤痕，我一定認爲這是神話。

他們對我說：「我們不能像兩棲部隊那樣得到殺八路的機會，要是他膽敢來的話，那就好了。」

的確，這裏有許多新奇的東西，我們是從所未見的，還有許多工事就是武俠小說中所構想的奇怪機關也未能出其右。

在後方的人們都以爲馬祖是前方，其實它比後方還要恬靜迷人。一位即將退伍的台灣籍年青戰士陳進解對我說：「我很留戀這裏，我不希望回台灣去，這裏多好啊，當然，您是親眼見到的，用不着我說。」

「你除了留戀這塊地方，不懷念其他的嗎？」我追問一句。

「不，我還懷念這裏的友情，他們（指他週上的兄弟們）很照顧我，把我一直當成小弟弟一樣看待。」

當然，在這篇報導裏，爲了軍事保密，我還有許多可寫的東西而不能寫的。

△　▽

秘約失踪

本刊頃接外交部情報司來函，原文如下：

逕啓者：頃閱本年四月八日貴刊第一版登載毛以亨先生所撰「西藏問題之回顧與前瞻」一文，其中有一段引述葉公超先生談話稱：「據葉公超告訴我，清末民初中英關於西藏問題訂有秘約，即當變相地容許其獨立，但此項秘密在總統府與外交部檔案中竟同時失踪」等語。經本部電詢葉先生，據復稱：在其記憶中當年與毛以亨先生談話時，似未曾有此語。按所謂中英秘約，恐指一九一四年SIMLA會議草約而言，我國當年會予否決，已非秘密云云。復查本部所有檔卷自清末迄今，均經運台妥存無遺失，毛以亨先生所謂有「秘約」失踪一節，諒係誤傳。用特函請查照，敬希惠予披露爲荷。

此致

自由人半週刊

外交部情報司

四月廿二日

西藏局勢演變

祝修衡

當三月十七日拉薩共軍砲轟羅布林卡達賴喇嘛的夏宮，這位政教領袖，同他的閣員及家屬……[illegible]……否認。

西藏的戰局是持久的，達賴、中共雙方均不……遠在民國四十四年底開始，西康早就爆發了反共戰爭，……藏軍。它說明了一個……社會制度，共產黨沒……的；再說，中共與……早已結下血海深仇，……熟識的山路與兇狠的……何況現已裝備了畢……[illegible]……不能遏及後藏，前藏自不能起任何作用；中共現以班禪取代達賴地位，並把北平「民族學院」四千名僞裝藏人的學生驅赴拉薩，企圖藉此維持一個「安定局面」。然而，班禪的出身歷史，遠不逮達賴能够影響全藏、國際，他在後藏祗是名義上的統治者，這次假血腥魔手推進布達拉宮，決不能長期坐床；現該牽赴北平，在藏人看來，還不是出賣西藏利益的藏奸。

今後，西藏和鄰近各省戰事勢將日形激烈。因爲中共對西藏的鎮壓，目的不在力圖控制一個西藏。連年開山闢道，旨在進窺印度。然而，中共對西藏反共勢力無法抑制，不要說掠取印度，即尼泊爾、不丹亦不敢染指，對印巴交爭的喀什米爾，也難作覬覦之想。何况，印度的「中立」已呈動搖，其他東南亞各國，對藏局也不忍坐視。邇中共一向恃爲「統戰」成功的「亞非集團」，自納撒與俄帝翻臉後，本來已呈不穩，加上近頃的西藏事件，迫周恩來於一九五五年在萬隆所作「和平共處」諸言，宣告破產；「亞非集團」不再受中共利用。尼赫魯於甘地紀念像揭幕禮時，對亞洲局勢說：「我對西藏問題所考慮的三個因素，第一爲印度安全。」印度人口學院主持人在三月份報告中說：「當我們弄清楚發生了什麼事情之後，中共可能已把我們的頸項扼住。」左翼的「人民社會黨」，也一反過去專替中共辯護的態度，集會呼籲政府聲援西藏反暴人民。就大黨的機關報——「印度斯坦」說：「讓我們低着頭爲西藏哀悼！今天，這弱小的民族正受着旁邊一個强大民族的鎮壓。西藏已經死了，如果我們現在不注意這個警告，以後還有許多弱小民族會被吞掉。」印尼的「印尼時報」警告說：「亞洲人欺凌亞洲人，到底不是一個愉快的遠景。」錫蘭「蒂納米納」報嚷着：「一個爲自由而奮鬥的無辜民族，正在受一股野蠻的暴力所屠殺！」星洲的「海峽時報」說：「這就是殖民主義啦！血腥而猖狂的殖民主義。」菲律賓「馬尼剌時報」沉痛地指出：「自由世界再度目擊了一個自由國家的慘痛。但是，袖手旁觀，不予援助？」緬甸的「評論報」很感慨地說：「中共正在沾沾自喜的屠殺一個未曾好好地武裝自己的民族。」然而，緬甸人應當明白：他們的政府不同好好審視自己緬甸逃出的反共義民，竟然對那些流亡於中緬未定界的中國難民，派空軍去濫施轟炸，和用機槍掃射；假如這些不堪中共迫害的義民武裝起來，豈不是堵截了中共久欲攫取孟加拉灣之路。可是，他們的前總理宇努，四月十四日在美國發表演說，竟說中共不明白西藏局勢，主張由中共安排下給西藏獨立。事實上這個不受國人擁護的垮台總理，對他本國的政局尚且無法處理，修言解決西藏問題，只會招致世人嘲笑。

無怪乎如[illegible]的「民族報」要直率地說：「現在已不是西藏中立的時候了！」而對這一局勢，該報要求尼溫政府重新考慮外交政策。然則，對於今天的西藏局勢，歐美甚至於共黨專政的南斯拉夫，也挺身而出對中共譴責。但僅僅是譴責畢竟解決不了問題；西藏需要實際援助。未來情勢的演變，自由世界豈容忽視。

國際動態拾零

△美機由高空飛向柏林，[illegible]主要理由是在二萬五千英尺高空，可擺脫蘇聯在東德機場上所有飛機，及其裝備。惟美國已聲明，飛向柏林之飛機，未有攝影裝備。

△浦沙新自中國回來的外交家，曾認中共之殘殺藏人，頗受其國內各大城市之知識份子所不滿。但謂這班人除說幾句廢話外，其他實無能爲力。

△阿爾及比亞叛軍代表團在北京交涉，原則上大體決定。中共將給以價值二千五百萬美元之軍械，包括大砲，高射砲在內。

△赫魯曉夫之夫人，將到西歐中歐各國都城，作善意訪問，以圖緩和各國對蘇聯之緊張情緒。

△納薩向伊拉克外交代表遊說，謂如不滿意加森之政策，而脫離職的話，將與以政治庇護，並給以相當之生活費。但截至現在止，駐聯合國及其國之伊拉克外交代表，尚不爲所動。

△美陸軍在亞剌斯加的火箭試驗場，需要向政府領地六十一萬英畝，始能敷用。

△原子飛機設計，將其子爐設在尾部，以免幅射影響。可不必將原子爐裝甲，以免過重。

•陶然•

竹幕幽秘

劉少奇繼任主席

劉少奇繼毛爲中共國家主席，究竟反映着劉的權位增高或者是降低呢？這是幾天來世界輿論所熱烈討論着的問題。照我的看法，是降低，並非增高。

政策趨勢

根據周恩來在「人代會」的工作報告來看，其未來對內政策的趨勢是政治方面「右」一點；經濟方面更「左」一點，這樣的政策正是毛在一九五七年鳴放階段的主張，而這一主張正是被劉少奇等所反對的。現在，又重新提出了這樣的政策，雖然並不是說中共要再大鳴大放了，但從這種趨勢方向來看，決非劉的政策。

朱德如何

有人說，朱德的改任「人代常委」委員長，是表示他降低了一級，這種說法也難同意。所謂國家副主席，根本是一個空洞的職位，現在的「人代常委」委員長，假如善自運用的話，能夠使許多政策法令不能通過，儘管毛會用一種左道旁門的辦法來實行其政策，但終究受到牽制的。

另外還有一件事未能引起人們注意，就是「人代常委」增添了三個副委員長（實際增四人，因原來的宋慶齡調任國家副主席，故算是三人），其中有一個劉伯承。在抗戰時，朱德的指揮部一直設在劉伯承的一二九師範圍之內，顯得他們之間有着不平常的關係，然而劉伯承太不得意了。現在，居然被任爲副委員長，這似乎說，他將爲朱德的主要助手。這似乎也應該這樣說，因爲朱的出任「人代常委」委員長，附帶亦把劉伯承的地位也抬高了。

若從全般局勢來說，則可能是毛朱聯合而把劉少奇踢到那個有名無實的主席「寶座」上去。

後果決於來年黨大會

要窺測中共統治階層人事權力的增長與否，確實不能從其行政地位的高下來論斷，基本上還需從其黨內的權力來決定。這次「人代會」的結果，所產生者只是行政方面人事的變更。將來實際的演變將由下述兩方面來決定：

一、假定黨內權力無變化，單純從行政方面來看：劉少奇從原來掌握可以牽制毛的「人代會」退下做國家主席，在實際權力上撤開黨權來說，在行政方面的權力是降低了。

二、中共領導層每一個人的權力決定于黨內的地位，但是其變化時節亦能或多或少反映于其行政方面，這次的調動尚不能直接斷爲是他黨內權力的降低，但卻可以作如是推想。若果如上述一般的觀察可以符合中共的高階層變化，那末，其未來影響最大的，就是明年召開的第九屆全國黨代表大會，毛之所以急于如此的安排，大概還是在準備在這個黨代表大會上的鬥爭吧！○田心

從軍事觀點展望西藏抗暴戰

【本報特稿】以後，達賴喇嘛脫險抵達印度，截至目前爲止，已經兩次發表聲明，指斥中共不守信義，破壞協定，並揭露中共在佔領西藏以後，摧毀許多喇嘛寺院，殺害大量喇嘛與僧人的血腥暴政。使西藏人民爭取自由，人權，以及維護宗教，抗暴戰爭的眞實性乃昭然大白於世界。達賴喇嘛，對於出走印度一事，亦強烈表示：「完全出於個人自由意志」，使中共的「被劫持」的謊言，全部破產。

在西藏境內，藏民的反共抗暴鬥爭，雖因中共的增援而轉入山區，但藏民的抗暴信心與抗暴行動，決未因此而稍見動搖，反之，西藏抗暴義軍，利用熟悉的地理環境，與廣大藏族同胞的支持，其戰鬥力量將愈益堅強。對於整個西藏抗暴戰爭的形勢發展前途，我們僅就軍事觀點作如下的分析。

以實力而言，進駐西藏的共軍，初爲中共二野第五兵團第十八軍張國華部。一九五〇年十月初昌都一役，張國華部將西藏地方部隊「代本」擊潰。一九五一年率該軍並配屬一部砲、工兵進入西藏，合計約五萬人，並組成「西藏軍區」。至一九五六年，由於康巴族反共游擊隊的活動，又由內地增援一師，合計約六萬餘人。在這次戰事爆發前後，先後增援部隊，綜合各方情況判斷，不過五、六萬人。截至目前爲止，總共中共駐藏的軍隊，有的報稱三十餘萬，顯得過於誇大。而藏方面正規軍爲數雖不大，但這次戰爭乃爲西藏全民反共抗暴戰爭，自不能以單純地從軍隊數量，來估計反共抗暴戰爭的力量。西藏現有人口爲一百二十七萬餘，除幼童及六十歲以上之老年人外，若再加上西藏以外地區邊境的藏胞以及一部份回胞，其總人數當在百萬以上。這個力量，逐漸團結起來，實非十餘萬駐藏共軍所可匹敵。

以地形而論，西藏是世界最大的一個高原，向有「世界屋脊」之稱。高原的四周山嶺環繞，平均高度在六千公尺左右，由於雪山嶺嶺，故交通不便，諺語云：「正二三，雪封山；四五六，泥沒足；七八九，正好走；十冬臘，皮開拆」，正是旅途困難的寫照。因此，境內多一些萬丈高峯之崇山峻嶺，且道路崎嶇，爲雲霧所困，故不常通，即使當地土人，亦可迷失方向。在這樣惡劣的環境中，土生土長的藏胞，早已習慣了，所以物資照常可以交流。但身處異地的共軍，則難以適應。從戰術上看，按山地戰之特點是，利於守而不利於攻；適於小部隊流竄，而不適於大軍運動；便於輕裝之步兵，而限制了重裝之特種兵。換言之，最有利於游擊戰，而不便於正規戰。目前西藏境內的交通幹線，都以拉薩爲交點。從拉薩向東經過太昭、昌都、德格，道爭可以到康定；在德格折向西北，可以經過鄧柯到青海；從拉薩經過江孜、亞東可以到印度的大吉嶺；從拉薩向西南經過日喀則和霞拉木可以到尼泊爾；由噶大克經過扎什岡到克什米爾；經藏北的托格羅曼坡越過吉利亞山口可以到新疆的于闐。以上幾條公路幹線，根據各方報導，除最後兩條外，都被西藏反共軍破壞了。駐藏共軍，幾乎陷於孤立狀態。即使可以修復，隨時又可破壞。因而共軍的補給線和增援線，也隨之被截斷。這幾個星期以來，共軍的供應，全靠空投，空投不但量小，且時受天候影響有了限制。在十七條協議中，其中一條爲「西藏地方政府協助人民解放軍購買和運輸糧秣及其他日用品」。即說明單靠出內地運輸來補給糧秣是不夠的，必須就地取糧來協調。若全藏人民不與共軍合作，僅給養一項，就成爲共軍的致命傷。

以天候而言，西藏雖在溫帶，但地形高峻，山脈環繞，氣溫極低，常年平均氣溫在攝氏零下五度左右，可說是沒有夏天，每年只有幾個月平均氣溫在零度以上，就是在氣溫最高的月份，夜間有時也會結冰。天候對藏、共之利弊，亦如前述地形然。

以作戰意識而言，共軍爲執行黨的命令而戰，是被動的，加之環境惡劣，困難重重，故士氣不會高。西藏軍民乃爲自己脫離桎梏，爭取自由的革命而戰，是自發的，故意志團結，士氣昂揚。

綜就上述幾項因素，以客觀立場作綜合判斷，今後中共對西藏的作戰，絕無成功可能，即使目前不被消滅或驅逐，但已陷入泥淖而不能自拔，逐漸形成遭受擾亂和襲擊的被動消耗戰，敗亡的命運，只是時間問題。吾人何妨拭目以待。（大陸社供稿）

中學變工廠　學生成徒工

中共對中學生的奴役勞動措施，正在加緊實施中。光明日報四月十日報導了山西省太原市各中學與工廠間的協作情形，稱：「太原市各中等學校以「廠校協作」的形式，鞏固和發展上學期貫徹執行教育與生產勞動相結合的方針所取得的成果。據初步統計，這個學期開學以來，在市區和工礦區已經有二十個規模較大的學校和附近三十四個大工廠建立了長期協作關係，並簽立了協作協議書。」

至於將中學生直接變成附屬於「協作工廠」的徒工一事之目的，中共直認不諱地說：「簽訂了協議書以後，確定參加協議的工廠就可以在學校建立自己所需要的生產車間和輔助、附屬工廠；各學校也可以把參加勞動的人數、時間、選擇工種確定下來。」甚至更露骨地宣稱：「這樣有計劃的廠校協作也給工廠帶來許多好處：這不僅使工廠增加了一支勞力，而且工廠也有可能有計劃地安排勞力。」很明顯地，所謂「廠校協作」就是將中學生當作工廠的勞力，將中學變作變相的工廠。（實）

大陸文壇透視　七[illegible]

改進文風發言闖禍

去年春，老舍在人代會上提議要「改進文風」，他指出當前中共文藝洋八股腔泛濫，必須在整風中予以矯正。接着於二月間，「文藝報」就召開了一個改進文風的座談會，老舍以爲自己的倡導，竟見重於當世，得意之餘，便把話說溜了口。他的發言有這樣一段：

「說話的方法，也是很要緊的。譬如這次在蘇聯，快回國時有一次大招待會，會上，主人一定要我說話，沒有辦法，我就想了幾句。其中的一段是：我說我在家裏是最落後的人，拿俄語來說，我就不會說。我的大姑娘會一點，老二在蘇聯留學，老三專學俄文。就是我落後，不會說。孩子們都笑我落後，我只好說：『我是北京市中蘇友好協會的副會長！』這下子才恢復了我作父親的尊嚴。這幾句話贏得了掌聲，蘇聯朋友都擁上來同我擁抱。如果我上去說：『爲什麼什麼而鬥爭』，就沒多大意思了。我們吃虧的是每個人講的都是『爲什麼什麼而鬥爭』，別人聽了也不能不鼓掌，但多少有點『鼓亦不由衷』。」

以上所引，見去年「文藝報」第四號。「爲什麼什麼而鬥爭」，本是中共要人普通的口頭禪，無論誰講話，無論什麼事，都離不了它，如今就爲老舍如此嘲笑，那還了得！這不是直接諷刺中共要人嗎？所以「文藝報」接着在第七期用「讀者投書」的方式，向老舍攻擊起來：「老舍先生在蘇聯那次招待會上的講話，我的看法是：在這種時候，人們感激的是他這個中國人和一個可愛的人民作家，並非是他那些話的『章法關係』。我們可以設想：如果老舍先生對蘇聯沒有深厚的誠摯的熱愛，即使他是一個偉大的語言藝術家，也不會有那樣感人的語言外衣的！固然，『爲什麼什麼而鬥爭』這類詞句，應該反對濫用，但由此得出結論說，它『就沒多大意思』，而反對用這種詞句，我認爲是多少有點『矯枉過正』了。這種詞句，過去用了，今天還用着，將來也消滅不了，因爲它在許多情況下，表示着一種戰鬥的意義，而它本身也就是戰鬥的口號。」

四月十七日上海文匯報刊出了中共文藝批評家姚文元的文章，支持這個批評老舍的讀者，說他說的話是『不能動搖』的真理，對老舍更加以嚴厲的申斥。從此老舍對改進文風一事，噤若寒蟬，再也不敢提起。其實中共要人這類的口頭八股實在太多，過去蕭乾就曾寫過一篇「上大人」，諷刺那些滿口「本質上」「原則上」「理論上」「客觀上」「實踐上」「基本上」的大人物，然而這正觸犯了中共的「逆鱗」！

瘟君夢

第二回：密室定奇謀　蒼生塗炭
　　　　巴山留遺恨　弱絮隨風

李富春接着說道：「農業方面還容易，工業方面的增產量究竟有一定限額，要想有大規模成就，非另想辦法不可。」

毛澤東說道：「這事是你主管的，辦法應該由你想，怎麼反而問我。」

李富春被毛澤東搶白的非常難爲情，不知怎樣回答，突然賀龍又插了口：「富春同志，你不要被洋法子嚇倒了，咱們中國幾千年沒有機器，還不是一樣生產，就拿打仗來說吧！張敬堯的隊伍住在咱們湖南時，洋槍、洋砲什麼都有，我賀老大靠了兩把切菜刀，在湘西還不是就闖出來了，死法子在活用，你急什麼？」

賀龍正講得津津有味，彭德懷推了他一把：「算了吧！什麼事你都插嘴，馬上你也變成萬能博士了。」

大家都看着賀龍笑，不料毛澤東卻提出興趣，回頭向林伯渠說道：「這話到不無道理，我們還是用土法子代替洋法子吧！只要把農村工業潛力發掘出來，怕什麼蘇聯斷絕援助，儘可自足自給了。」

李富春明知道這是外行話，但也不敢再爭下去，勉強問道：「主席的想法當然不錯，可是在執行時，從那裏下手，請主席指示個原則，我好擬訂計劃。」

林伯渠說道：「全靠土法子當然也不成，應該齊頭並進，在工廠內擬訂指標，一定要工人超額完成，在農村更要發掘出所有的力量，現在要說擬計劃都很困難，因爲中國面積如此之大，到底有多少種工業，誰也不知道，最好擬訂一個原則，要地方幹部自動申報，就不會遺漏了。」

「還有一點」。毛澤東又有了新的靈感：「凡是需要蘇聯援助的東西，我們要強調自給，儘管目前還不可能，也要說出來讓外人知道，這不僅在工業方面，就是部隊的武器彈藥也是如此。」

彭德懷笑道：「我們的武器從抗美援朝戰爭以來，全部換了蘇聯裝備，現在我們要說自給，恐怕蘇聯也未必相信吧！因爲我們有多少兵工廠，蘇聯都知道，這不可能變戲法的。」

毛澤東當時怔了一下，劉亞樓笑道：「我們說自己造不成，說是舊有的可以修成新的總該可以，我們可以先拿一件新的變成廢品，再當着蘇聯顧問面前修給他看，就不怕他不相信了。」

林伯渠笑道：「生在毛澤東時代的人，腦筋簡單也變成複雜了。」

譚震林問道：「這次要算是工農業全面增產的一個運動，應該擬訂一個名稱才是。」

大家沉默一時，毛澤東突然從太師椅上一躍而起，大聲說道：「就叫做『大躍進』運動好了。」（卅二）岳騫

高等學校黨務龐大師資缺乏

中共爲了更進一步地控制各大學，最近以來，通過各地黨委和政府，派遣了大批黨員或幹部滲入大學中，佔據領導地位，排擠教授對學生的思想領導。

四月九日光明日報舉西安市爲例，說：「西安地區九所高等學校（文科、工科、師範、醫學等），共有將近二千名學生。各校自成立以後，積極貫徹黨的教育方針，現在，多數院校已成立了黨委會，配備了專職黨委書記、總支書記。在行政幹部方面，也都調配了院長和系主任等主要負責幹部，省委和市委還挑選了一批有經驗的幹部到這些新建院校擔任領導工作。西安公路學院、石油學院、鐵道學院都加強了黨委集體領導。」

這些大學的黨務和行政工作的陣營如此龐大和健全，但都是「嚴重缺乏師資」的，因此只好「採取老教師帶徒弟」、「在職進修」等方法培養師資」。中共之所以此關心大學中的黨務工作而忽略了教學工作，正說明大陸上高等學校的眞正任務不是培養具有科學知識的人才，而是訓練幹部。

釋耒集

民族自尊

曲齋

一九五四年，美國耶魯大學舉行中國留學生一百週年紀念，余曾于本刊撰寫「留學百年紀念罪言」一文，對留學生未能盡如人意之處，不無感慨，一時曾頗爲時論所詬病，而近年以來，余乃多次赴飛機場，送人登機赴美，其中有留學之青年，亦有赴美講學或就業之教授或技師，至其與余之關係，則或爲學生，或爲親戚，或爲師友，大率均以返回大陸，既感其遙遙無期，而在港又絲毫無所憑藉，爭是流浪，則赴美疑若較居港僅優，正因其如此，故大陸一日不光復，除余亦赴美外則此等人與余再見之期，殊屬渺茫，故于臨歧握手之頃，其心情之沉鬱哀怨即古人所謂黯然銷魂者，實不足以彷彿其萬一，蓋此張惶揮手，與古者爲歸之士。輕離宗國，其情有更不足道者焉。論衡效力篇曰：「六國之士，入楚楚重，出齊齊輕，爲趙趙完，畔魏魏傷，」吾又安知此學生，親戚及師友，就令其不忘宗國，亦終將老于異邦，自託于美利堅共和國以終其身？以美人視黑人之現狀推之，則亦不過爲彼邦增一部分黃色之印第安人已耳。……而無知者又恐從而敬畏有加，推而至于將來，則吾族類將何以自存乎？太炎先生駁康有爲論革命書有言曰：「民族主義，自太古原人之世，其根性固已潛在，遠至今日，乃始發達，此生民之良知本能也」。其曰發達，或亦有諸，獨惜章先生未及見其消亡耳，清同治時，郭筠仙奉命出使英法，以闡公羊春秋出名之湖南學者王闓運，撰爲一聯笑之曰：

出乎其類，拔乎其萃，不容于堯舜之世；

未能事人，焉能事鬼，何必去父母之邦。

今固非堯舜之世，笑罵則近于不情，而此輩去國之人，實不能自決其歸期，父母之邦，已等同海上仙山，無由涉足，或曰生今之世，猶抱此等思想，勢將召落伍之譏，吾試問今之英美蘇聯，寧均無種姓之畛域乎，吾不得而知之矣。去歲金門炮戰，高潮過去，間日一擊，因而騰稱曰：「此民族大義」也，備之即有人以民族大義責中共，爲人上者恣意言仁義而百姓終將爲魚肉，王船山曰：「民之初生，自紀其群，遠其害沴，擯其夷狄（△△）（案當爲異類二字），統建維君，故仁以愛其類，義以制其倫，強幹自輔，所以凝黃中之絪縕也。今族類之不能自固，而何仁義之云云也。」

改文恩怨

·無思·

文壇逸話

文人相輕，自古已然。凡爲文章，自己所作，大都喜讚譽而畏譏評，尤恨人爲之改竄。而對人則毛舉細故，有意吹求，肆意塗抹，往往構成嫌怨。唐宋間，士子對先達獻文之風甚盛，雖曰就正，然受者例作諛辭而已。唐宰相牛僧儒未第時，嘗以文投贄於劉禹錫，當時所謂投贄，不過欲先達士大夫揄揚以顯名耳，非眞欲爲改削也。乃劉對客展卷，飛筆塗竄其文，無所顧惜，牛深懷慚恨而退。歷二十餘歲，劉禹錫轉任汝州，牛以相出鎮漢南，汝州適在管內。特枉道至汝，駐旌信宿，酒酣賦詩。劉方悟往年對客改文之事，極意周旋，始克盡歡。僧儒詩曰：

「粉署爲郎四十春，向來名輩更無人。休論世上昇沉事，且鬥樽前見在身。珠玉會應成咳唾，山川猶覺露精神。莫嫌恃酒輕言語，曾把文章謁後塵。」

禹錫見詩愧恐，乃謹和云：

「昔年曾忝漢朝臣，晚歲空餘老病身。初見相如成賦日，後爲丞相掃門人。追思往事咨嗟久，幸喜淸光語笑頻。猶有當時舊冠劍，待公三日拂埃塵。」

此詩恭讓得體，前隙頓解，僧儒再三吟詠，[illegible]之。北宋詩人陳後山曾以所作文謁南豐先生曾鞏，鞏並託後山代作一篇文字。後山窮日力爲之，僅數百言。文成以呈南豐，南豐云：「大略也好，只是冗字多，不知可略刪動否？」後山請改竄，南豐就坐，取筆抹處，連一兩行，便以授後山，凡削去一二百字。後山讀之，則其意較已作爲尤完美，乃歎服，遂以爲師。自後後山文字，愈益簡潔，終身感激不忘，故後南豐殁，陳作挽詩甚哀，又作觀兗國文忠公家六一堂圖書詩，有「向來一瓣香，敬爲曾南豐」之句，與僧儒之修怨者異矣。余謂二人者雖同一改文，然南豐對後山之言，何等委婉懇切，所竄改又至允當，足使後山悅服。劉夢得則取塗抹，略無遜辭，則僧儒之不能堪，殆亦人情之常。爲恩爲怨，關鍵在於此，不可不知也。

俊傑和傻子

·謹謹·

社會上人，大抵可分兩類，其一，對事物有主見，重是非，不苟合，其二，對事無定見，即有定見，亦不堅持，爲了利害識變逐流。另有所謂『中庸之道』者，認爲是非固然要分，不必太『固執』，這種人其實與第二種人相當，故不另予以論述。

第一種人往往都是社會上的書獃傻色，一生辛勤精力，總遭人間矢著，甚至不爲人所稱道，他是『傻子』『書獃子』『不識時務』『固執不化』，另一種人却是喜劇角色，（即或他是小丑）他的遭遇常是一帆風順，享盡人間榮華，且被人所『推崇』，因爲他是『識時務』的『俊傑』。

儘管如此，這社會的『俊傑』不少，做『傻子』的依然不斷其人，這原因何在呢？因爲傻子有主見的緣故，主見往往就是他的生命，『俊傑』以『識時務』得到成功，而他却歸到一切犧牲，他寧可犧牲生命，也不向醜惡低頭，他只知道是非善惡，他往往以自己的理想，爲了理想至善，成則固好，敗亦不退縮。英雄、忠臣、烈士，皆爲此等傻人。

『俊傑』可就不同了，他頭腦靈活，如果他遭遇難關，他不想是非問題，他想的是怎樣獲得『成功』，他不擇手段忍受侮辱，打打自己嘴巴皆無所謂，奸佞之徒都由其中產生。

『傻子』是『背時』的，『俊傑』是『合乎潮流』的；但社會可怕者是『俊傑』太多，『傻子』太少。

不信請翻開歷史看，從家天下到民主政治，從父母之命的婚姻到自由戀愛，從纏足到放足……假使沒有『不合潮流』的『傻子』，怎能把社會推着向前走呢？

理想與事實永遠相背，永遠在搏鬥，也就是『傻子』和『俊傑』永遠在分道抗禮。這是沒有辦法的！

記香港幾個詩社

詩社，普通以爲雕蟲小技，壯夫不爲。但詩是文學的一種，詩鐘是詩的支餘，並不是沒有研究的價值的。宋高瓊對馮拯說：「君何不賦一詩退虜耶。」前幾年有數理教師說：「敵人侵略，讀一篇滕王閣序，把他們嚇退麼？」世人觀念，往往如此，其實，若說詩和滕王閣序，不能退敵，當然不是單純一種學術能夠辦到的；X十Y也是一樣不能退敵。我本這一看法，來說一說香港幾個詩社的狀況，不能說是「無聊」吧！

（一）碩果社：碩果社是在香港淪陷時代繼正風吟社而成立的。最初發起人爲順德黃偉伯，伍憲子，馮漸逵，番禺謝焜彝。其後加入者有南海李景康，三水吳鑒鍾，番禺許菊初，中山黃汪瀚，順德陳荊鴻，潘小磐，南海何直孟，番禺沈仲節，三水周謙牧，順德蔡疊文，何叔惠，潘學增等。每月雅集二次，月課有詩，詞，及即席詩鐘。至今已十餘年。每五十期，刊社集一卷，至今已出至第六集。

（二）健社：健社成立於一九五一年六月。發起人爲順德黃祖華，潘學增，中山古卓崙。其後加入者三水周謙牧，番禺崔雲巖，潮州陳福華，台山伍澗三，中山蕭君亮，順德鄭疊文，南海袁樂文，陳蹤霄，蔡繼光，龐敬明等共四十人。現主持者爲東莞方若文，嚴鶴年。每月雅集一次。月課有詩，詩鐘。社集出至第二集。

（三）春秋詩社：春秋詩社成立於一九五八年十月。發起人中山古卓崙，順德鄭疊文，潘學增，林濤愷，麥劍影，麥綺，三水周謙牧，南海袁樂文，梁友衡，中山蕭君亮，黃天錫。番禺劉定怡，南海倫玉階，福建葉玉超，中山湯成寓，高要江蹤雲。其後加入者有順德馮漸逵，溫中行，陳秉昌，何慢存，老維平，何惠培，南海崔龍文，張叔儔，番禺姚湘雲，姚新之，番禺廖子翰，秦粟，東莞方若文。江蘇丘鑑，三水鄒玉城，新會陳劍生，台山伍澗三，中山何劍。每月會集一次，課題有詩與詩鐘。詩鐘分東西兩榜評閱。

（四）太平詩軒：白良駒所主持。社員也有台灣和澳門的。月刊至第二十期。

（五）微社：主要社員爲陳璇珍，梁友衡等。月課只詩一種。

（六）風社：成立已十年。每月一會，以研究詩詞爲宗旨。社員有陳崇興，陳桐會，陳希濃，李撫虹，呂化松等。社刊在華僑日報發表。

（七）青社：成立數年。社員有盧逸蕤，陳挺萬，何冰劍等。月課只詩一種。社刊在華僑日報發表。

除上述外，在港九區內，尚有其他詩社，約有十八個。

○庸風○

短篇小說

得失之間

·童真·

然而，終於也過去了啊，值得自慰的，在這一年中，他總算又爲自己開闢了新的道路，在這家修理店裏，老板非常信任他，幾乎一切都交給了他，而他也把牠當作自家的店那樣工作着。

時間已是中午，像往常一樣，他跟老板一家人一起吃飯。最近，在白天，老板常常在外面跑，好像有什麼事，今天在飯桌上，老板總是看着他，而且還撥出一些他認爲不必要問的話來問他。

「慕周，你對于這種修理工作眞的很有興趣嗎？」「如果有機會，你是不是想換一種工作呢？」「你對于這爿店是不是懷着很大的希望呢？」諸如此類的問話，一個連着一個，最後，郭慕周笑着說：

「老板，我在這裏不想走啦，老實說，我沒有家，我已把這裏當作家了。」

那個年齡才不過四十歲左右的店主，一聽這話，顯得很滿意。「很好，飯後我有一件事想跟你談談。」

郭慕周不知道老板葫蘆裏賣的是什麼藥，心裏倒有點担心，飯後，老板非常客氣地叫他在身邊坐下，拍拍他的肩膀說：

「慕周，我倒很想把這爿店成爲你的家。前些日子，我在南部的父母叫我回去，經營他們所開的那家糧食舖，因爲他們都已老了，照拂不過來。你如果有意思，我現在想把這爿小店盤給你。」

「盤給我？」郭慕周巡視一下店堂，十來架收音機，還有許多器械和零件，再加生財什麼的，憑他這個手頭祇有六七千元積蓄的人來經營這爿店？「老板，我沒有錢呀。」

「啊，你放心，不需要多少錢的。你知道，這些收音機全是那些國家交來寄售的，賣掉了，才付錢。至于那些器械，你在這十個月中也替我掙了許多錢，我決定送給你。還有那些生財和零件，時價怕在一萬以上，我現在想以五折盤給你，如果你一時無法付清，那末，你就先付些，餘數以後再慢慢還我。房子是租的，你向房東繼續租用好了。還不解決了？」

郭慕周還是猶疑着。「不要怕，我相信你會把牠搞得很好的。你在這裏已經有了一點信用，幹下去，一定有發展。」

郭慕周費了很大的勁說：「好，老板，謝謝你的好意，我遵命就是了。」

晚上，當邵顯回家，經過他店門口，站下來跟他談話時，他說：「邵顯，我想請你到喫啡店裏去坐一會，我有事情告訴你。現在是十點鐘過半，我就可以送你回家去，你會不會嫌太晚？」

「好，好，晏一點也不要緊呀。」邵顯微笑着說。

他們走到附近的喫啡店裏，叫了兩杯熱牛奶。郭慕周說：

「邵顯，今天有一件突如其來的事，簡直叫我無法應付。我那位老板要回南部去了，打算把那爿店盤給我。」

「那太好啦。」邵顯說。

（九）

請問「人」道

——以新詩問題就教於耿耿先生

張健

拜讀本刊八四四期耿耿先生的短文「新詩走上了『鬼』道」，[illegible]

（寫於台北師大）

自由人

THE FREEMAN

（第八五二期）

中華民國僑務委員會登記證台數新字第一零二號
中華郵政台字第五〇〇號
執照登記爲第一類新聞紙類
（半週刊每星期三、六出版）

每份港幣壹毫　台北市每份台幣貳元

督印人：陳文華
地址：香港高士威道二十號四樓
20 CAUSEWAY RD. 3RD. FL. HONG KONG
TEL. 771726

承印者：東南印務出版社
地址：高士打道六十四號
台灣總經理處：台北市西寧南路發零號二樓
電話：三〇三四六
台郵儲金戶九二五二
海外總經銷：友聯書報發行公司
香港：德輔道中二十六號A二樓

跟着「五四」的方向走

許冠三

一

明天就是『五四』四十大壽了。許多人都覺得好像只是不久以前才發生的事，特別是那些親身參與這個運動的人，闔上眼似乎還能很真切地看到當日的景象。是時光跑得太快，還是『五四』給人的印象太深！

二

像所有推動歷史前進的偉大事件一樣，『五四』運動有它的積極面，建設面，也有它的消極面和破壞面。這十年來，海外很有些人能找『五四』的毛病，好像有意要『清算』五四運動。這似乎還嫌得過早點，這麼快就下論斷是不容易公平的。

史事功過得失的評論基本上只是個價值判斷，結論如何，全取決於評論人所持的標準。如果你肯定進步，新生和民主，你就會認爲『五四』是一個光輝的偉大的，值得引以爲傲的日子！是意義重大的，完美的，你就不容易見到它有什麼缺點。反過來，如果你反進步，反新生，反民主，他就會覺得『五四』一無是處，你恨它，甚至怕它。請看，那些抱殘守缺，反民主的頑固分子，那個不恨『五四』，不怕『五四』？他們恨到甚至於將許多不相干的壞事都算在『五四』的帳上。因爲他們恨它，就將許多可恨的罪硬加到它頭上，於是他們更加恨它，並且理直氣壯地攻擊它。

我讀過許多這類文章，他們甚至連最起碼的史實都置之不顧了。作者所攻擊的實在是新文化運動，而非五四運動，誠然，五四運動與新文化運動有密切的關係，並可把五四運動看做新文化運動的一部，但是新文化運動與五四運動畢竟是兩回事，兩者所涉及的空間，時間，內容及影響均各各不同。

三

我無意在這裏爲『五四』作洗冤的辯護律師，或者寫一篇洋洋的史評，縱論『五四』的得失。這是不必要的，也是辦不到的，這還沒有到『蓋棺論定』時候，並且，這似乎也永遠不會有這一天。歷史評論既是價值評論，那末，它就永遠不能有定評，至少在理論上是如此，因爲，我們所持的價值標準是分歧的，難能統一的，不斷變動的。勇於作評價，只能製造許多混亂、糾紛和誤導。這麼多年來，思想界的混亂，糾紛和誤導已經够多了，我無意再去湊熱鬧。

在這篇短文中，我只想指出一些有關的事實，無可爭辯無可懷疑的事實。此外，直接或間接地，直陳或暗示地表露一些我個人對於五四運動的看法，這既不是爲天地立心，爲聖賢立言，更不是什麼定論。這只是些私見，不必有『大義』在。

四

這裏的『五四運動』是單指一九一九年五月四日及以後若干天，在北京及全國所發生的某種事件說，起先是北京的學生遊行示威，抗議當時北京政府在山東問題上的對日屈膝態度，攻擊並要求罷免幾個親日派的政府大員。接着上海，天津等其他各大小城市紛紛響應。當時最重要的口號是『外爭主權，內除國賊』。這個運動本由北京的知識界發動，蓋以知識界爲領導爲中心，終於擴大到工商界及其他各界人民。

這次運動不只是個真正的民衆運動，而且是一次空前成功的民主運動，是國家的主人第一次用遊行示威的權利，直接顯示他們主人的身份。北京政府嚇壞了，那幾個有賣國嫌疑的大員去職了，巴黎和會上的代表也拒絕在和約上簽字。『外爭主權，內除國賊』的目的完全達到了。

五四運動的發生本是基於民主的觀念：國民是國家的主人，執政者只是人民的公僕，僕人做錯了，主人有權糾正他們，更換他們。北京政府當局的讓步，無異於默認這一觀念。這運動的成功，特別是知識界的國民，對民主的觀念信之更深，持之更堅。

不過，在五四運動領導者，發動者靈魂的深處，發生作用的無疑是中國知識分子『天下興亡，匹夫有責』的傳統信念。民主信念可以說是這一傳統信念的新生。過分強調近代民主觀念對五四運動的影響，是不符事實的，智識分子的愛國運動在中國歷史上實屬屢見不鮮。同樣地，我們也不可只見到傳統因素的影響。五四是中國知識分子優良傳統和近代民主觀念結合後的產物，

正因爲如此，五四運動的影響才能深入而普遍，才能植根於中國知識分子的心靈而歷久不衰，匯成一股潛力，獨而對一切專制殘暴，獨裁的統治構成一種莫大的威脅，就像無邊無底的地下潮泉，隨時會湧出泛濫的洪水。一九五六年爆發於中國大陸的『新五四運動』便是最好的證明。一群赤手空拳的青年，竟敢向歷史上空前未有的最殘暴最強大的統治者挑戰，高舉『民主接力棒』，高呼『我們需要一個新五四』，這是誰的力量！無疑地，這是『五四』。這個中國史上劃時代的光輝的偉大的日子！這是民主，這個照耀着人類歷史舞台的火炬，引導人類走向獨立、自由、和幸福的理想！

五四運動另一重大的影響是民衆組織的興起。康有爲等人所發起的強學會雖是近代民間集會結社的先驅，但真正的民衆組織，直到五四後才普遍地出現。五四運動使覺醒的中國人民認識到組織的重要。是以，繼全國學生聯合會之後，工業界組織了各種協會，商業界也有了商會及各種聯合會，教育界也有了教職員公會。

五

且不說五四運動在其他方面的影響，僅僅這幾點就值得我追念不已了。

這四十年來，顯然沒有比當前更需要進步，新生和民主了。顯然唯有『五四』所提出的方向和道路，才是戰勝一切極權統治的正確方向和道路。

愛國家，愛自由，愛民主的人是必然會跟着『五四』的方向往前邁進的。（五、三、一九五九）

更正：本報上期應爲八五一號，誤植「八一五」，特此更正。

一週述評

一個「變」字

五四運動的功過，世人對之尚無定論，但五四是一個要求「變」的運動，而這個「變」對當時社會也是無需的；這個「變」帶來的後果，雖也無定論，即使變得不好，甚至變得違反原意，但是，公平的說來，當時社會確實需要有一個「變」。這個「變」的要求是合理的。至於變好變壞，卻不能全歸咎于這個「變」的本身。何況五四當年所提的口號——如科學與民主，在今天還是一個響亮的口號嗎？五四運動不可否認的價值在此。

「變」與「通」

有人自美國訪問歸來，說美國人（包括一些輿論界甚至決策上有影響力的人在內）對自由中國印象不甚佳，因而沒有信心來積極協助反攻，其論據大致是「過去」如此，今天亦然的成分，也不成全部理由（例如美國人的懼共心理等），但由此卻可以窺見美國人看法的一斑。由此也可以反省我們對外一些八股式的宣傳是已是完全落空的了。因此，如果我們認爲反攻不能放棄，在「現狀」下要求美國超過某一限度的援助——譬如使用美國武器援助西藏等，殆是不可能的；想取得美國援助或者不牽制自由中國反攻，似非自由中國有必需的「變」革不可。至於如何「變」，才能適應環境，那是另外一個問題。

希望與現實

西藏抗暴運動發生之初，國人有過一個直線的天真的看法，以爲這個抗暴運動，可以和自由中國的反攻行動聯合起來，但不可否認也無庸否認的是，事實演變的結果，在兩者之間，現出了許多走樣的曲綫。那是：北京——西藏——台灣間的關係，變成了中（共）——藏——印度的三角關係，後一個三角關係中又加上美俄及其他各國的色彩，而當然主角的自由中國却幾乎被擯出圈外，甚至有些報導淡載達賴的說話，竟不歡迎台灣的援助，雖然我們絕不相信這是達賴的衷心話；不過有一點是可以推想的，即西藏所要求的是反共——尤其以宗教的自由爲重要內容的反共，當然不能說是沒有要求政治獨立的傾向，因爲事實上沒有宗教的自由是能够完全離開政治因素而獨立的，雖然自由中國曾經適時地發出了「允許西藏人政治自決」的聲音，但實際上無力爲西藏人解決實際的政治問題，畢竟無法引起人家的信念。

一個實際問題

政治是現實的。我們也不能說台灣當局沒有想利用西藏問題去打開一條出路的苦心。而且我們推敲各通訊社的報導，不難想像當局爲了西藏問題曾經試探過，甚至獻議請美國給予有效的援助，然而美國爲了懼怕招惹中共，刺激印度而不願台灣捲入西藏「漩渦」拖她下水。因此有人觀察上月以來台灣聲援西藏之聲浪趨于沉寂，以爲是接受了美國的勸告，無論如何，事實上台灣對西藏的援助，到目前爲止顯然無法稍能滿足藏人的希望。我以爲如果一如所傳「達賴有不願接受台灣援助的表示」，縱受現實環境的支配，決非衷心之言，反之，未得台灣援助，祇有失望而斷無不歡迎之理。

自由世界的一幕悲劇

林伯雅

尼赫魯顯然要禁不住中共的威嚇了。北平之拚命攻擊印度爲「擴張主義者」，顯然可見中共對印度的顧忌，現在印度縱然不見得對西藏不動心，但在中共的恐嚇下，也祇能以「叛亂」視之。尼赫魯一再聲明達賴並非被印度「劫持」，而且更希望班禪赴印看看達賴。這一件事，抑且證明尼赫魯有寫與中共私了西藏事件，所要求的祇是中共的有一些諾言，其實是永不可靠的「保證」，而中共卻堅持達賴無條件回藏而已。尼赫魯「顯然不像真誠地在接待一個感受窮迫的政治難民」，他顯然「沒有膽量投入自由世界，而仍在兩面討好的故技」（引用紐約每日新聞的話。）擺在面前的情勢是：達賴在印度懷抱中已不感到徬徨；印度又在中共的恐嚇中感到震慄了；歷史上擁有宗主權的中華民國，卻在焦急中站在門外；西方國家迄在蘇聯的恐怖下忙于四強會議的高層會議的應付而對藏事迄持觀望態度，不願多管「閒事」；美國似竟忘了西藏可能成爲共黨越洲飛彈的試驗基地，而也不願台灣牽入西藏「漩渦」。這些這些，但是自由世界的悲劇。

自由談

何必妄自菲薄？

愚子先生

據美聯社二日由台北發出電訊，報導台灣民意多支持蔣總統於明年五月任期屆滿後，仍繼續連任現職的輿情，並舉出「一位不願發表姓名的官員」所述事實爲證：「國軍金門戰役發生時，許多高級官員均強烈主張轟炸對岸的敵人砲兵陣地。當時美國對這事是反對的，因爲一轟之後，可能把危機擴大，而引致美軍和中共作戰。那時蔣總統說『不』，三軍便貼然服從了」。我不否認這項事實，但可怪那位「不願發表姓名的官員」，幹嘛要舉出這種例證以對美國人表示蔣總統必須繼續連任的理由？這不是擁護本國元首，而係妄自菲薄，喪失體統與國格的說法，我反對！

去年金門我軍遭受敵人每天以十萬發大砲彈轟擊時，因爲美國當局的惰性自私觀念，竟反對我軍採取正當防衛措施，教我們坐着挨打而不還手。這原是一種恥辱，言之痛心，再要向美國人提起這類不榮譽的事，祇見其醜屎臭而已！我們的政治制度是民主憲政，我們的軍隊是國家武力，一是皆以法治與紀律爲本。若如那位「不願發表姓名的官員」所據述的語意，似認爲我們的三軍將士只是對蔣總統個人纔貼然服從，假使換過一個國家元首兼陸海空軍最高統帥，情形便要兩樣了！這種說法的必然邏輯，即承認我們的軍隊仍係個人武力，而不配號稱爲「國軍」，這還成話嗎？

要贊成蔣總統繼續領導反共救國大業的正大理由和事實，有的就是，可謂不勝枚舉，何必藉金門戰役那種坐着挨打的丟人之事來強調其說，而表現着媚外的心情呢？似此缺乏理智的官員，應該實打手心四十大板，然後教他捲起鋪蓋行李回到民間去閉門思過才是。

人不怕背時倒霉，最怕喪失自信與自尊心，國家亦然。蔣總統應否繼續連任下去，這是我們自己的內政問題，儘可依民主方式予以解決，用不着向國際朋友投其所好，多說阿諛逢迎的廢話！

援藏管見

政府應即號召地方力量

●李仲侯●

據十七日合衆國際社台北十六日訊，謂西藏反共革命已蔓延至四川邊境，並稱四川省數以千計的人民，已拿出他們私藏武器，參加沿金沙江一帶與共軍對抗的游擊戰，我覺這個消息是正確的。我是在卅九年三月廿六日飛離西昌的。西昌是川康滇三省邊區的重鎮，也可說是三省通往西昌的孔道，我在西昌行轅：（後改警備總部）協助處理邊務爲時三年，調查區內夷人不下一百萬人，夷人手中握有槍枝，用最保守的估計，亦不下卅萬枝。憶卅七年查封會理一家蘇姓土司，（祗能算中等土司）在其家抄出大砲和機關槍卅餘挺，美國最新火箭砲兩門，槍枝數百桿，以一個中級土司，在家內藏有這多武器，其他可想而知，蓋夷人酷愛槍砲，生活簡僕，出產財貨，除少數換取鹽布白銀外，即盡量購藏槍械。

記十年前一段經歷

整個大陸在卅八年底淪陷，惟西昌一隅（轄十縣兩設治局）屹立不搖。賀國光於卅九年元旦就西昌主席職，是日胡宗南亦抵西昌，二氏同心協力、守土抗匪，曾將全區劃分爲十六個警備區，編成民兵十餘萬人，這樣一個孤危局面，居然若撐到了卅九年三月下旬賀龍統率十萬大軍入昌，胡賀兩氏始奉命撤離來台，但西昌人民誓死不爲匪用。夷人如靖邊司令孫子汶，夷務團長羅大綱，我方警備團長邱純川等，均轉入地下工作，胡長胥將軍則已在大渡河邊壯烈成仁，遺骸莫收，十年來，在這一帶共幹，雖強迫人民合作，但迄無成效，且以其地形特殊，亡命山澤之徒，嘯聚抗暴，此落彼起。亦迄無甯日。

力征西藏史所未有

按西藏即古之三危地，在漢爲羌，在唐爲吐蕃，我們在西昌，曾調查三省邊區散布各地的藏人連木裏在內，約不下三萬人，其地劃分四部，現今西康省所稱之康屬，即乃藏人中康巴族所居之地，我們甚至懷疑黑夷源派亦出於藏族，不過其文化落後甚遠耳。西藏自唐文成公主和蕃，始與漢通，數千年只受漢人羈縻，從未被漢同化，以宋太祖之雄才武略，亦只能以玉斧劃河，棄大渡河以西於化外，清初如年羹堯，岳鍾琪之力征經營，亦徒勞而收穫鮮，石達開曾在大渡河邊師敗身死，朱毛當年亦在此棄甲、曳兵，茲共匪師亡秦之故智，經營宇宙，欲以慘絕人寰之暴政，一體施諸邊民，宜其動天下之憤，自促滅亡。

應速起用西南宿將

我們蟄伏海隅，久已守株待兎，今西藏同胞，蜩起抗暴，正大好亡秦之會，天意興漢之時，前見報傳，我政府曾對抗暴之藏胞投武器傳單，然形格勢禁，究屬無補于事。現[illegible]如楊森，孫震將軍等，他們都掌握川[illegible]年，尤其四川之袍哥，對楊將軍非常[illegible]方面，如賀國光氏，他是廿四年組[illegible]勵匪，應當方面，最後出任西昌行轅[illegible]對調和漢夷，開發邊疆工作，饒有經驗。我在西昌，看到夷倮藏人，成羣結隊，羅[illegible]有若家人子弟，其警備副總司令兼[illegible]、惟幄邊籌，鳴暢邊情，深得夷人[illegible]宿如李宗黃李彌將軍，康藏代表如[illegible]海代表如馬鐵援等均極負時望，其[illegible]陝甘新藏各省耆宿名流，寓港寓台者，均不在少數，具有號召力之人士，似應速由[illegible]會，一體以禮羅致，組織爲支[illegible]之類，集思廣益，研究對策，[illegible]播呼籲，堅其抗暴信心。

並應及時號召地方勢力

古時當國族危難之際，莫不起用元老重臣以備諮詢，這些賦閒海濱的大老，或狩獵以消閑，或詩酒以遣日，然江湖魏闕之思，髀肉復生之感，迄未忘懷國事，這些人雖垂垂老矣，然壯心仍在，民望攸寄，他們在漢夷邊民腦海中，都留下過最深刻的印象，今日邊區之民，國破家亡，死裏求生，乘這次藏人大舉抗暴，義火狐鳴，驟耕隴上，誰不想憤然思逞，只要聞知此輩還在台灣，號召反共，其神自旺，其志自堅，則川邊大小涼山黑白夷族以及川康滇黔各地袍哥，可望雲合影從，羣起滅共，自古天下未亂蜀先亂，此次中共竊國，蜀、康、藏爲最後亡，此次藏先發難，川康接壤，事先諒中必有聯絡，事變當有不乘機響應之理，爭天下必取高屋建瓴之勢，時機易失，千載難逢，如僅爲作聲援，徒喊口號，則西藏抗暴之壯舉，轉瞬間不過與匈牙利事件成爲歷史之名詞而已。當局盍不速圖之。（四月杪于台北）

修憲問題新發展

○丘式如○

【台北通訊】去年十二月廿三日，蔣總統在光復大陸設計研究會年會表示他代表中國國民黨，代表政府說話沒有修改憲法的意思，並且反對修改憲法。接着國民大會舉行年會，便通過李鴻儒等一四五人『請即成立憲法研討會，加強憲法研究，檢討行憲績效，宏揚憲政精神，以圖長治，而固國本案』的提案。後來國代聯誼會又于本年一月廿六日，舉行有關修憲問題的座談會。各省籍的國代，更紛紛舉行分省座談會，交換關于修憲問題的意見。於是修憲問題，即進入具體的討論階段。現在將贊成和反對的雙方意見撮要述之如下：

修憲派的主張

贊成修憲的，可以張知本李鴻儒等爲代表。他們認爲：修憲（一）在法律上是『盡職』，憲法第二十七條關於『國民大會之職權』，『修改憲法』乃在該條第三款明文規定；（二）在道德上是『立信』，動員戡亂時期臨時條款第四條，規定修改憲法各案，至遲于民三九年十二月廿五日以前召集臨時會議。現在隔十年，仍未舉行此種會議，是政府失信于天下；（三）在政治上是『負責』，修改制度，必在危難時期，林肯在內戰時期修改憲法。戴高樂在國基動搖時修改法憲，即其明證。

他們復認爲修憲的法定人數，是小問題，其理由是：因爲代表總額雖規定爲三、○四五人，但依據『憲法實施準備程序』的規定，選出代表人數爲三、○四五人的三分之二時，即可認爲合法的召集總額。所謂三分之二應爲二、○三○人，則召集總額的三分之二爲一、三五四人，大陸二次大會時，報到代表一千五百餘人，除去死亡的代表外，還可有一千四百餘人，儘可開會，從事修改憲法了。

反對修憲的理由

至於反對修憲的理由，更是振振有詞的。持此議者，以在野黨及社會賢達爲多，這些人認爲：（甲）行憲未久，減否未著，何必急急更張。如何確立法治，方是目前的急務。（乙）現行憲法，成於民國建立三十六年之後，不知犧牲了幾許仁人志士。不宜遽言修改，以增糾紛。（丙）現行憲法，人民的權利義務，均已明白載明。此時應求實行，否則修改後於事何補。更予人民以責備政府的藉口，讓爲借題發揮。（丁）國民大會代表總額爲三、○四五人，三分二出席合法人數爲二、○三○人，目前能出席者，顯然不能有此合法人數。（戊）現行憲法，係全國性的。聯合國始終承認由此憲法而產生的政府。一經修改，是否不至影響我在聯合國的地位。或予人認爲有台灣地區性的意味？也是值得顧慮的。且目前政府的最大任務，在光復大陸。在大陸未光復前，修憲是否急務。不無疑問。（己）修憲大會一開，智者見智，仁者見仁，激辯立起，情感靡攄亦所不免，萬一因此而引起國內的新糾紛，豈非得不償失？

修憲的實質問題

此外，談到修憲的實質問題，在國大代表中，又很容易牽涉到立法院的。國大代表中有人說，五五憲草所列國民大會職權，包含選舉罷免立法院委員在內。復議修正案所否決，於是變爲立法院的立法。權，高于一切。國民大會已不能要求復決，且亦無從過問。實行修憲，國大代表與立法委員之間，亦是徒亂生許多爭執。

廣東江蘇代表的表示

以目的情勢說，修憲問題，尚屬于討論時期，距離決定的階段尚早。修不修固成問題，何處應修何處不應修，也成問題。現在即修，或將來修，亦成問題。惟有一個普遍的共同觀念，即因修憲而連帶牽涉及的蔣總統第三任出處問題。在分省國代有關修憲問題座談會中，最近廣東籍和江蘇籍的，對於蔣總統的連任問題，會作一致擁護蔣總統連任的表示。其他各省籍的國代尚無表示。但蔣總統再連任總統，在憲法上根據怎樣呢？這是一個修憲的程序問題，即是純法律上的問題，也就是許釋法派與文義解釋派對於憲法第一七四條規定的見解統一問題。能否得到合法結論，且待將來了。（四月廿七日）

論總統任期問題

—左舜生氏的意見—

（本報訊）五月一日的聯合評論，左舜生先生發表了一篇題爲『從中共人事異動看台灣』的文章，他認爲中共今後『最高發號施令者仍舊是毛，天下還是毛澤東的天下。』劉少奇聽他，周[illegible]也聽他。這是左氏對於國民政府的總統任期問題的看法，又發表他的意見，茲節錄原文如下：『蔣總統第二任任期，將於明年[illegible]二十[illegible]期滿，國民大會應於明年[illegible]月開會了[illegible]顯意[illegible]憲法[illegible]是去年蔣總統發表演說，反對修憲。一般國民了解，蔣總統已無意連任第三屆的總統，外國人也了解，蔣總統已無意連任第三屆總統，但有不少愛戴蔣總統的人，覺得仍然非請他勉爲其難不可；尤其自西藏抗暴事件發生以來，似乎更爲這般人增加了必須挽留蔣總統連任第三屆總統的信心，上月二十四日美聯社從台北發出的電報說：「自由中國輿情，均贊成蔣總統連任第三屆，大多數人均不贊成以別人繼任……彼等迷信地堅信蔣總統將能有一天實現其重返大陸之希望，非其他任何人所能比擬……西藏抗暴事件已大大增加自由中國重返大陸之希望。現愈來愈多人相信重返大陸不是夢想，而是有實際可能性，只敬佩蔣總統之人們，只願彼領導彼等返大陸。」類似這樣的一種說法，香港也常常可以聽到，而且不久以前有某大法官的一篇大文已引起海外的種種揣測。蔣總統確實只說過反對修憲，並沒有說過他絕對不願連任第三屆總統。因此他究竟願不願連任第三屆，我們確實不知道。如果他願意勉順「輿情」，對於第三屆的連任並不拒絕，但不經過修憲的手續，所謂第三屆的連任，究竟如何一個違法。我們也確實不明白。有人說，現在是非常時期，所有的國大代表，立法委員，監察委員，本來早應改選，以「非常」之故，由人民一直連任至今。[illegible]選出的民意代表，不必改選，事實的困難，[illegible]爲什麼總統不可以[illegible]？但我們[illegible]所有的民意代表，百分之九十九，是由地方選舉出來的，在這些地方選舉不能舉行的時候，已自無從補救，但總統則是由現在的國大代表選出來的，第二屆的總統就是由現在的國大代表選出來的，何以第二屆可以選，第三屆獨不能選呢？十年以來，都是非常時期，何以第一第二屆不非常，第三屆就突然非常了呢？但我們在這裏依然保留的，下面所舉的三點，都是一說大家便可明白的事實：

一、在過去的三十多年，蔣先生曾領導國人做過兩件大事，一件是北伐，一件是抗日，當其進行這兩件大工作的時候，蔣先生原不一定都在國府主席任上，他當了主席固然可以領導，不當主席也一樣可以很好的領導，如果說要很好的領導反攻復國，便非由他連任總統不可，那就既不合歷史，也實際上無必要。

二、這次毛澤東不幹了，中共最初擬議中的「政府主席」的替人，大陸的至少有朱德、劉少奇、林彪、周恩來、宋慶齡等五六個，目前台灣的情形則更爲簡單。致可以由國民黨提出一正一副，修選人，不會也不能超出兩個，而且名義上是黨提，實際則由蔣先生指定，既由蔣先生指定的，是蔣先生最所信任的，當然志同，絕對不會不接受蔣先生和黨的領導的，毛澤東尚且有如此把握，能說蔣先生反無此把握？

三、毫無疑義，十年來台灣所以還能維持如目前的一個地位，大致是由美國的支持，可是到了明年，美國的政局也要大生變化，民主黨至少有百分之七十的希望登台，民主黨與共和黨完全相反，但誰敢說不一定對人的態度不會有若干或多少的不同呢？而目前關心中國問題的人，對台灣有個一致的看法，總覺得「毫比不變好」，這話在北則我們可以聽到，我們仍不容易堅持一個原則，如萬一在今後六年我們的國際地位更趨低落，到那時候怎麼辦？

本來對這個問題，我們不願說話，也不過爲了中華民國，有兩點使我們非說話不可：第一點是常用心憲法的尊嚴，第二點是明年我們在聯合國的代表權地位。對此我們提出來說一說，略而又略的一說。』

台南短訊

△高雄市長陳武璋，本年青年節（三，二九）曾有熱烈盛大的「政績」，耗資十萬元，印發「高雄市四七年度重大建設工程完成暨竣工聯合典禮紀念特刊」萬冊，發出邀請各界及民間請柬數千。這大典禮的請柬上印有七大項目：（一）體育館落成剪綵，（二）青年節慶祝大會，（三）壽山公園開放典禮，（四）國父銅像揭幕，（五）土地重劃及平等，自強路開工，（六）視察建造之一三○噸級漁船，（七）邀請東至市府大禮堂聚餐。據台北徵信新聞報導：盧嫏民脂民膏，這一「自吹自擂」自我「表揚政績」大會，自晨九時起，全市各機關、學校、團體的大小車輛全部出動，風馳電掣追隨市長轎車之後，市民莫不側目。是台灣行政改革的「成果」？

△陳武璋市長「實踐」競選諾言，興建綜合體育場，耗資三百餘萬元，上無遮雨設備，落成不及一月，場地已發生裂痕。市議員趙當標提出嚴厲指責，認工程有偷工減料之嫌。因包商是台南縣同鄉，督常務監事。

△高市議員王玉雲，揭發市府教育科長與四國校校長合營書局，壟斷學校教材，向各學校傾銷，有利用職權圖利之嫌。王書川議員指社教股長辦理市民申請設立英文補習班，涉紅包二百元，未照股長要求之一千五百元而將公文擱下，久無下文。包換議員要求陳市長撤辦嚴辦，陳市長答說找不到馮霞，找到自當辦，請示衆。其實，不是找不到馮霞，而是找不到證據吧。

△台南地檢處檢察官孟劍平，涉嫌重婚，司法行政部已予停職，並移嘉義地檢處偵辦。本月十六日第一次開庭時，嘉義人山人海，人室巷，爭睹男女主角。柯月娥頭戴巴黎式紅帽，着紅色洋服，足登紅高跟鞋，手持紅皮包，裝束一身「紅」。開庭時，檢察官問她是否與孟劍平發生關係？柯答是普通朋友，決無任何關係。問既無關係，何以有孕？柯女否認有孕！庭論法醫檢驗證明並非完璧。下午再訊孟劍平，又答辯，認請四月一日係柯女之父在台南市的新屋落成，邀請去吃賀酒的，並非結婚喜酒。主辦該案的是張濤石檢察官，傳訊的十五個證人，均係來自新營方面女方賀客。孟劍平的原配夫人劉惠霖推事，與伴同她開翻新房的張院長夫人，及高分院法警等人，均尚未被傳作證。該案是否起訴，尚在偵察中。據報載，兩年來孟劍平承辦家的案子，已發現有三起定案欠妥。其中奧妙可知。（四月廿六日）

○昌增勳○

從董必武說起

[illegible]

羅瑞卿權職增高

[illegible]

高崗系統新發展

[illegible]

錢瑛史良廖承志

[illegible]

劉文輝出任新職

[illegible]

藏族人士跑龍套

[illegible]

。田心。

宋慶齡和中共對西方政策的關係

宋文明

共黨國家的內外政策，都是經由黨內最高層的決策機構而制定的。這種最高層的決策機構，在今蘇聯爲黨中央的主席團，在今中共爲中央政治局。不論它們的最高統治者爲斯達林或赫魯曉夫，爲毛澤東或劉少奇，它們的最高決策總要通過這兩個機構，或完全由這兩個機構所決定。不過，在中共的對西方政策上，我卻發現一個奇特的例外，這就是過去曾任中共中央人民政府副主席，中蘇友好協會副主席，及現任中共人民代表大會副委員長的宋慶齡，在決定中共的西方政策和代表中共對西方政策發言上，始終扮演着一個稀有而重要的角色。宋慶齡不是中共黨員，更不是中共中央政治局的一員，但她在代表中共對西方政策所說的話，常常比中共有關方面宣佈或事實表現出某一政策者更早。

共黨國家沒有第一流的西方問題專家，正如西方國家缺乏第一流的共黨問題專家一樣。由於雙方在研究和解釋對方的問題時，常常帶有主觀情感，不能對他方的一切作客觀而設身處地式的分析，所以無法眞正明瞭對方的實際情況。今日美蘇兩國的互相猜疑是由此，世界冷戰的不能緩和是由此，韓戰期間中共在對西方政策所犯的錯誤亦皆由此。中共深知道它們黨內現在沒有一個李維諾夫那樣能引西方注目的人物，更沒有一個對西方問題的第一流決策頭腦，所以自一九五二年下半年起，由於國際環境的變遷與需要，宋慶齡事實上便成了中共對西方政策的最高發言人。因此要研究中共對西方集團的政策，我們用不着先聽周恩來和陳毅說什麼，甚至用不着聽毛澤東說什麼，我們只要聽宋慶齡說什麼就夠了。有許多事實已表現宋慶齡過去數年代表中共對西方集團的發言，實在遠比周恩來等的發言更具權威性。這是一個非常有趣的問題，但也是一個確鑿的事實。現在我願提出主要幾點，來加以證明：

（一）一九五二年十月三日，宋慶齡在北平演講，要求以和談方式解決韓戰、越戰、和馬來戰爭。當時韓境已進行和談，宋慶齡對韓戰這種表示已不足爲奇；但她對越戰及馬來戰爭所表示的這種意見，以當時情勢來說，是屬一種空前的行動。在宋慶齡作這一表示以前，甚至包括莫斯科的眞理報，亦從未對越戰和馬來戰爭提出過和談解決的主張。那麼宋慶齡這一演講僅是表示她個人的一種看法，抑或代表中共的政策？答案顯然是屬於後者。先說越戰，一九五三年九月十三日，中共廣播首次正式要求和平解決越戰；同年十一月二十八日，胡志明答覆一瑞典記者詢問，才首次表示願與法國舉行直接談判，以和平方式解決戰爭。再看馬來方面，一俟越南戰事宜告結束，馬共便於一九五五年六月二十四日，亦正式提出和談要求。由此可知越戰和馬來戰爭的和談政策，是由北平所決定，而宋慶齡便成了這一政策的最早發言人。

（二）一九五四年十二月三十日，宋慶齡在北平「中蘇文化協會」又發表另一次重要演講，這一次講演首次大明白表示中共願與西方和平友好，與西方國家包括美國在內建立外交關係。宋慶齡這一演講對美國所表示的姿態是空前的，[illegible]在中共將十三[illegible]判處[illegible]之間，這就是[illegible]些方面[illegible]，而中[illegible]是竭力[illegible]解。在[illegible]未因[illegible]起戰鬥[illegible]打開了[illegible]何的大[illegible]以這[illegible]不交其他中共要人發表、而由宋慶齡發表呢？是值得注意的。

（三）一九五七年五月下旬，蘇聯主席伏羅希洛夫訪問北平，中共曾與伏羅希洛夫舉行一高階層會議，而宋慶齡便是參加這一高階層會議的四個或五個少數人物之一。由此可見宋慶齡不祗爲中共對西方政策的最高發言人之一，而且也參與中共的最高機密，負責制定對西方的政策和作法。

現在要問的是，何以中共如此重視宋慶齡？何以予宋慶齡這種對西方政策的最高權威性發言地位？這一理由可能在於兩方面：即（一）是宋慶齡個人的條件和她三十多年來一貫的思想傾向，使她具有這種地位；（二）是宋慶齡在中國革命史上的特殊身份，使她對中共的亞非政策和西方政策，具有一種非任何人能俱備的重要性。由於這兩個理由，所以自一九五二年中共開始與西方集團正式打交道起，中共即似乎使宋慶齡成爲這一方面的發言人，代表中共對它們講話。假若中共其他人物出來對西方和亞非集團發言，態度和立場可能顯得不自然；可是由宋慶齡出來對西方及亞非國家講話，一切似乎順理成章，毫無勉強做作之處。祗要我們注意一下尼赫魯訪問大陸時特地晉謁孫中山先生陵寢；印尼總統蘇卡諾在雷金山所發表的演講；以及亞非其他中立主義國家領袖們對孫中山先生所表現的仰慕之情；我們就會想到宋慶齡對這些國家的人民所發生的吸引力了。

正由此故，所以最近數年以來，中共即不斷派宋慶齡前往東南亞各國訪問，以中共巡迴特使的姿態，遊說於各國政府與人民之間，替中共推銷「和平五原則」及「互不侵犯條約」的外交政策。這種訪問由巴基斯坦至印尼及東南亞各地對各國外交態度當然都發生了一些影響。甚至假若不是由於一種外力阻止，使泰國政府取銷了它們原來的決定，宋慶齡也許早作了訪問曼谷之行了。

最近時來，並未聞宋慶齡有任何外行計劃。但由於宋慶齡對中共的西方及亞非政策如此重要，所以我相信只要時機一到，中共一定會想盡一切方法，要繼續從她身上搾取最後一點「剩餘價值」的。我相信中共將會派宋慶齡訪問開羅和巴格達；也會派她去訪問斯德哥爾摩和倫敦；尤其我相信只要環境許可，時機一告成熟，中共更可能派宋慶齡以私人資格去美國訪問。我從一九五六年初宋慶齡在仰光發表的一篇演講中得到這一印象，又從一九五七年初香港英文報的一項新聞中得到這一印象。這一時機也許遠在兩三年以後，也許近在兩三月以內，主要是看一般局勢的如何演變來決定。祗不過我確信中共曾作過宋慶齡訪美這一打算，而且至現在爲止，亦還沒有相反跡象表示要放棄這一打算吧！

大陸文壇透視

老舍與郭沫若之間

這次「文藝紅旗」批判老舍，主要在「茶館」一劇，其實「茶館」本有問題，去年「文藝報」召開座談會時，林默涵、張光年等就曾指出過。但事隔一年，又遭批判，卻與郭沫若有關。

五一年老舍「[illegible]」時，郭沫若已不在也眼下。到五四年爲「紅樓夢」案鬥爭馮雪峰時，老舍指桑罵槐地在發言中曾向郭沫若如此攻擊：「身兼數職，便高高在上，點頭搖頭，自設壟握原則，實則丟失了原則。」（見五四年第二十二號文藝報）表面上他是在罵馮雪峰，實則馮雖職不如郭多，亦不及郭之「高高在上」。郭沫若得周揚之力捧，田漢、夏衍之推護，新黨作家中茅盾、巴金還能與之委蛇，只有老舍不肯買帳。原因是老舍亦同樣得到周揚的賞識，[illegible]都是[illegible]「北京文聯主席」，[illegible]他的「部下」，[illegible]憎恨得牙癢癢，[illegible]氣。去年四月二十六日，文聯、作協召開「文藝界民歌座談會」，由周揚主持，會中曾爲討論民歌改不改的問題，郭沫若和老舍意見相左，竟在周揚面前爭論起來。郭說：「站在文學觀點來看，我贊成可以改。有些詩只要稍微改一下，就好了，說民歌民謠不能改，這太死。」老舍卻抬出周揚來駁他說：「周揚同志曾講過：在大躍進中，工農一定要表現自己。這很對，但表現出來的未必都恰當，未必都有那麼多的文藝性，這不要緊。它表現的是工農羣衆自己的歷史，詩人趕不上他們。邊收邊改，這要不得！有的民歌是地方語言，不能把它通改成普通話，把生命給改掉了。」（見去年文藝報第九期）這好像在周揚面前爭風吃醋一般，結果是周揚當時未能作左右袒，不了了之。

去年年底「郭老」入黨，這就不同了。數年積恨，那能不思乘機一伸？所以老舍儘管努力寫出「紅大院」「女店員」兩個多幕劇，仍然難逃「茶館」的被批判。

同時郭沫若還有非在這時打擊老舍不可的一個理由，就是他正在爲曹操翻案，而老舍寫過一篇長詩「劍北篇」，其中拿曹操代表敵人：「我們的官長，士兵，嗄，我們粉變的弟兄，這樣的勤著，這樣的英勇，見了遠客還這樣的和藹端誠；在壕裏聽見了砲聲，會幽默的給你計算砲的射程，也還沒忘掉五虎將裏馬超的英勇；看這多麼老的樹，多麼大的槍孔，那時候，白臉的曹操該怎樣心驚！」這當然就是郭爲曹操翻案的一個障礙。

今年二月二十八日，田漢召開戲劇家座談會，邀請的有郭沫若、夏衍、曹禺、陽翰笙、歐陽予倩父子、李伯釗等，而獨無老舍！老舍的「行情」已經看「跌」了。

工廠多困難　躍進要落空

一九五九年大躍進的任務下達各廠以後，引起了一片「困難」的呼聲，據第五期「中國工人」半月刊報導的消息：中共郵電部北京器材廠的幹部，都認爲「去年[illegible]沒有什麼油水了」[illegible]「六十路微波機」（一種通訊設備），有的[illegible]「這是新產品，[illegible]究竟會不會落空呀？」[illegible]「同志」說：「困難[illegible]今年計劃沒有把握[illegible]齊志良說：「總之，是保守思想佔了上風。」

北京化工廠也有一種「歪風」：「大家覺得緊張了一年，今年可以鬆一口氣了，不必再若戰」。這時廠裏下達了一月份的生產計劃，但是鬆勁情緒這股歪風立刻吹遍了我們小組，一月上旬和中旬的計劃都沒有完成。」據天津江旗化工廠的情況，說：「年初，我們廠三酸二碱等主要原料供應不足，一月上旬，五種主要產品被迫停止生產，有些人，對今年完成躍進計劃失去了信心，說：缺少原料怎麼能躍進啊！」（賚）

瘟君夢

第二回：密室定奇謀，蒼生塗炭　巴山留遺恨，弱絮隨風

一羣人看到毛澤東的態度，都哈哈大笑，林伯渠說道：「主席擬定新名詞的天才，眞是前無古人。」

毛澤東笑道：「名詞擬好了，原則也確定了，假若執行不好的話，責任就在大家身上了。」

大家沉默一下，羅榮桓站起來說道：「時間不早了，假若沒有其他的事，我們可以散了。」

林伯渠抬頭看看鐘，啊了一聲：「原來已經六點了，整整開了一夜的會，主席應該休息了，大家走吧！」說過率領衆人退出去。

毛澤東踉蹌走回內室，只見藍蘋仍在燈下看書，見到毛澤東進來，連忙向書架上塞。毛澤東捉住藍蘋的手，笑道：「什麼書，給我看看。」

藍蘋把書藏到背後，噘着嘴，一言不發。毛澤東摸摸她的臉，笑道：「氣什麼，怪我回來晚了是吧！這也是沒法的事，爲人民，爲國家我不能不辛苦些。」

藍蘋還是不理他，毛澤東涎著臉問道：「你到底看的什麼書，也讓我看看。」

藍蘋一揚眉毛：「是反動的書怎麼樣？」

毛澤東哈哈大笑：「看反動的書也沒有關係，這是爲了向敵人學習，香港那些反動份子寫的文字，我都看的，我們在廣州設了一個「反動報刊調查委員會」，專門搜集這一類資料。」說着話，毛澤東乘藍蘋不防備，兩隻手突然向她背後一抄。藍蘋誤會了毛澤東要和她接吻，怕透了毛澤東的滿口煙薰味道，趕快一轉身，書被毛澤東搶下來。

藍蘋知道上了當，轉身要來搶，毛澤東已看見書名，原來是「金瓶梅」，不禁又笑起來。

藍蘋嗔道：「看你這個樣子，我想起每年十月一日站在天安門那種態度，神聖的不得了，可是在房裏，你簡直比西門慶還不如。」

毛澤東笑道：「我那能比得了西門慶，西門慶一生討了多少老婆，你要是把我比西門慶，你要向吳月娘學習才是，西門慶家中安了六個姨太太，吳月娘都不吃醋。」

藍蘋恨道：「你不要和我繞這些圈子，你要想把那個姓張的小妖精接進來，除非等我死了，或者也把我送去莫斯科。」

毛澤東擺擺手：「算了，我們正談金瓶梅，你不要把話頭扯到別的地方去。」

藍蘋眉毛一揚：「這也是辯證法呀！」

「你居然用起辯證法」，毛澤東笑起來，又用手去拘藍蘋，不料她這次學聰明了，一縮頭從毛澤東腋下鑽過去，毛澤東兩手抱空，身子向前一撲，沒東西遮擋，登時跌在地板上。（卅三）

岳騫

釋耒集

論惡性注解

曲齋

前在台灣報紙上，不時看到教育界人士兇懸惡性補習之報導，可知此一病痛，在台灣相當流行，香港情形如何，不甚了了，但以余所知，另一病痛，無以名之，姑名之曰惡性注解。此病癥結於國文或歷史教科書中，病象爲學者必感消化不良。在以前，學校中有教科書，始于科舉之廢，在此以前，學生所讀者，均爲五經等書之白文，習作八股文開講，始讀集注。始辦學堂，學生所用者，曰教科書，亦均爲白文，其有注解者，曰教授書，唯教師始用之。記得及大抵北伐以前，學校中學生所用之文史課本，亦有注，但僅國文改稱國語之後，而課本中又不得不酌選古典文學，於是注之詳，另則一部分現代作家，但往往喜摘撮古典成語入其文中，以示其會讀古書，于是課文亦必加注，發展至今日，每一課文之下，均附上作者生平，……注釋，及成語摘錄，問題討論等等，多者尚有語文對照或文章作法之類，疊床架屋，灑灑數千言，實則有經驗之教師見之，但覺其無聊可笑而已。余嘗見一課本寫某題目一段，其中寫其氣特佳，課本注中釋二字曰丹田之氣，設令讀者不求甚解，尚無大碍，稍好學者，即不免翻查詞海詞源等書，

今按詞海注丹田曰：「道家通謂人身臍下三寸曰丹田，是男子之精囊，女子之子宮所在之處。」此下又引黃庭經，抱朴子諸說以實之。此說雖極恍惚，且學校中青年男女，已略具自然科學知識，知人之呼吸運動，肺實主之，與丹田何關？若謂丹田所在之地，得謂非胡說之尤者乎？又今高中國文課本中

係一文，其中會讀讀梁任公先生論小說與群治之關係，其中曾有兩大三國與水滸之語，林冲，事見原書第十一回，林冲持柴進薦書投奔梁山泊王倫，求入夥，但王倫要其投名狀，借納投名狀（殺一人頭繳納）以拒之，限其三天內繳納，否則請其另投別處，教科書注謂見第十回：「林教頭風雪山神廟」事，又加說明曰：「謂林冲曾于雪地遭遇三次的生命危險」云云，則近于對癡人說夢矣。細按原文，並無此語，任公所引，可能出自林冲火併王倫一回之金聖歎批語，注家偶疏，實應讀之。近者台灣坊間又出現供學生用之國文問答一書，設問考學生對岳飛滿江紅詞之認識，解答岳飛死于高宗紹興十一年，辛棄疾至紹興三十二年方始渡江南來，時年二十三歲，岳飛死時，辛尚乳臭，謂岳飛作詞受其影響，則又不止胡說，直是鬼話矣。若此者，得不謂之曰惡性注解邪？

虛榮與壯志

心籟集（六） ·李素·

我正苦靈感久不來，靈感卻忽然掉到我頭上，於是我又有了題材可以再發狂想了。何樂如之！

我那篇「不朽的代價」大概又是沒有寫通吧，故有些人又發着他們不朽的肝火，大發議論，我最討厭而又是最偏愛問句，卻有太聰明的人一批評，便是先知吧，代作肯定的答案並從而指出錯誤，再因而教訓世人，讚揚棒棒的神情，活像衛道的賢哲或救世的聖主，在宣道說教，在號召信徒。然有趣

其實，一個夢者的狂想，一切錯誤，則說法也不如有些人的一切錯徹底。所以我現在倒要長做不朽的大文章那麼了不得，足以引人反省，除垢滌污，移風易俗，旋轉乾坤，而只是騷人說夢，絲毫不會妨害人家盡力做好人的事業，也不會以虎倀羊的姿勢，自費氣力去注意和擔心。意思給別人歪曲，最初我覺得自己的中有點兒不甘，後來想假如我有些由，我也甘願地接受批評的。心起了這個是個港做夢也夢懶得干擾的世界，便認爲沒有什麼值得奇怪的了。反正我是個弱者，願一本懦弱作風，担承

的夢想，說而爲不同的追求。有些人追求着物質的享受，有些人追求富貴權位的虛榮，有些人追求聲名，也有些人追求美善的境界。換句話說，精神的價值與目標，也是各有其志願，理想與目標。人，能否達到完滿實現，那是另一問題。上的目標，也就是他的志願。這是詩聖杜甫作「語不驚人死不休」，是爲了「驚人」的虛榮。而寫詩，也可以說他們是志切實現其藝術上的最高理想。「人生自古誰無死，留取丹心照汗青」，是信國公做人的最高理想。你說他願不朽的虛榮而變生，說他想完成爲國的最崇高壯烈的志願亦無不可。故慕虛榮與懷壯志原是同樣的心理狀態，是二而一的，只是人們依主觀的好惡心存褒貶，便使用的詞語，硬把它分出高低吧了。

「民生各有所樂兮，余獨好修以爲常，雖體解吾猶未變兮，豈余心之可懲。」這是屈原的志願。「老者安之，朋友信之，少者懷之」，是孔子的志願。人人有夢想，有志願，亦即有所愛惡，有所追求，我爲什麼不呢？我說這小子又何必取於尚，我「哀莫大於心死」，做人而毫無目的，隨俗浮沉，與人俯仰，才眞是可恥的。在「不朽的代價」裏我說過藝名是毫無用處的東西，讀者和作品本身的價值，不朽的條件是作品不是藝名，是指出人性，表現人性而又具有完美藝術，「言爲心聲」，作品是靈魂的東西，抽象而又具體的東西。只要人性不變，則表現人性的文章也不會變更價值，而是永遠動人心魄，萬古常新的。好作品就像神祕的指尖，可以直接觸動萬方萬世的心琴，奏出感情的妙曲，而引起震撼靈魂的交響，這交響，就是無窮。

是的，我愛好文學，願致力寫有價值、有貢獻而又能感人的文章，希望能與現代及未來的讀者作會心的微笑，心靈的交響，直至永遠。我不管太陽究有多少個，能存在多少年，我所謂永恒，是與人類壽命同其悠久。人類絕滅了時，縱然宇宙仍存，星球更多，已沒有人類去意識，去欣賞，去研究它們，便是消失一切意義，無話可說了。也許想寫好文章就是爲了「不朽」的虛榮而做人，但我仍認爲在人類的諸般追求中，追求「不朽」是上品，最高貴的，值得擁護，可圈可點。

追求不朽其實也是極平常的事，自有文化以來，古今中外的不朽人物，何止千萬。俗語說「行行出狀元」，是品類繁雜的，各以不同的努力，付出不同的代價，而同樣的是不朽。如武訓行乞興學，跟英雄烈士，老師宿儒，同樣受人景仰與懷念。故不朽的人物不必個個是聖賢，或天才或超人。

只要願意而又能夠發揮自己的生命力至最高限度，而在所擇的事業或工作上，求達至精至美的標準，和至高至善的境界；或者有過人的勇毅，忍受別人所不能忍的，或做別人所不願做的，或幹人家所不敢幹的，而卓然有所成就，便都有不朽的可能。但唯一的條件是，自己所作所爲必須是對人羣有貢獻，有裨益的。貢獻越大則影響也愈加深遠悠久，所謂不朽，如此而已。

故凡追求「不朽」的人，都一定在努力做好人，並非閉上眼睛做夢，而正是「執着現在的人的世界」，從實生活中努力工作，對同羣貢獻力量，以求具備不朽的資格，與符合不朽的條件。孔子說：「苟志於仁，無惡也。」也正是這個意思。

不管是否爲了虛榮，也不必問目標能否達到，但我做着的這個不朽的夢已足時刻警惕我，引我擇善而從，走上正途，於己於人都是有益無損。如此好夢，何樂而不做呢！我並不強人同己，而只是我行我素，「不知非笑之爲非笑也。」

有機會的話，我仍將繼續抒發狂想以娛樂一部分讀者，讓他們在緊張忙碌中，抽出幾分鐘舒一口氣，同我一起狂放一下。若是有些人覺得不中看，就不必垂青吧，遇到「心籟集」，便請趕快高抬貴眼，另看別的文章，免動肝火。我絕對尊重他人的興趣，但也請容許一個弱者保留狂想的自由。

△台南文訊▽

四月廿六日上午，中國文藝協會南部分會開成立大會，台南、高雄、屏東等縣市會員卅餘人，由作家尹雪曼主持。男女作家約得三與一之比，其中以蘇雪林教授年齡最長，資格亦最老，其餘成名作家如王藍、潘人木、艾雯、童真、尹雪曼、郭良蕙、郭晉秀、朱介凡等均到會。女作家全身鮮紅，髮長披肩，風度翩翩，頗有明星氣概，除蘇雪林教授一派學者風度外，其餘年輕女作家均濃妝淡抹，各有千秋，最靜的要屬郭晉秀，最沉默不愛交際說話者爲郭良蕙，最活躍者爲王藍及尹雪曼。會後選出理事九人，監事三人，並聚餐，盡歡而散。（文常自高雄）

短篇小說

得失之間

·童真·

「困難的還是人的問題，一爿店的問題倒可以解決，我一個人怎麼照料得了一爿店？你想，如果你眞要這樣，那我就簡直一步都走不開了。」他把目光停住在邵鑒的臉上。

邵鑒低下頭，用茶匙輕輕地攪着牛奶，然後說：「你意思想叫我幫忙，是不是？好，我一定効勞。你今天就是爲了這件事情吧？」

郭慕周頓了一頓，一邊用手指蘸着牛奶在玻璃桌面上劃着，一邊慢慢地說：「還有一件事是關於我心裏上的。你看，邵鑒！」

邵鑒抬起眼睛看，他手指指着的玻璃桌面，一刹那，她的臉飛紅起來。那上面寫着兩個字、都加上了標點：「愛！你？」

她慌忙端起牛奶來喝，因爲動作太快了，些許牛奶就給幌到玻璃桌面上，看着他，她瞧見郭慕周只是期待地望着她。她不覺也伸出食指，蘸了一些潑在玻璃板上的牛奶，寫了一個字：「是！」

郭慕周和店主交割清楚以後，他便僱了工人，把店面油漆一番，然後備了一桌酒菜，款待老板和幾個左右的街坊，一方面算是爲老板餞行，一方面也算誌新店開張之喜。「繼往開來」，但使他忙個馬不停蹄。一切總算都過去了。坐在自己的店堂內，對着自己的愛人，內心當然非常喜悅。收音機裏播送的不管是平劇也好，歌曲也好，報導也好，甚至廣告也好，都格外顯得悅耳動聽了。

有一天，在地方新聞的那個節目裏，他收聽到這樣一則消息：

「本市著名百貨商許佑賢被控走私及簽發空頭支票行騙乙案，今日上午經最高法院判處有期徒刑五年，褫奪公權六年，本案由此確定，許某即將移監執行。」

「鑒，」郭慕周聽完了這消息，急急叫喚站在店門邊的邵鑒。不料，邵鑒也已然注意到了，她走過來說：「這麼說，許佑賢去日本說不定跟走私有關，走私再加上濫開空頭支票行騙，眞是活該坐牢！」

「總而言之，他是太要錢了——不擇手段地要錢！」他嘆息道。

大約一個月後的一個上午，邵鑒來到店裏，一跨進門，就從皮包裏掏出一封信來說：「慕周，你瞧，這是許佑賢的來信。」

郭慕周接過來，讀着：

「鑒：一年前，我去日前夕，你我互相吻別的情景還在目前，但現在，我知道我們之間已有很遠的距離了。不用找什麼藉口，一切都是我錯。我迷戀舞女的色，竟甚于迷戀你的深情、美德，等到她掉頭他去，我才知道，我失去了你，這是我多麼大的損失！（十）

說幽默

·恬辛·

「幽默」一詞的譯法，是出自林語堂的大手筆。現在幾乎已成了常用詞彙之一。但一般人或把它誤解爲「滑稽」，眞是謬以千里；即以「詼諧」解之，也只是近似而已。

英國百科全書謂：幽默是不能下定義的，要爲幽默下定義，就是缺乏幽默，眞是語妙天下。原來拉丁文的「幽默」是水液的意義。在中世紀時代，幽默本是醫學上的名詞。那時的生理學把人身分爲固質、氣質、水質三種。而水質又可分四類：即血、痰、胆汁與黑胆汁。這四類幽默的分量如果平衡，身體就強健，若有一個「幽默」過多或過少了，就會導致疾病；所以治病的方法也只在把那個不合常態的幽默減少或補足。我們中國人說一個人「脾氣好」，現代英國人卻說他「幽默好」；反之，說人「幽默不好」，就是「脾氣不好」。

在他們的觀點，無論那一類幽默過多了，一個人就不免有些怪癖，因此「幽默的人」即有「癖性人」的意義。英國戲劇家班強生有一組著名的「幽默劇」，即以描寫癖性人爲能事。幽默從這個怪癖的意義一變而爲一種「覺察古怪失常的事物」之能力的意義，這才是現在我們所說的「幽默」。

英國人是以有癖性著稱的，因此極富幽默感（即一方面也善於看出怪癖的事物）。甚至有人說：英國人而沒有幽默，猶如中國人沒有了孔夫子。

紀遊

雪山行

衛挺生

乙酉（一九四五年）之日，余在喜馬拉雅山之陽半山中之嘉林邦小憩，「喜馬拉雅」譯言「雪也」。適攖寒疾，臥對雪山諸峯，有感而作，「雪山行」。（用中華新韻）

三危（清康熙帝，證「禹貢之三危」乃康藏衛地）南山拔地起，峨峨雄踞霄漢裏。金城章嘉（峯名）常住峯（峯名），直上青霄數十里。葱嶺南來東迄滇，作我外屏鎮南鄙。萬古積雪不可攀，壁立絕少山徑僻。天限華夷五千年，保障茲山與海涘。歐風美雨從西來，人奪造化進無已。交通天涯若比鄰，上窮碧落下海底。天險不險任飛潛，丸泥無關可封抵。屈指百國數興廢，門力莫若門智比。華夏學術竟不競，百年敗衄恥未洗。坐見同袍爲人役，反主爲客奈夫已。三百年前亡於清，（明弘光乙酉，清兵下南京，今恰三百年）清亡今遭倭寇襲。譬如病夫元氣傷，百病一一使滕理。何以禦侮在政教，學術修明莫後彼。庠序學校徧境內，精研天人窮物理。利用厚生備國防，百工盡能斯有濟。大開言路公天下，政在平民庶可幾。分諭則愚合則聖，自古黎庶重國恤。立國有本本在民，自民觀者政啓。民族民生繫民權，國父遺教早發矣。鄉鎮市縣政之源，自治斯臧違斯否。管教養衛皆民事，大詢衆庶始周禮。大政中央布方策，上若大纛下惠迪。民治貫澈斯康樂，民康國乃富強躋。先出全力制倭寇，驅出大陸免滿艇。美英蘇俄誠先進，一蹴幾之近非遙。武功文事並有成，無慚「四強」吾其庶。雲端雪峯映朝日，光耀宇內兆大喜。大汗淋漓病其除，明朝返國試飛翼。

三日晨，雲霧豁然開朗，得見雪山全貌。作雪山行之二。

雪山壁立高極天，作城西南萬餘里。始皇堵邊跨長城，見此相形應悲死。乃知自然造化功，人力雖可與方比。西南守此城，千古甯曰謹。東北守秦城，世世戎馬急。金山黑河作北境，三百年來邊患息。相戒中華好男子，中華邊塞那可失。

自由人
THE FREEMAN
（第八五三期）
中華民國政府登記證：台灣省政府新聞處登記證字第一一一號
香港郵政局掛號認為新聞紙類
每份港幣壹毫　台北市價台幣貳元
督印人：陳訓畬
地址：香港高士威道二十號四樓
20 CAUSEWAY RD. 3RD. FL. HONG KONG
TEL. 771726
承印者：南華印務公司
地址：[illegible]
台灣總經銷處：[illegible]
電話：[illegible]
海外總經銷：[illegible]

從人事異動看中共政策變化

今後將加強對台的軍事統戰

・金思愷・

中共的二屆一次「人代會」與三屆一次政協全國委員會會議已經先後結束，這兩次會議所反映的，從其黨內鬥爭來說，是劉少奇派的失勢，毛澤東依然大權在握，朱德與舊高崗兩個小派系有若干發展；從其政策來說，於經濟方面仍將勉強維持高速發展，於政治方面則有右傾趨勢；從其工作重點來說，解決西藏問題已經超越了一切；而其對台灣的策略，是加強對軍隊方面統戰。

毛劉鬥爭告一段落

按照中共「憲法」，「國家主席」是一項名譽職，僅能根據「人代會」決議發佈命令；黨的政策措施若要促之變成「國家法令」或作某種重要人事安排，必須通過「人代會」方能實現。因此，「人代會」對於中共中央有一定的牽制權力。過去，劉少奇控制「人代會」，對毛發生了不少麻煩，例如：一九五七年的鳴放政策，[illegible]「人代會」的「最高國務會議」或「憲法」規定中並無權力[illegible]協會議」[illegible]；毛爲擺脫這一種牽制，使用一種讓出「國家主席」的辦法，迫使劉少奇明昇暗降地脫離「人代會」，以掩蓋其黨內鬥爭的劇烈。

自高崗事件結束以後，劉少奇的勢力迅速地抬頭，一九五五年反對毛澤東加速合作化的農業政策，後來被毛斥爲「小脚女人」，擯用「蘇聯黨史教條」；在盛怒之下，「三大改造」於幾個月間宣告完成了。一九五六年下半年，因爲「三大改造」帶來了經濟困難，劉又指責爲經濟發展的冒進，並促成採取若干緩和措施，這一種現象一直延伸到一九五七年底，此一階段後來又被毛指斥爲人爲的「馬鞍形」低潮。一九五七年上半年，毛澤東所鼓勵的鳴放運動，爲劉所反對，至是年六月，終因被形勢所迫，掀起反右派；這是劉少奇權力擴張的巔峯時期。一九五八年初，毛猛烈推行大躍進運動，從經濟政策方面來打擊劉；同年五月，加強反對修正主義，其程度較之蘇聯尤爲過之，這是毛利用劉在政治方面的主張並加強之而再產生打擊劉的作用；當時的八大二次會議上，就表露出了劉的權力有下降的跡象。總之，毛使其政治經濟兩方面政策齊頭並進，一「左」再「左」，使劉無反擊餘地。在這一鬥爭過程中，毛澤東極力強調黨的領導，使原來已經分散在行政方面的若干權力全部集中於黨，毛的準備工作至此亦告完成，于去年十二月，決定辭去「國家主席」，這次「人代會」再迫劉去職，出任這個空洞的「國家主席」，毛劉間的鬥爭遂又告一段落。在這次「人代會」改選中，朱德出任了「人代常委」委員長，在新增的四個副委員長中，有一個是朱德一系的劉伯承；[illegible]只是對於他們的安排，而毛所領導的小派系的抬頭。

中共現階段的政策

綜上所述，毛劉之間的鬥爭基本上是政策方面的政見所導致，毛在經濟方面主張「左」，而劉少奇則主張「右」，[illegible]相反，這次周恩來在人代會的報告中說明：今年的經濟發展速度將由去年的增長百分之六十五降爲百分之四十，這足以說明中共經濟政策的推行趨向于緩和，但是，一年中要增長百分之四十，這種發展的速度還是可見的，雖然在這方面是緩和些了，但實際上並未擺脫緊張狀態。在政治方面周恩來又喊出了「言者無罪，聞者足戒」的口號，並且肯定了右派份子仍有公民權，在知識份子方面又要推行鳴放運動，對工商業者按照原規定給予「定息」。雖然我們尚不能了解其「右」的尺度，但其政治方面的傾向已擺脫了「左」的趨勢。由此可見，中共政策上全面的趨向緩和，但這種緩和的結果，是經濟方面仍要「左」，而在政治方面則趨向「右」，分明是毛澤東路線的演變，而中共在此時能實行這種政策，當非劉的勢力增長的表現。

「國務院」中劉派失勢

在這次「人代會」中，把「國務院」的副總理由十二人增至十六人，新增者是聶榮臻、羅瑞卿、陸定一、習仲勛。[illegible]主持推行國防經濟的[illegible]是最近幾年來[illegible]。羅瑞卿[illegible]，他們[illegible]決定一個原則[illegible]是毛的[illegible]，「國務院」三個人都有其目的：在「國務院」[illegible]都是[illegible]的主管[illegible]這次[illegible]副總理主管[illegible]「文化」部」長沈雁冰，是有職無權的黨外人士，因此[illegible]

在這方面的權力實際落在副部長錢俊瑞手上，這次陸定一[illegible]其[illegible]羅瑞卿的升任副總理，是因爲[illegible]國家主席，說是[illegible]擔任國家主席[illegible]法系統中負責人的新調整。

習仲勛原是高崗派的要角，高崗被清算以後，他並未受牽連，祗是由[illegible]最近任「國務院」秘書長，去年[illegible]副總理[illegible]，反高崗派[illegible]已經[illegible]似乎是推翻習仲勛這次[illegible]反映了[illegible]有[illegible]一些新的發展。

這四個新調任的副總理中，沒有一個是屬於劉少奇的，而且其中更有二個，是專爲[illegible]

西藏推行人民公社

半週述評

自從達賴喇嘛安抵印度後，中共、印度之間爭論不休，正因爲尼赫魯一面予達賴以政治庇護，而另一面又強調與中共共處的五原則，雖不免矛盾，其用心也不過是想莫使雙方關係拉緊而已。

現在，尼赫魯的願望達到了，中共一面進行對西藏作全面的「和平革命」——人民公社化；一面則由「人民日報」公開答覆：祗要印度停止干涉西藏的言行，不僅彼此爭論可以停止，雙方友誼也不會動搖。但是達賴回西藏：願望，恐怕也從此成爲絕望了。

現階段，達賴能否回西藏，已不成爲重要問題，因爲他既不能於短期內打回去，而印度原企圖用外交、政治力量送他回藏的客觀因素又不復存在，則他安身於印度，對藏局當尚能起一些作用。從達賴拒絕在西藏恢復和平前訪問錫蘭之舉來看，他確是個深謀遠慮的人物，看來他也將拒絕任何遠行的邀請。

達賴回藏願望難實現

不過儘管中共不欲與尼赫魯爭什麼，吾人却對中共的讕言加以駁斥。「西藏社會是一個領主共[illegible]這種指說，無須辯待，因爲中共社會制度。但試問現在中共大陸推行的人民公社制度，不是比西藏的社會制度更[illegible]，[illegible]本上是出於反對更原始更落後的奴隸制度，現在[illegible]被迫出亡，但要能稱心如意地在西藏推行公社化，怕也不是簡易可行的哩！

吾人相信，只要中共一[illegible]，達賴[illegible]藏的可能性就不大，[illegible]領袖，正在熱烈[illegible]國家的辦法的[illegible]

國府不應緘默

對於西藏問題，台北方面是否受了華府必須保持緘默的影響，國家任何人，都可以不說話。但是國府却不應該對每一[illegible]

外長會議前的烟幕

[illegible]受了中美協定的束縛，雖以允許自由發揮，是人所共知的，但是若經常對西藏事件三緘其口，是將不爲人所諒解。[illegible]台北官方實在沒有理[illegible]的事，反共部隊以何[illegible]地區的反共希望切再編[illegible]如果正面的宣傳，有[illegible]能較有系統其體地將[illegible]壯、沮喪，因爲誰都[illegible]

倫敦的消息說，蘇聯已決定以一種「和睦的精神」參加本月十一日在日內瓦開幕的外長會議。這個「和睦的精神」是莫斯科的方式的統一德國：說是「選舉問題應該由莫斯科的方式」，[illegible]西方[illegible]的召開[illegible]表示，[illegible]爲互頭就[illegible]這樣的[illegible]了。共產國際經常地以設法進行挑撥離間，倫敦「和睦的精神」參[illegible]

李金曄

未來統戰工作的重點

[illegible]說明劉少奇雖已貴爲「國家主席」，却未必得寵。

中共在這兩項會議中，號召西康人的歸附；四個全面的政治攻勢：一、在「國防委員會」中增選兩個藏族委員桑頗．才旺仁增（西藏軍區副司令員）、黃正清（甘南軍分區司令員）；五、在政協中增選兩個副主席：帕巴拉．卓列朗杰，阿沛．阿旺晉美；由這些政治攻勢來看，一方面說明這一局部事件已影響于中央，另方面說明中共正以全力來對付西藏事件。這裏需要特別強烈地指出，中共對西藏正面的軍事壓力並不可怕，未來偵正能鞏固中共在西藏統治地位的有待於政治攻勢的完成。

從共政權的全面發展來看，與上屆最大的不同，是增添了一個黨外人士招牌的宋慶齡出任「國家副主席」，不用說，這是爲著加強統戰。中共究將如何加強統戰，則該從其政協方面的安排來觀察。這次政協所選出的常委中，有三項跡象可以注意：

一、上屆政協常委共計六十五人，病故者二人，實有六十三人，這次選出常委爲一四三人，落選常委十三人，新增九十三人。在其落選之中，有右派章乃器、陳銘樞，錢端升，羅隆基等四人，右派之保有常委職位者有黃琪翔，龍雲，章伯鈞等三人。這可以說明其對于右派並非寬大無邊，而是在要求他們加速改造。

二、在新增的九十三名常委中，其屬於中共方面的現職軍人計有：李克農、周士第、周保中、唐天際、徐立清、郭化若、賀炳炎等七人，此外還有兩個公安部副部長楊奇清與徐子榮。在前一屆的常委中，並無一個現職軍人，這就不免使我們想到，中共的加強統戰的方向是指向于軍隊與特務工作。在大陸只有西藏需要這種統戰，此外，其主要對象分明是台灣。

三、原來在政協常委中作爲台灣人代表的李純青落選了，並無新的增補，可以說明利用台灣人士對台灣的統戰工作已退居次要地位，此項工作可能已拼附入于對台灣的軍事統戰之中。

由上可見，劉少奇出任「國家主席」，並非增權，而是毛劉鬥爭的一個段落，毛的領導地位如何發展，其未來的地位如何判斷。現在尚不宜作任何判斷。其在對於西藏的攻治攻勢，于劉正面推動中，攻對合灣的全面統戰亦將加強，而重心是於軍隊方面。

帕森斯的濫調

美國新任主管遠東政務的助理國務卿帕森斯，最近訪問台灣後，聲稱美國對華政策決不變更。這話雖不說，我也不會懷疑美國現行對華政策有所改變。何以故呢？

美國現行對華政策的中心作用，只是以軍力量援助中華民國政府固守台灣澎湖，另由第七艦隊巡邏台灣海峽，如果毛共不攻打第七艦隊，美國亦認爲無關宏旨，最好把金門馬祖這些「離島」放棄掉，以免引起大戰。中華民國雖基於正當防衛的權利，要對敵人的前進基地實行反攻，美國亦堅決反對，認爲妨害世界和平，而使美國沒法在國際間結合一般和平友邦，拒絕毛共進入聯合國，不能扶助中華民國政府所認爲生存發展的唯一根本，就不在美國當局考慮之列。我們若要自由行動，也就根據「中美安全互助協定」的權實，決不同意，而以停止援華計劃爲熊手腕，甚至不許我們以武器援助西藏的反共義軍。總而言之：我們的責任是在按照美國的政略戰略，守護台澎，不使其落入共黨之手而已。果若是，不特艾森豪政府不會改變現行對華政策，即將來換上其他的白宮主人，也依然如故，不成問題。所以，帕森斯之言是可信任的老實話啊！

我們如其不願長此偏促一隅，苟安自娛，即須拿出革命精神來，採取寧爲玉碎，不爲瓦全的鬥爭方法。否則大家苟且偷生，把生命延長，靜候美英被俄帝的鐵拳打得頭破血流時，美國一定激我們趕快反攻大陸，這時候再也不怕引起世界大戰，更不致認定沒國軍沒有打倒毛共的能力了！何去何從，就看我們自己的主動作法，若希望美國改變現行對華政策，那是不切實際的幻想也。

憲子先生

美國的社會和人生

——美國來鴻之二十二——

謝扶雅

今世最能合作而最民主化的社會，實莫有過於美國的了。她雖沿襲西方傳統思想，抱個人本位的人生觀，但能巧妙地運用民主，使一個龐大而各族雜居的社會——五十個州的聯邦，走上團結、安定、康樂而繁榮的正路大路，這還不值得我們的借鏡和取法嗎？

從杜爾斯的抱病和辭職說起

最使人感動的一樁最近事件，是莫過於前國務卿杜爾斯於三月中病倒以後，全世界各地雪片投飛來的慰問函電，以及反對黨參議院外交委員會主席的殷切慰勞——儘管平時批評杜爾斯的外交政策異常激烈。迨至四月中他的病症益告沉重而終不得不請辭本職，不但使艾森豪總統熱淚盈眶，且朝野上下，無不大為惋惜。紐約時報以三版的篇幅，用文字及卡通，描摹杜爾斯在任期間（自一九五三年一月至五九年四月）的老成謀國，奔走周旋（世界旅行四十八萬哩），真是做到像諸葛亮的「鞠躬盡瘁」。單這一件事，不僅表顯了美國的政治道德，而實反映了他們整個的社會和人生。艾杜之間的關係，頗有似於我國儒家所倡導的「君義」「臣忠」。道德的根本原則，通今古中外而無殊。但他們是在民主制度之下涵濡而呈現的。他們不理會所謂「私交」，更無封建主奴的絲毫氣息。他們若從政，都是公僕，都要効忠於人民。至於輿論和人民代表的議員，一方面既竭盡監察和督導的能事，另一方面也表現及其支持體諒的精神。這種在政治上及公務上的合作，確足稱為「民主」的最好榜樣。

總統是受雇的總經理

就美國的人民而論，恐世上再沒有比她更龐雜而更複合的了。單就紐約市說來，有猶太人二百萬，意大利人二百萬，其他種族合湊來，也同此數，而真正的美國人，却不過佔全市的四分之一吧了。然而我們看不出有任何散漫混亂的跡象，而只見其如一副巨大的活動機器，八百餘萬的螺絲釘，各守其崗位，各盡其職務，而組成一大合作及和諧。政治上市和州及中央，權限分得清清楚楚，以總統之尊，不能干涉一鄉一鎮的內政，然全國固儼然是一整體，而每一公民又無不是一主人。正如一家大公司裏的股東乃是人民的地位，而州長恰如受雇的經理，總統又不過是五十家大公司聯營的總經理。所以美國竟可以說是一個大合作社，何嘗是資本主義的國家來？現在世界上最典型的國家資本主義，要算蘇聯，而蘇聯偏稱美國為資本帝國主義。其實美國是個合作社式的社會主義國家，可以說是今世最健全的政治制度。

美國社會的重心是什麼

美國社會的重心，即是她的立國精神。目下美國雖有從世界各地移來的各種族散雜互處，但仍以真正美國人為核心。這些真正美國人的祖先，便是三百多年前從英國走出來的優秀分子。那時他們不滿於英倫的古舊宗教，以及討厭虛偽的紳士生活方式，毅然離去鄉井，懷着創造的新思想，要到一個新地方開拓一個理想的社會，他們都是自由主義者，但又是所謂清教徒，無不嚴以律己，敬以奉神。他們既是「篳路藍縷，以啓草萊」的開荒者，自非人人勤奮勞作不可！更必須彼此切實合作，否則不足以克服艱難的環境，不足以奠立鞏固的社會基礎。這個開國及立國的精神，復經歷代賢哲昌明光大，直至現在，雖成了全世界最富有的一個民族，然而「富貴不能淫」，只見到人人還是那樣勤奮勞作，繼承其祖宗「白手興家」的志氣與毅力，恐無如當年羅馬帝國那樣驕奢淫佚的腐敗作為及風氣。甚至天性愛美，喜歡打扮的太太小姐們，大體上毋寧應稱為儉樸素，遠不及香港女人的炫飾妖嬈。「荷里活」只是他們西部洛杉磯的一角，無礙於美國一般的傳統風俗及精神。尤其值得我們羨佩的，是社會財富的相當平均，沒有大不得了的懸殊階級。累進稅率實施以後，大資本家無從產生，政界既不能有賄賂貪汚的事情，商界又很少有獨家老闆，這[illegible]社會經濟上的民主[illegible]。不像我們中國的社會單位是「家」，他們確以個人為基本單位，但絕對不是個人主義。他們雖承認人是自私的動物，却決不做損人利己的勾當，[illegible]的廣告，雖是花樣翻新，極盡誘惑招徠之故，但不掛羊頭賣狗肉。因為汽車太多之故，大都市中的停車處確成了嚴重的問題。死亡率與其來自疾病（只有癌症和心臟病兩者尚無特效藥），毋寧由於車禍為多。為了平日慣於勞動，即使七八十歲的老婆婆，駕車馳驟，接送孫兒女們上學歸家以為當。他們都是小家庭制，兒女成家立業便各四散分居，老年龍鍾夫婦，從中國人眼光看來，覺得不免孤寂淒涼，但習俗如此，亦就沒有什麼了。而且逢時逢節，也常團聚快樂，反比大家庭整年閙在一起好得多了。

自由民主的人生觀

我們中國人還有對美國家庭社會看不慣的一件事，是他們對兒童的管教問題。我們大家族制度下的兒童，幾成為「人人得而訓斥之」的衆矢之的。然而美國則是兒童的天堂。這倒不是一般以成人對其兒女特別姑息，而是他們對兒[illegible]的人生觀念，跟我們中國的大大不同。他們要一早養成兒童負責，負[illegible]實，自發等等精神，所以好似有些放任，其實正是他們嚴格的[illegible]。華盛頓[illegible]取玩鑿鐵[illegible]的母親[illegible]傷而後已[illegible]為佳話[illegible]爬高樹[illegible]亦常有之。通常十幾歲的孩子們，已於課餘（[illegible]）去打散工，賺些錢（暑假更可工作二三個月），好自己處理那些喜歡的物事。最普通的自然是一輛汽車。大抵美國並不鼓勵產出一些「神童」「天才」，而毋甯養成健全的國家的公民，即做民治國家裏的主人，[illegible]之一。美國最有勢力的哲學思想是詹姆士，杜威等所倡導的實用主義（Pragmatism）。他們雖也有偏右的唯心論或偏左的唯物論（今日最盛行的實證主義），但支配一般的人生觀者，仍以美國道地的實用主義或實驗主義（Experimentalism）為主。

按照實驗主義的人生觀，最普通的說法是人時時對新環境作新適應。目下美國已由孤立自守的門羅主義展開為領導全世界維護和平，保障自由及民主。所以事實上每一個美國公民也就成了一個世界公民。我最初以為只有中共的學校裏在上「政治大課」，豈料美國早把「世界政治及文化」作為人人應受的中等教育中的必修科了。社會教育如廣播電視中的不斷報導世界時事，自不消說。本年度全國的預算七十七億，其中外援佔了幾乎一半，可見美國人對世界的負担了。而況每人向政府納稅之外，自由捐款對於海外的傳教、教育、醫藥、社會福利等事業（例如這裏的教會也曾發動了對香港難民救濟的募捐），其數字也頗可觀。照例，每人的收入項下可以除去十分之一作為捐款，不抽所得稅。意即是，如每年賺五千元的人，可支出捐款五百元的這數。這可以表示美國人服務的人生觀之一斑了。「免於匱乏的自由」和「免於恐懼的自由」——這兩大自由是今日最急切地為美國人所切願協同全世界人士努力以赴的目標了。

最後，筆者所願附帶聲明的，美國畢竟不是今世的天國，他當然也還有若干社會問題，也有不少神經病患者！甚至兒子槍殺父親的所謂「逆倫」的案件。不過「瑕不掩瑜」，比較世上其他各國，總算是首屈一指了。最難得的事實，是她仍富有朝氣、活力，是她不惜時時改進。所以美國的前途，眞是「未可量也」！——五九、四、二八於紐澤西州

國人之光

（合衆訊）中央研究院數學研究所所長林致平博士，對彈性力學和應用數學有極高造詣，最近獲得英國倫敦大學的科學博士學位。倫敦大學博士授予的條件，極為嚴格，獲得該項學位的人，都須在學術上曾有舉世公認的權威性創著，中國學者獲得該項榮譽的不多，英國學者也很少。據說，該項學位將由英國皇太后在倫敦大學舉行的一項盛典中親自授予。林致平博士現年四十九歲，江蘇無錫人，他是中央研究院院士，航空研究院院長。林致平博士於民國廿年在交通大學工學院畢業後即留學英國倫敦大學理工學院，專攻航空學，民國廿六年底返國，即在空軍服務迄廿多年。他是近十多年來中國數學家獲得倫敦大學科學博士榮譽的第一人。他說：他向倫敦大學提出有關彈性力學及應用數學的論文，一共有廿多篇，都是他平日精心研究所得，其中有一篇「物體穿孔後的應力分析問題」，是於去年八月間，出席在英國劍橋舉行的國際數學會議，經過倫敦大學時，順道將論文向倫敦大學提出，經該校評議會若干次會議後，正式認定林博士研究所得的貢獻，並授予科學博士學位。

寄語駐日張大使

●白樓小吏●

【台北通訊】駐日大使易人後，接着外交部發表了公使以下的新任人員，據說，外交部早就要整頓駐日使領館人事，都是因為礙上重大事件，諸如日方內閣改組，與中共通商等等事件而阻止了此一更動的一延再延，沈觀鼎以日本通而在日本鍛羽，該是命定的了。

當此易使消息傳出之時，日本報紙即曾刊載大使易人純粹是為內部人事問題，可謂一語中的，張大使以黨政界元老地位，且受知於最高當局，想必此番東去是足可在「人事」上大刀闊斧痛快要一手的，至少在「小報告」方面，張大使是毫無所懼的，大可不必畏首畏尾，儘可放胆「作事」，不用患得患失，担心前路。

大使館人事的複雜張大使知道的比筆者還清楚，絕不是換一兩個人就能算是刷新的，如果仍讓一些憑持某種人事關係者竊據高位不去，老實講，張大使上任也不過是三天新，不多久即又會「暮氣沉沉」的。為什麼？道理很簡單，張大使幹的好，這一股惡勢力嫉妬，甚至逼使大使就範馬馬虎虎圖個面前光就算了，既有阻力在側，諸事自不能推展，時日遷延必至默默無聞。牡丹雖好，若無綠葉扶持，也不能見其[illegible]。

無不知某大使於離任赴美履新前夕，大使館同仁餞別宴上某公公然說他自己在任幾年的成績（眞是天曉得）完全是得力於他的賢內助云云的這一回事，外交部派出那麼多大大小小的官員是幹麼的？這[illegible]，要奉勸張使應儘量與外交部官員合作，大事小事完全信賴外交部派出的官員，尤不可用私人親信，因為外交界有其工作特性，更有其傳統人事系統，那就是「就地取材」，自然無不可用之人，不懂禮勢，處事公平，樹立威望，那麼內部之憂既無，就可專心一意處理要務了。

至于對僑界方面，多服務，少[illegible]

關于留學政策的幾點意見

自四月二日台灣各報刊載教育部奉行政院對四十八年度留學考試作四點指示之後，各方之輿論的反應甚為熱烈。

此四點即：（一）自費留學生錄取標準應予提高。（二）公費留學考試，今年暫不舉辦。（三）考試期間照舊於六月間舉行。（四）自費留學考生報考時，應有國外大學入學證書。

各方的意見都認為提高錄取標準，是應當的措施。

歷年之「不成為考試」，本已為各方所非難，至於公費留學考試，則建議恢復並擴大舉辦。惟自費留學報考時，應有國外大學證書一點，似乎比較無人注意。其實，在提高錄取標準，減少錄取名額的原則下，又須先取得國外大學入學許可證，其後果對考生及國家都有嚴重影響。近有立委六十餘人，向行政院提出詢質，認為必先繳驗國外大學證書，「此一措施，極不合乎情理」。他們的理由有五點：

第一、從政策上說，「留學考試是一種檢定考試」，「是否准他們出國的權，是操在我們政府的手裏，如果先繳驗國外大學許可證才准報考，那就等於說，我們的學生能否留學，先要問外國人」。「難道說，我們的留學政策是操在外國人手裏麼？」

第二、我們的大學畢業生須經過二年軍訓與服役，「而申請入學許可時，又不能不申請當年入學，申請兩年後的入學許可，國外大學都不願給的。明明是撒謊，為了參加留學考試不得不爾」。「逼着我們的孩子向外國人撒謊，請教這是什麼政策？」

第三、留學考試與留學是兩件事，考取留學的人，不一定能出國。既然如此，「報考以前又何必繳驗入學許可證？」，「報考留學，只是資格的取得，以後出國時再繳驗入學許可證，有何不可？」

第四：有人說，「等他們兩年後再參加留學考試還不遲，須知兩年軍旅生活，大學課程幾乎都荒廢，教育當局，可憐可憐孩子吧！」

第五：「向國外申請入學許可，連郵費在內，是一筆可觀的支出，學生家長如為公教人員，那更是個沉重的負担」。

這幾點質詢，意見，很能反映一般輿論者的意見。今年許多即將畢業學生，向美國申請而不受歡迎，就是一個顯然的鐵證。應屆考試，教育部所以把錄取標準降低，就是恐學生取得國外大學許可證後而無法出國，影響國家聲譽。今年留學政策既要提高錄取標準，減少錄取名額，學生利益固可不顧，國家信譽，豈可置之不理？留學考試即將舉行，願有關當局愼重考慮之。

●陳山正●

國際動態拾零

△尼克遜本推前紐約州長杜威繼任國務卿，但艾森豪告以將任赫德時，彼亦欣然贊成。

△尼克遜將分担赫德之外交任務，事實上赫德只負起一半的責任。尼克遜已代表政府發表外交演說，並于七月間赴莫斯科答聘，且將參加美國商展會議。

△尼克遜與洛克非洛在一九六〇年共和黨總統預選人之爭，在銀行街估計，尼克遜的銀行界有百分之七十五都是支持尼克遜的，但其餘百分之二十五支持洛克非洛的銀行家，皆肯為之拚命苦幹的。所以鹿死誰手，尚在不可知之數。

△英美法蘇四國外交代表，已在華盛頓作初步磋商。討論外長及高峯會議之籌備事件，現在所談者，僅需要多少書記，及其開支若干。

△空氣槍用針殺人，可不見血，現在實驗階段，美國步兵，將採用之。有一位參加實驗者說，「我寧願死於輕氣彈，而不願死於針槍。」其可怕情形，可以想見。

●陶然●

獨立的工業體系

中共與共黨國際間的關係，最近似已有了新的變化。我的根據是：一、一九五八年第四期「和平和社會主義問題」雜誌上，有捷共政治局委員、副總理雅．杜蘭斯基的一篇文章，題目是：「社會主義的國際分工的實質和意義」，裏面有這麼一句話值得注意：「蘇聯和中華人民共和國有可能在很大的程度上利用本國國內工業的優越條件。」這就是說，蘇聯和中共因爲有自己的優越條件可以建成一個獨立的工業體系，在這兩個工業體系之間再來作國際分工；其他共產國家因爲沒有這種條件只有在這兩個工業體系的國際分工之下發展某種工業。按在一九五六年九月中共舉行八屆全國黨代表大會時節，已經提出要建成一個完整的工業體系，但始終沒有被象徵共產國際的蘇聯承認它的這種要求；現在看來已經獲得共產國際的同意了，這是一個。二、而東歐國家也以各種方式表示贊同一個以中共蘇聯爲中心的共產國際中的兩個工業體系的國際分工的問題；照說，東歐共產國家將跟隨中共進行國際分工。

匈貸款外蒙與北越

二、四月十八日，匈牙利總理明尼赫率領的代表團與外蒙代表團發表聯合聲明，聲明中說明已經簽訂匈助外蒙發展生產的貸款協定。

四月二十六日，匈代表團又與北越發表會談公報，其中，說明已經簽訂匈給予北越一千萬盧布的長期貸款的協定。

匈牙利在一九五六年十月革命以來，經濟恢復剛剛完成，現在卻來對外蒙與北越貸款，這證實是有問題的。其次，東歐共產國家對亞洲落後國家的貸款，在過去一條率，以前未曾有過。此事似乎說明這是兩個工業體系之間的互相支持的新形式、新任務。

華沙會議

三、四月二十九日結束的華沙會議的特點是：這個會議叫做「華沙條約締約國和中國外長會議」。以前幾次華沙條約國會議，中共以觀察員的資格列席會議，這次是八個華沙條約締約國外長與中共外長的會議，其重點是在解決德國問題，柏林問題的建議，那末，這個會議的中心主旨是要中共全力來支持這個建議；這一種支持包括兩個方面：一、若有戰事發生，中共以武力支持之；二、在和平解決的過程中，中共亦須擔承一部分。

由上三事可以見到：一、中共在共黨國際的地位上升僅次於蘇聯一事，已經具體肯定；二、東西兩個共產集團將作更密切的互相支持，這種互相支持的表現在經濟、政治，與軍事的三個方面。看來，最近中共對於共產國際的關係比任何時期都密切。　○田心○

天津各大學教授講師被迫向羣衆大會彙報改造經過聲淚俱下

（本報訊）大陸附共派在中共淫威之下，「自我改造」，其成員更被迫勞動，以「改造資產階級立場」，其中苦不堪言之處，可不待說。但中共意猶未足，又想出了一種新的折磨方法，命令改造者在大會上向羣衆彙報。

四月十一、十二兩天，「中國民主同盟」、「中國民主促進會」、「九三學社天津市委員會」，就在天津市聯合召開了成員思想改造彙報大會，天津市委統戰部長王奐一，天津市各高等學校及保定、石家莊、唐山等地部分高等學校的教授、副教授、講師的這三個黨派成員和一位無黨派教授，彙報了自己一年來的改造情形，徵求羣衆意見，並表示今後的決心。在會議期間，中共組織了一千多人去旁聽，旁聽者大都是所謂「民主黨派」的成員以及各級教授、教師等。很明顯，中共舉行這種會的目的，是在進一步「改造」知識份子。

中共迫害知識份子的新罪證

四月十七日光明日報消息，在會上「彙報」的，包括有「南開大學中文系古典文學教研室主任孟志孫教授」、「天津大學機械系內燃機教研室主任劉友鈞副教授」、「天津大學安部主委唐文播副教授」、「天津師範大學生物系講師蔣菲華」和「無黨派天津師範大學心理學教研組副主任胡士襄」等人。

中共代表王奐一在會上指出：「民主黨派成員應在黨的領導下積極自我改造」，他說：「最主要的是要能更好地接受黨的領導；其次在貫徹黨的方針政策時，要把黨的意圖具體化，及時向黨彙報。」附庸黨派的地位，於此可見一斑。

光明日報並詳細記錄了天津師範大學講師……物」，所以中共將她下放到「天津近郊趙沽里村」勞動改造。在下放時，黨委書記向她指出：「不改造沒有第二條路可走。」

在農村，「住的是破窯，四野一片荒涼」，「在翻粘性很強的土地時，她不會用機鍬，也不會使用鍬，累得滿頭大汗，眼睛紅腫」，「肩膀紅了，衣服上去都感到痛，實在支持不下去了。」但在這時，中共卻威脅她：「你怎麼這樣腐蝕！」和兇狠地對她說：「這一次，就是希望你在勞動中鍛鍊，在勞動中改造，不勞動好是不聽黨的話的具體表現。」所以她只好「暗暗地咬牙，支持下去。」

在經過了這樣的虐待之後，她還要站在一千多人面前痛罵自己「對改造有疑慮情緒」，也就難怪她一開口眼淚就流了出來。中共的這種對知識份子的迫害，其手段之卑劣與兇殘，實屬世所罕見。（大陸社稿）

中共最高檢察長承認：現行反共份子不斷增長 並向統治機器內部發展

「本報訊」中共「最高人民檢察院檢察長」張鼎丞，在最近的「全國人民代表大會」的發言中，暴露了最近四年來全國人民反抗中共的案件激增的事實。

張鼎丞的發言登在四月二十五日的「人民日報」上，「檢察機關始終把懲辦反革命作爲自己的主要任務。在一九五五年肅清一切反革命分子的門爭中，在一九五七年打擊不法地主、富農和反革命分子、壞分子的破壞活動的門爭中，以及在一九五八年保衞生產大躍進和人民公社化運動中，都把門爭的鋒芒，指向進行現行破壞活動的反革命分子和其他犯罪分子。」

由此可知，中共的[illegible]動，都不斷遭受人民的激烈反抗。所謂「現行反革命分子」，就是新產生的反抗者，而有實際反抗行動能力的人。

張鼎丞接着說：「四年以來，在檢察機關逮捕的案件裏面，這種現行破壞的案件佔百分之七十點八，其餘百分之二十九點二，則是心懷破壞陰謀的歷史反革命分子。」

新湧現的反抗者，竟佔百分之七十之多，可見中共的鎮壓越嚴厲，反抗者也就越多了。

中共的這種血腥鎮壓政策，不僅遭到全國人民的反對，而且遭到司法工作幹部的反對。

張鼎丞續稱：「四年以來，檢察機關在自己的工作中，並不是沒有門爭的。在這個方面，我們主要的是同資產階級法律觀點進行了堅決的門爭。這種資產階級法律觀點其實質是反對黨的領導，反對人民民主專政，把法制的矛頭，不是對準敵人，而是對準人民內部，其結果是放縱了敵人，傷害了人民。這種資產階級法律觀點，曾經一度成爲主要的錯誤傾向。」

作爲統治機器的主要部份的檢察工作，尚且會出現如此嚴重的「反對黨的領導」的傾向，亦反映出在中共的統治機器內部，反共力量正在滋長不已。（齊）

大陸文壇速視

何其芳、卞之琳被圍攻

七[illegible]

近來爲了「新民歌」的形式問題，何其芳和卞之琳都遭受了圍攻。

何其芳遠在抗戰前即以詩和散文出名，那時他的作品大抵編入巴金的「文學叢刊」出版，詩雖及不上當時的卞之琳和馮至，散文却清新可讀，不能不說是後起之秀。抗戰時他到了延安，加入了共黨，曾寫過一首暴露延安青年鬱悶情緒的詩，但無損於他後來的扶搖直上。在重慶中共的文藝統戰工作，先後借重郭沫若、茅盾、老舍等人號召，何其芳和喬冠華曾做過周揚的「欽差」，從延安到重慶來面授機宜。「解放」後，何其芳便在中共中央做着周揚的左右手，如今名義上是科學院文學研究所的主任。過去胡風等激烈反對的就有這位仁兄，去年大專學校學生鬥爭老教授，正是這位仁兄的傑作。

卞之琳是新月詩派的後裔，但他的作品却已從「帶着鐐銬跳舞」的新格律詩中解放出來。「解放」後他和馮至、吳組緗等一同成了黨員，一直地位不高，與何其芳不能同日而語。

一九五四年，大陸爲着新詩的形式問題曾有過爭論，何其芳和卞之琳都拾了聞一多、徐志摩的牙慧，主張建立新詩的格律，不過那次沒有爭論出什麼結果。這幾年來，何並沒有寫詩，卞寫過詩，因爲有人批評他的詩艱澀難解，亦擱筆數年。過去寫詩的如艾青、柯仲平皆已被打倒，如今只剩田間和臧克家兩人在寫。馮至和袁水拍，寫得極少。後起的「詩人」有公木、沙鷗、阮章競、聞捷、嚴辰、李季、郭小川等，作品皆很幼稚。

去年由周揚、郭沫若提倡起來的「新民歌」，立時成了大陸新詩的主流。一般文學工作者爲了捧周郭，便不能不捧「新民歌」，並號召詩人向民歌學習。因此他們想起了過去何其芳和卞之琳的格律詩論來，就順便加以抨擊。去年有些刊物請何卞發表意見，他們都著文重複過去的論點，認爲民歌不能代表新詩，雖然也有五七言的形式，但並不等於新詩的形式。他們同意五七言的格律，並加以提倡，只是還主張再建立非五七言的格律。這樣一來，便招來了反擊，說他倆看不起民歌，有「資產階級的藝術趣味和個人主義傾向」，犯了「原則上的錯誤」。值得注意的，這些反對他倆的人中，包括着「詩人」的田間和沙鷗，「批評家」的張光年和蕭殷。何其芳曾在他所主編的「文學評論」中提出了答辯，措辭相當激厲，指斥他們都歪曲了他的原意。這件案子現在並未結束，可能以後還有新的發展。

瘟君夢

岳騫

第二回：密室定奇謀　巴山留遺恨　蒼生淦炭　弱絮隨風

毛澤東一跌倒，藍蘋慌了手脚，趕快蹲下去攙扶，好在地下鋪了厚厚的地毯，倒在上面也和彈弓床差不多，毛澤東喘了一下，慢慢站起來，頹然說道：「眞是老了，想起去年橫渡長江，許多小夥子都趕不上我，不料這一年國家多故，把我累倒了。」

一提橫渡長江，藍蘋又好笑，不過看見毛澤東的目前情形，玩笑不能再開，扶他在沙發上坐下。

毛澤東喘息一時，精神稍微好些，嘆口氣說道：許多人都想爭奪我這個位子，實在說這個位子不易坐呀，沒有本領，坐上來也會被人踢下去，陳紹禹和李立三都是前鏡子。

藍蘋知道他剛才在外面受了氣，心裏有點同情，不禁也長吁一口氣。

毛澤東十分詫異問道：「你何事傷心，說出來我替你解決。」

藍蘋搖搖頭：「我自己沒有什麼事傷心，只是替你難過。」

毛澤東苦笑道：「那就更要告訴我了，我有什麼值得難過的地方。」

藍蘋又搖搖頭：「我不敢說，傳了出去，將來會把我指爲右派份子。」

毛澤東笑罵道：「胡說，誰敢指你是右派份子，何況又是我要你說的。」

藍蘋披下嘴：「去年大鳴大放時，龍雲和章伯鈞講的話，不也是你要他們說的，結果怎麼樣呢？」

毛澤東紅着臉說道：「你如何能同他們比，關係不同，我的陽謀無論如何不會用在你身上。」

藍蘋翹起小嘴，不再開口，毛澤東走過去，推着她的臂，催道：「說呀！我是個性子急的人，不能猜悶葫蘆。」

藍蘋站起身，走到臥室門首，左右張望一下，看見警衞員都在客廳裏，悄悄回來把門掩住，也許因爲緊張過度，兩頰現出桃紅，低[illegible]在喝。

毛澤東被藍蘋攪的丈二金剛，摸不出頭腦，連連頓足問道：「說呀！什麼事這樣神秘。」

藍蘋回來坐在毛澤東傍邊，低聲問道：「一九四五年你去重慶時，我曾經交待你一些什麼話，還記不記得。」

毛澤東搔搔頭：「事隔十幾年，我的事情又這樣多，實在不記得了，不過，你要我給你買的口紅，尼龍絲襪，我也都買了。」

藍蘋急得只是搖頭：「誰問你這些雞毛蒜皮的小事，我是說你臨動身的前夕，我曾經勸你，到重慶還是和國民黨和了吧！老蔣不會薄待你，這些話你還記得不記得。」

毛澤東打個突，向外面一指，藍蘋搖搖頭：「都在廳裏」。（卅四）

毫無人性的托兒所

中共爲了挖掘婦女的勞動力，以進一步奴役婦女，所以在大陸各地廣大舉辦托兒所，迫使母子分離。在托兒所中，兒童患了病，也得不到母親的呵護，爲的是「怕影響母親的勞動情緒。」

上海出版的「上海工商」今年第三期刊有工商界家屬撰寫的一篇文章，作者是在托兒所工作的，她道：「因爲里弄姐妹被調到閔行去築路，我們工作的托兒所擴大爲全托（全日寄托）。礙巧這個時候，麻疹流行，托兒所中的小朋友都出起麻疹來了，居民委員會主任講：『爲了使築路的媽媽安心工作，托兒所一定不能把病孩送回家去，也不要通知家裏。』我們就想：『小孩不比機器，機器壞了，可以出錢賠償，小孩是有三長兩短，賠也賠不出。』因此急得團團轉。」

做母親的在外面「苦戰」，甚至連知道放在托兒所中的孩子的死生的權利都沒有。（齊）

釋耒集

隱居

曲齋

司馬遷史記貨殖列傳序曰：「無巖處奇士之行而長貧賤，好語仁義，亦足羞也」。班氏父子，遂以司馬遷爲：「崇勢利而羞賤貧」。實則司馬遷仍以能棲身巖穴，不務榮利者爲奇士，其所譏者，正因其好語仁義，而又不安于賤貧而已。此見古人對仁義不尙空談。故其又曰：「至若家貧親老，妻子軟弱，歲時無以祭祀進醵，飲食被服不足以自給，如此不慚恥，則無所比矣」。後世文學之士，不諳于世俗，撰作詩文，過事誇飾，遂使隱士生涯，有若不食人間烟火之神仙，不知相如之四壁，固賴之以蔽風雨，子雲之一亭，亦足以供美傲，至于陶淵明，則有三徑，有松菊，且有酒，有僮僕矣，其所云「簞瓢屢空，晏如也」，未必即爲實錄。昔吳敬梓作儒林外史，以王冕事爲之楔子，其所寫之王冕，亦與神仙彷彿，比之宋濂所傳之王冕，已大相殊類，因乃有人謂吳敬梓之王冕，爲活的王冕，而宋濂之王冕，爲死的王冕，此屬文學上之爭論，不擬評斷，僅憶昨非庵日纂會戲稱：『王冕買舟下東吳，渡大江，入楚淮，歷覽名山川，或遇奇才俠客，談古豪傑事，即呼酒共飲，慷慨悲吟，指畫都曰：「不滿十年，此中狐兔遊矣。」隱九里山，種豆三畝，粟倍之，樹梅花千，桃杏居其半，芋一區，薤韭各百本，引水爲池，種魚千餘頭，結茅三間，自題爲梅花屋』。此則達官之告老者耳，不得搶謂爲貧賤而隱居者矣。夫出則結交豪俠，呼酒共飲，遊名山川，談古節義事，入則種豆粟數畝，梅花千樹，魚千頭，則慷慨豪邁，安足富樂兼而有之矣，誠天子不得臣，諸侯不得友，不足以爲高，過騎諸國，傳食諸侯，不足以爲貴，有是而不取，反欲曳裾侯門，浪文吏部，承順顏色，處讒畏譏，日惴惴不自安，以求固其祿位，則賤丈夫之行耳。亦司馬氏之所擯斥，又焉足論哉！惜乎今如王冕之所有，斯世已成絕響，今日吾等但知美國富豪有農場，英國貴族有別墅而已，大陸上之躬耕，特尺壤間一兩足之牛馬耳，惟我國傳統教養，樂于安足，無論其一生中曾如何叱咤風雲，比及垂老，莫不思得薄田數畝，收其租賦，以爲讀書飲酒之需者，今遂絕不可得，不得謂非人生之大不幸也。

舊讀閑殷秋羽庵隨筆，記其所載某人得妻寄家書七律一章，其詩或近淺俗，而描寫鄉村風物，饒有情趣，不可不讀，因錄之以實吾文：

老妻書至勸歸家，爲數鄉閑樂事賒，
彭澤鯉魚無錫酒，宣州栗子霍山茶，
牽蘿已補床頭漏，豌豆猶開屋角花，
舊布衣裳新米粥，爲誰留滯在天涯。

吳仲圭之畫及其墓

·何勇仁·

我們研究元代畫史，便會先知道元代有四大名家，簡稱謂「吳、倪、黃、王」者，即指吳仲圭、倪雲林、黃公望、王叔明是了。這裏由中列仲圭爲首。

吳鎮爲嘉興魏塘人，字仲圭（或作珪）號梅花道人，及梅沙彌，山水初師巨然，後自創一格，墨竹宗湖州，而另具風韻，說者謂文湖州以竹而兼仙畫，仲圭則以仙畫兼其竹，其竹筆之不及湖州者以此，其詩比諸元代第一流詩客，亦並不遜色，故元代畫家中，兼詩書畫三絕者，仲圭當不愧爲其表表者，其復爲人抗節孤潔，權勢亦不能奪，更非趙松雪可比，惟自以佳紙筆投之，即欣然就几，在其未得志時，相傳仲圭與盛子昭比門而居，四方以金帛求子昭畫者甚衆，而仲圭之門闃然，妻子竊笑之，仲圭說：「二十年後不復爾」，後果其言。仲圭生平，諸畫史資料者不多，嘉興縣志載：「仲圭性高介，少好劍術，讀易有悟，乃一意繪事，既而厭之，潛跡賣卜，……舊居植梅，因自號梅花道人，工詩翰，善畫山水竹石，每題詩其上，當時稱爲三絕，有勢力者求之不得，惟貧士則慨贈之，使收值以自給，同時倪瓚、楊維楨輩皆風流慷慨，廣延聲譽，獨鎮隱居窮鄉，……元至正中卒，年七十五，……而後世乃以營掩之也。」縣志爲鄉……

仲圭之墓在嘉興縣治東門梅花里北，元末嘉興遭兵災，墓多殘毀，仲圭墓幸免。明萬曆間名士袁黃等建庵守之，天啓間，……多散佚，惟墓碑猶在，錢棻……仲圭墓詩云：「……事非，諸陵毀墓魂無依，……士有遺墓，自題沙門補梅樹，……碑碣向立青松路，……百年，嘉君高節愛逃禪，已繪事冠當代，還將易數推先天，君臣大義委草莽，子孫中落無謀田，宵塘東繞菖蒲浦，桃李荒涼屬誰主？桃李春飛寒食烟，梧桐秋落風雨，君不見六陵草平，此地猶存一杯土」，詩情感慨萬千，描寫亦淋漓盡致。自元以來，詩人畫家常不遠千里而往瞻禮，或其墓，或攜酒拜祭，或負鋤鏟草，明詩附著雪往謁墓後，並以詩記之：「庵門終歲石撐支，人與梅花淨護持，僧塚只今尋尙在，女泉無復問當時，香心不死隨風遠，雪影消空到地遲，杖我來難下拜，點頭一扶片墓前碑。」

吳仲圭中年之畫尙固守宋法，卅二年筆者旅滬於收藏家胡惠（實業銀行經理）家曾見仲圭仿古大型冊頁八件，上題云「清容先生高雅好古，所藏名蹟頗多，一日以佳楮索畫，以拙畫得之何耶？余近得觀二李王右丞荊關諸賢筆，心境頓開，少有所得，遂發之毫端，但妍與媸，非已所曉」卅四年胡家破產，畫轉入余手刻仍存合，此爲余首次收藏吳氏之珍本，卅五年又於廣州收得仲圭之紙本「秋山行旅圖」，畫雖簡而精，惜破爛太多，卅六又購入絹本立軸一件，畫法雖遒標峯，但史章明示，仲圭生平惡以絹作畫，故未敢保其必眞，然宋元名品均以絹製爲多，仲圭豈能全免乎！

宋元爲中國繪畫之黃金時代，元之是否優於宋，批評家迴有其獨立的看法，而不迴迷信崇古之舊習；以山水畫法而論，如『宋人論作，注重物理，而神韻氣趣闕焉，元人則一謂神氣趣，其合物理與否，若不屑顧及之，雲林所謂「僕之所謂畫者，不過逸筆草草，不求形似，聊以自娛者也。」蓋元人深惡作畫近形似之事爲畫，至不屑稱作畫而稱爲寫。』（見畫學全史），元畫家之意想之高超，可見一斑，因用墨過於認眞的畫法，除夏珪外尙不惜用乾筆，而元人即全反是，雲林之畫幾乎全用乾筆寫成，似乎過於乾燥，而仲圭乾濕並用，正合乎此新畫法調子的需要，故於其畫而表現其愈遠者愈濕愈厚，其愈近者愈乾愈輕，故其所發揮的韻味更覺超脫，筆者之所以愛仲圭者亦以此了。

仲圭與評畫者似乎曾發生過不協調的事，故仲圭曾說：『墨戲之作，蓋士大夫詞翰之餘，適一時之興趣，與夫評畫者流，大有寥廓，陳簡齋墨梅詩云：「意足不求顏色似，前身相馬九方皐」此但知畫者也。』又觀乎仲圭之妻內謠予昭售畫而笑其夫事，可以推測仲圭可能曾被批評家抨擊的，而仲圭答其妻曰「二十年後不復爾」，然而在二十年後仲圭是否的親眼看見其自己的黃金時代呢？那就史無明證了，而他預題梅花道人的墓碑，也隱隱約約表現一片悲涼的景色吧！（完）

學者的虛懷

耿耿

本年四月份的『讀者文摘』中文版第五頁上角，有一欄小小的更正啓事，文曰：「本刊十四卷五期（三月號）『社交飲的價值』一文中第四段末句，成功大學仲澤京同學來函，主張改譯作『如果就此一天天的下去，好像開一部八缸引擎的車，只有六個缸在工作』如此確更爲正確，特此謹謝。徐振鄂」徐氏爲有名的學者，看了此一更正之後，使人不禁想起年前某位以學者自命的人物，別人對其錯誤譯著稍有指正，竟不惜板起學者的面孔，竟至拋棄學者的身份，作出令人齒冷的醜態，由此可見學者如果能虛懷若谷，非但不會損減其在學界的地位，反更使讀者有仰之彌高之感。

香港中國筆會淺水灣禊游被邀作客賦謝

·胡家驥·

上巳郊游淺水灣，天風拂海海銜山。
雲迴浩淼無邊闊，日射葱蘢滿目斑；
靜語驚花來秀句，偷閒裝馬醉酡顏；
何當借注盃中酒，盡與遺民入漢關。

短篇小小說　得失之間

·童真·

一月前，我因案被判五年徒刑，如今身陷囹圄，每天靜坐默想，對于自己這次觸犯國法，前次陷害朋友的可恥行爲，深感懊悔萬分。你待我厚如手足，我竟用如此卑鄙的手段來報答你，現在想來，眞是不寒而慄。此刻我坐在窄狹昏暗的牢房裏，想起你也曾因我而在這種地方歎過一年，我更是悔恨交集。我懇切地希望你能看在我們十幾年的友情份上，寬恕我！漫長的五年，何時了呵，我只有仰問鐵窗外蒼天！

佑賢于獄中。

「璧，我們也該回他一封信，是不是？」郭嘉周看完了信，說。

邵璧領領首。下面就是他們給許佑賢的短信：

佑賢：

開頭，我們要請你原諒我們的偷懶，我們竟把兩封信併作一封信寫了。

謝謝你又記起了我們，其實我們早已原諒了你，因爲促成我們相愛的是你。過幾天就是我們的訂婚日，要不是你在獄中，我們一定要請你來吃一杯訂婚酒，順便參觀一下嘉周那爿新近才開張的收音機修理店。

最後，我們一同期望你能以一顆平靜的心來度過獄中的生活，並能準備一顆誠摯的心來迎接出獄後的新日子。

郭嘉周　邵璧　同上

（十一完一）

「叛徒！」——給大人們的童話

·野火·

是開飯的時候了，牆腳是一片混亂的嘈雜；像一個市場。

我領了菜（今天加一塊牛肉），拿了飯，揀一個位置坐下來。

我凝神望着筷子夾着的那塊牛肉。忽然，有一面牛的個影浮現在我底眼前。我發覺我自己站在一個郊野上，腳下是一片葱綠的青草，遠處的水田有藍天、白雲、青山、綠樹的倒影；很美。

我底耳朵聽到大自然一片和諧的聲響。

一頭正在草坪上吃草的牛站在我的前面，昂起頭，用好奇的眼光望望我。

「朋友，你好。」

我問候。

「唔，差不多。」

牠回答。

「朋友，你看。」我指向不很遠的一塊水稻田；一個農夫正在犁田。

牠跟着我的指示望過去：「你看，那人正在用皮鞭狠狠地打你的同胞呢。爲什麼你們總是忍受着而不反抗？」

「反抗什麼呢？這是生活嘛。」

「難道你們一點也不抱怨嗎？——人搾盡了你們的勞力，還要宰掉你們。剝了你們的皮和骨來製用具；甚至還要吃你們的肉……難道你們對這些一點都不抱怨嗎？」

「抱怨什麼呢？爲了你們人類的生存；爲了別人的幸福，我們流一點點汗，流一點點血；或者，甚至貢獻出我們底生命，這又算得什麼呢？」

我不能夠再說點什麼了。我感到很羞慚。

我低下頭來。我底耳朵聽到一片大自然和諧的聲響——微風在草原上、樹葉上……漫步而過；天使唱着讚美的聖詩，而人卻惡毒地在詛咒天主……

於是我抱着一顆羞慚的心離開那頭牛。行走在田塍上。我一邊行，一邊低頭在想：

「現在我明白印度人爲什麼如此地禮讚牛了：把牠視爲神明。」

牛的精神不是也和耶穌的一樣偉大嗎？

耶穌是一個神。是的，他那一顆博愛、寬恕、犧牲底偉大的心靈已經使他從人的境界超昇到神的境界了。

而牛不也是神嗎？（至少印度人是信仰牠是神。）

……

可是人呢？「人？人是一種醜的，卑劣的動物，他的生命裏充滿了殘忍、自私、嫉妒、貪婪、姦淫、嗜殺……」

「一個叛徒！你不是一個人嗎？」我底臉上吃了一下重重的耳光，我抬起頭來，我看見一位穿着藍布長衫，道貌岸然的老夫子怒目瞪着我。

……

猛然，我醒了過來。

……

我發覺我坐在[illegible]星。於是我低下頭來用膳。

鸚鵡螺號的故事

趙浩生著：新聞天地社出版

·肇天·

一九五八年世界十大新聞之一：人類第一艘原子潛艇鸚鵡螺號（NAUTILUS），由冰川下橫渡北極成功。這是人類歷史中劃時代的大事，它說明了：

一、原子能當作動力應用已宣告成功，原子動力的大時代已從此開始。二、經過北極的航路，把兩半球的距離縮短了一半。三、從橫渡北極所得的資料，對地文、氣象、海洋學的貢獻，尤如自海底打撈出一個解答大自然疑難的鑰匙。四、把包圍三千餘里俄帝邊境的北冰洋，變成攻擊俄帝腹心的基地。

由於以上這許多作用，「鸚鵡螺號」渡北極的成功，不只是一九五八年的十大新聞之一，將是一個人類科學文明進步的光榮的里程碑。如今，「鸚鵡螺號的故事」已由一位中國記者寫成專書出版了。

這本書雖然是記述一件在科學與戰略上的大成就，但其中並無乾澀之味的科學理論和戰略分析，全書是一個充滿人情味的動人故事，其輕鬆，趣味，驚險的本實，是一本比構想的小說更動人的作品，對照着書中的圖片，使讀者會覺得自己像置身在鸚鵡螺號的艙房中，自冰川之底穿過地球的尖頂北極。

本年三月十七日，鸚鵡螺的姊妹艦號（SKATE），在北極海之底潛行了三千零九十英里，這是美國海軍原子潛艇第三次遠航北極的季節，在氣候最冷，冰川最厚的今後，冰雪封凍的北極將成爲人類新闢的一條海底康莊大道，這個大道的開路先鋒，就是人類第一艘原子潛水艇鸚鵡螺號，「鸚鵡螺號的故事」，是一冊不可不讀的故事。

自由人
THE FREEMAN
（第八五四期）
中華民國僑務委員會
經登記證台數新字第一零二號
中華郵政台字第五〇〇號
執照登記爲第一類新聞紙類
（半週刊每星期三 六出版）
每份港幣壹毫
台北市售價台幣貳元
督印人：陳文華
地址：香港高士威道二十號四樓
20 CAUSEWAY RD. 3RD. FL.
HONG KONG
TEL. 771726
承印者：東南印務出版社
地址：高士打道六十四號
台灣總經理處
台北市西寧南路壹壹號二樓
電話：三〇四三六
台郵撥儲金戶九二五二
海外總經銷：友聯書報發行公司
香港：德輔道中二十六號A二樓

國民黨的悲劇與覺悟

甘家馨

歷史上任何一個朝代，世界上任何一個政黨，在其本質和統治國家的表現上，總有成功處，亦有失敗處，其成敗得失，功罪是非，甚不易一概而論。唯其如此，歷史所以無不變的朝代，世界所以沒有永遠把持國家政權的政黨，當其主觀條件退化，又不及時更張改造，致不足適應人民要求，或客觀情勢改變，本身雖有理有力而大勢無可阻擋之際，其政權自然不能維持，須要移轉他朝他黨，此種演進，實爲一種自然的必然的歸趨，並不算什麼奇怪，亦即歷史循環論者基本觀點的所在。

雖然，各朝各黨政權的循環轉移，雖不必重視，但對它們當時得失成敗的因素，與其本身特有的傳統，則應當注意，並使能保持於歷史。換句話說，不論每朝每黨統治的現象如何，祗要它能爲歷史累積了可資借鑑的有利紀錄，歷史都應予以適當的評價，此所以歷史家評論任何朝代政黨的功罪是非，總是注意於當時一代運會所給予後世的影響。一朝一黨，猶如一個人，他們能維持人格，其事業雖然失敗，未必可恥，社會甚至還有人賦予同情之心，反之，失敗得不光榮，社會同情消滅，可能永無翻身的希望，是故站在一朝一黨的地位上說，爭取政權不變固其目的，但保持過去成功要素與光榮傳統，比這個更百倍重要。

舉二事以爲例

中國國民黨原爲世界有數的大政黨之一，其過去自有其成功的因素與光榮傳統，自不待言。然國民黨今已失敗於共產黨，大陸沉淪，蒼生塗炭，其歷史的責任，千載難逃，國民黨凡曾掌握權力而有覺悟者，不論上下，皆當痛心疾首，知恥贖罪。不過默察情形，國民黨當前的問題，首先還不在此，而在其過去成功要素及其固有的傳統，已喪失殆盡，這是世界一個大黨當前最大悲劇與無比的損失。

共產黨爲世界人類的公敵，今日自由世界正需各國人民的智力物力，共同對付，前途如何，尙未可料定，中國首當其衝，其失敗亦非完全無以自解者。至一黨的政權的喪失，換諸國民黨革命時代屢遭挫折的往事，未始不可奮起再舉的雄心，況天下失而復得，敗而中興，其事例亦多。準是以言，客觀情勢及前途展望，不是絕對悲觀，而唯有主觀的失敗，則不知何年何日，始有恢復的希望！

國民黨盡喪其特有傳統的情形，今天已演至什麼地步呢？這裏不能詳細多說，現在祗就最近所看到的幾件事實，提出來作爲例證說明，這亦就是我要以這個題目來寫本文的動機。

關於胡適思想

我所要舉的第一件事，是最近台灣有關胡適思想的新聞。我在這裏不是要說到胡適思想該不該反對或擁護，亦不是說胡適思想，而最注意的就是在此場合中，暴露出國民黨在訓練班講得條條是道的思想主義，在班外殆全被否定，最少是大家不談了。我在自由中國半月刊上，看見殷海光先生所寫題曰「胡適與國運」的一篇文章，甚有感慨。殷先生讚揚胡適倡導民主與科學，許多地方，我們同意，他說胡先生的思想，對近五十年的思想界，最具影響力，亦有其眞實性。殷先生除提胡先生外，並提到陳獨秀，認爲胡陳是一對。但如何，他對孫中山的思想，根本不提，甚至竟關提出康梁，謂他們這一對，對近五十年中國思想界，亦是最有影響力的人物，這種地方，甚值得國民黨人的注意。

胡適的思想，當然有其影響力，陳獨秀早年亦然。康梁一對，照殷先生所說，梁任公還有比張之洞進步的地方，至於康有爲，謂其在近五十年的思想上，最具影響力，這不知是指些什麼。另一面說，中山先生的思想，至少曾經把西方現代思想主流的大意或輪廓，傳到了中國，無論把它當經典看也好，謂其爲抄襲外人的糟粕也好，它至少不如康有爲的「浪漫」（殷評「大同書」語），比梁任公較有系統，甚至亦非全無胡適的民主與科學精神，至於影響力如何，至少不會比康梁遜色，而它竟不被提及，不被提及，未必即是「蓄意」抵制，但亦可作被否定的解釋。

孫中山的思想，當今大陸不能作爲是當代思潮來說，然若就四十年前的思想及今天世界大勢來說，謂其不足以登大雅之堂，或與共產主義共爲一談，寧非冤哪個。但是今天台灣思想界閙思想問題，而中山思想竟「無地可容」，無論如何，它總是國民黨的價值基本的一錢，然而今天竟至此，回想三十年前中山先生，北伐時受到歡迎，國民黨人在北京各大學演講，轟動一時的情形，此豈非國民黨今天悲劇的反照。

關於雷震吃官司

我再要舉的是最近雷震吃官司的一幕。自由中國半月刊，飽經風霜後，終於要吃官司，雷先生二度被傳進法院，接受偵訊。這種情形，亦沒有什麼戲劇，並且亦不是意外的晴天霹靂，明眼人都已知之。雷先生奉命來港，一九五〇年，曾和幾個朋友在一起談話，當時我曾取笑說，你莫爲我們做說客，心，我看你自己也快要輪到了，我這話的過去和現在，這種例外嗎。當時他笑了笑，似乎不以爲然，然而不幸而言中，他現在竟要進法院了。這件官司暫時大約不會再有甚麼驚人的發展，從報上看看調停人等的表現，前些時山雨欲來風滿樓的情景，現頗似雨過天青，過我們不能不有一想，就是雷震至少在大陸有一段時期，曾是國民黨的相當負責人，到了台灣後，亦來港接洽一次，爲什麼今天鬧到要他吃官司，由來久矣，那就是「吃官司的眞實原因是「罵」不可言。中國國民黨，但其作爲中國政黨，對於一個曾當成要發言地位的雜誌上，在其所辦的雜誌竟始終無法取得協調，最後且在法庭上，這豈是黨的一種光榮。這場官司打下去，雷震當然非弄到九輸不可，然其對手勝利了，有何光榮，此不過使國民黨分化到了極致的悲劇，令人嘆觀止而已！其豆相煎，意何苦，奈何一個號稱精誠團結的黨，竟弄成這種樣子呢！

關於陳立夫的新聞

第三、再舉一件是最近香港時報，載有訪問自美返國的將勻田的一篇特寫，內中有關於陳先生的一段，大意謂看見他們夫婦養雞養得很好。講到政治問題，據說，陳立夫先生曾道，已經失敗了，還有何可說。這一段內，最值得傳誦的是陳夫人的話，他說：別人不要以爲我們很累，但我們覺得這才是人生有意義的生活，回想南京時代那種情形，那裏是人的生活！

這篇特寫所記的，大約都是事實，我們對陳先生尤其陳夫人這種心情，沉着和析節自勵的表現，甚是感動，亦覺得可爲國民黨稍爲顯出一點異樣的風光，然站在另一方面說，無論從關係地位忠貞能力等任何角度看，陳立夫今日在外國竟只能以養雞聞名，這真是對國民黨無以復加的諷刺，現在報紙上，今天常看見批評台灣人材水準低落的文章，然事實是其人如陳立夫者，亦不得不在外國養雞，即此一點，可見得國民黨並不是天然人荒，而是自己糟塌，人爲人荒。國民黨過去曾是一個無人材的集團，現在若將早年的歷史資料翻閱一下，回想說集一代英華，令後人景仰，然今天竟在使用馬耕田了，回憶過去內部的摧毀糟塌情形，豈是國民黨的不幸，抑亦近代中國的大悲劇。

希望與覺悟

一個黨，曾有比較開明的政策思想，亦有合作的歷史和相當的組織，人才之多超出中國任何政黨之上，此在世界政黨中，亦不能不算爲大黨。若論事業，有如大罪亦有大功，無論如何，別人不能否定一切。然今日的事實是：主義，思想祗關起門來唸經，與世界隔絕，就是自成一家之言；組織破碎的結果，對同志比對仇人還更狠，後打更人；先除漢人，將無顧惜；糟塌人材，落無顧惜；厮殺相剝，剝到箭心猶不已，回想國民黨的過去，今日之事，實不可悲！這種情形所造成的現象，是，精神力量渙散，滅，就只是一個權力集團，人材低落，種種作風大背國民黨過去光榮偉大高尙的傳統，處處表現小鍋小灶的色彩。至在野的黨外，亦病態百出，不能保持固有的風度。

上面說過，各朝各黨在歷史上最重要的事是，其光榮傳統能夠保持；如此，無論得失成敗如何，歷史終將給予應有的地位；並且偷果一念間。然凡此一切，皆在能如此，那就是最後的覺悟。這個覺悟，現在看起來，當然談何容易，然事至今日，仍不得不作如此的希望；最後的成功，國民黨上下內外，其再思之！

日內瓦會議

醞釀多時的東西四外長會議，已於十一日開始在日內瓦舉行，這是關係和戰的一次會議，其成敗當爲世人所注意。

這次外長會議的主要議題，是解決德國統一和西柏林的地位問題，也是二次大戰後一個長期爭論未決的問題。目前雙方的立場是：蘇聯方面，要求美英法三國由西柏林撤兵，使西柏林成爲「自由市」；德國問題，主張由東西德直接討論。此一要求的基本作用，是企圖解散北大西洋公約，撤毀歐洲集體防禦體系，以解除蘇聯所受的威脅及便于蘇聯向歐洲伸展。在西方國家方面，則堅持保守西柏林駐軍，關於德國統一，主張由自由選舉進行。

這是雙方的分歧點，也是英首相麥米倫訪蘇和訪美促成舉行外長會議的原因。但是由於德國問題牽涉歐洲利害關係，德國問題，長期以來得不到解決，二次大戰後十四年間先後舉行的九次外長會議中，關於討論德國及單獨討論德國問題者即佔五次，最後一次是一九五五年十月至十一月的日內瓦會議，亦毫無結果而散，而這次會議當難出現奇蹟。

和戰問題

鑒于過去數次外長會議之無成就，我們對這次日內瓦之會不抱樂觀。事實上，在正式會議之前，蘇聯爲「圓桌會議」和「方桌會議」之爭，已使這次會議一開頭即入僵局，則其他更重要問題將更難取得一致的協議。但當前局勢，也不容許雙方作極端的破裂，因爲戰爭的一途，這是蘇聯所不敢，也是西方所不願，所以雙方均以有限度的讓步以求某些枝節問題之解決。蘇聯已表示同意將柏林問題和約問題分開，同時對德和約問題，暫留待高峰會議討論。而西方在西柏林問題上，也有表示接受蘇聯某些建議的可能。但這只是緩和一時，西柏林危機或可暫時和緩下來，但兩方的重大分歧，必難求得根本的解決。因而戰爭的危機亦始終存在。

中共對印關係的惡化

在亞洲方面，由於西藏問題，使中共與印度的關係已進入前所未有的低潮，並且繼續在惡化中。最近以來，印度方面除民間普遍掀起反對中共的浪潮外，尼赫魯也一反過去態度，數次公開發表對中共的指責。而現在印度各重要政黨又要求把西藏問題提出聯合國，以控訴中共在藏的暴行。這一情勢的發展，不僅影響中共與印度的「邦交」，而且影響中共對亞非各國的統戰活動。

過去數年，中共勾結印度，以所謂「和平五原則」爲幌子，不斷在亞非有民族問題的國家中進行煽風放火的工作。而現在中共自己也成爲「新的兇惡的帝國主義」（印度各大報紙語），既造成對印度的威脅，從而也造成對亞非各國的威脅。尼赫魯說：「我們這些年來一直爲之努力的，寄寓于潘查希拉和萬隆的東西，已經受到極大的損害，這不僅對西藏來說，是一個悲劇，而且對我們中間許多人來說，是一個更大的悲劇」。這是尼赫魯的覺醒，也是中共對外統戰受挫的先聲。

。金達凱。

求其在我

據合衆社從印度發出的消息，大隊的蘇俄軍事人員已達到西藏東南部江孜地方了。這消息並不突兀，而係固有的事實。我相信這二百五十餘名的俄國老毛子，都是些軍事技術和工程方面的高級幹部，而其主要任務乃係在勘察劃在西藏建立飛彈基地，附帶地指導毛共軍隊鎮壓西藏義民的抗暴運動而已。

毛共必須毀棄對西藏人民的諾言，急遽「社會主義大躍進」的赤化工作，完全是爲俄帝的世界戰略利益服務，這是常識所能理解的事。然領導自由世界以反抗俄帝侵略擴張計劃的美國，對於西藏事變，不特依然採取當年對匈牙利人民反共抗俄運動的態度，潔身自好，唯恐沾上了絲毫關係，避之若浼，且對中華民國政府聲援西藏義民的行爲，亦復表示異議，認爲西藏事變不可能構成大陸人民的反共巨流，因而不贊成中華民國政府予以軍事援助，說是「美援武器不得轉移於第三者」哩！

俄帝却不然，祗要有機可乘，對它的世界革命計劃有利，即不顧一切的採取行動，決不怕別人攻訐指摘，試看它最近對伊拉克的措施，既給予親共的賈山政權以大量軍需援助，又將在俄境訓練有素的庫特族份子八百餘人，公然遣回伊拉克，藉以增強伊共的勢力，便於奪取政權。這情形若發生在自由世界，俄帝自必大聲疾呼指爲帝國主義者破壞和平的好戰行動，而以「不能坐視」的口實，表示不惜掀起大戰的姿態。如是乎，英國人急得發抖，美國人亦揚言沒有盟邦支持，無能爲力，非「和平共存」不可了！

所謂「自由運動」與「解放」的實質，就是如此這般。我們對於西藏人民的反共鬥爭，還不應該積極援，自力更生，求其在我，而能接受外來的無理干涉嗎？

（手書署名）先生

忠告印度

旭軍

印度給予達賴喇嘛政治庇護，是值得稱道的。但擎政之尼赫魯，不爲西藏之受壓迫而仗義指責中共，更有不明事理之印人竟信口胡言，說西藏不屬於中國者，實有糾正之必要。

數十年來，英印勢力，事實上深入西藏，最低限度今天西藏城市商業，大部份掌握在英印人手上，因之西藏亂事不息，勢將影響英印之利益，和印藏邊境安寧。有人以爲尼赫魯對中共若採取不友誼立場，或許危及邊境安全，尼氏爲保持印度本身利益，及欲與中共和平相處，是值得同情的云云，其實，西藏之事，證明了尼赫魯這個想法是完全錯誤的。須知中共是忠於蘇聯的，列寧早已規定，由中國過印度，而向西方擴張。印度若不加入蘇聯集團，則遲早終如西藏之受摧殘，而無法倖免。

今西藏事件擴大，戰事迫近印度邊境，英印在西藏之利益，殆已完全喪失。尼赫魯若不早些覺悟，尚想與中共打交情，則誠屬不智。

一九五六年，達賴喇嘛藉佛教慶典之便，走到印度，要求尼赫魯給予政治庇護。假如印度不肯，他就和隨行的到其他佛教國家，而不欲返回西藏了。尼赫魯當時不肯答應，反而通知周恩來。那時中共忙於東歐緒蘇聯附庸國，如匈牙利，東德，及波蘭的革命火燄擴張。周氏到印後，以花言巧語向達賴說，西藏的高壓手段及暴行，祇是由於當地軍事當局，錯解中共之政策。他保證達賴返西藏後，不會再見此現象。」但達賴仍不信此「鬼話」，堅決不返西藏。甚至周恩來最後答應把中共人員撤出西藏，永不再派回，達賴仍依然不信任。直至尼赫魯給達賴以保證，說印度將促中共實行諾言，而且答應數月後他本人到西藏一行，於是達賴喇嘛終答應了，而回返西藏了。

至一九五七年十月，北平方面宣佈中共撤退中共人員百分之九一．六，據他們說：『因爲西藏尚未準備社會主義建設。』但事實上給印度觀察員看的撤軍，是少數。不過係由西藏西部而調到西藏東部。而且由華西調來三十萬大軍，顯然是用來鎮壓西藏反暴革命。那時尼赫魯對達賴說：他不能訪問西藏了。以上是印度「思潮什誌」的記載。

印度今天不能以現實政治爲理由，而違背諾言，袖手旁觀，甚至政府不敢指責中共違背信義。縱不能給予軍事援助，起碼亦應給予道義上的支持其反暴革命。乃彼尼赫魯總理，始終不提昔日中共之諾言，反而甘受中共以莫須有的『擴張主義』罪名，唾而自乾，哀求維持所謂『中印友誼』，何自卑之甚也。

西藏自中國漢唐時代，已向我內附，雖時叛時服，但終在我政治管理下，清初以西藏爲藩屬，封錫達賴五世，至乾隆之歸清統治，西藏爲中國，迄今未稍變。乃印度之所謂史學權威，馬腮德是何物？竟號召所謂：『西藏問題百人委員會』，決定要重新確定西藏地位，聲明要召集會議，討論『如何啓發印度人民，瞭解西藏問題，協助印度人採取正確西藏政策。』竟謂：『西藏並不屬於中國，倘以西藏爲中國之一部，實爲錯誤想法。』其居心何測，可以窺見。

中印如兄弟邦，印度受英國統治，印人謀解放獨立，中國一向仗義支持，今中國大陸不幸淪爲蘇俄附庸，人民已坐於水深火熱。今姑就現實政治而言，爲印度借箸代謀，自觀印度此種作風，亦不能緘默而不予忠告。今天中共藉以掩飾其在西藏之殘暴罪行，而拒絕外人協助反暴革命的砌詞，是宗主權問題，今已直指印度爲擴張主義者，若安生覬覦之念，自然給中共以誣賴口實。

西藏四分之三，是不可居住的，而且不能生產的一萬五千呎高地，其礦藏非卅年以上不能開採。中共之甘冒不韙，去控制奴役西藏，乃奉行蘇俄的擴張政策，西藏乃亞洲戰略關鍵基地，尤其是作放射洲際彈道飛彈的建設優勢。中共一天不退出西藏，印度便一日不得安枕，已禍無寧日。今若視西藏之反暴革命或援助反暴者，不但不予同情，反而視同蛇蝎，以達賴爲奇貨可居，作談判的王牌，甚至乘人之危，以求漁利，甚則可謂既不仁又不勇而又極端的不智了。

西藏采風錄

女活佛

西藏寺廟，居住着成千萬的喇嘛之外，也有不少尼姑，而且其中也有一個是女活佛，她的名字叫多吉帕母，意譯「金剛亥母」，她的尼姑庵名卓宗寺，在雅魯藏布江之南。

藏人怕蛇

在拉薩以西，小孩夜間啼哭鬧時，母親常嚇他們說：「蛇來了，快點兒睡罷！」孩子們就不敢再哭了。西藏的蛇，其實很稀見，他們常說的蛇，是一種人頭蛇身的妖鬼。它們生在深淵和潭裏。人們生病，據說都是蛇鬼作祟，所以人人怕蛇。

懷中木碗

西藏每一個人懷裏一定帶一隻小木碗，在飲食的時候，就掏出來。這木碗有時也用一塊方巾包藏着，有的人就在胸前的衣服裏面縫一隻口袋裝着。木碗的好醜還可以表明各人的身份，就和所穿的鞋子一樣，可以看出他們的貴賤。

中共對中南美的滲透活動

——雖着着失敗，野心未死——

（墨京航訊）中共對拉丁美洲的滲透工作，主要是文化藝術和科學方面的。儘量宣傳中共統治下一切都有長足進步，以期改變中南美一般人民對中共的懷疑觀念，進而間接影響當地政府對中共的政策。希望中南美國家，能多致承認中共，減少中共進入聯合國的阻力。

中共除將西班牙文的「人民畫報」，連環圖書，及英文的「中國婦女」，「新中國建設」月刊「北平週刊」及其他五花八門的宣傳品由北平，香港及瑞士等處，大批運到拉丁美洲；又設法使中共的醫藥，外科及美術等人員，獲得參加中南美民衆團體所主持的「國際醫藥外科手術大會」「國際美術展覽比賽」等機構。

中共五十三人組成的「中華人民共和國什技藝術團」，於去年八月由北平出發前赴南美洲，先後在巴西，亞根廷及智利等國演出。五十三名團員中有十二名係中共特務人員，負責監視其他人員及聯絡各地國際共黨組織，拉攏華僑親共份子，及左傾僑團等。但該團想到墨京活動，卻碰了大釘子，筆者將另行撰文報告。

中共去年十月以廉價向墨西哥影片商購買了十二部墨西哥電影片運赴大陸共區。其後又於十一月將中共自己的五彩卡通片「馬良神筆」等八部賤價售給墨國片商，在墨京一流戲院映出。本年三月間，專映蘇俄撻克波關等片的墨西哥京城「馬賽大戲院」，曾張燈結彩大肆宣傳，謂有史以來，第一次上映中國電影「祝福」。這一部五彩的中共長片，是由白楊和魏鶴齡主演的。也是中共賤價售給墨國片商的。且經過蘇俄駐墨大使館文化參事的積極協助，然後成功。

中共過去曾邀請墨西哥的記者，教授，醫生，工會份子等前往大陸共區訪問。去年十月，墨蘇文化協會活動份子之一的魯白利醫生，曾率領一個十七人的墨西哥醫藥團，訪問大陸共區。本年元月十八日，墨前總統加丁拿氏又以「世界和平理事會副主席」的身份帶同他的兒子秘書，及工程師等，應郭沫若的邀請，訪問北平及廣東等地。墨共份子希望加丁拿氏返墨後，將倡導墨國承認中共。更主張墨國要向俄國及中共取得物資與技術人員的援助，以發展墨國的鋼鐵業。詎料本來袒共的加丁拿氏由北平返墨後，不但緘口不言，且由墨政府宣佈已決定向西德購買機器，並請西德著名鐵廠到墨國設立分廠，以協助墨國發展鋼鐵事業。中共與墨共此一活動，完全失敗。

中共年來在中南美的活動略如上述。而我國政府在中南美的宣傳工作，則似乎做得太不夠了。國民政府的西班牙文宣傳品，除「中外畫報」外，並無第二種。中文的小冊子和畫報，運送到中南美的則相當多。但這些刊物只是對內宣傳的性質，而非對外宣傳的性質。作用極爲有限。至於派遣醫藥、科學、教授、藝術人員或技團，劇團等，更始終未見。這是國民政府對中南美宣傳上的大缺點。

其次，我駐外使節的活動也似乎因經費所限，而不能盡量發揮作用。據聞使館經費，甚爲微薄，每月除房租外，連請客交際的錢都沒有。以墨國這樣的國家，沒有交際，應酬，沒有請客送禮，又怎能有良好的外交活動呢？還有一點，我們不應倚恃盟友美國在中南美洲替我們辦交涉，因爲美國在中南美洲的人民與政府之間均存有若干芥蒂，中南美各國對美情緒並不很佳。故對中南美的外交，我們必須自己努力，必須瞭解國際的需要。增派得力人員，寬籌使館經費。否則即使有得力的外交代表，亦將有巧婦難爲無米之炊之嘆的。（四月廿七日墨京）

•文•

英國戰後社會之變化

•淦克超譯•

英國戰後的社會革命並沒有實行鼓勵英國外交政策之效，反似使外交政策黯淡無光。在現代英國史上，英國從沒有像近年來這樣在世界上演被動性的角色的。這當然有許多外在的原因：美俄權力之兩極化，英帝國面對亞洲民族主義而崩潰，由領導國降到二等國家之心理上的調節困難。但所有的上述理由都不足以適當的說明英國的特殊毛病。這答案，依作者的意見，乃在英國戰後的革命，表面上雖然溫和中庸，實際上則使政體上緊張得多，較他處的顯著的革命還尤甚。

英國的革命

試比較那翻身的革命，像俄國，那推出新人之革命，像埃及或法國，則英國的革命祗是把現行的上重下輕的制度弄混淆了，卻不會劇烈的改變那秩序。原居頂層的人物仍然在頂層，祇是不及從前那樣安穩；原處下層的人物仍然在下層，雖則不像從前那樣舒服。這樣的改變雖不像他處的劇烈革命那樣激劇性，而有關人們的生活中的改變亦較少，但效果卻大得多。因爲社會如果僅係倒過頭來，下層人物就變成了上層人物。但輕微的左傾，像今日英國所行的，看來雖少戲劇性，實際上卻使國家的筋絡費力得多。政體之整個平衡被推翻了，而又不會得到新的平衡。一九一七年的俄國革命，和一七八九年的法國革命，會經使新的血液衝到國家的首腦部，而推動了系統中的每一器官，但英國的向左轉僅束縛了舊的國家姿態，而沒有解放任何新的能力。事實上，英國二次大戰後的革命削弱了舊的統治階級而沒有代替品，加强了工人階級的經濟條件而沒有授予實際政權。其結果則英國的領導方面已經失去了過去對于增進國家之激烈的關切，而羣衆方享受新獲得的舒適，亦無心于爲公利而犧牲私利。

「僵持中的國家」

今日英國常被形容爲「僵持中的國家」（Stalemate State），確有理由。國內的保守份子已經接受了少量的重分配財富，而以社會主義者（工黨）摒棄其財富均等之運動爲條件；社會主義者則不復反對社會特權之繼續存在，而以那些享受此等特權者放棄其貴族政制之信仰爲條件。簡言之，雙方都犧牲其信仰之內容，主要的特色，而換取若干短期的讓步。爲換取保守主義者之接受福利國家起見，社會主義者允保持公立中學，牛津和劍橋之貴族性，上層及中產階級之操縱金融和工業，以及軍隊和文官。爲換取社會主義者之容忍舊秩序之事實上享受其傳統的特權起見，保守主義者同意拋棄其法理上有權享受此等特權，戰後的革命所達到的實效無異爲維持現狀之改稱。在戰前，左派所認爲邪惡的，右派則認爲神聖的，命定的——那是道德的感情之來源，無論左派右派都如此——今天則係經被動的接受爲一種臨時交易，既沒有人愛或恨，但人人都盡量予以利用。此種涇渭不分常被譽爲英國人長于調和的天才之例證。作者則認爲對于兩種社會都有極壞的效果：一方面是使沒有理想酵素的社會主義陷於唯物主義之矛盾，一方面是使沒有貴族酵素的保守主義陷於特權之矛盾。

實質上的變化

儘管英國在表面上好像沒有變，實質上如何呢？試以蘇彝士事件爲例。目標仍係經典的目標，演員還是傳統的演員。伊頓中學出身的從政者在內閣，桑赫斯軍校出身的將領在國防部，英國的紳士們，和下層羣衆一樣，大致支持這種主張的。知識份子固然有批評這種主張的，但那並非新奇。可是這政體無法推動哩。關於蘇彝士事件失敗的原因——外交的，經濟的，軍事的——都無需重論。依作者的意見，[illegible]

[illegible]國家。這是怎樣一回事[illegible]

不夠堅強　左右政黨都

[illegible]

一度緩刑　舊秩序贏得

[illegible]左翼的「新政治家」週刊副主筆約翰生對此會作如下的分析：……[illegible]

（節譯自四月份外交季刊 Peregrine Worsthorn Class and Conflict in British Foreign Policy）

國際動態拾零

△古巴領袖加斯特羅在華盛頓時，適有一青年欲[illegible]其反對黨給他的一封信。爲古巴衛隊所架，美警救其出險。

△世界銀行總會在紐約市開幕時，艾森豪本允參加典禮。但爲事所阻，故引起兩黨人的不滿。現艾氏已允無論如何，終必到會露面一次。

△美國失業人數，三月份爲四百四十萬。四月份可減至四百萬，這是總統府經濟顧問的估計。

△美空軍主張海軍負責放射的火箭，改歸空軍管制。國防部調和其間，允其由戰略空軍指揮，並由空軍方面派人爲助手，但仍由海軍保管。

△美海軍業已實驗三次，放射如衛星型之最小人造衛星。意欲減少費用，而多獲實驗機會。

△本月底，美國將在太平洋高空上放射阿特拉斯洲際飛彈。試驗成功後，則美國在國際上聲譽將大增，必有益於高峯會議。

△教皇約翰廿三世，[illegible]議程，討論一九六一年將在羅馬舉行之樞機主教會[illegible]

•陶然•

對尼赫魯的批評

五月六日「人民日報」以編輯部的名義發表一篇題爲「西藏的革命和尼赫魯的哲學」的文章，文章首先批評尼氏同情的對象錯誤了，認爲他應該同情一百十幾萬農奴，反對那些少數的農奴主；其次批評尼氏對於中共軍隊在藏行動的看法錯誤了，不是民族鎮壓，而是始終堅持不打第一槍的方針，才任由「越定違綱」的，是對西藏上層階級讓步已到「仁至義盡」了。軍事行動是爲在西藏執行「和平革命」。最後指責尼氏所說的「沒有干涉過西藏」是謊言。

這三點對於尼氏的批評，列證據典，是無可爭議的。問題却在于：一、所謂「民主改革」包含些什麼？若照大陸的農村情況來說，該是由減租減息、土地改革、集體化，而至組織人民公社，去年人民公社成立後的生產果實，據報導百分之七十——七十五作爲積累，百分之二十五——三十給予農民消費，這一比例正與這篇文章中所列舉的西藏農奴要將百分之七十貢獻給農奴主的比例相同；那麼，實行「民主改革」的結果將是打破舊農奴制度，實行新農奴制度，只是換了一個農奴主而已，農奴依舊是農奴。二、何以中共在此以前要堅持「不打第一槍」？何以要對西藏上層讓步，容忍「六年不改」？決不是因爲在主觀上要實行「仁至義盡」的政策使然；但文章中堅持這種所謂「仁至義盡」的說法，一方面正表現其在西藏封建堡壘前的怯弱；另方面則又與中共痛恨西藏農奴制度的觀點相違背，其同情農奴之說是欺人之談。三、文章對於西藏革命的含有民族主義思想一點，儘用設立那些有名無實的「自治區」來比喻，無人能信這種「自治」可以作爲自治的解釋。

由此可見，文章雖好，掩飾亦佳，可是並不能說服人，愈是解釋愈使人認識中共的那一套僞裝外衣剝去後的本質。

毛澤東的自悲

毛澤東的文章中，往往會出現一些旁人不大用的中國俗語。這篇文章有一萬多字，大概不致于全部是他寫的，但我相信是經過毛看過改過，根據之一，文章中有這樣兩句話：「你走你的陽關道，我走我的獨木橋」；其含義除了互不侵犯以外，還有不顧人們的勸告要堅持冒險之意，這種話除了有決定權力而不怕事後被批評的人才敢不加思索而濫用，我想還是出之于毛的手筆。若果如此，則這兩句話已經流露毛氏獨行其是的窘境，舉步維艱的自悲感。本欄已早指出，毛氏的中心思想矛盾，一九五七年上半年圖用于政治方面的鳴放，碰壁而被迫獨行反右派；一九五八年圖用于經濟發展而向大躍進，眼看又臨懸崖的邊緣，但又不能驟然退却，明知其結果不會好仍然被迫獨行其是，這種情況，能不自悲嗎？

〇田心〇

我看西藏問題

·王世昭·

追溯歷史，我們的老家在西北，包括西藏，青海，西康，甘肅，崑崙山系等地區，如果再加以擴大，還應包括：新疆，蒙古，東北，西伯利亞，朝鮮以及南洋羣島。我們的先民，如依語言系統以立論，這廣大地區的主人，就叫作漢藏語系民族。

爲了數典不能忘祖，西藏，青海，西康，甘肅這些地方，算是我們的老家。現代看起來，似乎比較落後，可是在遠古，却是我們的搖籃啦。不然，中國古代著述，如：穆天子傳，屈原天問諸書，不會屢屢說到崑崙，說到流沙，說到黑水等等。

漢藏一家

漢藏本是一家，何以文明與文化會相差得這樣遠？這個理由極簡單，即他們留居老家不肯走的環境比較簡樸，生活也比較單純，因此競爭的機會也就比較少。出了山地的幾個族系，所遇的抵抗力強，所以進步得比較快。而况世界文明與文化，發祥地，多在河海流域，如埃及之於尼羅河，巴比倫之於幼發拉的河與底格里斯河，印度之於恒河與印度河，中國之於黃河與長江，希臘羅馬文化之於地中海，西藏是有名的雪國，也是有名的山國，而且與蒙古波斯一樣，都是高原，刻苦耐勞勇悍則有之，活潑進取則未必。而且，寒瘠地區的人民，人口生殖率不高，而熱帶亞熱帶與溫帶的人民，生活既優裕，多子多孫自是爲其特色。人口既多，競爭自然更加強烈，所以同一祖先的人民，因地理的關係，一邊繁殖到四五億，一邊還不到四百萬，即使加上青海西康與甘肅的一部，也還遠不夠一千萬，得天不厚，這是無可如何的。

蓋於歷史的發展，西藏一部歷史幾爲佛教所完全佔據。其思想之深入人心，爲牢不可破。達賴相傳十四世，佔西藏歷史五百餘年；其統治地雖只西藏一隅，而其宗教勢力實達青海西康甘邊以及內外蒙古。

故欲爭取西藏，自以佛教爲基本下手處。但西藏居中印與蘇聯之間，外有強鄰，處此原子時代，實無法閉關自守，今中共雖以班禪爲傀儡，惟班禪之權力爲宗教上的，而非政治上的，與達賴自不可同日而語。

中華民國政府與西藏關係

西藏問題爲極其複雜的問題，中華民國政府與西藏的關係雖不壞，如二十二年第十三世達賴逝世，中央派黃慕松入藏致祭；廿九年第十四世達賴大典，中央又派蒙藏委員會長吳忠信入藏布施僧衆，藏方亦派人向中央政府致敬，並成立辦事處以資聯絡；三十六年更曾派代表參加中華民國制定憲法，今又支持其革命，無一不是表示互相親善，且使漢藏來往史恢復前所未有的光輝。不過今日的問題是面臨實際問題，約而言之，即：一、如何加強其革命組織力量？二、如何配合策勵蒙藏反共勢力使其增長？三、如何使西北回區漢回團結起來，予中共以打擊？四、如何運用外交上的關係以爭取達賴？五、如何實行救助西藏向外流亡人士？

佛教文化與極權統治

說到西藏本身，以有史以來即受佛教文化的薰陶，與中共的極權統治絕不能相合。且西藏無工業，只有農業與畜牧；地下的寶藏尚未開發，浮在湖泊與江上的也祇有鹽硝與金沙。人民的生活極簡樸，自尙自由。民族性亦勇悍，不然，有唐一代，不會聲威四播；而元代以踏破歐亞二洲的雄威，而尙以八思巴爲國師，封以西藏十三萬戶，爲了種種緣故，中共在西藏，軍事上必陷於疲於奔命，政治上更無法控制，所有在內地的一切設施，都將無法在西藏推行。故依我看，西藏的局勢，必成中共今日的盲腸。

我的看法

甚于上列種種條件，我看中華民國除了加強前面所述的五項對策之外，不宜將西藏事件交由聯合國處理。因由聯合國處理，不啻表示中華民國政府對西藏問題已無能爲力，非由國際加以干涉不可。此其一。美國於中共驅逐達賴出走之後，即表示，承認西藏過去自治，這無異已表示對中共的極權統治，英國政府則表示由聯合國處理，因事實上印度已經獨立，英國即欲染指亦不可得，此其二。今後大陸西南局勢，西藏現有行動，必然會擴大到[illegible]諸地，甚至內外蒙古，都必須注意的是：第一，[illegible]此其三。[illegible]不丹等，這些國家與中華民國[illegible]，也可以運用以援助西藏，[illegible]此其四。易云：「履霜堅冰至」，[illegible]站穩腳步，再一步一步[illegible]

大陸文壇透視

七紫

周揚集團開始分化

這次中共「詩人」「批評家」圍攻何其芳，可以看作周揚的手下嘍囉開始分化。

關於詩歌問題的爭論，相當擴大而複雜。參與論爭的計有雁翼、紅百靈、李亞羣、宋壘、沙鷗、蕭甯、力揚、蕭殷、田間、何其芳、唐弢、卞之琳、郭沫若、張光年、臧克家、賀敬之、郭小川、歐外鷗、傅東華等，爭論的文章散見於「處女地」「星星」「人民日報」「詩刊」「文藝報」「文滙報」；牽涉的問題計有當前詩歌的主流、新詩發展的基礎、民歌體有無局限性、對五四以來新詩的評價、新詩發展的道路等。「人民日報」曾爲此召開過座談會，「文藝報」和「詩刊」都先後有過綜合的報導。爭論的情形非常紊亂，問題越來越多，將來是不會有什麼結論的。

就這一案件發展到現在的情形看來，爭論雙方的主要人物是何其芳對張光年。其餘人物大都是些配搭，本無所謂。如卞之琳雁翼是站在何其芳這一方面的，而田間、沙鷗等無異是張光年的幫手。不過張這邊的人多，對何的圍攻很顯明即張所發動。

張光年自一九五三年起，即是中共文藝界中坐第一把交椅的「文藝批評家」。馮雪峯因「紅樓夢」案觸犯「文藝報」後，他就接充了該報的主編；無論提倡什麼或打倒什麼，都是他代表周揚在該報上發號施令。因此他在中共文藝界中的實際地位，並不在何其芳之下，而其所發生的作用和影響力，恐怕還要超過何其芳。可是他倆都是周揚的親信，全是擁周揚以自重的。這些年來，除了胡風膽過何其芳以外，還未見有何人胆敢碰碰他倆的。在這次爭論中，他倆却刀鋒相向，大有敎個你死我活之概。張光年口口聲聲說：「何其芳同志的看法和我們的看法很不相同」，「我們和何其芳同志的分歧就在這裏」，「我們和何其芳同志之間」；何其芳則說：「難道這不是張光年同志自居爲前面那些給我加上種種『帽子』的人們的代表嗎？」「他（張光年）的三點意見沒有一點是站得住的，我看他的苦心也有些浪費。硬要從沒有什麼大問題的地方去找出人家的錯誤或者原則分歧來，那必然要失敗的！」

這樣的兩個周揚手下大將內鬨起來，就很難爲郭沫若了，當臧克家問他時，他就不敢作左右袒，只說主流和基礎不在形式而已。其餘周揚的親信如林默涵、劉白羽、邵荃麟、袁水拍等，却至今一言未發，似乎有意看着他倆鬥。

清算巴金暫告一段落

批判巴金作品，進行了半年之久，到目前總算是告一段落。據北京出版的「文學知識」第六期發表的情況是：「討論以來，收到的稿子近千件。」但最後的結論，仍然不得不承認「巴金的作品，『激流三部曲』所取得的成就，不容抹煞。」並承認「巴金在新文學史上還有一定的地位。」

看前一階段，中共掀起批判巴金作品運動的那種趨勢，似乎巴金的問題，已經嚴重到超出了文學思想問題。姚文元等人，甚至指責巴金作品，有「誣衊黨對革命的領導」及引導青年「離開黨」的罪行。與現在「文學知識」的結論有很大距離。其轉變原因，我們從各方面去觀察，可能有兩個原因：其一是巴金的作品，擁有大量的讀者，特別是在青年羣衆中，受到熱烈的歡迎，這些青年讀者所提出的意見絕大部份都是肯定的，有的甚至沉痛的提出，如果這樣對待作家的作品，就將扼殺了文學的生命。這些呼聲，終於使中共感覺到「衆怒難犯」，暫時收場。其次的一個原因，是文壇上的死寂狀態，找不出一部稍有斤兩的文學新創作。在這樣一種情況下，如果繼續對成名的老作家施以打擊，勢將引起更惡劣的後果。因此，也不得不暫時放鬆巴金。不過，中共的策略是時刻轉變的，是非功罪尚無定評。巴金雖僥倖闖過了這一關，未來的命運如何？就無法推測了。（贊）

瘟君夢

岳騫

第二回：密室定奇謀　蒼生遭浩劫　巴山留遺恨　弱絮隨風

毛澤東長噓一口氣：「你怎麼又想起來十幾年前的事。」

藍蘋眼圈一紅：「我時刻在想這件事，假若那時和了，你即使當不上副總統，一個院長沒問題吧！國家也好了，我們又何必受許多方面的欺侮。」

毛澤東低頭坐在沙發上，兩手抱着膝蓋，一言不發。

藍蘋用手推他：「說呀！你怎麼也不說話了。」

毛澤東徐徐噓一口氣：「過去的事算了，還說他作什麼？」

藍蘋兩手扳着他的肩膀，連連搖幌：「我一定要你說，我心裏悶了十幾年，這個悶葫蘆該打破了。」

毛澤東坐起來，用手理理頭髮，看看藍蘋說道：「我告訴你，你千萬不要告訴別人，連田家英你也不要告訴他，那小子人長得漂亮，心裏也是靠不住的。」

藍蘋臉一紅：「我爲什麼要同田家英說？他是你的親信，你不相信可以讓他走的。」

毛澤東擺擺手：「我們還是談正經吧。你不是要問我那年去重慶爲什麼不同蔣先生講和嗎？」

藍蘋咬着手指點點頭。

毛澤東搖搖頭：「這件事情，說來就話長了，還在瑞金時代，我就時刻打算和國民黨講和，不過這裏面的阻力太多。」

毛澤東頓了一下，接着說道：「不過，那時我並不是決策人員，[illegible]我的話。[illegible]之後，我已取得了[illegible]，就派人到南京[illegible]，表示了我的誠意，不料未能成功。」

藍蘋[illegible]問道：「那個[illegible]李老？」

毛澤東說：「就是覃振老先生，是我們湖南的元老，他的字是理鳴，所以習慣上都稱理老。」

藍蘋點點頭：「後來怎麼樣了呢？」

毛澤東搖搖頭：「結果未成功，我只好繼續長征了，直到到了延安之後，日本人發動侵略，國民黨才接納了我們求和的建議。」

[illegible]

毛澤東[illegible]：「[illegible]」

藍蘋[illegible]：「我不肯和，爲什麼冒着危險去重慶？」

毛澤東搖搖頭：「那是蔣不肯和了。」

藍蘋吃驚道：「他不肯和爲什麼去一封[illegible]電報來請我，又派赫爾利和張治中來延安陪我去。」（卅五）

釋耒集

學校

每年「五、四」紀念前後，均不禁使人想及青年，想及學校。其見解或有殊，而其所以想及者則一也。我國儒生，言及三代時井田學校之制，大率均甚詳備，而其法究亦未能復見之於後世，則儒生之論，亦在可信不可信之間。明末黃梨洲先生，懲于闇主奸閹之誤國，易代之際，撰爲明夷待訪錄一書，論及國家養士，極思恢復學校之餘意，蓋自太祖之世，胡維庸廢，而廷杖之例開，衣冠之士，僕僕于王室積威之下，懸命于閹豎喜怒之間，士大夫之氣節，固掃地以盡，而明亦坐是以亡其國，故其言曰：「蓋自朝廷之上，閭閻之細，漸靡漸染，莫不有詩書寬大之氣，天子之所是未必是，天子之所非未必非，天子亦遂不敢自爲非是而公其非是于學校，是故養士爲學校之一事，而學校不僅爲養士而設也。」又曰：「東漢太學三萬人，危言深論，不隱豪強，公卿避其貶議；宋諸生伏闕槌鼓，請起李綱，三代遺風，惟此猶爲相近。」此等特論固甚高，而終有清之世，學校地位，乃愈見其江河日下，所謂三代遺風者，已成絕響矣。曾國藩起家清末，慨然思有所振作，其送江小帆同年督學湖北序云：「教民之任，獨以責之學政與校官，而所謂校官者，類多衰疾晚暮之徒，其廉不足自贍，往往與學官弟子，爭錐刀之末，不特不克助宣教化，或轉蝕害！蔽學政之耳目，彼學政者，孤懸寄于一行省之中，守土者皆貌敬而神拒之，日憊精于文字，而角機智于千百詭弊之場，而欲以餘力敎民以仁義孝弟之經，其不亦難矣哉。」若黃梨洲所云，五四一擧，似差近之，而其後果之利弊，則又使人不能無疑，蓋自茲以後，學校往往成爲政黨興風作浪之場所，禍譟、遊行、鬥毆，如出一轍，而純粹爲國家民族之危言深論，則固不復存在。有司爲治安設想，乃不得不思有以控制之，尚憶民國二十五年夏間，兩廣有所謂「六一」運動之擧，聯合以反抗當日之南京，其是非不足深究，而彼時之兩廣當局，爲期求青年學生，被動的加入所謂反蔣之行列，于是陳濟棠兼中大校長，黃旭初兼西大校長，首開教育史上以武夫兼任大學校長之惡例，似此則學校非但不足以主持清議，抑亦不足以培育人才，是直野心家之政治資本而已。以此等武人視之，則黃梨洲所云云，亦書生之見而已。

日前返台北通訊，見胡適之先生于醫院中談「五四」往事之新聞，胡先生之不能忘情於「五四」，此亦人之恒情，而我輩出生較晚，其所向往者，轉爲「五四」時代之北京當局，讀者試思，有類於「五四」之事，其發生若稍後十年或二十年，其殺傷流血，會得如「五四」時之輕描淡寫，即便終了邪？吾不得而知之矣。

曲齋

竹溪寺

·林瀚年·

且向風前數落花，
春歸禪院寂無譁。
悟來大道心常樂，
學佛何須定出家。

人生那得幾回笑

·陳永昌·

笑是人間的「味之素」，是感情的發酵母。很多人喜歡笑，很多人偏不願意笑。笑口常開的人容易得到人的好感，愁眉苦臉的人拒人於千里之外。已故美國總統羅斯福時常對鏡練習笑容，他認爲笑容滿面易於得到人的親近，終於他在政治上得到成功。

笑並不需要花費本錢，自高自大的人偏不願意裝出笑臉，他誤解以笑臉對人會損了他的自尊心，終日拉長了臉，自以爲嚴肅，無形之中反而失盡人心。年輕的人笑容滿面會討得年長的人的歡喜，年長的人笑口常開令人覺得和藹可親。很多人其貌不揚，但笑容可掬，也就不令人討厭。也有人長得眉目清秀，一表堂堂，但冷若冰霜，令人望而卻步。笑是可愛的，溫柔的，可是偏不容易學得好。

笑有各種的笑法：有從心頭發出的笑，有虛僞的笑，有奸猾的笑，有冷笑，有諷笑，有自然的笑，有不自然的笑。在愉快的環境中，發出自然的笑，這並不稀奇。最難的是在不愉快的場面，在很不自然的心境下，仍能發出不勉強而顯得很自然的笑，這就不容易了。含笑的人笑得很自然而甜蜜。眞正懂得笑的人，能以一笑解除尷尬的局面，能以一笑令人破涕爲笑，能以一笑使人解除萬種憂愁。古代美人，能以一笑傾城，一笑傾國，笑的價値，笑的魔力，眞是難以衡量。

常見很多家庭，因爲一個人動輒發怒，就把家庭的溫暖驅逐殆盡，造成陰森氣象，這往往是悲劇的根源。笑是快樂的源頭，是溫暖的牙床，笑會把人間變成天堂。但奇怪的是：何以很多人偏不願意笑？

做生意的人有一句格言：「和氣生財」，「和氣」怎樣表示呢？最簡單的方法就是笑。所以，要想求財必要學習笑。大政治家不惜花費寶貴的光陰習笑，可見得笑就是政治的資本，所以要達也必須先懂得笑。古代詩人描寫美人的「一笑百媚生」。可見男女之情，也求源於笑，所以懂得談戀愛的人也必定要練習笑。幽王擊鼓戲諸侯，只是爲博褒姒的一笑，不惜喪身亡國，笑是人類特有的表情，猿不會笑，獅也不會笑，人類有笑容，才有人生的樂趣。俗語說：「日笑三次，福壽如意。」這話實在說的有理。可惜現在的世界，是少數人，從多數人痛苦的身上，搾出血汗來裝飾自己的笑容！

你曾看過麼？笑得過火的時候，是會流淚，或腹痛，甚至下顎脫臼。傳說唐朝名將程咬金是大笑而死。「笑死」，也許眞有其事，但這信不信由你。某學者說：別的動物也含笑。其實不是笑，不過是歡喜的表情而已。

笑不盡在乎聲音；笑聲不過是笑之一部份，而笑卻的表情，才是其本態。說文解字載：「笑欣喜也。」可知笑是喜悅的表情，這對於健康上很有益處。俗語說：「笑門開，福進來。」有位學者說，一日之中，笑的時間越長，工作的能率也越大。善觀氣色的相士們，他之所以能夠豫判人之吉凶，是全憑你的表情——「笑容」或「苦臉」來推測的。

成語一句：「千金買笑」，因爲當你見着一個滿孕笑意的人的時候，你便感覺有着無比價値的高興。人到底不是機器，所以人需要溫情，溫情比之冷冰冰的金錢可愛得多。

「人世難逢開口笑」，的確，活在這年頭的人，幾幾都可以使我們疾首蹙額，心事萬端，從何而來笑起？但我們還是樂觀一點吧！可笑時便笑，又何必一定要閉起咀巴來呢？「強顏而歡」，雖用之於強，也勝於「悒悒寡歡」。

「一笑置之」，這是我們一個應付無妄的最好戰術。橫逆之來嗎！一笑置之。不如意事嗎！一笑置之。不一笑置之，自非「豈有此理」，「拂袖而起」，拚個死活不可，然而，這分明是無濟於事的。

乙亥春中國筆會同人雅集南灣黃園

·黃天石·

留春恰好半陰晴，又看迴潮向晚生。自是中朝靈氣集，江山信美筆縱橫。

茗盌談鋒氣猶清，春燈射虎鬥心兵。何須賦罷高天下，博取摩登入寄情。

花時裙屐共清遊，簫鼓樓南鎖暮愁。絕妙風光濃兩絕，文人珠玉女兒喉（定菴句）。

不揮古淚泣新亭，獨醒何當樂共醒。文字收功終有日，爲披肝膽告山靈。

評論不易

·恬辛·

書評或影評的執筆者，像一個修理匠或醫生。他們一方面要抓住文藝作品或影劇中的重點及精華，予以簡扼的介紹，（如畫家之描輪廓）；進一步則要把握作品中的得失、優劣，作一比較性的批評或商榷，一則利讀者深入的欣賞，一則協助作者改進、修正。因此有人說：「我們可能有天才的作家，但絕不可能有天才的批評家。」實在含有至理。今天的情形，若非直截的認爲中國新文學的評論家尚未出現，就只好祝作以天才評論家自居的「大手筆」太多了。

一位評論者必須首先具備一般普通的基本常識，此點對於他認識作品，發表獨識的過程，都有莫大助益。其次是對於其所評論的對象有相當的知識和研究心得。一個沒有讀過詩經、楚辭、詩品、文心的人，冒然的下筆批評中國的舊詩（即使是唐宋詩）實在未免太荒唐了。但在今天，這種類型的「評論家」實在多如牛毛。因此使筆者感慨到以上兩個條件還嫌不足，應該更補充一點：即評論者必須有光明正大的誠意，而沒有藉論文作武器的居心。最近此間某文藝刊物上刊出一篇「太史公」氏的新詩評論，以爲新詩大有危機，其文中所舉一例，經編選列該詩之編者指出：「太史公」根本指鹿爲馬，把詩題也弄錯了，而且斷章取義。他可能根本沒有親自讀到該詩。

現在所能看到的評論，很少是有根可覺的，最佳的恐怕還要推一些青年朋友們寫的坦率的讀後感——可歎的是這些作品在地盤主義盛行的台灣，也很少出頭的機會。倒是一些京戲捧角式的喝彩文章，到處淘湧，眞是言者無罪，聞者足「戒」，如果犬儒的朋友看了某名人的推薦而去光顧某作家的新作而上當，是不會讓人吃驚的。還有一派是潑婦罵街式的，所幸者近年來已漸少見，此種文字可能造成「文仇」，也更可能損害了年青作者的自信心，前者爲是少數人之間的嫌隙，後者的惡果卻是不可想象的。

另有一種文章，貶褒各半，或褒之於前，再繼之以「難免小疵」云云，以示筆者偏而不漏，公而不偏。如筆者果無愧於鄉愿之譏，自當別論；否則又何不另尋坦途、寫一些結實的東西呢？至於那些「變相廣告」，則夫復何言！誰識二十世紀是唯利是圖的時代呢？

良心放在筆尖不屈成爲口號，林語堂所說的「狗」們，實在應該自加檢點了。

蜘蛛

·南橋·

天氣暖和起來了，蜘蛛又爬出來在檐前屋角或樹枝之間，吐出一條條爍亮的鋼絲，結成一張綿密的網羅後，便離開牽着一條細長的索，埋伏在隱秘的地方，虎視眈眈地專待過往的蚊蚋蒼蠅，正如一首謎語所說：「南陽諸葛亮，穩坐中軍帳，排起八卦陣，單捉飛來將」。

我們偶然看到屋隅牆角的蛛網灰塵，誰都覺得討厭，想把它一掃而淨爲快，可是蜘蛛爲我們捕捉害虫以及其絲在工業上的妙用，卻也不無功蹟。

蜘蛛種類很多，據生物學所已發見的，全世界共達二萬五千餘種，可謂洋洋大觀。他們的技術很高明，傍晚，牠們都從日間隱避的處所出來，先從紡織器放出一條細長的絲，任風吹飄，結果隨風的一端便粘住在一處，其吐絲的噴射力甚强，射程可達三四尺之遙，絲富粘性，蜘蛛本身另有一種特殊脂肪，所以可在絲網中來往自如。

古時伏羲氏見蜘蛛而悟出結網的原則，據說西洋人曾以蜘蛛絲織過手套襪子等東西，只是蜘蛛飼養不易，它要吃昆虫而胃口又大，吃的又很精細，專吸食昆虫的汁液，飼養起來，比採了桑葉來餵蠶還要費事得多，因此，蛛絲也不易得到，蛛絲還可以作爲望遠鏡之類的精密器材裏的十字綫，如天文學家想在他們的天文鏡中裝上極細的絲，當望天空時，視野中有了細的行條，可以比較星的位置，他們就是採用蛛絲，一千八百二十年，一個英國的儀器製造家名叫杜勞頓（Troughton）他用一種背上有十字紋的稱爲園蛛的絲，不但比蠶絲細而且更韌，現在各國有許多專家專門在飼養這種有用的蜘蛛而選收其優良的絲，據說最好的一種蛛絲是那種可怕的「黑寡婦」所產生的，「黑寡婦」是有毒蜘蛛中最毒的一種，體大黑而亮，腹胸底下有紅色斑點，小動物碰到它常遭其毒害而喪生。

動物配偶之愛都是表示情意和好，當虫多到了求偶的季節，會唱歌的整天永夜在草叢間或樹枝上唱着嬌亮動聽的戀歌來引誘異性，有的色彩和鱗甲的，向對方炫示牠那爍煌的外衣和燦爛金星的馬甲，以博心儀美人的一粲，但是蜘蛛的戀史卻偏偏與這個原則相反，用强暴行爲來求配，當一頭雄蜘蛛向雌蜘蛛求愛，就必須使用詭計，要乘雌蜘蛛不備之時悄悄地小心翼翼地走近她，或者相機利用雌蜘蛛需要性交的片刻，才可和去親熱，到了交尾畢，熱情消失了，便須趕快逃走，否則溫存未終，便已血肉狼藉，照例要葬身雌蛛的腹中，雖逃一死，這確乎是太負情太殘忍了，說來令人毛髮悚然。

平庸的中國人

·海·

我現在只感到一陣痛心。是的，這些日子來，使我傷心的事情眞多。

我現在沒有什麼話好和妳說。

將來妳會看到妳的朋友的心臟是怎樣地躍動的。

正如我所有的朋友一樣，胡振海只不過是一位平庸的中國人吧了。他們就是那麼的平庸；他們（包括我在內）不懂得壓抑別人，抬高自己；他們也不懂得騎在別人的頭上，吮別人的血，吃別人的肉。他們只懂得俯下身子來給別人做牛馬。這就是我的朋友，平庸的中國人。

朋友，妳知道，我所有的朋友都是平庸的，平庸的中國人。我沒有超凡的朋友。是的，我從來沒有過一位超凡的朋友。也許我現在已經有了，有了一位壓抑別人，抬高自己的超脫的朋友了。我眞感到光榮，也感到一陣痛心。

我記得，我清楚地記得，我也會對瞞子說過：一個人的偉大和高貴不是他自己創造的，而是活在人們的心靈裏面。他之所以偉大和高貴，不是他自己創造的，而是他本身有着一份崇高的品質，偉大的人格，肯俯下身子來給別人做牛馬，肯做一位平庸的人，去幫助別人，犧牲自己。這樣，人們便崇敬他，把他舉得高高，如同一座紀念的銅像一樣，它之所以能夠站得那麼高，並不是它自己能夠站得那麼高，而是那座由無數的小石粒堆砌成的石壘，把它舉得高高的。

朋友，不要自以爲偉大而且高貴。自以爲偉大而且超人的人，不見得他就偉大，超人起來。只有一些願意做一位平庸的人，願意俯下身子來給別人做牛馬，去服務別人，去犧牲自己的人。人們才會用心靈去紀念他，用語言去讚美他。

唉，自以爲偉大的人，自以爲「超人」的人。

這些日子里來，使我失望的事情實在太多了。

朋友，失望可能毀滅我，也可能使我更堅強地站起來。

我現在還能夠給妳說點什麼呢？因爲我底心劇烈地移痛着。

祝好，祝福妳，用我整個的心靈。

主佑

海、四六、八、廿五晚基隆

自由人

THE FREEMAN
（第八五五期）
中華民國僑務委員會領發登記證台教新字第一零二號
中華郵政台字第五〇〇號執照登記為第一類新聞紙類
（半週刊每星期三六出版）
每份港幣壹毫
台北市售價台幣貳元
督印人：陳文韜
地址：香港高士威道二十號四樓
20 CAUSEWAY RD. 3RD. FL. HONG KONG
TEL. 771726
承印者：東南印務出版社
地址：高士打道六十四號
台灣總經理處
台北市西寧南路壹壹零號二樓
電話：三〇三四六
台郵撥儲金戶九二五二
海外總經銷：友聯書報發行公司
香港：德輔道中二十六號A二樓

由藏民抗暴說到大陸人心

伍憲子

（一）宗教精神

西藏人民抗暴事件之發生，經已數月，其醞釀更已多年，至最近始爆發，震驚世界，不亞於匈牙利人之抗暴。惜其不能繼續擴大，至可哀痛，亦與匈牙利人同。此事似已過去，實則斷不是終結。我因此事，聯想到宗教精神。西藏地理之廣闊，與大陸比，甚小。西藏人民之數目，與大陸比，更少。然西藏能發出驚天動地之抗暴行動，大陸人民對之，似有慚色。此何故，西藏人民有宗教精神，大陸人民似失去也。宗教問題到今日，雖然發生許多疑問，科學到原子時代，科學家之頭腦，久已不藏神權，宗教還否存在於今日，此問題太大，我今不暇論及此。我不敢否定神權，但我亦斷不肯定神權，即如今次達賴間關出走，論者傳說許多神蹟，我亦姑妄聽之。我對宗教，不在神權，而在信仰。信仰是人生一件大事，無論如何智慧，總不能不有信仰。假如無信仰，則不成其為人，信仰是個人之中心，宗教不過信仰之一。以西藏地之渺小，人民之寡，而能發動此驚天動地抗暴之事，全靠宗教精神。此宗教精神，根據於自由信仰，不容易動搖，亦不必動搖，有清二百餘年，羈縻西藏，就靠此宗教精神。惟至愚極蠢之共產黨，不識此義，要反對宗教，反對自由信仰，以至富有宗教精神之藏民激成大變。我們因此想到大陸，大陸人民甚少宗教觀念，在民國初元，因孔教問題，在智識階級中，曾發起極劇烈之辯爭，有人主張定孔教為國教，有人主張信教自由，於是孔教到底能成為宗教否，見仁見智，至今日仍難定論。然大陸人心，經此波蕩，信仰漸失重心。我們平心論事，我們可以不談宗教，但我們不能不談文教，此是神權與人性問題。

（二）神權與人性

世界日在進化之中，宗教亦不能例外。宗教之神，根據原始時代是天，[illegible]念而來，但神權不是天[illegible]的。我們中國進化[illegible]，在二千年前，已脫離神權，六經中雖不斷言天，言上帝，但天與上帝，不是冥漠無稽。「天視自我民視，天聽自我民聽」，故天之代表是民。「皇矣上帝，臨下有赫，監觀四方，求民之瘼」，故上帝之代表亦是民。自孔子以後，歷代儒家，更發揮此旨，故中國經典，不埋沒宗教觀念，但不標榜神權，惟標榜人性。若以宗教言，其他宗教，皆可稱神道教，惟孔子則當以人道教名之，此亦可說宗教之進化。然二千年來人道不張，我們求其原因，皆由於人性之認識，尚未深透。許多人目光所注，以為宗教只限於神權，而不能進於人道者，他們忘記世界是進化，宗教不能例外，宗教不應停止於神權，宗教應該進化到人性。必要進化到人性，而後可以制止獨裁，必要進化到人性，而後可以培植民主、團結人心。蓋神權與人心，距離尚遠。必要進化到人性，方能與人心接近。故今後有宗教與無宗教之爭，都是無益，而神道必須進於人道，將為普遍公理，亦無所用其爭，而人性之比神權，更為適應環境，更無所用其辯，故今後不能淹沒人性，必須發揚人性，使能透過大眾，使能共同信仰，其效力必比神權為廣大。但可惜晚近人心，只將信仰寄於神權，同時神權亦漸減，此為人性不能發揚之最大原因。吾人試觀最近數十年之歷史，人心之失去信仰者，根於二千年來者，有一原因，根於最近者，又有一原因，兩原因合流，而人性之信仰盡失，此時可謂人性之厄運。

（三）人性的厄運

二千年來之中國，雖早已脫離神權宗教，但終未能樹立人性信仰。其第一重厄運，則由於政權之自私。政權本來是為人民，所謂「天生民而立之君」。但結果握政權者每自私，就變成「普天之下，莫非王土，率土之濱，莫非王臣。」政權之爭，在上握權者每佔上風，在下無權者每處失敗，故政權之更易，每數百年而一次，短者亦數十年而一次，因此之故，政權逐變成握權者擴張私慾之工具，政權逐扼殺人性。因為人性共通之點，其勢力之做成，比少數人之私慾必成偉大，握權者為擴張私慾之故，必扼殺之，趨炎附勢者為諂媚握權者之故，亦必附和之，是謂政權扼殺人性，換言之，亦可謂之政權扼殺信仰，此是二千年來人性不能發揚之厄運。最近人權之說興，人權之運用，本需要人性，但人權之說倡於西方，西方之倡人權，其目的為奪政權，因此之故，人權亦容易變為奪政權者之工具，故人權逐為人性不能發揚之第二重厄運。總言之，都是政權為患。或者謂政權未嘗扼殺信仰，即如共產黨之言行，雖然反對宗教，但是崇拜偶像，共產黨之崇拜偶像，就是共產黨之信仰，故共產黨並未失去信仰。殊不知偶像之信仰，與主義之信仰同，主義不能發言，偶像亦不能發言。共產黨捧馬克思，馬克思死矣，無論如何曲解其主義，變更其主義，馬克思不能答。共產黨崇拜列寧，列寧亦死矣，無論如何曲解其主義，變更其主義，列寧亦不能答，故崇拜偶像，不是信仰，信仰主義，亦不是信仰，偶像與主義，皆供蔽障當權者擴張私慾之運用，皆足以扼殺人性，此是人性不能發揚之又一原因。我們今日要在兩重厄運中，救出人性，方是今後救人類救世界之重要問題，人性雖一時被掩沒，然人類一日存在，人性終能發揚，只問我們有無方法，如何復興。

（四）如何復興

人性是中國文化之精神，但不是屬諸孔子，是屬之世界人類，不過二千年來到今日，能將人性發揮盡致者，莫如孔子，可惜中國革命之後，打倒君主，同時打倒孔子，空談人權，不知發揚人性，其實人性潛伏於全人類之心中，無論環境如何黑暗，終不能將潛伏之熱火熄滅，故人性可以復興。然而不幸，許多政論家與學者，認識人性不透，尋覓不出做成人性勢力之方法，且以談人性為迂腐，竟以神權宗教等視之。至愚極蠢之共產黨，要打倒神權宗教，至愚極蠢之政論家與學者，要打倒講人性之中國文化，所以大陸淪陷之後，共黨只管殘暴，人民只管痛苦，反抗暴力之潛勢只管埋伏，而驚天動地如藏民今次之抗暴舉動，不能爆發。此並非人性之效力為共產黨暴力壓迫而消失，乃是二千年來，尤其是數十年來，不認識人性文化，而反對孔子者之罪過。我們今後還該復興人性。禮運曾說「刑仁講讓，示民有常，如有不由者，在勢者去，衆以為殃」，此是講人性文化者組織羣衆之一定辦法。蓋仁之對象是羣衆，執政者不能離開羣衆而講仁，論政者亦不能離開羣衆而講仁，讓之精神是民主，故民主之爭，不是爭權，而是爭理。必要讓，而后能爭，老子所謂「汝唯不矜，天下莫與汝爭能，汝惟不伐，天下莫與汝爭功」，必要以此為常，而后能示民有常。由此組織成羣衆之勢力，則如有不由者，自然衆以為殃，如有不由者，雖在勢亦必可以去。今日共產黨之行動，以民衆為口實，以開會聲勢迫脅羣衆，做成公害，為禍人心，其取法就是出於禮運所言「在勢者去，衆以為殃」。但共產黨以暴意出之，以反人性行之，我們所不取，我們所反對。我們自有正道，自有方法，二千年來，埋藏於人性文化中，未能發揚，未能實現，留待至今日，我們再不能忽略之。我今從藏民抗暴，想到大陸人心，捨發揚人性文化之外，再不能團結也。因為政治之思想分歧，一人一義，十人十義，莫能團結。惟刑仁講讓，潛伏於羣衆人性中，只要士大夫不自私之，能公之於羣衆，結成有常之偉大勢力，則握政權者自不能利用之作工具，而不由者自然成衆矢之的以成殃，雖在勢亦可去也。此人性文化中之大義，誰賦之，有智慧者，必能領悟之。

一週述評

「最重大的談判」

日內瓦外長會議，雖已如期於五月十一日揭幕，但一開始便遇到蘇俄提出東西德代表列席會議的問題，跟着蘇俄又要求波蘭捷克的代表要平等參加會議。現在開會已經三天，大家還是膠着於程序問題，未能討論實質，這豈不是一個不吉祥的兆頭。

另一方面，蘇俄赫魯曉夫說，不管日內瓦外長會議開得怎樣，高峯會議都是要舉行的。但艾森豪總統卻說，高峯會議是否舉行，要看外長會議的結果怎樣。現在，蘇俄一開始便一再把程序問題來困擾會議，可見他們並沒有誠意，這難怪艾森豪說，蘇俄「似乎在玩宣傳把戲」。蘇俄若志在宣傳，則會議難有結果，可以斷言現在誰都不願意負破壞的責任，則勢非作相當長時間的拖延不可。

若外長會議竟無結果，則赫魯曉夫所說的高峯會議，即使舉行，又有甚麼意義呢？

英相麥米蘭說，日內瓦外長會議，是「最重大的談判」，是與今後數十年內歐洲歷史有關的。如果眞是這樣，則各國政治家，又怎能讓日內瓦會議毫無結果而散呢？我們且看今後幾日的事實如何。

增加臨時條款的顧慮

近一星期，台北報紙關於修憲與總統任期問題，甚囂塵上。本刊台北通訊，國大代表有人主張增加臨時條款，以濟修憲手續之困難，而達將總統再次連任之目的。十三日台北外電，亦說『台北一家晚報指出，民意既希望總統連任，總統又明白表示不願修憲，則折衷之道，顯為修改憲法臨時條款。在臨時條款內規定，只有戡亂期內，總統方能担任兩屆以上，承平期內只以兩任為限』。

我們覺得總統任期問題與修憲問題，在目前確是一個頗為複雜的問題，既不是一個純粹憲法的問題，也不是一個純粹的政治問題。講法，則再次連任，非改憲不可，改憲非合規定程序不可。規定程序無法實行，於是有人主張增加或修改臨時條款。但當年臨時條款的加入，不是和修改憲法一樣鄭重其事的嗎？如今是不是可以不必採同樣的程序了呢？這是很可懷疑的。臨時條款適用於戡亂時期，戡亂該離不開軍事行動，去年十月蔣杜聯合聲明，宣佈不以武力反攻大陸，戡亂之義又是否存在呢？這也是值得顧慮的。

解決問題三因素

當然，憲法之外更應考慮政治。此所謂民意之說所由來。有時政治的因素比較法律更為重要，惟必須政治家有眼光有魄力能眞正認識民意之所在。當年孫中山先生之所以毅然出任非常大總統即在此。民意包括台灣、海外和大陸老百姓的意見，現在既沒有眞正可以代表民意的議會，輿論亦多偏而不全，民意到底如何，實在很難說。民意之外還不得不顧及國際關係，即外交上可能發生的影響。在目前的國家處境，此點更為重要。

還有一點，蔣總統去年聲明不願意修憲，雖沒有涉及他本身是否願意再度連任，但其意義已當間接說明他無意再次連任。「修辭立其誠，所以守業也」，這是大政治家必守的原則。我想蔣總統的聲明，一定經過縝密周詳的考慮，權衡得失利害，然後下的決心，現在主張修憲或增加臨時條款，以期將總統再次連任的人，豈不是有意強迫將總統去違反他已對世人公開聲明的決心。

因此，現在要對這個複雜而微妙的大問題作一決定，必須從憲法的尊嚴，政治的利害，與蔣總統個人的意願，作一綜合而慎重的研究。才不至流於情感意氣或粗疏錯誤的判斷。

陳克文

以身教者從

日皇裕仁最近輕車簡從，前往公共場所參觀「相撲」——即角力——比賽，手持拍紙簿坐在看台上不斷地記錄角力勇士的成績，渾忘却自己是所謂「神聖不可侵犯」的天皇陛下，一派紆尊降貴的民主風度，使在場的觀衆大為感動，向他熱烈鼓掌表示敬意。這是眞實而自然的君民親切情操之流露，殊堪贊佩。

裕仁原係研究生物學的，對政治學說從來未聞其有所闡述。但他在戰後即自動地默默然站在時代前頭，朝着民主生活方向前進，先使自身從神化地位蛻變為人化的立場，再讓兒女們跟尋常百姓家自由婚配，打破日本開國以來的皇室傳統生活典範，這才是民主主義大躍進的事實表現啊！

最可欽運的是裕仁那種無言的實行精神，他對全國人民並未談過民主政治這類話語，好像不知道世界上有所謂民主政治這回事，而以實際行動來表示他嚮往民主生活的意志，「以身教者從，以言教者訟」，這不能不說是裕仁天皇的偉大作風。東京的青年男女，近來常常穿着運動衣，拿着網球拍從事跳舞，就因為日本皇太子與民女正田美智子的婚姻，是在網球場上開始奠立基礎的，政治人物的「身教」影響之大，有如此者，可以風世也矣！

搞政治的人要想改進生活方式，先決條件必須改變固有的觀念，像日皇裕仁不以「神聖不可侵犯」的萬乘之尊自居，[illegible]績效可觀，且博得社會大衆的衷心擁戴。如其口稱民主而不能以行動相印證，示信於人，那就是「以言教者訟」，越教是非越多，是非之言教天下，莫適誰從，民主[illegible]去之，不敢領教了！

馮五先生

增加臨時條款替代修憲

幾位國大代表的意見

。張健生。

（台北航訊）修憲問題的空氣，現在台北又熱鬧起來了。國民大會代表全國聯誼會於本月十日向蔣總統上書建議，主張蔣總統第三屆總統任期屆滿，繼續連任，並主張修改憲法。該會事前曾分別徵詢國大各省代表意見，綜合多數意見如下：（一）、期望蔣總統繼續連任，完成反共抗俄大業。（二）、修改憲法或臨時條款的工作應由國民大會負責爲之。

台北公論報曾於本月九日，以社論地位，發表國大代表郭紹宗氏的一篇專文，題爲『修改憲法問題之檢討』。郭氏主張由立法院制定戡亂條款，提請國民大會複決，以期適到蔣總統再度連任的目的。郭氏認爲『現在之修憲問題，實即總統再任問題，在檢討修改憲法問題之前，應先檢討蔣總統應否再連任』。郭氏以爲『此時此地，蔣總統之再連任，實爲國家所需要』，故『宜求兩者兼顧，及早設法從事修憲』。郭氏並指出『憲法不能解決的問題，應由政治方法去求解決』。他認爲修憲的唯一途徑是增加戡亂時期臨時條款，如此可『救憲法之窮，復無背於總統反對修憲之聲明』，亦免得大家爲了修憲問題而成爲『愈演愈烈，陷於僵局，無法收拾』的爭辯。郭氏的意見，此種看法究竟有多少人贊成，便須看以後的發展了。

台北自立晚報的『新聞窗』，本月七日，對修憲問題，連續發表意見，在『修憲問題』一文中認爲『修憲與否並非單純「法統」問題，「人爲因素亦大」』。[illegible]支持『自由人』報所載左舜生氏『從中共人事異動看中國前途』一文的意見。該報的文章認爲，左氏的主張『似乎可以代表一部份意見』。[illegible]

本月六日『自由人』[illegible]有關修憲的文章，曾引起此間政治圈內的注意。[illegible]

[illegible]蔣總統雖未當主席，同樣可以領導，同樣可以負實際的政治責任，所以，他同意左氏的意見。另一位[illegible]委員說：現在中央級的民意代表，如立法委員，監察委員，以及國民大會代表，均已失了時效，缺乏代表民意的力量，故必須改選，才符合憲政精神。[illegible]

中興應有的氣象

千慮集序（節錄）

李樸生

我把最近一年所曾發表的拙稿，輯成小冊，題做「千慮集」出版。這裏面，有幾篇是檢討國內若干的措施表示不敢苟同的意思；有兩篇是說華僑國籍問題，及華僑書刊的出版的，見解亦與保守的時賢相異。

孔子是大成至聖的孔子，因他老先生能夠很自然的說「丘也幸，苟有過，人必知之」。而若干自負爲大人物者，却喜歡恃着聰明與權力來文過飾非，流于剛愎自用，遂致悲劇性結束其功業。故我不敢贊成把大人物神聖化——即全智全能化。若以爲『智者千慮，絕無一失；愚者千慮，絕無一得。』就是錯誤。

智識份子爲做官過活的太多，爲着明哲保身，爲着要對首長獻心，有時明明知道事情不對，也不講心裏要講的實話。例如規定中文橫排要由右而左一個問題。民國四十三年我在臺[illegible]，有一位華僑寫到「中國一周」用由右而左的中文，介紹兩篇科學新聞，他看得不順眼，認爲中文由右而左的排列，不合科學。我贊成他的意見，寫信給「中國一周」的編者，建議中文橫排，須由左而右，不應由右而左，幸有編者登出我的信。但沒有採納我的意見。漸漸社會上出現了很多由右而左的文字，電影院的中文說明，一律都改爲由右而左。到四十七年四月廿二日，忘記是中央日報抑聯合報刊登一項某機關的通令，明令凡屬書刊如是中文橫排，一律要由右而左。又有幾位華僑青年覺得奇怪，這樣的通令有什麼道理？我的理智，無法阿附某機關，強說這樣的通令是合理。因此，我曾經在「論研究發展」一文裏，坦率檢討規定中文橫排要由右而左是不合理。如果硬要改爲由右而左的橫排，一定發生很大的不便，很多錯誤。由左而右的中文橫排，因爲國際已有定例，（各種方程式及阿剌伯數字讀法）；生理之自然，（中文寫字的筆順，也由左起）；使用之便利；在我們的學術研究上，日常生活上，（如打電話電報，聽音樂，出入交通），已構成極密切關係，若硬要改爲由右而左，絕對辦不到。這樣淺顯易見的道理，爲什麼由民國四十三年到四十七年，經過四個年頭的醞釀，卒見於某機關的正式通令？細心想來，可能有兩種意識在形成這一道通令：

（一）[illegible]

（二）[illegible]

這兩種意識，在建國的大業上，都是有損害的。

我以爲在復國建國的艱鉅路程上，[illegible]

[illegible]孔子不主張無條件的服從，所以他教孝的孝經第十五章，是強調諫諍的重要，很明白地說：

『昔者，天子有爭臣七人，雖無道不失其天下。諸侯有爭臣五人，雖無道不失其國。大夫有爭臣三人，雖無道，不失其家。士有爭友，則身不離于令名。父有爭子，則身不陷于不義。故當不義，則子不可以弗爭于父，臣不可以弗爭于君？故當不義，則爭之；從父之命，焉得爲孝乎？』

我們提倡中國文化，像孔孟，如果只重視他們『君命召，不俟駕而行』。『鞠躬如也』的朝衣朝冠，不注意他們修身立朝的大節，『富貴不能淫，威武不能屈，貧賤不能移』，未免是買櫝還珠了。

在拙稿裏，數數提出以我在大陸創痛之深，現在在台灣面積之小，交通之便利，權力之統一，人才之濟濟，民衆受教育比率之高，加以經費有美援之協助；要把台灣建設得進步，本比大陸時期容易得多。但近兩三年來，即在五大改造運動以後，表彰好人好事之同時，魔鬼的爪牙，已聲勢咄咄，向我們進攻。每天報章所載，大小貪污舞弊的案件，騙，詐，搶，偷，打，殺，通篇累牘，讀之怵目驚心。尤可駭怪的，據三月廿一日中央日報所發表監察院糾正司法行政的措施，指出台灣每年稅捐滯納案有三十萬件，積案有七十萬件。而四十六年九月至四十七年六月底，不到一年，通緝人犯共七千五百卅一名，經撤消通緝者三千八百二十四名。以台灣面積之小，人口之少，安全管制之重視，龐然密佈的軍、警、憲、調查各機關，仍然發生如此層出不窮，五花八門的劣跡惡行；我們可以說現在是道高一丈，魔高也有六尺了，在民主世界中，實使人感到很大的遺憾。

故就政治風氣，社會道德，個人品格上批評，這決[illegible]是國家中興所應有的氣象，而是人性墮落亟須救治的病徵。

振飭政治風氣，重整社會道德，提倡個人品格，以配合軍事，經濟，交通，建設的進步，發揮復國建國的中興精神，是當前糾治弊端的基本工作。這[illegible]基本工作，在我們的常識看來，是有較易收效的條件的。

但事實警告我們，改革方案，不難于擬訂，而難于實行；不難于一紙公文的仰[illegible]依照，而難于得一方案要不折扣，不走樣，實事求是，激濁揚清辦到。否則縱使一時氣象更新，百廢俱舉；過再衰三竭，層層打折扣，卒之一事無成！

行政改革，提倡已有很多年，從民國廿三年起，就已有行政效率研究會成立。當黃季陸先生主持的「組織權責委員會」召開第一次會議時，龐松舟先生被請發言，他說：他曾出席過五次此類權責的會議，四次都沒有結果，希望此次成功。我聽了，非常感動，並佩服龐先生的語重心長。現在組織權責會已結束，但也算有了着落，因爲牠的卷宗已正式移交行政改革會了。行政改革的研究更有着落，因爲研究的方案已經呈奉總統核閱。王雲五先生又就行政院的副院長職，大家屬望他做中國的胡佛。陳副總統兼行政院長最近對台灣省行政會議的訓話，已播[illegible]中國官場的[illegible]，說第一個希望就是「確實執行決議」，「不可東之高閣，成爲檔案。」

北伐成功，胡適之先生提出「知難，行亦不易」的意見，曾遭我們的反駁。不幸三十年後，胡適之先生六十多歲了，回來台北，還看到我們所謂研究的改革方案，十之七八是三十年前早已熟知的舊問題。這三十年的光陰，迭經變亂，我們當可說一個偉大國家的成長，說一個古老民族的復興，[illegible]

有關台灣地方自治的「小事」

。弓長。

台灣省臨時省議會於四月二十九日在霧峯舉行本屆第五次大會，議長黃朝琴被議員指爲「公報私仇」非法選舉。據省議員王雲龍語記者，首次會議各審查會改選召集人，其中有財政和建設審查會，出席人數未達法定人數，致發生非法選舉情形。據王議員說：黃議長頗不滿意他，所以用迅雷不及掩耳的手段改選財政審查會的召集人，因爲黃氏以議長的名義，命令前財政審查會召集人王雲龍調查省級金融機構的賬目，而黃朝琴又以第一銀行董事長的身份拒絕省議會財政會的調查，因而結下恩怨，才有這樣的「傳統」的笑話發生。

省議會全體議員於斯日復又接獲工礦公司全體員工的投書，檢舉該公司董事長許金德及常務董事賴森林（均係現任省議員）與前協理現任建設廳長林永樑等串同，營私舞弊，剝削員工福利等七大罪狀，並指出許金德利用職務貪污：將公司財產（房屋）低價賤賣於自己所有。價達百萬元的房產，竟以十分之一二出售云云。但是，這封信的內容，竟成了漏網新聞。有人認爲以代表民意爲幌子的省議員，竟作如此政客勾當，確爲地方自治前途悲。

議會政治如此，而輿論政治又如何呢？目前，周至柔主持的省政，民營報的輿論，除了少數例外，大部份有點畏首畏尾，所以諍言的輿論是不多見的。因爲省政府掌握了民營報的生死大權——變相的津貼——公告，如果某民報對省政有所批評，則省主席可下命停止該報的公告津貼。如公論報自立晚報及嘉義某報，均係民營，其言論態度較客觀而公平，因而周主席認爲係「專挑壞的講」未配合省政宣傳，於是曾命令新聞處停止或減少省府的公告津貼。一般認爲這就是官僚主義作祟。

一般的看法，民意代表如此變成政客，政府官吏——公僕如此變爲官僚，選民又爲什麼要選他們呢？于此可見地方自治的成績爲如何了。昔人力倡「府會一家」，今則又在力主「三位一體」了。

（五月六日于台北）

國際動態拾零

△毛澤東促赫魯曉夫對柏林，提出強硬要求，以轉移國際視綫對西藏之注意。但赫魯曉夫不願中共對歐洲插足，故非迫毛氏下台不可。

△法國專家情報，伊拉克共黨，聽赫魯曉夫指揮，不即攫奪政權，而改在幕後操縱。

△馬來亞森林中，共產遊擊隊近復趨活躍。英國與紐西蘭在馬來亞守軍報告，該地自十八歲至廿三歲青年，多在中國大陸及北越受訓，完畢後即投入爲生力軍。

△羅馬尼亞的共黨首領 Gheorghiu 在位多年，但不久將被整肅，因其集體主義，進行太快，遭受農民之反對，現已凍結。他且欲整肅全國作家協會，亦遭人們反對。

△東德與捷克交惡，東德欲向捷克收回希特勒時代所佔領之蘇台德區。捷克沿東德邊境戒備森嚴，防止德人侵入放逐。

△阿盟及非洲青年七十人，中南美青年四十人，在捷克京城受特務訓練。

△狄托主張聯絡尼赫魯，納塞，召開中立國際會議，以與大西洋公約國，及衛星集團兩大勢力對抗。

△阻止齊伐哥醫生作者前往領受諾貝爾獎金者，爲史太林派。赫魯曉夫殊不贊成，以爲這是大錯。

。陶然。

讀者·作者·編者

編輯先生：[illegible]「美國的社會」一文（作者王人生）[illegible]

[illegible]

專此即盼[illegible]

撰安

弟杜衛之手啓　五月九日

對毛劉鬥爭的看法

目前的論者對於毛劉鬥爭的看法，不外兩類：一類是認爲毛劉間不會有鬥爭，他們的根據是毛劉過去合作無間只有兩別的派別鬥爭的歷史；另一類是認爲毛劉之間有鬥爭，一似本欄所曾談到者。對於毛劉過去合作無間的歷史，不能否認，但由此而論定毛劉間不會有鬥爭，我覺得由不免武斷。因爲人與人之間的利害關係，各隨時地不一定相同。毛劉周等人對於「統一戰線」的基本意義是「存異求同」的統一起來對付共同敵人；這個共同敵人被打倒以後，安知原來所存的「異」的部份不會擴大，而至發展爲互相鬥爭的局面？毛劉早期合作，把蔣總統擊倒，至一九四九年更將最大敵人國民政府逐出大陸，再經一九五四年的清算高饒，毛劉一系已至中共黨內唯我獨尊的時節，正該是原來所存的「異」開始擴大時節，這裏作這樣的解釋，並不是要強人相信本欄的說法，而願對毛劉間不會發生鬥爭的論點作一討論。

「國際派」？

一般承認毛劉出鬥爭之說者，都認爲劉是「國際派」，毛是「民族派」；這種說法，我覺得不太妥當。因爲：這幾年中，蘇聯政權已經有過三次更動，由史太林、馬林可夫，以至於赫魯曉夫，若果說中共的「國際派」一直都在受蘇聯支持，那末劉少奇該是小朝的遺老，不幸涉入蘇聯黨爭的可能性很小；但劉氏在蘇聯黨爭過程中似乎並未受影響；但在劉反對毛的鳴放政策時，老赫曾作呼籲，劉反對毛的經濟方面冒進，蘇聯方面亦曾透過蘇聯科學院的雜誌反對中共的冒進。具有這兩項矛盾的情況，我覺得不宜用「國際派」的稱謂，若一定要以稱謂，那末劉似是教條主義者，因爲老赫曾經某些教條來支持他的。

「民族派」？

共產黨員沒有一個不是國際主義者，毛並不例外。在早期中共發表的文件中，很難找到「毛與蘇聯」間特別親密的言論，但去年發表的「毛主席論十月革命」文章，却說明他以前對史太林有過多次恭順的言論。足見他只是以民族形式來巧妙掩蓋共國際主義而已。只是近幾年，則毛又熱中於奪取共產國際領導權，於是又有些與蘇相左的論調，這些亦不能說明他是「民族派」，而只不過是在表面上具有民族形式的投機野心家。來討論這樣兩個問題，是對認識「國際派」既已失勢，則中蘇一間的關係將惡劣的觀念作一解釋。◎田心◎

日內瓦外長會議預測

紀明譯

共產黨在世界人們之前，是要表現與西方談吃緊的話，標準化一種形態——一個和平面孔在正面而鐵拳在後方。

四強，各別準備着在日內瓦的談判的場面。在巴黎有西方盟邦外長，在華沙有蘇聯與衛星國，西方西德，各別安放東西在外交麻包裏。麻包裏的東西很顯然合於雙方通不過的。除非一方或雙方各自修改他們的主張，日內瓦之前途體會不外爲宣傳與戰局而已。只有帶了某些可能性，未解決之柏林問題與及德國問題，留後以待將來最高會議之歸來。

兩個外交麻包

雙方似乎是出一新冷戰之測驗。六個月來，柏林的問題，德國的問題，其他相互有關係的問題，成爲雙方的主要題目。其中經過有麥米倫與赫魯雪夫之會晤，有麥美倫、戴高樂、西德總理阿登納與艾森豪之會晤，有北大西洋公約各國外長之會晤，有一連串談話式的，宣告式的來自赫魯雪夫，又有次一級的盟邦外交官員們的小會議在幾十次之上。

華沙會議把俄國的外長，七個衛星國的外長，會合簽名於華沙條約的共產中國。而巴黎會議把新外長擁在一起又加上紅色中國，而巴黎會議把新任國務卿赫特，同席在國際之間以及西德的外長都從結集起來。這就是等待協商的麻包，背景與節目，從各別有會議而出現一個日內瓦。華沙。藏在麻包後之主要目的，莫斯科所以顯意爲柏林與爲德國而開會議，大家認爲只在穩定他的東歐帝國。西柏林，這是盟邦在鐵幕下一個漏洞，一個反共宣傳的中心，乃是東歐現成局面之一恐嚇。兩大芒刺，這個在背上，俄國必想設法拔去。所以，去年十一月要求西方盟軍撤退柏林，使柏林成爲不設防的自由市，又揚稱俄國準備與東西兩德國單獨簽定和章。

俄國以恐嚇的姿勢，下一件以六個月爲期的哀的美敦書。所有盟邦以挑戰。須有赫魯雪夫已經決志必與東德簽定單方面和約，倘要盟邦就把控制西柏林的通路的權力轉交給東德。其後，口中又和緩他的要求，口中吐出一個暗示，他的要求是可以商量的。再其後從華沙發出的通告，雖然複述當日莫斯科的根本要求，可是在通告中的語氣已經溫和了，表示有讓步可能的。

西方麻包裏的東西

盟邦所對蘇聯之領一個要求，以不傷害他們在柏林之權益，不傷害他們在德國之責任，他們須有容量之餘地。可是如何對俄國人找出一條有可通之路，其中所傳聞有伸縮性之大小，倫敦所持的見解與華府，巴黎及波昂所持的見解，有尖銳的對立。在巴黎所開之會議，目的在對於盟邦間對立歧見試作調停。據說，將來在日內瓦西方外長所作主張已達到全體一致。

他們在外交麻包裏所稱一致的東西可有如次：

（一）對德統一問題，有一步再踏一步的計劃，初一步開始爲增進兩政權之直接接觸，爲籌備建立一個全德委員會，其中側重于西德，給予東德足夠票數，如遇到有爲東德所一致反對之事件，他們有足夠票數以自衛。這一計劃與盟邦一向主張關于德國的統一問題，堅持自由選擧爲第一步，不可以讓步的，已大不相同了。而能有此一變更，大部份原因得自美國之贊同云。

（二）軍備限制，以及監視與控制的體系，將在中歐區域擴大。

（三）維持柏林現狀。等待有了一個統一德國，認這地爲首都日，便暫代現在柏林所負的權責。

西方之獲得一致，一般認爲乃係赫特新上場爲盟邦製成政策一吉兆。

瞻望前途

外交袋裏各有乾坤分爲兩面已經注定，礎開。什麼機會從日內瓦展開？大家默識的有一事，俄國也好，西方也好，必不肯接受對手一方的獻議作爲談話的根本材料。在俄一方已察覺到，如要他們因爲柏林現局換取得多少成就，他們就肯把這問題放在更遙遠的路途如德國統一與歐洲安全之下，已甚難爲答允的了。赫魯雪夫說得已坦白，他于德國統一不感興趣。苟如他眞肯退一步，允肯從東西德雙方的直接之服從者增加，他似乎難以允肯把最後德國統一的履行，作第二步的密接逃扣的步驟的。

柏林問題離開其他問題而就盟邦來論，把單獨解決，也是強硬反對的。如果肯分離問題來解決，那麼，其含義便是改變他們在柏林現在的立場了。盟邦絕不會對東西分開來簽定和約，因爲他們認爲這一和約不是解決德國問題的初步而是解決德國的最後一步。

一路說來，日內瓦之前途，是起馬的僵局變方推進至不能接納這一問題。掉轉過來，于僵局之後，就跟着有一強烈的宣傳，無非是甲一方試向乙一方打開各自的外交麻包，擴取對方零件的讓步。蘇聯的戰略清清楚楚，更使西方團結藏有的破裂痕加深。

西方列強面對的一個聯合『退後』的主張。到了日內瓦議席上可能有全僵局之結果，他們的歧見退出現。巴黎與波昂必然認爲有了這一結果，不是嚴重。他們相信，俄國不會再封鎖西柏林，或所採對西德更有嚴厲的手段。而華府相信將有這一個趨向，認爲即使蘇聯與東德不致全行封鎖西柏林，卻有了這一條通徑，使用各種麻煩與干涉，則將來必然難以應付的。他們預期赫魯雪夫將進行與東德分簽和約的計劃。這一步便是給予東德干涉盟邦通行東西柏林之不合法權益了。一般輿論事情演變加何？一般輿論則認爲日內瓦只是爲日後最高會議路程之一站。無疑地必寫在日內瓦議席上的無論的最後結論不能作結論，留待將來最高會議之時了。（摘譯自紐約時報星期評論）

農民生產情緒低落，中共以入黨爲餌謀誘惑刺激

由於人民一般的工作情緒低落，影響了中共各項生產運動。中共正在千方百計，在農業中選擇積極分子的典型人物，希望通過這些人物，發生帶頭作用。最近又將這些積極分子，吸收入黨，以加強對於農業的吸引力。

據最近「四川日報」四月十日的報導：四川秀山縣，三月底曾召開全縣春耕生產萬人動員大會，在會上，有一百八十二個新黨員宣誓入黨。

據報紙說：「這批新黨員，大都是貧農和下中農出身的積極分子，主要是幹部，其中有婦女十五名，都是經過黨長期培養的具有共產主義覺悟的積極分子，這批積極分子，『都在今年的春耕中，發揮了先鋒作用』。」如所舉的例子中說：「中和公社的楊秀書爲了挑煤來燒石灰造土化肥，不怕一切艱苦，曾到八十多里遠的地方，冒雪挑運煤炭，帶動了人家爲伍，來鼓動人民的生產積極性，三天中積造了土化肥十二萬斤。」顯然已經智窮技竭走上絕路，黨員數目的增加，絕不是表示中共的力量增長，而是臃腫，鬆弛，渙散的先兆。（賽）

大陸文壇透視

七弦

「除了草還是草」

這是今年大陸上演的新影片「懸崖」中女主角方晴說的一句話。方晴是醫學院的學生，畢業不服從分配，願意留在學校從事研究，堅決不去那個「除了草還是草」的地方。這出借用來形容當時大陸文壇的情況，倒是再恰當也沒有的。

自反右派後，大陸作品即有香花與毒草之分。中共號召文藝批評工作者，要有鑑別力，是香花得澆灌，是毒草就得鋤掉。誰知今年的「批評家」卻感到無花可澆之苦，竟是「除了草還是草」！右派的作品是毒草，剷掉了右派的寫作權之後，在文藝的園地裏應該長出香花來了，然而不然，長出來的仍是毒草。

就說這部「懸崖」的影片吧，是「長影」的出品，經「人民大學影評組」指出：「借『知識分子』改造自己」的主題，在這個幌子下，露骨地販賣着資產階級的黑貨，我們從這部影片中可以看到，黨的領導作用被取消了，黨的形象被醜化了，歪曲了，而影片却不遺餘力地去美化資產階級知識份子醜惡的心靈，誇大和渲染了資產階級知識分子在社會生活中的作用，宣揚資產階級個人主義戀愛至上的人生觀。『懸崖』是社會主義銀幕上的一面大白旗，我們應該堅決把它撕個粉碎！」

原來這個影片是寫一個醫學院的教授袁思忱，看着那位請准留校研究的女生方晴生得美，便設法追求她。把袁教授寫成一個流氓，方也被描成一個愛慕虛榮的女子，多虧有位才從美國歸來的趙教授，識破流氓的壞心，勸說方晴懸崖勒馬，這才沒有上當。故事是如此平淡無奇，也看不出有什麼「反動」的意識，但中共則說，在黨領導之下的醫學院，不會用流氓做教授，在黨領導下的學校培養出來的學生，也絕不會愛慕虛榮，縱然眞發生了這樣的事，黨也必然會預防和制止的，何必要一位從美國歸來的趙教授識破袁某存心不良呢？於是乎這部影片要「撕個粉碎」了。

郭維改編趙樹理的小說「三里灣」，經改爲「花好月圓」，小說本是反映農村合作化運動的，影片則改爲「三對情侶大團圓」。因此被批評爲「在頭強調宣傳資產階級觀點，散布資產階級思想的毒素，把合作化美好前程，歪曲爲『心相印、意綿綿、良辰美景、花好月圓』，對黨對老黨員存有惡意的攻擊。」改編者的郭維已被扣上右派的帽子，這個影片的命運當更在「粉碎」之列。

更正：八五三期本欄「卞之琳」的「卞」字，全誤植爲「卡」。手民之誤，特此更正。

瘟君夢

岳騫

第二回：密室定奇謀　蒼生塗炭　巴山留遺恨　弱絮隨風

藍蘋聽到這裏，懷疑毛澤東同她開玩笑，由得氣衝上來，摔掉毛澤東的手，從沙發上站起來，指着毛澤東罵道：「你拿我當小孩子，一句眞話都不講，儘是開玩笑。」

毛澤東奇道：「我同你開了什麼玩笑」？

藍蘋說道：「剛才你講同老蔣肯和，你也肯和，結果竟然和不成，毛病出在那裏呢？難道中國還有人比你們兩個更當家嗎？」

毛澤東苦笑道：「中國人是要我們兩個權力最大了，但是在外國，還有人，我的權力大，所以我當不了家啊！」毛澤東說到這裏用手向北方一指，藍蘋明白了，嘿然坐下。

毛澤東說道：「我那一次去重慶的經過，到現在你還不明白，本來按照莫斯科的指示，永不同國民黨談和的，不料那年參政會來了六名參政員，其中有我的老庚左舜生。」

藍蘋搖搖頭：「你的話有些我眞聽不懂，那位左先生我在上海時就曉得，他怎麼是你的老庚。」

毛澤東笑道：「這是我們家鄉土話，同年生的人就叫老庚。我們兩個同鄉，同庚又同是少年中國學會會員，私交相當好，所以見面不叫名字，都是稱呼老庚。」

藍蘋點點頭：「這就是了，那你去重慶和左先生有什麼關係呢？」

毛澤東丟掉手裏烟頭，又燃上一支，繼續說道：「那次他們來延安訪問，我設宴接風，黨政軍要幹部都出席了，大家正吃得興高采烈時，舜生突然問道：『老庚，假若蔣先生請你去重慶談判，你去不去。』

「你知道我的脾氣，當着那麼多的人，我怎麼能說不去呢？我當時就說：『只要他邀請，我爲什麼不去。』那知舜生回到重慶和蔣先生一談，馬上來了兩封電報，又派赫爾利和張治中一道來，我縮也縮不掉了。」

藍蘋笑道：「那不是正合你的意思，爲什麼要退縮呢？」

毛澤東長嘆了一口氣：「你那裏知道，這一來惹了多大的麻煩，莫斯科馬上派了專人來查問，到底是怎麼回事，史大林帶來一封信，裏面畫一張圖，有三條道路，中間一條站着他，左邊一邊站着托洛斯基，右邊一條站着狄托，要我親自答覆走那條路，如若走中間的大道，就不能和國民黨談判，你說我怎麼辦了」。

藍蘋若有所悟的點點頭：「怪不得那些日子眼見你消瘦，睡在床上也只是哼哼嘆氣，我只說你怕去重慶呢？那知道有這麼多的事。不過，後來你也終於去了，怎樣解決的呢？」

毛澤東笑道：「那一次到是虧劉少奇，不是那小子壞主意多，我也許撐不到現在就垮了。」

（卅六）

香港自由片商現況

祝修衡

在美法義大利影片洶湧進攻下，香港國產片已受嚴重威脅。這並不完全是有關國產片不夠水準問題，而是爲歐美片藉打鬥、香艷、肉彈一類的號召及「銀彈」壟斷宣傳的打擊。

大陸陷共之後，國產製片商比任何一業損害最重，最初幾年，片商們大都感到演員荒、劇本荒，而且也只有永華公司一家，點綴於香港、南洋的國片市場，粵語片的產量也不多。但在永華片場慘遭火劫之後，香港電影界起了激劇變化：中共對附共片商大量投資；西片代理商將首輪影院組成了聯合陣綫；粵語片與七大影院聯合對抗；若干小影院專映赤色片；國語片出路被截斷。於是片商李祖永、朱旭華等一面籲請政府貸款，而時爭取南洋片商投資，最近幾年，國片始見抬頭。原屬赤色影圈演員、編劇、導演，紛紛投向自由陣營；獨立製片機構先後歸設；銀壇新秀輩出。照理可以攻破西片壟斷，擊破赤色影人統戰。然而，事實反映出當前的國片情勢並不有利，國片與西片的宣傳費用支出，比較上說來，後者尚不及前者之半。但報紙上雖然西片廣告不多，而對西片誇張宣傳文字，滿目皆是。而對於許多提供了大篇廣告費的國片，卻只刊連載國片之外，很少採用國片的宣傳稿的。爲什麼呢？據一位老行的老闆說：「我所以拒斥西片的宣傳稿，目的爲增加廣告費收入；不然，給伙計暗底下拿宣傳稿費，減少了報社進帳。」難怪西片在許多報紙刊登的廣告越來越小，而宣傳稿刊出的地位越來越大，甚至於沒有接登西片廣告的報紙，竟然對西片大加吹捧。國語片的情形，恰成反比。在許多報紙上遍登巨幅廣告，可是，他們想替他們說幾句公道話實在太難，例如電懋最近獻映的「我們的子女」一片，不論聲光劇情，都很不錯，可是，這部反映現實的社會教育片，觀衆儘管稱許，報紙上的批評實在太少。粵語片的宣傳目標，在爭取「麗的呼聲」聽戶，開映以前，先將故事播出，一次獻映，已經撈回本錢；報紙捧不捧場，似乎毫不在乎。至於赤色影片，根本上就談不到宣傳費，因爲得一部共產黨的新片，重點集中在「統戰」，御用的尾巴報就奉命展開一連串宣傳攻勢，並在少數所謂中立的報紙，以廣告挾持他們刊登宣傳稿，以爭取上流社會觀衆；此外，復利用赤色工會推銷票。就四組不同的宣傳路綫看來，國語片處境最劣。

情勢相逼，國片的水準不能不逐步提高。但另一股潛力，正向國片逆襲。那是中共海外「統戰」機構的「銀彈」攻勢。如所周知，香港從事影劇人士，對共黨的僞善面貌，已有深切認識，如黃河、洪叔雲等先後受愚；馬師曾、紅綫女的遭遇，早已警惕。中共既無法利用色情、甘言利誘，乃採取「投資」手段，利用若干僞裝商人的共特，對某公司及少數獨立製片商下手。由附共銀行整款拍片，並增厚資金，拉攏編導、演員，其目的不外力圖拆散自由影劇集團，和脅持片商。本屆尤敏取得「亞洲影后」榮銜，電懋顯已成爲被進攻對象，該公司若干出品，常遭共報惡意攻訐，自須費力對付。至於規模小、資本短的獨立製片商，既無基本演員，又少編導合作，在共黨「以大吃小」的「統戰」陰影下、會共謀合作，組成一個龐大機構，羅致編導，訓練演員，不足以應付當前危機。自稱「民族資本」的片商被共特滲透竊佔；蘇誠壽的慘酷遭遇；無一不是親共、附共的鮮明例子。他們不計後果，直至後悔不該接受投資，不過被共黨間接利用時，早已落入深淵，不能自拔了。

土瓜灣新居雜詩

黃相華

詭譎海關又途長。跋涉郊坰早夜忙。小窩但求能縮地。菟裘錯認是他鄉。

[illegible]知無骨相上天堂。亦乏仙槎入帝鄉。一樓濃頭風物好。眼前橘綠又橙黃。

息機無奈擾雞場。軋軋時聞夜未央。近水遙山收眼底。心隨鐵鳥共翱翔。

釋耒集

考試

曲齋

[illegible]臨，須舉行歲考而當場發案之故事，比諸本港中學生，因會考失敗而以電話自殺之退問，則此輩事不爲誇張，吾輩[illegible]之人，大抵均曾爲學生，且均有考試之經驗，實則考試之可怕，不全在于考題之艱深，而大半在于考官之[illegible]。杜牧之阿房宮賦，今古絕唱，當時場中不取，以名人先容，復試錄取上第，若而文也，猶爾偃蹇，況其下乎？[illegible]宜公主試，以「不遷怒，不貳過」策士，韓愈亦黜，不取，次年復出是題，韓愈依舊作，一字不易，宜公大賞識，擢爲[illegible]……又元[illegible]學者[illegible]之議[illegible]祭酒論科舉文字之弊云：「國家三歲取士，非不多矣，上之人猶有乏才之嘆，下之人猶有遺才之恨，何也？」

士一日之長，不能究其終身之抱負，有司一時之見，又不能罄士之底蘊，於是新進小生，有以剽竊偶合而獲選，磨儒碩學，有以意見稍拂而見遺，豈不重可惜哉！」若此之類，固足以使人短氣矣，然猶可曰：有幸與不幸耳。香港中學生，畢業之前一二月，少數均應考羅富國及葛量洪兩師校，不久，則須參予學校中之畢業試，不旋踵間，會考又隨之而來，百日之內，始而修飾儀表，繼而揣摩觀闈，又或須請託人情，暗通關節，遂如八面受敵之孤軍，夫實戰既不可知，成敗乃一任之命運，亦可悲之至矣。昔黃梨洲，論科舉取士之弊，其言有曰：「嚴于取，則豪傑之老死邱壑者多矣。寬于用，此在位者多不得其人也。流俗之人，徒見夫二百年以來之功名氣節，一二出于其中，遂以爲科法已善，不必他求。不知科目之內，既取此千百萬人，不應功名氣節之士，獨不得入，則是功名氣節之士之得科目，非科目之得功名氣節之士也。假使士子探籌，第其長短而取之，行之數百年，則功名氣節之士，亦自有出于探籌之中者，寧可謂探籌爲取士之善法也？」以考試擬之於探籌，固由來已久遠矣。清人吳敬梓，撰作小說儒林外史，託言明正德時何景明，在京餞別一四川學使赴任，醉後大言曰：「四川如蘇軾的文章，是該考六等的了」。此學使在四川主考三年，回京再見何景明，告之曰：「學生在四川三年，到處細查，並不見蘇軾來考，想是臨場規避了」。按清代各省主考，須由翰林出身，乃竟有不知蘇軾爲宋人者，其荒陋可笑，或亦近于不經，而其反證考試之不盡可靠，謂亦有感而云然耳。

評：「中國詩歌欣賞」

鄭中龍著，自由出版社出版

王世昭

文學論分作三大部門，第一是本質論，即討論文學本身的條件，如：思想，想象，內容，格律，音韻，形式等。而其間大別言之，如詩歌，如散文，如戲劇，如小說，則各有其思想，想象，內容，格律，音韻與形式，絕不能混爲一談，是。第二是創作論，即依前列之條件，或以詩歌，或以散文，或以戲劇，或以小說的體裁，完成一種創作。自己重讀也覺歡喜，別人重讀更加共鳴，再去寫一次。絕對寫不出，那才算是成功的作品。第三是鑑賞論，鑑賞即是批評，批評不是容易的事，一類是直接批評，如王充論衡，曹丕典論，鍾嶸詩品，劉勰文心雕龍，劉知幾史通，司空圖詩品等。一類是間接批評，如蕭統之編撰文選，姚惜抱之編輯古文辭類纂，曾國藩之編輯經史百家雜鈔等，這只是舉一個例。

近讀鄭中龍先生著「中國詩歌欣賞」，這個標題頗把我嚇一跳，因爲讀本書在本質上，自然屬於散文，而在鑑賞方面，則屬於直接批評，作直接批評而概括一「中國詩歌欣賞」，這個範圍究竟有多大？必須熟讀中國詩經，楚辭，漢魏樂府，賦，古詩源，漢魏六朝唐宋元明清以至民國諸代的詩歌（可概括唐變文，五代以下詞，金元明清戲曲，民國新詩等。）案照本書命題的定義，這是很吃力的工作，而且也許不是一人一生可以完成的工作。

我細讀鄭先生這部著作，目的在拜讀新詩作，而拾出唐宋諸名家創作，以爲舊詩尚可以把出新天地，這個觀念，實在是有商榷餘地的！何以故？我舉幾個例，荷馬唱奧德賽與伊利亞特，印度的十萬八千頌，但丁的神曲，歌德的浮士德，屈原的離騷，唐人的變文，關漢卿王實甫等的西廂記，明清的傳奇，這些名滿世界的創作，人皆以詩人視之，可見，詩人並不限於唐宋諸賢的啦！而且，詩的天地大得很，有抒情詩，有敘事詩，有劇詩，唐宋諸賢只在舊形式裏兜圈子，長篇大著，似乎不多限，故雖有成績，究嫌有[illegible]有曲，因此，詩之外不能不有[illegible]傳奇，[illegible]

[illegible]

詞祖之爭論

•旡思•

菩薩蠻，憶秦娥二詞，自宋時即傳爲李太白所作，並收入尊前集中。黃昇花菴宋本詞選，遂稱太白爲百代詞曲之祖，後人爲於太白詩名，不以爲非，然宋僧文瑩所著湘山野錄，已對此說有所辯正，其言曰：

「平林漠漠烟如織（菩薩蠻）不知何人作。憶秦娥亦不見於樂府詩集」。

蘇鶚杜陽雜編更云：

「太白之世，尚未有新聲，何得預撰其曲耶？

按太白全集未收詞句，其並世詩人亦無詞之流傳，而菩薩蠻之不可能爲太白所作，依據明胡震亨唐音癸籤所載，更爲明晰，摘錄一段如后：

「唐大中初（宣宗初年）女蠻國入貢，其人危髻金冠，纓絡被體，人謂之菩薩蠻。當時倡優遂製此曲，蓋出於唐之晚季，今李太白集有其詞，疑爲後人妄託」。

又大中時，溫飛卿善製菩薩蠻詞，集中通載十四首之多，其時宰相令狐綯以宣宗愛唱此詞，乞飛卿代撰以進，而戒令勿泄。溫以前固未聞有製菩薩蠻詞者。由於上說，二詞爲晚唐人僞託無疑。於是執前說者乃不堅持，然猶不欲廢太白詞祖之名，依違其間者又數百年。至清末，諸大詞家亦認爲非太白作，其論始定。然晚近又復有新說，以菩薩蠻，憶秦娥二詞是否太白作，可置勿論，其清平調三章（即雲想衣裳花想容七絕詩三首），固皆可以入樂者。唐人七絕詩，多能付之歌唱，如王昌齡，王之渙，李益諸人，其尤著者也。詞與詩僅形式不同，七絕形式未必不可以爲詞，既能歌唱而詞矣，則李太白仍不失爲詞祖也云云。余謂唐七絕詩可入樂，自係事實，但詩三百篇及漢魏四言詩，又何嘗不可歌。故古之唱辭曰詩曰歌，吳趨越豔，子夜清商皆曰曲調而不名之爲詞。且唐時唱七絕詩者，每於字間加散聲，句中插和聲，以求合乎節奏，由此之故，幾於無詩不可以入樂，不僅楊柳枝，清平調，[illegible]然。迨後詩人學士，審音既熟，乃取曲譜填以雅辭，凡遇[illegible]散聲加和聲之處，亦皆填以實字。長短句之詞，因以形成。自後詞在文學中，遂脫離五七言詩而獨立建成一種專門體製。詞與詩界限既已顯然，則昔日能歌之七絕詩，即不可能再稱爲詞矣。夫萬物進化，皆由漸變而至於完成。雀入大水爲魚，魚矣安得仍呼爲雀。蠶已化蛾，則蛾也亦不能再稱之爲蠶，文章亦如是觀，故文無所謂詞亦無祖，若必欲求之，則詩詞不祧之祖，其三百篇乎！

太白詩光芒萬丈，炳耀千古，固不必藉詞祖之名以增重。況詞實無祖，強而推之，則名實不符，反非所以尊太白矣。

椰子

在熱帶的每一個角落裏，都可以看到那佈滿了高聳的椰林整齊地排列着，迎風招展，尤其馬來亞一帶，我國海南島與台灣也遍植椰樹，椰成了南方的碩果，也象徵着南方的一個天地。

椰樹的名稱據本草綱目李時珍的說法是南人稱其君長爲爺，椰名是取于爺的意思，神異經更稱爲邪木，又稱之爲無葉，復稱之爲倚驕，更稱之爲綺繡，蓋是直上不可傘的意思，因不見普通的葉，遂謂無葉，因無葉又謂綺繡，還有稱之爲越王頭的，據南方草木狀的記載是林邑王和越王有不世之仇恨，便派了一位俠客刺殺了越王，把越王的頭懸在樹上，一會兒變成了椰子，林邑王還是憤恨，又叫人割下來，作成飲器，當作酒時，越王仍醉得醉，所以椰子的漿像醞酒一樣，椰殼有兩眼，這使大家把椰子叫做越王頭。

椰子曾經入詩，[illegible]詩云：「酒滿椰杯消毒霧」。椰子汁則清涼消暑，[illegible]則甘美，黃庭堅詩云：「漿成乳酒醺人醉，肉截鵝肪上客盤」，就是說美肉[illegible]，至於將它釀製成酒，別有風味，[illegible]曾作一賦極力稱讚：「伊南方之碩果，[illegible]正氣，實石[illegible]而甌理，[illegible]自含天[illegible]

唐沈佺期也曾有椰子樹詩云：「日南椰子樹，[illegible]

[illegible]

南橋

兔

陳宗敏

兔，是標準門第的公子，或是富貴人家的小姐，他們是「天之驕子」。有好的環境，有美滿的生活，無憂無慮，自由自在。永是一蹦一跳的，從小到大生長在芬芳的花園裏，聞着花香聽鳥語，陶醉在那「幸福」的生命中。

但是，他們也常是最可憐的，因爲從小嬌生慣養，缺乏自立生活的能力，一旦春去秋來，夏雨多霜，環境一改變，家庭一潮落，他們才看清自己軟弱的身子發呆。

他們[illegible]，看不起那勤工的蜘蛛，看不起那辛苦的螞蟻，更瞧不起處心自危的蝸牛，[illegible]

自由人

THE FREEMAN

（第八五六期）

中華民國僑務委員會登記證僑台新字第一一二號
中華郵政台字第五〇〇號執照登記為第一類新聞紙類
（半週刊每星期三、六出版）

每份港幣壹毫
台北市售價台幣貳元

督印人：陳文華
地址：香港高士威道二十號四樓
20 CAUSEWAY RD. 3RD. FL. HONG KONG
TEL. 771726

承印者：東南印務出版社　地址：高士打道六十四號
台灣總經理處：台北市西寧南路壹零號二樓　電話：三〇三四六
台郵撥儲金戶九二五二
海外總經銷：友聯書報發行公司　香港：彌敦道中二十六號A二樓

聯合評論社同人反對修憲的意見（詳見第二版）

達賴返藏的可能性

周祥光

周祥光博士從印度寄來這篇文章，照他觀察，西藏抗暴運動發生後，客觀環境，有導使中共與尼赫魯及達賴三方面談判的趨勢，又說，達賴若不能在一年之內返藏，則恐無機會返藏了。周氏旅印多年，熟悉印度政情，亦與達賴方面有往來。此其所論，自非一般泛泛之談可比，亟爲披露，俾供關心藏局者之參考。（編者）

西藏人民反抗中共暴政事件爆發後，迄今已兩個多月了。全世界愛好和平民主的人民，無不關切注視此一事件之發展：尤其中國人民，更是客居海外的兩千萬中國的人民，以其自身所處的環境與反共的心情，覺到藏胞抗共，實有切膚的痛癢關係。

達賴第一次逃印

西藏是佛國，西藏的百多萬人民，皈依佛教。他們認定物質之外，尚有精神，軀體之外，還有靈魂在。所以，他們認定人間世並非天堂，不過要達到天堂之境界，則不得不從人間世中修持着手。故木魚鐘聲，黃卷青燈，凝神修坐，便是人生終極之生活。惟好景不常，好花難再，一九四九年中共竊據大陸後，翌年即進竄西藏，達賴活佛及其母姐兄弟率逃作第一次逃亡。因中共之無神論，視人類如器物。自然不容許藏民有宗教信仰自由也。達賴活佛全家居於印度伽林堡（Kalimpong）年餘，筆者亦在那時避暑該處，故時有往還。據我所知當日達賴實不願返藏，其所以回藏與中共訂立協定，實非心願，其中自有苦衷在，此段史實，容許我俟來日有機會，容許我發表時，當再奉告讀者。

憶當日達賴之母回藏之日，筆者曾去送行，前班禪駐華代辦處理事老博士亦隨我前往，我們談了半小時，始辭出。心中泛出了一種沉痛之情緒，說不出話來。當理事老博士只拍拍我的肩膀說：「老弟！你年青還可以看到共產黨的滅亡，我老了！我沒有機會了！」他長嘆了一聲。此情此景，歷歷如在目前，安知八年後的今日，達賴活佛再度逃亡印度呢？

達賴可走的幾條路

西藏抗暴事件發生後，世界人士只是同情的表示，台灣我國政府亦不過開開會，發表宣言而已，說不上實際之援助，能出面參與此事者，還是尼赫魯一人而已。他對萬餘逃亡印度之藏民給予護助，維持其衣、食、住、行，對於達賴給予庇護，這些都是影響西藏人的實際工作。可是這個事件如何結局呢？我想大家都在疑慮猜想中。若西方自由世界去幫助達賴反共爲不可能。則希望尼赫魯或印度人去協助達賴反共亦不可能，要台灣國府去協助領導達賴去反共，更不可能，因爲達賴到印度月餘，根本與我中華民國政府分離，無有聯系，台灣種種宣言維護西藏，至多是單相思而已。

目前我們所欲知道的，西藏事件，如何解決呢？依常人推想，達賴能行的途徑，不外左列幾種可能：

（一）到美國控訴中共於聯合國；

（二）到台灣聯合反共；

（三）到印度邊境繼續抗暴；

（四）同筆者一樣，久住印度，做個政治難民；

（五）與中共談和，在適可限度內回西藏。

在這五個途徑中，最後一條可能性似乎很大。因爲中共，印度，尼赫魯及達賴三方面，皆半開着門，等待和談時機之來臨。

大家開着半扇門

先說達賴，被稱爲「觀世音菩薩之化身」，依照佛本生經（Jataka）所載，觀世音菩薩從天國來到人間，他用種種方法，開着半扇門，等候和談。他曾告訴尼赫魯，他在一九五六年來印時，心願西藏能在中國內，保持自治之政，不被革命，假若西藏自治地位不恢復，尊嚴不保證，則他是不願回去的。所以在此方面，他是半開着門想和談的，因中共自始至今都是說達賴被劫持，並非自願逃亡。

在其所謂「人民代表大會」中，還當選爲人代常會副委員長，西藏臨時政府方面，班禪亦只是代理，並非實授，何況班禪還邀請達賴回藏，實現西藏政改之聲調。

從尼赫魯方面言之，西藏能和平談判解決，恢復自治地位獲得保障，自然對印度有好處。一千八百里之邊界，能致安全。所以，在西藏抗暴發生時，尼氏即昭示國人：（一）關注達賴安全，（二）爲維持中共印度友好關係，（三）爲同情西藏人民的處境。同時尼氏亦云達賴地位能維持，他願達賴回西藏。尼氏始終否認達賴有不回西藏之論點。

客觀情勢趨於談判一途

不過此次西藏事件之發生以及因尼赫魯給予達賴政治庇護，中共惱怒印度，且動員全國報紙以及附屬黨派反對印度，實在不智已極。亦足見中共無遠見與抱負之政治人物。中共之大力鎮壓西藏，使亞非兩洲之信仰佛教的人民痛恨中共，尼赫魯何嘗不知？自史太林逝世後，其外交政策即在拉攏中立主義國家爲重點，所得之果實，到今日已全毀了。少數人替中共叫喊一天，略識表數句，迄無再發一言，東歐共產集團亦默不作聲。這些客觀環境，均導使中共與尼赫魯、達賴開談判也。

目前中共印度兩方彼此仇視，長此下去，達賴若不在一年內返藏，則恐無機會返藏。除非世界大戰發生，中共滅亡，達賴才可返鄉。

所以，中共，印度與達賴三方面，似乎開着半扇門，等待和談機會來臨。當然，恢復西藏自治地位是名正言順。不過，如何保證此一自治地位，却是一個大問題。惟和談能否實現，則將視時勢如何推移耳。（五月十五日，於天竺）

半週述評

目前台北的紛擾

蔣總統於去年十二月二十三日發表了反對修憲的演說以後，我們以爲這個問題可能就解決了，絕沒有想到事實上仍大謬不然。最近台北方面，爲這個問題，都已經鬧到甚囂塵上，而且內容相當複雜：一派則不以蔣先生意見爲然，認爲非修憲不可。最奇怪的乃是贊成蔣先生意見的，以黨外人居多，而反對蔣先生意見的，却以國民黨黨員最爲堅決。

在主張修憲的一派，又有三種的方式不同：甲、主張由國大直接修憲；乙、主張由立法院作成修正案，交由國大複決；丙、主張憲法的本文不動，修改臨時條款加一項，而把關於總統任期的憲法第四十七條凍結起來。這三種方式雖爾不同，但主張總統連任則一。

三種修憲方式的困難

有人說：國大代表和立法委員的任期早已過去，他們有不有權修憲，根本已成問題，這一說法太大，姑且不談。就事論事，這三種修憲的方式也各有其困難：

一、國大直接修憲。湊足可以修憲的法定人數很不容易；蔣先生願不願放棄他反對修憲的主張，而下令召集一個專以修憲爲目的的國大臨時會議？很難說。假定運用一種特殊解釋，在想像上以爲可以湊足人數，如果到緊要關頭，有一部分人寧願自動放棄他們這一早已過時的國大代表資格，而不願出席修憲，又怎麼辦？

二、立法院作成修正案說。人數的困難也和國大一樣；平日不願補足的立委，此時忽然又補足，平日不許入台的立委，此時又特予通融，老實說，實在過於難看；再，國大與立法院之間，過去本有若干意見，如果立法院辛辛苦苦把一個修正案作成，國大不予複決，或竟予否決，豈不糾紛更大？

三、臨時條款附加說。臨時條款與憲法本文有同等效力，增加臨時條款，無論事實上或理論上都等於修改憲法，說增加臨時條款不動憲法本文即無損於憲法的尊嚴，這只是一種暮四朝三的說法，其所予國民的印象將更爲惡劣，而手續上的困難，也與國大直接修憲或立院作成修正案完全一樣。

這次紛擾演變到目前的階段，在實質上已經不是一個修憲不修憲的問題，而只是一個蔣先生連任不連任的問題。假定去年蔣先生發表反對修憲的時候，同時聲明他決不願連任第三屆總統，這次的紛擾便根本不會起來；就在今天，如果他願補作這樣一個聲明，這種紛擾也可立即平靜下去；如果他始終避免不談，則難免不有種種的揣測，紛擾必且愈趨複雜，最後的結果，不僅於蔣先生個人不利，其損害或且及於國家，瞻望前途，我們確實不能不有隱憂。

蔣總統連任問題

廿五年前的舊話重提

以我個人來說，我不僅不贊成蔣先生連任第三屆總統，而且自始則不贊成蔣先生任總統。遠在民國二十三年的冬天，我便有一封信寫給蔣先生，內容貢獻兩點：一、希望他不作總統，即以當時所有的地位，埋頭苦幹；二、我不贊成在當時對廣西用兵，希望他留下這一部分實力，作爲國家對外之用。關於第一點的這一基本觀念，我至今未變。假定從我的觀點出發，蔣先生在抗日勝利以後，首先即謝絕總統的虛榮，在黨內物色一類似林子超先生那樣的人物來擔任這一席，而蔣先生的地位與職權不變，則至少可能有如下的幾點好處：

一、以蔣先生當時如日中天的地位，尚且謝絕作第一任總統的候選人，感召所及，則李德鄰程頌雲之類，何至出來公然作副總統的競選？豈不可免去黨內更深的分裂？

二、得一恬退的總統高拱於上，更得一較有力的人物實行責任內閣於下，則十年來的憲政成績豈不更有可觀？

三、即令對共仍不免以兵戎相見，甚至對共用兵仍不免遭受挫折，但至少蔣先生不會發生引退問題，同時也就不會演出『代總統』那樣一幕尷尬局面。

四、只要當時的武力不徹底瓦解，即令中共能割據半個大陸，反共的實力依然大部可以在南方保存，至少西南半壁總可存在，何至一定要退到台灣去談反攻，以致事事不能不仰他人的鼻息？

期待蔣先生作最後決定

上面這段話只是提到二十五年前的往事，情況自然與今天不完全相合，可是這一原則（即蔣先生不任總統），却依然可以活用。我承認反攻復國依然少不了蔣先生的領導，可是蔣先生站在總統的地位來領導，所領導者只是一小部分願及既得權位的人；離開總統的地位來領導，則所領導者爲一切反共者的全體；一般人決不以蔣先生是否任總統以決定他們是否誠意接受蔣先生的領導，這有北伐與抗日兩幕可資證明。究竟何去何從，關係蔣先生個人的成敗還小，關係國家的命運者則甚大，我們還是以樂觀的心情，期待他經過深切的反省，毅然作下最後的決定吧！

四十八年五月十八日

左舜生

自由談

歷史教訓

馮江先生

在民國肇建以前，我國政治上厲行重文輕武主義，總要是一榜及第的文人，即具有允文允武的才能，既可以執笏臨民，亦可以登壇拜將，武職人員見着文官就得低三級，表示不敢高攀的形色。記得宣統庚戌年，我以孩提之齡，由本邑官立高等小學堂讀書時，駐紮縣城的綠營哨官（今之連長也），每於街道或城郊遇到我們這般乳臭未乾的「官學生」，亦須立正敬禮。原因是尊重文人，尤其對我們這些由官府培植的士子，武人更非特別尊敬不可，眞是滑稽可笑。那時候投身軍事學校的人，十九都是些沒法進入文學校而被世人視爲「老粗」的子弟。

入民國後，風氣爲之丕變，「健兒致貴於身手，翻笑先生讀書」——近人詠南京周處讀書台的詩句——各省督領軍民兩政的都督或將軍，督辦們，無一不是穿着二尺半戎裝的英雄豪傑，雖然有一時期曾經大倡軍民分治之說，政府亦儼然有介事地頒訂法制，劃定軍事與民政長官的職權範圍，毋許踰越。可是，民政長官沒有不被軍人牽走的——至少亦得以屬吏自居，而一般拿筆桿，著長衫，昔日儼然天之驕子的文人，乃相率省識時務，仰望軍人鼻息以弋取功名利祿，見着軍人亦得表示低三級的卑躬屈膝之態。積習相沿，變本加厲，到了國民政府時代，軍人更變成萬能全才，全國各省區的黨政軍權力，皆集中於軍人之手，政治、黨務以及社會生計，都是槍桿子底下的附屬品，表現着重武輕文的極致，殆所謂物極必反也歟？

我們綜觀上述近世紀以來中國政治上的兩種畸形發展狀態，即知治亂興亡之道，有由來也。西方人士指稱我們是「落後地區」，平心而論，能夠否認嗎？如果將民國四十年來軍人在大陸上把持政事，魯莽滅裂，強不知以爲知，胡行妄爲的實際情況，仔細研討而熟思之，神州陸沉之禍，可說是勢所必至，理有固然，共產黨不過是乘人之危，撿得便宜以竊國虐民而已。有志反共復國者，其亦知所憬悟而取鑑這種歷史教訓否耶？

反對修憲的意見

—「聯合評論社同人」的主張—

（本報訊）本港出版已將近一年並在美國出版的「聯合評論」週刊，係各方面主張自由民主的人士的言論喉舌。左舜生李璜黃宇人諸氏常執筆寫文章。這是大家都知道的。該刊在最近五月十五日出版的一期，發表了一篇正題爲「反對修憲」，副題爲「不贊成蔣總統連任第三任總統」的文章，署名爲「本社同人」。可見這是代表該社全體的意見。

這一篇文章，首先引述上月廿四日及本月二日美聯社從台北發出的大電訊，謂有關總統任期問題的，而且有聯社記者說還有根據一個不願發表姓名的官員的談話。其次又引述國大代表聯誼會本月十日所發表的有關此一問題的意見大要。

破壞了總統發言威信

然後，該篇文章提出，說：『以十一年前選出之代表，其不能代表十一年以後之民意，事屬顯然。』……該文於引述了憲法一百七十四條之後，認爲修改憲法必須召集國民大會，而召集國民大會之權，依憲法規定，蔣總統既於去年十二月宣佈反對修改憲法，『如果現在召集一次以修改憲法爲目的的國民大會，居然要由他（蔣總統）來下命令，這豈不是要把他所作反對修憲的嚴正聲明，根本予以取消』？該文又說，許多人平日口口聲聲說如何信仰蔣總統，尊重蔣總統，應該保持蔣總統的威信，却不惜加以大力的摧毀，這很遺憾，是極端矛盾的心理，很値得注意。於是該文提出主張說：『我們絕對反對爲此時此地有此修憲的非常之舉。更反對因保持一人的地位而不惜動搖國本的反對賦民命所繫的憲法。尤其反對以一部份不足半數的國大代表，擅自修改經過全國三千名以上代表所一致通過的憲法，將爲中華民國創下一個將來無法補救的惡例。』

不宜再連任的四點理由

接着該文最後提出他們不贊成蔣總統再做第三任總統的四點理由：（一）他們認爲蔣總統實際操縱國民黨已經三十年以上，若再假以六年時間，……把目前國家的破敗……求得一新生命。（二）他們以爲『十年來，台灣的政治與過去在大陸沒有憲法以前，沒有大不同的地方。』（三）憲法規定的人民基本自由已經剝奪，甚至期待由政府守信言，召集反共救國會議，使國民有負責獻意見的機會亦不可得。……這是『專制獨裁不求實的』，所以他們不贊成變更憲法爲蔣總統連任第三屆總統。（四）該文反駁上述某官員的談話說『人們深信國內外並無其他角色能比得上他（蔣總統）』，該文認爲此一說法，只足證明蔣總統在過去三十餘年所造成的政治風氣，並不能培植人才，故到了今天『仍不能找出一個可以代他而起的替手』。因此，該文說：『某官員的說法，只能作爲蔣總統不適於繼任總統的鐵證，決不能作爲非續任不可的論據。』（四）『中共能否反攻復國，決於世界是否能有更大的變化，但世界的變與不變，却與蔣是否續任總統無關，質言之，世界要變，蔣不任總統還是會變；不變，蔣就續任總統也還是不變。至於不憑藉武力反攻大陸，這是蔣總統親自對美國的一種諾言，蔣總統在任一天，要變更顯不容易，換一個人，却或許有逐漸改變的可能，這說明了認眞要反攻復國，蔣總統也不能再幹了』。以上四點是『聯合評論』社的同人反對修改憲法和不贊成蔣總統第三屆連任總統的理由。（五月十六日）

國民黨二中全會側聞

（台北航訊）據有關方面透露：舉國海內外人士所矚目的中國國民黨第八屆第二次中央委員全體會議，決定於五月十五日起舉行，會期四天。十九日閉幕。二中全會原擬於去年十月間召開，後因故延至今。據聞界消息：此次會議以討論有關光復大陸的問題爲中心議題，至於反共救國會議問題，修憲問題，總統連任問題，均可能提出討論，並將以宣言或決議案等形式表示態度。

據傳：國民黨海外黨部已經奉命策動僑領及文化界工商界領袖表示意見，主要的是擁護蔣總統連任與否的問題。黨內和省府改組的人事安排問題，亦是會議中要決定的。該黨中央委員會秘書長張厲生出任駐日大使後，該黨中央委員會秘書長唐縱以前省府秘書長代理，現由前省府秘書長人選，唐縱可能繼任，但是現任外交部長黃少谷和行政院政務委員余井塘也極有繼任秘書長可能，一度傳說陳立夫返國擔任斯職，但因陳氏迄無返國的跡象，所以此說已成過去。

台灣省政府主席易人之說，國人皆知。因爲現任主席周至柔，和省議會處得不太融洽，從省議會追懷否定省府決策之大雪山林業公司預算和黃藍預算及新購小汽車預算等三案，這是歷屆省主席所沒有的，同時，當地領袖李萬居等多人的嚴厲的施政質詢，等於省府不信任問的宣言。於是，有政務委員薛岳出任省主席之說，嗣後又有黃少谷等三人被考慮主持省政的傳聞，總之，這些傳說將有待二中全會澄清。（五月六日于台北）

·劍傑·

台灣的捲菸業

林嘯崧

（台灣通訊）台省近年來菸酒公賣事業的收益，幾佔政府財政收入的百分之五十，其中捲菸部份即佔菸酒總收入的三分之二，因之捲菸的經濟重要性實際上是佔着公賣稅收的首位，其所負的使命略有兩端：一是生產足量的菸葉，供應國內消費者的需要，以維持自給自足，增加菸葉公賣收益，並杜絕洋菸來菸製品的洗入。一是力求提高菸葉的品質，改進菸葉耕作技術，符合國際菸草標準，設法開展國外市場，使菸葉大量外銷，以爭取外匯，充裕國家的經濟。由於這兩項的急切需要，近年來台省菸葉確有長足的進步，而菸製品公賣稅收的不斷增加，對於充裕政府財政上而言，其供獻尤爲重大。

台灣栽培菸草，歷史頗久，在公賣局各分支機構與菸農的通力合作之下，菸草栽培的面積及菸葉產量，皆可予以有效控制，其主要產區係以公賣局台中嘉義分局所轄區域範圍，屏東花蓮各菸廠之宜……由於每年必須辦理菸農考核，嚴格考核成績，對次一年期之種菸面積，有時則不免有所增減，但以總面積而言，逐年皆在增加之中，四七—四八年期全省菸葉種植面積爲八、一五四、七公頃，平均每公頃單位面積產量計爲一九一八、六公斤，總產量計達一五、六四五、七九九公斤以上，四八，四九年期將根據本年期各菸廠實際收購每公頃平均產量，計劃種菸面積爲八、五〇〇公頃，總產量將爲一六、三〇八、一〇〇公斤。菸葉產量雖已高達相當數字，但菸葉品質却不能儘合需要，其所生產之高級菸葉猶不敷應用，須仰賴美菸彌補，每年約耗費……萬美元以上購買外國菸葉，作爲高級捲菸的原料，而低級菸葉則充斥倉儲，難以銷售。今後如何提高菸葉品質，增加高級菸葉產量，減少品質較劣之菸葉，以節省外滙，進而擴展外銷菸葉業務，實爲當前菸葉生產事業的重要課題。菸葉爲一種極爲敏感的作物，菸草品質尤須注意自然因子，例如溫度，濕度，日照，土壤，氣候，雨量等均須選擇與菸草最爲適於種植的地區。其次爲耕作技術，例如選擇優良品種，配合輪作制度，決定植期早晚，施用肥料以及栽培管理，病虫防治與收獲烤製等均與菸草品質及減低生產成本有密切的關係。所以發展台省菸業，除提高品質外，即是如何減低生產成本，產品物美價廉，目前台省菸草生產量，不僅足供本省全年捲菸需用，且尚餘六個月以上之存量，還批剩餘菸葉，如果品質優良，正可用於外銷。總之，要改進台省菸草，必先提高菸葉品質，品質良好，則銷路自廣，外銷成功，才是台省菸業的正確途徑！

國際動態拾零

△本年夏間，非洲九個獨立國家，及阿爾及利亞叛黨領袖，將在南里波利舉行會議。討論阿爾及里與法國之對立，能否調處。如其不能，則將給叛黨以物資上及經濟上之援助。

△中共雖自知無法參加日內瓦外長會議，但竟能出席華沙會議，這是他們向赫魯曉夫呼籲的結果。其理由爲中共若不出席，即給共產集團之一致性，以重大打擊，赫氏遂批准了。

△親共之緬人，設法在印度與達賴接觸。並稱達賴如答應回去，保證可予以寬大待遇。印度官方知道之後，立即將其驅逐出境。

△伊拉克國民民主黨主席 Chadirchi 訪問蘇聯，名爲治病，實有政治陰謀。新憲法頒佈後，蘇聯將支持其出任總統。

△戴高樂執政，頗得人民信賴。民間存款從瑞士及他處提回者，有十億美金之鉅。

。陶然。

家長會與教員福利

台灣通訊

·陳明·

台灣中小學校設置家長會由來已久，原爲謀求各級學校與學生家庭獲得密切聯繫，以增進教學的發展，而家長會費之徵收，高低不一，直到去（四七）年一月，省府規定每學期國民學校以五元爲限，中等學校以十元爲限，大專學校則免收，惟歷年各校家長會使用會費得當者有之，但爲校長及少數教職員作爲「私有」者有之，家長會會長與學校當局串同享用者有之。此項數字相當的漏洞，省教育行政主管雖已察覺，然均少注意及之或知而不問。

今年初省教廳長劉眞爲此召集省中校長暨縣市教育主管座談，制定教職員婚喪節約互助辦法，企圖消除在今久已有「紅禍」之稱的禮儀負担。同時座談會並通過全省公立中小學校教職員福利金籌集辦法，其中規定福利金之來源之一，就是一向少爲人注意的家長會費——提取五分之一，使其化零爲整集中使用，旋經輿論支持，實施有待。後有一部份台中市議員以爲教育廳既然爲教職員謀福利，就應該編列預算，不應該再「剝削」各級學校的家長會費，議員王錫麟比喻該項福利辦法是教廳在要「我請客你付錢」的花樣，身兼台中市二中學生家長會長的何議員更指出，市二中家長會費萬餘元，幾全數支付校長，主任的宿舍津貼。

古往今來，教師福利一向少受重視，教師本身清高，願爲五斗米折腰，當政者自家謀福惟恐不及，對於師表則多一事不如少一事，然而此次由於家長會費所引起的社會輿論頗有昨非今是之象，官方的中央、新生各報，民間的聯合，公論等報均紛紛評議，爲教師而諍言，劉眞廳長對記者說，根據家長會費法令用於教師福利，合法合情、合理，提取各校五分之一，既有保留，又可化拔成聚，同時，家長會費係教廳委託學校代收，家長會可稱主人，亦可稱客人，若謂教廳慷他人之慨，顯然比擬不倫。並謂教廳將更進一步，稽核各校家長會使用情形。一般說來，輿論界對於廳長劉眞之肯於注意教師福利問題，而勇於面對現實，大致尚有好評的。

正視中國文學系底當前厄難

。孟戈。

被目爲「長袍馬褂」系

五月三日台北中央日報載錢穆先生的「文學與電影」一文，論及目前「大專中國文學系變成冷門」，隋乎無概系之。中國文學系之所以形成門堪羅雀的現象，不自今日始；漫長的四十多年，儘管中國文學系在專學院的名序里，一向以第一院（文學院）第一系自居，但也一向被目爲「長袍馬褂」系，……生地方。因之，熱中於功名利祿的青年，也就稍有志於文學研究的青年，也是英國語文了。這是……以「民族文化優良傳統」自豪底中國士大夫階級的諷刺。誠如錢文所說：「莫過於畢業後的出路問題」了。

畢業後的出路問題

事實可以證明，唸中國文學系的出路，總不外乎三條：上焉者爲文學家，次焉者爲主管文書的秘書，下焉者做個中小學校的國文教員而已。

自五四運動掀起文學革命以來，白話文廣泛代替了文言文。但產生的……，不由不使人重讀中文系，讀中文系，也不能一定會做作家。……十九非出諸中國文學系之門，……錯雜紛陳的治學方法，要使普通大學生徹底瞭解某門學識，或對某種學說有專門研究，談何容易，遑論著書立說而成名獲利了。於是乎，於……四年，修足一百卅多學分，戴上方帽畢了業；儘管……繼續研究文學工作者，寥若晨星；而難，再退而求其末，執鞭以爲人師表，能教教國文歷史兩科而已。試問今日台灣和海外的國文教師，又有幾個是出身於中國文學系的？……人？經濟，學法律、會計，甚至唸畜牧、醫學，不也一樣可以教國文歷史麼？中國文學系不成爲冷門，才怪也哉。

第一，……學系，……據陳文所說，……長時期，但收效不大。……有過之而無不及，……全公費待遇……外。筆者……行這樁……日的冷落……第二，……文系畢業生……會；同時，……送出國，……國都有研……國文化的……學系的興……榮譽。

第三，政府應特殊照顧中國文學系畢業生，凡政府的文教機構必須予以優先錄用，安排適當的工作。至若所有的中小學校國文教員，也應該盡量安插他們，……干非中國文學系畢業……定的職業保障。……能如此，中國文學系或可望由冷門改變爲熱門。時至今天，我們必須正視當前專上學校中國文學系所形成的現象了，……現在不……某些國家……漢學的今天，我們中國人不……國文學，……族和對……

修談「文藝復興」

如所周知，中國文學系原是保守民族文化遺產與發揚優良國粹的學系，中國文學系的學生是中國文學承先啓後的生力軍，其所肩負的時代任務，是無比艱巨與偉大的。特別是近十年來，中共在進行大規模的殘害中國文化工作，否定中國文學底歷史價值，從而歪曲史實去糟蹋經典。因之，二十世紀六十七十年代的中國文學的共衛者，越發需要大量地培植與予絕大的愛護，絕視乎此，以修談「文藝復興」與「文化反攻」之類的空頭口號，那豈不是無聊。

個人的意見

公安機關指揮司法

公安檢察司法先進工作者大會，于本月十一日開幕，主持者是新升「副總理」的羅瑞卿（仍兼公安部長），他在會上號召：「採取各種有效辦法，從各方面保證社會主義建設的安全。」這項會議說明了三點：一、羅瑞卿確已接替董必武為政法系統中的最高負責人了。二、世界各國均強調司法獨立，在一九五四年一屆「人代會」以後，「憲法」第七十八條訂定：「人民法院獨立進行審判」，其負責人亦由各級「人代會」選出，似有司法獨立的模樣，但從現在的情況來看，司法不但不曾獨立，而且可能已直屬公安機關指揮了。三、過去亦時常喊保衛社會主義建設的口號，這次卻認為要「採取各種有效辦法」，並「從各方面保證」，從其保衛的程度上來說，顯然已比前此更推進了一步。正面來看，是警察統制更加緊了；反面來看，可旁證今日之大陸秩序較比以前任何時期為混亂。

中共對聯合國的意向

匈牙利總理明尼赫最近訪問了中共，有兩項表現可以注意：一、五月六日所簽訂的「中匈合作條約」中，認為要「在符合聯合國憲章原則下，參加……國際行動。」二、五月七日明氏在電台廣播，特別談到匈牙利革命，說把匈牙利「捲入了幾乎是絕望的危機」。在此以前，與中共簽訂這種「友好合作條約」者計有蘇聯、東德、捷克與也門，這四個條約絕未談到聯合國憲章；現在，其與匈牙利簽訂的條約一反上述態度，似乎反映出了中共對于聯合國的政策有某種轉變。在過去幾年特別是去年，中共祇要提到聯合國，就抨擊說是美國所控制的，此後，這樣的攻擊可能暫時不會再出現；現實一點來說，則似乎是中共不會反對聯合國參加管理西柏林。當然，絕不能就此而認為中共將服從聯合國的一切決議，而可能只是在對于聯合國的政策上與蘇聯採取一致步驟。明尼赫特別在廣播中敘述匈牙利革命的經過，似乎是應中共之請來警告大陸人民不要製造匈牙利式的革命，這也可以間接作為前節所述大陸秩序不良的註釋。

誰應該「多謀善斷」

五月九日「人民日報」有一篇「多謀善斷」的思想評論，評論一開始就引用了毛澤東的話：「領導者的責任，歸結起來，主要地是出主意，用幹部兩件事」，作為其對于幹部工作方法批評的開端。評論的極大部份指責幹部的主觀主義，「少謀武斷或不謀亂斷」，要求虛心的聽取和考慮群眾的意見，那怕這一意見是少數者的意見。這種論調極像是以前鼓勵「鳴放」時期的論調；實則潤東似乎並不在低級幹部，最需要的還是毛澤東自己一實地「武斷」、「亂斷」。◦田心。

中東新危機在伊朗

旭軍

目前世人正注視日內瓦外長會議，無形中忽視了蘇聯在中東的安排。蘇聯在伊拉克實行滲透傾覆成功，隨時可把伊朗和土耳其的連繫切斷。現在蘇聯又覬覦阿富汗，圖分開伊朗和巴基斯坦。使巴格達公約的作用，完全消失。

蘇聯陸軍部隊，最近進入阿富汗，及佔領赫拉特。截斷了由伊朗到阿富汗首都喀布爾的大路。據悉蘇聯的軍隊，分散在阿富汗各地。俄人在赫拉特，早被伊朗特務探悉，及經西方觀察家證實。但蘇聯軍隊的佔據赫拉特，令到伊朗吃驚，比諸一九四六年蘇聯在伊朗北設立阿塞拜然傀儡政權時更甚。

伊朗和阿富汗的關係，是如此的惡劣，伊朗官方相信任何的外交抗議，都是無用。在過去五年，蘇聯在喀布爾的勢力，天天增長。

蘇聯的政策，是經援阿富汗，而不欲現時推翻其封建制度之政府，建立共產國家。因為時機未到。同時也有意給伊朗看看：君主政制，可與共產主義共存。可是伊朗王不為所動，他的反應是向西方國家要求更迅速和更多的軍火和訓練。

伊朗沒有外國軍隊駐在國境內，此與蘇聯軍之在阿富汗赫拉特不同。伊朗備有英空軍的雷達訓練人員，和美國的陸軍訓練人員。

當蘇聯外交部次長西米諾夫，在本年二月訪問德黑蘭時，伊朗王給他明確的保證。不讓外國軍隊駐在伊朗。其後伊朗與美國簽訂雙邊防衛協定，因此蘇聯甚為猜忌伊朗。

西方軍隊最近伊朗的，是英國派駐波斯灣巴林島少數的守衛軍。可是伊朗為了要求有巴林島的主權，反因英軍之駐此而憤怒，誠是令人啼笑皆非。

現在伊朗卻有急迫來了。五月十日伊朗王急訪英首相麥美倫，一口氣足足談了三小時。前任首相艾登也在座。伊朗外長赫密特，和伊朗大使那克凱，亦陪着伊朗王。閉門談論中阿富汗局勢，是主要論題之一。

蘇聯之企圖經植其勢力在阿富汗，早在沙皇時代已開始。現在蘇聯更派各種的技術人員飛到阿富汗，忙於建築飛機場，公路和鐵路。蘇聯把這個經濟落後的國家發展，是有戰略上的用處的。現在蘇聯的進兵赫拉特，正值蘇聯向伊拉克及伊朗作外交與宣傳的壓力，這點是值得注意的。五月十四日蘇聯總理赫魯曉夫對希臘「進步黨」首領麥基辛尼，說到伊朗局勢，弦外之音隱約含有凶兆。他說：『若伊朗王繼續實行他的錯誤政策，則伊朗沒有保證，而難免成為伊拉克第二。』他又說：『殺伊拉克王者，不是共產黨人，而是伊拉克王本人委任的軍事領袖。我可以預言伊朗不久將爆發革命，但不知何時，才信此與蘇聯無關。』這是赫魯曉夫一般殺氣騰騰的高談闊論。

赫魯曉夫的作風，和史達林的陰沉不同，但他對伊朗及在伊的美國勢力，是念念不忘的。他這樣的刺激，也是想迫艾森豪威爾總統更可能準備參加高峯會議。他說伊朗可能成為伊拉克第二的一番說話，並非危言聳聽。凡到過伊朗的人，都知道伊朗還未脫離黑暗的封建勢力。貧富的懸殊，官僚以及政府層層的賄賂公行，真是隨時給共產黨挑起叛亂傾覆之可能。就是伊朗王本人，也膽顫心驚，遂有今年初邀請蘇聯外次西米諾夫到德黑蘭訪問之事。今天的阿富汗之與伊朗，猶去年的敍利亞之與伊拉克。中東局勢之危，比中歐有過而無不及。

伊朗是否可挽救，不在西方的友人，如何的擺出偉大的姿態。巴格達公約不能挽救伊拉克。艾森豪威爾主義，迄今毫無作用。伊拉克且宣告擺脫了艾森豪威爾主義。經濟援助不能作技巧的運用，是徒然供封建勢力的揮霍。光是和蘇聯競賽軍援之訓練，而不能把握軍隊之心，也是浪費。伊朗之前途，祇視乎它是否能集中力量改革內政而定。如此方可免共產黨利用其弱點，而作傾覆。（本文根據五月十一日倫敦之「每日電訊報」編述）

大陸文壇透視

七劍

難爲了批評家

被視爲毒草的大陸作品，近來多得很，本欄實無足够的篇幅舉出來。如方紀的小詩，管樺的「辛子發」，都是毒草。張恨水的「五海姑娘」（小說），「上影」的「三毛學生意」，「長影」的「兩代之交」，張恨水的「五子登科」，都是被認爲毒草的。「五子登科」是描寫抗戰後接收大員的貪污的，這書初版於五七年，發行五萬冊，被指其中過多地寫了一些美女，會引誘青年人作非非之想。「三毛學生意」因爲有一場是三毛被流氓頭子收爲義子，流浪街頭時，警察來干涉，三毛問他是否管吃飯問題，警察說什麼都管，就是不管吃飯，其實這都是暴露舊社會的慘狀，但是中共之認爲毒草，或者以爲「三毛」之慘，意指今日之大陸，誰曉得寫它們的人不知究竟怎樣寫才是香花。

要分辨得出是香花和毒草，當年「武訓傳」上演時，上海中共文藝界一致譽爲香花。以後毛澤東寫了篇文章，把它打成毒草，直到北平中共文藝界承認錯誤，此後批評家對任何作品也不敢稱讚了，由陳企霞在「文藝報」上帶頭，差不多，無論什麼樣的作品，都來一個「一棍子打死」。把作家打得不敢動筆了，撤了陳企霞的職位，於是又有一段時間沒了批評。五四年稱爲批評家的除張光年外，只有因爲俞平伯出名的兩位後生小子李希凡和藍翎。以後中共又再三提倡批評，才出現了一些「五十度微溫」的批評文字，就是批評作品時指出優缺點各半，說不全好，亦不全壞。但這種模稜兩可的批評，亦受到指斥，認爲這是滑頭主義。今年的批評文字，又分成兩派，每一部作品，一派爲之贊揚，另一派則對之抨擊，各都言之成理。譬如最初的一篇評論說，這是一部可以肯定的作品，接着就有人另發表相反的評論，說作品歪曲了現實，醜化了幹部，於是雙方爭論起來，嚷嚷一陣，最後無結果而散。

最近楊沫的長篇小說「青春之歌」，去年初版發行十萬冊，今年就有了兩種極相反的評論，他如過去已經肯定的小說「百煉成鋼」、「林海雪原」，今年電影「探親記」、話劇「關漢卿」、「麗人行」、地方劇「牛郎織女笑開顏」、短篇小說「天門取經記」、「姊妹船」等，都是如此。奇怪的是，身居文藝領導階層的人，都未參加討論，列物的編者也無肯定的案語，最多亦只說真理是愈辯愈明的，希望繼續討論下去而已。這說明了什麼？是不是馬列主義已證明不足以作爲文藝批評的原則了呢？還是專門培養出來的馬列主義批評家仍然不會運用馬列主義的方法呢？質之周揚郭沫若，恐亦無言以對的吧。

被迫自辱的一羣

一九五七年鳴放期間，大批知識分子，因發表不滿中共言論而獲罪，被一律冠以「右派分子」的頭銜，從而發動運動，予以打擊批判，並剝奪其工作，迫使其在生活威脅、與政治恐怖，勞動改造的折磨下，曲膝投降。在中共政協第三屆全國委員會第一次會上，我們已經看到此輩人員被迫登台作自我醜陋的發言，這是中共對於知識分子摧殘侮辱最潑辣的手段，是人類亙古未有的悲劇。

章伯鈞

綜合章伯鈞此次在「政協」的發言，大致有下列幾點：（一）表示「低頭認罪」，感謝中共的「寬大處理」，以後「重做新人」，要（二）承認中共在「反黨」期間所指責的「騙惑活動」都是事實。（三）自己一九五六年提把「政協」作爲「參議院」，一九五七年提出把民主派作爲「政治設計院」的主張是「荒謬言論」。（四）承認自己認識了「錯誤」，與民主派資產階級性的本質，必須接受共產黨的領導，社會主義的改造。

章伯鈞這次「發言」可以說完全達到了中共所要求的目的。中共有計劃的把鳴放運動期間爭取自由民主，反擊極權暴政的一切言論，點迫這些具有領導地位的人物，站在「政協」會議的講台上，再用自已的語言把它一筆勾銷。章伯鈞在發言中，他說明了他今天之所以能作此種發言，是經過幾個痛苦的歷程的：（一）繼反右派鬥爭以後，被「嚴厲批判」，送入「社會主義學院」從事改造。（二）一九五八年多在「中國民主同盟」和「中國農工民主黨」代表大會上，經過一次又一次這些嚴厲「批判」，才認識到他所犯「錯誤」的嚴重性，才知道如何做人。他說：「唯一的出路是……當一時的覺悟……都是虛名而榮光、地位和面子……已告結束……」一種只好聽人擺布的環境下，如不能死也。

宋雲彬

大陸前浙江文聯主席宋雲彬，最近在「政協」發言中，指責自己在中共提出「百花齊放、百家爭鳴」和「長期共存，互相監督」的方針以後，「歪曲了黨的方針」，並發出「一系列的荒謬言論，做出一系列的荒謬行動」。宋雲彬，雖被牽到「政協」會上作發言，但他本人則仍然在受改造之中。他在長期的發言中說：他目前得到的「適當安排」，是在中華書局內做整理古書的工作，但他今日的「古籍整理」是爲社會主義服務的，是在一個基礎上所以進行參加這工作的。人必需學習，加緊其政治理論學習，否則不但做不好工作，而且要犯錯誤。我們繼續出版書局領導上對我們同志的政治理論學習抓得很緊，得到的體力勞動。同時參加適當勞動。」

黃藥眠

民盟中央常委黃藥眠，在被劃爲「右派」以後，除了遭受攻擊，被「一貫反共」以外，又在被通過串連的鬥爭，到公社去從事勞動，經過一年多的時間勞動的折磨以後，現在在「政協」發言中打擊自己，痛罵自己思想「航轢」、「古董」，還需「感謝黨在一年多以來方面的教育與幫助」。中共今天特別要利用這些「右派」出面作「分析」，以示中共之不念舊惡的「寬大」，但之所以要利用這些人物來公開否定自己的錯誤言論，從而消滅這些人物的影響，而使人得到暴露的一面……右派分子……這是中共對右派政策的採取了……大分子以打擊……以上的是「右派人物」在社會上……知名的中共對他們……有利用的價值以外……共有千千萬萬的人……仍然過着中共「營」期中的生活。（資）

瘋君妻

岳騫

第二回：密室定奇謀　蒼生塗炭　巴山留遺恨　弱絮隨風

藍蘋聽出興趣來了，過去給毛澤東斟了一杯茶，笑道：「你慢慢說吧！劉少奇出的什麼鬼主意。」

毛澤東喝了一口茶，繼續說道：「當時事情鬧僵了，在開會時，陳紹禹先提出反對，以爲我去重慶是英雄主義，風頭主義，升官發財主義，說了一大堆什麼主義，我一生最善於替別人戴帽子，當時也被他戴得喘不過氣來。最後只好又拿出整風時候的老辦法，說他是教條主義，我去重慶是進行高級統戰，爭取美國人的好感，爭取國民黨前進份子，爭取全國人民的同情。說到最後，陳紹禹又擺出欽差大臣的姿態，問我去重慶如何向史大林大元帥交待。這樣以來，事情又僵住了。」

「當時怎麼沒有人替你說話呢？朱德呢？周恩來呢？」藍蘋伸手接過毛澤東的茶杯。

毛澤東恨恨說道：「這些死東西，一聽到史大林連屎都能嚇出來，誰還敢替我幫腔。」

藍蘋嘆口氣：「我早就說過，你手下的人沒有一個靠得住的，一旦有了事，看見風頭不對，都會倒戈的。」

毛澤東點點頭：「這時劉少奇站起來說道：這個問題，我們本身無法作出決定，還要打個電報去莫斯科請示，等到史大林大元帥回示之後，再決定主席去不去重慶好了。」

藍蘋冷笑一聲：「這還不是等於白說，史大林怎麼會准你去。」

毛澤東笑道：「這一點就是我剛才講的劉少奇的壞主意多，他叫去擬了一封電報，請求史大林把不准和國民黨談判的指示，改爲永不和國民黨在會議桌上解決問題，這個辦法確實新鮮，馬上莫斯科回電批准了。」

藍蘋咧開小嘴笑了一下，馬上又勾起心事，緊起眉頭說：「由這看來，劉少奇倒不好鬥，我真替你担心。」

毛澤東擺擺手：「暫時不談這個，你等我說完。莫斯科電報剛回來，李立三也從哈爾濱趕到延安，原來他是奉命來就近監視的，並且在我離開期間，對爲中央負有指導任務。」

李立三一回來，陳紹禹的氣更壯了，一些看風轉舵的人也都跑去敷衍，好似我馬上就要倒了。」

藍蘋笑道：「誰都去敷衍，周恩來大概不會吧！他總忘不了劉顯超和李立三在蘇區搞的那一段。」

毛澤東也笑道：「共產黨員戴綠帽子是最平常的事，何況大家都老了，那裏還會吃醋，以周恩來的八面玲瓏個性，那有不去敷衍之理。」

藍蘋望望毛澤東的頭頂，噗哧笑了一聲。（卅七）

釋耒集

封建

封建二字，以今日而論，業已成為一咒詛之名詞，鷲固執保守之人，曰「頭腦封建」，鷲官僚作風曰「封建」，而共產黨則舉一切與其主義取反對態度之人物，概稱之曰「封建餘孽」。封建遂若衆惡之所歸，惟共產黨獨超乎封建之外，為最不封建之集團。昔顧亭林先生日知錄論封建曰：「封建之失，其專在下；郡縣之失，其專在上」。[illegible]郡縣論，柳之言曰：「列侯驕盈，黷貨事戎，大凡亂國多，理國寡，侯伯不得變其政，天子不得變其君，私土子人者，百不有一，失在于制，不在于政，周事然也」。「有理人之制，而不委郡邑是矣；有理人之臣，而不使守宰是矣。郡邑不得正其制，守宰不得行其理，酷刑苦役，而萬人側目，失在于政，不在于制，秦事然也」。依此以言，則共黨實為一最封建之集團，而其措施，又實爲殘暴之苛政，是上下交失之者也。

近來毛澤東下台，繼之者爲劉少奇，新聞電訊，紛紛揣臆測內部之爭，今後行將發生之變化。余則以爲此類臆測，均屬多餘，夫封建之制，繼世而理者也，故父死子繼，兄終弟及，絕未能踰越其一家一姓之範圍。今毛氏去劉氏承，亦斷未能踰越共產黨人之範圍，古者夏商周之封建，私于一姓氏，五胡、遼古、滿州之封建，私于一部族，今共產黨之封建，特私于一黨，[illegible]固未嘗有絲毫之變異也。謂劉少奇之登台，可使其內部發生何變動，允非所謂知理者也。

按共產黨自有政權以來，始則退租退押，繼而三反五反，抗美援朝，[illegible]洗腦，[illegible]，以至公私合營，人民公社，所謂嬴秦氏之酷刑苦役，萬人側目者，實屬微不足道，[illegible]亦無以變更其毫末，[illegible]謂專在其上者，豈虛言邪？封建云[illegible]謂也，使建國于封域之內，[illegible]之說也。共黨政權之地方政府，以至鄉村公所之胥役，無一而非其幹部，[illegible]星羅，獨遍全中國，此等新貴族，類皆威福自恣，[illegible]亦如柳氏所論封建之侯伯曰：「大逆未彰，姦利浚財，怙勢作威，大刻于民者，無如之何」。專在下，則周末諸侯之情形又復[illegible]馬倫可夫之事[illegible]終將有潰決不可救拾之一日，可斷言也。夫周之失，[illegible]而遂見陵夷者，勢未去也，[illegible]之失，乃僅及十五年而亡，則黔首者[illegible]，行苛民之政，是而可長久，是無人情，抑亦無歷史事例之可稽矣。天下寧有是理乎？

曲齋

家法與國法

家法是什麼？[illegible]家族傳統[illegible]宗法[illegible]。在宗法社會時代，家法是絕不容輕易玩弄與破棄的，[illegible]家法也無形中不再受重視，甚至已無家法可言也。[illegible]不論傳統式的大家庭或現代化的小家庭，[illegible]生活規律[illegible]否則任何家庭都將[illegible]。

但國法則與家法不同，[illegible]國家元首[illegible]一個人不能永遠是一個國家的元首[illegible]。

[illegible]

[illegible]亡國，亡家法，[illegible]輕易地玩弄！

。金羽。

臺灣文壇現狀

難懂的新詩

胡適之先生提倡白話的「嘗試集」，是中國文學革命以後的第一本新詩集子，又所謂新詩，不受格律的限制，押韻的限制，[illegible]

[illegible]四十年來，新詩的收穫並不理想，[illegible]論新詩，而且不懂。[illegible]用以標新立異，我抄幾行「妙」詩，供大家欣賞：

6加3加1，喲，我
大地之上寫滿天的一株松
生活被思想減寫作減語言
喲，一個圓圈
太陽旁邊讓大地的一片雲
——戰鴻：我與時間。

[illegible]藍的，你的記憶藍色的，你曾說過
就像我的水手制服般，而且
多蔭的。雖然，據說那僅是一場
大夢。——毛茸茸的大夢
——葉珊：沙灘上。

我讀了七八十遍，不管它的主題在那兒，甚至，這些「詩」句是什麼意思，我也不懂。難道這才叫做新詩嗎？

我以爲，現在新詩人有一個錯覺，認爲新詩最好寫，因爲他連寫一篇五百字的文章還寫不通順，居然也能寫新詩，焉能不「造」一些「不通」的詩句。總把人瀟天，我爲新詩的前途悲？

女作家「過」多

台灣文壇上出現了很多女作家，這是一件可喜的現象。畢竟婦女們生活比較清閒，在「家」裏呆得無聊，（當然比打麻將的婦女們進步了）提筆寫寫文章，而且，寫文章投稿，不受「資格」的限制，只要有勇氣寫就行了。至於，字與字，句與句當中還差些什麼，她們是不管的。只要她們的作品寫好了，寄給「編者」，那就不是她們的責任了。以後，就等文章發表，稿費寄來，好像吃「牢」了。

我不敢冤枉「編者」存有什麼歹念頭，或是患神經衰弱症，或是有賈寶玉的癖性，至少他（她）們是有意的提拔女作家。所以，文壇上女作家人才輩出。當然，她們當中有不少寫的文章超出水準。還有一部份委實有點那個？這是誰的責任？據說，台北某大報的副刊編輯在一個文藝作家集會上，一時感情衝動。他說：祈禱上帝給他勇氣，退他變人的稿子……。

職業作家少

台灣文壇上沒有「職業作家」的，好像這是三百六十行以外的一行，沒有人敢冒險幹的職業。縱然有，也只是過渡的，不得不另謀職業。

但是，台灣以賣文章爲副業的作家，多不勝數。光靠興趣寫作的作家太少了。如此，副刊、雜誌，文藝的稿件多得不得了，這就產生了一種現象。凡是有人情的稿件提前發表，同時，無形的形成「小圈子」。不是圈內人，文章就很難發表。假使獨個兒「創天下」，可得有一手本領才行呢。

寄語：台灣文壇的朋友，把眼光放開一點，別老在「小圈子」擠呀，還是把作品寫得成熟爲第一！

。舒羽。

星河

何世權

耿耿星河在上游，
人天消息兩無愁。
頻隨大道尋義理，
笑向浮生說永恆。

夢裏

前人

夢裏伊人踏落花，
月華流瓦水流沙。
花似采雲人似玉，
春光長駐臉邊霞。

栗海彈心錄

[illegible]

洪憲軼事

名妓陳文卿附

道路修阻，展轉至次年二月，[illegible]

[illegible]二十八日[illegible]安國家之[illegible]

[illegible]當一身任之。似此毀不委過，猶不失爲英雄。

既涉楊度，不能不一彈文卿，文卿陳姓，燕城人，北都韓家潭妓也，粗知書，習繪事，慕紅拂而賤師師，於香君鷹爲事，亦不勝感慨。民國初元，色藝噪一時，度緊之。以萬金脫其籍，袁氏事敗，偕走津門，未幾文卿潛蹤而去，匿迹上海，賃亭子間而居，度展轉及之，數叩其門不之應，無何，度衣海青衣，持木魚，趺坐文卿亭子間下，喧佛號竟日，不飲不食，文卿推窗俯視曰，皙子，何自苦乃爾，人生幾許，盍歸去，而隱門闔矣。度至此，知其意不可回，遂亦脫然置之。（上）

・阿公・

讀「厚黑學」

・簡又文・

廿年前，蜀人李宗吾著「厚黑學」，風行一時。大意謂政治成功秘訣有二：（一）臉皮要厚：（二）良心要黑。余讀之率成俳體詩十首，以志感懷，並當書評。當時曾投寄某期刊，即蒙退回，蓋恐招時忌也。今時過境遷，百無禁忌，爰錄舊稿，發表于此。

「干祿新書」著在前，南亭所記續貂鮮（謂「官場現形記」）。而今又有「厚黑學」，三部齣聯成一篇。

自古官場似戲場，演來徵喜或悲傷。笑他觀者不幽默，底事揭開八寶箱。

初嫌落筆太兒戲，細讀卻難詬病之。解得作家心事苦，熱情激勵淚沾衣。

數遜升木李書非，暴露官邪信有之。政海古今怪現象，後人讀此笑耶悲。

政治何時上軌道，登高拾級不須躋。賢能當選姦邪黜，欲問在天國父孫。

各以自私爲目的，當然爭位又爭權。犧牲道德家常事，一卷未完心已酸。

縱然厚黑可隊官，人格取消總不歡。留得個人情和做骨，卻比高官勝一般。

官際極品又如何，身後問題恐更多。任你千般厚且黑，還能逃動史臣麼。

不必遠進身後名，只今輿論最公平。人心敬愛惟清正，厚黑成功臭且腥。

我亦窺身宦海中，多緣早歲立軍功。保全革命光榮史，笑罵由他臉不紅。

「我可佩的華僑朋友」

李樸生著

作者在本書裏介紹若干華僑朋友，雖不盡是當地有勢位的時下僑領，但有些以事功著稱，或以道德文章著稱，其行誼表表，隱然有其領導性，對當地僑胞均有潛導轉移的潛力。

由於作者對他們有忠實和緊驗的論述其人其事，平日既已留有相當印象在一般僑胞心目中，則此書一出，必能引起許多僑胞更加注意，自屬無疑。

作者多年來在僑委會負重要責任，對華僑一切，見聞較切。這本書的寫作自與普通寫作不同。比較那些動輒說「撫僑」「救僑」，作浩語莊言的濫調，或修陳指導華僑領僑務的俗套，不可以同日語。

作者服官以來，從不矜炫他在政府怎樣顯要，或對任務有過什麼勞績。作文章說話輕鬆，意態謙和，他祗是自詡得到許多寶貴的友情，他的爲人，從不裝腔作態。他的文章也如其人，沒有奧妙，不講文采，不假詞藻，一派淺白輕鬆的筆調，自然動人。

書中主題雖然是描述若干個有名聲的華僑朋友。但其中也指出若干當前急務的華僑問題，深入淺出，言近旨遠。認識檢討的態度，切實解決的辦法，並不同於官樣文章。

書中有好幾十位有名望的僑胞，管他是目前的僑領或未來的僑領也好，字裏行間，似已烘托出他們的言動對華僑對社會，以至對國族是有值得注意的地方在。

。黃相華。

更正

八五四期第四版黃天石先生詩第二首「博奕猶賢人寄情」句，入字係一字之誤，合更正。

自由人
THE FREEMAN
（第八七五五期）
中華民國僑務委員會登記證
中華郵政登記第一類新聞紙類
（半週刊　星期三星期六出版）
每份港幣壹毫
督印人：陳文華
社址：香港高士威道二十號四樓
20 CAUSEWAY RD. 3RD. FL. HONG KONG
TEL. 771726
承印者：東南印務出版社
台灣總經理處：台北市西寧南路
電話：三〇四六六
海外總發行：友聯書報發行公司

論蔣先生的連任與領導

王厚生

蔣先生曾代表政府和國民黨公開宣言，憲法決不應加以修改，因為憲法是反共抗俄的有力武器。但我懷疑蔣先生能否貫徹主張，能否約束黨員，使憲法不至被修改。甚至他本人能否拒絕接受提名而終于連任第三屆總統。因為目前的形勢似乎有不容許蔣先生貫徹其主張的形勢。

一種錯誤觀念

很顯然的，西藏抗暴運動發生後，台灣方面產生了一種很錯誤的觀念，以為中共就要垮了。不錯，人民公社和西藏抗暴給予中共以很大的困難，但如果說中共立即會垮下去，這是輕敵，犯根本的錯誤。反共的政府如不作艱苦的奮鬥，企圖坐享其成，是絕不可能的。就算中共被大陸人民起義打倒，而不是出自台灣的力量，台灣祇夢想接收，也是不可能的。如果存這種念頭，將來的真實情勢總會使坐待其成的人難堪的。像達賴喇嘛今天對政府的冷淡態度，不就是一個很好的教訓嗎？

西藏抗暴運動激起了世界輿論同情，對中共血腥鎮壓，作嚴厲的指責。這情形在亞非地區，特別普遍。因此使台灣方面產生另一錯覺，以為從此中共進聯合國的希望完全熄滅了。不錯，中共對西藏的毀約失信，和武力彈壓，可使中共進聯合國增加了困難，但並不能說，中共從此絕無進聯合國的可能。相反的，某些國家如印度，更因此說，西藏事件正足以說明中共不參加聯合國是錯誤的。我們覺得，只要中共的外交政策有所轉變，國際形勢也是可能轉變的。如果國際形勢變了，很可能有些國家，不想再作左右袒的了。自然更談不到主持正義了。這時候我們駐聯合國的代表豈不是要廢然退席了。

憲法不容修改

因此，我覺的無論「革命時期」也吧，「非常時期」也吧，「戰鬥時期」也吧，為鞏固國本計，不僅「憲法不容修改」（蔣先生對國民黨八屆二中全會軍中前次所作諾言），即附于憲法的臨時條款也不應增添或修改，因為增添或修改臨時條款，表面上似乎不是修改憲法，實際上卻與修改無異。從某種意義上講，臨時條款可以使全部憲法發生癱瘓的情形，或是變成半身不遂，比憲法修改還要惡劣十倍。當年在南京，增設「動員戡亂時期臨時條款」，全國人民的反感達到頂點。後來的結果，是戡亂不成，而且政府也被趕出大陸。所以，修改臨時條款，固然不啻等于修憲，而增設臨時條款的惡例，更是不能重演的。這對國家和民族都是絕無好處，對反共復國也絕無好處，對蔣先生本人和國民黨也不會有好處。今天在台灣鼓吹修憲的人，認為增設臨時條款有先例可援，可以一試。那末，我可以在這裏預言，再一次增加或修改臨時條款，必與上次的臨時條款一樣，不但不會對反共復國、政治反攻、或大陸起義，發生積極作用。恐怕對國脈民命都要發生不良的影響。我們尤其不可忽略一件重大的事實，即南京時代所增設的臨時條款，只是為動員戡亂，加強總統的權力。已經引起人民的普遍不滿，認為對民主憲法的基本精神有礙。對政府亦生反感。故臨時條款之設立，表面上是總統權力的增加，便於動員戡亂，實際上是民心散失，總統權力和政府威信無形受損。這對政府來說，是得不償失。故臨時條款應該是一次沉痛的教訓，怎能再視為可援的先例呢？

其次，「動員戡亂時期臨時條款」之制定，係依照憲法第一百七十四條第一款之程序，此程序為「一、由國民大會代表總額五分之一之提議，三分之二之出席，及出席代表四分之三之決議，得修改之。」假使今日台灣政治圈內竟有人作增設臨時條款之想，則依上次臨時條款制定的程序言，今天事實上辦不到的。此路已不通了。試問：今天在台灣的國大代表人數有多少？談得到依照憲法第一百七十四條第一款之程序來增設一項臨時條款嗎？

臨時條款也不宜動

再次，假使增設臨時條款，其目的全為使蔣先生連任第三屆總統，這與當年增強總統在動員戡亂時期權力的臨時條款，意義完全不同。國內外的觀感，和反響，當然也會有極大的差別。如果連任總統的，不是別人，正是一再聲明「憲法為反共武器不容修改」的將先生，那便更不好了。我覺得為將先生設想，這是增加他的困難的。因為憲法不容修改，是他親口在大庭廣眾之中說的，並且增設臨時條款如果是為他便於連任第三屆總統，將來一旦勢變遷，「非常時期」過去了，臨時條款失去效力，將來的總統祇能連任一次，也不公平。這種因人立法的先例實在要不得，不宜開創，給後人以十分惡劣的印象。

領導不一定要再任總統

末了，我們應該說一說領導問題。說到領導，方式甚多，不一定做總統才能領導，譬如說，現任美國白宮外交顧問，病中的杜爾斯氏，他的在未辭國務卿職位時，曾為美國外交政策負對正領導八，做總統的艾森豪氏，對杜氏絕對信任，常以杜氏的外交政策為他自己的政策，等到杜氏舊病復發，進醫院，在現任國務卿赫特氏未負除前，艾森豪氏才親自負起外交政策的全部責任。當然，依照美國憲法，總統為行政元首，他為外交、內政等政策的決策人，但在杜爾斯氏任國務卿時期，外交上的實際決策權已由艾森豪總統讓與杜氏了，因而可以說，杜爾斯氏曾為美國外交政策的領導人。又因美國今日已無可推卸其領導整個自由世界的責任，故杜爾斯氏的外交政策在某種限度內（如對蘇）可視為自由世界的外交政策，換言之，杜氏曾為自由世界外交政策的領導人。現在，他病了，而且病得相當嚴重，因此，引起自由世界政府和人民的深切同情和關懷。

在今日的台灣，國民黨是第一大黨，也是執政黨，將先生不連任總統而專任黨的總裁，同樣可負起領導的責任，發揮領導的作用，即使他連總裁也不擔任，完全退出政治，憑他對國民黨對政局的影響力，他的領導依然存在。當然，將先生是現任國民黨的總裁，我如果說請他完全退出政治的話，則未免不合實際了。我不過是說，在今日台灣的情形下，將先生的領導無論怎樣也是少不了的。（五月廿一日）

一週述評

革新政治的要務

這次國民黨二中全會中，有一項關於行政改革的決議案殊堪重視，那就是唐縱等六委員所提的整理現行法令案。[illegible]

[illegible]的結果，將來還是重複矛盾，互相牴觸，甚或新法更惡。[illegible]憲法所規定的法意，這是天經地義的事。尤其要限制錯誤的「戒嚴」或「非常時期」的口實，而濫訂剝奪基本人權，增加人民義務的法規，否則必有新法惡於舊法之處。三是法制的合理統一性。地方政府的單行法令，不得與中央的政策相違背，例如台灣現在已有國產的吉普車出品，中央為促進民族工業的發展，採取保護政策，嚴格限制舶來品的車輛輸入，而地方政府又擅行製訂單行法，准許商人把外國車輛源源進口，這就是胡行妄為，擾亂國家，必須禁止的。

改革的方法要注意

原提案主張由各主管機關自行審檢去取，這樣進行[illegible]

[illegible]精神，比那些高談的革命理論，背誦反共八股的作風，對國家和人民裨益多了！

革新法令的原則

無論中央政府或地方政府的單行法令，[illegible]古人說：「法令滋彰，盜賊多有」[illegible]

徒法不足以自行

法令儘管優良，如果奉行不力，知法犯法，或以命令便宜行事，而不顧法令的信用，或因人而上下其手，徇私舞弊，那根本就不必多此一舉。法令一經革新，大小行政人員為先恪盡「奉公守法」的職責，長官如有於法不合的行為，僚屬應該忠告善道，潛加糾正，甚或據理力爭，崇法務實。人人有守法的決心，怕受違法亂紀的指摘，法治精神自然充沛，而民主憲政國家的聲譽即奠定了。

雷嘯岑

羅拔遜之言

舒華章

美參院外交委員會為了通過政府所要求給與遠東友邦軍援全部款額，把兩位重要官員召去作證，其一就是行將卸任的美主管遠東事務助理國務卿羅拔遜。

看羅氏的供詞，可知預定可撥與整個遠東的美援總額五億九千三百四十萬美元中，中越韓三個國家佔了援款百分之八十二，整個遠東的防務支持費則佔五億五千三百萬元，為總額百分之九十三！花這麼一筆款子，每年果能維持遠東危機免於擴大，對美國實在化算。可惜此事尚待羅氏力言，才作最後定奪，雖日例行的主管官作證，依然使我們痛感美國若干議員昧於事理的可悲。

例如參院外委會的際士這位先生，他在去年十月金門炮戰吃緊之際，發言美國應即表明決不在中國內戰中動用美國子弟的血，去支持那人的政府！八二三炮戰開始後，這同倫敦若干人士的叫囂，充共黨祇證實了那些有利於共黨外侵的主張無非欺善怕惡。

他在參院的供詞並沒有半點虛誇的地方，就可惜他說到人民公社的軍事備戰性時，卻沒有追述去年中共拚命搞公社時利用金門的砲聲去掩護其詭計！遠在一九四五年羅氏調任重慶駐美大使館經濟參事，任職服務一共二十八個月，在華讓他有機會認識中國，尤其是中共的種種活動。到了出任北平軍事調處執行部由美國人擔當的那個主席職務時，他有最寶貴的機會，以才能深入觀察當年談和氣氛下的中共詭計及其活動。從一九五三年四月八日開始，他獨當一面，負起了美對遠東及中國政策的策劃任務，擁護太平洋安全之維護，具見卓識，克盡其責。現在他在一項重要供詞中，既沒有提及中共炮轟金門即加速推行人民公社的另一行動措施，顯然是一個非常遺憾的忽略。

假如中共為了推行人民公社，砲轟金門最急激的時候，我們的英勇守軍在多方面竭力下退縮回來了，試問今天遠東的危局又要危險到那種田地呢？美參院外委會肩負職責多麼重大，偏偏就有際士那一流人在，那真是一件危險不過的事。今天假如為了對金馬有所行動而乘時又配合西柏林問題，是我們常識所及的，問題是中美如何合作，勿讓共黨利用金門危機，威脅自由世界，及如何使中美及其友邦，英國不致把美國在遠東的一條腿牽制得更緊些。

金馬沒有倒下來，中共總得利用金馬的打擊門它，在大陸加強控制人民的措施。羅氏固已指出公社對自由世界的軍事威脅性，實則中共即使換用另一套，採行公社以外的組織與活動，其威脅性依然是嚴重不過的。這一點，羅氏似無意指出，仍然是一個遺憾的忽略。

羅氏把遠東各國易受共黨今後加緊進行傾覆計劃的弱點指出來了，又指明公社備戰的嚴重性，儘足以確定美國今後不宜改變對遠東既定政策的認識，使若干議員們如際士之流別再在美國胡亂主張與共黨中國妥協的吧。

自由談

政治大亨的知識

美國參議院外交委員會主席富爾布萊這個名字，我們過去似乎很少聽到，如今卻是美國政壇上的頭等要人了。報紙和電視廣播中，隨時看到他的政治言論，新聞記者且描述他是一位才學兼優，智慧超羣的政治家，年富力強，前程無限，因而我亦對他的言論主張，特別注視哩！

日前他發表一項政治意見，主張白宮可以邀請俄共頭子赫魯歇夫到美國訪問一次，讓赫氏看看美國人民的生活方式，美俄兩國即可能「和平共存」下去云。很抱歉，我看過這條新聞消息後，認為這位政治大亨的知識，乃係西方哲人所謂「百事皆有說詞，而百事皆不知其所解」的幼稚程度，失望之至。

美國人民的生活方式究竟是怎末回事，俄共們早已瞭解得清清楚楚，赫魯歇夫當政後，且曾經派遣專家與技術人員赴美國學習玉蜀黍的種植方法。美國人民的生產和消費情形，因為沒有鐵幕緊蔽着，俄共觀察研究有素，至少至少，他們比美國人瞭解俄共政權本質的知識高明多了。赫魯曉夫早就聲言要「埋葬資本主義制度」，共產主義一定要征服全世界，這是馬列主義者從事世界革命的基本原則。若謂邀請赫魯歇夫來瞧瞧美國人家家有汽車、冰箱、收音機的生活狀況，個個人爲着追求財富享受而奔走駭汗，張脈僨興的緊張形色，就可以改變他仇恨資本主義制度的思想言行，停止其世界革命計劃，這不是天大的笑話嗎？

不過，從富爾布萊這項高見中，我們亦可以理解美國現行外交政策的中心宗旨，但求俄帝不以原子核子戰爭相威脅，彼此「和平共存」，互不侵犯，使新大陸免於飛彈與轟炸的恐怖，其他問題即屬次要，大可從長計議了。我們回憶當年美國民主黨政府存心將中國大陸斷送給俄共集團的往事，對於富爾布萊這位民主黨要人的說法，卻有倍加警惕之必要也。

馮子先生

「確保民主憲政」

（本報訊）香港言論界，繼「聯合評論」而起，對修改憲法及蔣總統再連任問題，發表意見，可爲讀者報導的，尚有五月十八日出版的「自由陣綫」及「祖國」周刊的兩篇社論：「自由陣綫」的社論題爲「當前台灣問題的重點」，「祖國」周刊的社論題爲「再論總統連任與修憲」。

早提總統候選人

「自由陣綫」認爲當前的重大問題，「應該是如何援助西藏反共革命，進而反攻大陸，」並不是「第三任總統問題」。他們認爲蔣總統一定要堅持「決不修改憲法」和「憲法是反共復國的武器」這兩項主張。他們認爲蔣總統「在明年總統任期屆滿之前，此時正該明白宣佈不做第三任總統」，「國民黨中全會尤應該議決不修改憲法，並提出國民黨的下屆總統副總統候選人名。」

跟着這篇社論又提出今後中華民國的政治重點：以爲今後不論誰做總統，「必須選任孚衆望的行政院長，做到實際的責任內閣，做到軍隊國家化，政治民主化，經濟福利化。」又說，『今日台灣的問題，不在於總統大位，而在於如何生聚教訓，以拯大陸同胞於水火。同時如何發展島國工業，爭取海外市場，爭取華僑和大陸人民的向心。否則一切無切實辦法，縱勸蔣先生永做總統亦無補於國是。』

不再連任的大理由

「祖國」周刊的社論，首先指出『憲法之莊嚴，不容任何人以任何藉口違犯忽視。』然後再根據憲法條文，認爲「合法修憲已確然不可能。如果在此時勉强修憲，則是違憲。如果另行設法通過某種條文，使總統可以連任三次，則與憲法第四十七條牴觸，亦是違憲」。

他們說：『第一屆國民大會代表及立法委員之連任第二屆，可以解釋爲「法律規定」，而並不違憲。至於總統之連任二次，或不足憲法第一七四條規定人數之修憲，則絕無可能解釋爲不違憲。』他們並且認憲法之所以明文規定總統只能連任一次，其理由是爲了確保民主憲政的國體，以免創出總統成爲終身職的惡例。（他們舉出華盛頓和凱末耳兩人毅然放棄領導地位的歷史做說明）。

擬解決問題三策

就現實政治說，他們認爲蔣總統不再連任總統職位之後，『依舊是國民黨及自由中國政府的實際領導人，這是任何人都不會懷疑的。』所以他們說，『我們並非反對蔣先生繼續領導自由中國』，不過許多『力勸蔣先生連任總統』的人，都是表面愛國，愛黨，愛護蔣先生，實際是『爲了自身利益』的。於是他們說：『如果蔣先生決心維護憲法，他可以向黨內黨外誠懇地重申其反對修憲的意見，並明確表示不再任總統候選人。』

最後，他們擬出解決這一重大問題的上中下三策如下：

上策是遵照憲法，任滿後不再候選總統；同時仍領導全黨，致力反攻復國大計。

中策是先與各有關方面協商，在第三屆國民大會選舉第三屆總統及副總統時蔣先生出任副總統候選人；當選之總統就職後找一藉口辭職，再由蔣先生繼任總統。這雖顯然是人爲的操縱，但至少還不違背憲法的明文規定。如果蔣先生決心要連任總統的話，這似乎還是最簡單可行的一條合法途徑。

下策是改選國民大會代表，不在淪陷區進行選舉，而僅在台灣地區，其代表之產生方式以法律調訂之；然後由此新產生之第三屆國民大會以合法方式修改憲法，使蔣先生得以再行連任總統。這種方式的弊害自然極多；這種方式之下修改憲法，縱然法理上能解釋得過去，也必非多數人民所能同意；但至少也算一條合法途徑。

他們認爲捨此之外，其他舉動都是違憲的，都將產生深刻長久的惡劣影響。（五月廿一日）

台北輿論與二中全會

【台北訊】國民黨八屆二中全會已開過了。結果已見報載。在開會前此間民營報紛紛發表評論，以聯合報和公論報的幾篇文章最爲深切。

聯合報於本月十四日的社論，題爲「對國民黨二中全會的期望」，以爲「目前修憲問題，牽縈人懷」，所以「期望着執政黨有一正式明確的表示」，並且要求執政黨「拿出一套變法圖强的方針來」。該社論認爲「可慮者，中美聯合公報發表以後，實行三民主義乃爲復國之主要途徑；三民主義爲國家立國的基礎，但亦爲國民黨的主義，然則，如何澈底實現黨的主義，爲國家民族盡國民黨的使命，現在黨正面臨着最嚴重最具決定性的考驗。國民黨的歷史固以此爲評價，國民黨的前途亦以此爲成敗利鈍的樞紐。」而以爲目前强化反共力量「最重要的是政治力量的凝結」，又以爲反共「主要的問題不在我們的兵力够不够，而在於我們能不能突破僵局，需拓反共復國的機運。」這就「是政治問題。當前的急務，是要加强海內外反共力量的團結，從擴大反共陣營中提高號召力量與在國際間的地位」，認此爲執政黨的責任，應好好的研討這個問題。

領導權問題

該社論指出領導中心有兩點：「一是重建國民黨的領導聲望；一是維護憲政的法統。」國民黨是執政黨，但是，黨掌握政權的力量顯然並未能建立在相對的公意政治的基礎上。」而是「與傳統的既得權利有關」。「現在國民黨所受到的批評責難，即在於國民黨要不是不敢，便是不肯讓這傳統的權利，去通過政黨政治或公意政治的冶鍊。」故「今天國民黨要努力做的，不是如何去防範傳統權利的受侵損，而是如何從公意政治中鞏固執政黨的地位。」如果「國民黨把握民心，順應公意，恢宏氣度，有守有爲，沒有人奪得了這政權。」「這種努力絕不會失敗」的。

法統問題

該報「說到維護憲政法統，必然要正視到憲法的有效實施與總統的任期問題，這兩點目前都亟待有合法合理的解決。」就「當前的國內外形勢言，若說人對歷史的作用，事實上也有將總統繼續領導的必要。但是，總統任期既有憲法規定的約束，而執政黨對於海內外輿論又謳蔣總統繼續領導如深，當前的領導中心便將失去支點。我們認爲，總統任期與法統問題，其政治的意義大於法律意義，必須從政治協商中尋求法律的解決。國民黨二中全會應正視現實，堂堂正正的拿出主張來。」

政治反攻問題

公論報早在本月十二日就以「對國民黨二中全會的期望」爲題發表社論：提出「政治反攻」「對執政黨的」等四大問題。該報對「政治反攻」的「具體計劃如何」？加以檢討。且認爲「正在日內瓦舉行的四强外長會議」對「我國是相當不利的」。當局「如何應付此種局勢」？而「行政改革委員會所作成各種建議案八十八件，並經總統一一批閱交辦。」但是「就各種跡象看來，似乎負責部門，多在陽奉陰違，無意付諸實施。今後究將貫澈總統初衷，以革新政治並取信於民呢，還是遷就現實，仍走決而不行行而不果「老路」？」

抨擊修憲派

該報又以「『五五憲草』的幽靈作祟」爲題，評論抨擊修憲派。該文痛斥「修憲派之眞正的目的」，「主要在恢復『五五憲法草案』的本來面目。」「所以十年來國大代表們所日夕孜孜不已必須求其貫澈修憲目的者，無他，企圖取得『五五憲草』所規定之職權，以擴張自己的『權力慾』而已。此次雖藉着擁護總統連任這個好題目而主張修憲。」若是「拆穿來講，如果現行憲法有關總統任期第四十七條可以被開修改之門，則有關國大職權第廿七條之修改，寧有不繼續跟進之理。這個如意算盤是打得不錯的，但因此牽一髮而動全身，勢必成爲庸人自擾，於國事何補？」社論認爲修憲派若不能湊足法定人數，企圖修憲，就是「再來一次絕食抬棺的表演，要想恢復『五五憲草』擴大自己的職權，恐怕還是希望渺茫不容易實現的。」（張健生于台北）

考選政策之今昔

談「攷用合一」「即攷即用」與「不用不攷」

●馬周●

台灣通訊

當此間盛傳本年高普考試應考人新加年齡限制（三十六歲以上不准應考），各報紛紛刊登讀者投書，反映各方面的反對意見以後，考試院先則發表了一段未決定採納是議的聲明，繼而於五月十日公告本年八月十日舉行四十八年高普考試，把考試類科停辦了十九類。使大家驚愕不已。

五月十一日考選部部長黃季陸氏特別舉行了一次記者招待會，對本年減少類科和他主持考選行政的大政方針有所闡述，總其要點計有兩項：（一）考用必須合一，即考即用，不用即不考；（二）應考人年齡必須加以限制，以利新陳代謝，俾能「位暢其流」，因此而涉及到年老公務員的退休問題，黃氏主張將公務員的退休年齡由六十五歲降低到六十歲，俾年輕人可以按級陞遷，樹立健全的員吏制度。黃氏在行政院政務委員任內，以「調整權責」見知於當局，今調任考選部長未及一年，對於考選大政，又有新猷。

筆者回憶自民國二十年舉行第一屆高等考試以來，一直到大陸撤退爲止，考試院舉行的考試沒有一次不是即考即用的，但是因爲人事制度沒有能健全起來，私的人事關係影響各機關首長的用人，分發任用的人，不是投閒置散，就是設法擋駕，如果國有大變，如像抗戰遷都，大陸撤退，在疏散的美名下，首當其衝被遣散的却是考試及格人員。

政府遷台以後，更因實行人事凍結，緊縮編制，雖每年舉行高普考試，每年及格者將近千人，但是並不分發任用，任其自生自滅，美其名曰「資格考試」，另一方面，各機關閉緊了大門，却大開後門，任其私人進出，考試院既無法任用考試及格人員，却另辦儲備登記，使不經考試而獲得任用資格者有十餘萬人之多，而這批人又多能進出後門，致使考試及格的人更是走投無路，按之此間各機關的實際情形，「人事凍結」只是一付擋箭牌，員額繼續增加如故，員額編制的有擴增，却偏偏對年不足千人的考試及格青年擯之不理，實乃對「即考即用」政策的諷刺！

可是問題的關鍵在「考用合一」的實行，[illegible]

國際動態拾零

△赫魯曉夫現不願予英美以難堪，固不欲此時在外交上攤牌。他認爲美民主黨及英國工黨必將執政，亦較易應付。他且預料西德將由社會黨繼基督民主黨主政。

△最近華沙約國，在莫斯科開會，東德與波蘭，對東德將結和約一事，曾起爭論，因而休會五分鐘。在秘密會議席上，葛氏提出警告，謂將來在公開場合，祇許有一種論調，不可表現分裂。

△有六位印度瑜伽大師，願教蘇聯首批航行太空之男女旅客。大師們授以控制呼吸與肌肉的方法。

△英菲爾親王，作一百天之殖民地訪問以後，下一次旅行，傳訪問蘇聯。但須在外長會議以後，始克成行。

△中印關于西藏的糾紛，他與尼赫魯曾作數項通訊。赫魯曉夫將出任調解。在最近數週內，

△約但王胡辛將設法博取國際輿論贊許，其道爲將上年度四千萬美援帳目，在明年四月他到華盛頓時公佈。

△美國欲與納塞修好，鼓勵其停止攻擊伊拉克，伊朗皆恨納塞，而英國又與伊拉克妥協，以保持其煤油權利。但土耳其

●陶然●

論中山思想

莊史生

讀貴報五月十三日甘家馨先生論「國民黨的悲劇與覺悟」一文說到殷海光先生論五十年來影響思想的人物，祇提康梁胡陳四人而「對孫中山的思想，根本不提」，深致不滿。這一點，我對甘先生同意，對殷先生同情。

新近還得讀蕭公權先生舊著的「中國政治思想史」（中華文化出版事業委員會出版）尚未閱。經甘先生這麼一提示，而我個人又覺得六十年來在政治思想中最具創造性的莫過於孫先生的從訓政到民權，從平均地權節制資本及發達國家資本爲社會主義的兩大柱。（在北伐統一時代哪一個做大小公務人員的不知道這些；那時引用這些來做文章，更像腹儉到祇會引三字經一樣。）且看蕭先生的書裏有沒有談到中山思想。翻開一看，果然沒有。在戊戌維新章（第廿一章）有康梁和譚嗣同，在辛亥革命章（第廿四章）有兩節分論鄒容章炳麟兩人思想，而對於中山思想既無專節，僅於「同盟會時代之革命思想」節內說民報胡氏（漢民）之六大主義「大致根據三民主義，可視爲同盟會時期受中山先生指導，公認之革命綱領。」顯然，這節所討論的主題是六大主義，而不是三民主義。這兒，顯見有規避的跡象。學人們最重視自由思想自由討論的。在自由中國裏，倘若認爲自由地討論中山思想，便要「自干未便！」因此中山思想的精義漸漸和人們的靈魂疏遠了。

祇有天主教教皇才有「無誤」（Infallibility），祇有共產世界才有「偏差」（Deviation），凡一國家不容有對統治者所尊奉的主義作批評，不容有異於統治方面對這主義所作的解釋的解釋，這國家便有自由。發揚光大中山思想必須從批評開禁始。（五月十四日于台北）

竹籬幽秘

「共產主義出懶漢」

五月九日，中共中央「國務院」發出指示，要求及時做好夏季糧食、油料征購工作。指示認為要做好這一工作，必須要從下述四方面着手：一、「抓緊時機，進行收割、做到細打細收、晒干揚淨、地淨場光、顆粒還家」。——把這樣的事列為第一項，是這一指示的特色。這一特色反映着農村的田間工作，收穫工作的粗糙程度已經引起了壓倒性的注意；使這種粗糙回復到以前的細緻，已為現階段農業工作中的首要任務。其粗糙究竟到達何種程度了呢？五月十三日「人民日報」社論有這種說明：山西的長治等地區因為去年秋收粗糙，不得不重收一次，結果從地裏揀回一億兩千萬斤糧食；陝西咸陽的紅旗等四個人民公社，已經收後過的地裏揀回四十五萬斤糧食，平均每社十一萬多斤，這是一個可驚的數字。其中情況，恐怕不僅只工作粗糙而已，還有種「共產主義出懶漢」的原因存在。

不能自圓其說

二、「今年夏季農業稅征收數字沒有增加」；「由于農業生產的迅速提高，統購數字佔農業產量的比例比往年降低了」。統購應當動員公社各級幹部和全體社員「把多餘的糧食和油料賣給國家」。三、「無論在城市和鄉村，在糧食消費上都應當瞻前顧後，細水長流」。四、糧食征購工作「必須成為一個時期的中心任務，這就要求我們堅決實行快收、快打、快征購，快運送的原則」。「一定要防止放任自流的傾向」；也「一定要防止簡單從事，生硬急躁的傾向」。

第二項的前提是「稅收數字沒有增加」，「統購數字佔農業產量的比例比往年降低了」；按照中共的預計今年糧食產量要比去年增加二分之一，其增加的絕對數是三千億斤，平均每人要增五百斤，征購數字則與去年相差不遠，這種對比之下，在征購方面絕對不應該緊張。但從其要求動員賣糧食油料，節約糧食與反對「生硬急躁」來對待征購工作的情況來看，其所預計的糧食征購工作，還是非常緊張的。我們就算撇開去年的數字不談，單純從今年每人平均預計增加五百斤糧食來說，難道還不夠吃？何來這種緊張？在這個指示之中，顯而易見已不能自圓其說。

增產愈多羣民愈苦

糧食產量的數字雖年年提高，却與實際情況脫離得愈來愈遠，而按預計產量的征購數量却年年隨之增大，因此，農民的收入愈來愈少，所留存的口糧一年比一年的低，這是中共增產數字愈是提高，農民生活愈苦的實際情況。在上述不能自圓其說的指示中的不應緊張而緊張的措施方面，又一次說明了這種農村實際情況的存在。強要叫人民稱為「親愛的毛主席」啊！實在應該檢查這種農村的實際情況，閉起眼睛來光聽幾個製造數字的專家製造數字，究竟還是解決不了大陸經濟問題的！

◦田心◦

城市裏的「人民公社」

◁本報特稿▷

自去年八月間，中共在北戴河舉行最高國務會議，決議在大陸推展「人民公社」化運動以後，不到兩個月的時間，農村已經基本上完成了「人民公社」的組織。看當時的趨勢，頗有乘勢席捲城市的可能。城市居民，特別是工商界，都因此受到極大的震動。反抗空氣十分濃厚，由此而產生的恐懼、悲觀、消極的情緒，已使城市的生產、生活陷於混亂狀態。同時，農村「人民公社」雖然完成了組織形式，但基礎並不穩固，反抗與破壞的行動仍在不斷的發生。由於這種種情況，中共才不得不把城市的「人民公社化」推遲一步。

推遲一步並不單純是等待，更不是放棄，事實上中共既然認為「人民公社」是過度到共產主義的橋樑，又認定是共產主義社會的基層組織形式，當然不會因遭受人民的反對而罷手，也不會無期的遲延。中共中央總書記鄧小平，去年十月間在河北省進行視察時，就曾經說過：「城市辦人民公社是大勢所趨」，意即不可避免。

半年以來，中共對城市進行「人民公社化」所採取的步驟，從方針上看，目前只是試點。試點的方法一個是蠶食，一個是鯨吞。所謂蠶食，是在一個城市中，劃定某幾條街道里弄，首先組織公社。鯨吞，則是把整個一個城市組織成為一個公社。這種試點工作，發展下去，可能不需要很長的時間。一般城市公社化的運動，必將被掀起。

這裏試舉幾個實例，供讀者參考。

貴陽南明區「衛星人民公社」

貴陽市南明區「衛星人民公社」，在去年八月底就成立，是由市府路第三段的五百零九戶職工家屬，街道勞動羣衆和其他階級人民聯合組織而成，共有人口一千九百廿人。公社成立以後，街道上的民辦工業、商業、治安保衛工作和文教衛生、生活福利等，都由公社統一領導。勞動力亦由公社統一安排。

在該公社成立時，中共貴陽市市長趙克強，在講話中告訴全體社員：「街道公社建立以後，首先要全力以赴，有人出人，有東西出東西，有技術出技術，有房屋出房屋，大辦小工廠，為公社創造物質基礎。」

貴陽市民，對於組織公社反應如何呢？據「貴州日報」報導的情況是：職工家屬、翻身戶、勞動婦女大都很積極。但是在勞動羣衆中青壯年的婦女，認為組織公社以後，勞動力統一安排了。再「不得前途」，老而無依的婦女雖然願意入社，但是這些人的入社，是想一入社就有福利可享，把自己養起來。資本家的家屬、房主等，顧慮最多，怕入公社後，自己家裏所有的東西都收歸公社所有，人民公社標榜統一，再沒有自由。（以上均見於五八年十一月卅一日「貴州日報」）

貴州遵義「幸福人民公社」

貴州省遵義市城關點公社，「幸福人民公社」，這個公社的組織情況與成立時的情況均無詳細報導。但遵義市人民反對「人民公社」的激烈情形，却已見於「貴州日報」（一九五八年十一月卅日），據該報說：「遵義市幸福人民公社自成立以來，一直存在着兩條路線的鬥爭。」「打擊敵人的破壞活動，一小撮敵對分子和壞分子進行了各種不同的反抗，表面贊成，背地破壞，有的是暗中造謠破壞，有的竟公開威脅。」該社謝國榮說：「今天是你們的天下，異日天亮之時，我一定將你們一刀一刀的割。」由於羣衆反對的如此激烈，所以該社的「保衛組織」（黨領導下的特務組織），「首先將敵對分子和壞分子進行了深入的調查，然後又將所發現的一些表現不好的地、富、反、壞、右全部集中起來進行勞動訓練，又採用黨記掛帥，公安人員民兵上陣的辦法，對五類分子進行一次評審。」據說：「這樣才有力的打擊了敵人的反動氣燄。」

江蘇南通「城區人民公社」

南通市「城區人民公社」的組織情況，見於最近「政協」大會上陳鶴琴的發言中。據他說：南通市是一個中小型的工業城市，面積一百一十六平方公里，人口廿七萬。在這廿七萬人口當中，郊區佔十四萬多人，城區十三萬五千多人，除機關、工廠、學校和企業職工以及未成年的和年老的以外，有二萬六千六百四十七人，共同組織了一個城區「人民公社」，所有勞動力都參加了生產。

◎南通是江南富庶區域，是棉花集中地，紡織業很發達，人民生活向極優裕。但據陳鶴琴說，這個「城區公社」的社員，「參加勞動生產後每個社員平均工資十五元左右」，以收入來看，這個公社自較其他公社為優。」不過這種較優的程度亦只夠維持一日三餐而已。因該社食堂菜價規定「最低的三分錢一樣，最高的二角五分錢。」如果每天平均吃三樣菜（每餐一菜），平均為三角錢，則菜錢已去九元，再除主食，則所餘無幾。如果有老人與幼兒則無法負擔。以過去南通人民的生活情況來說，「人民公社」成立以後，人民的生活水準是提高，還是降低，是富裕，還是貧困，這是無需爭辯的事實。

發言中又指：「人民公社建立以後，人民思想覺悟提高了，對各項運動都很積極，去年大搞鋼鐵時，數以千計的社員，都夜以繼日的戰鬥在高爐旁邊，或輪流參加敲礦石，砌火泥等勞動。」人民「夜以繼日」的搞鋼鐵，是否是「思想覺悟提高了」，抑或是「人民公社」的結果，今天已無須多作解釋。可見城區人民組織「人民公社」以後，人民生活既未見提高，勞動的担子却越來越重了。

總之，城市「人民公社化」是時間問題。公社試點工作，是中共採取的一個步驟。中共將在這一階段中吸取控制的經驗，其與人民生活是否有利，這是另一問題。不過就人民反抗的情形來看，硬說「人民公社」是出於人民的強烈願望，這也是胡說。（大鵬社）

大陸文壇透視　◎七叔

派系傾軋迹象漸分明

反右派後，中共仍然利用「百家爭鳴」這一口號，在文藝界中進行了長時期的爭鳴。方法分為三種：一是貼大字報，二是文藝單位召開座談會，三是文藝報刊發表評論文章；不過要遵照毛澤東處理內部矛盾的六大原則，即對黨和黨的領導，不能抨擊。這樣一來，爭鳴便成了派系互相傾軋的工具。甲派要攻擊乙派，便在可能範圍內盡量利用上述三方法進行，乙派攻擊甲派亦然。因為不是出自黨中央的授意，結果是不了了之，誰也打不倒誰。

對於某一作品的討論，說好說壞兩極端，說好的一方說作品深入反映了生活，深具教育意義；說壞的一方說作品歪曲了現實，引起不良的影響。公說公有理，婆說婆有理，因為都在引證馬列毛的教條，各派系傾軋顯示出來的評論文章，除了少數名家外，便是很陌生的「讀者某某」，以外便是各大學裏的「某某文學評論組」，還不能看出對峙雙方的真正主角是誰而已。

從去年巴金事件起，到今年詩歌討論和批評老舍作品，這是比較容易知道雙方的主角的。在這三件事中，一邊是張光年和田間，一邊是何其芳與卞之琳，旗鼓相當，各不相下。張光年攻擊的陣勢很大，除了他所主編的「文藝報」這一陣地以外，還有武漢、上海三地的刊物，而中共現在的新「詩人」也大都站在他這一邊。何其芳反擊的「砲彈」和「火藥」，雖然比較少，但他所主持的「文學研究所」和「文學知識」兩刊物，却在中共文藝界上層和下層都極具權威性。現在周揚已打了第一砲，看誰的裂痕……。

張光年還遲遲未發動第二次攻擊，可能已由黨內調解，暗促雙方收兵了；但這一裂痕恐怕就不那麼容易消除，說不定以後再有機會，雙方的裂痕更加擴大起來。

老舍的事似乎已經「淺嘗輒止」，本欄前已加以分析，他的對頭是郭沫若。當他的「茶館」在上演前開會討論時，林默涵等曾提出過批評，陳白塵、焦菊隱却肯定了這部劇本。「文藝紅旗」上那篇評論，因此大捧林默涵等，鎗口又對準郭沫若、焦菊隱等掃射了一下，那篇「軟」硬「怕」，這也正是郭老新作「女店員」正在上演的時候。現在「教育」家庭婦女參加勞動的劇本，中共認為滿意，至於郭老就不能不看風轉舵了。巴金的對頭是誰？我想在下期談「女店員」的內容後，即行向讀者揭曉。

瘟君夢

岳騫

第二回：密室定奇謀　巴山留遺恨　蒼生塗炭　弱絮隨風

毛澤東沒有覺察，繼續說道：「又過了幾天，我就要動身，赫爾利和張治中說已從重慶趕來，事情又發生變化，最後一次召開的中全會，李立三突然說，為了防止我去重慶被國民黨留作人質，他提議訂下一個放蠱的辦法，在大會上居然通過了。」

監顧詫異萬分，問道：「怎麼放蠱，這個名字我從未聽說過。」

毛澤東笑道：「你不是湖南人，聽到放蠱自然就感到陌生了。事情是這樣的，在湘西的苗人區域，他們有一種邪術，用五種最毒的虫，普通是蝎子，蜈蚣，壁虎，蛇，蝦蟆，俗謂之五毒，放在一個瓦罐裏，隔了一個時期，取開一看，還剩下一條活的，就是最毒的，用這種毒虫，可以配成一種藥，能向生人下蠱，叫做蠱藥。」

監顧捫嘴笑道：「你們湖南人的玩意眞多，怪不得出了這麼多的人物，不過，你還沒說到怎樣放蠱法。」

毛澤東笑道：「你未容我說完就插嘴，怎能怪我。放蠱的事情大都是年輕苗女作的事，苗女喜歡漢人，但是漢人又靠不住，隔一個時間總要回家探望一次，苗女怕愛人不回來，當他臨行時，取點蠱藥放在飯裏給他吃下去，限定三個月時間，如若三個月不回來，蠱藥就發作，就要死去。」

監顧搖搖頭：「我還是不懂，李立三要向你放蠱，他那來的蠱藥呢？」

毛澤東搖搖頭：「這不過是個比方而已，他當時說，假若毛澤東同志到了重慶三個月不回來，就證明已被國民黨扣留作為人質，我們就仿照放蠱的辦法，採取斷然處置。」周恩來插嘴問了一句：「怎樣處置呢？」陳紹禹冷笑一聲：「有張國燾的例子，就按那個辦法處理就是了。」

我當時聽了跳起來，張國燾是國民黨之邀去開會，同人完全不同，怎能把我援他的例。李立三看到大家的情緒都有些不忍，知道一時通不過，當時又換一付口氣向大家說，我提的放蠱辦法，完全是為毛澤東同志着想，假若他眞被國民黨扣留了，我們仍擁他作領袖，國民黨越覺得他重要，搶先貶低他的地位，讓外面知道他已不值一文，國民黨眼見扣留他沒有用，才會放他回來，橫豎只要他能回到延安，主席還是他作，又沒人同他爭。」

監顧點點頭：「這話到也有道理。」

毛澤東恨恨說道：「就因爲他說的有道理，在會議上沒有一個人反對，竟然一致通過了。」（卅八）

武漢一批大專師生北大荒勞改

武漢市武漢大學等院校的師生，去年六月至九月曾被押往黑龍江省北部的「北大荒」參加勞動。這是武漢院院長夏堅白在「人代會」的發言中所透露的。他並講出了在「北大荒」的生活情形：「地區荒無人烟，沒有任何交通路綫，而且野獸很多，蚊、虻、小咬、草爬子密麻成羣，受蚊虻的侵害，是最嚴重的。上學的臉上，鮮血直流。在野外迷失了方向而來不及回來時，為了避免野獸的襲擾，同學們爬到二十多尺高的大樹上，用繩子捆着自己睡覺。腳露出後就成黑色（因用沼澤瀦水洗腳）、牛虻成堆。普通草地一般深到腰，身總是整天泡在水裏，甚至有的地方裂口出血。有的人……」

將大學師生驅到墾荒地去勞動，去過非人的生活，這就是中共「改造知識份子」的實驗。（贊）

釋耒集

載道與言志

荀子曰：「美善相樂」，可見藝術與道德，其間本無矛盾，但後世道德家，強調道統，以禮教爲桎梏，對於藝術家往往熱其美醜，道德家又不免道岸自高，以爲一身繫天下之綱常名教，認藝術家風流放蕩爲叛道離經，于是道德與藝術，遂如水火之不能相容。昔有問伊川曰：「何時可以打破誠敬？」朱子論詩，謂「老杜穿花蛺蝶深深見，點水蜻蜓款款飛，實句未嘗不工妙，究亦做得甚事？」故在文學上載道與言志之兩派，遂亦變成壁壘，不容逾越。考漢書藝文志，敍列詩賦，首曰：「不歌而誦謂之賦，登高能賦，可以爲大夫，言感物造端，才知深美，可與圖事，故可以爲列大夫也」。班固所言，竟在才知深美，可以與事之語，後世批風抹月，遂至嘔出心肝，或爲一字之奇，終日踟躕門首句之行邪，原無當于詩人之大旨。司馬遷亦以爲：文王演周易，孔子作春秋，屈原之離騷，左氏之國語，以至呂氏春秋，韓非說難之作，均聖賢發憤之所爲，故曰：「此人皆有鬱結，不得通其道也。」是故平心而論，我國傳統文學見解，實應以載道之說爲主，言情詠物，特其餘事而已。大抵後世若干作品，玩味，不足以圖事之作者日多，爭爲遊戲耳。

然無論其爲道德家或藝術家，其爲人所讚美之者則一，歸取之皆可以自娛，或竟可以獲利，世運升降，每下而愈況，晚明之際，義理遂陽明之餘緒，文學承王李之頹波，又均主不必讀書，于是空疏蕪穢，衆而有之。儒林文苑，紛紛者皆聖人與山人之流，李卓吾焚書卷第二，遂不禁慨乎言之曰：「今之所謂聖人者，與今之所謂山人者一也，特有幸不幸之異耳。幸而能詩，則自稱曰山人，不幸而不能詩，則辭却山人而以聖人名，幸而能講良知，則自稱曰聖人，不幸而不能講良知，則辭却聖人而以山人名，展轉反覆，以欺世獲利，名爲山人，而心同商賈，口談道德，而志在穿窬」，其言雖激，要皆有所見而云然。降及今日，吾輩所見詩人墨客，行雅集以沽名，大人先生，言功利，效率，注心于爲商賈，有著述者，又目的在爭取教育部之獎金，故每年必有，遷所云：「不得通其道」者，蓋愈趨而愈遠矣。

曲齋

坐着等反攻

坐着等，可說是中國人的習性之一種，這種習性使許多有作爲的人變成爲懶漢，不思而嗜試。

但是也有另一種形態的坐着等的人，那就是中國人中的既得利益集團份子，這種人其實並不是懶漢，因爲他們在未曾發達之時，個個是生龍活虎，但既經發達成爲既得利益集團的一份子，就只想坐享其成了。此外他們還有一個顧慮，就是怕有做什麼會影響其既得利益，所以寧採取一動不如一靜的態度。

最近香港的一些民營反共報紙，大家都在嘲弄「從大陸反攻大陸」的妙論，其實這是坐着等的經驗論，而且是成功的經驗論。因爲坐着等曾經出現過奇蹟，原子彈在廣島長崎爆炸後就勝利來臨了。現在的形勢今不如昔，除了坐着等之外，也實在別無它途，可是坐着等也要有一定的策略，於是「從大陸反攻大陸」，就不失爲是反攻的「上策」了。區區雖並不贊成，但亦離以提反對的高見，無它，因爲我自己也具備思想上的懶漢。既然反共四十年經驗者有此主張，大概也不會錯吧？何況即使錯了，還有第七艦隊作保障呢？我們盡可高枕無憂矣！還是坐着等反攻吧。

· 懶漢 ·

鐵籠與松鼠

· 楊海宴 ·

我不知道究竟要怎樣作。許多哲學家視這種徬徨爲不智或低級情緒，孔夫子說「五十而不惑」。這也許只有這位「天縱大聖」纔能做到。不惑！天啦，人眞能不惑嗎？這在於我簡直是不可思議的！

無法不招認，只要我清醒，我是隨時都在困惑中尋思生活滋味的（我害怕用「生活意義」這類字眼），而我愈尋思，我愈是痛苦，愈是困惑。二千餘年前那位莊老先生說的「大塊假我以形，勞我以生，佚我以死」的話，便是在我常時尋思生活滋味時，很自然很響亮的震動心中。「智者不惑！」當眞有這樣的智者嗎？無疑，至少我是離這類「智者」境界很遠很遠的。想來想去，人生果眞有幸福的話，那也只有六歲以內的兒童，或者澈澈底底的白癡。所以春秋時期那位騎青牛過函谷關的李老子，處處叫人無慾，無智，無爭，也就是處處叫人做白癡。因爲惟有如此，人方能接近一點點幸福的邊緣。細思自己這一生確實完了時，不覺啞然失笑。我這裏所謂「完了」二字，當然具與一般世俗的生活意義相對待而言的，否則也就無所謂「完」，無所謂「了」。或者生命開始處，也就是生命的完了處。我當然也能體會到若干抱持「入世執着」的人生觀念的人，必視我的這番話爲不可救藥的悲觀論調，必以振奮人心的堂皇語句來譴責我，他們這番苦心我很能體會到的。主要的我也是曾經從他們這枝隊伍中掉隊下來的，而最不可饒恕的，似乎還是在於我非常甘於這種「掉隊」的地位，我甚至於視此爲得救。依我想，孔夫子那樣的德配天地，尚且被人譏評爲「栖栖惶惶」，可能就是由於這位老先生還不大重視這份「得救」的價值之故。我們國家人文上的傳統是喜歡強調「宇宙」，「羣體」，「大我」這類名詞上的價值的，而甚少傑出之士認識個人的重要地位（老子，莊子，楊子雖然認識個體價值，但被正統人士斥爲邪道，因則得抬不起頭）。其實「宇宙」「羣體」「大我」也者，都是一些經不起實驗的字眼，空洞的，武斷的，不合邏輯的。也由於如此，我們民族是一個抽象至上的民族，是一個不大懂得批判的民族，歷代的野心家們，也就看準而且極其巧妙的利用了這個弱點，製造舉不勝舉的民族的大劫難。

我不是在做無聊的論文。我只是在自己的人生灑上試尋出一點我的所承受到的歷史上的束縛。因而很不自禁的提到了上面那點不成熟的看法，人的悲哀處，似乎在於我們盡是把自己不列於動物一類，而實際上却又無法超脫動物的範疇。

有一天，我到一個朋友家裏，看到這個朋友新添了一件玩具，那是一隻裝在如電風扇外殼的鐵籠子的松鼠，牠像一個勤敏有恒的農夫不斷耕耘土地一樣，用牠的兩隻前足不停的向上爬，以致那中間裝有軸心的鐵籠子，由於牠的前足爬動，而迅速旋轉。可是那隻可憐的松鼠却並未因牠不息的向上爬動而稍易其位，牠永遠是停留在原處。然而牠自以爲向上爬，自以爲能爬出一個新天地。

這是一隻壯健而勤敏的松鼠，毛色介於黑與灰色之間。我從進了朋友的家，視綫一直被他的這件新玩具所吸引。牠的奮鬥精神是可佩的，那樣的忍耐，毅力的，那樣的用牠的兩隻前足，迅速的向上爬，可是永遠不能移動一步，永遠陷在那悲哀的命運深坑裏，永遠爬不出那個套住牠的大鐵籠。牠愈是向上爬，我愈是被牠那種不屈不撓的，沉默而堅忍的精神所感動。我望着望着，非常難過，分別不出是憐憫這隻可敬的松鼠，抑是憐憫自己？

我眞是但願沒有這個「我」的，如果可能的話，我願是一棵樹，一株草，或任何一件別的甚麼。這世界陰冷沉悶如冰箱。誰說人生不恰是一隻鐵籠子裏的松鼠呢？（四八、五、十四在桃園）

更正

八五六期四版談厚黑學十八行「却比高官勝一般」應爲「却如天爵勝般般」

粟海彈心錄

洪憲軼事

名妓陳文卿附

民九，曾雲霈與陳文卿擇吉結婚於滄州旅社，場面之大，說者謂爲上海從來婚禮所未有者，予於時始識文卿，風姿爽朗，而年愈花信，霈則雖四十許人，猶新郎也。曾四號稱福建才子，風度翩翩，早歲拔貢朝考授知縣，署順天大興縣時，段芝泉先生辟爲幕友，後任交通總長總數督辦近十年，至是始如禮成室，嚗於鄉黨，賦關雎而稱夫人焉。

民十三，雲霈被馮玉祥羅於南苑司令部，勒贖三百萬圓，曾雖書生，性極倔強，一文不與，遂成僵局，馮聲言撕票，曾亦有自度必死，段執政末如之何，關內外有力者爲之請，馮則指天誓日，否認其事。一日有著上將服者，乘新式軍牌轎車至南苑，門衛爲之荷槍敬禮，直至雲霈所拘之室，語門者，張馮二總司令，約我陪曾先生赴豐澤園開會，攜手同行，登車飛馳而去，經通州至天津，此神密上將，時惟曾四一人知之。抵曾寓，舉家慶喜，上將乃握手告雲霈，君可少息，我過某浴室滌塵更衣，依依低首緩步出門而去。抵暮未歸，斯人自此渺如黃鶴，僅攜去結婚時某銀行妝奩費八萬金存單一紙，雲霈每時時慮其紙以爲繼也。夫婦之間，各有千秋。

二十五年，予自香港移居津門，一日與文卿邂逅於天津公園，相見頗唏噓，當將其身世介之內子，寒暄畢，要予夫婦過其家晚餐，予欲乘便得其究竟，內人則以出門未曾關照用人爲辭，乃詢四嫂有車無，遂以車送至其家，予亦不之強也。談次笑謂文卿，此間得毋忌諱否。文卿凄然自語，既棄哲子，又背雲霈，此心碎矣。予復詢以背之之故，文卿乃反脣相稽，君豈不知曾四未可同居耶，然則拚生死以犯虎狼者又安在？此妾所以報曾郎滄州旅社之一夕，告其祖宗親友而爲曾氏婦矣。伊時雲霈尚氣，不屈，家屬葷財不與，政府制裁無力，以書生而陷虎口，捨此險著，寧有全理，然亦籌之已審，自古首腦好貨，屬下斷無不貪汚者，自爲小人，又安能率人之爲君子，妾之往返奔波，早視此輩如無物，故得迎刃而解，履險如夷。至此乃告以雲霈，近居北平，能電詢否？文卿哽咽淚下，倘因緣未了，相期來生，還君寄語，雲霈珍重。歸述其事於秋農，相與嗟歎而奇其爲人者久之。（下）

· 阿公 ·

清平樂

· 張華煥 ·

啼春乳燕。巧語如鶯囀，消息無憑心又懶，芳草暮寒弄晚。寶杯金縷紅牙。醉魂幾度兒家。好夢醒來無覓，東風不禁楊花。

烏夜啼

· 前人 ·

殘暖紋波冉冉，催晴細雨濛濛。輕衫短帽香江路，燕語亂花中。別後怕看楊柳，歸期暗數芙蓉。日長不與春慵困，昨夜又東風。

江城子

· 前人 ·

青青楊柳水邊橋。水迢迢。柳搖搖。舊怨新歡，擬把淚痕消。我是行人君是客，都有恨，兩無聊。惱花風雨送歸潮。山谷外，暮雲翹。一剎別魂，銷盡遣誰招。又是多愁時候也，天亦老，恨難描。

「能」和「病」

有忠心之能？不能免貪污之病！

· 陸夢墨 ·

一個人的志行，在其有否個性，而文章的價值，亦貴乎作者的個性，章學誠習性云：「莊周屈原，其著述之狂狷乎？屈原不能以身之察察，受物之汶汶，不屑不潔之狷也。莊周獨與天地精神相往來，而不敖倪於萬物，進取之狂者也。」莊周和屈原，都有強烈的獨立性格，以眞情見文章，所以才有不朽的價值。但他們這種性格在才識中是「能」，在處世中是「病」。屈原想不開這點，終於鬱鬱而投汨羅，看來還是莊周聰明些，「文人老去皆學道」，這種與天地精神相往來的功夫，足資寄托貶抑的壯志，亦是保身的明哲。

才識之士，大抵不容於俗黑，狂狷也是他們保護自身的本能。古來非大英雄不能用「能」者，也唯有大英雄才容忍得了他們的傲岸。漢高祖之能成王業，忍了他手下三傑的多少氣？劉備聘賢，要三顧茅廬，不敢驚動孔明午睡，在簷下立等，這是何等低聲下氣。所以曹操承認劉備是英雄，而不是關張等輩。

薛瑄的猫說：「余家苦鼠暴，乞諸人得一猫，形魁大，爪牙銛且利，余私計，鼠暴當不復慮矣。以其未馴也，縶維以伺，候以馴焉。羣鼠聞其聲，相與窺其形，類有能者，恐其噬己也，屏不敢出穴者月餘日。既而以其馴也，遂解其縶維，適視出戲雞，嗚嗚焉，遂起而捕之，比家人逐得，已下咽矣，家人欲執而棄之，余曰：『勿庸，物之有能者，必有病，噬雞是其病也，獨無捕鼠之能乎？』遂釋之。」

誠然，物之有能者必有病，這故事若引喻作：「傲岸不馴是其病也，獨無才識之能乎？」則是英雄用賢之道，才智之士對事自有他獨立見解，不會事事都唯唯聽命。

自然這個故事還可以有另外的解釋，如果說：「貪污是其病也，獨無忠心之能乎？」則非筆者所能苟同，我看還是「執而棄之」好！

幽怨集

· 陳永昌 ·

△天賦我們兩隻耳朵，但只有一根舌頭，那麼，這就是叫我們多聽話，少說話。

△一座破壞的燈塔，比一個沒有記錄在地圖上的暗礁，具有更大的危險性。

△信仰是生命裏最神奇的東西，它既不能放在天秤上去衡量，也不能放在試管中去化驗。

△有自由，才有幸福，一個失了自由的人，等如一頭在籠中的鳥，是永遠得不到幸福的。

△痛苦是歡樂的影子，它永遠追隨着歡樂。只有知道怎樣適應它們的人才懂得怎樣生活。

△當一個男子並不因爲什麼特殊理由給他太太買一串花朵時——那一定有一個特別的原因。

△我們最大的悲哀是從未眞正地過活，我們常在期待中渡過。

△男人應當盡早結婚。如果你的妻子是好妻子，你能獲得快樂，如果是壞妻子，你將變成一個無忤的哲學家——兩者對於生活都是求之不得的好事。

自由人

THE FREEMAN

（第八五八期）

中華民國僑務委員會

郵發登記證台教新字第一〇二號

中華郵政台字第五〇〇號

執照登記爲第一類新聞紙類

（半週刊每星期三　六出版）

每份港幣壹毫

台北市售價台幣貳元

督印人：陳文華

地址：香港高士威道二十號四樓

20 CAUSEWAY RD. 3RD. FL.
HONG KONG

TEL. 771726

承印者：東南印務出版社

地址：高士打道六十四號

台灣總經理處

台北市西寧南路壹[illegible]號二樓

電話：三〇三四六

台郵撥儲金戶九二五二

海外總經銷：友聯書報發行公司

香港：德輔道中二十六號A二樓

不容腐蝕台灣

——從最近一件骯髒與罪惡的事實說起

司馬璐

不久以前，台灣發生一件頗爲轟動的社會新聞。據台灣報紙的報導：這件新聞的主角，一位是巴黎的僑領，一位是政府派到比利時主持國際商展會中國館的負責人，一位是台灣的名交際花。這幕新聞中間，包括有招搖、撞騙、欺詐、姦淫種種骯髒與罪惡的事實。總而言之，這是一件臭哄哄的新聞。

我希望大家不要以爲這是一件不足道的社會新聞而已。我們必須正視這類新聞所造成的影響，以及產生這類事件的背景，這一問題所反映的內在意識是十分嚴重的。

當然，這其中的主角，這樣一小撮人，製造這些骯髒與罪惡的腐蝕份子，他們的行爲並不足以代表整個自由中國；但是，政府今天既以反共救國的口號相號召，反共救國是一個莊嚴神聖事業，則我們有理由要求政府肅清一切與此不相容的東西，一切骯髒與罪惡的行爲。我們反對共產黨，就正同時因爲共產黨的制度是與一切骯髒與罪惡的行爲分不開的。

今天我們要清除我們的缺點，用一點不關痛癢的藥膏在我們的瘡疤上塗一塗是毫無用處的，重要的是，必須把瘡疤揭開，把瘡疤裏的膿擠出，然後消毒，才能徹底加以醫療。

爲了鞏固自由中國這一塊反共基地，政府的負責當局，必須平心靜氣的作一檢討，爲什麼在今天的台灣，竟有若干腐蝕份子大開了方便之門？

腐蝕與滲透

我們不禁要問，政府既有限制入台的辦法，對於這類腐蝕份子，曾經嚴格加以考核與限制過嗎？政府曾經注意過，防止這種腐蝕份子的滲透與防止共黨的滲透同樣的重要嗎？

抗戰時，有一朋友對我說，國民黨人有一最大的弱點，那就是：過於講個人恩怨，不講政治利害。

平心而論，這評語對於國民黨人是相當公正的，國民黨人的可愛處是他們不像共產黨人，祇顧政治利害，不擇手段；但是，國民黨人所持的態度，其危險處就是爲了「個人恩怨」，因而也易于爲腐蝕份子製造有機可乘，同時也放鬆了對共黨的政治警惕。

試想，在一個「祇講個人恩怨，不講政治利害」的環境之下，腐蝕份子專在逢迎和鑽營上用功夫，不是極易于大行其道和竊取高位嗎？他們可以不問其能力如何，祇憑「親朋故舊」的關係就可以平步登天，這情形是合理的嗎？

據台灣的報紙說，那位被派到比利時參加國際商展會的薛某，本來已經在台灣犯案纍纍，那麼，我們要問，像這樣一個人，他到底還有什麼通天本領，取得出國的機會，而且還竟以一個負責的地位，沾辱了我們國家的榮譽！

某些腐蝕份子，他們即使在口頭上口口聲聲「反共」，但是，他們的行爲非但對反共無所裨益，而且是極端有利於我們的敵人的。換言之，腐蝕自由中國，腐蝕台灣的行爲，不管這種人口頭上是不是「反共」，而實際上他們的行爲反而是有利于共黨的。

腐蝕份子等於替共黨鋪平道路，使我們逐漸失去對共黨的作戰力，這批人的罪惡，和共黨的第五縱隊並不相上下的。

我們願意提醒我們的政府當局，假如今天我們對于腐蝕份子，麻痺大意，助長放任，那麼，我們可能像三十八年前後在大陸上一樣，敵人可能通過這種從內部腐蝕的手法，瓦解我們。

改革的先着

這次比利時的國際商展會，本來是自由中國進行國際宣傳的一個機會，今天卻由那些腐蝕份子在國外胡作胡爲，虛耗了國家的外匯不算，還要使國家多背上了一身羞辱，替自由中國丟臉。試問這些腐蝕份子豈不是敗事誤國。如果說這是什麼人的責任，如果我們永遠對這樣的事熟視無睹，對主辦這事的負責者不加制裁，試問我們的國家法紀何在？正義何在？

如果政府當局不能毅然決然，痛下決心，和腐蝕份子一刀兩斷，試想，任何一座堅固的大廈，在白蟻的長期蛀蝕之下，會有怎樣的後果？一個政府如果不能斷然制止腐蝕情形的蔓延，等于自掘墳墓！沒有一個腐敗的政府不是開始先從自己內部蛀蝕到崩潰的。

或問，今日談改革，應從何着手？我以爲第一步就是要肅清這類在台灣製造骯髒與罪惡的壞份子，掃蕩腐蝕份子。我敢相信，台灣如果少了這些壞蛋，對于這塊反共基地，祇有更進一步加強它的地位的。

我們的國家今天迫切需要一個健全的人事制度，執政者應該大公無私，用人唯才，不問親疏，祇問其對反共建國能否有實際貢獻，祇有如此，才能杜絕一個政府爲宵小當道，國家才有進步；腐蝕和損害我們莊嚴的復國大業。不要忘記，利用自由世界的弱點，在自由世界內部製造腐蝕，是共黨陰謀的一部份，而同時許多腐蝕份子，他們卻偏偏在不知不覺中，做了共黨的幫兇。

半週述評

悼杜爾斯

杜爾斯終於不治，自由世界少了一位鬥士，自由中國喪失一位良友，這兩大世界都悲悼，連蘇聯共黨，即使內心感到快慰，也不能不表示幾分悼念。

杜氏並不屬於所謂職業外交家的範疇，他卻是生長在外交世家，自幼就有志在外交事業的抱負，在凡爾賽和會，聯合國的建立，與戰後最初幾年間的外長會議中，他都曾有所貢獻。但他的最大成就卻是對日和約的締結，[illegible]他一手主持，[illegible]許多朋友，也樹立了若干敵人，當時的英國政府就曾對杜氏部署感到若干不快，[illegible]在示威中把杜氏人像加以焚燬。第二次世界大戰後，美國一躍而爲世界自由世界領導者，但直到杜爾斯於一九五三年初擔任國務卿之後，美國纔能真正用政策領導自由世界。就冷戰戰略言，在杜魯門艾契遜時代已樹立了規模，杜氏不是無所稟承，但杜氏卻對於那些冷戰政策賦予了遠見和信念。他不是一位在書齋裏中參考外交技巧的人（在這方面他的成就不如艾契遜），他是第一個以堅強意志領導自由世界的人。

身後功過尚難論定

由於近代國際關係的複雜錯綜，一位政治家的功過不一定是蓋棺時所能論定。例如羅斯福總統，一九四五年[illegible]林的罪惡[illegible]局仍在未定之天，要論定杜氏功過也許還嫌太早。但在當代政治家中，如此以全副生命致力於其政治理想，直到過分的辛勞而病倒，實在找不出第二個。[illegible]最茂，他[illegible]全體系，[illegible]俄的全球[illegible]且爲國際[illegible]逆流激盪[illegible]率，不甚[illegible]。但以今日美國國內外與杜氏自身的處境，我不相信有任何人能比他做得更好。今後艾森豪政權祇有短短的十八個月，實際已漸進入所謂「跛鴨」時期，杜氏能終於其任，即使未必會產生何等奇蹟，總可保持一貫距離，不致有失。由另一位生手繼此重任，即使是相當幹練的人選，總難免使人提心弔膽。

我們應該怎樣做？

杜氏對於東方的關切，可能植根於他的外祖父福斯特國務卿在馬關議和時擔任李鴻章顧問之際，他在本世紀初年也曾身任我國出席海牙和平會議代表團的屬員。在歷史上，他是第一位足跡行遍自由亞洲的美國國務卿，六年之間五度訪華也是一項空前的紀錄。他由衷地支持自由中國，特別是在兩度金門砲戰危急之際。他反對中共不是基於一時的政策考慮，而是出於思想與信念方面的認識。在杜氏的國際友人中，對他悼念之深，可能無人能出自由中國之右。今後我們在國際間，說不定會遭受艱苦的考驗。其嚴密如何振奮，有以表現，以爭取更多友人，是當前的迫切課題，同時也是我們所以慰杜氏於地下之道。

李秋生

蓋棺論杜卿

雅斯

美國國務卿杜爾斯昨五月廿四日已在自由世界人士的懷念中病逝了。

杜爾斯在任期內的美國國務院，向有「一人國務院」之稱，所以美國外交決策的執行，不啻是杜爾斯主義的表現。誠如紐約前鋒論壇報曾經說過「杜爾斯與艾森豪總統保持長久的密切關係及其與國務人員的關係，使我們可以斷言杜氏的方法及其基本政策，將繼續指導我們的外交事務的執行」。杜爾斯在過去六年中所實行的，雖仍未能擺脫圍堵政策的範疇，但那是一九四八年以來已確定了的美國國家政策。美國因爲曾受到自由世界嚴格的批評，引起人士的不滿，因此杜爾斯在六年來也受到若干不滿的批評，嚴格說來，那應該歸責於一九四八年已確定的圍堵政策，而不能完全歸責於杜爾斯本人。杜氏在執行這政策期間，外受莫斯科政策的威脅，內受華盛頓政圈內政策的壓迫，故在動靜云爲之間不免顯出若干前後矛盾之處，但其反共的基本理念，與反共的基本立場，是始終一貫的，爲世人所一致讚揚的。

如果說蓋棺可以論定，杜爾斯可說是未蓋棺而早已論定了。因爲在他因病不得不辭職時，不特艾森豪總統表示如失左右臂，全自由世界都自然地惋惜其辭職有如悼亡。在今天他的死訊傳出後，即使其平素政敵也說出一句良心話：「他之死是美國的損失」，甚至莫斯科對于他的病逝消息也報導而不加毀評。他折衝與兩大極端的矛盾而不可協調的談判中，而依然能夠維持不姑息立場，同時又能夠保持其政壇風度，故能使世界對他一向譽多于毀。

就美國立場言，誠如路透社記者所言，「誠憑他的手，他的聲音，引導着艾森豪與美國渡過歐洲，中東，遠東等地區的歷次危機」。在他六年任期內，他曾經作過將近五十六萬英哩的旅行，參加過數十次的世界性會議，辛苦而堅強地爲美國擔起了領導世界的責任。就自由中國而言，尤其特別感到關切，儘管我們不能滿意台灣中美協定的簽訂，但在現實主義氣氛籠罩下，他始終獨排衆議，支持台灣，支持不放棄金馬的立場，反對承認中共政權，反對中共加入聯合國，這不但由于他與中國有歷史淵源，主要的實由于他對中國問題對中共問題均有深切的認識。

由于杜氏的病逝，令人體認到：一位政治家的成功條件，不盡在于他有一套圓活的應付手腕，而尤其在于他始終能夠堅守一個原則性的立場與道義的基本理念。

自由世界將會永遠記起一位朋友來，正如不久以前紐約「時代週報」所描述的：「他是一個身軀修長岸偉，面部表情嚴峻，兩眼表情審慎，兩肩微聳，口角分左右傾斜，常有一條帶得歪斜的領帶的人物」。他就是杜爾斯。（寫于杜爾斯逝世日）

自由談

孤憤之談

在亂世的社會現象中，最足以覘驗一般知識份子做人的風格，上智與下愚，凡夫或高士，不期然而然地皆窮形盡相，表現得清楚明白，殊少隱遁，眞是歎觀止矣。

自從大陸淪陷以來，許多過去擅長喊「蔣委員長萬歲」，「蔣團長萬歲」或「中華民國萬歲」的士大夫如黃炎培張治中之流，相率投靠秧歌王朝，做着摧毀中華民國及鏟宗廬墓的賣國殘民勾當，固無論矣。即一些反共非共，過去以國民黨爲衣食父母，現在寄身於台灣或海外自由土地中的人士，亦經常以仇視攻訐國民黨爲能事，甚至對於領導國民革命運動，剷除帝制，建立民國的國民黨總理孫中山先生，而自詡爲民主自由主義者，竟鄙爲毫不足取，投以鄙薄的眼光。國民黨執政卅年，終召神州陸沉之禍，今日贈受國人的指摘咒罵，理有固然，但其咎只在執政者未能實行中山遺教而已。

所以，今日最有資格罵國民黨的，第一是普通人民，其次是素來抱有反共非共思想與主張的在野黨派人士，此外凡屬過去在黨、團或政、軍各方面幹過活路的，都或多或少，直接間接負有相當的責任，還在挨罵之列。詎料我們所見聞到的事實，卻恰恰相反，今日喧罵國民黨最兇狠，根本否定國民黨的存在價值，對孫中山先生也表示瞧不起的傢伙，稽考他們過去的生活史迹，十九都是曾經千方百計地鑽進國民黨，儼然忠實同志，活躍於黨、團與政治文教界中的時代英雄。反觀一般在野黨派人士對國民黨的攻擊，卻不像這些曾是國民黨忠實同志之絕無理性，而唯個人的恩怨成見是逞哩！

我們目擊中國知識份子這種世態炎涼的現象，羞惡之心，油然而起，認爲這是當國者平日對人太不講究品格，而又不知鑑別人才與爲取人才的應有結果。後之視今，亦猶今之視昔，應該汲取這項教訓，切實省悟，改變觀念與作風，庶不致重蹈覆轍，而使吾儕淵般黍爲國民黨的門神式黨員，少懷孤憤之思，何幸如之！

馬五先生

對「政治行動綱領」的批評
——李璜論醞釀連任有類勸進——

【本報訊】「國民黨和蔣總統宣佈新的『行動綱領』，而這綱領並不是空空洞洞的反攻而是一項實際的生活要求，是一項以解決生活爲目標的經濟鬥爭，無論如何是不能輕視的。」這是國民黨八屆二中全會通過了一項『光復大陸行動綱領』後，香港新生晚報在五月廿二和廿三兩日，以『看國民黨的行動綱領』爲題的一篇特寫文章的結論。

一項切合實際的方針

這篇文章說國民黨於一九五〇年在台灣立定腳之後，因情勢發展，並沒有有利反攻的條件出現，所以政策不斷的在轉變。從去年台海危機所得的教訓，不論守台或反攻大陸都非先取得美國協助不可。「中美聯合聲明」便是從這一鐵而無私的事實得來的結論。現在這個綱領也是面對事實作出的結論，對解決問題更實際而有效一點。這個綱領避免大聲疾呼談到『反攻大陸』，多少是比較實際的。

這篇文章認爲，這綱領所列舉的十八點，特別注意個人經濟地位與私有財產制。『正是針對共產主義的一項方針』。又說，『從大陸反攻大陸』來說，言明行動綱領更是國民黨認爲可以『促進一個分裂局面在中共統治下的大陸出現』，即使有人認爲希望大陸出現分裂，近乎幻想，但沒有人敢斷言這是絕不可能的。至少美國助理國務卿羅伯遜四月廿一日在美國衆議院外交委員會秘密作證，便具有與此綱領一部份相同的看法。

不能兌現的支票

這一篇特寫，對於「行動綱領」的估價可謂甚高。然而五月廿二日在香港出版的『聯合評論』周報，卻有一個極端相反的看法，該周報在『幽默』[illegible]

民黨中全會閉幕』的題目之下，論到『行動綱領』，認爲這『等於一張永不兌現，無從兌現，也不必兌現的支票。』這篇文章的論據，以爲年來台灣和海外的人民對國民黨的希望，都沒有答復。國民黨是一個不管現實的執政黨。並且舉出下列三件事做說明：（一）陳懷琪控告雷震案，（二）本月三日台北南昌街一家代售「自由中國」半月刊的文具店，被特務撕下廣告事件，（三）台北所有印刷所謝絕印刷「自由中國」。

攀龍附鳳的士大夫

[illegible]

（五月廿三）

修憲問題面面觀
◎丘式如◎

（台北航訊）[illegible]

主張修憲的意見

[illegible]

共產黨除外』一句，才可以喚起國際人士的認識與同情，並振奮人心，加強士氣。[illegible]

代表總額問題

目前的修憲問題，焦點所在，乃是憲法第一七四條第一款[illegible]（甲）[illegible]（乙）爲已選出總額[illegible]（丙）[illegible]，即民四十二年多向內政部聲報的名額，共一六〇〇餘人；（丁）爲實際選出之名額，即第一次會議報到的二八四一人，或第二次會議報到的一五八〇人。將來修憲大會，究竟選擇採取那種代表總額的解釋，始能符合法意呢？這是一個最多爭論的問題。

增加臨時條款的理由

至於憲法修改的範圍，有主張大修的，有主張不修的，有主張增加『動員戡亂時期臨時條款』的。蔣總統再強調反對修憲的，故將來很可能還循增加『臨時條款』這一途徑。因該『條款』全文，共二三字，分五段，其末段曰：『如屆時[illegible]之時）動員戡亂時期，尚未依前項規定宣告終止（按指本條款第三段規定本條款由國民大會廢止之），國民大會臨時會，應決定條款應否延長或廢止』。此段文意，指出兩點：（一）該條款的本質，是臨時性的，存廢之權，完全操在國民大會手上，國民大會可以斟酌時局，予以存廢；（二）該條款的效力，與憲法本文同，但增加任何條款，並不涉及憲法本身條文，他日事過境遷，宣佈廢止，亦不至在憲法本身條文內留下痕迹。總之，現在修改憲法之議，已有成爲增加『臨時條款』的趨勢。說者謂這是國民大會的職權。可由國民大會負責進行。但事關國家大計，海內外國民一致矚目必須審慎行事。如果眞從增加『臨時條款』着手，則什麼事項應增加？該怎樣增加？應增加若干款？也是很大的問題。（五月廿二日）

蔣總統對連任問題的聲明
「決不爲個人出處考慮」

（台灣航訊）最近蔣總統在國民黨八屆二中全會開幕紀念週上，再度聲明反對修憲。[illegible]府對於國家根本大法[illegible]修改。關於任期問題[illegible]出處考慮。但[illegible]敵人感到稱快[illegible]失望；（三[illegible]三個顧慮[illegible]會的安排，他[illegible]評議會議長白雲梯[illegible]議會議長谷正綱[illegible]胡琴，非律[illegible]中央評議員[illegible]聯合報社長非總[illegible]現任立法院委員[illegible]黨部委員孫桂[illegible]主張蔣總統再[illegible]修憲。

此間黨報官報尚保持緘默，惟民報已紛紛發表意見。「徵信新聞」社論「解決總統任期的合理合法途徑」一文，對總統任期認爲必須從兩方面來觀察：一方面是民意，一方面是法理，今天政府與人民的任務，除遵重憲法中有效的運用憲法，要維護憲法的權威，同時要表現其法常新，有效的體現其爲反攻復國的有力武器。」「聯合報」社論主張「用公意與政治團結來解決總統任期問題」，該報指出：「當前的總統任期問題，與其說是一項憲法問題，毋寧說是一項政治問題，今天無論修憲與否，我們最重要考慮的是，不在於法律的完整性，而在於政治的利害。」該報主張「召開國是會議」，以達到「求取海內外各黨派及所有反共非共力量的團結」，「以均衡的政治力量來解決憲法與現實政治間的矛盾」。

本刊（自由人）五月二十日刊載「聯合評論」社同人的主張——反對修憲，和左舜生氏評「總統連任問題」一篇文章，頗爲此間朝野人士及輿論界所重視，自立晚報即摘錄轉載，題爲「左舜生今日談修憲」，但該報說明摘錄的目的，「左舜生的文章純爲反對海外部份輿論所持的態度，並無同意或不同意的暗示作用。」

台灣教師福利近訊
·陳明·

（台灣通訊）[illegible]比上不足，比下有餘」了。

然而專靠政府的力量來改善教師的待遇，[illegible]

[illegible]職員福利金籌集管理辦法，[illegible]不增加政府預算之原則，[illegible]府同意提取各校家長會費，作爲基金，統籌運用，該項福利基金現已籌集數達一百二十五萬元，存合鋼教師福利專戶帳內。[illegible]福利金不得移作任何營利事業之用，省教育廳希望此項教師福利措施能成爲一項制度，公平有效的使用。最近由該廳召集的「全省公立中小學校教職員福利金籌管委員會」制定了五項具體辦法：（一）教職員子女助學貸金，（二）資助教職員在國內外進修或考察，（三）教職員意外災害之補助，（四）教職員年老退休之補助，（五）教職員康樂事業之舉辦等，民營聯合報譽之爲中小學教師「五福臨門」。

筆者則認爲教師福利歷來爲人所忽視，不論如何，現教育主管當局總算已注意而致力于此的了。

爲減輕爲中小學教師子女教育負担，肄業大專院校教職員子女的助學貸金，採公開考試的方式，本年度錄取二百名，每名每年貸予新台幣三千元，是項考試開已定於五月十七日至二十六日報名，下（六）月七日分別在台北、台中、台南三地舉行了。（五月十五日寄）

國際動態拾零

△美海軍巡洋艦，滅潛艇上裝火箭之計劃，業已延遲四個月至一年。理由是，防空高射火箭，尚未試驗準確。新原子潛艇 Skipjack，將遲四個月服役，因其原子發動機，發生故障。

△艾森豪對蒙哥馬利的批評，極表憤怒。他說蒙師計劃雖好，而戰志則欠旺盛。

△有兩位黑女，要求參加美國民主黨婦協，竟被婉拒，理由是午餐座位不夠，最近赴會者殊爲擁擠。

△銀行街共和黨巨頭們，咸主一九六〇年擁戴尼克遜，而反對洛克非洛，因爲他是新政派。

△赫魯曉夫，欲請沙司洛夫出任主席，實爲明升暗降。現任主席伏羅希洛夫，年老多病，不久既退休。沙氏現任聯共中執會書記，爲理論家，爲史太林派，爲唯一可與赫魯曉夫抗衡的人。

◎陶然◎

國大代表現任自由中國雜誌發行人雷震氏，他對修憲與連任問題所持態度是以「憲法在原則上可以修改的，但此時此地修憲是不太妥當的。」他認爲修憲的要件有二：一是價值問題，一是手續上的問題。合法的總統職位，不否我國的政治不太重要，因爲我們的政治制度，是內閣制。他引黃梨洲「有治法而後治人」之說，主張「建立制度」，以免世人詆譏上無道揆，下無法守。

曾參加制憲會議的蔣勻田氏語記者相信蔣總統不會改變初衷，反對修憲。他指出任何巧妙的方法，都不能解決修憲的問題，即使是法的問人數，還是不可能的問題。而不是可以增加臨時條款的問題，至於，實無異修憲，總之，修憲就是修憲。他認爲憲法嚴又指出國人必須宣揚民黨，政權在黨的政治以教，可以領導政治，所以總統不必再連任總統，亦能領導，負實際的責任。

民社黨的萬宏闓氏也是國大代表，他對記者說，修憲與連任問題，民社黨的中央，未經正式討論，所以沒有正式決定。但大部份黨員——包括從政與不從政——私人間的談話，對此一問題，抱懷疑的態度。因爲蔣總統主張不修憲是正確的，可是反共復國的工作，似乎由他領導比較適合，因此，變成「兩難」了。他說，不僅本黨（民社黨）如此，即執政的國民黨恐怕也如此。他以八股文章的「切搭」題爲例，應如何做文章呢？「渡」從何而來？不可，應做總統連任，是不能的。如果增加臨時條款，即是修憲，有人主張由大法官解釋。有人認爲沒有需要，假定由大法官解釋，不能使人折服，更引起國人對憲法的輕視心理。臨時條款可以約束憲法條文的效力，使條文凍結暫不使用，等於修憲。這些均與蔣總統不修憲的宗旨相違。所以，民社黨方面，沒有辦法做出「渡」的文章，而陷於徬徨十字街頭。

萬氏認爲蔣總統代表政府，主張不修憲，足見政府不需要修憲。似係基於政治上沒有困難。蔣總統代表國民黨主張不修憲，可見執政黨亦無修憲的需要。現在國民大會與立院的組成份子，百分之九十係執政黨的人，今執政黨和政府都主張不修憲，那末！誰來修憲呢？如果國民黨的黨員主張修憲，豈不違背總裁的意思。這樣，便是執政黨的精神統一，發生了問題是頗爲危險的事。（五月二十一日於台北）

•張健生•

農業大躍進鬆勁

今年第三期（二月一日出版）「紅旗」雜誌一篇題爲「十分指標，十二分措施，二十四分幹勁」的社論中說：「如果藉口穩妥可靠，不提出經過努力可以實現的十分指標，而是提出八分、九分指標，這就必然使企圖向少慢差費倒退的保守派，觀潮派感到高興，而損傷大多數羣衆多快好省地建設社會主義的積極性和創造性，必然會妨碍一九五九年的躍進計劃的完成。毫無疑問，我們必須堅決防止和糾正這種傾向，爲堅持十分指標的原則而鬥爭。」

但在最近出版的「紅旗」雜誌第十期一篇題爲「包產一定要落實」的短論中說：「現在很多地方在包產的時候，把包產指標定得比實際可能達到的產量低一些（例如低百分之十到二十），給包產的生產小隊或者生產隊留下超產的餘地，使他們眞正有可能超產，因而有獎可得，從增產中得到較大的實惠。」

不難看出，這兩篇文章的精神是完全相背的。這種情況當說明農業方面的大躍進運動已經鬆勁了。

工業大躍進亦鬆勁

五月十六日「人民日報」一篇題爲「留有餘地」的評論說，我們訂計劃總學這種訂法，既鼓足幹勁，又留有餘地」。「爲什麼不論打仗，不論建設，大至國家，小至個人，都十分重視留有餘地呢？這是因爲事物的發展是一個複雜的過程，人們可以根據一般規律訂出大體符合這個客觀過程的計劃，卻不可能在一開始的時候就完全預見到客觀事物發展過程中的每一個細節。」評論的最後說：「希望在制訂六月份和第三季度的計劃時，有更多的企業學會毛澤東同志一貫提倡的這個重要的工作方法：留有餘地，掌握主動。」

顯而易見，在工業方面，中共亦在號召不訂十分指標的計劃，而是要求制訂「留有餘地」的計劃。這也反映出工業大躍進運動方面的鬆勁。

何以鬆勁

在農業方面要求包產指標定低的原因是，使農民有眞正超產的可能，「有獎可得」。所謂幹勁完全應該是不計物質待遇的，但現在却着眼於有獎可得，這分明指出了現階段的在精神方面的幹勁已經鬆勁，必須有賴於物質的支持，要沒有這種支持，幹勁可能完全消失了。這當說明其所以要鬆勁，是由於農民的反抗無物質待遇的勞動。工業方面所以鬆勁是由於無法預計發展過程中的每一個細節，說穿了則是原材料供應的不能保證。

在這方面，我們必須注意，這種鬆勁又是毛澤東所提出來的，並非出於保守派，觀潮派的反對。

·田心·

名教授馮友蘭顧頡剛「改造」「認罪」

（本報訊）在這一次中共所導演的「政協會議」上，除了一些「右派分子」必須在大庭廣衆之前，公開認「罪」，把自己痛罵一番表示感恩圖報以外，許多沒有列入右派的知名學者，在「資產階級知識分子」的帽子下，也同樣毫無例外地要登台自傳，以示「改造」的成績。在這種場合發言，立場觀點如有差池，恐怕不僅不能徼倖過關，還可能遺留下無窮的後患。因此這些知識分子，在發言時其心情緊張危懼，是完全可以想見的。

馮友蘭

名哲學家馮友蘭，在學術上是一位頗有成就的學者，著作很多，在哲學方面有他自己一套體系，在一九五六、一九五七年間，在中共出刊的報刊上，還時常可以看到馮氏在中國哲學史的若干問題上，不斷發揮議論。去年，對於中共的教育方針也提出若干異議。但是，在「大躍進」以後，這些言論已經「音沉響絕」，不見再有發表。最近，馮友蘭在「政協全國委員會」上有一篇發言，內容是「談思想改造的一些體會」。在這些「體會」當中，態度完全不同，承認自己在一九五八年以前認識不夠，對於學術教育方面的黨領導，還有些牴觸。」現在才認識「這當然是一種極端錯誤的思想」。

馮氏對於過去一段「團聚」，以及中共對「改造」要求的急迫，似已感到相當煩惱與痛苦，因此他說：「像我這樣長期搞資產階級哲學而且有自己一套體系的人，改造就需要更加努力。」「眞正掌握共產階級的世界觀，還需要一段較長時期」。這一段話，剛剛說完，馮氏自己已經驚覺，恐怕又犯了錯誤，再受批判，所以他立刻補充說：「這並不是說，過去搞資產階級哲學的人可以以此爲藉口，拖延改造，只是說，需要加倍努力。」

馮氏除了表示對共產黨完全屈服，並接受「改造」以外，還需要在大衆之前照例的「坦白」其「罪狀」。馮氏說：「這四十年間，我在不同的時期，圍繞着不同的問題，寫了不少的東西，其中有一個總的方向，那就是擁護舊的、保守的、反動的東西，反對新的、進步的、革命的東西。」「我用資產階級哲學史的觀點和方法寫中國哲學史，宣傳中國哲學史中的唯心主義。在抗戰期間，批評唯物主義。我又寫『新理學』等幾本書，與馬克斯主義對立，爲當時的反動統治階級的政權服務。解放以後，將及十年，我還發出上面所說的錯誤言論（指：「黨是外行」、「承認資產階級哲學和社會科學是『正統』」、「一九五六和一九五七年間對中國哲學史中一些問題的錯誤言論」、「對黨的教育方針樹立對立面」等等）」馮氏又承認：「在這四十年偉大革命時代，我代表了中國哲學界中的一股逆流。」爲了表示「改造」徹底，據馮氏說，他已經把自『五四』以來，四十年間在哲學方面的寫作，作了一個全面的初步檢查，寫了一篇文章，名爲「四十年的回憶」不過這篇文章，到現在還未見正式發表，可能還在審查

顧頡剛

歷史學家顧頡剛，在第二屆第一次「政協」全國委員會議上發言，題目雖是「幾十年來的思想轉變」，但內容卻是着重的說明了，他個人在「解放」以後，所經歷的種種痛苦。

顧氏說，在研究歷史學這方面，他個人的抱負是「繼承考據學的傳統」，但是，由於「處在這的時代裏，不能像前代學者按步就班的去學習，就覺得自己知識不夠，極須努力追上前人，才可掌握那方面的全部知識，因此窮年累月忙於本務」顧氏這段話意思不過在表明他個人與政治毫無關係，也從不關心政治問題，只是一心一意地研究學術。可是「解放」以後，他已經感到馬列主義「威力」了。他心裏已經知道，今後要不涉及政治而單純研究學術，是不可能了。但他「總覺得研究學問還當分工，担任理論工作的自有其人，而自己不妨在整理史料上努力」—顧氏在這階段，對於共產黨的面目，可以說一無所知。直到一九五四年「中國科學院」叫他去担任歷史研究所研究員時，他還高興地認爲「從此解決了生活問題，更可以專心研究。」等到了北京以後，他才感覺到理想幻滅的痛苦。因此，他說：「那知到了北京，一運動，接着一個運動，得不着充分時間從事研究，而且全國政協還把我列入特邀委員，開會更多，不但自己計劃得實現」，就連科學院分配給我的任務，也沒法准時交卷。心裏非常苦悶。每當接到一個開會通知的時候，常常懊惱道：『今天又完了！』我的精神怎麼能集中起來用到業務上呢？」在這樣後退不能，前進無路的不安心情下，自己覺得身體上所有的機能都呈現了衰退的現象，我眞的老了！」這是一個學者，在政治、生活壓力下，進退兩難的深沉悲哀。

一九五五年，顧頡剛加入民主促進會，據他說，他所以加入民主黨派，不過是「朋友介紹」，「盛情難卻」，姑且列入一個名字而已。」甚至在當選爲民進的中央委員以後，他仍然「看成是一個榮譽銜頭，並不會想到該負些什麼責任。」可是，這個天眞的學者想法完全錯誤了。一九五八年在「整風」運動中，不得不參加「民進」的「整風」運動。顧氏說：「中央的整風運動對我一聲霹靂，把我從熱夢裏驚醒，從運動中救了出來。」中共決不容許異己分子的存在，他不接受改造，就必然要被消滅。

不過，顧頡剛總算不幸中之幸運者，因爲這位六十七歲的老人，在「鳴放」、「反右」期間，他正在小湯山養病，意中逃過了「嚴重」的一關。否則，從這些學者中來看，其所學都要在中共堅決的迫害下過關，過去學閥的罪惡淵源，當衆要努力坦白，「重新做人」，眞是大陸知識分子的悲哀！（大陸通訊稿）

大陸文壇透視　七

喜讀老舍「女店員」

過去老舍作品誘人的地方，在於濃郁的詼諧風趣和如假包換的「京片子」，如今我喜歡的不在這些，而是他若有意若無意地暴露出一些當前大陸的眞實，輕輕捉揭穿了中共宣傳中報導的虛僞。「西望長安」如此，「茶館」如此，最近搬上舞台的「女店員」也如此。

中共所以對這個劇本「點頭」的原因，是老舍出力地給所謂「解放婦女勞動力」的政策作了宣傳。劇中寫了一個年方十七歲長得極漂亮的女學生齊凌雲，在初中剛剛畢業後，違背了她母親叫她考高中的願望，假設要去考電影學校，卻偸偸地同另外兩個沒有讀過書的女孩子，考上婦女商店的女店員。那兩個女孩子之中，有一個姓余的，家庭中有母親哥哥嫂嫂和哥嫂的小孩子，需要她幫忙家務，她卻也瞞了母親向外掙扎。還有一位做家庭主婦的衛大嫂，丈夫在部裏當科員，自己有四個小兒女，一位年老的婆母還得侍奉，但她概「前進」，除了幫忙街道工作外，也考上女店員，結果是這些家庭婦女都離開家庭，從事和男子一樣的勞動，剖肉剖魚，推車送貨。這種以拆散家庭爲主題的劇本，中共怎能不喜歡？

由我所欣賞卻是主題以外的一些東西。第一是大陸社會上有着很深的階級鴻溝。一個商店的售貨員，人人看不起，向一個普通的女孩子求婚，還得撒謊冒充科員。我們看看老舍借劇中人說出來的話：「說起來叫人心酸！他是百貨店的售貨員，多少多少火，他認識了女朋友，請人家看電影，約人家去吃飯。趕到末了，他一說自己是售貨員，人家就一去不復返！」但售貨員冒充科員去求婚，卻又可以隨意，等拆穿了西洋鏡後，美夢還得告吹。可見機關幹部和商業幹部是怎樣的不同。第二是女學生愛虛榮，想當電影明星，因爲明星可以嫁副部長。齊凌雲的母親說：「我們姑娘的心胸啊可是高。她一心一意要作電影明星。論模樣兒，她准夠！她要眞成了明星，那不至低得嫁個副部長嗎？副部長並不太多呀！」許多中共的副部長以上的大官兒，總有討明星做老婆的吧，（編者按：毛澤東的老婆可不就是明星！）要不老舍怎敢胡亂霸扯呀？想不到「新社會」的「爲人民服務者」竟也愛好這種資產階級的調調兒！第三是婦女解放後家庭的慘狀，孩子捨給年老的婆婆，丈夫下班歸來無飯吃，費力不討好。第四是幹部下放，衛默香是法專畢業，四十餘歲，從部裏的科員下放到鋪菜店售貨，他站一天，累得腰直不起來，而「二斤蘋果，我給人家秤三分鐘，算三分鐘，捆三分鐘。捆完，又全調啦，連檢帶掏又是三分鐘，然後又捆三分鐘，前後一共十五分鐘，人家急得直跺腳！」

瘟君夢

第二回：密室定奇謀　蒼生塗炭　巴山留遺恨　弱絮隨風

「還有那個老不死的譏說，自翊通過歷史，又站出來代爲解釋，說是明英宗土木之變，于謙就是用這一辦法對付也先，結果也先沒有法子，竟然：英宗放回來了。」

李立三料他的放鬆辦法竟然在歷史上找到根據，高興得鼓起掌來，周恩來問我這段故事是從哪裏記得，是出在資治通鑑上，其實我那裏記得，但是又不好否認，只有含糊着點點頭。這一來，連我自己都無法反對了，你說慘不慘。」

監獄長吁一口氣，眼睛又紅了。

毛澤東接着說道：「我就在這種氣氛下去的重慶。到了重慶那可眞熱鬧了，趕到機場來歡迎我的人，盈千累萬。」

監獄點頭：「我還記得重慶大公報刊了一篇『萬人爭看毛澤東』，寫的眞熱鬧，我在延安看到都高興的不得了。」

毛澤東笑道：「實際到的人比大公報報導的還多。大公報那時還是政學系的報紙，它那裏會賣捧我的場。不過我內心並不希望人太多，人多我越難過。」

監獄奇道：「這是什麼意思」。

毛澤東丟開烟蒂，站起來走了幾步，嚴肅的說道：「你知道老百姓爲什麼熱烈歡迎我，我又不是你們電影明星，仗漂亮吸引人。老百姓歡迎我，是相信我能帶來全國和平，他們那裏知道我是服了蠱纔來的，只要我點點頭，讓成和平，我就完了。你說當時對着這麼多的愛國人民，如何不難過。」

監獄嘆口氣道：「老百姓那裏了解共產黨。」

毛澤東擺擺手：「何止老百姓不了解，國民黨也同樣地不了解。他們總以爲我是共產黨的首領，只要我點點頭，大事就定了。他們不知道，領導打仗推翻國民黨政權，我確實當家，說什麼算什麼，可是要一談到和平，我卻一點權力也沒有。假若我有權簽訂和約，那麼重慶新華日報的工友，也可以和國民黨談判了。」

監獄笑道：「在那種情形下，你怎麼應付呢？」

「怎麼應付」。毛澤東笑笑：「我還不是指東劃西的亂扯，原則上就是按照劉少奇的錦囊妙計，不和國民黨在會議桌上解決問題，譬如我們要八個師的番號，國民黨剛想答應，我們又改口要十二個師。」

監獄問道：「國民黨難道一點也看不出你的意思嗎？」

毛澤東笑道：「起初他們還在胡塗，時間久了，自然也就看出來了，有一天蔣先生特別把我約去吃晚飯，席間只有我們兩個人，他把未來的建國大計，詳細說了一遍，最後才問我對於目前的談判，究竟取什麼態度，我不能再胡扯了，就坦白告訴他，我當不了家，他沉吟一下，緩緩地說：「那樣你還是早點回去吧！」（卅九）

岳騫

議長與小組會議

台灣省臨時省議會秘書處五月廿日來函照刊：

敬啓者：貴報四十八年五月十六日第二版「有關台灣地方自治的小事」中涉及省議會財政建設兩審查委員會非法選舉，及財政組改選召集人與黃議長之關係一節與事實頗有出入，茲將實際情形說明如次：

本會會議規定第五十六條規定：「審查會議不因出席委員未過半數而延會」是則審查委員會之開會，並無必須過半數之出席，此外亦無其他「法定人數」之規定，故此次財政建設兩委員會之出席人數不多，未能即稱之爲「非法選舉」。

又議事規定第五十三條規定：「各組審查委員會召集人，由各組委員以投票方式互選之」，本會議長僅負責主持大會，而不參加任何審查會，四月廿九日三屆五次大會開幕，本會議長照例於第一次會議中宣佈請各委員分別選舉召集人，議長本身既未參加任何委員會之選舉，亦無清點各委員會出席人數之必要，至於各委員會何人當選召集人，完全取決於得票之多寡，與議長絲毫無關。且此次選舉時財政委員會所選召集人均親自參加投票，紀錄具在，不容歪曲。

以上事實敬請　貴報惠予披露，以免引起外間誤會爲感　此致

自由人報

台灣省臨時省議會秘書處謹啓

五月廿日

談金牙

在台灣，本省同胞喜歡裝金牙，尤以鄉鎮爲然，嫣然一笑，金光閃閃。使人有遍地黃金的感覺。古時我們稱帝王的嘴是金口玉言，總因爲金和玉是貴重的東西之故。今日這種在牙上「裝甲」的現象，似乎是「金口」的實現。至於「玉言」怎麼辦法呢？就不是唯實主義者可解決的問題了。玉者，白色也！也許空口說白話可算做玉言，那麼前者是物質的實現，後者是精神的實現。

金牙之風行，在大陸尚是三十幾年前的事，那時裝金牙，戴手錶穿皮鞋，謂之文明，所以唱文明戲（中國原始的話劇）的都裝金牙。想來當初總是上等人提倡的，民初的文學家蘇曼殊大師，就裝有金牙，但是當他沒錢用的時候，却又敲下來換麥芽糖吃了。看來有講着的功用，却不可抹殺。後來無論中下等社會，人人都在裝，他們未必都有虫蛀，却以金牙表示「文明」。這心理有點像勝利後風行（現在亦然）的綠色太陽鏡。因爲K金的非有錢人戴不起，後來廉價的仿裝品大批出籠，那時上海的小癟三，每個人鼻子上都架了一付，幾乎成了癟三的表徵，以致有錢的人把他們K金眼鏡都不願戴出來了。

金牙的情形亦復如此，自從磁牙發現以後，已有不少人將金換磁，事實上也確乎來得大方美觀些，但是本省依舊有將自已健康牙齒包金的現像，就近乎「愚」了。

•陸夢墨•

釋耒集

少時讀三國演義，尚憶袁紹等計誅董卓，有「孟德獻刀」之故事，彼時曹操之氣度，尚如一流氓，與鄉人之所云「胆正命平」之徒無異，平心而論，曹操敢於置不顧身，實較之半貫虎皮之袁紹爲可愛。及後晉位丞相，樹敵日多，時時防人暗殺，乃詭稱夢中能殺人，令人勿于其熟睡後近前，並狠心殺一近侍以實其言，其狡詐畏死，又一如流俗之人無異，蓋此時之曹操，業已儼然晉紳先生，有子女玉帛之愛戀，慨慷豪邁之氣，銷歇盡矣。又居常看美國西部故事電影，見其所謂英雄俠客之者，拔槍殺人，必迎面而發射，尤恥從背後暗算，此輩大抵多爲流氓，而其舉措，實頗近于紳士，但此特小說或銀幕上如此耳，實際然否，不可得而知之。

本月七日，讀北平新華社通訊，見中共報導有關達賴喇嘛逃入印度之消息，謂達賴之所以能脫逃，實由于

由流氓到紳士

解放軍不願先行發槍射擊之故，此類官式報導，可信之程度，如何姑不論，則中共之解放軍，平昔以擅于游擊戰術著稱，而對待敵人之寬大，即對同志殘忍，又爲共黨人盡皆知者爲見解，所以敵來我退，敵退我進，乃打無把握的仗，遂爲共軍作戰之金科玉律，今乃目送達賴喇嘛，從容脫走，忽然改變初衷，不肯先行發槍，是非戰政十年，原日之部曲，飽吃大魚大肉之餘，雄風消盡，均已養成妻子與人擁吻，亦均故作不見之紳士風度耶？

但繼此以後，又於報上見美聯社通訊，則謂西藏邊境之解放軍，曾開槍射擊越境之難民，謂爲難民，均屬手無寸械之百姓，乃竟瞄不容情以射擊之，對有武裝保護之達賴，則曰不欲先行發槍，若非解放軍欺軟怕硬，則解放軍緊急之際，難以令人置信，既云不欲發槍，不過欲生致之耳，則當窮追千里以上，亦必不欲或捨，則解放軍之「腳力」，尤令人驚歎無疑也。至於發槍射擊難民，雖美聯社之報導，未必即屬可信，但此等事，澳門之沙仔海濱，及香港新界之鐵絲網外，劍及屨及，幾乎常有發生，解放軍對西藏人，可異者，無論其爲黃帝子孫，抑吐蕃遺種，均一致冒死越境走避，雖明知必遭其發槍射擊，仍微停萬一得以免死，則宣傳家又將何以自圓其說耶？

猶憶水滸傳，有宋江帶同柴進與燕青李逵諸人，潛至東京名妓李師師家飲宴之故事，李逵不得參預，祗能站在門外瞭風，但終于忍不住，而大鬧起來，流氓本色，到底不能稍加掩飾；而宋江雖時時不忘之故態，有大量金錢，終亦無法冒充紳士也。

•曲齋•

一點修正的意見

——給王世昭先生的一個參考

•野火•

我時常都這樣覺得：如果他是一個學者，他就去做他的學者工作；如果他是一個專家，他就去做他的專家研究好了。對於他自己不懂得的事情，最好是謹慎發言。不然，除了講錯了話之外，徒然予人以太那個的感覺。因爲一個學者，一個專家，他可能是某一門學術的學者，某一門科學的專家。他決不可能是每一門學術和科學的學者與專家；即是說他決不可能對各類型的科學都有深刻的研究。他是一個莎士比亞專家，也許他對醫學沒有多少的研究；他是一個儒學者，也許他對近代的新詩認識得很不夠。如果他自以爲自己既然是一個專家、學者就什麼東西都懂，什麼東西都能幹。那麼他是錯了的。「知之是爲知之，不知是爲不知，是知也」。

基於以上這個觀點，我想對王世昭先生之「評『碧血』」一文中的某一個論點提出修正的意見。（如果學者的權威意見也容許批評的話。）王世昭先生於「評『碧血』」中說（刊於四月八日自由人）：「近幾年來，中國詩壇似乎起了新變化，這個變化，不是台灣也不是北平，而是超然獨立於二者之外的香港。」這一段說話完全是缺之常識（對新文學發展的常識）的一個錯誤的判斷完全是由於王先生對近年來中國的新詩壇少接觸，或接觸的而不夠實的結果。以上的話就是一個有力的證明。因爲對近年中國新詩壇稍爲注意的人，誰都清楚明白地看到：香港的新詩壇，屬於香港的作家們的天地的仍然停留在五四以前的小腳放大階段。無論在精神上，寫詩技巧上，形式上都完全是「新詞」，而非新的新詩。至於其他作家所寫的新詩，也像力囿的一樣，無法擺脫古詩詞的枷鎖。這也許是他們受舊文學的薰陶太深了。而屬於青年學生們的世界的新詩壇，從他們的作品中，無論在精神上，寫作技巧上，形式上，我們都可以清楚地看出那些受自由中國新詩壇影響的痕跡。就以崑南君的作品來說吧，是完全受過紀紘的現代派（註一）底影響的後代的表現；何中一君的作品，也完全是詩人楊喚（註二）的香港版（尤其是他的「詩的噴泉」完全是楊喚的「詩的噴泉」的贗品。）郭漢宗君的作品，多多少少都受過藍星詩社（註三）的影響。由此可見，香港的新詩壇，老一代的已無可說的地方；新一代的已跟隨自由中國新詩的洪流奔向美麗的明天的中國詩壇。

這些年來，某一些人談起新詩總是搖頭嘆息着說：「新文學運動以來，小說、散文、戲劇……都各有它們的成就，單獨新詩交了白卷。」這完全是缺之常識的謠言之言。因爲說這種話的人，他們就根本無視於中國的新詩運動。和一些無視於一個新文學的誕生，發展、成長的人談新詩，這還有什麼可談的呢？唉：……

「註一」：現代派，是以紀弦爲首的自由中國的一個新詩社團。

「註二」：楊喚，是自由中國的一位才華四射的詩人。民國四十三年春爲火車所戕殺。著有「風景」。

「註三」：藍星詩社，是以覃子豪爲首的自由中國的另一個新詩團。

如夢令

野望　•黃君實•

雨後山花摧落。葉底黃鸝嬌囀。野色撲眉來，千嶂暮雲撩亂。目斷。目斷。日近故園偏遠。

浣溪沙

春暮　•前人•

水滿池塘柳拂樓，桃花笑靨映芭蕉，十分春色屬雛搖。紅瓣歲因風帶雨，綠陰添鳥竹生苗。流連光景惜今朝。

粟海彈心錄

宗晚平　清德

陳二菴【上】

陳二菴名宦，湖北安陸縣人，以拔貢生起家，自鄂軍履步行至成都，不數年任軍事參議官，總理四川軍事教育，雲南練軍，故民初川滇將領，多出其門。

袁氏篡國之初，深以滇南四川爲慮，癸丑之役，既以龍濟光督粵，湯薌銘督湘，（其時湯薌銘甫三十，由海軍次長調任）益州天府，莫若二菴。故於其行也，禮遇優異，論者謂袁於清世宗之於年羹堯有軍，兼四川省長，亦猶清制總督兼巡撫欽差大臣命然，且軍政民政集於一身，又爲當時各省所無也。用西太后花車壯其行，（平漢路通車，鄂爲首特製，備巡察）馮玉祥團長擢道事警衛（馮原先陳部排長，參謀長劉杏村力保，乃得一帆風順，以禍國殃民故王祥之名杏村之弟取之較厚）財部供旅途支應幾十萬，備調遣，各部總長以陸軍總長參謀本部覊錢，敗動至保定而返，袁氏之用心，與其所以期待於二菴者可知矣。

二菴治川，亦有足稱者，其時地方紙幣軍票充斥，比價多少，恒視授受者強弱以爲常，民間苦之。始至之日，即從整理幣制入手，通用銀幣，舊幣一律收回，數月之間，悉教銷毀，民生樂業，四境萑苻絕跡，殺人越貨，地方官罷軟不治，始行清鄉，繼而清族，據云清族之極，比戶幾無遺種。期年之內，民間得以徹戶安居，故川人於其行也，每多去後之思。自是以後，川省無寧日者二十年。民國數十年間，各省長吏，大多學不足而術有餘，德不足而才過之，求其立身行事，不會不縱，隨去而有纏綿留連之意，不爲人所咒詛切齒者。田文烈煥庭與陳宦二菴而外，幾無聞焉。民生由此凋敝，每下愈況，不堪回首矣。

會之迹顯，其技也拙。縱之迹衖，其術也巧。拙者以身當之，如深入虎穴，有幸有不幸。巧者置身局外，如坐地分贓，無有不幸也。且會者百計誅求，不必有百分收穫。縱者不耕不芸，而坐收滿車。此近人所以捨會之拙，而取縱之巧也比比。

•阿公•

成敗與王寇

咱們中國人有兩句俗話：『成則爲王，敗則爲寇。』這有點嘲弄意味，值得我們想想。

相傳拿破崙進攻巴黎之時，巴黎傳到巴黎，巴黎報紙稱他爲『叛賊拿破崙』，及至拿軍兵臨巴黎城下，報紙則稱他爲『拿破崙將軍』；待巴黎被破，報端則稱然『拿皇陛下』。這是很有趣的一件事，其實，拿破崙還是拿破崙。

一個人除非『無爲』，否則一生總不免要在成敗之間打轉的，讀書怕輸球，賭錢怕輸錢，做生意怕蝕本，打仗怕吃敗仗……

可是，人而能一帆風順的實在太少，無論你幹什麼，總不免有失敗的時候，失敗有大小，一個人忍受失敗打擊的能力亦有差異，有的失敗了會再爬起來，有的失敗了潦倒一生，一蹶不振。

其實成功與失敗在觀念上往往是相對的。筆者有一位伯父，他是地質學教授，多少年沒回家了，抗戰勝利後回來了，他洋洋得意地拎個大皮包回來，還很高興得不得了，以爲那一定是大捲鈔票了；因爲他剛從伯父的就是鈔封，不想打開一看，全是些各大學和教育部聘書，伯父非常高興，認爲自已成了一個學者了，而祖母却認爲他是失敗了，因爲他提皮包裏還只裝了兩個吃剩下的燒餅。

成功和失敗有時的確很難說，很多大藝術家在生前貧困潦倒，窮困凄苦著終其一身，他們創作沒人重視，甚至被譏爲瘋癲，而在死後多少年才被人發現他們了不起的成就，所以我們評論一個人的成功和失敗甚至『蓋棺』也都不能『論定』！

不過每個人對於成敗，應該有自己的看法。成則爲王，敗則爲寇的觀念，與這時代相去太遠了。

•謹謹•

「現代佛教文選」

釋青松　劉泳涵編　國際佛教文化出版社出版

全書分三叢，第一輯至第四輯爲論叢，已出版；後六輯爲文叢與雜叢，在編印中。茲就論叢四輯，作簡略評介。

第一個屬通論，重點在佛理的啓發。所涉範圍甚廣，舉凡與佛學有關如文化、思想、道德、人生、科學、社會、政治，以至國家民族宗教信仰，都有連帶的探討與比較的研究。第二輯亦屬通論，重點在義理的闡揚，如無我、平等、中道、空理、空觀、緣生、因果、輪迴、等等，均有各別的解釋，或從哲學科學倫理文化各方面予以說明。第三輯屬教史，全世界各地佛教發展過程與歷史興替，均有詳細記述。第四輯屬教宗，所有佛教各宗派之立宗立義，都有概要的敍論。這是論叢四輯的內容。論叢的作者，如梁啓超，章太炎，胡適，張君勱等乃近代有名學者如太虛，圓瑛，法舫，慈航等乃近代佛學權威佛學義理深奧，影響中國文化學術思想甚大。本書選材，重在學術研究，甚少宣佈氣味。每篇附有「全文提要」「本文選旨」「作者傳略」，可增加讀者對理念義趣的了解。每輯體次，均依各篇性質而作較有系統的編列。全叢四輯的順序，則由淺入深，由廣泛而專門。這是編者獨到的手眼，引人入勝，頗有助於讀者的研究。這部現代佛教文選之論叢四輯，內容豐富，可作學術的參考，可作研究佛學的津梁。

•谷懷•

三國人物笑談

孔明是跛足的。何以見得？因爲他從來不步行，不騎馬，坐的是手推車，劉備要三顧草廬，才能請得諸葛幫忙，其實孔明老早便想做官，不過不想出醜，使人知道他不良於行吧了。後來想出了手推車的辦法，便答應劉備之邀。想不到諸葛先生的發明竟然成爲現今醫院爲不良於行之病人必備的代步工具。還有，很多人讀三國誌不明白爲何孔明要搖扇，原來孔明不獨是軍事家、醫學家，而且是一位物理學家，我們都知道，摩擦便生電，有電便產熱，車輪轉大滾，手中扇自然要搖個不停了。

趙雲是抽大烟的，何以見得，理法很顯著，「趙」者吞也，趙雲者吞雲也，吞雲吐霧，不是抽大烟是什麼？還有，趙雲別名子龍，子與追諧音，子龍者追龍也，追龍升仙，當是白粉道人。而且，趙雲的烟癮是極大的，君不讀過「百萬軍中藏阿斗」麼？阿斗者，自然指烟斗也，行軍打仗，還要隨身攜帶烟斗，可想其烟癮之大也！

•昌•

自由人

THE FREEMAN

（第八五九期）

每份港幣壹毫　台北市每份新台幣壹元

地址：香港高士威道二十號四樓 20 CAUSEWAY RD. 3RD. FL. HONG KONG TEL. 771726

承印者：南華印務出版社

警惕中共的冒險

金達凱

中共政權高層人事的變動，一方面是因公社化問題轉移國內外視綫，一方面是毛澤東對其繼承人的進一步安排；其最高領導權則仍在毛之手中，而劉少奇又是黨內支持毛的積極份子；因之其基本政策並無改變，同時在毛澤東辭去「國家主席」的烟幕下，且隨時有可能對外進行某種程度的冒險。

一、

當前中共實行軍事冒險的可能性，可從下列各項情況觀之。

一是提高國防費用。此次中共二屆人代會第一次會議通過的一九五九年預算，其國防費比去年增加百分之十六，達到「人民幣」五十八億元，實際數字自還不止此。這一數字的增加，說明中共在建軍、練兵和加強裝備等方面的積極性。

二是派遣各種軍事代表團出國活動，如由彭德懷率領的軍事代表團之在東歐附庸國及在蘇聯之活動，由楊成武率領之軍事代表團之在印尼活動，自有其一定的目的。

三是召開各種軍事會議。除本年一月至二月召開七個軍事性會議——「全軍政治工作會議」、「全軍後勤工作會議」、「空軍後勤工作會議」、「鐵道兵政治工作會議」、「工程兵黨委擴大會議」及「北京地區部隊黨代表會議」等外，劉少奇出任「主席」後，于五月五日召開「國防委員會全體會議」，此後又相繼舉行各種軍事性會議，計一是「總參謀部第三部黨代表會議」，二是「解放軍全軍幹部工作會議」，三是「全軍第二次後勤工作先進單位和積極份子代表會議」，此外還召開了「復員、退伍、轉業軍人積極份子會議」。這些會議的詳細內容，一時雖不得而知，但可反映出中共對現役軍人及後備軍人之活動的積極性。

四是發展戰略交通。目前中共除修建貫通福建、江西、湖南、貴州、雲南五省的「湘滇鐵路」外，並建築若干中程鐵路綫及原有幹綫的複綫。其中鐵路綫爲左列各條：

二、

一、西南方面，以四川爲中心修建四條鐵路綫：（一）（成）都昆（明）鐵路；（二）內（江）昆（明）鐵路；（三）川（成都）豫（信陽）鐵路；（四）川（重慶）黔（貴陽）鐵路。

二、西北方面，現已動工興建的有蘭新鐵路，和蘭青鐵路。前者同隴海路相接，爲通往蘇聯的一條國際幹綫。自西藏問題發生後，中共又準備在青藏高原修鐵路兩條，一條自西寧開始，經過海南藏族自治州，在昆拔與蘭新路相接；另一條則由青海通往西藏，並將前藏拉薩與後藏的日喀則連成一起。

三、華東和華南方面，以福建和廣東爲中心，建有閩贛、閩浙等路綫，及三茂、黎湛等路綫。

此外，複綫方面，修有北平到廣州、天津到浦口、浦口到上海、北平到包頭、石家莊到太原、哈爾濱到佳木斯等原有鐵路的複綫。

這些無疑是中共備戰行動的表現。因之可以看出其對外冒險的可能性。首先當是對台澎金馬的威脅，近月來中共在福建海岸綫的增兵，其空軍目前之侵越金門上空以及砲兵對馬祖的試探射擊，即是此一行動之初躍。

三、

其次，是對西藏的鎮壓，及以西藏爲基地，進行對不丹、尼泊爾及印度等國的威脅。目前外電報導，西藏境內有大批俄軍出現，這些人負有更重要的任務。

目前中共在西藏的軍事鎮壓，除調集優勢兵力追擊反抗軍主力外，並在各重要城鎮實行軍事管制，如西藏首府拉薩及拉薩以西的阿里、西南的江孜、帕里、亞東，以北的黑河，以南的澤當，以東的太昭、林芝、扎木、丁青、昌都、察隅等鎮市，均已設立「軍事管制委員會」。

中共現準備在西藏實行土地改革，[illegible]「關於西藏問題的決議」說：「西藏的社會制度，是一種[illegible]農奴制度」[illegible]。五月六日「人民日報」[illegible]「西藏的革命和尼赫魯的哲學」一文，也強調這種「改革」的必要，並說這是「一場革命，是一九五九年前後席捲中國大陸的大革命在西藏的延續」。因之表明了他們將在西藏進行殘酷鬥爭，而將[illegible]全部沒收寺院及一般人民的土地，中共已經派在北平「民族學院」和陝西咸陽「西藏民族學院」的藏族[illegible]同時中共[illegible]西藏工作[illegible]區及各地軍管會已紛紛成立工作隊，深入農村進行「扎根」、「串連」的活動，因之在短期內將發動大規模的鬥爭，將發生更多流血的慘劇。但這自然會激起藏民更大的反抗，同時也會引起印度等國對中共的警惕。

四、

復次，是對寮國局勢的干涉。自本年二月上旬寮國政府宣佈不受一九五四年日內瓦協議的約束後，中共即[illegible]予以警告。嗣寮國政府命令寮國戰鬥部隊（寮共部隊）繳出武器，解散其組織後，中共外交部即於五月十八日發表聲明，抗議寮國王國政府對前寮共戰鬥部隊採取的措施，進行破壞印度支那的和平，並造成東南亞地區的緊張局勢，[illegible]說中共對此局勢「不能坐視」。這還是恐嚇，但在某種情形下，中共還有可能實行軍事干涉，支持寮共部隊奪取政權。或在寮國邊境製造事端，以分散自由世界對西藏和台灣海峽局勢的注意。

在上述情形下，我們必須提高警覺，防止中共放火，並須爭取主動，以實際行動實行有力的反擊。目前西藏局勢尚未絕望，國府在[illegible]有力量，而東南亞[illegible]力量以[illegible]，乘此時機，扭轉被動劣勢，自非難事。

一週述評

杜爾斯精神

杜爾斯先生死了，可是，杜爾斯先生的精神沒有死！

全世界對杜氏沉痛的哀悼，唁電像雪片樣飛向華盛頓，是杜爾斯精神活在人間的表現。

杜爾斯，活着的時候，敵人恨之切骨，日日夜夜咒詛他；死了以後，連最惡毒的敵人也不得不假裝對他有幾分敬意，可見這位政治家的精神感人之深。但是，敵人對杜爾斯的「讚揚」，掩飾不了他的眞面目。

堅靭與辦法

在當代世界有力的政治家中，杜爾斯是比較接近認識共黨的本質的，所以，在他的策劃之下，自由世界對共黨的鬥爭，能夠採取堅毅的政策。但是，杜氏所代表的美國外交政策是，堅毅，而辦法不足；因而他所堅持的原則，往往被人認爲是僵硬的，易于遭受辯論和政敵的攻擊。

一個政治家，特別是外交家，僅僅依靠堅毅還是不夠的。

檢討與教訓

杜爾斯是個堅毅的人，是個誠實的人，是我們這一時代可敬的人物，他是自由世界一位堅貞的、熱誠的、忠心耿耿的，指射毒痛的鬥士，然而，作爲一個外交家，他却是不夠的。

人們在今天哀悼杜氏之餘，進一步冷靜檢討杜爾斯政策的得失，從杜爾斯的經驗中獲得教訓，在今天是特別必要的。

四外長會議

赫德繼杜爾斯爲美國國務卿以後，他的第一仗是日內瓦的四外長會議。

這一仗，就目前的發展來看，赫德的表現不錯：第一、他具有杜爾斯時代的堅定的性格。第二、西方一開始就掌握了主動，改變了過去在外交上一直挨打的狀態。第三、西方提出解決整個德國問題的一套計劃和解決柏林問題的七點計劃，使共黨利用四外長會議作冷戰宣傳的企圖遭受挫敗。

步驟不要亂

我們希望今後的美國外交當局，在原則的堅定性上繼承杜爾斯政策的精神；在辦法上應該有更多的創造。杜爾斯政策的精華是「解放鐵幕」，今天世人在哀悼杜爾斯先生時，不應該忘記杜爾斯精神中這個最重要的部份。

「解放鐵幕」是自由世界對共黨談判的基礎，假如這個基礎的步驟不亂，那麼，所謂德國問題的解決，就應該有路可循了。

司馬璐

讀「光復大陸政治行動綱領」

‧衣草‧

大陸同胞看見過八屆二中全會的「光復大陸政治行動綱領」時，絕大多數一定振奮莫名，[illegible]陣陣思潮，在我們腦際[illegible]易得其十一，如何也不容[illegible]

[illegible]對勾結俄帝禍國的國賊，依法嚴[illegible]及早見諸事實！[illegible]任何人祗要把[illegible]想一下，都可獲得一個結論：大陸人民期待的是具體的事實表現，而不是空談。如果是預爲之防，何[illegible]

[illegible]若自害害人，把大陸同胞整個生活納入它的控制中，寸步難行，試問還反什麼？連一頓飯糧也沒有，怎樣反共呢？手無寸鐵，固是事實；半刻空暇也沒有，還有幾許心思用來思慮「反革命」和用於聯絡的呢？

這還不要緊，因爲人心思自由中國，縱然受著久些，內心焚起來的怒火和熱力終將產生無可禁制的力量來的；可是我們在大陸以外的，竟把武力即軍事力量聲言其非光復的主要手段，那算是什麼國策？杜爾斯死了，他是我們的反共友人當中最了不起的一個，却沒有更進一步估量過不必要的聲明由台北發出，害多於利，而且影響太長遠了！所謂不必要的聲明就是要由中共再行撤退台灣危機所證實中美聯合公報提及不以軍事力量爲中國收復失土的愚昧！

台灣一省的軍力總比不上大陸的軍力，此爲常識所及，但亦不能因此硬要指定何種方式才是打倒暴力的特效劑。難道大陸人民不贊同光復河山的軍事手段嗎？

我們心在大陸，此爲政治反攻動力之一，另一則寄於大陸的民心；兩種心合而爲一，在時空上的隔離須藉軍事力量加以打破，初期是縮短這項距離，由全民意志的高度一致，轉化爲行動，其最激烈的形式，依然是武裝力量，固不分內或外的，或內外夾擊所產生的摧毀作用的。

這樣看來，那個綱領其餘各項規則雖然涉及許多原則，方針，大前提或道義，自由，平等，諸如憲法，政治立場，土地，財產的享用乃至打倒公社，公社因而發生的關於處理公社一切財產的關鍵問題，說起來，是人民既變爲一無所有的是口號，也是公理，大陸同胞，恐怕他們最關心的，還是先打倒壓迫他們的組織，才有更進一步的心情去思索他們享有的事項。今天大陸人民急需擺脫共黨控制，這就成爲共黨那個「反革命」的力源，自非它所能滅絕得了的，而成爲那個綱領的行動之本。

所訂綱領祗有第三項關於公社和第十七項關於承認反共政權的建立，較富於行動性和誘發力，亦即培植行動性易於收效，其餘各項有些似須加以歸併或另行強調的，其處理依然基於行動性的考慮。

自由談

不成體統

新載：台北市的松江路將改名「杜爾斯路」，藉以紀念去世的美國務長官杜爾斯，因爲他是中華民國的患難朋友。這消息如果不虛，我希望當局者鄭重考慮，撤消原議爲佳。

我也承認杜爾斯是我們的好友，假使他不是受當本國和國際上各方面的阻礙壓力，他的對華政策或許表現得積極些。可是，我們不應該因此而把他的名字作道路的名稱，如所謂「羅斯福路」也者。憑着台北市中，竟有幾個以外國政治人物來命名的道路，殖民地色彩未免太濃厚了吧？走遍世界各國，除却殖民地生活中脫出來的新興國家以外，幾曾見有拿別國的政治闊人來作都市街道之名的？英美兩國的親密關係，比較中美交誼深厚何啻百萬倍，然未見他們的都市上有甚末「羅斯福路」或「納爾遜路」之類的街道名稱啊！將來美國如其眞能援助我們完成反共復國的大業，而它的總統與外交大員却不一——每四年便要舉行大選——那時候，我國的大都會中，豈不是還要增加若干以美國政治要人爲名的道路？

台北市的街道名稱，十九都是用本國地名，並且看見路名即知其方向所在，這是很優美而大方的辦法，若中間夾雜着幾個洋人的名稱，實在有些煞風景。職是之故，松江路固不必改名爲「杜爾斯路」，即現有的「羅斯福路」，我認爲亦有改回中國式的名稱之必要。我們對於一個友邦的政治家表示尊崇，不是憑一條街道名稱所能盡意的，別人亦不貴乎有此過份客氣的表示。何況我們在美國的患難朋友並不止是杜爾斯一人，如麥克阿瑟元帥對我們的道義交情，似乎視杜氏尤有過之，我們將來是否亦得有一條「麥克阿瑟路」呢？再說杜爾斯的對華外交政策，原係艾森豪總統裁定的，推本溯源，他日更非搞一條「艾森豪路」不可。如此這般，尚復成何體統哉！

馬五先生

台灣海峽的隱憂！

——從漁船被擄談到制海權

。馬周。

台灣通訊

最近一個月來，台灣人士，注意的事件是中國國民黨的八屆二中全會，僑生軍由服務的返國，東南亞電影比賽，甚至慈航法師的肉身不壞之身（有的報紙說是防腐劑的功效）等等，但對於在台灣海面上發生了兩次漁船被擄的事，似乎都很冷淡。第一次是年豐第一號和第二號漁船在海上作業被中共的砲艇擄獲，強迫其駛往大陸港口，不久，又放回台灣，船員中只浙江籍的通訊員沒有放回。最近，五月十五日漁船中興三十號在台灣北部海面被擄，被迫駛往台州列島，到了五月二十四日該船又悄然駛返基隆，船員十三人中又有大陸籍者二人沒有隨船返台，據說又被中共扣留了！所可怪者，兩次被擄的漁船返回台島，都是「悄然」，經過了自大陸至台灣的海上航程，沒有碰上我方的巡邏艦艇，又因漁船上的通信員沒有隨船歸來，抑或是中共故意弄壞了船上的通信設備，以致船到台灣，才知道漁船變成「歸俘」了！

在一個月內，漁船兩次被擄，被擄的詳細情形如何，未見各報披露，據說正在軍事當局審訊之中。但是我們對於最近發生的如此不幸事件，似乎不能以「偶然」視之，究竟還是漁船走近了大陸海線碰上了中共的砲艇，抑或是中共的砲艇深入到海洋碰上了我們的漁船？依照報紙的消息中興三十號是在基隆以北海上被擄的，似乎後者的情形較近事實。

記得十年前自由中國政府退出大陸之季，在長江口以南的制海權是在自由中國海軍的控制之下的，大陸沿海口都被自由中國封鎖了。那時的中共海空武力貧弱得可憐，對於汪洋大海，只好望洋興嘆！可是時間的考驗，最近的情形不對了，據說去年金門之戰，搶灘的記者先生曾在金門附近看到過中共的潛艇，而最近又有中共炮艇俘擄自由中國漁船的事實發生，令人不禁要問，究竟自由中國的海軍，在基隆港北的海面上，能够維持制海權多遠？是到長江口，到甬江口，到甌江口，抑或更近或更遠？自由中國的海上交通是生命綫，而台灣的漁業是若干萬人生活所據，如果海上作業的漁船失去了保障，其影響台灣人民生活者至巨！而況中共炮艇既能干擾在海洋作業的漁船，也就可能干擾航行的商輪，一旦情況發生，對於台灣的後果如何，是值得警惕的。

從年豐一二號到中興三十號漁船的被擄，應該足以使台灣當局提高警覺了！這樣的事實不僅是制海權可慮，更要注意到中共的政治陰謀。他把漁船擄去以後又原璧放回，在擄返期間對於船員做了些什麼事，大陸籍的船員不再返回台灣，究竟是被扣，抑或是自願留在大陸？當年姚啓聖對付鄭經王朝的一套手法，會不會被中共師承過去來對自由中國如法炮製一番，實在値得焦慮！

制海權如果日趨沒落，則海上交通將由此而[illegible]，其後果是極爲嚴重的。希望自由中國的當局不要把希望完全寄託在太平洋的彼岸，在這一方面也應多加防範才好！

寶島經緯綫

。季鸞。

△「反共救國會議」六個字，週來屢見報端，由於國人之「思鄉情切」，得聞此六字，皆多有新鮮親切感。惟論此，已年復一年，在一般人心目中，也似乎漸漸地「看淡」。縱據有關方面的解釋，反共救國會議並非常設機構，而國人也並非個個怎樣重視，不過此一臨時的會議究要等到怎樣適當時機始能「誕生」？不禁有此一問。

△台北市週來懷憬於現代花園都市的美麗遠景。市政府竟在市區裏劃定公園預定地五十九處，大者十五處，佔地二百廿甲，小者五十四處，佔地多少，尚難計算。市府求都市美化，自無可置評，但天下事：理想與現實之間總不能距離太遠，按諸目前國家戰時財政之艱難，欲實現如此龐大之公園計劃，是否圖談？再看現有的一個「新公園」，已是「窮相畢露」，見不得人，還要搞新的！何況此時此地，不還有更急需的嗎？

台北輿論抨擊冤獄賠償法草案。

・劍聲・

冤獄賠償法草案，在立院二讀會中遭遇到了阻撓，因而該法案民間輿論譏爲「名存實亡」。據說，又是奉命阻撓——那一套。這是本年內官報叢報和民營報刊間展開激烈言論最大的分野。

一段審查經過

本月四日國民黨中央政策委員會司法、國防、法制委員會曾開過一次聯席會，在這次會議中決定了冤獄賠償法草案應重付審查，並於當晚通知了國民黨籍立委。所以第二次在立法院院會中就有一部份立委員「奉命」提議了，但這一提議被否決了。這一提議被否決以後，當日國民黨中央政策委員會又開會商討「補救」辦法，終決定要把軍法劃分出來，不列在該法案的範圍裏面。這一決定，於第二次（五月六日）通知國民黨籍的立法委員，所以本月八日在立法院院會中對於這一點又展開了激烈的辯論。（自由中國半月刊）終於把軍法劃分出來了。

討論本案第二次的院會中，王秉鈞等三十七人提出重付審查案，因爲理由不充分而被否決。繼之，又有趙家焯等二十七位立委提出將「冤獄賠償法」名稱修改爲「刑事補償法」一案。亦告失敗，而名稱得保存。張南大提案，其中連署的委員，多數是去年修正出版法案中，主張秘密會議，舉手贊成的一羣。

官報的態度

官報的態度：新生報首先贊成軍法與司法劃分，且主張以「公務員侵害人民之自由或權利得向國家請求賠償者，以『違法』之侵害爲限，這是最基本的原則，也就是說，如果『違法』，即無過失。」同時，支持「有許多立委認爲依軍事審判程序之冤獄賠償問題應另行立法。依照我們的看法，也和上述意見相同。」（五月九日新論衡）

中央日報社論說：「只有列舉情況，當事人纔有權要求賠償：第一、審理案件的公務人員有違法行爲者應受賠償。第二、審理者雖無違法行爲，而當事人所受的損害，並非基於法律上的義務者應受賠償。」

民營報的態度

民營報章雜誌大致與官報的態度相反：聯合報社論說：司法與軍法審判的冤獄賠償法不應劃分，而主張「把軍法審判包括在冤獄賠償範圍內，正可表示政府保障人權的誠意絕無保留。」且列舉「昔范宣子爲政，諸侯之幣重，子產勸諫說，德，國家之基也，那可不聞令德而聞重幣。現在如果政府眞的担心到賠款的負担問題，立法委員也應本此義，勸導政府，這才是愛護政府之道。」（五月七日）

公論報說：「我們願意忠告政府與執政黨當局，冤獄賠償法是與民主行憲絕不可缺少的一種法律，現[illegible]種法律，可以表示政府有尊重憲法保障人權的誠意，可以一新海內外人士的視聽。」該報主張「法律內容與賠償範圍亦不應變更縮小。如果顧慮賠款事，有名無實，顯見誠意不够亦將爲親者所痛仇者所快。」這也是「政治反攻不可或缺的要件。」（五月十一日）

軍法與司法分開問題

民族晚報說：「（一）冤獄賠償法如果僅限於司法部份，而把軍法劃開，難道僅司法部份有冤獄？人權是不可分割的，冤獄賠償自不應有司法軍法之別。冤獄賠償法之製訂……已拖延了八年之久，到現在還有人以愼重爲理由而希圖把該法案再拖延下去……持此議的立委先生們不是別有用意，就是他們的能力智慧，値得我們懷疑。」

民主潮半月刊社論以沉痛的心情指出該法案是「名存實亡」，於是表示「萬分的難過。」且列舉「孫元錦案」及「官家良案」爲證，認爲「將軍法除外，實在令人大惑不解」的。

自由中國半月刊社論：斥該法案「賠償範圍未免太狹，而賠償金額也顯得太少。」而立委放棄「自己應有的立場，而接受黨部這個命令。」「爲什麼主管軍法的國防部，贊成軍法與普通司法同樣適用一個冤獄賠償法，而非主管軍法的國民黨中央決策者，偏要堅持相反的主張呢？」該刊說立法院「現在又臨到院譽消長之機了。」且「主張制冤獄賠償法之後，應該趕緊規定公務員刑事責任法，進一步來制裁公務員侵害人民自由權利的行爲。」

冤獄知多少

據司法行政部長谷鳳翔在立法院報告，一年來就判決案件的正確性來說，刑事第一審的正確性僅爲百分之五十六，第二審的正確性僅爲百分之五十五（四月二十六日中央日報）。準此！刑事案件判決有百分之四十四是錯誤的，確使國人驚訝！就四十一年的冤獄爲例，冤獄人數包括不起訴及判決無罪者，共爲二千六百零九人，被押者七萬一千五百六十八天。四十七年的冤獄案件爲九百餘件。此誠爲自由中國司法的悲哀！（五月十八日于台北）

關於修憲反修憲及其它

。衛今。

本文作者是一位現任國大代表，其看法與意見有若干地方我們雖未能同意；爲了有一部分人有此種看法與意見，故特爲刊出，俾供研討。（編者）

國內外主張修憲，與反對修憲之人士，早已形成兩個壁壘，而國民大會代表亦然。大家各在重法與重人，抑人法並重上著眼，仁者見仁智者見智，至今尚無越乎數者以外的議論。明年四月，其責任將輪到國民大會代表肩上，何去何從，總得有個交代，因之撰此一文，以供讀者研討。

憲政論壇，主張修憲，論列具證，但解釋「總額數字」，與現有能够出席的人數相配合，多少不免牽强，要知此事關係法的本身與未來，苟少涉牽強，則是毀憲以修憲，政府是否同意召開修憲會議，尚屬另一問題。代表張知本，援引三十七年大會決議三十九年召開修憲會議，本決議案是具有拘束力的，而政府於時尚未曾召集，而國代會亦未曾簽署合法人數，咨請政府召集，論責任，則雙方交失之。今如必以三十六年選出之國民代表，十二年後，仍是原班人馬，而從事修憲，外間縱不指責，也是値得國大代表重新估價的。

讀五月二十日代表左舜生「蔣總統連任問題」文，堅決反對修憲，並提出「召請重提」主張，本人於左先生意見，只能同意百分之五十，餘則於後文見之。又讀及自由人報刊載「聯合評論社同人反對修憲意見」，大致與左先生同。惟內有「以十一年前選出之代表，其不能代表十一年以後之民意，事屬明顯」，與左先生異。因爲如此推論下去，現國大會不僅未能修憲，而且下屆開會，其實作爲一個代表，我也深深感覺無聊，可是現勢若於無法選舉，更不能改選遴選，況中國加入聯合國，是中華民國，尤其不能變更體制。世亂相因，自爲了保存原有民主法統，實逼處此。在此說句笑話，代表頭銜，名則冠冕無上，實則雞肋不如。如有其他好辦法，代行政權，亦或撤除此一機構，就我個人言，甚願退避三舍。

本人意見，法與人並重，法當爲後來着想，人當爲現局着想，何以故。

中國當前處境，如與美國同，杜魯門可，艾克亦可，張三李四，俱無不可，無奈今非其時，故徒法不足以爲政。我不敢說民靑，民社，無黨無派及其它賢者，沒有堪任總統的道德學問，而是三代以來，歷史昭示我人，從無一回亂世領袖，書生時起，強而行之，適以滋亂，姑不論軍事政治與待機反攻，要之以安定台灣爲第一要義，處茲環境，困難重重，若謂任何人來，當可措置裕如，萬方俯首，惟命是遵，我實未敢深信。若謂彷抗戰時期[illegible]，則何以退而在野，[illegible]深信。故[illegible]寬當[illegible]之時，有所[illegible]。

在此[illegible]計會秘書處，[illegible]字，學歷[illegible]，較之胡適之先生，尚多一無。

蔣總統壽辰，[illegible]人家拜過[illegible]在著，一旦[illegible]誠意正身，致最敬禮，[illegible]。

然則關於如何解決，也可說一點意見，結束本文。四十七年，設計會全體會議時，何雲竹先生問我，修憲提案，連署沒有？答復是：[illegible]憲。如何解決[illegible]，不爲非常[illegible]：三十七年[illegible]使創制[illegible]來也，[illegible]

一、[illegible]最後提出[illegible]照第一屆[illegible]，多少給予國民大會，一點好看面色。

二、今後[illegible]港澳數百萬僑胞，不乏品德學識俱優之士，正好於時潮而來，[illegible]擬回國。並非[illegible]世故太深，[illegible]委淹，使其從新休養一時調協身心，未始非愛惜人才，培養人才之道，不止機局一新已也。

（五月廿二日台北）

國際動態拾零

△中共國允給[illegible]五架戰鬥機，四架直升機。但[illegible]無機場作戰鬥機之根據地，而於直升機則有法使用。至駕駛人員，則已在[illegible]國家訓練，足够應付。

△日內瓦外長會議，蘇聯代表團中擁有決定權者，爲外次佐林，而非外長葛羅米柯。佐林與赫魯曉夫有不尋常的友誼，實非葛氏可比。

△一九四七年十一月，十二個共產國家代表大會發表宣言時，毛澤東曾私問狄托兩位代表，「你們可以不簽字嗎？」[illegible]「簽字不是必須恪守俄人提出的宣言，我們回到本國後，自己愛怎樣幹，就怎樣幹！」

△蘇聯要求波羅的海三小國，改用俄文字母，因爲此三小國本來是用拉丁字母的。其理由謂醫生證明，拉丁字母較俄文字母易使人神經疲倦，眼力銳減。

△英外長勞合對荷蘭外長說，請看地圖，如蘇聯要切斷[illegible]交通綫，我們有什麼辦法？」荷外長倫斯（Lons）答道，「請看看地圖，土耳其是大西洋公約國會員，則我們[illegible]。挪威，丹麥亦是會員，則我們[illegible]此。」

△納賽答覆赫魯曉夫長函，謂倘不資助共黨，不干涉其內政，不要設法破壞嚴正的中立，則兩國邦交自然會改善。

。陶然。

劉曉迄今滯留北平

中共「駐蘇大使」劉曉三月間離莫斯科回國，其職務由「代辦」張偉烈代理迄今。初，我以爲他只是回國參加四月間的七中全會與「全國人代」會議而已，但迄今仍未返任，可能有問題了。按劉曉是一九五五年一月繼張聞天出任「駐蘇大使」的，這幾年來，中共與蘇聯發生兩次大磨擦，一次是一九五六年十月匈牙利革命後的中共反對大國主義；另一次是去年七月開始的中共主張對外強硬，而蘇聯則力主和緩，這兩次磨擦，終于迫使赫魯曉夫與中共會談。這兩次大磨擦的原因很是複雜，同時亦非劉曉所能決定，但劉在執行政策時，可能得罪了蘇聯方面的大員，使其對蘇外交活動處于不正常的狀態之中。

最近，中共與蘇聯間的關係，可以說已達幾年來未有過的密切程度，以原來對蘇執行強硬政策的劉曉來處理這種「親暱」的外交，當非所宜，這樣看來，劉曉的「駐蘇大使」職務似有調動的可能。

蘇外長接見賴亞力

本月十六日，在日內瓦參加外長會議的葛羅米柯接見了中共駐瑞士「代辦」賴亞力，此事當與外長會議有關。按西方在外長會議提出和平計劃的時間是本月十四日，隔了兩天葛賴會晤。這樣似乎是中共通過這種會晤將其對于西方所提出的和平計劃的意見轉知蘇聯。

中共對于西方的和平計劃，並未有過正式的評論，但從新華社報導中的論點去與蘇聯的評論比較，並不能發現有差異之處，那麼至少可以這樣說，現階段中共對于蘇聯在外長會議中的立場，甚至其所希望的舉行高峯會議，並無不同意之處。顯然對葛表示的，大致上也不會離此一原則太遠。

葛羅米柯弔杜爾斯

世人對于杜爾斯的逝世，咸表哀悼；他創立了團結政策，戰爭邊緣政策來靜待共產世界的自行衰頹分裂；他能夠統一自由世界的意志來執行他的政策，以使共產國際一籌莫展；其對于共產世界觀察的入微，意志的堅決，力疾爲自由而奮鬥的精神，在近世政治家中確少有能與其比擬者，即使以戰時的羅斯福總統來說，恐亦稍遜一籌。

因爲杜氏創立了這種對共的基本政策，所以共產集團一貫以「戰爭販子」的代表咒罵之；現在，蘇聯一反往常的態度，派其外長到美對杜氏致最後的敬禮，其主要目的當在于製造緩和的空氣，此外，亦表現一些東西關係有限度的良好展望。看來中共對此舉也不會加以杯葛的。（田心）

緬境國軍襲瑞麗人民銀行

五月十六日中共「人民日報」在表揚女會計員徐學惠的時候透露的消息說：雲南省靠近緬境的「人民銀行瑞麗營業所」在今年三月三日曾被緬境國軍越境「搶刦」。越境偷襲的國軍一共六人。會計員徐學惠在爭奪中受重傷。這則消息反映出中緬邊境上的反共游擊隊異常活躍。（齊）

中共現階段對知識份子的政策

中共與知識分子之間的矛盾，從表面現象來看，雖然時弛時張，時起時伏，但本質上並無變化。十年來，中共對於知識分子，雖然採取種種不同的方式，以求達到徹底「俘虜」的目的，但始終未能完全如願。

從鳴放到反右派，雖然使一些反共意識濃厚的知識分子，受到一些創傷，但也始終未能徹底解決他們的敵對思想問題。因爲在知識分子羣中，絕大多數，還是處在中間狀態，既不公然反對，亦不積極擁護，逆來順受，對於中共的一切號召如儀照辦，但其內心究竟如何？則無法捉摸。中共亦嘗以這些中間分子的左右升降，以測其政策的成敗，但這些左右升降的數字，亦仍然是表面現象，一有「風吹草動」，即形勢全非，根本不足爲據。

今年三月間，中共統戰部副部長張執一，在「怎樣理解長期共存、互相監督」的一篇文章中也說：「經過整風反右派運動，資產階級右派相當孤立了，資產階級中間派的多數人，在不同程度上向左靠攏了一步。他們體會到共產黨反不得，反對社會主義的道路走不得，右派當不得，……形勢逼人，不得不同右派劃清界限，他們向黨交心，承認自己的兩面性和改造的必要，並且在工作和參加勞動方面也有了一些積極的表現，（如歐計，歐技，下鄉，上山，上櫃台，下車間）」這種情況，是否是說明這些中間派都一面倒了呢？張執一也知道實際未必如此。所以他說：「使他們基本上並未脫離中間狀態，在政治上還是動搖的、不穩的，有反復性，一遇風吹草動，就會動搖和觀望。」

中共對於這些「中間派」的知識分子，既無法爭取，又不能一概打擊，周恩來在一九五六年「知識分子問題」的報告中早已說過：「要建立一個現代國家，沒有知識分子的參與是不行的。」因此，中共與知識分子之間的矛盾與鬥爭，就必然是一種長期性的。所以張執一在文章中說，對於「改造資產階級知識分子的方針是不變的。採用和平的方式也是不變的。但在方式上，根據不同的時期，不同的條件，它是多種多樣的，是可以改變的；它需要根據階級鬥爭有起有伏的規律而有緊有鬆，有弛有張。」

根據最近許多迹象，中共對於知識分子的鬥爭，可能又將步入緊弛階段。四月十八日周恩來在第二屆「全國人民代表大會」上所作的「政府工作報告」時說：「舊知識分子的自我改造工作，近來出現了一個可喜的現象。就是他們中間有不少人在長期地認眞地進行自我改造以後，已經開始轉變爲工人階級的知識分子，他們中間的一些先進分子陸續的加入了中國共產黨。」

周恩來的話，所謂「可喜」的現象，不過是一種宣傳詞令而已。所指「先進分子」，大部分都是早已現形的左派，其參加不參加共產黨都是一樣。至於那些願意「定期下廠下鄉參加勞動」的人，亦不過如張執一所說：「形勢逼人」不得不然，而「基本上仍未脫離中間狀態」。不過周恩來的話，卻多少預示了中共對知識分子的鬥爭、即將轉入一個新的和緩階段。

中共中央宣傳部部長胡繩最近在第九期「紅旗」半月刊上也發表一篇關於「知識分子自我改造」的文章，除大量引用毛澤東的話之外，文章又提出：「共產黨十分重視知識分子在革命和建設中的作用」同時又說：「即使對於某些不願意接受馬克斯主義的人，我們也不是採取排斥的態度」，「只要他們服從國家的要求，從事正當的勞動，我們總應當給他們適當的工作機會。」

這許多言論，都顯示中共在今後一個階段中，對於知識分子的鬥爭，將採取和緩的迹象。不過這種和緩的迹象，決不是中共對於知識分子的基本政策有任何改變，眞正目的，不過是加緊利用知識分子的知識與技術，爲中共的「大躍進」貢獻出更多的血汗而已。（大陸社稿）

共軍四名攜械出亡 逃抵澳門要求庇護

本報澳門消息：五月十[illegible]日晚，中澳交界的青洲海面，突有小艇一艘，冒狂風暴雨向澳門方面疾馳而來。防守青洲的葡國非籍士兵，等候該小艇泊岸時，施行突擊檢查，原來該艘乘風破浪而來的小艇上，載有四名全副武裝的「解放軍」；該四名「解放軍」對於國際法例似很熟悉，在小艇泊岸時，馬上放下手中所持的四桿衝鋒鎗，除去佩帶的一切軍人配備，和戰場上的俘虜一樣，把雙手搭在頭頂上，離艇登岸，向檢查士兵說：「我們是解放軍，我們依照國際法，能來要求入境和受政治庇護。」

又：除了這些共軍之外，本月份由大陸逃亡來澳門的老百姓已有三十七人，他們係分三批先後逃來的。促使他們冒險逃亡的，乃是不能忍受中共暴政之故。

大陸文壇透視　　七郎

巴金有驚無險

從去年十月起，中共在三個定期刊物——「文學知識」「中國青年」「讀書」上，闢了專欄，專刊批判巴金舊作品的文章，迄至今年三月，在第六期的「文學知識」上，編者聲明對巴金作品的討論暫告一段落爲止，其間有半年之久，巴金被帶到「煉獄」的邊緣，但結果卻是有驚無險。

筆者去年曾爲批判巴金事件，寫過兩篇文章：一篇「巴金觸犯了文網」，刊八月六日華僑日報；一篇「巴金難逃煉獄苦」，刊祖國周刊二十四卷七期。那時事件尚在進行中，還不易看出將來的變化，不過筆者也曾作過這樣的推斷：在第一篇文章中說暫時不致擴大，在第二篇文章中說要看以後巴金肯否自我徹底檢討，如果他肯，那是可以渡過這一關的，現在事件已經告一段落，卻未見巴金有任何檢討文字發表，而竟輕輕過關，其中必有原因。

就以往的文藝整風經過來說，中共中央要「整」一個人，必定要把他「整」倒，一蹶不起，縱有痛自懺悔的自虐檢討，亦無濟於事。巴金的事件從最初發動以至現在結束，都與過去的事例有些不同。我們如果結合老舍事件、何其芳事件，以及四月間中共史學界抨擊郭沫若爲曹操翻案事件來看，巴金的事件也是中共內部派系傾軋的表現。既然是派系傾軋，必定有與巴金敵對的一方，這敵對的一方究竟是那些人？爲了免得讀者納悶，我在這裏先行揭曉，巴金的直接對頭，不是別人，就是周揚在「左聯」時代的左右手、郭沫若辦「救亡日報」時的老搭擋、現任中共文化部副部長的夏衍（沈端先）。

在郭沫若未入黨之先，躋於中共文藝領導階層的非黨作家中，巴金坐第三把交椅，其地位僅次於茅盾。一九五一年，他從韓戰前線歸來，一直就在北平的「全國作協」裏坐鎮，那時他是「全國文聯」主席團委員，「全國作協」副主席。一九五四年初，上海「作協」分會改組，巴金又接替了夏衍，兼任上海作協主席，此後他就常川駐滬，在中共文藝界中儼然是獨當一面的東王。夏衍呢，調到北平做了文化部的副部長。

巴金過去在上海曾辦過文化生活出版社，在上海文化界中有些老關係，中共把這樣一位活招牌擺在上海，原是爲他能夠駕輕就熟地來團結並號召一些舊文化人。夏衍在「左聯」時以黨員身份做過地下工作，他的成名也在上海，從他的一些文章裏可以看出，他極愛上海這個地方，不願意離開。不巧五一年電影「武訓傳」引起了風波，使中共對於他這樣一位黨員作家管制文藝的能力失去信心。

（巴金因何會在上海坐上夏衍的交椅，下期本欄將有專文刊出，至希讀友們垂注。——編者——）

瘟君夢

第二回：密室定奇謀　蒼生塗炭　巴山留遺恨　弱絮隨風

藍蘋嘆口氣：「蔣先生到底是個君子人，若是你們兩人掉個位，你就未必肯讓他回去了。」

毛澤東翻一個白眼，說道：「我也不是個小人哪！這是因爲我們的黨和國民黨作風根本不同的關係。」

藍蘋皺下眉頭，問道：「那樣說，你在重慶過的很安穩啊，爲什麼延安謠犬飛的謠言，說你不肯回來了，國民黨給你一個監察院長作。又說要把我送到重慶去，又說要我搬出延園。我一點主意也沒有了，天天晚上，抱着孩子哭。」說到這裏，藍蘋不由得又掉了兩滴眼淚。

毛澤東恨道：「這完全是李立三，陳紹禹及那個坐飛機跌死的秦邦憲他們聯合起來，裏應外合造的謠，要乘機踢掉我。他們不但在延安造謠，在重慶又出了更毒的花招，要乘機謀害我。」

藍蘋吃驚道：「他們怎樣謀害你」？

毛澤東嘆口氣：「說來話就長了，他們串謀蘇聯大使館參贊現任駐日大使的費德林和我說，那個小子一口標準國語，比我的湖南話好聽得多。有一次，他偷偷跑來告訴我，說是國民黨決定不讓我再回延安，暫時給我一個虛名，過些日子就把我監禁起來，連同跟我一道去的人在內，這以來大家都慌了。

費德林接着又說，他已經想了一個辦法，包了一架飛機，就說他自己回國，到時候把我們幾個送上飛機，一直飛回延安就算了。

費德林說過以後，董必武好像絕處逢生，高興得跳起來，我卻不太相信，和周恩來交換一下眼色，周恩來問道：「費德林同志，你這個辦法，史大林大元帥知不知道。」

費德林突然怔了一下，結結巴巴說道：「這件事是我私人的辦法，大元帥當然不知道，就連大使館同事也不知道。」

這時我就明白了，笑着對他說：「費德林同志，你的好意我們非常感謝，不過這件事情，關係實在太大，容我們仔細考慮下。」

費德林走了之後，我同周恩來都不相信這個消息，只有董必武淚眼模糊的苦苦哀求，要我們帶他一道偷跑。被他纏的沒有辦法，決定分別打聽，我去問覃理老，周恩來去問陳誠，董必武自己去問他的同鄉何成濬。結果都得到相反的答覆，理老斬釘截鐵的告訴我，不要多心，蔣先生不是那種人。陳誠更拍胸向周恩來保證，決無此事。董必武去問何成濬，他答覆的更妙了，他反問董必武，我們扣留你作什麼？是不是寶慶的米沒人吃了。」

藍蘋笑道：「幸而未跑，若是跑了，多麼丟人。」

毛澤東搖搖頭：「丟人到無所謂，還送命呢？」（四十）

岳騫

「主席」文章妖精驢 「絕妙」譬喻狗屎堆

中共中央機關刊物「紅旗」半月刊今年第九期，登載了一篇文章，對中共首腦毛澤東的文章大捧特捧，說毛的文章中的譬喻都是「鮮明的」和「絕佳的」。該文舉了幾個例子，是：「妖精」、「驢子」、「野牛」、「怪物」、「大狗小狗飽狗餓狗」、「蠢人」、「糞坑」、「狗屎堆」……等等。

這種潑婦罵街式的調調兒，居然也有人撰文歌頌，中共的個人崇拜，實在已到了萬分肉麻的程度。（裕）

釋耒集

坊間有話劇「王寶釧」，本月十日忠……

」，當太平天國選事，對李秀成之口供，即亦採錄，謂金陵被圍時，軍士苦饑，李向天王求餉，秀全乃令士卒食甘露草果腹，謂此爲上帝之靈糧。又晉惠帝紀：「天下荒亂，百姓餓死，帝曰：何不食肉糜？」夫洪秀全、晉惠帝，一爲亂世之王，一生於安樂，死於憂患，亦不過常事，而秀全、惠帝不過愚而可笑耳。

近聞國民黨八屆二中全會，發行政院長陳辭修先生之政治報告，謂：「大陸工作是我們反攻復國的中心環節，今後我們更當多方努力。」又以爲：「現在大陸同胞，已不能忍受共黨的迫害，無不懷念我們，急切盼望我們打回去，早日拯救他們。」大陸同胞，急切盼望拯救，自不待言，但欲拯救大陸同胞，其先決條件則爲「打回去」，今欲打回去不？，而主張「從大陸」反攻大陸。」大陸同胞，如其自身可以反攻，又何致乎須別人早日拯救乎？

肉糜

我們小民，平昔但知當兵納稅，以盡其所謂國民之義務，國之大事，未嘗有資格預聞，偶然有所謂選擧之類，似亦未嘗躋獨投票，則所謂「中心環節」之條辭技巧，尤不悉其有如何偉大之關鍵。然眼見大陸同胞之悲慘，自國變以來，即被迫遠離鄉井，小人懷土，不因窮途而異心，必同有同然者矣。若謂「無不懷念我們」，今身不在大陸，無由得此證驗。嘗記新唐書玄宗紀，述明皇入蜀途中，軍士譁變，流言頗不遜，明皇特召入諭之曰：「朕託任失人，致逆胡亂常，須避其鋒，卿等倉卒從朕，不得別父母妻子，朕甚愧之！今欲各還家，朕獨與子弟入蜀，今日與卿等決，可歸見父母及長安父老，爲朕致意。」於是軍士皆哭曰：「死生從陛下。」流言亦遂絕。如所謂知唐明皇自天寶以後，已稍涉淫侈，故終不免於流離播遷，及安史之亂，……託非人之引以爲愧，……者也，我實之所有之懷念，……則近於不情實，……民，其間必有一段惻隱悱惻之情，以相維繫，……自行反攻，其我亦近於肉糜之類，……以令人慨而已。

曲齋

尊嚴與權力

有些人活着令人討厭，有些人死後令人想念，更有些人活着或死後一樣令人對他尊敬或討厭。可見做人誠然是很難的。

大概說來，權力越高，權力越大的人，其令人討厭或尊敬的可能性越大。比如說，杜勒斯吧，他生前或死後，予人的印象是可敬的，雖然他也不時遭到一些詛咒，但也只有共產黨徒才會瞧他不起，不過他們也不能不承認他是一個上佳的對手。

一個人，尤其是一個居高位，握傾當代的人，雖然他又是一位領袖，但在敵人的眼裏……，如果他在人民心目中佔有重要的地位，比如像邱吉爾這樣的人物，如果當年他在下議院不得到對手的工黨所敬重，也就不能在保守黨內享有隆譽和高位了。

其實，尊嚴和地位，是不能用權力的大小來衡量的，一個統治者雖因掌握了統治權而令他高高在上，若只能做到以力服人，其地位便是最高的，也是一錢不值可言。邱吉爾雖沒有宰相，但在英國人心目中，尊嚴仍在；杜勒斯死了，但是他仍然是個可敬的老人。他們的尊嚴不是建築在警察與特務身上的，而是建築於他們的品格德望和智慧之上。

願居高位者，反躬自問！如果自己明知活着時已令人討厭了，還想死後令人懷念的話，最好還是多用智慧，少用權力。多用權力只有令人『你死後，更加懷恨你，詛咒你！』

・小言・

大文章小錯誤
——神樂觀究在何處——

・壽賢廷・

近十年來，由於出版事業的發達，名作家成爲各種刊物爭取的對象，非但一枝筆忙不過來，即取材資料，亦不容易搜羅，於是聰明的作家，就搬出……，以新文章的手法……，自稱爲編著……

在本月一日出版的春秋半月刊第四十二期中，刊有南宮先生撰「三保太監」大作。該文第一章，從建文遜國寫起，開始就來一個高潮，手法不凡！據著者在按語中所提的二個問題，（三保太監爲什麼要七次航海？又爲什麼要遍西南太平洋與印度洋？）可能是值得注意的，是該本文之所值是在有歷史的依據，是無可懷疑的。

文第一章頭段將傾強調明宮內有一個「神樂觀」的存在，似乎「神樂觀」成爲大內的一部份，也是重要的一部份，「這是大明建文四年六月，「神樂觀」左殿上的日曆上，寫着的日子是「乙丑」。」「恰當此時，「神樂觀」的寺門太監高聲奏報。」「在平的報告聲中，馬皇后已進入了「神樂觀」，她聽到消息的刺激，……皇帝相同，她倚在欹躺……」「可憐的皇后還呆在「神樂觀」正殿內，消滅一切，她都聽清楚了！生命幻滅了！希望！當一羣人匆匆從身邊經過，匆匆搬走；她萬念俱灰，出「神樂觀」：」「「神樂觀」業已籠一片森嚴的氣氛，」「坤寧宮的太監呈的遺表，到「神樂觀」外。」短短的一段中，「神樂觀」者達七次之多，足見南宮先生描寫建文帝：宮中鬧變的發生，不得遍遺精彩的一幕，是以「神樂觀」之空間的。與「神樂觀」發生連帶關係者，值得我們注意的，是「太平門」，文中如『我們從「太平門」走，太祖皇帝指的永關御溝，就在「太平門」邊，誰是不知道鬼門在何處？』『「鬼門，我知道——那是一個地道，也在「太平門」那邊！』

至此，筆者首先對文中所稱的「神樂觀」，以爲生直覺上的疑響，「神樂觀」該是道家供奉三清之所，也是方士修眞之處，與皇帝日常生活殿的宮、殿、閣者無關；諸於「太平門」紙關似乎是南京的京城門，不在紫禁城範圍之內，可惜筆者讀明史於少年時代，如今鬢上有絲，如何記憶得準確，於是祇有請教東之高閣的明史。

據谷應泰明史紀事本末卷十七建文遜國，有：『朱書篋內，匯文從鬼門出，餘從水關御溝而行，薄暮，會於「神樂觀」之西房。』『九人從帝至鬼門，而一舟艤岸，爲「神樂觀」道士王昇，見帝，叩頭稱萬歲！曰：「臣固知陛下之來也；疇昔高皇帝見夢，令臣至此耳。」乃乘舟至「太平門」，昇導至觀，已薄暮矣。』帝曰：「此可暫不可久，況郊壇所在，明日必行，何所至？」衆擬浦江，而鄭亦巨族，且忠孝，可居也。夜分，帝足筋痛，度不能行。』

這記載很明白的顯示：一、太祖高皇帝在神秘的箱子上朱書指示建文及諸臣，應分路分批的逃出紫禁城，到天黑的時候，在「神樂觀」西廂房會齊。二、建文帝等出鬼門，便見河邊有船在等候，「神樂觀」王道士在船頭候駕，乃相率登船，駛至太平門後，王道士再帶他們步行至「神樂觀」，已經天黑了。三、是晚，建文帝宿於「神樂觀」之西廂房，而且因爲狼狽疲倦，腳脛很痛。四、「太平門」是在紫禁城外有內河可通的郊區，與紫禁城很有一段距離，但距「神樂觀」不太遠。以上四點，可以望文生義而得，用不着從南京的地理上去探求。復查明史卷四十地理志：

『洪武二年九月始建新城，六年八月成。內爲宮城，亦曰紫禁城，門六，正南曰午門，左曰左掖，右曰右掖，東曰東安，西曰西安，北曰北安；宮城之外，門六，正南曰洪武，東曰長安左，西曰長安右，東之北曰東華，西之北曰西華，北曰玄武；皇城之外曰京城，周九十六里，門十三，南曰正陽，南之西曰通濟，又西曰聚寶，西南曰三山，西曰石城，北曰……，北之西曰金川，曰鍾阜，東曰朝陽，西曰清涼，西北曰定淮，曰儀鳳，二門後塞。東曰太平……一門。』又明史卷四十七禮志：『明初建圜丘於正陽門外，鍾山之陽，方丘於「太平門」外，鍾山之陰。』……建文帝與……「神樂觀」……則「太平門」外，位於鍾山之陰，而非大內的一部份，已甚顯然。南宮先生……[illegible]

訪青松上人潘雲精舍

・彭楚珩・

一、值午休

首訪卓錫處，歸凡正徐徐；借問靈山訊，將來入夢無？

二、同禮

遠從濱海來，又向羅國去；回首望長空，流雲原未住。

粟海彈心錄

湖南省長六年，其時會計制度仍屬西北清冊，實報實銷，經費預算，隨由廳務主管，歷年節餘十餘萬兩，田公內調粵東財部總長，左右將示盈羨，批以「並案移交」四字，合署爲之震歎。以視近人交代時，每多僞具事關馬匹爲之一空，甚有花木鷄犬不留者，何啻不可相去之遠也。清末田公曾任江北提督，與張謇、湯壽潛與兩淮鹽運同，而其子程璽，多以學校教師、圖書館員聽家。

近人口碑，沈成章（沿澄）之長……

陳二菴【下】

田煥青島市政。谷紀常（正倫）之主甘黔政，適胡在湖北省政，去位之日，猶如宦之時，一兩清風。青島地政，德潤者百倍。要知犬眼恢恢，疏而不漏，食報之日，當不在遠。……

國家元氣盡傷，卒致四海困窮，大陸永終，故其躬浮沉求田問舍以遺子孫者乎，……政府觀……

民初黎公以湖北都督，兼參謀本部總長，遂而二菴代行，倚畀殊深，項城死，黃陂繼任，段合肥任國務總理，比電武昌留待新命，推崇備至，二菴答以：「項負項城，得安國家，私心猶有餘痛，今蹶騎在途，敢復會天之功，以爲己力」，云云，實亦衷心語也，二菴，學宗永嘉，其行事頗規江陵，晚年寄寓津門，生活窘甚，而談笑自若，亦一時之傑也。

・阿公・

擬擬意用義山韻

・金純儒・

聖女原名郁，仙家政氏侯。君房迷海外，
予督謁山頭。惝怳追蟠窟，離奇蜃幻樓。
臨文眞得勢，落紙轉含羞。顯祭知宜戒，
魚衒出有由。樂天工淡寫，商隱擅潛鉤。
便有閒情動，何妨豔語求。揚州收之句，
北斗少陵愁。翠帶三眠柳，紅裙五月榴。
嬌鶯聲細細，芳草綠油油。值夜閒搖珮，
迎風看打毬。自從軫絃柱，無復繞笙篌。
客傲當嗜菊，魂歸隔世洲。驚心幾甲子，
爆目覆金甌。白日斜將暮，春光去不留。
嘗內王室禍，誓共主君憂。感事成高詠，
迴大躍小舟。帝暨千載上，逝水百年流。
駭浪兮誰挽，危檣孜自收。詩偏敲樸筆，
嘯竟吝清喉。只是娛童稚，非關避督郵。
淺株疏樹遠，一片碧霄碉。夢顯靈妃遇，
神猶穆滿遊。素心終不易，異李與同牛。

鹿梨樹下（未定稿）

Boris Pasternak著　　許冠三試譯

猶如一隻野兔奔波於曠野，
奔波於曠野，奔波於雪地。
垂耳的野兔跑過一株鹿梨樹，
跑過一株鹿梨樹，對它訴苦，
牠問，我是不是有一顆怯弱的心，
一顆怯弱的心，非常軟弱，非常怯懦？
牠說，我害怕野獸的足跡，
野獸的足跡，還有餓狼的肚肚。
可憐我吧，哦，鹿梨樹！哦，美麗的鹿梨樹！
別拿你的美給奸詐的敵人，
奸詐的敵人，奸詐的大鳥。
拿你紅紅的果子迎風撒佈，
迎風撒佈，撒遍曠野，撒遍雪地。
拋擲它們，讓它們滾去很遠的故土，
滾去一條街的盡頭，最後一家屋宇，
最後一家屋宇，最後的窗戶，
她在裏面緊緊把自個兒關住，
我鍾愛的，朝朝暮暮思念的新婦。
請把暖言溫語，
向我的新婦，我的懇扇低聲訴。
我，一名大兵，憔悴於身作楚囚，
可憐我羈留異地，思鄉，不由自主。
我要掙脫長期的痛楚，
我要奔向我的紅梨果，我的新婦。

這首俄羅斯民歌體的抒情詩，原載於作者獲得一九五八年諾貝爾獎金之名著『齊伐哥醫生』一書的第十二章。在原書中借一女巫之口唱出，係描述主人公齊伐哥在紅軍游擊隊俘虜時之心情。原詩但有重複格，並無韻腳。譯者係據Max Hayward and Manya Harari兩人合譯之英文本紐約修正版（September 1958 by Pan Theon Books Inc.）譯出。

自由人

THE FREEMAN

（第八六〇期）

中華民國僑務委員會登記證僑台報字第一二〇二號
中華郵政台字第五〇〇〇號執照登記為第一類新聞紙類
（半週刊　星期三出版　六版）

每份港幣壹毫

督印人：陳文華
地址：香港高士打道二十六號四樓
20 CAUSEWAY RD. 3RD. FL. HONG KONG
TEL. 771726

承印者：東南印刷廠出版社　地址：高士打道六十四號
台灣總經理處：台北市西寧南路壹零壹號二樓　電話：六四三〇三
台灣捐款請存台北第二九戶二五二
海外總經銷：英文虎報發行公司

台北「勸進熱」的分析

許冠三

李璜先生拿這兩個月台北的「修憲」醞釀轉做「勸進」，「勸進」一詞使我想起許多問題，也使我有了寫這篇短文的動機。作為一個中國人，雖免不對這件事有些個人的主觀意見，不過我並無意在這裏發表。我只想拿當前台北的「勸進熱」作為政治科學研究的素材，只拿它當做一件政治行為來分析，把個人的情感，利害，願望，期待等主觀因素，統統暫時擱在一邊。因此，我希望讀者們在閱讀本文時，也儘可能地把有關的那些主觀因素暫時摒棄，那怕只擺脫三幾十分鐘，總是好的。擺脫的時間愈長則愈好。

一

讓我們先設想是活在六十年後的二〇〇〇年左右，那就是說，當前的修憲事件乃是發生於六十年前的事。在歷史上，六十年不能算是一段很長的時間，不過我們在基本上都已忘却那個人的利害，得失和好惡，來客觀地分析問題了。正如我們今日看六十年前的歷史事件一樣，絕大多數觀察者和批評者總是較比客觀的。就事來說，今日的分析與批評無論如何總要比當年那些當事人的看法要客觀得多。如果能這樣，我們想他們十之八九都會後悔的，康梁也不會例外，甲午三十年前梁啟超就公開承認了他當年所寫的戊戌政變記不公正了。

在六十年後似乎有些不習慣，倒不如把當前的「勸進熱」推前六十年還更方便些。這樣，我們看當前的「勸進」，雖不至於客觀到像我們看當年榮祿等人的勸進那樣，但無論如何，總比我們以當代人局內人的眼光去看它好得多。縱或結論有所不同，總還可以平心靜氣的從容討論。

二

近代的政治科學指出，一個人或一羣人在政治事件上所表現的態度，通常是由身份認定，要求和期待三個因素決定的；有一組特定的身份認定，要求和期待就有一特定的政治態度。准此，當前台灣的政治勢力主張修憲的「勸進者」，必有其足以決定他們持這一態度的特定身份認定，要求和期待。當然，這並不意含所有的「勸進者」的身份認定，要求和期待都是完全一致。事實上，也決不是完全一致，而且甚至繁複紛雜。但不管其個別元素有多大歧異，然三者之結合總足以產生同一態度則完全一致。

進一步我們要問的是有那些組特定的身份認定，要求和期待會造成勸進的態度。為求精簡方便，以下我們將以I代「身份認定」，D代表「要求」，E代表「期待」。

三

儘管事實上修憲和「勸進」在基本上已是一而二，二而一的一個事，主張修憲就意含擁護蔣先生繼續連任他的總統。因為照中華民國憲法的規定，總統只可以連選連任一次。這個規定乃是蔣先生再連任的唯一障礙。修憲也就是要除去這一障礙。不過，我們並不能籠統的說，所有主張修憲的人，特別是國大代表或立法委員中熱心於修憲的分子，都是誠心誠意地擁護蔣先生連任，或者說，他們的興趣都主要是在於蔣先生，至少，對於蔣先生連任與否並不是首要的關注，就懷他們主要的關注是修憲。

當下台灣方面贊成修憲的人，就他們所關注的重點說，大約可以分為三派：一是擁蔣派，修憲只是手段，擁蔣才是他們的最後目的；二是修憲派，他們當然也擁蔣，但蔣連任與否倒是次要，甚至漠然處之。不過，這並不是說，他們對修憲的本身就是目的，而是修憲使一部分人還有再參加一派的必要，還有第三派可以稱之為攀附派。這第三派，就拿一批人來說，蔣先生是否再連任，憲法條文是否修補，却在其次，他們最關切的就是勸進活動，他們各人在勸進活動中所居的地位，所作的活動，能否收到攀龍附鳳的結果。

總結說來，當前台北熱心「勸進」的分子共由三類人組成：

（一）擁蔣派──以擁蔣再連任總統為宗旨；

（二）修憲派──以修憲為目標；

（三）攀附派──借勸進活動以達攀附的目的。

這三派勸進者各有不同類型的I．D．E模式。在當前已公開表白態度的人當中，是（二）（一）兩派居多，（三）派雖有力，最有力的份子目前尚躲在背後觀察形勢，從旁補佈置。

四

近代的政治科學又指出，任何團體的政治行為總離不開化私為公這個過程。不經過符號上的化私為公，任何政治運動都不可能產生。不論在任何堂皇的口號之後，總存在着一些不可也不必公開宣佈的自私自利動機。這是無可諱言，也不必諱言的事實。因此，儘管「勸進」者所說的話如何堂皇，如何口口聲聲為了反攻，為台灣的安定與進步，為國家民族的前途……（這些都不過是官話，公話），我們並不能從這些話當中見到「勸進」運動的真面目。要想認識「勸進」運動的真面目，必得從其發生的根源，決定這一運動的真正出發點去看，揭開其面具後，真面目才能暴露在我們的眼前。「康梁保皇，而榮祿如此」……至性命不保。」必須從這些無際的思想和語言中，我們才能見到政治行動者真正的行為動機。

准此，對於台灣「勸進者」的I．D．E化，我們可以提出如下的假設：

（一）擁蔣派的I．D．E模式是：

我是蔣的人（I．）

我要保持既有或得到更多的權勢，財富，敬重和榮譽……等（D．）（重點因人而異）

蔣必再連任（E．）

他們的推理過程：

（如果修憲蔣將再連任）。

如果蔣再連任，我就能保持既有的或得到更多的權勢，財富，敬重和榮譽。（大前提）

蔣將再連任。（小前提）

我保持既有或得到更多的權勢，財富，敬重和榮譽。（所以他們擁蔣）

（二）修憲派的I．D．E模式是：

我是有權修憲的人（國大代表或立法委員）（I）

我要變改現有無權無勢，被閒置被冷落的淸苦現狀（D）。（重點亦因人而異）

修憲必成事實（E）。

他們的推理過程：

如果修憲，有權修憲者立成重要人物，其現有的無權無勢，被閒置被冷落的淸苦狀況就有改變（至少新聞記者常來光顧，大名常在報端出現，有權勢者常出來拜訪，多得車馬費，出席費，以及其他的特別酬勞。）（大前提）我們有權修憲。（小前提）

我的淸苦現狀得到改變。（所以，他們主張修憲。）

（三）附攀派的I．D．E模式是：

我是非向上爬不可的人（I）

我要權勢，財富，敬重和榮譽。（重點亦因人而異）（D）

勸進正合蔣先生及擁蔣當權者的意向。（E）

他們的推理過程：

如果勸進，合於蔣先生及擁蔣之當權者的意向，參與勸進者必得到注視和報償。（大前提）

我參與勸進（小前提）

我得到注視和報償（我向上爬）（所以，他們熱心勸進。）

五

限於篇幅，本文的分析只能到此為止。最後，我得提醒讀者，右列的分析只可作參考，是否符合，有待各位自己去找一份勸進者的名單，不妨一一細作一番考察，看看這一分析是否有效。（六月一日）

半週述評

從被摒出奧林匹克說起

現仍為聯合國永久常任理事，擁有「否決權」權威的中華民國，今竟被標榜「不與政治相關」的國際奧林匹克委員會以「中華民國已不復代表整個中國體育界之力量」為理由，一腳踢出。主持其事的竟是一位美國「朋友」──該會會長布倫迪治。紐約時報也認為「該會已被一種最幼稚的恐嚇手法所嚇倒，而甘于向不道德的政治壓力低頭」，並以為布倫迪治的話是一個有魄力的美國人所不願說的。其實他的「魄力」比任何美國人為大，聯合國所不敢為的而奧林匹克會竟悍然為之。中華民國不參加奧林匹克原不是什麼大不了的事；而被否定了中華民國的資格，却是一件大事，是應該為國格而力爭的。我們不是只為了「亞洲鐵人」將沒有在世界競技壇上列名奪分的機會為可惜。有人以為此之故實可退而改用「台灣」之名參加，實則無異自毀立場，為手段而不顧目的，因小失大，不可為也。

想到聯合國

平心而論，此事的失敗，當然不能完全歸咎于體育當局的失職，因為據我們所理解，體育當局甚至整個政府當局年來對于運動員球員，也和對於明星優伶一樣，其羅致之過份殷勤，甚且到了引起社會各界人士側目反感的程度，頗有「見羽毛而不見輿薪」之感。此次失敗，倒也不必全怪策略運用的失敗，而應該因此想起國家本身問題，如果中華民國的一切做法，老是祇限於台灣一隅，不能夠令人刮目相看，那麼，可能因此次失敗使其他國際體育機構或其他性質的國際機構起而效尤，而未來的聯合國席位問題，也會因此發生觀念上的影響。美國幫助我們，畢竟是有時間及條件限度的。而且在美國像布倫迪治這樣的「朋友」也不在少數。此次國際奧林匹克委員會的倒行逆施，倒值得自由中國抱殘守缺夢想苟安者的澈底猛省。

再談到日內瓦會議

蘇聯集團國家在國際上的活動，是萬變不離中心的，其在奧林匹克會，也和歷次在聯合國一樣，目的是除去中華民國的名字。其在奧林匹克會如此，其在日內瓦正在開會的四國外長會議對德國也如此。蘇外長葛羅米柯所強調的是將西柏林變成一個自由市，的在把東德抬上國際地位以對抗西德──因為西德堅強，所以目前尚不敢作以東德代替西德之想。故東德共黨領袖閣德理烏布理特且致函西德阿丹諾重提東西德間訂立互不侵略協定的建議。為了目的，共黨是不擇手段的。譬如，一向被莫斯科駡為「戰爭加油者」的杜爾斯之死，蘇外長也赴美演出一幕「柴桑口弔喪」故事，大贊杜氏對世界和平有大貢獻，足見蘇聯的統戰手法，對美國仍是大施其技的，其目的在等候美國政治情形的政變；而美國及西方國家政策是否改變，或將會如何改變，最後是要看西德是否屹立自強。

從星嘉坡普選看去

星嘉坡有史以來第一次成為「半獨立」國家而舉行普選的結果，左翼的人民行動黨，以獲得絕對大多數的席位，成為今後五年的執政黨。這個一面倒的勝利，所表現星洲選民「代表窮人」（大多數為中國人）的心理，雖然與該黨所發「代表窮人」的政治支票有關，却也不能忽略該黨領袖的政治心理的傾向。人民行動黨的領袖，雖曾言該黨不是一般共黨，甚至表示過非共立場，但最初也表示過並非反共。無論如何它是在以偏左的中立姿態出現。同時具有號召力的，是該黨揭示反對英國在星設置海陸軍基地的主張，獲得了過去飽受殖民地生活痛苦而追求澈底解放的人心。這一點是自有其必然性而無可評論的。不過，從自由世界言，由於星嘉坡自治政府反對英國設立基地，採取中立態度，使反共的遠東防綫，無疑受到極大的影響。雖政該黨執政伊始，為了爭取人心，態度如何去何從，尚還在演變中。不過星洲的反共政黨，如果一如此次競選時一樣的無法組成一個聯合陣綫，則後之視今，「星嘉坡國」雖或不致馬上走向印尼曾經走過的路綫，也將必如印度、錫蘭一樣，不會站在自由世界一邊。那麼，星洲的遠景，從自由世界看來，是蒙着一層陰霾的。

●林伯雅●

自由談

世運會的怪劇

世界運動會執行委員會這次對中國單位的代表權，突作非理非法的決定，認為中華民國祇能代表台灣。這固然是俄帝從中作祟，以「分裂」世運會包括聯合國在內──近十年來俄帝照例在舉行會議時必然提出排除中華民國的動議，均為大衆所否決而自討沒趣。這次世運會竟有此非常的愚蠢舉動，而且在會議中担任主席的又是美國人，真是豈有此理！

這項惡例一開，將來其他的各種國際機構，俄帝夥同一二自命為自由世界之一員的陰謀國家代表，援例搗蛋，實為意料中事。據傳說，我們將以（Nationalist China）的名義，再向世運會申請加入，果若是，即無異於自己承認「兩個中國」存在，乃國際陰謀家若干年鼓吹策動而未能實現的事，「不敢請耳，固所願也」。我們豈可作繭自縛乎？

美國執政當局口口聲聲說是決不贊同「中國人民所反對」的「兩個中國」政策，然在世運會執委會議中主持進行「兩個中國」決議案的就是美國，如果他個人是遵守本國外交方針的，即令在會議席上未便說反對的話，事後亦得發表自己的見解才對，但他噤不作聲，即不能不產生神經過敏的疑問：美國政府是否真的不贊成「兩個中國」政策呢？

因此，我們目前只可向世運會提出嚴重抗議，從外交途徑據理依法，為正義公道而奮鬥，更改名義實行申請入會的對策，千萬使不得！根本一句話：我們如其長此固守台灣一隅，沒有光復河山的實際行動，則來日大難，必將擴展，所謂「兩個中國」的國際陰謀，必為事實的。自侮而後人侮之，自己不能搶回，但望國際間申張正義，這等於跟遊泥強盜講道德仁義，其不失望遭殃者，鮮矣！

馮五先生

反對修憲　反對增加臨時條款

實際也就是不贊成連任

（本報訊）『我們既不贊成修憲，當然更不贊成增加臨時條款，實際就是不贊成蔣先生再幹下去。可是我們充分明白，我們的話是不會有效的，惟其知道無效，我們仍不能不在這裏澈底的說一說。』這是五月廿九日左舜生氏在「聯合評論」發表一篇以「再談蔣連任問題」為題的文章的結論。

障眼法與毀憲

左氏這一篇文章，比較他以前有關這問題的許多文字，算是最為激切的一篇了。左氏根據報紙記載，認為蔣總統五月十八日總理紀念周的演說詞，表示了兩個意思：即『不修憲，總統還是要做』。左氏跟着說『至於如何在不修憲的原則之下，而又能使得他老先生安然連任第三任總統，這當然是今後國民黨必須演出的一幕喜劇』（按蔣總統的演詞大意，本刊上一期已有報導。）

關於反對增加臨時條款的理由，左氏的文章說，『照一種正當的解釋，臨時條款的効用，完全與憲法本文一樣，其增加的程序，也與修憲無異。說修憲特別嚴重，增加臨時條款特別輕鬆，這只是一種把戲，一種無聊的障眼法，毀憲而已。』

他又說憲法本來規定，總統可以「依法宣佈戒嚴」，可以「發佈緊急命令」，蔣先生因不願受立法院和行政院的牽制，才堅持要在憲法本文以外，加上一個「動員戡亂時期臨時條款」的。左氏認為，近十年來，「動員」「戡亂」在台灣並沒有什麼認真的行動，可是「戒嚴」可以戒到無窮期，「緊急」也緊急到一塌了。因此『凡憲法所賦予國民的基本自由，乃一已一切被剝奪得乾乾淨淨』了。

左氏的文章，最後一段對蔣總統在紀念周上所說的三點顧慮，表示不能同意。他說：第一點所謂『不使敵人感到稱心』，據我看，乃是共產黨所最稱心的，乃是蔣先生繼續做總統，因為必如此，……共產黨也才有間隙繼續幹下去，尤其要緊的，乃是必須保存了蔣先生這一套，共產黨對大陸人民也才有以自解：左氏說，中共將對大陸老百姓說，『看，蔣某人不還是從前那一套嗎？你們因為不滿意他從前那一套，才來和我們合作，如果你們現在又動搖，充其量也不過回到從前的老樣子，這究竟於你們有什麼好處？你們以為他們最近所通過的一份「光復大陸政治行動綱領」將來當真會實行嗎？如果他肯實行，過去他們在大陸二十年，為什麼不實行？最近十年他們在台灣，為什麼依然不實行？……』左氏以為如果敵人真把這樣一番話向大陸人民去宣傳，真不知道要把大陸人民弄得如何啼笑皆非。他以為「假定第三任總統另外換上一個人，情形便可能兩樣」，敵人不會感到『稱心』的。

第二點所謂『不使大陸億萬同胞感到失望』，左氏說，『我看這一點顧慮也大可不必。大陸人民在過去十年所受的痛苦，可以說已經登峯造極，他們確實天天希望得到拯救。可是過去十年，蔣先生在台灣做着第二任總統，對他們終究不能得到拯救。過去十年如此，未來十年可知。蔣先生做總統，大陸老百姓的痛苦不因之而減；他做總統，他們的痛苦不一定因之而加。』左氏認為，大陸百姓對這件事漠不關心則有之，失望不失望，無從說起。

第三點所謂『不使海內外軍民感到惶惑』，左氏認為是要分別來看的。蔣先生不做總統，台灣人民是不是會感到惶惑，要問台灣人。：軍隊會相當惶惑可能是眞的。至於海外人民，眼看台灣種種措施，早已惶惑了十年，等不到現在」了。（五月廿九日）

談出入境管制

○何建華○

在鐵幕外的國人，對政府的出入境管制，大家都感到頭痛，因為有不少大陸難胞不能申請入台；又有不少在台人士出境感到困難，但最近據說有一個娼妓別號叫路妮娜的和一個在台被通緝有案叫薛一沖的兩個寶貝在法蘭西，比利士首都大鬧笑話，才知這似乎言之成理的出入境管制是怎麼一回事。五月十五日聯合報的副刊上「僑領，騙子與娼妓」一文中的結語：「想到有些德高望重的學人出門諸多阻難，而騙女娼却來去自如，不禁感到此刻現在還是這類人吃得開也」。這句話確引起讀者無限感慨。

從數字與事實看當前司法行政

（台灣通訊）司法有無改進，從近三年的司法行政措施，可以獲得結論。台灣自光復以後，至四十六年八月底止，全台地方法院及各地方法院檢察處，所有通緝人犯，共為一萬九千三百零五人，經緝獲和投案而撤銷通緝者為五千七百十九名，僅佔百分之卅弱。而四十六年九月至四十七年六月止十個月內，被通緝者為四千五百五十一名，而撤銷通緝者僅三八二四名，佔百分之五十五強。從這個統計數字可見治安機關對於緝捕人犯工作尚未盡責。這批一萬七千三百餘亡命之徒，隨時均可鋌而走險，影響社會治安和秩序至鉅。但歷年來的刑事案件，以違反票據法罪居第一審法院終結的刑事案件之首位。如四十五年刑事案件為四萬三千九百餘，而違反票據者為一萬二千二百六十一件，佔百分之二十七．九三。而四十六年度的刑案激增至六萬七千四百左右，其中違反票據者為一萬九千零九十四件，佔百分之二十八．三四。但據某方面的解說，認為三十年前所頒佈的票據法和「監督銀錢業存戶使用本名及行使支票辦法」已不能配合現時的金融商業經濟情形，這固然是重要原因，但是「人心不古」與商業道德及社會經濟衰弱，也是重要的因素了。有人主張用重典來挽救此風，記者認為同時也必須顧及如何從實際生活方面去加強道德觀念。

台灣的欠稅滯納案，更是驚人。每年在三十萬件以上，據省財政廳和高等法院磋商之結果，全省地方法院每月僅能暫予執行一萬二千案，全年不過執行十五件左右，相差一半不能執行，如果加上舊欠稅案七十餘萬件，則執行上就發生人手不够的問題，於是有成立稅務法庭，專司其職之議。而欠稅案中的大戶不多，升斗小民却佔首位。從這裏可以窺見我國的稅制精神和稽徵的對象了。

就理論和事實而言，台灣為海島之地，既不栽種鴉片——罌粟花，而入境又管制甚嚴，這是禁止鴉片最好的地方，然而事實並不如此，而販賣和吸毒犯的案件，並未根除。比如四十五年度科刑之烟毒案件為四百八十六件，而四十六年度尚有三百六十餘件。據監察院調查統計，烟毒案中販賣和持有者反較上年度增加。這是對肅清烟毒的國策，最大的諷刺。

司法行政部規定第一審法院的推事，每月結案：民事案件為三十二件，刑事為三十四件。但各地方法院推事，除基隆和澎湖外，在民事方面，平均每人每月結案為六十八．六九件。而刑事方面，除花蓮和澎湖外，平均每人每月結案為五十八．〇五件。均超過規定。而台北地院刑事案，每一推事，每月結案達八十件左右。該院現有民刑庭長及推事二十九人，而法庭僅有十座，平均三人合用一座，假如每月結案為七十件，每一推事每週僅有庭期兩天，每案平均開庭二次，每月須開庭一百五十次。以月僅有庭期八天，以八小時計算，則為六十小時，於是每一案件的結案僅有五十分鐘。我們從時間上和推事精力而言，則審判案件時，就難免草率，其正確性則就不得不使人懷疑了。

日前，台灣高等法院推事劉賢平、黃谷隆、何任清等，因審理劉運籌控告地主佃租一案，就是因為「違法失職」，而台北地院推事羅友琦申請房地所有權移登記一案，竟發生矛盾的裁判，且強詞飾非，而損害法院之尊嚴。從上面所舉數字和事例看，可知司法界問題的中心關鍵所在了。（四八、五、二六、于台北）

●張健生○

英國將孤單的爬上「高峯」麼？

旭東譯

我在西柏林機場外一酒店，見其主人正等候艾森豪威爾的廣播演說詞時，我問他，希望艾克說些甚麼。他說：『我們希望他去到戰爭邊緣，即使他更越過，我們也不打緊的。』他停了一回，又說：『談判是浪費時間。我們柏林人知得很清楚。』除非美國明白的聲明不惜一戰，否則俄國人將擺弄去柏林的了。』

當我回到倫敦時，看見托拉法迦廣場，擠滿着英國人，示威反對氫彈。他們從阿達馬斯開登原子武器研究所，開始出發，沿途大受倫敦羣衆歡呼。我不禁感到奇怪。試想：若我那柏林老友，看見如此多的英國人表示贊同西方單方裁軍，則作何感想？

柏林危機的看法，是不是表示英德兩國基本的意見分歧呢？麥美倫首相是不是真的想寧使西德吃虧，而願意與蘇聯達成「解決歐洲問題」呢？

英外交部發言人，當然是否認的。但我相信德國總理阿丹諾的憂懼，並非完全無根據。英國人是北大西洋公約國家中最反德的。法國可能更仇視德國，但戴高樂不喜歡英德聯合，在北大西洋公約組織內佔操縱優勢。並要阿丹諾抵抗英國的「自由貿易區計劃」。至於北大西洋組織較小的歐洲國家，只有接納法德互相同意的政策。簡而言之，「小歐洲」有共同的利害的關係，而英國不與焉。

至於美國，另有不同的理由，與德國發展了極密切的連繫。而且美德之連繫，非止於外交的權宜計。在戰後西德堅守自由貿易原則，及講求商業效率，——與歐洲其他國家有相反的強烈對照，——已贏得美國大衆的稱讚和同情。而且德國是相當重視美國的一個歐洲主要國家。他們了解美國的動機。但在英國與法國，美國人感到他們自己粗野，急燥輕浮。然而德國在那本身也是新的德國，他們感到彼此都是一樣，便感到很舒服。現在不必研究此種心理，總之，美德兩國間之同情及互信，在戰後更有顯著的發展。

此種的同情與互信，當然不存在於英德兩國間。至於法德的連繫關係，也不存在於英德之間。真理由如下：第一、英國既然拒絕參加「小歐洲」，自然不會被消前去寬恕及忘記過去。第二法國從德國方面獲得經濟利益，而英國工業視德國之復興如純屬災禍。更重要的是英國不參與歐洲聯合計劃，歐洲現狀的改變，則其影響於英國比歐洲大陸較少。英國對於小歐洲持超然態度，自以持戒懼存疑的態度為得計。

然而最重要的，是那毫無疑問的事實，即英國人民並不喜歡德國人。去年德國總統休斯訪問倫敦，受到冷落的招待。英國之樂於容許德國參加北大西洋公約組織，是因為他們認為德國是盟友比德國為敵人，較為安全。這是消極的觀感。因此與自由柏林的團結，是英國政治家的談論，英國人民對此並無眞實感。

假如有人提出柏林問題，在人叢中，一般的反應是：『這些嗜血的德意志人，已引起兩次大戰了，豈讓他們引起第三次大戰麼』？為小小的韓國、或『英勇的』希臘人或土耳其人作戰，英國普通人尚認為有意義，但為這這『嗜血的』德國人冒了原子大戰之險，在英國人看來是癡妄的。

麥美倫彼這些普遍態度影響到什麼程度呢？因為將來舉行普選的關係，他不能忽視這個。自然，以政客的眼光而不是大政治家的眼光看來，他當然歡迎阿丹諾總理的不信任，這樣令到左翼人士放心，而支持右派者也感到滿意。假如給大衆以隨着德國到戰爭邊緣的一種印像，便對於競選不利。華府的邊緣理論已經是不受歡迎了。若接納波恩的邊緣主張，便是競選的災禍。

此外，英國在一個崇尚彈性政策的世界，便可大展鴻猷。假如在一個到了非強硬不可的階段，英國便無法施展其老外交手段。所謂強硬就是意味着由華盛頓操縱的了。英國維持國家聲望，不容許東西關係陷於悲觀，因為英國知道她的『偉大任務』，要在需要機敏外交手腕，而不是靠軍事實力的時代，纔現出來。一旦西方要堅持立場，美國不能不出來担當領導的任務。

麥美倫是極相信：英美之關係，類似希臘與羅馬之關係。即英國供給頭腦，而美國供給筋肌力量。無疑的，他仍然以為有用腦筋，詐術及談判之術，英國既不够強，去抵抗許多敵人，便使其挫敗昇華，立異為高的，去抵抗其盟友。

批評英國報紙，大多數報紙在論調是很顯明的：沒有人眞正知道麥美倫的計劃，和它的內容很少被人討論。他們只強調首相已從艾森豪威爾取了主動。『彈性』，『談判』和『折衷』——一切代替了作戰的呼聲，引起英國人民一種領導感及命運感。

現在倫敦言論界，不引用邱吉爾昔日最流行的格言：『流血，流汗，流淚』，而喜歡引用他的最少辯論與最無特色的一句，所謂『饒舌爭辯總好過打仗』。（Better to Jaw Jaw than war war）（節譯自「記者雜誌」——原著為P. Worsthorne）

國際動態拾零

△猶太人從羅馬尼亞遷入以色列之運動，不久仍繼續進行；六星期前，以阿聯抗議，羅馬尼亞突然禁止其出境，然已有十萬人準備遷徙。

△蘇聯太空科學家，準備放射三個大眼衛星，以攝製月球地圖攝影。

△伊拉克難民，已組成五百個敢死隊，從事反共。現在敘利亞北部，接受爆破及游擊訓練。這顯然為阿聯的主動，而此項消息，亦從阿聯駐聯合國外交官傳出。

△蘇聯對芬蘭，使用經濟壓力，強其調反共社會主義黨一二領袖。否則芬蘭一九五八年之經濟恐慌，行將重現。

△捷克國務總理普羅甚基（Siroky），與捷共第一書記兼總統之那佛尼（Novotny），仇視已久。普羅甚基不復出現于公開場合，已有兩月之久，報紙亦未提及其名字。

△根據美陸軍部情報，蘇聯越洲飛彈，有幾個已經可用。射程預定三千五百英里者，可遠至五千英里。但國防部長麥克爾伊謂蘇聯與美國越洲飛彈，須在本年年底，始可應用。

△美空軍不久將恢復向柏林低空飛行，載供應品前往，而將撤離之疑慮掃除。

●陶然○

毛澤東的錯誤

前期本欄指出中共的大躍進已經明顯的鬆勁，但這種鬆勁是出于毛的主動；儘管如此，從最近中共的表現來看，其處境之艱困實已到達了前所未有的程度。

五月二十五日人民日報有一篇文章：「要分析，不要絕對化」，這篇文章引用毛的話來反對「絕對化」。文章認爲，「在思想方法中具有這種絕對化毛病的人，常常在克服某一種錯誤傾向的時候，又走到相反的極端去，即在反對左傾錯誤的時候走到右傾錯誤方面去，或者，反過來，在反對右傾錯誤的時候，又走到左傾錯誤方面去。」

一九五七年上半年的鳴放，該是右傾錯誤的極端；同年六月，轉爲反右派，全面政策左傾，而一九五八年九月，全面政策又走到左的極端，內則組織人民公社，外則在台灣海峽製造緊張局勢；這種由右極端走到左的極端的政策，本欄已早指出，是毛的步驟，要說這是錯誤那末該是毛的錯誤。

「波浪式地前進」

文章又認爲：「思想方法絕對化的人，正像毛澤東同志所指出的，他們機械地認爲『革命的力量是要純粹又純粹，革命的道路是要筆直又筆直』。他們甚至不承認辦事應該有步驟，否認事物總是波浪式的前進，而是認爲任何事物在任何情況下都應該直綫前進，都應該『畢其功于一役』，並且認爲只有如此才是快，否則就是慢。」在去年大躍進的時節，中共猛烈批判一九五六年下半年開始的「馬鞍形」低潮，指實由於保守派的作祟才出現「馬鞍形」低潮，強調冲大幹勁。「馬鞍形」與「波浪式」在這裏的形象意義又並無不同，誰在去年領導批判「馬鞍形」低潮？沒有別個就是毛澤東。但是現在他自己又主張「波浪式地前進了」！

處境益爲艱困

五月二十日「人民日報」在報刊文摘一欄中摘錄了浙江日報的一段評論，說：「有人担心我們的波浪式前進，會成爲保守派的擋箭牌。的確，當我們每一次大發展之後進行整頓時，那些保守派就百般嘲諷，說什麼『糾偏』啦，『反冒進』啦，等等。」從這段話裏可以意會到，上述「反極端化」，從新提出「波浪形前進」等並非保守派的主動，再結合當前的政治情況，以及前期本欄所引述的毛所提出的工作方法：「留有餘地，掌握主動」等情況來看，這種批判分明又出于毛的主動，亦即毛自己主動來批判自己在去年的「左」的錯誤，這也就是說，即令毛爲所欲爲，亦迫得他要對當前的客觀環境讓步，這種發展是不可思議的，但事實確已到達了這種地步。其處境的艱困就在這裏。　。田心。

看中共如何篡改中國歷史

主張以『農民起義』作爲『歷史主流』代替王朝興替

（本報特稿）中共改變中國歷史的企圖，現在已逐漸到了具體化的階段。這是在中共提出了「歷史應爲無產階級政治服務」、「厚今薄古」、「古爲今用」等口號以後才開始的。以前，中共運用馬克斯的歷史觀——歷史的變化是由於生產關係和生產力的變化——的論點，很難解釋得通爲什麼中國三千年來的社會生產關係和生產力沒有多大變化而歷史卻在演變。這就使得中共不能不篡改中國歷史來適應它的統治理論。

現在，中共除了在歷史人物方面準備替殷紂王、秦始皇和曹操等人翻案外，還準備打破王朝體系，殷、商、周、秦、漢、唐、宋、元、明、清這一歷史系統，而以社會性質分期或以「農民起義」作爲歷史的界劃。

最近由郭沫若首創、翦伯贊隨即擁護的「爲曹操翻案」一事，固然有很多地方是爲了討好中共和中共首腦毛澤東。但是在論及屯田制度，平定烏桓這些事的時候，總強調了曹操對「解放社會生產力」的「功績」。這並不是偶然的，而是爲替篡改整個中國歷史打下其馬克斯主義的理論基礎。

三月二十八日，翦伯贊首次公開提出「打破王朝體系」這一個問題。翦是「中國科學院哲學社會科學學部委員」，又是該院古籍整理委員會歷史小組的負責人，其發言足能代表中共的意圖。他說：「自科學大躍進以來，打破王朝體系的問題又提到史學家的面前。有一些高等學校的歷史系已按社會性質分期來編寫和講授歷史，並打破了王朝體系，有的並主張爲王朝的稱號和王朝本身的歷史也應從中國通史中刪去。」

翦伯贊是同意這一原則的，他說今後撰寫歷史的原則有三個：（一）以社會下層群衆活動爲主體；即所謂「中國歷史要變成一部勞動人民的歷史。」（二）以經濟動態爲骨幹；這完全是爲了適合馬列主義的原則，不顧中國歷史中朝代變換的事實，而去尋找「社會生產關係的變化」。（三）以階級鬥爭爲主流；這則是中共一貫的主張。中共自稱它的「革命」是「代表」被壓迫階級的利益而鬥爭的，以階級鬥爭這一名詞爲其愚弄人民的資本。而且爲了要證明它的出現是「符合歷史發展的規律」的，就不惜被動其御用歷史學家，在中國歷史中搜尋階級鬥爭的例子。

要這樣做，唯一的辦法就是閉着眼睛不承認王朝存在的事實，因爲很多王朝的更替並不代表社會經濟的改革，例如宋、齊、梁、陳。另一方面，社會經濟有變化時，王朝卻又沒有更替，例如鴉片戰爭前後，中國的社會經濟起了很大的變化，但清朝卻並未因此垮台。爲了向人民交代「馬列主義放之四海而皆準」，這些問題只好不擇手段地予以篡改，把中國歷史的主要組成部份如政治沿革、政治制度等都棄而不顧。翦伯贊甚至如潑皮撒賴般地說：「過去看不到下層人民的活動，我們現在就還他一個看不見帝王將相的活動；過去看不到經濟基礎，我們現在就還他一個看不見政治制度；過去的歷史專講政治沿革，我們現在就還他一個來歷不明；過去的歷史專講王朝始末，我們現在就還他一個一字不提。」這種話，充份反映出中共不顧一切的態度。

但是中共要這樣做的話，卻遭遇到一個困難，那就是中國歷史如以社會經濟狀態來分期的話，還存在着很大的問題。如中國的封建生產關係究竟開始於何時？資本主義的萌芽又始於何時？這些問題，都是爭論幾年到現在仍未解決的。

因此，中共又準備採取第二種辦法，「新建設」月刊（全國性學術月刊，北京出版）今年第四期就有一篇專論提到了這一問題，即主張以「農民起義」作爲「歷史主流」，來代替王朝的興替。其具體辦法是：（一）以共和起義來概括周宣王、春秋戰國以至秦之統一；（二）以陳勝吳廣起義概括西漢；（三）以赤眉概括東漢；（四）以黃巾概括南北朝；（五）以竇建德等起義概括唐朝的建立及唐朝；（六）以黃巢概括五代和北宋；（七）以方臘概括南宋、金、元；（八）以徐福壽韓林兒等概括朱元璋和明朝的建立及明朝；（九）以李自成張獻忠概括滿清之建國及以太平天國概括中國近代史。

這兩種辦法，目前還只是滯留在討論階段。但是中共終將根據它自己的意圖來「改造」中國的歷史，已是無可置疑的了，這從一些大學的歷史系已開始廢除原有教材的一點上就可以看出來。

這一事件，從表面上來看，好像純粹是一個學術性的問題，但中共幾年來處心積慮，經過了很長一個時期，終於將之付諸具體的實行，絕不是單純地爲了歷史學方面的爭論，而且有其深遠的目的。正如中共所說：「古爲今用」，中共正是企圖利用篡改歷史而給予全國人民一個概念：它的出現和統治是中國歷史中不可分割的一部份，是歷史發展的必然規律。同時，根據中共意圖篡改後的歷史，也有利於它對全國人民的宣傳。在十年統治之後，中共明白了暴力所帶來的只是反抗，因此開始着眼於「思想改造」運動，強迫人民「學哲學」、「學工作」，篡改歷史等一連串的措施就是爲了打下其長期統治的基礎。中共完成這一工作後，其消滅中國固有文化的工作，就又前進了一大步了。（大陸社特約供給）

大陸文壇透視

夏衍這個人

七弦

爲了分析巴金事件，不能不先插敍一下夏衍這個人。他具有三十餘年悠久的黨齡，年紀已有六十，可是在文藝界中，他總算一個後輩。而且他的作品，無論戲劇和小說，都是因人成事，並無創造才華，寫得極不高明。

他是浙江人，小學畢業後，因窮不能升學，做了兩年的染坊學徒。後來考入官費的杭州工業學校，以優等生保送日本學電氣工程。歸國後，加入中共，即從日文翻譯共黨的文藝理論，使他成名的是以他的假名（沈端先）出版的高爾基的「母親」中譯本。「左聯」成立，他是實際領導人之一，至今中共一些文學史家，還拿他和周揚並稱。他那時的責任是在上海影劇界中做統戰工作，並且涉足工廠中從事秘密組織的活動。他對文藝本是門外漢，但既然成了左翼文壇的領導，總要拿出作品，於是他用「黃子布」筆名給當時明星公司寫電影劇本，並不成功。以後他試着寫小說，用「夏衍」的名字，向「文學」投稿，怕人家不登，便自己寫了介紹信，假說是朋友的稿子。「文學」是「左聯」刊物，編者當然不敢得罪這位領導，稿子登出了，他認爲寫小說已經成功，此後就繼用「夏衍」發表了「包身工」和「賽金花」。經過左派文人的鼓吹，夏衍便成了一位「了不起」的作家。「包身工」直如新聞報導，不能稱爲小說，中共文人遂美其名曰「報告文學」，並推爲這類文藝之祖。「賽金花」是竊劉半農的舊稿改編，算不得創作，劇中不但歪曲了賽金花，並且惡毒地諷刺了當時政府的外交。因此在南京上演時，曾激怒了觀衆，有人將痰盂投擲到戲台上去，結果遂遭禁演。

抗戰時，他代郭沫若主持「救亡日報」，寫過「愁城記」和攻擊政府的劇本，全不見佳。「解放」後，他任華東區文管會副主任兼文藝處長，並一手組織了滬上的「作協」，在上海是一位炙手可熱的人物。「左聯」時代，他是周揚的助手，如今卻一躍而爲「老板」，加上物質環境的優越，文教事業的衆多，志得意滿，未嘗不自視爲「天之驕子」。實際上除了周揚，在中共文藝界中，也無人能比得上他。

電影「武訓傳」是在他的管制下拍成而公演的，在滬演出後，他的部下紛紛爲文讚揚。後來「武訓傳」經毛澤東指爲反動後，他雖未讚揚，卻不能辭疏於管制之咎。幸虧他有過去的「功績」和周揚的維護，才免於處分。但他在上海的地位即從此動搖，當時中共從黨員作家中還挑選不出合適的人來接替他，他因而得以蟬聯數年，直到五四年中共才作了走馬換將的安排，叫巴金去頂了他。

廣東面臨洪汎威脅

水利工程虛有其表

廣東天文台在四月下旬連續發出警告稱：全省各地連日來陰雨連綿，江水正在上漲，汎期可能提前到來。中共廣東省委員會爲此在四月二十二日召開了「防汎工作會議」，四月二十六日的「南方日報」報導了會議的經過並發表了短評。會議暴露出中共歷年來的「水利工程」並不能應付洪汎，且數年來堤防失修，如一旦遭遇洪水，將不可收拾。「南方日報」的短評概括地說：「各地經過檢查，許多堤圍發現了新的險段：有的堤段過於單薄；有的因爲河床沖深了，外坡坍塌；有的地方抓堤鑿路的缺口還沒有堵復，等等。此外，許多蓄水工程也還沒有做好掃尾工作，單中山縣就有四個水庫的溢洪道還沒有開好，遇到一到二百公厘的暴雨就可能出險，這對下游房舍和農田將產生極大威脅。類似的情況，各地都有。」（賁）

瘟君夢

第二回：密室定奇謀　巴山留遺恨　蒼生淚炭　弱絮隨風

監顏奇怪萬分，連忙問道：「怎麼會送命呢？」

毛澤東嘆口氣：「事後我才知道，原來這是一條苦肉計，蘇聯打算用一架飛機，悄悄地把我們幾個人載了走，半道上故意撞山失事，他們就成功了。」

監顏聽得毛骨悚然，背脊直冒冷汗，搶問道：「害死了你和周恩來，蘇聯有什麼好處？」

毛澤東搖搖頭：「好處可多了，第一，可以把罪名嫁到國民黨身上，試問我在重慶被一架神秘飛機載走，中途又撞山失事，無論叫任何人評理，一定認爲是國民黨謀害的，全世界輿論必定羣起攻擊國民黨，美國的議員們又要高呼斷絕對華援助，先把國民黨孤立起來，國民黨若非坐以待斃，只有投向蘇聯集團。」

監顏伸伸舌頭：「這個計策假若真的實行了，老蔣可是跳到黃河洗不清了。」

毛澤東說道：「第二，史大林可以借這個機會把我和周恩來除掉，朱德是個懷癩狗扶不上牆，那個賀龍除去一斤豬蹄，七八碗米飯，什麼用也沒有，其他能幹的人，林彪、陳毅，那時資望都淺，大權一定落到陳紹禹，李立三手裏，劉少奇在莫斯科時，本來和陳紹禹，秦邦憲是一羣，這時自然又合在一起。史大林指揮這批人還容易得多。」

監顏點點頭：「這一點我還容易明白，還有什麼好處呢？」

毛澤東聳聳肩膀：「還有一個更大的好處，可以加速國民黨的崩潰。」

監顏搖搖頭：「這一點我就不懂了，你和周恩來死掉了，失去領導人物的應是共產黨，怎麼會加速國民黨的崩潰呢？」

毛澤東又燃一支煙，說道：「你這種看法是表面的，骨子裏情形正好相反，假若國民黨一面外受國際的指責，內受民衆的反抗，加上民主同盟從旁呐喊，共產黨乘機進攻，國民黨就要答應什麼條件，這樣不算，假若國民黨三條命都可以出現，要召集共產黨爲周恩來報仇，哀兵必勝，那有打不勝之理，你說好處有多大。」

監顏吁一口氣：「好處再多，換了我是他的也實在捨不得。」

毛澤東一口氣吸盡手上的煙，冷笑一聲：「史大林，也不捨得犧牲你和周恩來。你們總是他的忠實部下。」

監顏說道：「那叫做道具。」

毛澤東點點頭：「對了，我就是那個東西。演電影用的道具，用着時也許會頂在頭上，不用了向角落一丟，一文都不值。」（四十一）

岳騫

僑生必須改造！

中共「全國人代會代表」王越，四月二十九日就僑生問題在「人代會」上致了言。王越首先提出了加強對僑生的「改造」問題，他說：「僑生生長在資本主義國家或殖民地，受資本主義或殖民地的教育，情況有其一定的特點，他們對資本主義的腐朽本質與社會主義的優越性認識不足，對祖國的教育方針和政策也沒有足夠的認識。」因此中共的結論是「必需加以改造」。因此王越說：「許多僑生資產階級個人主義的思想作祟，較爲突出，因而他們的學習目的、對勞動的看法和黨的教育方針存在着矛盾。」

釋來集

文章與世變

明業南風論詩力戴：「宋季宗，一日與崇敦詩論文章關世變，敦詩曰：臣觀建炎紹文，議理明而氣勢壯，便知天下必能中興，遂師一轍，牽刪詩，天諷喜甚，又問曰：六朝五代之文何？敦詩曰：六朝之文破碎，遂有土崩分裂之象；五代之文粗悍，遂有草茅崛起之象。上嘉歎曰：卿論得此甚好。」今按敦詩所說，亦可改成如下說之：「六朝土地分裂，故文章破碎；五代草茅崛起，故文章粗悍。」然則世變而後文章變，抑文章變而後世變？固卒難明也。但一時代有一時代之宗風家法，盛世文章，又必理明而氣勢壯，則爲一定之理無庸爭辯也。

近代自五四以還，我國士大夫致力於新文學之創造，原具極高之熱忱，其最初標榜之目標，大抵爲通俗的文學，平民的文學與社會的文學，胡適之先生除國語的文學與文學的國語之文學的綱領。以當年北京大學之風力及新青年月刊鼓吹之廣，此說一時似已成爲定論，就作品言，因國語之不易統一，所謂國語文學，在短期之內，不僅無法普通化，平民化，與社會化，則此一時期之作品，其爲學校以外之人所歡迎者，似仍去三國水滸等書甚遠，即以舊小說而論，即使當年一度行銷，或爲不朽之作，今已百份之九十，淪于消亡，散文及新詩則更無論矣。

吾人及其文字者，自以胡先生爲最多，而其文多偏于論學，又往往雜多據家色彩，非胡先生不足爲文人，只胡先生不屑爲文人耳，其他如周氏兄弟，固最擅風力矣，一辛辣，一平淡，辛辣者摭于思想，平淡者則不切人事，似均非傳統文學之正軌，又其次則林語堂先生，當其主編論語時，所倡之散文亦多標榜幽默，近于語而不莊，亦不足以爲一代宗師。或曰文化學術之進步，正以不定于一尊，紛然雜出，正足以見其內容之龐雜，此論實似是而實非，因國政治上不定于一尊，則不足以言統一，思想上不定于一尊，則思想上不足以言統一。

余于文學，雖嘗習之，而若不能專，又身微賤，不得接聞于大人先生之議，使有所廣益，平生所學，只一孔之見而已，以代表一時代之精神，則亦應史足以致太平，文學上定于一尊，以國文言之，居穎嘗泛覽今各大學校中所用之國文課本，及往昔各大學所用之國文講義，覺類皆爲論說所影響，失在無體統，大學之中，無學之附屬，今試問此時代之散文果誰爲宗乎？胡先生昔嘗主張文學之要，無法令，無體，有所宗主，戲劇及小說，雖爲蠶，足以見文章之大，又必寫之之精，此時以國文學之，似仍以散文論我國文學，似仍以散文爲主。

申報館刊印一種「文學」一文，已隱然將曠南第一，梁任公，劉申叔，王國維，林紓，嚴復之數人者，又陵，林琴南，及章太炎諸先生皆爲古文學之殿後人物，其存而不論之意，約略可見，自此以後，古典文學之殿後人物，其存而不論之時，自此以後，能爲之乎？其孰能爲之乎？

曲齋

栗海彈心錄

〔川漢鄰寇〕

護國軍興，軍事未了，國是益紛，國會之議，紛紛擾擾，而論者蜂起，擁戴之議，既經一紙，民國以來，政府及國會之爭，迭見不已，凡此種種，皆政府無能，國會無力，有以致之也。

護國軍

民國四年，袁氏帝制自爲，雲南唐繼堯、蔡鍔首揭義旗，起兵討袁，號護國軍。護國之役，雖以蔡鍔、唐繼堯之力爲多，然其時川中督軍陳宧，亦以一身之力，宣布獨立，遂使袁氏之帝制，卒歸於失敗。今之論者，每多稱蔡鍔之功，而於陳宧則少所及，此則史家之過也。陳宧者，字二菴，湖北安陸人，清季從軍，以才略見稱，民國初年，袁氏倚之甚重，任以督川，及袁氏稱帝，陳宧初亦附和，及護國軍起，陳宧審察大勢，知帝制之不可爲，乃毅然宣布四川獨立，與袁氏斷絕關係，袁氏聞之，憂憤而死。

阿公。

漫談台語片的困擾

・莊世和・

近數年來，台語片如雨後春筍似的，一時呈現空前的蓬勃，大小製片公司成立了一百五十多家。但是好景不長，僅有四年光的黃金時代，目前已漸漸的面臨了衰落崩潰的危機！真是令人可嘆！

台語片的發生，是在民國三十年，是中日戰爭熾烈的時候，有人建議在台灣設立台語影片公司，那時候日本政府控制了台灣，推行皇民化運動，並且加以嚴重限制，嚴禁台灣同胞的文化活動，逐漸限制了台灣民族文化的發展，影片曾經有一個時期的沉寂，把閩南語影片「聖水記」、「台灣民族運動」以及「台灣新劇」等，以供台胞欣賞，但這只是宣揚日本精神的工具，並不是台灣人自己的藝術。

民國卅七年間，有熱心台語影片事業者，製作了台灣第一部台語影片「花蓮港」，一片後，有人與公司合作，拍成了「六才子西廂記」，經過了許久的籌備，與多次的難關，總算實現了。

但是，自從第一部台語片「薛平貴與王寶釧」出現以來，一般觀眾認為是不少「錢」，於是台語片公司紛紛成立，台語片的製作，逐漸增加，生意人看到這是一門生意，而且產生了不少的投機者，有的公司拍成一部影片，就倒閉了，以致台語片的素質，逐漸低落，一般觀眾乃漸漸失去了興趣。

說到台語片的困擾，我想可分爲下列幾點：

一、製片公司的分散：目前台語片公司有一百五十多家，大多數是小資本經營，一家公司拍一兩部影片，就宣告關門。台灣電影事業之所以不能發達，而與外片競爭，主要的原因在此。

所以台灣電影事業要想發展，就必須把這些小公司合併起來，成為幾家大規模的公司，以雄厚的資本，優秀的人才，拍攝有水準的影片，才能與外片一爭短長。日本電影以前也曾遭遇過這種困擾，後來經過合併，才有今日的成就和發展。

二、劇本：電影是大衆藝術，必須富有教育社會的意義。曾經有一部份台語製片人道：「看台語片的一般觀衆水準較低，且喜歡流淚，水準拉高了，恐怕無法欣賞」，今天還說這種消極的話，眞是一件可悲的事！我認爲：雖然是一部娛樂性質的劇本也應該含有教育性，而且須要經過嚴格的選擇與檢討內容，然後，才可以搬到銀幕上去。編劇者必定要含蓄成熟的基本要素而來遵念時代，了解人心的動向與欲望，不停地追求「眞、善、美」的眞理！

三、導演：老闆們應該重視導演者的聰明，不該採用改良話劇設的呆板導演方式。今天的台語片大都是缺乏導演人才，因此引起水準的問題發生，而走向下坡。有些部份的影片沒有考慮到「時代的考證」，有的缺之「心理學」的啓示，也有演員未能領會導演者的「意圖」，並缺乏演技的訓練，祗是顧外表的表情動作，沒有內在精神的表現，尤其「對白」有問題，許多影片都是缺乏情感而影響到場面的情緒，把整個影片的劇情氣氛弄得亂七八糟，好似歌台戲一樣。所以要拍一部好片，導演者應該把全部的一學識」、「藝術」、「經驗」來貢獻影片發展。

四、演員：現今的台語片演員談不上水準了。從台語片演員，曾經任新劇演員也好，酒家女也好，在貧賤的環境裏出身的也好，大學及受高等教育的更好，只要是有學識和修養，要經過嚴格的訓練磨技者，才能夠算是一位優秀的標準演員。

良知壓倒污蟣

「玉女私情」聯映兩周，票房創下國片前未曾有最高紀錄；向隅觀衆，不無抱憾。像這樣一部令人喝采的國產片，照理可以獲得當地報紙一致獎勉。可是，除了一、二家報紙佳評之外，多數抱持緘默，對若干不堪寓目的片子，反而大事渲染。這種態度，如是共黨原不足怪——共黨報紙對自由片商叢品一貫設壞；這次對「玉」片不加讚評，顯然無儕可擊。非共、反共報紙，似乎不應無視現實；難怪名政論家倚方先生氣不服——相信氣不服的人，不止當先生個人，看過「玉女私情」的誰都會抱不平。

倚方先生讜論，向受國內外人士重視。他對第八藝術，少有閒情欣賞，對「玉」片使義執言，可能基於解除心理上兩大疑問：一、「亞臟」的獎品「預定分配」到底有沒有這回事；二、觀衆既然如此擁擠，這部片必不僅「亞后」號召，但爲什麼看不見佳評。看過之後，他認爲國產片已有長足進展，謠言決不足信。於是他在五月三十日香港時報特設的專欄中，爲國語影片喝采（借鏡原題）。如所周知，電懋在永華公司人力物力基礎上建立的，態度一向光明，年來對國片水準大大提高，予赤色影片打擊深重；而電懋感受煩擾，亦相與俱來，先是某方收買「影探」，散布謠言，故意傷害；繼即發動鋼彈攻勢，向電懋旗下演員進攻。

銀壇隨筆

眞金不怕火，電懋只要在藝術上求進步，觀衆絕不放棄欣賞機會，國際間聲譽提高，開拓國片市場自無困難，台北各報對「玉」片一致揄揚，中央日報說得好：「演技是經驗與訓練的累積，而不是宣傳費用的累積。」「玉女私情」之獲港台觀衆愛護，顯示電懋擁有觀衆，任何鬼蜮伎倆，絕不能使其孤立的。

邇日「龍翔鳳舞」重演成績不壞；另一部具有歷史性的「空中小姐」，將在明天上映，佳片當前，誰願坐失欣賞機會。

修衡。

已亥四月初十，遊元朗凌雲寺，大埔墟松園仙館，歸後率成二十四韻紀實。並塵應梅、叔儻、留生、子鎏、笑生、翼貽、睿聰諸君子。

邵鏡人。

靜思巖穴美，遊約久已違，偷得一日閒，驅車上翠微。幽幽凌雲寺，半山凝晴暉。同行六七士，諸子相追隨，中有東鄰女，負笈遠從師，溫文嫻且雅，淑氣鎖黛眉。談諧無俗調，言笑無厭時，隨緣求神簽，王郎解語奇。（留生先生擅卓午素筵開，野蔌雜清醑，杜康豈解憂？一醉愁更愁，歲月催人老，有志何時酬？重華久不作，瑤圃無從遊，知音苟未遇，廿貧有黔婁。一飽席終散，拾級上僧樓，綠野多佳趣，白雲自悠悠。歸路訪松園，喧譁接俗塵，丹楹炫落日，老幹當重門，逕登勁節閣，煮茗細論文。伍髯老詞雄，飄然思不同，戲改楹聯句，謂對鏡人紅。（閣中聯語有「山色曾對鏡人紅」）蒼顏應借酒，一笑意無窮。

論台灣宜先修改麻將經

・金羽・

聽說，台灣是禁賭的，但是也禁麻將嗎？蔡總統不過是諸賭民，禁於路口，衛生賭將，一樣照搓，並且將對生活得過慌的人，固是一種消遣，對於日憂心國事的人，也是一種消遣。我對麻將雖是門外漢，但絕不能說沒有見過搓麻將，也因此不能說對麻將經一竅不通。

搓麻將首先要搞的，無論是誰經過扳了位子，四個人之間的關係和了牌的人，才有「選莊」的資格，而且莊家往往是可以，可見如果不以連莊者，即是連莊者，也就算的。但是搓麻將，未必是均等的，上不和牌的，並未見有人長期的把持這種規矩，並沒有成爲積習，已成的根本大法，加以修改之，而的守法精神，底觀念之深，實在……

修養」，確乎相當的高。因此，我對於台灣之禁麻將，甚不以爲然，甚至我認爲是應該初步」，先學習公平競賽的命而禁之！或者就因爲禁令是竟搞到「民主生活方式」，所及，人所共知，自無須再多所驗舌了。爲此，我主張台灣的賭友宜先修改麻將經，偉願長期做莊家者，得暢所欲爲。

現實怪論

自由人
THE FREEMAN
（第八一六期）
（半週刊 星期三 星期六出版）
每份港幣壹毫
台北市售價台幣貳元
督印人：陸文峯
地址：香港高士威道二十號四樓
20 CAUSEWAY RD. 3RD. FL. HONG KONG
TEL. 771726
承印者：東南印務出版社
地址：高士打道六十四號
台灣總經理處
台北市西寧南路壹壹零號二樓
電話：三〇三四六
台郵劃撥儲金戶九二五二
海外總經銷：友聯書報發行公司
香港：德輔道中二十六號A二樓

日本外交何處去？

甘家馨

日本頃正召集駐外使節，討論外交政策，此事頗堪注意。

自獨立以來，日本內政方面的發展，順利正常，久已贏得了國際的好評；但是在外交方面，數年來則搖擺不定，擾攘不休，議論紛紜，決策莫衷一是，此甚引起內外的不安。這種情形，對日本不利的影響，展望世界形勢，日本在國際上的地位，甚有人士的心目中，日本的比重較西德相差甚遠！這是什麼原因呢？日本明達之士，若稍加省察，諒無不洞明之理，一言以蔽之，那就是因爲西德有堅強的外交政策，日本則否，此實日本今日[illegible]也。

我們談到日本的外交政策問題，不禁想到日本當前它有三個問題，急待解決：第一，是亞洲的地位問題；第二，是對蘇俄的關係，怎樣應付的問題；第三，是如何應付中國問題。這三個問題中的第一個，近年來日本處理，大致不錯；即在東南亞致力經濟和各交戰國賠償的問題上，也努力和各國家恢復關係，賠償的問題，大體已告解決。現在剩下來的祇是[illegible]國際關係，應善謀重建，不能長此耽擱，此外[illegible]南亞的信用和地位，倘此二事完成，則第一個問題，可算解決了。除去第一個外交問題，[illegible]國的政策問題，這兩者實際也祇是一件事，那就是對國際共產黨採取什麼態度和什麼樣有策略的問題。

這種問題，說起來並不是不易瞭解，日本有不少的人，其認識比我們還明白些。第一，就歷史說，日本人民祇要回想一下在二次大戰中，俄國如何欺騙陷害[illegible]在國際上有被陷害的可能，均必須以保持日本的地位和力量的發展爲第一要圖。準是以言，日本是俄國和中共的共同目標，亦就是說日本要受共產黨的雙重威脅，這是顯而易見的事實，則日本對它們還要存什麼幻想呢！但是事至今日，日本還在想入非非，時時表現投機取巧的作風，在外交上不能作出明智的堅强的決斷。此種現象，甚爲識者所嘆息，世人所側目，日人共有感覺否？日本幾年來在外交上這種軟弱和不光明的表現，是如何形成的呢？分析起來，不外以下幾個原因：一是尼赫魯主義作祟；二是社會黨不擇手段的政治搗亂；三是保守黨內部弱點的結果。此外日共的陰謀活動，推波助瀾，當然更不待言。

尼赫魯主義是影響日本外交政策與作風的最大幽靈，這亦可說是幾年來日本人民政治意識中的一大潛力。日本對它的興趣，爲何這樣濃厚呢？其最大的內因是：日本人總覺戰爭的痛苦，確想藉中立的地位，超脫東西鬥爭的漩渦，關起門來過日子；其次是日本人凡事愛新鮮，對世界上任何新東西，都要嘗試做一下，他們以爲現在最新的外交哲學，既是尼赫魯主義，所以一部份日本人士，標榜前進，[illegible]，於是求其次以高唱中立主義，自命爲尼赫魯信徒，如此自己便可以現代人物自居。因此各種原因，尼赫魯主義在日本，竟變成不少人崇拜的偶像。我在東京親曾接觸過一些高級智識人士，他們談到尼赫魯主義，便眉飛色舞，表示很內行很得意，彷彿自己是深明此道之[illegible]。這種意識，[illegible]追隨英[illegible]，還是[illegible]本動機，還是[illegible]主義。

所謂社會黨的政治搗亂，就是說日本社會黨利用中立主義爲政治鬥爭的工具，欲藉此以增加選民，由保守黨手中奪取政權。這種作風，本不是[illegible]有的，而是社會黨所久已利用的武器，作最主要[illegible]。從前社會黨分裂時，右派還能站穩自由世界的立場，僅左派高叫親俄，自從統一後，右派失勢，於是右派更肆無忌憚，前不久日本社會黨黨魁鈴木在北平大談反美論調，便是例證。就這種論調，他們還說是中立主義，並且用以煽惑選民。

至於保守黨內部的弱點，對於所謂中立主義的氣餒，自然亦發生了火上添油的作用，嚴格說來，日本外交造成今天這樣東倒西歪，保守黨的政治領袖，責任甚大。他們刺激中立主義氾濫的原因，種種不同，有時是內部派系傾軋，不得勢者利用外交政策問題，對當權者牽制防礙打擊，如鳩山對付吉田；有的是當權派爲了穩定內部，爭取選民，以及應付想和中共做生意的工商業資本家，如藤山二三其德的說詞，還有是想抬高自己的地位，如河野一郎的左傾姿態是也。以上種種現象，不論其動機如何，結果都是有害於日本明確外交政策的確立的。

脚踏兩頭船，運好則左右逢源，倒霉則兩邊吃虧。戰前日本會以水鳥外交自詡，希圖達到「一石二鳥」的目的，但結果全部失敗，日本人，應該不忘記戰時日本人在軸心與同盟間應付之苦，被俄人玩弄之慘，以及後來失敗的悲痛。這個墨瀋未乾的歷史，指示着日本在外交上這種觀風取巧的手法，毫無存在的價值，日本在外交的政策上，萬不應一誤再誤。況且就現在的觀點說，今日世界局勢，和戰前大不相同，那裏有容許日本瞻顧徘徊，混水摸魚的餘地，試一展望：第一、共產與反共壁壘分明，遲早終要清算，和平共存，充其量不過是一種願望而已。第二、在此場合，左右世界局勢的中立陣營，決難成立；有些國家暫時無非中立圖存，但以日本所處的地位言，則不可能如此。第三、中立主義的本身，近年來已日趨退化，所謂亞非會議，萬隆原則，早已成廢紙，尤其自西藏事件發生後，過去和中共打交道的亞洲國家，無不幻想全滅，即尼赫魯本人亦啞子吃黃連，有苦說不出，其他更有什麼和共產黨親善中立可言呢！第四、亞洲國家今天顯然多數是反共的，日本是不能離開亞洲的，日本與亞洲反共勢力爲敵，則無異自己燒自己的手，自己製造災難。

根據以上觀察，日本在外交上現在應有一個振作的時期了，不要再逞小聰明，應該拿出大魄力，在外交政策上確立一套強有力的方針。日本人現在正追求提高國際地位，但須知道此，祇有在一種大方的強力的莊嚴的外交政策之下，才能辦到，用小手段是無效的，今日之西德，就是最好不過的榜樣。

日本的政治家，應該不忘記當年桂太郎大刀闊斧的外交方針，曾使日本戰勝俄國，造成了後來強大的日本，對當代人物，應多看看阿登諾。

日本社會黨利用外交政策，標榜中立主義，極盡親共能事爲工具，圖奪取政權，但搞了十年，所得幾何，現在應該反省了。這種失敗，就是說明大多數日本人民，還是有判斷力的。

日本保守黨的人士，在對外立場上，顯然立於自由世界方面，但是態度尚須堅定，處理外交問題應少耍手段。至於內部派系，利用外交政策作鬥爭工具，是無異爲黨外的政治俘虜，結果不會好的。保守黨就是保守黨，應該堅定的站在自由世界一方面，標出明確的外交方針，並效法西德執政黨，強有力地使政策推行。

最後談到對中國問題，這實是日本外交問題的核心。關於這個問題，因爲歷史文化（指日本人對中國之認識等而言）及現實利害（指經濟通商等而言）諸般關係，日本人的見解判斷，頗爲複雜，所以日本對華政策的決定，日日游移，把不定主意。客觀來說，雖是情有可原，未可厚非。但是，日本人民在這個複雜課題中，不必過分多動腦筋，最重要的是須知以下兩點，如此就可以大解疑惑了。第一，日本想在大陸謀經濟商業利益，按照中共今日的經濟現象，決不易達到目的，因爲它自己正面臨着經濟破產的打擊，那會允許外人去賺，那裏亦無錢可賺。第二，中國反共與自由世界聯爲一體，祇要我們相信共產黨不可能征服自由世界，則就應當相信中國反共遲早必會成功的，亦就是日本人民遲早有和中國自由人民相見的一日。以上二點，前者是現實利害問題，後者比較是遠見，但並不空玄，二者均容易認識；日本人民倘若稍望遠處一想，便當毅然除去左右爲難的心理，切實和自由中國爲友，對其人民衷心熱烈支持，大胆確立反中共的政策。

半週述評

賀新加坡自治邦誕生

本月三日，新加坡自治邦的誕生，爲亞洲帶來了喜訊。不論如何看法，總不能不承認這一新生的事實。

人民行動黨的獲勝，曾一度給自由世界帶來驚惶；李光耀在大選前的發言，也確曾令人誤解他與共黨之間有着微妙關係。但是六月一日以後，李氏的發言肯定地表明他是非共的，人民行動黨是實踐社會主義政策的政黨，要建立一個民主的國家。

誠然，一提到社會主義，就會叫某些人相驚伯有，在某一些非議民主的人看來，李光耀之僅宣佈他是非共的，而不直率地表明反共也是不夠的。但是李氏却一再地說過，他認識到「共產主義在新加坡，是一個長期的挑戰。」在政治上，他（和他的黨）復以爲「單憑格殺共黨是與事無補的」，暴力的施用，在新加坡那樣的環境下，只有製造「比較所殺人數更多的共產黨。」而這也就是該黨主張實行民主政治，與社會主義政策的基因。當然，這樣的論調，對於只懂得使用警察權以格殺共產黨徒的人來說，自是不能同意的。

因此，好些人要用疑懼的態度來對待新加坡的新政府了。

納薩、卡遜、李光耀

其實像新加坡這樣的事實，近幾年來已屢有發生。初時人們對埃及的納薩不予同情，對伊拉克的卡遜不予諒解。但是最近的事實證明，納薩是反共的，卡遜也是反共的。（否則英國怎能答允予以軍火援助）。

儘管這樣，人們還要咒駡他們，唯一的理只是因爲他們現階段仍然採取中立政策。

而今日大家對新加坡的人民行動黨及李光耀之不諒解、不同情，甚至咒詛他，也是爲此。更有些人，則單純地只是基於自卑感與長期習成的八股教條反共方式，認爲主張以民主與社會主義政策反共的，既不屬於同一八股反共底模式，就必需同樣加以反對。根本不考慮如何在精神上，宣傳上予這個新生的亞洲國家以同情與支持。

蠡測新加坡的未來發展

[illegible]技術來[illegible]，誠然是值得注意的，人民行動黨內部有一些激烈[illegible]份子，也是事實，若謂這些少數的激烈派能夠徹底地影響人民行動黨的現行政策，未免言之過甚。我們考慮問題，也應該試站在李光耀和該黨大多數黨員的立場上設想，如果該黨尚希望新加坡與馬來亞合併，希望新加坡在經濟上復甦工業化，就不能不實行民主政治，也必然採取「保證協助外國資金，在星洲建立一個穩固的經濟基礎」底政策。不僅此，李光耀在答覆記者時亦曾說，「我們的經濟政策，將儘量緊隨馬來亞的後塵，因爲兩國實際上是一個經濟集團。」

民主制度可在星洲生存

就全球反共的策略觀點言，反共的國家，不應在宣傳上和事實上排斥現階段採取中立態度底國家的，何況她們的基本國策也是反共的，祇不過含蓄不露而已。反共的策略，應該是多種多樣的，應該認識到除了用警察權與八股教條之外，反共的策略是可以因主客觀條件的不同而變化的。若總自居於「老王麻子」的地位，自以爲是，不過是固步自封，井底觀天！

我倒是很欣賞李光耀的說法「鬥爭係在思想方面，假使人民相信：民主制度在星洲，是可以生存的。」如果李氏沒有強力反共的意識，又怎能表示如此堅強的信心。

李金曄

自由談

旁觀者清

有一位在外國機關服務的中國朋友，他經常往來於東南亞各地區，對於當地華僑社會情形甚爲熟悉。最近他因公來到香港，舊雨重逢，免不了暢談天下國家問題——尤其對於共黨在華僑社會中的活動狀況，討論甚多。

據他實地考察所得，海外華僑十九皆對共黨抱有敬鬼神而遠之的心理，但對領導反共復國運動的中華民國政府，一般住在承認了毛共政權的某些國境內的僑胞，固然有所顧忌，態度冷淡，即住在反共國家的，大多數人亦復缺乏熱烈的嚮往表情。我說：如此情形，反共前途豈不悲觀？答曰否否！華僑始終是愛護中華民國的，他們這股力量亦宏偉可靠，問題只在運用不得其法，每使僑胞們灰心洩氣而已。這位朋友乃將他在高棉，緬甸各地區親身參預體驗到的若干事證，對我詳細訴說，然後下一結論曰：祇要對那般素爲僑胞所鄙視的職業化「僑領」，以及在當地聲名狼藉，毫無號召能力的所謂「工作同志」，一律予以揚棄，每地區另行遴選一二個[illegible]幅無華，忠貞愛國，而平日對於「觀光」「祝壽」這類表面工作殊少興趣的當地僑胞，以無名英雄姿態，担任華僑社會的聯絡組織使命，不特效用卓著，且可節省許多冤枉消耗的經費云。前兩天，我跟幾位來自新加坡的反共非共商人——當然是中國人——談及上述朋友的意見，他們一致以興奮情緒答道：一點不錯！

對我慨乎言之，不滿我政府現行僑務工作的朋友，他的父母兄弟在大陸上早被共黨屠殺殆盡，他那悲憤填膺的反共仇共心思，比任何人皆堅決。他的話，實係傷心人語，出於絕對的善意，希望中華民國政府克奏反共救國之功。據我十年來在海外華僑社會觀察所及，對這位朋友的忠告，由衷地表示同感，一句總話：若不徹底改變過去失敗了的舊觀念與作風，而相信可以復興國家，解救人民，其可得乎？

馮[illegible]先生

華僑青年的教育問題

——應有整套改革計劃——

丘峻

（台北通訊）本年四月二十五日「自由人」報載僑務委員會副委員長李僑生先生「八千僑生的教育問題」一文，以本人曾數從事僑教工作，讀之不無所感。

溯自去年下半年起，教育部忽然改變政策，將兩間國立僑民中學，交由台灣省教育廳代管。跟着教育廳改派省立建國中學和省立北一女中兩校長分別兼任兩僑民中學校長。且預定於三年後，兩校原有僑生全部畢業，即將兩僑校結束停辦。筆者大不以此舉爲然，曾爲文表示反對。

自四十一年至現在四十八年，華僑青年到大陸升學的，確已年年減少；到台灣升學，則由六十人增加爲八千人。這自然是中華民國和中共在海外政治作戰的一種勝利。惟此八千僑生之數，不過是截至今年上半年的總計，並非極限的數字。故僑教不僅關於此八千僑生的問題。

過去的錯誤

對日抗戰前數年，政府已開始創辦國立僑民學校，先後成立華僑中學三所，僑民師範學校兩所。三十八年，大陸淪陷，政府遷台，又復於四年前次第設置國立華僑實驗中學和國立道南中學兩所，繼續收容回國僑生。此外，所有公私立學校，亦分別招收此類學生。及今回國僑生人數，已達八千之衆。不過自大陸時代以迄今日的台灣，一向對於僑生所施教育，公私立普通學校固不必說，即獨立設置的國立僑民學校，其前後設施，還是夠不上眞正的僑民教育。

從種種方面說，僑生是不同於國內學生的。就是僑生之中，因爲來自不同的國度，甚至同一國度而地區不同，也不能視同一律，這是大家都知道的。聚集了這許許多多年齡，身心，語文，智識，風俗，習慣等如此不同的男女僑生於一堂，管教之難，可想而知。若再參雜於國內學生之間，則管教問題自益形嚴重。此誠値得吾人注意深思，妥謀解決的。

今就專設的僑民學校來說。國立僑民學校對於僑生所施教育，可以說是一般的教育，或者說是普通教育，並不是眞正的僑民教育。一般教育所養成的是普通國民，並不能培育所謂僑民。如欲培育眞正的僑民，非從事眞正的僑民教育不爲功。尤其培養僑務人才，更非普通教育所能造就，必須專設僑校而施行眞正的僑民教育，方能有效。

要養成怎樣的人才呢

回國僑生，究應施以何種教育？得先作一決定：對僑生施教，究竟要把僑生造就成普通國民，還是要造就成眞正僑民？若是前者，則施行國內一般教育，有公私立的各級普通學校足矣。若取後者，則必須另有一套計劃。誠如李僑生先生所主張，「教育當局應針對僑生在國內的各種不同，對僑生教育來一個具體的，切實的改革研究。」故筆者認爲僑校必須獨立設置——由小學而中學而大學。才能造就眞正的中國僑民，尤其是僑務人才。

我們對於僑生教育，不僅要使之接受祖國教育，鑽研祖國文化，承受祖國傳統，以求了解祖國歷史，文物，語文，社會，風土，人情，以及習俗等等，俾能認識祖國，愛護祖國，尤應使僑生能適應僑居地的環境——國情，民性，歷史，文化，語文，社會，風俗，習慣等，而求發展所必需具備的智識與技能，並施以國民外交上所必需的種種訓練，以造成一般富有前途的僑民，尤其發展僑務上的許多有用之長才。至於各地僑生之性格不同，智識水準不一，學業程度不齊，語文有別，習俗各異等，也應在我們改革研究之中，加以恰當的設計，俾能各適其適，同求進步，以作將來返回僑居利益的有效準備。

改革僑教是一種非常複雜的事體，管教兩方都成問題，學制課程均須改弦更張，故不能不審愼考慮，不可不愼重的事，既非可一蹴可幾，亦祇有漸漸研求改進也。（四十八・五・卅台北）

不承認問題 國際間的暗流

國際間一股逆流時刻企圖排擠中華民國，到了目前國際奧林匹克委員會託詞排除我會籍的時候，又提醒我們圖存奮鬥。類似的紛擾今後仍將層出不窮，表現的形式是多方面的，其焦點集中在承認與不承認問題上，這是整個極權集團與自由國家間的一項長期鬥爭。

自由中國在聯合國迄今仍能拒抗中共及俄共集團的壓力，實緣具有全世界四十五個國家道義上的支持，同時也是甚於長期禍福的觀點。中國迄仍不倒，在理論上和行動上對於其他自由國家當是有利無害的，如果自由中國給任何一項魔術排除，自是自由世界的大損失。一些並非中立主義及一些姑息共黨者及若干根據本國利害而誤認共黨可交的，都是玩這魔術的人。製造兩個中國之說始終在倡言，奧會聲言我國儘可出以台灣的名義，再行申請入會，也與幻想於兩個中國的逆流是殊途同歸的。

美國有識之士爲了不承認中共而堅持承認中華民國，往往迫於現實的牽制，把美國的安全與利益，放在考慮不承認中共問題之上，站在純屬私利立場說來，那個說法是對的，可是站在自由觀點看，當知承認中共的必然結果，就無疑承認了暴力劫持。

雖說是體育競賽的事，問題的本質還是牽涉到兩個中國。國際奧林匹克委員會主席布倫迪治傳將於本月來港，好得和南北韓代表商決，聯合參加問題，如此，明定不願牽涉政治的世運事宜現在竟由這個美國主席專門幹出分化自由世界的糊塗事，無怪紐約時報也指斥他是個老糊塗了！　舒華章

國民黨重新登記之說又起

（台北航訊）國民黨二中全會，曾通過一項議案：黨員重新登記。這項議案係針對不忠於黨的份子而發的。據此間人士傳聞，如去年修正出版法時，國民黨籍的立監委員，省議員及民營報負責人，反對的言論和行動。暨彈劾俞揆的監察委員，因爲不服從黨紀，須重整黨紀云云。但是此項議案，立即遭遇立監兩院黨籍委員的反對，而監察院黨部，公然「抗命」不接受此項命令，於是，消息遂而走，轟動社會。如果這傳說是眞確，則執政黨內部將面臨重大的考驗。

有人認爲執政黨對此仍有所顧忌，因爲此項傳說，在去年就聞，當時國人正熱中於反對黨的醞釀，如果執政黨斷然採取這種措施，則無異促進反對黨迅速地誕生。因此，傳說終究是傳說，不過有人持相反的理由而信其有，此說的根據，是此一時彼一時，目前，反對黨的提倡者——自由中國雜誌，而臨困境，初則雷震被控，發行受到干擾，再則精華印書館受壓迫而拒絕排印……所以認爲新黨運動，可能乘時而起云云。（閒仁 六月一日）

被冷落底文教人士的呼籲

鄭時欣

（台灣通訊）當三十八年政府由大陸撤退之際，曾經號召大陸文教人士隨政府播遷，共赴國難，有一部份文教人士不顧一切來到台灣，當時政府對他們曾以教育部特約編纂編審名義安置。他們每月領承辦機構百元合台幣的生活費（大約月通過各機關補貼平均五百元左右，約合當時的美金廿元）。

按教育部規定，編纂編審每半年一聘，但受聘後每期必須交繳著作或研究論文一篇，時教長程天放，曾對他們從事所作論文擇其優者洽請出版社發行，以作個人之補助，如王雲五氏主辦的華國出版社即曾承印此類文稿。……費移作別用，但未敢冒然付之實行，及梅貽琦接任，他們感覺情形又大不如前。……

查當年政府確定編纂編審名額一百名，實際每年延聘者並未滿額（每半年一聘），聘任內約六十餘名，梅部長此次任聘二十名額，……

……意見，籲請國人評議。必要時準備請離合集體赴港，求救於國際援助中國流亡知識份子組織濟助。此事雖小，影響綿大。按政府若不需要幾十個書生點綴門面，問題是此後誰也不敢相信政府的號召，最平實而妥當的處理辦法，莫若替他們介紹或分配其他工作，祇一名開一缺，如此假以時日，問題迎刃而解。即使不取此道，把他們留作文教研究發展工作，也是有用處的。政府要節省的錢不必指望這一小部分，尤其是不過每年三十餘萬台幣，各機關首長停止不必要的無謂宴會，一星期得節下來也比這一點錢多。何乃斤斤向這羣窮書生開刀，而不爲之刀下留情呢！

台灣的觀光事業與其經濟性

劉公木

台灣的觀光事業委員會成立後，至今未見展開工作。本來這一具有多面性，與國際輿論學相關的觀光事業，不但我國人易於漠視，即美國亦復如此。故艾森豪總統曾發表：要以一九六〇年爲美國觀光年的宣言（見一九五七年十月六日紐約時報），並指定前海外經濟政策委員會委員長藍道爾氏，研討如何振興美國國際觀光事業的方案。台灣人口增加迅速，經濟上的負擔甚重，除發展工商業，提高生產以外，尤宜邀集專家，成立專辦觀光事業的機關，一面從事內部觀光設施的充實整建，一面展開國內外的觀光宣傳，設法引起遊客來遊的興趣，以吸收其旅行消費的外匯。

（一）

世界上依靠觀光收入，爲外匯最大來源的國家，爲數甚多，法國，英國，瑞士等國，皆係以觀光事業爲賺取外匯最多的企業，加拿大每年來自美國遊客身上的金元，僅次於新聞紙出口，遠在其他貿易項目收入之上。美國亦爲一重要的觀光事業國家，一九五七年有一千萬美國人出國，其觀光消費方面，用掉二〇億美元，其中六分之一，爲美國系統的交通機關收入，國外旅行者，旅行消費金額，較一九五六年增加六五%，據估計，最近二三年內，可能達到兩倍以上。另一方而訪問新大陸的各國遊客，有五十餘萬人之譜，係渡海而來者，此等遊人在美消費，亦在七億元以上。美國人的國外旅行，不僅可爲交通機關造成收入，即美國人在國外所消費的美元，對於美國的農村與工廠，亦有很大的貢獻，可使依靠對外貿易爲生的國家，賴美國人之消費，改善其生活。很多國家因美國遊客所獲得的，即屬於所謂「貿易外收入」項下，其貿易保護論者，對之均表歡迎。

（二）

觀光旅行所造成的國際貿易，其優點是商品的成本，異常低廉，所消費的風景，服務、食物、飲料，土產品等等，皆可在當地生產，即或有支付外匯的必要，其數目亦微不足道，毫不耗費天然資源。觀光事業不僅具有增進繁榮的性質，且可促使其他經濟日趨旺盛，其有助於交通機關，旅館，飲食業的發展，固爲人所易見。但觀光收益，實際上可對一國經濟各方面均有好處，似尚未引起一般人的注意。例如依照最近調查，夏威夷觀光收益的分佈情形觀之，[illegible]宿業者佔二五%，食品爲三二%，衣着土產品一〇%，飲料七%，地方交通八%，攝影消費佔二%，顯然對於各種企業家，材料販賣業者，批發商人，職員工友等均給以大量美元。且此一廣泛的外匯收入尚有另一特徵，即較其全部投資有極大的屈伸能力。觀光的風氣越流行，企業家從事渡假旅行者亦愈多，其海外投資的機會，亦將隨之增加。外國遊客親身蒞臨，與當地人士發生直接關係的結果，可使於無意中，發現投資生產事業的機會。

（三）

然而以台灣說，最重要者，即爲以觀光事業爭取外匯，可以減少仰賴相互安全保障條約所撥對的美援。近年經援停止的國家，無一不注意以觀光事業積極向美國及其他通貨安定的國家，誘致遊客。目前經濟富裕的美國人民，亦正在尋覓其新的旅行目的地，此種傾向已於一九五七年，在太平洋地區明白出現，旅行消費金額，較上年增加一二%。美國人觀光消費的美元，對吾人的經濟建設貢獻甚大。向爲台幣與美元價值差距所苦的我國，尤宜以觀光事業爭取外匯，力謀收支平衡。

總之國際觀光，乃今日外匯收入中最大者，此一新形態的國際通商，任何國家均可自由參加，既可促進其他貿易與投資日趨繁盛，尤可縮短新台幣與美元價值上的差額，減少依賴美國經援的必要性。假由觀光事業的經濟性觀察，即可知政府在今日有善用潛藏的人力物力，成立專門機構，積極加以舉辦的必要。（五月廿六日于台中）

國際動態拾零

△美民主黨一九六〇年之總統預選大會，本有移至洛杉磯之議。但最近美金百元之芝加哥民主黨捐款聚餐會上，有人提出反對，以爲所捐之款，必須用于芝加哥，故將仍在芝加哥。

△共和黨本年度收到之捐款，較上年同期高出百分之廿五。足證該黨幹部人員最近之努力工作，且亦爲其重視一九六〇年大選，而輕視議會選擧之故。

△在美陸軍服務之科學家，最近有新發明：用原子噴射于地面及雲層，可以打下敵人火箭，與太空飛船。

△美國于輕氣彈，最近有若干新發明，迄未公佈。彈上設有開關，可任意施放。其大型彈之儲藏量，亦較增加。

△美戰略空軍部，僅以少數輕氣彈，交英國基地。該彈仍由美空軍保管，但須得英國同意，始能放射。

△國務卿赫德，幕後之政策顧問，爲哈佛大學教授伊利。他在哈佛教政治與歷史，每週飛華府一次，與赫德商談。在一九四七年，赫德在衆議院時，他曾代爲起草馬歇爾援外法案。

△古巴叛軍，使犯巴拿馬運河區域，遭到美軍抵抗，敗回古巴。據說他們之自由行動，事前未得其領袖加斯特羅的允許，將受嚴厲制裁。

△蘇聯歡迎蒙哥馬利訪美後，又放出空氣謂將歡迎英國防部長桑第斯，及新任參謀總長蒙巴頓前往，其惟一目的，在離間英國與其盟友之關係。

•陶然•

人民公社在蛻化中

五月二十八日「人民日報」，有一篇關于湖南瀏陽「大瑤人民公社的作業組」的典型報導，其內容是：一、這個人民公社按照居住情況分成若干作業組，由六——二十五戶組成，這些作業組的勞動力則有十二——四十個不等。二、把公社的土地，耕牛，大農具固定下來分給各作業組；除了大規模的生產任務以外，不再隨便調動勞動力。三、以作業組為單位成立食堂，托兒所；分散居住的還可以一個食堂兩個灶，兩處吃飯，托兒所也一樣。四、作業組不但是生產的基層單位，而且還是養豬、鷄、鴨等副業生產的基層單位。五、實行定產量，定工分，定質量，定成本，定包產指標及超獎的制度，超獎以生產大隊為單位。六、副業生產；食堂養豬，作業組超產提成獎勵；家禽基本上歸作業組；零星土地的利用，零星副業歸作業組。

從上述報導可以看出：一、人民公社的生產單位是由社、大隊、生產隊，以至于降到現在的作業組了，越來越小。二、生活單位特別是食堂與托兒所亦越來越小以六——二十五戶為基層單位了。三、其主要產品的分配仍然以大隊為單位。四、副業生產大部的分配以作業組為單位。不難看出，其生產、生活以及除了主要產品以外的分配已經由成立時的人民公社大集體轉而退到作業組的小集體。若從其所謂社會主義，集體所有制向共產主義，全民所有制過渡的觀點來討論，這種從大集體退到小集體並非向共產主義，全民所有制前進，而是倒退。

在社會主義的按勞分配的條則之下，決定生產的是分配，而今，生產是以作業組為單位的小集體，而分配則是以大隊為單位的大集體，這當說明了其體現強迫勞動的生產責任制；同時，又說明這種生產與分配不同單位的情況是不相稱的，必然會影響其生產。從這樣的角度來看其發展趨勢，無疑其分配方面亦將轉到以作業組為單位。

生活方面的變動最大，從上萬人的食堂改為幾十個人的食堂，對於農民當便利得多了，托兒所亦然。照我的看法，恢復家庭為生活單位恐亦為期不遠，其消滅家庭的企圖已面臨失敗的邊緣。

雖然，人民公社的名義還存在，但其內容已逐漸的恢復以前的農業生產合作社了，而且，我還敢說這種趨勢是必然的，現在的蛻化已經可以說明這一點。

這個人民公社之所以要作如此的改變，據說是因為「便于對社員直接進行排工、指導靈活」，若光只為着這個原因，在普遍沒有機械「一窮二白」的中國情況之下，應該是以家庭為生產、分配，生活的單位最為靈活，最能刺激生產，毛澤東儘管在口頭上不願承認這一點，其心底裏大概已經明白過來了。◎田心◎

文壇透視

巴金為何不倒？

七[illegible]

夏衍既不滿意黨方對他明升暗降的調職，對於接他後任的巴金自然就懷着滿腔的妒火。同時他覺得數年之力在上海打好了基礎的文藝領導的寶座，被一個黨外作家垂手而得，心裏也委實有所不甘。因此從五四年起，他就時時不忘推土奪來的妄想，第一步工作當然就是打倒巴金。

無如巴金的「招牌」價值極高，中共還捨不得丟開他。他過去的幾部作品對廣大青年讀者的影響力之深遠，除了曹禺的幾個劇本還能和他相比，別人簡直無法和他抗衡。在現存的作家中，地位駕在巴金之上或是和巴金不相上下的如郭沫若，李廣田，老舍等，單就作品的銷路來說，都對巴金甘拜下風。這樣一位具有影響力的作家，如果讓他再寫出一部以歌頌「新社會」為主題的小說來，其對中共的宣傳效果，將不知勝過多少部「青春之歌」和「林海雪原」。巴金早就準備寫「激流三部曲」的續集「群心」，可能已經着手在寫，中共一直在等待着他。在「抗美援朝」的時候，巴金親到北韓前線體驗生活，在文藝領導階層的非黨作家中，他算是第一個給中共作家起了帶頭作用。單就這一點，巴金已足夠得到中共的歡心，何況他還寫出讚揚「志願軍」英勇的「黃文元同志」和讚美中共軍事領袖的「我們會見了彭德懷司令員」，中共更加對他欣賞。巴金是國際上知名的作家，會說好幾國的語言，中共在國際上的文化訪問頻繁，巴金在上海又是中共對文化外賓交往迎來送往的工具。此外巴金的為人，和易平實，比較易與，幾年來的表現他都是很聽話的，很少「亂說亂動」，招惹麻煩的事情，中共對他用不着有什麼戒心，而加以提防。他有這些良好「工具」的條件，使夏衍妒火如焚，但卻無計可施。

如果中共要清算巴金的話，那是太容易了，用不着找什麼藉口。第一、他是一個著名的中國安那其主義者，這種無政府主義的思想，與馬列主義是敵對的；第二、在「左聯」分裂時，巴金是站在與周揚、夏衍意見相反的魯迅一邊，徐懋庸曾拿他和胡風、黃源並disabled；第三、巴金一直沒有經過「思想改造」，從未檢討過自己的思想，更未寫出像過去那樣的長篇小說，近五六年在上海，他的態度可以說是以沉默代替反抗；第四，鳴放期間，他曾發言反對過黨對文藝的領導，公開出自己的有職無權，其反黨的分量重過當時的傅雷等人。但是這些罪狀，中共忍痛不問不聞，傅雷等人在去年已成右派，開除會籍，而巴金的上海作協主席仍然屹立未動。所以然者，還不是中共捨不得放棄巴金的「招牌」價值？

大陸上的大學教育與大學生活

請看今日北京大學 是學校還是勞動營

五月十八日的光明日報，以大量篇幅介紹了今日的北京大學，題為「躍進中的新北大」，其中在提到學生必需進行的生產勞動時，該文詳細地報導了各不同系別的學生每年規定的勞動強度。

該文稱：「生產勞動被列入教學計劃，並作為整個教學計劃的有機組成部分。學校根據不同專業的特點，定出理科各系和外語語言文學各專業的勞動時間為每年二個月或略多於二個月，文科其他各專業為每年平均勞動三個月。」這是固定的勞動，還有經常性的突擊勞動是不計在內的：「文科學生參加校內工廠和一般體力勞動，也還集中一段時間到校外參加工農業生產勞動。此外文科各系都參加一定的社會公益勞動。」其他系別的情形則是：「目前，哲學、經濟、法律等系部分師生在工廠和人民公社邊工邊讀，他們參加體力勞動，已經下廠下鄉邊工邊讀的學生，他們與工農群衆同吃、同住、同勞動。」「理科各系學生主要參加本系工廠的生產勞動。同時每年也還有一定的時間，到外邊去參加農業生產勞動，以便加強思想改造。」該文並舉例說：「有些系的生產勞動和生產實習也結合起來。如地質地理系在實習中學生擔任挖渠、淘沙、挖土壤剖面等體力勞動；生物系植物生理四年級學生[illegible]到校外小麥高產試驗田裏參加生產勞動。」

從以上情形來看，大學生在學校裏是做的什麼事就很明顯了，僅固定的勞動，就佔了一年的四分之一，其他突擊性的勞動，更是隨時可有，所謂大學生，竟變成中共的流動勞動力了。

大學生的一天生活

五月十七日的「中國青年報」登出了北京大學中文系學生金竹槐的一篇日記，記述他一天的生活，日記的片斷如下：

「電鈴聲把我從睡夢中喚醒，一天的生活開始了。

我們的隊伍，喊着『爲祖國，鍛鍊！』的口號奔向操場。

上午『現代文學課』講的是歌劇『白毛女』。聽了『白毛女』裏的一些歌曲。聽了歌以後，聽起課來就更親切。

兩節課以後，繼續準備課堂討論。毛主席的『在延安文藝座談會上的講話』這已經討論過兩次了。……

下午勞動。今天的活兒是翻地整地，準備種洋白菜和西紅柿。

……

晚自習，團支部通知過組織生活，內容是討論在大學最後一個學期如何力爭躍進……」

這就是中文系大學生一天的生活，就事論事，試問在這一天中，他學到了些什麼學問？

南京大學 外文系的學生不懂外文

大陸高等學校，最近發展有下列三種情況：（一）工農學生程度降低；（二）教師質量差，學生愈來愈多，教學中時常發生錯誤；（三）學校黨組織權力擴大，已不僅是政治思想領導，而又直接干涉教學工作。以「南京大學」（即前中央大學）的情況為例，據說：該校「外文系去年接收的新生中，有將近百分之七十是工農速成中學畢業的工農學生。」這些工農學生，雖被送入外文系，但並未讀過外文，所以「他們對外文學習都感到困難。」據該校黨委了解：「教師對於這些學生，講課不夠大胆，對學生要求也不夠嚴格。」

其次是「在地理系中檢查學生學習經濟地理的筆記時，發現筆記中提到四川有個煉鋼廠用的礦石是較遠的某地運去的，但四川並沒有這個煉鋼廠。經過仔細檢查，原來是教師引錯了。」

中共「南京大學」黨委書記和委員，除了搞政治思想領導以外，都直接參加教學，「黨委和總支擔任哲學和社會主義與共產主義的講授。兩個常委已分別在自己分工的系裏開課，其他的常委也將陸續開課，各校的總支書記宣傳委員都在系裏開了課。」

南京大學的學生和教師的情況，都說明大學教育的水準大大的降低，上升的只是黨的權力和政治控制力量。以上情形，係見於五月廿一日中共「人民日報」的報導。

△ ▽

瘟君夢

第二回： 密室定奇謀 蒼生塗炭 巴山留遺恨 弱絮隨風

藍蘋懷然說道：「枉你革命幾十年，連個演員都未當上，只能扮個道具，未免太可悲了。」

毛澤東一揚眉毛，笑道：「那也不見得，在第三國際時，我只是個道具，現在我卻是個主要演員了，至於在中國，那我又變成導演了，行情是隨時漲落的。」

藍蘋嘆道：「但願上帝保佑你，不要有一天再變成道具就好了。」

毛澤東笑道：「那大概不會了，史大林死後，沒有人能欺負我了。」

藍蘋低聲說道：「赫魯曉夫呢？他不是繼承了史大林的導演地位嗎？」

毛澤東搖搖頭：「他能繼承史大林的位子，不能繼承史大林的本事。拿你們拍電影來說吧！導演本領大了，可以指揮演員，同樣演員名氣高了，也一樣可以欺負導演的。」

藍蘋噗哧一笑：「想不到你對電影還這樣內行。不過在史大林生前，我並未聽過你有不滿史大林的言論，也未見你有什麼地方怕他。」

毛澤東笑道：「這些事情那能讓你看得出：我擇一個最容易記憶的例子，一九四九年底我去莫斯科給史大林祝壽，為什麼來去都坐火車。」

藍蘋用手指點下毛澤東的額頭，嬌嗔道：「你說你真是老胡塗了，我當時不是問過你，你說坐火車便於考察。」

毛澤東哈哈大笑起來：「現在可以告訴你了，坐火車是為了安全，在中國境內，羅瑞卿已加派公安部隊警衛，到了蘇聯境內，他不能讓火車出事，他們假若安排一個皇姑屯炸張作霖的事件，責任無論如何也推卸不掉，可是坐飛機就危險了，他可以找出任何借口，因為飛機失事，是太平常的事。」

藍蘋搖搖頭：「說來說去我還是不明白，史大林為什麼要害死你，恐怕還是你自己多疑。」

毛澤東冷笑一聲：「你知道什麼，各國共產黨的最高領導人，被召到莫斯科病死的，從保加利亞的季米特洛夫算來，還有蒙古的喬巴山，捷克的哥特瓦爾特，波蘭的貝魯特，你說我如何不驚，所以我再也不敢坐飛機去，到了莫斯科之後，吃的東西一定要讓楊奇清吃過我才吃，他想害我也沒辦法下手了。」

毛澤東正說得高興，藍蘋精神卻支持不住了，連打幾個呵欠，舉起手上奧米茄金錶一看，原來已經六點鐘了，不由失聲叫道：「天亮了，睡吧！」

毛澤東站起來推窗一望，正是「一唱雄雞天下白，萬民血染東方紅。」（第二回完）

岳騫

清華學生不願讀書

自從去年中共實現其「新教育方針」，強迫學生以大部份的時間去從事生產勞動之後，大陸上的青年人已普遍出現不願繼續升學的思想。今年暑假，中共的「高等學校統一招生」工作，就遇到了應屆高中畢業生不願投考，因而招生人數不足的困難。

五月十四日「光明日報」報導了北京清華大學機械製造系金相專業二年級一班的學生的思想情形，稱：「自從去年貫徹黨的教育方針，大家響應黨的號召參加生產勞動後，一部分同學認為生產實踐中自有知識和科學道理，讀不讀書，不關緊要。對學習馬馬虎虎，隨隨便便。」「以為大學是培養普通勞動者，認為要做普通勞動者，還好好念書幹什麼！」

多行不義與防不勝防

我出世的時候，已經是北伐的前夕了，對於爲什麼要打倒軍閥和北伐前軍閥之橫行跋扈，這類知識，都是後來從歷史書本和小說、電影上得到的。

歷史書本只告訴我爲什麼要革命，打倒軍閥；而小說與電影則描繪出軍閥活生生的嘴臉，使你不由不痛恨。比如，在電影裏常常看見一二小軍閥手槍行鄉里，背後跟着七八個背盒子砲扛大槍的小兵；至於大軍閥，則威鎮四方，其氣派自是不同。我們知道民初的汽車兩邊是有踏板的，大軍閥的汽車踏板上左右一定站滿兩個或四個武裝衛士，車的前後則又有警衛車擁護，座位旁也佈置了荷槍實彈的衛兵，身後又有帶盒子砲短槍的貼身隨侍。

淪陷期間，日本人佔領時代，軍閥政客的警衛又自不同，仿照日本人的方式，凡車行經過的地方，一律五步一崗，如臨大敵。這些現象，並不因時代不同，而稍有改變，到現在還有一些權要是如此擺架步作風的。這些權要是否神經衰弱呢？當然不是，究竟也能日理萬機，定屬身心健康，其所以如此者，不過是怕人暗算。何以怕人暗算呢？蓋多行不義也！不過以目前的死例來說，他是死在米高揚的黑槍下的，那末也就防不勝防了！（小言）

釋来集

論禪讓

論語曰：「泰伯，其可謂至德也已矣，三以天下讓，民無得而稱焉。」太史公傳伯夷，亦盡力推美其讓國，太伯，伯夷之讓，誠以天下視之而不受耳，其跡近於許由務光之徒，至於以既有之天下，舉而讓之於人，則堯舜是也。孟子論此事曰：「堯崩，三年之喪畢，舜避堯之子於南河之南，……舜崩，三年之喪畢，禹避舜之子於陽城。」其事可信，則舜禹亦未嘗即欲受其讓，惟孟子似亦以爲堯舜之禪讓難能，故又曰：「以天下與人易，爲天下得人難」，此則聖人憂天下之深，不徒羨其名之美而輕讓也。韓非子五蠹篇云：「古之讓天子者，是去監門之養，而離臣虜之勞，古傳天下而不足多也，今之縣令，一日身死，子孫累世絜駕，故人重之。是以人之於讓也，輕辭古之天子，難去今之縣令者，薄厚之實異也。」韓非之論，一重在爲天下得人，一重在厚薄之異，重爲天下得人，若天下有賢於我之人，則我自然舉而讓與之，此堯舜公天下之心，所以曰易；重在厚薄之異，則堯舜之世，獸蹄鳥跡，交於中國，茅茨不剪，大路不畫，食粝以充飢，衣鹿以蔽體，不能享天下之樂，而反集天下之憂，依個人而言，又何足羨乎？故雖讓而亦有不受者矣。及文物大備，貴爲天子，富有四海，項羽思取而代之，劉季以之爲可羨，則豪強者，挺身而起，龍爭虎鬥，欲私家以爲國，險賊者，亦狐媚鼠竊，取天下於孤兒寡婦手中，不以爲恥矣，故曰難。

今大總統蔣公，行將連任期滿，繼任者難於其人，因而有修改中華民國憲法，以便蔣公得以連任之議，報章雜誌，紛紛著論，言其利害，此議初起時，首先反對修改憲法者亦爲蔣公，旋又聲明絕不爲個人出處考慮，其公天下之誠，與憂天下之深，未嘗後於古之聖賢，猶憶民初之世，中山先生不惜以總統職位，讓予袁氏，而民六爲維護臨時約法，又不惜以公然組織南方政府，與段氏抗衡，大義凜凜，民國法統即賴以其不墜，蔣公自承受中山先生心傳，其迭次聲明，固昭昭然與天下人共見矣。而修憲之議，終亦若斷若續者，孰使之然也？呂氏春秋行論篇云：「堯以天下讓舜，鯀爲諸侯，怒于堯曰：「得天之道者爲帝，得地之道者爲三公，今我得地之道，而不以我爲三公」，以堯爲失論，欲得三公，怒甚猛獸，召之不來，……于是殛之于羽山」，堯不重帝位而重爲天下得人，鯀乃以不得爲三公而猖猖然如猛獸，今之諸公，亦得無類是乎？

易曰：「聖人之大寶曰位，何以守位曰人」，固以天下爲神器矣，不得濫濫而盡私之也。私神器以爲一姓一族，是亂之所以生也。

曲齋

喬遷記

○陸夢墨○

孟母三遷是兒童教育家們奉爲圭臬的故事。我成家未及一年，「兒童」尚未出世，就已經三遷其居了。自然是無關教育問題，而是房子問題。說我對家徒四壁的相如與美做一亭的子雲都極羨慕，他們究竟還有四壁可以擋風，一亭足以避雨。可見古昔的寒士，未必便寒，讓我這今日的寒士看來，簡直算得上有幸階級了。記得在家鄉，坐在書齋的窗下，吃着蓮蓬，看燕子築巢，一塊一塊的泥巴銜了回來，[illegible]，要這樣的勞苦，假如今一個人遠離在外，[illegible]，我每天勞苦八小時，但是我的巢呢？自然我還沒落到睡大街的地步，先暫且過着「知足常樂」。雖然一年之中經歷了三遷，究竟還有地方可遷。因此今日有房子住，明日不想也吧！想起來倒可令人一夜髮白。

自從「鐘鼓樂樂」以後，我們這一對「風雨斑雛」在鄉村暫時找到一間棲身之所。房子並不壞，新起的，還外帶一間廚房，開始對這庭前曬糞，窗下炊粱的環境有些不習慣，但這是鄉下的風俗，住常了也就習慣。傍晚在田間踏踏麥浪，聽聽蛙鳴，摘兩個「老玉米」回家煮了吃，倒有一番情趣。房東的穀倉裏還可以買到便宜大花生和番薯，我們在這房子住得最久，足足吃了半年多的花生和番薯，我爲這間房起名爲「翠萃廬」，春節還寫了一付對聯貼在門上：「紅塵世上知音冷，翠萃廬中覺春溫」。橫額寫「湖是陋室」，這是借「陋室銘」的話，有幾分阿Q心理。這種心理常常使我錯覺自己是個隱士，但錯覺的時間很短，每天要有八小時的時間去看上司嘴臉，就回到現實了。

因爲房東太太要爲兒子娶媳婦，我們只得作第二次的喬遷。吉期一天一天的近，我們也就急得像熱鍋上的螞蟻，總不能因爲自己找不到房而就誤人家的婚姻大事。天天忙着看房子，千揀萬揀，揀了個破油漆的土房，本是人家的祠堂。三個土房，左首一間之半部倒塌，將門釘了等於沒用，當中一間供着祖先的靈牌等物。只有右首一間，對於凹凸不平的土地與柴煙薰黑的屋頂自然也就不能苛求了。房東還有約法三章，就是那些神頭鬼臉的神像和靈牌，必需放在原處，不得搬動。內人看着害怕，我就用一方布幔將它遮住，但遮不住那陰森之氣，心神不安，總像是住廟。這使我想起呂蒙正落魄的時候也住過廟。水不方便，要到井邊去提，內人懷着身孕，一盆盆的衣服洗，千金小姐那受過這井臼之勞？說句肉麻的話，我看着心疼！說不得要挽起褲角，奔跑一番，愛情的力量究竟偉大，居然也被我這樣笨的人弄到一間眷舍，雖然是借住的，似乎可以長期借下去，也就和配的差不多。搬家那天，天公作美，下起濛濛的細雨。

總蓋什物都包紮好了。又偏偏「有朋自遠方來」。王熙兄來髙主持南部成立文協的事，特地不辭一個半鐘頭的巴士顛波之苦，下顧我的茅廬。時間湊的巧。正從壞蠹多雨，疏瓦來風，摺床撒椅，準備搬家之際。我告訴他這住處三樞雖陋，卻六畜俱全，朝聞雞鳴，夕聽牛喘，到也頗不寂寞。我不知他些在這破廟裏是怎麼一種心情，但是當他聽到我們將遷的新居比較要好些時，確實舒了一口氣。王大嫂一直對篩角那四隻鼓鼓的洋灘口袋感覺興趣，我告訴她那都是書，也只有這些書，使我在蓽門圭竇之中，猶感坐擁百城之樂。

第三次遷居，就是這鴿子籠式的眷舍。一排甘蔗板的牆壁，三面隣居都可雞犬相聞。就像從墳墓似的祠堂裏一下子跌入了鮑魚之市。嬰啼擾好夢，人叫又擾劉琨。道家講究在鬧中取靜，我們就必需先修煉這種道家的精神。我曾說過「知足常樂」的話。有了廚房自來水，一間乾靜的臥室外兼書房，人生夫復何求？比起那座潮濕陰森的廟來，我可以躊躇滿志了。「夫天地者，萬物之逆旅」。謫仙是想得開的人。「安得廣廈千萬間」，老杜就有些想不開。無論如何人不能像昆虫那樣餐風飲露，總要有個巢。一個安定的巢。這就是我羨慕燕子的地方。也是老杜嘆氣的原因。說了這麼多廢話，像是在訴苦，本來已經偏安一時，無苦可訴，沒話找話說而已。最近接到台北一位朋友的喜訊，說是要結婚了。我在喜慰之餘，忽然想起這位朋友過的也是我本一窮儒的生活，我在復信中的第一句話，就是房子問題解決了沒有？

粟海彈心錄

夏禹傳子

夏禹傳子，天下公器，遂爲私有，不能爲賢者諱，然猶可謂有德者居之，自是揖讓之風遂，征誅之局開，早知相弑於寒浞，桀放於南巢，則塗山之會，爲計亦左。後世功不及禹，德不如周，因利乘便，欺人孤兒寡母，狐媚以取天下者，計慮之周，防患之微，莫不以爲帝王萬世之業，而歷代末世王孫，求爲傭爲奴，亦不可得。[illegible]有督，管知[illegible]君主制度，[illegible]實有不待辛亥武昌民軍起義，始得鋤[illegible]，功在後世[illegible]智，自以爲[illegible]，爲愚不可及也。周代五侯九伯，共和行致，與近代英之虛君，美之聯邦制近，八百年間，人文稱盛。兩漢鄉舉里選，政由三公，宮中府中，分而爲二，此周勃之誅諸呂、霍光之廢昌邑，如縛雞豚。唐制宰相權重，猶存天下爲公之意，故事宮中未經中書者，世人目爲斜封墨敕，與今之未經內閣副署者同。自是而後，傳說愈下矣。

華族之弱，自唐末軍人宰制中國始，釀成五代百年之大亂，趙宋君臣，思挽其弊，文武分途，害乃滋甚，至明代殺戮功臣，親軍人如隸而極，魏相信營伴者少，秦檜忌忠武者多，是皆猶固自私一念之差，置國家民族安危於不顧，此宋明所以亡於異族也。故民族左武，必見侮於外，軍人執政，必釀亂於內，則又無分於君主民主耳。

中國政治之壞，自朱元璋廢宰相始，而政自宮中出，詔獄廷杖，恣意行之，洪武永樂，專制達於極點，後世子孫，受制閹寺之手，挾以號令天下，士大夫依傍門戶，彼此傾軋，罔顧國是，即諸生亦得乘傳鄉里，魚肉百姓，故有明一代，民衆多興流寇淡近，軍家多與官吏爲仇，世事至此，雖有聖智，無能爲謀猶，此中國數千年一大變局，故云民水也，水能載舟，亦能覆舟，民衆至於口頌功德，心存咒詛，陽爲順從、陰實賊賊，此大明之所以亡於寇。

太抵歷代再傳而後，宗室子弟，聰敏者流而爲荒淫，懦弱者流而爲暴戾，良善者流而爲無能，七國，晉代八王，劉邦之有劉盈，司馬炎之有司馬衷，隋楊之有楊廣，李世民之有李治，是豈王爵之子孫，皆「豚犬」哉？由於私天下之心之制，有以誤之害之也。故治少而亂多。歷史進於民主政治，則主客之證，與言者合。至於一黨政治，與所謂民主集權政治，則又主客易位矣。

阿公

敬和天石大家己亥蘭禊集元韻

○王世昭○

薔薇風送報新晴，佇看江潮冉冉生；
自是黃岡景物好，四天飛綠萬峯橫。
一水無沙照影清，孫吳至此不言兵；
且看海氣遇山氣，魚鳥飛騰總有情。
爲學寡春盡日遊，消憂百戲斷千愁；
香江自是多才俊，況有新聲播子喉。
風流往事憶蘭亭，聲律人多語醉醒；
肥水沉沉隔元古，不知何以報生靈。

兩個靈魂的結合

○李素○

這不是永別啊，而是永存，
我從此佔領你整個靈魂，
在你心坎裏生根、發葉、開花，
讓清香瀰漫你的思想。
儘管你因需要而另有所親，
我要讓你在最深的心底生長，
永遠如此青春、美麗、善良。
我以一愛完成了不變的眞。

我也將從此抹掉忤逆的罪狀，
以眞誠博得爸媽的寬諒。
我擁有了最自由戀愛的新生啊，
因爲我已超越了時空的高牆！

× × ×

對啦，這不是永別而是永存！
妳這些骨灰是神奇的黏土，
我將拌以血的明鏡，淚的香醇，
以悠久的懷念去塑造和描畫
最理想最完美的愛情。
當妳在我心靈裏主持溫暖的家，
我願天天努力使心靈潔淨而光明，
讓妳驕傲地開放永不凋謝的鮮花。

然而啊，四野虛空，到處都找不到夢，
夜，像死神的翅膀，伸展到無窮。
寂靜中孤燈照對我消瘦影，
風聲裏彷彿有妳爽朗的笑，
啊，我多渴念妳春水般柔美的眼睛！
假如妳能多活一天，出現在我跟前，
或者晚鐘低喚，微風把妳暫時吹醒，
讓我追蹤刹那的幸福，再見妳一面，
縱使要我向太陽的烈火中去鍛鍊，
我也願爲妳去摘取天上的星星。

一九五八年十月十八日，香港英文虎報刊出一個韓國青年的照片，附上這樣的標題：青年娶了已死的愛人。還有一段說明，大意是：Lee Choon-Woo，二十九歲，拿着一盒愛人的骨灰，剛在長老會禮拜堂裏舉行了傷心的婚禮。他和二十歲的愛人Lee kae-sook 相戀了很久，但她爲了父母的反對及經濟上的困難，無法結婚，便服過量的安眠藥自殺了。主理婚儀的牧師說這種婚姻原是違反基督教的慣例的，但他不得不主持，因他覺得除此別無他法可以安慰死者的靈魂了。

我被這位青年的憂傷與誠摯，被這婚禮的悽艷與嚴肅所感動，而且認爲這事蹟在現世代裏頗不尋常，比殉情更爲悲慘，較我國舊禮教束縛下的女子嫁木主以博貞節之名的，更覺高超而難能，故禁不住替他倆寫下這麼一首詩。世間雖然充滿了虛假與變幻的愛情，但這一對青年卻是眞誠相愛的例證中，感人極深的一個。

自由人

THE FREEMAN

（第八六三期）

中華民國僑務委員會登記證僑新字第一二二號

中華郵政台字第〇〇五號執照登記爲第一類新聞紙類

（半週刊每星期三、六出版）

每份港幣壹毫

台北零售每份台幣弍元

督印人：陳文華

地址：香港高士威道二十號四樓

20 CAUSEWAY RD. 3RD. FL. HONG KONG

TEL. 771726

承印者：東南印務出版社

地址：高士打道六十四號

台灣總經理處

台北市西寧南路壹壹零號二樓

電話：三〇三四六

台灣郵政儲金戶九二五二

海外總經銷：友聯書報發行公司

香港：彌敦道中二十六號A二樓

民生主義是自由經濟抑計劃經濟

·陳式銳·

自去年十月中美聯合公報發表後，自由中國承認以主義和政治爲反攻復土的主要手段，而以軍事爲從；所謂主義，明白指出爲中華民國憲法者，就是「三民主義」。國民黨八屆二中全會，五月十五日所討論者，大陸也以此爲中心。此一問題，關係重大，海內外關心人士，已先後有不少論列。當此之秋，「國父遺教研究會」於五月三十一日舉行學術座談會，討論「從國父遺教看自由經濟與計劃經濟」，內有經濟學家引證國父遺教著作，說明經濟計劃與計劃經濟之不同，並指出民生主義與反極權主義，而民生主義優於社會主義而異於資本主義」；王洪法先生則「就合國現實經濟情形，說明自由經濟之不可行」；任卓宣先生等相繼發言，「大致均強調民生主義的經濟政策絕非自由經濟」；喜世然先生並強調「此事關係革命成敗的基本問題，盼建議中央切實注意，並喚起國人一致討論」，最後決定，下次繼續研討本題，並邀請經濟部楊部長繼曾及工商業領袖人士參加討論（台北六月一日聯合報）。

就透露的發言觀之，座談會中人似乎已不少認爲民生主義不是自由經濟，或者則指爲計劃經濟了。很遺憾底是發言內容沒有詳細發表，無法明白所持的根據或理由。記他所下民生的定義，「民生主義正因國父以「民生就是人民的生活，社會的生存，國民的生計，羣衆的生命」，「如果要從學理上詳細來講，就講十天或二十天也講不完全。」況且這種學理，現在還是沒有定論」，他又說：「故民生主義就是社會主義，又名共產主義，即是大同主義」。我們如果僅「把學理放下不說，專拿辦法來講」，所以不無遺留在經濟學的範圍，不把整個民生主義的本質加以瞭解，當然就將發生了莫大底誤會。是國父補以講演方式發表三民主義已非原著，而前能而成，用詞與結構恐不如親筆之完密，發所

先了解民生主義本質

主要在闡明民生主義與共產主義及其與社會主義的意義及其與社會主義及共產主義的分別。他主張以平均地權及節制資本兩辦法，來謀解決人民的食、衣、住、行等生活問題，「節制資本」的所在「現在外國所行的所得稅，就是節制資本的一法」。他且進而說：「因爲外國生產過剩，中國生產不足，所以中國不單是節制私人資本，還要發達國家資本」。換言之，「要解決民生問題」定要發達資本振興實業」；其方法，第一是交通，第二是礦產，第三是工業。至於後者，就是發達國家資本。

實業計劃時代背景

而「實業計劃」之時代背景，當時歐戰過用第一次大戰後之歐美剩餘物資以開發中國之國家資本。國父鑑於當時「各國自由競爭，實行共產國有之後，其生產力大增，與前此易手工用機器之工業革命相較，其影響更深」，所以他視之爲「第二工業革命」。此一國際資本之運用，惟國家乃能承担，民國國家實業最也。其計劃已詳於建國方略第二卷之物質建設，又名曰實業計劃。此書已言製造國家資本之大要」。他欲以此加速振興實業，「故於中國種工業之革命，必須同時並舉，既廢手工採機器，又統一而國有之」。保證國家資本而不妨礙私人企業，國父在「第一計劃」之緒言中說：「中國實業之開發應分兩路進行：（一）個人企業，（二）國家經營是也。凡夫事物之可以委諸個人，或其較國家經營爲適宜者，應任由個人爲之，由國家獎勵而以法律保護之」。

生產與分配同時並重

按自由經濟的中心是私人或自由企業制度，其經濟活動蓋基於個人的自由及所有權而依其選擇以謀取利潤及幸福；政府所加於私人財產及個人經濟活動的限制，乃在保護公衆利益，亦即維持秩序與防止弊端而已。就上所引國父遺教，除當時計劃大規模運用外資暨不適宜於個人經營而爲國營者外，當知係以私人企業爲主體。再者，國父在民生主義中，除駁斥馬克斯的唯物主義外，指出社會進化的定律，進而敍述「歐美近年來之經濟進化可以分爲四種：第一是社會與工業之改良，第二是運輸與交通收歸公有，第三是直接徵稅，第四是分配之社會化」。而這些進化，仍然不能說已取消一般私人企業，只是他以生產與分配同時並重，以「一種思患預防的辦法，來阻止私人的大資本，防備將來社會貧富不均的大毛病」。

抑有進者，根據國父遺教所制定之憲法，其第十三章基本國策，第三節國民經濟：「國家對於私人財富及私營事業，認爲有妨害國計民生之平衡發展者，應以法律限制之……國民生產事業及對外貿易，應受國家之獎勵、指導及保護」（第一四五條）；「公用事業及其他有獨佔性之企業，以公營爲原則，其經法律許可者，得由國民經營之」（第一四四條）。而國民黨四十一年十月第七次全國代表大會所通過之「政綱」，在「經濟」項下亦有「凡有關國防秘密或具有獨佔性之企業以國營爲主，其餘鼓勵民營」之一條。

民生主義的經濟政策

就上各節觀之，民生主義的經濟政策似乎並非「絕非自由經濟」，亦不見得合爲「不可行」的自由經濟。好在林霖先生已說明「經濟計劃與計劃經濟之不同」；可以參證民生主義是否即是計劃經濟；而林氏指出「民生主義優於社會主義而異於資本主義」，想爲多數人所同感。

楊繼曾氏就任經濟部長以來，一再強調施行自由經濟，與座談會的初步意見似乎相左，因此受邀下次參加討論。我以爲自由中國以三民主義爲反攻復土的主要手段，而國民黨八屆二中全會又通過「光復大陸政治行動綱領」之際，綱得此一問題有其重要性；「國人一致討論」，亦有其必要。眞理愈辯愈明，我尊重不同意見，尤其「國父遺教研究會」諸君顯有其獨到之見解，希望該會把下次座談的詳細紀錄公開，俾大家得一深刻之瞭解，想亦爲該會之重大使命。六月四日

宣傳漫談

自由談

馬五先生

所謂宣傳工作，其法不一，而其主要作用是在引起社會大衆對於自己所宣傳的事項予以同情共鳴，相信宣傳的言論是眞理，太上化敵爲友，其次鼓勵人心，再次消弭某些潛在的誤解與怨望。換言之，宣傳工作並非自我欣賞陶醉的玩藝，對象不是自己人，而是社會大衆，自己愛聽的話，一般羣衆未必樂於聽取的。

報紙是重要的宣傳工具，得其法，可以獲致意想不到的效力，反之，你免費贈送給別人看，人們亦將掉頭不顧，尤以官方創設的機關報爲然。所以，機關報最難辦，每每吃力而不討好，因爲一般讀者心裏潛存着一種另眼看待的觀感，分明是正確的言論或消息，總不免帶着幾分懷疑的心情，而官報的言論又顧忌多端，消息亦不能毫無所擇的隨便刊佈，如其沒有相當的宣傳技巧，因地因人因時而制宜，結果即與刊佈法令規章文告以及達官貴人訓詞的「政府公報」無異，浪費人力物力，效用乃等於零也！

要想官報發生宣傳效能，唯一先決條件，即須革除自我欣賞的內向性作風，而以外向爭取社會大衆的同情爲要務，特別是在國境以外的政府機關報，如果專以博得國內大小官員的稱贊爲能事，那就絕無對外的宣傳作用可言。十年前，海隅有一張官報自動宣告停刊，關門大吉，原因既非缺乏財力，亦不是沒人編輯消息，撰寫文章，而是每日印出來的報紙堆在報攤上長眠不動，只能隔天當作廢紙賣給荒貨店啊！

貼標語，散傳單，喊口號，亦是宣傳工作，然而，報紙卻不是那末回事，坐在半天雲裏吹喇叭，自己聽來蠻過癮，其於別人不聞不問何？

半週述評

外長會議的變化

日內瓦四外長會議，從五月十一日開始，現已整整一月。先後計舉行正式會議十餘次，非正式的秘密會議若干次，但不僅沒有取得任何協議，而且因蘇聯再度提出西方撤退柏林的限期，使東西間顯又走回老路，並使外長會議面臨新的嚴重變化。

從一月來的談判情形來看，在第一階段雙方所討論的是西方的整體和平計劃和蘇聯的反計劃。西方的整體計劃主要內容是：（一）東西柏林由自由選舉統一，作爲未來統一德國之首都。在過渡期間，美英法蘇四國在該市享有駐軍的自由權利。（二）按人口比例，由二十五個西德人和十個東德人組成混合委員會，起草全德選舉法，作爲德國統一的步驟。（三）在統一德國過程中，四強亦相應實行裁軍，美蘇兩國彼此削減本身武裝部隊至二百五十萬人，最後再縮到一百七十萬人。（四）在三十個月內舉行全德國會選舉，當全德政府組成時，即開始談判訂立對德和約。（五）和約簽訂後，所有外國軍隊從指定的歐洲地區撤退。

蘇聯提出的計劃，則包括（一）分別與兩個德國政府簽訂和約，（二）西柏林成爲自由的非武裝的城市，四方國家的佔領狀態，予以結束，（三）北大西洋公約國軍隊撤回本土，並解除在外國一切軍事基地；蘇聯則由德國、波蘭及匈牙利撤軍。

蘇聯的計劃，每一項都是抵制西方，與西方方案的意見距離甚遠，于是雙方轉入會外接觸，即舉行秘密會議，在秘密會議中，西方提出修正性的五項辦法：（一）承認西方在柏林的權利；（二）規定西方在西柏林駐軍的最高限額；（三）保證進出西柏林的交通；（四）減少歐洲的顛覆活動；（五）在德國統一以前，所有上述措施繼續有效。而蘇聯提出的反建議，則是（一）西方佔領軍完全撤退。（二）包括蘇聯在內的四國可在西柏林駐一些象徵性軍隊。（三）由中立國派駐象徵性軍隊來代替西方軍隊。

這是一月來日內瓦外長會議的內容及其經過，雙方都堅守各自的立場，雖然經正式會議到秘密會議，西方有若干讓步，但目前柏林地位問題迄未達成折衷的協議。

破裂的邊緣

在一月來的僵持中，雖然西柏林渡過了赫魯曉夫所提的至五月二十七日爲止的半年限期的危機，但蘇聯之驅逐西方勢力退出柏林和由此瓦解北大西洋聯盟的企圖則毫未改變。因之葛羅米柯于六月十日又提出以一年爲期解決德國問題的威脅性的建議，而使外長會議臨破裂的邊緣。

所謂一年限期，是指西柏林的地位在一年內必須改變，而這一年的過渡中，須以下列條件爲基礎：西方國家削減駐西柏林軍隊的人數，並將其武器削減到象徵性的數量。（二）西柏林所有對東德及其他共產主義國家的敵對宣傳應于停止。（三）所有在西柏林的的反共組織應停止活動。（四）西方國家須承諾不在西柏林設立原子或火箭場地。如達成這樣的協議，蘇聯在一年內可同意維持西柏林現有的對外交通，否則西柏林還有被封鎖的危險。

在此情形下，除非蘇聯再有戲劇性的轉變，以打破這愈陷愈深的僵局。否則日內瓦會議將由此宣告破裂，或外長返國，由副手保持接觸。在蘇聯自希望由高峯會議以代替外長會議，但就當前事實看，則高峯會議已無可能，即使舉行，也決不能解決任何問題的。

中共的窘境

中共推行的冒進政策，現已嘗到了苦果。除西藏問題和對外統戰及「人民公社」遭受挫折外；在經濟方面，更發生不少困難。

其一、是工業產品質量的普遍下降。由於「大躍進」盲目追求產量的結果，使鋼鐵質量和機械工業產品質量受到嚴重影響。本月七日「人民日報」社論供稱：「近一時期，一般老產品的質量有下降現象，新產品也沒有達到應有的技術要求，成品和半成品的返修率和廢品率則日加多」。因而形成變相的大量減產。

其二、係物質缺乏，原料供應困難，對外貿易減退，土產品輸出減少，打破了他們爭取世界市場的夢想。

其三、是資金籌措困難。在基本建設方面現實行「包乾制」，因而又影響到建設項目的完成。

·金達凱·

湯頭風波的新發展

•崙中•

【台北通訊】中國醫藥學院招生舞弊嫌疑案，曾誌本刊八四五期（四月十一日）覃（勤）賴（少魂）雙方爭論頗久，台北地院曾經傳訊，台中地院亦曾一度票傳雙方，但均未出庭，現定期本月九日再開庭訊。故報紙雜誌紛紛記載，相當引人注意。

覃賴雙方辯詞

中醫師林飄蓉站在賴方，曾具呈立法院請願，聲稱：『蓉等指訴中國醫藥學院，出賣學籍，藉機歛財，妨害兵役，均有事實，如宜蘭縣李朝成為其子李國憲入學，竟花新台幣十萬元，由宜蘭第一銀行滙交陳恭炎。又李木榮入學，花新台幣九萬元，由嚴孔彩，胡亞金等經手。其餘類此者甚多，均有案卷可查。足見該中國醫藥學院之學生（包括正取備取及非正取亦非備取），均係花錢購買，學籍大部份，無可飾辯』；並堅決表明態度，『如有絲毫歪曲事實，不但願受法律加倍制裁，且願一死以謝天下』云。該請願案，旋由立法院國防、教育、內政三委員會，審查成立議案。同時，站在覃方而挺身出來為覃辯護者亦不少，如苗栗、南投、彰化、桃園、新竹、台中、雲林、嘉義、台南、高雄、屏東、台東基隆等十六縣市中醫師公會，聯名啓事，指林飄蓉擾亂社會秩序，意欲爭奪名位，乃係破壞行為，呼籲立法院慎重公平處理。並為覃辯護說：『所謂「出賣學額」，其實也是捐款之一種，不但美國有過，就是日本也極通行』。更進一步說：『中國醫藥學院之誕生，即在此種各方愛護扶持之下萌芽者，方期繼續仰賴各方一本培植之至意，茁壯滋長，乃有逃難來台之醫×類××林飄蓉輩，肆加破壞，必欲使此一擁有三百餘名莘莘學子用功研讀之學府，關門而後止，是誠何心』云云。

立法院的兩派

本月二日立法院院會，該請願案被提出討論，關于該案應否成為議案一節，發言委員極為踴躍，形成正反兩個論戰陣容，各有主張。一方面認為中醫院招錄正取生一五〇名，備取生竟達一八〇名，並擅發緩征在學證明書，即使不是志在漁利，亦顯然違反教育法規，妨害兵役制度，總屬不正當的行為；且該學院的主持人，為立法院委員，對本院議定的法律，亦有玩弄之嫌，予國人以不良之印象。另一方面的委員則認為林飄蓉請願案所指稱各情事，並未搜集任何證據，以供立院參考，故至多可稱之為疑案。依法尚未能經由立院院會決議認定其確有舞弊詐財情事，更未便用立院院會名義，向主管部署轉達林氏請願案所要求的各項主張，以為林氏聲援。

立法院主張依法究辦

本月五日立法院院會，繼續討論林氏請願案，出席委員二六六人，激辯良久，最後提付表決，結果，贊成江一平等的主張，共有三十九位委員，贊成楊公達等委員主張的，共二〇七位委員，遂以懸殊多數，通過『楊公達，徐源泉，張九如等三十餘位委員所提的處理辦法』，原文如次：（一）本案涉及破壞教育法令妨礙兵役制度等情事，應請行政院轉飭主管部，迅予澈查，依法究辦，並將辦理情形函復本院。（二）私立中國醫藥學院創辦伊始，辦理不善，應請行政院轉飭教育部，切實整頓；（三）關於兵役法施行法醫師法遲行修正事項，交本院國防，內政，教育等委員會研討，依法定程序辦理。

覃勤發表自白書

立法院通過上項決議案後，覃委員勤即日對各立委發表自白書，表明即行請解除中國醫藥學院院長的職務，但仍竭其力量維護中醫學院，並謂他創辦中醫學院以來，所歷曲折艱苦，所有遠大計劃，竟至徒為罪戾之資，不蒙贊許，其故在於少數人事，適應不過，以致引起軒然大波，尤勞立院同人分神煩擾，深夜自省，負咎良深。

立法院各委員，年來因為少數份子的言行失檢，頗受社會清議責難。此次立院對請願案所採取的態度和精神，卻博得輿論界的好評，六日的中央日報短評，即譽為立法院已盡到了其應盡的責任，民營報則以聯合報做代表，他的七日社論以『一個事件兩種精神』為題，盛讚「是非」立法委員有『公是公非』的鮮明立場，有『公而忘私』的議事精神」，而『可以不管而終以管了』的行為，更『十足顯出了一種反鄉愿的態度』，並於最後說明其所以發表該論的原委，為『我們本諸就事論事立場，尤願特別表而出之』。（六月六日——台北）

候補立委爭遞補

（台北航訊）第一屆立法委員候補人聯誼會，曾於五月二十四日集會，商討遞補事宜。並在報端（中央、聯合報）公開發表聲明，責備政府。以國民黨中央改造會曾經決議，候補立委可以遞補，案交從政主管黨員依法辦理。何以事隔七年，政府當局，並不依照辦理，理由安在？現在修憲連任問題，正在甚囂塵上之際。該聯誼會突然集會，發表聲明，爭取遞補，意義自不簡單。該聯誼會的聲明對於修憲認為「違憲就是違憲」，草率從事，乃「違背憲法上之精神」，但還有人推測「增加臨時條款」以解決連任問題，現在修憲遞補在必行，故候補立委有爭取遞補之舉，以突破七年來的僵局，不過此一主張，如見諸事實，亦不可招致糾紛，演成嚴重的後果。事實，且海外輿論反對修憲與連任，合台北官方人士尚未公開表示意見，但私下議論，竟有指此項言論實係企圖在政治上「分一杯羹」者，因此過去國是會議，亦決不至於有召集之可能。

此間青年黨人士，曾向記者透露，該黨在台人士多同意不修憲不連任的主張。對於候補立委的聲明，則不願加以評論。

台灣地方人士，公論報社長現任省議員的李萬居氏，他也是擁護蔣總統不修憲的主張的。他以為在對外關係上，自以不修憲為較有利。關于連任問題，他的看法是蔣總統即不連任，也同樣可以領導國家，完成反共復國的大業。

出國七個月，甫自日本回來的省議員郭雨新，他認為主張修憲的人是「天下本無事，庸人自擾之」。他也是擁護蔣總統不修憲的主張的。他說，我們以自由民主反對共產黨的不自由不民主，最大的武器就是這部憲法，萬萬不可隨便糟蹋這重要的武器。他籲請主張修憲的人要冷靜思考，不要使蔣總統不能貫澈原有的主張。

省議員與三選（前台北民選市長）和林清景，他們兩人對修憲問題，有一個共同的觀念，他們認為修憲不是違法與否的問題，而是事實需要與否的問題。他們又認為現在的立監委與國大代表的地位的合法性也有疑問。他們認為這些才是根本問題，其他一切爭論，都是空泛而不着邊際的。（六月四日於霧峯）

張健生

從另一角度看奧林匹克會

•馬周•

（台灣通訊）自五月二十七日國際奧林匹克委員會將自由中國擯斥會外一事發生後，政府及輿論反應非常劇烈。聯合報社論認為奧林匹克委員會之所以如此輕率決定的原因，我國籍的委員王正廷孔祥熙沒有出席實為一大原因，（董守義因中共退出該會也辭去委員之職，此次也沒有出席會議，其實最基本的原因，還是政治的。）現在究竟我們今日所爭者為出席競技的機會呢？還是出席競技的名義呢？還是國格問題呢？此間體育界人士有以為現在國際田徑協會我們也是以台灣名義參加的，又有以為：中共既已入會，我們不妨改變名義，搶先再申請會員資格，也許在將來國際運動場上仍還還有擊敗中共的機會。香港方面也有一部分言論（見星島日報），主張正視事實，改名參加，可以避免百分之百的失敗，而爭取百分之五十的失敗。可是此間輿論界如公論報對於以台灣名義入會，以為「這是含有侮辱之意，而必須斷然拒絕！」如聯合報以為「絕不應在考慮之列」。一般的感覺是固然「漢賊不兩立」，却不要忘記了上面那句「王室不偏安」的大前提。

中華民國政府退出中國大陸已近十年，政府長期偏處海島，早已被人視為「既成事實」，國際奧林匹克委員會就是從這看法做出倒行逆施的事，即使王正廷孔祥熙兩氏出席這次的委員會議，也未見得會變更國際奧林匹克委員會的決定。

中華民國政府是以戰後四強之一的資格參加聯合國及其組織下的若干國際會議，乃歷史的既成事實，我國每年派代表參加聯合國組織和其他如文教，衛生，勞工，經濟，合作，法律，審計……等等會議所化的財力，大有可觀，而其政治目的是藉此參加該項會議可以保持中華民國的國際地位！可以抵制中共入會。有此兩項政治因素，於是台灣派出去出席各種會議的代表，無不應有盡有，冠蓋往返，道路相望，就表面看，有了這些代表參加了國際會議，表示了中華民國在國際上的「存在」。也可以讓若干人在國內無事可做的名流，找點事情做。當局是樂得化幾個錢可以點綴點綴門面的。儘管有若干國家已和我們斷絕外交關係（包括中華民國在內，在瑞士舉行的外長會議等國際上若干比較重要會議（當更談不上高峯會議），那又是大陸淪陷後基于另一新的「現實事實」而來的。那是早就該有所反省的了。認眞說來，在聯合國擁有常任理事席位的國家，竟沒有分兒參加國際上比較重要的甚至與自己有關的會議，實在就是一種恥辱。此次奧林匹克會的做法，實在就是這種恥辱的具體揭露。一看，我們連這類小玩藝的國際機構，也沒有份兒了呀！」

我們應該弄清楚：究竟是國家的國際地位提高以後才有參加國際會議的機會，抑或參加國際會議以後才能提高國家的國際地位？由此一點，我們對於此次國際奧林匹克委員會的妄為，可以心平氣和自我反省一番了！如果中華民國的合法政府仍然偏安台灣沒有新的做法的話，則專以政治性質結合的各項國際會議能否一如十年來的情形，讓我們繼續參加下去，還要看自由中國的事實表現。

速寫台省的教育質詢

•陳明•

（台北航訊）六月三日下午台灣省議會的教育質詢，筆者恭逢其盛，茲速記其經過如次：

新建省議會議場在離台中市十公里的霧峯，建築美奐美輪，係仿南京中大禮堂形式。是日質詢在二樓一間會議室舉行。主席梁許春菊是一位女議員，三時正宣佈開會。首由省教育廳長劉眞作專題報告：並扼要說明一年來省教育廳的重要措施。重心在強調教師福利的改善。據劉廳長所舉數字，今日台省各級教師待遇已較一般公務員為高中學教員兼導師，如再兼課九小時，則每月收入將達九百元上下，較委任級公務員待遇，高出幾及一倍。隨後，提出質詢的議員共有五位。最先質詢的是一位高姓議員，他認為「抽查學生作業」，不免使教師精神感受威脅，須加改進。劉廳長答覆說，抽查作業係教育督導方式之一，決非「警察與小偷」的關係。省教育廳兩年來已改進與各級學校的關係，不僅限于命令，考核，而是主動的予以幫助，合作，指導。並舉該廳國民教育巡迴輔導團為例。謂為極受各地國校的歡迎。

師生戀愛與地域觀念

其次一位姓葉的議員建議，每一縣市應設國民體育場，裨增進國民健康，提倡體育風氣。劉廳長的答覆是縣市財政限於預算，未能辦到，但最近教育廳已有意將台中市體育場改建為省立體育場省主席亦已表示同意。惟該案尚在市議會擱置中。跟着葉議員又認為台省教育風氣亟待整飭。他很憤慨的說，教員藉故控告校長，實有損師道的尊嚴。葉議員並將校長與教員的關係，比喻成「父親與兒子」的關係，這似乎擬於不倫。

另有一位議員質詢教育廳，為何不多用本省籍的教育家擔任主管官，當時劉廳長立指坐在他座旁的副廳長說，他便是本省人士，語甚幽默。繼謂，教育似應不含地域觀念，要培養人才，不論內外的學者專家，都得一視同仁。

又一姓黃的議員問及國民學校校長的資格問題。他說他有一位老同學代理了八年校長，迄未眞除，不知甚麼道理。跟着這一位議員老先生他提出一個很有趣味的問題，他說他風聞某首長曾說：「師生戀愛是『無所謂』的。」他說這話如果是眞的，各家長將不敢送女孩子進學校了。他認為教師不僅在教書，而且要教做人。劉廳長趕忙答覆說，他自從在師大校長任內就絕不允許師生在學教課或受業的師生相互戀愛。到了廳長任內，曾為某中等學校師生戀愛將有關的教員，通令永不錄用。在師生戀愛者也是「無所謂」的說法，筆者不敢苟同。

台省學風已有進步

有關戀愛問題質詢完畢後，便是台中增設省立大學問題，意見頗多。有主張將農學院改制為省立大學的，有主張另行籌設的。有一姓賴的議員他最關心的為農學院改制未竟之化學系的學生，他們畢業後的學位授予問題。他用台語質問劉廳長「究竟有什麼腹案」？劉氏答道：「一定解決，不使學生失望！」最後，仍是一位說台語的議員發言，筆者事後聽來，不甚了解，事後才知道他乃當年砲轟傅斯年的有名砲手郭國基先生。有人說，他今天已客氣得很。郭議員質詢的問題有三：一高等教育、二僑教、三道德教育，前兩項政策本屬教育部主管，劉廳長只說明爭取僑生可獲得美援，對本省大專學校之設施頗有幫助，僑生回國升學，對各校學額並不發生影響。至於道德教育或學風問題，他說他相信是可以樂觀的。他說以今日台灣省的學風和日佔時代來作一比較，就可以看出顯明的進步。

六時過十分，主席宣佈散會。（六月三日夜寄）

國際動態拾零

•陶然•

△納瑟欲以長函致伊拉克的卡森，俾消除雙方歧見。謂阿剌伯民族，必須團結一致，共同應付以色列與東西帝國主義者的威脅。

△美國經濟好轉，據四月份統計，失業人數減至三百六十萬，此乃一九五七年以來之最低者。聞五月份又大量降低，果其如此則艾總統將親自宣佈此好消息。

△美國心臟專家報告，謂艾森豪不宜再作劇烈運動，即玩高爾夫球亦不宜超過十八孔。自助手亞當士離職，杜勒斯死後，艾氏不得不親自處理一切，格外顯得疲勞了。

△赫魯曉夫對柏林之哀的美敦書，于五月廿七日滿期。美三軍首長在事前亦知可以無事，但為預防萬一起見，仍頒密令促後備人員準備，期其于得通知後，在最短期間可以報到。

△美國步兵的服裝，頭至脚皆以橡膠製成，以防火箭之原子塵，此為按紐戰爭時代所必需者。

△尼克遜欲高峯會議，在舊金山舉行，而艾森豪不肯，兩人以此暗中頗不融洽。艾氏不願赫魯曉夫到美國來，懼民衆受其和平欺騙。尼克遜則以為高峯會議在舊金山舉行，足以增加其聲望，且保證其在一九六〇年，可以當選總統。

鼓動新鳴放

最近，有不少鼓動新鳴放的言論在中共的報端出現，其中尤以發表在六月三日「人民日報」廣東省委第一書記陶鑄所作的「太陽的光輝」的文章最可注意。他說：「主觀和客觀上的矛盾是永遠存在的，主觀認識客觀也是需要一個過程的，因而想一下子就把工作做得十全十美，完整無缺，願望雖然是一個好願望，但是它不合乎實際，是個沒法實現的好願望。」換句話說，即使具有好願望不一定能夠實現。

文章又說：「一個好的革命者，只要他是全心全意爲人民服務的，問題不在於工作中有沒有缺點和錯誤，而是要認眞的對待缺點和錯誤。……有些同志聽不得人家的批評，看不得人家的批評文章，一聽到看到就跳了起來，……這是片面的看法，對我們的事業是有害的。」不難理解，某些人在希望作某一程度的鳴放，大部份幹部則反對這種鳴放；陶鑄的文章是勸解反對鳴放的人接受批評。

文藝方面的鳴放

在文藝方面的鳴放是從討論曹操在歷史上的地位而開始的，最近似已擴展到其他方面了，亦可作一典型報導。五月二十四日「光明日報」報導了該報「文學遺產」欄的編委會開會，會議首先指出今年五月中共中央宣傳部副部長周揚對「文學評論」的工作有三點指示：「一、中外古今；二、百家爭鳴；三、保證質量」。會議根據後兩點指示的精神召開，其結果歸納起來是：「目前有些老專家不肯下筆寫文章，他們一方面是心虛，覺得自己的意見不成熟，不願公開發表出來。另一方面也有實際情況：工作忙，沒有時間寫文章。此外，也有少數同志還不習慣於批評與反批評，在學術問題上展開爭鳴的勇氣還不大。」這當說明文化藝術方面亦在作鳴放的鼓動。

不會有結果的

在一九五七年上半年，毛澤東費了九牛二虎之力把鳴放鼓動起來，但只鳴放一個多月就轉而反右派，說鼓動鳴放是「陽謀」，指鳴放得激烈的人爲右派分子，任意的宰割批判，勞動改造，這樣的事記憶猶新，現在又說他們爭鳴的勇氣不大，叫他們怎麼敢于拿出勇氣？現在根本不是技節的缺點與錯誤的問題，而是全面思想，政策的錯誤；譬如去年毛以反「一窮二白」是爲所欲爲的條件，於是進行其大躍進運動，結果是勞民傷財，造成全面的浪費，這些，豈能以缺點錯誤視之？各級幹部亦然，叫他們怎麼敢于接受批評？由這樣的角度來看，其鳴放鼓動看來又是無結果的。

○田心。

關於中文大學

陳永昌

最近教育司正式宣佈準備成立一間中文大學，這當是香港教育的一個大喜訊，但是據說籌備工夫最少要兩三年，此外，還有其他種種問題待決，筆者僅就管見所及，略談一二，非敢妄加建議也。

首先是命名問題，這所將來的中文大學是要經英政府核准的，一切內部行政自然是依照英國的傳統，亦即如港大現在的情形，而這種制度，與我國大學迥然不同。我國大學裏授課的教師全部稱教授，而英國大學每一系或學院只有一個教授，其他通稱講師，最負盛譽的也只稱高級講師。這間中文大學將來是否把現時學院裏的教授，創名爲講師或導師呢？（筆者按：港大教員的分別是：最高爲教授，其次乃高級講師及講師，最低爲導師。）雖然有人說，只要薪金提高了，甚麼名堂也不致發生問題，但有人却認爲是一件極爲嚴重的一回事。將來如何，筆者不敢預測。至於將來大學本身的命名也是費腦筋的，「香港大學」這個名當然不能再用，「香港中文大學」是一個好名字嗎？還是有待專家們的研究。

既然是中文大學，應當要中國人出任校長，這似乎是毫無疑問。但假如又照港大的方法，請港督做名譽校長，校董會幾乎全部是外人，那又會發生甚麼影響呢？教育司很清楚的說明，將來的中文大學是依照英國大學規模而成的，究竟依照到甚麼程度，還沒有明確的表示，現在妄加推測，似乎是多餘的吧！

據報只准聯合新亞及崇基聯合而成立大學，則其他學院，如香江、珠海等，不列在內，這一來，其他學院的學生又將作何打算呢？且教授們在準備成立大學的學院裏現已開始普遍提高薪酬，而對其他學院政府便沒有在財政上予以扶助，這對他們確是一大打擊，政府似乎應該對他們有所安排及明白的表示。

聞說將來中文大學並沒有醫學院及建築學院，大概因爲這兩科難於籌備，但希望將來基礎安定後，盡量設備組成這幾學院，爲的很多中文中學畢業生，這[illegible]沒天才，這是很可惜的一件事。此外，筆者有一個意見，希望[illegible]外文系，爲的學生如果對外文有興趣，爲何不進港大呢？假如這間大學入試英文也應付不來，將來對外文又那有成就，他們看來是不願走這條路了。

這間中文大學，其主要學生將是中文中學畢業生，[illegible]在本港便有深造的機會了。不再像現時雖然念完大專，而學位得不到承認。

可是，問題又來了，將來在中文大學畢業的學生，出路又是怎麼樣呢？是否和港大畢業生受同樣待遇呢？這些中文大學畢業生在政府機關是否也視同現時的官學生呢？這等問題現在的確還沒有答案的。

至於以前畢業大專的同學，聽說是不會補發學位的，這對於他們的確是一個大損失，筆者現時有很多大專畢業的朋友，畢業後去教私立小學，待遇可憐得很，因此有些便忍痛犧牲時間投考師範學院，要是將來眼看後期畢業生的優良待遇及正當資格，當會嘆生不逢時嗎。

還有一個嚴重的問題，此乃關於學費方面的，假如取費又如港大那麼昂貴，此將會令人有高不可攀的感覺，雖有正當學府，却望其門而不得入，這又何異於沒有呢？倒不如維持現時大專狀態，最低限度有受高等教育的機會啊！

最後，我們談到課程問題，據說將來中文大學，三大科目乃爲中國文史、經濟、及理科，中國文史這方面專家雲集，提高程度及另編新課程，想不會發生任何困難，經濟方面人材亦不會缺乏，更換及添增新內容，也不會有任何障礙。但理科這系，全用中文教授，想是一項最困難的問題，民國時期的內地大學都是採用英文科學教科書的，就是現在的台灣，也是用外國書的，且本港科學人材缺乏，用英文教授已是困難，翻譯過來用中文教授，當是一件艱辛及不能有好成績的一回事。

提高程度的辦法，現在暫時是從大專本身做起，投考的學生將會經過嚴格考試才取錄，不會再像從前有些初中程度的學生也能混進大專，這是一個大家都知的事實。將來大學入學試如仿港大的辦法，很可能有大學預科班。這樣一來，中文中學畢業生也未必能進這所中文大學的，在這優勝劣敗的世界，各中文中學學生不能存有僥倖的心情入大學的。

社會輿論是要中文大學，雖然有些人獨持異議，但現在既已事在必行，我們應該鼓勵進行這件事的人，要成立一所適應實際環境爲人所尊重的大學，當是一件艱難事，但我們不願太苛求，只要將來逐漸改進，一定能成爲著名學府，這是香港人也是中國人所響望預祝的。

江西省洪汛告急 百萬人冒雨修堤

大陸防汛工程，大都是一些土堤土壩，一遇洪水襲擊，立即險象環生，所以每逢汛期，中共都要勞師動衆，進行搶修。平時宣傳的防汛成績，到時都等於零。

五月廿二日中共「人民日報」稱：「江西全境持續降雨已近二十天，贛、撫、信、饒、修五大江河和鄱陽湖，以及各內河水位暴漲。爲了防止洪水出險，「江西全省已動員八十萬人組織防汛突擊隊和二十萬人基建隊，正日夜冒雨搶修堤壩。」（人賓）

大陸文壇透視

三攻巴金無效

七[illegible]

夏衍發動打倒巴金的運動爲什麼選定六月？那是因爲六月裏上海作協召開大會，處分反黨的右派分子。據去年六月十七日上海新聞日報報導，這次會議通過了將許傑、王若望、孫大雨、傅雷、陳子展、施蟄存、馬國亮、徐中玉、黃裳、李洛、洛雨、屈楚、鄭伯永、陸侃如、宋雲彬、臧雲遠、王希堅、戴岳等十九人撤除職務並開除會籍。夏衍很想湊湊熱鬧，把巴金的事情在報刊上揭發，引起大會的注意。

去年六月十一日上海文滙報及同日出版的北平文藝報第十一期，共刊有四篇文章，一致對巴金所寫「法斯特的悲劇」一文加以猛烈的攻擊。內容無甚出入，主要都在指斥巴金犯了思想和立場上的錯誤，措辭非常尖銳，如有一篇文章會說：「我們眞不相信你會是這樣的在政治上單純和天眞！法斯特的叛黨和叛人民已經不是什麼『錯誤』上的問題了，而是已經成了工人階級的叛徒了。爲什麼你會連敵我矛盾，大是大非都還弄不清楚呢？」所幸文藝報在接到這樣的「讀者投書」後，並未立時刊出，先寄給巴金看，得到巴金的復信同意，才連復信一道發表。在巴金簡短的復信中，他承認了錯誤，並說「讀者們的意見使我受到了一次教育」。這可以算是夏衍對巴金的首次攻擊，然而文藝報的態度却尊重巴金，未使事件擴大，加以巴金的表示亦可以使小事化無。

緊接着在同月十四日上海文滙報又刊有專文，指責巴金曾在鳴放時說出「把文藝還給人民」的口號，說這個口號是錯誤的，等於要求把文藝的領導權從黨的手裏拿到資產階級的手裏，曾在右派分子中間引起熱烈的共鳴和反響，並在一部份知識分子和讀者中間產生了一些不良影響，要巴金出來加以澄清。文滙報也和文藝報的態度一樣，把文章先送巴金閱讀，附着巴金的回信一道發表。巴金對於那句口號辯解了一番，說是毛病出在辭不達意上，他原本不長於說話，但也承認了自己對馬列主義了解不夠，表示要決心改造自己。第二次進攻就這樣結束，顯得是更加無力了。

第三次進攻，迫得夏衍要自己出馬了。他在六月底出版的「收穫」上寫了一篇「走過來的道路」，他很巧妙地引用了周揚的話，暗指巴金未能對自己的舊作品做過深刻的自我批判。從此以後，各報則展開了對巴金作品的討論，最賣力的是姚文元和師大文藝評論小組，然而一直延續了半年，仍然沒有定評，追得「文學知識」不得不聲明暫此結束。古語所謂「一鼓作氣，再而衰，三而竭」，夏衍的三次進攻，亦可作如是觀。

瘟君夢

岳騫

第三回：點石成鋼 指鹿爲馬 魔王施妙手 嘍囉建奇功

周恩來接過來，一本正經的向下看，看了一半忽然變了臉，疾言厲色的說：「這是誰的主意，儘直拿國家事當兒戲，我們擬訂好好的五年計劃，正在按步就班執行，怎麼又搞出什麼大躍進，躍到海裏去就不躍了。」

周恩來越說越氣，沒看完就扔給李先念，局面一時非常的僵，李富春本來肺病已到三期，蒼白的臉上一點血絲也沒有，却被周恩來罵的面紅耳赤。李先念却一言不發，面上露出幸災樂禍的微笑。陳雲個性比較渾厚些，眼見周恩來肆無忌憚的向下罵，最後一定鬧出亂子，插口說道：「這個大躍進計劃，是昨夜毛主席召開會議，當場決定原則由富春同志擬訂的，總理有什麼意見，可以提出來修正。」

一定說是毛主席決定的，周恩來好似觸了電一樣，當時呆住了，不過，他的面色實在變的快，登時又換出一付微笑的面孔，這忙說：「原來是毛主席自己決定的，我剛才未看淸楚，先念同志，你交給我，再仔細看一遍。」

李先念笑着遞過來，周恩來這回不敢大意了，從頭到尾看了一遍，問道：「你們的意見以爲怎麼樣？」

未等別人開口，李富春就搶着說：「文件是我寫的，但是我不贊成，因爲這種躍進法，實在太離譜，稍微對經濟有點研究的人，都知道是行不通的。」

周恩來點點頭：「又看着李先念同志，你的看法怎麼樣？」

李先念冷笑一聲：「總理既然開步，我就照實說，這個計劃行不通，道理很簡單，國家經濟是一個整體，必須緩緩向前，齊頭並進成，這幾年，我們已經犯了冒進的毛病，假若照這種大躍進法，能不能完成任務，姑且不說，就算是有一兩次，能以達到指標，其餘的跟不上，整個經濟失去均衡，非亂不可，而且一亂就難收拾。」

李先念一邊說，周恩來，陳雲，李富春一齊點頭，周恩來一直等他說完，周恩來笑道：「先念同志，福至心靈，居然把經濟問題說得頭頭是道，[illegible]家了，這個財政部長非你莫屬[illegible]去不可了。」

李先念聽到周恩來誇讚他，得[illegible]值：「凡事都是一個理，拿我從前作木匠的經驗，手頭用的傢伙，光有大鋸，沒有小鋸，然不成。就算你斧頭，鑿，鉋都全有，少了一個鑽子一樣沒用，我那時隨着師父出去做活，爲了少拿一個虎頭鑽，就挨了一頓打，所以我記得淸楚。」

李先念講話三句不離本行，引得周恩來，李富春哈哈大笑。

周恩來忽然莊容向李富春說道：「你可以早一點告訴主席，這個計劃在政治局恐怕通不過的，他要認爲非實行不可，就要另想辦法。」（四三）

更正： 本刊八五五期本版「日內瓦外長會議預測」一稿，譯者「莫紀彭」誤植爲「紀朋」，合行更正，並向莫先生誌歉。

釋耒集

自西藏事變，達賴喇嘛，違走印度，藏族壯士巴族人，則仍繼續有組織抗勤，但相持如何，報章所載，大抵均道聽塗說之言，又經記者加以附益，絕少可信之資料，而此間各報，於事變初起時，即有人主張國府應援藏，以為反攻復國之助，其言若甚激切，及達賴在印度發表談話，竟未嘗半言提及民國政府，而援藏之調，遂漸消歇。近於新生晚報，見所刊「西藏事件內幕」一文，謂為達賴所親信之某官所記，其間提及中國政府之處，均一律稱曰漢人，遂納之言之徒為其文，所謂「蒙藏委員會」，實同子虛，其稱中共為漢人，則又見中共之所謂民族融和，亦屬一派謊言，而無事實。傳覽此章叢書，尚仍困守其種姓之傳說，不容有翁為惡之也。考之唐書吐蕃傳，則所謂吐蕃者，本屬西羌，蓋百有十五種，有發羌唐旄等

援藏與反攻

，蕃發羌近，故其子孫曰吐蕃，是則今之西藏人也，彼其地理民俗，則曰「國多霆電風雹積雪，盛夏如中國春時，山谷常冰，地有寒癘，其壯者鬼右巫，喜浮屠法，習咒詛，貴壯賤弱，母拜子，子倨父，以累世戰沒為甲門，敗懦者垂狐尾于首示辱，不得列于人，軍令嚴肅，每戰前隊皆死，後隊方進，重兵死，惡病終。」唐太宗時，其贊普弄讚，率其衆二十餘萬，寇松州西境（今四川潘縣），太宗使吏部尚書侯君集，為行營大總管以擊之，因復請婚，太宗許之，遂於貞觀十五年，以文成公主妻之。及中宗之世，又以所養雍王守禮女為金城公主妻棄隸蹜贊。自是請婚，皆以子弟，請入國學，以習詩書，又請中國識文之人，典其表疏，今尚存於拉薩水之盟，吐蕃會盟碑，今尚存於拉薩，盟詞以大唐及吐蕃為舅甥之國，即由文成公主下嫁而云然，夫以唐太宗之英武，號為天可汗，對於吐蕃，亦只免不與漢家通好，故以公主和親，亦微飾之詞耳。今之西藏人，其視唐之大，則西藏人之悍不待言，但終有府與中共，則皆漢人也，等是異族，國而援不容有所厚薄於其間，今日言援藏形勢固有所不可，寄望乎西藏革命，以為反攻當自西北始，則情理又近于自欺，勿乃非謀國之道也。

諸葛亮有言：「漢賊不兩立，王業不偏安」，以先帝之明，量臣之才，固知臣伐賊，才弱敵強也，然不伐賊，王業亦亡，惟坐而待亡，孰與伐之？」才弱敵強，亮固知之，而亮有生之日，未嘗稍懈其伐魏之志，蓋不欲「以一州之地，與賊持久」，使賊得乘我之危乎，易傳曰：「其亡其亡，繫于苞桑」，必根本固，信念堅，然後可以利用形勢，否則紛紛者皆妄也。

曲齋

蚊

提起筆來，正沒什麼可寫，曾上卻被蚊虫叮了一個泡，恨一拍，卻又被它脫掉了，忿懣之餘，就不覺寫下一個「蚊」字。

俗謂「明槍容易躲，暗箭最難防」，蚊虫大抵都是暗箭傷人的宵小之類。抽冷子，刺一下子，管教你有點「痛癢」，不可不防。因為牠有兩隻翅膀，所以人們把牠比作飛賊，從來看到寓言「蚊」，詩上說是：「蚊虫比作「白刺客」，確實是恰當些。……「白鳥」攻至，驚則亂蓬看，問曉聲耳怯，披甲一身雖小，羅帳扇以駭，交戶沒綫縫，此翁惟墨水，不中攻曹醉。」

當然我的血管流的不是墨水，但是怯蚊虫的程度卻沒有什麼兩樣，幾滴熱血，怎夠牠們日夜搶取？每天傍晚，洗澡之後，總耳洗一把，披甲一身汗。……他在帳內放入蚊來，不穿，必遭此批飛賊的襲擊，便是「關」內，總有牠們……予同類的心情，……必發發自危，凌我們晚上的是……

提心吊膽，避防蚊咬，目前的戰略，……

陸墨夢

關於新詩

——向野火先生請教

湖海散人

我常覺得我們這一代的知識份子，講堂最到了一個過份的時代，一位教授他可以不讓人家批評他，即使他的本行以外的見解也是如此；似乎一被批評就失掉權威性似的；其次是前進詩人，他們認為批評他們的新詩就是不懂得新詩發展史的規律了。我常想擱對於我們這一代知識份子的後果是太可怕了。

野火先生在「關於王世昭先生的新詩的修正意見」（見自由人第文學）一文中警告不懂新詩文學發展中最好的新詩的人：「請你不要胡說八道」。我從語氣中就呼吸到一些太那個的意味。

首先，我得申明，十年前當新詩最蓬勃的時代，我還寫過一陣子新詩，以東南半壁而言，也有個微不足道的「名」；可是，今天我看不懂了新詩，但是這不是賭氣的話，台灣廿五歲以上的新詩人，都是我的朋友。我問他們為什麼他們的新詩，我看不懂了呢？始終沒有得到可信的答案，似是而非的答案倒是有的：新詩有新的含義，也正是野火先生所謂的新詩發展，成長的問題。我以為不論什麼樣的「新」，總不能讓人「不懂」，能說看不懂新詩的人就不懂「新詩」嗎？譬如有人舉過的例子：「昨天的昨天的昨天」，還有「你如何信三不等於五，二條平行線不能相交，你就是混蛋！」說此類的很多，不必浪費紙筆了。這樣就算新詩的「新」嗎？「新詩」的「進步」嗎？我想這類「新」詩須要注解了。如果不注解令人不懂，把它拿出來發表又有什麼意思呢？我認為前者只有詩人自己懂得了，後者新詩就是這樣的「新」的發展下去嗎？

亞里士多德說過，詩是通過特殊的個別的東西，具現普遍的一般的東西。那麼「昨天的昨天的昨天」是具現普遍的一般的東西嗎？「三不等於五」是甚麼典型嗎？所謂典型，描寫典型的，那麼「三不等於五，二條平行線不能夠相交」的呢？新詩不能以特殊的個別的東西具現普遍的一般的東西，只是玩弄概念的東西嗎？

某某講到莎士比亞說：「每句台辭所指示的不是意念，而引起我們的都是意象；每句台辭都是極確切，極到家的種種動作的模擬，每句台辭都不是瑣碎的和片段的思想的定義和表現……以不守語言的規則論，他是最放肆的；以創造靈魂論，他是最適當的；……：以引起我們一個宇宙的幻象，和描寫生動的人物論，他是最有犬才的。」請問上舉的例子，言辭確切嗎？不是瑣碎的和片段的思想和定義嗎？

至如「登幽州台歌」：「前不見古人，後不見來者，念天地之悠悠，獨愴然而涕下！」其意趣、境界、意象，較之「三不等於五，二條平行能夠相交」如何呢？

再說到詩的影響，即使如野火先生所說，力匡的詩是西洋十四行古典詩的中國版吧，那麼自由中國的一位才華四射的詩人楊喚的詩，又何嘗不是綠原詩的台灣版呢？如果野火先生找一本綠原在抗戰時期出版的詩集「童話」看看，再想想看，誰受誰的影響呢？其他不是才華四射的詩人，更不必說了。即使王世昭先生缺乏之常識的錯誤的判斷，由於對近年來中國新詩壇少接觸，或接觸面不夠廣的結果；野火先生對於楊喚才華的激賞，對於抗戰前、中、成長後中國新詩的發展、成長，又了解了多少呢？難道沒有說錯誤話，判斷不錯嗎？我所說的也許胡說八道，我便要說「還有什麼可談的呢？」

日！（四十八年六月三日風雨中）

民國二十九年辭退黨史會編輯處長呈吳稚老七古一首

○莫紀彭○

吾師目光灼萬古，胸中所有不可估。
時時賜我換骨丹，東山西山有老虎。
不見白虎可奧人，但見鳥鴉爭逐腐。
杜鵑啼血何斑斕，點點啼痕內心苦。
靈中雞雀師抑我，化作冤禽棲獨樹。
獨攜空山幾百年，秋來蕭蕭淒風雨。
諸林人去樹空留，上有蝙蝠下狐鼠。
其形百怪不可名，惟恐老幹有生蠹。
嗤之吹之無事有，樹不倒時力不已。
倘招我入有棼林，鼠蝙良禽成過去。
求師再賜我金丹，不如歸去歸何處。

栗海彈心錄

孔庸之理財（二）

當此之時，華北各省以及沿海都市，淪陷殆盡，黃河流域，僅得扼守潼關，珠江流域，僅得堅壁曲江。長江流域，航行止於三斗坪，且西南烽火，達於滕衝，處敵人三面包圍之勢，而疆土日蹙，此軍事形勢之惡劣，足以影響於財政者一。義兵四百萬，軍費之耗費，選輸之修阻，交通之閉關，機場之增修，與夫美國兵器之「現購自運」，此軍需龐大之足以影響於財政者二。扶傷救死，搶救青年，收容難民，分別教養，此社會之劇遽變化，足以影響於財政者三。美國徘徊無主，英人苟且因循，日德蘇俄，互不侵犯，國際黑暗陰森，長夜漫漫，此外交形勢之足以影響於財政者四。黔桂陝甘寧青新疆各省，向為協餉省分，軍興以來，轉隸中央統籌，此地方支出之足以影響於財政者五。進口日增，出口日減，此對外貿易之足以影響於財政者六。肝衡當時，得以藉資調劑者，實惟川湘兩省，其他則恃通貨之膨脹，公債之發行，總其歲入，較諸平時，大抵減少百分之七十至八十，歲出可能增加十倍數十倍，甚至不能以年度計。且物價逐步上漲，幣值比例降低，預算屢續追加，為戰時必然現象，無法避免，此預算與物價幣值之足以影響於財政者七。凡此種種，交逼而至，一髮千鈞，不絕如縷，益以南北偽府，互相呼應，亦足動搖人心。迄今思之，猶為心悸。證以日本數十年之準備，誓以謀我，以職養戰，且控制整個西南太平洋富饒之區，而猶捉襟見肘，財殫力竭，舉國上下，汲汲不可終日，以是知戰時任事之不易，而理財尤難。

當孔氏三十三年負笈出國之日，國庫儲存，尚有外滙美圓十四億，法幣百元大鈔，尚未發行，黃金儲蓄，每兩八千，日常必需物品，猶盤旋於三十倍上下，但其時軍事外交，俱已好轉，柳暗花明，指日可期，舉國人心嬉嬉，無復已往疾首蹙額之時。此乃謗言四起原因之一。

孔氏主財政猶之善戰者無赫赫之功，故不為世人所稱道，簡直木訥，老氣橫秋，是其所短，亦即其所長。浮夸者主稅法更張，而孔尚成規，新進者主預算擴大，而孔主謹慎，老成持重，默守繩墨，自難免於少年喜功者所詬笑耳。其時軍公人員，感於薪給之微薄，生活之艱苦，未嘗計及長期抗戰之如何爭扎，與國庫之如何支應，卒之齋怨集於一身，而無法自白。三十年年終，日本偷襲珍珠港，美國起而宣戰，形成中美聯合戰綫，陸空軍工人員，外交人員，蜂湧而至，孔氏緊握外滙比率，不少寬假，外人若口痛心，遂亦從而憎之恨之，由是某也賢，某也不肖之議起，時人不察其內外交責之故，一以天下之惡，皆歸於孔氏。吾人第平心論之，把握預算，公乎私乎？控制比率，當乎，不當乎？人之賊，我之良也。故論其抗戰之功，實不在前河下。自茲以往，財政遂轉入混亂時期，法幣一瀉千里，不可收拾，而世人又不之詳察，寧非怪事。

●阿公●

銀壇隨筆

冷眼看『空姐』

修衡

四十七年度申請政府獎勵的國語片，一共都達一百二十部。僅六部獲特等獎，除『中影』的「錦繡前程」，其餘均為香港囊括；電懋佔去三部——「四千金」、「空中小姐」、「龍翔鳳舞」。另外兩部是『亞洲』張國興監製的「長巷」，與『國風』朱旭華監製的「苦兒流浪記」。所獲獎金則限於每一單位一部，每部新台幣五萬元；電懋的「空中小姐」和「龍翔鳳舞」，各獲獎寶鼎一座。

「空中小姐」在香港上映之前，早在東南亞包括了台灣各地首映（「玉女私情」未及參加評選），這部影片的優點，比「龍翔鳳舞」遠為進步，聲光儘管無大分別，劇情則與，首應指出的，以航空事業作背景的影片，在中國電影史上是一創舉，叫座原因完全是題材新穎現實。台北、星洲、曼谷，在香港人心目中，無疑是最美麗的城市；同樣的，星洲、曼谷和台北觀衆，也無不嚮往香港、和其他名城。交通儘管發達，遊覽費用、與出入境麻煩，到底不是一般人易於解決，在影院坐上兩小時，強於幾個月旅行。

就劇情來說，故事並不誇張、奇突，不勞觀衆多費思考；四支插曲和畫面配合，三支出自易文之手；另一「台灣小調」為現代詞人李雋青傑作，抒情最豐、刻劃至深，最使人感動，這首歌不特幫助了觀衆對台灣的理解，同時表露了台灣在現代戰略上的地位，反映了自由中國的建設和社會實況，構成了該片唯一特色。實際情方面，蘇鳳的戲比較多，演出平均，葛蘭、葉楓、雷震、唯妙唯肖，一如假戲真做；許可不像是富家子，風度不夠，好得他的戲不多，還不致把劇情破壞；羅碧雲本來是「空中小姐」，駕輕就熟，無疵可求，得獎是應當的。

惡日與惡月

南橋

農曆五月五日是端午節，也叫端陽，又名重五及天中節，古時相傳以是日為惡日，五月也稱惡月，其所以稱為惡日，卻由於「五月子」而起，據說在春秋戰國時代就已有了，習俗相沿，民間對之，都把它看作是一個最凶惡的日子。

史記孟嘗君列傳云：「田嬰有子四十餘人，其賤妾有子名文，文以五月五日生，嬰告其母曰，勿舉也，其母竊舉生之，及長，其母因兄弟而見其子文於田嬰，田嬰怒其母曰，吾令若去此子，而敢生之，何也？文頓首，因曰：君所以不舉五月子者，何故？嬰曰：五月子者，長與戶齊，將不利其父母，文曰：人生受命於天乎？將受命於戶邪？嬰默然，文曰：必受命於天，君何憂焉？必受命於戶，則可高其戶耳。』誰知，孟嘗君因為五月五日幾乎保不得性命，所以五月子便被視為不祥了。

古時死在惡日而為後人在端午所紀念的人物有三，一為投汨羅江之三閭大夫屈原，一為盡忠被讒賜死而以鴟革盛屍而泛于江上之伍子胥，一為哀父溺死而投江覓屍之曹娥。

裹糉之俗，據傳即由救祭屈原或伍員而來，所以這天民間要用各式各樣的方法如焚蒼朮，白芷，插艾葉，飲雄黃酒，賽龍舟等辟邪防疫來尅服它的習俗，假如能擺過這一天，那麼就不怕鬼邪惡靈了。

自由人
THE FREEMAN
（第八四六期）
每份港幣壹毫
20 CAUSEWAY RD. 3RD. FL. HONG KONG
TEL. 771726
地址：高士打道六十四號
台灣總經理處
台北市西寧南路壹零壹號二樓
電話：三〇三四六
台郵撥儲金戶九二五二
海外總經銷：友聯書報發行公司
香港：彌敦道中二十六號A二樓

杜爾斯的歷史地位及功過

·宋文明·

美前國務卿杜爾斯逝世之後，整個美國和世界都同聲哀悼，一致譽之爲偉大的公僕，偉大的政治家，偉大的外交家和偉大的自由鬥士。在這些讚美和敬佩當中，有許多說法是過份其實的；但對於杜爾斯的作爲一個偉大的外交家而言，我深感不能不有若干保留。我承認杜爾斯是一位非常盡職的國務卿，是一位秉性剛直與極端努力的國務卿；但他絕不是一位偉大的國務卿，甚至也不是一位最優秀的國務卿。艾森豪總統曾不止一次讚譽杜爾斯爲美國歷史上最偉大的國務卿，同樣，我也聽過杜魯門總統曾不止一次讚譽艾奇遜爲美國歷史上最偉大的國務卿。實際上，任何美國總統當其國務卿實行辭職時，莫不說他的國務卿就是美國歷史上最偉大的國務卿。這還有什麼奇怪？

一、

在杜爾斯担任美國務卿的六年多期間，美國在外交上的最大成就，爲美與西班牙簽訂了二十年防務軍援協定，簽訂了東南亞公約，中美防衛條約，對奧和約，對德和平契約，並解決了的里亞斯得爭執，伊朗及危地瑪拉政治危機。其他如韓越戰的獲得停戰，黎巴嫩危機的回而復休，台峽事件的未得擴大，嚴格說來，實在不是一種了不起的外交成就。相反的，中東地區整個政治安定的被破壞，蘇聯在該區聲獲得現今這樣大的發言地位，以及拉丁美洲的廣泛反美浪潮，伊拉克與古巴的激烈變革，實在都是美國的一種失敗。另外，在杜爾斯担任美國務卿這一段期內，我們明顯看到美國在亞非地區的聲望，已普遍遭到了很大的損害。雖說造成這一結局的原因絕不止一端，但杜爾斯外交政策的缺乏有力的領導作用，應爲其中主要一項。所以我可以這樣說：杜爾斯在外交上的惟一成就，沒有一件是屬於開創性或歷史性的成就；但他在外交上的失敗，卻對於整個世局具有深遠的影響。質言之，從杜爾斯担任美國務卿時候起，整個世界開始由兩大集團的對立，逐漸向共黨、西方及亞非集團鼎足而立的局面前進。假若說杜爾斯不應負導演這一變化的責任，至少說杜爾斯沒有盡到防止自由世界分裂的責任。

二、

在杜爾斯担任國務卿期間，他叫得最響的三個口號爲：解放政策，大報復主義，和戰爭邊緣政策。但我們若把他年來對此所言所行細加分析，便知這個政策中沒有一個眞正具有任何實際意義。一九五二年五月十四日，杜爾斯在他的一篇重要演講中，提出了所謂「新自由方案」即解放政策的說法；但他繼任美國務卿後不久，他對此即作了新的解釋。一九五四年一月十二日，他在紐約演講，詳細闡述他的所謂大報復主義，意即一遇共黨進攻，不問其發生於何地，即選擇對方弱點而予大力還擊之。但不過好久，他一則說地方戰爭不適宜於大報復主義，二則說共黨進攻西歐必先取得有關盟國同意而採行動，於是所謂大報復主義實際便無形中被取銷了。一九五六年一月十一日，杜爾斯又對生活雜誌記者暢談他的戰爭邊緣政策——韓戰、越戰，及台峽危機。但對眞正瞭解當時整個國際情勢的人來說，事實根本就不是那回事。我認爲杜爾斯當年以解放政策來作爲助選口號，未嘗不可；但他眞要把這一政策作爲他的外交政策，便看出他當時（指他說這話的當時）對於戰後國際情勢如何演變到那一地步，實在缺乏眞正的瞭解。以國際的現實情況來講，除非美國決心主動發動反共戰爭，美國是無法實行解放政策的。對於這點，他出任國務卿後不到一個星期，就已表示公開承認。那麼他的事先大肆嚷嚷的解放政策，不就表示他的說話輕率。同時我也認爲，杜爾斯的所謂大報復主義及戰爭邊緣政策，壓根兒只是一個口號，而不是一個外交政策，尤其戰爭邊緣一點，只見他作事後的自我解嘲，卻未見在當時敢對其國人作公開宣布。假若杜爾斯眞要把這二者作爲他外交政策的一部份，縱然表示他以戰爭威脅作兒戲，完全沒有瞭解這一政策的嚴重性。

三、

我發現在杜爾斯的外交政策和言行中，存在有非常大的矛盾。這種矛盾可見之於他的解放政策和大報復主義的對華政策，亦可見之於他的對印尼的政策和對印支政策等。我曾追究這種矛盾的根源，結果我發現杜爾斯的這種矛盾並不是起於現實環境困難而採行權宜之計的緣故，而是由於他的人格構成中的兩種矛盾因素。其一爲他中心信仰的基督教的道德原則，其二爲西方社會外交傳統中的國際法觀點。我們知道杜爾斯是一個虔誠的基督徒，曾企圖以基督教的道德原則來決定和指導國際行爲；同時我們也知道他是一位由國際法學家出身的外交家，在考慮國際關係中的重要問題時，他又緊緊固守着傳統的國際法原則。在這二者完全協調的場合下，杜爾斯的外交政策顯得光彩奪目，有聲有色，一如在運河事件中所表現者；但一到二者不能完全協調時，杜爾斯的說辭和行動，卻又立刻顯出矛盾的破綻。基督教原則是屬於理想主義的，而國際法觀點則是屬於現實主義的，所以杜爾斯的這種矛盾，也就是理想主義與現實主義的矛盾。一九五四年他一面倡導加強台灣對大陸的吸引力的政策，一面又公開承認大陸與台灣具有不同的法律與政治地位，便是這種矛盾的一個最突出的表現。同時用宗教的是非與善惡原則，來決定外交行爲，是否適當，我亦頗表懷疑。宗教所說的鬥爭，是一種上帝與魔鬼的鬥爭，中間毫無妥協的餘地。而外交所說的鬥爭，則是人間的，國與國間的鬥爭，利害是非經常變動不居，因此以宗教原則來指導外交政策的結果，除了與對方完全隔離，固守不動外，無法使外交政策產生一種主動的誘導力量。照傳統的說法，外交是一種折衷、讓步、和談判藝術，經過這種外交藝術，才能逐漸調和各方的衝突，解決爭執。假若一開始先把對方看成惡魔，那麼所謂外交，便失去了它的意義。杜爾斯的以宗教原則來決定外交，是他值得一部份人崇敬的原因，也是一位美國人說他是「神學家」的原因，同時也是他成爲一位成功的圍堵政策的外交家而不會成爲一位攻勢政策外交家的原因。

四、

在我看來，杜爾斯的所以能在美國及世界歷史上佔一席之地，是由於下面兩個基本原因。從作爲美國的國務卿來說，杜爾斯不僅代表美國共和黨的長期外交傳統，有很豐富的經驗，而且也有他自己的一套。就從他的外祖父福斯特算起，經由老洛奇，范登堡直至杜爾斯個人，他們明顯是屬於共和黨的外交嫡系。再加上他個人先後從事外交工作五十年的經驗，他已從理論與實際中，建立了他自己的一套作法。再從這六年多來他担任美國務卿的歷史講，杜爾斯顯又打破了過去美國外交政策地區與思想上的拘限性。戰後以來的美國務卿，沒有一個在他的任上訪問過亞洲或遠東；可是杜爾斯把這些地區視爲與歐洲同樣重要，不斷親作訪問，使美國的外交政策建立於東西並重之上。同時在艾奇遜時代，由於受了思想影響，美國不願簽訂軍事性的東南亞公約，更不願與馬德里與台北方面締結同盟；而杜爾斯一上台便打破了這種成見。所以假若說杜爾斯對美國政策的基本方向發生了若干影響，這一影響便在此方面。

不過，平心靜氣來講，我仍認爲杜爾斯不是一位偉大的國務卿。論談判技巧，他遠不如艾登；論個人才華，他遠不如艾奇遜；論堅定與固執，他遠不如莫洛托夫；至於說到在國際會議場中的雄辯才能，他亦遠不如梅農與維辛斯基兩人。上帝曾賦予他最佳的機會與最大的發言力量，但他並未作出最好的成績，這一根本癥結，就在於他是一個過了時的人物，他缺乏一個強大的內在的力量，他缺乏一個有思想的總綱作指導。

半週述評

民主政治的一課

西德總理阿登諾和他的經濟部長艾哈德最近發生了一項嚴重的糾紛，已經由基督教民主黨發表聲明而宣告結束，阿艾兩人亦已握手言歡，重歸於好。此事是否將影響到黨的團結，是否仍有引起政潮的可能，現在雖不易輕下判斷，就此事之經過，富有民主政治的教育意味，則確屬無疑。

阿登諾爲創立西德，重振德意志民族的元勳，威望之隆，可謂一時無兩。然而阿登諾並不能以此而造成家長式不可侵犯的地位，可以隨便發表辱及他人人格的說話。不幸說了，便得公開道歉。同時，艾哈德因爲阿登諾散布流言，辱及他的人格，並不因爲阿登諾是自己的上司，而不敢去批逆鱗。他公開宣佈要「鬥爭」，要澄清「歷史謊言」。不作逆來順受的懦夫。此即人格尊嚴，人權平等，乃民主政治的基本精神。

更有一層，民主政治的行政權，決不是定非某人不可的，政權的更迭，要訴諸選票。艾哈德因爲有人說他在外交上不如別人堅強，又說他反對歐洲的統一。這意思是說他比不上阿登諾，以爲當今的西德，除阿登諾執政外已再無第二人。艾哈德事實上雖未曾要求做西德總理，但不能不因此而起來「鬥爭」了。他要表示他自信有做總理的能力，也便是說西德並不是非阿登諾執政不可的。這種當仁不讓，合法競爭的精神也是民主政治所不可缺少的。沒有這兩種基本精神，民主政治將永遠建立不起來。

西德今日有這樣的兩位政治人物，我們不僅相信西德民主政治是有前途的，西德今日的成就也就不是偶然的了。

外長會議毫無結果

日內瓦舉行的四強外長會議，至今已經五個多星期，事實上可以說毫無結果。但雙方都不願意負破壞會議的責任，故今後恐不免以休會一兩星期，或由副外長繼續開會這一類口實做拖延的工夫。現在惟一的希望是星期一（十五）秘密會議的結果。但看來是不會有多大希望的。外長會議既沒有好的發展，將來的極峯會議，又是否能舉行呢？英國對極峯會議，似較爲積極，美法則較爲消極，蘇俄是希望能夠舉行的。西方的團結乃對付蘇俄的最重要策略。蘇俄在外長會議裏，極力製造分裂西方的機會。西方內部的團結，現在也實在矛盾重重。例如戴高樂與北大西洋聯盟的糾紛，便是嚴重分歧之一。西方的團結不固，則蘇俄的進攻必烈。然而無論如何，外長會議在這樣的局勢之下，將來高峯會議不論能否召開，也不會是能夠解決問題的會議。今年的冷戰，恐便將在這樣的徒費唇舌的國際會議之下過去的。

星洲前途的展望

星洲人民行動黨選舉勝利後，外國輿論多抱悲觀，認爲不啻是共黨的勝利。但李光耀上台後，初步舉動，只是迎合民族主義而已。最近李光耀前赴吉隆坡與馬來首長舉行會議，發表聯合公報，強調兩國共同合作，維持安全。李光耀且聲言共產主義是兩國共同敵人，以爲建立健全的經濟與社會條件，乃抵抗共產威脅的最好方法。如此，當可使外國觀察家稍爲放心了。誠然，人民行動黨的領導年紀太輕，缺乏經驗，易受共黨的欺騙或利用，不無可慮，然而青年較有勇氣，又有馬來與英國爲後盾，則星洲前途實不必過於悲觀也。

星洲自治後，在政治上，安全委員會的組織有馬來與英國參加，在經濟上則星洲不能離馬來而獨存。故觀察家認爲星洲赤化即在目前者，未免過於直覺矣。

·陳克文·

談自由

舉例再談宣傳

前幾天，我在香港時報社接到外來信件一封，封面寫着「廈門梁宿」字樣，不禁大爲詫異。暗想住在共區的人乃敢跟我這類「反動份子」通信，而且公然投寄該報社所在地的「高士威道六六號」來，可謂膽不畏死了！

拆開原信一看，更使我驚駭萬分，裏面竟是一張「中國國民黨福建省黨部」爲支援西藏人民抗暴運動的油印宣傳品！我於惶惑之餘，仔細審視信封上的郵戳，在放大鏡子之下，亦模糊到沒有一個字可資辨識，思之思之，始而啞然失笑，繼而勃然變色。原來這是所謂「海外工作同志」的惡作劇，在香港購買了一枚毛共發行的郵票，貼在粗紙製成的普通信封上，再用油墨將郵票塗抹後，散發出來作爲工作成績，且有報銷效用，殆與坐在海隅半山公館內寫「大陸情報」的玩藝，異曲同工，無所軒輊也。

最近由台灣「雙十字出版社」刊行的「北平學生反共抗暴運動紀實」一書，材料豐富而圓融，寫書的人又是從大陸逃出來的一位曾經參預抗暴運動者，這類讀物的宣傳效力是很大的！——尤其對於海外華僑社會爲然。可是，書中滿紙「匪黨」「匪團」字樣，使海外讀者容易誤認爲這是住在台灣的人所改編，而宣傳效用也爲之降低了。假使保存原有「共黨」，「共團」和「黨委」「團幹」等類名稱，不要加上那些詛咒性的「匪」字，並且交由海外的出版社印行，我相信其宣傳效力更爲宏偉無疑，這就是心理戰術，搞宣傳而不講究心理作用，沒有不落得事倍功半之結果的！

上述兩項宣傳技術，前者是幾案的虛無主義，令人噴飯；後者有僵化的八股色彩，徒貶價值。此中基本原因，亦係心理上的下意識作祟，即完全沒有一點無名英雄的革命精神，但求自我表現，然又幼稚粗疏，罔識大體。似此作風而欲發抒宣傳戰的勝算，戛戛乎難矣哉！

馮五先生

評立法院制定冤獄賠償法

黃少游

冤獄賠償法實質就是刑事賠償法，它是國家賠償法之一部，而非全部，因爲國家賠償法包括三種，其一爲刑事賠償法，即人民身體自由或生命因無辜而受國家公務員不法之侵害得向國家要求賠償之法。其二爲民事賠償法，即人民私權因受國家公務員不法之侵害得向國家要求賠償之法。其三爲行政賠償法，即人民一切合法之權利在行政上受國家公務員不法或不當之處分而受之損害得向國家要求賠償之法。

賠償法在法理上乃基於現代各國民法法人及我民法第二十八條「法人對於其董事或職員因執行職務所加於他人之損害與該行爲人連帶負賠償之責任」之規定之精神適用於國家法人對其公務員因執行職務所加於人民之損害與該行爲亦連帶負賠償之責任，如我憲法第二十四條：「凡公務員違法侵害人民之自由或權利者，除依法律受懲戒外，應負刑事及民事責任。被害人民就其所受損害並得依法律向國家請求賠償」即採此規定，其他各國亦莫不類此，如美國一九四六年通過「國會改組法案」，第四章內「聯邦政府侵權行爲請求賠償法案」（Federal Tart Claim Act）詳細規定任何人民對於公務員執行職務時因過失或不法行爲或不作爲（Omission）所加於身體或財產之損害，得向國家訴訟損害賠償。如德國一九一九年威瑪憲法第一三一條：「公務員行使法律所委任的職權，對於第三者若違反職務上應盡的義務，其損害賠償原則由任用該公務員的國家或公共團體負之」。一九四九年西德聯邦共和國基本法第三十四條，一九一〇年「官吏之國家責任法」第一條，一九三七年「官吏法」第二十三條，及德國現行民法第三十一條及八十九條均作如是之規定。再如日本新憲法第十七條，國家賠償法第一條第二條及刑事補償法第一條亦均莫不如此。

現在立法院不依據憲法第二十四條之規定制定一部完整的全面性的「國家賠償法」以符合憲法的規定和國民的要求，已覺不大盡責，而現已制定之冤獄賠償法已爲各方批評爲「七折八扣」，殊爲遺憾！好在現尚未公佈，作者不敏特提出一得之愚，以供參考。

關于命名問題

一、關於賠償立法命名問題：根據憲法第二十四條之規定與內容，賠償立法應命名爲「國家賠償法」，且應依其憲法之規定充實的其內容以求其完整與完美，換言之，此法應包括公務員犯罪行爲，侵權行爲及不法行政行爲之人民損害的賠償。

關于冤獄賠償性質

二、關於冤獄賠償法的性質：按此法僅可視爲國家賠償法之一部，而不能代替全面或整個的國家賠償法，前已言之，同時冤獄賠償法之內容既爲刑事且係針對公務員之犯罪行爲而係國家對人民損害之一種賠償法律，自應以刑事賠償法命名爲宜，且符合民主時代國家法人之地位，與證制。因冤獄畢竟有點君主專制時代之意味，而現在民主法治時代絕不可有，有之只公務員之個人故意違法失職而加害於人民，但人民得對國家法人要求其損害賠償，故不宜以冤獄賠償法名之，因現代國家本身不能製造冤獄也。

關于司法與軍法問題

三、關於司法與軍法的審通問題：按司法審判之對象爲人民及其社團；軍法審判之對象爲軍人尤其現役軍人。司法爲國家統治權作用之一爲獨立性的，軍法爲軍事統帥權之作用且隸屬於軍事統帥權故非獨立的。因此，二者審判之事不可相提並論。現在各國軍人犯罪行爲無不受軍事統帥權作用之軍事特別法庭之支配，而人民不與之，如我國憲法第九條特別規定：「人民除現役軍人外，不受軍事審判」，乃係採取被告身份管轄主義，（此不管觸犯戒嚴法或軍法之普通人民因其身份爲普通人民故亦應受普通法院管轄）既然如此，人民不受軍事審判則所謂國家賠償法乃以人民損害爲賠償之對象而非包括具有特殊身份之軍人在內。雖然現在軍法管轄事多範圍較廣，且常有侵害人民自由或權益之事，但此乃一時之變態良非可永久。且根據憲法第九條之規定自可要求政府迅將現在仍然違反憲法即軍事機關審理人民即非現役軍人事件之情事，嚴加改正，因此庶不致將軍法與司法之性質與作用混爲一談而不加分辨。

關于賠償管轄問題

關於賠償管轄權問題：關此似以原處分或裁決機關解決爲原則，而以司法院或法院爲終局管轄。換言之，即受害人不滿於原處分或裁判機關之賠償辦法者得訴諸法院（普通法院或行政法院）解決，而法院解決此種問題，可依有關民法及民事訴訟程序或其他規定裁判處理之。

有不已于言者

最後有不已于言者二：（一）現在民主法治時代，人民之自由和權利受憲法之保障，[illegible]立法委員[illegible]經，敷衍塞責，而以制定若干方面所批評的「七折八扣」還在二讀進行中的所謂冤獄賠償法以欺世盜名。

（二）傳云：「國家之敗，由官邪也；[illegible]」[illegible]分，即耶穌所謂：「凱撒的事，歸凱撒管，上帝的事歸上帝管」，換言之，就是屬行被告身份管轄主義，即如憲法第九條規定「人民除現役軍人外，不受軍事審判」，換言之，即凡屬普通人民唯有法院始可依法傳訊與審判，其他任何機關不得非法審訊與科刑判決。第三、新自然法學權威德國學者斯娜萊（Smuller）氏說的好，他說：「國家之上，有法律；法律之外有正義。」此乃民主法治之眞理，希望全國上下深深瞭解此意，則人民自由權利和國家安全之保障，其庶幾乎。

省議員妙語天下

・陳文明・

（台北六月十日航訊）行政院現已同意台灣省臨時議會正名爲台灣省議會。其暫行組織規程，並經內政部擬定，將擴大議會職權，增設各種有關委員會暨紀律委員會。一俟省自治通則公佈，省議會即可依法選舉「省長」。儘管這還是一張未兌現的支票，然而在台省的自治運動，實已跨進了一步。

本日爲省議會本屆會期施政總質詢的第一日（爲期共四日），筆者以鄭重的心情，恭聆各位議員的言論丰采，其中頗多名言偉論，值得報告於本刊讀者，可惜筆者並無生花妙筆，恐難曲盡情態。

某省議員建議今後本省教育應實施「三級制」管理，縣市管理小學，省管理中學，中央管理大學。層層節制各有所管，似甚合理。但學校並非軍隊，「三級」管理理論何來？筆者淺陋，殊所不解。又此公建議，今後「各級」學位（文憑）應改由縣長、省長、總統分別頒發，以爲如此，乃足尊重學術，亦是妙論。

大會於本日九時正由議長宣佈開始，濟濟多士，旁聽席亦無虛位。周至柔主席率領各廳處長出席，答復質詢。第一位發言者，乃不同意質詢時間還有限制者。相繼發表此種論調者尚有三人。其中一位女議員說，每人限制三十分鐘是應該的。但不一定每人都需要卅分鐘的，她說：『我建議欲延長質詢時間，或棄權的事先登記，然後再作「合理分配。」』所幸議長當機立斷，立付表決。否則妙論必定更多。

台省籍的議員對議長說話多用台語，質詢時則改用國語，此亦會場中一種特色。惟說國語流利者尚能了解，生硬者則難卒聽矣。每人詢質內容有多至八九點，或十點者。筆者係作壁上觀，自亦不嫌其累贅也。

某議員提出，現在各種競選運動，專以拉票爲目的，又多挑撥離間人民與政府感情，請問主席作何感想。又說：「本省地方自治到何時方能上軌道呢？」此位議員先生的高論，實在不易答復，以筆者愚見，競選者不爭取選票，尚有甚麼意義。至於台省地方自治何時上軌道。議員先生乃當事人，何必再問主席呢？

又有某議員問何謂「新作風，新精神」？周主席答：新精神乃爲人民服務的精神，舉澎湖新建醫院爲例，若僅有新院址，新設備，尚不足謂新。必須再有爲民服務的新精神。至新作風則係對舊作風而言。他說，上週參加省立師大十三週年校慶時，曾以此勉勵該校師生。教育家更有宗教家的熱情，要誨人不倦，這就是「新作風」。凡是敷衍，推諉，不負責任的言行，全是舊作風，舊精神。政治改革應該從這些地方開始。周主席請教，這樣的答覆是否滿意否，頗見幽默。

後來由教育問題問及本省青年人才。又由風聞鐵路公路加價，而問及公教人員待遇，由人民財富集中而到建議省主席能否考慮經屠宰後的豬羊，不必加蓋監印於肉皮問題，又節育問題亦曾引起辯論，多數議員認爲本省人口增加，壓力嚴重，必需實行節育。但議員某女士却一反衆議，主張不必節育，她說：「本省經濟建設一日千里，國民所得年年增加，每年多出二三十萬小寶寶，又有何妨？」眞是妙語連珠，使筆者相信，今日的省議員，已盡其爲民喉舌，監督政府的職責矣。

（端午前夕於霧峯）

台灣的紡織事業（上）

林嘯崧

（台灣通訊）紡織事業主要包括棉麻蠶絲以及人造纖維等紡織品，台省因自然因子不利於種植棉類，故棉產量極爲有限，棉織品原料大部仰給進口。四十四年曾設廠自製人造纖維，適時供應民間應用，一時頗能揭起紡織業的好景，不過台省紡織品內銷市場幅度有限，產品過剩避免，且人造纖維紡織品品質雖屬美觀，而不及棉絲織品經久耐用，以致逐漸引起消費者的不良反應，年來人造纖維所紡織之各種產品，銷售量日趨減少，已使該業遭遇困難，極需打開外銷出路，以謀今後發展。台省麻類種植面積頗廣，近年來政府並有計劃的推廣黃麻種植面積，增加生產，以應需要，惟麻類用途主要爲包裝袋及國防上需要原料，實際用於紡織方面者尚屬次要。至於蠶絲業在台省則大有向外推介紹之必要，台灣光復後，蠶業推廣工作係由農林廳蠶業改良場負實辦理，因蠶桑區域廣闊，且多爲山地，致經費人力均不敷分配，該場對蠶業推廣指導工作，大部仍由各收繭纜絲單位，爲急求增產原料，不得不兼辦有關推廣事項，目前亟應成立強有力之蠶業推廣機構，由農林廳領導，配合農復會及有關地方政府，集中力量，統一推廣，提高單位產繭量，增加蠶農收入，利用合作組織，保障蠶農利益，以促進山地農村之繁榮。近年來台省蠶業進步，除產量銳增，品質提高外，絲織綢緞產品並已打開外銷之路，據統計四十五、四十六兩年中運銷美國之九霞緞爲二二、三五六碼，越南綾面緞一一、四八〇碼，釆芝綾一、二〇〇碼，印花綢一一四六、六〇〇碼，泰國塔夫綢六九、〇〇〇碼，印花綢披印花綢二、三六四碼，除上述情形之外，其他地區亦頗有相當銷量，去（四十七）年外銷數量並略有增加。台省目前蠶絲產量每年約在兩萬五千公斤以內，倘半數供應內銷，半數織造綢面緞，共可生產五十萬碼（內摻以相當比率之人造絲），每碼若以售價美金七角計算，共約換美金三十五萬元，其實台省蠶絲產量倘能增加一倍以上，若能經營良好，全年所能換取之外滙，當在六、七十萬美金。至於人造絲每月產量約爲二至三十萬磅，倘以三分之一織造外銷綢緞，共可生產約三百萬碼，每碼若以售價美金三角計算，共約換取外滙八九十萬美金，雖然這種估計，不能十分正確，但能依此目標推進紡織事業，則每年賺取外滙百數十萬元美金，當無問題。

從中美版權糾葛談政府外交措施

一飛

（台灣通訊）自從去年年底，台北市有兩家書店影印（用攝影方法複印）美國出版的一部「化工百科全書」十六巨册跌價競爭；本年初又兩家書店爲影印巨册「韋氏英文大辭典」而大開其「廣告戰」；目前又有兩家書店各印翻部二十四册的「大英百科全書」。台灣影印書不下千百種，直到今天可稱得上「登峯造極」。

影印書（此處不指抵觸國內法律的盜印翻版）這新與「行業」之所以會有今天的發達，因爲台灣各大專學校甚至補習班均普遍採用英文本教本，社會上應用英文和學習英文又那麼時尚，（當然也有其他國家文字，那是少數），而一般人的經濟能力有限，而影印本由於技術之進步，在印刷方面並無異原書，加上無版稅之負担，成本低廉，再有同業間之競爭，售價便宜當非用外滙買來的原版可比。

據說近日美國當局爲「侵犯版權」一節曾用外交途徑向我國提出交涉，我當局頗感煩擾，如何處置尚未有所聞。按我國並未參與「國際版權協定」（不參加的理由姑勿論之）關於國際間侵犯版權一說，自無法拘束。然就中美兩國當今友誼特殊，在良心上不應該「犯侵」友邦版權利益，在人情上也的確說不過去，政府應予勸阻，甚至以行政命令或權力加以禁止，記得前年，內政部教育部曾非正式的，會同有關單位及書商爲此聯席商討過，因爲書商當場出示影印書與原書對照並不像所說的「印刷模糊有損讀者目力」，因此座談會也就無結論而散會。

筆者很了解爲此當局在人情上有很多困難，近日聽說又在籌事進揭，有採取辦法的可能。此事上面已說過，在國際法律上，我國並無遵守之義務；就情理上言，美國是民主法治的先進國家，當然會尊重各國自行之法律，之所以向中國用外交途徑提出「交涉」，不過爲了對其本國當事人的要求，盡一些外交實任外，絕不會進一步「抗議」的。坦白說一句，從影印書對我國文化教育以及經濟上的關係，影響頗大，我當局對影印書（祇要不是禁書）稍加約束便可，固不必硬加禁絕，甚至擴大解釋著作權法施行細則的條文。所以對這種「交涉」（未構成法律責任的行爲），所謂「Legalight Moral Wrong」，似乎大可以學一學兩手一攤，聳一下肩，搖兩下頭的表情，過得去便了。不知當局以爲然否。

國際動態拾零

△東德代表，在日內瓦發言強硬，曾爲葛羅米柯所訓斥。葛氏說，「讓你們老大哥要強硬的一套罷！」言下頗有東德不配有強硬態度的樣子。

△波蘭外長雷巴基，爲中歐非原子區的原提案人，此次竟不獲邀請赴日內瓦備諮詢，頗出一般人意外。他對葛羅米柯，當然唯命是從的，但因爲恐怕他將成爲東西間的橋樑，所以不許其去日內瓦。

△印度駐法大使潘尼迦，在巴黎與阿爾及利亞叛黨代表會晤。欲其與法國締結停火協定，對法阿雙方意見，極力調和，傳係戴高樂所授意。

△突尼西不久將承認中共，她已與莫斯科交換大使。最近受到其國民衆中立心理影響，與阿爾及利亞叛黨，曾受共產集團援助者的堅迫，故不得不對中（共）蘇兩國，建立經常外交關係。

△英國在非洲殖民地之適宜地區，建立一枝突擊軍隊，約五六千人。有一營坦克，並自備運輸艦與飛機，以防衛其在波斯灣保護國之煤油利益。

△南斯拉夫欲建立價值三億美元之製鋁廠，西德與日本競相投資。先是蘇聯本欲予以援助，以所議未洽作罷。

・陶然・

共產主義離題愈遠

去年進行人民公社運動時節，大喊共產主義將在這一代中達到，認爲人民公社已替共產主義搭好了架子。但迎人民公社建立起來只有半年時光，其內容已經蛻化接近于農業社，距離共產主義愈來愈遠了。

向外發展之再頓挫

史太林逝世後，共產主義向外發展的總策略是：極力鼓動反殖民主義運動，以圖逐西方勢力，構成一條國際統一戰線，來包圍打倒自由世界的領導國家，向各地區滲入，逐漸奪取政權。這是以和平共處方式向外發展的兩條戰線。

近來民族獨立運動風起雲湧，殖民主義的末日雖已不遠。這對自由世界並不是壞事，某個地區在民族運動過程中，必然有其反殖民主義國家的表現，容或亦有借助於共產黨之處；然這一種民族運動各地區並不是以齊一步調發動的，共產國際要想利用之來組成一條國際戰線，已無可能。新興國家獲得獨立以後，是否再借助共產黨進行建設，則極可懷疑。埃及在收回蘇彝士運河時節，許多人以爲它的赤化是指顧間事，最近納塞爾的表現，已使有這種担心的人放下了心上的石頭。現在人們又担心伊拉克的赤化，上月伊國家民主黨響應卡塞姆的號召，宣佈停止政治活動；接着伊共聲明反對國家民主黨的這種宣佈，看來卡氏與伊共之間已露裂痕，稍後自可見其分曉。星加坡人民行動黨在選舉之前，許多人亦抱悲觀，但公佈其施政綱要以後，使這種悲觀心理一掃而空。東南亞的幾個中立國家的潛在反共的情況，已被認識得非常清楚。由此可見，共產主義藉反殖民主義運動向外發展的趨勢已受頓挫。

已陷入迷惘階段

赫魯曉夫在二十一次黨代表大會上說進入共產主義的兩個條件是：發展生產與人民的積極性，爲了提高人民的積極性，就需加强共產主義教育。

經過四十多年的共產主義教育，蘇聯人民對於共產主義的積極性究竟怎樣了呢？舉一事可以說明之。蘇聯正在展開「學生自我服務工作」運動，六月六日「人民日報」有這樣的報導：「有的家長聽說自己的兒女要掃地，就心疼地說：『我的孩子在家裏都還沒有掃過地板哪！』」由這句話所反映其厭惡勞動的思想，看來比資本主義國家還要嚴重。

上述三事，可以說得不够透澈，但已反映，共產主義運動現已發展到了迷惘階段。　·田心·

大西洋公約組織之裂痕

·旭軍·

最近法國爲了希望爭取原子國家的地位，竟然要脅美英公開原子秘密，否則拒絕容許美國的原子武器存貯在法國本土，以致歐洲盟軍統帥諾斯達將軍，亦已準備將駐法國的二百架戰鬥轟炸機，移駐其他的北大西洋公約盟國。如此發展下去，對自由世界不利，而爲共產國家稱快。

北大西洋公約組織內情，實有檢討之必要。

當本年四月初，該公約組織，在華府慶祝其成立十週年紀念時，蘇聯陸軍部機關報「紅星報」曾指稱：北大西洋公約組織內部常發生矛盾，各謀增强其地位於資本主義陣營之中。

西方國雖祠此種批評爲誣衊，但大多數人亦承認有一半是說得對的。在對付柏林問題，西方大致上尙是步驟一致。但最近最令人煩惱的就在公約組織核心內的負責問題。

第一，是自從赫魯曉夫以柏林問題作挑釁以來，美國不再是盟國之領袖，雖然她仍是最强，最慷慨的國家，但已不能使倫敦，巴黎及波昂之間的意見衝突調和。

⊙英國人：總以爲自己對消除柏林危機的貢獻很大。赫魯曉夫之放棄嚴厲執行五月廿七日最後限期的警告，在英國人看來，算是麥美倫努力斡旋的功勞。他們感到他已有卓越的成就，把軍事危機扭轉到政治上的商量。但德法兩國，非但不感恩，反而多方指責，尤其是倫敦與波昂官方的關係，變成公開的爭吵。

麥美倫訪問波昂時，正值阿丹諾繼續決定辭去總理職，同時英國有一部份的報紙，指阿氏頑固。

麥美倫訪問巴黎時，官方與商界，對於實行對英不利的「公共市場」計劃狂歡，且絕不肯與英國在經濟政策上謀折衷妥協。加之戴高樂總統的態度極爲神秘。

英國對公約組織的貢獻如此之少，但獲與美國更密切的核子合作之利益，而又不能談判訂成對公共市場的協議，因此英國對巴黎與波昂的影響力，日益減少，法國對英國亦起嫉妒。

雖然德法兩國對蘇聯之威脅柏林堅持嚴正的抵抗，但假如局勢惡化，還須要美國和英國駐德國軍隊作戰。因德國之軍隊尙須經過數年的整頓擴充，方適於對蘇聯作戰，而法國陸軍始終被阿爾及利亞所纏繞，而不能脫身專心爲公約組織效力。在倫敦，或他處，無人懷疑阿丹諾的熱誠依附西方同盟，但戴高樂之與阿丹諾的結合，却令人懷疑他是爲着增加他對華盛頓與倫敦的講價力量。

不管美國之在完成全程洲際飛彈後，有減少對歐洲負担義務之可能，但無疑的，一個不大獲得盟國信任的美國政府，加上西歐盟國之不和，可能使此核子能力擴大的英國，持超然態度。也許戴高樂的特別行動，例如撤退法國地中海艦隊，不受公約組織指揮，及因不得管理核子彈頭，與不獲知原子秘密，故而拒絕容許在法國設核子基地，以及拒絕將法國之戰鬥機與盟國作聯合防衛，等等舉措，尙待盟國容忍。但法國此種對公約盟國之基本態度，與影響法國陸軍之士氣，可能使北大西洋公約組織大受打擊。

有許多官方人士，其中包括德國的，恐怕沒有了美國之堅强領導，德國在阿丹諾之後，可能使德國再造成民族主義之狂熱。德國國防部長史特勞斯在阿丹諾宣佈放棄總理職之後兩天，即宣稱：德國應有權去處理其自己的軍備工業，即使不能，亦須向美國乞求戰術性核子武器，亦可免在柏林或高峯談判，以德國放棄核子武器換取外交的妥協之慮。

我們可以很公平的說：目前的諾斯達將軍，是北歐洲最獲得尊重的美國軍官，——艾森豪威爾也計算在內，——他的剛毅機敏，和眞正智慧，不但在歐洲軍人，而且在歐洲政界中，獲得一指導的地位。他曾給予英國的裁減駐軍的措施，以正確指示。他不單是盟國的聯絡者，而且肯研究盟國的政治與經濟情形。所以在純粹的軍事技術方面，北大西洋公約組織的軍事困難，美國是大可以克服。但先要確定了一西方有效的基本外交政策，使盟國共同信守，去齊一步驟，這是最需要，而又最難做得到的。（本文取材自五月十四日「記者雜誌」）

大陸文壇透視

七公

巴金事件總結

關於巴金事件，已在本欄說了不少，現在可以作一總結了。

夏衍三次攻擊巴金，以最後的批判巴金舊作品最爲厲害，不但拖了半年之久，並且也的確擊中了巴金的致命所在，因此巴金迄無片言隻語發表什麼檢討。實在說，如果要打倒巴金，只說他的「滅亡」「新生」「激流」等書充滿了無政府主義的思想，給青年讀者以惡劣影響，已經足夠。只是此時還不想清算他，中共在耐心等待他的「寒」作完成。所以此一事件結果是不了自了。或者有人要問，既然中共此時不想清算巴金，那又爲什麼批判他的舊作品，一直還有半年而不加制止？這個問題不難理解，中共對待黨外人的政策，一向是「邊拉邊打」，也就是中共自己所說的「一面團結，一面鬥爭」。中共除了馬列毛以外，任何人的思想和作品也不能定爲一尊，任何人也不能成爲權威。像郭沫若已經入黨，給中共出了那麼大的力，他這次煞費苦心爲曹操翻案，近來還遭受到大陸史學界的抨擊。統計這次爲曹操翻案的討論，只有三分之一的人贊成郭沫若的主張，另有三分之二的人是說曹操功不掩過及曹操是不能肯定的人物。這就說明了中共不准郭沫若在這一方面獨立權威。巴金的小說這幾年在大陸很風行，人民文學出版社印行的巴金全集，銷行十幾萬册，中共自能讓它一枝獨秀。所以夏衍抨擊巴金時，中共可能認爲正是對巴金的一種「貶抑」。

在清算巴金舊作品之前，巴金全集已經出到第五卷，但在去年一年並沒有續出，直到今年第六卷才又出版。同時活躍一時的中共文藝理論家姚文元，近來也消聲匿跡了。因此，巴金邊又出了頭，今年四月上海作協舉行大會，主持者雖是中共上海市宣傳部長石西民，而作報告當主席的，依然還是巴金。這次會議全是討論去年上海的文藝工作和今後的方針，却一點也沒有涉及巴金個人，而中共黨方對上海作協的成績還有讚詞，無異是給巴金臉上搽粉。

總之，巴金這次算是有驚無險地渡過了一關，將來能否再遇到什麼風險，那就要看他今後的表現如何了。第一個問題就是他正在續寫的「寒」，能不能早日脫稿與合乎中共的意旨，人所熟知的那位「激流」中的主角高覺慧，是否參加了共黨，從事無產階級的革命。如果答案是否定的，那恐怕中共就不會像這次的客氣了。因爲那位屈居文化部副部長的夏衍，仍在虎視眈眈，等待再大的最佳時機呢。

中山 佛山 缺糧·缺油

廣東省的糧食，近來缺乏現象更爲嚴重，如中山縣灣仔村近因建築隄壩，曾調動公社社員數百名，日夜「苦戰」，但糧食的供應，却十分欠缺，即使番薯、芋頭等副食品，亦供應不足，有時竟以作肥田料用之蘇鉄，分配予各鄉隄社員，充作食用。農民不堪迫害，逃亡者又日衆。計由五月十四至十八之五日內，逃往澳門者共達四十八人，內壯年男子廿九名，婦人十二名，男女小童七名。這一批逃亡農民，俱已面黄骨瘦，身體孱弱。

又訊，佛山市民現多患眼疾及脚腫病，這是由於食油和食鹽極度缺乏所致。由本年第一季度起，每人每月配給「衛生油」一市兩半——所謂「衛生油」，就是黑色的食油。鹽則每人每月配給一市兩。至於肉類、菜蔬、柴炭、及各種副食品，也極缺乏；甚至火柴之微，每月每戶也祇配給得兩小盒。豬肉則每隔三天配購一次，每人限購五分錢（人民幣），但購肉站僅作象徵式的供應，售完即止，排隊輪購者多，購不到的人，又要等待三日後才再去輪購。（賓）

瘟君夢

岳騫

第三回　點石成鋼 魔王施妙手　指鹿爲馬 嘍囉建奇功

周恩來一句話提醒了李富春，連忙說道：「總理同志的意見十分正確，我馬上就去轉告主席。」說着，起身就想走。

李先念喊道：「富春同志，別走，我還有幾句話跟你說。」李富春只好又坐下。

李先念接過大躍進計劃又看一遍，問道：「這個計劃裏面關於工業平衡的問題，指出要打破平衡，有一種工業突破指標，其他工業才可以跟進，造成新的平衡，隔些時間再突破，再平衡，繼續不斷向前發展，就可以達到大躍進的目的。」

李富春摸摸眉頭說道：「有誰會提出這樣新鮮的主意？」

李先念冷笑一聲：「你同志這還不是軍師了。就是他這一套新平衡論，將來可以問問他，假若將來有一種突破了，其他跟不上，怎麼辦哪！就算隔一個時期能得到平衡，試問在失去平衡的一段日子裏，國家財政經濟勢必陷於混亂，到時候又怎麼辦？」

李先念說的口沫橫飛，三個人一齊點頭，陳雲和李富春本來都同李先念有點心病，這時也由衷的佩服。

周恩來笑道：「先念同志，你這幾年進步的實在快，居然把經濟問題研究得如此透澈，林老那一套，在江西可以應用——到延安已經勉强，目前這個局勢，他如何應付得了，可惜他自己不知道，就沒辦法了。」

李先念端起一杯茶，咕嚕一聲飲下，笑着說道：「其實有許多大道理是從小地方發現的，就知道不妥。想起我初學作木匠時，第一次作了一個小桌子，四條腿沒有鋸一般長，放在草上有一條腿短，當時也都未發現，到了吃飯時，師傅坐下用手一托，小桌子登時倒了。……所以我對這件事記得特別清楚，試想整個國家的經濟，何況整個國家的經濟。」

周恩來笑道：「先念同志，你這套平衡論是從毛主席的實踐經驗中得來，因實際，所以才說得如此透徹，可以作一個文件，發給各級同志參考。」

李富春曉得周恩來有意挖苦，肅說：「不過，先念同志剛才說的話，若被軍師聽去，更增加他新平衡論的基礎。」（四四）

大陸青年鑽研古典文學

年來，在中共統治之下，雖然經過了中共近十年的思想灌輸，但是對中共的一套，越來越厭倦了。最集中地表現在中共執政以來的「政治標準第一」的作品沒有人看，而青年學生都醉心中外古典文學，並學習古典文學中主角的行動。

前一時期，中共曾因此批評羅曼羅蘭所作「約翰·克利斯朵夫」一書，謂稱大部份青年讀了之後染上了「個人英雄主義」，不服從黨的領導。

最近，「中國青年」半月刊又連續兩期反映了這一問題。「中國青年」一九五九年第五期上，上海圖書館幹部胡明稱：青年們很喜歡讀中外古典小說，如「紅樓夢」、「水滸」、「三國演義」、「安娜卡列尼娜」、「貴族之家」等風行一時。（賓）

媽媽早起挖紅苕　弟弟醒了沒人抱

一個時代的兒歌（童謠），總可以或多或少地反映出這個時代的生活情景來的。五月廿九日的「人民日報」副刊上推荐了幾首四川兒歌，開頭說：「在過去的民歌搜集工作中，發現一批民歌相當優秀」其中搜集自秀山縣的一首道：

「媽媽早起挖紅苕，
隔壁公雞喔喔叫，
公雞公雞你莫叫，
吵醒弟弟要你抱。」

但，「弟弟」總是要醒的，媽媽却非到夜晚不能回來呢。（賓）

釋耒集

曹操

曲齋

大陸京劇藝人，將借東風一齣，拍成電影，據稱係大陸文化政策之一節，即所謂爲曹操翻案之張本是也。按曹操事跡，陳壽固無貶詞，晉書陶侃傳，且以陶士行比曹操，即唐杜甫，亦美之曰：「英雄割據，文彩風流」，大抵北宋以前，尙無人論定操爲奸邪，兩山墨談載：「歐公修五代史，荊公惜其不修三國志，因屬東坡爲之，坡恐世間讕論不一，避而不承，然則昔賢于此，正有難言。」考諸我國歷史，辨正閏之說，始于朱晦翁之通鑑綱目，其實晦翁對操功罪，亦在依違之間，周亮功尺牘載：「考亭云，魏武名世奸雄，自是千古定評，然僕終愛之，不忍以與司馬昭諸人爭雄也」。奸雄之論，出自許劭，然僅曰亂世始爲奸雄耳，可見出生漢季，實曹操之不幸，設令操不爲奸雄，則操實無計可以自全，非操自始即欲爲奸雄也。淸人惲子居著辨微論，其言曰：「曹操入仕之初，漢德雖衰，羣雄未起，故疑其初心，不過中外二千石而已，及遇亂離，則忠主救民，策勳拜爵之心，人之所同，奸雄之人，固亦人也。……如是則破黃巾，討董卓，豈已有篡漢之志，存乎其心者哉。」惟我國士大夫論史，純粹客觀之論甚少，感情考跡，莫不有其特殊因素，司馬遷傳伯夷，蘇子瞻論荀況，大抵爲借題發揮之文字，即司馬光帝魏，朱晦翁帝蜀，亦莫不有其不得已之用心也。

以余意觀之，曹操之所以被惡名，牽連於曹丕代漢之因素爲多，操嘗自云：「天命在孤，孤其周文王乎」？曹丕無武王之德，而獻帝無商紂之罪，世人惻其被廢，對曹家責難乃愈苛，遂給曹操與王莽、董卓同列，而後出之三國演義小說，又爲之推波助瀾，小說家言，易于普遍而深入，閭巷之人，幾于以曹操爲奸邪之代表，則又操之尤不幸者也。實則丕之篡漢，尙頗有人情味，與其他歷代之所謂篡弑者殊不同，按邵博聞見後錄云：「……漢獻帝，在位三十三年，曹丕奉帝爲山陽公，位在諸侯王上，奏事不稱臣，受詔不拜，以天子車服郊祀天下，一如漢制，曹叡青龍二年，山陽公薨，遜位已十四年，叡變服，率群臣哭之甚哀，使使弔祭，監護喪事，謚曰孝獻皇帝」，揆情度理，比諸司馬昭，尚不失爲盛德事也，況其事又與操無涉乎？

共產黨爲曹操翻案，不過爲其反傳統主張之一小節而已，年來共黨文化人所從事歷史人物之翻案工作，最著者爲郭沫若，其次則爲李卓吾，牛金星之流，此輩人與曹操，氣類固不屬，辱沒曹操多矣，昔孫權曾上書勸操稱臣，稱說天命，操笑曰：「是兒欲踞吾著爐火上耶」？此語悄見乎辭，故爲異說，徒見其紛紛而已，實均不足以損益于曹操也。

更正：上期本欄「援藏與反攻」一文，「此帶邁寄」「寄」誤植爲「寧」，合亟更正。

閑話台灣文壇

台灣文壇上的「莎岡」

谷羽

記得去年「幽默大師」林語堂先生到自由中國觀光，在幾個文藝團體聯合舉行的歡迎茶會上，有一位作家問到他美國作家生活情形，林氏感慨系之的說：「……像莎岡的小說，描寫『黃色』的很受歡迎……」他的意思是指莎岡的小說沒有藝術價値，只有世紀末的肉慾。（如果我沒有推測錯誤的話）

莎岡是「日安，憂鬱」的作者，法國女小說家。我沒有讀過這本書，不敢下斷語；但我卻看過她的小說改編的電影。這小妞子卻是大膽作風，相當「黃」。

曾幾何時，我們台灣文壇上也有了「莎岡」。她是被某周刊「捧」出來的。這位中國的「莎岡」，是一位妙齡小姐，她的文章我沒有讀過一篇，究竟藝術的價値如何且不必講，但我相信不「黃」。我不懂得硬把她捧成「莎岡」是幽默她，還是捧她，「莎岡」絕對不是「莎士比亞」的本家，不能因爲「莎」而相提並論。更不要以爲法國有「莎岡」，我們也不能「缺」。正如美國有原子彈，我們也有「原子燙髮」，豈不笑話。而我們的「莎岡」還沒有單行本問世，經不經得起考驗，我希望讓我們的「莎岡」多在文學造詣上努力，創造好的超水準的作品，別把她捧「暈」了頭才好！

我們的「莎岡」：徐薏藍小姐。

沁園春

鍾應梅

己亥四月初十日新晴與同人游錦田凌雲寺

首夏清游，靄色無邊，景明似春。望石崗綠媚，錦田紅老，溪流分翆，修竹藏門。荷葉翻池，松風迎客，此處眞宜自在身。當年事，笑戎衣躍馬，豪氣凌雲。

中原萬里烟昏。幸留此桃源多隱淪。更樓台燈火，絃歌黌舍，風從洙泗，迹繼河汾。暇日臨高，蘭言永晝，佛也拈花一笑存。蔬筵罷，有隨車好雨，送過前村。

冷暖台語片

據說，有一位創辦拍攝台語片的人，他以十萬元的資本拍了一部台語片電影，結果上映以後賺了好幾百萬，於是，拍台語片成了新興事業，一窩風的東也拍電影，西也拍電影，而拍出的影片，以內容論，神怪傳奇；以演員論，演技不夠水準；以片家論，目的賺錢，其他不必講究。又據說，一部台語片女主角，所得的片酬，只有五百元。相當一個公務員的一月所得。她們祗要能夠上銀幕，出風頭，够了。次要的演員不收演出費就是好的，付薪水，那就不堪想像了。這樣七闊八嚷的，台語片「暖」了一段時間，好像自然法則一樣，暖後即冷，冷後能不能再暖，那就要看製片家、演員、編劇、導演的合作與努力了。現在，台語片市場胃口不佳。不知是否會再暖。

粟海彈心錄

孔庸之理財（三）

阿公

孔氏出國，距日本無條件投降，爲時僅一年又三越月，軍事甫告結束，論者謂敵僞物資，足數國庫一年之支出，臨時復員預算，雖云龐大，而財政理應納入正軌，幣値理應趨於穩定，乃恰恰相反，每況愈下，他事且勿論，宋氏交替，國庫外滙止剩三億，國庫由此破竭，勸誘由此失利，當抗戰勝利，全國物價之漲，反不如局促西南貧瘠一隅之秋，天下痛心之事，與夫人謀之不臧，孰有過於此者，假令當日主計者不浮夸，法主總統而攝政之政，小心翼翼，匪躬蹇蹇，時至今日，必不若是之極，然則孔氏之爲功爲罪，賢與不肖，可以得其大概矣。

國家財政，猶之人身血液，需要充沛流通，更需要正常導節，充沛而不流通，則患鬱滯，故曰「莫之或止，或塞之」，流通而不撙節，則患浪費，故曰「不節若，則嗟若」，均足以致人之死命，故善理財者，不外權衡巧拙損益之道，而納諸正常導節之中，倘有紛歧，才力不濟，與其不用損，毋寧益，（損下益上謂之損，損上益下謂之益）故與其不能巧，毋寧拙。（巧者更張措施之謂，拙者守常不變之謂）故下用非人者多，公忠體國者少，浮暴者多，踏實者少，故其任事之初，觀舉世無一可用之人，無一可守之法，朝三暮四，昨是今非，迄其懷羽而去，則全盤皆廢，數鬼一車，爰信人心，厲有予識，此孔氏之尙拙，猶善於後此之尙巧也。

論者又多以齊家之道責孔氏，道路悠悠，自無肯爲孔氏諱，然亦未聞據要津，攬利權，作威福以禍國殃民，至若夾賊之不齊，人事之不一，雖聖人亦未可如何，堯之子不肖，舜之子亦不肖，況其下焉者乎。矧紫禁之家，子弟習染奢侈浪漫，世俗之常，賢者不免，故孔子不以「三歸」「反坫」貶管氏。

雖然自古良將財臣，多讒疑忌，而遺世詬病者，是亦有故，大抵良將多負氣專斷，而鮮羅穆冲和之度，財臣多熾攬利權，而乏勞謙君子之風，居之不疑，任之既久，每致功罪之形迹不明，怨讟之誣議遝起，亦足淆一時之是非，變當時之黑白，馴至聚蚊成雷，積毀成山，即向之深信不疑者，亦多爲之動搖，而眈眈者抵隙蹈釁，朋從僚屬，莫有能爲之一申其寃，甚或落井而投之以石，此劉士安楊公南不能免於竊居也，自古伊然，今世與是。獨惜繼之者預算擴大，通貨膨脹，生殺委斷，物價高漲，罔知所止，束手無策，民間血液吸盡，官僚資本形成，「四海困窮，天祿永終」，人徒指責教育軍事外交之失敗，而不知國亡家破之故，乃當時財經主管，惟一乞憐印刷，造成長期膨脹必潰之局，所由致也，相提並論，不亦寃乎，此予所以不能已於一彈。

阿公。

雨天追憶

金葉

一連下了幾天雨，把一個歡笑的香港變成了陰沉沉的愁城了！一夜之間，死傷於狂風暴雨下的竟有數十人，這個城市，對於窮人，大多是逃難到這兒來的窮人，是太不情了！其實老天爺也是做「人」難；住在這城市裏的人，對天的詛咒也特別多，制水了，人們會罵天老爺，爲什麼不下雨；然而一旦黑市放水了，就必然有塌屋死傷的慘劇發生。

雨，對這個城市的居民，是愛與憎的矛盾！

我自出生以來，這個城市對我的生命，已經佔有了三分之一，另外的三分之二，是消耗在南京，上海和太湖邊上的家鄉。

在上海住的時候，雨天給我的印象是討厭，因爲它使我無法痛快地享受假期，但是穿着短褲，光了脚丫，撐着雨傘涉水在南京路外灘蹓躂的日子，回想起來，却是美的！

南京，是我住得最久的城市，但是一想起沒有下水道的新街口，雨天也一樣令人噁心。雨天多數的街道泥濘不堪，放晴了，沒有三天好日頭，路也不會乾，路一乾滿天塵土，那十足是個骯髒的城市！但是，如果你有過雨天登雞鳴寺和曾經在雨中泛舟玄武湖上，或者是踏了脚踏車馳騁在雨天的陵園大道上的經驗，你會覺得僞是人生的至高享受。

太湖邊上的雨天，是最令我神往的，家鄉的青磚小街，和砂石大道，經過雨水的洗滌，特別可愛，本已恬靜的小城，在雨中顯得有更多的清醒與安謐。這是個沒有積水，沒有塵土的小城，三百年左右的古老宅子，在這小城裏有的是，但是古老並不是衰頹，雨天塌屋的慘劇，在我的記憶中是從未曾有過的。

家鄉的雨天最可愛的，還是那個公園，找幾個兒時的友好，坐在公園的茶座上，追述童年雨中的奔逐，回憶淘氣的日子，靜靜地消磨那富有詩意的半日！

當然，我也曾有過雨困惠泉山的經驗，但是耳聽山洞奔流，眼看湖上風光，雨中的太湖，顯得更加的浩瀚深邃，又豈是佇立在這雨中的太平山頂所能比擬？

還有一次雨中的經驗，那是十年前一日的深夜，幾個朋友在深圳的邊境上等候雨過天晴的黎明，使那濛濛細雨的一夜，使我們這些平日健談的朋友都噤若寒蟬，那是賭博命運的一夜，這一夜該是我十年來流亡中最値得追述的雨夜了！

太平山下的雨天，該是我有生以來最難過的日子，空氣潮濕，氣壓低沉，從來到香港的那年起，我患上了哮喘，雖然哮喘已經一個高明的醫生治好了，但是每年這種久雨不晴的日子，對我來說，眞是一大威脅。因此我自覺比任何人更討厭這雨中的城市。（六月十五日）

銀壇隨筆

愛國豈容僞裝

修衡

中共在香港企圖滲透自由影圈，處心積慮已非一天。不久以前，台灣影院曾拒×氏一部新片上映，因爲這部片子是在×方片場開拍；開鏡之日，主持人和演員竟向血腥旗及毛澤東畫像行禮，和唱血腥之歌；許多來賓爲之側目。這部帶有血腥味影片，在香港、或南洋上映，也許尙有辯解，送去台灣，不僅是一大諷刺，那簡直是間接助共對中華民國反攻基地——台灣，作有計劃的政治進攻；對海外僑胞頻年努力、和呼籲政府對大陸策動政治反攻，無疑是遭受一次騷擾。這部影片終因台灣影院拒映，自動撤回；爲了以後生意，發宣傳稿表示認錯悔過，送登台報，並強調了已把這部片子焚毀。事實上這部片子却在香港上映，並且送去南洋賺錢。

於是，台灣有幾張報紙，對香港極少數的娛樂版編輯大肆抨擊，說他們的理智被收買，反共的堡壘給摧毀，這種憤慨心情是可以理解的。誠然，共黨及其尾巴報不予捧場，只登廣告，商業性的報紙，也許弄不淸楚；立場鮮明的反共報替它宣傳，台灣報紙氣結是必然的。

最近，香港有幾家本來對電懋歧視的報紙，突然一反過去態度，對這個立場鮮明，態度爽朗的公司，已不再加以冷酷待遇。本來，國人愛國，理應愛護愛國的片商及其製品，好的影片應當揄揚，壞的勉其改進，就商論商，他們送登廣告的目的，無非希望「不吝指教批評」，不予理會反而對沒有廣告的影片大加吹捧；提供了廣告費的人縱然不敢憤，報社當局基於營業收入，不能漠然無覩。站在愛國立場，去替僞裝愛國片捧場，居心爲何？不能令人無疑。（修衡）

世運會話舊

陳永昌

世運會這組織，近日因政治關係，鬧出不愉快事件，提倡體育的本旨，已覺動搖，實屬可惜。而其成立經過，値得吾人一溫。

世運別名奧林匹克運動會，奧林匹克（OLYMPIA）這地方在希臘比羅奔尼蘇西北部伊利斯州（ELIS）阿爾菲斯河畔，爲一小平原，山水環繞，風景頗佳，古代之薛烏斯神殿，建於此地，希臘人每四年於此大祭一次，此爲希臘最大之國民祭典。

奧林匹克運動會（OLYMPIC GAMES）起源於公元前七七六年，嗣後每四年舉行一次，以人民競技爲貢獻，顧其宗旨，在促進體育之發達，養成軍國民之精神。賽會時，希臘全國各地人均參加，於祭宙斯神（ZEUS）後，表演競技；競賽種類，自賦鬥、拳藝、賽跑，以至於音樂、詩歌、劇曲等均有。會期最初爲一日，後加至五六日，至公元三九四年爲羅馬狄奧多西大帝所禁，遂廢。一八八三年法國教育家顧伯丹（PIERREDE COUBERTIN）赴英考察，受其競賽教育之感動，回國後力爲鼓吹。於一八九二年始提議復活奧林匹克運動會，得美人斯倫（SLOONE）、英人赫伯特（HGRBERT）之贊助，一八九四年，歐洲各國遂開萬國運動會於巴黎，亦以奧林匹克爲名，但不復至其地，以顧氏爲會長，成立委員會，第一次于一八九六年舉行於雅典，第二次于一九〇〇年舉行於巴黎，第三次于一九〇六年舉行於雅典，第四次以一九〇八年舉行於倫敦，此後亦每四年舉行一次，地點不定，世界各國多參加之。現任會長爲布倫迪治，秘書乃岳爾邁耶，瑞士奧委會代表是阿路拔邁耶少校，乃秘書之兄弟。

自由人

THE FREEMAN
（第八六六期）
中華民國僑務委員會頒發登記證僑台新字第一二號
中華郵政台字第五〇〇號執照登記為第一類新聞紙類
（半週刊 每星期三六出版）
每份港幣壹毫
台北市售價台幣貳元
督印人：陳文華
地址：香港高士威道二十號四樓
20 CAUSEWAY RD. 3RD. FL. HONG KONG
TEL. 771726
承印者：東南印務出版社
地址：高士打道六十四號
台灣總經理處
台北市西寧南路壹零零號二樓
電話：三〇三四六
台郵撥儲金戶九二二五
海外總經銷：友聯書報發行公司
香港：德輔道中二十六號A二樓

落後國的經濟建設問題

◦顧翊羣◦

自從工業革命以來，人類之間，一方面是科學與技術有加速度的進展，人民生計逐漸改善，一方面則是強凌弱衆暴寡的現象日益顯著。二十世紀在歷史上將被命爲「科學革命時代」，其特徵之一爲人類利用科學爲武器，而大規模的互相屠殺。科學與技術這使人類文化發生大動盪，有如海洋中發生大風暴。社會、經濟、政治、思想，全都有動搖改變的現象。人與人、國與國之間的發展日益不平衡。甚多後進國家的政府與人民力爭上游，希圖假手於科學與技術，將經濟建設加速完成，以與先進國相頡頏，而不惜採用揠苗助長的政策。最足痛心的便是中共政權在大陸所實行的國營企業人民公社等等措施，以經濟建設爲奴役人民之手段。我們不妨套用羅蘭夫人一句話說：「建設建設，幾多罪惡假汝之名以行之。」

落後國的建設前提

經濟建設的目的，是增加生產與提高人民的福利及享受，就中質與量應同時並重，不容偏廢。每見同情中共的外國記者報告，中共某年糧食生產較上年增加百分之幾十或若干百萬噸，但細一查考，方知小麥或米的生產量減少，而番薯雜糧等生產量增加，後者的營養價值遠遜於前者。又如中共宣稱，去歲生產巨量鋼鐵，但近來種種報導使得我們相信，除去鞍山等廠所煉鋼鐵之外，其他各地小規模煉鐵爐所出成品的實地太壞，成本甚高，浪費巨量人力物資，所收之成果，祇不過好看的統計數字而已。又如蘇聯的國民總生產額，據其公佈數字，是逐年上升，但其中重要部份是關於軍備的支出，如火箭潛水艇等直接間接費用，與老百姓的幸福毫無關係。

任何經濟建設，如其使得人民智力體力下降，或使水土侵蝕日益劇烈，或將國民蓄積消耗，或將地下寶藏的礦產用不合經濟原則的方法來開採浪費，都足以遺害後代，最非所宜。尤應注意的是社會道德的基礎如果被動搖或剷除，例如將家庭制度消滅，或將文字改變等等，則爲害更大。中國的法家曾主張法今而不師古，並努力經濟建設，而收到相當成果，但因其寡恩尚力，在兩千餘年的思想史上，所佔的比重甚不足道。馬基亞維利在文藝復興時代著書鼓吹霸術，而隱約其詞的暗中指摘甚嚴教，則在西方影響重大。現代政治受馬氏及馬克斯之影響，除少數國家之外，多數政府每有意無意地玩弄權力政治，經濟建設祇爲其手段之一，尤可惜者是民主國的學者，或政治家，如凱能（George Kennen）之類，公開的提倡此種作風將正義放諸腦後，而助長落後國中立主義之成熟，流弊甚大。

同屬落後國家，但因情況不同，其所採用政策自不必完全一致。例如大國（如印度）與小國（如緬甸）有別，人口增加迅速者（如埃及）與人口密度不高者（如緬甸）不同，資源富裕者（如委內瑞拉）與資源貧乏者（如約旦）亦不相同。人口不多而資源富裕如庫維（Kuwait）者可以採用的福利政策，不是貧窮的國家所能實行。凱因斯的全面就業政策在工業國遇不景氣時候可以採用，但在農業國實行則不易收效，反有流弊。因後者貨幣信用制度尚未推行盡善，農民頗多爲自身消費而生產，故所謂倍數原則（Multiplier Principle）不發生多大作用，而政府收支不敷反引致資金逃避儲蓄減少等現象。

自由經濟較爲合理

現在與十八九世紀情形不同，所以先進國如英法德美等工業化的過程，落後國難以完全倣效。但由推廣國際貿易下手，以求逐步工業化，仍不失爲上策。爲了增加對外貿易而注重改良農業，使得出口旺盛，而在國際上樹立信用，資金自然容易流入，以建樹工業。與其由政府全面計劃與實施建設，不如將環境氣氛改善，使得中外人民都踴躍從事各種事業。通貨之安定，法制之確立，對外信用之維持，全國上下崇實去僞，風氣清明的精神，均較將各主要企業及對外貿易由政府辦理爲重要。

在經濟生長過程當中，社會發生變化。新舊之間，勞資之對立，各種特殊利益之興起，[illegible]鼓勵個人奮鬪，使得人人有發展機會，集思廣益，[illegible]政府官員即使[illegible]規章[illegible]格而難行，有時無法防止待遇過低之屬員與不肖商人勾結，而上下其手，個人舞文弄法，以致國家受其害。市場經濟任令供需力量相節而趨均衡，以避免弊端之出現。在先進國有大規模組織機構，企業及工會農會等得平衡，有時或使供需[illegible]，但落後國則尚不致有此現象，故自由經濟比統制經濟較爲合理。

落後國的有利因素

現在的落後國比較十八九世紀的先進國，有若干有利因素，第一、國際機構對落後國之資金與技術的協助，[illegible]第二、[illegible]（公共法律第四八〇號）[illegible]，而以借款先放款基金，以上二者對美國及借款國均利弊互見，落後國不宜對此種資金存過分依賴之心。國際銀行與國際貨幣基金之援助，與美援性質不同。但銀行需要借款國[illegible]，對還款亦需有適當辦法，請融通之會員國，需要提出具體安定貨幣方案，確認還款時期。最近美國財政部與進口銀行及私家銀行，對他國之短期通融資金，與基金取一致行動。將來美援停止後，時有其他銀行參加之放款亦分。基金與銀行對落後國之關係當美國若干工業界分子所組織之國民援外委員會，最近主張將下年度對外援助減少二十萬萬美元，並將一萬二千人之援外人員（一九四八年不到五百人）大事裁減。民主黨參議員曼斯菲特則主張將國際合作處（美國主管援外機關）裁撤，而改由國務院主辦。此種建議，短期內雖難實現，但此後美國援外資金之逐年減少已成定論。故接受美援之落後國必須努力在二三年之內將本身經濟穩定，否則美援停止後，可有通貨膨脹經濟衰落之危險。

落後國的不利因素

當前落後國所遭遇之特殊困難，爲十八九世紀工業國所未曾遭遇者，計有四項。第一、爲美蘇爲首兩大集團之冷戰。第二、爲人口增加較前迅速。第三、爲科學發達之社會激烈變化。第四、爲經濟先進國對農產品採保護政策，美國更以過剩農產品向外傾銷，並限制石油與銅鉛等類金屬暨日本香港等地棉織品之大量進口，歐洲等國則對茶葉咖啡等徵取過高之進口消費稅，以致落後國之貿易條件不利，爲學者如哈伯勒等人所指出。以上四因素之中，第一、美蘇冷戰最爲重要，人口增加與社會之激烈變化，[illegible]，此較易處理。第四因素亦正由關稅貿易協定機構設法改輕。本節對冷戰問題，略加討論。

美蘇的經濟戰

[illegible]

一週半述評

漫長的炎夏

在日內瓦，又一個回合過去了。外長會議開了六個星期毫無進展，[illegible]目前首先需要的仍然是高峯會議，[illegible]，在這[illegible]，目前[illegible]實際一點，不妨多舉行一些[illegible]外長會議開了又[illegible]，說了又拖，拖了再談，這玩意正如一位西方外長在日內瓦說：「將是一個漫長的炎夏。」

許多個火頭

英外相勞合到倫敦時說：「我們必須忍耐，總之，柏林問題已拖了很久，至少也有十年，[illegible]解決辦法的談商也需要很多的時間。」勞合先生這個看法太老實了，問題的關鍵不是「忍耐」。如果當代的外交巡禮一下歷史，應該承認一個事實：柏林問題是整個世界問題的一部份，柏林是世界許多個火頭中的一個，把柏林問題從世界問題中孤立起來，絕對找不到根本的解決辦法的。

西方的忍耐

如所週知，世界許多個火頭是由一個放火的集團點燃的。

當全世界的政治家，用盡心機，才剛要撲滅一個火頭的時候，另一個火頭又在另一個角落燃起了。於是，放火的人大叫「救火」！於是，全世界的政治家，跟着這「救火」的叫聲團團轉，忙得汗流浹背！於是，勞合先生叫道：「我們必須忍耐。」不僅如此，勞合先生爲了「禮貌」，儘管心裏雪亮，却不願點穿「放火者」。

一副好心腸

不錯，我們不諱言，西方國家內部對於談判的意見存有分歧，這分歧就是由於對「救火」的兩種態度產生的：

有種人故意閉着眼睛不去注意「放火者」，但是他們却有一副好心腸，東奔西走，熱心「救火」！另一種人却提醒他說：老兄，你須知熱心救火的精神誠然是可敬的，但是，如果不澈底懲罰「放火者」，我們到底什麼時候才能夠撲滅火燄呢？

走在鋼絲上

代表後一種態度的，有已逝世的杜爾斯先生和今天的阿丹諾先生。因而，像這樣一些主張對「放火者」毫不留情面的人，也成了共黨心目中最痛恨的對象。但在另一方面，像勞合先生那樣好心腸的人，莫斯科和北平不是一樣譏諷他走在鋼絲上嗎。

醞釀的風向

這回日內瓦，美國原希望先有外長會議的進展，再談高峯會議；在蘇聯來說，對于外長會議的敷衍是不得已的，因爲蘇聯當初就認爲不必經過外長會議而直接舉行高峯會議的。

今天既無結果，也不決裂，最失算的可能是英國。勞合先生一度傳說下台，阿丹諾先生的再起，醞釀中的西方高峯會議，「漫長的炎夏」也不會太久吧。

◦司馬璐◦

先生休矣！

自由談

日前美國共和黨全國委員會主席莫頓先生說：當年韓戰停火協定如果共軍不接受，艾森豪總統即決計把戰火帶入中國大陸去。我聽罷這段新聞，不禁混身汗毛淋淋，大有粵語所謂「過身釀」之感。因爲莫頓先生透露這項內幕消息，適馬後砲的作用亦說不上，有如我國皮黃戲劇「打漁殺家」那位教師爺的言行，徒然丟醜失格而已。

一九五二年美國總統選舉時，艾克是以負責結束韓戰的諾言，作爲競選武器而獲致勝利的。他尚未就職，即倉皇冒着[illegible]大風雪，走到韓戰場去指示停戰機宜。當時的韓戰聯軍統帥克拉克將軍，事後曾聲明說他花了三天工夫纔準備好的作戰計劃，擬於艾總統到來之際，報請核示的，誰知總統根本就未說過作戰的話，祇是教他籌劃停火以後的應有事宜。這證明艾總統確係抱定不惜任何代價以期實現停火諾言的決心，毫無戰意可言也。

再就板門店停火協定的內容而論，中韓共無故興戎，侵略南韓，摧殘韓國的生命財產，[illegible]可勝計，即美國子弟亦傷亡了十餘萬，物資消耗且在三百億美元以上。結果中韓共並無絲毫損失，依然恢復戰前態勢，南韓李總統氣憤不過，釋放共俘兩萬人以示抗議，而美國且斥其爲「暴舉」。最後美國落得一個「紙老虎」綽號以下場，至今還成爲毛共譏嘲「美帝」的宣傳口實哩！

這些擺在眼前的事實，莫頓先生如不能否認，則所謂艾克總統有將戰火帶入中國大陸的預定計劃之說，其誰欺乎？艾總統初進白宮時，即宣稱第七艦隊在台灣海峽不再作中共的安全庇護力量了。可是，後來教自由中國自動放棄大陳列島的是艾總統，致我軍在金門馬祖只能坐着挨共軍砲轟而不許出擊的是艾總統，最後教我們乾脆放棄軍事反共政策的亦是艾總統。大概這亦是艾總統準備要將戰火帶入大陸去的錦囊妙計吧？「美帝紙老虎」之名，早已膾炙人口了，亂車大砲對共和黨的政權前途，有損無益，先生休矣！

馬五先生

本刊啓事

本刊第862、865兩期在台被檢未能送達讀者，謹此致歉。

台灣公教俸給調查

陶德

「不患寡而患不均」

（台灣通訊）最近，審計部長蔡屏藩曾就各機關俸給情形提出了一項調查報告，送達立法院。這項報告長達四十餘頁，舉凡台省各機關之俸給情形一概列入不遺。在該報告送達立法院之同時，台北各報跑立院新聞的同業也都取得一份，其中，除聯合報會公佈百分之七十全文外，中央，新生諸報僅提了一下其精要的地方。

這項報告在正常的情形來說，原無值得驚奇之處，因爲俸給是政府規定的，所差別的，亦僅因部份機關性質之不同，或多或少作部份必要的補貼。可是，打開全文一看，內情並不簡單，有些單位名目之多，幾有多至七、八種者。譬如海關機關其職員除了正常薪津外，另有房租費（包括水電費），生育費，加班費，以及其他各目之津貼等，銀行金融機關亦復如是，以致由於這些什費之給付，造成機關俸給之不均衡和必然的懸殊，於是，也就造成了不正常的現象。

實則說來，以台灣目前一般公教人員的待遇情形而論，確是夠清苦微薄的。但，有些單位，由於有挹注的財力，於是增列名目，讓大家多領幾文貼補貼補，還在相宜的情形下，原屬無可厚非。可是，這種情形並不值得鼓勵，它除了造成上述不正常現象外，還有如：

一、授受之間，殊難期其絕對公平允當，因而難免發生嫉怨。

二、名實不符，如加班費並無確實加班之事實，出差費可以坐在辦公室支領之類。

三、獎金普遍發給，失去其原有之意義。

均是足以偾事的。

其中最嚴重的，還是那些沒有挹注財力的單位，將何以處呢？豈不造成其工作情緒的低落和不安嗎？

從這一點，也可以窺見台灣尚存之「因人施政」的病例，有些單位，對主官有辦法，下屬跟着沾光，有些單位因主官無權威，一籌莫展，自然只得徒呼奈何了。

這項報告可能在本文發表時，立院已進行審議，將作必要之調整，以求俸給之均衡。但在這裏，我們覺得，上述之關宜情形，應趨于正常，同時，在釐訂新的統一規定時，亦宜要做到：

一、應以目前大多數機關實支之俸給爲標準，無論如何，不能再減少。

二、對額外的待遇，政府應作統一劃定，必須求得從正負責者得其應得之優遇，如加班費必須發給加班者之類。

三、待遇雖不一定要均衡（因機關性質之互異），但亦不能懸殊太大，造成嚴重的影響。這正如孔子所說：「不患寡而患不均。」這層道理是非常明顯的。（六月十一日寄）

台南發生拆[屋]案

具有法律與社會兩重意義

（台南通訊）台南地方法院爲執行「拆屋」，日昨發生一件與居民糾紛。頗具社會意義的案子。據說事情經過是這樣的：台南市立人街與北華街一帶，原有日產台南飼料廠、製革廠、牛乳舍及員工宿舍——現住人吳炳樹（仍住製革廠製革，另尚有七戶）魏東安（仍住牛乳舍方面）陳金江等四大戶自行修建，居住至今，已數十年。光復後，由市府接收，卅九年市府曾通知現住人優先承購，詎料上級政府，又忽將該地劃歸農林公司。該公司又租給市農會。農會借與現住人，並與約訂定續期時無條件收回。至四四年農林公司改爲民營後，即將該地標售。而投標者僅南市農會與富紳張壽齡二名，四千餘坪地，張氏以三十二萬七千三百元得標，市農會僅差三百元。（該地現值四千萬元上下）農林公司售地後，照租約向農會收回土地，交與得標人。現住人拒不拆遷，農會乃向法院控告，三審均已勝訴。現住人多是些販夫走卒，無力毀家容容遷走。自認在該地住有數十年歷史，及當時標售公告僅係指飼料廠。同時他們限於生活困難，缺乏資金（農林公司股票）參加投標。又認購得人與農會勾結，唆使友人冒現住人身份，會同農會總務股長至農林公司辦理放棄優先承購手續，致使農會收回土地。渠等斥農林公司與股東張某等上下其手，非法標售日產，預設圈套，藉法律途徑強迫拆屋交地，以飽私囊，懇請會議主持正義。

濱宗纏訟四年，三審現居戶均敗訴的案子，台南地方法院曾多次令知敗訴人等拆遷，至上月十八日且曾一度前往執行。屋主吳炳樹又申請調解，久久又未能成立。地院執行推事呂玉介，復於本月十一日上午十時，偕書記官及員警十餘人，至製革廠先行布署警衛，再強制拆屋。遂引起住牛乳舍數十戶與眾數百人，持刀棒及糞尿，與警察人員扭成一團，喊打之聲，四起。呂玉介推事又即拿出名片，立就遺書，謂：「職爲維持法律威信，盡忠職守，不惜一切犧牲，執行職務。」飭警送呈地院院長。僵持至下午五時，幸突然天降大雨，將眾驅散。警察三人受傷。屋主吳炳樹再請延至本月廿九日自行拆除，否則仍將執行。一場暴戾，始化祥和。

呂增勳

落後國的經濟建設問題

顧翊羣

（上接第一版）此係科學與技術，得到美英等國的協助甚大。舉例而言，蘇聯在第二次大戰時，由英美獲得美國的種植物資機械與武器，價值約[illegible]萬萬美元，其中機器監圖[illegible]，多設走私運入，蘇聯專利[illegible]，大批購置運[illegible]，心研究，以爲成本價格的[illegible]來蘇斯海約克等認爲[illegible]分配的預言，未完全實現。

自由世界經濟的顧慮

反過來說，[illegible]以暴力將工資壓低，必要時[illegible]傾銷，自一九五三年以來[illegible]價格計算，蘇聯一九五三年[illegible]一九五七三年[illegible]威脅。[illegible]二年來他在亞、非[illegible]國子彈方面，而是經濟[illegible]，對外援助，不過二十萬萬美元，與美國之六百萬萬美元數字相較，僅爲一與三十之比，而自由世界先進國與後進國之貿易總額（每年在三百五十萬萬美元以上），亦約爲共黨國家與後進國貿易總額之三十倍。自由世界對蘇聯式[illegible]，然值至目前爲止。但就未來趨勢而論，當然有值得顧慮之處。第一，美國現有通貨膨脹現象，有對外援助，（雖逐漸減縮，而蘇聯正在極力擴充對外貿易（與英國訂立五年貿易協定），並擬將增加對外援助。第二，落後國因本身政治不安定，有時與共產國家暗送秋波，用爲向西方國家討價還價之工具。第三，建設國家因軍事國防支出浩大，對經濟建設，有效需要，遠較供應爲不足，故均有發生通貨膨脹之危險。

結論

以上所敘各節，都是卑之無甚高論。大體說來，二十世紀今日落後國之經濟建設，有利條件與不利障礙均多，就中以當前的冷戰爲一最主要因素。不著者於此提出一個陳腐的建議，一來向讀者請教。

我們知道現世紀情形，與中國之戰國末年及古希臘之雅典斯巴達鬥爭時代，有相同之處。中國古時孔孟荀諸學者主張息兵而推行仁政，其說不行，而六國遂亡於暴秦。雅典與宋末年因內部分裂，智識分子遭受壓迫，遂亡於斯巴達。[illegible]現世紀與古代不同之處，據以科學之[illegible]，國將同歸於盡，因之美蘇兩方對大規模戰爭，均尚在猶疑不敢動手。

戰勢將在此種情形延長之下，[illegible]已感覺[illegible]，數重，落後國家更不待言。因之，有若干國[illegible]獨裁，制度方向移轉。[illegible]認爲在此冷戰激烈[illegible]代，行仁政以樹立楷模，較之努力備戰，似乎更爲重要。武力備戰爲久遠目標，而力行仁政以防阻共產主義侵略，亦不及待的要求。西歐諸國深明此[illegible]，近來於貨幣安定經濟建設之餘，亦注重對落後國之協助，爲[illegible]之要求，是一可喜的現象。

西方學者，近十餘年來，已承認制度的改造不如人性改造之重要，二者當同時並進，人類數十萬年來之鬥爭現象，方可爲和平所代替，而全人類方不致毀滅。近數年來，哲學、人類學、社會學、心理學、教育學者對仁學特別注重。仁學即是人與人相互間關係之學問，其出發點爲善意，而非仇恨，與共黨鬥爭理論之依據，有甚本之不同。人性改造之關鍵，在幼年時的教育。西方對兒童教育特別注重，然在過去失之過嚴，近年所謂「進步教育」則失之過寬。孔孟所提倡之兒童教育，例如孟母「三遷」，[illegible]入學以後，父師對兒童之教[illegible]，寬嚴相濟，與現代理論符合，可見美國「進步教育」者所不及。[illegible]此點將來再[illegible]揮。現在所要申言者，即冷戰之結果雖難定，自由民主國家之前途，不全在物質之追求，而在於人與人間行仁和平相處，每一國家民族如本身內部團結和平，便可與志同道合之其他國家民族相善處，完美之兒童教育對仁政最關重要。孔孟儒家之說，確值得西方學者之重視。我們在台灣與海外各地的學者，[illegible]國數人類思想光大的神聖任務，對儒家學說之精粹，應負起發揚[illegible]。（完）

修憲與連任

海外人士關於修憲與連任兩問題的意見，本刊上一期已發表了一篇謝扶雅教授從紐約附近新澤西寄來的文章，茲又收到一位日本留學生和西貢一位僑教工作者的來函，特再爲刊出如左：（編者）

留日學生意見

一琺

下面是一個在日本京都專攻纖染的三年級大學生來信的主要內容：

關於修憲及總統任期問題我曾徵詢許多中國留學生大家都好像不大感興趣似的。依我和他們平常接觸的經驗，可以說他們對國民政府冷淡的原因，是因爲政府過去有過一連串洩氣的行動，在血氣方剛的青年人，自然對於外交政策表示不滿意。這裏許多同學是從印尼越南、泰國、菲律賓等地來的。他們知道東南亞各國的情形。他們有人說在印尼未下令要自由中國籍的華僑離境前，印尼人已隨便毆打華人，掠奪財物，國民政府對此毫無作爲。菲律賓也一樣對待華僑。東南亞許多華僑的生命財產均無保障，誰有自由中國大使館的地方，往往形同虛設。越南頒令土生華僑要入越籍後，旅越華僑不願歸化越籍，紛往中國大使館請求設法，大使館的人員卻說「你們回家去吧，沒有辦法的」。試問這種情形，怎能不令海外青年學生洩氣？因此便對政府冷淡了。

國民政府遷台灣以來，一直叫嚷反攻大陸，可是始終沒有實際行動，怎不令內外人民灰心？還不止此，去年蔣杜聲明，不用武力反攻大陸，這表明國家領導者，已無門志。內政和外交上，又常有貪汚舞弊，喪權辱國的不幸事件發生。這些都是使青年學生灰心短氣，對政府失望的。

我曾走過此間中國領事館門口，有外國人問我，中國國旗是不是紅藍相間的，顏色是不是紅藍褐色？我答這不是中國國旗。僑甚羨在中國領事館門前，竟會有人不認得中國國旗的呢？又有人問我自由中國沒有駐日大使，爲甚麼從來在報章看不見他的相片？這些都是我們的外交做得不足的證明。因此國際地位低落。有人以爲我們外交搞得不錯，內政也屬小康。這只是不看外面世界的說話。在這裏的僑胞有一種感覺，覺得台灣當局以爲有了擁有核子武器的盟友照顧，可以懷着苟且偷安，得過且過的心理，更可以坐着等候反攻，或者等候大陸的人民起革命。可是我們又覺得，盟友的幫忙，並不是永遠可靠的。前幾天自由中國不是被踢出奧林匹克世運會嗎？該會主持人不是朋友嗎？這些事情之外，現在又在國內攪甚麼修憲的玩意。大家要知道這部憲法是全國人民代表同意通過的。是代表國家的尊嚴，不能隨便爲人之關係而修改。大家要將先生出來再次連任總統，請先看看南韓李承晚總統，他以爲不講民主，連任總統，現在日韓僑，百分之九十都變成親共了。因此我們認爲修憲及總統連任問題，都是不好隨便的，我們絕對反對。望執政諸公，以國家前途爲重，勿胡亂盤弄爲好。（六月十三日晨三時半于京都）

西貢僑教界的意見

西貢一個從事僑民教育工作的僑胞×君，他旅居越國已近三十年，他於六月九日來信說：關於台灣修憲和三屆連任問題，此間僑胞社會的反應，頗爲冷淡。蓋兩三年來僑胞心情極形苦悶，對我政府處理僑務尤感失望。惟就少數關心國內政治的僑胞言，則一部份人士希望在不修憲而又可以達到三屆連任之目的，即變方策顧的辦法能夠出現。亦有少數人主張需可修憲以求選就連任的。

星洲僑胞看修憲

柳岸風

（星洲航訊）修改憲法，與總統連任問題，在這裏的華文報章，非常冷淡，幾於隻字不提。自由中國的海外宣傳，似乎太不努力了，有幾百萬華人聚居的星馬，爲甚麼可以這樣不注意呢？

筆者爲此，特地訪問了六位僑胞，[illegible]都是頗關心台灣[illegible]，而且對台灣政治有[illegible]，他們的意見，是值得採擇報導的。

[illegible]W先生說：「我是新加坡的僑生，[illegible]我們國家的問題，還是不公平的，[illegible]所謂血濃於水，是息息相關的。

我對於憲法問題，雖沒有深切研究，只是從香港和台灣的報紙略知道一點，[illegible]主張修憲連任的[illegible]。從法理上說，憲法不宜修改，而因人修改憲法，[illegible]。但[illegible]後，[illegible]，爲此而修改，[illegible]足以昭告天下，何必修改憲法？」

[illegible]許多民主國家總統不易連任，乃民主的表現。[illegible]總統[illegible]似乎不宜再任，亦不宜連任。[illegible]總統不易得適當人選，還有人以爲國家是選擇有能力的人民[illegible]。

[illegible]以說這問題，只是放不放手，放心不放心的問題。

另外一位C先生[illegible]，他是國民黨老黨員，他的辦公桌上正放着一大堆台灣書報。上列問題，即詢他的意見，他笑說，休要我把[illegible]。

[illegible]C先生[illegible]，能夠代表多少僑胞的意見[illegible]，是留心[illegible]探取[illegible]的。（六月十五日寄自新加坡）

首腦會議與西方

一般的觀念，首腦會議該是一項解決世界某些重要問題的一種手段，但在目前，蘇聯已經把它當成目的。

若雙方具誠意，一切會議都能解決些問題，這些較小問題的解決，積累起來然後才會導致解決大問題，絕對不會亦不可能因爲開了一個首腦會議而解決所有的問題，誰也明白這一點。那末在日內瓦外長會議毫無進展的情況下來召開首腦會議，可以斷言是無結果的。蘇聯就惟恐因外長會議無結果影響于首腦會議的召開，狂喊即使外長會議無結果亦應開首腦會議，可見首腦會議已不被視爲手段而被當成目的了。

西方明白了蘇聯極力在爭取召開首腦會議，於是就用不開首腦會議來壓迫蘇聯的讓步。

首腦會議與蘇聯

既然明知首腦會議不會產生積極結果，那末赫魯曉夫何以熱中于召開首腦會議，這確實使人困擾而且是值得研究的問題。

按蘇聯提出召開首腦會議的時間是一九五七年十一月，此時在蘇聯國內正是清算反黨集團以後，準備提出七年計劃的時期；而在國際上當時正是召集世界各國共產黨首腦在莫斯科舉行會議的時節。由這一種歷史背景來觀察，赫氏似已對國內與共產國際許下了諾言，用召開首腦會議的手法來製造「和平共處」的氣氛，使國內的七年計劃得以不受戰爭氣氛的威脅而順利完成；使國際共產黨得以順利地進行滲透活動。

此外，以赫氏個人來說，雖然在事實上他已控制了蘇聯與共產國際，但其地位究竟還未鞏固。一九五四年日內瓦首腦會議，赫氏雖然也參加了，但當時世界並不以蘇聯政府首腦對待之，因爲當時的蘇聯總理是布爾加甯。赫氏現已兼任蘇聯總理，若舉行首腦會議，世界當以政府首腦對待之，這將有助于其在世界的聲望，國內的控制，以及他自己心理上的穩定。

若赫氏要召開首腦會議的出發點果如上述，則西方以此來壓迫他就範之處還可擴大。

首腦會議與毛澤東

毛澤東在一九五七年十一月自蘇回國，一聲不響埋頭鼓勵大躍進。次年七月製造緊張局勢迫使赫氏東來，取消當時有印度參加的首腦會議的建議。若從首腦會議的角度來看，則毛似頗怨懟其無實力爲後盾而不得參加首腦會議。

現在的情況已有變更，其駐瑞士代辦頗爲力在日內瓦外長會議期間先後已與蘇聯代表團接觸三次，照現在的中共對蘇聯立場來看，毛將不至於從中搗蛋，以破壞首腦會議的。

·田心·

在過渡中的俄國（中）

。淦克超譯。

「特權階級」與工人

雖則史達林死後的幾項改革可能改革社會構造上的不平等，那些不平等原是史達林政策故意造成的，但是似乎祇有再來一次革命纔可以彌補這兩大階級的裂縫，那裂縫已經在這所謂無階級的社會裏發展了多年的。大多數的工人每月所得僅三百五十盧布，和被稱爲「特權階級」的每月所得爲一萬五千盧布，相差懸殊。此項特權階級之組成，爲統治官僚，工業上的經理集團，以及知識份子，有其自己的生活方式，而生活于遠較普通公民爲高的水準上。如果特權階級有些甚麼特殊的，那就是更保守，因爲這階級有了既得利益，自盼延續那給予他們以這樣的地位的政權。在婚姻，社交，和過生活，這集團的人們很少和他們的階級以外的人來往。在奢侈品稀少的一套經濟裏，和一套有利於蓄積的所得稅制度中，這階級所感到的問題之一就是去找出滿意的方式去花費高薪俸。他們亦關切到如何把他們所享受的特權傳給他們的子女。但在蘇俄仍有一項高度的變動性，而這種新的特權階級，由于加入些有能力的工人和農人之利用這制度所供備的機會而出人頭地的，就經常在增加中。

以與一個在史達林下感受恐怖，俄國使的公衆較，人們今日似乎已安頓于穩定的生存，頗免于恐懼了。史達林死後的政權所作的改進和改革，連同多年來的推廣教育，科學的成就，以及和西方多面接觸之迅速的倍增所湊聚的利益，當有貢獻於所產生的幸福的氣氛——如果我們能夠相信蘇俄報紙的話——而希望從政府獲得更多的利益。

西方觀察家所驚訝的

事實上，西方的觀察家所驚訝的，就是在今日蘇俄所發現的有力的象徵：竟然尋找生活上的享樂，以及知識上的和藝術上的自由，那些係通常和非共產社會的秩序相連的。

那些表露這類欲望和不與國策相一致的趣味的，乃係來自新的特權的那些人物。雖則那些青年男女因爲他們的錯誤方式，曾遭特別斥責，可是他們非慣例的趣味和行爲已被他們的父母，任高薪的官僚和工廠經理的，所鼓勵哩。這些父母們愛好漂亮的衣服和盛饌，亦有家具齊全的鄉村別墅，更有私家汽車。丈夫們替他們的妻子購買昂貴的輕裘，而于因公出國時，爲家庭帶回些外國製造的閃爍動人的玩意兒。他們得進入專門的圖書館，這些館內很奇怪的藏着夠多的外國廉價小說，電影雜誌，「哈潑斯雜誌」（Horpers Bazaar），「時髦」（Vogue），以及英國的雜誌「主婦」（Housewife）和現代婦女」（Modern Women）。「資產階級的粗俗和明顯的無恥」，報紙的評論警告此種浪費國家款項。但對外貿易部圖書館，那是許多如此作品的機關之一，館長却以瞧人不起的態度解釋着：「此類文學係購來爲語言練習的。」蘇俄報紙果然是消息之主要來源，可以看出官僚們之濫用權力，濫用國家財產以改進或美化工廠經理們的家庭，或酬報會加惠於他們身上的朋友，浮報費用賬目，以及地位優越的父母們常用他們的勢力來爲子女們謀得特殊權益。

馬克斯所不曾說明的真理

這些史達林時代首要的公民們的兒子們，在反叛他們的父親輩，表露着馬克斯主義中所不曾說明的簡單真理：人不是無限的柔順的，而人性乃趨向于從歷史逃避。這些青年們所蒙相當的庇蔭，本人沒有經歷過艱苦，逆境，和奮鬥，已經在他們的發展中成爲重要因素，縱令他們已受過全國青年運動之訓練，其目的在防止類此的反蘇維埃行爲的。這些青年男女們都憧憬着自由思想，史達林以前的革命時期。他們厭飫了藝術上社會主義的寫實主義之毫無生氣的千篇一律，他們回顧早期革命試驗時代，藝術上的情感奔放，或追尋十九世紀俄國的偉大作家之誠實的寫實主義中的靈感，或西方國家藝術和文學中的靈感，他們是渴望訪問西方的。在高級學術機關的演講廳裏，這些青年已經大胆的詢問他們的教授們，波茲南和布達佩斯的暴動，如何用馬克斯主義來解釋。

政府的反擊很聰明，指這些傾向爲幾個浮薄的蘇維埃青年（Stilyagi 或譯紈絝）之墮落行動——他們在服裝及髮型上極力模倣西方，和外國旅客從事黑市交易以獲得奢侈品，熱衷於外國的爵士音樂及跳舞，以及收藏物和道德上的違反——乃是公開表示反叛那反個人主義，反共產主義的意識形態，反蘇維埃的正宗道德。一位作者在消息報上評述那些理論家「從爵士狂者出時代的精神」中，不知不覺的流露了一種風靡的態度之存在，那是蘇俄當局頗願視爲例外的。

戰後的生活水準

戰後生活水準之改良和改進，亦有助於形成對於有天才的蘇俄知識份子之不滿的而帶有期望的氣氛。在史達林主義的漫漫長夜裏，類此的男人們和女人們，爲了生存起見，被強迫致不得不放棄個人主義，而破壞他們的創作上的想像，強迫者是一個不願接受超越眞理的政府，這超越眞理就是藝術上原無法欺騙的。

蘇俄知識份子在史達林時期的暗中反對力量，於史達林死後之所謂「融解時期」中爆發了。十九世紀的知識份子之平等主義的精神之繼續性，和被抑阻的力量由于生活水準改進而獲得的解放，可以在俄國被發見。但這種的爆發決定不含有政治反叛意味，或否認黨有權過問心理和精神上的事情。這舉動乃是知識份子和藝術家之懇求，俾被允許對政府，以不被黨的控制所經常干擾，而自由表示思想和創造能力，以表見他們的忠忱。這亦是反抗對天才之譴責，那譴責是爲了天才是異端或被指爲異端之理由。

一九五七間智識份子的抗議

在一九五七年左近，知識份子和藝術家的抗議已經展開，而且幾乎有一種有組織的運動了。在幾種文學作品中，批評史達林統治下的生活，來彙比克魯歇夫統治下的生活，似乎是很明顯的。著名的作家公開宣稱他們的早期作品之不誠實和曲解眞理，並且在作家聯合會中，大胆的主張藝術家的創作自由。這主張廣泛的被大學學生們所採取了，他們辯論着藝術中的人格和實驗諸問題。主要的文學雜誌，藝術雜誌，和哲學雜誌都發表文章，討論蘇維埃社會裏藝術家的權利和責任這個更大的題目之各方面。社會主義寫實主義被攻擊爲有缺陷，而且歪曲了藝術的公式。但這些論文所最關切的大都爲蘇俄藝術永不會在黨的獨裁下興盛起來，雖則他們很少作鮮明的敘述。波蘭和匈牙利事變，其主要的活動份子中包括了不少的知識份子和藝術家，究竟對於蘇俄境內的此項鬥爭有如何的鼓勵——如果有任何鼓勵的話，大約永不會被人們所知道的。可是這兩個衛星國家內的凶事，使蘇俄境內的男人們和女人們，尋求從共產黨的控制下，努力于知識的及藝術的解放者，不能無惴然之感。（未完）

大陸文壇述視

朱光潛借酒消愁

在新文學中，從美學方面研究文學理論而有成就的。朱光潛的「詩論」和「文藝心理學」無疑是至今尚無人超過的權威之作。不想自「解放」後，朱光潛就以資產階級美學專家的「罪名」，不斷遭受到批判。出面爲文抨擊他的，先後有蔡儀、黃藥眠、李澤厚等人；可笑的是這些人對美學的知識只是一點皮毛，遠不能和朱光潛相比。朱光潛曾說過：「不錯，我的美學觀點是資產階級的，有一大半吸取的是唯心主義者克羅齊的學說，應該打倒；但是，我們應該怎樣建立無產階級的美學觀點呢？（這不是原文，但大意不差，見一九五四年的「文藝報」）這一反問，把他們問的閉口無言，結果是朱光潛雖被打而未倒，這是一九五四年的事。從那以後，很少再討論美學，原因在於蘇俄至今還沒有建立起新美學，仍在討論紛紜階段。他們至今只有一句口頭禪：「生活就是美」；如果再演繹下去，那就是「表現生活就是表現美」，完了。

雖然朱光潛未被打倒，其遭受壓抑的情形，一如其他受精神迫害的文人，遇機就會一思傾洩怨憤。今年共產國家紀念國際文化人，其中有十八世紀的英國抒情詩人朋斯（Robert Burns），今年正是他的誕生二百週年紀念，朱光潛就選譯了他的三首詩，刊五月廿七日「光明日報」上，雖是譯的朋斯的詩，却無異出自朱的口，發自朱的心——不，也可以說發自大陸無數文人和萬千老百姓的心。茲摘鈔數節于后，以見朱借酒消愁之心情：

「批評家們皺起眉頭問道：『你連詩和散文都分不清，詩歌哪裏有你的份？』但是，淵博的仇人先生，說句老實話你別生氣，你說的牛頭不對馬嘴！（案：蔡儀等批評朱光潛時，就正犯牛頭不對馬嘴的病）

一批妄自尊大的笨伯，讀書本弄得昏頭昏腦！進校門還是英俊年少，出校門却是蠢驢一條。竟想單憑一點希臘文，就攀登詩神的高峯。」（案：很顯明這是影射的那些受馬列主義訓練的青年批評家和詩人）以上見「給拉卜勒克的信」。

「如果我替那位老爺當奴隸，說是老天爺早已註定，爲什麼在我這個胸膛裏，又安着一顆不屈不撓的心？說不是註定，我就要請問：爲什麼我要受那小子欺陵？人吃人，人叫人傷心，哪裏來的這種權能？」以上見「哀歌」）

「誰願意扛起自由的刀兵，守衛蘇格蘭的土地和人民，死爲自由鬼，生爲自由人，就請站過來，咱們一齊上陣！

「憑壓迫者加給你們的苦楚，憑你們的帶鐐銬的兒女，我發誓，要打到骨碎血枯，但是我們的血定要自由！

「把掠奪的暴君推翻，讓我們的仇人一齊完蛋，讓自由的氣息不悶在胸膛，要麼就是死，要麼就是幹！」（以上見「向蘇格蘭呼籲」）

（案：原譯詩都分行，這裏限於篇幅，分行辦不到）

瘟君夢

岳騫

第三回：點石成鋼　魔王施妙手
　　　　指鹿爲馬　嘍囉建奇功

李富春攜着「大躍進」計劃草案，走進毛澤東的官邸，田家英迎着說道：「主席還未起身，富春同志若有事可以晚兩個鐘頭再來。」

李富春看看錶，已經四點，再過兩個鐘頭就六點鐘了，春天日間本來短，六點鐘在北平就要上燈了。無可奈何地坐在沙發上，田家英送來一杯茶，挨着坐在傍邊。

李富春呷了一口茶，問道：「主席平時兩點鐘就起床了，今天爲什麼這樣遲。」

田家英詫異道：「怎麼？昨晚會議你沒有參加嗎？」

李富春點點頭，我參加了，不過也只到兩點多鐘就散了，我回去又擬了一份文件，可是中午十二點鐘也就起來了，主席何以起得這樣遲。」

田家英笑道：「那個會散了，主席到了後面和江青同志又繼續開會，可能開到天明。」

李富春搖搖頭：「主席已經六十幾了，總該多注意身體才是，光靠人參，荷爾蒙支持總不是辦法。」

田家英本來講的是正經話，不料李富春誤會了，當時大笑起來。

田家英一笑，李富春誤會更深，厲聲問道：「我講的是實話，有什麼可笑。」

田家英地位雖然不高，但是倚仗着毛澤東的信任，藍蘋的寵愛，那把政治局委員放在眼上。見李富春一發脾氣，頓時把大笑變成冷笑，輕蔑說道：「富春同志，你自己長期患病，體力不佳，總愛拿自己比別人，照你的說法，主席六十幾歲就不成了，那末董老和林老呢？」

田家英正說得高興，忽然聽到一個奸滑的笑聲：「田家英，你個小子什麼事又提到我。」田家英回頭一看林伯渠走進來，趕快站起來，政治局委員中，除去常委以外，他只有怕林伯渠三分，他曉得活曹操同毛澤東無話不能說，而且說出來一定會發生作用，他自己有把柄在活曹操手上，所以看見活曹操特別恭敬。不料背後講了一句閑話，被活曹操聽去，頓時不知所措。

李富春看見田家英一付窘像，不由得又同情他，當時代爲解圍，笑着說道：「林老，這眞是說着曹操，曹操就到了。趁着主席還沒起身，我把昨晚擬的計劃草案，請你看看。」說着遞過去。

林伯渠戴上眼鏡，從頭到尾向下看，連聲讚好。

李富春忍不住問道：「林老，你看這個運動，能否成功。」

林伯渠笑道：「當然會成功，因爲成功了固然成功，失敗了也是成功。」

李富春慘然道：「這是怎麼說法？」（四六）

釋未集

三十年前，我國若干著名報紙，曾一度相繼刊載一日本新聞，事爲大學教授，與一操琲室之女侍相戀，終因種種阻力，未能結合，遂相偕殉情自殺，于是好事文人，且紛紛著論評述，以其事爲難能，對日本民族之有此情死事件，相當神往，並歎然以爲中國人獨不能與之比美爲可慚云。此當時之中國青年，大抵均熟知歐洲有羅密歐與朱麗葉之故，對於此等論調，固自爲表歡迎，但眞能具足勇氣，從事殉情於愛者，尤鳳毛麟角，以余見聞所及，今似尚無其人，求之古，則古詩孔雀東南飛所敍之焦仲卿夫婦，及民間傳說之梁祝故事，最爲人所稱道，大抵中國社會傳統，重守節而薄情死，以爲女子以貞順爲德，但宜殉節，不宜殉情，殉節則家族門閭有光，殉情則不免貽羞于父母兄弟，故民間偶或有此類事件發生，率皆諱而不言，遂使怨女癡男，夜台沉寂，終古無由暴白其幽情，竊嘗論之，守節與情死，實本同末異之兩事，其源均出于癡俠，而情死之道德價值，往往有較守節爲更高者，世俗重守節，不外以其行爲忠於道德而已，而情死則實忠於愛情，忠於道德，雖保其不以此而變于鄉黨朋友，蓋前舉表閭里牌坊，又益之以羽戚之寵耀，師友之督促，則此中往往有出諸被動者矣，原夫愛情之事，其實挾相關者，實係相戀男女雙方，一方死，一方爲其守節，此爲相當之義，故未見其有已變得相當之滿足，故未見其能可貴，若未婚而爲外力所阻遏，終不忍別作他圖，事相偕一死，平生之恩怨，情史之是非，要不足以易堅貞之一念，能爲人所不敢爲，與晉通之殉節，田橫之自刎，其實慷慨激烈，固未嘗稍遜也。至于父母許婚，未配而一方早死，因是而爲之守節，則情之未交，徒有一涉不相涉之名義已耳，其意純在要譽，跡近愚昧，最不足道，此則民族之社會，特有然者矣。

情死

人之生活，有道德之一面，亦有藝術之一面，守節之宜爲表彰，以其可以助宣教化耳，情死雖搢紳先生所諱言，要不失爲一種藝術之情操，非深于情者不能爲，深于情之人，或不足以語道德之謹法，亦斷不致爲道德之蟊賊，比年以來，香港社會偶亦發生青年男女，雙雙自殺之新聞，究其眞相，其間或以經濟，或一方強迫，或竟誘使一方先死，求一己之倖存，甚且奸殺棄屍，始造巡就死者亦有之，合畏怯，自私，淫慾，殘忍，瘦而有之，此特野蠻人之行徑耳，其與情死，相去固甚絕也，昔袁孟才有詩曰：「唇上胭脂刀上血，用來不錯是英雄」。此才人吐屬，抑亦兒女情腸，亦不違道德家靜人之情死，亦不近人情之尤者也。

曲齋

胡適之先生訪問記

「望之儼然，即之也溫」

·余玉書·

他說：「我勸你們千萬不要學時髦，那些偏重抽象的意念而不重理解的所謂『現代主義』的新詩，都不是寫詩的正路。」

今年剛好是「五四」運動的四十周年紀念，四十年來幾乎沒有一個讀祖國文字的中國人，不曉得胡適之的名字，近代的中國知識青年，也莫不直接或間接受到胡適思想的影響。雖然近十年來大陸上的共黨文化打手們，在「清算胡適」之先生作「胡適思想批判」，一些頭腦份子，不時用毒辣卑鄙的方式，對他作人身攻擊，但這不但絲毫無損於這位中國新文化運動先驅者的崇高地位，反而激引出更多年青人對於「我們的朋友胡適之」以更大崇仰。

五月中旬的時候，台北海洋詩社（由各地大專僑生所組織的一個純學術性社團）的一群社友，在一個偶然的機會裏約好準備一同到南港去參觀中央研究院，並去拜訪中央研究院院長胡適之先生。剛好我們的社員有一位在中央研究院的會計處擔任主管，於是便由他接洽，但因爲胡先生剛從醫院割背瘤回來，正需要休息，本來不預備接見客人，但他老人家知道我們是一群愛好文藝的青年朋友，便答應了，並約定在十六日上午十時見我們。胡先生對青年朋友的熱誠，實在令人感動，當其他的社友知道了這個好消息的時候，都高興得不得了。從台北到南港，要坐半小時的公共汽車，從南港到中央研究院，大概需要步行約二十分鐘左右，那天我們到中央研究院時已經是十時過一點了。

胡先生的寓所位於「歷史文物館」的後面，是一座簡樸而幽雅的辦公室，這也就是胡先生日常辦公，會客，和寫作的所在。引路的辦事員先進去後，然後出來領我們進去，碰巧胡先生在和客人談話，但他依然很親切地出來和我們一一握手，並抱歉地因爲臨時有客，所以請辦事員先領我們去參觀「歷史文物館」，等一會再回來與我們詳談。這種客氣的態度，使我們感到不安。「歷史文物館」是一座兩層灰色的建築物，外觀相當美觀雄偉。陳列室在二樓，裏面整齊地擺着數十隻樟木製的玻璃櫃，陳列品多爲股代的青銅器皿及玉器雕刻等，數量很多。但我們都是門外漢，況且心裏又一直掛着回去跟胡先生會面，因此走馬看花地巡視一遍後，便請辦事員帶我們回去。

胡先生的客廳並不很大，但很幽雅脫俗，中間擺着一組沙發，我們六個人加上主人，便恰好把這組套着黃斜布椅套的沙發坐滿了。

當我在胡先生的對面坐下後，剎那間我心裏忽然起了一種異樣的感覺；這位一向爲青年朋友們所敬仰的中國新文化運動領導者，如今竟和我們面對面的坐着，滿頭銀絲，正閃爍着智慧的光芒，慈祥地對着我們微笑。我不禁覺得自己的渺小，甚至懷疑自己的存在。

「我們隨便談談吧！」胡先生微笑着說，一面讓開刀後初愈的背部，側身斜倚在沙發的靠背上，等待我們發問。

「胡先生，今日的自由中國詩壇，逐漸有走向『現代主義』的傾向，請問你的看法怎樣？」我提出了第一個問題。

「我勸你們千萬不要學時髦，那些偏重抽象的意念而不重理解的所謂『現代主義』的新詩，都不是寫詩的正路。文學的要素有三：第一要清楚明晰，第二要有力量，第三要有美感。其實總括說，不管寫詩或其他的文學作品，最要緊的就是第一點——清楚明晰，因爲寫文章能做到清楚明晰就是有力量，而一篇文章有力量就是美。如果寫出來的東西含糊不清，或無從理解，則第二、三兩項要素也難以做到。所以寫詩還是要求其平易動人，老嫗都解，才是好詩」。

「胡先生，今日香港和台灣的文化界，似乎都有一種文化上的『倒流』現象，請胡先生分析一下它的原因好嗎？」一向受胡先生思想影響最深的胡振海兄，當然不會錯過發問的機會。

「香港和台灣都是我國的邊疆地區，故和外來的文化勢力接觸的機會多，由於民族意識的本能反應，所以對中國固有文化的崇尚特別顯著，由於特殊環境及局勢的影響，因此才有這種文化『倒流』的現象」。

另一位姓陳的社友又問及今日的自由中國文壇，請他發表意見。胡先生認爲今日自由中國的文藝工作者，除了少數有「現代主義」的趨向外，大部份都非常認眞地在努力創作。其中以短篇小說，詩及散文的成績最佳，長篇小說收穫較差，戲劇是最弱的一環。

又一位社友發問：「今日海內外的報章副刊，多爲一些無聊的武俠小說和聊齋式的神怪小說所充斥，眞正有價值的文藝作品，反而如鳳毛麟角，請胡先生分析一下這個畸形現象的原因」？

「依我的看法，只要眞正的文藝工作者，能努力創作，產生大量的優秀作品，這種畸形現象自然不會久存的」。胡先生一面講一面向我們展着勉勵的微笑。

胡先生本來十一點便要離家赴約的，但是却直至十一點半方才結束了我們的娓娓長談。最後我們請他和我們拍照留念，他老人家立即很高興地答允了。

在歸途上，我們沉默無語，內心激盪着莫名的虔誠與喜悅，這位「望之儼然，即之也溫」的一代學人，在我們心靈深處留下了永不能磨滅的印象。下了火車，原野裏大風吼，我們似乎隱約地聽到，四十年前文藝上革命的號角聲響！（轉載自五卷三期「大學生活」）

幽怨集

△女子的最大慾望與其一代的母親相同——那便是怎樣把男子弄成一個好丈夫。

△愛情是盲目的，但是婚姻却是睜開眼睛的。

△寡慾令人同情，幽怨令人傷情，埋怨令人寒情，積怨令人無情。

△失時最可嘆，失意最可憐，失戀最可悲，失魂最可笑，失踪最可惜，失約最可憎。

△心火可以動氣，慾火可以焚身。

（昌）

栗海彈心錄

黎元洪字宋卿，時任湖北混成協協統，後雖工炮步兵，多其部屬，甲午中日之戰，曾任艦長，兼通長江艦隊聲氣，又長漢陽南樓私立中學，設南樓閱報室，與青年亦多接近，二十日正午，黎以中華民國軍政府大都督，出示安民，通電中外，市民竊竊私議，元洪二字，與明太祖朱元璋及其開國洪武之號巧合，欣然色喜，紛紛走告，向之人心惴惴者，頓形安謐。旋設中華民國軍政府於湖北諮議局，懸五色國旗，用黃帝紀元四千五百零九年八月二十日，當時有謂四五一〇年者，未暇深究也。隔日漢陽夏口，同時附義。九月初一日湖南都督焦達峯繼之，廣西都督陸榮廷，江西都督李烈鈞，安徽都督柏文蔚，又繼之。江蘇都督程德全，廣東都督胡漢民，雲南都督蔡鍔，山西都督閻錫山，四川都督尹昌衡，夏之時，亦相繼獨立。

武昌起義（二）

黎氏原籍漢陽，後遷黃陂，清末鮑將軍春霆，保送天津水師學堂畢業，後改帶陸軍，歷次北洋秋操，黎部考績居第一，清廷聞其起義，國從民主，政尚共和，瑞澂不戰而走，爲之震懾不已。陸軍大臣蔭昌，率鐵甲軍三萬人，源源南下，過武勝關，猶步步爲營，實先際有以奪之也。

八月二十二日黎公調度軍事，撤武勝關張國防，縮短防線，不受命，留之，乃以舊部數千，布夏口戲家山，三道礮防，且語人云，清軍首先南下者，多爲蔭午樓，扼險則易與也。蔭某敗，清廷當以馮國璋繼其後，是勁敵，或當塹江爲最後防線，後皆不出公所料。民五，蔭午樓任黃陂侍從武官長，即今之參軍長，儀表都雅。

二十三日兩軍職於戲家山，我軍依險，清軍仰攻，不支，乘火車而退，薄暮海軍楚有楚豫楚建威等艦，側擊我軍，蔭部正面反攻，我軍退守三道礮，是役傷亡頗重。二十八日拂曉，黎公親督敢死隊千五百人，聯合陣地諸軍，向敵猛擊，青山四嵐要塞砲，遙擊江面軍艦，清軍兩路敗退，自是蔭部不復犯我軍。

黎公於當時軍事，深以嚴謝之理，勝而斂其勢，敗則振其氣，使敵無從窺我長短，而陷我術中，當海軍之側擊漢家磯我軍陣地時，青山新置砲兵，一彈不發，故得於次早幾將海軍全部殲之。

·阿公·

爲詠余兄長公子及小兒參與國際無線電科學會論文作

·王遙峯·

老去心情百不關，行程強半隱知艱。春風頭角看新露，各爲嬌兒一破顏。

讀遙峯兄詩口占奉酬

·顧詠余·

我昔乘舟詣滄瀛，意氣直欲請長纓。偕行諸子均俊彥，就中王郎最知名。（民國十年與遙峯同舟來美）。同學俄省共攻苦，跟隨萍聚相和鳴（同肄業於俄亥俄州立大學）。學成返國各効獻，著書立說新治平。白駒過隙幾卅載，華府重晤鬢已白，開顏共醉玉壺冰。文郎逾少能跨竈，年方逾冠學藝精，麟兒先亦入普校，鈎深致遠研數經（余長子與君公郎先後在普林斯頓大學卒業公郎今夏得該校博士後更赴英入劍橋深造）。老子婆娑興不淺，蘧廬抱甕理黃庭，陶公有子不讀書，何妨斥鷃笑鯤鵬。已見桑田變滄海，垂老感賦神影形。君不見東坡坎坷客南服，盼兒無恙躋公卿，又不見得長逐〇，何不五斗追劉伶。江山代有新人出，泉石還君閒鷗盟。

銀壇隨筆

何必製「濕」片

·修衡·

電影在近代已處社會教育地位，許多負責的片商，對劇本的選擇，絕不甚於投合觀衆心理要求，所保適應針對現實，矯正時弊。香港影片年來產量大增，多數力求水準提高，不惜工本，在內容上力求改良。因此，電懋本年度推出的片子，幾乎無一不在社會教育方面而着眼；即就目前已拍未拍各片來說，如「長腿姐姐」、「蘭閨風雲」、「鬼屋殭屍」、「鐵臂金剛」等等，無一不是矯正社會，轉移風氣的片子。尤敏在榮膺「亞后」之後，第一部新戲是：「家有喜事」，這些新片，大致可以斷言，香港的影迷，不一定要看那些充滿色情氣氛的「濕」片。這一點，可以就電懋過去上映的若干倫理，文藝和喜劇片的票房紀錄已證明。由此可見只要重質，觀衆的水準，也會隨片提高。

過去，許多製片家對文藝片，教育片所以漠視，基本因素不外：一、遷就現實，爲急功近利，只在生意上打算，不肯開拍沒有把握賺錢的片子；二、沒有很好的劇本；香港處境極促，要找一些新的題材，許多編劇家都感到大傷腦筋。

其實，現實的題材實在太多，何必一定要去找那些陳舊故事改編。結果，這些古老的東西，在現社會看來，實在有些不倫不類，觀衆興趣怎樣能夠提高，票房紀錄也難刷新。話雖如此，偏重於教育方面的片子，除了電懋，其他那些自命爲大製片家，仍未稍加重視，他除了拿那些陳舊的故事改編之外，竟然大拍製造「濕」片，居心爲何？不能令人無所置疑。

更正

本版六月六日夏禹傳子一稿『故治少而亂多』以下漏植以下一段：『賈誼所謂古者天下爲主，君爲客，凡君所畢世而經營者，爲天下也。今者君爲主，天下爲客，凡天下之無地而得安寧者，爲君也……歷史進於民主政治，則主客之體，頗與古合，至於一黨政治，與大民主集權政治，則又主客異位矣。凡天下之無地而得安寧者爲黨也，人盡皆黨，人不盡皆黨，且私於一姓，與私於一黨，果有異乎哉』合行更正。

自由人

THE FREEMAN

（第八六七期）

中華民國僑務委員會僑發登記證台教新字第一一二號

中華郵政台字第五〇〇號執照登記爲第一類新聞紙類

（半週刊每星期三、六出版）

每份港幣壹毫

台北市售價台幣貳元

督印人：陳文華

地址：香港高士威道二十二號四樓

20 CAUSEWAY RD. 3RD. FL. HONG KONG

TEL. 771726

承印者：東南印務出版社

地址：高士打道六十四號

台灣總經理處

台北市西寧南路壹零壹號二樓

電話：三〇三四六

台郵撥儲金戶九二五二

海外總經銷：友聯書報發行公司

港：德輔道中二十六號A二樓

戴高樂執政一年的成績

毛以亨

戴高樂不願受北非法國殖民兵之擁戴，不採政變方式以登台。先以修憲之主張，經人民投票公決，依新憲法辦理選舉，依選舉勝利始出任總統。此爲顯然的憲政運動，迥非藉政變以崛起之軍人獨裁，或共產政府可比。蓋其出發點爲改良運動，已與藉政變攫取政權者，涇渭分明，不容混淆的。

以民主方法反共

其時法國民間，對人民陣綫之親共政府漸表不滿。且法國之殖民地漸告喪失，至危及最後之北非殖民地，法國四的過去光榮，將掃地以盡。乃不得不徐圖補救，遂擁戴二次世界大戰時代之民族英雄戴高樂登台。其事與當年德國復興運動之擁護希特勒相似。但希特勒却以爲這是天命攸歸，人心有屬，未經選舉投票之手續，即未得被治者之同意，便率意逕行，故終於失敗。戴高樂不然，以爲苟不得民意贊同，寧願退隱，亦不肯再執政。此即民主與獨裁之分野所在。

希特勒與莫索理尼，均能制伏共黨，然其所用方法，與共黨殊無二致。質言之，用暴力以排除異己而已，最初雖亦有一部分人民之擁護，然最後必異己者愈多，擁護者漸少，以至成爲獨夫而後已。他兩人雖不屬于共黨，而非共黨之各黨派，亦悉與共黨同科，一概在排除之列，故其統治之範圍愈縮愈小，其思想亦趨狹窄而不能容人，較之共黨，亦未多讓了。這祇是以暴易暴而已，何足道哉！

戴高樂所用者爲民主方法，故能收反共之效。法國本爲社會黨佔多數之國家，社會黨均以馬克思主義爲其基本教義，故即非共亦不反共。其內閣須得佔三分之一國會議席的共產黨之諒解，始能維持，故常成立人民聯合陣綫。其工會亦多爲共黨所操縱，而陰爲共產黨所把持，以此不能不接受其命令。若依選舉票來計算，則三分之一選民，皆投共產黨的票，無疑均爲同路人了。若祗知蠻幹，則非將法國所有左翼政黨，與三分之一人民，驅之使投入共黨不可，而此實爲共產黨所求之不得者。

戴高樂反是，他首先承認各政黨之合法地位，連共產黨亦不例外。於是人民陣綫解體，即不言反共之社會黨，亦思與共黨脫幅，改而擁護戴高樂。這是民意之新趨勢，當不能違逆的，故堅持原來主張之前總理法朗士，竟以落選聞。且選舉之結果，本擁有百餘議席之共產黨，亦祗得十席了。戴高樂之反共，並不出以暴力，而要使人民自覺以脫離共產黨。共黨在法國根深蒂固，其同路人又如此的衆多，尚且經不起民主方法的考驗。則民主方法之成就偉大可知。反觀其他國家，並不如西歐之有社會黨，馬克思主義亦未深入人心，仍爲共黨人民陣綫所乘，到處皆被共黨滲透者，不是不用民主方法，漠視民意之過歟？

先保法國再圖貢獻

戴高樂以保全法國之北非殖民地爲急務，以爲必須如此，始能使大法帝國，僅次於大英帝國之地位，尤其薩哈拉沙漠之油礦，爲未來不可衡量之富源。戴高樂保全北非之辦法，不復蹈過去殖民地政策之覆轍，亦不師英國自治領之故智，更不依[illegible]國放棄殖民地之高調，而是視北非與法國本土爲一等地位之民主政策。所以阿爾及利亞叛黨，現有放棄獨立，與法妥協的趨勢，且已進入秘密交涉之階段，而在北非之法國移民數十萬人，尤擁護此一政策。在戴高樂執政以前，法陸軍六十萬人，即不肯防衛歐洲而開入北非。法國認北非乃反共之右翼，且阻止阿剌伯民族之投共，即爲西方大局計，亦較防守歐洲爲重要。戴高樂最近且使其地中海海軍不受北大西洋公約組織之指揮，而以協防北非，爲其主要任務。最近又怨美國不給以原子秘密，且不許美空軍二百五十架駐防法國。尤其不願去[illegible]取艾森豪的指示，這是英德首長所做不到的。但法國所以這樣做，並非故意與美國爲難，以便脫離西方，不過以法國利益爲前提，視國際合作爲次要而已。合作必須自己貢獻力量，故以培養本國自身力量爲主，否則自己即圖合作，亦不爲他國所重視的。日內瓦會議，法國與西德合作，隱然爲歐洲盟主，力拒柏林讓步之議，美國知其在歐洲有力量負責，故未爲英國之妥協政策所動。此即戴氏對自由世界不可磨滅之貢獻。西德之阿登諾，與戴氏一致，主張歐洲共同市場，而反對其經濟部長艾哈拉自由市場之議。阿登諾以先得戴高樂之合作，繼得艾森豪之同意，終已決定繼任總理，艾哈鄂只好退讓了。

結論

今日而言反共，必須以民主方法，培養國家自身之力量，獲得民衆之支持，始能於反共[illegible]有所貢獻。戴高樂固然如此，阿登諾又何嘗不如此，[illegible]總統的權力，已超過專制君主。然民主與否，以有無經被治者之同意，爲其先決條件，不以行政首長權力之大小爲衡量。獨裁與民主之分，必須以此爲標準。以效果言，則獨裁者遇到共產主義，非打敗不可，而民主方法，則無從而不得全國人之支持，故足以消散共黨之勢。艾森豪認與戴高樂妥協，較與蘇聯開高峯會議爲好，聞之爲之歡躍三百。

「人定勝天」欺人之談

據中共宣佈，目前廣東境內的水災，已毀民居田禾八十萬萬畝，受直接影響的二百萬人，將造成近百年來最大的一次水災。但水災區域，並不限於廣東一省，廣西也很有損害，故實際災情，恐怕要比已公佈的利害得多。

大陸人民，自去年中共實施「人民公社制度」後，生活本來已經瀕於飢餓，現在再加上這一場百年未見的大水災，眞可謂「禍不單行」了。

中共對於這一場大水災，提出「人定勝天」的口號，藉以號召百姓從事搶險防洪。「勝天」的大字，仿佛這場災禍，純係出於自然，與中共無關。其實這一場大水災，以平均雨量說，也許是過去若干年來所僅有的。然而釀成如此慘重的災禍，則和糟蹋大陸的中共是有很大關係的。在中共統治的十年中，[illegible]試問一旦天時失調，淫雨幾旬，有不陷大陸於險沉的嗎？

「人定勝天」本是鼓舞人類，使與自然鬥爭的。然而中共却假此美名以芻狗人命，供其犧牲。韓戰的人海戰術，土改的殺人如麻，公社的餓死政策，十年來一切倒行逆施的暴政都是由此而生的。這一句好話，到了中共之手，便變成欺人之談了。

對滅絕種族的起訴

達賴喇嘛六月廿日在印度莫索里，第一次招待記者，發表聲明。在二千餘字的聲明中，充滿悲哀沉鬱的心情，雖沒有凌厲鬥爭的氣味，然而精神態度却是堅定的，不妥協的。

達賴說：中共採取三種方法，去消滅他們所不滿的西藏人，一、放逐；二、囚禁；（三）押送奴工營。又說一九五一年的協定是在中共刺刀挾持之下簽訂的。外國記者說：達賴這一聲明是「對中共滅絕種族之完全起訴」。是「爲自由，爲公正，尤其是爲和平的呼籲」。這算是一點都不錯的。

然而，這一悲壯的呼籲能引起自由世界積極的切實援助嗎？他要求國際公正的調查，又能否實現呢？以匈牙利往事爲例，恐怕答案都是否定的。

達賴說：此舉在向文明世界揭示有關西藏的眞相，「無論表面上惡勢力如何強大，眞理終將得勝。此語屬[illegible]宗教家言，然吾人仍相信這句話是確實的，有力的。堅強不屈的西藏人民，能爲中共所征服的嗎？

有感於羅柏遜之言

雅斯

還有幾日便將退休的美國主管遠東事務助理國務卿羅柏遜，近曾在美記者聯誼會席上發表了他告別式的長篇演說，特別對于一般美國人所逐漸忽視的台灣，反覆強調，予以大胆的保證與樂觀的預言，我們對于這位患難朋友的亞洲問題專家的話，眞是感慰與警惕同多。

他預言中華民國最後終能回去大陸，是在一個假定之下，就是假定不爲自由世界遺棄。但是如何才能使自由世界不「遺棄」呢？例如最近像奧林匹克會擯棄中華民國一類事件，除了自己要使人家看得起之外，有什麼別的辦法呢？如果始終不能反攻，除非有擴地之方能把台灣擴大，轉弱爲強之外，又有什麼事能使人刮目相看呢？

在演說中，羅氏說美國[illegible]院在七月一日他退休後不會改變美國「不承認中共」的政策。這不必敏感的人，也會反而因此想起了美國人對于不承認中共政策還是在動搖不定中，不過最近將來不會改變罷了。但更遠的將來如何呢？我們相信，台灣看華盛頓，華盛頓還要看台灣，看台灣是否有足夠令美國支持下去的條件。羅氏雖不願申述在何種條件下可能承認中共，但他說，應該在中共改變作風，由此看出：「中共改變作風」，在美國人，甚至像中華民國患難朋友的羅柏遜心中，也未嘗不有此念，至少是下意識如此。因此羅氏的話，固足以令中國人加強信心，同時也可能助長苟安者的妄念，那就看各個人心理現狀所能感受的反應如何了！

在羅氏答記者問中，他曾說到中華民國的人物問題，他說「蔣總統縱使一旦過去，台灣的中國政府仍將繼續不斷存在下去，有資格接替下去的領袖多得很」（根據美聯社電）從這一個問答，我們覺到，外國記者往往把中華民國與蔣總統個人聯在一起，也許是過去我們的作風與宣傳的結果，但不論如何，那是危險的觀念。例如越南撤僑時，當地政府便有這麼一個觀念，以爲自由中國將來一旦沒有了蔣總統，台灣的政府便不存在，華僑將無所依歸。因此，有人自美國告訴我，這個觀念在美國也差不多已成了定型，如果長此下去，一個國家命運將與一個人的命運成了不可分，那是不公的，那也不應是民主國家的現象。因此，我們想到總統繼任問題，如果罔顧將一部憲法撕成一片一片，總統還是「非公莫屬」，那是一種非常危險的心理，若謂我們必須先有了一個勝過蔣總統的人，才好依法選舉，那麼，世界上恐怕不少終身總統了，因爲勝過與否，固很難說，而領袖人才又非經過磨練不可；故祗要做到羅柏遜所謂「有資格」，所謂「有資格」三字已足，是在可以自由選舉之下，自然取決於憲法的規定與人民的抉擇；那是不必去事先杞憂，或事前比較的，因爲理論上總統不一定都要超人來做，而事實上也絕不會胡亂捧出一個人來的，更何況事實上蔣先生又不一定要做總統才能領導反攻！

所望於英外交家者

英外相勞特說，西方之留駐柏林，乃爲保持二百餘萬西柏林市民的權益，使他們能選擇自己的生活方式，保障他們，使免被強迫接受他們所反對的政權統治。美國務卿赫特也說：倘蘇俄堅持要把二百多萬的西柏林人加進東歐被奴役的人羣中，則協議是不可能達成的。

西方爲維護自由人權而留駐西柏林，其理由是正大而堅定的，立場也是一致的。然而手段便不免有紛歧了。美國認爲外長會議對柏林問題沒有協議，不宜舉行高峯會議，法國和西德更堅決反對高峯會議。惟英國不顧盟國反對，極力主張。勞特和麥美倫且認爲在七月十三日外長會議復會以前，西方各國不必再召集首腦會議，或外長會議。英國爲甚麼要這樣委曲求全呢？爲甚麼要迷信高峯會議的效用呢？這是否保守黨對即將來臨的大選的一種策略？雖均不易言。然無論怎樣，這將予蘇俄以分化西方，實行各個擊破的機會。不過，英國常以東西橋樑自居，態度稍爲圓滑，似亦不失爲外交手段之一。我們所希望於英國的，不要重蹈張伯倫之覆轍耳。

・陳克文・

意外的厄運

據說，本刊最近有兩期在台灣連續被檢扣，禁止發行，不知原因何在？假如是違背了出版法規，那自然無話可說，也不值得驚詫。但檢扣機關應該把理由宣告，不負責任而出以「黑盤」手段，這就不是法治國家的應有現象。

受檢扣之厄，所損害的却不是「自由人」，而是號稱實行民主憲政的政府！

既容許海外的刊物進入台灣，而又隨時予以檢扣，也不說明理由──不單是「自由人」有此情形──我覺得這種作風太無意義了。除了給人們以惡劣印象，對政府發生離心傾向以外，毫無裨益可言。爲甚末不能堂堂正正地按照事實和法規來處理，而要採取「黑盤」的手段呢？

從事審檢書報雜誌這項工作的人，至少須有起碼的常識和靈敏的頭腦，才可望不致鬧出大笑話，而避免對政府發生幫倒忙的結果。否則把馬氏文通跟馬克斯著作等量齊觀，亦並非不可能的事啊！我們固然承認此時不是要求行使絕對的新聞自由權能之秋，但人類文化總是向前發展的，政治亦不應例外，隨便禁扣書報而無理可喻，無論如何亦係落伍退化的行爲，是亦不可以已乎？

有案，傳知警惕鑑戒才是，不負責任而出以「黑盤」手段，這就不是法治國家的應有現象。「自由人」說話當然嘗免沒有觸法犯禁的地方，禁制得有道理，誰曰不宜？

「自由人」原是各黨各派，以及無黨無派的反共人士自由結合的，在言論上頗有百花齊放、百家爭鳴的概況，但亦有一個共同的言論方針，即對中華民國政府決不作惡意的攻訐，譬如要求外國人干涉我們內政之類的文字，「自由人」從來沒有刊載過。至於批評庶政，臧否人物，却係「自由人」的家常便飯，大家認爲這是民主政治生活中的常情，非如此則不成其「爲自由人」，何必讓刊呢？如其因此而踢

馬五先生

水泥黑市風波

。丘式如。

（台灣通訊）本省水泥公司很多，其大者爲台灣水泥公司，年產量八十萬噸，佔全省總產量百分之七十六強，次爲嘉新和亞洲兩水泥公司，年產量各約十五萬噸，復次爲花蓮華東水泥公司及其他十餘個小水泥廠。去年，本省水泥總產量爲一、〇〇五、〇〇〇噸，銷售量爲軍公用四十萬噸，民用三十五萬噸，外銷廿六萬五千噸，合計一、〇一〇、〇〇〇噸，產銷兩方，顯稱尚可平衡。

本年春，水泥忽有黑市，起初極微，漸漸擴大，省建設廳會于四月廿七日開會討論，所得結論是：（一）呼籲各用戶按實際需要量訂貨，不十分急要工程，延至九月後開工；（二）台泥嘉新兩公司欠貨，促于五六月份交清；（三）減縮外銷數字。

但是，黑市風波，沒有因是平息，反之，愈爲猖獗起來，由每包公價新台幣四十二元，躍至樺山車站的五十六至六十元，高雄台南的四十六至五十元，三軍銷的五十二至七十元，其所佔比例數，幾爲原價百分四十。於是，省議會議員們猛烈地提出質詢，『爲何政府不從事調查？任其猖獗』？

水泥黑市促成主因，根據政府和各方面的解釋，可以歸納爲下記三種：

（甲）配銷軍用，公用，以及一般民用各方面，都較去年爲多。增產量不足以應需求，需要量的增加率，急迫過增產率，乃生供不應求的問題，下列台灣水泥公司去年度與今年度一至五月份的五個月生產與配銷數字，可以指示出其供求失衡的癥結所在：

項別	去年（單位噸）	今年（單位噸）	今年增加率
生產總額	三〇三、三五三	三五一、二四九	一五、二%
配銷軍用額	三七、〇〇〇	七三、〇〇〇	九七、三%
配銷公用額	五五、〇〇〇	八二、〇〇〇	四九、〇%
配銷民用額	一二四、〇〇〇	一五九、〇〇〇	二八、二%
外銷額	五一、〇〇〇	五六、〇〇〇	九、八%
配銷總額	二六七、〇〇〇	三七〇、〇〇〇	三八、五%
產銷對比	剩三六、三五三	不敷一八、七五一	

（乙）台灣市場，敏感極速，稍有供應不靈，價就上漲，這幾成爲一般物價的測探原則。不獨水泥價格爲然，各方需要水泥孔亟的場合，軍用的有優先權，其次講到公用，最後才輪到民用，那是必然的道理。有的人，必然要求馬上交清其所需用的水泥，或縮短其交清時間，如達不到要求，就到處採購，只怕工程中輟，不怕價格高昂。水泥市場驟然呈現其供求失調的現象，價格安得不上揚？

（丙）台灣水泥公司所核准的台北縣市代銷商，共有二十三家，另有建材商二百餘家，各以營利爲目的，逐此可以壟斷居奇的發財機會，自然難免抬高市價的行爲，更促成黑市的猖獗。

水泥黑市問題，自經省議會猛烈抨擊，省府周主席乃於本月十四日下令建設廳及警務處，即日成立聯合專案小組，督導全省治安機關，由地方性擴大爲全省性，查緝水泥黑市工作。追尋此次水泥黑市案，究由何人操縱勾結哄抬漲價圖利，同時展開全面性的協力偵查工作。

經過一星期雷厲風行的偵查，案情已露端倪，如市區內廿一家水泥代銷商裏面，已有四大行號有從事黑市暴利的嫌疑，基隆市內查獲涉嫌商號十四家，被扣水泥一、五〇〇包。並查得水泥公司職員有私配情事，市工務局技工亦有從事『掉包』行爲。先後涉嫌，被傳訊的水泥商百餘家，被傳訊的五六十人，被扣押的已逾二十人。

水泥黑市，經政府這樣大力取締，可望混水摸魚之徒，從此無機可乘，目前水泥價格，已漸恢復公價，便是證明。台灣水泥公司已認定此次水泥黑市的起因，係源於代銷制，決定正作釜底抽薪之計，將其取銷，改爲直接銷售，計劃設立台北、新竹、台中、嘉義、台南、高雄、花蓮等七個營業處，負責各該地區的水泥供應業務。（六月廿二日）

台灣省議會鳥瞰

（台北通訊）台灣省議會共有議員六十六人，約計其中執政黨的議員五十二人，在野無黨派的議員十四人。執政黨在省議會有黨團幹事會的組織，以省議員許金德爲主持人。在野黨派則以省議員李萬居等爲中心。當然執政黨議員之具有影響力量的尚有其人，他們中有時並非行動一致，或始終貫徹一種主張者。例如，許金德領導黨籍議員及聯合黨外議員主張撤銷省打撈會及否決黃蘇預算案於前，後來，又力主恢復打撈會及通過黃蘇預算案。至其原因何在，言人人殊。

本屆五次大會，黨外議員李源棧在總質詢時，會公開指摘許議員金德的工礦公司，謂該公司剝削勞工福利，流弊甚多。又揭發該公司與原紡織廠漏貼印花稅，數目相當巨大。許議員係該公司董事長又係議會中黨團幹事會的書記，受李議員的嚴厲質詢，故主席周至柔也不得不答應要加以徹查了。

許議員金德遭受質詢後，另一議員王國秀發言「護航」，在大會席上高呼「許金德同志」，指李源棧議員的發言爲「侮辱」，並主張將議員移送紀律委員會「懲戒」。於是傍聽席上噓聲四起，會場秩序紊亂。主席黃朝琴未及宣佈散會，即從側門走了。這是六月十日發生的事。

在野的議員十四人，人數雖少，但影響力頗不弱。例如李萬居、郭雨新、郭國基、吳三連、林清景、陳彩龍與許世賢等，對於施政的質詢，極爲引人注意。省府方面，對於他們的言論，自然極爲畏懼。這也難怪，黨籍議員的質詢，要受到黨政方面的約束。事前要在省議會黨團幹事會獲致協議。黨外議員不受限制，可以暢所欲言。例如執政黨籍的議員梁許春菊支持「三對等」的修建校舍政策，即被人譏爲「拍馬屁」。但黨外議員郭雨新即可針對省政問題猛力抨擊。對現行制度表示異議。吳三連議員對省與中央的預算，要求清楚劃分。反對防衛捐與公賣收益的雙包案。郭國基則指責省府浪費。林清景議員則認爲省政府必須力求改進，不能任意孤行。於此可見台灣省議會內涇渭之分明了。（六月十六日）

。健生。

星洲零簡

（星洲航訊）

人民行動黨登台後，此間的左派份子，一時頗爲得意，以爲可以有活動機會。書店中，毛澤東及其他中共書籍，已經公然陳列出來。書報檢查處因遷址關係，停止辦公多日，海關前堆滿了待檢查的書籍。有人推測今後的檢查，可能對黃色嚴加取締，而對紅色則放寬。

台灣某黨要近有派人來星辦一中文報的計劃，已匯來資金一萬元，原擬收買某印刷廠做基礎。不料該印刷廠的老闆係左派分子，故意抬高售價，以至事情弄僵。現該廠已以原價三分一之價錢獻給人民行動黨。不久即將發行一日報。

（六月十六日）

城隍做壽・議會放假

——台北大拜拜空前盛況——

。崙中。

（台北航訊）六月十八日，即農曆五月十三，爲台北霞海城隍廟的城隍誕辰。該廟平時香火頗盛，當地居民，照例每年給城隍爺做壽，祭奠宴客。本年，該區居民，到了是日，舉行比往年更盛大的祭典，台人稱爲『大拜拜』。

是日市警察局爲維持交通秩序與治安，通令所屬，一律停止休假，加強警戒，出動警車巡邏，實施交通管制。並呼籲參加祭禮及赴宴會的市民，遵守公共秩序，小心火燭，勿酗酒滋事。

五十萬人大遊行

城隍壽誕的正式祭禮，於是日上午舉行，許多善男信女，於是日晨零時起，就紛紛湧到廟裏，虔誠拜祭，摩肩接踵，熱鬧非常。其中有個特別的鏡頭，即許多善男信女，尤其是摩登化了的酒家女或風塵女，穿上尼龍透明旗袍和高跟皮鞋，胸前掛着紙做成的枷鎖，跪在神龕之前悔罪。相傳無論男女，如在是日以前做錯了事，或在這一年內病痛多而做事不順遂的。都可以在這時，戴上黃紙做成的枷鎖或手銬腳鐐，跟隨城隍爺遊行示衆，或拿着掃把爲城隍爺掃街開道，或跪在城隍爺面前認過，便可贖罪。

是日下午城隍爺出巡遊行。所有本市各寺廟中的菩薩，及著名的『七爺八爺』『八大將軍』『順風耳』『千里眼』等神，都被抬出來，參加遊行行列。至參加遊行的市民人數，約有五十萬人，排成長龍約十公里，不僅外國的先生太太們開了眼福，就是本省同胞年在廿五歲以上的，也還是頭一次看到這種盛會呢。據說，城隍出巡像這樣偉大的場面，已經有廿二年沒有舉行過了。城隍出巡的時候，領隊的係一位飾『地保』的，他身穿紅色的緞衣緞褲，面帶一副『地保』面具，一路上扭來扭去，生趣動人。全市所有民間的樂社、舞獅、舞龍、高蹺、平台、國術等各式各樣玩藝兒，都參加遊行湊熱鬧；內中舞獅的，三十餘隊，舞龍的二十餘隊，國術一隊。

市議長爲城隍服務

這次城隍誕辰，竟驚動了市議會。因爲時值市議會第五次臨時大會，原定是日審查市政府的總預算案。議長爲方便部份議員參加大祭典和大遊行，特宣佈休會一天。是日市議員黃奇正，頭戴白色運動帽，身穿白色圓領衫，足穿白色長褲，一身運動員裝束，指揮遊行行列前進，忙得不可開交。議長本人也身穿海馬鐵灰西服，率遊行隊伍通過迪化街祖師廟以前，始終走在遊行行列的最前面，更是引人矚目。但也有很多市議員對此表示不滿的。台北聯合報對此事批評說：『一般信男信女，只知民間習俗，不諳政府法令，尚屬情有可原。但奇怪的是，部份民意代表，一向自居于爲人民與政府之間的橋樑，竟出來領導人民，違背法令，進而以陽間的民意代表身份，替陰間的城隍老爺當差，儼然以『七爺』『八爺』自任，實非咄咄怪事。議長先生忙于爲城隍老爺服務，致使市議會主持無人，宣告休會。城隍爺做壽，市議會放假，縱非陰盛陽衰，也是陰陽怪氣』，文字殊覺幽默。

是日，台北市內許多地區的住戶，均于歡天喜地的氣氛中，大量購買魚肉，備辦筵席。據聞不少人家，自中午起，即大開流水宴席，招待親朋，迄深夜始止。所以，大小菜市場上的豬肉、雞子、鴨子，魚子及蔬菜等雖都有大量的供應，如毛豬一項，就屠殺了一千餘頭，但因需要量激增，不論肉類或菜類，都還是漲起價來。有人說，這一天城隍爺壽誕的用費，即最保守的估計，亦達到新台幣一億元左右云。（六月二十日于台北）

海外僑報駐台記者台中行

（本報駐台記者通訊）台灣省政府搬到中興新邨以後，台中附近業已成爲省政府的中心，近兩年來，在政治上雖有不少改進，建設上雖有不少成就，惜乎這一類的報導，一直被中興新邨辦警案的新聞所沖淡，海外僑報駐台的新聞從業人員，早就希望能有一次集體訪問的機會，將進步中的台灣省政，爲關心祖國的海外僑胞，描繪出一副較值得的圖畫。

台灣省政府的新聞處，最近終於滿足了我們的願望，本月七日，邀約了所有駐台的僑報代表一行十七人（男性十五人，女性二人），作爲期二日的中部訪問。

中興新邨，位南投草屯間，完全是荒野中，建設起來的一座嶄新的城市，車子過了古舊的草屯不久，即進入新邨的範圍，那一片整齊新穎的建築，包括辦公大廳、宿舍、學校、近代化的商場、理髮店、電影院等，柏油馬路遍通了新邨的每一個角落，公路的車輛更連接了到各處去的交通。

未到中興新邨之前，想像中，總以爲這座新邨，早已被那批官商勾結的傢伙，糟塌得不知成何模樣。事實告訴我們，當初的設計者，確曾爲了這座建築，費了無窮的苦心。記者們在聞報室聆聽報告時，外面正大雨傾盆，可惜這一座壯觀新建的房屋，屋頂已在漏雨，諸如此類的毛病，可能都是那批不肖之徒，所留下來的罪惡陰影，否則中興新邨眞應該是一件完善的創作。

省議會大廈，在距中興邨外不遠的霧峯，是一座考究的西式建築，前面的廣場，裝修得如現代的公園，據說晚上當園中的電燈通通亮了後，有若天上的繁星，非常美麗。

會議廳的佈置尤爲不凡，議長座的高背椅，很像電影上大法官的寶座，每位議員擁有一張桌子，每兩桌之間置有擴音器，俾能暢所欲言。

議員的會館，設計也極爲週到，有一人間，也有兩人間的寢室，有舒適的餐廳，還有可以小酌的酒吧，爲議員服務的職員宿舍，則係一幢幢紅色的小洋房。有人說，民意的代表，有這樣好的環境，壞事總該出不了大門。

八日晨訪問自由中國唯一的教會大學——東海大學。學校在台中市的西郊，據說當年係出名的無景之區，十分荒涼，但目前已被公認爲台中之一景了。

全校大小建築百餘幢，格調頗爲別緻，矗立在一望無際的原野，巍然壯觀。建築的設計，均出自旅美名建築師貝聿銘之手。記者們參觀全校各種設備時，一向係「男賓止步」的女生宿舍，竟也破例讓男記者們登堂入室。四人一間的臥室，予人以整齊清潔的印象，這時宿舍中的交誼廳，正傳出一陣陣抑揚的鋼琴聲，好似在歡迎我們這一羣來自遠方的陌生人。

吳德耀校長在百忙中，抽暇和記者們晤談了十幾分鐘，並以台中的特產荔枝和鳳梨酥，風味果然不凡。

中央電影製片公司的台中製片廠，有自由中國最具規模的攝影棚。在省新聞處王道處長的宴請而又輕鬆的晚餐後，爲時雖已過九時，記者們還是冒着大雨，趕去參觀。

當時正在拍攝「魔窟殺子報」，剛從馬來亞參加影展回來不久的「第一美人兒」夷光，當時也在場，當我們發現她時，男記者們的情緒，突轉入高潮，夷光確是美麗，我們會和在場的幾位影星拍照，能和他們靠在一起的，無不引以爲榮。

來回近七小時的小車中，記者們談笑風生，毫無旅途勞頓之感，輕鬆的氣氛，使漫長的旅途，幾乎在不知不覺中度過。年長的記者們，幾乎有個一致的話題，就是有說不盡的怕老婆，他們認爲越是怕老婆，事業才越會成功。年青的記者們則另有一套，天南地北，海闊天空，同行的女明星，車上的服務小姐，全是目標，妙語如珠，有說不盡的俏皮話。

僑報記者們，這次集體訪問中部之行，確實收獲不少。遺憾的是沒有挑好日子，竟遇上十年來台灣僅有的全省大豪雨，好幾處的鐵路被冲毀，差一點不能按照八日晚的行程回台北。

竹幕幽秘

大陸的天災！

六月一日至四日，河南、河北、陝西大雨，影響了成熟的麥的收割。三日下午，上海暴風雨，影響最大的是油菜的收穫。

七日，山東發生雹災，連同五月二十六，二十八，兩次較輕的，共計全省受雹災的達三十三個縣市，耕地面積一百萬畝。受災嚴重的是汶上、曲阜、肥城、寧陽四個縣，麥粒大部被打落，春苗大部被砸毀。

八日，湖北的武漢地區與湖南的黔陽大雨，十小時降雨二百五十多公厘；孝感、雲夢、黃陂三縣初步統計，被淹的棉花、稻田、雜糧共二十多萬畝。

九日，內蒙大雨，京包鐵路的三岔口一段路基被洪水冲毀。同日，福建的汀江、九龍江、晉江、木蘭溪一帶有不同程度的泛濫。

此外，在六月初，漢水、洞庭湖水系、鄱陽湖水系、黃河、淮河、永定河水系均告上漲，其中尤以廣東的珠江水系，江西的修水，湖南的洞庭湖區更爲嚴重。

十二日，廣州至深圳、廣州至三水的鐵路，廣州至梅縣，廣州至汕頭的公路均被淹。

十四日，廣東的東江泛濫，惠陽、河源、博羅、增城四個縣城被淹。受災耕地面積已達三百五十萬畝以上。

十七日，東莞縣城亦被淹，西江、北江亦暴漲，廣州市區已受洪水威脅。十八日中國新聞社對於廣東省的夏收已不抱希望，僅希望「力爭三千五百萬畝晚稻能及時下種。」

至十七日止，廣西省的南寧、柳州、玉林、梧州等四個專區，被淹耕地已達一百五十萬畝。

十八日起，廣西省又大雨，北江、西江水位再度上漲。

二十日，東江水勢稍退，西江、北江被稱爲百年來最大洪水威脅形成。

二十二日，江西鄱陽湖水系的四大河流，均已超過警戒水位，沿岸已有若干地區被淹。

至截稿時止，廣東東江水勢雖已漸退，而北江、西江的洪峯尚未到達，估計其流量將達每秒五萬公方以上，原預計一特大洪峯將於二十一、二日至西江、北江匯合處，後推遲爲二十三、四日，其所以推遲的原因，可能在上游已經潰決，使水勢延緩。廣州至深圳鐵路至二十三日尚有一段被淹，上述消息，僅止于十八日人民日報與二十三日香港大公報，江西、湖北、湖南、福建的水災尚未有詳確報導；即以廣東廣西兩省的災情來看，最保守的估計，其夏收也不會有三成收成，秋收恐亦將受到影響。

還需注意者，是東北的吉林與遼寧兩省的旱災，據外電北平訊，二十日人民日報已承認其將影響早造的收成。可見這一時期的天災，幅員之廣了！

○田心○

自由世界中唯一共產政權

印度凱果拉邦眞相

○旭軍○

自由世界唯一的共產政權，印度的凱果拉邦政府，因實施教育改革法案，使政府對於該邦各私立學校，具有絕對控制權，引起人民反對。共黨濫施屠殺逮捕，演變成民衆抗暴，而謀推翻此共黨政權。現此暴風潮尚未了，印度總理尼赫魯且於廿二日親到凱果拉邦視察。此事雖屬地方政權之爭，但對於自由世界，却有反共鬥爭的教訓，故值得我們去了解。

下面是印度『思潮週刊』記者親到凱果拉邦訪問調查所獲的眞實情形。

凱果拉邦，只是印度西南端一個小邦，人口在一千三百萬左右，其社會組織，大概分三部：（一）印度教徒（約九百五十萬人），（二）基督教徒（約三百萬人），（三）回教徒（約二百五十萬人）。

而在印度教中，有六百萬人是屬階級的，却有三百五十萬是無資格列入階級的。（NON-CASTE）

列階級的印度教徒，分成若干階級，彼此又不睦。無階級的賤民大多屬於工人與農民。

基督教與回教徒，是從事工商業及自耕農。基督教徒控制着商業工業，與教育機關的地位。而回教徒大多數集中於馬拉巴區。

凱果拉邦的政治與此等社會組織的關係很密切。共產黨大多數屬於無階級的印度教徒，而其黨的領袖，又係屬於封建階級，受高等教育，有閒的而又係無職業，愛攪風攪雨的印度教徒。

現在的凱果拉邦首席部長那波里潘，却是一個富有的地主。凱果拉的共產黨，可稱爲：『那波里潘與無階級印度教的黨』。

國大黨中以天主教最佔勢力。他們是極反對共產黨的。許多基督教徒在選舉中，公開勸人民選國大黨候選人。

結果國大黨在該邦成爲『基督教黨』。

素來反對基督教的印度教徒，亦反對國大黨了。

凱果拉邦在印度是基督教徒最多的一邦，教會教育素極發達，此次政府對施行教育改革法案，也是反基督教政策。

此外尚有一『革命社會黨』，純屬工人之黨，在勞動界佔很大的勢力。『大衆社會黨』有階級的印度教徒佔勢力。許多是支持共產黨的。這是巴結執政黨的傳統作風。但現在那些無階級的印度教徒，不滿意共產黨政府者，都紛紛加入大衆社會黨。

回教同盟黨也是反對共產黨的。

現在這屬共產黨的政府首席部長那波里潘，雖然出身富農，但政治慾強，故左傾，謀另闢途徑，而成爲凱果拉邦最著名的工人領袖。他享有一種神秘的聲譽與神聖。他裝出一種剛毅誠實的智者樣子。他在演說中，運用史達林派作風，影響羣衆很深。他享有的聲譽不下於尼赫魯。甚至許多在凱果拉反共的人，也說：那波里潘是一個好人，而共產黨是個壞黨。

共產黨甚至利用印度教徒的情緒。他們宣傳說那波里潘是『辛加拉緒二』。據說這位在古代亦出世在凱果拉邦的教主，曾毀滅了佛教。

許多有思想的人，認爲一切反對黨，應團結起來，反對共產黨。

現在凱果拉共黨政權的警察，又怎樣與民衆爲敵呢？原來此共產黨政府實行一種警察政策，原先是『不壓迫羣衆運動政策』，一方面藉此以查出警察中誰人是反共的。另一方面有利於共產黨的煽動與鬥爭。然而到了現在，凡是反政府，特別是反共產黨的運動發生，這種的警察政策便不實施了。警察中分出誰是反共誰是親共，那些反共的便陸續被排除了。

各界人民，學生、教員、農人、工人等，爲了各種不同的原因反對此政府，但糧食問題是嚴重的。共黨叫囂不但反對英、美、法，而且反對狄托的修正主義，在另一方面，大稱蘇聯和中共的成就。

印度所有的重大報紙，都稱凱果拉邦是無法無天。但並非大規模無政府主義，而是反對黨份子和他們的家人沒有安全感。各處的反共份子均有被暗殺。反對黨被欺凌。在警察未完全屬共黨份子之前，施用壓力，阻止警察逮捕暗殺份子。總之凱果拉邦的共黨政權的作爲，已給印度人民看清。許多人當日投共黨的票的，已追悔莫及。（取材自六月十三日之印度「思潮週刊」）

△　▽

大陸文壇透視

質量如何保持和提高

七弦

前些日子，筆者爲「祖國周刊」寫一九五八年的中共文藝時，曾提到去年大陸文壇的特徵之一是，「作品多快省，只是談不到好。」

中共在大躍進中，無論什麼事，都號召要達到多快好省。這個四字訣，實際上多快省全與「好」字抵觸而矛盾，無法結合而統一。不必說什麼「慢工出巧匠」和「欲速則不達」，只要追求多而且快，勢必粗製濫造，再加上要求省，就一定偷工減料了。粗製濫造和偷工減料的東西，又如何「好」得起來？又要馬兒好，又要馬兒不吃草，雖說馬列主義「萬應萬能」，至此也不能不黔驢技窮了。

「有嘢做，有嘢吃」，怎能把「嘢」做好，運到香港來騙外滙的大陸罐頭腐臭糜爛，茶酒摻有土砂，藥丸藥片粘到一起變成石頭，就是鐵的證明。文藝作品，更不同於工農業製品，爲了叫全國人都變成屈原和莎士比亞，「如今詩人萬萬千」，一個地方在一個月之間，就產生幾十萬首詩歌，而且詩人作詩又只是在工作間歇時那樣短暫的幾分鐘內，其多快省好，可謂已達到宇宙的水準矣！寫稿的人應該拿稿費的吧，但是去年由曹禺等人提倡降低稿費，一時羣起響應，各刊物遂規定一律照過去的稿費制度減半支給，並聲明要達到作家不要稿費的目的。出版費該是省不掉的吧，但中共也能省，去年有一大部分書刊是用土製的黑粗草紙印的，和鉛字印上的顏色幾乎無法劃分，管保讀上幾頁眼睛就吃不消。要畫家把畫塗在牆上，省去畫紙。要演員在田間街頭演唱，省去裝台子和佈景費。要真人演眞事，即將在港上演的「黃寶妹」，就是上海紗廠裏女工黃寶妹來自演自，不用演員，不用編劇，道具佈景都借用現場，拍一部電影，竟用不着花什麼錢，可謂集古今中外之大「省」，叫那些以百千萬金元拍一部片子的好萊塢老闆們看看，能不驚得吐出丈二的舌頭來？

去年中共還却自我陶醉在這種多快省的文藝「繁榮」中，今年不同了，他們注意到「好」上來，一致號召「提高質量」和「保持質量」。周恩來在「政協」會上稍微透露了一下，接着何其芳向周揚彙報，於是全國各地大呼起「注意質量」來。有人說，「解放」十年來的作品寥寥無幾；有人說，各部門的作家和藝員都缺乏接班人；也有人說，演員連國語都沒有練習純熟，如老舍「女店員」的演出失敗，就是由於演員說不好。中共今年高呼提高質量和保持質量，主要原因是去年多快省的產品，起不了教育作用，起不了教育作用，雖多奚益？雖快何貴？然而在現制度下，所謂「保持」「提高」云云，還不是徒託空言？

瘟君夢

第三回：點石成鋼　魔王施妙手　指鹿爲馬　嘍囉建奇功

林伯渠笑道：「這還不容易明白，假若成功了，當然一切困難都解決了，若是失敗了，倒霉的也是人民，你以爲中國還能餓死共產黨員，何況我同你。」

李富春眉頭一縐，剛想開口，林伯渠用手一指：「你不用說，我知道你的意思，大概又要說老百姓餓死了，黨和政府也受影響，其實這是廢話，一九五五年廣西有幾個縣人餓死了大半，影響廣西的黨政機構沒有，他們還不是照常的發號施令。」

提到廣西餓死人的事件，李富春覺得抓住把柄了，拖着胸口說道：「林老既然想起廣西餓死人事件，也應該知道陳漫遠這位省委第一書記都垮了，假若將來這個大躍進失敗，我們幾個主持人豈不也要受處分。」

活曹操摸着三綹長鬚笑道：「富春同志，你因爲身體太差，精神不够，所以對於許多問題，想的太多，膽的太少，你可現在不知道陳漫遠爲什麼垮的。實話告訴你吧！我同主席計議過，兩廣接近邊境，民風又強悍，完全交給當地人如何放心，所以廣東派了陶鑄，廣西就派了劉建勛去當第一書記，加強對兩廣地區的控制。」

李富春搖搖頭：「陶鑄當然沒有問題，劉建勛却不是湖南人呀！」

「劉建勛不是湖南人却是湖北人啊！兩湖容易團結一起，湖北人總比廣西人靠得住些。」活曹操仍然振振有詞。

李富春冷笑一聲：「那也不見得吧！湖北人也不一定靠得住。」

活曹操眼珠一轉，剛要開口，毛澤東却揉着睡眼出來了。習慣地坐在太師椅上，兩腳架在寫字檯上，劃着紙煙用力一吸，半截就變成了烟灰，然後睜着睡眼問道：「計劃擬好了沒有」？

李富春恭敬答道：「擬好了，送來請主席看看，有什麼地方要修改。」

毛澤東擺擺手：「你放在那裏，我夜裏再看，你今天和政治局幾位負責財經的同志說了沒有。」

李富春點點頭：「見到了周總理及陳雲，先念兩位同志。」

「噢！」毛澤東又換一枝紙烟：「他們怎麼說」？

「恩來同志並不反對，只是他說恐怕這個計劃在政治局通不過。」

毛澤東立時轉過身來，看着林伯渠。活曹操點點頭：「這是實話，主席不記得一九五七年一月主席所提大鳴大放政策，交政治局表決時，竟然有五票贊成，五票反對，七票棄權的事嗎？」

毛澤東左手托着前額，喃喃自語道：「這事怎麼辦呢？」（四七）

岳騫

在過渡中的俄國（下）

赫魯曉夫所想到的

淦克超譯。

克魯歇夫很快的想到：些許的自由，就像半瓶醋的學問一般，可能是危險的事物。他也明瞭：特權家庭中不滿意的成年兒女，較之農田、工廠裏辛苦工作的青年，更易成爲反抗現政權之集合點。而且像研究俄國歷史的任何學者一樣，他知道自由的一個知識份子，已經是俄國革命運動之領導人物，若他忘記了這教訓，波兹南及布達佩斯事件已經提醒了他。他的總結論是：史達林後期的改革精神，在若干方面，已進行太過了。

共產黨把文學和藝術當作控制蘇俄公民的心理之重要工具。克魯歇夫現在又以雷厲風行的方式，重來行使控制，在他向作家及藝術家的集會發表的一連串的演說中，演詞經發表節略於「共產黨人」雜誌（Kommunist一九五七年八月）。克魯歇夫定下了下述的規律：除了以黨來控制文學及藝術，別無他道，而且他將毫不遲疑的施用權力于逸出軌道的藝術家；在描寫蘇維埃社會時，有創造性的藝術家必須使黑暗面和光明面平衡，但光明面須佔優勢；又編輯人們的任令不忠實于社會主義的寫實主義之作品出版，將遭開革。克魯歇夫把整個的反對運動看得很嚴重，可見於他以匈牙利事件之教訓爲喻，「反革命利用了若干作家們以達成其卑污的目標。」

黨的文化政客，因爲偏愛那些天才最少的，使藝術永陷于平庸，藉爲自保之計，早已勝不過那些反對份子。現在，有了克魯歇夫的不妥協的支持，他們立即行動了。作家聯合會在全國各地都舉行會議，以擁護領袖對藝術的立場。決議經通過了：全國性的各種藝術聯合會即組織起來，以解決莫斯科和列寧格勒有力的反對力量。若干反對份子之隸共產黨籍的被迫作公開悔過，而文學和藝術之主要雜誌之著名編輯人，曾支持此項抗議的，經罷去職務了。雖則黨已重行建立其控制，但現時著名作家和有創造性的藝術家之「靜默陰謀」，和報章廣泛的鼓吹，勸他們不要怕對付當代蘇維埃生活之題目，可見仍有一股不滿意的強烈暗流持續着。（餘略）

釋耒集

家

曲齋

世界人類，無種族之別，莫不有家。有家之始，當自雜交狀態結束之後，亦即私有制度之所由生。漢時蓋寬饒論，五帝官天下，三王家天下，「官天下則傳賢，家天下則傳子」，竟以此爲執金吾所檢舉，因而獲罪自盡，天下憐之，可見私之一字，至漢猶復諱言。而家之不可少，亦於此可見，故男子必須「成家立室」，爲父母者，必期其兒子能「興家立業」。而「無家可歸」，遂爲人生最不幸之遭遇，有家之人，又大都不願離去其家，故俗諺亦云：「在家千日好，出路半朝難」。若霍去病之所謂：「匈奴未滅，何以家爲？」乃屬英雄豪傑之懷抱，自與常人不同，至若「打家劫舍」，專事毀滅別人之室家，則是強盜行徑，不足齒于人類。唐杜子美，一代詩人，當作拜左拾遺之日，即有「近侍祇今難浪跡，此身那可更無家」之作。韓退之以道統自命，諫迎佛骨，慷慨陳詞，以是被貶潮州，道出藍關，猶有：「雲橫秦嶺家何在？雪擁藍關馬不前」之嘆。是皆常人之戀戀於其家室兒女，實無庸諱言也。

原始之家庭，以常理推想，其內容必極簡單，大抵爲一男一女，一椽之屋以蔽風雨；十畝之田，雜植桑麻黍稷，男耕女織，以維生計，彼此實依存于生產勞動基礎之上，生育兒女，以至老病死亡，均無由離去此家。世運推移，文物漸備，家與家之需求由物物交換，進而至于以貨幣爲交易之媒介，于是相競出其智巧，相矜以利，相軋以勢，豪強者因而畜養奴隸，擴大耕地，由家而國，以至化家爲國，競爭無已時，安份謹厚之人，固守其力田自給之方式，此一家之生計，乃漸見其不易維持。晚明郎仁寶七修類稿奇謔類，記流行俗諺一則云：「青年未娶時，越河跳井，既娶後，如扭雪填井，娶久多生，不能養育，則投河奔井」，越河跳井，以喻需求之迫切，扭雪填井，明其勞而無功，至曰投河奔井，則已後悔莫及矣。憶袁宏道亦曾有言：「人之有家，舍之則不忍，傍之則可厭，如御敝衣冠，行荊棘叢中，動輒受其鈎掛」。故中世以下士大夫，往往多出家遁世之端，且有茹素禪居士，似欲暫忘其家者，同屬一家，乃一變而爲人生旅途上之包袱矣。雖曰如此，今我寄寓留異域，僦居斗室之內，無繞宅之桑麻，無庭院之松菊，無親賓之讌燕，無歲時伏臘之歡娛，無烹羊庖羔之豪舉，祭祀遊讌，百事俱廢，日惟昏昏忽忽，奔逐于車船輪轂之間，活動于四方箱子之內，謂之曰人，固已可笑之甚矣。而又稱其所居之斗室曰家，如非自欺，則不過聊以解嘲而已，如生而不思其本有之家者，夫豈人情也哉！

一篇日記　候車

陸問

據說，有一種名叫「窮等」的鳥，每當黃昏漲潮的時候，他們便飛到海濱的海灘上，一動不動地等着海潮漲沒，然後用尖細的喙啄食潮際間的游魚。每當我等車的時候，總不由自主的想到這種鳥兒，漸漸生出一種羨慕的心理，總希望能有這「窮等鳥」的忍耐，慢慢地守候着獵物。但日子一久，我知道這種訓練是再困難不過了。在這裏，我認識了一位居住鎭上的朋友，他的「受難」的日記，從給我讀的日記時算時，已快兩年了。

今天，一切照舊。五點多鐘，就起身了，有雞聲，卻沒有陽光，天上的雲呈現着魚肚般的灰白。天色未明，我就徒步走向鎭上的車站。路旁，田野裏，只有寥寥無幾的農夫在耕作。我用最快的速度行進着——雖然不至於跟跑百米一樣，但是實在沒有人能正確地說出是跑還是走。

快到車站，我看見前面幾個挑担的孩子，正作波浪式的起路，那根扁担，像彈性的蛇，不斷地起伏着。因爲我是徒手的，所以趕上了他們，但是我並不就此減低了速度，仍然徊向前去。

一會兒，我看到車站的亭子；此外，如果真要找出一個車站的標誌，只好是那個剝落的站牌了。它孤伶伶地挿在泥地上，字跡已模糊，而且，被一層深灰色的油污塗蓋了。當我看到站牌時，我放慢了脚步，緩緩步向站牌下，然而，只差一步的當兒，一個小學生從我背後竄了出來，我一看，原來是小明，他搶在我前面。

「早呀！工友叔叔！」他扮了一個鬼臉。

「早，小明。」要得！你又比我快了一步。」

我做這工友的差事半年多了。每天，和小明等車的時候差不多，所以便熟識起來。

「今天會曬太陽？」他臉上帶着天真的疑惑。

所謂「曬太陽」，是我們的俗語，因爲常有等車等了幾個小時的事，由太陽沒出來一直等到太陽出來，那時我們只有忍受着太陽的威力了。

「你以爲會不會？」我下忍用意料中的事實回答他。

「我怎麼曉得？」

「那我也怎麼曉得呀！」他笑了起來。

阿啟自言自語着：「這時候，我身後的老板恐怕不會要我了，那天趕不上時間了？」阿啟在城裏的一間店舖裏當店員，我們之間友誼的建立，也是由於等車。他常常感慨的說：「總有一天」，如果是外人，一定以爲有「大丈夫當如是也」「彼可取而代之」的宏願，然而我知道，他的「宏願」十分卑微，不過是希望每天能夠搭上車子而已。

六點半了，我們這[illegible]陸任意來意長，很有「神龍見首不見尾」的模樣。

人聲嘈雜，各種刺激的味道也都衝向鼻端。

一個挑青菜担子的小販，在我前面打着呵欠，對着他身邊的伙伴說：「唉！等這個車子，現在沒有法子。」

那個伙伴揉着眼，用含混的聲調說：「早上的生意趕不到，就沒辦法哦！昨天就有一大半賣不出去。」

這時，我聽到一種像小皮鼓的聲音，陣陣傳來；立刻，大家全把頭調了過來，一雙雙眼向遠處遙望，一張張的臉都緊張起來，耳朵雖然沒有向前合，但是似乎動了。

這皮鼓的聲音漸大，我見到一輛脫漆的像破殼子似的木箱子慢慢的移近來。

終于，四隻舊車輪架着一堆破銅爛鐵來了。其實，由於我很興奮的塵土蒙蔽了視綫的緣故，我不知究竟有幾隻輪子，不過依照常識的判斷，雖然它顯得那樣[illegible]，我想還不至於只有三隻輪吧！（上）

右公院長九秩開一榮辰有詩敬步元韵呈正

氣元用九見羣龍，玉帛春秋會再逢。霞蔚西原渭景運，扶輪大雅付長鐘。巖巖嶽峙瞻嶙峻，浩浩江洋讚有容。五畝鳥台觀杖履，仁風長被殢謳傭。

楊莫儉謹敬祝

栗海彈心錄

武昌起義（三）

阿公

萬之衆，佯力攻，相持數日，清軍迴揚家河，漢水大捷，我軍分渡搶敵，敵乃轉攻漢陽，十二日西自蔡甸口，東至英租界歆生路，[illegible]十七日不能，[illegible]而西，日夏口十餘萬衆，盡成焦土，我軍遂扼守漢陽，[illegible]龜山爲據，漢水漢陽之形勢，遂迴不敢進。此役兩軍開始時計損失，約五萬萬元，不可謂不重矣。

十三日黃克強先生，偕宋教仁、李書城何成濬等，自上海至武昌，翌日黎都督於武昌閱馬廠，黎都督登壇拜將，諸軍將領，拜公爲前敵總司令，李書城任參謀長，宋教仁何成濬任參謀職員，如日前駐漢陽，益以湘軍反正，湯薌銘任海軍司令，陸上將領鎖洗，率海軍艦泊江漢，江防益固。

十六日，清廷[illegible]遣使至武昌，黎公與之委蛇，[illegible]拒之。[illegible]漢陽三鎮，各以大[illegible]，馮部堅守，自是武昌十月初三日[illegible]，皆不利。初七，漢陽不守，湘軍橫渡而南，相爲同日下游，克復金陵，有主放游之議者，黎公力辭職，憤不欲生，左右挹之，由是解，扼江以守，趙恒惕炎午率廣西勁旅數千，兼程援鄂，湘軍又陸續至，南岸兵力益厚，江上下游，往來絡員，停兵石灰莊，自是敵攻馮江，無[illegible]游，民軍蜂起，新秀編新軍八師，準瀾，熊秉坤，吳兆麟，季雨霖，唐犧之，杜錫圭等分任之。

獨立各省代表，連翩來鄂，咸以大都督不足號召天下，統一指揮，擬組臨時政府於武昌，並推黎公爲大元帥，公以黃公自薦，劉首難，羅防城，鎮守關，欽派河口，廣州諸役，功在民族，望重當世，願以副職節制上游諸軍，中外協恩，黃公亦以武昌首義，率途北伐，一再推讓，黎公久之議始決，民初禮讓爲國，猶得於二公見之。

其時淞滬淮陽，所在稱革命軍者紛紛，陝西都督張鳳翽，山東都督孫寶琦，煙台都督胡瑛，潮州革命軍張紹曾，灤陽革命軍王天縱等，後通而起，黃公應以中華民軍元帥名義，分命陝西軍出潼關，規河洛，樹袁世凱之背，山西軍出太行，下井陘，與關東軍，灤州軍，會師燕京，其聲勢亦有足多者也。

港大的珍貴史料

陳永昌

香港政府最近宣布，於香港大學之外，成立一間中文大學，這件事對於香港教育文化將有極大的影響，然而香港之有大學教育，有不過四十三年。港大成立的時候，我國大學，僅限於首都北京，東南各省尙付闕如。當時我國封疆大吏認爲此是英人以文化利益分餉我國。大總統黎元洪且於港大第一次畢業典禮時，特頒祝詞。茲錄有關文獻於下，或亦關心香港高等教育者所樂知。

大總統頌詞

香港大學校舉行初次畢業典禮祝詞：

萬類并茂，受成於學。不有達者，孰念後覺。中西大通，心同理同。幸幸學子，咸引而伸之，大啓宏規，蔚於南海。寥瘼幾更，榮譽斯在。觀禮之盛，上擬鴻都。式播箴詞，以詔寰區。

中華民國五年十一月（原文用篆書刻於港大圖書館）

香港大學第一次授給學位頌辭

環球教育，歐亞稱盛，其在中土，導源於司徒契。其在歐西，權興於期巳達，雅典之學，[illegible]見其由小學而大學，教程秩然，與吾華學所言的會合。[illegible]道通商埠財，政治雖殊，而興學育才之意則一，英吉利換大邦，敬教勸學。國中大學，人才輩出，比年以來，增設大學於香江，以分餉吾國人。郇郇生[illegible]者，遂設驪怍。念人才教育，[illegible]大學，僅在首善，東南陝區，[illegible]戈，經始不遠。今幸英政府[illegible]巨金，策羣力。以良教師，[illegible]他日東南大學繼起，必來取[illegible]源，其毋忘友邦之賜。講信修[illegible]設援斯義，爲英政府祝，爲諸[illegible]。

中華民國五年十二月十四日廣東省長朱慶瀾謹頌

銀壇隨筆　談警匪醒世片

修衡

警匪驚險的醒世片，在觀衆心目中，只是賣弄情節，尤其是許多西部片，很少具有教育意義。年來，國產片爲矯正社會積習，轉移不良風氣，在製作上已大大改良，偏重道德，寓整倫理觀念。最近，電懋所推出一部新的警匪格鬥片，就是「勸邪扶正的新片，是紀述一段驚險緊張故事，在極短促的「四十八小時」中，構成了一個具體的警匪。該片由易文編導，易文的作品，向以深入淺出，描寫細緻見稱，他在這部片子的攝製過程中，很小心的對每一個鏡頭作了冗長時間研究，因爲，他想極力地避免造成相反效果。

演員方面的調配，也曾周詳策劃，物色著名角色，如王引、林翠、王萊、羅維等，都是傑出人才，尤其[illegible]人的影響尤深。該片以驚險槍戰的序幕開始，緊張刺激，扣人心弦，乃是最突出的高潮，特別是，王引飾演的匪首領，那種機智脫險演技，首先使觀衆內心震顫；其次在逃亡之中的各種巧遇，情節離奇曲折，自舍王引而無適當的角色；王萊和林翠的演出，似乎毋待介紹，觀衆早已明白，而她倆在該片均有不同姿態出現，於個性刻劃方面，直使人刮目相看。羅維和尤光照都是性格明星，演技熟嫻，不必多說，這部「逃亡四十八小時」新片，一經上映，當可明白跟一般性的警匪戰片不同。

悼念昭瀛先生

觀

四十五年六月廿三日是昭瀛先生逝去的日子，當年這一噩耗傳來，識與不識均爲之震悼悲傷；尤其外交部同仁更感喪失良師，其後外交部長葉公超博士曾於外交部追悼時昭瀛先生紀念會上，追往事，竟至失聲淚下；益使與會人士痛悼昭瀛先生逝去，無可補償。

今天，是先生逝世三週年之期，外交部亦人事滄桑，當年葉公超先生，胡慶育先生與昭瀛先生可謂三位一體，患難與共；外交工作得以維持不墜，豈是偶致？昭瀛先生爲外部常次，經管人事完全奉公守法，即更先生官舍漏雨亦不修繕，但儘量爲外部同人公共宿舍增築改善。每晨特與總務長同一車到部辦公，下班亦然，此外從不使用公車。

昭瀛先生學養有素，亦莊亦諧，中英文造詣俱屬精絕，下筆萬言，立而可待，對於後進提攜不遺餘力；旨在爲外交部培植人才，向來不分畛域，而今先生已逝，當年三位一體之葉公超先生卻已負命使美，胡慶育先生刻在閒曹，回首當年，良可慨嘆，若說葉公超先生，胡慶育先生，與昭瀛先生，主持外交部期間，雖不能謂爲絕後，也可說得上空前了。（六月廿三日於台北）

史地傳記類　PC0273

自由人（八）

編　　者／陳正茂
責任編輯／邵亢虎
圖文排版／彭君浩
封面設計／陳佩蓉

法律顧問／毛國樑　律師
印製經銷／秀威資訊科技股份有限公司
114台北市內湖區瑞光路76巷65號1樓
電話：+886-2-2796-3638　傳真：+886-2-2796-1377
http://www.showwe.com.tw
劃撥帳號／19563868　戶名：秀威資訊科技股份有限公司
讀者服務信箱：service@showwe.com.tw
展售門市／國家書店（松江門市）
104台北市中山區松江路209號1樓
電話：+886-2-2518-0207　傳真：+886-2-2518-0778
網路訂購／秀威網路書店：http://www.bodbooks.com.tw
國家網路書店：http://www.govbooks.com.tw

2012年12月復刻版
定價：2500元

國家圖書館出版品預行編目

自由人 / 陳正茂編. -- 一版. -- 臺北市 : 秀威資訊科技,
2012. 12-
冊； 公分. -- (史地傳記類)
BOD版
ISBN 978-986-326-020-2(第1冊 : 精裝). --
ISBN 978-986-326-016-5(第2冊 : 精裝). --
ISBN 978-986-326-017-2(第3冊 : 精裝). --
ISBN 978-986-326-018-9(第4冊 : 精裝). --
ISBN 978-986-326-019-6(第5冊 : 精裝). --
ISBN 978-986-326-022-6(第6冊 : 精裝). --
ISBN 978-986-326-023-3(第7冊 : 精裝). --
ISBN 978-986-326-024-0(第8冊 : 精裝). --
ISBN 978-986-326-025-7(第9冊 : 精裝). --
ISBN 978-986-326-026-4(第10冊 : 精裝). --

1. 報紙 2. 香港特別行政區

059.92 101021409

讀者回函卡

感謝您購買本書，為提升服務品質，請填妥以下資料，將讀者回函卡直接寄回或傳真本公司，收到您的寶貴意見後，我們會收藏記錄及檢討，謝謝！如您需要了解本公司最新出版書目、購書優惠或企劃活動，歡迎您上網查詢或下載相關資料：http:// www.showwe.com.tw

您購買的書名：________________________________

出生日期：________年________月________日

學歷：□高中（含）以下　□大專　□研究所（含）以上

職業：□製造業　□金融業　□資訊業　□軍警　□傳播業　□自由業
　　　□服務業　□公務員　□教職　□學生　□家管　□其它_____

購書地點：□網路書店　□實體書店　□書展　□郵購　□贈閱　□其他

您從何得知本書的消息？

□網路書店　□實體書店　□網路搜尋　□電子報　□書訊　□雜誌
□傳播媒體　□親友推薦　□網站推薦　□部落格　□其他__________

您對本書的評價：（請填代號　1.非常滿意　2.滿意　3.尚可　4.再改進）

封面設計____　版面編排____　內容____　文／譯筆____　價格____

讀完書後您覺得：

□很有收穫　□有收穫　□收穫不多　□沒收穫

對我們的建議：________________________________

____

____

____

請貼
郵票

11466
台北市內湖區瑞光路 76 巷 65 號 1 樓
秀威資訊科技股份有限公司 收
BOD 數位出版事業部

（請沿線對折寄回，謝謝！）

姓　　名：＿＿＿＿＿＿＿＿　年齡：＿＿＿＿　性別：□女　□男

郵遞區號：□□□□□

地　　址：＿＿＿＿＿＿＿＿＿＿＿＿＿＿＿＿

聯絡電話：（日）＿＿＿＿＿＿＿＿（夜）＿＿＿＿＿＿＿＿

E-mail：＿＿＿＿＿＿＿＿＿＿＿＿＿＿＿＿